༄ ཁྲག་འཛག་མི་མགོ་ལྔ་བཅུའི་དོ་ཤལ་ཅན། །རིན་ཆེན་ཐོད་སྐམ་ལྔ་ཡིས་དབུ་ལ་རྒྱན། །
ཞིང་ལས་བྱོན་ནས་གཏོར་མ་ལེན་མཛད་པའི། །དཔལ་ལྡན་ཕྱག་དྲུག་པ་ལ་ཕྱག་འཚལ་བསྟོད། །

༄ འཇམ་པའི་བཀའ་ཉན་བསྟན་སྲུང་ནི། །དམ་ཅན་ཆོས་ཀྱི་རྒྱལ་པོ་སྟེ། །

ཞལ་གཅིག་ཕྱག་གཉིས་འཛིགས་གཟུགས་ཅན། །མགོན་པོ་ཁྱོད་ལ་ཕྱག་འཚལ་བསྟོད། །

༄། རྒྱལ་ཆེན་རྣམ་མང་ཐོས་སྲས་ནོར་མང་ལྡན། །གསེར་གྱི་ལྷུན་པོ་ལྟ་བུར་བརྗིད་ཆགས་ཤིང་། །
སྤྲིན་བྲལ་ཉི་མ་སྟོང་གི་གཟི་ལྡན་པ། །འདོད་དགུའི་ཆར་འབེབས་ཁྱོད་ལ་ཕྱག་འཚལ་བསྟོད། །

༄༅།ཞལ་གཅིག་ཕྱག་གཉིས་གཡས་པའི་རྡོ་རྗེ་ཡིས། །བསྟན་དགྲ་མ་ལུས་ཐལ་བར་བརླག་མཛད་ཅིང་། །
གཡོན་པའི་བུམ་པས་འདོད་དགུའི་དངོས་གྲུབ་སྟེར། །གནོད་སྦྱིན་ཆེན་པོ་ཁྱོད་ལ་བདག་བསྟོད་དོ། །
སེ་ར་སྨད་དང་བྲག་ཡེར་བསམ་གཏན་གླིང་། །ཆོས་མཛད་མཆོག་གི་སྲུང་མ་མ་སྲུ་སྟུལ་ཅན། །
ཐ་འོག་ཆོས་ཀྱི་རྒྱལ་པོ་འཁོར་དང་བཅས། །གཡེལ་བ་མེད་པ་རྟག་ཏུ་གྲོགས་བྱེད་ཤོག །

༄༅། །དམིགས་བརྩེ་མའི་ཆོས་སྐོར་དངོས་གྲུབ་ཀུན་འབྱུང་ཡིད་བཞིན་ནོར་གྱི་བང་མཛོད་ཅེས་བྱ་བ་བཞུགས་སོ།།

བར་ཆ

བློ་བཟང་ཚུལ་ཁྲིམས་བྱམས་པ་རྒྱ་མཚོ་སོགས་ཀྱིས་མཛད།
ཆོས་མཛད་དགེ་དཔལ་བཟོད་པ་རྒྱ་མཚོས་བསྒྲིགས།

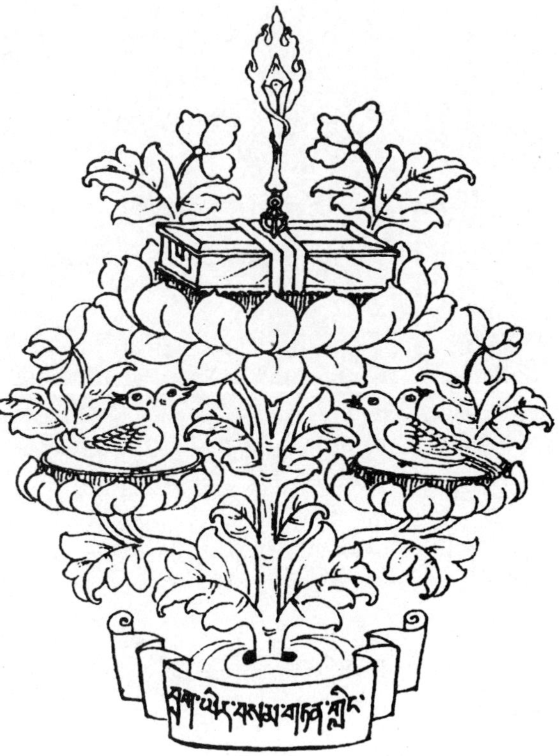

མི་རིགས་དཔེ་སྐྲུན་ཁང་།

སྙིང་གཞི།

༄༅། །ཐུབ་པའི་དབང་པོ་ཀླུ་སྒྲུབ་ཐོགས་མེད་ཞབས། །ཨ་ཏི་ཤ་དང་བློ་བཟང་གྲགས་པ་སོགས། །
དབང་བརྒྱུད་མན་ངག་ཟབ་མོ་སྩོལ་མཛད་པའི། །དྲིན་ཅན་བླ་མ་རྣམས་ལ་གུས་པའི་འདུད། །
ཤེས་རབ་སྟེར་ལ་རལ་གྲི་མཁའ་ལ་འཕྱུར། །སྙིང་རྗེས་ཡོངས་གང་བད་ཕྲེང་ཕྱག་ན་གནས། །
པ་རོལ་བདུད་དཔུང་འཇོམས་མཛད་རྡོ་རྗེ་འཛིན། །འཕགས་མཆོག་རིགས་གསུམ་མགོན་ལ་གུས་ཕྱག་འཚལ།
ལུང་རྟོགས་རྒྱལ་བསྟན་གསོ་བའི་ཆོས་སྡེ་ཆེ། །སེར་སྨད་འདུས་མང་སྒྲི་གཙུག་རལ་པའི་ཁྲིར། །
ཞབས་མཐིལ་རིན་ཆེན་གཉིས་པའི་དཔལ་སྦྱིན་ཏེ། །ཕྱག་ཡངས་རིང་དུ་བརྐྱངས་པའི་རྣམ་ཐར་རྨད། །
སྡེ་དེའི་ཆོས་ཚུལ་སྐྱོང་བའི་མཛད་བཟང་ལ། །ངག་དབང་རྒྱལ་མོ་ཡིས་ཀྱང་བསྔུན་མིན་པའི། །
ཆོས་ལྡན་བྱ་བར་བཟོད་མཆོག་གོ་བསྒོམས་པ། །བསྐལ་པ་རྒྱ་མཚོའི་བར་དུ་ཞབས་བརྟན་ཤོག །
དེ་ཡི་ཐུགས་བསྐྱེད་ལྷ་ཆེན་རལ་གློང་ལས། །གཙུག་ལག་གཏྲུའི་བུ་མོ་སྐྱེག་པའི་ཉམས། །
འདི་ན་མངོན་པར་དགེས་པའི་མཆོད་ཡོན་གྱིས། །དཔྱོད་ལྡན་ཡིད་ལ་འོད་སྣང་རྒྱས་གྱུར་ཅིག །
འབྲི་གློག་བྱ་བ་ལས་ཀྱི་འཁོར་ལོ་སྟེ། །ལུང་གི་བསྟན་པ་གསོ་བའི་སྨན་མཆོག་ཉིད། །
ཚུལ་འདིས་ཆོས་ལྡན་ཁ་བ་དཀར་པོའི་ལྗོངས། །ཡོངས་སུ་འགེངས་པའི་དགེ་ལེགས་ཉམས་མེད་ཤོག
ལྷག་བསམ་འོ་མའི་མདངས་དང་ཟླ་བའི་བཞིན། །རྣམ་པར་དཀར་བའི་ལང་ཚོ་མ་ཉམས་པ། །
གང་གི་ཡིད་ལ་བཤད་སྒྲུབ་རྒྱལ་བའི་བསྟན། །སྙིང་པོ་རིན་ཆེན་མི་ཉམས་གོང་འཕེལ་ཤོག །

ཅེས་ཚིགས་སུ་བཅད་པ་དུ་མས་མདུན་བསུས་ནས་གང་གླེང་བར་བྱ་བ་ནི་འདི་ལྟ་སྟེ། ཕྱོགས་བཅུའི་རྒྱལ་བ་ཀུན་གྱི་ཐུགས་མཁྱེན་པའི་ཡེ་ཤེས་ཀྱི་ཕུང་པོ་མཐའ་དག་གཟུགས་ཅན་སྨྲ་མ་ཆེན་པོའི་རྣམ་པར་རོལ་པ། ཆོས་ཕུང་བརྒྱད་ཁྲི་བཞི་སྟོང་གི་སྙིང་པོ་མ་ལུས་པར་མི་འཛིགས་པའི་སྤོབས་པ་མཆོག་གིས་རྒྱས་བཏབ་སྟེ། རིས་མེད་འགྲོ་བ་ཡོངས་ལ་ལན་དང་གྲགས་པ་སོགས་ལ་མི་ལྟ་བར་སྩོལ་བར་མཛད་པའི་བདག་ཉིད་ཆེན་པོ། སྙིགས་མའི་དུས་འདིར་མཚན་ཙམ་བརྗོད་པར་དཀའ་བ་དོན་གྱི་སྐད་དུ་མཚན་ནས་སྨོས་ན་ཁམས་གསུམ་འགྲོ་བའི་རེ་བསྐོངས་ཤར་ཙོང་ཁ་པ་ཆེན་པོ་བློ

བཟང་གྲགས་པའི་དཔལ་ཞེས་གསུང་གི་སྟན་པའི་བ་དན་སྲིད་པ་གསུམ་ན་གཡོ་བ་གང་གི་བླ་མའི་
རྣལ་འབྱོར་ཉམས་སུ་ལེན་པའི་མན་ངག་གི་རིམ་པ་རྣམས་དང་། རྗེ་བདག་ཉིད་ཆེན་པོ་ལ་བརྟེན་
པའི་རྣལ་འབྱོར་གྱི་སྒོ་ནས་བསྟན་པ་རྒྱས་པ་དང་། འགྲོ་བ་བདེ་བའི་ཐབས་སྣ་ཚོགས་སྟོན་གྱི་
སྐྱེས་ཆེན་དམ་པ་རྣམས་ཀྱིས་ཕྱག་ལེན་མི་འདྲ་བ་ཇི་སྙེད་ཅིག་མཆིས་པ་རྣམས་ཕྱོགས་གཅིག་ཏུ་
བསྒྲིགས་པའི་དམིགས་བརྩེ་མའི་ཆོས་སྐོར་རིན་པོ་ཆེ་འདི་ཉིད་རྒྱལ་བའི་བསྟན་པ་སྤྱི་དང་། བྱེ་
བྲག་རི་བོ་དགེ་ལུགས་པའི་གཅེས་ནོར་བླ་ན་མ་མཆིས་པ་ཞིག་ལགས། དེར་མ་ཟད་སངས་རྒྱས་ཀྱི་གོ་
འཕང་སྒྲུབ་པ་ལ་དད་པ་དང་ཤེས་རབ་གཙོ་ཆེ་བས་རྗེ་བཙུན་འཇམ་དཔལ་དབྱངས་ལྷ་བུ་ལ་བརྟེན་ན་
ཆེ་གསལ་མྱུར་ཟབ་སོགས་ཀྱི་ཤེས་རབ་གང་སྒྲུབ་པ་ཐོག་མེད་དུ་འཕེལ་བས་རྗེ་རིན་པོ་ཆེ་ནི་རྗེ་
བཙུན་འཇམ་དཔལ་དབྱངས་དང་ངོ་བོ་དབྱེར་མེད་པ་སྟོན་གྱི་དཔེ་ཚན་ལྟ་བུ་ཡིན་པ། སངས་རྒྱས་
གཅིག་གི་སྤྲུལ་པ་ཡིན་ན་སངས་རྒྱས་ཐམས་ཅད་ཀྱི་སྤྲུལ་པ་ཡིན་དགོས་པར་སངས་རྒྱས་ཐམས་ཅད་
ཆོས་ཀྱི་དབྱིངས་སུ་རོ་གཅིག་པའི་རྒྱུ་མཚན་ནོ། དེའི་ཕྱིར་རྗེ་བཙུན་འཇམ་དཔལ་དབྱངས་ཀྱིས་
སྤྲུལ་པ་ཡིན་ན་སྤྱན་རས་གཟིགས་དང་གསང་བདག་གི་སྤྲུལ་པ་ཡང་ཡིན་དགོས་ཏེ་མཁྱེན་བརྩེ་
ནུས་གསུམ་གང་ཟག་གཅིག་གི་རྒྱུད་ལ་སྐྱེ་བ་ལས་ཁ་བྲལ་དུ་མི་རུང་བ་སྒྲུབ་པའི་དུས་སུ་ཡང་
འཕགས་པ་རིགས་གསུམ་མགོན་པོ་དང་རྗེ་བདག་ཉིད་ཆེན་པོ་དེ་ཉིད་འོ་ཆུ་གཅིག་འདྲེས་སུ་
སྒྲུབ་པ་ལས་ལོག་སུ་སྒྲུབ་པ་མེད། དམིགས་བརྩེ་མ་ཞེས་པའི་ཚིག་ནི་ས་གསུམ་ན་འགྲན་པའི་ཟླ་
དང་བྲལ་བའི་མཁས་པ་ཆེན་པོ་གཉིས་གཅིག་གིས་གཅིག་ལ་ཕར་འཕུལ་ཚུར་འཕུལ་གྱིས་བསྟོད་པ་
ངོ་མཚར་བ་ཞིག་ལྷག་པར་དགའ་ལྷ་འབྲེལ་བའི་གསོལ་འདེབས་དམིགས་བརྩེ་མ་འདི་ལྟ་བུ་ཉིས་སུ་
ཕླང་ན་ནད་གདོན་བར་ཆད་ཐམས་ཅད་བཟློག་པ་འདུལ་ནག་པས་བེ་ཉར་བ་ལ་བཀའ་བསྟོས་པ་ལྟ་བུའི་
བྱིན་རླབས་ཀྱི་ཚན་ཁ་ཆེ་བ་དང་། མཐར་ཐུག་དགའ་ལྡན་ཞིང་ཁམས་སུ་སྐྱེ་བ། ཚེ་རབས་ཀུན་ཏུ་རྗེ་
བླ་མས་རྗེས་སུ་འཛིན་པ་སོགས་ཀྱི་དགོས་པ་ཁྱད་པར་ཆེ་བས་སྟོན་བྱོན་མཁས་པ་གོང་མ་རྣམས་
ཀྱིས་གསུངས་རྒྱུན་དམིགས་བརྩེ་མའི་ཆོས་བསྐོར་གྱི་པོ་ཏི་གཉིས་སེ་རའི་མཁན་རིན་པོ་ཆེ་ཀུན་
ཡེ་ཤེས་བྱམས་པ་ལགས་ཀྱིས་སེར་སྨད་ཆོས་མཛད་རིན་པོ་ཆེ་དག་དབང་བཟོད་པ་རྒྱ་མཚོ་མཆོག

ལ་གནང་ནས་རིན་པོ་ཆེ་གང་ཉིད་ནས་དཔེ་རྒྱུན་འདི་པར་དུ་བསྒྲིགས་པའི་དགོངས་པ་དེ་ཕྱོགས་སུ་བབས་ནས་སྨུམ་ཟད་མར་མེ་ལྷ་བུའི་རྗེའི་བསྟན་པ་འདི་རྡི་སྲིད་འཁོར་བ་མ་སྟོང་གི་བར་དུ་བསྲིངས་ཐུབ་ན་ཅི་མ་རུང་སྙམ་པ་དང་། ལྷག་པར་འཕགས་པ་རིགས་གསུམ་མགོན་པོ་དང་རྗེ་བོ་དབྱེར་མ་མཆིས་པའི་རྗེ་བདག་ཉིད་ཆེན་པོ་དེ་ཉིད་ལ་མི་ཕྱེད་པའི་དད་གུས་བརྟན་པོ་ཐོབ་པའི་འཁོས་དམན་སྐལ་མཉམ་དོན་གཉེར་བ་རྣམས་དང་། དགོན་སྡེ་ཁག་ན་བཞུགས་པའི་ཐོས་བསམ་ལྷུར་ལེན་གནང་མཁན་གྱི་དགེ་འདུན་རྣམས་ལ། ཆོས་དང་རིག་གཞུང་གི་ཚོགས་སྡེ་ཁག་ཏུ་བཞུགས་པའི་མཁས་དང་ཉམས་ཞིབ་གནང་མཁན་དང་ཉོས་ལེན་གནང་མཁན་འགའ་ཞིག་ལ་དཔེ་རྒྱུན་དཀོན་པས་དབང་གིས། ཐོས་པ་མེད་པའི་སྐོམས་པ་དེ། །འབད་ཀྱང་དུད་འགྲོའི་སྒྲུབ་ཐབས་ལྷ་བུའི་དཔེ་དོན་དུ་མ་མ་ཟད་འཛིག་རྟེན་འདི་ཡིས་བྱ་བ་ཅུང་ཟད་ཞིག་ལའང་སློབ་དཔོན་ནི་རྒྱུས་ཡོད་མཁས་པ་ཞིག་བརྟེན་དགོས་ལ། སྐྱེ་བ་གཏན་གྱི་འདུན་མ་འདི་ལྷ་བུ་སྒྲུབ་པ་ལ་ཞེན་ཆེ་བའི་ལམ་སྟོན་དགེ་བའི་བཤེས་གཉེན་མཁས་པ་ཞིག་གམ་ཁྲུངས་དག་པའི་དཔེ་ཆ་སོགས་ལ་བརྟེན་པ་མེད་ན་གྲོང་པོ་སྨུམ་གྱི་ཐུལ་ཀྱང་མར་ཀོག་སྨུམ་གྱིས་མི་ཐུལ་བ་སོགས་ལོ་བརྒྱར་བསྒྲུབ་ཀྱང་སྦྱོང་བ་གང་ཡང་ཐོན་མི་ཐུབ་པས་དེས་ན་དཔལ་འབྱོར་རིན་ཆེན་ཚང་བའི་ཁ་བ་རི་པ་རྣམས་ཀྱིས་གཙོས་འགྲོ་བ་ཀུན་ལ་ཕན་ཕྱིར་པར་དུ་བསྒྲིགས་པས་དེའི་མ་ཕྱི་ལའང་གོང་འོག་ཀུན་ན་མི་གསལ་བ་ཡིག་ནོར་དང་བསྐྱུངས་ཡིག་སོགས་ཤིན་ཏུ་མང་བ་མ་ཟད་ལས་ཚོགས་བཅུ་གཅིག་ནག་འགྲོས་སུ་བཀོད་པ་ཞེས་པའི་མ་ཕྱིའི་ཤོག་ངོས་བརྒྱད་པ་དང་དགུ་པའི་མཐུད་མཚམས། དགུ་པ་དང་བཅུ་པའི་མཐུད་མཚམས་སུ་ཚིག་མི་འདྲ་བའམ་མ་ཚང་བ་མ་ཕྱི་གཞན་ནས་གོ་བསྡུར་ཐུབ་པ་བཟོ་ཁྲུལ་བགྱིས་པས་ནོར་འཁྲུལ་མི་ཉུང་བ་མཆིས་པས་མཁས་པ་དག་ནས་དཔྱད་པར་ཚལ། དེང་ཆར་འཛམ་གླིང་ཐོག་མི་རྣམས་ལྷོ་གོས་ཙམ་ཀྱི་ཡིད་མི་ཚིམ་པར་རང་རང་གི་མེས་པོའི་རིག་དངོས་ཤུལ་བཞག་ལ་སྲུང་སྐྱོབ། རིག་གནས་གཞན་གྱི་དགེ་མཚན་བསྡོགས་ཏེ་ཟླ་ན་མེད་པའི་རིག་གཞུང་དང་། དུས་རབས་གསར་པའི་ཚན་རིགས་དང་ཚེ་སྲོག་གི་བདེ་ཐང་གང་གི་ཐད་ལ་གསོས་སྨན་འབུལ་བའི་སྦྱོར་བ་ལ་བརྩོན་བཞིན་མཆིས། དེ་དག་གིས་སྐོམ་པ་ཆུ་འདོད་ཙམ་ལས་མཐར་ཐུག་གི་འབྲས་བུ་ཏིལ་ཙམ་སྨིན་མི་ཐུབ།

དེ་འདྲའི་ཁྲོད་དུ་རང་ཅག་བོད་ཀྱི་དམ་པའི་ལེགས་བཤད་དག་ལ་ནི་མཁྱེན་བརྟེན་གྱི་མི་ཉམས་གོང་འཕེལ་ཉམས་པ་སོར་ཆུད་བྱེད་པ་ནི་ཁ་བ་རི་པ་ཡོངས་ཀྱིས་མ་བསྐུལ་དང་བླང་གི་འགན་འཁྲི་ངོར་དུ་མི་ཐུབ་པ་ཞིག་གོ། གོང་ཞུས་དགེ་མཚན་དེ་དག་ལ་དམིགས་ཏེ་ལོ་གཉིས་ཙམ་རིང་ལ་གཙོ་བོ་སེར་སྐད་ཆོས་མཛད་རིན་པོ་ཆེ་ངག་དབང་བཟོད་པ་རྒྱ་མཚོ་མཆོག་གི་སྐུའི་ངལ་བར་མི་འཛེམས་པར་ཕྱག་ཡང་རིང་དུ་བརྒྱངས་པའི་ཐོག་དམིགས་བཙེ་མའི་ཆོས་སྐོར་དངོས་སྒྲུབ་ཀུན་འབྱུང་ཡིད་བཞིན་ནོར་གྱི་བང་མཛོད་ཞེས་བྱ་བ་པོད་གཉིས་པར་སྒྲུན་གནང་ཐོག་སླར་ཡང་སྔོན་བྱོན་སྐྱེ་ས་བུ་དམ་པ་རྣམས་ཀྱིས་གསུང་དུ་མ་ཐུབ་བསྡུས་བགྱིས་ནས་པོད་གཅིག་བསྒྲིགས་ཏེ་པོད་གསུམ་ཐོན་ཐུབ་པའི་འདུན་པ་ཆེ་བཞིན་ལག ཞུ་དག་པས་འདི་གའི་མ་ཕྱི་མི་གསལ་བ་དང་། གཞུང་ཚིག་མེར་སློབ་གཉེར་མ་བྱུང་བས་རྐྱེན་གྱིས། ནོར་བ་དང་ཆད་ལྷག་མི་ཙུང་བ་མཆིས་པས་མཁས་དབང་བློ་ལྡན་གཟིགས་པ་པོ་རྣམས་ཀྱི་སྤྱན་སྔར་བཟོད་པར་གསོལ་ལོ། །

བསྒྲིགས་པ་པོ་ཆོས་མཛད་རིན་པོ་ཆེ། ཡིག་འདྲུག་པ། བློ་བཟང་སྦྱིན་པ། བློ་བཟང་བསྟན་པ། ངག་དབང་བློ་གྲོས། ངག་དབང་དམ་ཆོས། ངག་དབང་འཕྲིན་ལས། ངག་དབང་མཁས་བཙུན། དགེ་བསྙེན་ངག་དབང་མཁས་བཙུན། ཨ་སྒྲོན། ཞུ་དག་པ། ཚུལ་ཁྲིམས་རྒྱ་མཚོ། འཇིགས་མེད་རྒྱ་མཚོ། འཕྲིན་ལས་རྒྱ་མཚོ། སེར་བྱེས་དགེ་འདུན་དཀོན་མཆོག བསྟན་འཛིན་བཟོད་པ། རྒྱ་སྨྲོར་བ་ཀྲིའུ་ཧེའི་ཡི་ངག་དབང་སྦྱིན་པ། ངག་དབང་སྒྲོལ་མ་རྣམས་པས་ངལ་བ་འཛེམས་མེད་ཀྱིས་དུས་ཡུན་རིང་པོར་དཀའ་སྤྱད་གནང་བར་སྙིང་ཐག་པ་ནས་ཐུགས་རྗེ་ཆེ་ཞུ་བ་ལགས། །

ལན་ཀྲོའུ་རྡོ་སྐྱ་ལུང་བྲག་ཡེར་བསམ་གཏན་གླིང་དཔེ་སྐྲིང་འཚོལ་བསྡུ་ཁང་གིས། །

རབ་བྱུང་བཅུ་བདུན་པའི་ལྕགས་ཡོས་ས་ག་ཟླ་བའི་ཡར་ཚེས་བཅོ་ལྔ་ཉིན། །

དཀར་ཆག

༄༅། །དགའ་ལྡན་ལྷ་བརྒྱ་མ་ཞེས་དེང་དུས་ཡོངས་སུ་གྲགས་པའི་ཟབ་ལམ་བླ་མའི་རྣལ་འབྱོར་ཉམས་སུ་ལེན་ཚུལ་གྱི་ཁྲིད་ཡིག་མན་ངག་གནྡའི་ཆུ་རྒྱུན་བབས་པའི་ཟེགས་མ་ཞེས་བྱ་བ་བཞུགས་སོ།

༄༅། །ན་མོ་གུ་རུ་མཉྫུ་གྷོ་ཥ་ཡ། བརྩེ་བས་འགྲོ་དང་མཁྱེན་པས་ཆོས་ཀུན་ལ། །གཟིགས་པ་དག་ཅིང་ཆེས་ཆེར་སྐྱིགས་དུས་ཀྱི། །འདུལ་དཀའི་འགྲོ་དོན་བསྒྲུབ་ལ་ནུས་མཐུའི་དཔལ། །མཚུངས་མེད་འཇམ་མགོན་བླ་མ་ཐུབ་གི་ཡུལ། །གང་དེས་ལེགས་གསུངས་འོ་མའི་མཚོ་ཆེན་ལས། །སྣ་ཚོགས་སོས་ལྡན་སྐལ་བཟང་འགྲོ་རྣམས་ཀྱི། །དབང་པོར་འཚམ་པའི་བདུད་རྩིའི་བགོ་བཤའ་དག །སྤེལ་མཛད་བརྒྱུད་པར་བཅས་ལ་གུས་པས་འདུད། །སྲས་བཅས་རྒྱལ་བས་ལེགས་གསུངས་སྙིང་པོའི་བཅུད། །གཅིག་ཏུ་བསྡུས་ནས་གོ་སླའི་མན་ངག་གི །སྒྲོན་མེ་བཏེགས་ཏེ་བདག་འདྲའི་འགྲོ་བ་ལ། །ལམ་བཟང་གསལ་མཛད་དྲིན་ཅན་བླ་མས་སྐྱོངས། །འདིར་ཁམས་གསུམ་ཆོས་ཀྱི་རྒྱལ་པོ་ཙོང་ཁ་པ་ཆེན་པོ་ཞེས་སྙན་པའི་གྲགས་པ་ས་གསུམ་ན་གཡོ་བར་མཛད་པ་དེ་ཉིད་གདུལ་བྱ་རྣམས་ཀྱི་ཐུགས་ལྷུང་གི་བསྟོད་བསྔགས་ཙམ་གྱིས་གྲགས་པ་ཕྱོགས་བཅུར་ཁྱབ་པ་མ་ཡིན་པར་རྗེ་ཉིད་ཀྱི་མཁས་བཙུན་བཟང་གསུམ་གྱི་རྣམ་ཐར་རྨད་དུ་བྱུང་བ་ལ་རྣམ་དཔྱོད་དང་ལྡན་པ་ཐམས་ཅད་ཀྱི་ཡིད་རབ་ཏུ་འཕྲོག་ཅིང་། སྟོན་པ་ཉི་མའི་གཉེན་གྱིས་ཀྱང་འཇམ་དཔལ་རྩ་རྒྱུད་སོགས་དང་། །སློབ་དཔོན་ཆེན་པོ་པདྨ་འབྱུང་གནས་ཀྱི་བཀའ་ཐང་། མ་གཅིག་ལབ་ཀྱི་སྒྲོན་མས་ལུང་བསྟན་སོགས་ལས་གསལ་བ་རྣམས་ཡོངས་སུ་གྲགས་པས་འདིར་བརྗོད་མ་དགོས་ཤིང་། རྗེ་བདག་ཉིད་ཆེན་པོ་འདི་ཉིད་ཐུབ་པའི་ལུགས་མཆོག་དྲི་མ་མེད་པ་འཕགས་པའི་ཡུལ་དང་གངས་ཅན་གྱི་ལྗོངས་འདིར་གསལ་བར་སྤེལ་བ་ལ་མཁས་གྲུབ་གང་གིས་ཀྱང་འགྲན་ཟླ་མེད་པ་ཡིན་པའི་

ཚུལ་ནི་རྗེ་བཙུན་འཇམ་དཔལ་དབྱངས་ཀྱིས་རྗེ་བདག་ཉིད་ཆེན་པོར། །དཔལ་ལྡན་ཟླ་བ་ནི་སྙིང་སྟོབས་དག་པའི་ཞིང་ཁམས་ཁྱད་པར་ཅན་ཞིག་གི་རྒྱལ་སྲས་བྱང་ཆུབ་སེམས་དཔའ་ཆེན་པོ་རྣམ་དཔྱོད་དང་སྙིང་སྟོབས་ཕུལ་དུ་བྱུང་བ་ཞིག་ཞིང་འདིར་བསམ་བཞིན་དུ་སྐྱེ་བ་བཞེས་པ་ཡིན་པས་མདོ་སྔགས་གང་གི་ཐད་ནས་ཀྱང་ཚད་མར་འཛིན་དུ་འོས་པ་ཡིན་ཞེས་དགོངས་སུ་གསུངས་ཤིང་དཔལ་ལྡན་ཟླ་བས་མདོ་དང་སྔགས་ཀྱི་ལམ་བཟང་གསལ་བར་སྟོན་པའི་བསྟན་བཅོས་མང་དུ་མཛད་པའི་ནང་ནས་ཆེས་ཕུལ་དུ་བྱུང་བ་འགྲེལ་པ་ཚིག་གསལ་དང་སྒྲོན་གསལ། རྩ་བ་ཤེས་རབ་ལ་ཟབ་པ་དང་རྒྱ་ཆེ་བ་གཉིས་ཀྱི་སྒོ་ནས་འཇུག་པའི་བསྟན་བཅོས་ཆེན་པོ་དབུ་མ་ལ་འཇུག་པ་མཛད་པས། དབུ་མ་འཇུག་པར། གལ་ཏེ་གཏི་མུག་བརྟེན་ནས་ལས་འབྱུང་གཏི་མུག་མེད་པར་དེ། མི་འབྱུང་ཞེས་བྱར་མི་མཁས་པོ་ནས་རྟོགས་པར་གོར་མ་ཆག བློ་བཟང་ཉི་མས་མུན་པ་སྟུག་པོ་རྣམ་པར་གསལ་བ་ཡི། མཁས་པ་དག་ནི་སྟོང་ཉིད་ཁོང་དུ་ཆུད་ཅིང་གྲོལ་བར་འགྱུར། །ཞེས་པའི་གཞུང་འདིའི་དངོས་གཞིའི་དོན་འགྲེལ་ཚུལ་འཇུག་འགྲེལ་རྣམས་ནས་འབྱུང་བ་ལྟར་ལགས་ཀྱང་། མཁས་གྲུབ་ཚད་ལྡན་དུ་མ་ནས་དཔལ་ལྡན་ཟླ་བ་རང་ཉིད་མ་འོང་གངས་ཅན་གྱི་ལྗོངས་འདིར་བློ་བཟང་རྒྱལ་བ་གཉིས་པའི་སྐུའི་རྣམ་པར་བྱོན་ཏེ། ཟབ་མོ་དབུ་མའི་ལྟ་བ་དང་། སྒྱུ་འོད་ཟུང་གསུམ་སོགས་ཟབ་མོ་རྡོ་རྗེ་ཐེག་པའི་ལམ་གྱི་གནས་ཚུལ་ཕྱིན་ཅི་མ་ལོག་པ་སྟོན་ཆད་གངས་ཅན་གྱི་ལྗོངས་འདིར་སུས་ཀྱང་གསལ་བར་བྱེད་དུ་མ་ནུས་པ་རྣམས་འཆད་རྩོད་རྩོམ་གསུམ་གྱི་སྒོ་ནས་གཏན་ལ་དབབ་པའི་གསུང་རབ་ཉི་མའི་འོད་ཟེར་མཆོག་ཏུ་གསལ་བ་ཀུན་གྱི་སྤྱི་བོའི་མཐོང་སུ་སྤྲོ་བར་མཛད་དེ། ཐར་པ་དོན་གཉེར་པ་རྣམས་ཀྱི་མ་རྟོགས་པ་དང་ལོག་པར་རྟོག་པ་དང་ཐེ་ཚོམ་གྱི་མུན་པ་མཐའ་དག་བསལ་བ་ལས། ཟབ་པ་དང་རྒྱ་ཆེ་བའི་གནད་ཀུན་ལེགས་པར་འབྱེད་ལ་མཁས་པའི་སྐྱེ་བོས་ས་སྟེང་ཁྱབ་ཅིང་། དེ་དག་རེ་རེས་ཀྱང་རང་རང་གིས་ཇི་བཞིན་རྟོགས་པ་ལྟར་ཟབ་མོའི་དོན་གདུལ་བྱ་གཞན་དག་ལ་ཡང་གཅིག་ནས་གཅིག་ཏུ་བརྒྱུད་དེ་སྟོན་ཅིང་སྲིལ་བ་ལས་འགྲོ་བ་གྲངས་མེད་པ་རྣམ་པར་གྲོལ་བའི་འབྲས་བུ་ཐོབ་པར་འགྱུར་ཞེས་ལུང་བསྟན་པའི་ཚིག་ཡིན་ཞེས་བདག་གིས་ལན་དུ་མར་ཐོས་སོ། །དེ་ལྟར་འཇམ་མགོན་ཆོས་ཀྱི་རྒྱལ་པོ་ཙོང་ཁ་པ་ཆེན་པོ་ནི་རྒྱལ་བ་ཀུན་གྱི་མཁྱེན་བརྩེ་ནུས་གསུམ་འདུས་པའི་བདག་ཉིད་གང་དང་གང་གིས་དད་པའི་ཤུགས་

ཀྱིས་གསོལ་བ་བཏབ་ན་རེ་བའི་འབྲས་བུ་དོན་ལྡན་དུ་འགྱུར་བ་གདོན་མི་ཟ་བས་ན་རྗེ་བླ་མ་འདི་ཉིད་ལ་བརྟེན་པའི་ཟབ་ལམ་བླ་མའི་རྣལ་འབྱོར་ཚུལ་བཞིན་ཉམས་སུ་ལེན་པ་ནི་གནད་དམ་པའོ། །དེ་ཡང་རྗེ་བདག་ཉིད་ཆེན་པོའི་སྐུ་གསུང་ཐུགས་གསུམ་གྱི་ཡོན་ཏན་གདུལ་བྱ་ཐུན་མོང་བ་དང་ཐུན་མོང་མ་ཡིན་པ་རྣམས་ལ་སྟོན་ཚུལ་བསམ་གྱིས་མི་ཁྱབ་པ་ཡོད་པ་ལས། བླ་མའི་རྣལ་འབྱོར་ཉམས་སུ་ལེན་ཚུལ་ཡང་དེ་དག་དང་བསྟུན་པའི་ཇི་སྙེད་ཅིག་འབྱུང་ཞིང་། ཐུན་མོང་མ་ཡིན་པའི་གདུལ་བྱ་རྣམས་ལ་མཆོག་ཏུ་གསང་བའི་ཡོན་ཏན་གཞན་ལས་ཁྱད་པར་འཕགས་པ་སྟོན་པར་མཛད་པ་ལྟར་སྲས་ཀྱི་ཐུ་བོ་རྣམས་ནས་རྗེ་ཉིད་ཀྱི་མཆོག་ཏུ་གསང་བའི་དགོངས་པ་ལྟར་ཟབ་ལམ་བླ་མའི་རྣལ་འབྱོར་ཉམས་སུ་ལེན་ཚུལ་དགའ་ལྡན་ལྷ་བརྒྱ་མ་ཞེས་དེང་སང་ཡོངས་སུ་གྲགས་པ་འདི་བྱིན་བརླབ་ཀྱི་ཚན་ཀ་ཤིན་ཏུ་ཆེ་བའི་ཚུལ་སོགས་ནི། འཁྲིད་ཡིག་རྣམས་ནས་གསལ་བ་ལྟར་ལགས་ན་འདིར་བཀོད་མ་དགོས་ཤིང་། ད་ལམ་གཙོ་བོར་འཆད་པའི་སྐབས་སུ་བབ་པ་ནི། བླ་མའི་རྣལ་འབྱོར་འདི་ཉིད་ཀྱི་སྦྱོར་དངོས་རྗེས་གསུམ་བྱང་ཆུབ་ལམ་གྱི་རིམ་པའི་སྦྱོར་བའི་ཆོས་དྲུག་དང་སྦྲེལ་ཏེ་ཉམས་སུ་ལེན་ཚུལ་བླ་མའི་མན་ངག་ལྟར་མཆོག་དམན་ཀུན་ནས་འཇུག་པ་བདེ་བ་ཞིག་དགོད་པར་བྱེད་པ་ལ། སྦྱོར་དངོས་མཇུག་གསུམ་ལས། དང་པོ་བླ་མའི་རྣལ་འབྱོར་འདི་ཉིད་ལམ་གྱི་སྲོག་ཏུ་བྱས་ཏེ་ཚུལ་བཞིན་དུ་ཉམས་སུ་ལེན་པར་འདོད་པ་དག་གིས་གང་དུ་ཉམས་སུ་ལེན་པར་བྱ་བའི་གནས་ཁང་སོགས་ལ་བྱི་དོར་བྱ་ཞིང་སྐུ་གསུང་ཐུགས་ཀྱི་རྟེན་གང་འབྱོར་ལེགས་པར་དགྲམ་པར་བྱ་དགོས་ན། དེ་ཡང་། ཀུན་སློང་རང་དགའ་བ་མ་ཡིན་པར། དལ་བའི་རྟེན་ནི་ཡིད་བཞིན་ནོར་ལས་ལྷ། །དེ་འདྲ་རྙེད་པ་དཔེ་ཙམ་ཞིག་ཡིན། །ཞེས་སོགས་ཀྱི་ཚིག་དོན་བློ་ཁ་ནང་དུ་ཕྱོགས་པའི་སྒོ་ནས་ལེགས་པར་བསམ་པ་ཞིག་ཤིན་ཏུ་གལ་ཆེ་བས། བདག་ནི་སྟོན་ཚད་འཁོར་བ་འདིར་ལས་ཉོན་གྱི་གཞན་དབང་དུ་གྱུར་ཏེ། བར་མཚམས་མེད་པར་འཁྱམས་འཁྱམས་ཀྱང་དལ་འབྱོར་རྟེན་བཟང་ཐོབ་སྐྱེ་དམ་པའི་ཆོས་དང་མཇལ་བ་ནི་ད་ལམ་ལན་ཅིག་ཙམ་ཡིན་པ་གོར་མ་ཆག་སྟེ། ང་དང་ང་འདྲ་བ་རྣམས་རང་གི་རྒྱུད་ལ་བརྟག་ན་ཤེས་ནུས་སོ། །དེས་ན་དལ་འབྱོར་གྱི་རྟེན་ལན་ཅིག་ཐོབ་པ་འདི་ལ་འཇིག་རྟེན་ཕྱི་མ་ཕན་ཚད་ཀྱི་དོན་དང་ལྡན་པ་ཞིག་བྱ་དགོས་པར་འདུག་སྟེ། ཚེ་འདི་ཙམ་ཞིག་དོན་དུ་གཉེར་བ་ལ་འཇིག་རྟེན་ཕྱི་མ་ཕན་ཚད་མདོན་མཐོ་

དང་ངེས་ལེགས་འབྱུང་བ་ལྟ་ཞོག །ཚེ་འདིའི་འདོད་པ་ཡང་འགྲུབ་པ་ཤིན་ཏུ་དཀའ་བ་མངོན་སུམ་དུ་སྣང་ན། ད་ནི་འཇམ་མགོན་རྒྱལ་བ་གཉིས་པ་སོགས་ཡབ་སྲས་བརྒྱུད་པ་དང་བཅས་པ་རྣམས་ཀྱི་རྗེས་སུ་འཇུག་པ་ཞིག་ད་ལྟ་རང་ནས་བྱ་དགོས་པར་འདུག་པས་བདག་ནི་གནས་འདི་ཉིད་དུ། འཇིག་རྟེན་ཆོས་བརྒྱད་ཀྱི་བསམ་པ་རྣམས་རྒྱང་རིང་དུ་དོར་ཏེ་རྒྱལ་ཀུན་འདུས་ཞལ་རང་གི་དྲིན་ཅན་རྩ་བའི་བླ་མ་དང་དབྱེར་མ་མཆིས་པ་ཁམས་གསུམ་ཆོས་ཀྱི་རྒྱལ་པོ་ཙོང་ཁ་པ་ཆེན་པོ་མགོན་དང་སྐྱབས་དང་དཔུང་གཉེན་དུ་སྤྱན་དྲངས་ཏེ། གསོལ་བ་རྩེ་གཅིག་ཏུ་འདེབས་དགོས་ན། ཞིང་ཁྱད་པར་ཅན་དེ་ཉིད་སྤྱན་དྲངས་ཏེ་གསོལ་བ་འདེབས་པའི་གནས་ཀྱང་ཤིན་ཏུ་གཙང་བ་ཞིག་དགོས་པས་ན་ཆགས་སྡང་རྨོངས་སོགས་ལས་བསྐྱེད་པའི་རྡུལ་དང་དྲི་མས་སྦགས་པའི་གནས་འདིའི་དྲི་མ་རྣམས་བྱི་དོར་ལེགས་པར་བྱ་སྙམ་དུ་བསམ་སྟེ། གཙང་ཞིང་ཡིད་དུ་འོང་བའི་ཆུ་རྒྱལ་བའི་ཡེ་ཤེས་ཀྱི་བདུད་རྩིའི་ངོ་བོར་མོས་པས་ཆག་ཆག་གདབ། རྡུལ་རྣམས་འཕྱག་པའི་ཚེ་ན་ཡང་ཕྱགས་མའི་ཕོན་པོ་རྒྱལ་བའི་ཡེ་ཤེས་ཀྱི་ངོ་བོར་མོས་ཏེ། རང་རྒྱུད་ཀྱི་དྲི་མ་རྡུལ་སོགས་ཀྱི་རྣམ་པར་ཤར་པ་རྣམས་འཕྱག་པའི་མོས་པ་བྱེད། སྐུ་གསུང་ཐུགས་ཀྱི་རྟེན་བཀྲམ་པའི་ཚུལ་ནི་དགའ་ལྡན་ལྷ་བརྒྱ་མའི་ཚོགས་ཞིང་བྲིས་འབུར་གྱི་སྐུ་ཡོད་ན་དེ་དང་གཞན་ཡང་བླ་མ་སངས་རྒྱས་བྱང་སེམས་ཀྱི་སྐུ་བརྙན་གཞན་དག་ཡོད་ན་དེ་དག་ཀྱང་ལམ་རིམ་ཚོགས་ཞིང་གི་གྲལ་བཀོད་ལ་གཞི་བྱས་ཏེ། སྟེང་འོག་གམ་མཐའ་དཀྱིལ་གྱི་གྲལ་བཀོད་ས་ཡུལ་དང་བསྟུན་ཏེ་མ་འཕྱུགས་པར་བྱ། རྒྱུན་དུ་བཀྲམ་བཞིན་པ་ཞིག་ཡིན་ན་སྐུ་བརྙན་དེ་དག་ལ་ཆགས་པའི་རྡུལ་ཕྱིག་དགོས་མིན་དང་། ཡ་ཡོ་སོགས་འདུག་མིན་ལེགས་པར་བརྟག་པར་བྱ། མཆོད་པ་གཡོ་མེད་པ་བཀོད་པས་མཛེས་པར་བཤམས་པ་ནི། མཆོད་པའི་རྒྱུ་དང་སྣོད་སོགས་ཁ་གསག་གཞོག་སློང་། ཚོང་ཁེ་སྦྱོགས་སོགས་ཀྱི་སྒོ་ནས་བརྩལ་བ་མ་ཡིན་པར་རྒྱལ་བའི་བྱིན་བརླབ་དང་། ནོར་བསགས་བསོད་ནམས་ཀྱི་སྟོབས་ལས་བྱུང་བའི་མཆོད་པའི་རྫས་མཆོད་ཡོན་དང་ཉེར་སྤྱོད་གཙང་ཞིང་གཙང་མར་ལེགས་པར་སྦྲར་ཏེ། ཁྲལ་ཆོས་སླ་ཆོས་དང་། ཞིང་ཁྱད་པར་ཅན་ལ་མ་གུས་པ་སྤང་ལ། ཤིན་ཏུ་གུས་པ་དང་བཅས་ཏེ་འབུལ་བཤམས་དགོས་ཤིང་། ཏ་ཅང་ཀུན་སྤང་ཆེན་པོ་ཞིག་ཡིན་ཚེ་གཞན་མ་རྙེད་ཀྱང་ཆུ་གཙང་གི་མཆོད་པ་ཙམ་དང་དད་གུས་ཀྱིས་འབུལ་ན་བསོད་ནམས་དཔག་ཏུ་མེད་པ་ཐོབ་པར་

འགྱུར་ཞིང༌། མདོར་ན་རང་གི་འབྱོར་པ་དང་བསྟུན་པའི་མཆོད་པ་སེར་སྣའི་དྲི་མ་སོགས་ཀྱིས་མ་གོས་པར་བཀོད་པས་མཛེས་པར་བཤམས་པར་བྱའོ། །དེ་ནས་སྟན་བདེ་བ་ལ་འཁོད་དེ། དགེ་སེམས་ཁྱད་པར་ཅན་གྱི་ངང་ནས་སྐྱབས་འགྲོ་སེམས་བསྐྱེད། ཚད་མེད་བཞི་རང་གི་རྒྱུད་དང་འདྲེས་ངེས་སུ་བསྒོམ་པར་བྱ་དགོས་ན། དེ་ཡང་རབ་ཏུ་བྱུང་བ་ཡིན་ཚེ་ཀོ་ལྤགས་སོགས་ཀྱི་སྟན་མ་ཡིན་པར། འདུལ་བ་ནས་གཤད་པ་ལྟར་བསམ་གཏན་གྱི་སྟན་ནམ། མལ་སྟན་ཐུང་བ་ཚད་ལྡན་ཞིག་དགོས་པས། དེ་ཡང་ཡུན་གནས་ཀྱི་སྟན་ཡིན་ཚེ། སྟོན་པ་ཡང་དག་པར་རྫོགས་པའི་སངས་རྒྱས་ཐུབ་པའི་དབང་པོ་རྒྱ་གར་རྡོ་རྗེ་གདན་བྱང་ཆུབ་ཤིང་དྲུང་དུ་རྩྭའི་སྟན་ལ་སྐུ་ལུས་རྣམ་སྣང་གི་ཆོས་བདུན་ལྡན་གྱིས་འཁོད་ནས་བདུད་བཞིའི་གཡུལ་ལས་རྒྱལ་བའི་གོ་འཕང་མཆོག་མ་ཐོབ་བ་དེ་སྲིད་དུ་ལུས་འདི་ཇི་ལྟར་འགྱུར་ཡང་འདི་ལས་ནམ་ཡང་གཡོ་བར་མི་བྱའོ་ཞེས་དམ་བཅས་པའི་རྒྱལ་བའི་མཛད་པ་རྗེས་སུ་དྲན་པའི་སྒོ་ནས། སྟན་འོག་གི་ས་གཞིར་ས་དཀར་གྱིས་གཡུང་དྲུང་ཆོས་བསྐོར་དུ་འདྲི། བཀྲ་ཤིས་པའི་རྩྭ་དུར་བ་དང༌། ཀུ་ཤའི་སྟན་རྒྱབ་ཐུང་ཟད་མཐོ་བ་དེའི་སྟེང་དུ། སྔར་བཤད་པ་ལྟར་གྱི་སྟན་ལེགས་པར་བྱ། དེའི་སྟེང་དུ་ཇི་ལྟར་འཁོད་པའི་ཚུལ་ནི། རྒྱབ་དང་སྒྲོ་ཐབ་ཏེ་ཉལ་བ་དང༌། རྐང་བ་བརྐྱང་བ་སོགས་བག་མེད་པ་དང་མ་གུས་པའི་འདུག་ཚུལ་གྱིས་མ་ཡིན་པར། རྐང་པ་རྡོ་རྗེ་སྐྱིལ་ཀྲུང་ངམ། སེམས་དཔའི་སྐྱིལ་ཀྲུང༌། ལག་གཉིས་མཉམ་བཞག །སྒལ་ཚིག་མདའ་ལྟར་སྲོང་ཞིང༌། དཔུང་བ་མཐོ་དམན་མེད་པར་ཐད་ཀར་འཛོག །མགོ་ཐུང་ཟད་འདུད་ཅིང་མིག་གཉིས་སྣ་རྩེར་ཕབ་སོ་མཆུ་རང་བབས་སུ་འཛོག་པ་བཅས། ལུས་རྣམ་སྣང་གི་ཆོས་བདུན་ལྡན་གྱིས་འཁོད་དགོས་ཞེས་གསུངས་པ་ལ་ནི་དགོས་པ་ཁྱད་པར་ཅན་ཡོད་དེ། དེ་ལྟར་ལུས་གནད་ལེགས་པར་སྦྱད་པས། ལུས་ཀྱི་ནང་གི་རྩ་རྣམས་འདྲོང་ཞིང་རྩ་འདྲོང་བས་དེ་ནང་དུ་རྒྱུ་བའི་རླུང་ཡང་འདྲོང༌། དེ་འདྲོང་བས་སེམས་གཞན་དུ་འཕྲོ་བ་སོགས་ཀྱི་སྐྱོན་འགོག་ནུས་པའི་དགོས་པ་ཁྱད་པར་ཅན་ཡོད་དེ། །ལུས་དེ་ལྟར་གནས་བཞིན་པར་དགེ་སེམས་ཁྱད་པར་ཅན་ཇི་ལྟར་བསྐྱེད་དགོས་ཞེ་ན། དེ་ཡང་ལས་དང་པོ་པ་རྣམས་མ་བརྟག་མ་དཔྱད་པའི་ཚེ་ན། ཚེ་འདིར་ཞིག་གནས་ཡོང་སྙམ་པ་དང༌། ཕྱི་མ་ཡང་བདེ་འགྲོ་ཞིག་འཐོབ་ཨེ་ཡོང་སྙམ་པ་ཞིག་རྒྱུན་ཆགས་སུ་ཡོད་ན་ཡང༌། བརྟག་ཅིང་དཔྱད་པ་བྱས་ན་ཚེ་རིང་ཐུང་དང༌། ཕྱི་མ་

གར་སྐྱེ་ལས་ཀྱི་གཞན་དབང་ཁོ་ནས་དེ་དག་ལ་རང་དབང་ཅུང་ཟད་ཙམ་ཞིག་མེད་པས་ན། ཚེ་སྔོན་ལས་ཇི་ལྟར་བསགས་པ་རང་གིས་མི་ཤེས་ཤིང་། ཚེ་འདིར་སྐྱི་ལམ་ཙུན་ཆད་དུ་ཡང་ཆགས་སོགས་ཉོན་མོངས་པ་སྣ་ཚོགས་ཀྱིས་ཡིད་འཁྲུགས་ཏེ། དེ་དག་ལ་གཉེན་པོ་འཕྲལ་དུ་བསྟེན་དུ་མ་ནུས་པས་འཁོར་བའི་རྒྱུ་ལས་དཀར་ནག་དུ་མ་སྐད་ཅིག་རེར་ཡང་བགྲང་དུ་མི་ནུས་པ་བསགས་བཞིན་པ་དེ་ལྟར་ན། སྔོན་བསགས་དགེ་བའི་ལས་དུ་མ་ཡོད་ན་ཡང་། ཁོང་ཁྲོ་སོགས་ཀྱིས་འཇོམས་པ་ཆེས་མང་ལ། ད་ལྟ་རང་མི་འཆི་སྙམ་པས། ཕྱི་མའི་དོན་བསྒྲུབ་པ་ནི་ཉིན་མོའི་སྐར་མ་པས་ཀྱང་དཀོན་པས། མི་འདོད་བཞིན་དུ་འཆི་བ་དང་། དེའི་འོག་ཏུ་ངན་འགྲོར་སྐྱེ་བ་ལས་འོས་མི་འདུག་སྙམ་དུ་བསམ། ད་ལྟ་ལུས་སེམས་ཀྱི་སྟེང་དུ་སྡུག་བསྔལ་ཕྲ་མོ་ཙམ་ཞིག་བབས་པ་ལ་ཡང་ཆེས་མི་བཟོད་ན་ཕྱི་མ་ངན་འགྲོའི་སྡུག་བསྔལ་ལུས་ཐོག་ཏུ་འབབ་ཚེ་སྐད་ཅིག་ཡང་བཟོད་མི་ནུས་བཞིན་དུ་བསྐལ་པ་དུ་མའི་བར་དུ་མྱོང་དགོས་པ་འབྱུང་ན་ཅི་རང་དྲགས་སྙམ་དུ་བསམ་སྟེ། འཇིགས་པ་ཆེན་པོ་དེ་ལས་སྐྱོབ་པའི་ཕྱིར་དུ་དཀོན་མཆོག་ལ་སྐྱབས་སུ་འགྲོ་བ་དང་། ལས་འབྲས་བསླུ་བ་མེད་པའི་ཚུལ་བསམ་སྟེ་སྤང་བླང་གི་འཇུག་ལྡོག་མ་འཆོལ་བར་བྱ་དགོས་པར་འདུག་སྙམ་པ་དང་། དེ་ལྟར་འབད་པས་གནས་སྐབས་ངན་འགྲོ་ལས་བཟློག་པ་སྲིད་ན་ཡང་། ངན་འགྲོར་སྐྱེ་བའི་རྩ་བ་གཏན་སྤངས་ཤིག་མ་བྱུང་ན། སླར་ཡང་ངན་འགྲོར་སྐྱེ་འགྱུར་གྱི་ལས་བསགས་ཏེ་དེར་ལྟུང་བར་འགྱུར་ལ། ངན་འགྲོའི་རྩ་བ་དང་། བདེ་འགྲོ་འཁོར་བའི་རྩ་བ་བདག་ཏུ་འཛིན་པ་ལ་ཕྲ་རག་གི་ཁྱད་པར་མ་མཆིས་པས་བདག་ཏུ་འཛིན་པ་གཏན་ནས་སྤང་བ་ཞིག་དགོས་འདུག་པས། དེ་སྤོང་བ་ལ་ཡང་དག་པར་རྫོགས་པའི་སངས་རྒྱས་ཀྱིས་བསྟན་པ་ལྟར་ལམ་བསླབ་པ་གསུམ་ལ་ཚུལ་བཞིན་དུ་སློབ་པ་ལས་ཐབས་གཞན་མི་འདུག་པས། དེས་ན་ད་ནི་རང་གིས་ཇི་ལྟར་ཁས་བླངས་པ་ལྟར་གྱི་བསླབ་པའི་བཅས་པ་རྣམས་མིག་གི་འབྲས་བུ་ལྟར་བསྲུང་ཞིང་། ཡུལ་ཡིད་དུ་འོང་མི་འོང་བར་མ་བསམ་ལ། ཡིད་འཕྲོས་པས་ཆགས་སྡང་རྨོངས་གསུམ་གྱི་རྣམ་པར་རྟོག་པ་སྐྱེ་བའི་སྒོ་འགེགས་ཤིང་། སེམས་རང་གིས་ཇི་ལྟར་བསྒྲུབ་པར་བྱ་བའི་དགེ་བའི་དམིགས་པ་ལ་རྩེ་གཅིག་ཏུ་གནས་པ་དང་། དེའི་ངང་ནས་ཆགས་སོགས་ཉོན་མོངས་པའི་རྟོག་པ་རྣམས་སྐྱེ་བའི་རྒྱུའི་རྩ་བ་རྩད་བཅད་དེ། རང་གི་ཕུང་པོ་སོགས་བདག་ཏུ་མ་གྲུབ་པ་ལ་བདག་ཏུ་གྲུབ་པར་འཛིན་

པའི་བློ་དེ་འཁོར་བའི་རྩ་བ་ཡིན་པར་ངོ་ཤེས་པར་བྱ། དེ་ལྟར་མ་ཤེས་པའི་འགྲོ་བ་རྣམས་ཀྱང་བཟོད་དཀའ་འཁོར་བའི་སྡུག་བསྔལ་གྱིས་མནར་ཚུལ་བསམ་སྟེ་སྡུག་བསྔལ་ལས་འབྲལ་འདོད་ཀྱི་སྙིང་རྗེའི་སེམས་ལེགས་པར་བསྒོམ། འགྲོ་བ་ཕལ་མོ་ཆེ་ནི་ངན་སོང་སོགས་མི་ཁོམ་པའི་གནས་སུ་སྐྱེས་ཏེ། དཀོན་མཆོག་གསུམ་གྱི་སྒྲ་ཙམ་ཡང་མི་ཐོས། ལ་ལ་མཆོག་གསུམ་གྱི་སྒྲ་ཙམ་ཐོས་ཀྱང་དེ་དག་ལ་ཡིད་ཆེས་མི་སྐྱེད། ལ་ལ་དཀོན་མཆོག་ལ་སྐྱབས་སུ་འགྲོ་ཁུལ་བྱས་ཀྱང་སྐྱབས་དངོས་དམ་པའི་ཆོས་སྒྲུབ་པའི་ཕྱི་ནང་གི་མཐུན་རྐྱེན་མ་ཚང་བའི་སེམས་ཅན་དེ་དག་འཁོར་བ་སྡུག་བསྔལ་གྱི་རྒྱ་མཚོ་ཆེན་པོ་འདི་ལས་སྒྲོལ་བའི་ཁུར་བདག་གིས་འཁྱེར་དགོས་པ་འདུག་སྙམ་དུ་ཀུན་སློང་ལེགས་པར་བཅོས། དེ་ཡང་ད་ལྟ་རང་སྟོབས་ཀྱིས་སེམས་ཅན་ཐམས་ཅད་ལྟ་ཞོག་སེམས་ཅན་གཅིག་གི་ཡང་དོན་ཇི་བཞིན་བསྒྲུབ་པའི་ནུས་པ་བདག་ལ་མི་འདུག་པས་ན། བསླུ་བ་མེད་པའི་སྐྱབས་གནས་དཀོན་མཆོག་གསུམ་ལ་བློ་ལིངས་ཀྱིས་བཀལ་བའི་སྐྱབས་འགྲོ་རྣམ་པར་དག་པ་ཞིག །ད་ལྟ་ཉིད་དུ་བྱ་དགོས་འདུག་ཅེས་བློ་ཐག་བཅད་དེ་སྐྱབས་ཡུལ་གསལ་གདབ་དགོས། དེ་ཡང་གཞན་ནས་སྤྱན་དྲངས་པ་དང་། གསར་དུ་བསྐྱེད་དེ་གསལ་གདབ་པ་མི་རིགས་པས། འོ་ན་ཇི་ལྟར་གསལ་འདེབས་ཞེ་ན། ཕྱོགས་བཅུའི་བདེ་བར་གཤེགས་པ་རྣམས་དང་པོར་ཐུགས་བསྐྱེད་པའི་ཚེ་ནམ་སེམས་ཅན་ཐམས་ཅད་ཀྱི་དོན་དུ་ཐུགས་བསྐྱེད། དེ་བཞིན་བར་དུ་ཚོགས་གཉིས་རྒྱ་ཆེན་པོ་བསགས་ཏེ། མཐར་དོན་གཉིས་ལྷུན་གྱིས་གྲུབ་པའི་བྱང་ཆུབ་ཆེན་པོ་མངོན་དུ་མཛད་པས་ན། དེ་དག་ཐམས་ཅད་ངེད་ཀྱི་ཡང་དོན་དུ་མཛད་པ་གོར་མ་ཆག བསླུ་བ་མེད་པའི་སྐྱབས་གནས་དེ་ཉིད་ད་ལྟ་རང་གི་ལས་ཀྱི་སྒྲིབ་པའི་དབང་གིས་དངོས་སུ་མ་མཐོང་བ་མ་གཏོགས་རང་གི་མདུན་དུ་དངོས་སུ་བཞུགས་ཡོད་སྙམ་པ་བྱ་དགོས་ཏེ། གང་གི་མོས་པ་གཙོ་ཆེ་བ། །དེ་ཡི་མདུན་ན་ཐུབ་པ་བཞུགས། །ཞེས་གསུངས། དེ་ལྟར་རང་གི་མདུན་དུ་སྐྱབས་ཡུལ་རྣམས་དངོས་སུ་བཞུགས་ཡོད་པར་གསལ་གདབ་དགོས་ན། དེ་ཡང་རང་དགར་གསལ་འདེབས་པ་མ་ཡིན་པར་སྐྱབས་ཡུལ་རྣམས་ཀྱིས་ཚོགས་གཉིས་ཀྱི་འབྲས་བུ་མཐར་ཕྱིན་པའི་ཡོན་ཏན་དང་འཕྲིན་ལས་ཀྱི་ཁྱད་པར་སྣ་དུ་མ་ནས་བསམ་བཞིན་པར་གསལ་གདབ་དགོས་པས། དེ་ཡང་མདོ་སྔགས་ཟུང་དུ་འབྲེལ་བའི་ལམ་སྲོལ་འདིར། སྔར་རང་གིས་ལེགས་པར་བྱི་དོར་བྱས་པའི་གནས་དེར་ཡོངས་སུ་དག

པའི་ཞིང་གི་འཁོར་བ་ཕུན་ཚོགས་དང་ལྡན་པའི་གནས་གཙང་ཞིང་ཡིད་དུ་འོང་བ་བདེ་བ་ཅན་སོགས་དག་པའི་ཞིང་དང་འདྲ་བ་ཞིག་གསལ་གདབ། དེའི་དབུས་སུ་རིན་པོ་ཆེའི་ལྗོན་ཤིང་ལོ་མ་མེ་ཏོག་འབྲས་བུ་ཕུན་སུམ་ཚོགས་པ་དང་ལྡན་པ། དེའི་ངོས་སུ་རིན་པོ་ཆེ་སྣ་ཚོགས་ལས་གྲུབ་པའི་སེངྒེའི་ཁྲི་ཡངས་ཤིང་རྒྱ་ཆེ་བའི་སྟེང་དུ། པདྨའི་གདན་འདབ་མ་རིམ་པར་རྩེགས་པའི་ལྟེ་བའི་ཟེའུ་འབྲུའི་སྟེང་དུ་ཉི་མ་དང་ཟླ་བའི་གདན། དེའི་སྟེང་དུ་ངོ་བོ་རང་གི་དྲིན་ཅན་རྩ་བའི་བླ་མ་ཡིན་པ་ལ་རྣམ་པ་ཁམས་གསུམ་ཆོས་ཀྱི་རྒྱལ་པོ་ཙོང་ཁ་པ་ཆེན་པོའམ་མཉམ་མེད་ཐུབ་པའི་དབང་པོའི་སྐུའི་རྣམ་པ་རང་གི་བློ་ཡུལ་དུ་འཆར་གང་བདེ་བ་ཞིག་གསལ་གདབ། པདྨའི་འདབ་མ་རིམ་རྩེགས་སུ་ཡོད་པའི་འདབ་མ་རྣམས་ཀྱི་སྟེང་དུ་རྩ་བརྒྱུད་ཀྱི་བླ་མ་རྣམས་དང་། དེའི་འོག་ཏུ་རྒྱུད་སྡེ་བཞིའི་ཡི་དམ་དཀྱིལ་འཁོར་གྱི་ལྷ་ཚོགས། དེ་འོག་ཏུ་མཆོག་གི་སྤྲུལ་སྐུའི་རྣམ་པ་ཅན་གྱི་ཕྱོགས་བཅུའི་བདེ་བར་གཤེགས་པ་རྣམས་དང་བཅས་བླ་མ་ཡི་དམ་སངས་རྒྱས་དེ་རྣམས་ནི་སྒྲུབ་པ་པོ་རང་དང་གཞན་ཡང་གདུལ་བྱ་རྣམས་ཀྱི་དབང་པོ་དང་འཚམ་པའི་དམ་པའི་ཆོས་ཀྱི་གསུང་དབྱངས་སྙན་པར་སྒྲོགས་བཞིན་པ་དང་། དེ་རྣམས་ཀྱི་འོག་གི་པདྨའི་འདབ་མར་ཐྲབས་ཆེན་ཚོགས་གཉིས་རྒྱ་མཚོའི་སྤྱོད་པ་སྤྱོད་བཞིན་པའི་རྒྱལ་སྲས་བྱང་ཆུབ་སེམས་དཔའ་རྣམས་དང་། དེ་འོག་པད་འདབ་ལ་རང་རྒྱལ་ཉན་ཐོས་རྣམས་འདུལ་བ་ནས་གསུངས་པ་ལྟར་གྱི་བསླབ་གསུམ་གྱི་ཉམས་ལེན་སྦྱངས་པའི་ཡོན་ཏན་བཅུ་གཉིས་སོགས་ལ་གནས་བཞིན་པ་དང་། དེ་འོག་གི་པད་འདབ་ལ་རིམ་པ་བཞིན་མཁའ་འགྲོ་དང་བསྲུང་མ་ཡེ་ཤེས་ཀྱི་སྤྱན་ལྡན་རྣམས་སྒྲུབ་པ་པོས་དམ་པའི་ཆོས་བསྒྲུབ་པ་ལ་འགལ་རྐྱེན་སེལ་ཞིང་མཐུན་རྐྱེན་འགྲུབ་པ་སོགས་ཀྱི་གྲོགས་མཛད་བཞིན་པའི་རྣམ་པ་ཅན་དུ་གསལ་གདབ་དགོས། དེ་ལས་གཞན་དུ་རིས་མོར་བྲིས་པ་དང་། བཞེངས་པའི་འབུར་སྐུ་ལྷ་བུ་བེམ་བམ་པོའི་རྣམ་པར་གསལ་གདབ་ཏུ་མི་རུང་ཞེས་གསུངས། རང་གི་མཐའ་སྐོར་དུ་ཡང་མ་གྱུར་སེམས་ཅན་ཐམས་ཅད་འགྲོ་བ་རང་རང་གི་རྣམ་པ་ཅན་ལས་ཉོན་གྱི་འབྲས་བུ་རིགས་དྲུག་སོ་སོའི་སྡུག་བསྔལ་དཔག་ཏུ་མེད་པ་མྱོང་བཞིན་པ་ལ། སྐྱབས་ཡུལ་རྣམས་ཀྱི་སྐུ་གསུང་ཐུགས་མཛད་པ་འཕྲིན་ལས་དང་བཅས་པའི་ཡོན་ཏན་དྲན་བཞིན་པ་ཞིག་ཏུ་མོས་ཏེ། བདག་དང་མ་གྱུར་ནམ་མཁའི་མཐའ་དང་མཉམ་པའི་སེམས་ཅན་ཐམས་ཅད་དུས་དེང་ནས་བཟུང་སྟེ་ཇི་

སྲིད་བྱུང་ཆུབ་སྙིང་པོ་ལ་མཆིས་ཀྱི་བར་དུ་བླ་མ་ལ་སྐྱབས་སུ་མཆིའོ། །ཞེས་པའི་སྐབས། རང་གི་དངོས་ཀྱི་བླ་མ་རྣམས་དང་བརྒྱུད་པའི་བླ་མ་རྣམས་ཀྱི་སྐུ་གསུང་ཐུགས་ལ་སྐྱོན་ཆགས་པ་སྣང་བ་འཁྲུལ་བ་ལྟར་དུ་འཛིན་པ་དང་། མ་དད་བརྙས་སྨོད་མ་གུས་པ་སོགས་བགྱིས་པ་དང་། ལེགས་པར་བསྔོ་བ་ཚུལ་བཞིན་དུ་མ་བསྒྲུབས་པ་སོགས་གསུང་བཅག་པ་དང་། བྱ་བ་མ་ཡིན་པ་ལ་ཞུགས་ཏེ་ཐུགས་བཀྲུགས་པ་སོགས་ཉེས་ཚོགས་ཅི་བགྱིས་པ་རྣམས་ཡིད་ལ་དྲན་པར་བྱས་ཏེ། དེ་དག་ལ་འགྱོད་ཅིང་སྡོམ་པའི་སེམས་དང་། བླ་མའི་བཀའ་དྲིན་རྗེས་སུ་དྲན་པའི་སྒོ་ནས་བདུད་རྩི་འབེབ་སྦྱང་གི་དམིགས་པ་དང་བཅས་སྐྱབས་སུ་འགྲོ་བར་བྱའོ། །དེ་བཞིན་དུ་སངས་རྒྱས་ལ་སྐྱབས་སུ་མཆིའོ། །ཆོས་ལ་སྐྱབས་སུ་མཆིའོ། །དགེ་འདུན་ལ་སྐྱབས་སུ་མཆིའོ། །ཡི་དམ་དཀྱིལ་འཁོར་གྱི་ལྷ་ཚོགས་རྣམས་ལ་སྐྱབས་སུ་མཆིའོ། །དཔལ་མགོན་དམ་པ་ཆོས་སྐྱོང་བའི་སྲུང་མ་ཡེ་ཤེས་ཀྱི་སྤྱན་ལྡན་རྣམས་ལ་སྐྱབས་སུ་མཆིའོ་ཞེས། སོ་སོའི་སྐྱབས་འགྲོའི་ཚིག་བརྗོད་སྐབས་སྐྱབས་ཡུལ་སོ་སོ་ལ་བརྟེན་ནས་བསགས་པའི་སྡིག་སྒྲིབ་དང་། དམ་ཚིག་ཉམས་ཆག་སོགས་དག་པ་དང་། དེ་དག་གི་སྐུ་གསུང་ཐུགས་ཀྱི་བྱིན་བརླབ། རང་གི་ལུས་ངག་ཡིད་གསུམ་ལ་ཞུགས་པས། བླ་མ་དཀོན་མཆོག་གསུམ་གྱི་སྐྱབས་འོག་ཏུ་ཚུད་སོང་སྙམ་དུ་མོས་ལ། སྐྱབས་འགྲོའི་དགག་སྒྲུབ་ཀྱི་བསླབ་བྱ་སོགས་ཡིད་ལ་དྲན་པར་བྱས་ཏེ། དེ་ལྟར་ཡང་བདག་གིས་ངོ་ལྐོག་མེད་པར་ཚུལ་བཞིན་དུ་བསྒྲུབ་པར་བྱའོ་སྙམ་པའི་ཡི་དམ་བརྟན་པོ་བྱ། སེམས་བསྐྱེད་ནི། བདག་ནི་ད་ལམ་ཐེག་པ་ཆེན་པོའི་ཆོས་དང་ལན་ཅིག་མཇལ་བའི་དུས་འདིར་རང་དོན་ཡིད་བྱེད་ཙམ་གྱི་བློའི་དབང་དུ་མ་སོང་བར་སྟོན་གྱི་རྒྱལ་བ་སྲས་བཅས་རྣམས་ཀྱི་རྗེས་སུ་ཞུགས་ཏེ། སེམས་ཅན་ཐམས་ཅད་ཀྱི་སྡུག་བསྔལ་སེལ་བ་དང་། བདེ་བ་ཐམས་ཅད་བསྒྲུབ་པའི་ཁུར་འཁྱེར་ཏེ། སེམས་ཅན་ཐམས་ཅད་མཐར་ཐུག་བླ་ན་མེད་པ་ཡང་དག་པར་རྫོགས་པའི་སངས་རྒྱས་ཀྱི་གོ་འཕང་ལ་དགོད་པར་བྱའོ། །དེའི་ཕྱིར་དུ་བདག་གཞན་སེམས་ཅན་ཐམས་ཅད་སྲིད་ཞིའི་རྒུད་པ་མཐའ་དག་ལས་སྐྱོབ་པར་བྱེད་པའི་སྐྱབས་དཀོན་མཆོག་གསུམ་ལ་སྐྱབས་སུ་འགྲོ་བར་བྱའོ། །བདག་གི་སྦྱིན་པ་དང་ཚུལ་ཁྲིམས་དང་བཟོད་པ་སོགས་ལས་བྱུང་བའི་དགེ་བའི་རྩ་བ་རྣམས་དང་ཐ་ན་དབུགས་ཕྱི་ནང་དུ་རྒྱུ་བ་ཚུན་ཆད་ཀྱང་སེམས་ཅན་ཐམས་ཅད་ལ་ཕན་པ་དང་བདེ་བའི་དོན་དུ་འགྱུར་བ་དང་། མཐར་

ཐུག་བླ་ན་མེད་པ་སངས་རྒྱས་ཀྱི་སར་དགོད་པར་བྱའོ་སྙམ་པ་བྱས་ཏེ། སངས་རྒྱས་ཆོས་དང་ཚོགས་ཀྱི་མཆོག་རྣམས་ལ། །ཞེས་སོགས་ལན་གསུམ་མམ་བདུན་ནམ་ཉེར་གཅིག་སོགས། རང་གི་རྒྱུད་ཁུལ་ཁུལ་གྱི་བར་དུ་བརྗོད་དེ། བྱང་ཆུབ་མཆོག་ཏུ་སེམས་བསྐྱེད། ཡི་དམ་བརྟན་པོ་བྱ། དེ་ལྟར་སེམས་བསྐྱེད་ནས་རང་ལས་ཆེས་མཆོག་ཏུ་གྱུར་པའི་ཉན་རང་བྱང་སེམས་ལ་སོགས་པའི་དོན་ནི་བདག་གིས་བྱ་མི་དགོས་བ་འདུག་སྙམ་པ་དང་། རང་གི་དགྲར་སྣང་སྡེ་ཕྱི་ཡིད་དུ་མི་འོང་བ་དང་། ཡུལ་དང་དུས་ཀྱིས་བསྐལ་པའི་སེམས་ཅན་སོགས་ཀྱི་དོན་བདག་གིས་བྱ་ག་ལ་ནུས་སྙམ་པའི་བློ་བསྐྱེད་ན་བྱང་ཆུབ་ཀྱི་སེམས་དམ་བཅས་པ་ལས་ཉམས་པར་འགྱུར་བས་སེམས་ཅན་ཐམས་ཅད་དང་རྒྱལ་བ་སྲས་བཅས་ཐམས་ཅད་བསླུས་པར་གྱུར་པའི་ཉེས་དམིགས་ཤིན་ཏུ་ཆེ། དེ་ལྟར་སེམས་བསྐྱེད་པ་མི་ཉམས་པར་གོང་ནས་གོང་དུ་འཕེལ་བའི་ཕྱིར་དུ་ཚད་མེད་བཞི་བསྒོམ་པར་བྱ་བ་ནི། སེམས་ཅན་ཕལ་མོ་ཆེ་ནི་ཚུལ་མིན་ཡིད་བྱེད་ཀྱིས་འགྲོ་བ་རྣམས་ལ་ཆགས་སྡང་གིས་རིས་སུ་བཅད་དེ། བདེ་བ་འབྱུང་བའི་རྒྱུ་གཞན་ལ་ཕན་པ་བསྒྲུབ་ཏུ་མ་ནུས་པས། བདེ་བ་དང་བདེ་བའི་རྒྱུས་ཕོངས་པས་ན། སེམས་ཅན་ཐམས་ཅད་བདེ་བ་དང་བདེ་བའི་རྒྱུ་དང་ལྡན་པ་ཞིག་བྱུང་ན་ཅི་མ་རུང་། བདེ་བ་དང་བདེ་བའི་རྒྱུ་དང་ལྡན་པར་གྱུར་ཅིག །དེ་ལྟར་བདག་གིས་བྱའོ་སྙམ་པ་བཅས་ཚད་མེད་གསུམ་ལྡན་གྱི་བློ་བརྟན་པོའི་ངང་ནས་དེ་ལྟར་བྱེད་ནུས་པ་བླ་མ་ལྷ་ཡིས་བྱིན་གྱིས་བརླབ་ཏུ་གསོལ་ཞེས་གསོལ་བ་གདབ། ཡང་སྔར་ལྟར་སེམས་ཅན་ཕལ་མོ་ཆེ་ནི་ཆགས་སྡང་གིས་ཡིད་འཁྲུགས་པས། སྒོ་གསུམ་མི་དགེ་བ་ལ་སྤྱོད་པ་ཆེས་མང་བས་ངན་འགྲོའི་རྒྱུ་ཚོགས་དང་། སྡོངས་པ་མ་རིག་པའི་དབང་གིས་དཀར་ནག་གི་ལས་ཇི་ལྟར་བསགས་པ་ཐམས་ཅད་འཁོར་བ་འབའ་ཞིག་གི་རྒྱུ་ལས། སྡུག་བསྔལ་གསུམ་ལ་སོགས་པས་དུས་རྟག་ཏུ་མནར་མནར་བས་ན་ཅི་རང་དྲགས། སྡུག་བསྔལ་དང་སྡུག་བསྔལ་གྱི་རྒྱུ་ཐམས་ཅད་དང་བྲལ་ན་ཅི་མ་རུང་སྙམ་པ་སོགས། ཚད་མེད་གསུམ་ལྡན་གྱི་སྒོ་ནས་བླ་མ་ལྷ་ལ་གསོལ་བ་གདབ། དེ་ནས་འཁོར་བ་པ་རྣམས་སྐབས་འགར་སྲིད་པའི་བདེ་བ་ལ་སྤྱོད་པ་སྲིད་ཀྱང་། དེ་ཡང་སྡུག་བསྔལ་གསུམ་ལ་སོགས་པ་དང་འདྲེས་ཏེ་སྤྱོད་པ་ལས་གཅིག་ཏུའམ་གཏན་དུ་བདེ་བ་ལ་སྤྱོད་པ་མི་འདུག་པས། སེམས་ཅན་འདི་རྣམས་སྡུག་བསྔལ་མེད་པའི་གཏན་གྱི་བདེ་བ་འབའ་ཞིག་ལ་སྤྱོད་དུ་བྱུང་ན་ཅི་མ་རུང་།

སྡུག་བསྔལ་མེད་པའི་བདེ་བ་དང་མི་བྲལ་བར་གྱུར་ཅིག །དེ་ལྟར་བདག་གིས་བྱའོ་ཞེས་བླ་མ་ལྷ་ལ་གསོལ་བ་གདབ། འཁོར་བ་པ་རྣམས་གདན་གྱི་བདེ་བ་ལ་ལོངས་སྤྱོད་དུ་མེད་པ་འདི། རྒྱུ་གང་གིས་བྱས་སྙམ་ན། ཆོས་ཀུན་རྟོག་པ་ལ་སྣང་བ་ལྟར་དུ་མ་གྲུབ་པ་ལ་གྲུབ་པར་འདུ་ཤེས་ཏེ། ལ་ལར་དགྲར་སྣང་སྟེ་ཞེ་སྡང་བསྐྱེད། ལ་ལ་གཉེན་དུ་སྣང་སྟེ་ཆགས་པར་བྱས། དེ་ལྟར་ཆགས་སྡང་གི་གཞན་དབང་དུ་གྱུར་ཏེ། སྡུག་བསྔལ་སེལ་བ་དང་། བདེ་བ་སྒྲུབ་པའི་ཐབས་ལ་རྨོངས་པའི་དབང་གིས་གདན་གྱི་བདེ་བ་མ་ཐོབ་པ་ཡིན་འདུག་པས། སེམས་ཅན་ཐམས་ཅད་ཉེ་རིང་ཆགས་སྡང་གཉིས་དང་བྲལ་བའི་བཏང་སྙོམས་ལ་གནས་ན་ཅི་མ་རུང་། གནས་པར་གྱུར་ཅིག། དེ་ལྟར་བདག་གིས་བྱའོ་སྙམ་དུ་བླ་མ་ལྷ་ལ་གསོལ་བ་གདབ། དེ་ལྟར་ཚད་མེད་བཞི་སྒོམ་པའི་ཚེ་ཁ་ཕྱིར་བལྟས་སུ་མ་སོང་བར་རང་ཉིད་ཚད་མེད་བཞི་ལ་གནས་པ་ཞིག་བྱས་ཏེ། ཚད་མེད་ཕྱི་མ་ཕྱི་མ་རྣམས་སྔ་མ་སྔ་མའི་ནུས་པ་གོང་འཕེལ་དུ་འགྱུར་བའི་ཐབས་སུ་འགྱུར་བ་ཞིག་བྱ་དགོས། དེ་ལྟར་བྱང་ཆུབ་ཏུ་སེམས་བསྐྱེད་ནས། ཚད་མེད་བཞི་བསྒོམ་ཟིན་པ་ན། བྱང་ཆུབ་ཏུ་སེམས་བསྐྱེད་པའི་དོན་བདག་གིས་ད་ལྟ་ཉིད་ནས་བསྒྲུབ་པར་བྱ་དགོས་པ་འདུག་ན། སེམས་བསྐྱེད་ཀྱི་འབྲས་བུ་མྱུར་དུ་འགྲུབ་པའི་ཐབས་ཟབ་ལམ་བླ་མའི་རྣལ་འབྱོར་ལམ་གྱི་སྲོག་ཏུ་བྱས་ཏེ་ཚུལ་བཞིན་དུ་ཉམས་སུ་ལེན་པ་ནི་གནད་དམ་པར་གསུངས་པས་ན། ད་ནས་བཟུང་སྟེ་བྱང་ཆུབ་སྙིང་པོ་མ་ཐོབ་ཀྱི་བར་དང་། ལྷག་པར་ཚེ་འདི་རྫི་སྲིད་འཚོ་བའི་བར། ཡང་སྙོམས་ད་རེ་ཐུན་འདིའི་རིང་རང་གིས་ཇི་ལྟར་ཉམས་སུ་བླང་བྱའི་དགེ་བའི་དམིགས་པ་ལ་ཡིད་རྩེ་གཅིག་ཏུ་གཏོད་པ་ལས། ཡིད་གཞན་དུ་གཡེང་བ་དང་། ལེ་ལོ་དང་བག་མེད་པ་ལ་སོགས་པའི་དབང་དུ་སྐད་ཅིག་ཙམ་ཡང་མི་གཏོང་བར། ལས་དང་པའི་སྐབས་སུ་ཐུན་གྱི་ཚེ་ཡང་དྲན་པ་དང་ཤེས་བཞིན་གྱིས་བྱ་ར་ཡང་ཡང་བྱས་ཏེ། གཉིད་རྨུགས་བྱིང་རྒོད་སོགས་ཀྱི་སྐྱོན་དང་བྲལ་བར་མྱུར་བ་མྱུར་བར་ཡང་དག་པར་རྫོགས་པའི་སངས་རྒྱས་ཀྱི་གོ་འཕང་རིན་པོ་ཆེ་ཐོབ་པར་བྱ་བའི་ཐབས་ཟབ་ལམ་བླ་མའི་རྣལ་འབྱོར་ཉམས་སུ་བླང་བར་བྱའོ་སྙམ་པ་ལམ་ལ་བརྟེན་པའམ་ཁྱད་པར་གྱི་སེམས་བསྐྱེད་ཤུགས་དྲག་པོ་བྱ། སེམས་བསྐྱེད་འདི་ཀུན་རྫོབ་སེམས་བསྐྱེད་དངོས་མ་ཡིན་ཀྱང་བྱང་ཆུབ་སེམས་ཀྱི་ནུས་པ་གོང་འཕེལ་དུ་འགྲོ་བའི་ཐབས་ཡིན་ཞེས་གསུངས། དེ་ལྟར་བྱས་པ་ལ་སྐྱབས་ཡུལ་རྣམས་ཐུགས་

ཤིན་ཏུ་དགྱེས་ཏེ། ད་ནི་སྒྲུབ་པ་པོ་འདིའི་རྒྱུད་བྱིན་གྱིས་བརླབ་པར་བྱ་སྙམ་དུ་དགོངས་པས་སྐྱབས་ཡུལ་རྣམས་མཐའ་ནས་རིམ་བཞིན་འོད་དུ་ཞུ་ནས་གཙོ་བོ་ལ་ཐིམ། གཙོ་བོ་ཡང་འོད་དུ་ཞུ་ནས་རང་ལ་ཐིམ་པས། རང་གི་སེམས་དང་བླ་མ་ལྷའི་ཐུགས་དབྱེར་མེད་གཅིག་ཏུ་གྱུར་ཏེ་བྱིན་གྱིས་བརླབས་བྱུང་སྙམ་པའི་མོས་པ་དགའ་སྤྲོ་དང་བཅས་པ་བྱ། འདི་ཡན་ཆད་ནི་ཟབ་ལམ་བླ་མའི་རྣལ་འབྱོར་འདིའི་སྔོན་འགྲོའི་རིམ་པའོ། །བདག་ནི་བླ་མ་ལྷའི་བྱིན་བརླབ་སྙིང་ལ་ཞུགས་པས་ལམ་བཟང་སྒྲུབ་པ་ལ་འབད་ན་འབྲས་བུ་དོན་ལྡན་དུ་འབྱུང་བ་གདོན་མི་ཟའོ་སྙམ་དུ་ད་ནི་སྔོན་གྱི་རྒྱལ་བ་སྲས་བཅས་ཀྱི་མཛད་པ་ལྟར་བསོད་ནམས་དང་ཡེ་ཤེས་ཀྱི་ཚོགས་རྒྱ་ཆེན་པོ་གསོག་པར་བྱ། དེ་ཡང་ཕྱོགས་བཅུའི་རྒྱལ་བ་རྣམས་ཀྱི་ཞལ་དངོས་སུ་མཇལ་བའི་སྐལ་བ་རེ་ཞིག་མ་ཐོབ་ཀྱི་བར་དུ་ཚོགས་ཀྱི་ཞིང་རྣམས་རང་གི་ཡིད་ངོར་གསལ་གདབ་ལ་བླ་མ་ལྷའི་སྣང་བ་དང་མ་འབྲལ་བ་ཞིག་བདག་གིས་བྱ། དེའི་ཕྱིར་དུ་ཚོགས་ཀྱི་ཞིང་ཇི་ལྟར་གསལ་གདབ་སྙམ་ན། འདི་ལྟར་བསམ་པར་བྱ་སྟེ། སྔོན་ཡང་དག་པར་རྫོགས་པའི་སངས་རྒྱས་མཉམ་མེད་ཐུབ་པའི་དབང་པོ་དེ་རྒྱ་གར་རྡོ་རྗེ་གདན་དུ་བྱོན་ཏེ། སྐལ་བ་དང་ལྡན་པའི་ཐེག་པ་གསུམ་གྱི་རིགས་ཅན་ལྷ་དང་མི་དང་ཀླུ་ལ་སོགས་པ་འགྲོ་བ་གྲངས་མེད་པ་ལ་ཐེག་པ་གསུམ་གྱི་ཆོས་ཀྱི་འཁོར་ལོ་བསྐོར་བར་མཛད་པའི་ཚེ་ན་བདག་ནི་སྐལ་བ་དམན་པས་ཕལ་ཆེར་དེ་སྐབས་ངན་སོང་དུ་གནས་ཏེ། དམ་པའི་ཆོས་ཀྱི་སྐལ་བ་མ་ཐོབ། དེ་ནས་རིམ་བཞིན་འཕགས་མཆོག་ཀླུ་སྒྲུབ་ཡབ་སྲས་དང་། མཉམ་མེད་དི་པཾ་ཀ་ར། ཁམས་གསུམ་ཆོས་ཀྱི་རྒྱལ་པོ་ཙོང་ཁ་པ་ཆེན་པོ་ཡབ་སྲས་རྣམས་ཞིང་འདིར་དངོས་སུ་བྱོན་ཏེ། རང་རང་གིས་གདུལ་བྱ་སྐལ་བ་དང་ལྡན་པ་རྣམས་ལ་ཟབ་རྒྱས་ཆོས་ཀྱི་འཁོར་ལོ་བསྐོར་བར་མཛད་པ་དེ་དག་གི་ཚེ་ན་ཡང་བདག་ནི་དེ་དག་གི་སྐུ་དངོས་ཀྱི་གདུལ་བྱར་གྱུར་ཏེ་ཆོས་ཀྱི་བདུད་རྩིའི་སྐལ་པ་མ་ཐོབ་པ་ཞིག་ཡིན་འདུག་ཅིང་། འོན་ཀྱང་བླ་མ་མཆོག་གསུམ་གྱིས་བྱིན་མཐུས། ད་ལྟ་རང་གི་སྐལ་བ་དང་འཚམ་པར་ཐ་མལ་ཚུལ་བཟུང་གི་དགེ་བའི་བཤེས་གཉེན་འདི་རྣམས་ཀྱི་ཞལ་མཇལ་ཞིང་ཆོས་ཀྱི་བདུད་རྩིའི་སྐལ་བ་ཅུང་ཟད་ཐོབ་པའི་སྐབས་འདིར། དགེ་བའི་བཤེས་གཉེན་དེ་རྒྱལ་བ་ཐམས་ཅད་ཀྱི་ངོ་བོར་བལྟས་ཏེ་གསོལ་བ་འདེབས་པ་ནི་གལ་ཤིན་ཏུ་ཆེ་སྟེ། ཡོན་ཏན་ཀུན་གྱི་གཞིར་གྱུར་དྲིན་ཅན་རྗེ། །ཚུལ་བཞིན་བསྟེན་པ་ལམ་གྱི་རྩ་བ་རུ། །ལེགས་པར་མཐོང་

ནས་འབད་པ་དུ་མ་ཡིས། །གུས་པ་ཆེན་པོས་བསྟེན་པར་བྱིན་གྱིས་རློབས། །ཞེས་གསུངས་པ་ལྟར། གུས་པ་ཆེན་པོས་བསྟེན་དགོས་ན། དེའི་ཚུལ་ནི། འདིར་རང་ཉིད་ད་ལྟ་མིའི་ལུས་ཐོབ་ཅིང་འཛམ་བུ་གླིང་འདིར་གནས་བཞིན་པ་ཡིན་པས་ན་འཛམ་བུ་གླིང་སོགས་གླིང་བཞིའི་ལྟེ་བ་རིའི་རྒྱལ་པོ་རི་རབ། དེའི་རྩེ་མོར་ལྷ་གནས་སུམ་ཅུ་རྩ་གསུམ། དེ་ནས་དཔག་ཚད་དུ་མས་འཕགས་པ་ས་དང་མ་འབྲེལ་བའི་ནམ་མཁའི་མཐོངས་སུ་འཐབ་བྲལ། དེ་ནས་ཀྱང་དཔག་ཚད་དུ་མས་འཕགས་པའི་ནམ་མཁའི་མཐོངས་སུ་མ་དག་པའི་དགའ་ལྡན་གྱི་ལྷ་གནས། དེའི་ཐད་དུ་ཅུང་ཟད་མཐོ་བར་མ་དག་པའི་གནས་དང་མ་འབྲེལ་བར་དགའ་ལྡན་བྱམས་པའི་ཞིང་དག་པའི་ཞིང་གི་བཀོད་པ་ཕུན་སུམ་ཚོགས་པ་དང་ལྡན་པ་དེར་ཡིད་དགའ་ཆོས་འཛིན་ཞེས་བྱ་བ་རྒྱལ་བ་མི་ཕམ་མགོན་པོ་འཁོར་ནམ་མཁའ་དྲི་མ་མེད་པ་དང་འཇམ་དཔལ་སྙིང་པོ་སོགས་གཞན་ཡང་བདེ་གཤེགས་བྱང་ཆུབ་སེམས་དཔའི་ཚུལ་ཅན་དང་། ས་རབ་ཏུ་དགའ་བ་ལ་སོགས་པའི་སར་གནས་པ་དང་མོས་སྤྱོད་དང་དད་པའི་ས་ལ་གནས་པའི་བྱང་སེམས་དང་། ཐེག་པ་ཆེན་པོའི་རིགས་ཅན་རབ་ཏུ་བྱུང་བ་དང་ལྷའི་ཆ་བྱད་ཅན་དཔག་ཏུ་མེད་པའི་འཁོར་གྱིས་བསྐོར་བའི་དབུས་སུ་རྒྱལ་ཚབ་མི་ཕམ་མགོན་པོ་དེ་ཉིད་རང་ཅག་འཛམ་བུ་གླིང་པའི་ཕྱོགས་སུ་ཞལ་གཟིགས་ཏེ་ཐེག་པ་ཆེན་པོའི་ཆོས་ཟབ་པ་དང་རྒྱ་ཆེ་བ་རྒྱུན་མི་ཆད་དུ་གསུང་བཞིན་པ། དེ་དག་ཐམས་ཅད་ཀྱང་རང་གི་མཐོང་ཐོས་ཀྱི་ཡུལ་དུ་མངོན་སུམ་དུ་སྣང་བཞིན་པར་བསྒོམ་ལ། དེ་ལྟར་མི་ཕམ་མགོན་དང་འཇམ་དཔལ་སྙིང་པོ་སོགས་འཁོར་ཚོགས་དང་བཅས་པའི་མཛད་པ་ལ་དད་གུས་ཀྱིས་བདག་ཀྱང་རྗེས་སུ་འཛིན་པར་མཛད་དུ་གསོལ་སྙམ་དུ་ཡིད་ཀྱིས་གསོལ་བ་དྲག་ཏུ་གདབ་པ་ན། བྱམས་མགོན་གྱི་ཐུགས་ཀར་གསེར་གྱི་མེ་ལོང་གཡའ་དག་པ་ལྟ་བུ་ལ་དཔལ་བེའུའི་གཟུགས་བརྙན་འཆར་བ་ལྟ་བུ་འཕྲ་ལམ་གྱིས་ཡོད་པའི་ནང་དུ་རང་ཅག་འཛམ་བུ་གླིང་པ་རྣམས་ལ་རྗེས་སུ་བརྩེ་བའི་ཡེ་ཤེས་སྤྲིན་དཀར་གྱི་རྣམ་པ་ལང་ལོང་འཁྲིགས་པའི་དབུས་ན་རང་གི་དྲིན་ཅན་རྩ་བའི་བླ་མ་དང་ངོ་བོ་དབྱེར་མ་མཆིས་པ་རྒྱལ་བ་ཐམས་ཅད་ཀྱི་མཁྱེན་བརྩེ་ནུས་གསུམ་འདུས་པའི་བདག་ཉིད་ཁམས་གསུམ་ཆོས་ཀྱི་རྒྱལ་པོ་ཙོང་ཁ་པ་ཆེན་པོ་ཡབ་སྲས་གསུམ་བཞུགས་པ་རང་གིས་གསལ་ལམ་གྱིས་མཐོང་བའི་མོས་པ་བྱེད། ད་ལྟ་རང་དུ་རང་གི་མདུན་གྱི་ནམ་མཁར་ཚོགས་ཀྱི་ཞིང་དུ་སྤྱན་དུ་གསོལ་སྙམ་པ་དང་

བཅས། དགའ་ལྡན་ལྷ་བརྒྱའི་མགོན་གྱི་ཐུགས་ཀ་ནས། །ནས་གཤེགས་སུ་གསོལ་གྱི་བར་བརྗོད་ཅིང་། དེ་ལྟར་གསོལ་བ་བཏབ་པས་སྤྲིན་དཀར་ལང་ལོང་ནར་གྱིས་བྱུང་བའི་སྟེར་རྗེ་ཡབ་སྲས་གསུམ་བྱམས་པའི་ཐུགས་ཀ་ནས་རང་གི་མདུན་གྱི་ནམ་མཁར་བྱོན་པའི་མོས་པ་བྱེད། རང་གི་མདུན་གྱི་ནམ་མཁར་ཡང་མ་བཅོས་ལྷུན་གྱིས་གྲུབ་པའི་གསེར་གྱི་ཁྲི་རིན་པོ་ཆེ་སྣ་ཚོགས་ཀྱི་འཕྲུས་མཛེས་པར་བྱེད་པ་སེངྒེ་ཆེན་པོ་བརྒྱད་ཀྱིས་བཏེགས་པ་ཞིག་དང་། གཡས་གཡོན་དུ་ཁྲི་དེ་ལས་ཕྱེད་ཙམ་གྱིས་དམའ་བ་སེངྒེའི་ཁྲི་རེ། དེ་གསུམ་གའི་སྟེང་དུ་སྐྱོན་གྱིས་མ་གོས་པའི་པདྨ། དེའི་ཟེའུ་འབྲུའི་སྟེང་དུ་ཟླ་གདན་དང་བཅས་པ་གསལ་གདབ་ཅིང་། བྱམས་མགོན་གྱི་ཐུགས་ཀ་ནས་བྱོན་པའི་རྗེ་ཡབ་སྲས་གསུམ་རིམ་གྱིས་དལ་བུས་སམ་མྱུར་བའི་ཤུགས་ཀྱིས་བྱོན་པ་རྗེ་ཙོང་ཁ་པ་ཆེན་པོ་དབུས་དང་། གཡས་སུ་རྒྱལ་ཚབ་དར་མ་རིན་ཆེན། གཡོན་དུ་མཁས་གྲུབ་དགེ་ལེགས་དཔལ་བཟང་པོ། དེ་གསུམ་གའང་རུང་བ་ཚད་ལྡན་གྱི་ཆོས་གོས་རྣམ་གསུམ་སྐུ་ལ་གསོལ་ཞིང་། དབུ་ལ་གསེར་མདོག་པཎ་ཞྭ་མཛེས་པ། རྗེ་ཐམས་ཅད་མཁྱེན་པ་ཕྱག་གཉིས་ཐུགས་ཀར་ཆོས་འཁོར་གྱི་ཕྱག་རྒྱའི་མཐེབ་མཛུབ་ཀྱིས་ཨུཏྤ་ལའི་ཡུ་བ་རེ་འཛིན་པ་སྣན་གྱི་ཐད་ཀར་མེ་ཏོག་ཁ་ཕྱེ་བའི་སྟེང་དུ། གཡས་སུ་ཤེས་རབ་ཀྱི་རལ་གྲི་སྔོ་གསངས་རྩེ་མོར་ཡེ་ཤེས་ཀྱི་མེ་འབར་བ། གཡོན་དུ་བཀའ་བརྒྱད་སྟོང་པའི་གླེགས་བམ་ཤེར་ཕྱིན་གྱི་རང་གྲ་གྲོགས་བཞིན་པས་མཚན་པ། རྒྱལ་ཚབ་རྗེ་སྐུ་ཙུང་ཟད་བགྲེས་པའི་རྣམ་པ་ཅན་དབུ་ཙུང་ཟད་འདུད་པ། མཁས་གྲུབ་རྗེ་ལང་ཚོ་དར་ལ་བབས་ཤིང་སྐུ་འགྱིངས་སྟབས་ཅན། གཉིས་གའང་ཕྱག་གཡས་ཆོས་འཆད་དང་། གཡོན་ཤེར་ཕྱིན་གྱི་གླེགས་བམ་བསྣམས་པ། སྲས་གཉིས་ཞལ་ཙུང་ཟད་གཙོ་བོ་ལ་ཕྱོགས་པའི་རྣམ་པ་ཅན། གསུམ་གའང་སྐུ་ལས་འོད་ཟེར་དཔག་ཏུ་མེད་པ་འཕྲོས་ཤིང་རང་ལ་དགྱེས་པའི་ཉམས་ཅན། བདག་ཅག་གི་བསོད་ནམས་ཀྱི་ཞིང་དུ་བཞུགས་ལ་བདག་སྐྱབ་པ་པོ་དང་གཞན་ཡང་གདུལ་བྱ་རྣམས་ཀྱི་རྒྱུད་ལ་ཐོས་བསམ་སྒོམ་གསུམ་གྱི་ཤེས་རབ་དང་བསླབ་པ་གསུམ་གྱི་ཡོན་ཏན་སོགས་རྒྱལ་བའི་བསྟན་པ་འཕེལ་ཞིང་རྒྱས་པར་བྱིན་གྱིས་བརླབ་པའི་ཆེད་དུ་འཁོར་བ་མ་སྟོང་གི་བར་དུ་བརྟན་པར་བཞུགས་ཏེ། བདག་ཅག་གདུལ་བྱ་རྣམས་ཚོགས་གསོག་སྒྲིབ་སྦྱང་མཐར་ཕྱིན་པར་མ་གྱུར་པ་དེ་སྲིད་དུ་ཚོགས་ཀྱི་ཞིང་འདིར་མྱ་ངན་ལས་མི་འདའ་བར་བརྟན་པར་བཞུགས་སུ་གསོལ་ཞེས་པ་སྐབས་

འདིའི་ཡན་ལག་བདུན་གྱི་དང་པོའོ། །དེ་ནས་རྗེ་བླ་མའི་སྐུ་གསུང་ཐུགས་སོགས་ཀྱི་ཡོན་ཏན་ལས་བརྩམས་པའི་བསྟོད་ཚིག་ངག་ཏུ་བརྗོད་ནས་ལུས་ངག་ཡིད་གསུམ་གྱིས་ཕྱག་བྱ་བ་ནི། རྒྱལ་བ་ཐམས་ཅད་ཀྱི་མཁྱེན་རབ་ཀྱི་བདག་ཉིད་རྗེ་བཙུན་འཇམ་དཔལ་དབྱངས་དང་དབྱེར་མ་མཆིས་པ་རྗེ་བླ་མ་ཁྱེད་ཀྱི་མཁྱེན་པའི་ཡེ་ཤེས་ཀྱི་ཆ་ཤས་ཕྲ་མོ་རེས་ཀྱང་། ཤིན་ཏུ་རྟོགས་པར་དཀའ་བའི་བདག་སོགས་གདུལ་བྱའི་ཁམས་དང་མོས་པ་གཞན་ཡང་ཇི་ལྟ་ཇི་སྙེད་ཀྱི་ཤེས་བྱའི་ཆོས་ཀུན་མ་འདྲེས་པར་གསལ་བར་གཟིགས་པའི་ཐུགས་ཀྱི་ཡོན་ཏན་ཁྱད་པར་ཅན་དང་ལྡན་ཞིང་། མཁའ་མཉམ་གྱི་འགྲོ་བ་དང་སྤྱི་དང་ལྷག་པར་ཤིན་ཏུ་འདུལ་བར་དཀའ་བའི་སྐྱེ་རྒུ་རྣམས་ལ་བརྩེ་བའི་ཡེ་ཤེས་ཀྱི་ཆ་ནི་འཕགས་མཆོག་སྙིང་རྗེའི་ལྷ་དང་ཐ་དད་དུ་དབྱེ་མི་ནུས་པས་ན་གང་གི་ལེགས་པར་གསུངས་པའི་ཚིག་གི་ཆ་ཤས་རེས་ཀྱང་གདུལ་བྱ་མཆོག་དམན་པར་གསུམ་ནས་རང་རང་གི་དབང་པོ་དང་མཐུན་པའི་གོ་བ་རེ་བསྐྱེད་ནུས་ཀྱི་ཟབ་པ་དང་རྒྱ་ཆེ་བའི་གསུང་རབ་རྒྱ་མཚོ་ལྟ་བུའི་ཚིག་དོན་གྱི་ཆ་ལ་བློ་གྲོས་ཀྱི་རྣམ་དཔྱོད་ཡངས་པ་དག་གིས་ཅི་ཙམ་བརྟགས་ཀྱང་དོན་གྱི་ཆ་ལ་ནོར་འཁྲུལ་དང་། ཚིག་གི་ཆ་ཤས་ལ་ཡང་བསྒྱུར་བཀོད་དང་འདོར་འོས་བསྐལ་པའི་བར་དུ་བཙལ་ཀྱང་རྙེད་པར་མི་འགྱུར་བས་ན། སྐལ་བ་མཆོག་དང་ལྡན་པའི་གདུལ་བྱ་རྣམ་དཔྱོད་དང་ལྡན་པ་རྣམས་ཀྱིས་ཐོས་པ་ཙམ་གྱིས་དད་པའི་སྤུ་ལོང་གཡོ་ཞིང་གསུང་གི་ཆ་ཤས་ཕྲ་མོ་རེ་ཡང་དབུལ་པོས་གཏེར་བརྙེས་པ་ལྟར་དགའ་བ་མཆོག་ཏུ་སྐྱེད་པར་བྱེད་པའི་ལེགས་བཤད་ཐོགས་པ་མེད་པར་སྒྲོགས་པ་ལ་མངའ་བརྙེས་པའི་གསུང་གི་ཡོན་ཏན་དང་། གང་གི་མཚན་གྱི་སྙན་པའི་གྲགས་པ་ཐོས་པ་ཙམ་གྱིས་མཁས་པར་རློམ་པ་རྣམས་ཀྱི་ང་རྒྱལ་གྱི་རི་བོ་བཤིལ་ཞིང་། གཟུར་གནས་རྣམས་རབ་ཏུ་དགའ་བ་དང་། དད་པ་དང་སྤྲོ་བ་དཔག་ཏུ་མེད་པ་བསྐྱེད་པར་བྱེད་དེ། དེ་དག་གི་ཆགས་སྡང་རྨོངས་གསུམ་གྱི་འགོ་གནོན་པའི་ནུས་པ་ཕུན་སུམ་ཚོགས་པ་སྟེ། ནང་ཡོན་ཏན་མཆོག་དེ་ལྟ་བུ་དང་ལྡན་པའི་ཁྱོད་ཀྱི་ཞལ་གྱི་དཀྱིལ་འཁོར་མཛེས་པ་ཙམ་གྱིས་ཀྱང་སྐྱེས་བུ་རབ་ཏུ་མང་པོའི་སྐྱོན་བསལ་ཞིང་ཡོན་ཏན་སྒོ་དུ་མ་ནས་སྐྱེད་པར་བྱེད་པས་མཐོང་ཐོས་དྲན་རེག་མཐའ་དག་འཕྲལ་དང་ཡུན་གྱི་དགེ་བདེ་ལ་སྦྱོར་ཏེ་དོན་ལྡན་དུ་མཛད་པའི་རྗེ་བླ་མ་མཆོག་གི་ཡོན་ཏན་བསམ་པའི་ཡིད་ཀྱིས་དད་པ་དང་བཅས་རང་ལུས་དཔག་ཏུ་མེད་པ་སྤྲོས་སྤྲུལ་ཏེ་ངག་ནས་བསྟོད་དབྱངས་སྙན་པར་

གཞུང་བཞིན་དུ་བརྗོད་པ་དང་བཅས་ཏེ་ཕྱག་བྱའོ། །དེ་ནས་སྔར་སྦྱོར་བའི་སྐབས་སུ་རང་གིས་ཅི་འབྱོར་བཤམས་པའི་མཆོད་པ་རྣམས་ལ་སེར་སྣ་དང་། ཁེངས་པ་དང་ཞུམ་པ་སོགས་བློའི་སྐྱོན་གྱིས་མ་གོས་པར་ཡིད་ཀྱིས་བཟང་རྒྱུར་སྤྲུལ། གཞན་ཡང་འཇིག་རྟེན་གྱི་ཁམས་ན། བསོད་ནམས་དགེ་བའི་མཐུ་ལས་སྐྱེས་པའི་མཆོད་པའི་རྫས་ལྷ་མི་སོགས་ཀྱིས་བདག་ཏུ་བཟུང་བ་དང་མ་བཟུང་བ། རྒྱལ་བ་སྲས་བཅས་ཀྱི་ཡེ་ཤེས་ཀྱི་རང་སྣང་ལས་མཆོད་པའི་རྫས་སུ་ཤར་བ་ཇི་སྙེད་ཅིག་ཡོད་པ་དེ་དག་ཐམས་ཅད་རང་གི་བློས་བསླང་སྟེ་འགྲོ་བ་ཀུན་གྱི་བསོད་ནམས་ཀྱི་ཞིང་གི་མཆོག་རྗེ་བླ་མ་མཆོག་ལ་སེམས་ཅན་ཐམས་ཅད་ཀྱི་དོན་དུ་དཔུལ་ཞིང་། དེ་ལྟར་མཆོད་པ་ཕུལ་བ་ལས་རང་གཞན་སེམས་ཅན་ཐམས་ཅད་ཀྱི་བསོད་ནམས་ཀྱི་ཚོགས་དཔག་ཏུ་མེད་པ་རྫོགས་པར་བསམ་ན་རང་ཉིད་ལ་བསོད་ནམས་ཀྱི་ཚོགས་དཔག་ཏུ་མེད་པ་ཐོབ་པར་མ་ཟད་མཆོད་པའི་རྫས་ཀྱི་དངོས་པོ་དངོས་དང་བརྒྱུད་ནས་གང་དང་འབྲེལ་བ་ལས་བྱུང་བའི་སེམས་ཅན་རྣམས་དང་། མཐོང་ཐོས་དྲན་རེག་གི་འགྲོ་བ་དཔག་ཏུ་མེད་པ་ལ་ཡང་ཕན་པར་འགྱུར་ཞེས་གསུངས། བཤགས་པ་བྱ་བ་ནི་བདག་ཏུ་འཛིན་པའི་རྩ་བ་ཅན་གྱི་ཉོན་མོངས་པ་གང་དང་གང་གིས་ཀུན་ནས་བསླངས་ཏེ། རང་བདེ་སྡུག་གང་དང་གང་གི་དུས་སུ། ཡུལ་དགྲ་གཉེན་དང་གཞན་ཡང་ཞིང་མཆོག་དམན་གང་དང་གང་གི་དོན་དུ་ད་ལྟའི་རྟེན་འདིར་ལུས་ངག་ཡིད་གསུམ་གྱི་སྒོ་ནས་སྡིག་པ་མི་དགེ་བའི་ཚོགས་སྤྱི་དང་སོ་ཐར་བྱང་སེམས་གསང་སྔགས་ཀྱི་སྡོམ་པའི་མི་མཐུན་ཕྱོགས་སྔར་བགྱིས་པ་དང་ད་ལྟ་བགྱིད་བཞིན་པ་དང་། རྗེས་སུ་བགྱི་སྙམ་པའི་ཀུན་སློང་གི་རྟོག་པ་ངན་པ་སོགས་དེ་དག་ཐམས་ཅད་ཡིད་ངོར་ཤར་བར་བྱས་ཏེ་བསྡུབ་གང་དང་། དེ་བཞིན་དུ་ཐོག་མ་མེད་པ་ནས་བསགས་པའི་སྒོ་གསུམ་གྱི་ཉེས་ཚོགས་དཔག་ཏུ་མེད་པ་རྣམ་སྨིན་བྱུང་མ་ཟིན་པ་རྣམས་ཀྱི་རྣམ་སྨིན་མྱོང་དགོས་དང་། རྣམ་སྨིན་བྱུང་ཟིན་ཡང་བཤགས་སྡོམ་གྱིས་དག་པར་མ་བྱས་པའི་ལས་ཀྱི་སྒྲིབ་པས་ས་ལམ་གྱི་ཡོན་ཏན་བསྐྱེད་པ་ལ་གེགས་བྱེད་པས་ན་དེ་དག་ལ་ཤིན་ཏུ་འགྱོད་པ་དྲག་པོའི་ཤུགས་ཀྱིས་ད་ལྟ་ཉིད་དུ་ཞིང་ཁྱད་པར་ཅན་གྱི་དྲུང་དུ་སོ་སོར་མཐོལ་ཞིང་བཤགས་ལ་ཕྱིན་ཆད་སྡོམ་པར་བགྱིའོ་སྙམ་པའི་ཡིད་དམ་བརྟན་པོ་དང་བཅས་ཏེ། བཤགས་པའི་ཚིག་གཞུང་བཞིན་དུ་བརྗོད་ཅིང་། སོང་འབྱུང་ན་ལྟུང་བཤགས་དང་སྤྱི་བཤགས། སྡོམ་གསུམ་གྱི་ཕྱིར་བཅོས་སོགས་འདོན་ཏེ་

བཞུགས་པ་ནན་ཏན་བྱ། རྗེས་སུ་ཡི་རང་ཇི་ལྟར་བྱ་སྙམ་ན། དགེ་བའི་དངོས་པོ་སྔར་བསགས་པ་དང་། ད་ལྟ་གསོག་བཞིན་པ། རྗེས་སུ་གསོག་པར་འགྱུར་བ་གང་དག་མི་ཉམས་པར་གོང་འཕེལ་དུ་འགྱུར་བ་བྱ་བའི་ཕྱིར་དགེ་བ་ལ་རྗེས་སུ་ཡི་རང་བཞིན་དགོས་པས་ན། ཉན་ཐོས་དང་བྱང་ཆུབ་སེམས་དཔའི་རིགས་ཅན་རྣམས་ནས་ཀྱང་རིམ་པ་བཞིན་སྔོན་གྱི་དགྲ་བཅོམ་པ་དང་སེམས་དཔའ་ཆེན་པོ་དང་བདེ་བར་གཤེགས་པ་རྣམས་ཀྱི་མཛད་པ་རྗེས་སུ་དྲན་ཏེ་སྨྲ་བ་དང་བཅས། དེའི་རྗེས་སུ་སློབ་པར་མཛད་མོད་ཀྱང་། དེང་དུས་ཀྱི་སྐྱེ་བོ་ཕལ་ཆེར་དགེ་བའི་བཤེས་དང་གྲོགས་བཟང་པོ་དག་དང་འཕྲད་པ་དཀའ་ཞིང་འཕྲད་ན་ཡང་དེ་དག་གི་རྗེས་སུ་ཞུགས་ནས་དམ་པའི་ཆོས་རྣམ་པར་དག་པ་བསྒྲུབ་པ་ལྟ་ཞོག་སྐྱེ་བོ་ཡ་རབ་ཀྱི་སྤྱོད་པ་ངོ་སྐྱག་མེད་པར་སྤྱོད་པ་ཙམ་ཡང་དཀའ་ན། བདག་ནི་དགེ་བའི་བཤེས་གཉེན་དང་གྲོགས་བཟང་པོ་དང་ལན་ཅིག་འཕྲད་པའི་དུས་འདིར། སྙིགས་དུས་ཀྱི་འདྲེན་མཆོག་རྗེ་བླ་མ་དེ། སྤངས་རྟོགས་ཀྱི་ཡོན་ཏན་ཡོངས་སུ་རྫོགས་པ་ཞིག་ཡིན་ན་ཡང་། སྔོན་བྱུང་དམ་པའི་རྣམ་ཐར་རྗེས་འཇུག་གདུལ་བྱའི་ཉམས་ལེན་དུ་སྟོན་པའི་ཕྱིར། སྐུ་གཞོན་ནུའི་རྣམ་པའི་དུས་ནས་སྐྱེ་བོ་ཕལ་པའི་ངན་སྤྱོད་ཀྱི་དྲི་མས་མ་གོས་ཤིང་། ཚེ་འདིའི་སྡུག་བསྔལ་སེལ་བ་དང་བདེ་བ་བསྒྲུབ་པ་སོགས་འཇིག་རྟེན་ཆོས་བརྒྱད་ཀྱི་བློ་རྣམས་རྒྱང་རིང་དུ་དོར་ཏེ། དང་པོར་རྒྱ་ཆེར་ཐོས་པ་མང་དུ་བཙལ། །བར་དུ་གཞུང་ལུགས་ཐམས་ཅད་གདམས་པར་ཤར། །མཐའ་མར་ཉིན་མཚན་ཀུན་ཏུ་ཉམས་སུ་བླངས། །ཀུན་ཀྱང་བསྟན་པ་རྒྱས་པའི་ཆེད་དུ་བསྔོ། །ཞེས་པ་ལྟར་འགྲོ་བ་རྣམས་ལ་བརྩེ་ཞིང་བཟོད་བརྩོན་གོ་ཆ་བརྟན་པོས་དུས་སྐད་ཅིག་རེ་ཙམ་ཡང་དོན་མེད་ཆུད་ཟོས་སུ་མ་བཏང་བར་མང་དུ་ཐོས་པ་དང་། སྒྲུབ་པ་ལ་བརྩོན་ཞིང་དེ་དག་ཐམས་ཅད་ཀྱང་། ཀུན་རྫོབ་པ་དང་། དོན་དམ་པའི་བྱང་ཆུབ་ཀྱི་སེམས་ཀྱིས་ཟིན་པར་མཛད་དེ། ཐབས་ཆེན་རྒྱལ་སྲས་ཀྱི་སྤྱོད་པ་མཐའ་དག་ཁུར་དུ་བཞེས་པའི་སྒོ་ནས་ལྟ་སྒོམ་སྤྱོད་པ་རྣམ་པར་དག་ཅིང་མཁས་བཙུན་བཟང་གསུམ་དང་འཆད་རྩོད་རྩོམ་གསུམ་གྱི་སྒོ་ནས་རྒྱལ་བའི་བསྟན་པ་ལ་དག་ཐེར་མཛད་དེ་བསྟན་པའི་སྙིང་པོ་དུས་ཀྱི་མཐར་ཡང་དར་རྒྱས་ཡུན་རིང་དུ་སྤེལ་བའི་མཛད་པ་དང་འཕྲིན་ལས་རྗེ་བླ་མ་དང་མཚུངས་པ་ཞིག་སྔོན་ཆད་གངས་ཅན་ལྗོངས་འདིར་བྱོན་པའི་གཏམ་ཙམ་ཡང་སུས་ཀྱང་བསྒྲག་ཏུ་མེད་ཅིང་། ཕྱིན་ཆད་ཀྱང་དེ་ལྟ་

བུ་འབྱུང་མི་འབྱུང་གི་དཔེར་ཨུ་དུམ་ཝ་རའི་མེ་ཏོག་ཀྱང་དགོད་བར་དཀའ་བས་ན། བླུན་པོ་དག་གི་རྗེས་སུ་ཡི་རང་ཙམ་ཡང་བྱ་བའི་ཡུལ་དུ་མི་འགྱུར་བས། རྗེ་བླ་མ་ཉིད་ཀྱི་མཛད་པ་ལ་ཤིན་ཏུ་ངོ་མཚར་བ་དང་། དགའ་བདེ་སྤྲོ་བའི་ཤུགས་ཀྱིས་རྗེས་སུ་ཡི་རང་བར་བྱའོ། །ཆོས་ཀྱི་འཁོར་ལོ་བསྐོར་བར་གསོལ་བ་འདེབས་པ་ནི། ཆོས་ཀྱི་འཁོར་ལོ་ཞེས་པ་གཙོ་བོར་རྟོགས་པའི་ཆོས་ལ་བྱེད་ཅིང་། ལུང་གི་ཆོས་ནི་རྟོགས་པའི་ཡོན་ཏན་སྐྱེད་པར་བྱེད་པའི་རྒྱུའི་གཙོ་བོ་ཡིན་པས་ན། རྟོགས་པའི་ཡོན་ཏན་རྒྱུད་ལ་བསྐྱེད་པ་ལ་ལུང་གི་ཆོས་ཐོས་པ་དང་བསམ་པ་དགོས། དེ་ཡང་གང་ལས་ཐོས་པར་བྱ་ཞེ་ན། རང་རྒྱུད་རྟོགས་པའི་ཡོན་ཏན་གྱིས་ཕྱུག་ཅིང་། དེ་གཞན་ལ་སྟོན་པ་ལ་མཁས་པ་ཞིག་མ་བསྟེན་ན། ལམ་ལོག་པར་འཁྲིད་པའི་ཉེན་ཤིན་ཏུ་ཆེ་བས་ན། འདིར་རྗེ་ཞེས་བྱ་བ་ནི་མཆོག་གམ་གཙོ་བོ་ལ་བྱེད་ཅིང་། དེ་ནི་དུས་རྟག་ཏུ་ཉེས་པའི་དྲི་མ་ཐམས་ཅད་དང་བྲལ་བས་ན་བཙུན་པ། རང་ལས་ཡོན་ཏན་ཁྱད་པར་དུ་འཕགས་ཤིང་། བླ་ན་འམ་ཐོད་དུ་བཀུར་དུ་རུང་བས་ན་བླ་མ། དེ་ཡང་གཞན་དོན་གཙོ་བོར་སྒྲུབ་པའི་སེམས་བསྐྱེད་ཁྱད་པར་ཅན་དང་ལྡན་པས་ན་དམ་པ་སྟེ། དེ་ལྟ་བུའི་ཡོན་ཏན་ཀུན་ཚང་བའི་ཁམས་གསུམ་ཆོས་ཀྱི་རྒྱལ་པོ་ཙོང་ཁ་པ་ཆེན་པོ་ཡབ་སྲས་ཁྱེད་རྣམས་ནི། སྔོན་བདག་ཅག་འགྲོ་བ་རྣམས་ཀྱི་དོན་དུ་རླབས་ཆེན་ཚོགས་གཉིས་ཀྱི་སྤྱོད་པ་གྲངས་མེད་པར་སྤྱོད་པར་མཛད་དེ། ཉོན་མོངས་པ་དང་ཤེས་བྱའི་སྒྲིབ་པའི་དྲི་མ་མཐའ་དག་དྭངས་ནས་བྱུང་བའི་ཆོས་ཀྱི་དབྱིངས་རྣམ་རྟོག་གི་སྤྲོས་པ་ཐམས་ཅད་དང་བྲལ་ན་ཡང་། རིང་ནས་གོམས་པའི་གཞན་ལ་བརྩེ་བའི་སྙིང་རྗེ་དང་འགྲོ་བ་ཀུན་གྱི་སྲིད་པའི་ཕྱི་མཐའ་མ་མཐོང་གི་བར་དུ་གཞན་དོན་བསྒྲུབ་པར་དམ་བཅའ་དམ་པོའི་ཤུགས་ཀྱིས་འབད་དང་རྩོལ་བ་ལ་མ་ལྟོས་པར་བདག་སོགས་གདུལ་བྱའི་སྐལ་བ་དང་འཚམ་པར་མངོན་མཐོ་དང་ངེས་ལེགས་ཀྱི་རྒྱུ་གང་བསྒྲུབ་པ་སྐབས་སུ་གང་བབ་པ་ལེགས་པར་སྟོན་པའི་ལུང་གི་ཆོས་ཀྱི་འཁོར་ལོ་བསྐོར་བར་མཛད་དེ། མངོན་མཐོ་དང་ངེས་ལེགས། མཐར་ཐུག་བླ་ན་མེད་པ་ཡང་དག་པར་རྫོགས་པའི་བྱང་ཆུབ་སྒྲུབ་པར་བྱེད་པའི་ས་ལམ་གྱི་རྟོགས་པ་གོ་རིམ་མ་འཆོལ་བར་བསྐྱེད་པར་མཛད་དུ་གསོལ་ཞེས་ཟབ་རྒྱས་ཆོས་ཀྱི་བདུད་རྩི་ལ་སྐོམ་པ་ཆུ་དོན་དུ་གཉེར་བ་ལྟར་དོན་གཉེར་ཆེན་པོས་གསོལ་བ་གདབ། དེ་ལྟར་དམ་པའི་ཆོས་ཁྲིད་ཅི་མ་ལོག་པར་ཐོས་པའི་དོན་རང་གི་ཡིད་ལ་གཟུང་སྟེ། ཡང་ཡང་

གོམས་པར་བྱ་ཞིང་། གཞན་ལ་ཡང་ཚུལ་བཞིན་དུ་སྟོན་ནུས་པ་ཞིག་འབྱུང་ན་ཅི་མ་རུང་སྙམ་དུ་བསམས་ཏེ་བསྔོ་བ་བྱ་བ་ནི། བདག་གིས་ཇི་ལྟར་ཐོས་པ་དང་བསམ་པ་དང་སྒོམ་པའི་དགེ་བའི་རྩ་བ་ཇི་སྙེད་ཅིག་ཡོད་པ་དེ་དག་ཐམས་ཅད། རང་རྒྱུད་ཀྱི་བསླབ་པ་གསུམ་ལ་སོགས་པའི་བསྟན་པ་མི་ཉམས་པར་འཛིན་པ་དང་། རང་ལ་ལྟོས་པའི་སྐྱེས་བུ་རྣམས་ཀྱང་མི་དགེ་བཅུ་སྤོང་གི་ཚུལ་ཁྲིམས་སོགས་རྣམ་པར་དག་པའི་དགེ་བའི་རྩ་བ་ཆུང་རིམ་ནས་རྒྱལ་བའི་བསྟན་པ་མ་ཚང་བ་མེད་པ་ལ་རིམ་པར་སྦྱར་ཏེ་རྒྱལ་བསྟན་སྒོ་ཀུན་ནས་སྤེལ་ཏེ། ཡིད་ཅན་ཀུན་ལ་འཕྲལ་དང་ཡུན་དུ་ཕན་པ་དང་བདེ་བའི་རྒྱུར་འགྱུར་བ་ཞིག་བྱའོ་སྙམ་པ་དང་། ཁྱད་པར་དུ་ཡང་འཇམ་མགོན་རྒྱལ་བ་གཉིས་པའི་རིང་ལུགས་དྲི་མ་མེད་པ་འདི་ཉིད་རང་གི་ལུས་སྲོག་ལ་ཡང་མི་ལྟོས་པར་འཛིན་སྐྱོང་སྤེལ་གསུམ་གྱི་སྒོ་ནས་ཡུན་ནས་ཡུན་དུ་འཕེལ་བའི་ཐབས། འཇམ་མགོན་རྒྱལ་བ་གཉིས་པས་མཛད་པའི་ཁུར་ཐམས་ཅད་བདག་གིས་འཁྱེར་ཏེ། འགྲོ་ཀུན་བླ་ན་མེད་པའི་བྱང་ཆུབ་ལ་བདག་གིས་དགོད་པར་བྱ། དེའི་རྒྱུར་འགྱུར་བར་ཤོག་སྙམ་དུ་བསྔོ་ཞིང་། མདོར་ན་རང་གིས་ཇི་སྙེད་བསགས་པའི་དགེ་བའི་རྩ་བ་རྣམས་ཡིད་ལ་གཟུང་སྟེ། དགེ་འདིས་མཚོན་པའི་དུས་གསུམ་དང་འབྲེལ་བའི། །བདག་གཞན་དགེ་བའི་རྩ་བ་ཇི་སྙེད་པ། །འདི་དག་ཐམས་ཅད་སྐྱེ་ཞིང་སྐྱེ་བ་རུ། །བྱང་ཆུབ་མཆོག་གི་རྗེས་སུ་མི་མཐུན་པའི། །ཤེས་ཀྱི་ཁ་འདོད་པ་དང་གྲགས་པ་དང་། །འཁོར་དང་ལོངས་སྤྱོད་རྙེད་དང་བཀུར་སྟིའི་རྒྱུར། །སྐད་ཅིག་ཙམ་ཡང་ནམ་ཡང་མི་འགྱུར་ཞིང་། །བླ་མེད་བྱང་ཆུབ་ཁོ་ནའི་རྒྱུར་གྱུར་ཅིག །ཅེས་གསུངས་པ་ལྟར། གང་དང་གང་གི་སྐབས་སུ་བསྔོ་བ་བྱེད་པའི་ཚེ། དེ་ལྟ་བུའི་དོན་ཡིད་ཀྱི་གཏིང་ནས་བསམ་པ་ཤིན་ཏུ་གལ་ཆེ་དང་། །རང་གི་ལུས་ལོངས་སྤྱོད་དགེ་ཚོགས་དང་བཅས་པ་ལ་ཡང་། ཆགས་ཤིང་ཞེན་པ་མེད་པ་ཞིག་དགོས་པས་ན་དེའི་ཕྱིར། མཎྜལ་འབུལ་བར་གསུངས་པས། དེ་ཡང་ཁ་ཙམ་དང་ཚིག་ཙམ་མ་ཡིན་པར་རང་གི་ལག་བདར་ནས་འབུལ་དགོས་པས་མཎྜལ་གྱི་རྒྱུ་རབ་གསེར་དངུལ། འབྲིང་ཟངས་དང་འཁར་བ། ཐ་མ་རྡོ་དང་རྡོ་ལེབ་སོགས་རང་གི་འབྱོར་པ་དང་བསྟུན་པ་རྒྱུར་ཁྲུ་གང་པའམ། མ་མཐའ་རང་གི་ཁ་ཕོར་ལས་མི་ཆུང་བ་ཞིག་དགོས། དེའི་སྟེང་དུ་དམིགས་པ་གསལ་བྱེད་ཚོམ་བུ་འགོད་རྒྱུའི་རྫས་ཀྱང་། རབ་རིན་པོ་ཆེ་སྣ་ཚོགས་ནས། ཐ་མ་ནས་དང་མགྲིན་པོ། དེ་ཡང་

མ་འགྱོར་ན་རྣེའུ་ལམ་བྱེ་མ་གཙང་མས་ཀྱང་རྟུང་བས་མཇལ་འབུལ་བའི་ཚེ། འཇིག་རྟེན་ཕྱི་མ་ཕན་ཆད་ཀྱི་མདོན་མཐོའི་རྟེན་ཙམ་ཞིག་སྒྲུབ་པ་ལ་ཡང་། ཚེ་འདིའི་ལུས་དང་ལོངས་སྤྱོད་གང་ལ་ཡང་ཆགས་ཞེན་མེད་པ་ཞིག་དགོས་འདུག །ཐེག་པ་དམན་པར་ཐར་པ་མྱང་འདས་སྒྲུབ་པ་ལ་ཡང་རང་གིས་བསགས་པའི་དགེ་བའི་རྩ་བ་རྣམས་འཁོར་བའི་རྒྱུར་མི་བསྔོ་ཞིང་། ཚངས་པ་དང་བརྒྱ་བྱིན། འཁོར་ལོས་བསྒྱུར་བའི་རྒྱལ་པོ་སོགས་འགྱུར་བའི་ཕུན་ཚོགས་གང་ལའང་མི་ཞེན་ཞིང་། དེ་དག་གི་རྒྱུ་ལ་ཡང་ཉེས་དམིགས་སུ་བལྟ་བ་ཞིག་དགོས། བླ་ན་མེད་པའི་བྱང་ཆུབ་ཐོབ་པ་ལ་རང་གིས་བསགས་པའི་དུས་གསུམ་གྱི་དགེ་བ་རྣམས་རང་དོན་དུ་ཐར་པའི་རྒྱུར་ཡང་མི་བསྔོ་ཞིང་། ད་ནི་རང་གི་ལུས་ལོངས་སྤྱོད་དུས་གསུམ་གྱི་དགེ་ཚོགས་དང་བཅས་གང་ལ་ཡང་ཞེན་པ་མེད་པར་བྱ་བའི་ཕྱིར། བླ་མ་ཁམས་གསུམ་ཆོས་ཀྱི་རྒྱལ་པོ་ཙོང་ཁ་པ་ཆེན་པོ་ལ་བློས་ཐག་བཅད་དེ་འབུལ་བར་བྱའོ་སྙམ་དུ་བསམ་སྟེ། ཐོག་མར་མཇལ་ལག་ཏུ་ལེན་པའི་ཚེ་ལག་སྟོང་པས་མི་ལེན་པར་རྫས་ཅུང་ཟད་དང་བཅས་ཏེ་ལག་ཏུ་བླང་ལ། ལག་གཡོན་པས་མཇལ་གཟུང་དུ་ནུས་ན་གཟུང་དགོས་ཤིང་། ཏ་ཙང་ཆེ་བ་སོགས་ཀྱིས་ལག་གིས་གཟུང་མི་ནུས་ན་མདུན་དུ་བཞག་པས་ཆོག །ལག་གཡས་པ་རྫས་ཅུང་ཟད་དང་བཅས་ཏེ་མཇལ་གྱི་སྟེང་བྱི་དོར་བྱ་དགོས་པས། ལག་ངར་ཟུར་གྱིས་ཐོག་མར་ཕྱི་རོལ་ཏུ་ལན་གསུམ་ཕྱི་བའི་ཚེ་རང་གི་ལུས་ངག་ཡིད་གསུམ་གྱི་སྡིག་ལྟུང་ཉེས་ཚོགས་ཐམས་ཅད་དག་པའི་མོས་པ་དང་། ནང་དུ་ལན་གསུམ་ཕྱི་བའི་ཚེ་འབུལ་ཡུལ་གྱི་སྐུ་གསུང་ཐུགས་ཀྱི་བྱིན་བརླབ་རང་གི་ལུས་ངག་ཡིད་གསུམ་ལ་ཞུགས་བྱུང་སྙམ་པའི་མོས་པ་དང་བཅས་མཇལ་རྒྱས་པ་ཚོམ་བུ་སོ་བདུན་མའམ་ཉེར་ལྔམ། བསྡུ་ན་ཚོམ་བུ་བདུན་པ་ཙམ་བཀོད་དེ། འདིར་སེམས་དང་ཉིང་ངེ་འཛིན་ལ་དབང་བསྒྱུར་ཐོབ་པའི་ཆེད་དུ། རང་གི་ལག་གི་མཇལ་ཆེ་ཟླ་མ་སོང་ཞིང་། སྟོང་གསུམ་གྱི་བཀོད་པ་ཆུང་དུ་ཡང་མ་སོང་བར། མེ་ལོང་ཆུང་ངུའི་ནང་དུ་རི་རབ་ཡུལ་ལྗོངས་ཆེན་པོའི་གཟུགས་བརྙན་འཆར་བ་ལྟ་བུ་ལ་དཔེར་བཞག་ཏེ་འབུལ་ཞིང་དེ་ལྟ་བུའི་སྟོང་གསུམ་གྱི་བཀོད་པ་དེ་ཡང་མ་དག་པའི་འཇིག་རྟེན་གྱི་ཁམས་མ་ཡིན་པར་རྣམ་པ་སྟོང་གསུམ་གྱི་སྟོང་ཆེན་པོའི་རྣམ་པ་ལ་བདེ་བ་ཅན་སོགས་དག་པའི་ཞིང་གི་ཡོན་ཏན་ཕུན་སུམ་ཚོགས་པ་དང་ལྡན་པ་ས་དང་བར་སྣང་ནམ་མཁའི་ཁྱོན་ཐམས་ཅད་མཆོད་པའི་སྤྲིན་ཕུང་བསམ་གྱིས་མི་ཁྱབ་པས་གང་

བར་མོས་ཏེ་འབུལ། དམིགས་པས་ལྷོགས་ཤིང་སྨྲོན་མཇལ་གྱི་རྫས་རེ་རེ་ལས་ཀྱང་འོད་ཟེར་འཕྲོས་པའི་སྣེ་མོར་ཞིང་ཁམས་རྒྱ་མཚོའི་བཀོད་པ་དཔག་ཏུ་མེད་པ་དང་། དེ་རེ་རེ་ལས་ཀྱང་འོད་ཟེར་དཔག་མེད་འཕྲོས་པའི་སྣེ་མོར་ཞིང་ཁམས་རྒྱ་མཚོའི་བཀོད་པ་དཔག་ཏུ་མེད་པ་བྱང་ཆུབ་སེམས་དཔའ་ཀུན་ཏུ་བཟང་པོའི་མཆོད་པའི་སྤྲིན་དང་འདྲ་བར་བློས་མོས་ཏེ་འབུལ་བར་བྱའོ། །དེ་ལྟར་མཇལ་ཕུལ་ཏེ། དོན་ཇི་ལྟར་སྒྲུབ་ན། བདག་ཅག་མཁའ་ཁྱབ་ཀྱི་སེམས་ཅན་ཐམས་ཅད་ཐོག་མ་མེད་པ་ནས་འཁོར་བ་འདིར་འཁོར་ཡང་འཁོར་བའི་མཐའ་ཟད་པ་མེད་པར་སྡུག་བསྔལ་སྣ་ཚོགས་པ་མྱོང་བ་འདི། རྒྱུ་གང་གིས་བྱས་སྙམ་ན་བཤེས་གཉེན་ལ་མ་གུས་པ་སོགས་བདག་གཉིས་སུ་མཚན་མར་འཛིན་པའི་བར་གྱི་བློ་ངན་འདི་རྣམས་ཀྱིས་ལན་འདུག་པས། ཧོག་པ་ངན་པ་དེ་རྣམས་ད་ལྟ་ཉིད་དུ་རྒྱུད་ལ་འགག་པར་བྱིན་གྱིས་བརླབ་ཏུ་གསོལ་ཞེས་གསོལ་བ་གདབ། ཁམས་གསུམ་ཆོས་ཀྱི་རྒྱལ་པོ་ཙོང་ཁ་པ་ཆེན་པོ་སོགས་བདག་གི་མགོན་སྐྱབས་མཛད་པ་པོ་འདི་རྣམས་ཆེས་སྔ་བ་ཞིག་གི་དུས་ནས་སངས་རྒྱས་འདུག་ན། དེས་ནི་བཤེས་གཉེན་ལ་གུས་པ་ནས་བདག་མེད་པ་གཉིས་ཀྱི་དོན་ཕྱིན་ཅི་མ་ལོག་པར་རྟོགས་པས་ལམ་གྱི་རིམ་པ་རྣམས་ལ་གོམས་པར་མཛད་པ་ལས་བྱུང་འདུག་པས། དེ་ལྟ་བུའི་རྟོགས་པ་ཁྱད་པར་ཅན་བདེ་བླག་ཏུ་རྒྱུད་ལ་སྐྱེ་བར་བྱིན་གྱིས་བརླབ་ཏུ་གསོལ། དེ་ལྟ་བུའི་ལམ་གྱི་རྟོགས་པ་ཐོག་མར་རྒྱུད་ལ་སྐྱེད་པ་དང་བསྐྱེད་ནས་གོམས་པར་བྱ་བ་ལ་གེགས་བྱེད་ཀྱི་ཕྱིའི་བར་ཆད་ནད་དང་གདོན་བགེགས་སོགས་དང་། ནང་གི་བར་ཆད་རྣམ་གཡེང་ལེ་ལོ་སོགས་ཕྱི་ནང་གི་བར་ཆད་ཐམས་ཅད་ཉེ་བར་ཞི་བར་བྱིན་གྱིས་བརླབ་ཏུ་གསོལ་སྙམ་དུ་གདུང་ཤུགས་དྲག་པོས་བཤེས་གཉེན་ལ་མ་གུས་པ་ནས་བདག་གཉིས་སུ་མཚན་མར་འཛིན་པའི་བར་གྱི་ཕྱིན་ཅི་ལོག་པའི་བློ་སྣ་མཐའ་དག་ད་ལྟ་ཉིད་དུ་རྒྱུད་ལ་འགག་པར་བྱིན་གྱིས་བརླབ་ཏུ་གསོལ། །བཤེས་གཉེན་ལ་གུས་པ་ནས་བདག་མེད་པའི་དོན་ཇི་ལྟ་བ་བཞིན་དུ་རྟོགས་པའི་བར་གྱི་ཕྱིན་ཅི་མ་ལོག་པའི་བློ་སྣ་མཐའ་དག་བདེ་བླག་ཏུ་རྒྱུད་ལ་སྐྱེ་བར་བྱིན་གྱིས་བསླབ་ཏུ་གསོལ། རྐྱེན་ཕྱི་ནང་གི་བར་ཆད་ཐམས་ཅད་ཉེ་བར་ཞི་བར་བྱིན་གྱིས་བརླབ་ཏུ་གསོལ་ཞེས་བརྗོད། དེ་ལྟར་གསོལ་བཏབ་པ་མན་ངག་བཞིན་རྒྱུད་དང་འབྲེལ་ངེས་སུ་བྱ་བ་བླ་མ་ལྷ་ལ་གསོལ་བ་འདེབས་བཞིན་པའི་ངང་ནས། རང་གི་ཉམས་སུ་བླང་བྱའི་ལམ་ཡོངས་རྫོགས་ལ་

ཐོག་མར་བཤར་སྒོམ་བྱས་ཏེ་ལམ་གྱི་ངོ་བོ་རང་རྒྱུད་དང་འབྲེས་ངེས་ཀྱི་སྒོ་ནས་ངོས་ཟིན་པ་དགོས་པས་ན། འདིར་ཡོན་ཏན་གཞིར་གྱུར་མའི་སྒོ་ནས་བརྗོད་ན་འཇུག་པ་བདེ་བས་འདི་ལྟར། རང་ལ་ཡོན་ཏན་ཆེ་བསྐྱེད་ཆུང་བསྐྱེད་ཐ་ན་ཟས་གོས་གནས་མལ་སོགས་ལེགས་པ་ཕྲ་མོ་ཚུན་ཆད་ཀྱང་ལམ་མ་ནོར་བར་ཚུལ་བཞིན་དུ་སྟོན་པའི་དགེ་བའི་བཤེས་གཉེན་གྱི་དྲིན་ལོན་ལས་བྱུང་བ་ལས། དེ་ལམ་བརྟེན་པར་རང་སྟོབས་ཀྱིས་བྱུང་བ་ཅུང་ཟད་ཀྱང་མེད་པ། ད་ལྟ་ཀ་ཞེས་བརྗོད་ཤེས་པ་དེ་ཡང་རང་སྟོབས་ཀྱིས་མ་ཡིན་པར་དགེ་བའི་བཤེས་གཉེན་གྱི་དྲིན་ལས་བྱུང་བ་མངོན་སུམ་གྱིས་གྲུབ་པས་ན། འཇིག་རྟེན་ཕྱི་མ་ཕན་ཆད་ཀྱི་དོན་བསྒྲུབ་པ་ལ་ནི། ངེས་པར་དགེ་བའི་བཤེས་གཉེན་ཚུལ་བཞིན་དུ་བསྟེན་པ་ལ་རག་ལུས་པས། སངས་རྒྱས་ཐམས་ཅད་ཀྱི་འཕྲིན་ལས་བདག་ལ་བསྒྲུབ་པར་མཛད་པ་པོའི་ལམ་སྟོན་དགེ་བའི་བཤེས་གཉེན་འདི་ནི་རྒྱལ་བ་ཐམས་ཅད་འདུས་པའི་ངོ་བོ་ཡིན་པར་བློས་ཐག་བཅད་དེ་དགེ་བའི་བཤེས་གཉེན་བསམ་སྦྱོར་གཉིས་ཀྱི་སྒོ་ནས་ཚུལ་བཞིན་དུ་བསྟེན་པར་བྱའོ། །དེ་ལྟར་བསྟེན་ནུས་པར་བླ་མ་ལྷ་ཡིས་བྱིན་གྱིས་བརླབ་ཏུ་གསོལ་སྙམ་དུ། ཡོན་ཏན་ཀུན་གྱི་གཞིར་གྱུར་དྲིན་ཅན་རྗེ། །ཞེས་སོགས་ཀྱི་ཚིག་རྐང་ཐ་མ་ལན་གཉིས་བརྗོད། དེའི་ཚེ་མདུན་གྱི་རྗེ་ཡབ་སྲས་གསུམ་གྱི་ཐུགས་ཀ་ནས་བདུད་རྩི་སྣ་ལྔ་འོད་ཟེར་དང་བཅས་པའི་རྒྱུན་བྱུང་། རང་གཞན་སེམས་ཅན་ཐམས་ཅད་ཀྱི་ལུས་སེམས་ལ་ཞུགས་པས་གསོལ་འདེབས་པ་ལན་དང་པོའི་ཚེ་བཤེས་གཉེན་བསྟེན་ཚུལ་གྱི་རྟོགས་པ་ཁྱད་པར་ཅན་སྐྱེ་བ་ལ་བར་དུ་གཅོད་པའི་ཕྱི་ནང་གི་འགལ་རྐྱེན་སྡིག་སྒྲིབ་ཐམས་ཅད་སྦྱོང་བ་དང་། ལན་གཉིས་པའི་ཚེ་རྗེ་ཡབ་སྲས་རྣམས་ཀྱི་ཐུགས་རྒྱུད་ཀྱི་བཤེས་གཉེན་བསྟེན་ཚུལ་གྱི་རྟོགས་པ་ཁྱད་པར་ཅན་རྣམས་བདུད་རྩི་འོད་ཟེར་གྱི་རྣམ་པར་བྱུང་བ་རང་གི་སེམས་ལ་ཞུགས་པས། བཤེས་གཉེན་བསྟེན་ཚུལ་གྱི་རྟོགས་པ་ཁྱད་པར་ཅན་རང་རྒྱུད་ལ་སྐྱེས་བྱུང་སྙམ་པའི་མོས་པ་བྱེད། དེ་ལྟར་བཤེས་གཉེན་བསྟེན་ཚུལ་གྱི་རྟོགས་པ་ཁྱད་པར་ཅན་དངོས་སམ་མོས་པ་ཚུན་ཆད་ཀྱིས་བསྐྱེད་པ་དེ་ནི་བླ་མའི་བྱིན་བརླབ་ཡིན་སྙམ་པའི་བཀའ་དྲིན་རྗེས་སུ་དྲན་པར་བྱ། བློ་ཁ་ནང་དུ་བཀུག་སྟེ་ད་ལྟ་མི་ལུས་ཐོབ་དམ་པའི་ཆོས་དང་མཇལ་བ་འདི། ཚེ་འདི་མ་འཆི་ཚུན་ཆད་ཀྱི་བར་དུ་དུས་སྐད་ཅིག་ཙམ་ཡང་དོན་མེད་ཆུད་ཟོས་སུ་མི་གཏོང་བར་དོན་དང་ལྡན་པ་ཞིག་བྱའོ་སྙམ་པའི་བློ་རྣལ་མ་ཞིག་རང་

རྒྱུད་ལ་འདུག་གམ་མི་འདུག་སྙམ་དུ་ལེགས་པར་བརྟག། དེ་ལྟ་བུ་བློ་རྣལ་མ་ཞིག་འདུག་ན་དེ་ནི་བླ་མའི་བྱིན་བརླབ་ཡིན་སྙམ་དུ་བསམ། མི་འདུག་ན་སྔར་ལྟར་བསྐྱེད་ནས་མི་ཚེ་སྟོང་ཟད་དུ་སོང་ན་འདི་དང་ཕྱི་མར་ཕན་པའི་དོན་གང་ཡང་མི་སྒྲུབ། དམ་པའི་ཆོས་དང་མཇལ་ཡང་མཇལ་ཐོ་མ་ཆོད་ན། རྒྱལ་བ་སྲས་བཅས་དང་གྲོགས་ཁྱད་པར་ཅན་རྣམས་ཐུགས་བཞིན་ཁྲེལ་ཞིང་རང་ཡང་ཕྱི་མ་ངན་སོང་སྲུ་མཐའ་མེད་པའི་གནས་སུ་འཁྱམས་དགོས་པ་ལས་གཞན་འོས་མི་འདུག་པས། དེ་ལྟར་ན་ལམ་འདི་ལ་སྔོན་སྒྲོང་བ་ཐོན་ཟིན་ཡིན་ན་གོང་ནས་གོང་འཕེལ་དང་། སྔར་སྒྲོང་བ་མ་ཐོན་པ་ཡིན་ན་སྒྲོང་བ་ཐོན་པའི་ཐབས་ད་ལྟ་ཉིད་དུ་བྱ་སྙམ་པ་དང་བཅས། ལན་ཅིག་རྙེད་པའི་དལ་བའི་རྟེན་བཟང་འདི། །ཞེས་སོགས་བརྗོད་དེ། ཚིག་རྐང་ཐམ་ལན་གཉིས་བརྗོད་པའི་ཚེ་བདུད་རྩི་འབེབ་སྦྱང་གོང་དང་རིགས་འགྲེ་སྦྱར་ཏེ་བྱ་དགོས། དེ་བཞིན་དུ་ལུས་སྲོག་གཡོ་བ་ཆུ་ཡི་ཆུ་བུར་བཞིན། །ཞེས་སོགས་ཚིག་ཀ་གཉིས་ཀྱི་སྐབས་སུ་སྐྱེས་བུ་ཆུང་ངུ་དང་ཐུན་མོང་བའི་ལམ་གྱི་རིམ་པ་དང་། སྲིད་པས་མི་ངོམས་སྡུག་བསྔལ་ཀུན་གྱི་སྒོ། ཞེས་སོགས་ཚིག་ཀ་གཉིས་ཀྱི་སྐབས་སུ་སྐྱེས་བུ་འབྲིང་དང་ཐུན་མོང་བའི་ལམ་གྱི་རིམ་པ་དང་། རང་ཉིད་སྲིད་མཚོར་ལྷུང་བ་ཇི་བཞིན་དུ། །ཞེས་སོགས་ཚིག་ཀ་གཅིག་ཐོག་མར་སེམས་བསྐྱེད་ཚུལ། སེམས་ཙམ་བསྐྱེད་ཀྱང་ཚུལ་ཁྲིམས་རྣམ་གསུམ་ལ། །ཞེས་སོགས་ཚིག་ཀ་གཅིག་གིས་རྒྱལ་སྲས་ཀྱི་སྤྱོད་པ་ཕྱིར་སློབ་ཚུལ། ལོག་པའི་ཡུལ་ལ་གཡེང་བ་ཞི་བྱེད་ཅིང་། །ཞེས་སོགས་ཀྱི་ཚིག་ཀ་གཅིག་གིས་ཁྱད་པར་ཕར་ཕྱིན་མཐའ་མ་གཉིས་ལ་སློབ་ཚུལ། ཐུན་མོང་ལམ་སྦྱང་སྣོད་དུ་གྱུར་པ་ན། །ཞེས་སོགས་ཀྱིས་གསང་སྔགས་རྡོ་རྗེ་ཐེག་པའི་སྒོར་འཇུག་ཚུལ། དེ་ཚེ་དངོས་གྲུབ་རྣམ་གཉིས་སྒྲུབ་པའི་གཞི། །ཞེས་སོགས་ཚིག་ཀ་གཉིས་ཀྱིས་ཐུན་མོང་མ་ཡིན་པའི་རྩ་བ་དང་ཡན་ལག་གི་དམ་ཚིག་ཚུལ་བཞིན་དུ་བསྲུང་སྟེ། ལམ་རིམ་པ་གཉིས་ཀྱི་རྣལ་འབྱོར་ཉམས་སུ་ལེན་ཚུལ། དེ་ལྟར་ལམ་བཟང་སྟོན་པའི་བཤེས་གཉེན་དང་། །ཞེས་སོགས་ཀྱིས་སྙིགས་དུས་ཀྱི་ཚེ་གཅིག་ལ་རྒྱལ་བའི་གོ་འཕང་བསྒྲུབ་པའི་ལམ་བཟང་ཉམས་སུ་ལེན་པ་ལ་བར་དུ་གཅོད་པའི་འགལ་རྐྱེན་སེལ་བ་དང་མཐུན་རྐྱེན་འགྲུབ་པའི་གསོལ་བ་འདེབས་པ་བཅས་བདུད་རྩི་འབེབ་སྦྱང་གི་དམིགས་པ་དང་བཅས་ཏེ་གསོལ་བ་འདེབས་ཚུལ་རྣམས་ཀྱང་གོང་བཞིན་རིགས་འགྲེ་བྱ། སྐྱེ་བ་ཀུན་ཏུ་ཞེས་སོགས་ཀྱི་སྐབས་གལ་ཏེ་ཚེ་འདི་ལ་མཆོག་གི

དངོས་གྲུབ་མ་རྙེད་པར་ཚེ་འདུ་བྱེད་དེ། སྐྱེ་བ་ནས་སྐྱེ་བ་བརྒྱུད་འཚང་རྒྱ་དགོས་ན། སྐྱེ་འཕྲེང་ཐམས་ཅད་དུ་ད་ལྟ་ལམ་བཟང་མ་ནོར་བར་སྟོན་པའི་དགེ་བའི་བཤེས་གཉེན་རྣམས་དང་ནམ་ཡང་འབྲལ་བ་མེད་པར་ལམ་བཟང་སྒྲུབ་པའི་སྐལ་བ་མཆོག་དང་ལྡན་པར་གྱུར་ཏེ་ཟུང་འཇུག་རྡོ་རྗེ་འཆང་གི་གོ་འཕང་འགྲོ་བ་ཐམས་ཅད་ཀྱི་དོན་དུ་མྱུར་བ་མྱུར་དུ་ཐོབ་པར་ཤོག །ཅེས་སྨོན་ལམ་དྲག་ཏུ་གདབ། དེ་ལྟར་ཚེ་འདིའམ་ཕྱི་མ་རྣམས་སུ་ལམ་བཟང་སྒྲུབ་སྟེ་གཞན་དོན་རྒྱ་ཆེན་པོ་བྱེད་པ་ལ། རང་གཞན་གྱི་དོན་སྒྲུབ་པའི་ནུས་པ་ཕུན་སུམ་ཚོགས་པ་དང་ལྡན་པ་ཞིག་དགོས་པས་ན། ཐོས་བསམ་སྒོམ་པའི་ཤེས་རབ་འཕེལ་དུ་གསོལ། །འཆད་རྩོད་རྩོམ་པའི་བློ་གྲོས་རྒྱས་སུ་གསོལ། །མཆོག་དང་ཐུན་མོང་དངོས་གྲུབ་སྩོལ་དུ་གསོལ། །མྱུར་དུ་ཁྱོད་རང་ལྟ་བུར་བྱིན་གྱིས་རློབས། །ཞེས་སྟོང་ཉིད་སྙིང་རྗེ་སྙིང་པོ་ཅན་གྱི་བློའི་ནུས་པ་ཤུགས་བསྐྱེད་དེ་གདུང་ཤུགས་དྲག་པོའི་སྒོ་ནས་གསོལ་བ་བཏབ་སྟེ། རྗེ་བླ་མ་མཁྱེན་ནི་མཚན་མར་འཛིན་པའི་སྤྲོས་པ་ཐམས་ཅད་དང་བྲལ་བའམ། དམིགས་པ་མེད་པའི་སྙིང་རྗེ་ཆེན་པོ་མངའ་བ་འཕགས་པ་སྤྱན་རས་གཟིགས་དང་མཚུངས་ཤིང་། དེ་ལ་ཡོན་ཏན་ཇི་ལྟར་མངའ་བ་ཐམས་ཅད་ཁྱོད་ལ་ཡང་མངའ་བས་འགྲོ་བའི་དོན་བྱེད་ཚུལ་མཛད་པ་དང་འཕྲིན་ལས་ཁྱད་པར་མ་མཆིས་པས་ན། ཁྱེད་དང་འཕགས་པ་སྤྱན་རས་གཟིགས་གཉིས་དབྱེར་མི་ནུས་ཤིང་དེ་བཞིན་དུ་ཇི་ལྟ་ཇི་སྙེད་ཀྱི་ཆོས་ཐམས་ཅད་གཟིགས་པ་རྗེ་བཙུན་འཇམ་དཔལ་དབྱངས་དང་མཚུངས་ཤིང་འཇམ་དཔལ་དབྱངས་དེ་རྒྱལ་བ་ཀུན་གྱི་ཡབ་དང་སྲས་ཀྱི་ཚུལ་བཟུང་སྟེ་འགྲོ་དོན་ཇི་ལྟར་མཛད་པ་ལྟར། ཁྱེད་ཀྱང་དེ་བཞིན་ལགས་ན་འཇམ་དཔལ་དབྱངས་དང་དབྱེར་མ་མཆིས། མགོན་པོ་ཁྱོད་ནི་རང་ཉིད་བདུད་བཞིའི་དཔུང་ཐམས་ཅད་བཅོམ་པའི་ཚུལ་ནི་གསང་བའི་བདག་པོ་དང་མཚུངས་ཤིང་ལེགས་པར་བཤད་པའི་ཁྱོད་གསུང་རྡོ་རྗེ་ཐོག་དང་འདྲ་བ་དེ། འགྲོ་བ་གང་གི་ཐོག་ཏུ་ཕབ་ཀྱང་དེའི་ཉོན་མོངས་པ་དང་། དེས་བསྐྱེད་པའི་མི་མཐུན་ཕྱོགས་ཀྱི་རི་བོ་འཇོམས་པར་མཛད་པ་གསང་བའི་བདག་པོ་དང་དབྱེར་མ་མཆིས་པ་དང་། མདོར་ན་རིགས་གསུམ་གྱི་མགོན་པོའི་མཛད་པ་ཐམས་ཅད་དང་། ཁྱེད་ཀྱི་མཛད་པ་མཚུངས་པར་མ་ཟད་དབྱེར་མི་ནུས་པས་རིགས་གསུམ་ལྷའི་ངོ་བོར་གྱུར་བས། རྗེ་བླ་མ་ཁྱེད་ཀྱི་བཤད་པ་དང་སྒྲུབ་པའི་མཛད་པ་ཕྱུལ་དུ་བྱུང་བ་ལ། མཁས་པ་ཐམས་ཅད་ཀྱང

ཡིད་རབ་ཏུ་འཕྲོགས་ཏེ། ཁྱེད་ཀྱི་ཞལ་གྱི་བདུད་རྩི་སྦྱོང་བ་དང་། ཞབས་ཀྱི་པདྨོ་ལ་སྤྱི་བོས་འདུད་པར་ཆེས་ཆེར་བྲེལ་ཏེ་གཙུག་གི་རྒྱན་དུ་བསྟེན་འོས་ཁྱེད་ལ་བདག་གིས་ཀྱང་དུས་རྟག་ཏུ་གསོལ་བ་འདེབས་སྙམ་པ་དང་བཅས། དམིགས་བཅེ་མ་བཟླ། དེའི་ཚེ་རྗེ་བླ་མའི་ཐུགས་ཀ་ནས་བདུད་རྩི་འོད་ཟེར་དང་བཅས་པའི་རྒྱུན་བྱུང་རང་གི་སྤྱི་བོའི་ཚངས་བུག་ནས་ཞུགས་ལུས་ཀྱི་ནང་ཐམས་ཅད་གང་། ཚེ་ཐོག་མེད་ནས་བསགས་པའི་སྡིག་སྒྲིབ་དང་དམ་ཚིག་ཉམས་ཆག་སྤྱི་དང་། ཁྱད་པར་དུ་ཡང་། བཟུང་ན་ཚིག་མི་ཟིན། བསམ་ན་དོན་མི་གོ། བསྒོམ་ན་རྒྱུད་ལ་མི་སྐྱེ་བའི་རྒྱུ་རྐྱེན་དུ་གྱུར་པ་དང་། དེས་བསྐྱེད་པའི་ལས་ཀྱི་སྒྲིབ་པ་ཐམས་ཅད་སྦྱང་ཞིང་དག །གཞན་ཡང་ཡོན་ཏན་ཁྱད་པར་ཅན་རྒྱུད་ལ་སྐྱེ་བ་ལ་བར་དུ་གཅོད་པའི་ནང་གདོན་བགེགས་རིགས་ཕྱི་ནང་གི་ཉེར་འཚེ་ཐམས་ཅད་བྱང་ཞིང་དག་པར་བསམ་པ་མ་དག་པ་འཕྲུལ་པའི་དམིགས་པ་འདི་ནི་ལས་དང་པོ་བའི་སྐབས་ཤིན་ཏུ་གལ་ཆེ་བས་སྡིག་སྒྲིབ་ཉམས་ཆག་སོགས་དག་པའི་མཚན་མ་བརྟན་པོ་མ་བྱུང་གི་བར་དུ་གཙོ་བོར་འབད་དགོས། དེ་ནས་ཤེས་རབ་ཆེ་བ་དང་གསལ་བ་སོགས་འདོད་ན། རང་ཉིད་ཤེས་རབ་ཆེ་བ་སོགས་ཀྱིས་ཐོས་བསམ་སྒོམ་གསུམ་སོགས་ལ་སློབ་པ་ལ་དགའ་ཚོགས་ཆུང་ཕྱིར་དང་གཞན་ལས་རྒྱལ་ཀ་ལོན་ཐབས་སོགས་ཀྱི་ཕྱིར། འདི་ནས་བཤད་པའི་ཤེས་རབ་སྒྲུབ་ཚུལ་ལ་འབད་ཀྱང་ཇི་བཞིན་འབྱུང་དཀའ་བས་ཕྱི་རོལ་པ་དག་གིས་ཤེས་རབ་སྒྲུབ་ཚུལ་ལྟ་བུ་མ་ཡིན་པར། བདག་ནི་དཀའ་ཚོགས་ཆེ་ཞིང་ཡུན་རིང་པོར་གསུང་རབ་ཀྱི་ཚིག་རེ་འཛིན་དགོས་ཀྱང་། སྒྲ་བའི་འདུ་ཤེས་ཀྱིས་ཡིད་ཞུམ་པ་མེད་པ་དགོས་ན་ཡང་། མ་རིག་པའི་རྨོངས་པར་འཕྲུལ་པས་འགྲོ་བ་གྲངས་མེད་པ་འདི་རྣམས་བླང་དོར་གྱི་གནད་ལ་རྨོངས་ཏེ། སྐད་ཅིག་རེ་ཡང་ཉེས་སྤྱོད་གྲངས་མེད་པ་བསགས་ཏེ། ངན་འགྲོའི་གཡང་དུ་ལྷུང་བཞིན་པ་དང་། ལྷུང་དུ་ཉེ་བ་འདི་རྣམས་ཀྱི་མ་རིག་པའི་རྨོངས་པ་ད་ལྟ་ཉིད་དུ་བདག་གིས་བསལ་ཐུབ་པ་ཞིག་བྱུང་ན་ཅི་མ་རུང་སྙམ་སྟེ། དམིགས་བཅེ་མའི་དོན་དྲན་བཞིན་པར། རྗེ་བླ་མ་ལ་གསོལ་བ་རྩེ་གཅིག་ཏུ་འདེབས་བཞིན་པར་བཟླ་བའི་ཚེ་རྗེ་བླ་མའི་ཐུགས་ཀ་གནས་བདུད་རྩི་འོད་ཟེར་དམར་སེར་གྱི་རྒྱུན་དཔག་ཏུ་མེད་པ་བྱུང་བ་རང་གི་སྤྱི་བོའི་ཚངས་བུག་ནས་ཞུགས་ལུས་ཀྱི་ནང་ཐམས་ཅད་གང་བས་བདུད་རྩིའི་རྡུལ་ཕྲ་རབ་ཐམས་ཅད་རྗེ་བླ་མ་དང་རྗེ་བཙུན་འཇམ་དཔལ་དབྱངས་ཀྱི་སྐུའི་རྣམ་པར

གྱུར། དེ་དག་ལས་འོད་ཟེར་གྱི་ཚོགས་དཔག་ཏུ་མེད་པ་ཕྱོགས་བཅུར་འཕྲོས་པས་ཕྱོགས་བཅུའི་རྒྱལ་བ་སྲས་བཅས་ཐམས་ཅད་ཀྱི་ཐུགས་རྒྱུད་ཀྱི་མཁྱེན་རབ་ཐམས་ཅད། རྗེ་ཙོང་ཁ་པ་དང་འཇམ་དཔལ་དབྱངས་ཀྱི་རྣམ་པར་དྲངས་ཏེ་ཕྱིན་པ། རང་གི་ལུས་ཀྱིས་ཐམས་ཅད་ནས་ནང་དུ་ཞུགས། རང་གི་ལུས་ཀྱི་ནང་གི་བླ་མ་དང་ལྷག་པའི་ལྷ་གསལ་བ་རྣམས་དང་དབྱེར་མེད་དུ་གྱུར། དེ་དག་ཐམས་ཅད་ཀྱང་རང་གི་སེམས་དང་གཉིས་མེད་དུ་གྱུར་པས་རྒྱལ་བའི་གསུང་རབ་ཀྱི་ཚིག་དོན་མཐའ་དག་རང་སྟོབས་ཀྱིས་འབྱེད་ནུས་པའི་ཤེས་རབ་ཆེ་བ་ཐོབ་བྱུང་སྙམ་པའི་མོས་བ་བྱེད་པ་ནི་ཤེས་རབ་ཆེ་བ་སྒྲུབ་པའི་ཚུལ་ལོ། །ཤེས་རབ་གསལ་བ་སོགས་སྒྲུབ་ཏུ་འདོད་ན། སྐུ་ཡིས་ཆེ་ཞིང་གསུང་གིས་གསལ། །ས་བོན་མྱུར་དང་ཕྱག་མཚན་ཟབ། །གླེགས་བམ་རལ་གྲི་གླེགས་རལ་གྱིས། །འཆད་དང་རྩོད་དང་རྩོམ་པའོ། །ཞེས་པ་ལྟར། གསུང་གི་སྒོ་ནས་ཤེས་རབ་གསལ་བ་བསྒྲུབ་ཚུལ་སྟར་ལ་རིགས་འགྲེས་བདུད་རྩི་འབེབ་སྒྲུང་གི་དམིགས་པ་བྱ་བའི་ཚེ། གསུང་དམིགས་བརྩེ་མ་དང་། ཨ་ར་པ་ཙ་སོགས་གཟུངས་སྔགས་ཡིག་འབྲུའི་རྣམ་པ་ཁ་དོག་དམར་སེར། དེ་བཞིན་དུ་ཤེས་རབ་མྱུར་བ་འདོད་ན་ས་བོན་ཧྲཱིཿཡིག་དམར་སེར་གྱི་རྣམ་པ། ཤེས་རབ་ཟབ་པར་འདོད་ན་ཕྱག་མཚན་རལ་གྲི། ཤེས་རབ་ཀྱི་ཕ་རོལ་ཏུ་ཕྱིན་པའི་གླེགས་བམ་ཨུཏྤལ་སོགས་ཕྱག་མཚན་གྱི་རྣམ་པ། འཆད་པའི་ཤེས་རབ་འདོད་ན་གང་འཆད་པར་བྱ་བའི་ལུང་གི་ཆོས་དེ་གླེགས་བམ་གྱི་རྣམ་པར་བསྒྲ་སྒྲོགས་བཞིན་པ། རྩོད་པའི་ཤེས་རབ་འདོད་ན་རལ་གྲིའི་འཁོར་ལོ་ལྟེ་བ་དང་རྩིབས་དྲུག་པ་ཅན། ལྟེ་བར་ཉི་མའི་དཀྱིལ་འཁོར་གྱི་སྟེང་དུ་ཧྲཱིཿཡིག་དམར་སེར། རྩིབས་རྣམས་ཀྱི་སྟེང་ན་དེར་རེག་ལ་མ་འབྱར་བའི་ཨོཾ་ཨ་ར་པ་ཙ་ན་ཞེས་ཡིག་འབྲུ་རེ་རེ། རྩིབས་མཚམས་རྣམས་སུ་ཡི་གེ་ཧྲཱིཿ་རེ་དང་བཅས་པའི་འཁོར་ལོ་གཡས་བསྐོར་དང་། ཡིག་འབྲུ་གཡོན་བསྐོར་དུ་འཁོར་ཞིང་འོད་ཟེར་རབ་ཏུ་འཕྲུགས་པའི་རྣམ་པ་ཅན་དང་། རྩོམ་པའི་ཤེས་རབ་འདོད་ན་ཤེས་རབ་ཀྱི་འཁོར་ལོ་ད་ལྟ་བཤད་པ་དང་འདྲ་བ་དང་། ཤེར་ཕྱིན་སོགས་གཞུང་གང་དང་གང་གི་དགོངས་འགྲེལ་སོགས་གང་བརྩམ་བྱའི་གཞུང་གི་རྩ་བ་དང་། རྩོམ་པ་མཛེས་ཤིང་དག་པའི་ཡན་ལག་ཏུ། སྒྲ་དང་སྙན་དངགས་མངོན་བརྗོད་ཀྱི་གཞུང་སོགས་གླེགས་བམ་གྱི་རྣམ་པར་གསལ་བཏབ་རྗེ་ཙོང་ཁ་པ་དང་རྗེ་བཙུན་འཇམ་དཔལ་དབྱངས་སོགས་རྒྱལ་བ་སྲས་བཅས་ཀྱི་

ཤེས་རབ་གསལ་བ་སོགས་དང་རང་སེམས་ངོ་བོ་དབྱེར་མེད་དུ་གྱུར་བའི་མོས་པ་བྱ་དགོས་པ་ཞིབ་པར་གཞུང་གཞན་དང་དམ་པའི་ཞལ་ལས་ཤེས་པར་བྱ། དེ་ལྟར་བསྒྲུབ་བྱའི་ཤེས་རབ་དེ་ཡང་ཐོས་པའི་ཤེས་རབ་ཙམ་མ་ཡིན་པར་ཐོས་བསམ་སྒོམ་པ་ཟུང་དུ་འབྲེལ་བའི་ཤེས་རབ་བསྒྲུབ་སྟེ། འཆད་རྩོད་རྩོམ་གསུམ་གང་བྱེད་ཀྱང་གཞན་གྱིས་ཇི་བཞིན་ཐོས་པ་དང་། ཐོས་པའི་དོན་ལ་སྒྲོ་འདོགས་ཆོད་པ་སོགས་གཞན་ཕན་གྱི་བསམ་པ་ལས། ང་རྒྱལ་ཕྲག་དོག་དང་། རང་རྒྱལ་གཞན་ཕམ་གྱི་བསམ་པ་ནམ་ཡང་བསྐྱེད་དུ་མི་རིགས། དེ་ལྟར་བསྐྱེད་ནས་ཐོས་བསམ་ལ་ཞུགས་ཀྱང་རང་ཉིད་ཤེས་རབ་སྟོངས་སུ་འགྲོ་བའམ། རང་རྒྱུད་ཆུད་ཟ་བའི་ཉེས་དམིགས་ཆེན་པོ་འབྱུང་། ཤེས་རབ་ཅི་ཙམ་ཆེ་བ་དེ་ཙམ་གྱིས་ང་རྒྱལ་ཁེངས་པ་ཇེ་ཆུང་དུ་སོང་སྟེ། ཐོས་བསམ་སྒོམ་གསུམ་ལ་བརྩོན་པ་ཇེ་ཆེར་གྱུར་བ་ཞིག་བྱུང་ན་དེ་ནི་བླ་མ་ལྷའི་བྱིན་བརླབ་ཐོབ་པའི་རྟགས་ཡིན་པས། ཐོས་བསམ་སྒོམ་གསུམ་སོགས་གང་ལ་འབད་ཀྱང་ཕྱི་ནང་གི་བར་ཆད་ཀྱིས་མ་ཚུགས་པ་དང་། གང་བརྩམ་བྱ་བ་མཐར་ཕྱིན་པ་ཞིག་འབྱུང་ཞེས་གསུང་ངོ་། འདིར་ཡང་ལམ་གྱི་རིམ་པ་ལ་བློ་སྦྱོང་ཚུལ་སོགས་རང་དུ་ཡོད་ཀྱང་འདིར་བདག་གིས་བརྗོད་དུ་ནུས་པས། དོན་གཉེར་ཅན་རྣམས་ཀྱིས་གཞན་ལས་ཤེས་པར་བྱ། གོང་དུ་བཤད་པ་ལྟར་དམིགས་བརྩེ་མ་བརྒྱ་སྟོང་སོགས་ཅི་འགྲུབ་བཟླས་པའི་མཐར་ཐུན་བསྡུ་བར་འདོད་ན། བླ་མའི་རྣལ་འབྱོར་འདིའི་རྗེས་ཀྱི་བྱ་བ་ནི། དཔལ་ལྡན་རྩ་བའི་བླ་མ་རིན་པོ་ཆེ། །བདག་གི་སྙིང་ཀར་པདྨའི་སྟེང་བཞུགས་ལ། །བཀའ་དྲིན་ཆེན་པོའི་སྒོ་ནས་རྗེས་གཟུང་སྟེ། །སྐུ་གསུང་ཐུགས་ཀྱི་དངོས་གྲུབ་སྩལ་དུ་གསོལ། །ཞེས་ལན་གསུམ་གྱིས་གསོལ་བ་འདེབས། ལན་དང་པོའི་ཚེ་སྲས་ཀྱི་ཐུ་བོ་གཉིས་འོད་དུ་ཞུ་ནས་རྗེ་བླ་མ་དང་། སེང་ཁྲི་པད་ཟླ་དང་བཅས་པ་ཡང་རྗེ་བླ་མའི་སེང་ཁྲི་པད་ཟླ་ལ་ཐིམ། གཉིས་པའི་ཚེ་མདུན་གྱི་རྗེ་བླ་མ་དགྱེས་བཞིན་དུ་རང་གི་སྤྱི་བོར་བྱོན་ཏེ། རང་དང་ཁ་ལྟ་ཕྱོགས་མཐུན་པར་བཞུགས་པའི་མོས་པ་བྱེད། གསུམ་པའི་ཚེ་རང་གི་སྤྱི་བོ་ནས་དབུ་མའི་ལམ་བརྒྱུད་མར་བྱོན་པའི་ཚེ་རང་གི་སྙིང་ཀློས་གྱེན་དུ་སླང་། པདྨ་འདབ་བརྒྱད་ཀྱི་རྣམ་པར་ཁ་ཕྱེ་བའི་དབུས་སུ་རང་སེམས་དང་ངོ་བོ་དབྱེར་མེད་དུ་གྱུར་ཅིང་རང་སེམས་རྗེ་བླ་མའི་རྣམ་པར་གསལ་གདབ། དེ་ནས་སྙིང་པདྨ་འདབ་བརྒྱད་ཀྱི་རྣམ་པ་ཁ་འུབ་ཀྱིས་ཟུམ་ཏེ་ཕྱི་རོལ་ནས་དམིགས་བརྩེ་མ་དང་ཨ་ར་པ་ཙའི་

སྔགས་ཡིག་འབྲུའི་རྣམ་པས་དམ་དུ་བཅིངས། རྩེ་མོ་གསེར་གྱི་རྡོ་རྗེ་རྩེ་ལྔ་པ་གྱེན་པ་ཞིག་གིས་གནོན་ལ། སྙིང་ཁ་འུབ་ཀྱིས་ཟུམ་པ་དེའི་ནང་དུ་འོད་ཟེར་སྣ་ལྔས་ཡོངས་སུ་གང་བའི་མོས་པ་བྱེད། ཇི་སྲིད་བྱང་ཆུབ་མ་ཐོབ་ཀྱི་བར་དུ་བླ་མའི་སྣང་བ་དང་ནམ་ཡང་མི་འབྲལ་བར་བྱ་སྙམ་པ་བྱེད་དགོས། ཟབ་ལམ་བླ་མའི་རྣལ་འབྱོར་འདི་དང་འབྲེལ་བའི་ལམ་རིམ་གྱི་དམིགས་སྐོར་རྒྱས་པར་སྐྱོང་བར་འདོད་ན། འདི་ཡན་ཆད་ལམ་རིམ་སྦྱོར་བའི་སྔོན་འགྲོར་བྱས་ནས་བཤེས་གཉེན་བསྟེན་ཚུལ་སོགས་ཀྱི་དམིགས་སྐོར་བདེ་ལམ་སོགས་ནས་བཤད་པ་ལྟར་ཉམས་སུ་ལེན་པར་འདོད་ཅིང་ལྷོགས་ན་ལེགས་ཤིང་བྱང་ཆུབ་ལམ་གྱི་རིམ་པའི་དམིགས་སྐོར་སྐྱོང་སྐབས་བླ་མ་སྤྱི་བོའམ་སྙིང་ག་མདུན་གྱི་ནམ་མཁའ་བཅས་བླ་མ་སྒོམ་པའི་གནས་གསུམ་གང་དུ་སྒོམ་ཡང་ཁྱད་པར་མེད་ཅེས་གསུང་། ཐུན་ཕྱི་མ་སོགས་ཀྱི་མཇུག་ཏུ་སྔར་ལྟར་ཚོགས་ཞིང་རང་གི་སྙིང་གར་བསྡུ་བའི་ཚེ། རང་སྙིང་པད་འདབ་ཁ་འུབ་ཀྱི་རྣམ་པར་ཡོད་པ་དེ་རང་གི་ཀློས་ཁ་ཕྱེ་སྟེ། སྙིང་དབུས་ན་སྔར་བཞུགས་པའི་རང་སེམས་རྗེ་བླ་མའི་ངོ་བོར་གསལ་བ་ལ་ཐིམ་པའི་མོས་པ་བྱེད། སྙིང་ཁ་འུབ་ཀྱིས་བསྡུ་བ་སོགས་སྔར་ལྟར་བསམ། འདི་ནི་དགོས་པའི་ཚེ་རང་གི་ཀློས་ཁ་འབྱེད་པ་མ་གཏོགས་གཞན་གྱིས་རྫས་སྔགས་དང་། གདོན་བགེགས་སོགས་གང་གི་ནུས་པས་ཀྱང་ཁ་འབྱེད་དུ་མི་ནུས་པར་བསམ། འདི་ནི་རང་གི་སེམས་ལ་ཕྱི་ནང་གི་བར་ཆད་བསྲུང་བའི་གཙོ་བོ་ཡིན་ཞེས་གསུང་། དེ་ལྟར་བླ་མའི་རྣལ་འབྱོར་ཉམས་སུ་ལེན་ཚུལ་འདི་ཙམ་གྱིས་ཆོག་པར་བྱེད་ན། དེང་ནས་བཟུམས་ཏེ་ཚེ་རབས་ཀུན་ཏུ་བདག །ཁྱོད་ཞབས་པདྨོ་གུས་པས་མཆོད་པ་དང་། །ཁྱོད་གསུང་ཉན་ཅིང་སྒོ་གསུམ་བྱ་བ་ཀུན། །ཁྱོད་མཉེས་འབའ་ཞིག་བསྒྲུབ་པར་བྱིན་གྱིས་རློབས། །ཞེས་སོགས་བསྔོ་བ་དང་སྨོན་ལམ་ཅི་ཤེས་ཀྱིས་མཐའ་བརྒྱན་པར་བྱས་ཏེ། འདིའི་ཕན་ཡོན་སེམས་པའི་སྒོ་ནས་ཐུན་ཕྱི་མ་རྣམས་ལ་སྤྲོ་བས་འཇུག་འདོད་དང་། ཇི་སྲིད་འཚོ་བའི་བར་དུ་ཟབ་ལམ་བླ་མའི་རྣལ་འབྱོར་ལམ་གྱི་སྲོག་ཏུ་བྱེད་ཅིང་། བླ་མས་ཅི་གསུང་ཚུལ་བཞིན་དུ་བསྒྲུབ་པར་བྱའོ་སྙམ་པའི་ཡི་དམ་ཡང་ཡང་བྱ་དགོས་སོ། །ཨེ་མ་རྣམ་འདྲེན་ཤཱཀྱ་རྒྱལ་པོ་སོགས། །སྲས་བཅས་རྒྱལ་བས་བསྔགས་འོས་ཙོང་ཁ་པར། །གང་དང་གང་གིས་ཚུལ་བཞིན་གསོལ་བཏབ་ན། །མཆོག་ཐུན་དངོས་གྲུབ་སྩོལ་ལ་མི་བསླུ་ངེས། །དེས་ན་མགོན་དེར་གསོལ་བ་འདེབས་པའི་ཚུལ། །མ་འོང་ཞིང་

འདིར་འཇོན་འགྱུར་བྱམས་པ་དང་། །དབྱེར་མེད་རྣལ་འབྱོར་ཉམས་སུ་ལེན་ཚུལ་འདི། །
སྒྲུབ་ཐབས་གཞན་ལས་ཁྱད་པར་འཕགས་ཞེས་གསུངས། །དེང་དུས་བློ་དམན་སྐྱེ་བོར་ཕན་
སྙད་དུ། །སྒྲུབ་ཐབས་འདི་ཡི་ཁྲིད་ཡིག་གོ་བདེ་ཞིག །གྱིས་ཞེས་འདྲེན་མཆོག་པད་དཀར་
འཆང་དབང་གི །བཀའ་ལུང་སྤྱི་བོར་བཅིངས་ཁུལ་བགྱིས་ན་ཡང་། །བདག་ནི་ཉམས་
སྟོང་ཚད་མའི་བཤད་བྱས་དབེན། །རྒྱབ་རྟེན་ལུང་དང་རིགས་པའི་རྒྱན་གྱིས་དབུལ། །
འོན་ཀྱང་སྣ་ཚོགས་དཔེ་ལས་བྲིས་བཤུས་དང་། །རང་བཟོའི་སྣང་བ་གང་ཤར་གྱིས་མིན་
པར། །དྲིན་ཅན་བླ་མ་དུ་མའི་ཞལ་སྔོ་ལས། །ཟབ་རྒྱས་མན་ངག་གཏྣའི་ཆུ་སླུང་བཞིན། །
བབས་པ་འཛོར་བའི་ཟེགས་མ་ལྷ་བུ་ཞིག །རང་གི་ཡིད་ངེས་ཡོད་འགའ་འདི་ན་བྲིས། །
འོན་ཀྱང་བདག་ནི་ཐོས་ཉུང་ཤེས་རབ་དམན། །རྣམ་གཡེང་དུ་མའི་ཧླུང་གིས་ཡིད་བཀུགས་
པས། །གཞུང་བཟང་ཉེས་བཤད་དུ་མས་སྦགས་པ་དང་། མཁས་དང་ཀུ་སུ་ལི་པའི་ཚོགས་
ལ་བཤགས། །འདི་འབྲས་དགེ་བའི་དངོས་པོ་གང་ཐོབ་དེ། །མགོན་པོ་མཆོག་རྣམས་
དགྱེས་པའི་མཆོད་པར་འབུལ། །དྲི་མེད་འཇམ་མགོན་རྒྱལ་བའི་བསྟན་པ་དང་། །འགྲོ་ལ་
ཕན་བདེ་སྐྱེད་པའི་རྒྱུ་རུ་བསྔོ། །ཞེས་པ་འདི་ནི་སྲིད་ཞིའི་འདྲེན་མཆོག་རྒྱལ་དབང་ཕྱག་ན་པདྨོ་ཐམས་
ཅད་མཁྱེན་གཟིགས་ཆེན་པོ་ནས། དེང་དུས་ཀྱི་སྐྱེ་བོ་བློ་དམན་རྣམས་ལ་ཐུགས་བརྩེ་བས་དགོངས་ཏེ། །
འཇམ་མགོན་རྒྱལ་བ་གཉིས་པར་བརྟེན་པའི་བླ་མའི་རྣལ་འབྱོར་ཉམས་སུ་ལེན་ཚུལ་དགའ་ལྡན་ལྷ་བརྒྱ་མ་ཞེས་
བྱ་བ་འདིའི་ཁྲིད་ཡིག་གོ་བདེ་བ་ཞིག་ངེས་པར་འདྲི་དགོས་ཞེས་བཀའ་ལུང་ཡང་ཡང་ཕེབས་པ་བ་བཟློག་རྟུ་མ
ནུས་པར་བརྟེན་ཡོངས་འཛིན་གྱི་ཁུར་འཛིན་པ་དགེ་སློང་བློ་བཟང་ཚུལ་ཁྲིམས་བྱམས་པ་རྒྱ་མཚོ་འབོད་པས
ཕུར་ལྕོག་བྱང་ཆུབ་གླིང་ཞེས་པའི་དབེན་གནས་སུ་སྦྱར་བ་ཡི་གེར་བཀོད་པ་པོ་ནི་མཚན་ཞབས་སློ་མང་པ་དགེ
བཤེས་བློ་བཟང་ངག་དབང་ནས་བགྱིས་པ་དགེ་ལེགས་འཕེལ། ། །།

༄༅། །ཕུགས་ནོར་བཅུའི་བསྟན་བྱའི་འགྲེལ་པ་དོན་སྐྱོར་གསུམ་ལྡན་ཞེས་བྱ་བ་བཞུགས་སོ།

༄། །བཀའ་གདམས་གསར་པ་བློ་སྦྱོང་རྒྱལ་མཚན་དང་། །སྨན་རྒྱུད་མཛོད་འཛིན་དཀོན་མཆོག་རྒྱལ་མཚན་ཞབས། །མཚན་ཉིད་ཚང་བ་ཚུལ་ཁྲིམས་རྣམ་པར་རྒྱལ། །བྱ་བཏང་ཆེན་པོ་གསུམ་ལ་ཕྱག་འཚལ་ལོ། །ཚེ་བློས་བཏང་ནས་ཚེ་ཕྱི་མ་ཁོ་ན་དོན་དུ་གཉེར་བའི་དགོན་པ་པའི་ཡོན་ཏན་ཐོག་མར་བློ་སྦྱོང་ཆོས་ཀྱི་སྒོ་འབྱེད་དུ་གཏད་པ་བཞི། རྡོ་རྗེ་གསུམ། བུད་སྙིགས་ཐོབ་གསུམ་གྱི་མཚམས་སྦྱོར་ལ་གནས་དགོས་པར་གསུངས། གཏད་པ་བཞི་ཡོད་དེ། བློ་ཕུགས་ཆོས་ལ་གཏད་པ། ཆོས་ཕུགས་སྤྲང་ལ་གཏད་པ། སྤྲང་ཕུགས་ཤི་བ་ལ་གཏད་པ། ཤི་ཕུགས་གྲོག་པོ་སྐམ་པོར་གཏད་པའོ། །རྡོ་རྗེ་གསུམ་ཡོད་དེ། ཐེབས་མེད་རྡོ་རྗེ་སྔོན་དུ་བཏང་བ། ཁྲེལ་མེད་རྡོ་རྗེས་ལ་འཛོག་པ། ཡེ་ཤེས་རྡོ་རྗེ་རང་དང་འགྲོགས་པའོ། །ཕྱི་མ་གསུམ་ཡོད་དེ། མི་ཕྱུ་ནས་བུད་པ། ཁྱི་གྲལ་སྙེག་པ། ལྷ་གྲལ་ཐོབ་པའོ། །བདག་ཅག་གི་སྟོན་པ་ཆོས་ཅན། བློ་ཕུགས་ཆོས་ལ་གཏད་པ་ཡིན་ཏེ། རྒྱལ་སྲིད་ཀྱི་དཔལ་འབྱོར་མཆིལ་མའི་ཐལ་བ་བཞིན་དུ་སྤངས་ནས་ངེས་འབྱུང་རྣམ་དག་གི་བསམ་པས་མཆོད་རྟེན་རྣམ་དག་གི་དྲུང་དུ་རབ་ཏུ་བྱུང་བར་མཛད་པའི་ཕྱིར། ཆོས་ཕུགས་སྤྲང་ལ་གཏད་པ་ཡིན་ཏེ། ལོངས་སྤྱོད་ཕུན་སུམ་ཚོགས་པ་སྙིང་པོ་མེད་པར་གཟིགས་ནས་འཚོ་བ་ཤུག་འབྲུ་ཙམ་ལ་བསྟེན་པའི་ཕྱིར། སྤྲང་ཕུགས་ཤི་བ་ལ་གཏད་པ་ཡིན་ཏེ། ལོ་དྲུག་གི་བར་དུ་དཔག་པར་དཀའ་བའི་དཀའ་སྤྱད་མཛད་པའི་ཕྱིར། ཤི་ཕུགས་གྲོགས་པོ་སྐམ་པོ་ལ་གཏད་པ་ཡིན་ཏེ། ཆུ་བོ་ནི་རེཉྫ་རའི་འགྲམ་དུ་དཀའ་ཐུབ་མཛད་པའི་ཕྱིར། ཐེབས་མེད་རྡོ་རྗེ་སྔོན་དུ་བཏང་བ་ཡིན་ཏེ། རབ་ཏུ་བྱུང་དུས་སུ་ཡབ་རྒྱལ་པོས་བཀོལ་ཐབས་བྱས་ཀྱང་མི་འགྱུར་བའི་དམ་བཅའ་བརྟན་པོས་ཁབ་ནས་བྱུང་བར་མཛད་པའི་ཕྱིར། ཁྲེལ་མེད་རྡོ་རྗེ་རྗེས་ལ་འཛོག་པ་ཡིན་ཏེ།

རི་དྭགས་བཞིན་དུ་རྒྱུད་ན་ཡང་ངོ་ཚ་ཁྲེལ་མེད་པར་སྤྱོད་པ་འདུལ་བ་རང་ལུགས་ཀྱི་བསྟན་པའི་ཕྱག་རྗེས་རྗེས་ལ་བཞག་པའི་ཕྱིར། ཡེ་ཤེས་རྡོ་རྗེ་རང་དང་འགྲོགས་པ་ཡིན་ཏེ། ལོ་དྲུག་གི་བར་དུ་མཁའ་ཁྱབ་ཀྱི་ཏིང་ངེ་འཛིན་ལས་མི་གཡོ་བར་བཞུགས་པའི་ཕྱིར། མིའི་གྲལ་ནས་བུད་པ་ཡིན་ཏེ། རྒྱལ་པོའི་ཁབ་ནས་གཅིག་བུ་བྲོས་པའི་ཕྱིར། ཁྱི་གྲལ་སླེག་པ་ཡིན་ཏེ། ཚ་བོའི་འགྲམ་དུ་དཀའ་ཐུབ་མཛད་པ་ལ་ཕྱུགས་རྫི་རྣམས་ཀྱིས་འཕྱ་བ་བྱས་པའི་ཕྱིར། ལྷ་གྲལ་ཐོབ་པ་ཡིན་ཏེ། བདུད་བཞི་འཛོམས་ནས་སངས་རྒྱས་ཀྱི་གོ་འཕང་མངོན་དུ་མཛད་པའི་ཕྱིར། བཀའ་གདམས་པའི་དགེ་བའི་བཤེས་གཉེན་རྣམས་ཆོས་ཅན། བློ་ཕྱུགས་ཆོས་ལ་གཏད་པ་ཡིན་ཏེ། འཆི་བ་མི་རྟག་པ་དང་འཁོར་བ་ལ་སྐྱོ་ཤས་སྐྱེས་པས་ཆོས་ཁོ་ན་སྒྲུབ་པ་ལ་གཞོལ་བའི་ཕྱིར། ཆོས་ཕྱུགས་སྤྲང་ལ་གཏད་པ་ཡིན་ཏེ། ཡོ་བྱད་རྒྱ་ཆེན་པོ་བྱིན་གྱིས་བརླབས་ནས་གསོག་འཇོག་མི་མཛད་པར་སྤྲོག་འཚོ་ཙམ་གྱིས་ཁོས་ཕྱག་དར་ཁྲིད་པ་ཟས་ངན་དོན་ཙམ་ལ་བསྟེན་པའི་ཚོག་ཤེས་མཛད་པའི་ཕྱིར། སྤྲང་ཕྱུགས་ཤི་བ་ལ་གཏད་པ་ཡིན་ཏེ། འབྱོར་ཡང་འཆི་ལ་དབུལ་ཡང་འཆི་སྐབས་པས་འདི་སྣང་གི་འཁྲི་བ་བཅད་དེ་སྤྲང་ལ་ཐུག་ཀྱང་ཆོས་མི་གཏོང་། སྤྲང་གི་ཐ་མ་ཤི་ལ་ཐུག་ཀྱང་ཆོས་མི་གཏོང་སྐབས་པའི་ཞེ་ཐག་བཅད་པའི་ཕྱིར། མཁས་པའི་དབང་པོ་དཀོན་མཆོག་རྒྱལ་མཚན་གྱི་ཞལ་ནས། འཁོར་དང་ལོངས་སྤྱོད་སོགས་ཚེ་འདིའི་བདེ་སྐྱིད་ཀྱི་བྱ་བ་གྲྭ་ཟུར་མ་ཉམས་པ་ཞིག་དང་། ཚེ་ཕྱི་མའི་ཆོས་རྣམ་པར་དག་པ་གཉིས་ལྡན་གཅིག་འོང་མི་སྲིད་གསུང་། ཤི་ཕྱུགས་གྲིག་པོ་སྐམ་པོ་ལ་གཏད་པ་ཡིན་ཏེ། སྡོགས་ནས་མི་འཆི། འབྲུགས་ནས་མི་འཆི་སྐབས་ནས་མིས་མི་མཐོང་མི་ཚོར་བའི་གནས་རི་ཁྲོད་དབེན་པའི་བྲག་ཕུགས་སུ་རི་དྭགས་བཞིན་དུ་གཅིག་པུར་སྒྲུབ་པ་མཛད་པའི་ཕྱིར། ཐབས་མེད་རྡོ་རྗེ་སྔོན་དུ་བཏང་བ་ཡིན་ཏེ། དལ་འབྱོར་གྱི་རྟེན་ལ་འཆི་བ་ནམ་འོང་ཆ་མེད་ཅིང་ཕྱིན་ཆད་རྙེད་དཀའ་བས་བློ་ཆོས་སུ་འགྱུར་བའི་ཕྱིར། རྗེ་དཀོན་མཆོག་རྒྱལ་མཚན་གྱིས། རྡོ་རྗེ་ཞེས་པ་མི་འགྱུར་བའི་དོན་དང་། ཐབས་མེད་ནི་བཟློལ་ཐབས་མེད་པའི་དོན་ཡིན་གསུང་། ཁྱབ་སྟེ། ཕྱི་བཟློལ་མེད་པར་ད་ལྟ་ནས་ཆོས་ཁོ་ན་ལས་འགྱུར་བ་མེད་པའི་ཕྱིར། ཁྲེལ་མེད་རྡོ་རྗེ་རྗེས་ལ་འཛོག་པ་ཡིན་ཏེ། གཉེན་བཤེས་སོགས་ཚེ་འདིའི་གྲོས་གྲོགས་ལ་ངོ་འཛིན་དང་འདྲིས་གྲོགས་མི་བྱེད་པར་ཆོས་སྒྲུབ་པའི་རྣམ་ཐར་བཟང་པོས་སློབ་མ་རྣམས་ཁྲིད་པར་མཛད་

པའི་ཕྱིར། ཁྱབ་སྟེ། ཚེ་འདིའི་ཆེ་ཐབས་རྙེད་གྲགས་སོགས་ཇི་ལྟར་སྒྲུབ་ཀྱང་འཆི་བའི་ཚེ་རང་གི་རྗེས་སུ་མི་འབྲང་ལ་དེ་དག་གི་ཆེད་དུ་བསགས་པའི་མི་དགེ་བའི་འབྲས་བུ་རང་གཅིག་པུས་སྤྱོད་དགོས་པའི་ཕྱིར། ཡེ་ཤེས་རྡོ་རྗེ་རང་དང་འགྲོགས་པ་ཡིན་ཏེ། ཡིད་བཞིན་གྱི་ནོར་བུ་ལྟ་བུའི་ཀུན་རྫོབ་དང་དོན་དམ་བྱང་ཆུབ་ཀྱི་སེམས་ཀྱི་ཉམས་ལེན་བློ་སྦྱོང་ལ་སློམ་སྒྲུབ་མི་འབྲལ་བར་མཛད་པའི་ཕྱིར། ཁྱབ་སྟེ། དལ་འབྱོར་ཚང་བའི་རྟེན་འདིར་ཆོས་རྣམ་པར་དག་པ་ཞིག་མ་བྱུས་ན་ཕྱིན་ཆད་བསྐལ་བ་བྱེ་བ་དུ་མར་མཇལ་དཀའ་བའི་ཕྱིར། མི་གྲལ་ནས་བུད་པ་ཡིན་ཏེ། སྐྱེས་བུ་མཁས་བླུན་ཆེ་ཆུང་ཐམས་ཅད་ཀྱིས་འབད་པ་དུ་མས་འཚང་ཁ་རྒྱབ་པའི་མིང་བཏགས་གོ་ས་མཐོ་བའི་མཐོ་ཆེ་བའི་ཆེ་ནས་ཕྱིར་ཕྱུང་བའི་ཕྱིར། ཁྱི་གྲལ་སླེག་པ་ཡིན་ཏེ། སྤྲང་པོ་དབུལ་པོ་དམན་པའི་དམན་པ་མིས་མི་རྩིས་པའི་ནང་དུ་སོང་བའི་ཕྱིར། ལྷ་གྲལ་ཐོབ་པ་ཡིན་ཏེ། ཆེ་བའི་ཆེ་བ་ཀུན་གྱིས་མ་ཐོབ་པའི་རྫོགས་པའི་ཡོན་ཏན་བྱང་ཆུབ་ཀྱི་སེམས་རིན་པོ་ཆེ་རང་འཁྲུངས་སུ་དབྱར་གྱི་ཆུ་གཏེར་བཞིན་དུ་འཕེལ་བའི་ཕྱིར། བདག་ཅག་གི་བླ་མ་རྗེ་རིན་པོ་ཆེ་ཆོས་ཅན། བློ་ཐུགས་ཆོས་ལ་གཏད་པ་ཡིན་ཏེ། བཅོས་མིན་ངེས་འབྱུང་གི་བསམ་པས་རབ་ཏུ་བྱུང་ཞིང་ཆོས་རྣམ་དག་སྒྲུབ་པ་ལ་ཐོས་བསམ་སྒོམ་པས་གཞོལ་བའི་ཕྱིར། ཆོས་ཐུགས་སྤྲང་ལ་གཏད་པ་ཡིན་ཏེ། སྡེ་ཁར་དཔོན་གཡོག་གི་ཅ་ལག་ཞོ་བཅུ་གསུམ་ལས་མེད་པའི་ཚོག་ཤེས་ལ་བསྟན་པའི་ཕྱིར། སྤྲང་ཐུགས་ཤི་བ་ལ་གཏད་པ་ཡིན་ཏེ། ལག་གི་ཤ་པགས་དྲལ་བའི་བར་དུ་དཀའ་བ་སྤྱད་པས་བསགས་སྦྱང་ལ་འབད་པའི་ཕྱིར། ཤི་ཐུགས་གྲོག་པོ་སྐམ་པོ་ལ་གཏད་པ་ཡིན་ཏེ། རྙེད་བཀུར་ལ་མཆོན་ཆ་རྣོ་བ་ལྟ་བུར་གཟིགས་ཤིང་། ལྷ་སྡིངས་རྒྱ་སོག་ཐུག་ཏུ་སྒྲུབ་པ་ཁོ་ན་མཛད་པའི་ཕྱིར། ཐབས་མེད་རྡོ་རྗེ་སྟོན་དུ་བཏང་བ་ཡིན་ཏེ། ཡབ་ཡུམ་སྤུན་ཐམས་ཅད་བཞག་ནས་རང་གཅིག་པུ་དབུས་གཙང་ལ་བྱོན་པའི་ཕྱིར། ཁྲིལ་མེད་རྡོ་རྗེ་རྗེས་ལ་བཞག་པ་ཡིན་ཏེ། རྙེད་མི་རྙེད་སྙན་མི་སྙན་པའི་གྲགས་པ་སོགས་འཇིག་རྟེན་ཆོས་བརྒྱད་བཏང་སྙོམས་སུ་བཞག་ནས་བསྟན་པ་དང་འགྲོ་བའི་དོན་ཁོ་ན་མཛད་པའི་ཕྱིར། ཡེ་ཤེས་རྡོ་རྗེ་རང་དང་འགྲོགས་པ་ཡིན་ཏེ། རྟག་ཆད་མཐའ་བྲལ་དབུ་མ་ཐལ་འགྱུར་བའི་ལྟ་བ་སྟོང་ཉིད་འོད་གསལ་ནམ་མཁའ་དང་སྒྱུ་མ་ལྟར་གཟིགས་ནས་མཉམ་རྗེས་སུ་མི་འབྲལ་བར་མཛད་པའི་ཕྱིར། མི་གྲལ་ནས་བུད་པ་ཡིན་ཏེ། གསང་ཕུ་བདེ་བ་ཅན་གྱི་ཆེ་བའི་གོ་ས་ལ་མ་

རི་བར་དམན་ཆ་བཟུང་ནས་གཞུང་ལུགས་ཆེན་པོ་ལ་སྦྱོང་བའི་ཕྱིར། ཕྱི་གྲལ་སྙེག་པ་ཡིན་ཏེ། སྒྲང་བུ་བཞིན་དུ་དབུས་གཙང་གི་ས་ཆ་དུ་མ་སྐྱུལ་བའི་ཕྱིར། ལྷ་གྲལ་ཐོབ་པ་ཡིན་ཏེ། ཡུན་རིང་དུ་སྒྲུབ་པས་ཡི་དམ་གྱི་ལྷ་དུ་མའི་ཞལ་གཟིགས་ཤིང་རྟོགས་པའི་ཡོན་ཏན་ཐུགས་རྒྱུད་ལ་འཁྲུངས་པས་ས་མཐོན་པོར་གཤེགས་པའི་ཕྱིར་རོ། །ཞེས་པ་འདི་ནི་ངེས་བའི་དོན་གྱི་དགེ་བའི་བཤེས་གཉེན། ཚེ་འདི་བློས་བཏང་ཞིང་ཚེ་ཕྱི་མ་དོན་དུ་གཉེར་བ། ཚངས་བརྒྱ་བྱིན་གྱི་གོ་ས་མིང་བཏགས་ལ་ཤ་བའི་རྐྱེ་ལམ་དུ་མཐོང་བའི་བྱ་བྲལ་བ་ཚུལ་ཁྲིམས་རྣམ་རྒྱལ་གྱི་ཞབས་ལ་རྗེས་སུ་བཟུང་བ་རྒྱལ་ཁམས་པ་དགེ་སློང་དོན་གྲུབ་རྒྱལ་མཚན་གྱིས་སྦྱར་བའི་ཡི་གེ་པ་ནི་དགེ་སློང་འཇམ་ཕྲིན་ནོ། །

༄༅། །ཁམས་གསུམ་ཆོས་ཀྱི་རྒྱལ་པོ་ཙོང་ཁ་པ་ཆེན་པོ་རིགས་གསུམ་སྤྱི་སྒྲུབ་ལ་རྟེན་པའི་ས་བཅུད་བུམ་སྒྲུབ་ཀྱི་ཆོ་ག་དགོས་འདོད་བདུད་རྩིའི་ཆར་འབེབས་ཅེས་བྱ་བ་བཞུགས་སོ།

༄༅། །ན་མོ་གུ་རུ་མཉྫུ་ཤྲཱི་ཧཱུ་ཡ། ཆོས་སྐུའི་དབྱིངས་ནས་སྣ་ཚོགས་གཟུགས་ཀྱི་སྐུ། །ཡིད་འོང་ཆུ་འཛིན་འཛད་མེད་དཀྲིགས་པ་ལས། །གདུལ་བྱའི་ཞིང་ས་བརླན་པའི་བདུད་རྩིའི་ཆར། །འབེབས་མཛད་བློ་བཟང་རྒྱལ་བའི་དབང་པོར་བདུད། །ཁྱོད་ཀྱི་སྐུ་གསུང་ཐུགས་ནི་རིགས་གསུམ་གྱིས། །རྒྱལ་བའི་ངོ་བོ་ཉིད་དུ་བདག་སྒྲུབ་ན། །དམིགས་མེད་སྙིང་རྗེའི་སྟོབས་ཀྱིས་རང་བཞིན་གྱིས། །དོན་གཉིས་འགྲུབ་ལ་མཆོག་མཐུན་དངོས་སྒྲུབ་སྩོལ། །མ་བརྟག་མ་དཔྱད་རང་སྣང་གང་ཤར་གྱི། །དེང་དུས་རྫོངས་པའི་ཆོས་དང་མ་འདྲེས་པར། །གཞུང་དང་བརྒྱུད་ལྡན་དམ་པའི་མན་ངག་བཞིན། །འཁོར་འདས་དགེ་མཚན་སྤེལ་མཆོག་འདི་ན་འདྲི། །དེ་ལ་འདིར་རྒྱུད་ཐམས་ཅད་ཀྱི་རྒྱལ་པོ་དཔལ་གསང་བ་འདུས་པའི་རྩ་རྒྱུད་ཀྱི་དགོངས་བ་འཕགས་པ་ཡབ་སྲས་ཀྱི་ཇི་ལྟར་བཀྲལ་བ་མཛད་པ་ལྟར། ཁམས་གསུམ་ཆོས་ཀྱི་རྒྱལ་པོ་ཙོང་ཁ་པ་ཆེན་པོས་དྲི་མ་མེད་པའི་ལུང་དང་རིག་པའི་ལམ་ནས་དྲངས་ཏེ། གངས་ཅན་གྱི་ལྗོངས་འདིར་ཚང་ལ་མ་ནོར་བར་གསལ་བར་མཛད་པ་ལས། དོན་གྱི་སྙིང་པོ་སྨིན་ལམ་གྱི་སྒོ་ནས་འཆད་པར་མཛད་པ་ལས་ཀྱང་རིགས་བརྒྱ་རིགས་ལྔ་རིགས་གསུམ་རིགས་གཅིག་ཏུ། །ཞེས་པ་ལྟར། རྒྱལ་བ་རྡོ་རྗེ་འཆང་སོགས་བླ་མ་དང་ཡི་དམ་སྒྲུབ་པ་པོ་རང་གི་ཕུང་པོ་ལྔ་དང་ལུས་ངག་ཡིད་གསུམ་སོགས་རིགས་ལྔ་རིགས་གསུམ་སོགས་ཀྱི་ངོ་བོར་བལྟས་ཏེ། ཟབ་ལམ་གྱི་རྣལ་འབྱོར་ཉམས་སུ་ལེན་པ་ནི། མཁས་གྲུབ་ཐམས་ཅད་ཀྱི་ཐུགས་དམ་གྱི་མཐིལ་དུ་མཛད་བཞིན་པ་དེ་ལྟར་ན། ཁམས་གསུམ་ཆོས་ཀྱི་རྒྱལ་པོ་ཙོང་ཁ་པ་ཆེན་པོ་རིགས་གསུམ་གྱི་ངོ་བོར་བལྟས་ཏེ་གསོལ་བ་འདེབས་པ་དམིགས་རྩེ་མ་ཞེས་ཡོངས་སུ་གྲགས་པ་འདིའི་སྒོ་ནས། ལམ་ཐུན་མོང་བ་དང་ཐུན་མོང་

མ་ཡིན་པ་ཟབ་ལ་རྒྱ་ཆེ་བ་ཉམས་སུ་ལེན་ཚུལ་དང་། ཞིང་སོགས་ཀྱི་ལས་རབ་འབྱམས་མཐའ་ཡས་པ་སྒྲུབ་ཚུལ་གསུངས་པ་ལས། འདིར་གཙོ་བོར་༧རྒྱལ་མཆོག་ཀུན་གཟིགས་ལྔ་པ་ཆེན་པོ་ནས་རིམ་གྱིས་རྒྱུད་པའི་མན་ངག་དང་། པཎ་ཆེན་ཐམས་ཅད་མཁྱེན་པ་དཔལ་ལྡན་ཡེ་ཤེས་དཔལ་བཟང་པོའི་ལེགས་བཤད་སོགས་དམ་པའི་མན་ངག་རྣམས་ཀྱི་དགོངས་པ་ལྟར། སྲིད་ཞིའི་དགེ་མཚན་སྤེལ་བའི་གཏེར་གྱི་བུམ་པ་བཟང་པོ་ཇི་ལྟར་བསྒྲུབ་པའི་ཚུལ་ལ་སྦྱོར་དངོས་རྗེས་གསུམ་ལས། དང་པོ་ལ་ཡང་ཟབ་ལམ་བླ་མའི་རྣལ་འབྱོར་སྔོན་དུ་བཏང་ནས་བདག་བསྐྱེད་ཀྱི་རྣལ་འབྱོར་ཉམས་སུ་ལེན་ཚུལ་དང་། གཏེར་གྱི་བུམ་པ་བཟང་པོ་ཇི་ལྟར་འདུ་བྱེད་པའི་ཚུལ་དང་གཉིས་ལས། དང་པོ་ནི་སྐྱབས་འགྲོ་སེམས་བསྐྱེད་ཚད་མེད་བཞི་དང་། ལམ་ལ་བརྟེན་པའི་སེམས་བསྐྱེད་སྤྱི་ལྟར་རྒྱུད་དང་འདྲེས་ངེས་སྒོམ་བ་སྔོན་དུ་བཏང་ནས། དགའ་ལྡན་ལྷ་བརྒྱའི་མགོན་གྱི་ཐུགས་ཀ་ནས། ཞེས་བ་ནས། བསྟན་པའི་སྙིང་པོ་རིང་དུ་གསལ་བྱེད་ཤོག །ས་གཞི་སྤོས་ཀྱིས་བྱུག་ཤིང་མེ་ཏོག་བཀྲམ། །ཞེས་སོགས་མཎྜལ་འབུལ། ཡོན་ཏན་ཀུན་གྱི་གཞིར་གྱུར་དྲིན་ཅན་རྗེ། །ཞེས་པ་ནས། རྡོ་རྗེ་འཆང་གི་གོ་འཕང་མྱུར་ཐོབ་ཤོག །ཞེས་ལམ་ཡོངས་རྫོགས་ལ་ཤར་སྒོམ་རྒྱུད་དང་འདྲེས་ངེས་བྱ། དེ་ནས། དཔལ་ལྡན་རྩ་བའི་བླ་མ་རིན་པོ་ཆེ། །བདག་གི་སྙིང་ཁར་པད་ཟླའི་སྟེང་བཞུགས་ལ། །བཀའ་དྲིན་ཆེན་པོའི་སྒོ་ནས་རྗེས་བཟུང་སྟེ། །སྐུ་གསུང་ཐུགས་ཀྱི་དངོས་གྲུབ་སྩལ་དུ་གསོལ། །ཞེས་ཚིགས་ཞིང་རང་ལ་བསྡུས་ཏེ། ཨོཾ་སྭ་བྷཱ་ཝ་ཤུདྡྷཿ སརྦ་དྷརྨཱ་སྭ་བྷཱ་ཝ་ཤུདྡྷོ྅ཧཾ། སྟོང་པ་ཉིད་དུ་གྱུར། སྟོང་པའི་ངང་ལས་པཾ་ལས་པད་དཀར་དང་། ཨཱཿ ལས་ཟླ་བའི་དཀྱིལ་འཁོར་གྱི་སྟེང་དུ་རང་གི་སེམས་ཉིད་ཧྲཱིཿ ཡིག་དམར་སེར་ལས་རལ་གྲི་ཧྲཱིཿ དམར་སེར་གྱིས་མཚན་པ། དེ་ལས་འོད་ཟེར་འཕྲོས་འཕགས་པ་མཆོད་སེམས་ཅན་གྱིས་དོན་བྱས། ཚུར་འདུས་ཡོངས་སུ་གྱུར་པ་ལས། རང་ཉིད་རྒྱལ་བ་ཀུན་གྱི་ངོ་བོ་ཁམས་གསུམ་ཆོས་ཀྱི་རྒྱལ་པོ་ཙོང་ཁ་པ་ཆེན་པོ་སྐུ་མདོག་དཀར་ལ་དམར་བའི་མདངས་ཆགས་པ། ཞལ་གྱི་དཀྱིལ་འཁོར་ཟླ་བ་ཉ་གང་བ་ལྟར་རབ་ཏུ་རྒྱས་ཤིང་འཛུམ་པའི་ཉམས་ཅན། སྐུ་ལ་ཆོས་གོས་ངུར་སྨིག་གི་མདོག་ཅན་གསུམ་མཛེས་པར་བསྣམས་ཤིང་། དབུ་ལ་པཎ་ཞྭ་གསེར་གྱི་མདོག་ཅན་རྣེ་རིང་གསོལ་བ། ཕྱག་གཉིས་ཆོས་འཁོར་གྱི་ཕྱག་རྒྱ་ཐུགས་ཀར་མཛད་པའི་མཐེབ་མཛུབ་ཀྱིས་ཨུཏྤལ་ལའི་ཡུ་བ་གཟུང་བའི་འདབ་མ་སྙན་གཡས་གཡོན་གྱི་ཐད་དུ་ཁ་བྱེ་བའི་གཡས་ཀྱི་སྟེང་ན་ཤེས་རབ་ཀྱི་རལ་གྲི་འོད་འབར་བ་དང་། གཡོན་གྱི་སྟེང་ན་ཤེས་རབ་ཀྱི་ཕ་རོལ་ཏུ་ཕྱིན་པ་བརྒྱད་སྟོང་པའི་གླེགས་བམ་རང་སྒྲ་སྒྲོག་བཞིན་པས

མཚན་པ། ཞབས་གཉིས་རྡོ་རྗེ་སྐྱིལ་ཀྲུང་གིས་བཞུགས་པའི་སྐུ་ལས་འོད་ཟེར་མཐའ་ཡས་པ་འཕྲོས་པས་ཞིང་ཁམས་ཐམས་ཅད་སྐུ་ལ་སྣང་ཞིང་། སྐུ་ཡིས་ཞིང་ཁམས་ཐམས་ཅད་ཁྱབ་པའི་བདག་ཉིད་དུ་གྱུར་པའི། སྤྱི་བོར་ཨོཾ་ལས་འཁོར་ལོ་དཀར་པོ་ལྟེ་བར་ཨོཾ་གྱིས་མཚན་པ། མགྲིན་པར་ཨཱཿ ལས་པདྨ་དམར་པོ་ལྟེ་བར་ཨཱཿ ས་མཚན་པ། ཐུགས་ཀར་ཧཱུྃ་ལས་རྡོ་རྗེ་སྔོན་པོའི་ལྟེ་བར་ཧཱུྃ་གིས་མཚན་པ། ཐུགས་ཀའི་ཧཱུྃ་ལས་འོད་ཟེར་འཕྲོས་པས་སྒོམ་པ་དང་འདྲ་བའི་ཡེ་ཤེས་པ་ལ་སངས་རྒྱས་དང་བྱང་ཆུབ་སེམས་དཔའི་ཚོགས་ཀྱིས་བསྐོར་བ་དགའ་ལྡན་གྱི་གནས་ནས་སྤྱན་དྲངས། ཛཿ ཧཱུྃ་བཾ་ཧོཿ རང་དང་གཉིས་སུ་མེད་པར་གྱུར་བསང་ཆུ་སྦྱུབ་ཚུལ་ནི། ལས་བུམ་གྱི་ནང་དུ་ཆུ་དང་ཉི་མའི་དཀྱིལ་འཁོར་གྱི་སྟེང་དུ་ཁྲོ་བོ་བདུད་རྩི་འཁྱིལ་བ་དེའི་ཐུགས་ཀར་ཉི་མའི་དཀྱིལ་འཁོར་གྱི་སྟེང་དུ་ཧཱུྃ་ཡིག་སྔགས་ཕྲེང་དང་བཅས་པ་གསལ་ལ་ཡོངས་སུ་རྫོགས་པར་གྱུར། ཨོཾ་བཛྲ་ཨ་མྲི་ཏ་ཞེས་ཉེར་གཅིག་སོགས་ཅི་འགྲུབ་བཟླས་ལ། ཁྲོ་བོ་བདུད་རྩི་འཁྱིལ་བ་འོད་དུ་ཞུ་བ་ལས་བསང་བའི་ཆུར་གྱུར། ཅེས་བསང་ཆུ་སྦྱུབ། མཆོད་པ་རྣམས། ཨ་མྲི་ཏ་ས་བསངས། སྭ་བྷཱ་ཝ་ས་སྦྱངས། སྟོང་པའི་ངང་ལས་ཨོཾ་ལས་རིན་པོ་ཆེའི་སྣོད་ཡངས་ཤིང་རྒྱ་ཆེ་བ་རྣམས་ཀྱི་ནང་དུ་ཨོཾ་འོད་དུ་ཞུ་བ་ལས་བྱུང་བའི་མཆོད་ཡོན་ནས་རོལ་མོ་རྣམས་རང་བཞིན་བདེ་སྟོང་། རྣམ་པ་མཆོད་རྫས། བྱེད་ལས་དབང་པོ་དྲུག་གི་སྤྱོད་ཡུལ་དུ་ཟག་པ་མེད་པའི་བདེ་བར་ཁྱད་པར་ཅན་བསྐྱེད་པར་གྱུར། ཨོཾ་ཨརྒྷཾ་ཨཱཿ ཧཱུྃ་ནས་ཤབྡ་ཨཱཿ ཧཱུྃ་གི་བར་གྱིས་བྱིན་གྱིས་བརླབས། ཨོཾ་ཨཱཿ གུ་རུ་སུ་མ་ཏི་ཀཱིརྟི་ས་པ་རི་ཝཱ་ར་ཨརྒྷཾ་པྲ་ཏཱིཙྪ་ཧཱུྃ་སྭཱཧཱ་ཞེས་པ་ནས་ཤབྡ་པྲ་ཏཱིཙྪ་ཧཱུྃ་སྭཱཧཱ། ཞེས་པའི་བར་གྱིས་མཆོད། རྣམ་དག་གངས་རིའི་ཕྲེང་བས་ཡོངས་བསྐོར་བའི། །ཕྱོགས་འདིར་བདག་ཅག་མགོན་མེད་རྣམས་ཀྱི་མགོན། །བློ་དམན་བསམ་པའི་ངོ་དང་འཚམ་པའི་སྐུ། །སྟོན་མཛད་བླ་མ་མཆོག་ལ་བདག་ཕྱག་འཚལ། །ཞེས་བསྟོད། རང་གི་སྙིང་ཁར་ཟླ་བའི་དཀྱིལ་འཁོར་གྱི་ལྟེ་བར་ཧྲཱིཿ ཡིག་གིས་མཐའ་བསྐོར་དུ་དམིགས་བརྩེ་མས་བསྐོར་བ་ལས་འོད་ཟེར་ཁ་དོག་སྣ་ཚོགས་འཕྲོས་པའི་སྣེ་མོ་ལ་མཚན་པའི་ལྷ་མོ་དཔག་ཏུ་མེད་པ་སྤྲོས་ཏེ་དེ་རྣམས་ཀྱིས་སངས་རྒྱས་སྲས་དང་བཅས་པ་ཐམས་ཅད་ལ་མཆོད་པ་ཕུལ་བས་དེ་རྣམས་དགྱེས་ཤིང་། བྱིན་རླབས་ནུས་མཐུ་ལ་སོགས་པ་ཐམས་ཅད་འོད་ཀྱི་རྣམ་པར་སྤྱན་དྲངས་ནས་རང་གི་སྙིང་ཁའི་ཐུགས་ཕྲེང་ལ་ཐིམ། མཐུ་སྟོབས་ནུས་པ་མཁྱེན་བརྩེའི་བདག་ཉིད་ཅན་དུ་གྱུར། ཡང་འོད་ཟེར་འཕྲོས་པས་སྣོ་ལས་སངས་རྒྱས་དང་བྱང་སེམས་ཀྱི་སྐུའི་རྣམ་པ་མཐའ་ཡས་པ་སྤྲོས་ཏེ་རིགས་དྲུག་གི་གནས་རྣམས་སུ་སོང་བས། དེ་དག་གི་སྡུག་བསྔལ་ཐམས་ཅད་སྦྱངས་

ཏེ་ཆོས་ཀྱི་རྒྱལ་པོ་ཙོང་ཁ་པ་ཆེན་པོའི་གོ་འཕང་ལ་བཀོད་པར་བསམ་ལ། དམིགས་མེད་བརྩེ་བའི་སོགས་གསོལ་འདེབས་བརྒྱ་སྟོང་སོགས་ཅི་འགྲུབ་བཟླས་ལ། སྔར་བཞིན་མཆོད་བསྟོད་བྱ། དགེ་བ་འདི་ཡིས་མྱུར་དུ་བདག །འཇམ་མགོན་བླ་མ་འགྲུབ་གྱུར་ནས། །འགྲོ་བ་གཅིག་ཀྱང་མ་ལུས་པ། །དེ་ཡི་ས་ལ་འགོད་པར་ཤོག །ཅེས་དགེ་བ་བསྔོ་ཞིང་སྨོན་ལམ་ཐམས་ཅད་དུ་བླ་མ་ལྷའི་སྣང་བ་དང་མི་འབྲལ་བར་བྱའོ། །གཉིས་པ་བུམ་པ་ཇི་ལྟར་འདུ་བྱེད་པའི་ཚུལ་ནི། གསེར་དངུལ་སོགས་རིན་པོ་ཆེའམ། རྫ་བཟང་པོའི་བུམ་པ་ཆེ་ཆུང་མཐའ་ཡུལ་གྱི་བྲེ་གང་མ་མཐར་ཤོང་བ། བུམ་པ་རང་བཞིན་གྱི་དཀར་པའམ། དཀར་རྩི་སོགས་ཀྱི་ཁ་བསྒྱུར་བ། བཀྲ་ཤིས་རྟགས་བརྒྱད་ཀྱི་རི་མོ་དང་། མདུན་རྟགས་སུ་རིན་ཆེན་ཆ་དགུའི་གཟུགས་བྲི། ཞ་ཉེ། ཏི་ཚ། ཤ་དཀར། སྦྲིན་སོགས་མ་འདྲེས་པ་དགོས་འདས་མ་འདས་པའི་བུམ་པ་སོ་སོའི་ནང་བཞུགས་ཀྱི་གཙོ་བོ་རྗེ་བླ་མའི་སྐུ་བྲིས་འབུར་གང་རིགས་རབ་གནས་ཅན་དང་། ཀླུ་ནོར་རྒྱས་ཀྱི་གཙོ་བོར་གྱུར་བའི་ཀླུ་ཆེན་བརྒྱད་ཀྱི་གཟུགས་ཆོ་ག་བཞིན་པར་བྲིས། གང་དུ་བུམ་པ་གཉིས་ཀའི་བུམ་རྫས་ལྕགས་དང་། ཕ་ལམ་སོགས་ཀླུ་ལ་གནོད་པའི་རིགས་མ་ཡིན་པ་རིན་ཆེན་སྣ་ལྔ་སོགས་རིན་ཆེན་གང་འཛོམས། སྐྱེ་ཚེ། ཤང་ཚེ། གྲ་བོ། སྨན་ནག་དན་རོག་སོགས་བཤལ་སྨན་དང་། སྒྲུག་སྨན། ཤ་ཆང་། ཁྲུང་སྤྲེར། ཚ་བ་གསུམ་བཙན་དུག་ལ་སོགས་དུག་རིགས། གླ་རྩི་རྣམས་མ་གཏོགས་པའི་སྣམ་སྣ་གང་རྙེད་དང་། ཁྲིད་པར་དུ་བཟང་དྲུག་འབྲས་བུ་གསུམ། གུར་གུམ། མགྲོན་བུ་དུང་། གཟི། དར་དམར། རྒྱ་བྱའི་མདོངས། དར་མཆོན་སྣ་ལྔ། རས་སྤྲད་སྣ་ལྔ། སྙིང་ཞོ་ཤ། གླ་གོ་ཞོ་ཤ། མཁལ་མ་ཞོ་ཤ། དབང་ལག ཆུ་སྲིན་སྤྲེར་མོ། །སྤུ་ཤེལ་རྩེ། རྡོ་རྒྱུས། སྤང་སྤོས། སླེ་ཏྲེ། བྱི་ཏང་ག། རྒྱ་མཚོའི་ལྦུ་བ། ཙན་དན་དཀར་དམར། མཚལ་དཀར་དམར། ཐང་ལོ། སྟུག་ལོ། ཟེ་ར་དཀར་ནག། སྦྲུལ་གྱི་ལྤགས་པ། ན་ག་སྤུས་པ། ན་ག་གེ་སར། བྲུ་སྣ་ལེ། ཨུཏྤལ་སྔོན་པོ། སྤོས་དཀར། ཤུ་དག་དཀར་པོ། ག་བུར། ཐལ་དཀར་རྡོ་རྗེ། རྒྱུན་འབྲུམ། ཤིང་མངར། ཏིལ་དཀར་ནག། མངར་གསུམ། བ་དམར་མོ་དང་། ར་དཀར་མོའི་འོ་མ་སོགས་དཀར་གསུམ། གཞན་ཡང་གོས་དར། ཤིང་འབྲས། གནས་བྱིན་རླབས་ཅན་དང་། བཀྲ་ཤིས་པའི་ཡུལ་གྱི་ས་སྣ། རྡོ་སྣ། ཆུ་སྣ། བསངས་སྣ། དམ་རྫས་བྱིན་རྟེན་གྱི་རིགས། རྒྱལ་སྲིད་སྣ་བདུན་གྱི་གཟུགས་བརྙན་སོགས་བུམ་རྫས་རྣམས་ལེགས་པར་འདུ་བྱེད་ལ། གནས་ཁང་ཡོ་བྱད་དང་བཅས་པར་བགེགས་དང་དྲི་མ་སྦྱངས་པ་ཆོ་ག་བཞིན་དུ་བྱས་ཏེ། རྒྱལ་སྲིད་སྣ་བདུན་གྱི་གཟུགས་བུམ་ནང་གི་ཕྱོགས་སོ་སོར་སྦྱར། རྫས་རྣམས་ཀྱི་བུམ་པའི་གསུམ་གཉིས་གང་བའི་སྟེང་དུ་སྐུ་གཟུགས་རྣམས་བཞུགས་སུ་གསོལ། བུམ་རྩངས་ལེགས་པར་བྱས་ལ་ཁ་ཁེབས་དང་། ཕྱི་ནས་དར་གོས་སོགས་ཀྱི་བསྟུམ་འགྲུལ་འཆིང་དཀར་པོས་ལེགས་པར་བཅིངས་ལ་མདུན་ཕྱོགས་སུ་རྒྱས་བཏབ། སྙིགས་གཙང་མའི་ཁར་གདན་དཀར་པོ་པདྨ་འདབ་བརྒྱད་བྲིས

པའི་སྟེང་དུ་ཛེ་བླ་མ་བཞུགས་པའི་བུམ་པ། དེའི་མདུན་དུ་གླུའི་བུམ་པ་བཀོད་ལ། དེ་དག་གི་མདུན་དུ་འོ་མ་དང་། ཆུ་གཙང་སྦྱར་བའི་ཡོན་ཆབ་དང་། མེ་ཏོག། བླ་ཙི་དང་ནག་གི་མ་འདྲེས་པའི་སྤོས། མར་དཀར་གྱི་མར་མེ། དྲི་ཞིམ་པོའི་གླུ་སྨན་བསྲེས་པའི་དྲི་ཆབ། དཀར་གསུམ་མངར་གསུམ་བསྲེས་པའི་ལྷ་བཤོས། འདས་གཏོར་དཀར་པོ་རླུམ་པོ་རྒྱན་ལྡན། གླུ་གཏོར་མཐར་གཏོར་ཚང་བརྒྱད་ཀྱིས་སྐོར་བ་ཛ་འམ་ཟན་སྡོང་དགུའི་ནང་དུ་འོ་སྨན་གྱི་གང་བས་ཁམས་པོར་ལེགས་པར་བཤམས། དེ་དག་གི་མཐའ་བསྐོར་དུ་མགྲོན་རྣམས་མཉེས་པར་བྱེད་པའི་སྤྱན་གཟིགས། མཆོད་པའི་བྱེ་བྲག་ཅི་འབྱོར་ལེགས་པར་བཀྲམ་ལ་མཛེས་པར་བྱའོ།

།གཉིས་པ་དངོས་གཞི་ནི་མདུན་བསྐྱེད་སྒྲུབ་སྟེ་མཆོད་བསྟོད་སོགས་ཇི་ལྟར་བྱ་བའི་ཚུལ་ནི། བུམ་པ་རྣམས་ཨ་མྲྀ་ཏ་ས་བསངས། སྭ་བྷཱ་ཝས་སྦྱངས། སྟོང་པའི་ངང་ལས་བུམ་པའི་གྲངས་དང་མཉམ་པའི་པདྨ་དང་ཟླ་བའི་སྟེང་དུ་ཧཱུྃ་ལས་རིན་པོ་ཆེའི་བུམ་པ་ཡངས་ཤིང་རྒྱ་ཆེ་བ་རྣམས་ཀྱི་ནང་དུ་བུམ་རྫས་རྣམས་ཨོཾ་དང་རང་རང་གི་མིང་ཡིག་དང་པོ་ཐིག་ལེས་བརྒྱན་པ་ཞུ་བ་ལས་བྱུང་བའི་མཆོད་པའི་སྤྲིན་དང་ལོངས་སྤྱོད་ཀྱི་ཚོགས་ཟད་པར་མི་ནུས་པ་ནམ་མཁའ་མཛོད་དང་མཉམ་པས། གླུ་སོགས་སྐྱེ་དགུ་རྣམས་བདེ་སྐྱིད་ཀྱི་དཔལ་ལ་འགོད་པའི་ནུས་པ་དང་ལྡན་པར་འགྱུར་ཞིང་རྒྱས་པར་གྱུར་ཅིག

།ཐུགས་དྲུག་དང་ཕྱག་རྒྱ་དྲུག་གིས་བྱིན་གྱིས་བརླབས་པའི་ཚེ། ཕྱག་རྒྱ་སོ་སོའི་ནང་ངམ་སྟེང་དུ་ལྷ་ཐུགས་གང་རིགས་གསལ་བཏབ། དེ་ལས་འོད་ཟེར་འཕྲོས་པས་རྫས་རྣམས་ལ་ཐིམ་པས་ཆོ་གའི་ཚིག་རིས་ལྟར་བྱིན་གྱིས་བརླབས་པའི་མོས་པ་དང་བཅས་ཏེ་ཆོས་ཉིད་རྣམ་དག་གི་ཐུགས་རྒྱས་སྦྱངས་པ་ནི། ཐལ་མོ་ཁོང་སྟོང་སྦྱར་བ་སྙིང་གར་བཞག་ལ། ཨོཾ་སྭ་བྷཱ་ཝ་ཤུདྡྷཿ སརྦ་དྷརྨཱ་སྭ་བྷཱ་ཝ་ཤུདྡྷོ་ཧཾ། ཡོ་བྱད་མ་དག་པ་སྦྱངས་ཤིང་ཉེས་པའི་སྐྱོན་མེད་པར་གྱུར། ནམ་མཁའ་མཛོད་ཀྱི་ཐུགས་རྒྱས་སྤེལ་བ་ནི། ཐལ་མོ་ཁོང་སྟོང་སྦྱར་བ་སོར་མོ་རྣམས་རྩེ་སྤྲད་ལ། ཚིག་བར་མ་རྣམས་བཙག་ལ་རིན་པོ་ཆེ་འདྲ་བ་དབྲལ་བར་བཞག་ལ། ཨོཾ་ནམཿ སརྦ་ཏ་ཐཱ་ག་ཏ་བྷྱོ་བི་ཤྭ་མུ་ཁེ་བྷྱཿ སརྦ་ཏ་ཁཾ་ ཨུདྒ་ཏེ་སྥ་ར་ཎ་ཨི་མཾ་ག་ག་ན་ཁཾ་སྭཱ་ཧཱ། མགྲོན་སོ་སོའི་སེམས་དང་མཐུན་པའི་ཡོ་བྱད་ཀྱིས་ནམ་མཁའི་ཁམས་ཁྱབ་པར་གྱུར། བདུད་རྩི་འཁྱིལ་པའི་ཐུགས་རྒྱས་བསྒྱུར་བ་ནི། རྡོ་རྗེ་ཐལ་མོ་མཐེ་བོང་བསྣོལ་བའི་མཐེབ་འཛུབ་ངོས་སྦྱེ་ལ། ཨོཾ་བཛྲ་ཨ་མྲྀ་ཏ་ཀུཎྜ་ལི་ཧ་ན་ཧ་ན་ཧཱུྃ་ཕཊ། མགྲོན་སོ་སོ་ཚིམ་བྱེད་ཀྱི་བདུད་རྩིར་གྱུར། རྒྱ་ཆེན་ཤུགས་ལྡན་གྱི་ཐུགས་རྒྱས་དབང་བར་བྱ་བ་ནི། གཡས་ཁུ་ཚུར་བཅིངས་པའི་མཛུབ་མོ་སྙིང་ཁར་བཞག་ལ། ཨོཾ་ན་མཿ སརྦ་ཏ་ཐཱ་ག་ཏ་ཨ་བ་ལོ་ཀི་ཏེ། ཨོཾ་སམྦྷ་ར་སམྦྷ་ར་ཧཱུྃ། འཕགས་པ་རྣམས་ཀྱི་སྤྱན་སྔར་མཆོད་སྤྲིན་མཐའ་ཡས་དང་། སེམས་ཅན་སོ་སོའི་དབང་པོ་ལྔའི་སྤྱོད་ཡུལ་དུ

ལོངས་སྤྱོད་ཟད་མི་ཤེས་པའི་བྱུང་བར་འགྱུར། ཡེ་ཤེས་སྐར་མདའི་ཐུགས་རྒྱུས་ཐོབ་པར་བྱ་བ་ནི། གཡོན་མཐེ་བོང་ལག་མཐིལ་དུ་བཞག་པའི་མཆོག་སྦྱིན་གྱིས་ཕྱག་རྒྱ་བྱས་ལ། ཨོཾ་ཧྲཱི་ན་ཨ་བ་ལོ་ཀི་ཏེ་ན་མཿ ས་མནྟྲ་སྭ་ར་ཙ་ར་སྒྲི་ཧྲ་ཕ་མནྟྲ་མ་ཚི་དུ་རུ་དུ་རུ་ཧྲི་ད་ཡ་ཛྭལ་ནི་སྭཱཧཱ། འཕགས་པ་རྟུལ་གྱི་གྲངས་དང་མཉམ་པ་མཉེས་ཤིང་། སེམས་ཅན་རྣམས་ལ་ཕམ་རྒྱལ་དང་རྩོད་པ་མེད་པར་མོས་པ་བཞིན་ཐོབ་པར་འགྱུར་ཅིག །དབང་བསྒྱུར་འཁོར་ལོའི་ཐུགས་རྒྱུས་དབང་དུ་བྱ་བ་ནི། སེར་མོ་མང་དུ་སྟོལ་བའི་རྡོ་རྗེ་བསྣམས་པའི་མཐེ་བོང་གཉིས་བཤིབས་ཏེ་བསྒྲོང་ལ། ན་མཿ ས་མནྟ་བུད་དྷཱ་ནཾ་གྲ་ཧེ་ཤྭ་རི་པྲ་ཧྲཛྙཱ་ནམ་མནྟ་ས་མ་ཡ་སྭཱཧཱ། མགྲོན་ཐམས་ཅད་ཀྱི་བདག་ཅག་ལ་དམ་ཚིག་དབང་གི་ཕན་བདེའི་འཕྲིན་ལས་བསྒྲུབ་པར་ཞལ་གྱིས་བཞེས་པར་འགྱུར། འདི་རྣམས་བུམ་སྒྲུབ་སྐབས་བརྒྱ་རྩ་རེ་ཙམ་བཟླའོ། །དེ་ནས་འཇིག་རྟེན་ལས་འདས་པའི་བུམ་པ། ཨ་མྲྀ་ཏས་བསངས། སྭ་བྷཱ་ཝས་སྦྱངས། སྟོང་པའི་ངང་ལས་པཾ་ལས་བྱུང་བའི་རིན་པོ་ཆེའི་བུམ་པ་དཀར་པོ་ལྟོ་བ་ཆེ་བ། མགྲིན་པ་རིང་བ། མཆུ་འཕྱང་བ་ལ་སོགས་པ་མཚན་ཉིད་ཐམས་ཅད་དང་ལྡན་པ། ནང་དུ་ལོངས་སྤྱོད་ཆུ་མཆོ་དཔག་བསམ་གྱིས་ཤིང་སྣ་ཚོགས་ཀྱིས་མཛེས་ཤིང་ཀུན་བཟང་མཆོད་པའི་སྤྲིན་ཚོགས་བསམ་གྱིས་མི་ཁྱབ་པས་གང་བའི་དབུས་སུ་སེང་གེ་ཆེན་པོ་བརྒྱད་ཀྱིས་སྟེགས་པའི་རིན་པོ་ཆེའི་ཁྲི་མཐོ་ལ་ཡངས་ཤིང་རྒྱ་ཆེ་བའི་སྟེང་དུ། པད་ཟླའི་གདན་ལ་ཧྲཱིཿ ཡིག་དམར་སེར་ལས་རལ་གྲི་ཧྲཱིཿ དམར་སེར་གྱིས་མཚན་པ། དེ་ལས་འོད་འཕྲོས། འཕགས་པ་མཆོད་སེམས་ཅན་གྱི་དོན་བྱས། ཚུར་འདུས་ཡོངས་སུ་གྱུར་པ་ལས་རྒྱལ་བ་ཀུན་གྱི་ངོ་བོ་ཁམས་གསུམ་ཆོས་ཀྱི་རྒྱལ་པོ་ཙོང་ཁ་པ་ཆེན་པོ་སྐུ་མདོག་དཀར་ལ་དམར་བའི་མདངས་ཆགས་པ། ཞལ་གྱི་དཀྱིལ་འཁོར་ཟླ་བ་ཉ་གང་བ་ལྟར་རབ་ཏུ་རྒྱས་ཤིང་འཛུམ་པའི་ཉམས་ཅན། སྐུ་ལ་ཆོས་གོས་ངུར་སྨིག་གི་མདོག་ཅན་གསུམ་མཛེས་པར་བསྣམས་ཤིང་། དབུ་ལ་པཎ་ཞྭ་གསེར་གྱི་མདོག་ཅན་སྣེ་རིང་མཛེས་པར་གསོལ་བ། ཕྱག་གཉིས་ཆོས་འཁོར་གྱི་ཕྱག་རྒྱ་ཐུགས་ཀར་མཛད་པའི་མཐེབ་མཛུབ་ཀྱིས་ཨུཏྤ་ལའི་ཡུ་བ་འཛིན་པ། འདབ་མ་སྐན་གཡས་གཡོན་གྱི་ཐད་དུ་ཁ་ཕྱེ་བའི་གཡས་ཀྱི་སྟེང་ན་ཤེས་རབ་ཀྱི་རལ་གྲི་འོད་འབར་བ་དང་། གཡོན་གྱི་སྟེང་ན་ཤེས་རབ་ཀྱི་ཕ་རོལ་ཏུ་ཕྱིན་པ་བརྒྱད་སྟོང་པའི་གླེགས་བམ་རང་སྒྲ་སྒྲོགས་བཞིན་པས་མཚན་པ། ཞབས་རྡོ་རྗེ་སྐྱིལ་ཀྲུང་གིས་བཞུགས་པའི་སྐུ་ལས་འོད་ཟེར་མཐའ་ཡས་པ་འཕྲོས་པས། ཞིང་ཁམས་ཐམས་

ཅད་སྐུ་ལ་སྣང་ཞིང་། སྐུ་ཡིས་ཞིང་ཁམས་ཐམས་ཅད་ཁྱབ་པའི་བདག་ཉིད་ཅན་དུ་གྱུར། དེའི་སྤྱི་བོར་པད་ཟླའི་སྟེང་དུ་རྗེ་བཙུན་འཇམ་དཔལ་དབྱངས་དམར་སེར་གཡས་ཤེས་རབ་ཀྱི་རལ་གྲི་དང་། གཡོན་སྡོང་ཕྲག་བརྒྱད་པའི་གླེགས་བམ་བསྣམས་པ། མགྲིན་པར་པད་ཟླའི་སྟེང་ལ་སྤྱན་རས་གཟིགས་དབང་སྐུ་མདོག་དཀར་པོ་ཞེལ་ལྷར་དྭངས་ཤིང་དྲི་མ་མེད་པ། ཞལ་གཅིག་ཕྱག་བཞི་པ། ཕྱག་དང་པོ་གཉིས་ཐུགས་ཀར་ཐལ་མོ་སྦྱར་བ། གཡས་འོག་མས་ཤེལ་ཕྲེང་དང་། གཡོན་འོག་མས་པདྨ་དཀར་པོ་འདབ་མ་བརྒྱད་པ་འཛིན་ཅིང་། རི་དྭགས་པགས་པས་ནུ་མ་གཡོན་པ་བཀབ་པ། དེ་གཉིས་ཀའང་སྐུ་སྟོད་ལྷ་རྫས་གོས་ཀྱིས་གླུབས་ཅིང་། སྐུ་སྨད་དར་སྣ་ཚོགས་ཀྱི་ཤམ་ཐབས་མཛེས་པར་གསོལ་བ། རིན་པོ་ཆེའི་དབུ་རྒྱན་སྙན་རྒྱན། ཕྱག་གདུབ་ཞབས་གདུབ་སོགས་རིན་པོ་ཆེའི་རྒྱན་བརྒྱད་ཀྱིས་སྤྲས་པ། ཐུགས་ཀར་པད་ཉིའི་གདན་ལ་ཕྱག་ན་རྡོ་རྗེ་སྐུ་མདོག་མཐིང་ག །གཡས་རྡོ་རྗེ་ཕྲག་གོང་དུ་འཕྱར་ཞིང་། གཡོན་ཐུགས་ཀར་སྡིག་མཛུབ་མཛད་པ། རིན་པོ་ཆེའི་དབུ་རྒྱན་སོགས་རིན་པོ་ཆེའི་རྒྱན་དང་སྦྲུལ་བརྒྱད་ཀྱི་བརྒྱན་པ་སྟག་གི་པགས་པའི་ཤམ་ཐབས་ཅན་ཞབས་གཉིས་བརྐྱངས་བསྐུམས་ཀྱིས་སྟབས་ཀྱིས་བཞུགས་པར་གྱུར། འཇམ་དབྱངས་ཀྱི་ཐུགས་ཀར་ཨོཾ་དཀར་པོ། སྤྱན་རས་གཟིགས་ཀྱི་ཐུགས་ཀར་ཨཱཿདམར་པོ། ཕྱག་ན་རྡོ་རྗེའི་ཐུགས་ཀར་ཧཱུྃ་སྔོན་པོ། དེའི་མདུན་དུ་ཧྲཱིཿཡིག་དམར་སེར་འོད་ཟེར་རབ་ཏུ་འབར་བ་དང་བཅས་པ། དེ་ལས་འོད་ཟེར་ཕྱོགས་བཅུར་འཕྲོས་པས། དགའ་ལྡན་ཆོས་ཀྱི་ཕོ་བྲང་སོགས་རང་བཞིན་གྱི་གནས་ནས་ཁམས་གསུམ་ཆོས་ཀྱི་རྒྱལ་པོ་ཙོང་ཁ་པ་ཆེན་པོ་མདུན་གྱི་ནམ་མཁར་སྤྱན་དྲངས། བདག་དང་གླུ་སོགས་ཞིང་འདིའི་གདུལ་བྱ་ལ། །ཐུགས་རྗེའི་དབང་གིས་ལེགས་པར་རབ་དགོངས་ནས། །བྱིན་རླབས་བདུད་རྩིའི་ཆར་ཆེན་འབབ་པའི་ཕྱིར། །ད་ལྟ་ཉིད་དུ་ལེགས་པར་གཤེགས་སུ་གསོལ། །ཛཿཧཱུྃ་བཾ་ཧོཿདམ་ཚིག་པ་དང་གཉིས་སུ་མེད་པར་གྱུར། ཡན་ལག་བདུན་གྱི་སྒོ་ནས་ཕྱག་མཆོད་གསོལ་བ་འདེབས་པ་ནི། མཆོད་པ་སྤྲར་ལྷར་བྱིན་གྱིས་བརླབས་ལ། ཐོག་མར་ཕྱག་འཚལ་བ་ནི། དཔལ་ལྡན་ས་གསུམ་འགྲོ་བའི་མིག་གཅིག་པུ། །× × བླ་མེད་བླ་མ་མཆོག་ལ་བདག་ཕྱག་འཚལ། །གང་གི་སྤྱི་བོར་བདེ་ཆེན་འཁོར་ལོའི་དབུས། །རྒྱལ་བ་ཀུན་གྱི་མཁྱེན་པའི་ཡེ་ཤེས་མཆོག །སྐུ་ཡི་རྡོ་རྗེའི་རྣམ་པར་ཡོངས་ཤར་བ། །རྗེ་བཙུན་འཇམ་དཔལ་དབྱངས་ལ་ཕྱག

འཚལ་ལོ། །མཁྱེན་པར་ལོངས་སྤྱོད་བརྒྱན་གྱི་འཁོར་ལོའི་ནང་། །རབ་འབྱམས་རྒྱལ་བ་ཀུན་གྱི་ཐུགས་རྗེའི་བདག །གསུང་གི་རྡོ་རྗེའི་རྣམ་པར་ཡོངས་ཤར་བ །འཕགས་མཆོག་སྤྱན་རས་གཟིགས་ལ་ཕྱག་འཚལ་ལོ། །ཆོས་ཀྱི་འཁོར་ལོའི་རྒྱ་ཏྲིའི་ནང་དབུས་སུ། །དུས་གསུམ་རྒྱལ་བའི་ནུས་མཐུའི་དཔལ་ཆེན་པོ། །ཐུགས་ཀྱི་རྡོ་རྗེའི་རྣམ་པར་ཡོངས་ཤར་བ། །གཏུམ་དྲག་རྡོ་རྗེའི་འཛིན་ལ་བདག་ཕྱག་འཚལ། །ཇི་སྙེད་སུ་དག་ཕྱོགས་བཅུའི་འཇིག་རྟེན་ན། །ཞེས་པ་ནས། རྒྱལ་བ་ཀུན་ལ་ཕྱག་འཚལ་མཆོད་པར་བགྱི། །མཆོད་པ་འབུལ་བ་ནི། རྒྱལ་བ་རྒྱ་མཚོའི་མཆོད་རྫས་ལས་གྲུབ་པའི། །ཞིང་ཁམས་རྒྱ་མཚོ་མཆོད་ཡོན་རྒྱ་མཚོའི་སོགས་དང་། ཨོཾ་ཨཱཿ ཀུ་རུ་སུ་མ་ཏེ་ཀེཧེ་ས་པ་རི་ཕཱ་ར་ཨཀྵཾ་པྲ་ཏཱིཙྪ་ཧཱུྃ་སྭཱཧཱ། དེ་བཞིན་ཚུ་གཉིས་ཉེར་སྤྱོད་རོལ་མོ་བཅས་དང་། རིན་ཆེན་དབང་གི་རྒྱལ་པོ་བཻཌཱུརྱ། སོགས་དང་ཐུགས་དང་བཅས་འདོད་ཡོན་སྣ་ལྔ། ཞིང་འདིར་འཁོར་ལོ་རིན་ཆེན་གྱིས། །སོགས་ཐུགས་དང་བཅས་ཏེ། རྒྱལ་སྲིད་སྣ་བདུན་ཕུལ། བསྟོད་པ་ནི། གཞོན་ནུའི་ཆ་ལུགས་འཆང་བ་པོ། །×××སྐྱོན་གྱི་མ་གོས་སྐུ×××ལྷང་ལོ་ཅན་གྱི་གནས་མཆོག་དམ་པ་ནས།×××།བློ་གྲོས་ཁང་བཟང་བསླབ་གསུམ་ནོར་གྱིས་ཕྱུགས། །བཟང་པོའི་འཕྲིན་ལས་གདུལ་བྱའི་དཔལ་དུ་ཤར། །གྲགས་པའི་འོད་ཟེར་འཛམ་གླིང་ཕྱོགས་བཅུར་འཕྲོ། །དཔལ་ལྡན་བླ་མའི་ཞབས་ལ་ཕྱག་འཚལ་ལོ། །ཕྲ་རག་བཅས་མཚམས་ཐམས་ཅད་རྒྱལ་བ་ཡི། །དགོངས་དོན་ཇི་བཞིན་ལེན་དང་འདོམས་མཛད་པས། །གདུལ་བྱའི་རྒྱུད་ལ་སོ་སོར་ཐར་པའི་ལམ། །རྒྱས་མཛད་ཐུབ་དབང་གཉིས་པར་བདག་གིས་བསྟོད། །མར་གྱུར་འགྲོ་ཀུན་བྱང་ཆུབ་ལམ་བཟང་པོར། །ལེགས་པར་འགོད་མཛད་ཡང་དག་གཞུང་ལུགས་ཀུན། །ཞིང་འདིར་གསལ་ལ་འགྲན་ཟླ་ཀུན་བྲལ་བ། །ཐར་འདོད་དེད་དཔོན་ཆེན་པོར་བདག་གིས་བསྟོད། །ཀུན་རྟོགས་དྲི་བཞིན་མ་ལུས་རྒྱ་ཏྲིའི་དབུས། །ཉེ་བར་དྭངས་བའི་ཟུང་འཇུག་མངོན་གྱུར་པ། །སྟོན་མཆོག་རྡོ་རྗེ་འཛིན་པའི་ངོ་བོ་ཉིད། །ཁྱབ་བདག་འཁོར་ལོའི་མགོན་པོར་བདག་གིས་བསྟོད། །ཡན་ལག་ལྷག་མ་ནི། འདོད་ཆགས་ཞེ་སྡང་གཏི་མུག་དབང་གིས་ནི། །ཞེས་པ་ནས། བདག་གིས་བྱང་ཆུབ་ཕྱིར་དུ་བསྔོའོ། །ཞེས་དང་མཎྜལ་འབུལ་འཇུག་ཏུ། གངས་རིའི་ར་བས་བསྐོར་བའི་ཞིང་ཁམས་འདིར། །སོགས་འདོད་དོན་ལ་གསོལ་བ་བཏབ་བཟླས་དམིགས་ནི། རྗེ་བླ་མའི་ཐུགས་ཀར་ཟླ་བའི་དཀྱིལ་

འཁོར་གྱི་སྟེང་དུ་ཧྲཱིཿཡིག་གི་མཐར་དམིགས་བརྩེ་མ་དང་། གནས་གསུམ་གྱི་ཀླུ་རྣམས་ཀྱིས་ཐུགས་ཀར་རང་རང་གི་ས་བོན་གྱི་མཐར་སྙིང་པོའི་ཕྲེང་བས་བསྐོར་བ་ལས་འོད་ཟེར་འཕྲོས། རྒྱལ་བ་སྲས་བཅས་ལ་མཆེས་པའི་མཆོད་པ་ཕུལ། སྐུ་གསུང་ཐུགས་ཀྱི་བྱིན་རླབས་འོད་ཟེར་གྱིས་རྣམ་པར་བསྡུས་ནས་སྐུ་ལ་ཐིམ་པས་སྐུ་ལས་བདུད་རྩིའི་རྒྱུན་དཔག་ཏུ་མེད་པ་བབས་པས། སྣོད་བཅུད་ཐམས་ཅད་ལ་ཕོག་སྣོད་ཀྱི་ཉེས་སྐྱོན་སྦྱངས། འབྱུང་བཞིའི་བཅུད་ཐམས་ཅད་འཕེལ་ཞིང་རྒྱས། རིགས་དྲུག་སེམས་ཅན་ཐམས་ཅད་དང་། ཁྱད་པར་ཀླུའི་རིགས་ལ་ཕོག་པས། མཁའ་ལྡིང་དང་བྱེ་ཚན་ལ་སོགས་པའི་འཇིགས་པ་ཐམས་ཅད་དང་སྡིག་སྒྲིབ་སྦྱངས་ཏེ། གནས་སྐབས་བདེ་བ་དང་མཐར་ཐུག་ཀླུའི་སྐྱེ་སྒོ་ལས་ཐར་བར་བསམ་ཞིང་། དེའི་དབང་གིས་མི་ལ་སོགས་པའི་འགྲོ་བ་རྣམས་ལ་གནོད་པའི་བསམ་པ་ཐམས་ཅད་ཞི་ནས་ཕན་པའི་སེམས་དང་ལྡན་པར་གྱུར་པར་བསམ་ལ། ཨོཾ་ཨཱཿ གུ་རུ་སུ་མ་ཏི་ཀཱིརྟི་སིདྡྷི་ཧཱུྃ་ཧཱུྃ་ཞེས་དང་། རིགས་གསུམ་མགོན་པོའི་གཟུངས་རྣམས་ཇི་ལྟར་རིགས་པ་དང་གཙོ་ཆེར་དམིགས་བརྩེ་མ་གང་མང་བཟླ། དེ་ནས་ཡིག་བརྒྱས་ལྷག་ཆད་བསྐངས་ཤིང་། མཆོད་བསྟོད་སྔར་བཞིན་བྱ། གཏོར་མ་བྱིན་རླབས་ནི། ཨ་ཀཱ་ར་ས་བསངས། སྭ་བྷཱ་ཝ་ས་སྦྱངས། སྟོང་པའི་ངང་ལས་ཧཱུྃ་ལས་རིན་པོ་ཆེའི་སྣོད་ཡངས་ཤིང་རྒྱ་ཆེ་བའི་ནང་དུ་གཏོར་མ་ལྷའི་ཞལ་ཟས་འདོད་ཡོན་ལྔ་དང་ལྡན་པའི་སྟེང་དུ་ཨོཾ་ཨཱཿཧཱུྃ་གིས་མཚན་པ་ལས་འོད་ཟེར་འཕྲོས། འཁོར་འདས་ཀྱིས་བསྡུས་པའི་བཅུད་ཐམས་ཅད་བསྡུས་ནས་འབྲུ་གསུམ་ལ་ཐིམ་ཞིང་། དེ་ཡང་འོད་དུ་ཞུ་བ་ལས་བདུད་རྩིའི་རྒྱ་མཚོ་ཆེན་པོར་གྱུར། ཨོཾ་ཨཱཿཧཱུྃ། ལན་གསུམ་བྱིན་གྱིས་བརླབས་ལ། རྗེ་བཙུན་བླ་མའི་ཐུགས་འོད་ཟེར་གྱི་ སྦྲུ་གུས་གཏོར་མའི་བཅུད་དྲངས་ཏེ་གསོལ་བར་གྱུར་པར་བསམ་ལ། ཨོཾ་གུ་རུ་སུ་མ་ཏི་ཀཱིརྟི་ས་པ་རི་ཝཱ་ར་ཨི་དཾ་བྷ་ལིངྟ་ཁ་ཁ་ཁཱ་ཧི་ཁཱ་ཧི། ཞེས་ལན་བདུན་གྱིས་གཏོར་མ་འབུལ། ཕྱར་ལྟར་མཆོད་བསྟོད་བྱ་བ། ཡིག་བརྒྱ་ཉེར་གཅིག་གིས་བརྟན་པར་བྱེད། དེ་ནས་འཇིག་རྟེན་པའི་བུམ་པ་ཨ་ཀཱ་ར་ས་བསངས། སྭ་བྷཱ་ཝས་སྦྱངས། སྟོང་པའི་ངང་ལས་རིན་པོ་ཆེའི་བུམ་པ་མཚན་ཉིད་ཐམས་ཅད་དང་ལྡན་པའི་ནང་དུ་ཀླུའི་ཕོ་བྲང་རིན་པོ་ཆེ་ལས་གྲུབ་པ་རྒྱ་ཕུབ་དང་རྒྱན་སྣ་ཚོགས་ཀྱིས་མཛེས་པ། ཕྱོར་ཡུག་ཏུ་བྲག་རི་དང་སྤང་ལྗོངས་མཚོ་གླིང་བུ་ནགས་ཚལ་མེ་ཏོག་དང་བཅས་པས་བསྐོར་ཞིང་མཛེས་པའི་དབུས་སུ་པདྨ་འདབ་མ་བརྒྱད་པའི་ལྟེ་བར་ཕྲུཿ ནོར་བུ་ཡོངས་སུ་གྱུར་པ་ལས་ཀླུའི་རྒྱལ་པོ་ནོར་རྒྱས་སྐུ་མདོག་སྔོན་པོ་སྤྱི་བོར་ཨུཏྤལ་སྔོན་པོས་མཚན་པ། སྤྱན་མཁོན་གདེངས་ཀ་བདུན་དང་ལྡན་པ་ཞལ་གཅིག་ཕྱག་གཉིས་པ། སྨད་སྦྲུལ་མཇུག་ཏུ་འཁྱིལ་བ། གཡས་རིན་པོ་ཆེ་དང་གཡོན་ཨུཏྤལ་བསྣམས་

པ། དེའི་གཡོན་ཕྱོགས་སུ་ཡུམ་ཀླུ་མོ་ནོར་བུའི་ཅོད་པན་ཅན། སྦྲུལ་མགོའི་གདེངས་ཀ་ལྔ་དང་ལྡན་ཞིང་། སྨད་སྦྲུལ་མཇུག་ཏུ་འཁྱིལ་བ། ཕྱག་གཉིས་རིན་པོ་ཆེ་དང་ཨུཏྤལ་གཟུང་ནས་ཐལ་མོ་སྦྱར་ཏེ་ཡབ་ལ་གཟིགས་པ། འདབ་མ་བརྒྱད་ལ་ཕྱེ༔ བརྒྱད་ཡོངས་སུ་གྱུར་པ་ལས། ཤར་དུ་མཐའ་ཡས་གསེར་མདོག་སྤྱི་བོར་པདྨས་མཚན་པ། ལྷོར་པདྨ་སེར་པོ་སྤྱི་བོར་དཔལ་བེའུས་མཚན་པ། ནུབ་ཏུ་འཇོག་པོ་དམར་པོ་སྤྱི་བོར་ནོར་བུ་དགའ་འཁྱིལ་གྱིས་མཚན་པ། བྱང་དུ་ཚུ་ལྷ་དཀར་པོ་སྤྱི་བོར་ཐིག་ལེ་མང་པོས་མཚན་པ། དབང་ལྡན་དུ་པདྨ་ཆེན་པོ་དཀར་པོ་སྤྱི་བོར་རྩེ་གསུམ་པས་མཚན་པ། ཤར་ལྷོར་དུང་སྐྱོང་སེར་སྐྱ་སྤྱི་བོར་བཀྲ་ཤིས་ཀྱིས་མཚན་པ། ལྷོ་ནུབ་ཏུ་སྟོབས་རྒྱུ་དཀར་དམར་མགྲིན་པར་རི་མོ་གསུམ་གྱིས་མཚན་པ། ནུབ་བྱང་དུ་རིགས་ལྡན་སེར་སྐྱ་མགྲིན་པར་ཟླ་ཚེས་ཀྱིས་མཚན་པ། ཐམས་ཅད་ཀྱང་ཞལ་གཅིག་ཕྱག་གཉིས་སྟོད་ལྷའི་ལུས་ལྟར་མཛེས་ཤིང་། སྨད་སྦྲུལ་མཇུག་ཏུ་འཁྱིལ་བ་སྦྲུལ་མགོའི་གདེངས་ཀ་བདུན་དང་ལྡན་པ། ཕྱག་གཉིས་རིན་པོ་ཆེའི་གཏེར་གྱི་བུམ་པ་བསྣམས་ཤིང་། རིན་པོ་ཆེ་སྣ་ཚོགས་ཀྱིས་བརྒྱན་པ། གཡོན་ཕྱོགས་ནས་རང་དང་འདྲ་བའི་ཀླུ་མོས་བརྟེན་པ། ཡུམ་ཐམས་ཅད་ཀྱང་སྦྲུལ་མགོའི་གདེངས་ཀ་ལྔ་དང་ལྡན་པ། དེ་ཐམས་ཅད་ཀྱི་སྤྱི་བོར་ཨོཾ། མགྲིན་པར་ཨཱཿ ཐུགས་ཀར་ཧཱུྃ། ཐུགས་ཀའི་ཧཱུྃ་ལས་འོད་ཟེར་འཕྲོས་རྒྱ་མཚོ་ཆེན་པོ་ནས་ཀླུའི་རྒྱལ་པོ་འཁོར་དང་བཅས་པ་སྤྱན་དྲངས། རོལ་མོ་དང་བཅས། ཨོཾ་ཀླུ་རྒྱལ་མཐའ་ཡས་ལ་སོགས་པ། །མཆོད་པའི་གནས་འདིར་སྤྱན་འདྲེན་ན། །རང་རང་བཙུན་མོ་གཡོག་འཁོར་བཅས། །འདིར་བྱོན་དམ་ཚིག་པ་ལ་ཞུགས། །ཨོཾ་ཨཱ་གཙྪ་ཨཱ་གཙྪ་ནཱ་ག་ཨཏྨི་པ་ཏི་ཡེ་སཔ་རི་ཝཱ་ར་ཨཿ ཕྲུཾ་ཕུ་སྭཱཧཱ། ཛཿ ཧཱུྃ་བཾ་ཧོཿ གཉིས་སུ་མེད་པར་གྱུར། པདྨ་ཀ་མ་ལ་ཡེ་སྟྭཾ། མཆོད་པ་རྣམས་བྱིན་གྱིས་བརླབས་ལ། རྟེན་ཅིང་འབྲེལ་འབྱུང་སོགས་ཚིགས་བཅད་དང་བཅས་ཏེ། ཨོཾ་མཧཱ་ན་ག་ཨ་དྷི་པ་ཏི་ཡེ་གྲི་ཧ་ཎ་ཨརྒྷཾ་དང་པུཥྤེ་ནས་ཤཔྟའི་བར་གྱིས་མཆོད། གདེངས་ཀ་ནོར་བུ་འབར་བ་འོད་ཟེར་གྱིས། །ས་འོག་མུན་པ་མ་ལུས་སེལ་མཛད་ཅིང་། །བསྟན་ལ་རབ་དགའ་མཐུ་སྟོབས་བསམ་མི་ཁྱབ། །ཀླུ་རྒྱལ་འཁོར་དང་བཅས་ལ་བདག་གིས་བསྟོད། །ཅེས་བསྟོད། ཀླུ་རྣམས་ཀྱི་ཐུགས་ཀར་ཕྲེཿ ཡིག་གི་མཐར་སྔགས་ཀྱིས་བསྐོར་བ་ལ་རང་གི་ཐུགས་ཀའི་འོད་ཟེར་གྱིས་བསྐུལ་བས། དེ་རྣམས་ཀྱིས་ནམ་མཁའི་དབྱིངས་སུ་རིན་པོ་ཆེའི་རང་བཞིན་གྱི་སྤྲིན་དཀྲིགས། དེ་ལས་འབྲུག་གི་སྒྲ་བསྒྲགས་པའི་སྔན་པ་ཕྱོགས་ཀུན་ཏུ་ཁྱབ།

རིན་པོ་ཆེ་དང་འབྲུ་དང་ཟས་ནོར་དང་ཆུའི་ཆར་བབ། ཁྲིམ་དང་བང་མཛོད་ས་ཕྱོགས་ཐམས་ཅད་གང་བར་བསམ་ལ། ཨོཾ་བྷཱ་སུ་ཀི་ཡེ་སྭཱ་ཧཱ། ཡུལ་ཕྱོགས་འདིར་སད་སེར་རྩ་འཐན་གྱི་གནོད་པ་ཞི་ནས། དགོན་གཞིས་ཐམས་ཅད་དུ་དཔལ་འབྱོར་ལོངས་སྤྱོད་ཕུན་སུམ་ཚོགས་པ་རྒྱས་པར་མཛད་དུ་གསོལ། །འཛམ་བུ་གླིང་དུ་ཆར་གྱི་རྒྱུན་ཆེན་པོ་དབབ་ཏུ་གསོལ། །ཨོཾ་ཨཱཿ ཨ་ནནྟ་ཡེ་སྭཱ་ཧཱ། ཨོཾ་ཨཱཿ པདྨ་ཡེ་སྭཱ་ཧཱ། ཨོཾ་ཨཱཿ རཀྵ་ཀ་ཡེ་སྭཱ་ཧཱ། ཨོཾ་ཨཱཿ ཝ་རུ་ཎ་ཡེ་སྭཱ་ཧཱ། ཨོཾ་ཨཱཿ མཧཱ་པདྨ་ཡེ་སྭཱ་ཧཱ། ཨོཾ་ཨཱཿ ཤཾ་ཁ་པཱ་ལ་ཡེ་སྭཱ་ཧཱ། ཨོཾ་ཨཱཿ ཀརྐོ་ཊ་ཡེ་སྭཱ་ཧཱ། ཨོཾ་ཨཱཿ ཀུ་ལི་ཀཱ་ཡེ་སྭཱ་ཧཱ། སོ་སོར་སྤེལ་ཚིག་བྱང་ལྷར་སྤྱར་བ་གང་མང་བཟླ། དེ་ནས་ཡིག་བརྒྱས་ལྷག་ཆད་ཁ་བསྐང་། ཀླུའི་གཏོར་མ་བྱིན་གྱིས་བརླབས་ལ། ཀླུ་དགའ་བའི་ཕྱག་རྒྱ་དང་བཅས། ཨོཾ་ཧེ་ལི་ཧེ་ལི་མཧཱ་ཧེ་ལི་ཕྲུཾ་ཕུ་སྭཱ་ཧཱ། ལན་གསུམ་དང་། ཨོཾ་ཧྲཱ་ཡ་ཧྲཱ་ཡ་ས་མ་ཡ་ཧི་ཏྲ་ཕྲུཾ་ཕུ་སྭཱ་ཧཱ། ཞེས་པ་ལན་གསུམ་གྱིས་བསྔོ། ཡེ་རྣམ་ཚར་གསུམ་དང་། སྡིག་པ་ཅི་ཡང་མི་བྱ་ཞིང་། །ཞེས་སོགས་དང་། སྐར་མ་རབ་རིབ་མར་མེ་དང་། །ཞེས་སོགས་ཀྱིས་མཆོད་སྦྱིན་བྱ། ཀླུ་ཆེན་བརྒྱད་པོ་འཁོར་བཅས་ལ། །མཛེས་པའི་དཀར་གསུམ་མཆོད་པ་དང་། །མངར་གསུམ་འོ་མའི་རྒྱ་མཚོ་འཁྱིལ། །རིན་ཆེན་མཛེས་པའི་ཐེམ་སྐས་ཅན། །ཀླུ་ཡི་སྡུག་བསྔལ་སྐྱོབ་བྱེད་པའི། །མཐུན་པའི་རྫས་སུ་འགྱུར་གྱུར་ཅིག །མཆོད་སྦྱིན་གཏོར་མ་འདི་བཞེས་ལ། །བདག་ཅག་ཡོན་མཆོད་འཁོར་བཅས་ལ། །བཞི་བརྒྱ་རྩ་བཞིའི་ནད་རྣམས་དང་། ཀླུ་ལས་གྱུར་པའི་ནད་ཀྱི་རིགས། །མཐོང་བའི་དུག་དང་རེག་པའི་དུག །བསམ་ངན་དུག་དང་ཁ་རླངས་དུག །སྦྱོར་བའི་དུག་ལ་སོགས་པ་ཀུན། །མ་ལུས་མྱུར་དུ་ཞི་གྱུར་ཅིག །བདག་ལས་གཅེས་པའི་རྫས་ཁྱེར་ལ། ཀླུ་ཡི་ནད་རྣམས་ཞི་བར་མཛོད། འཕྲིན་ལས་རྣམ་བཞིའི་དངོས་གྲུབ་དང་། དཔལ་འབྱོར་ལོངས་སྤྱོད་རྒྱས་པར་མཛོད། ཇི་སྐད་བརྗོད་པའི་སྨན་གྱི་བདུད་རྩིའི་རྒྱ་མཚོས་ཀླུ་གཉན་ས་བདག་རྣམས་ཀྱི་ནད་དང་སྡུག་བསྔལ་བསོས་པ་དང་། འཇིག་རྟེན་ཁམས་སུ་ཕན་བདེ་རྒྱ་ཆེན་པོ་སྒྲུབ་པར་གྱུར་ཅིག སྨན་གྱི་རྒྱལ་པོ་བཟང་དྲུག་གིས། དོན་སྣོད་ཉམས་པ་སོས་གྱུར་ཅིག ཛཱ་ཏི་གུར་གུམ་བཟང་པོ་ཡིས། ཤ་ཁྲག་མཆིན་པ་ཉམས་པ་སོས། མགྲིན་པོ་དུང་དང་དར་དམར་གྱིས། སོ་རུས་ལྤེ་ཉམས་སོས་གྱུར་ཅིག རྨ་བྱའི་སྒྲོ་མདོངས་དར་ཚོན་ལྔས། །གཟི་མདངས་རྒྱས་ཤིང་སྙིང་ཚོ་ཤ། མཁལ་མ་ཚོ་ཤ་སླ་གོར་ཤས། །དོན་སྙིང་ཁལ་མ་སོས་གྱུར་ཅིག །སྙིང་ཁ་ཕོ་བའི་ནད་སོས་གྱུར། དབང་ལག་ཆུ་སྲིན་སྙེར་མོ་ཡིས། །ཡན་ལག་ཉམས་པ་སོས་གྱུར་

ཅིག །སྤུ་ཤེལ་རྩེ་དང་རྡོ་རྒྱུས་ཀྱིས། །རྩ་རྡུས་ཉམས་པ་སོས་གྱུར་ཅིག །སྤང་སྤོས་སླེ་ཏྲེས་ཕྱི་ཧང་ག །རྒྱ་མཚོ་ལྦུ་བ་འབྲས་བུ་གསུམ། །སྨན་གྱི་བྱེ་བྲག་སྣ་ཚོགས་ཀྱིས། །ཕུང་ཁམས་སྐྱེ་མཆེད་ཉམས་པ་སོས། །རིན་ཆེན་སྣ་ལྔ་འབྲུ་ཚོགས་ཀྱིས། །བང་མཛོད་ཉམས་པ་སོས་གྱུར་ཅིག །དཀར་གསུམ་མངར་གསུམ་ཁ་ཟས་ཀྱིས། །ཁ་དོག་ཉམས་པ་སོས་གྱུར་ཅིག །མདོར་ན་མཐུན་པའི་རྫས་རྣམས་ཀྱིས། །ཀླུ་དང་ས་བདག་ཐམས་ཅད་ཀྱི། །ནད་དང་སྡུག་བསྔལ་སོས་གྱུར་ཏེ། །དབང་པོ་གསལ་ཞིང་ལོངས་སྤྱོད་རྒྱས། །བྱམས་པའི་སེམས་ཀྱིས་རྒྱུད་གང་ནས། །འཇིག་རྟེན་ཁམས་རྣམས་ཐམས་ཅད་དུ། །ལོ་ཕྱུགས་ལེགས་ཤིང་ཆར་ཆུ་སྙོམས། །རྩི་བཅུད་འབྲས་བུ་རྒྱས་པར་མཛོད། །ཀླུ་རྣམས་ནད་དང་སྡུག་བསྔལ་ཐམས་ཅད་དང་བྲལ་ནས་ལོངས་སྤྱོད་བསམ་གྱི་མི་ཁྱབ་པ་འབྱུང་བར་འགྱུར། ཡིག་བརྒྱ་ལན་གསུམ་བཟླ། ཁམ་ཕོར་འབུལ་བ་ནི། ཨོཾ་ཨ་ཁྲི་ཏ་ས་བསངས། སྭ་བྷཱ་ཝས་སྦྱངས། སྟོང་པའི་ངང་ལས་ཧཱུྃ་ལས་རིན་པོ་ཆེའི་སྣོད་ཡངས་ཤིང་རྒྱ་ཆེ་བའི་ནང་དུ་གཏོར་མ་ལྷ་ཡི་ཞལ་ཟས་ཞེས་པ་ནས། བདུད་རྩིའི་རྒྱ་མཚོ་ཆེན་པོར་གྱུར། ཨོཾ་ཨཱཿཧཱུྃ། ལན་གསུམ་གྱིས་བྱིན་གྱིས་བརླབས། ཀླུ་དགའ་བའི་ཕྱག་རྒྱས། ཨོཾ་ཧེ་ལི་ཧེ་ལི་མནྟྲ་ཧེ་ལི་ཕྲུཾ་ཕུ་སྭཱཧཱ། ལན་གསུམ་དང་། ཨོཾ་ཧྲཱ་ཡ་ཧྲཱ་ཡ་ས་མ་ཏེ་བྲྀ་ཕྲུཾ་ཕུ་སྭཱཧཱ། ལན་གསུམ། ཀླུ་ཆེན་བརྒྱད་པོ་འཁོར་བཅས་ཀྱིས། །མཆོད་སྦྱིན་གཏོར་མ་འདི་བསྣམས་ལ། །ཞེས་པ་ནས། ཡིད་ལ་འདོད་པ་ཀུན་འགྲུབ་ཤོག །ཅེས་ཁམ་ཕོར་རྣམས་ཕྱིར་དོར་བར་བྱའོ། །གསུམ་པ་རྫས་ཀྱི་བྱ་བ་ནི། གཏང་རག་གི་མཆོད་པ་བྱིན་གྱིས་བརླབས་ལ། འདས་མ་འདས་སོ་སོར་མཆོད་བསྟོད་ཐར་བཞིན་བྱ། སྨོན་ལམ་ནི། དགེ་བ་འདི་ཡིས་མྱུར་དུ་བདག །འཇམ་མགོན་བླ་མ་འགྲུབ་གྱུར་ནས། །འགྲོ་བ་གཅིག་ཀྱང་མ་ལུས་པ། །དེ་ཡི་ས་ལ་འགོད་པར་ཤོག །དེ་ལྟར་ཀུན་མཁྱེན་མཉམ་མེད་ཙོང་ཁ་པའི། །གོ་འཕང་མཆོག་དེ་མངོན་དུ་བྱ་བའི་ཕྱིར། །བླ་མའི་རྣལ་འབྱོར་བསྐྱེད་པའི་རིམ་པར་བཅས། །བསྒོམས་པས་དེ་དོན་མངོན་དུ་འགྱུར་བར་ཤོག །ཁྱད་པར་ཁྱེད་ཀྱི་ཆོས་སྐུ་དང་མཚུངས་པའི། །སྟོང་ཉིད་དང་ལས་རབ་མཛེས་མཚན་དཔེའི་སྐུ། །དཀར་གསལ་ཆོས་འཆད་རལ་གྲི་གླེགས་བམ་ཅན། བསྒོམས་པས་ཁྱེད་སྐུ་མངོན་དུ་འགྱུར་བར་ཤོག །སྐུ་གསུང་ཐུགས་ཀྱི་རྡོ་རྗེའི་ཡི་གེར་བཅས། །གནས་གསུམ་དག་ཏུ་བརྟན་པར་བརླབས་པ་ལས། །འབད་རྩོལ་མེད་པར་རླུང་

སེམས་མ་ལུས་པ། །རྒྱ་ཧྲིའི་ནང་དུ་བསྟུས་པའི་དཔལ་ཐོབ་ཤོག །གསོལ་འདེབས་རྒྱལ་པོའི་ཚིགས་སུ་བཅད་པ་ཡི། །བསྙེན་བསྒྲུབ་ཕ་མཐར་ཕྱིན་པ་ལེགས་བསྐྱངས་ནས། །ལས་ཚོགས་བཅུ་གཅིག་ལ་སོགས་ལས་རབ་འབྱམས། །མ་ལུས་བསྒྲུབ་ལ་ཐོགས་པ་མེད་པར་ཤོག །མཆོག་ཏུ་དྭངས་པས་གསོལ་བཏབ་བདེན་པའི་མཐུས། །མཐའ་དབུས་ཀུན་ཏུ་ནད་མུག་འཁྲུག་རྩོད་སོགས། །མི་མཐུན་རྐྱེན་ཚོགས་མ་ལུས་ཉེར་ཞི་ནས། །ཅི་འདོད་སྲིད་ཞིའི་དགེམཚན་རབ་རྒྱས་ཤོག །ཁྱད་པར་ཐུབ་དབང་རྡོ་རྗེ་འཆང་དབང་ནས། །རྩ་བའི་བླ་མའི་བར་གྱི་ངོ་བོ་ཉིད། །བློ་བཟང་གྲགས་པའི་དཔལ་མཆོག་ཁྱོད་ཉིད་ནི། །ཚེ་རབས་ཀུན་ཏུ་འབྲལ་མེད་རྗེས་འཛིན་ཤོག །ཚེ་ཡི་མཐར་ཡང་བློ་བཟང་གྲགས་པའི་དཔལ། །ཡིད་འོང་མཆོད་སྤྲིན་སྣན་པའི་རོལ་མོ་བཅས། །བུ་བུ་ཚུར་ཤོག་དགའ་ལྡན་གནས་འགྲོ་ཞེས། །གསུང་གི་དབུགས་དབྱུང་དངོས་སུ་ཐོབ་པར་ཤོག །རྣམ་དག་བསམ་པས་ཚུལ་འདིར་འབད་པ་ལས། །བྱུང་བའི་དགེ་བས་མཐའ་ཡས་འགྲོ་བ་རྣམས། །སྐྱེ་ཞིང་སྐྱེ་བར་བློ་བཟང་ཞི་ཁྲོ་ཡིས། །འབྲལ་བ་མེད་པར་རྗེས་སུ་འཛིན་གྱུར་ཅིག །ཅེས་བསྟོད། ཉོངས་པ་བཟོད་པར་གསོལ་ལ་བརྟན་བཞུགས་བྱ། ཞེས་བརྗོད་ནི། རབ་ཡངས་ནམ་མཁའ་ཏིལ་གྱི་གང་བུ་བཞིན། །ཡོངས་སུ་གང་བའི་བློ་བཟང་གྲགས་པའི་དཔལ། །ཁ་ཅིག་མེ་ཏོག་སྣ་ཚོགས་ཆར་འབེབས་ཤིང་། །ལ་ལ་བཀྲ་ཤིས་གདངས་སྙན་སྒྲ་རྣ་ལེན། །གཞན་དག་བགེགས་དཔུང་འཇོམས་པའི་འཕྲིན་ལས་ཀྱིས། །ཁྱེད་ལ་རྟག་ཏུ་དཔལ་གནས་བརྗོད་པ་འདི། །ཤིས་པར་གྱིས་ལ་ཡིད་བདེ་བསྐྱེད་ཅིག་དང་། །ཤིས་བརྗོད་འཕྲེང་བ་བདག་གི་གྲགས་པར་བྱ། །རྨད་བྱུང་མཚན་དཔེའི་དཔལ་འབར་ལོངས་སྤྱོད་རྫོགས། །ཁ་སྦྱོར་བདེ་སྟོང་རོ་ལ་རྟག་རོལ་ཅིང་། །དམིགས་མེད་ཐུགས་རྗེས་ཞི་བའི་མཐའ་སྤངས་པ། །བློ་བཟང་ཡན་ལག་བདུན་ལྡན་ལ་ཕྱག་འཚལ། །གསང་བ་ཀུན་གྱི་བདག་པོ་དགེ་ལེགས་དཔལ། །ཆོས་ཀྱི་རྒྱལ་མཚན་ཆོས་ཀྱི་རྡོ་རྗེ་དང་། །བློ་བཟང་དོན་འགྲུབ་ཆོས་ཀྱི་རྒྱལ་མཚན་རྗེ། །ཕྱག་ན་པདྨོ་བློ་བཟང་རྒྱ་མཚོ་དང་། །སྣང་བ་མཐའ་ཡས་དཔལ་ལྡན་ཡེ་ཤེས་སོགས། །རྩ་བ་བརྒྱུད་པའི་བླ་མ་མཆོག་རྣམས་ལ། །དགེ་མཚན་ཇི་སྙེད་མཆིས་པའི་བཀྲ་ཤིས་དེས། །ཁྱེད་རྣམས་ཇི་བཞིན་ལས་མཆོག་འདི་ཉིད་ལས། །བློ་བཟང་རྡོ་རྗེ་འཆང་དབང་མྱུར་ཐོབ་ནས། །འགྲོ་ཀུན་ཚུལ་དེར་

འགོད་པའི་བཀྲ་ཤིས་ཤོག །རབ་འབྱམས་རྒྱལ་བའི་མཁྱེན་བརྩེ་ནུས་པའི་མདངས། །རིགས་གསུམ་ལྷ་སྐུར་ཤར་བའི་འོད་སྣང་གིས། །དུག་གསུམ་ཉེས་བརྒྱའི་མུན་ཚོགས་མཐར་བསྐྲད་ནས། །བྱིན་བརླབས་དགེ་མཚན་རྒྱས་པའི་བཀྲ་ཤིས་ཤོག །ཆོས་ཀྱི་ཕུང་པོ་བརྒྱད་ཁྲི་བཞི་སྟོང་གི །སྙིང་པོ་གཅིག་ཏུ་བསྡུས་པའི་བསྟོད་པའི་རྒྱལ། །གང་གི་ཉམས་ལེན་རིམ་པ་ཐམས་ཅད་ཀྱིས། །བཀྲ་ཤིས་དགེ་མཚན་རྒྱ་མཚོས་ཁྱབ་གྱུར་ཅིག །ཚུལ་འདིར་སྤྱོད་པའི་འཕགས་པའི་གང་ཟག་དང་། །ལམ་ལ་བཞུགས་དང་སོ་སོར་སྐྱེ་བོ་ཡི། །དགེ་འདུན་དཀོན་མཆོག་ཇི་སྙེད་མཆིས་པ་ཡིས། །བཀྲ་ཤིས་བྱེ་བ་ཆར་དུ་ཕབ་གྱུར་ཅིག །ནམ་མཁའི་ཁྱོན་ལྟར་ཡངས་པའི་ཕོ་བྲང་ཞེས་སོགས་ཤིས་བརྗོད་བྱའོ། །དེ་ལྟར་བསྒྲུབ་པའི་བུམ་པ་ས་གནས་གཞན་དུ་སྤྲ་བར་བྱ་ན། དེ་ཉིད་གང་དུ་སྤྲ་བའི་གནས་དེར་སྔི་ཞུ་ཆེན་པོས་གདན་དྲངས་ཏེ། རྒྱན་ཆགས་གསུམ་པ་རྒྱས་བསྡུས་ཅི་རིགས་དང་། སྤྲིན་ཆེན་པོའི་མདོ་དང་སྣང་བརྒྱད་སོགས་སྒྲོགས། རང་ལྷའི་རྣལ་འབྱོར་དང་ལྡན་པས། ཐུར་ལྟར་འདས་མ་འདས་ཀྱི་མཆོད་གཏོར་དང་། གཞི་བདག་དང་ས་ལྷའི་མཆོད་གཏོར་ཡང་བཤམས་ལ་བྱིན་གྱིས་བརླབས། རང་གི་ཐུགས་ཀའི་ས་བོན་གྱི་འོད་ཟེར་གྱིས་ཞིང་སྐྱོང་འཁོར་དང་བཅས་པ་སྤྱན་དྲངས། ཨ་ཀཱ་རོ་ལན་གསུམ་གྱིས་གཏོར་མ་འབུལ། ཨོཾ་ཀྵེ་ཏྲ་པཱ་ལ་ས་པཱ་རི་ཝཱ་ར་ཨཱཪྒྷཾ་ནས་ཤབྡའི་བར་གྱིས་མཆོད། གང་བདག་འདིར་གནས་ལྷ་དང་ཀླུ། གནོད་སྦྱིན་སྲིན་པོའམ་ནི་གཞན། །གཏེར་ཆེན་དོན་དུ་ས་འདི་ནི། །བདག་ཞུ་ཁྱེད་ཀྱིས་གནང་བར་ཞུ། །ཞེས་གསོལ་བས་ཅི་དགའ་བར་གྱིས་ཤིག །ཅེས་གནང་བ་བྱིན་པར་བསམ། གཞི་བདག་གཏོར་མ་སྔ་ལྟར་བསྔོས་ལ། བུམ་ཁང་མདོན་པར་བརྩིགས་པའམ། ཡང་ན་མི་མངོན་པའི་ཚུལ་གྱིས་སྤྲ་བར་བྱ་བ་གཉིས་ལ། ཕྱི་མ་ལྟར་བྱེད་ན། བཙོད་རྩུ་དང་། དཀོ་རྩུ་སོགས་ཀྱིས་ས་གང་འོས་བསྐོས་ལ། གཡམ་སྒྲོམ་ལེགས་པར་བྱས་པའི་ནང་དུ་སྟེགས་ཀྱི་ཁར། འདས་ལྷའི་བུམ་པ་ཡུལ་ཕྱོགས་སམ་ཆུ་མིག་སོགས་སུ་ཞལ་གཟིགས་ཏེ་བཞུགས། དེ་ལས་ཟུད་ཟད་དམའ་བའི་སྟེགས་ཀྱི་ཁར། འཇིག་རྟེན་པའི་བུམ་པ་འདས་ལྷའི་བུམ་པར་ཞལ་སྤྲོད་ཀྱིས་བཞུགས། མཐའ་བསྐོར་དུ་འདས་མ་འདས་ཀྱི་མཆོད་གཏོར་སོགས་ལེགས་པར་བཤམས། རང་རྗེ་བླ་མའི་ང་རྒྱལ་བརྟན་པོས། ཨོཾ་ཀླུ་རྒྱལ་དགའ་བོ་ཉེ་དགའ་བོ། །མཐའ་ཡས་སྟོབས་རྒྱུ་རིགས་ལྡན་དང་། །དུང་སྐྱོང་པདྨ་པདྨ་ཆེ། །འཛོག་པོ་རྒྱ་མཚོ་རྒྱ་མཚོ་ཆེ། །ཁྱད་པར་ནོར་རྒྱས་འཁོར་དང་བཅས། །རང་རང་བཙུན་མོ་གཡོག་དག་དང་། །ལོངས་སྤྱོད་རྒྱ་མཚོའི་དཔལ་བཅས་ཏེ། །འདིར་བྱོན་བརྟན་པར་བཞུགས་ནས་ཀྱང་། །བསམ་པ་

མ་ལུས་ལྷུན་གྱིས་སྒྲུབས། །ཨོཾ་ཨ་གཱུཾ་མནྟྲ་ན་ག་ཨ་ཧྲི་པ་ཏི་ཡེ་སརྦ་ཧྲུར་ཧྲུ་ཕ་ཕྲུཾ་ཕུ་སྭཱ་ཧཱ། ཞེས་བརྗོད། སྐུའི་རྒྱལ་པོ་འཁོར་དང་བཅས་པ་དང་། ཁྱད་པར་དུ་ཡུལ་ཕྱོགས་འདིའི་སྐུ་རིགས་ཐམས་ཅད་འདུས། བུམ་ནང་གི་སྐུ་རྣམས་དང་གཉིས་སུ་མེད་པར་གྱུར། པདྨ་ཀ་མ་ལ་ཡེ་སྟོཾ། ཞེས་གདན་འབུལ། དེ་ནས་རྒྱས་པར་བྱེད་སྒྲོན་འདས་མ་འདས་ཀྱི་བུམ་ཆོག་ཐང་བཞིན་དུ་གཏང་ལ་བརྟན་བཞུགས་བྱ་བའོ་བསྐུལ་པ་ལ་སྒྲོན་ཐང་གྱི། པདྨ་ཀ་མ་ལ་ཡེ་སྟོཾ། ཞེས་པའི་མཚམས་ནས་འདས་མ་འདས་སོ་སོར་གཏོར་འབུལ་དང་མཆོད་བསྟོད་བྱ། གང་ལྟར་ཡང་དེ་ནས། སངས་རྒྱས་འཁོར་དང་བཅས་པ་དང་། །བྱང་སེམས་སྲས་བཅས་ཉན་ཐོས་དང་། །ཁྱད་པར་རྒྱལ་བ་ཙོང་ཁ་པའི། །བདེན་པའི་བྱིན་རླབས་དམ་པ་ཡིས། །གཏེར་ཆེན་འདི་ཉིད་སྦས་པའི་མཐུས། །སྐུ་དང་ས་བདག་ཐམས་ཅད་ཀྱི། །ལས་ངན་སྡིག་སྒྲིབ་སྡུག་བསྔལ་ཞི། །བསམ་པ་ཆོས་བཞིན་འགྲུབ་གྱུར་ཅིག །དེ་ལྟར་འོག་ཏུ་སྐུ་བདེ་བས། །སྟེང་དུ་མི་རྣམས་དར་ཞིང་རྒྱས། །ཆར་ཆུ་འཕེལ་ཞིང་ལོ་ཏོག་ཀུན། །དབྱར་གྱི་མཚོ་ལྟར་རྒྱས་གྱུར་ཅིག །ཅེས་བརྗོད་ནས་ཐོག་མར་དཀར་གོང་དང་། དེ་ནས་ནེའུ་སིང་གི་བསུབ་སྟེ་མི་མངོན་པར་བྱའོ། །བུམ་པ་མཆོར་གཤེགས་ན་བརྟན་བཞུགས་བྱ་ལ་མཆོར་གཤེགས་ཏེ། སངས་རྒྱས་འཁོར་དང་བཅས་པ་དང་། །ཞེས་སོགས་བརྗོད། བུམ་ཁང་མངོན་པར་བརྩིགས་ན་དཀར་གོང་ལ་སོགས་པས་བརྒྱན་ནས། ས་དཀར་གསོལ་བ་བུམ་ཁང་རབ་གནས་བྱ་བ་ནི། ཨོཾ་བཛྲ་ཨ་མྲི་ཏ་ས་བསངས། སྭ་བྷཱ་ཝས་སྦྱངས། བུམ་ཁང་སྟོང་པ་ཉིད་དུ་གྱུར་སྟོང་པའི་ངང་ལས་ཨོཾ་ལས་འཁོར་ལོ་ཨོཾ་གྱིས་མཚན་པ་ལས་བཅོམ་ལྡན་འདས་རྣམ་པར་སྣང་མཛད་སྐུ་མདོག་དཀར་པོ་ཞལ་བཞི་དཀར་བ། ཕྱག་གཉིས་ཏིང་ངེ་འཛིན་གྱི་ཕྱག་རྒྱས་འཁོར་ལོ་སྟེབས་བརྒྱད་པ་བསྣམས་པ། རིན་པོ་ཆེའི་རྒྱན་ཐམས་ཅད་ཀྱིས་བརྒྱན་ཅིང་། ཞབས་གཉིས་རྡོ་རྗེའི་སྐྱིལ་ཀྲུང་གིས་བཞུགས་པ། དེའི་སྤྱི་བོར་ཨོཾ། མགྲིན་པར་ཨཱཿ ཐུགས་ཀར་ཧཱུྃ། དེ་ལས་འོད་ཟེར་འཕྲོས། བསྒོམས་པ་དང་འདྲ་བའི་ཡེ་ཤེས་པ་དང་དབང་གི་ལྷ་རྣམས་སྤྱན་དྲངས། ཛཿ ཧཱུྃ་བཾ་ཧོཿ གཉིས་སུ་མེད་པར་གྱུར། དབང་གི་ལྷས་དབང་བསྐུར། སྣང་བ་མཐའ་ཡས་ཀྱིས་དབུ་བརྒྱན་པར་གྱུར། ཨོཾ་སརྦ་ཏ་ཐཱ་ག་ཏ་ཨཀྲྀཾ། པ་ཏྲྀཾ་ནས། ཤཔྟ་པྲ་ཏཱི་ཙྪ་ཧཱུྃ་སྭཱ་ཧཱ། ཆོས་དབྱིངས་ཡེ་ཤེས་རྣམ་པར་དག །རྣམ་པར་སྣང་མཛད་བཅོམ་ལྡན་འདས། །ཏིང་ངེ་འཛིན་གྱི་ཕྱག་རྒྱ་ཅན། །ཕྱག་འཚལ་བཅོམ་ལྡན་རྣམ་སྣང་ལ། །ཞེས་བསྟོད། ཨོཾ་སརྦ་བིད་སརྦ་ཨ་ཕ་ར་ཎ་བི་ཤོ་དྷ་ནེ་ཧ་ན་ཧཱུྃ་ཕཊ། ཅེས་བཟླས་ལ་ཡིག

བརྒྱ་བརྗོད། ཨོཾ་སརྦ་ཏ་ཐཱ་ག་ཏ་ཨཀྵོ་ནས་ཤཱཀྱའི་བར་གྱིས་མཆོད། ཆོས་དབྱིངས་ཡེ་ཤེས་སོགས་གོང་ལྟར་བརྗོད་ནས། རྣམ་པར་སྣང་མཛད་འོད་དུ་ཞུ་ནས་བུམ་ཁང་གི་རྣམ་པར་གྱུར། ཨོཾ་སུ་པྲ་ཏིཥྛ་བཛྲ་ཡེ་སྭཱཧཱ། ཅེས་བརྗོད་ལ་མེ་ཏོག་འཐོར། དེ་ལྟར་བུམ་པས་གནས་སོགས་སུ་སྤྲ་བའམ། མཆོན་གཤེགས་བ་གང་བྱས་ཀྱང་ཤིས་བརྗོད་ཀྱིས་མཐའ་བརྒྱན་པར་བྱའོ། །དེ་ལྟར་ཆོས་ཀྱི་རྒྱལ་པོ་ཙོང་ཁ་པ་ཆེན་པོ་རིགས་གསུམ་སྤྱི་སྒྲུབ་ལ་བརྟེན་པའི་བུམ་སྒྲུབ་ཀྱི་ཆོ་ག་སྦྱོར་དངོས་རྗེས་གསུམ་གྱི་བྱ་བ་དང་བཅས་པ་ལག་ལེན་ནག་འགྲོས་སུ་བཀོད་པ་འདི་ནི། གངས་ལྗོངས་ཆོས་ཀྱི་རྒྱལ་སྲིད་ལ་དབང་བསྒྱུར་བ་༧སྐྱབས་མགོན་སྲིད་སྐྱོང་ཡོངས་འཛིན་དེ་མོ་ཧོ་ཐོག་ཐུ་ཆེན་པོ་ནས་འདི་ལྟར་གྱིས་ཞེས་བཀའ་ལུང་སྤྱི་བོར་ནན་གྱིས་ཕེབས་པ་ལྟར་ཡོངས་འཛིན་ཕུར་ལྕོག་པ་དགེ་སློང་བྱམས་པར་འདོད་པས་བྲིས་ཏེ་ཕུལ་བའོ། །

༄༅། །ཁམས་གསུམ་ཆོས་ཀྱི་རྒྱལ་པོ་ཤར་ཙོང་ཁ་པ་བློ་བཟང་གྲགས་པའི་དཔལ་གྱི་གསོལ་འདེབས་དམིགས་བརྩེ་མའི་ལས་ཚོགས་བརྒྱ་གཅིག་གི་དོན་ཞིབ་ཏུ་བཤད་པ་བཞུགས་སོ།

༄། །ན་མོ་བཛྲ་ཧཱ་ར་ཤུ་མ་ཧེ་ཀཱ་ཧྲཱི་ཡ། ཕྱོགས་བཅུའི་ཞིང་ན་སྐུ་གསུང་ཐུགས་ཀྱི་རྣམ་པར་རོལ་པ་བརྟན་གཡོའི་ངོ་བོ་བྱེ་བ་ཕྲག་བརྒྱའི་འཇོ་སྣེག་ཉམས་ཀྱིས་ཅེར་ཡང་བརྫུ། གཏྲའི་བྱེ་སྐྱེད་ལྷ་ཡི་ལྷ་རྣམས་མི་ཟད་འཁོར་ལོ་རྣམ་གསུམ་རོལ་པ་ཀུན་དང་ལྡན་ཅིག་གདུལ་བྱ་རྣམས་ལ་དགེ་ལེགས་བྱེད། །སར་གནས་དཔའ་བོ་རྟོགས་འབྲིང་ཐོས་སྒྲོག་རྣམས་ལ་ཅིག་ཅར་སོ་སོ་རང་རིག་སྙིང་རྗེར་བཅས་པ་རབ་ཏུ་སྤེལ་པའི་ཡོངས་འཛིན་ཏེ། །དེའི་སྣད་རྒྱལ་བ་ཀུན་གྱི་བདག་པོ་འཇམ་པའི་དབྱངས་ཞེས་དམར་སེར་མཐོན་ཐིང་ཟུར་ཕུད་གཡོ་བ་ཤེས་རབ་རལ་གྲི་ཅན་དེར་འདུད། །གང་ཡང་བདེ་བར་གཤེགས་ཀུན་རྡོ་རྗེ་འཆང་དུ་འདུས་པ་ཡིད་དབང་རབ་དག་ཆ་ལས་ཤེས་རབ་མཆོག་སྦྱིན་ཉིད་དང་དབྱེར་མེད་པ། །ཤཱཀྱའི་མགོན་དེ་གངས་ཅན་ལེགས་བྱས་སྟོབས་ཀྱིས་ཉེར་དྲངས་རྣམ་གསུམ་ངུར་སྨྲིག་ཕང་ཕུང་གཡོ་བའི་རྣམ་པར་ཉེར་སྟོན་གྲུབ་པའི་གཙོ། །ལེགས་བཤད་རྣམ་དཔྱོད་ཀྱི་བས་རྒྱལ་ཀུན་ཐུགས་རྗེ་རབ་ཏུ་དགྱེས་པས་ཞི་བར་འཛོག་ཅིང་གདུལ་བྱའི་རྣ་བར་ཏིང་འཛིན་རྒྱན་མང་འགོད། །མཁས་གྲུབ་ཀུན་གྱིས་ལྷ་བརྒྱའི་གཙུག་དང་མགོ་བོ་ཉེར་འགྲིག་ཕྱོད་ཞབས་འཁོར་ལོས་རབ་བྲིས་རྟུལ་ལ་རྩེ་བ་བློ་བཟང་གྲགས་ལ་འདུད། །གང་ཐུགས་བློ་གྲོས་པི་ཝཱང་འོད་ཀྱིས་ནི། །འཛམ་གླིང་བདེ་སྐྱིད་ཀོ་ས་སྣང་བྱེད་པ། །བསྟོད་དབྱངས་རྣམ་པའི་འཕྲིན་ལས་རྒྱུན་མི་ཆད། །འདི་ཉིད་སྤྱི་བོའི་གཙུག་ཏུ་རབ་མཆོད་ནས། །གང་དེའི་ལས་ཚོགས་གནད་གསར་པའི་རྒྱན། །སྤེལ་ལ་འཇིག་རྟེན་མེས་པོའི་རལ་པ་དང་།འགྲན་བཟོད་ལེགས་བཤད་ཆ་ཤས་ཡོངས་རྫོགས་

པ། །རྟག་ཏུ་ཆར་བཞིན་འབབ་འདིར་ཁྲུས་ཀྱིས་ཤིག །དེ་ལ་འདིར་བདག་ཅག་གི་སྟོན་པ་ཐུགས་རྗེ་ཆེན་པོ་དང་ལྡན་པ་ཐུབ་དབང་རྡོ་རྗེ་འཆང་བློ་བཟང་གྲགས་པ་ཞེས་སྙན་གྲགས་ཀྱི་བ་དན་དཀར་པོས་ཕྱོགས་བཅུའི་ནམ་མཁའི་མཐས་གཏུགས་པའི་སངས་རྒྱས་ཀྱི་ཞིང་ཐམས་ཅད་དུ་ཁྱབ་ཅིང་། །འོད་ཟེར་ཆེན་པོའི་དབང་བསྐུར་བ་ཐོབ་པའི་རྒྱལ་བའི་སྲས་པོ་ཐམས་ཅད་ཀྱིས་ཀྱང་ཞབས་ཀྱི་པདྨོ་ལ་ཉེ་བར་གཏུགས་ན། ཚངས་པ་དང་བརྒྱ་བྱིན་ལ་སོགས་པ་རྣམས་ཀྱིས་ནི་སྐུའི་དྲུང་དུ་བསྙེན་པའི་གོ་སྐབས་ཀྱང་སླ་བ་མ་ཡིན་པ། མཁས་གྲུབ་ཀྱི་ཚོགས་གྲངས་ལས་འདས་པ་ཐམས་ཅད་ཀྱི་བློ་གྲོས་དང་ལེགས་པར་བཤད་པ་མ་ལུས་པ་ཁྱོད་ཀྱི་གསུང་གི་ཆ་ཤས་རེའི་རྭ་བར་དོགས་པ་མེད་པར་ཤོང་བ། ཡི་དམ་དཀྱིལ་འཁོར་གྱི་འཁོར་ལོ་མ་ལུས་པ་ཀུན་རྟོག་གི་བཞོན་པ་སྲེ་དང་བཅས་པ་ཐམས་ཅད་གཉིས་སྤྱངས་ཀྱི་དབུས་སུ་བཅོམ་པའི་བདག་ཉིད་ལས་མངོན་དུ་གྱུར་པའི་མཐུ་ལས་དེ་བཞིན་གཤེགས་པ་ཐམས་ཅད་སྐུ་དང་གསུང་དང་ཐུགས་ཀྱི་རྡོ་རྗེའི་ངོ་བོར་གང་གི་སྐུ་ལ་བཞུགས་པ། མི་ཟད་པའི་གཏུམ་དྲག་ཅན་བསྟན་སྲུང་དམ་ཅན་རྒྱ་མཚོ་ཐམས་ཅད་བྲན་བཞིན་དུ་བཀའ་ཉན་པའི་བདག་ཉིད་ཅན། ཁྱད་པར་དུ་ཡང་བདག་ཅག་ཁ་བ་རི་བོ་རྣམས་ལ་དེ་བཞིན་གཤེགས་པ་༧ཤཱཀྱའི་རྒྱལ་པོའི་གསུང་གི་གསང་བ་བླ་ན་མེད་པའི་བདུད་རྩིའི་བགོ་བཤའ་ཅི་དགར་སྩོལ་བས་བཀའ་དྲིན་མཚུངས་པའི་ཟླ་ཐམས་ཅད་དང་བྲལ་བ་གང་གི་གསོལ་བ་འདེབས་པའི་ཚིགས་སུ་བཅད་པ། དམིགས་བརྩེ་མ་ཞེས་ཡོངས་སུ་གྲགས་པ་འདིའི་ལས་ཚོགས་བཅུ་གཅིག་གི་རྣམ་གཞག་ནི་འདིར་བཤད་པར་བྱ་བའི་ཆོས་སོ། །དེ་ལ་ཐོག་མར་གསོལ་འདེབས་འདི་ཉིད་ཀྱི་དོན་བདག་གིས་འགྲེལ་པར་བྱ་སྟེ། འདི་ལ་གཉིས། གསོལ་འདེབས་ཉིད་ཀྱི་དོན་བཤད་པ་དང་། ཐུན་མོང་མ་ཡིན་པའི་དོན་བཤད་པའོ། །དང་པོ་ལ་གཉིས། ཐུན་མོང་པའི་དོན་བཤད་པ་དང་། མི་འདྲ་བའི་ཁྱད་པར་བྱེ་བྲག་ཏུ་བཤད་པའོ། །དང་པོ་ནི་དམིགས་མེད་ཅེས་པ་ནི། ཇི་སྐད་དུ། འཕགས་པ་ཤེས་རབ་ཀྱི་ཕ་རོལ་ཏུ་ཕྱིན་པ་སྡུད་པ་ལས། གལ་ཏེ་འདི་ལྟར་ཆོས་འདི་འགལ་ཞིང་ཟད་པ་དང་། །གང་དུ་ཡོངས་སུ་བསྔོ་བ་དེ་ཡང་ཟད་པ་དང་། །ཆོས་ཀྱིས་ཆོས་ལ་ནམ་ཡང་མི་བསྔོ་ཤེས་གྱུར་ན། །དེ་ལྟར་རབ་ཏུ་ཤེས་པས་ཡོངས་སུ་བསྔོས་པ་ཡིན། ཅེས་གསུངས་པ་ལྟར། རྗེ་རྒྱལ་བ་གཉིས་པ་ཉིད་ཀྱིས་བསྐལ་པ་དཔག་ཏུ་མེད་པའི་ཕ་རོལ་ནས་སེམས་ཅན་ལ་སེམས་

ཅན་དུ་འདུ་ཤེས་པ་དང་། ཆོས་ལ་ཆོས་སུ་འདུ་ཤེས་པ་དང་གང་ཟག་ལ་གང་ཟག་ཏུ་འདུ་ཤེས་པ་དང་། བྱང་ཆུབ་ཀྱི་སྤྱོད་པ་སྤྱོད་དོ་སྙམ་པ་དང་སེམས་ཅན་སྒྲོལ་ལོ་སྙམ་པ་ལ་སོགས་པའི་མཚན་མར་འཛིན་པའི་བློ་རྣམས་ཉེ་བར་སྤངས་ཏེ། སེམས་ཅན་རང་བཞིན་མེད་པ་དང་། གང་ཟག་རང་བཞིན་མེད་པ་དང་། ཆོས་རང་བཞིན་མེད་པ་དང་། སེམས་ཅན་སྒྲོལ་བར་བྱའོ་སྙམ་པའི་རྣམ་པར་རྟོག་པ་མེད་པར། འགྲོ་བ་རྣམས་སྒྲོལ་བ་ལ་ནན་ཏན་དུ་མཛད་པ་མཐར་ཕྱིན་ནས་ཆོས་ཀྱི་སྐུ་མངོན་དུ་མཛད་པ་མཐར་ཕྱིན་པས་དེ་ལྟར་བརྗོད་ལ། བརྩེ་བས་ཞེས་པ་ནི། གཞི་དུས་སུ་སེམས་ཅན་ལས་ཉོན་གྱི་གཞན་དབང་དུ་གྱུར་པ་རྣམས་ལ་བརྩེ་བ་སྙིང་རྗེ་ཆེན་པོས་ཀུན་ནས་བསླངས་ཏེ་ཀུན་རྫོབ་བྱང་ཆུབ་མཆོག་ཏུ་ཐུགས་བསྐྱེད་ནས། ལམ་དུས་སུ་གོང་དུ་བཤད་པའི་དོན་དམ་སེམས་བསྐྱེད་དེ་ཉིད་ཀྱིས་ཟིན་བཞིན་པར་གོམས་པ་མཐར་ཕྱིན་ནས། འབྲས་བུའི་དུས་སུ་དམིགས་པ་མེད་པར་འགྲོ་བ་ཐམས་ཅད་སྒྲོལ་བར་མཛད་པས་ན། དམིགས་མེད་བརྩེ་བའི་གཏེར་ཆེན་པོ་ཞེས་པའི་དོན་ཡང་འགྲུབ་སྟེ། དེ་ལྟ་བུའི་རྣམ་པ་ཐམས་ཅད་མཁྱེན་པའི་ཡེ་ཤེས་དང་། ཆོས་ཀྱི་སྐུ་ལས་སྐྱེས་པའི་བཅོམ་ལྡན་འདས་ནི་འཕགས་པ་སྤྱན་རས་གཟིགས་དབང་ཕྱུག་སྟེ། །རིགས་ནི་ཐ་དད་ཙང་མ་ཡིན། ཞེས་པ་དང་། བཅོམ་ལྡན་འདས་ཀྱིས་ཀྱང་། ང་དེའི་ཚེ་དེའི་དུས་ན་སངས་རྒྱས་རྣམ་གཟིགས་སུ་གྱུར་ཏོ་ཞེས་གསུངས་པ་ལྟར། དེ་བཞིན་གཤེགས་པ་ཐམས་ཅད་ནི་ཆོས་ཀྱི་དབྱིངས་དྲི་མ་མེད་པ་གཅིག་གི་ངོ་བོར་མཚུངས་ལ། ཆོས་ཀྱི་དབྱིངས་དེ་ལས་ལོག་པའི་ཚའམ་རིགས་ཀྱི་དབྱེ་བས་ཕྱེ་ན་མེ་ལོང་ལྟ་བུའི་ཡེ་ཤེས། མཉམ་པ་ཉིད་ཀྱི་ཡེ་ཤེས། སོ་སོར་རྟོག་པའི་ཡེ་ཤེས། །བྱ་བ་བསྒྲུབ་པའི་ཡེ་ཤེས། ཆོས་ཀྱི་དབྱིངས་ཀྱི་ཡེ་ཤེས་དང་ལྔ་ཡོད་ཅིང་། དེ་རེ་རེ་ལས་གཟུགས་ཀྱི་སྐུར་བཞེངས་ཏེ་དེ་བཞིན་གཤེགས་པའང་འགྱུར་ཏེ། དེས་ན་སོ་སོར་རྟོགས་པའི་ཡེ་ཤེས་ཀྱིས་ཆོས་ཀྱི་དབྱིངས་བྱས་པ་ལས་བཞེངས་པའི་དེ་བཞིན་གཤེགས་པ་ནི་པདྨའི་རིགས་ཀྱི་ལྷ་རྣམས་ཀྱི་གཙོ་བོ་འཕགས་པ་སྤྱན་རས་གཟིགས་དབང་ཕྱུག་ཡིན་ལ། དེ་ནི་དེ་བཞིན་གཤེགས་པ་ཐམས་ཅད་ཀྱི་དམིགས་པ་མེད་པའི་ཐུགས་རྗེ་ཆེན་པོའི་རང་གཟུགས་ལྟར་ཤར་བ་ཞི་སྟེ་རྗེ་བདག་ཉིད་ཆེན་པོ་ནི་དཔེ་དང་དོན་ཐམས་ཅད་ཀྱི་སྒོ་ནས་ལྷ་དེ་དང་མཚུངས་པ་ཡིན་ནོ། །འོ་ན་ཇི་ལྟར་མཚུངས་ཤེ་ན་དཔེའི་སྒོ་ནས་མཚུངས་ཏེ། འཕགས་པ་

སྤྱན་རས་གཟིགས་དེ་ནི་དུས་རྟག་ཏུ་སེམས་ཅན་སྡུག་བསྔལ་གྱིས་མནར་བ་ལ་མི་བཟོད་པའི་སྙིང་རྗེ་ཆེན་པོའི་སྤྱན་རས་ཀྱིས་གཟིགས་པ་ལྟར། རྗེ་བདག་ཉིད་ཆེན་པོ་འདིས་ཀྱང་སྔོན་དེ་བཞིན་གཤེགས་པ་དབང་པོའི་ཏོག་གི་དྲུང་དུ། འཇམ་པའི་དབྱངས་རྒྱལ་བའི་སྲས་འཁོར་རྒྱ་མཚོ་ལྟ་བུ་དང་ བཅས་ ཏེ་ གཤེགས་ པ་ ན། དེ་ བཞིན་ གཤེགས་ པ་ དབང་ པོའི་ ཏོག་ གིས། འཁོར་རྒྱ་མཚོ་ལྟ་བུ་དེ་དག་ལ་རིགས་ཀྱི་བུ་ཁྱེད་རྣམས་ཀྱི་ཁྲིད་ན་མ་དག་པའི་ཞིང་རྣམས་སུ་སེམས་ཅན་སྡུག་བསྔལ་གྱིས་མནར་བ་ལ་སྙིང་རྗེ་ཆེན་པོས་ཀུན་ནས་བསླངས་ཏེ་སྙིགས་དུས་ཀྱི་ཚེ་ཐུང་གཅིག་ལ་རྫོགས་པའི་སངས་རྒྱས་ཀྱི་གོ་འཕང་སྟེར་བ་བྱེད་པ་ཟབ་མོ་དབུ་མའི་ལྟ་བ་དང་སྔགས་ཀྱི་ལམ་ཟུང་དུ་འབྲེལ་བ་འདི་སུ་ཞིག་གིས་རྒྱས་པར་བྱེད་ནུས་ཞེས་སེང་གེའི་དབྱངས་ཀྱི་བཀའ་སྩལ་པ་ན། བྱང་ཆུབ་སེམས་དཔའི་དཀྱིལ་འཁོར་གྱི་ཚོགས་རྒྱ་མཚོ་ལྟ་བུའི་དབུས་ནས་རྗེ་འདི་ཉིད་བྱང་ཆུབ་སེམས་དཔའ་གཟུངས་དང་སྙིང་སྟོབས་ལྡན་སུམ་ཚོགས་པར་གྱུར་པ་དེ་ཉིད་བཞེངས་ཏེ་ཚུལ་དེ་ནི་བདག་གིས་རྒྱས་པར་བྱེད་ནུས་སོ། །ཞེས་མི་འཇིགས་པའི་གསུང་གིས་ཞལ་གྱིས་བཞེས་པ་ན་ཕྱོགས་བཅུའི་སངས་རྒྱས་ཐམས་ཅད་ཀྱིས་ལེགས་སོ་ཁྱོད་ནི་བྱང་ཆུབ་སེམས་དཔའ་སྙིང་སྟོབས་ཆེན་པོའི་ཞེས་བསྔགས་པ་རྒྱ་ཆེར་མཛད་ཅིང་། དེ་ནས་བརྩམས་ཏེ་ཐུགས་རྗེ་ཆེན་པོ་ལྷག་པར་བསྐྱེད་ནས་མ་དག་པའི་ཞིང་རྣམས་སུ་དབུ་མའི་ལྟ་བ་དང་སྔགས་ཀྱི་ལམ་ཟུང་དུ་འབྲེལ་བའི་ཐེག་པ་ཆེན་པོའི་ལམ་རྒྱས་པར་མཛད་པས་ན། འཕགས་པ་སྤྱན་རས་གཟིགས་དང་ཐུགས་རྗེ་དཔེའི་སྒོ་ནས་མཚུངས་ཤིང་། དེ་བཞིན་དུ་དོན་གྱི་སྒོ་ནས་ཀྱང་མཚུངས་ཏེ། རྗེ་རིན་པོ་ཆེ་དྲུག་པ་རྡོ་རྗེ་འཆང་གི་ངོ་བོར་བཞུགས་པའི་སོར་རྟོག་ཡེ་ཤེས་ཀྱི་རང་གཟུགས་ནི་འཕགས་པ་སྤྱན་རས་གཟིགས་སུ་ཤར་ཞིང་། དེ་ཙམ་དུ་མ་ཟད་རིགས་གསུམ་མགོན་པོ་ནི་རྒྱལ་བ་ཐམས་ཅད་ཀྱི་བདག་པོ་ཡིན་པས་འཕགས་པ་སྤྱན་རས་གཟིགས་ཀྱི་ངོ་བོར་བཞུགས་པ་ཡིན་ནོ། །ཁྱད་པར་དུ་ཡང་རྗེ་བླ་མ་འདི་ནི་རྗེ་བཙུན་འཇམ་པའི་དབྱངས་དངོས་ཡིན་ཏེ། ཤེས་བྱ་ཇི་ལྟ་བ་དང་ཇི་སྙེད་པ་ཐམས་ཅད་དྲི་མ་མེད་པའི་མཁྱེན་རབ་རྣོན་པོས་གནས་ཚུལ་མ་ལུས་པ་མ་འདྲེས་པ་སོ་སོར་ཕྱེ་ཏེ་གཟིགས་ཤིང་གདུལ་བྱ་རྣམས་ལ་འདོམས་པར་མཛད་ཅིང་། དེ་ལྟ་བུའི་མཁྱེན་རབ་ནི་འཇམ་པའི་དབྱངས་དང་མཚུངས་ལ། ཁྱད་པར་ཆོས་རྗེ་དོན་གྲུབ་རིན་ཆེན་ལ་མནལ་ལམ་དུ་རྡོ་རྗེ་འཇིགས་བྱེད་ཆེན་

པོ་ཞལ་གཟིགས་པའི་ཚེ་གསོལ་བ་བཏབ་པས་ད་བཟོད་ཅ་ན་ང་ལུང་པ་འདིའི་མདོར་འོང་གིས་ཞེས་གསུངས་པ་ལྟར་འཇམ་དཔལ་ཁྲོ་བོའི་ངོ་བོར་བཞུགས་ཤིང་། རྒྱ་གར་གྱི་ཡུལ་དུ་མཁས་གྲུབ་ཆོས་ཀྱི་རྗེ་སྐུ་ཚེ་སྔོན་མ་གཅིག་ལ་བྲམ་ཟེ་ཆེན་པོ་ས་ར་ཧ་པ་བྱོན་ནས་མ་འོངས་པ་ན་མཐའ་འཁོབ་ཀྱི་ཡུལ་དུ་རྗེ་བཙུན་འཇམ་པའི་དབྱངས་དགེ་སློང་གི་ཚུལ་བཟུངས་ཏེ་འགྲོ་བའི་དོན་མཛད་པར་འདུག་པས་ཁྱོད་ཀྱིས་ཀྱང་དེའི་འཁོར་དུ་སྐྱེ་བ་ལོངས་ལ་ཞབས་ཏོལ་སྒྱི་བོས་ལོང་ཞིག་ཅེས་གསུངས་པ་ལྟར། རྗེ་བདག་ཉིད་ཆེན་པོ་རྗེ་བཙུན་འཇམ་པའི་དབྱངས་སུ་བསྟོན་མེད་པར་འགྲུབ་ལ། གོང་གི་ཚིག་རྐང་གཉིས་པའི་དོན་དེས་ནི་ཕྱི་མཚུངས་པ་གསལ་ལྡན། ནང་ཡོན་ཏན་དེ་ལྡན། གསང་བ་ལྷག་པའི་ལྷའི་ངོ་བོར་བཞུགས་པ་རྣམས་ཀྱི་དོན་ཡང་ལེགས་པར་ཤེས་པ་ཡིན་ནོ། །གངས་ཅན་མཁས་པའི་གཙུག་རྒྱན་ཙོང་ཁ་པ་ཞེས་པའི་དོན་གྱི་གནད་ཤེས་པ་ནི་ངེས་པར་གནད་ཆེ་སྟེ། དེ་ཡང་སྔོན་གྱི་སྐྱེས་བུ་དམ་པ་རྣམས་ཀྱིས་གདུལ་བྱའི་སྣང་ངོ་དང་བསྟུན་པའི་འཆད་ཚུལ་སྣ་ཚོགས་སུ་མཛད་ཀྱང་། གངས་ཅན་གྱི་མཁས་པ་ཀུན་གྱི་གཙུག་གི་རྒྱན་དུ་གྱུར་པ་ནི་མཁས་བཙུན་བཟང་གསུམ་གྱི་མཛད་པའི་སྒོ་ནས་ཤེས་དགོས་ལ། དེ་ལ་མཁས་པའི་ཡོན་ཏན་གྱི་སྒོ་ནས་གངས་ཅན་གྱི་མཁས་པ་རྣམས་ལས་ཁྱད་པར་དུ་འཕགས་པ། བཙུན་པའི་ཡོན་ཏན་གྱི་སྒོ་ནས་འདུལ་བ་འཛིན་པ་རྣམས་ལས་ཁྱད་པར་དུ་འཕགས་པ། བཟང་པོའི་ཡོན་ཏན་གྱི་སྒོ་ནས་གྲུབ་པའི་དབང་ཕྱུག་རྣམས་ལས་ཁྱད་པར་དུ་འཕགས་པའི་ཚུལ་གསུམ་ཤེས་དགོས་པ་ལས། དང་པོ། མཁས་པ་རྣམས་ལས་ཁྱད་པར་དུ་འཕགས་པ་ནི་དེ་ཁོ་ན་ཉིད་སྟོན་པ་ལ་ཁྱད་པར་དུ་འཕགས་པ་དང་། ཇི་སྙེད་པ་སྟོན་པ་ལ་ཁྱད་པར་དུ་འཕགས་པ་གཉིས་ཏེ། དང་པོ། དེ་ཁོ་ན་ཉིད་སྟོན་པ་ལ་ཁྱད་པར་དུ་འཕགས་པ་ནི། རྗེ་བདག་ཉིད་ཆེན་པོ་མ་བྱོན་པའི་གོང་གི་མཁས་པ་ཐམས་ཅད་ཀྱིས་སྟོང་ཉིད་ཀྱི་ལྟ་བ་འཆད་པ་ན་མེད་དགག་གི་རྣམ་པ་ཅན་གྱི་གནས་ཚུལ་གཏན་ལ་ཕབ་ནས་མི་འཆད་པར་མ་ཡིན་དགག་གི་རྣམ་པ་ཅན་དུ་གཏན་ལ་ཕབ་ནས་ཆོས་ཐམས་ཅད་ཡོད་པ་ནི་མ་ཡིན་ཏེ། བརྩལ་ན་མི་རྙེད་པའི་ཕྱིར། མེད་པ་མ་ཡིན་ཏེ། སྣང་བའི་ཕྱིར་ཅེས་པའི་རྒྱུ་མཚན་དེ་ཉིད་དགག་སྒྲུབ་དང་ཚིག་གི་སྦྲེལ་པ་སྣ་ཚོགས་ཀྱི་སྒོ་ནས་གཏན་ལ་ཕབ་པར་མཛད་ལ། དེས་ནི་སྟོང་ཉིད་ཀྱི་ལྟ་བ་རྟོགས་པར་མི་འགྱུར་ཏེ། སྟོང་པ་ཉིད་ཅེས་པའི་སྟོང་པ་དང་ཉིད་ཀྱི་ཚིག་ལ་བརྟགས་ན།

སྟོང་རྒྱུ་ནི་མི་མཐུན་ཕྱོགས་དང་དགག་བྱ་སྟོང་ཞིང་། དེ་ངོ་བོ་ཉིད་ལ་གནས་པས་ན་སྟོང་ཉིད་ཅེས་བྱ་ལ། དེ་ལྟར་ན་མ་ཡིན་དགག་གི་རྣམ་པར་གཏན་ལ་ཕབ་པས་འཁོར་བའི་རྩ་བ་བདག་འཛིན་ལ་ཅུང་ཟད་ཀྱང་གནོད་པར་མི་འགྱུར་བ་ནི། རིགས་པའི་དབང་ཕྱུག་གིས། །འདི་ཡུལ་སུན་དབྱུང་མེད་པར་ནི། །དེ་སྤོང་བ་ནི་ནུས་མ་ཡིན། ཞེས་གསུངས་པ་ལྟར་ཡིན་ཏེ། མ་ཡིན་དགག་ཏུ་གཏན་ལ་ཕབ་པས་བདག་འཛིན་གྱི་ཞེན་ཡུལ་སུན་དབྱུང་མི་ནུས་པའི་ཕྱིར། དེ་ལ་མི་ནུས་པའི་རྒྱུ་མཚན་ཅི་ཞེ་ན། བདག་འཛིན་ཆོས་ཅན། ཁྱོད་ཀྱི་ཞེན་ཡུལ་བཞག་ཏུ་ཡོད་དེ། ཆོས་ཐམས་ཅད་བརྟེན་ཅིང་འབྲེལ་བར་འབྱུང་བ་ལ་མི་ལྟོས་པར། རང་དབང་དུ་གྲུབ་པར་ཞེན་པའི་ཕྱིར། དེ་ལྟར་བཤད་ནས་ཅི་བྱེད་ཅེ་ན། འདུས་བྱས་ལ་སོགས་པའི་ཆོས་རྣམས་ཆོས་ཅན། ཁྱོད་ཀྱི་ཆོས་ཉིད་མ་ཡིན་དགག་ཏུ་གཏན་ལ་ཕབ་པ་ལ་བརྟེན་ནས་རང་བཞིན་མེད་པར་མི་འགྲུབ་སྟེ། མ་ཡིན་དགག་གི་རྣམ་པ་དང་རྟེན་འབྲེལ་ལ་མ་ལྟོས་པའི་རྣམ་པ་གཉིས་འཛིན་སྟངས་མི་འགལ་བའི་ཕྱིར། མ་གྲུབ་ན་དེར་ཐལ། མ་ཡིན་དགག་གི་རྣམ་པ་ནི་ཡིན་པ་བཅད་ཙམ་དུ་གནས་ལ། རྟེན་འབྲེལ་ལ་མ་ལྟོས་པའི་རྣམ་པ་ནི་བདེན་ཞེན་གྱིས་ཡོད་པའི་སྣང་ཚུལ་ཅན་དུ་གནས་པའི་ཕྱིར། ཁྱབ་པ་ཡོད་དེ། ཡོད་པ་གཅོད་པར་བྱེད་པ་ལ་མ་ཡིན་པ་བསྒྲུབས་པས་དེ་ཙམ་དུ་མི་གནོད་པའི་ཕྱིར་སྙམ་པའོ། །དེས་ན། རྗེ་བདག་ཉིད་ཆེན་པོ་འདིས་ནི། བླ་མ་མགོན་པོ་འཇམ་པའི་དབྱངས་ཀྱི་མན་ངག་ལ་བརྟེན་ནས། དེ་བཞིན་གཤེགས་པའི་བཀའ་རྣམས་ཀྱི་ཡང་རྩེ། ཤེར་ཕྱིན་གྱི་མདོ་སྡེ་རྣམས་ཀྱི་དགོངས་དོན། དཔལ་མགོན་འཕགས་པ་ཀླུ་སྒྲུབ་དང་སློབ་དཔོན་སངས་རྒྱས་བསྐྱངས། དཔལ་ལྡན་ཟླ་བ་གྲགས་པ་རྣམས་ཀྱི་མན་ངག་ལ་བརྟེན་ནས་སྣང་བས་ཡོད་མཐའ་སེལ་ཞིང་། སྟོང་པས་མེད་མཐའ་སེལ་བའི་སྟོང་ཉིད་ཀྱི་གནད་མཐར་ཐུག་པ་ཕྱིན་ཅི་མ་ལོག་པར་གཏན་ལ་ཕབ་པར་མཛད་པས་སྟོང་ཕྱོགས་རྣམ་པར་དག་པ་དེ་ལ་བརྟེན་ནས། སྤྱོད་པའི་ཕྱོགས་རྣམས་ཀྱང་རྣམ་པར་དག་པར་གྱུར་པས་རྗེ་སྙིང་པ་སྟོན་པ་ལ་མཁས་པ་ཡང་ངེས་ཤེས་ལ། དེས་ན་གངས་ཅན་གྱི་མཁས་པ་སུས་ཀྱང་བསྙུན་དུ་མེད་པ་ཡིན་ནོ། །དེ་ཡང་ཚད་མ་དང་དབུ་མར་ལ་སོགས་པའི་གཞུང་ལུགས་ཀུན་ལ་རྗེ་འདི་ཉིད་ཀྱིས་རྣམ་བཤད་མཛད་པ་དང་། རྒྱ་ཆེར་འགྲེལ་བ་དང་ཐ་ན་ཟིན་བྲིས་སུ་མཛད་པ་ཚུན་ཆོད་ཀྱི་ཚིག་དོན་གྱི་ཆ་ཕྲ་མོ་ལ་ཡང་རྟོག་གེ་བ་མཐའ་དག

གིས་འབད་པས་བསྒྲིམས་ཀྱང་ས྄ླགས་མི་རྙེད་པ་ནི་ཕྱོགས་བཅུའི་རྒྱལ་བ་སྲས་དང་བཅས་པ་ཐམས་ཅད་དགོངས་པ་གཅིག་གིས་གཟིགས་པ་ཡིན་ནོ། །དེས་ན། ཁ་ཅིག་གིས་རྗེ་བདག་ཉིད་ཆེན་པོའི་ལེགས་བཤད་གསེར་འཕྲེང་དང་རྣམ་བཤད་དགོས་པ་རབ་གསལ། རྩ་ཤེའི་ཊཱི་ཀ་ཆེན་དང་གསལ་སྒྲོན། རྣམ་གཞག་རིམ་པའི་རྣམ་བཤད་ལ་སོགས་པ་ལ་ཕན་ཚུན་གསུང་མི་མཐུན་པ་ཡོད་ཚུལ་ཟེར་བ་སོགས་ནི་རང་གིས་རང་ཉིད་གསལ་བར་བྱེད་པ་སྟེ་གསུང་དེ་དག་ལ་མཁས་པས་ཞིབ་ཏུ་བརྟགས་ན་ཅུང་ཟད་ཀྱང་མི་འགལ་བར་སྣང་ཞིང་། གསེར་འཕྲེང་གི་དགོངས་པ་ནི། བོད་སྔ་རབས་པ་རྣམས་ཀྱི་འདོད་པ་དགག་པའི་ཆེད་ཉིད་དུ་སྤྲོལ་བར་མཛད་པ་ཡིན་པའི་ཕྱིར། བརྩུན་པའི་ཡོན་ཏན་གྱི་སྒོ་ནས་འདུལ་བ་འཛིན་པ་ཐམས་ཅད་ལས་ཁྱད་པར་དུ་འཕགས་པ་ཡིན་ཏེ། རྗེ་བདག་ཉིད་ཆེན་པོ་མ་བྱོན་པའི་སྔ་རོལ་ཏུ་བོད་ཀྱི་འདུལ་བ་འཛིན་པ་ཐམས་ཅད་ཀྱིས་གདིང་བ་དང་ལྷུང་བཟེད་ཀྱང་ངོ་ཤེས་པར་དཀའ་བར་གྱུར་པ་ལ། རྗེ་བདག་ཉིད་ཆེན་པོ་འདིས་འདུལ་བའི་ཕྱག་ལེན་གྱི་ཆ་ཤིན་ཏུ་ཕྲ་བ་ཚུན་ཆད་ཀྱང་གསལ་བར་མཛད་པས་ད་ལྟར་གྱི་དུས་སུ་རང་ཅག་ལྟ་བུས་སྔོན་གྱི་འདུལ་འཛིན་ཆེན་པོ་རྣམས་ཀྱི་ཞབས་ཏྲལ་གྱི་ཆ་ཤས་ཀྱང་ནོན་པར་མི་ནུས་ཀྱང་། དེ་དག་གིས་བཤད་པར་མ་ནུས་པའི་ཆ་མང་པོ་ཞིག་ལག་ལེན་ལ་ཐེབས་པ་འདིར་གདའ། བཟང་པོའི་ཡོན་ཏན་གྱི་སྒོ་ནས་གྲུབ་པའི་དབང་ཕྱུག་ཐམས་ཅད་ཟིལ་གྱིས་གནོན་པའི་ཡོན་ཏན་མངའ་ཚུལ་ནི། རྗེ་འདི་མ་བྱོན་པའི་སྔ་རོལ་ཏུ་གྲུབ་ཐོབ་ཕལ་ཆེ་བ་ཞིག་སྲིད་རྩེ་དང་ཕྱོགས་གཅིག་པའི་ཏིང་ངེ་འཛིན་ལ་བསྙེད་རྫོགས་ཀྱི་ཏིང་ངེ་འཛིན་དུ་ནོམས་པར་མཛད་ཅིང་། གཞན་དང་གཞན་དག་ཏ་ཤང་གི་ཏིང་ངེ་འཛིན་ལ་རྫོགས་རིམ་གྱི་ལམ་མཐོན་པོར་བཞེད་པས་ཚེ་གཅིག་ལ་སངས་རྒྱས་ཀྱི་གོ་འཕང་ཐོབ་པ་ནི་མ་བྱུང་ལ། རྗེ་འདིས་ནི་འཕགས་པ་ཡབ་སྲས་ལྔ་དང་། རྒྱ་གར་གྱི་གྲུབ་ཆེན་རྣམས་ཀྱི་གཞུང་ལ་བརྟེན་ནས་སྙིགས་དུས་ཀྱི་ཚེ་ཐུང་འདི་ཉིད་ལ་རྡོ་རྗེ་འཆང་གི་གོ་འཕང་ཐོབ་པའི་ཐབས་རྣམས་རྒྱུད་སྡེ་རིན་པོ་ཆེ་རྣམས་སུ་དེ་བཞིན་གཤེགས་པས་ཇི་ལྟར་བཀའ་སྩལ་པ་བཞིན་གཟིགས་ཏེ་ཉམས་སུ་བཞེས་པ་ལ་བརྟེན་ནས་སྐུ་ཚེ་འདི་ཉིད་ལ་རྡོ་རྗེ་འཆང་གི་གོ་འཕང་མངོན་དུ་མཛད་པར་མ་ཟད་འཁོར་གྱི་ཚོགས་ཀྱང་གྲངས་ལས་འདས་པ་ཞིག་གྲུབ་པ་མཆོག་གི་སར་གཤེགས་པ་ཡིན་ནོ། །དེས་ན། བཟང་པོའི་ཡོན་ཏན་གྱི་སྒོ་ནས་ཁྱད་པར་དུ་འཕགས་པའང་དེས་འགྲུབ་

སྟེ། མཁས་པ་ཐམས་ཅད་ཀྱིས་མཁས་པའི་ཡོན་ཏན་གྱི་སྒོ་ནས་ཀྱང་སྐྱའི་བ་སྤུའི་བུ་ག་རེར་ཡང་འགྲན་པར་མི་ནུས། བརྩུན་པ་རྣམས་ཀྱིས་བརྩུན་པའི་ཡོན་ཏན་གྱི་སྒོ་ནས་པ་སྤུའི་བུ་ག་རེར་ཡང་འགྲན་པར་མི་ནུས། བཟང་བ་རྣམས་ཀྱིས་བཟང་བའི་ཡོན་ཏན་གྱི་སྒོ་ནས་བ་སྤུའི་བུ་ག་རེར་ཡང་འགྲན་པར་མི་ནུས་པ་ཡིན་ནོ། །དེས་ན། གངས་ཅན་གྱི་མཁས་པ་རྣམས་མཁས་པའི་སྒོ་ནས་འགྲན་བཟོད་ཀྱང་། བརྩུན་པའི་སྒོ་ནས་འགྲན་མི་བཟོད་ཅེས་བྱ་བ་ལ་སོགས་པ་གསུངས་པ་ནི་དགོངས་གཞི་དང་དགོངས་པ་ཁྱད་པར་ཅན་དུ་སྣང་ཞིང་། བློ་བཟང་གྲགས་པའི་ཞབས་ལ་གསོལ་བ་འདེབས་ཞེས་པའི་དོན་ནི་གོ་སླའོ། །གཉིས་པ། མི་འདྲ་བའི་ཁྱད་པར་ཅི་ཐྲག་ཏུ་བཤད་པ་ནི། ཡོངས་སུ་གྲགས་པའི་དམིགས་བརྩེ་མ་འདི་ཉིད་དང་འདིའི་སྟེང་དུ་བདུད་དཔུང་མ་ལུས་འཇོམས་མཛད་གསང་བའི་བདག་ཅེས་བསྣན་པ་དང་། བསྟན་པའི་བདག་པོ་ཐུབ་པ་བཅོམ་ལྡན་འདས་ཞེས་བསྣན་པ་རྣམས་ཡོད་ཅིང་དེ་རྣམས་ཀྱི་འདོན་ཚུལ་ནི། དམིགས་མེད་བརྩེ་བའི་གཏེར་ཆེན་སྤྱན་རས་གཟིགས། །དྲི་མེད་མཁྱེན་པའི་དབང་པོ་འཇམ་པའི་དབྱངས། །བདུད་དཔུང་མ་ལུས་འཇོམས་མཛད་གསང་བའི་བདག །བསྟན་པའི་བདག་པོ་ཐུབ་པ་བཅོམ་ལྡན་འདས། །གངས་ཅན་མཁས་པའི་གཙུག་རྒྱན་ཙོང་ཁ་པ། །བློ་བཟང་གྲགས་པའི་ཞབས་ལ་གསོལ་བ་འདེབས། །ཞེས་པ་དང་། དབེན་ས་སྙན་བརྒྱུད་ཀྱི་ལུགས་ལ། དངོས་གྲུབ་ཀུན་འབྱུང་ཐུབ་དབང་རྡོ་རྗེ་འཆང་། །དམིགས་མེད་བརྩེ་བའི་གཏེར་ཆེན་སྤྱན་རས་གཟིགས། །དྲི་མེད་མཁྱེན་པའི་དབང་པོ་འཇམ་པའི་དབྱངས། །བདུད་དཔུང་མ་ལུས་འཇོམས་མཛད་གསང་བའི་བདག །གངས་ཅན་མཁས་པའི་གཙུག་རྒྱན་བློ་བཟང་གྲགས། །སྐྱབས་གནས་ཀུན་འདུས་བླ་མ་སངས་རྒྱས་ལ། །ཤུགས་དྲག་དྭང་བའི་ཡིད་ཀྱིས་གསོལ་བ་འདེབས། །བསམ་དོན་གེགས་མེད་འགྲུབ་པར་བྱིན་གྱིས་རློབས། །ཞེས་བྱ་བ་རྣམས་སོ། །གཉིས་པ་ཐུན་མོང་མ་ཡིན་པའི་དོན་བཤད་པ་ནི། ཤོ་ལོ་ཀ་གཅིག་པོ་འདིའི་ཚིག་རྐང་དང་པོ་དམིགས་མེད་བརྩེ་བའི་གཏེར་ཆེན་སྤྱན་རས་གཟིགས། ཞེས་པ་འདི་ཕྱི་ལྟར་ན་ཆུའི་ཁམས་དང་། དེ་ལ་བརྟེན་ནས་ལས་རབ་འབྱམས་ཐམས་ཅད་བསྒྲུབ་ནུས་པ་དང་། ནང་དང་གསང་བ་ལྟར་ན། དེ་བཞིན་གཤེགས་པ་ཐམས་ཅད་ཀྱི་སྐུ་རྡོ་རྗེ་རྣམ་པར་སྣང་མཛད་ཀྱི་བདག་ཉིད་ཀུན་ལྷ་བུའི་ལུས་དང་། རྣམ་

པར་སྣང་མཛད་ཀྱི་ངོ་བོར་བཞུགས་པ་ཡིན་ཏེ། དཔེན་ས་སྔན་བརྒྱུད་ཀྱི་གདམས་པ་ལས། མི་ལྷོང་ཡེ་ཤེས་ཆེན་པོའི་རོལ་པ་ལས། །ཀུན་ཁྱབ་བུདྡྷའི་རིགས་ཀྱི་སྐུར་བསྟན་ནས། །ནམ་མཁའ་རྫེ་སྲིད་འགྲོ་ལ་བརྩེར་དགོངས་ལ། །ཕྱི་ནང་གསང་བའི་ཆོས་འཁོར་བསྐོར་དུ་གསོལ། །ཞེས་གསུངས་པ་ལྟར། རྗེ་བདག་ཉིད་ཆེན་པོས་སྔོན་གྱི་དུས་སུ་གཞི་དུས་སུ་རྣམ་པར་སྣང་མཛད་ཀྱི་སྤྲུལ་གཞི་འཁོར་ལོ་བཞིའི་གནས་སུ་རྒྱུའི་ཁམས་ལ་བརྟེན་ནས་གནས་པ་དང་། ལམ་དུས་སུ་གནད་དུ་བསྣུན་ཏེ་ཉམས་སུ་བཞེས་པས་འབྲས་དུས་སུ་ཀུཎྜ་ལྷ་བུའི་བྱང་ཆུབ་ཀྱི་སེམས་ལས་རྣམ་པར་སྣང་མཛད་ཀྱི་ངོ་བོར་སངས་རྒྱས་པ་ཡིན་པའི་ཕྱིར། གསོལ་འདེབས་ཀྱི་ཚིག་རྐང་དང་པོ་འདི་ཡང་ཐུན་མོང་མ་ཡིན་པའི་དབང་དུ་བྱས་ན་ཡོན་ཏན་དེའི་སྒོ་ནས་བསྟོད་པ་ཡིན་ཅིང་། བསྟོད་པ་དེ་ཡང་ཡེ་ཤེས་དེའི་ཆ་ལས་གྲུབ་པ་ཡིན་པས་གོང་གི་རྒྱུ་མཚན་དེ་འཐད་པ་ཡིན་ནོ། །འོ་ན་ཁྱོད་ཀྱིས་སོར་རྟོག་ཡེ་ཤེས་ཀྱི་བཤད་པ་སྔོན་དུ་བྱས་ཟིན་པ་དང་མི་འགལ་ལམ་ཞེ་ན། དེ་ནི་ཐུན་མོང་དང་ཐུན་མོང་མ་ཡིན་པའི་ཁྱད་པར་ཡིན་པར་མ་ཟད་རྡོ་རྗེའི་ཚིག་འདི་ལྟ་བུ་རེ་རེས་ཀྱང་དོན་མང་དུ་སྟོན་པས་འགལ་བ་མ་ཡིན་ནོ། །ཚིག་རྐང་གཉིས་པ། དྲི་མེད་མཁྱེན་པའི་དབང་པོ་འཇམ་པའི་དབྱངས། ཞེས་སོགས་ནི་ཕྱི་ལྟར་ན་སའི་ཁམས་དང་། ནང་ལྟར་ན་རིན་ཆེན་འབྱུང་ལྡན་གྱི་སྤྲུལ་གཞི་ཚོར་བའི་ཕུང་པོའི་ངོ་བོ་དང་། གསང་བ་ལྟར་ན། དེ་མཐར་ཕྱིན་པ་ལས་བྱུང་བའི་རིན་ཆེན་འབྱུང་ལྡན་གྱི་བདག་ཉིད་དོ། །དེའི་རྒྱུ་མཚན་རྣམས་ཀྱང་གོང་གི་དེས་ཤེས་པར་ནུས་ལ། ཚིག་རྐང་གསུམ་པ་འདི་ཕྱི་ལྟར་ན་མེའི་ཁམས་དང་། ནང་ལྟར་ན་གཏུམ་མོའི་ངོ་བོ་དང་གསང་བ་ལྟར་ན་འོད་དཔག་མེད་ཀྱི་བདག་ཉིད་དང་། ཚིག་རྐང་བཞི་པ། འདི་ཕྱི་ལྟར་ན་རླུང་དང་ནམ་མཁའི་ཁམས་དང་། ནང་ལྟར་ན་དོན་ཡོད་གྲུབ་པའི་སྤྲུལ་གཞིའི་རླུང་དང་། གསང་བ་ལྟར་ན་དོན་ཡོད་གྲུབ་པའི་བདག་ཉིད་དོ། །ཤ་ལོ་ཀ་གཅིག་པོ་འདི་སྒྲིར་ཚིགས་པ་ནི་རིགས་དྲུག་པ་མི་བསྐྱོད་པའི་ངོ་བོར་བཞག་པར་བྱའོ། །ད་ནི་ལས་ཚོགས་རྣམས་ཀྱི་དོན་འགྲེལ་བར་བྱ་སྟེ། ལས་ཚོགས་འདི་རྣམས་བསྒྲུབ་པ་ལ་ཐོག་མར་གཤིན་རྗེ་གཤེད་ཀྱི་བསྙེན་པ་སྔོན་དུ་སོང་ན་ལེགས་ཤིང་། དེ་ལྟར་མིན་ཡང་དམིགས་བརྩེ་མའི་བསྙེན་པ་སྔོན་དུ་ངེས་པར་འགྲོ་དགོས་པས། དེ་ལ་ཐོག་མར་གནས་ཁང་ཕྱི་དོར་བྱས། ༡རྗེའི་བྲིས་སྐུ་ལ་སོགས་པའི་སྐུ་གསུང་ཐུགས་ཀྱི་

རྟེན་བཀྲམས། མཆོད་པ་གཡོ་མེད་ཅིང་བཀོད་པ་མཛེས་པར་བཤམས་ལ། སྟན་བདེ་བ་ལ་དགེ་སེམས་ཁྱད་པར་ཅན་དང་ལྡན་པས་འདུག་ལ། སྐྱབས་ཡུལ་རྣམ་གསལ་བཏབ་སྟེ། བླ་མ་ལ་སྐྱབས་སུ་མཆིའོ། །སངས་རྒྱས་ལ་སྐྱབས་སུ་མཆིའོ། །ཆོས་ལ་སྐྱབས་སུ་མཆིའོ། །དགེ་འདུན་ལ་སྐྱབས་སུ་མཆིའོ། །ཁམས་གསུམ་ཆོས་ཀྱི་རྒྱལ་པོ་ཤར་རྫོང་ཁ་པ་ཆེན་པོའི་ལྷ་ཚོགས་འཁོར་དང་བཅས་པ་རྣམས་ལ་སྐྱབས་སུ་མཆིའོ། །དཔལ་མགོན་དམ་པ་ཆོས་སྐྱོང་བའི་སྲུང་མ་ཡེ་ཤེས་ཀྱི་སྤྱན་དང་ལྡན་པ་རྣམས་ལ་སྐྱབས་སུ་མཆིའོ། །ཞེས་པ་ལན་གསུམ་གྱིས་ཉུང་མཐའ་བྱས་པས་གྲངས་ཇི་ལྟར་རིགས་པ་དང་། སངས་རྒྱས་ཆོས་དང་ཚོགས་ཀྱི་མཆོག་རྣམས་ལ། ཞེས་སོགས་ཀྱིས་ཀྱང་སེམས་བསྐྱེད། མར་གྱུར་སེམས་ཅན་ཐམས་ཅད། ཅེས་སོགས་ཀྱིས་ཚད་མེད་བཞི་བསྒོམས། དངོས་གཞི་ནི། རང་གི་སྤྱི་བོར་སེངྒེ་ཆེན་པོ་བརྒྱད་ཀྱིས་བཏེག་པའི་རིན་པོ་ཆེའི་ཁྲི་མཐོ་ཞིང་ཡངས་པའི་སྟེང་ཁར་སྣ་ཚོགས་པད་ཟླ་ཉི་མའི་དཀྱིལ་འཁོར་གྱི་གདན་ལ་མཉམ་མེད་ཐུབ་པའི་དབང་པོ་ནས་རང་གི་དྲིན་ཅན་རྩ་བའི་བླ་མའི་བར་གྱི་བླམ། ཡི་དམ། སངས་རྒྱས། བྱང་སེམས་དཔའ་བོ་མཁའ་འགྲོ་ཆོས་སྐྱོང་སྲུང་མ་ཐམས་ཅད་འདུས་པའི་བདག་ཉིད་ཐུབ་དབང་རྡོ་རྗེ་འཆང་བློ་བཟང་གྲགས་པ་སྐུ་མདོག་དཀར་ལ་དམར་བའི་མདངས་ཆགས་པ། ཞལ་གྱི་དཀྱིལ་འཁོར་ཤིན་ཏུ་འཛུམ་ཞིང་སྤྱན་དཀྲུས་རིང་བ། སྐུ་ལ་ཆོས་གོས་ངུར་སྨྲིག་གསུམ་མཛེས་པར་གསོལ་བ། དབུ་ལ་པཎ་ཞྭ་གསེར་གྱི་མདོག་ཅན་སྣེ་རིང་གསོལ་བ། ཕྱག་གཉིས་ཆོས་འཁོར་གྱི་ཕྱག་རྒྱས་ཨུཏྤ་ལའི་ཡུ་བ་ཐུགས་ཀར་བཟུང་བའི་འདབ་མ་སྙན་གཡས་གཡོན་གྱི་ཐད་དུ་ཁ་བྱེ་བའི་སྟེང་དུ་ཤེས་རབ་ཀྱི་རལ་གྲི་དང་བརྒྱད་སྟོང་པའི་གླེགས་བམ་བསྣམས་པ། ཞབས་རྡོ་རྗེ་སྐྱིལ་ཀྲུང་གིས་བཞུགས་པ་འོད་ཟེར་གྱི་ཚོགས་ཞིང་ཁམས་ཀུན་འགེངས་པར་འཕྲོས་པས། ཞིང་ཁམས་ཐམས་ཅད་སྐུ་ལ་སྣང་ཞིང་། སྐུས་ཞིང་ཁམས་ཐམས་ཅད་ཁྱབ་པའི་བདག་ཉིད་ཅན་དུ་བཞུགས་པའི་སྤྱི་བོར་ཨོཾ་དཀར་པོ། མགྲིན་པར་ཨཱཿདམར་པོ། ཐུགས་ཀར་ཧཱུཾ་སྔོན་པོ། ཐུགས་ཀའི་ཧཱུཾ་ལས་འོད་ཟེར་འཕྲོས་པས་རང་བཞིན་གྱི་གནས་ནས་ཆོས་ཀྱི་རྒྱལ་པོ་རྫོང་ཁ་པ་ཆེན་པོ་ལ་སངས་རྒྱས་དང་བྱང་ཆུབ་སེམས་དཔའི་ཚོགས་ཀྱིས་བསྐོར་བ་སྤྱན་དྲངས། ཛཿཧཱུཾ་བཾ་ཧོཿགཉིས་སུ་མེད་པར་གྱུར། གང་གི་དྲིན་གྱིས་བདེ་ཆེན་ནི། སྐད་ཅིག་ཉིད་ལ་འཆར་བ་གང་། །བླ་མ་རིན་ཆེན་ལྟ་བུ་ཡི། །རྡོ་

ཇོ་ཙན་ཞབས་པད་ལ་འདུད། ཅེས་ཕྱག་དང་། དངོས་བཤམས་ཡིད་སྤྲུལ་མཆོད་པ་མ་ལུས་འབུལ། །ཐོག་མེད་ནས་བསགས་སྡིག་ལྟུང་ཐམས་ཅད་བཤགས། །སྐྱེ་འཕགས་དགེ་བ་རྣམས་ལ་རྗེས་ཡི་རང་། །འཁོར་བ་མ་སྟོངས་བར་དུ་ལེགས་བཞུགས་ནས། །འགྲོ་ལ་ཆོས་ཀྱི་འཁོར་ལོ་བསྐོར་བ་དང་། །བདག་གཞན་དགེ་རྣམས་བྱང་ཆུབ་ཆེན་པོར་བསྔོ། ཞེས་ཡན་ལག་བདུན་པ་བྱ། དེ་ནས་མཎྜལ་ཞིག་ཕུལ་ལ། ཐུགས་ཀར་ཉི་མའི་དཀྱིལ་འཁོར་གྱི་སྟེང་དུ་ཧྲཱིཿ ཡིག་གི་མཐར་མཚན་སྔགས་ཀྱིས་བསྐོར་བ་ལས་བདུད་རྩིའི་རྒྱུན་བབས། ལུས་ཀྱི་ནང་གང་སྡིག་སྒྲིབ་དག །དབང་བཞི་ཐོབ། སྐུ་བཞི་མངོན་དུ་གྱུར་པའི་ནུས་པ་བཞག་པར་བསམ་ལ། ཨོཾ་ཨཱཿ གུ་རུ་བཛྲ་དྷ་ར་སུ་མ་ཏི་ཀཱིརྟི་སིདྡྷི་ཧཱུྃ་ཧཱུྃ། ཞེས་ཇི་ལྟར་རིགས་པ་བཟླས་རྗེས། །དགེ་བ་འདི་ཡིས་མྱུར་དུ་བདག །ཅེས་སོགས་དང་། དཔལ་ལྡན་རྩ་བའི་བླ་མ་རིན་པོ་ཆེ། །བདག་གི་སྙིང་ཁར་པདྨའི་སྟེང་བཞུགས་ལ། །བཀའ་དྲིན་ཆེན་པོའི་སྒོ་ནས་རྗེས་བཟུང་སྟེ། །མྱུར་དུ་ཁྱེད་རང་ལྟ་བུར་བྱིན་གྱིས་བརླབས། །ཞེས་གསོལ་བ་བཏབས། བླ་མ་ལྷ་བདག་ཉིད་ལ་དགྱེས་བཞིན་དུ་ཐིམ་པས་རང་ཉིད་སེངྒེ་ཆེན་པོ་བརྒྱད་ཀྱིས་བཏེག་པའི་རིན་པོ་ཆེའི་ཁྲི་མཐོ་ཞིང་ཡངས་པའི། ཞེས་པ་ནས་ཐུགས་ཀར་ཧཱུྃ་སྔོན་པོ་ཞེས་པའི་བར་སྔར་བཞིན་བརྗོད། ཐུགས་ཀའི་ཧཱུྃ་ལས་སྤྲོས་པའི་མཆོད་པའི་ལྷ་མོ་རྣམས་ཀྱིས་མཆོད་པར་བསམས་ལ། ཨོཾ་ཨཱཿ གུ་རུ་བཛྲ་དྷ་ར་སུ་མ་ཏི་ཀཱིརྟི་ས་པ་རི་ཝཱ་ར་ཨརྒྷཾ་ནས་ཤབྡའི་བར་གྱིས་མཆོད། རྒྱལ་བ་ཀུན་གྱི་མཁྱེན་བརྩེ་མ་ལུས་པ། །གཅིག་ཏུ་བསྡུས་པ་རྗེ་བཙུན་འཇམ་པའི་དབྱངས། །ངུར་སྨྲིག་གར་རོལ་བློ་བཟང་གྲགས་པའི་དཔལ། །གསོལ་བ་འདེབས་སོ་བྱིན་གྱིས་བརླབ་ཏུ་གསོལ། ཞེས་བསྟོད། རང་ཉིད་རྗེ་བླ་མར་གསལ་བའི་ཐུགས་ཀར་ཉི་མའི་དཀྱིལ་འཁོར་གྱི་སྟེང་དུ་ཧྲཱིཿ ཡིག་དམར་སེར། དེའི་མཐའ་སྐོར་དུ། དམིགས་མེད་བརྩེ་བའི་གཏེར་ཆེན་སྤྱན་རས་གཟིགས། །དྲི་མེད་མཁྱེན་པའི་དབང་པོ་འཇམ་པའི་དབྱངས། །གངས་ཅན་མཁས་པའི་གཙུག་རྒྱན་ཙོང་ཁ་པ། །བློ་བཟང་གྲགས་པའི་ཞབས་ལ་གསོལ་བ་འདེབས། །ཞེས་པས་བསྐོར་བ་ལས་འོད་ཟེར་འཕྲོས་འགྲོ་བའི་དོན་བྱས། སླར་འདུས་ཐུགས་ཀའི་ས་བོན་ལ་ཐིམ་པར་བསམ་ལ། དམིགས་བརྩེ་མ་ཅི་མང་བཟླས་ཏེ་བསྙེན་ཚད་ནི་འབུམ་ཕྲག་གསུམ་མོ། །འདིའི་བསྒོམ་བཟླས་སོགས་ཐུན་མོང་མ་ཡིན་པའི་ལུགས་སུ་བྱས་ན།

བདག་གིས་ཟོགས་སུ་བྲིས་པ་ལས་ཤེས་པར་བྱའོ། །དེ་ནས་མཇུག་ཏུ། དགེ་བ་འདི་ཡིས་མྱུར་དུ་བདག ཅེས་སོགས་དང་སྔར་བཞིན་ཨཱཿཧཱུྃ་སོགས་ཀྱིས་མཆོད་པ་འབུལ་ཞིང་བསྟོད་པས་ཀྱང་བསྟོད། གཞན་ཡང་དཔལ་ལྡན་ས་གསུམ་མ་ལ་སོགས་པའི་བསྟོད་པ་དང་། སྨོན་ལམ་ཅི་རིགས་པ་བྱའོ། །དེ་ལྟར་བསྙེན་པ་སོང་ནས། ལས་ཚོགས་བསྒྲུབ་པ་ལ། ཐོག་མར་ཆར་དབབ་པ་ནི། ཁྲུས་དང་གཙང་སྦྲ་དང་། དཀར་གཏོར་ལ་གནས་པས་རིན་པོ་ཆེའམ། ཛ་བཟང་པོ་ལས་བྱས་པའི་བུམ་པ་ཁ་དོག་རང་བཞིན་གྱིས་དཀར་བའམ་སྐྱོན་མེད་པར་ས་དཀར་ཙནྡན་དཀར་པོའི་ལྡེ་གུ་དང་བཅས་པས་བྱུགས་པའི་ནང་དུ། དུག་རིགས་མེད་པའི་མེ་ཏོག་སྣ་ཚོགས་པ་སྟེ། དུག་རིགས་མ་ཡིན་པ་ཙམ་དུ་མ་ཟད་ཀླུ་ལ་མི་གནོད་པའི་རིགས་ལེགས་པར་བཏུས་ལ་བག་ཕྱེ་བཟང་པོ་དང་བསྲེས་ཏེ་རིལ་བུ་ཧཱ་ལྟར་དགོས་པ་བསྒྲིལ་ནས་གང་གི་ཉིན་ཆར་འབེབས་བྱ་བའི་ཐོ་རངས་སྔ་བར་ལངས་ཏེ། འགྲུབ་ན་ཡི་དམ་གྱི་བདག་བསྐྱེད་སྔོན་དུ་བཏང་། མ་འགྲུབ་ཀྱང་ཆད་པའི་སྐྱོན་དུ་མི་འགྱུར་རམ་སྙམ། གོང་དུ་བཤད་པ་ལྟར་གྱི་བླ་མའི་རྣལ་འབྱོར་དང་བཅས་པའི་བདག་བསྐྱེད་སྔོན་དུ་བཏང་ནས། དམིགས་བརྗོ་མ་ཅི་མང་བཟླ། དེ་ནས་རིལ་བུ་རེ་རེ་ལ། དམིགས་བརྗོ་མ་རབ་བརྒྱ་རྩ། འབྲིང་ཉེར་གཅིག། ཐ་མ་བདུན་བདུན་བཟླས་ལ་ཕུ་བཏབ་ནས་བུམ་པའི་ནང་དུ་བརྒྱ་རྩ་བརྒྱད་རེ་བླུག །ཀླུ་ལ་ལོངས་སྤྱོད་ཀྱི་ཚོགས་དཔག་ཏུ་མེད་པ་འབྱུང་བའི་ཡིད་བཞིན་གྱི་ནོར་བུ་ལྟ་བུར་བསྒོམས། བུམ་པའི་ཁ་གྲུ་ཕྱེས་བཅད་ནས་ནང་དུ་ཆུ་མི་འཚོར་བར་བྱ་ཞིང་། དེའི་སྟེང་དུ་དར་དམར་པོས་བསྡམས། དེ་ནས་རང་ཉིད་ཇེ་བླ་མར་གསལ་བའི་ཐུགས་ཀ་ནས་འོད་ཟེར་དམར་པོ་ལྕགས་ཀྱུ་ལྟ་བུ་དཔག་ཏུ་མེད་པ་འཕྲོས། རྒྱ་མཚོ་ཆེན་པོ་བཞི་དང་། ཆུ་བོ་ཆེན་པོ་བཞི་དང་། མཚོ་དང་། ལྟེངས་ཀ་ལ་སོགས་པ་ན་གནས་པའི་ཀླུ་ཐམས་ཅད་ཆུ་མིག་ཏུ་སྡུད་པར་བསམས་ལ། བུམ་པ་དང་རྗེའི་སྐུ་གཟུགས། མི་རྐང་གི་གླིང་བུ་ལ་སོགས་པ་ཁྱེར་ནས་རང་གི་སྒྲུབ་ཁང་ནས་ཐོན་པ་ནས་བཟུངས་ཆུ་མིག་ཏུ་མ་སླེབ་ཀྱི་བར་སྒྲ་བ་བཅད་ནས་དམིགས་བརྗོ་མ་འདྲེན་གྱིན་གོང་གི་དམིགས་པ་མ་ཡེངས་པར་འགྲོ། ཆུ་མིག་གི་རྩར་སླེབ་ནས་རང་ཉིད་རྗེ་བླ་མའི་ང་རྒྱལ་ལ་གནས་བཞིན་པས། ཕཊ་ཕཊ་དྲག་པོ་གསུམ་བརྗོད་ནས། རང་གི་ཐུགས་ཀ་ནས་འོད་ཟེར་འཛའ་ཚོན་གྱི་རང་བཞིན་འཕྲོས་པས་ཀླུ་རྣམས་སླར་ཡང་གནས་དེར་སྡུད་པར་བསམས

ལ། འདི་སྐད་ཅེས་བརྗོད་དེ། །ཀླུའི་རྒྱལ་པོ་དགའ་བོ་དང་ཉེར་དགའ་བོ་དང་། འཇོག་པོ་དང་། པདྨ་དང་། པདྨ་ཆེན་པོ་དང་། སྟོབས་ཀྱི་རྒྱུད་དང་མཐའ་ཡས་དང་། རིགས་ལྡན་དང་། དུང་སྐྱོང་དང་། ནག་པོ་ཆེན་པ་དང་། ཀོཊ་ཏ་མ་དང་། འཛིན་པ་ལག་མང་དང་། རྒྱ་མཚོ་དང་། རྒྱ་མཚོ་ཆེན་པོ་དང་། སོག་མ་མེད་དང་། མ་དྲོས་པ་དང་། བ་སུ་ཏ་དང་། ཤ་ར་ཋ་དང་། གཞན་ཡང་། ཀླུ་རྒྱལ་རིགས་དང་། བྲམ་ཟེའི་རིགས་དང་། རྗེ་རིགས་དང་། དམངས་རིགས་དང་། གདོལ་བའི་རིགས་དང་། གཞན་ཡང་། ཀླུ་ཕྲ་མོ་ཇི་སྙེད་པ་ཐམས་ཅད་འདིར་ཚོགས་ཤིག །འདིར་འདུས་ཤིག །ཅེས་མི་རྐང་ལན་གསུམ་འབུད། དེར་ཀླུ་ཐམས་ཅད་སྤྲིན་འཁྲིགས་པ་བཞིན་དུ་འདུས་པ་དང་། རྒྱ་མཚོ་ཆེན་པོ་བཞི་དང་། ཆུ་བོ་ཆེན་པོ་བཞི་ལ་སོགས་པ་ཡང་དེ་རྣམས་ཀྱི་ལུས་ལ་འཁྲིལ་ནས་འདུས་པར་བསམ་ཞིང་། རང་གི་ཐུགས་ཀ་ནས་འཕྲོས་པའི་འོད་ཟེར་གྱིས་མཐའ་བསྐོར་ནས་གང་དུའང་འགྲོ་དབང་མེད་པར་བསམས་ལ། འདི་སྐད་ཅེས་བརྗོད་དོ། །འདིར་ཚོགས་པའི་ཀླུའི་རྒྱལ་པོ་ཆེན་པོ་ནས་བཟུང་ཏེ་ཀླུ་ཕྲ་མོར་གནས་པ་ཚུན་ཆད་ཉོན་ཅིང་། ཁྱེད་རྣམས་ལ་ཡ་བོ་བཟུང་དུ་འོངས་པ་མ་ཡིན། ངོ་བསྟོ་བ་མ་ཡིན། འཁོན་ཚོལ་དུ་འོངས་པ་མ་ཡིན། གཏད་བྱེད་དུ་འོངས་པ་མ་ཡིན་གྱི། འཛམ་བུའི་གླིང་གི་ཡུལ་ཕྱོགས་སྤྱི་དང་ཁྱད་པར་དུ་ས་ཕྱོགས་འདིར་ཐན་པའི་འཇིགས་པ་ཆེན་པོ་ལས་འགྲོ་བ་རྣམས་སྐྱབ་པའི་ཕྱིར་དུ་ཆར་སློང་དུ་འོངས་པ་ཡིན་པས། འཛམ་བུའི་གླིང་འདིར་ཆར་ཆེན་པོ་དྲག་ཏུ་ཕོབ་ཅིག །ཁྱད་པར་དུས་ཕྱོགས་འདིར་མྱུར་དུ་ཕོབ་ཅིག །འདི་ནི་ཐུབ་དབང་རྡོ་རྗེ་འཆང་བློ་བཟང་གྲགས་པའི་དཔལ་གྱི་བཀའ་ཡིན་པས། འདི་ལས་འགལ་ན་མགོ་བོ་ཨ་ཛ་ཀའི་དོག་པ་བཞིན་དུ་འགས་བར་འགྱུར་རོ། །གལ་ཏེ་ཚུལ་བཞིན་དུ་བསྒྲུབས་ན་ལོངས་སྤྱོད་ཀྱི་དཔལ་ཕུན་སུམ་ཚོགས་པ་རྟག་ཏུ་འཛད་པ་མེད་པར་འགྱུར་རོ། །ཇི་སྲིད་ཆར་མ་བབས་ཀྱི་བར་དུ་ཕྱོགས་གཞན་དུ་མ་འགྲོ་ཞིག །ཅེས་བརྗོད་ལ་ཕྱོགས་བཞིར་མདོ་བཞི་བཅིངས། ཤར་གྱི་མདོའི་འགྲམ་དུ་ཕྱིན་ལ། དམིགས་མེད་བརྩེ་བའི་གཏེར་ཆེན་སྤྱན་རས་གཟིགས། ཞེས་བརྗོད་པས་མདོ་དེ་ཚིག་རྐང་དེ་ལས་རྣམ་པར་སྣང་མཛད་ཀྱི་ངོ་བོ་ཁྲུང་དཀར་པོ། ལྷོའི་མདོའི་འགྲམ་དུ་ཕྱིན་ཏེ། དྲི་མེད་མཁྱེན་པའི་དབང་པོ་འཇམ་པའི་དབྱངས། ཞེས་བརྗོད་པས། མདོ་དེ་ཚིག་རྐང་དེ་ལས་རིན་ཆེན་འབྱུང་ལྡན་གྱི་

ཛ་བོ་ཁྱུང་སེར་པོ། ནུབ་ཀྱི་མཐའི་འགྲམ་དུ་ཕྱིན་ཏེ། གངས་ཅན་མཁས་པའི་གཙུག་རྒྱན་ཙོང་ཁ་པ། ཞེས་བརྗོད་པས། མཐོ་དེ་ཚིག་རྐང་དེ་ལས་འོད་དཔག་མེད་ཀྱི་ཛ་བོ་ཁྱུང་དམར་པོ། བྱང་གི་མཐའི་འགྲམ་དུ་ཕྱིན་ཏེ། བློ་བཟང་གྲགས་པའི་ཞབས་ལ་གསོལ་བ་འདེབས། ཞེས་བརྗོད་པས། མཐོ་དེ་ཚིག་རྐང་དེ་ལས་དོན་གྲུབ་ཀྱི་ཛ་བོ་ཁྱུང་ནག་པོ་རྣམས་སུ་གྱུར་པར་བསྒོམས། མཐོ་འདི་རྣམས་ལ་རང་རང་གི་སྐུ་མདོག་དང་མཚུངས་པའི་ཚོན་གཏོང་བ་དང་དར་ལྕོག་འཛུགས་པ་སོགས་བྱས་ཀྱང་ལེགས། དེ་ནས་བུམ་པ་ཆུའི་ནང་དུ་མི་མངོན་པར་སྦྲ་ཞིང་དེ་དང་ཉེ་བའི་འདབས་སུ་གུར་དཀར་པོ་སོགས་ཕུབས་ཏེ་དེའི་ནང་དུ༧རྗེ་བདག་ཉིད་ཆེན་པོའི་སྐུའི་མདུན་དུ་མཆོད་པ་སྣ་ལྔ་དང་གཏོར་མ་ལ་སོགས་པ་ལེགས་པར་བཤམས། ཡུལ་དེའི་གཞི་བདག་ལ་བསངས་དང་མཆོད་པ་འབུལ། ཆར་འབེབས་པའི་གྲོགས་ངན་བཅོལ། སྐྱབས་འགྲོ་ནས་བཟུང་སྟེ། དམིགས་བརྩེ་མ་བཟླ་བའི་བར་སྔར་བཞིན་བྱས་ལ། དམིགས་བརྩེ་མ་བཟླ་བའི་སྐབས་སུ་དམིགས་པ་ནི། རང་ཉིད་རྗེ་བླ་མར་གསལ་བའི་ཐུགས་ཀ་ནས་འོད་ཟེར་ཀླུའི་ཚོགས་ཀྱི་གྲངས་དང་མཉམ་པར་སྤྲོས། འོད་ཟེར་རེ་རེའི་རྩེ་མོ་ལ་རྗེ་བདག་ཉིད་ཆེན་པོའི་སྐུ་རེ་རེ་སྤྲོས། ཀླུ་རེ་རེའི་སྤྱི་བོར་བཞུགས། སྐུ་ལས་བདུད་རྩི་སྣ་ལྔ་འོད་ཟེར་དང་བཅས་པའི་རྒྱུན་བབས། ཀླུ་རྣམས་ཀྱི་ལུས་ལ་ཞུགས་པས་སྡིག་སྒྲིབ་དང་ཞེ་སྡང་དང་། ཕྱེ་ཚན་དང་། ནམ་མཁའི་ལྡིང་ལ་སོགས་པའི་འཇིགས་པ་ཐམས་ཅད་དག །ལུས་སེམས་ཐམས་ཅད་བདེ་བས་གང་། རྗེ་བླ་མ་ལ་ལུས་ཀྱི་སྒོ་ནས་ཕྱག་དང་ཐལ་མོ་སྦྱོར་བ། ངག་གི་སྒོ་ནས་གསོལ་འདེབས། ཡིད་ཀྱི་སྒོ་ནས་སྐྱབས་འགྲོ་བྱེད་པར་བསམས། སླར་ཡང་རྗེ་རིན་པོ་ཆེ་རྣམས་ཀྱི་ཐུགས་ཀ་དང་རང་གི་ཐུགས་ཀ་ནས་འོད་ཟེར་གྱི་ཚོགས་དཔག་ཏུ་མེད་པ་སྤྲོས། འཇིག་རྟེན་གྱི་ཁམས་ཐམས་ཅད་ཁྱབ། སེམས་ཅན་རྣམས་ལ་ཕོག་པས། དེ་རྣམས་ཀྱི་ལུས་ངག་ཡིད་གསུམ་གྱི་སྡིག་སྒྲིབ་སྤྱི་དང་། ཁྱད་པར་དུ་ཀླུ་གེ་ལ་ཡོངས་སྤྱོད་འགྱུར་གྱི་སྡིག་སྒྲིབ་ཐམས་ཅད་བྱང་ཞིང་དག་བདེ་སྐྱིད་དང་ལྡན་པར་བསམས། སླར་ཡང་འོད་ཟེར་འཕྲོས་ཀླུ་རྣམས་ལ་ཕོག་པས་དེ་རྣམས་དགའ་བ་དང་། སྤྲོ་བ་དང་བཅས་ཏེ་རང་རང་གི་རྫུ་འཕྲུལ་སྣ་ཚོགས་པ་དང་བཅས་ནམ་མཁའ་ལ་འཕགས་ཤིང་ལུས་ལས་སྤྲིན་སྣ་ཚོགས་པ་སྤྲོས། གནོད་པ་མེད་པའི་འབྲུག་སྒྲ་དང་བཅས་ཏེ་ཆར་གྱི་རྒྱུན་ལྔ་བརྒྱ་འཇིག་རྟེན་གྱི་ཁམས་རྣམས་སུ་བབས་

པས་ཡོ་ཏོག་རྣམས་རྒྱས་པར་བསམས་ལ། དམིགས་བརྩེ་མ་ཅི་མང་བཟླ། མཇུག་ཏུ་རྗེ་བླ་མའི་བདག་བསྐྱེད་ལ་གནས་བཞིན་པས་གླུ་གཏོར་རེ་བཏང་ཀྱང་ལེགས། ཐུར་བདག་བསྐྱེད་ཀྱི་སྐབས་སུ་བཤད་པ་བཞིན་ཐུན་བསྡུས་ལ། སླར་ཡང་ཐུན་རྗེས་མ་ལ་འཇུག་པའི་དུས་སུ། སྐབས་འགྲོ་ནས་བཟུང་སྟེ་གོང་དུ་བཤད་པའི་བར་བྱ། དེས་ཞག་བདུན་ཙམ་ཚད་ལ་ངེས་པར་འབབ་པར་འགྱུར་ཞིང་། གལ་ཏེ་མ་བབས་ན་ཞག་བདུན་གྱི་ཉིན་བུམ་པ་ཆུ་མིག་ནས་ཕྱུངས་ཏེ་རིལ་བུ་རྣམས་ཆུ་མིག་ཏུ་བླུག་པས་ཀླུ་རྣམས་ཡོངས་སྤྱོད་དང་ལྡན་པར་བསམས། དེ་ནས་དེ་མ་ཐག་ཏུ་བུམ་པར་རིལ་བུ་སྔར་བཞིན་བླུག་ལ་ཆུ་མིག་ཏུ་བཙུག་ནས་སྔར་བཞིན་སྒྲུབ་པ་བྱ། ཆར་བབས་དུས་རིལ་བུ་རྣམས་ཇི་སྐད་བཤད་པ་བཞིན་ཆུ་ལ་དོར་ཞིང་གཏང་རག་གི་ཚུལ་དུ་གླུ་གཏོར་གཏོང་། ཕྱོགས་བཞིའི་ཕྱུང་རྣམས་ནམ་མཁར་གཤེགས་སུ་གསོལ་ལ་མཐོ་རྣམས་བསྐྱིལ། ཀླུ་རྣམས་དར་རྒྱས་སུ་འགྱུར་བའི་སྨོན་ལམ་བཏབ། ཕྱི་མིག་མི་བལྟ་བར་ནང་དུ་འོངས། བུམ་པ་ལ་སོགས་པའི་ཡོ་བྱད་རྣམས་གཙང་སར་བཞག་གོ། ༈།།གཉིས་པ་སད་སྲུང་བ་ནི། བླ་མའི་རྣལ་འབྱོར་དང་བདག་བསྐྱེད་སོགས་སྔར་བཞིན་བྱ། བླ་གབ་མེད་པའི་ས་ཕྱོགས་སུ་རྡོ་ལས་བྱས་པའི་སྒྲིད་བུ་ཁང་གསུམ་བརྩིགས་ལ། ཁང་པ་དང་པོ་སྲིན་རས་གཟིགས། གཉིས་པ་འཇམ་དབྱངས། གསུམ་པ་ཕྱག་རྡོར་གྱི་བྱིན་རླབས་ཀྱི་ངོ་བོར་བསམས་དེའི་སྟེང་དུ་ཟངས་ཆེ་ཆུང་གང་ཡང་རུང་བ་ཞིག་རྟེན་ལ་ཁྲུས་གསོལ་བྱས་པའི་ཆུས་བཀང་ལ་བཞག །དེ་ལ་མར་ལས་བྱས་པའི་སྦལ་པ་དང་། སྦྲང་མོ་ལ་སོགས་པའི་ཆུའི་སྲོག་ཆགས་ཀྱི་གཟུགས་སྣ་ཚོགས་པ་བཏབ་པ། ཀླུའི་རྒྱལ་པོ་རྣམས་སུ་མོས་པ་བྱ། ཟངས་ཀྱི་འོག་ཏུ་དུག་ཤིང་མ་ཡིན་པའི་བསངས་སྣ་ལ་སོགས་པས་མེ་ཆུང་དུ་སྦར་ཏེ་ཆུ་དེ་མ་ཁོལ་ཙམ་དུ་བསྲོས་ལ་དེ་ལ་བསྐོར་བ་བྱེད་ཅིང་། རང་ཉིད་རྗེ་བླ་མར་གསལ་བའི་ཐུགས་ཀ་ནས་འོད་ཟེར་གྱི་ཚོགས་རྡོ་ཞིང་མཐུག་པ་སྤྲིན་འདྲ་བ་དཔག་ཏུ་མེད་པ་སྤྲོས། ཀླུའི་རྒྱལ་པོ་ཆེན་པོ་རྣམས་སྐད་ཅིག་གིས་བཀུག་སྟེ་རྒྱ་མཚོ་ཆེན་པོ་བཞིའི་བདག་ཉིད་ཀྱི་ཆུ་བོ་དེའི་ནང་དུ་གནས་པ་ལ། སླར་ཡང་འོད་ཟེར་དེ་ལྟ་བུ་ཕོག་པས་ལུས་ཐམས་ཅད་བདེ་བས་ཁྱབ། སྡུག་བསྔལ་ཐམས་ཅད་དང་བྲལ། ལུས་ལ་བདེ་སྟོབས་ཆེན་པོ་སྐྱེས་པའི་སྟོབས་ཀྱིས་ཁ་དང་། མིག་དང་། རྣ་བ་དང་། སྣ་དང་། ལྟེ་བ་དང་། སྨྲུལ་མགོའི་གདེངས་ཀ་རྣམས་ལས་སྤྲིན་གྱི་ཕུང་པོ་ཆེན་པོས་ནམ་མཁའི་དབྱིངས

ཐམས་ཅད་ཁྱབ་པས་འཛམ་བུའི་གླིང་ཐམས་ཅད་རྡོད་ཀྱིས་གང་སད་འབྱུང་བའི་སྒོ་སྐབས་མེད་པར་བསམས་ལ་དམིགས་བཅེ་མ་བཟླ། ཡང་དེ་ལྟ་བུའི་འོད་ཟེར་འཕྲོས་པས་སད་ཀྱི་བདག་པོ་རྣམས་ཀྱི་ལུས་ལ་ཕོག་རྡོད་ཀྱིས་ལུས་འཛུ་ལ་ཁད་པ་ཙམ་དུ་གྱུར་ནས་སྐྲག་སྟེ། རྗེ་བླ་མ་ལ་སྐྱབས་སུ་སོང་བས་ལུས་བདེ་བས་གང་། བྱང་ཆུབ་ཀྱི་སེམས་སྐྱེས་པའི་མོས་པ་བྱ། ཡང་དེ་ལྟ་བུའི་འོད་ཟེར་འཕྲོས་འཛམ་བུའི་གླིང་ཐམས་ཅད་དུ་ཁྱབ་པས་ཟས་ནོར་ཀྱི་ཆར་བབས་པའི་མོས་པ་བྱ། སད་ཀྱི་འཇིགས་པ་ལས་གྲོལ་བའི་རྗེས་སུ་སྲོག་ཆགས་ཀྱི་གཟུགས་རྣམས་ཆུ་བོ་ཆེན་པོ་ལ་བསྐྱལ་ཞིང་བྱང་ཆུབ་ཀྱི་སེམས་དང་སྟོང་ཉིད་ཀྱི་ལྟ་བས་རྒྱས་འདེབས་བྱའོ། ། །།

༔གསུམ་པ་མཚོན་བསྲུང་པའི་བཟའ་ཡིག་ནི། བདག་བསྐྱེད་སོགས་སྔོན་དུ་བྱས་ཤིང་། གནས་གཙང་མ་བླ་གབ་དང་བཅས་པར་ནམ་མཁའ་མ་མཐོང་བར་བྱས་ལ། མཐིང་ཤོག་གཙང་མ་ལ་གསེར་རམ་རྒྱ་སྣག་གིས་དམིགས་བཅེ་མ་སྡེབ་སྦྱོར་དག་ཅིང་ལྷག་ཆད་མེད་པར་བཅེགས་ནས་འདྲི། གུ་གུལ་དཀར་ནག་གཉིས་ཙནྡན་དཀར་དམར་གཉིས། སིནྡྷུ་ར་རྣམས་བྱུགས། སྔོན་དུ་བཤད་པ་ལྟར་བླ་མའི་རྣལ་འབྱོར་དང་བདག་བསྐྱེད་འདུ་བྱས་ལ། དམིགས་བཅེ་མ་སྟོང་བཟླས་ལ་ཕུ་བཏབ། ཟ་བའི་དུས་སུ་སྒྲ་གཅན་གྱི་ཐེབས་ལེགས་པར་བཅེས་ལ་སྒྲ་གཅན་རྒྱབ་ཏུ་བཞག་སྟེ། སའི་རྩེ་མོ་དང་། སེན་མོའི་རྩེ་མོ་དང་། ལྕེའི་རྩེ་མོ་རྣམས་ལ་མ་རེག་པ་བྱས་ཏེ་བཟའ་བར་བྱའོ། །ཟ་བ་དང་མཉམ་དུ་ལུས་ཐམས་ཅད་རྡོ་རྗེ་ལྟ་བུའི་རང་བཞིན་དུ་གྱུར་པར་བསྒོམ་མོ།༔ །བཞི་པ་མཚོན་སྲུང་འདོགས་པ་ནི། དམིགས་བཅེ་མ་སྔར་བཞིན་བྲིས་ལ་བདག་བསྐྱེད་སྔོན་དུ་འགྲོ་བས་བསྲུང་བ་ཚོན་སྐུད་དམར་པོས་དཀྲིས་རང་འདོགས་པ་པོ་ཡིན་ན་ཁ་ཤར་དུ་བལྟས་ཏེ་སྟན་དཀར་པོའི་སྟེང་དུ་ནས་ཀྱི་རྡོ་རྗེ་རྒྱ་གྲམ་བྲིས་པ་ལ་འཁོད་ཅིང་། གཞན་ལ་འདོགས་ན། དེ་ལྟར་འཁོད་དུ་བཅུག །དེ་ནས་རང་ཉིད་ཡིན་ན་ངག་ཏུ་འདོན་ཅིང་། སློབ་མ་ཡིན་ན་རྗེས་ཟློས་འདི་ལྟར་བྱེད་དུ་བཅུག །དཀོན་མཆོག་གསུམ་ལ་བདག་སྐྱབས་མཆི། །སྡིག་པ་ཐམས་ཅད་སོ་སོར་བཤགས། །འགྲོ་བའི་དགེ་ལ་རྗེས་ཡི་རང་། །སངས་རྒྱས་བྱང་ཆུབ་ཡིད་ཀྱིས་བཟུང་། །དམིགས་མེད་བཅེ་བའི་གཏེར་ཆེན་སྤྱན་རས་གཟིགས། །དྲི་མེད་མཁྱེན་པའི་དབང་པོ་འཇམ་པའི་དབྱངས། །གངས་ཅན་

མཁས་པའི་གཙུག་རྒྱན་ཙོང་ཁ་པ། །བློ་བཟང་གྲགས་པའི་ཞབས་ལ་གསོལ་བ་འདེབས། །མཆོད་སྤྲུལ་འདི་མིག་གིས་མཐོང་ཚད། ལག་པས་བླངས་ཚད། ལུས་ལ་བཏགས་ཚད་ཐམས་ཅད་ལ་རལ་གྲིའི་ངར་སློག་ཅིག །རལ་སྐོར་མཁན་གྱི་ལག་པ་སྐུམས་ཤིག །མདའ་མདུང་གི་རྩེ་ཆུམས་ཤིག །གནམ་ལྕགས་རྣམས་གྱེན་དུ་ཟློག་ཅིག །འབྲུག་རྣམས་འཕྲེང་དུ་བཟློག་ཅིག །འོག་ཐོག་རྣམས་ཕྱར་དུ་བཟློག་ཅིག །སྐྱེ་བོའི་མཐེབ་སྒྲིལ་ཅིག །མཆོག་དཀར་བ་གཞུ་ཆོག་ཅིག །ཡང་དམིགས་བརྩེ་མ་ཚར་གཅིག་བརྗོན། །མོ་ལྕགས་ཀྱི་མཉན་རྣམས་ཆོག་ཅིག །ཕོ་ལྕགས་ཀྱི་ཀྱོད་རྣམས་ཆོག་ཅིག །ལྕགས་སྙིང་གི་ངར་གསོད་ཅིག །མགར་བ་ནག་པོའི་མདའ་གྲི་མདུང་གསུམ་ཐད་ཐད། ཡང་དམིགས་བརྩེ་མ་ཚར་གཅིག་བརྗོན། དེ་ནས་ཡང་། དཀོན་མཆོག་གསུམ་ལ་བདག་སྐྱབས་མཆི། །ཞེས་པ་ནས། དམིགས་བརྩེ་མ་ལན་གསུམ་གྱི་བར་རྗེས་ཟློས་ལན་གསུམ་བྱས་ལ་མཆོད་སྤྲུལ་བཏགས། རང་ཉིད་རྗེ་བླ་མར་གསལ་བའི་ཐུགས་ཀ་ནས་འོད་ཟེར་འཕྲོས་པས་རང་ངམ་བསྲུང་བྱའི་ཤ་སྐྱེ་པགས་མཚམས་ཐམས་ཅད་རྡོ་རྗེའི་གོ་ཆས་ཁྱབ་པས་སྟེང་འོག་བར་གསུམ་གྱི་མཚོན་གང་གིས་ཀྱང་སླགས་མི་ནྟེད་པར་བསམས་ལ། སྔར་ཡང་མཆོད་སྤྲུལ་ལག་ཏུ་བླངས་ཏེ་མགོ་བོ་དང་། ལག་པ་གཡས་གཡོན་གཉིས་དང་། སྙིད་པ་དང་། རྐང་པ་གཡས་གཡོན་གཉིས་རྣམས་ལ་ལན་དགུ་དགུ་གཡས་སྐོར་དུ་བསྐོར་ནས་སྔར་ཡང་བཏགས་པར་བྱའོ། །འདིས་ནི་སྟེང་འོག་བར་གསུམ་གྱི་མཚོན་དང་། འཁོར་ལོས་བསྒྱུར་བའི་རལ་གྲི་བཟང་པོ་རྣམས་ཀྱང་བཟློག་པར་འགྱུར་རོ། ། ༄།།ཞྭ་པ་གྲིབ་བསྲུང་བའི་ཐབས་ལ་གཉིས་ཏེ། གཟའི་གནོད་པ་བཟློག་པར་བྱེད་པ་དང་། སྤྱིར་གྲིབ་ཙམ་བཟློག་པའོ། །དང་པོ་ནི་ས་ཆུ་མེ་རླུང་གི་དབྱེ་བས་རྣམ་པ་ལྔར་འགྱུར་ཏེ། ནཱ་རུའི་བྱ་རོག་གི་གདོང་ལས་ནི་ནམ་མཁའི་དུག་དང་། ལྷའི་གདོང་དཀར་པོ་ལས་ནི་ཆུའི་དུག་དང་། རྒྱལ་པོའི་གདོང་སེར་པོ་ལས་ནི་སའི་དུག་དང་། བདུད་ཀྱི་གདོང་ལྗང་ཁུ་ལས་ནི་རླུང་གི་དུག་དང་། སྲིན་པོའི་གདོང་དམར་པོ་དང་སྦྲུ་བ་ལས་ནི་མེའུ་དུག་དང་། ཡན་ལག་རྣམས་ལས་འབྱུང་བ་ལྔ་པོ་དེ་དག་དང་ལྡན་པའི་ཀི་ཀང་གི་དུག་དང་། མཆོན་ཆ་རྣམས་ལས་ཐོག་གི་དུག་དང་། མིག་རྣམས་ལས་རྒྱ་སྐར་གྱི་དུག་དང་། མཇུག་མ་ལས་ནི་ཀླུའི་དུག་རྣམས་སུ་འགྱུར་ཏེ། དེ་དག་ལ་བརྟེན་པའི་ནད་ཐོག་ཚུལ་དང་། བརྟན་པའི་ཐབས་

རྣམས་ནི་ཆོས་བཞི་དང་བརྒྱད་དང་། བཅུ་གཅིག་དང་བཅོ་ལྔ་དང་། བཅོ་བརྒྱད་དང་། ཉེར་གཉིས་དང་ཉེར་ལྔ་དང་། ཉེར་དགུ་དང་སྤྱི་ལ་ཁྱབ་པའི་གནམ་སྟོང་གི་དུས་རྣམས་ཀྱི་སྔ་ཕྱིའི་ཆ་ལས་བིཥྚི་གང་དུ་རྒྱུ་བ་དང་། ནད་པའི་ན་ཚུལ་རྣམས་ལ་བརྟག་པར་བྱ་སྟེ་ཞིབ་པར་ནི་འདིར་མ་བྲིས་ལ། དེ་དག་བཟློག་ཐབས་ཇི་ལྟར་བྱ་ཚུལ་ནི། གནས་གཙང་མར་བུམ་པ་བཟང་པོ་མགུལ་ཆིངས་དང་བཅས་པ་རྒྱ་མཚོར་འབབ་པའི་ཆུས་བཀང་བ་ལ་བུམ་རྫས་ཉེར་ལྔ་བཏབ་པ་དང་། ཛྙ་ཧྲི་དང་། གུར་ཀུམ་དང་སྤེ་ཧྲང་གསུམ། རྒྱ་སྣག་དང་བསྲེས་ཏེ་རྒྱ་ཤོག་སེར་པོའི་ངོས་ནམ་མཁའི་དུག་གིས་ན་བ་རྣམས་ལ་སྦྱིན་པར་བྱ་བ། དམིགས་བརྩེ་མ་ཡོངས་སུ་རྫོགས་པ་བྲིས་པ་དང་། སའི་དུག་གིས་ན་བ་རྣམས་ལ་སྦྱིན་པར་བྱ་བ། གངས་ཅན་མཁས་པའི་གཙུག་རྒྱན་ཙོང་ཁ་པ། ཞེས་བྲིས་པ་དང་། མེའི་དུག་གིས་ན་བ་རྣམས་སྦྱིན་པར་བྱ་བ། དམིགས་མེད་བརྩེ་བའི་གཏེར་ཆེན་སྤྱན་རས་གཟིགས། ཞེས་བྲིས་པ་དང་། ཆུའི་དུག་གིས་ན་བ་རྣམས་ལ་སྦྱིན་པར་བྱ་བ། བློ་བཟང་གྲགས་པའི་ཞབས་ལ་གསོལ་བ་འདེབས། ཞེས་བྲིས་པ་དང་། རླུང་གི་དུག་གིས་ན་བ་རྣམས་ལ་སྦྱིན་པར་བྱ་བ། དྲི་མེད་མཁྱེན་པའི་དབང་པོ་འཇམ་པའི་དབྱངས། ཞེས་བྲིས་པ་རྣམས་གང་སྐབས་སུ་བབས་པ་ཇི་ཙམ་དགོས་པ་བཤམས། གཤིན་རྗེ་གཤེད་ཀྱི་རྣལ་འབྱོར་སྔོན་དུ་འགྲོ་བས་སྲུང་འཁོར་ལེགས་པར་བསྒོམས་ལ། དེ་རྗེས་སྐྱབས་འགྲོ་ནས་བཟུངས་ཏེ། དམིགས་བརྩེ་མ་བཟླ་བའི་བར་སྔར་བཞིན་བྱས་ཏེ། དམིགས་བརྩེ་མ་བཟླ་བཞིན་པས། རང་གི་མདུན་དུ་ཁྱབ་འཇུག་ནག་པོ་མདོག་དམར་ནག་ལུས་ཐམས་ཅད་མིག་གིས་གང་བ། མགོ་བོ་དགུ་པ་ལྕགས་ཀྱི་མདའ་གཞུ་ཐོགས་པ། སྨད་སྦྲུལ་མཇུག་ཏུ་འཁྱིལ་བ་དུག་གི་ཁ་རླངས་སེར་ནག་འཁྲིགས་པ། མཐེ་བོང་གི་ཚད་ཙམ་ཞིག་བསྒོམས་ལ། རང་ཉིད་རྗེ་བླ་མར་གསལ་བའི་ཐུགས་ཀའི་དམིགས་བརྩེ་མ་ཧཱུཾ༔ ཡིག་དང་བཅས་པ་ལས་འོད་ཟེར་དཀར་པོ་ཤིན་ཏུ་རྣོ་བ་དཔག་ཏུ་མེད་པ་མདུང་ཚུགས་སུ་འཕྲོས། ཁྱབ་འཇུག་གི་སྙིང་དཀར་ནག་གི་མཚམས་སུ་ཐོག་པས་ཁོའི་ཤེས་རྒྱུད་རང་དབང་མེད་པར་བྱམས་པ་དང་སྙིང་རྗེ་དང་། བྱང་ཆུབ་ཀྱི་སེམས་ཀྱིས་གང་། དུག་གི་ཁ་རླངས་ཐམས་ཅད་ཡལ། ཕྱི་རོལ་དུ་སྤྲོས་པའི་དུག་དང་ཁོ་རང་གི་དུག་ཐམས་ཅད་ཁོ་རང་གི་ལུས་ལ་འདུས། ལག་གི་མདའ་གཞུ་ཆག་ཅིང་ས་ལ་ལྷུངས། སྲིན་པོའི་ལུས་གནས་འགྱུར་ཏེ་ལྷའི་བུ་གཞོན་ནུའི་

ལུས་རིན་པོ་ཆེའི་རྒྱན་གྱིས་བརྒྱན་པ་ལག་པ་གཉིས་ཐལ་མོ་སྦྱར་བའི་ཞལ་གྱི་ཁྱིའུ་ཚུང་ཞིག་ཏུ་གྱུར། རྗེ་བླ་མ་ལ་མོས་གུས་དུང་དུང་བ་དང་བཅས་ཏེ། བདག་ཉིད་རྗེ་བླ་མར་གསལ་བར་སྐོར་བ་བྱེད་ཅིང་སུ་ལའང་གནོད་པ་མི་བྱེད་པའི་དམ་བཅའ་བྱས་པར་བསམས། དེ་ལྟར་བཟླས་བ་ཚར་ནས་བཟའ་ཡིག་དང་བུམ་ཆུ་རྣམས་ལ་ཕུ་བཏབ། ཞེས་རབ་སྙིང་པོ་ལན་ཅིག་བརྗོད། བཟློག་པ་བརྡབ་པས། གཟའ་དེ་དངངས་ཏེ་ལྷགས་རི་ནག་པོའི་ཕ་རོལ་ཏུ་སོང་བའི་རྗེས་སུ་རང་ཉིད་རྗེ་བླ་མར་གསལ་བའི་ཐུགས་ཀ་ནས་འཕྲོས་པའི་འོད་ཟེར་གྱིས་སྣང་འོག་ཐམས་ཅད་ཁྱབ་པས་ཚུར་འོང་བའི་གོ་སྐབས་མེད་པར་བསམ་ཞིང་། ནད་པ་གཟའ་གདོན་དང་། ནད་ལ་སོགས་པ་ཐམས་ཅད་མིང་གིས་བཏགས་པ་ཙམ་མ་གཏོགས་རང་ངོས་ནས་གྲུབ་པ་རྡུལ་ཙམ་ཡང་མེད་པར་སྟོང་པ་ཉིད་ལ་མཉམ་པར་འཇོག །བུམ་པ་ཨ་ཡྀ་ཏས་བསང་ས། སྭ་བྷཱ་ཝས་སྦྱོང་བར་སྦྱངས། སྟོང་པའི་ངང་ལས་བྱུང་བའི་རིན་པོ་ཆེའི་བུམ་པ་དཀར་པོ་ལྟོ་བ་ཆེ་བ། མགྲིན་པ་རིང་བ་མཆུ་འཕྱང་བ་ལ་སོགས་པ་མཚན་ཉིད་ཐམས་ཅད་དང་ལྡན་པར་གྱུར། ཨོཾ་དྷཱ་ཏྲི་དྷཱ་ཏྲི་མདྷཱ་དྷཱ་ཏྲི་ཡེ་སྭཱཧཱ། ལྷའི་ཆུ་བོ་གངྒཱ་དང་བུམ་པའི་ཆུ་དབྱེར་མི་ཕྱེད་པར་གྱུར། བུམ་པའི་ནང་དུ་ཟླ་བའི་དཀྱིལ་འཁོར་གྱི་སྟེང་དུ་ཧཱུྃ༔ ཡིག་གི་མཐའ་སྐོར་དུ་དམིགས་བརྩེ་མའི་ཡིག་འབྲུ་ཞལ་ལྟར་འོད་འཚེར་བས་བསྐོར་བ་ལས་འོད་ཟེར་འཕྲོས། ཕྱོགས་བཅུའི་སངས་རྒྱས་དང་བྱང་ཆུབ་སེམས་དཔའ་ཐམས་ཅད་ཀྱི་བྱིན་རླབས་དང་ཁྱད་པར་དུ་འང་དགའ་ལྡན་གྱི་གནས་ནས་ཆོས་ཀྱི་རྒྱལ་པོ་ཙོང་ཁ་པ་ཆེན་པོའི་སྐུ་གསུང་ཐུགས་ཀྱི་བྱིན་རླབས་ཐམས་ཅད་རྗེ་བླ་མའི་སྐུ་དང་། ཕྱག་མཚན་དང་། ས་བོན་ཧཱུྃ༔ ཡིག་དང་། རྡོ་རྗེ་རྣམ་འཇོམས་དང་། ཕྱག་ན་རྡོ་རྗེ་དང་། ཁྱུང་ཁྲ་ནག་ལ་སོགས་པའི་རྣམ་པར་སྤྱན་དྲངས། བུམ་པའི་ནང་གི་དམིགས་བརྩེ་མ་ལ་ཐིམ་པས་དག་བྱེད་ཀྱི་བདུད་རྩིའི་རྒྱ་མཚོ་ཆེན་པོར་གྱུར་པར་བསམ་ལ། གཟུངས་ཐག་ནས་བཟུངས་ཏེ། དམིགས་རྩེ་མ་ཅི་འགྲུབ་བཟླ། དེ་ནས་ཡིག་འབྲུ་ཟླ་བ་དང་བཅས་པ་འོད་དུ་ཞུ་ནས་ཆུ་ལ་ཐིམ་པར་བསྒོམས་ལ་ནད་པ་ལ་ཁྲུས་བྱ་ཞིང་། དམིགས་བརྩེ་མ་བཟླས་པའི་མཐར། སངས་རྒྱས་ཀྱི་བདེན་པ་དང་། ཆོས་ཀྱི་བདེན་པ་དང་། དགེ་འདུན་གྱི་བདེན་པ་དང་། ཆོས་ཀྱི་རྒྱལ་པོ་ཙོང་ཁ་པ་ཆེན་པོའི་བདེན་པ་དང་བདེན་པ་ཆེན་པོའི་བྱིན་གྱིས་བརླབས་པས་བསྒྲུབ་བྱ་འདིའི་ལུས་ངག་ཡིད་གསུམ་ལ་གནོད་པའི་གཟའ་ནད་

ཐམས་ཅད་ཤཱནྟིཾ་ཀུ་རུ་ཡེ་སྭཱཧཱ། བྱ་རོག་གི་གདོང་ལས་བྱུང་བའི་ནམ་མཁའི་དུག་ཐམས་ཅད་ཤཱནྟིཾ་ཀུ་རུ་ཡེ་སྭཱཧཱ། ཉའི་གདོང་ལས་བྱུང་བའི་ཆུའི་དུག་ཐམས་ཅད་ཤཱནྟིཾ་ཀུ་རུ་ཡེ་སྭཱཧཱ། རྒྱལ་པོའི་གདོང་ལས་བྱུང་བའི་སའི་དུག་ཐམས་ཅད་ཤཱནྟིཾ་ཀུ་རུ་ཡེ་སྭཱཧཱ། སྲིན་པོའི་གདོང་ལས་བྱུང་བའི་མེའི་དུག་ཐམས་ཅད་ཤཱནྟིཾ་ཀུ་རུ་ཡེ་སྭཱཧཱ། བདུད་ཀྱི་གདོང་ལས་བྱུང་བའི་རླུང་གི་དུག་ཐམས་ཅད་ཤཱནྟིཾ་ཀུ་རུ་ཡེ་སྭཱཧཱ། མཚོན་ཆ་ལས་བྱུང་བའི་གནམ་ལྕགས་ཀྱི་གནོད་པ་རྣམས་ཤཱནྟིཾ་ཀུ་རུ་ཡེ་སྭཱཧཱ། མིག་རྣམས་ལས་བྱུང་བའི་རྒྱུ་སྐར་གྱི་དུག་ཐམས་ཅད་ཤཱནྟིཾ་ཀུ་རུ་ཡེ་སྭཱཧཱ། ཡན་ལག་རྣམས་ལས་བྱུང་བའི་ཀེ་ཀང་གི་དུག་ཐམས་ཅད་ཤཱནྟིཾ་ཀུ་རུ་ཡེ་སྭཱཧཱ། མཇུག་མ་ལས་བྱུང་བའི་ཀླུའི་དུག་ཐམས་ཅད་ཤཱནྟིཾ་ཀུ་རུ་ཡེ་སྭཱཧཱ། ཕྱི་མིག་བརྒྱ་བའི་དུག་ཐམས་ཅད་ཤཱནྟིཾ་ཀུ་རུ་ཡེ་སྭཱཧཱ། ཞེས་ལན་མང་དུ་བཀྲུས་པས་ནད་གདོན་ཐམས་ཅད་ལུས་ཀྱི་དབང་པོའི་སྒོ་དང་བ་སྤུའི་བུ་ག་ཐམས་ཅད་ནས་སྡིག་པ་དང་སྦལ་ལྡོང་དང་དུག་གི་ཁུ་བའི་རྣམ་པར་ཐོན་ཏེ་ལུས་ཐམས་ཅད་ཤེལ་སྒོང་རྡུལ་ཕྱིས་པ་ལྟ་བུར་གྱུར་པར་བསྒོམས། ཁར་ཆུ་ཙུང་ཟད་འཛིན་དུ་བཅུག་སྟེ་ལག་ཏུ་རྨ་བྱའི་སྒྲོའི་ཆུན་པོ་ཐོགས་ཏེ། རྡོ་རྗེ་དང་བཅས་པའི་རྨ་བྱའི་སྒྲོའི་ཆུན་པོའི་རྩེ་མོར་ཟླ་བ་ལ་གནས་པའི་ཧླཱིཿ ཡིག་དམིགས་བརྩེ་མའི་ཡིག་འབྲུ་དང་བཅས་པ་ལས་སྤྲོས་པའི་འོད་ཟེར་གྱིས་བཀྲུས་པས་མ་དག་པའི་ནད་ཀྱི་ལྷག་མ་རྣམས་བྱབས་ཤིང་དེད་དེ་ཁའི་ནང་གི་ཆུ་ལ་ཐིམ་པར་གྱུར། ཅེས་བརྗོད་དེ་དམིགས་བརྩེ་མ་འདོན་པ་དང་། གོང་གི་ཤཱནྟིཾ་ཀུ་རུ་ཡེ་སྭཱཧཱ་ཞེས་པ་རྣམས་ཀྱི་ཚབ་ཏུ། ཨ་པ་ན་ཡེ་སྭཱཧཱ། ཞེས་བྱབས་ནས་ཁའི་དྲི་ཆུ་དྲི་སླད་ཀྱི་སྟེང་དུ་འདོར་དུ་བཅུག །དྲི་ཆུ་དང་དྲི་སླད་ལག་ཏུ་ཐོགས་ནས་ནད་པ་ལ་སྐོར་བ་གཡས་སུ་བསྐོར་ནས། ཨ་ཀཱ་རོ་ལན་བདུན་བརྗོད། སངས་རྒྱས་ཀྱི་བདེན་པ་དང་། ཆོས་ཀྱི་བདེན་པ་དང་། དགེ་འདུན་གྱི་བདེན་པ་དང་། ཆོས་ཀྱི་རྒྱལ་པོ་ཙོང་ཁ་པ་ཆེན་པོའི་བདེན་པ་དང་བདེན་པ་ཆེན་པོའི་བྱིན་གྱིས་བརླབས་ཀྱིས་བསྒྲུབ་བྱ་འདི་ལ་གནོད་ཅིང་འཚེ་བའི་གཟའ་གདོན་ཐམད་ཅད་དྲི་ཆུ་དྲི་སླད་འདིས་ཚིམས་པར་གྱིས་ལ་རང་རང་སོ་སོའི་གནས་སུ་སོང་ཤིག །འདིར་མ་འོངས་ཤིག །ཅེས་དྲི་ཆུ་དང་དྲི་སླད་དོ། སུམྦྷ་ནི་དྲག་ཏུ་བརྗོད། ཡུངས་ཀར་གྱིས་བྲབས། གུ་གུལ་གྱིས་བདུག་པར་མི་བྱའོ། །དེ་ནས་འབྲུ་དཀར་གཏོར་ཞིང་། སངས་རྒྱས་རྣམས་ནི་བདུད་ལས་རྒྱལ། །ཆོས་ནི་ཆོས་མ་ཡིན་ལས་རྒྱལ། །དགེ་འདུན་མུ་སྟེགས་རྣམས་ལས་རྒྱལ།

དབང་པོ་ལྷ་མིན་རྣམས་ལས་རྒྱལ། །ནམ་མཁའ་ལྡིང་ནི་རྒྱ་མཚོ་ལས། །རྒྱལ་ཏེ་ཀླུང་ནི་སྤྲིན་ལས་རྒྱལ། །རྡོ་རྗེ་ཡིས་ནི་རིན་ཆེན་ཕུག །ལྷ་རྣམས་བདེན་པར་གྲགས་པ་ལས། །ས་ཡང་བདེན་པར་རབ་ཏུ་གྲགས། །ཆུ་དང་ཀླུང་ནི་བདེན་པ་སྟེ། །བདེན་པ་རྒྱལ་འགྱུར་རྫུན་མ་ལགས། །བདེན་པ་དང་བདེན་པའི་ཚིག་འདི་དག་གིས་བསྒྲུབ་བྱ་འདི་ཉིད་བདུད་དང་མི་མཐུན་པའི་ཕྱོགས་ཐམས་ཅད་དང་། ཁྱད་པར་དུ་ཡང་གཟའ་གདོན་ཐམས་ཅད་ལས་རྒྱལ་ནས་ཤིན་ཏུ་བཀྲ་ཤིས་པར་གྱུར་ཅིག །ཅེས་བརྗོད་ཅིང་བཟའ་ཡིག་སྟེར། རྡོ་རྗེ་སློབ་མའི་སྙིང་ཁའི་ཧྲཱིཿཡིག་གི་མཐའ་སྐོར་དུ་དམིགས་བརྩེ་མས་བསྐོར་བ་ལས་འོད་ཟེར་འཕྲོས། ལུས་ཀྱི་ཤ་སྐྱི་པགས་མཚམས་ཐམས་ཅད་རྡོ་རྗེའི་རྡུལ་ཕྲ་རབ་ཀྱིས་ཁྱབ་པས་གཟའ་གདོན་གྱིས་གླགས་མི་རྙེད་པར་བསམས་ལ། དམིགས་བརྩེ་མའི་མཇུག་ཏུ་སྔོན་གྱི་བདེན་བདར་དང་བཅས་པའི་མཇུག་ཏུ་ཤྲཱིཧཱུྃ་ཀུ་རུ་ཞེས་པའི་ཚིག་རྣམས་སྭཱ་ཧཱ་ཞེས་པར་བསྒྱུར་ཏེ་བསྒྲུབ་བྱའི་གནས་རྣམས་སུ་རྡོ་རྗེས་རྒྱ་གྲམ་དུ་རེག །དེ་ནས་མཆོག་གསུམ་བསླུ་བ་མེད་པའི་བྱིན་རླབས་དང་། ཁམས་གསུམ་ཆོས་ཀྱི་རྒྱལ་པོའི་མཐུ་སྟོབས་ཀྱིས། །བསྒྲུབ་བྱ་འདི་ལ་བདག་གིས་བསྲུངས་ཟིན་ཅིང་། །འདི་ལ་སུས་ཀྱང་གནོད་པ་མ་བྱེད་ཅིག །བཛྲ་རཀྵ་རཀྵ། ཚེ་བའི་ཆེ་མཆོག་སྟོན་པ་བླ་ན་མེད། ཅེས་བརྗོད། གལ་ཏེ་ནད་ཀྱི་དབྱེ་བ་རྣམས་མི་ཤེས་པ་ཞིག་ཡིན་ན་བཟའ་ཡིག་འདི་ན་དམིགས་བརྩེ་མ་ཡོངས་རྫོགས་བྲིས་ན་ལེགས། འདིར་ཁ་ཅིག་གིས་ཁྱོད་འདི་ནི་རིགས་པ་མ་ཡིན་ཏེ་དཔེར་ན་གུ་རུ་དྲག་པོ་ཕུར་གཤམ་ཅན་བཞིན། དམིགས་བརྩེ་མའི་ཐུན་མོང་མ་ཡིན་པའི་བཤད་པ་འདི་ཡང་དེ་དང་མཚུངས་སོ། །དེ་ཡང་ཡིན་ཏེ་འདིར་གཟའ་བཅོས་བྱེད་པ་འཇམ་དབྱངས་དགའ་བའི་བློ་གྲོས་ཀྱི་ལས་ཚོགས་ལས་མ་བཤད་པའི་ཕྱིར་དང་། དམིགས་བརྩེ་མའི་ཚིག་ལ་ས་ཆུ་མེ་རླུང་གི་དབྱེ་བ་ཡོད་པ་གང་ལས་ཀྱང་མ་བཤད་པའི་ཕྱིར་དང་། འདི་ལ་བརྟེན་ནས་བྱབས་ཁྲུས་ཀྱང་མ་བྱུང་བའི་ཕྱིར་རྟོག་བཟོའོ་ཞེ་ན། ལན་བརྗོད་པར་བྱ་སྟེ། འདི་རྟོག་བཟོ་ཡིན་ན་བདེན་དུ་ཆུག་ཀྱང་རྟོག་བཟོ་མ་ཡིན་ཏེ། བདག་གི་འདི་ནི་ལུང་དང་རིགས་པ་གཉིས་ཀའི་ཁུངས་དང་བཅས་པའོ། །དེ་ལ་དང་པོ་ཁྱེད་ཉིད་ཀྱིས་གཟའ་བཅོས་བྱེད་པ་ལས་ཚོགས་ལས་མ་བཤད་ཅེས་པ་དེ་ལ་འདི་འདྲི་སྟེ། འོ་ན་ལས་ཚོགས་ལས། རྒྱལ་པོ་གྲི་ཐོགས་ཀྱི་གཟའ་ཡིག་ཅེས་པའི་དགོངས་པ་གང་ཡིན་སྨྲོས

ཤིག །ཁོ་བོ་ནི་རྒྱལ་པོ་ལ་སོགས་པའི་གནོད་བྱེད་ཀྱི་རིགས་ཐམས་ཅད་ལ་ཕན་པར་འགྲེལ་ལོ། །གཞན་ཡང་འདི་ནི་རྒྱུད་ཀྱི་ཁུངས་དང་བཅས་པ་ཡིན་ཏེ། དཔལ་གསང་པ་འདུས་པ་རྒྱུད་ཀྱི་རྒྱལ་པོ་ཆེན་པོ་ལས། ཁྱོད་ཀྱིས་སེམས་ལུས་ལྟ་བུ་དང་། ལུས་སེམས་ལྟ་བུ་དང་། སེམས་ཚིག་ཏུ་བརྗོད་པ་ལྟ་བུར་བསྐྱེད་ཅིག་ཅེས་དང་། རྗེ་བདག་ཉིད་ཆེན་པོ་ཉིད་ཀྱིས་ཀྱང་། རིགས་བརྒྱ་རིགས་ལྔ་རིགས་གསུམ་རིགས་གཅིག་ཏུ་ཞེས་གསུངས་པ་ལྟར་དེ་བཞིན་གཤེགས་པ་རྣམས་ཐུགས་ཀྱི་རྡོ་རྗེ་དྲུག་པ་རྡོ་རྗེ་འཆང་ཆེན་པོའི་ངོ་བོར་བཞུགས་པ་ནི། གཞི་ལམ་འབྲས་གསུམ་གྱི་བདེན་པ་གཉིས་པོ་ཐུན་མོང་དང་ཐུན་མོང་མ་ཡིན་པའི་ཉམས་སུ་ལེན་ཚུལ་ལས། ཟུང་འཇུག་འགྲུབ་ཚུལ་ལ་ལེགས་པར་བརྟགས་ན་ངང་ཚུལ་འདི་ནི་མཁས་པ་རྣམས་དགྱེས་པ་བསྐྱེད་པའི་ཚིག་ཏུ་འགྱུར་ཏེ། རྗེ་བདག་ཉིད་ཆེན་པོ་ནི་ཡོངས་སྤྱོད་རྫོགས་པའི་སྐུར་བསྟོན་མེད་པར་གྲུབ་པ་དང་། གསོལ་འདེབས་འདི་ཡང་རྗེའི་གསུང་རྡོ་རྗེ་ཡིན་པའི་ཕྱིར། བྱབས་ཁྲུས་འབྱུང་བ་ཡང་འདིས་ཤེས་སོ། །འོ་ན་དེ་ལྟར་ཡིན་དུ་ཆུག་ཀྱང་དམིགས་བརྩེ་མའི་ཚིག་རྐང་རེ་རེ་ལ་ས་ཆུ་མེ་རླུང་གི་དབྱེ་བ་བྱེད་པ་ཅིའི་ལུགས་ཡིན་ཞེ་ན། དམིགས་བརྩེ་མའི་ལས་ཚོགས་འདི་ཉིད་ལ་བརྟགས་པས་ཤེས་ཏེ། ཆར་འབེབས་ཀྱི་སྐབས་སུ་ཚིག་རྐང་རེ་རེ་ལས་མཐོ་རྣམས་ཁྲུང་ཁ་དོག་མི་འདྲ་བར་བསྐྱེད་པར་གསུངས་པ་དང་། ཇག་བཅིང་གི་སྐབས་སུ་ཚིག་རྐང་རེ་རེས་ཇག་པ་འཆིང་ལུགས་མི་འདྲ་བ་གསུངས་པ་དང་། བཟའ་ཡིག་གི་དུས་སུ་སྟ་དྲོ་ལ་སོགས་པར་བཟའ་ལུགས་མི་འདྲ་བ་གསུངས་པ་རྣམས་ལ་དགོངས་པ་ཐུན་མོང་མ་ཡིན་པ་གང་ཡིན་སྙོམས་ཤིག །ད་ནི་དཀྲུས་བཤད་པར་བྱ་སྟེ། ནད་པ་མ་དྲག་གི་བར་ཁྲུས་དང་བཟའ་ཡིག་སྟེར་ཞིང་། ནད་ལས་གྲོལ་བའི་ཉིན་མོ་སྒྲུང་སྐྱུད་དཀར་པོ་ལ་མདུད་པ་བདུན་བྱས་ཤིང་། མདུད་པ་རེ་རེ་ལ་དམིགས་བརྩེ་མ་ཉེར་གཅིག་གིས་བསྔགས་ནས་ནད་པའི་མགུལ་དུ་བཏགས། དེ་ནི་ཕྱིས་མི་འབྱུང་བའི་སྲུང་བའོ། །གཉིས་པ་གྲིབ་ཙམ་བཟློག་པ་ནི་སྔར་བཤད་པ་ལྟར་རྒྱ་ཤོག་སེར་པོའི་སྟེང་དུ་དམིགས་བརྩེ་མ་ཚིག་རྐང་རེ་རེ་བྲིས་ལ། མཇུག་ནས་བསྒྲིལ་ཏེ་བླ་མའི་རྣལ་འབྱོར་དང་བདག་བསྐྱེད་པ་སྔོན་དུ་འགྲོ་བས་དམིགས་བརྩེ་མ་རབ་སྟོང་། འབྲིང་བརྒྱ་རྩ་བཟླས་ལ་བཟའ་ཡིག་རྣམས་ལ་ཕུ་བཏབ་སྟེ། བློ་བཟང་གྲགས་པའི་ཞབས་ལ་གསོལ་བ་འདེབས། ཞེས་པ་ནི་སྔ་དྲོ། གངས་ཅན་མཁས་པའི་གཙུག་རྒྱན་ཙོང་ཁ་པ། ཞེས་པ་ནི་ཚ་

དུས། དྲི་མེད་མཁྱེན་པའི་དབང་པོ་འཇམ་པའི་དབྱངས། ཞེས་པ་ནི་དྲོ་དུས། དམིགས་མེད་བརྩེ་བའི་གཏེར་ཆེན་སྤྱན་རས་གཟིགས། ཞེས་པ་ནི་དགོང་མོ་བཟའོ། ། ༈ །།དྲུག་པ་སྲོག་རླུང་བཅོས་ཐབས་ནི། ཟའི་བུམ་པ་གཙང་མའི་ནང་དུ་གཡུ་བྱུ་རུ་སྤོས་ཤེལ་རྣམས་དང་། རྒྱ་མཚོར་འབབ་པའི་ཆུ་ཀླུང་གི་ཆུ་རྣམས་ཀྱིས་བཀང་། བླ་མའི་རྣལ་འབྱོར་དང་བདག་བསྐྱེད་སྔོན་དུ་འགྲོ་བས་དམིགས་བརྩེ་མ་སྟོང་ཕྲག་ལས་མི་ཉུང་བ་བགྲངས་ཏེ་ཆུ་ལ་ཕུ་བཏབ། སློབ་མདེ་མདུན་དུ་འོང་བའམ། དེའི་སར་ཁྱེར་ཏེ་ཁྲུས་པའམ། ཏ་ཙང་ནད་ཀྱིས་གདུངས་པ་རྣམས་ལ་ནི་རས་བཟང་པོ་སོགས་ལ་རྒྱ་སྣག་དང་། དགེ་སློང་གཙང་མའི་དྲི་ཆུ་དང་། གླ་རྩི་སྦྱར་ཏེ་དམིགས་བརྩེ་མ་དབུ་ཅན་ཚག་མེད་པ་འཕྲེང་གཅིག་ཏུ་བྲིས་པ་གཡོག །སྦྱོར་བཟོད་པ་ཡིན་ན་ལུས་ཀྱི་རྒྱབ་མདུན་ལ་འདྲི། དེ་ནས་རང་དང་བསྒྲུབ་བྱ་གཉིས་ཀྱིས་དམིགས་བརྩེ་མ་ཅི་ཐོན་བཟླ། དམིགས་པ་ནི་རང་ཉིད་རྗེ་བླ་མར་གསལ་བའི་ཐུགས་ཀའི་དམིགས་བརྩེ་མའི་ཡིག་འབྲུ་ལས་འོད་ཟེར་འཕྲོས་པས་བསྒྲུབ་བྱ་དེའི་སྙིང་ཁར་ཟུག །སྙིང་སྒོང་ལྕ་བུའི་དམར་སེང་ངེ་བ་ཞིག་གི་དབུས་སུ་སྲོག་གི་རླུང་དུ་གྱུར་པའི་སྲོག་རླུང་གི་ངོ་བོ་རླུང་ཁ་དོག་སྔོན་པོ་དང་། མེའམ་ཁྲག་གི་རླུང་གི་ངོ་བོ་རླུང་ཁ་དོག་དམར་པོ་དང་། སའམ་སྲིན་གྱི་རླུང་གི་ངོ་བོ་རླུང་ཁ་དོག་སེར་པོ་རྣམས་གནས་པ་ལ་ཐོག་པས། དེ་དག་ཐམས་ཅད་ཆམ་གྱིས་བདུད་རྩིའི་ངོ་བོར་གྱུར་ཏེ་སྤྱི་བོ་ནས་ཀང་མཐིལ་གྱི་བར་གང་། ལུས་སེམས་ཐམས་ཅད་བདེ་ལྷན་ལྷན་སོང་བར་མོས་པ་དང་མཉམ་དུ་ལུས་ལ་དམིགས་བརྩེ་མའི་གོ་ཁྲབ་གོན་པར་བསམ་ལ། དམིགས་བརྩེ་མ་བཟླས་ནས་ཕུ་འདེབ་ཅིང་མཐར་ཏ་ཙང་གི་ཁྲུས་པ་སོགས་མ་ཡིན་ན་ཁྲུས་བྱ་ཞིང་། ཁྲུས་པ་དང་ཏ་ཙང་ན་བ་ཡིན་ན་ཁྲུས་འཐོར་བར་བྱའོ། །འདིས་ནི་ཤིན་ཏུ་ཕན་པར་འགྱུར་ཏེ། འདི་ལ་ཡང་བཟའ་ཡིག་སྟེར་པའི་ལུགས་སུ་བྱས་ན་ལེགས་སོ། ། ༈ །།བདུན་པ་རྒྱལ་པོ་གྲི་ཐོགས་ཀྱི་བཟའ་ཡིག་ནི། བུམ་པ་བསྒྲུབ་པ་དང་རྒྱ་ཤོག་སེར་པོའི་སྟེང་དུ་དམིགས་བརྩེ་མ་ཚིག་རྐང་རེ་རེ་སོ་སོར་བྲིས་པའི་གཟའ་ཡིག་བཀོམ་པ་རྣམས་སྔོན་དུ་གཟའ་བཅོས་ཀྱི་སྐབས་སུ་བཤད་པ་ལྟར་བྱས་ལ་ནད་པ་མདུན་དུ་འོང་བའི་རྗེས་སུ་ཀུ་ཤས་ཁྲུས་ཆུ་གཏོར་ཞིང་དམིགས་བརྩེ་མ་ཅི་མང་བཟློད་པའི་མཐར། སངས་རྒྱས་ཀྱི་བདེན་པ་དང་། ཆོས་ཀྱི་བདེན་པ་དང་། དགེ་འདུན་གྱི་བདེན་པ་དང་། ཆོས་ཀྱི་རྒྱལ་པོ་ཙོང་ཁ་པ་ཆེན་པོའི་ལྷ་ཚོགས་འཁོར་དང་བཅས་པ་

རྣམས་ཀྱི་བདེན་པ་དང་། བདེན་པ་ཆེན་པོའི་བྱིན་གྱིས་བརླབས་ཀྱིས་བསྒྲུབ་བྱ་འདིའི་ལུས་ངག་ཡིད་གསུམ་ལ་གནོད་པའི་ནད་གདོན་འདི་རྣམས་ཞི་བར་གྱུར་ཅིག །རབ་ཏུ་ཞི་བར་གྱུར་ཅིག །ཀུན་ཏུ་རབ་ཏུ་ཞི་བར་གྱུར་ཅིག །ཅེས་བརྗོད་ཅིང་རང་ཉིད་རྡོ་རྗེ་བླ་མར་གསལ་བའི་ཐུགས་ཀ་ནས་འོད་ཟེར་དཔག་ཏུ་མེད་པ་འཕྲོས། བསྒྲུབ་བྱའི་ལུས་ལ་ཕོག་པས་ནད་གདོན་དེ་དག་ཐམས་ཅད་འོག་སྒོ་ནས་ནག་འདུར་ཏེ་ཐོན། ལུས་ཤེལ་གོང་རྡུལ་ཕྱིས་པ་ལྟ་བུར་གྱུར་སོང་སྙམ་པ་དང་བཅས་ཏེ་ཁྲུས་ཆུས་འཕྱུལ་ནས་བཟའ་ཡིག་སྦྱར། མཐིང་ནོག་བཟང་པོ་ལ་གསེར་དངུལ་གྱིས་བྲིས་པའི་དམིགས་བརྩེ་མ་ལེགས་པར་རབ་གནས་བྱས་པ་གཤམ་ནས་བསྒྲིལ་ཏེ་སྤུང་སྐུད་ཁྲ་བོས་བཅིངས་ནས་མགུལ་དུ་བཏགས། དེས་ནི་ཤིན་ཏུ་ཕན་པར་འགྱུར་རོ། །འདི་ལ་ས་ཆུ་མེ་རླུང་གི་དབྱེ་བ་སོགས་མི་དགོས་ཤིང་། རྒྱལ་གཟེར་གྱིས་གདུངས་པ་དང་། གདོན་གྱིས་བརླམས་པ་དང་། བྱིས་པ་བྱ་གདོན་གྱིས་གཙེས་པ་དང་། ཀླུའི་གདོན་གྱིས་གནོད་པ་དང་། གླམ་དང་། དྲང་སྲོང་དང་། གཉན་པོ་དང་། བརྗེད་བྱེད་དང་། སྨྱོ་བྱེད་ལ་སོགས་པ་ཐམས་ཅད་ལ་མཆོག་ཏུ་ཟབ་བོ། །

༈ ། །བརྒྱད་པ་ཧག་འཆིང་ནི། ཆོམ་རྐུན་བྱེད་པའི་མི་རྣམས་སྡིག་པ་ལས་བཟློག་འདོད་ཀྱི་སྙིང་རྗེ་ཆེན་པོས་ཉེ་བར་བསླངས་ཏེ་སྔར་བཤད་པ་ལྟར་གྱི་བླ་མའི་རྣལ་འབྱོར་དང་བདག་བསྐྱེད་བསྒོམ་པ་རྣམས་སྔོན་དུ་བཏང་། གོམ་པ་དགུ་བོར་བའི་རྐང་པའི་འོག་ནས་ས་སྨར་མོ་གང་བླངས་ལ། དམིགས་བརྩེ་མ་ཅི་མང་བཟླས་ནས་ཕུ་འདེབས། རང་ཉིད་རྡོ་རྗེ་བླ་མར་གསལ་བའི་ཐུགས་ཀར་ཧྲཱིཿ ཡིག་གི་མཐར་སྐོར་དུ་དམིགས་བརྩེ་མས་བསྐོར་བའི་ཚིག་རྐང་དང་པོ་དམིགས་མེད་ཅེས་སོགས་ལས་འོད་ཟེར་འཕྲོས་པའི་རྩེ་མོ་ལ་ལྕགས་ཀྱུའི་ཚོགས་དཔག་ཏུ་མེད་པ་འཕྲོས། དགྲ་ཇག་རྣམས་ཀྱི་སྟོབས་རྣམས་བཀུག་ནས་རང་གི་རྐང་པའི་འོག་ཏུ་ཚུད། དྲི་མེད་ཅེས་སོགས་ཀྱི་ཚིག་རྐང་གཉིས་པ་ལས་འོད་ཟེར་འཕྲོས་པའི་རྩེ་མོ་ལ་ཞགས་པའི་ཚོགས་དཔག་ཏུ་མེད་པ་འཕྲོས་པས། དགྲ་ཇག་རྣམས་ཀྱི་ཉ་བསྡམས་པར་བསམས་ལ་ཅུང་ཟད་ཀྱང་འགྲོ་མི་ནུས་པར་བསམ། གངས་ཅན་མཁས་པའི་ཞེས་སོགས་ཚིག་རྐང་གསུམ་པ་ལས་འོད་ཟེར་འཕྲོས་པའི་སྣེ་མོ་ལ་ལྕགས་སྒྲོག་གི་ཚོགས་དཔག་ཏུ་མེད་པ་འཕྲོས་པས། དགྲ་ཇག་རྣམས་ཀྱི་ལུས་ངག་ཡིད་གསུམ་བསྡམས་ཏེ་འགུལ་བ་ཙམ་ཡང་མི་ནུས་པར་བསམས། བློ་བཟང་གྲགས་པའི་ཞེས་སོགས་ཚིག་རྐང་བཞི་པ་

ལས་འོད་ཟེར་འཕྲོས་པའི་སྣེ་མོ་ལ་རིའི་རྒྱལ་པོ་རི་རབ་དང་། གསེར་གྱི་རི་བདུན་དང་རི་ནག་པོ་དགུ་ལ་སོགས་པ་སྲིས་ཏེ་དགྲ་ཇག་གི་མཐའ་བསྐོར་བས་གང་དུ་ཡང་འགྲོ་ས་མེད་པར་བསམས་ཏེ་བྱེ་མ་ཕྱོགས་བཞིར་གཏོར། གོང་གི་དམིགས་པ་རྣམས་མ་ཡེངས་པའི་ངོས་ནས་དམིགས་བརྩེ་མ་འདྲེན་གྱིན་ལམ་དུ་འགྲོ་བར་བྱ་སྟེ། ཇག་པ་ཡོད་ན་རང་གི་གཟུགས་པོ་གྲུག་པ་དང་། འཁྲིག་པ་སོགས་འོང་ཞིང་། མེད་ན་ཀང་པ་སྲང་པ་དང་ལྤི་བ་སོགས་འོང་ངོ་། །ཇག་པ་མེད་པ་ཤེས་ཚེ་ཏིང་ངེ་འཛིན་སྟོད་ཅིང་ཡུལ་དང་ནོར་སོགས་བསྲུང་ན་བསྲུང་བྱའི་ཕྱོགས་བཞིར་མཐོ་བཞི་བརྩིགས། སྟར་བཞིན་ས་བླངས་ལ་ཕུ་བཏབ། ཤར་ཕྱོགས་ཀྱི་མཐོ་ཚིག་རྐང་དང་པོ་ལས་སྤྱན་རས་གཟིགས། ལྷོ་ཕྱོགས་ཀྱི་མཐོ་ཚིག་རྐང་གཉིས་པ་ལས་འཇམ་དབྱངས། ནུབ་ཕྱོགས་ཀྱི་མཐོ་ཚིག་རྐང་གསུམ་པ་ལས་ཕྱག་རྡོར། བྱང་ཕྱོགས་ཀྱི་མཐོ་ཚིག་རྐང་བཞི་པོ་ལས་རྗེ་བླ་མར་བསྒོམས། སྟགས་བཏབ་པའི་བྱེ་མས་བསྲུང་བྱའི་མཐའ་སྐོར་སྟར་གྱི་དམིགས་པ་དང་བཅས་ཏེ་དམིགས་བརྩེ་མ་བཟླ་བར་བྱའོ། །འདིས་ནི་དམག་གི་དཔུང་ཆེན་པོ་ཡང་བཟློག་པར་འགྱུར་རོ། ། ༈ །དགུ་པ་ཞིང་གི་རྩ་འདོན་པ་ནི། བླ་མའི་རྣལ་འབྱོར་དང་བདག་བསྐྱེད་བསྒོམས་པ་སྔོན་དུ་འགྲོ་བས། དགེ་འདུན་སྟོང་ཕྲག་མང་པོ་ཚོགས་པའི་ཆབ་བསིལ་གྱིས། གད་པ་རྙིང་པའི་ས་སྲིད་པའི་བྱེ་མ། དགེ་སློང་གཙང་མའི་དྲི་ཆུ། བུ་ལོ་བརྒྱད་པ་དང་། བུ་མོ་ལོ་བརྒྱད་མའི་དྲི་ཆུ་རྣམས་བྱེ་མ་དང་བསྲེས། ཁྱི་དང་བུད་མེད་ཀྱིས་མ་འགོམ་པའི་ཤིང་ལ་ཕུར་པ་མང་པོ་བཙོས་ལ་ཕུར་པ་དེ་རྣམས་ལ་དམིགས་བརྩེ་མ་འདྲི། ཆེད་དུ་གཉེར་ནས་བསད་པ་མ་ཡིན་པ་རང་བཞིན་གྱིས་ཤི་བའི་ར་ཡི་རྙིང་བུ་བཞུས་པའི་ནང་དུ་ལོ་ཏོག་གི་ཕུད་དང་། སྟར་བཤད་པའི་རྫས་དེ་རྣམས་དང་། ལན་ཚགས་ལ་བསྐོ་པའི་ཚང་བུ་མང་པོ་བླུག །རང་ཉིད་རྗེ་བླ་མའི་རྣལ་འབྱོར་བརྟན་པོ་དང་ལྡན་པའི་ཐུགས་ཀ་ནས་སྤྲོས་པའི་འོད་ཟེར་གྱིས་ཞིང་ལ་རྩ་གཏོང་བའི་སྡེ་བརྒྱད་རྣམས་བཀུག་ཏེ་ར་རྒྱལ་གྱི་ནང་དུ་ཚུད་པར་བསམས་ལ། ན་མོ་རྗེ་བཙུན་རྩ་བ་དང་བརྒྱུད་པར་བཅས་པའི་དཔལ་ལྡན་བླ་མ་དམ་པ་རྣམས་ཀྱི་བཀའ་བདེན་པ་དང་། སངས་རྒྱས་ཀྱི་བཀའ་བདེན་པ་དང་། ཆོས་ཀྱི་བཀའ་བདེན་པ་དང་། དགེ་འདུན་གྱི་བཀའ་བདེན་པ་དང་། ཁྱད་པར་དུ་ཡང་ཁམས་གསུམ་ཆོས་ཀྱི་རྒྱལ་པོ་ཤར་ཙོང་ཁ་པ་བློ་བཟང་གྲགས་པའི་དཔལ་གྱི་བཀའ་བདེན་པ་དང་། བདེན་པ་

ཆེན་པོའི་བྱིན་གྱིས་བརླབས་ཀྱིས་ལོ་ཐོག་ལ་གནོད་ཅིང་འཚེ་བའི་ནད་བརྒྱད་སྤྱི་དང་། ཁྱད་པར་དུ་ཡང་རྡུལ་དམར་པོ་གཏོང་བར་བྱེད་པའི་གནོད་བྱེད་རྣམས་འདིར་བཀུག་པར་གྱུར། ཅེས་ལན་གསུམ་བརྗོད། ར་རྒྱལ་གྱི་ཁ་ཡུགས་མའི་སྔ་ཡིས་བཅིངས་ལ་ཞིང་ཐམས་ཅད་མཐོང་བའི་ས་སྒང་མཐོ་ས་ཞིག་ཏུ་དཀར་གུར་ཕུབས་ཏེ་མདུན་དུ་རྒྱལ་པ་བཞག་ནས་དམིགས་པ་ནན་ཏན་དང་བཅས་ཏེ་ཞག་བདུན་གྱི་བར་དུ་དམིགས་བརྩེ་མ་བཟླ། ཞག་བདུན་སོང་བའི་ཉིན་དམིགས་བརྩེ་མ་བཏབ་པའི་བྱེ་མ་མང་དུ་གྲབས་བྱེད། དཔའ་བོ་མཚོན་ཆ་ཐོགས་པ་མང་པོ་དང་། སྐྱེས་པ་དར་མ་ཞུར་རྡོ་ཐོགས་པ་ལ་སོགས་པ་མང་དུ་འདུ་བྱས། ར་རྒྱལ་དེ་མི་སྟག་ལོ་པ་གཅིག་གིས་ཁྲིད། རང་ཉིད་རྗེ་བླ་མར་གསལ་བའི་ཐུགས་ཀ་ནས་རལ་གྲི་གཤིན་རྗེ་གཤེད་ལ་སོགས་པའི་ཚོགས་དཔག་ཏུ་མེད་པ་ནམ་མཁའི་དབྱིངས་ཐམས་ཅད་ཁྱབ་པར་སྤྲོས། ཞིང་ལ་གནོད་བྱེད་སྤྱི་དང་། ཁྱད་པར་དུ་ཡང་རྡའི་བདག་པོ་དང་། རྡ་ཐམས་ཅད་རྒྱ་མཚོའི་ཕ་མཐར་དེང་པར་བསམས་ལ་ཡོད་ཚད་ཀྱིས་དམིགས་བརྩེ་མ་ཞུར་ཆེམས་ཆེམས་པ་ཞིག་འདོན། དཔའ་བོ་རྣམས་ཀྱིས་མཚོན་ཆ་བཏོན་ནས་ཀི་ཧོ་ཞེས་བསྒྲག །སྒྲུབ་པ་པོ་རྣམས་ཀྱིས་ཞིང་ལ་བྱེ་མ་འཐོར་ཞིང་བསྒྲག །སྐྱེས་པ་རྣམས་ཀྱིས་ཞུར་རྡོའི་ཁུང་དུ་བྱེ་མ་བཙུག་པ་བརྡེབ་ཅིང་བསྒྲག །དེ་ཐམས་ཅད་ཀྱིས་སྔོན་དུ་ར་རྒྱལ་ཐེགས་པ་དེད་ལ་གོང་གི་དམིགས་པ་མ་ཡེངས་པའི་ངང་ནས་ར་རྒྱལ་རྒྱ་མཚོར་འབབ་པའི་ཆུ་ཀླུང་དུ་དེར། རྡ་སོང་རྡ་སོང་རྡ་དང་སད་ཐམས་ཅད་རྒྱ་མཚོ་ཆེན་པའི་ཕ་རོལ་ཏུ་སོངས་ཤིག །ཅེས་ཀི་སྒྲ་དང་སྭ་སྒྲ། མཚོན་ཆའི་སྒྲ་མང་པོ་བྱ། ཕྱི་མིག་མི་བལྟ་བར་ཕྱིར་ལོག་ལ་སྔར་གྱི་ཕུར་པ་རྣམས་ཞིང་གི་མཐར་མང་པོ་བཙུགས། ཕྱོགས་བཞིར་མཐོ་བཞི་བརྩིགས། གཞི་བདག་གཏོར་མ་གཅིག་བཏང་། སྟོང་གསུམ་གྱི་སྟོང་ཆེན་པོའི་འཇིག་རྟེན་གྱི་ཁམས་ལ་གནས་པའི་ནད་བརྒྱད་འབྱུང་པོ་སྤྱི་དང་། ཁྱད་པར་དུ་ཡང་ཡུལ་འདིའི་གཞི་བདག་གཉན་པོ་རྣམས་ཉོན་ཅིག །ཁྱེད་རྣམས་མཚུངས་མེད་དམ་པ་རྒྱལ་བ་བློ་བཟང་གྲགས་པའི་བཀའ་དང་དམ་ལས་མ་འདའ་བར་ཡུལ་འདིར་རྡའི་གནོད་པ་སྐད་ཅིག་ཀྱང་མ་གཏོང་ཅིག་མ་གཏོང་ཅིག་མ་གཏོང་ཅིག །ཅེས་ལན་གསུམ་བརྗོད། འདིས་ནི་ལོ་བདུན་གྱི་བར་དུ་ཐུབ་པར་རྗེ་ཉིད་ཀྱི་ཞལ་གྱིས་བཞེས་པའོ།། ༈ །།བཙུ་པ་ཁ་ཟས་འོང་བར་བྱེད་པའི་མན་ངག་ནི། དམིགས་བརྩེ་མའི་དོན་སྟེར་བཤད་པའི་དེ་རྣམས་ལ་

ལྷག་ཆས་ཕྱེ་བའི་ཤེར་ཕྱིན་མ་རྣམས་ཀྱི་མན་ངག་སྟེ། འདི་ཉམས་སུ་ལེན་ཚུལ་ནི་ཐོག་མར་བླ་མའི་རྣལ་འབྱོར་དང་རྗེ་རིན་པོ་ཆེའི་བདག་བསྐྱེད་བསྒོམས་པ་སོགས་སྔར་བཤད་པ་བཞིན་སྔོན་དུ་བཏང་། སངས་རྒྱས་ཆོས་ཚོགས་མ་ལན་གསུམ་གྱིས་སྐྱབས་འགྲོ་སེམས་བསྐྱེད་དང་། མར་གྱུར་སེམས་ཅན་ཐམས་ཅད། ཅེས་སོགས་ཀྱིས་ཚད་མེད་བཞི་བསྒོམས། དངོས་གཞི་ནི། ཨོཾ་སྭ་བྷཱ་ཝ་ཤུདྡྷཿ སརྦ་དྷརྨཱཿ སྭ་བྷཱ་ཝ་ཤུདྡྷོ྅ཧཾ། སྟོང་པ་ཉིད་དུ་གྱུར། སྟོང་པའི་ངང་ལས་པཾ་ལས་པདྨ་དང་ཨ་ལས་ཟླ་བའི་དཀྱིལ་འཁོར་གྱི་སྟེང་དུ་རང་ཉིད་ལྷ་མོ་དཀར་མོ་ཕྱག་གཡས་ཁམས་གསུམ་དབང་དུ་སྡུད་པའི་ལྕགས་ཀྱུ་དང་། གཡོན་དགོས་འདོད་ཐམས་ཅད་འབྱུང་བའི་གཏེར་གྱི་བུམ་པ་བསྣམས་པ་བཞེངས་པའི་སྟབས་ཀྱིས་བཞུགས་པ། དར་གྱི་ན་བཟའ་གསོལ་ཞིང་མཛེས་པའི་རྒྱན་གྱིས་སྤྲས་པར་གྱུར། དེའི་ཐུགས་ཀར་ཟླ་བའི་དཀྱིལ་འཁོར་གྱི་སྟེང་དུ་དམིགས་བརྩེ་མའི་ཡིག་འབྲུས་བསྐོར་བ་ལས་འོད་ཟེར་འཕྲོས། ཕྱག་གཡས་ཀྱི་ལྕགས་ཀྱུ་ལ་ཐོག །དེ་ལས་སྟོང་གསུམ་ཁྱབ་པའི་འོད་ཟེར་འཕྲོས། ཁམས་གསུམ་གྱི་ཟས་ནོར་ཐམས་ཅད་བསྡུས། བུམ་པའི་ནང་དུ་བཅུག །རང་དང་སེམས་ཅན་ཐམས་ཅད་ལ་འབབ་མེད་དུ་བྱུང་བར་བསམས་ལ་དམིགས་བརྩེ་མ་གང་མང་བཟླ། འདིས་ནི་ཟས་ནོར་ཐམས་ཅད་འབབ་མེད་དུ་འབྱུང་ངོ་། །

༈ །།བཅུ་གཅིག་པ་རང་གང་དུ་འགྲོ་ཡང་བར་ཆད་སྲུང་ཚུལ་ནི། ཕྱོགས་གང་དུ་འགྲོ་ཡང་དེའི་སྔ་དྲོ་སྔ་བར་ལངས་ཏེ་སྔར་བཤད་པ་ལྟར་གྱི་བླ་མའི་རྣལ་འབྱོར་དང་བདག་བསྐྱེད་སྔོན་དུ་འགྲོ་བས། རྟེན་གསུམ་རྣམས་ལ་ཁྲུས་གསོལ་ལེགས་པར་བྱས། དེའི་ཁྲུས་ཆུ་ལ་དམིགས་བརྩེ་མ་གང་དྲག་བཏབ། གང་དུ་འགྲོ་བའི་ཕྱོགས་སུ་ནམ་མཁའ་ལ་གཏོར། རང་ཉིད་རྗེ་བླ་མར་གསལ་བའི་ཐུགས་ཀ་ནས་འོད་ཟེར་འཕྲོས། རང་གི་ཡུལ་ཕྱོགས་དེ་ནས་གང་དུ་འགྲོ་བའི་ཡུལ་ཕྱོགས་དེའི་བར་ཁྱབ་པས་བར་གཅོད་གང་གིས་ཀྱང་སྐབས་མི་རྙེད་པར་བསམས། འདིས་ནི་ལམ་གྱི་བར་ཆད་སྲུ་དང་། ཁྱད་པར་དུ་ནད་རིམས་བཞི་བརྒྱ་རྩ་བཞི་ལས་བསྲུང་བར་འགྱུར་རོ། །དེ་ལྟར་ལས་ཚོགས་བཅུ་གཅིག་པོ་ཐམས་ཅད་བརྗོད་ཟིན་ལ། ལས་ཚོགས་རེ་རེའི་ཚོ་གའི་མཇུག་ཏུ་བྱ་བའི་སྨོན་ལམ་དང་ཤིས་བརྗོད་ནི་འདི་ལྟ་སྟེ། དགེ་བ་འདི་ཡིས་མྱུར་དུ་བདག །བློ་བཟང་གྲགས་པ་འགྲུབ་གྱུར་ནས། །འགྲོ་བ་གཅིག་ཀྱང་མ་ལུས་པ། །དེ་ཡི་ས་ལ་འགོད་པར་ཤོག །དེ་ལྟར་ཀུན་མཁྱེན་མཉམ་མེད་ཙོང་ཁ་པའི། །གོ་འཕང་མཆོག་དེ་

མངོན་དུ་བྱ་བའི་ཕྱིར། །བླ་མའི་རྣལ་འབྱོར་བསྐྱེད་པའི་རིམ་པར་བཅས། །བསྒོམས་པས་དེ་དོན་མངོན་དུ་འགྱུར་བར་ཤོག །ཁྱད་པར་ཁྱེད་ཀྱི་ཆོས་སྐུ་དང་མཚུངས་པའི། །སྟོང་ཉིད་དང་ལས་རབ་མཛེས་མཚན་དཔེའི་སྐུ། །དཀར་གསལ་ཆོས་འཆད་རལ་གྲི་གླེགས་བམ་ཅན། །བསྒོམས་པས་ཁྱོད་སྐུ་མངོན་དུ་འགྱུར་བར་ཤོག །སྐུ་གསུང་ཐུགས་ཀྱི་རྡོ་རྗེ་ཡི་གེར་བཅས། །གནས་གསུམ་དག་ཏུ་བརྟན་པར་བརླབས་པ་ལས། །འབད་རྩོལ་མེད་པར་རླུང་སེམས་མ་ལུས་པ། །རྩ་དྷཱུའི་ནང་དུ་བསྡུས་པའི་དཔལ་ཐོབ་ཤོག །གསོལ་འདེབས་རྒྱལ་པོའི་ཚིགས་སུ་བཅད་པ་ཡི། །བསྙེན་སྒྲུབ་ཕ་མཐར་ཕྱིན་པ་ལེགས་བསྐྱངས་ནས། །ལས་ཚོགས་བཅུ་གཅིག་ལ་སོགས་ལས་རབ་འབྱམས། །མ་ལུས་བསྒྲུབ་ལ་ཐོགས་པ་མེད་པར་ཤོག །ཁྱད་པར་ཐུབ་དབང་རྡོ་རྗེ་འཆང་དབང་ནས། །རྩ་བའི་བླ་མའི་བར་གྱི་ངོ་བོ་ཉིད། །བློ་བཟང་གྲགས་པའི་དཔལ་མཆོག་ཁྱོད་ཀྱིས་ནི། །ཚེ་རབས་ཀུན་ཏུ་འབྲལ་མེད་རྗེས་འཛིན་ཤོག །ཚེ་ཡི་མཐར་ཡང་བློ་བཟང་གྲགས་པའི་དཔལ། །ཡིད་འོང་མཆོད་སྤྲིན་སྣང་པའི་རོལ་མོ་བཅས། །བུ་བུ་ཚུར་ཤོག་དགའ་ལྡན་གནས་འགྲོ་ཞེས། །གསུང་གི་དབུགས་དབྱུང་དངོས་སུ་ཐོབ་པར་ཤོག །རྣམ་དག་བསམ་པས་ཚུལ་འདིར་འབད་པ་ལས། །བྱུང་བའི་དགེ་བས་མཐའ་ཡས་འགྲོ་བ་རྣམས། །སྐྱེ་ཞིང་སྐྱེ་བར་བློ་བཟང་ཞི་ཁྲོ་ཡིས། །འབྲལ་བ་མེད་པར་རྗེས་སུ་འཛིན་གྱུར་ཅིག །ཅེས་སྨོན་ལམ་དང་། ཤིས་བརྗོད་ནི། རབ་ཡངས་ནམ་མཁའ་ཏིལ་གྱི་གང་བུ་བཞིན། །ཡོངས་སུ་གང་བའི་བློ་བཟང་གྲགས་པའི་དཔལ། །ཁ་ཅིག་མི་ཏོག་སྣ་ཚོགས་ཆར་འབེབས་ཤིང་། །ལ་ལ་བཀྲ་ཤིས་གདངས་སྙན་གླུ་རུ་ལེན། །གཞན་དག་བགེགས་དཔུང་འཇོམས་པའི་འཕྲིན་ལས་ཀྱིས། །ཁྱེད་ལ་རྟག་ཏུ་དཔལ་གནས་བརྗོད་པ་འདི། །ཤིས་བར་གྱིས་ལ་ཡིད་བདེ་བསྐྱེད་ཅིག་དང་། །ཤིས་བརྗོད་འཕྲེང་བ་བདག་གིས་བསྒྲགས་པར་བྱ། །རྨད་བྱུང་མཚན་དཔེའི་དཔལ་འབར་ལོངས་སྤྱོད་རྫོགས། །ཁ་སྦྱོར་བདེ་སྟོང་རོལ་ལ་རྟག་རོལ་ཅིང་། །དམིགས་མེད་ཐུགས་རྗེས་ཞི་བའི་མཐའ་སྤངས་པ། །བློ་བཟང་ཡན་ལག་བདུན་ལྡན་ལ་ཕྱག་འཚལ། །གསང་བ་ཀུན་གྱི་བདག་པོ་དགེ་ལེགས་དཔལ། །ཆོས་ཀྱི་རྒྱལ་མཚན་ཆོས་ཀྱི་རྡོ་རྗེ་དང་། །བློ་བཟང་དོན་གྲུབ་ཆོས་ཀྱི་རྒྱལ་མཚན་སོགས། །རྩ་བ་བརྒྱུད་པའི་བླ་མ་མཆོག་རྣམས་ལ། །དགེ་མཚན་ཇི་སྙེད་

མཆིས་པའི་བཀྲ་ཤིས་དེས། ཁྱེད་རྣམས་ཇི་བཞིན་ལམ་མཆོག་འདི་ཉིད་ལས། །བློ་བཟང་རྡོ་
རྗེ་འཆང་དབང་མྱུར་ཐོབ་ནས། །འགྲོ་ཀུན་ཚུལ་དེར་འགོད་པའི་བཀྲ་ཤིས་ཤོག །ཆོས་ཀྱི་
ཕུང་པོ་བརྒྱད་ཁྲི་བཞི་སྟོང་གི །སྙིང་པོ་གཅིག་ཏུ་བསྡུས་པའི་བསྟོད་པའི་རྒྱལ། །གང་གི་
ཉམས་ལེན་རིམ་པ་ཐམས་ཅད་ཀྱིས། །བཀྲ་ཤིས་དགེ་མཚན་རྒྱ་མཚོས་ཁྱབ་གྱུར་ཅིག །
ཚུལ་དེར་སྐྱོང་པའི་འཕགས་པའི་གང་ཟག་དང་། །ལམ་ལ་ཞུགས་དང་སོ་སོ་སྐྱེ་བོ་ཡི། །
དགེ་འདུན་དཀོན་མཆོག་ཇི་སྙེད་མཆིས་པ་ཡིས། །བཀྲ་ཤིས་བྱེ་བ་ཆར་དུ་ཕབ་ཏུ་གསོལ། །
ནམ་མཁའི་ཁྱོན་ལྟར་ཡངས་པའི་ཕོ་བྲང་སོགས་བྱའོ། །ཞེས་དུས་གསུམ་རྒྱལ་བ་ཀུན་གྱི་ངོ་བོ་
ཁམས་གསུམ་ཆོས་ཀྱི་རྒྱལ་པོ་ཤར་ཙོང་ཁ་པ་བློ་བཟང་གྲགས་པའི་དཔལ་གྱི་གསོལ་འདེབས་དམིགས་བརྩེ་མའི་
ལས་ཚོགས་བཅུ་གཅིག་གི་དོན་ཞིབ་ཏུ་བཤད་པ་འདི་ནི། །སད་སྨྲུང་བ་ཧ་ནག་པ་དཀའ་ཆེན་ཡེ་ཤེས་བཀྲ་
ཤིས། རོང་མཆོ་བ་དྲུང་རམ་པ་ཡེ་ཤེས་སྐལ་བཟང་། རྒྱལ་ཆེན་རྩ་བ་དྲུང་རམ་པ་བློ་བཟང་བཟང་པོ། རྒྱ་
ཁམས་པ་ཐུགས་པ་བློ་བཟང་ཚུལ་ཁྲིམས་བཅས་ནས་སད་སྨྲུང་བའི་མན་ངག་ཞིབ་ཏུ་འཁོད་པ་ཞིག་དགོས་ཞེས
བསྐུལ་བས་རྐྱེན་བྱས་ལས་ཚོགས་བཅུ་གཅིག་པོ་ཐམས་ཅད་ཞིབ་ཏུ་བཀྲལ་བ་ཞིག་བྱུང་ན་ཕན་པར་མཐོང་ནས།
༸ཆོས་ཀྱི་རྒྱལ་པོ་ཙོང་ཁ་པ་ཆེན་པོ་ལ་གསོལ་བ་འདེབས་པའི་༸ཤཱཀྱའི་དགེ་སློང་རྡོ་རྗེ་འཛིན་པ་བློ་བཟང་
དཔལ་ལྡན་ཡེ་ཤེས་ཀྱིས་སྦྱར་བའི་ཡི་གེ་པ་ནི་དགེ་ཚུལ་བློ་བཟང་མཁས་མཆོག་གོ། །།

༄༅། །དམིགས་བརྩེ་མའི་ལས་ཚོགས་བཅུ་གཅིག་ཅག་འགྲོས་སུ་བཀོད་པ་བཞུགས་སོ།

༄༅། །ན་མོ་གུ་རུ། འདིར་དམིགས་བརྩེ་མའི་ལས་ཚོགས་ཀྱི་ནང་ནས་ཆར་འབེབས་ཀྱི་ལས་ཚོགས་ནག་འགྲོས་སུ་བྱ་བ་ལ། ཐོག་མར་བསྙེན་པ་གལ་ཆེ་བས་ལས་ཚོགས་འདི་བསྒྲུབ་པ་ལ་ཐོག་མར་གཞིན་ཇེ་གཞེད་ཀྱི་བསྙེན་པ་སྔོན་དུ་སོང་ན་ལེགས་ཤིང་། དེ་ལྟར་མིན་ཡང་དམིགས་བརྩེ་མའི་བསྙེན་པ་སྔོན་དུ་ངེས་པར་འགྲོ་དགོས་པས། དེ་ལ་ཐོག་མར་གནས་ཁང་ཕྱི་ནང་བྱུས། ༧རྗེའི་བྲིས་སྐུ་ལ་སོགས་པའི་སྐུ་གསུང་ཐུགས་ཀྱི་རྟེན་བཀྲམས་མཆོད་པ་གཡོ་མེད་ཅིང་བཀོད་པ་མཛེས་པར་བཤམས་ལ། སྟན་བདེ་བ་ལ་དགེ་སེམས་ཁྱད་པར་ཅན་དང་ལྡན་པས་འདུག་ལ། སྐྱབས་ཡུལ་རྣམས་གསལ་བཏབ་སྟེ། བླ་མ་ལ་སྐྱབས་སུ་མཆིའོ། །སངས་རྒྱས་ལ་སྐྱབས་སུ་མཆིའོ། །ཆོས་ལ་སྐྱབས་སུ་མཆིའོ། །དགེ་འདུན་ལ་སྐྱབས་སུ་མཆིའོ། །ཁམས་གསུམ་ཆོས་ཀྱི་རྒྱལ་པོ་ཤར་ཙོང་ཁ་པ་ཆེན་པོའི་ལྷ་ཚོགས་འཁོར་དང་བཅས་པ་རྣམས་ལ་སྐྱབས་སུ་མཆིའོ། །དཔལ་མགོན་དམ་པ་ཆོས་སྐྱོང་བའི་སྲུང་མ་ཡེ་ཤེས་ཀྱི་སྤྱན་དང་ལྡན་པ་རྣམས་ལ་སྐྱབས་སུ་མཆིའོ། །ཞེས་པ་ལན་གསུམ་གྱིས་ཇུང་མཐའ་བྱས་པའི་གྲངས་ཇི་ལྟར་རིགས་པ་དང་། སངས་རྒྱས་ཆོས་དང་ཚོགས་ཀྱི་མཆོག་རྣམས་ལ། །ཞེས་སོགས་ཀྱིས་ཀྱང་སེམས་བསྐྱེད། མར་གྱུར་སེམས་ཅན་ཐམས་ཅད་ཅེས་སོགས་ཀྱིས་ཚད་མེད་བཞི་བསྒོམས། དངོས་གཞི་ནི། རང་གི་སྤྱི་བོར་སེངྒེ་ཆེན་པོ་བརྒྱད་ཀྱིས་བཏེག་པའི་རིན་པོ་ཆེའི་ཁྲི་མཐོ་ཞིང་ཡངས་པའི་སྟེང་ཁར་སྣ་ཚོགས་པད་ཟླ་ཉི་མའི་དཀྱིལ་འཁོར་གྱི་གདན་ལ། མཉམ་མེད་ཐུབ་པའི་དབང་པོ་ནས་རང་གི་དྲིན་ཅན་རྩ་བའི་བླ་མའི་བར་གྱི་བླ་མ། ཡི་དམ། སངས་རྒྱས། བྱང་སེམས། དཔའ་བོ་མཁའ་འགྲོ་ཆོས་སྐྱོང་སྲུང་མ་ཐམས་ཅད་འདུས་པའི་བདག་ཉིད་ཐུབ་དབང་རྡོ་རྗེ་འཆང་བློ་བཟང་གྲགས་པ་སྐུ་མདོག་དཀར་ལ་དམར་བའི་མདངས་ཆགས་པ། ཞལ་གྱི་དཀྱིལ་འཁོར་ཤིན་ཏུ་འཛུམ་ཞིང་སྤྱན་དཀྲུས་རིང་བ། སྐུ་ལ་ཆོས་གོས་ངུར་སྨྲིག་གསུམ་མཛེས་པར་གསོལ་བ། དབུ་ལ་པཎ་ཞྭ་གསེར་གྱི་མདོག་ཅན་རྩེ་རིང་གསོལ་བ། ཕྱག་གཉིས་

ཆོས་འཁོར་གྱི་ཕྱག་རྒྱས་ཨུཏྤ་ལའི་ཡུ་བ་ཐུགས་ཀར་བཟུང་བའི་འདབ་མ་སྙན་གཡས་གཡོན་གྱི་ཐད་དུ་ཁ་བྱེ་བའི་སྟེང་དུ་ཤེས་རབ་ཀྱི་རལ་གྲི་དང་བརྒྱད་སྟོང་པའི་གླེགས་བམ་བསྣམས་པ། ཞབས་རྡོ་རྗེ་སྐྱིལ་ཀྲུང་གིས་བཞུགས་པ། འོད་ཟེར་གྱི་ཚོགས་ཞིང་ཁམས་ཀུན་འགེངས་པར་འཕྲོས་པས། ཞིང་ཁམས་ཐམས་ཅད་སྐུ་ལ་སྣང་ཞིང་། སྐུས་ཞིང་ཁམས་ཐམས་ཅད་ཁྱབ་པའི་བདག་ཉིད་ཅན་དུ་བཞུགས་པའི་སྤྱི་བོར་ཨོཾ་དཀར་པོ། མགྲིན་པར་ཨཱཿདམར་པོ། ཐུགས་ཀར་ཧཱུྃ་སྔོན་པོ། ཐུགས་ཀའི་ཧཱུྃ་ལས་འོད་ཟེར་འཕྲོས་པས་རང་བཞིན་གྱི་གནས་ནས་ཆོས་ཀྱི་རྒྱལ་པོ་ཙོང་ཁ་པ་ཆེན་པོ་ལ་སངས་རྒྱས་དང་བྱང་ཆུབ་སེམས་དཔའི་ཚོགས་ཀྱིས་བསྐོར་བ་སྤྱན་དྲངས། ཛཿཧཱུྃ་བཾ་ཧོཿགཉིས་སུ་མེད་པར་གྱུར། གང་གི་དྲིན་གྱིས་བདེ་ཆེན་ནི། །སྐད་ཅིག་ཉིད་ལ་འཆར་བ་གང་། །བླ་མ་རིན་ཆེན་ལྟ་བུ་ཡི། །རྡོ་རྗེ་ཅན་ཞབས་པད་ལ་འདུད། །ཅེས་ཕྱག་དང་། དངོས་བཤམས་ཡིད་སྤྲུལ་མཆོད་པ་མ་ལུས་འབུལ། །ཐོག་མེད་ནས་བསགས་སྡིག་ལྟུང་ཐམས་ཅད་བཤགས། །སྐྱེ་འཕགས་དགེ་བ་རྣམས་ལ་རྗེས་ཡི་རང་། །འཁོར་བ་མ་སྟོངས་བར་དུ་ལེགས་བཞུགས་ནས། །འགྲོ་ལ་ཆོས་ཀྱི་འཁོར་ལོ་བསྐོར་བ་དང་། །བདག་གཞན་དགེ་རྣམས་བྱང་ཆུབ་ཆེན་པོར་བསྔོ། །ཞེས་ཡན་ལག་བདུན་པ་བྱ། དེ་ནས་མཎྜལ་ཞིག་ཕུལ་ལ། ཐུགས་ཀར་ཉི་མའི་དཀྱིལ་འཁོར་གྱི་སྟེང་དུ་ཀླཱིཿཡིག་གི་མཐར། མཚན་སྔགས་ཀྱིས་བསྐོར་བ་ལས་བདུད་རྩིའི་རྒྱུན་བབས་ལུས་ཀྱི་ནང་གང་། སྡིག་སྒྲིབ་དག །དབང་བཞི་ཐོབ། སྐུ་བཞི་མངོན་དུ་གྱུར་པའི་ནུས་པ་བཞག་པར་བསམ་ལ། ཨོཾ་ཨཱཿགུ་རུ་བཛྲ་དྷ་ར་སུ་མ་ཏི་ཀཱིརྟི་སིདྡྷི་ཧཱུྃ་ཧཱུྃ། ཞེས་ཇི་ལྟར་རིགས་པ་བཟླས་རྗེས། དགེ་བ་འདི་ཡིས་མྱུར་དུ་བདག །ཅེས་སོགས་དང་། དཔལ་ལྡན་རྩ་བའི་བླ་མ་རིན་པོ་ཆེ། །བདག་གི་སྙིང་ཁར་པདྨའི་སྟེང་བཞུགས་ལ། །བཀའ་དྲིན་ཆེན་པོའི་སྒོ་ནས་རྗེས་བཟུང་སྟེ། །མྱུར་དུ་ཁྱེད་རང་ལྟ་བུར་བྱིན་གྱིས་རློབས། །ཞེས་གསོལ་བ་བཏབ་པས། བླ་མ་ལྷ་བདག་ཉིད་ལ་དགྱེས་བཞིན་དུ་ཐིམ་པས་རང་ཉིད་སེངྒེ་ཆེན་པོ་བརྒྱད་ཀྱིས་བཏེག་པའི་རིན་པོ་ཆེའི་ཁྲི་མཐོ་ཞིང་ཡངས་པའི་ཞེས་པ་ནས་ཐུགས་ཀར་ཧཱུྃ་སྔོན་པོ་ཞེས་པའི་བར་སྔར་བཞིན་བརྗོད། ཐུགས་ཀའི་ཧཱུྃ་ལས་སྤྲོས་པའི་མཆོད་པའི་ལྷ་མོ་རྣམས་ཀྱིས་མཆོད་པར་བསམས་ལ། ཨོཾ་ཨཱཿགུ་རུ་བཛྲ་དྷ་ར་སུ་མ་ཏི་ཀཱིརྟི་ས་པ་རི་ཝཱ་ར་ཨརྒྷཾ་ནས་ཤབྡའི་བར་གྱིས་མཆོད། རྒྱལ་བ་ཀུན་གྱི་མཁྱེན་བརྩེ་མ་ལུས་པ། །

གཅིག་ཏུ་བསྡུས་པ་རྗེ་བཙུན་འཇམ་པའི་དབྱངས། །ངུར་སྨྲིག་གར་རོལ་བློ་བཟང་གྲགས་པའི་དཔལ། །གསོལ་བ་འདེབས་སོ་བྱིན་གྱིས་བརླབ་ཏུ་གསོལ། །ཞེས་བསྟོད། རང་ཉིད་རྗེ་བླ་མར་གསལ་བའི་ཐུགས་ཀར་ཉི་མའི་དཀྱིལ་འཁོར་གྱི་སྟེང་དུ་ཧྲཱིཿཡིག་དམར་སེར་དེའི་མཐའ་སྐོར་དུ། དམིགས་མེད་བརྩེ་བའི་གཏེར་ཆེན་སྤྱན་རས་གཟིགས། །དྲི་མེད་མཁྱེན་པའི་དབང་པོ་འཇམ་པའི་དབྱངས། །གངས་ཅན་མཁས་པའི་གཙུག་རྒྱན་ཙོང་ཁ་པ། །བློ་བཟང་གྲགས་པའི་ཞབས་ལ་གསོལ་བ་འདེབས། །ཞེས་པས་བསྐོར་བ་ལས་འོད་ཟེར་འཕྲོས། འགྲོ་བའི་དོན་བྱས། སླར་འདུས། ཐུགས་ཀའི་ས་བོན་ལ་ཐིམ་པར་བསམས་ལ། དམིགས་བརྩེ་མ་ཅི་མང་བཟླ་སྟེ་བསྙེན་ཚད་ནི། འབུམ་ཕྲག་གསུམ་མོ། །དེ་ནས་མཇུག་ཏུ། དགེ་བ་འདི་ཡིས་མྱུར་དུ་བདག །ཅེས་སོགས་དང་སྔར་བཞིན་ཨཀྵོ་སོགས་ཀྱིས་མཆོད་པ་འབུལ་ཞིང་བསྟོད་པས་ཀྱང་བསྟོད། གཞན་ཡང་། དཔལ་ལྡན་ས་གསུམ་མ་ལ་སོགས་པའི་བསྟོད་པ་དང་སྨོན་ལམ་ཅི་རིགས་པར་བྱའོ། །དེ་ལྟར་བསྙེན་པ་སོང་ནས། ལས་ཚོགས་བསྒྲུབ་པ་ལ། ཁྲུས་དང་གཙང་སྦྲ་དང་། དཀར་གཏོར་ལ་གནས་པས་རིན་པོ་ཆེའམ། རྫ་བཟང་པོ་ལས་བྱས་པའི་བུམ་པ་ཁ་དོག་རང་བཞིན་གྱིས་དཀར་བའམ། སྐྱོན་མེད་པར་ས་དཀར་ཙནྡན་དཀར་པོའི་ལྡེ་གུ་དང་བཅས་པས་བྱུགས་པའི་ནང་དུ། དུག་རིགས་མེད་པའི་མེ་ཏོག་སྣ་ཚོགས་པ་སྟེ། དུག་རིགས་མ་ཡིན་པ་ཙམ་དུ་མ་ཟད་ཀླུ་ལ་མི་གནོད་པའི་རིགས་ལེགས་པར་བཏུས་ལ་བག་ཕྱེ་བཟང་པོ་དང་བསྲེས་ཏེ་རིལ་བུ་ཌི་ལྟར་དགོས་པ་བསྒྲིལ་ནས་གང་གི་ཉིན་ཆར་འབེབས་བྱ་བའི་ཐོ་རངས་སྔ་བར་ལངས་ཏེ་འགྲུབ་ན་ཡི་དམ་གྱི་བདག་བསྐྱེད་སྔོན་དུ་བཏང་། མ་འགྲུབ་ཀྱང་ཚད་པའི་སྐྱོན་དུ་མི་འགྱུར་རམ་སྙམ། གོང་དུ་བཤད་པ་ལྟར་གྱི་བླ་མའི་རྣལ་འབྱོར་དང་བཅས་པའི་བདག་བསྐྱེད་སྔོན་དུ་བཏང་ནས། དམིགས་བརྩེ་མ་ཅི་མང་བཟླ། དེ་ནས་རིལ་བུ་རེ་རེ་ལ། དམིགས་བརྩེ་མ་རབ་བརྒྱ་ཙམ། འབྲིང་ཉེར་གཅིག །ཐ་མ་བདུན་བདུན་བཟླས་ལ་ཕུ་བཏབ་ནས་བུམ་པའི་ནང་དུ་བརྒྱ་ཙ་བརྒྱད་རེ་བླུག །ཀླུ་ལ་ཡོངས་སྤྱོད་ཀྱི་ཚོགས་དཔག་ཏུ་མེད་པ་འབྱུང་བའི་ཡིད་བཞིན་གྱི་ནོར་བུ་ལྟ་བུར་སྒོམས། བུམ་པའི་ཁ་སྒྲོ་སྲིས་བཅད་ནས་ནང་དུ་ཆུ་མི་འཚོར་བར་བྱ་ཞིང་། དེའི་སྟེང་དུ་དར་དམར་པོས་བསྡམས། དེ་ནས་རང་ཉིད་རྗེ་བླ་མར་གསལ་བའི་ཐུགས་ཀ་ནས་འོད་ཟེར་དམར་པོ་ལྕགས་ཀྱུ་ལྟ་བུ་དཔག་ཏུ་མེད་པ་འཕྲོས། རྒྱ་མཚོ་ཆེན་པོ་བཞི་དང་། ཆུ་བོ་ཆེན་པོ་བཞི་དང་། མཚོ་དང་། ལྟེང་ཀ་ལ་སོགས་པ་ན་གནས་པའི་ཀླུ་ཐམས་ཅད་ཆུ་མིག་ཏུ་སྡུད་པར་བསམས་ལ། བུམ་པ་དང་། རྗེའི་སྐུ་གཟུགས། མི་རྐང་གི་གླིང་བུ་ལ་སོགས་པ་ཁྱེར་ནས་རང་གི་གྲུབ་ཁང་ནས་ཐོན་པ་ནས་བཟུང་ཆུ་མིག་ཏུ་མ་སླེབ་ཀྱི་བར་སྨྲ་བ་བཅད་ནས་དམིགས་བརྩེ་མ་འདྲེན་གྱི་ན་གོང

གི་དམིགས་པ་མ་ཡེངས་པར་འགྲོ། ཚུ་མིག་གི་ཅར་སླེབ་ནས་རང་ཉིད་རྗེ་བླ་མའི་ང་རྒྱལ་ལ་གནས་བཞིན་པས། ཕཊ་ཕཊ་དྲག་པོ་གསུམ་བརྗོད་ནས། རང་གི་ཐུགས་ག་ནས་འོད་ཟེར་འཛའ་ཚོན་གྱི་རང་བཞིན་ཅན་འཕྲོས་པས་ཀླུ་རྣམས་སྣར་ཡང་གནས་དེར་སྡུད་པར་བསམས་ལ། འདི་སྐད་ཅེས་བརྗོད་དོ། ཀླུའི་རྒྱལ་པོ་དགའ་བོ་དང་ཉེར་དགའ་བོ་དང་། འཇོག་པོ་དང་། པདྨ་དང་། པདྨ་ཆེན་པོ་དང་། སྟོབས་ཀྱི་རྒྱུ་དང་། མཐའ་ཡས་དང་། རིགས་ལྡན་དང་། དུང་སྐྱོང་དང་། ནག་པོ་ཆེ་དང་། གོའུ་ཏ་མ་དང་། འཛིན་པ་ལག་མང་དང་། རྒྱ་མཚོ་དང་། རྒྱ་མཚོ་ཆེན་པོ་དང་། སོག་མ་མེད་དང་། མ་དྲོས་པ་དང་། ཤ་སུ་ཏ་དང་། ཤ་ཏུ་ཋ་དང་། གཞན་ཡང་ཀླུ་རྒྱལ་རིགས་དང་། བྲམ་ཟེའི་རིགས་དང་། རྗེ་རིགས་དང་། དམངས་རིགས་དང་། གདོལ་པའི་རིགས་དང་། གཞན་ཡང་ཀླུ་ཕྲ་མོ་ཇི་སྙེད་པ་ཐམས་ཅད་འདིར་ཚོགས་ཤིག །འདིར་འདུས་ཤིག །ཅེས་མི་ཏྲང་ལན་གསུམ་འབུད། དེར་ཀླུ་ཐམས་ཅད་སྤྲིན་འཁྲིགས་པ་བཞིན་དུ་འདུས་པ་དང་། རྒྱ་མཚོ་ཆེན་པོ་བཞི་དང་། ཆུ་བོ་ཆེན་པོ་བཞི་ལ་སོགས་པ་ཡང་དེ་རྣམས་ཀྱི་ལུས་ལ་འཁྲིལ་ནས་འདུས་པར་བསམས་ཤིང་། རང་གི་ཐུགས་ཀ་ནས་འཕྲོས་པའི་འོད་ཟེར་གྱིས་མཐའ་བསྐོར་ནས་གང་དུའང་འགྲོ་དབང་མེད་པར་བསམས་ལ། འདི་སྐད་ཅེས་བརྗོད་དོ། །འདིར་ཚོགས་པའི་ཀླུའི་རྒྱལ་པོ་ཆེན་པོ་ནས་བཟུང་ཕྲ་མོར་གནས་པ་ཚུན་ཆད་ཉོན་ཅིག །ཁྱེད་རྣམས་ལ་ཡ་བོ་བཟུང་དུ་འོངས་པ་མ་ཡིན། ངོ་བསྟོ་བ་མ་ཡིན། འཁོན་ཆོལ་དུ་འོངས་བ་མ་ཡིན། གཏད་བྱེད་དུ་འོངས་པ་མ་ཡིན་གྱི། འཛམ་བུའི་གླིང་གི་ཡུལ་ཕྱོགས་སྤྱི་དང་ཁྱད་པར་དུ་ས་ཕྱོགས་འདིར་ཐན་པའི་འཇིགས་པ་ཆེན་པོ་ལས་འགྲོ་བ་རྣམས་སྐྱོབ་པའི་ཕྱིར་དུ་ཆར་སློང་དུ་འོངས་པ་ཡིན་པས་འཛམ་བུའི་གླིང་འདིར་ཆར་ཆེན་པོ་དྲག་ཏུ་ཕོབ་ཅིག །ཁྱད་པར་དུ་ས་ཕྱོགས་འདིར་མྱུར་དུ་ཕོབ་ཅིག །འདི་ནི་ཐུབ་དབང་རྡོ་རྗེ་འཆང་བློ་བཟང་གྲགས་པའི་དཔལ་གྱི་བཀའ་ཡིན་པས་འདི་ལས་འགལ་ན་མགོ་བོ་ཨ་རྗ་ཀའི་དོག་པ་བཞིན་དུ་འགས་པར་འགྱུར་རོ། །གལ་ཏེ་ཚུལ་བཞིན་དུ་བསྒྲུབས་ན་ཡོངས་སྤྱོད་ཀྱི་དཔལ་ཕུན་སུམ་ཚོགས་པ་རྟག་ཏུ་འཛད་པ་མེད་པར་འགྱུར་རོ། །ཇི་སྲིད་ཆར་མ་བབས་ཀྱི་བར་དུ་ཕྱོགས་གཞན་དུ་མ་འགྲོ་ཞིག །ཅེས་བརྗོད་ལ་ཕྱོགས་བཞིར་མཐོ་བཞི་བཙིགས། ཤར་གྱི་མཐོའི་འགྲམ་དུ་ཕྱིན་ལ། དམིགས་མེད་བརྩེ་བའི་གཏེར་ཆེན་སྤྱན་རས་གཟིགས། ཞེས་བརྗོད་པས་མཐོ་དེ་ཚིག་ཏྲང་དེ་ལས་རྣམ་པར་སྣང་མཛད་ཀྱི་ངོ་བོ་ཁྲུང་དཀར་པོ། ལྷོའི་མཐོའི་འགྲམ་དུ་ཕྱིན་ཏེ། དྲི་མེད་མཁྱེན་པའི་དབང་པོ་འཇམ་པའི་དབྱངས།

ཞེས་བརྗོད་པས་མཐོ་དེ་ཚིག་རྐང་དེ་ལས་རིན་ཆེན་འབྱུང་ལྡན་གྱི་ངོ་བོ་ཁྱུང་སེར་པོ། ནུབ་ཀྱི་མཐོའི་འགྲམ་དུ་ཕྱིན་ཏེ། གངས་ཅན་མཁས་པའི་གཙུག་རྒྱན་ཙོང་ཁ་པ། ཞེས་བརྗོད་པས་མཐོ་དེ་ཚིག་རྐང་དེ་ལས་འོད་དཔག་མེད་ཀྱི་ངོ་བོ་ཁྱུང་དམར་པོ། བྱང་གི་མཐོའི་འགྲམ་དུ་ཕྱིན་ཏེ། བློ་བཟང་གྲགས་པའི་ཞབས་ལ་གསོལ་བ་འདེབས། །ཞེས་བརྗོད་པས་མཐོ་དེ་ཚིག་རྐང་དེ་ལས་དོན་གྲུབ་ཀྱི་ངོ་བོ་ཁྱུང་ནག་པོ་རྣམས་སུ་སྒྱུར་པར་སྒོམས། མཐོ་འདི་རྣམས་ལ་རང་རང་གི་སྐུ་མདོག་དང་མཚུངས་པའི་ཚོན་གཏོང་བ་དང་། དར་ཚོགས་འཛུགས་བ་སོགས་བྱས་ཀྱང་ལེགས། དེ་ནས་བུམ་པ་ཆུའི་ནང་དུ་མངོན་པར་སྤྲ་ཞིང་དེ་དང་ཉེ་བའི་འདབས་སུ་གུར་དཀར་པོ་སོགས་ཕུབ་ཏེ་དེའི་ནང་དུ་རྗེ་བདག་ཉིད་ཆེན་པོའི་སྐུའི་མདུན་དུ་མཆོད་པ་སྣ་ལྔ་དང་གཏོར་མ་ལ་སོགས་པ་ལེགས་པར་བཤམས། ཡུལ་དེའི་གཞི་བདག་ལ་བསངས་དང་མཆོད་པ་འབུལ། ཆར་འབེབས་པའི་གྲོགས་དོན་བཅོལ། སྐྱབས་འགྲོ་ནས་བཟུང་སྟེ། དམིགས་བརྩེ་མ་བཟླ་བའི་བར་སྔར་བཞིན་བྱས་ལ། དམིགས་བརྩེ་མ་བཟླ་བའི་སྐབས་སུ་དམིགས་པ་ནི། རང་ཉིད་རྗེ་བླ་མར་གསལ་བའི་ཐུགས་ཀ་ནས་འོད་ཟེར་ཀླུའི་ཚོགས་ཀྱི་གྲངས་དང་མཉམ་པར་སྤྲོས། འོད་ཟེར་རེ་རེའི་སྣེ་མོ་ལ་རྗེ་བདག་ཉིད་ཆེན་པོའི་སྐུ་རེ་རེ་སྤྲོས། ཀླུ་རེ་རེའི་སྤྱི་བོར་བཞུགས། སྐུ་ལས་བདུད་རྩི་སྣ་ལྔ་འོད་ཟེར་དང་བཅས་པའི་རྒྱུན་བབས། ཀླུ་རྣམས་ཀྱི་ལུས་ལ་ཞུགས་པས་སྡིག་སྒྲིབ་དང་ཞེ་སྡང་དང་། ཕྱི་ཚན་དང་། ནམ་མཁའ་ལྡིང་ལ་སོགས་པའི་འཇིགས་པ་ཐམས་ཅད་དང་། ལུས་སེམས་ཐམས་ཅད་བདེ་བས་གང་། རྗེ་བླ་མ་ལ་ལུས་ཀྱི་སྒོ་ནས་ཕྱག་དང་ཐལ་མོ་སྦྱོར་བ་ངག་གི་སྒོ་ནས་གསོལ་འདེབས། ཡིད་ཀྱི་སྒོ་ནས་སྐྱབས་འགྲོ་བྱེད་པར་བསམས། སླར་ཡང་རྗེ་རིན་པོ་ཆེ་རྣམས་ཀྱི་ཐུགས་ཀ་དང་རང་གི་ཐུགས་ཀ་ནས་འོད་ཟེར་གྱི་ཚོགས་དཔག་ཏུ་མེད་པ་སྤྲོས། འཇིག་རྟེན་ཁམས་ཐམས་ཅད་ཁྱབ། སེམས་ཅན་རྣམས་ལ་ཕོག་པས་དེ་རྣམས་ཀྱི་ལུས་ངག་ཡིད་གསུམ་གྱི་སྡིག་སྒྲིབ་སྤྱི་དང་། ཁྱད་པར་དུ་སྨུ་གེ་ལ་ལོངས་སྤྱོད་འགྱུར་གྱི་སྡིག་སྒྲིབ་ཐམས་ཅད་བྱང་ཞིང་དག །བདེ་སྐྱིད་དང་ལྡན་པར་བསམས། སླར་ཡང་འོད་ཟེར་འཕྲོས་ཀླུ་རྣམས་ལ་འཕོག་པས་དེ་རྣམས་དགའ་བ་དང་། སྤྲོ་བ་དང་བཅས་ཏེ་རང་རང་གི་རྫུ་འཕྲུལ་སྣ་ཚོགས་པ་དང་བཅས་ནམ་མཁའ་འཕགས་ཤིང་ལུས་ལས་སྤྲིན་སྣ་ཚོགས་པ་སྤྲོས། གནོད་པ་མེད་པའི་འབྲུག་སྒྲ་དང་བཅས་ཏེ་ཆར་གྱི་རྒྱུན་ལྷ་བརྒྱ་འཇིག་རྟེན་གྱི་ཁམས་རྣམས་སུ་བབས་པས་ལོ་ཏོག་རྣམས་རྒྱས་པར་བསམས་ལ། དམིགས་བརྩེ་མ་ཅི་མང་བཟླ། མཇུག་ཏུ་རྗེ་བླ་མའི་བདག་བསྐྱེད་ལ་གནས་བཞིན་པས་ཀླུ་གཏོར་རེ་བཏང་ཀྱང་ལེགས། སྨོན་ལམ་ནི་འདི་ལྟར་སྟེ། དགེ་བ་འདི་ཡིས་མྱུར་དུ་བདག །བློ་བཟང་གྲགས་པ་འགྲུབ་གྱུར་ནས། །འགྲོ་བ་གཅིག་ཀྱང་མ་ལུས་པ། །དེ་ཡི་ས་ལ་འགོད་པར་ཤོག །དེ་ལྟར་ཀུན་མཁྱེན་མཉམ་མེད་ཙོང་ཁ་པའི། །གོ་འཕང་མཆོག་དེ་མངོན་དུ་བྱ་བའི་ཕྱིར། །བླ་མའི་རྣལ་འབྱོར་བསྐྱེད་པའི་རིམ་པར་

བཅས། །བསྒོམས་པས་དེ་དོན་མངོན་དུ་འགྱུར་བར་ཤོག །ཁྱད་པར་ཁྱེད་ཀྱི་ཆོས་སྐུ་དང་མཚུངས་པའི། །སྟོང་ཉིད་དང་ལས་རབ་མཛེས་མཚན་དཔེའི་སྐུ། །དཀར་གསལ་ཆོས་འཆད་རལ་གྲི་གླེགས་བམ་ཅན། །བསྒོམས་པས་ཁྱོད་སྐུ་མངོན་དུ་འགྱུར་བར་ཤོག །སྐུ་གསུང་ཐུགས་ཀྱི་ཪྻ་ཧྃ་ཡི་གེར་བཅས། །གནས་གསུམ་དག་ཏུ་བརྟན་པར་བརླབས་པ་ལས། །འབད་རྩོལ་མེད་པར་རླུང་སེམས་མ་ལུས་པ། །རྩ་དྷཱུའི་ནང་དུ་བསྡུས་པའི་དཔལ་ཐོབ་ཤོག །གསོལ་འདེབས་རྒྱལ་པོའི་ཚིགས་སུ་བཅད་པ་ཡི། །བསྙེན་སྒྲུབ་ཕ་མཐར་ཕྱིན་པ་ལེགས་བསྐྱངས་ནས། །ལས་ཚོགས་བཅུ་གཅིག་ལ་སོགས་ལས་རབ་འབྱམས། །མ་ལུས་བསྒྲུབ་ལ་ཐོགས་པ་མེད་པར་ཤོག །ཁྱད་པར་ཐུབ་དབང་ཪྻ་ཧྃ་འཆང་དབང་ནས། །རྩ་བའི་བླ་མའི་བར་གྱི་ངོ་བོ་ཉིད། །བློ་བཟང་གྲགས་པའི་དཔལ་མཆོག་ཁྱོད་ཀྱིས་ནི། །ཚེ་རབས་ཀུན་ཏུ་འབྲལ་མེད་རྗེས་འཛིན་ཤོག །ཚེ་ཡི་མཐར་ཡང་བློ་བཟང་གྲགས་པའི་དཔལ། །ཡིད་འོང་མཆོད་སྤྲིན་སྣན་པའི་རོལ་མོ་བཅས། །བུ་བུ་ཚུར་ཤོག་དགའ་ལྡན་གནས་འགྲོ་ཞེས། །གསུང་གི་དབུགས་དབྱུང་དངོས་སུ་ཐོབ་པར་ཤོག །རྣམ་དག་བསམ་པས་ཚུལ་འདིར་འབད་པ་ལས། །བྱུང་བའི་དགེ་བས་མཐའ་ཡས་འགྲོ་བ་རྣམས། །སྐྱེ་ཞིང་སྐྱེ་བར་བློ་བཟང་ཞི་ཁྲོ་ཡིས། །འབྲལ་བ་མེད་པར་རྗེས་སུ་འཛིན་གྱུར་ཅིག །ཅེས་བརྗོད།

ཐར་བདག་བསྐྱེད་ཀྱི་སྐབས་སུ་བཤད་པ་བཞིན་ཐུན་བསྡུས་ལ། ཤིས་བརྗོད་ན། རབ་ཡངས་ནམ་མཁའ་ཏིལ་གྱི་གང་བུ་བཞིན། །ཡོངས་སུ་གང་བའི་བློ་བཟང་གྲགས་པའི་དཔལ། །ཁ་ཅིག་མེ་ཏོག་སྣ་ཚོགས་ཆར་འབེབས་ཤིང་། །ལ་ལ་བཀྲ་ཤིས་གདངས་སྙན་གླུ་རུ་ལེན། །གཞན་དག་བགེགས་དཔུང་འཇོམས་པའི་འཕྲིན་ལས་ཀྱིས། །ཁྱེད་ལ་རྟག་ཏུ་དཔལ་གནས་བརྗོད་པ་འདི། །ཤིས་པར་གྱིས་ལ་ཡིད་བདེ་བསྐྱེད་ཅིག་དང་། །ཤིས་བརྗོད་འཕྲེང་བ་བདག་གིས་བསྒྲགས་པར་བྱ། །སྨད་བྱུང་མཚན་དཔེའི་དཔལ་འབར་ལོངས་སྤྱོད་རྫོགས། །ཁ་སྦྱོར་བདེ་སྟོང་རོ་ལ་རྟག་རོལ་ཅིང་། །དམིགས་མེད་ཐུགས་རྗེས་ཞི་བའི་མཐའ་སྤངས་པ། བློ་བཟང་ཡན་ལག་བདུན་ལྡན་ལ་ཕྱག་འཚལ། །གསང་བ་ཀུན་གྱི་བདག་པོ་དགེ་ལེགས་དཔལ། །ཆོས་ཀྱི་རྒྱལ་མཚན་ཆོས་ཀྱི་རྡོ་རྗེ་དང་། །བློ་བཟང་དོན་གྲུབ་ཆོས་ཀྱི་རྒྱལ་མཚན་སོགས། །རྩ་བ་བརྒྱུད་པའི་བླ་མ་མཆོག་རྣམས་ལ། །དགེ་མཚན་ཇི་སྙེད་མཆིས་པའི་བཀྲ་ཤིས་དེས། །

ཁྱེད་རྣམས་ཇི་བཞིན་ལམ་མཆོག་འདི་ཉིད་ལས། །བློ་བཟང་རྗེ་རྗེ་འཆང་དབང་མྱུར་ཐོབ་ནས། །འགྲོ་ཀུན་ཚུལ་དེར་འགོད་པའི་བཀྲ་ཤིས་ཤོག །ཆོས་ཀྱི་ཕུང་པོ་བརྒྱད་ཁྲི་བཞི་སྟོང་གི །སྙིང་པོ་གཅིག་ཏུ་བསྡུས་པའི་བསྟོད་པའི་རྒྱལ། །གང་གི་ཉམས་ལེན་རིམ་པ་ཐམས་ཅད་ཀྱིས། །བཀྲ་ཤིས་དགེ་མཚན་རྒྱ་མཚོས་ཁྱབ་གྱུར་ཅིག །ཚུལ་དེར་སྤྱོད་པའི་འཕགས་པའི་གང་ཟག་དང་། །ལམ་ལ་ཞུགས་དང་སོ་སོ་སྐྱེ་བོ་ཡི། །དགེ་འདུན་དཀོན་མཆོག་ཇི་སྙེད་མཆིས་པ་ཡིས། །བཀྲ་ཤིས་བྱེ་བ་ཆར་དུ་ཕབ་ཏུ་གསོལ། །ནམ་མཁའི་ཕྲིན་ལྟར་ཡངས་པའི་ཕོ་བྲང་སོགས་བྱའོ། །སླར་ཡང་ཐུན་རྗེས་མ་ལ་འཇུག་པའི་དུས་སུ། སྐྱབས་འགྲོ་ནས་བཟུང་སྟེ་གོང་དུ་བཤད་པའི་བར་བྱ། དེ་ནས་ཞག་བདུན་ཚུན་ཆད་ལ་ངེས་པར་འབབ་པར་འགྱུར་ཞིང་། གལ་ཏེ་མ་བབས་ན་ཞག་བདུན་གྱི་ཉིན་བུམ་པ་ཆུ་མིག་ནས་ཕྱུངས་ཏེ་རིལ་བུ་རྣམས་ཆུ་མིག་ཏུ་བླུག་པས་ཀླུ་རྣམས་ཡོངས་སྤྱོད་དང་ལྡན་པར་བསམས། དེ་ནས་དེ་མ་ཐག་ཏུ་བུམ་པར་རིལ་བུ་སྔར་བཞིན་བླུག་ལ་ཆུ་མིག་ཏུ་བཅུག་ནས་སྔར་བཞིན་སྒྲུབ་པ་བྱ། ཆར་བབས་དུས་རིལ་བུ་རྣམས་ཇི་སྐད་བཤད་པ་བཞིན་ཆུ་ལ་དོར་ཞིང་གཏང་རག་གི་ཚུལ་དུ་ཀླུ་གཏོར་གཏོང་། །ཕྱོགས་བཞིའི་ཁྱུང་རྣམས་ནམ་མཁར་གཤེགས་སུ་གསོལ་ལ་མཐོ་རྣམས་བསྐྱིལ། ཀླུ་རྣམས་དར་རྒྱས་སུ་འགྱུར་བའི་སྨོན་ལམ་བཏབ། ཕྱི་མིག་མི་བལྟ་བར་ནང་དུ་འོངས། བུམ་པ་ལ་སོགས་པའི་ཡོ་བྱད་རྣམས་གཙང་སར་བཞག་གོ །ཞེས་ཆར་འབེབས་ཀྱི་ལས་ཚོགས་ནག་འགྲོས་སུ་བཀོད་པའོ། ། །།མངྒ་ལཾ། །

༈ན་མོ་གུ་རུ། འདིར་དམིགས་བརྩེ་མའི་ལས་ཚོགས་ཀྱི་ནང་ནས་སད་སྲུང་གི་ལས་ཚོགས་ནག་འགྲོས་སུ་བྱ་བ་ལ། ཐོག་མར་བསྙེན་པ་གལ་ཆེ་བས། ལས་ཚོགས་འདི་བསྒྲུབ་པ་ལ་ཐོག་མར་གཤིན་རྗེ་གཤེད་ཀྱི་བསྙེན་པ་སྔོན་དུ་སོང་ན་ལེགས་ཤིང་། དེ་ལྟར་མིན་ཡང་དམིགས་བརྩེ་མའི་བསྙེན་པ་སྔོན་དུ་ངེས་པར་འགྲོ་དགོས་པས། དེ་ལ་ཐོག་མར་གནས་ཁང་བྱི་དོར་བྱས། རྗེའི་བྲིས་སྐུ་ལ་སོགས་པའི་སྐུ་གསུང་ཐུགས་ཀྱི་རྟེན་བཀྲམས། མཆོད་པ་གཡོ་མེད་ཅིང་བཀོད་པ་མཛེས་པར་བཤམས་ལ། སྟན་བདེ་བ་ལ་དགེ་སེམས་ཁྱད་པར་ཅན་དང་ལྡན་པས་འདུག་ལ། སྐྱབས་ཡུལ་རྣམས་གསལ་བཏབ་སྟེ། བླ་མ་ལ་སྐྱབས་སུ་མཆིའོ། །སངས་རྒྱས་ལ་སྐྱབས་སུ་མཆིའོ། །ཆོས་ལ་སྐྱབས་སུ་མཆིའོ། །དགེ་འདུན་ལ་སྐྱབས་སུ་མཆིའོ། །ཁམས་གསུམ་ཆོས་ཀྱི་རྒྱལ་པོ་ཤར་ཙོང་ཁ་པ་ཆེན་པོའི་ལྷ་ཚོགས་འཁོར་དང་བཅས་པ་རྣམས་ལ་སྐྱབས་སུ་མཆིའོ། །དཔལ་མགོན་དམ་པ་ཆོས་སྐྱོང་བའི་སྲུང་མ་ཡེ་ཤེས་ཀྱི་སྤྱན་དང་ལྡན་པ་རྣམས་ལ་སྐྱབས་སུ་མཆིའོ། །ཞེས་པ་ལན་གསུམ་གྱིས་ཉུང་མཐའ་བྱས

པའི་གྲངས་ཛི་ལྷར་རིགས་པ་དང་། སངས་རྒྱས་ཆོས་དང་ཚོགས་ཀྱི་མཆོག་རྣམས་ལ། ཞེས་སོགས་ཀྱིས་ཀྱང་སེམས་བསྐྱེད། མར་གྱུར་སེམས་ཅན་ཐམས་ཅད་ཅེས་སོགས་ཀྱིས་ཚད་མེད་བཞི་བསྒོམས། དངོས་གཞི་ནི། རང་གི་སྤྱི་བོར་སེངྒེ་ཆེན་པོ་བརྒྱད་ཀྱིས་བཏེག་པའི་རིན་པོ་ཆེའི་ཁྲི་མཐོ་ཞིང་ཡངས་པའི་སྟེང་ཁར་སྣ་ཚོགས་པད་ཟླ་ཉི་མའི་དཀྱིལ་འཁོར་གྱི་གདན་ལ། མཉམ་མེད་ཐུབ་པའི་དབང་པོ་ནས་རང་གི་དྲིན་ཅན་རྩ་བའི་བླ་མའི་བར་གྱི་བླ་མ། ཡི་དམ་སངས་རྒྱས་བྱང་སེམས་དཔའ་བོ་མཁའ་འགྲོ་ཆོས་སྐྱོང་སྲུང་མ་ཐམས་ཅད་འདུས་པའི་བདག་ཉིད་ཐུབ་དབང་རྡོ་རྗེ་འཆང་སྔོ་བཟང་གྲགས་པ་སྐུ་མདོག་དཀར་ལ་དམར་བའི་མདངས་ཆགས་པ། ཞལ་གྱི་དཀྱིལ་འཁོར་ཤིན་ཏུ་འཛུམ་ཞིང་སྤྱན་དགྱེས་རིང་བ། སྐུ་ལ་ཆོས་གོས་ངུར་སྨྲིག་གསུམ་མཛེས་པར་གསོལ་བ་དབུ་ལ་པཎ་ཞྭ་གསེར་གྱི་མདོག་ཅན་རྩེ་རིང་གསོལ་བ། ཕྱག་གཉིས་ཆོས་འཁོར་གྱི་ཕྱག་རྒྱས་ཨུཏྤ་ལའི་ཡུ་བ་ཐུགས་ཀར་བཟུང་བའི་འདབ་མ་སྣེ་གཡས་གཡོན་གྱི་ཐད་དུ་ཁ་བྱེ་བའི་སྟེང་དུ་ཤེས་རབ་ཀྱི་རལ་གྲི་དང་བརྒྱད་སྟོང་པའི་གླེགས་བམ་བསྣམས་པ། ཞབས་རྡོ་རྗེ་སྐྱིལ་ཀྲུང་གིས་བཞུགས་པ། འོད་ཟེར་གྱི་ཚོགས་ཞིང་ཁམས་ཀུན་འགེངས་པར་འཕྲོས་པས། ཞིང་ཁམས་ཐམས་ཅད་སྐུ་ལ་སྣང་ཞིང་སྐུས་ཞིང་ཁམས་ཐམས་ཅད་ཁྱབ་པའི་བདག་ཉིད་ཅན་དུ་བཞུགས་པའི་སྤྱི་བོར་ཨོཾ་དཀར་པོ། མགྲིན་པར་ཨཱཿདམར་པོ། ཐུགས་ཀར་ཧཱུྃ་སྔོན་པོ། ཐུགས་ཀའི་ཧཱུྃ་ལས་འོད་ཟེར་འཕྲོས་པས་རང་བཞིན་གྱི་གནས་ནས་ཆོས་ཀྱི་རྒྱལ་པོ་ཙོང་ཁ་པ་ཆེན་པོ་ལ་སངས་རྒྱས་དང་བྱང་ཆུབ་སེམས་དཔའི་ཚོགས་ཀྱིས་བསྐོར་བ་སྤྱན་དྲངས། ཛཿཧཱུྃ་བཾ་ཧོཿགཉིས་སུ་མེད་པར་གྱུར། གང་གི་དྲིན་གྱིས་བདེ་ཆེན་ནི། །སྐད་ཅིག་ཉིད་ལ་འཆར་བ་གང་། །བླ་མ་རིན་ཆེན་ལྟ་བུ་ཡི། །རྡོ་རྗེ་ཅན་ཞབས་པད་ལ་འདུད། ཅེས་ཕྱག་དང་། དངོས་བཤམས་ཡིད་སྤྲུལ་མཆོད་པ་མ་ལུས་འབུལ། །ཐོག་མེད་ནས་བསགས་སྡིག་ལྟུང་ཐམས་ཅད་བཤགས། །སྐྱེ་འཕགས་དགེ་བ་རྣམས་ལ་རྗེས་ཡི་རང་། འཁོར་བ་མ་སྟོངས་བར་དུ་ལེགས་བཞུགས་ནས། །འགྲོ་ལ་ཆོས་ཀྱི་འཁོར་ལོ་བསྐོར་བ་དང་། །བདག་གཞན་དགེ་རྣམས་བྱང་ཆུབ་ཆེན་པོར་བསྔོ། །ཞེས་ཡན་ལག་བདུན་པ་བྱ། དེ་ནས་མཎྜལ་ཞིག་ཕུལ་ལ། ཐུགས་ཀར་ཉི་མའི་དཀྱིལ་འཁོར་གྱི་སྟེང་དུ་ཧྲཱིཿཡིག་གི་མཐར་མཚན་སྔགས་ཀྱིས་བསྐོར་བ་ལས་བདུད་རྩིའི་རྒྱུན་བབས་ལུས་ཀྱི་ནང་གང་སྡིག་སྒྲིབ་དག །དབང་བཞི་ཐོབ་སྐུ་བཞི་མངོན་དུ་

གྱུར་པའི་ནུས་པ་བཞག་པར་བསམ་ལ། ཨོཾ་ཨཱཿགུ་རུ་བཛྲ་དྷཱ་ར་སུ་མ་ཏི་ཀཱིརྟི་སིདྡྷི་ཧཱུཾ་ཧཱུཾ། ཞེས་ཇི་ལྟར་རིགས་པ་བཟླས་རྗེས། དགེ་བ་འདི་ཡིས་མྱུར་དུ་བདག །ཅེས་སོགས་དང་། དཔལ་ལྡན་རྩ་བའི་བླ་མ་རིན་པོ་ཆེ། །བདག་གི་སྙིང་ཁར་པདྨའི་སྟེང་བཞུགས་ལ། །བཀའ་དྲིན་ཆེན་པོའི་སྒོ་ནས་རྗེས་བཟུང་སྟེ། །མྱུར་དུ་ཁྱོད་རང་ལྟ་བུར་བྱིན་གྱིས་རློབས། །ཞེས་གསོལ་བ་བཏབ་པས། བླ་མ་ལྷ་བདག་ཉིད་ལ་དགྱེས་བཞིན་དུ་ཐིམ་པས་རང་ཉིད་སིདྡྷི་ཆེན་པོ་བརྒྱད་ཀྱིས་བརྟེན་པའི་རིན་པོ་ཆེའི་ཁྲི་མཐོ་ཞིང་ཡངས་པའི་ཞེས་པ་ནས་ཐུགས་ཀར་ཧཱུཾ་སྔོན་པོ་ཞེས་པའི་བར་སྔར་བཞིན་བརྗོད། ཐུགས་ཀའི་ཧཱུཾ་ལས་སྤྲོས་པའི་མཆོད་པའི་ལྷ་མོ་རྣམས་ཀྱིས་མཆོད་པར་བསམས་ལ། ཨོཾ་ཨཱཿགུ་རུ་བཛྲ་དྷཱ་ར་སུ་མ་ཏི་ཀཱིརྟི་ས་པ་རི་ཝཱ་ར་ཨརྒྷཾ་ནས་ཤབྡའི་བར་གྱིས་མཆོད། རྒྱལ་བ་ཀུན་གྱི་མཁྱེན་བརྩེ་མ་ལུས་པ། །གཅིག་ཏུ་བསྡུས་པ་རྗེ་བཙུན་འཇམ་པའི་དབྱངས། །ངར་སྒྲིག་གར་རོལ་བློ་བཟང་གྲགས་པའི་དཔལ། །གསོལ་བ་འདེབས་སོ་བྱིན་གྱིས་བརླབ་ཏུ་གསོལ། །ཞེས་བསྟོད། རང་ཉིད་རྗེ་བླ་མར་གསལ་བའི་ཐུགས་ཀར་ཉི་མའི་དཀྱིལ་འཁོར་གྱི་སྟེང་དུ་ཧྲཱིཿཡིག་དམར་སེར། དེའི་མཐའ་སྐོར་དུ། དམིགས་མེད་བརྩེ་བའི་གཏེར་ཆེན་སྤྱན་རས་གཟིགས། །དྲི་མེད་མཁྱེན་པའི་དབང་པོ་འཇམ་པའི་དབྱངས། །གངས་ཅན་མཁས་པའི་གཙུག་རྒྱན་ཙོང་ཁ་པ། །བློ་བཟང་གྲགས་པའི་ཞབས་ལ་གསོལ་བ་འདེབས། །ཞེས་པས་བསྐོར་བ་ལས་འོད་ཟེར་འཕྲོས་འགྲོ་བའི་དོན་བྱས། སླར་འདུས་ཐུགས་ཀའི་ས་བོན་ལ་ཐིམ་པར་བསམས་ལ། དམིགས་བརྩེ་མ་ཅི་མང་བཟླ་སྟེ་བསྙེན་ཚད་ནི་འབུམ་ཕྲག་གསུམ་མོ། །དེ་ནས་མཇུག་ཏུ། དགེ་བ་འདི་ཡིས་མྱུར་དུ་བདག །ཅེས་སོགས་དང་། སྔར་བཞིན་ཨརྒྷཾ་སོགས་ཀྱིས་མཆོད་པ་འབུལ་ཞིང་བསྟོད་པས་ཀྱང་བསྟོད། གཞན་ཡང་དཔལ་ལྡན་ས་གསུམ་མ་ལ་སོགས་པའི་བསྟོད་པ་དང་སྨོན་ལམ་ཅི་རིགས་པར་བྱའོ། །དེ་ལྟར་བསྙེན་པ་སོང་ནས། ལས་ཚོགས་བསྒྲུབ་པ་ལ། བླ་གབ་མེད་པའི་ས་ཕྱོགས་སུ་རྡོ་ལས་བྱས་པའི་སྒྲིད་བུ་རྐང་གསུམ་བཙུགས་ལ། རྐང་པ་དང་པོ་སྤྱན་རས་གཟིགས། གཉིས་པ་འཇམ་དཔལ་དབྱངས། གསུམ་པ་ཕྱག་རྡོར་གྱི་བྱིན་རླབས་ཀྱི་ངོ་བོར་བསམ། དེའི་སྟེང་དུ་ཟངས་ཆེ་ཆུང་གང་ཡང་རུང་བ་ཞིག་རྟེན་ལ་ཁྲུས་གསོལ་བྱས་པའི་ཆུས་བཀང་ལ་བཞག །དེ་ལ་མར་ལ་བྱས་པའི་སྤྲུལ་པ་དང་། ལྷོང་མོ་ལ་སོགས་པའི་ཆུའི་སྲོག་ཆགས་ཀྱི་གཟུགས་སྣ་ཚོགས་པ་བཏབ་ལ་ཀླུའི་རྒྱལ་པོ་རྣམས་སུ་མོས་པ་བྱ། ཟངས་ཀྱི་འོག་ཏུ་དུག་ཤིང་མ་ཡིན་པའི་བསང་ས་སྣ་ལ་སོགས་པས་མེ་ཆུང་ངུ་སྦར་ཏེ་ཆུ་དེ་མ་ཁོལ་ཙམ་དུ་བསྲོས་ལ་དེ་ལ་བསྐོར་བ་བྱེད་ཅིང་། རང་ཉིད་རྗེ་བླ་མར་གསལ་བའི་ཐུགས་ཀ

ནས་འོད་ཟེར་གྱི་ཚོགས་ཏྲོ་ཞིང་མཐུག་པ་སྤྲིན་འདྲ་བ་དཔག་ཏུ་མེད་པ་སྤྲོས། ཀླུའི་རྒྱལ་པོ་ཆེན་པོ་རྣམས་སྐད་ཅིག་གིས་བཀུག་སྟེ་རྒྱ་མཚོ་ཆེན་པོ་བཞིའི་བདག་ཉིད་ཀྱི་ཆུ་བོ་དེའི་ནང་དུ་གནས་པ་ལ། སླར་ཡང་འོད་ཟེར་དེ་ལྟ་བུ་འཕོག་པས་ལུས་ཐམས་ཅད་བདེ་བས་ཁྱབ། སྡུག་བསྔལ་ཐམས་ཅད་དང་བྲལ། ལུས་ལ་བདེ་སྟོང་ཆེན་པོ་སྐྱེས་པའི་སྟོབས་ཀྱིས་ཁ་དང་། མིག་དང་། རྣ་བ་དང་། སྣ་དང་། ལྟེ་བ་དང་། སྤྲུལ་མགོའི་གདེངས་ཀ་རྣམས་ལས་སྤྲིན་གྱི་ཕུང་པོ་ཆེན་པོས་ནམ་མཁའི་དབྱིངས་ཐམས་ཅད་ཁྱབ་པས་འཛམ་བུའི་གླིང་ཐམས་ཅད་སྔོད་ཀྱིས་གང་སད་འབྱུང་པའི་གོ་སྐབས་མེད་པར་བསམས་ལ་དམིགས་བརྩེ་མ་བཟླ། ཡང་དེ་ལྟ་བུའི་འོད་ཟེར་འཕྲོས་པས་སད་ཀྱི་བདག་པོ་རྣམས་ཀྱི་ལུས་ལ་ཕོག །སྔོད་ཀྱིས་ལུས་འཇུ་ལ་ཁད་པ་ཙམ་དུ་གྱུར་ནས་སྐྲག་སྟེ། རྗེ་བླ་མ་ལ་སྐྱབས་སུ་སོང་བས་ལུས་བདེ་བས་གང་། བྱང་ཆུབ་ཀྱི་སེམས་སྐྱེས་པའི་མོས་པ་བྱ། ཡང་དེ་ལྟ་བུའི་འོད་ཟེར་འཕྲོས་འཛམ་བུའི་གླིང་ཐམས་ཅད་དུ་ཁྱབ་པས་ཟས་གོས་ཀྱི་ཆར་བབས་པའི་མོས་པ་བྱ། སྨོན་ལམ་ནི་འདི་སྐད་དོ། དགེ་བ་འདི་ཡིས་མྱུར་དུ་བདག །བློ་བཟང་གྲགས་པ་འགྲུབ་གྱུར་ནས། །འགྲོ་བ་གཅིག་ཀྱང་མ་ལུས་པ། །དེ་ཡི་ས་ལ་འགོད་པར་ཤོག །དེ་ལྟར་ཀུན་མཁྱེན་མཉམ་མེད་ཙོང་ཁ་པའི། །གོ་འཕང་མཆོག་དེ་མངོན་དུ་བྱ་བའི་ཕྱིར། །བླ་མའི་རྣལ་འབྱོར་བསྐྱེད་པའི་རིམ་པར་བཅས། །བསྒོམས་པས་དེ་དོན་མངོན་དུ་འགྱུར་བར་ཤོག །ཁྱད་པར་ཁྱེད་ཀྱི་ཆོས་སྐུ་དང་མཚུངས་པའི། །སྟོང་ཉིད་ངང་ལས་རབ་མཛེས་མཚན་དཔེའི་སྐུ། །དཀར་གསལ་ཆོས་འཆད་རལ་གྲི་གླེགས་བམ་ཅན། །བསྒོམས་པས་ཁྱོད་སྐུ་མངོན་དུ་འགྱུར་བར་ཤོག །སྐུ་གསུང་ཐུགས་ཀྱི་རྡོ་རྗེ་ཡི་གེར་བཅས། །གནས་གསུམ་དག་ཏུ་བརྟན་པར་བསླབས་པ་ལས། །འབད་རྩོལ་མེད་པར་བློ་སེམས་མ་ལུས་པ། །རྣ་དྲིའི་ནང་དུ་བསྡུས་པའི་དཔལ་ཐོབ་ཤོག །གསོལ་འདེབས་རྒྱལ་པོའི་ཚོགས་སུ་བཅད་པ་ཡི། །བསྙེན་སྒྲུབ་ཕ་མཐར་ཕྱིན་པ་ལེགས་བསྒྲུབས་ནས། །ལས་ཚོགས་བརྒྱ་གཅིག་ལ་སོགས་ལས་རབ་འབྱམས། །མ་ལུས་བསྒྲུབ་ལ་ཐོགས་པ་མེད་པར་ཤོག །ཁྱད་པར་ཐུབ་དབང་རྡོ་རྗེ་འཆང་དབང་ནས། །རྗེ་བའི་བླ་མའི་བར་གྱི་ངོ་བོ་ཉིད། །བློ་བཟང་གྲགས་པའི་དཔལ་མཆོག་ཁྱོད་ཀྱིས་ནི། །ཚེ་རབས་ཀུན་ཏུ་འབྲལ་མེད་རྗེས་འཛིན་ཤོག །ཚེ་ཡི་མཐར་ཡང་བློ་བཟང་གྲགས་པའི་དཔལ། །ཡིད་འོང་མཆོད་སྤྲིན་སྣང་པའི་རོལ་མོ་བཅས། །བུ་བུ་ཚུར་ཤོག་དགའ་ལྡན་གནས་འགྲོ་ཞེས། །གསུང་གི་དབུགས་དབྱུང་དངོས་སུ་ཐོབ་པར་ཤོག །རྣམ་དག་བསམ་པ་ཚུལ་འདིར་འབད་པ་ལས། །བྱུང་བའི་དགེ་བས་མཐའ་ཡས་འགྲོ་བ

རྣམས། །སྐྱེ་ཞིང་སྐྱེ་བར་བློ་བཟང་ཞི་ཁྲོ་ཡིས། །འབྲལ་བ་མེད་པར་རྗེས་སུ་འཛིན་གྱུར་ཅིག །ཅེས་བརྗོད། སྔར་བདག་བསྐྱེད་ཀྱི་སྐབས་སུ་བཤད་པ་བཞིན་ཐུན་བསྡུས་ལ། ཤིས་བརྗོད་ནི། རབ་ཡངས་ནམ་མཁའ་ཏིལ་གྱི་གང་བུ་བཞིན། །ཡོངས་སུ་གང་བའི་བློ་བཟང་གྲགས་པའི་དཔལ། །ཁ་ཅིག་མི་རྟོག་སྣ་ཚོགས་ཆར་འབེབས་ཤིང་། །ལ་ལ་བཀྲ་ཤིས་གདངས་སྙན་སྒྲུབ་ལེན། །གཞན་དག་བགེགས་དཔུང་འཇོམས་པའི་འཕྲིན་ལས་ཀྱིས། །ཁྱོད་ལ་རྟག་ཏུ་དཔལ་གནས་བརྗོད་པ་འདི། །ཤིས་བར་གྱིས་ལ་ཡིད་བདེ་བསྐྱེད་ཅིག་དང་། །ཤིས་བརྗོད་འཕྲེང་བ་བདག་གིས་བསྒྲགས་པར་བྱ། །རྨད་བྱུང་མཚན་དཔའི་དཔལ་འབར་ཡོངས་སྤྱོད་རྫོགས། །ཁ་སྦྱོར་བདེ་སྟོང་རོལ་ལ་རྟག་རོལ་ཅིང་། །དམིགས་མེད་ཐུགས་རྗེས་ཞི་བའི་མཐའ་སྤངས་པ། །བློ་བཟང་ཡན་ལག་བདུན་ལྡན་ལ་ཕྱག་འཚལ། །གསང་བ་ཀུན་གྱི་བདག་པོ་དགེ་ལེགས་དཔལ། །ཆོས་ཀྱི་རྒྱལ་མཚན་ཆོས་ཀྱི་རྡོ་རྗེ་དང་། །བློ་བཟང་དོན་གྲུབ་ཆོས་ཀྱི་རྒྱལ་མཚན་སོགས། །རྩ་བ་བརྒྱུད་པའི་བླ་མ་མཆོག་རྣམས་ལ། །དགེ་མཚན་ཇི་སྙེད་མཆིས་པའི་བཀྲ་ཤིས་དེས། །ཁྱེད་རྣམས་ཇི་བཞིན་ལམ་མཆོག་འདི་ཉིས་ལས། །བློ་བཟང་རྡོ་རྗེ་འཆང་དབང་མྱུར་ཐོབ་ནས། །འགྲོ་ཀུན་ཚུལ་དེར་དགོད་པའི་བཀྲ་ཤིས་ཤོག །ཆོས་ཀྱི་ཕུང་པོ་བརྒྱད་ཁྲི་བཞི་སྟོང་གི། །སྙིང་པོ་གཅིག་ཏུ་བསྡུས་པའི་བསྟོད་པའི་རྒྱལ། །གང་གི་ཉམས་ལེན་རིམ་པ་ཐམས་ཅད་ཀྱིས། །བཀྲ་ཤིས་དགེ་མཚན་རྒྱ་མཚོས་ཁྱབ་གྱུར་ཅིག །ཚུལ་དེར་སྤྱོད་པའི་འཕགས་པའི་གང་ཟག་དང་། །ལམ་ལ་ཞུགས་པའི་སོ་སོ་སྐྱེ་བོ་ཡི། །དགེ་འདུན་དཀོན་མཆོག་ཇི་སྙེད་མཆིས་པ་ཡིས། །བཀྲ་ཤིས་བྱེ་བ་ཆར་དུ་ཕབ་ཏུ་གསོལ། །ནམ་མཁའི་ཁྱོན་ལྟར་ཡངས་པའི་ཕོ་བྲང་སོགས་བྱའོ། །སད་ཀྱི་འཇིགས་པ་ལས་གྲོལ་བའི་རྗེས་སུ་སྲོག་ཆགས་ཀྱི་གཟུགས་རྣམས་ཆུ་བོ་ཆེན་པོ་ལ་བསྐྱལ་ཞིང་བྱང་ཆུབ་ཀྱི་སེམས་དང་སྟོང་ཉིད་ཀྱི་ལྟ་བས་རྒྱས་འདེབས་བྱའོ། །ཞེས་སད་སྲུང་གི་ལམ་ཚོགས་ནག་འགྲོས་སུ་བཀོད་པའོ།། །།མངྒ་ལཾ།

༈ན་མོ་གུ་རུ། འདིར་དམིགས་བརྩེ་མའི་ལམ་ཚོགས་ཀྱི་ནང་ནས་མཚོན་བསྲུང་བའི་བཟའ་ཡིག་གི་ལམ་ཚོགས་ནག་འགྲོས་སུ་བྱ་བ་ལ། ཐོག་མར་བསྙེན་པ་གལ་ཆེ་བས། ལམ་ཚོགས་འདི་བསྒྲུབ་པ་ལ་ཐོག་མར་གཤིན་རྗེ་གཤེད་ཀྱི་བསྙེན་པ་སྔོན་དུ་སོང་ན་ལེགས་ཤིང་། དེ་ལྟར་མིན་ཡང་དམིགས་བརྩེ་མའི་བསྙེན་པ་སྔོན་དུ་ངེས་པར་འགྲོ་དགོས་པས། དེ་ལ་ཐོག་མར་གནས་ཁང་ཕྱི་དོར་བྱས། ༧རྗེའི་ཐུགས་སྐུ་ལ་སོགས་པའི་

སྐུ་གསུང་ཐུགས་ཀྱི་རྟེན་བཀྲམས།མཆོད་པ་གཡོ་མེད་ཅིང་བཀོད་པ་མཛེས་པར་བཤམས་ལ། སྟན་བདེ་བ་ལ་དགེ་སེམས་ཁྱད་པར་ཅན་དང་ལྡན་པས་འདུག་ལ་སྐྱབས་ཡུལ་རྣམས་གསལ་བཏབ་སྟེ། བླ་མ་ལ་སྐྱབས་སུ་མཆིའོ། །སངས་རྒྱས་ལ་སྐྱབས་སུ་མཆིའོ། །ཆོས་ལ་སྐྱབས་སུ་མཆིའོ། །དགེ་འདུན་ལ་སྐྱབས་སུ་མཆིའོ། །ཁམས་གསུམ་ཆོས་ཀྱི་རྒྱལ་པོ་ཤར་ཙོང་ཁ་པ་ཆེན་པོའི་ལྷ་ཚོགས་འཁོར་དང་བཅས་པ་རྣམས་ལ་སྐྱབས་སུ་མཆིའོ། །དཔལ་མགོན་དམ་པ་ཆོས་སྐྱོང་བའི་སྲུང་མ་ཡེ་ཤེས་ཀྱི་སྤྱན་དང་ལྡན་པ་རྣམས་ལ་སྐྱབས་སུ་མཆིའོ། །ཞེས་པ་ལན་གསུམ་གྱིས་ཉུང་མཐའ་བྱས་པའི་གྲངས་ཇི་ལྟར་རིགས་པ་དང་། སངས་རྒྱས་ཆོས་དང་ཚོགས་ཀྱི་མཆོག་རྣམས་ལ། ཞེས་སོགས་ཀྱིས་ཀྱང་སེམས་བསྐྱེད། མར་གྱུར་སེམས་ཅན་ཐམས་ཅད་ཅེས་སོགས་ཀྱིས་ཚད་མེད་བཞི་བསྒོམས། དངོས་གཞི་ནི། རང་གི་སྤྱི་བོར་སེང྄ྒེ་ཆེན་པོ་བརྒྱད་ཀྱིས་བཏེག་པའི་རིན་པོ་ཆེའི་ཁྲི་མཐོ་ཞིང་ཡངས་པའི་སྟེང་ཁར་སྣ་ཚོགས་པད་ཟླ་ཉི་མའི་དཀྱིལ་འཁོར་གྱི་གདན་ལ། མཉམ་མེད་ཐུབ་པའི་དབང་པོ་ནས་རང་གི་དྲིན་ཅན་རྩ་བའི་བླ་མའི་བར་གྱི་བླ་མ་ཡི་དམ་སངས་རྒྱས་བྱང་སེམས་དཔའ་བོ་མཁའ་འགྲོ་ཆོས་སྐྱོང་སྲུང་མ་ཐམས་ཅད་འདུས་པའི་བདག་ཉིད་ཐུབ་དབང་རྡོ་རྗེ་འཆང་བློ་བཟང་གྲགས་པ་སྐུ་མདོག་དཀར་ལ་དམར་བའི་མདངས་ཆགས་པ། ཞལ་གྱི་དཀྱིལ་འཁོར་ཤིན་ཏུ་འཛུམ་ཞིང་སྤྱན་དགྱེས་རིང་བ། སྐུ་ལ་ཆོས་གོས་ངུར་སྨྲིག་གསུམ་མཛེས་པར་གསོལ་བ། དབུ་ལ་པཎ་ཞྭ་གསེར་གྱི་མདོག་ཅན་རྣེ་རིང་གསོལ་བ། ཕྱག་གཉིས་ཆོས་འཁོར་གྱི་ཕྱག་རྒྱས་ཨུཏྤ་ལའི་ཡུ་བ་ཐུགས་ཀར་བཟུང་བའི་འདབ་མ་སྙན་གཡས་གཡོན་གྱི་ཐད་དུ་ཁ་ཕྱེ་བའི་སྟེང་དུ་ཤེས་རབ་ཀྱི་རལ་གྲི་དང་བརྒྱད་སྟོང་པའི་གླེགས་བམ་བསྣམས་པ། ཞབས་རྡོ་རྗེ་སྐྱིལ་ཀྲུང་གིས་བཞུགས་པ། འོད་ཟེར་གྱི་ཚོགས་ཞིང་ཁམས་ཀུན་འགེངས་པར་འཕྲོས་པས་ཞིང་ཁམས་ཐམས་ཅད་སྐུ་ལ་སྣང་ཞིང་། སྐུས་ཞིང་ཁམས་ཐམས་ཅད་ཁྱབ་པའི་བདག་ཉིད་ཅན་དུ་བཞུགས་པའི་སྤྱི་བོར་ཨོཾ་དཀར་པོ། མགྲིན་པར་ཨཱཿདམར་པོ། ཐུགས་ཀར་ཧཱུྃ་སྔོན་པོ། ཐུགས་ཀའི་ཧཱུྃ་ལས་འོད་ཟེར་འཕྲོས་པས་རང་བཞིན་གྱི་གནས་ནས་ཆོས་ཀྱི་རྒྱལ་པོ་ཙོང་ཁ་པ་ཆེན་པོ་ལ་སངས་རྒྱས་དང་བྱང་ཆུབ་སེམས་དཔའི་ཚོགས་ཀྱིས་བསྐོར་བ་སྤྱན་དྲངས། ཛཿཧཱུྃ་བྃ་ཧོཿགཉིས་སུ་མེད་པར་གྱུར། གང་གི་དྲིན་གྱིས་བདེ་ཆེན་ནི། །སྐད་ཅིག་ཉིད་ལ་འཆར་བ་གང་། །བླ་མ་རིན་ཆེན་ལྟ་བུ་ཡི། །རྡོ་རྗེ་ཅན་ཞབས་པད་ལ་འདུད།

ཅེས་སྨྲུག་དང་། དངོས་བཤམས་ཡིད་སྤྲུལ་མཆོད་པ་མ་ལུས་འབུལ། །ཐོག་མེད་ནས་བསགས་སྡིག་ལྟུང་ཐམས་ཅད་བཤགས། །སྐྱེ་འཕགས་དགེ་བ་རྣམས་ལ་རྗེས་ཡི་རང་། །འཁོར་བ་མ་སྟོངས་བར་དུ་ལེགས་བཞུགས་ནས། །འགྲོ་ལ་ཆོས་ཀྱི་འཁོར་ལོ་བསྐོར་བ་དང་། །བདག་གཞན་དགེ་རྣམས་བྱང་ཆུབ་ཆེན་པོར་བསྔོ། །ཞེས་ཡན་ལག་བདུན་པ་བྱ། དེ་ནས་མཎྜལ་ཞིག་ཕུལ་ལ། ཐུགས་ཀར་ཉི་མའི་དཀྱིལ་འཁོར་གྱི་སྟེང་དུ་ཧྲཱིཿཡིག་གི་མཐར་མཚན་སྔགས་ཀྱིས་བསྐོར་བ་ལས་བདུད་རྩིའི་རྒྱུན་བབས། ལུས་ཀྱི་ནང་གང་སྡིག་སྒྲིབ་དག །དབང་བཞི་ཐོབ། སྐུ་བཞི་མངོན་དུ་གྱུར་པའི་ནུས་པ་བཞག་པར་བསམ་ལ། ཨོཾ་ཨཱཿགུ་རུ་བཛྲ་དྷ་ར་སུ་མ་ཏི་ཀཱིརྟི་སིདྡྷི་ཧཱུྃ་ཧཱུྃ། ཞེས་ཇི་ལྟར་རིགས་པ་བཟླས་རྗེས། དགེ་བ་འདི་ཡིས་མྱུར་དུ་བདག །ཅེས་སོགས་དང་། དཔལ་ལྡན་རྩ་བའི་བླ་མ་རིན་པོ་ཆེ། །བདག་གི་སྙིང་གར་པདྨའི་སྟེང་བཞུགས་ལ། །བཀའ་དྲིན་ཆེན་པོའི་སྒོ་ནས་རྗེས་བཟུང་སྟེ། །མྱུར་དུ་ཁྱེད་རང་ལྟ་བུར་བྱིན་གྱིས་རློབས། །ཞེས་གསོལ་བ་བཏབ་པས། བླ་མ་ལྷ་བདག་ཉིད་ལ་དགྱེས་བཞིན་དུ་ཐིམ་པས་རང་ཉིད་སེཧྣེ་ཆེན་པོ་བརྒྱད་ཀྱིས་བཏེག་པའི་རིན་པོ་ཆེའི་ཁྲི་མཐོ་ཞིང་ཡངས་པའི་ཞེས་པ་ནས་ཐུགས་ཀར་ཧཱུྃ་སྔོན་པོ་ཞེས་པའི་བར་སྔར་བཞིན་བརྗོད། ཐུགས་ཀའི་ཧཱུྃ་ལས་སྤྲོས་པའི་མཆོད་པའི་ལྷ་མོ་རྣམས་ཀྱིས་མཆོད་པར་བསམ་ལ། ཨོཾ་ཨཱཿགུ་རུ་བཛྲ་དྷ་ར་སུ་མ་ཏི་ཀཱིརྟི་ས་པ་རི་ཝཱ་ར་ཨརྒྷཾ་ནས་ཤབྡའི་བར་གྱིས་མཆོད། རྒྱལ་བ་ཀུན་གྱི་མཁྱེན་བརྩེ་མ་ལུས་པ། །གཅིག་ཏུ་བསྡུས་པ་རྗེ་བཙུན་འཇམ་པའི་དབྱངས། །ངུར་སྨྲིག་གར་རོལ་བློ་བཟང་གྲགས་པའི་དཔལ། །གསོལ་བ་འདེབས་སོ་བྱིན་གྱིས་བརླབ་ཏུ་གསོལ། །ཞེས་བསྟོད། རང་ཉིད་རྗེ་བླ་མར་གསལ་བའི་ཐུགས་ཀར་ཉི་མའི་དཀྱིལ་འཁོར་གྱི་སྟེང་དུ་ཧྲཱིཿཡིག་དམར་སེར། དེའི་མཐའ་སྐོར་དུ། དམིགས་མེད་བརྩེ་བའི་གཏེར་ཆེན་སྤྱན་རས་གཟིགས། །དྲི་མེད་མཁྱེན་པའི་དབང་པོ་འཇམ་པའི་དབྱངས། །གངས་ཅན་མཁས་པའི་གཙུག་རྒྱན་ཙོང་ཁ་པ། བློ་བཟང་གྲགས་པའི་ཞབས་ལ་གསོལ་བ་འདེབས། །ཞེས་པ་བསྐོར་བ་ལས་འོད་ཟེར་འཕྲོས་འགྲོ་བའི་དོན་བྱས། སླར་འདུས་ཐུགས་ཀའི་ས་བོན་ལ་ཐིམ་པར་བསམ་ལ། དམིགས་བརྩེ་མ་ཅི་མང་བཟླ་སྟེ་བསྙེན་ཚད་ནི་འབུམ་ཕྲག་གསུམ་མོ། །དེ་ནས་མཇུག་ཏུ། དགེ་བ་འདི་ཡིས་མྱུར་དུ་བདག །ཅེས་སོགས་དང་སྔར་བཞིན་ཨརྒྷཾ་སོགས་ཀྱིས་མཆོད་པ་འབུལ་ཞིང་བསྟོད་པས་ཀྱང་བསྟོད། གཞན་ཡང་། དཔལ་ལྡན་ས་གསུམ་མ་ལ་སོགས་པའི་བསྟོད་པ་དང་སྨོན་ལམ་ཅི་རིགས་པར་བྱའོ། །དེ་ལྟར་བསྙེན་པ་སོང་ནས་ལས་ཚོགས་བསྒྲུབ་པ་ལ།

གནས་གཙང་མ་བླ་གབ་དང་བཅས་པར་ནམ་མཁའ་མ་མཐོང་བར་བྱས་ལ། མཐིང་ཤོག་གཙང་མ་ལ་གསེར་རམ། རྒྱ་སྣག་གིས་དམིགས་བརྩེ་མ་སྦེབ་སྦྱོར་དག་ཅིང་ཆད་ལྷག་མེད་པར་བརྩེགས་ནས་འབྲི། གུ་དཀར་ནག་གཉིས། ཙནྡན་དཀར་དམར་གཉིས། སིཧླ་རྣམས་བྱུགས། སྔོན་དུ་བཤད་པ་ལྟར་བླ་མའི་རྣལ་འབྱོར་དང་བདག་བསྐྱེད་འདུ་བྱས་ལ། དམིགས་བརྩེ་མ་སྟོང་བཟླས་ལ་ཕུ་བཏབ། ཟ་བའི་དུས་སུ་སྒྲ་གཅན་གྱི་ཐིབས་ལེགས་པར་བསྟིས་ལ་སྒྲ་གཅན་རྒྱབ་ཏུ་བཞག་སྐྱེ་སོའི་རྩེ་མོ་དང་། སེན་མོའི་རྩེ་མོ་དང་། ལྕེའི་རྩེ་མོ་རྣམས་ལ་མ་རེག་པ་བྱས་ཏེ་བཟའ་བ་བྱའོ། །ཟ་བ་དང་དུས་མཉམ་དུ་ལུས་ཐམས་ཅད་རྡོ་རྗེ་ལྟ་བུའི་རང་བཞིན་དུ་གྱུར་པར་བསྒོམ་མོ། །ཐེར་བཤད་པ་ལྟར་གྱི་སྨོན་ལམ་དང་བཀྲ་ཤིས་སོགས་བྱའོ། །ཞེས་མཆོན་བསྲུང་བའི་བཟའ་ཡིག་གི་ལས་ཚོགས་ནག་འགྲོས་སུ་བཀོད་པའོ། ། ། མངྒ་ལཾ། །

༈ ན་མོ་གུ་རུ། འདིར་དམིགས་བརྩེ་མའི་ལས་ཚོགས་ཀྱི་ནང་ནས་མཆོན་སྲུང་འདོགས་པའི་ལས་ཚོགས་ནག་འགྲོས་སུ་བྱ་བ་ལ། ཐོག་མར་བསྙེན་པ་གལ་ཆེ་བས། ལས་ཚོགས་འདི་སྒྲུབ་པ་ལ་ཐོག་མར་གཤིན་རྗེ་གཤེད་ཀྱི་བསྙེན་པ་སྔོན་དུ་སོང་ན་ལེགས་ཤིང་། དེ་ལྟར་མིན་ཡང་དམིགས་བརྩེ་མའི་བསྙེན་པ་སྔོན་དུ་ངེས་པར་འགྲོ་དགོས་པས། དེ་ལ་ཐོག་མར་གནས་ཁང་གི་དོར་བྱས། ༧རྗེའི་བྲིས་སྐུ་ལ་སོགས་པའི་སྐུ་གསུང་ཐུགས་ཀྱི་རྟེན་བཀྲམས། མཆོད་པ་གཡོ་མེད་ཅིང་བཀོད་པ་མཛེས་པར་བཤམས་ལ། སྟན་བདེ་བ་ལ་དགེ་སེམས་ཁྱད་པར་ཅན་དང་ལྡན་པས་འདུག་ལ། སྐྱབས་ཡུལ་རྣམས་གསལ་བཏབ་སྟེ། བླ་མ་ལ་སྐྱབས་སུ་མཆིའོ། །སངས་རྒྱས་ལ་སྐྱབས་སུ་མཆིའོ། །ཆོས་ལ་སྐྱབས་སུ་མཆིའོ། །དགེ་འདུན་ལ་སྐྱབས་སུ་མཆིའོ། །ཁམས་གསུམ་ཆོས་ཀྱི་རྒྱལ་པོ་ཤར་ཙོང་ཁ་པ་ཆེན་པོའི་ལྷ་ཚོགས་འཁོར་དང་བཅས་པ་རྣམས་ལ་སྐྱབས་སུ་མཆིའོ། །དཔལ་མགོན་དམ་པ་ཆོས་སྐྱོང་བའི་སྲུང་མ་ཡེ་ཤེས་ཀྱི་སྤྱན་དང་ལྡན་པ་རྣམས་ལ་སྐྱབས་སུ་མཆིའོ། །ཞེས་པ་ལན་གསུམ་གྱིས་ཉུང་མཐའ་བྱས་པའི་གྲངས་ཇི་ལྟར་རིགས་པ་དང་། སངས་རྒྱས་ཆོས་དང་ཚོགས་ཀྱི་མཆོག་རྣམས་ལ། ཞེས་སོགས་ཀྱིས་ཀྱང་སེམས་བསྐྱེད། མར་གྱུར་སེམས་ཅན་ཐམས་ཅད་ཅེས་སོགས་ཀྱིས་ཚད་མེད་བཞི་བསྒོམས། དངོས་གཞི་ནི། རང་གི་སྤྱི་བོར་སེངྒེ་ཆེན་པོ་བརྒྱད་ཀྱིས་བཏེག་པའི་རིན་པོ་ཆེའི་ཁྲི་མཐོ་ཞིང་ཡངས་པའི་སྟེང་ཁར་སྣ་ཚོགས་པད་ཟླ་ཉི་མའི་དཀྱིལ་འཁོར་གྱི་གདན་ལ། མཉམ་མེད་ཐུབ་པའི་དབང་པོ་ནས་རང་གི་དྲིན་ཅན་རྩ་བའི་བླ་མའི་བར་གྱི་བླ་མ། ཡི་དམ་སངས་རྒྱས་བྱང་སེམས་དཔའ་བོ་མཁའ་འགྲོ་ཆོས་སྐྱོང་སྲུང་མ་ཐམས་ཅད་འདུས་པའི་བདག་ཉིད་ཐུབ་དབང་རྡོ་རྗེ་འཆང་བློ་བཟང་གྲགས་པ་སྐུ་མདོག་དཀར་ལ་དམར་བའི་མདངས་ཆགས་པ་ལ་ཞལ་གྱི་

དཀྱིལ་འཁོར་ཤིན་ཏུ་འཛུམ་ཞིང་སྤྱན་དཀྲུས་རིང་བ། སྐུ་ལ་ཆོས་གོས་ངུར་སྨྲིག་གསུམ་མཛེས་པར་གསོལ་བ། དབུ་ལ་པཎ་ཞྭ་གསེར་གྱི་མདོག་ཅན་རྩེ་རིང་གསོལ་བ། ཕྱག་གཉིས་ཆོས་འཁོར་གྱི་ཕྱག་རྒྱས་ཨུཏྤ་ལའི་ཡུ་བ་ཐུགས་ཀར་བཟུང་བའི་འདབ་མ་སྙན་གཡས་གཡོན་གྱི་ཐད་དུ་ཁ་ཕྱེ་བའི་སྟེང་དུ་ཤེས་རབ་ཀྱི་རལ་གྲི་དང་བརྒྱད་སྟོང་པའི་གླེགས་བམ་བསྣམས་པ། ཞབས་རྡོ་རྗེ་སྐྱིལ་ཀྲུང་གིས་བཞུགས་པ། འོད་ཟེར་གྱི་ཚོགས་ཞིང་ཁམས་ཀུན་འགེངས་པར་འཕྲོས་པས། ཞིང་ཁམས་ཐམས་ཅད་སྐུ་ལ་སྣང་ཞིང་། སྐུས་ཞིང་ཁམས་ཐམས་ཅད་ཁྱབ་པའི་བདག་ཉིད་ཅན་དུ་བཞུགས་པའི་སྤྱི་བོར་ཨོཾ་དཀར་པོ། མགྲིན་པར་ཨཱཿདམར་པོ། ཐུགས་ཀར་ཧཱུྃ་སྔོན་པོ། ཐུགས་ཀའི་ཧཱུྃ་ལས་འོད་ཟེར་འཕྲོས་པས་རང་བཞིན་གྱི་གནས་ནས་ཆོས་ཀྱི་རྒྱལ་པོ་ཙོང་ཁ་པ་ཆེན་པོ་ལ་སངས་རྒྱས་དང་བྱང་ཆུབ་སེམས་དཔའི་ཚོགས་ཀྱིས་བསྐོར་བ་སྤྱན་དྲངས། ཛཿཧཱུྃ་བཾ་ཧོཿགཉིས་སུ་མེད་པར་གྱུར། གང་གི་དྲིན་གྱིས་བདེ་ཆེན་ནི། །སྐད་ཅིག་ལ་འཆར་བ་གང་། །བླ་མ་རིན་ཆེན་ལྟ་བུ་ཡི། །རྡོ་རྗེ་ཅན་ཞབས་པད་ལ་འདུད། །ཅེས་ཕྱག་དང་། དངོས་བཤམས་ཡིད་སྤྲུལ་མཆོད་པ་མ་ལུས་འབུལ། །ཐོག་མེད་ནས་བསགས་སྡིག་ལྟུང་ཐམས་ཅད་བཤགས། །སྐྱེ་འཕགས་དགེ་བ་རྣམས་ལ་རྗེས་ཡི་རང་། །འཁོར་བ་མ་སྟོང་བར་དུ་ལེགས་བཞུགས་ནས། །འགྲོ་ལ་ཆོས་ཀྱི་འཁོར་ལོ་བསྐོར་བ་དང་། །བདག་གཞན་དགེ་རྣམས་བྱང་ཆུབ་ཆེན་པོར་བསྔོ། །ཞེས་ཡན་ལག་བདུན་པ་བྱ། དེ་ནས་མཎྜལ་ཞིག་ཕུལ་ལ། །ཐུགས་ཀར་ཉི་མའི་དཀྱིལ་འཁོར་གྱི་སྟེང་དུ་ཧྲཱིཿཡིག་གི་མཐར། མཚན་སྔགས་ཀྱིས་བསྐོར་བ་ལས་བདུད་རྩིའི་རྒྱུན་བབས་ལུས་ཀྱི་ནང་གང་སྡིག་སྒྲིབ་དང་། །དབང་བཞི་ཐོབ། སྐུ་བཞི་མངོན་དུ་གྱུར་པའི་ནུས་པ་བཞག་པར་བསམས་ལ། ཨོཾ་ཨཱཿགུ་རུ་བཛྲ་ཧྲ་ར་སུ་མ་ཏི་ཀཱིརྟི་སིདྡྷི་ཧཱུྃ་ཧཱུྃ། ཞེས་ཇི་ལྟར་རིགས་པ་བཟླས་རྗེས། དགེ་བ་འདི་ཡིས་མྱུར་དུ་བདག །ཅེས་སོགས་དང་། དཔལ་ལྡན་རྩ་བའི་བླ་མ་རིན་པོ་ཆེ། །བདག་གི་སྙིང་གར་པདྨོའི་སྟེང་བཞུགས་ལ། །བཀའ་དྲིན་ཆེན་པོའི་སྒོ་ནས་རྗེས་བཟུང་སྟེ། །མྱུར་དུ་ཁྱེད་རང་ལྟ་བུར་བྱིན་གྱིས་རློབས། །ཞེས་གསོལ་བ་བཏབ་པས། བླ་མ་ལྷ་བདག་ཉིད་ལ་དགྱེས་བཞིན་དུ་ཐིམ་པས་རང་ཉིད་སེནྡྷེ་ཆེན་པོ་བརྒྱད་ཀྱིས་བརྟེག་པའི་རིན་པོ་ཆེའི་ཁྲི་མཐོ་ཞིང་ཡངས་པའི་ཞེས་པ་ནས། ཐུགས་ཀར་ཧཱུྃ་སྔོན་པོ། ཞེས་པའི་བར་སྔར་བཞིན་བརྗོད། ཐུགས་ཀའི་

ཧཱུྃ་ལས་སྤྲོས་པའི་མཆོད་པའི་ལྷ་མོ་རྣམས་ཀྱིས་མཆོད་པར་བསམས་ལ། ཨོཾ་ཨཱཿ གུ་རུ་བཛྲ་དྷ་ར་སུམ་ཏི་གྲྀཧྞ་ས་པ་རི་ཝཱ་ར་ཨརྒྷཾ་ནས་ཤབྡའི་བར་གྱི་མཆོད། རྒྱལ་བ་ཀུན་གྱི་མཁྱེན་བརྩེ་མ་ལུས་པ། །གཅིག་ཏུ་བསྡུས་པ་རྗེ་བཙུན་འཇམ་པའི་དབྱངས། །ངུར་སྨྲིག་གར་རོལ་བློ་བཟང་གྲགས་པའི་དཔལ། །གསོལ་བ་འདེབས་སོ་བྱིན་གྱིས་བརླབ་ཏུ་གསོལ། ཞེས་བསྟོད། རང་ཉིད་རྗེ་བླ་མར་གསལ་བའི་ཐུགས་ཀར་ཉི་མའི་དཀྱིལ་འཁོར་གྱི་སྟེང་དུ་ཧྲཱིཿ ཡིག་དམར་སེར། དེའི་མཐའ་སྐོར་དུ། དམིགས་མེད་བརྩེ་བའི་གཏེར་ཆེན་སྤྱན་རས་གཟིགས། །དྲི་མེད་མཁྱེན་པའི་དབང་པོ་འཇམ་པའི་དབྱངས། །གངས་ཅན་མཁས་པའི་གཙུག་རྒྱན་ཙོང་ཁ་པ། །བློ་བཟང་གྲགས་པའི་ཞབས་ལ་གསོལ་བ་འདེབས། །ཞེས་པས་བསྐོར་བ་ལས་འོད་ཟེར་འཕྲོས། །འགྲོ་བའི་དོན་བྱས། སླར་འདུས་ཐུགས་ཀའི་ས་བོན་ལ་ཐིམ་པར་བསམས་ལ། དམིགས་བརྩེ་མ་ཅི་མང་བཟླ་སྟེ་བསྙེན་ཚད་ནི་འབུམ་ཕྲག་གསུམ་མོ། དེ་ནས་འཇུག་ཏུ། དགེ་བ་འདི་ཡིས་མྱུར་དུ་བདག །ཅེས་སོགས་དང་སྔར་བཞིན་ཨརྒྷཾ་སོགས་ཀྱིས་མཆོད་པ་འབུལ་ཞིང་བསྟོད་པས་ཀྱང་བསྟོད། གཞན་ཡང་། དཔལ་ལྡན་གསུམ་མ་ལ་སོགས་པའི་བསྟོད་པ་དང་སྨོན་ལམ་ཅི་རིགས་པར་བྱའོ། །དེ་ལྟར་བསྙེན་པ་སོང་ནས། ལས་ཚོགས་བསྒྲུབ་པ་ལ། དམིགས་བརྩེ་མ་སྔར་བཞིན་གྱིས་ལ་བདག་བསྐྱེད་ཐོན་དུ་འགྲོ་བས་བསྲུང་བ་ཆེན་སྐྱུད་དམར་པོས་དཀྲིས་རང་འདོགས་པ་པོ་ཡིན་ན་ཁ་ཤར་དུ་བལྟས་ཏེ་སྟན་དཀར་པོའི་སྟེང་དུ་ནས་ཀྱི་རྡོ་རྗེ་རྒྱ་གྲམ་བྲིས་པ་ལ་འཁོད་ཅིང་། གཞན་ལ་འདོགས་ན། དེ་ལྟར་འཁོད་དུ་བཅུག །དེ་ནས་རང་ཉིད་ཡིན་ན་ངག་ཏུ་འདོན་ཅིང་། སློབ་མ་ཡིན་ན་རྗེས་ཟློས་འདི་ལྟར་བྱེད་དུ་འཇུག །དཀོན་མཆོག་གསུམ་ལ་བདག་སྐྱབས་མཆི། །སྡིག་པ་ཐམས་ཅད་སོ་སོར་བཤགས། །འགྲོ་བའི་དགེ་ལ་རྗེས་ཡི་རང་། །སངས་རྒྱས་བྱང་ཆུབ་ཡིད་ཀྱིས་བཟུང་། །དམིགས་མེད་བརྩེ་བའི་གཏེར་ཆེན་སྤྱན་རས་གཟིགས། །དྲི་མེད་མཁྱེན་པའི་དབང་པོ་འཇམ་པའི་དབྱངས། །གང་ཅན་མཁས་པའི་གཙུག་རྒྱན་ཙོང་ཁ་པ། །བློ་བཟང་གྲགས་པའི་ཞབས་ལ་གསོལ་བ་འདེབས། །མཚོན་སྲུང་འདི་མིག་གིས་མཐོང་ཚད། ལག་པས་རེག་ཚད། ལུས་ལ་བཏགས་ཚད་ཐམས་ཅད་ལ་རལ་གྲིའི་ངར་སྡོག་ཅིག །རལ་སྐོར་མཁན་གྱི་ལག་པ་བསྐུམས་ཤིག །མདའ་མདུང་གི་རྩེ་ཆུམས་ཤིག །གནམ་ལྕགས་རྣམས་གྱེན་དུ་ཕྱོག་ཅིག །འབྲུག་རྣམས་འཕྲེང་དུ་བཟློག་ཅིག །འོག་ཐོག་རྣམས་ཐུར་དུ་བཟློག་ཅིང་། །སྐྱེ་བོའི་མཐེབ་སྐྱིལ་ཅིག །མཆོག་དཀར་གྱི་གཞུ་ཆོག་ཅིག །ཡང་དམིགས་བརྩེ་མ་ཚར་གཅིག

བརྟན། མོ་ལྷུགས་ཀྱི་མཉེན་རྣམས་ཚོག་ཅིག །ཕོ་ལྷུགས་ཀྱི་ཀྲོད་རྣམས་ཚོག་ཅིག །ལྷུགས་སྙིང་གི་དར་གསོད་ཅིག །མགར་བ་ནག་པོའི་མདའ་གྲི་མདུང་གསུམ་ཐད་ཐད་ཡང་དམིགས་བརྩེ་མཚར་གཅིག་བརྟན་དེ་ནས་ཡང་། དཀོན་མཆོག་གསུམ་ལ་བདག་སྐྱབས་མཆི། ཞེས་པ་ནས། དམིགས་བརྩེ་མ་ལན་གསུམ་གྱི་བར་རྗེས་བཟློས་ལན་གསུམ་བྱས་ལ་མཆོན་སྲུང་བཏགས། རང་ཉིད་རྗེ་བླ་མར་གསལ་བའི་ཐུགས་ཀ་ནས་འོད་ཟེར་འཕྲོས་པས་རང་ངམ་བསྒྲུབ་བྱའི་ཤ་སྐྱེ་པགས་མཚམས་ཐམས་ཅད་རྡོ་རྗེའི་གོ་ཆས་ཁྲབ་པས་སྟེང་འོག་བར་གསུམ་གྱི་མཆོན་གང་གིས་ཀྱང་གླགས་མི་རྙེད་བར་བསམས་ལ། སླར་ཡང་མཆོན་སྲུང་ལག་ཏུ་བླངས་ཏེ་མགོ་བོ་དང་། ལག་བ་གཡས་གཡོན་གཉིས་དང་། སྙིང་པ་དང་། རྐང་པ་གཡས་གཡོན་གཉིས་རྣམས་ལ་ལན་དགུ་དགུ་གཡས་སྐོར་དུ་བསྐོར་ནས་སླར་ཡང་བཏགས་པར་བྱའོ། །འདིས་ནི་སྟེང་འོག་བར་གསུམ་གྱི་མཆོན་དང་། འཁོར་ལོས་བསྒྱུར་བའི་རལ་གྲི་བཟང་པོ་རྣམས་ཀྱང་བཟློག་པར་འགྱུར་རོ། །སྔར་བཤད་པ་ལྟར་གྱི་སྨོན་ལམ་དང་བཀྲ་ཤིས་སོགས་བྱའོ། །ཞེས་མཆོན་སྲུང་འདོགས་པའི་ལས་ཚོགས་ནག་འགྲོས་སུ་བཀོད་པའོ། ། ། ། མངྒ་ལཾ། །

༈ །།ན་མོ་གུ་རུ། འདིར་དམིགས་བརྩེ་མའི་ལས་ཚོགས་ཀྱི་ནང་ནས་གྲིབ་སྲུང་བའི་ལས་ཚོགས་ནག་འགྲོས་སུ་བྱ་བ་ལ། ཐོག་མར་བསྙེན་པ་གལ་ཆེ་བས། ལས་ཚོགས་འདི་བསྒྲུབ་པ་ལ་ཐོག་མར་གཤིན་རྗེ་གཤེད་ཀྱི་བསྙེན་པ་སྔོན་དུ་སོང་ན་ལེགས་ཤིང་། དེ་ལྟར་མིན་ཡང་དམིགས་བརྩེ་མའི་བསྙེན་པ་སྔོན་དུ་ངེས་བར་འགྲོ་དགོས་པས། དེ་ལ་ཐོག་མར་གནས་ཁང་བྱི་དོར་བྱས། རྗེའི་བྲིས་སྐུ་ལ་སོགས་པའི་སྐུ་གསུང་ཐུགས་ཀྱི་རྟེན་བཀྲམས། མཆོད་པ་གཡོ་མེད་ཅིང་བཀོད་པ་མཛེས་པར་བཤམས། སྟན་བདེ་བ་ལ་དགེ་སེམས་ཁྱབ་པར་ཅན་དང་ལྡན་པས་འདུག་ལ། སྐྱབས་ཡུལ་རྣམས་གསལ་བཏབ་སྟེ། བླ་མ་ལ་སྐྱབས་སུ་མཆིའོ། །སངས་རྒྱས་ལ་སྐྱབས་སུ་མཆིའོ། །ཆོས་ལ་སྐྱབས་སུ་མཆིའོ། །དགེ་འདུན་ལ་སྐྱབས་སུ་མཆིའོ། །ཁམས་གསུམ་ཆོས་ཀྱི་རྒྱལ་པོ་ཤར་ཙོང་ཁ་པ་ཆེན་པོའི་ལྷ་ཚོགས་འཁོར་དང་བཅས་པ་རྣམས་ལ་སྐྱབས་སུ་མཆིའོ། །དཔལ་མགོན་དམ་པ་ཆོས་སྐྱོང་བའི་སྲུང་མ་ཡེ་ཤེས་ཀྱི་སྤྱན་དང་ལྡན་པ་རྣམས་ལ་སྐྱབས་སུ་མཆིའོ། །ཞེས་པ་ལན་གསུམ་གྱིས་ཉུང་མཐའ་བྱས་པའི་གྲངས་ཇི་ལྟར་རིགས་པ་དང་། སངས་རྒྱས་ཆོས་དང་ཚོགས་ཀྱི་མཆོག་རྣམས་ལ། །ཞེས་སོགས་ཀྱིས་ཀྱང་སེམས་བསྐྱེད། མར་གྱུར་སེམས་ཅན་ཐམས་ཅད་ཅེས་སོགས་ཀྱིས་ཚད་མེད་བཞི་བསྒོམས། དངོས་གཞི་ནི། རང་གི་སྤྱི་བོར་སེནྡྷ་ཆེན་པོ་བརྒྱད་ཀྱིས་བཏེག་པའི་རིན་པོ་ཆེའི་ཁྲི་མཐོ་ཞིང་ཡངས་པའི་སྟེང་ཁར་སྣ་ཚོགས་པད་ཟླ་ཉི་མའི་དཀྱིལ་འཁོར་གྱི་གདན་ལ། མཉམ་མེད་ཐུབ་པའི་དབང་པོ་ནས་རང་གི་དྲིན་ཅན་རྩ་བའི་བླ་མའི་བར་གྱི་བླ་མ། ཡི་དམ་སངས་རྒྱས་བྱང་སེམས་

དཔའ་བོ་མཁའ་འགྲོ་ཆོས་སྐྱོང་སྲུང་མ་ཐམས་ཅད་འདུས་པའི་བདག་ཉིད་ཐུབ་དབང་རྡོ་རྗེ་འཆང་བློ་བཟང་གྲགས་པ་སྐུ་མདོག་དཀར་ལ་དམར་བའི་མདངས་ཆགས་པ། ཞལ་གྱི་དཀྱིལ་འཁོར་ཤིན་ཏུ་འཛུམ་ཞིང་སྤྱན་དཀྱུས་རིང་བ། སྐུ་ལ་ཆོས་གོས་ངུར་སྨྲིག་གསུམ་མཛེས་པར་གསོལ་བ། དབུ་ལ་པཎ་ཞྭ་གསེར་གྱི་མདོག་ཅན་སྔོ་རིང་གསོལ་བ། ཕྱག་གཉིས་ཆོས་འཁོར་གྱི་ཕྱག་རྒྱས་ཨུཏྤ་ལའི་ཡུ་བ་ཐུགས་ཀར་བཟུང་བའི་འདབ་མ་སྣན་གཡས་གཡོན་གྱི་ཐད་དུ་ཁ་ཕྱེ་བའི་སྟེང་དུ་ཤེས་རབ་ཀྱི་རལ་གྲི་དང་བརྒྱད་སྟོང་པའི་གླེགས་བམ་བསྣམས་པ། ཞབས་རྡོ་རྗེ་སྐྱིལ་ཀྲུང་གིས་བཞུགས་པ། འོད་ཟེར་གྱི་ཚོགས་ཞིང་ཁམས་ཀུན་འགེངས་པར་འཕྲོས་པས། ཞིང་ཁམས་ཐམས་ཅད་སྐུ་ལ་སྣང་ཞིང་། སྐུས་ཞིང་ཁམས་ཐམས་ཅད་ཁྱབ་པའི་བདག་ཉིད་ཅན་དུ་བཞུགས་པའི་སྤྱི་བོར་ཨོཾ་དཀར་པོ། མགྲིན་པར་ཨཱཿདམར་པོ། ཐུགས་ཀར་ཧཱུྃ་སྔོན་པོ། ཐུགས་ཀའི་ཧཱུྃ་ལས་འོད་ཟེར་འཕྲོས་པས་རང་བཞིན་གྱི་གནས་ནས་ཆོས་ཀྱི་རྒྱལ་པོ་ཙོང་ཁ་པ་ཆེན་པོ་ལ་སངས་རྒྱས་དང་བྱང་ཆུབ་སེམས་དཔའི་ཚོགས་ཀྱིས་བསྐོར་བ་སྤྱན་དྲངས། ཛཿཧཱུྃ་བཾ་ཧོཿགཉིས་སུ་མེད་པར་གྱུར། གང་གི་དྲིན་གྱིས་བདེ་ཆེན་ནི། །སྐད་ཅིག་ཉིད་ལ་འཆར་བ་གང་། །བླ་མ་རིན་ཆེན་ལྟ་བུ་ཡི། །རྡོ་རྗེ་ཅན་ཞབས་པད་ལ་འདུད། ཅེས་ཕྱག་དང་། དངོས་བཤམས་ཡིད་སྤྲུལ་མཆོད་པ་མ་ལུས་འབུལ། །ཐོག་མེད་ནས་བསགས་སྡིག་ལྟུང་ཐམས་ཅད་བཤགས། །སྐྱེ་འཕགས་དགེ་བ་རྣམས་ལ་རྗེས་ཡི་རང་། །འཁོར་བ་མ་སྟོངས་བར་དུ་ལེགས་བཞུགས་ནས། །འགྲོ་ལ་ཆོས་ཀྱི་འཁོར་ལོ་བསྐོར་བ་དང་། བདག་གཞན་དགེ་རྣམས་བྱང་ཆུབ་ཆེན་པོར་བསྔོ། ཞེས་ཡན་ལག་བདུན་པ་བྱ། དེ་ནས་མཎྜལ་ཞིག་ཕུལ་ལ། ཐུགས་ཀར་ཉི་མའི་དཀྱིལ་འཁོར་གྱི་སྟེང་དུ་ཧཱུྃཿཡིག་གི་མཐར་མཚན་སྔགས་ཀྱིས་བསྐོར་བ་ལས་བདུད་རྩིའི་རྒྱུན་བབས་ལུས་ཀྱི་ནང་གང་སྡིག་སྒྲིབ་དག །དབང་བཞི་ཐོབ། སྐུ་བཞི་མངོན་དུ་གྱུར་པའི་ནུས་པ་བཞག་པར་བསམས་ལ། ཨོཾ་ཨཱཿགུ་རུ་བཛྲ་དྷ་ར་སུ་མ་ཏི་ཀཱིརྟི་སིདྡྷི་ཧཱུྃ་ཧཱུྃ། ཞེས་ཇི་ལྟར་རིགས་པ་བཟླས་རྗེས། དགེ་བ་འདི་ཡིས་མྱུར་དུ་བདག །ཅེས་སོགས་དང་། དཔལ་ལྡན་རྩ་བའི་བླ་མ་རིན་པོ་ཆེ །བདག་གི་སྙིང་གར་པདྨའི་སྟེང་བཞུགས་ལ། །བཀའ་དྲིན་ཆེན་པོའི་སྒོ་ནས་རྗེས་བཟུང་སྟེ། །མྱུར་དུ་ཁྱེད་རང་ལྟ་བུར་བྱིན་གྱིས་རློབས། །ཞེས་གསོལ་བ་བཏབ་པས། བླ་མ་ལྷ་བདག་ཉིད་ལ་དགྱེས་བཞིན་དུ་ཐིམ་པས་རང་ཉིད་སེམྡྷ་ཆེན་པོ་

བརྒྱད་ཀྱིས་བརྟེག་པའི་རིན་པོ་ཆེའི་ཁྲི་མཐོ་ཞིང་ཡངས་པའོ། ཞེས་པ་ནས་ཐུགས་ཀར་ཧཱུཾ་སྔོན་པོ་ཞེས་པའི་བར་སྔར་བཞིན་བརྗོད། ཐུགས་ཀའི་ཧཱུཾ་ལས་སྤྲོས་པའི་མཆོད་པའི་ལྷ་མོ་རྣམས་ཀྱིས་མཆོད་པར་བསམས་ལ། ཨོཾ་ཨཱཿ ཀུ་རུ་བཛྲ་ཧྲཱ་ར་སུ་མ་ཏི་ཀཱིརྟི་ས་པ་རི་ཝཱ་ར་ཨརྒྷཾ་ནས་ཤབྡའི་བར་གྱིས་མཆོད། རྒྱལ་བ་ཀུན་གྱི་མཁྱེན་བརྩེ་མ་ལུས་པ། །གཅིག་ཏུ་བསྡུས་པ་རྗེ་བཙུན་འཇམ་པའི་དབྱངས། །ངུར་སྨྲིག་གར་རོལ་བློ་བཟང་གྲགས་པའི་དཔལ། །གསོལ་བ་འདེབས་སོ་བྱིན་གྱིས་བརླབ་ཏུ་གསོལ། །ཞེས་བསྟོད། རང་ཉིད་རྗེ་བླ་མར་གསལ་བའི་ཐུགས་ཀར་ཉི་མའི་དཀྱིལ་འཁོར་གྱི་སྟེང་དུ་ཧཱུཾ་ཡིག་དམར་སེར། དེའི་མཐའ་སྐོར་དུ། དམིགས་བརྩེ་བའི་གཏེར་ཆེན་སྤྱན་རས་གཟིགས། །དྲི་མེད་མཁྱེན་པའི་དབང་པོ་འཇམ་པའི་དབྱངས། །གངས་ཅན་མཁས་པའི་གཙུག་རྒྱན་ཙོང་ཁ་པ། །བློ་བཟང་གྲགས་པའི་ཞབས་ལ་གསོལ་བ་འདེབས། །ཞེས་པས་བསྐོར་བ་ལས་འོད་ཟེར་འཕྲོས་འགྲོ་བའི་དོན་བྱས། སླར་འདུས་ཐུགས་ཀའི་ས་བོན་ལ་ཐིམ་པར་བསམས་ལ། དམིགས་བརྩེ་མ་ཅི་མང་བཟླ་སྟེ་བསྙེན་ཚད་ནི་འབུམ་ཕྲག་གསུམ་མོ། །དེ་ནས་མཇུག་ཏུ། དགེ་བ་འདི་ཡིས་མྱུར་དུ་བདག །ཅེས་སོགས་དང་སྔར་བཞིན་ཨརྒྷཾ་སོགས་ཀྱིས་མཆོད་པ་འབུལ་ཞིང་བསྟོད་པས་ཀྱང་བསྟོད། གཞན་ཡང་དཔལ་ལྡན་ས་གསུམ་མ་ལ་སོགས་པའི་བསྟོད་པ་དང་སྨོན་ལམ་ཅི་རིགས་པར་བྱའོ། །དེ་ལྟར་བསྙེན་པ་སོང་ནས་ལས་ཚོགས་བསྒྲུབ་པ་ལ། གཟའི་གནོད་པ་བཟློག་པར་བྱེད་པ་དང་། སྤྱིར་གྲིབ་ཙམ་བཟློག་པའོ། །དང་པོ་ནི་ས་ཆུ་མེ་རླུང་གི་དབྱེ་བས་རྣམ་པ་ལྔར་འགྱུར་ཏེ། ར་ཧུའི་བྱ་རོག་གི་གདོང་ལས་ནི་ནམ་མཁའི་དུག་དང་། ལྷའི་གདོང་དཀར་པོ་ལས་ནི་ཆུའི་དུག་དང་། རྒྱལ་པོའི་གདོང་སེར་པོ་ལས་ནི་སའི་དུག་དང་། བདུད་ཀྱི་གདོང་ལྗང་ཁུ་ལས་ནི་རླུང་གི་དུག་དང་། སྲིན་པོའི་གདོང་དམར་པོ་དང་སྟོ་བ་ལས་ནི་མེའི་དུག་དང་། ཡན་ལག་རྣམས་ལས་འབྱུང་བ་ལྔ་པོ་དེ་དག་དང་ལྡན་པའི་ཀི་ཀང་གི་དུག་དང་། མཆེན་ཆ་རྣམས་ལས་ཐོག་གི་དུག་དང་། མིག་རྣམས་ལས་རྒྱུ་སྐར་གྱི་དུག་དང་། མཇུག་མ་ལས་ནི་ཀླུའི་དུག་རྣམས་འགྱུར་ཏེ། དེ་དག་ལ་བརྟེན་པའི་ནད་ཐོག་ཚུལ་དང་། བརྟག་པའི་ཐབས་རྣམས་ནི་ཚེས་བཞི་དང་བརྒྱད་དང་། བཅུ་གཅིག་དང་བཅོ་ལྔ་དང་། བཅོ་བརྒྱད་དང་། ཉེར་གཉིས་དང་ཉེར་ལྔ་དང་། ཉེར་དགུ་དང་སྤྱི་ལ་ཁྱབ་པའི་གནམ་སྟོང་གི་དུས་རྣམས་ཀྱི་སྔ་ཕྱིའི་ཆ་ལས་བིཥྚི་གང་དུ་རྒྱུ་བ་དང་། ནད་པའི་ན་ཚུལ་རྣམས་ལ་བརྟག་པར་བྱ་སྟེ། ཞིབ་པར་ནི་འདིར་མ་བྲིས་ལ། དེ་དག་བཟློག་པའི་ཐབས་ཇི་ལྟར་བྱ་ཚུལ་ནི། གནས་གཙང་མར་བུམ་པ་བཟང་པོ་མགུལ་ཆིངས་དང་བཅས་པ་རྒྱ་མཚོར་འབབ་པའི་ཆུས་བཀང་བ་ལ་བུམ་རྫས་ཉེར་ལྔ་བཏབ་པ་དང་། ཧྲ་ཏི་དང་གུར་

ཀུམ་དང་སྙི་ཏང་གསུམ། ཀྱ་སྣག་དང་བསྲེས་ཏེ་ཀྱ་ཤོགས་སེར་པོའི་ངོས་ལ་ནམ་མཁའི་དུག་གིས་ན་བ་རྣམས་ལ་སྦྱིན་པར་བྱ་བ། དམིགས་བརྩེ་མ་ཡོངས་སུ་རྫོགས་པ་བྲིས་པ་དང་། སའི་དུག་གིས་ན་བ་རྣམས་ལ་སྦྱིན་པར་བྱ་བ། གངས་ཅན་མཁས་པའི་གཙུག་རྒྱན་ཙོང་ཁ་པ། ཞེས་བྲིས་པ་དང་། མེའི་དུག་གིས་ན་བ་རྣམས་ལ་སྦྱིན་པར་བྱ་བ། དམིགས་མེད་བརྩེ་བའི་གཏེར་ཆེན་སྤྱན་རས་གཟིགས། ཞེས་བྲིས་པ་དང་། ཆུའི་དུག་གིས་ན་བ་རྣམས་ལ་སྦྱིན་པ་བྱའོ། བློ་བཟང་གྲགས་པའི་ཞབས་ལ་གསོལ་བ་འདེབས། ཞེས་བྲིས་པ་དང་། རླུང་གི་དུག་གིས་ན་བ་རྣམས་ལ་སྦྱིན་པར་བྱ་བ། དྲི་མེད་མཁྱེན་པའི་དབང་པོ་འཇམ་པའི་དབྱངས། ཞེས་བྲིས་པ་རྣམས་གང་སྐབས་སུ་བབས་པ་ཇི་ཙམ་དགོས་པ་བཤམས། གཤིན་རྗེ་གཤེད་ཀྱི་རྣལ་འབྱོར་སྔོན་དུ་འགྲོ་བས་སྲུང་འཁོར་ལེགས་པར་བསྒོམས་ལ། དེ་རྗེས་སྐྱབས་འགྲོ་ནས་བཟུང་སྟེ། དམིགས་བརྩེ་མ་བཟླ་བའི་བར་སྔར་བཞིན་བྱས་ཏེ། དམིགས་བརྩེ་མ་བཟླ་བཞིན་པས། རང་གི་མདུན་དུ་ཁྲབ་འཇུག་ནག་པོ་མདོག་དམར་ནག་ལུས་ཐམས་ཅད་མིག་གིས་གང་བ། མགོ་བོ་དགུ་པ་ལྷགས་ཀྱི་མདའ་གཞུ་ཐོགས་པ། སྨད་སྦྲུལ་མཇུག་ཏུ་འཁྱིལ་བ་དུག་གི་ཁ་རླངས་སེར་ནག་འཁྲིགས་པ་མཐེ་བོང་གི་ཚད་ཙམ་ཞིག་བསྒོམས་ལ། རང་ཉིད་རྗེ་བླ་མར་གསོལ་བའི་ཐུགས་ཀའི་དམིགས་བརྩེ་མ་ཧྲཱིཿཡིག་དང་བཅས་པ་ལས་འོད་ཟེར་དཀར་པོ་ཤིན་ཏུ་རྣོ་བ་དཔག་ཏུ་མེད་པ་མདུང་ཚུགས་སུ་འཕྲོས་པ། ཁྲབ་འཇུག་གི་སྙིང་དཀར་ནག་གི་མཚམས་སུ་ཕོག་པས་ཁོའི་ཤེས་རྒྱུད་རང་དབང་མེད་པར་བྱས་པ་དང་སྙིང་རྗེ་དང་། བྱང་ཆུབ་ཀྱི་སེམས་ཀྱིས་གང་། དུག་གི་ཁ་རླངས་ཐམས་ཅད་ཡལ། ཕྱི་རོལ་དུ་སྤྲོས་པའི་དུག་དང་ཁོ་རང་གི་དུག་ཐམས་ཅད་ཁོ་རང་གི་ལུས་ལ་འདུས། ལག་གི་མདའ་གཞུ་ཆག་ཅིང་ས་ལ་ལྷུངས། སྲིན་པོའི་ལུས་གནས་འགྱུར་ཏེ་ལྷའི་བུ་གཞོན་ནུའི་ལུས་རིན་པོ་ཆེའི་རྒྱན་གྱིས་བརྒྱན་པ་ལག་པ་གཉིས་ཐལ་མོ་སྦྱར་བའི་ཤེལ་གྱི་ཁྲིའུ་ཆུང་ཞིག་ཏུ་གྱུར། རྗེ་བླ་མ་ལ་མོས་གུས་དུང་དུང་བ་དང་བཅས་ཏེ། བདག་ཉིད་རྗེ་བླ་མར་གསལ་བར་སྐོར་བ་བྱེད་ཅིང་སུ་ལའང་གནོད་པ་མི་བྱེད་པའི་དམ་བཅའ་བྱས་པར་བསྒོམས། དེ་ལྟར་བཟླས་པ་ཚར་ནས་བཟའ་ཡིག་དང་བུམ་ཆུ་རྣམས་ལ་ཕུ་བཏབ། ཤེས་རབ་སྙིང་པོ་ལན་ཅིག་བརྗོད། བཟློག་པ་བཏབ་པས། གཟའ་དེ་དངངས་ཏེ་ལྷགས་རི་ནག་པོའི་ཕ་རོལ་ཏུ་སོང་བའི་རྗེས་སུ་རང་ཉིད་རྗེ་བླ་མར་གསལ་བའི་ཐུགས་ཀ་ནས་འཕྲོས་པའི་འོད་ཟེར་གྱིས་སྟེང་འོག་ཐམས་ཅད་ཁྱབ་པས་ཚུར་འོང་བའི་གོ་སྐབས་མེད་པར་བསམ་ཤིང་། ནད་པ་དང་གཟའ་གདོན་དང་ནད་ལ་སོགས་པ་ཐམས་ཅད་མིང་གིས་བཏགས་པ་ཙམ་མ་གཏོགས་རང་ངོས་ནས་གྲུབ་པ་རྡུལ་ཙམ་ཡང་མེད་པར་སྟོང་པ་ཉིད་ལ་མཉམ་པར་འཇོག ། བུམ་པ་ཨ་མྲྀ་ཏས་བསངས། སྭ་བྷཱ་ཝས་སྟོང་པར་སྦྱངས། སྟོང་བའི་ངང་ལས་པཾ་ལས་བྱུང་བའི་རིན་པོ་ཆེའི་བུམ་པ་དཀར་པོ་ལྟོ་བ་ཆེ་བ། མགྲིན་པ་རིང་བ་མཆུ་འཕྱང་བ་ལ་སོགས་པ་མཚན་ཉིད་ཐམས་ཅད་དང་ལྡན་པར་གྱུར། ཨོཾ་ཊཀྐི་ཊཀྐི་མཊྚ་ཊཀྐི་ཡེ་སྭཱཧཱ།

ལྷའི་ཆུ་བོ་གངྒ་དང་བུམ་པའི་ཆུ་དབྱེར་མི་ཕྱེད་པར་གྱུར། བུམ་པའི་ནང་དུ་ཟླ་བའི་དཀྱིལ་འཁོར་གྱི་སྟེང་དུ་ཧྲཱིཿ ཡིག་གི་མཐའ་སྐོར་དུ་དམིགས་བརྗེ་མའི་ཡིག་འབྲུ་ཤེལ་ལྟར་འོད་འཚེར་བས་བསྐོར་བ་ལས་འོད་ཟེར་འཕྲོས། ཕྱོགས་བཅུའི་སངས་རྒྱས་དང་བྱང་ཆུབ་སེམས་དཔའ་ཐམས་ཅད་ཀྱི་བྱིན་རླབས་དང་ཁྱད་པར་དུ་ཡང་དགའ་ལྡན་གྱི་གནས་ནས་ཆོས་ཀྱི་རྒྱལ་པོ་ཙོང་ཁ་པ་ཆེན་པོའི་སྐུ་གསུང་ཐུགས་ཀྱི་བྱིན་རླབས་ཐམས་ཅད་རྗེ་བླ་མའི་སྐུ་དང་། ཕྱག་མཚན་དང་། ས་བོན་ཧྲཱིཿ ཡིག་དང་། རྡོ་རྗེ་རྣམ་འཇོམས་དང་། ཕྱག་ན་རྡོ་རྗེ་དང་། ཁྱུང་ཁྲ་ནག་ལ་སོགས་པའི་རྣམ་པར་སྤྱན་དྲངས། བུམ་པའི་ནང་གི་དམིགས་བརྗེ་མ་ལ་ཐིམ་པས་དག་བྱེད་ཀྱི་བདུད་རྩིའི་རྒྱ་མཚོ་ཆེན་པོ་གྱུར་པར་བསམས་ལ། གཟུངས་ཐག་ནས་བཟུངས་ཏེ། དམིགས་བརྗེ་མ་ཅི་འགྲུབ་བཟླ། དེ་ནས་ཡིག་འབྲུ་ཟླ་བ་དང་བཅས་པ་འོད་དུ་ཞུ་ནས་ཆུ་ལ་ཐིམ་པར་བསྒོམས་ལ་ནད་པ་ལ་ཁྲུས་བྱ་ཞིང་། དམིགས་བརྗེ་མ་བཟླས་པའི་མཐར། སངས་རྒྱས་ཀྱི་བདེན་པ་དང་། ཆོས་ཀྱི་བདེན་པ་དང་། དགེ་འདུན་གྱི་བདེན་པ་དང་། ཆོས་ཀྱི་རྒྱལ་པོ་ཙོང་ཁ་པ་ཆེན་པོའི་བདེན་པ་དང་། བདེན་པ་ཆེན་པོས་བྱིན་གྱིས་བརླབས་ཏེ་བསྒྲུབ་བྱ་འདིའི་ལུས་ངག་ཡིད་གསུམ་ལ་གནོད་པའི་གཟའ་ནད་ཐམས་ཅད་ཤཱནྟིཾ་ཀུ་རུ་ཡེ་སྭཱཧཱ། བྱ་རོག་གི་གདོང་ལས་བྱུང་བའི་ནམ་མཁའི་དུག་ཐམས་ཅད་ཤཱནྟིཾ་ཀུ་རུ་ཡེ་སྭཱཧཱ། ལྷའི་གདོང་ལས་བྱུང་བའི་ཆུའི་དུག་ཐམས་ཅད་ཤཱནྟིཾ་ཀུ་རུ་ཡེ་སྭཱཧཱ། རྒྱལ་པོའི་གདོང་ལས་བྱུང་བའི་སའི་དུག་ཐམས་ཅད་ཤཱནྟིཾ་ཀུ་རུ་ཡེ་སྭཱཧཱ། སྲིན་པོའི་གདོང་ལས་བྱུང་བའི་མེའི་དུག་ཐམས་ཅད་ཤཱནྟིཾ་ཀུ་རུ་ཡེ་སྭཱཧཱ། བདུད་ཀྱི་གདོང་ལས་བྱུང་བའི་རླུང་གི་དུག་ཐམས་ཅད་ཤཱནྟིཾ་ཀུ་རུ་ཡེ་སྭཱཧཱ། མཚོན་ཆ་ལས་བྱུང་བའི་གནམ་ལྕགས་ཀྱི་གནོད་པ་ཐམས་ཅད་ × མིག་རྣམས་ལས་བྱུང་བའི་རྒྱུ་སྐར་གྱི་དུག་ཐམས་ཅད་ × ཡན་ལག་རྣམས་ལས་བྱུང་བའི་ཀེ་ཀང་གི་དུག × མཇུག་མ་ལས་བྱུང་པའི་ཀླུའི་དུག་ཐམས་ཅད་ཤཱནྟིཾ་ཀུ་རུ་ཡེ་སྭཱཧཱ། ཕྱི་མིག་བལྟ་བའི་དུག་ཐམས་ཅད་ཤཱནྟིཾ་ཀུ་རུ་ཡེ་སྭཱཧཱ། ཞེས་ལན་མང་དུ་བགྲུས་པས་ནད་གདོན་ཐམས་ཅད་ལུས་ཀྱི་དབང་པོའི་སྒོ་དང་བ་སྤུའི་བུ་ག་ཐམས་ཅད་ནས་ཐིག་པ་དང་སྦལ་ལྕོང་དང་། དུག་གི་ཁུ་བའི་རྣམ་པར་ཐོན་ཏེ་ལུས་ཐམས་ཅད་ཤེལ་གོང་རྡུལ་ཕྱིས་པ་ལྟ་བུར་གྱུར་པར་བསྒོམས། ཁར་ཆུ་ཅུང་ཟད་འཛིན་དུ་བཅུག་སྟེ་ལག་ཏུ་རྨ་བྱའི་སྒྲོའི་ཆུན་པོ་ཐོགས་ཏེ། རྡོ་རྗེ་དང་བཅས་པའི་རྨ་བྱའི་སྒྲོའི་ཆུན་པོའི་རྩེ་མོར་ཟླ་བ་ལ་གནས་པའི་ཧྲཱིཿ ཡིག་དམིགས་བརྗེ་མའི་ཡིག་འབྲུ་དང་བཅས་པ་ལས་སྤྲོས་

པའི་འོད་ཟེར་གྱིས་བཀུས་པས་མ་དག་པའི་ནད་ཀྱི་ལྷག་མ་རྣམས་བྱབས་ཤིང་དེད་དེ་ཁའི་ནང་གི་ཆུ་ལ་ཐིམ་པར་གྱུར། ཞེས་བརྗོད་ཅིང་དམིགས་བརྩེ་མ་འདོན་པ་དང་། གོང་གི་ཤྲཱི་ཧཱིང་ཀུ་རུ་ཡེ་སྭཱཧཱ། ཞེས་པ་རྣམས་ཀྱི་ཚབ་ཏུ། ཨ་པ་ན་ཡེ་སྭཱཧཱ། ཞེས་བྱབས་ནས་ཁའི་དྲི་ཆུ། དྲི་གླུད་ཀྱི་སྟེང་དུ་འདོར་དུ་བཅུག །དྲི་ཆུ་དང་དྲི་གླུད་ལག་ཏུ་ཐོགས་ནས་ནད་པ་ལ་སྐོར་བ་གཡས་སུ་བསྐོར་ནས། ཨ་ཀླུ་རོ་ལན་བདུན་བརྗོད། སངས་རྒྱས་ཀྱི་བདེན་པ་དང་། ཆོས་ཀྱི་བདེན་པ་དང་། དགེ་འདུན་གྱི་བདེན་པ་དང་། ཆོས་ཀྱི་རྒྱལ་པོ་ཙོང་ཁ་ཆེན་པོའི་བདེན་པ་དང་། བདེན་པ་ཆེན་པོའི་བྱིན་གྱི་བརླབས་ཀྱིས་བསྒྲུབ་བྱ་འདི་ལ་གནོད་ཅིང་འཚེ་བའི་གཟའ་གདོན་ཐམས་ཅད་དྲི་ཆུ་དྲི་གླུད་འདིས་ཚིམས་པར་གྱིས་ལ་རང་རང་སོ་སོའི་གནས་སུ་སོང་ཤིག །འདིར་མ་འོང་ཤིག །ཅེས་དྲི་ཆུ་དང་དྲི་གླུད་དོར། སུམ་སྟ་ནི་དྲག་ཏུ་བརྗོད། ཡུངས་ཀར་གྱིས་བྲབས། གུ་གུལ་གྱིས་བདུག་བར་མི་བྱའོ། །དེ་ནས་འབྲུ་དཀར་གཏོར་ཞིང་། སངས་རྒྱས་རྣམས་ནི་བདུད་ལས་རྒྱལ། །ཆོས་ནི་ཆོས་མ་ཡིན་ལས་རྒྱལ། །དགེ་འདུན་མུ་སྟེགས་རྣམས་ལས་རྒྱལ། །དབང་པོ་ལྷ་མིན་རྣམས་ལས་རྒྱལ། །ནམ་མཁའ་ལྡིང་ནི་རྒྱ་མཚོ་ལས། །རྒྱལ་ཏེ་རླུང་ནི་སྤྲིན་ལས་རྒྱལ། །རྡོ་རྗེ་ཡི་ནི་རིན་ཆེན་ཕུག །ལྷ་རྣམས་བདེན་པར་གྲགས་པ་ལས། །ས་ཡང་བདེན་པར་རབ་ཏུ་གྲགས། །ཆུ་དང་རླུང་ནི་བདེན་པ་སྟེ། །བདེན་པ་རྒྱལ་འགྱུར་རྫུན་མ་ལགས། །བདེན་པ་དང་བདེན་པའི་ཚིག་འདི་དག་གིས་བསྒྲུབ་བྱ་འདི་ཉིད་བདུད་དང་མི་མཐུན་པའི་ཕྱོགས་ཐམས་ཅད་དང་། ཁྱད་པར་དུ་ཡང་གཟའ་གདོན་ཐམས་ཅད་ལས་རྒྱལ་ནས། ཤིན་ཏུ་བཀྲ་ཤིས་པར་གྱུར་ཅིག །ཅེས་བརྗོད་ཅིང་བཟའ་ཡིག་སྟེར། རྡོ་རྗེ་སློབ་མའི་སྙིང་ཁའི་ཧྲཱིཿཡིག་གི་མཐའ་སྐོར་དུ་དམིགས་བརྩེ་མས་བསྐོར་བ་ལས་འོད་ཟེར་འཕྲོས། ལུས་ཀྱི་ཤ་སྐྱི་པགས་མཚམས་ཐམས་ཅད་རྡོ་རྗེའི་རྡུལ་ཕྲ་རབ་ཀྱིས་ཁྱབ་པས་གཟའ་གདོན་གྱིས་གླགས་མི་རྙེད་པར་བསམས་ལ། དམིགས་བརྩེ་མའི་མཇུག་ཏུ་སྔོན་གྱི་བདེན་པ་བརྗོད་པ་དང་བཅས་པའི་མཇུག་ཏུ་ཤྲཱི་ཧཱིང་ཀུ་རུ་ཞེས་པའི་ཚིག་རྣམས་རཀྵ་ཞེས་པར་བསྒྱུར་ཏེ་བསྒྲུབ་བྱའི་གནས་རྣམས་སུ་རྡོ་རྗེས་རྒྱ་གྲམ་དུ་རེག་དེ་ནས། མཆོག་གསུམ་བསླུ་བ་མེད་པའི་བྱིན་རླབས་དང་། །ཁམས་གསུམ་ཆོས་ཀྱི་རྒྱལ་པོའི་མཐུ་སྟོབས་ཀྱིས། །བསྒྲུབ་བྱ་འདི་ལ་བདག་གིས་བསྲུངས་ཟིན་ཅིང་། །འདི་ལ་སུས་ཀྱང་གནོད་པ་མ་བྱེད་ཅིག །བཛྲ་རཀྵ་རཀྵ། ཆེས་པའི་ཆེ་མཆོག་སྟོན་པ་བླ་ན་མེད། །ཅེས་སོགས་བརྗོད། གལ་ཏེ་ནད་ཀྱི་དབྱེ་བ་རྣམས་མི་ཤེས་པ་ཞིག་ཡིན་ན་བཟའ་ཡིག་འདྲི་ན་དམིགས་བརྩེ་མ་ཡོངས་རྫོགས་བྲིས་ན་ལེགས། ནད་པ་མ་དྲག་གིས་པར་ཁྲུས་དང་

བཟའ་ཡིག་སྙེར་ཞིང་། ནད་ལས་གྲོལ་བའི་ཉིན་མོ་སྨུང་སྐུད་དཀར་པོ་ལ་མདུད་པ་བདུན་བྱས་ཤིང་། མདུད་པ་རེ་རེ་ལ་དམིགས་བརྩེ་མ་ཉེར་གཅིག་གིས་ཐུགས་ནས་ནད་པའི་མགུལ་དུ་བཏགས། དེ་ནི་ཕྱིས་མི་འབྱུང་བའི་སྲུང་བའོ། །གཉིས་པ་གྲིབ་ཙམ་བཟློག་པ་ནི་སྔར་བཤད་པ་ལྟར་རྒྱ་ཤོག་སེར་པོའི་སྟེང་དུ་དམིགས་བརྩེ་མ་ཚིག་རྐང་རེ་རེ་བྲིས་ལ། མཇུག་ནས་བསྒྲིལ་ཏེ་བླ་མའི་རྣལ་འབྱོར་དང་བདག་བསྐྱེད་བསྒོམ་པ་སྔོན་དུ་འགྲོ་བས་དམིགས་བརྩེ་མ་རབ་སྟོང་། འབྲིང་བརྒྱ་ཙ་བརླས་ལ་བཟའ་ཡིག་རྣམས་ལ་ཕུ་བཏབ་སྟེ། བློ་བཟང་གྲགས་པའི་ཞབས་ལ་གསོལ་བ་འདེབས། ཞེས་པ་ནི་སྔ་དྲོ། གངས་ཅན་མཁས་པའི་གཙུག་རྒྱན་ཙོང་ཁ་པ། ཞེས་པ་ནི་ཚ་དུས། དྲི་མེད་མཁྱེན་པའི་དབང་པོ་འཇམ་པའི་དབྱངས། ཞེས་པ་ནི་དྲོ་དུས། དམིགས་མེད་བརྩེ་བའི་གཏེར་ཆེན་སྤྱན་རས་གཟིགས། ཞེས་པ་ནི་དགོང་མོ་ཟའོ། །སྔར་བཤད་པ་ལྟར་གྱི་སྨོན་ལམ་དང་བཀྲ་ཤིས་སོགས་བྱའོ། །ཞེས་གྲིབ་སྲུང་བའི་ལས་ཚོགས་ནག་འགྲོས་སུ་བཀོད་པའོ། ། །།

མངྒ་ལཾ། །

༄༅། །ན་མོ་གུ་རུ། འདིར་དམིགས་བརྩེ་མའི་ལས་ཚོགས་ཀྱི་ནང་ནས་སྲོག་བླུང་བཅོས་པའི་ཐབས་ཀྱི་ལས་ཚོགས་ནག་འགྲོས་སུ་བྱ་བ་ལ། ཐོག་མར་བསྙེན་པ་གལ་ཆེ་བས། ལས་ཚོགས་འདི་བསྒྲུབ་པ་ལ་ཐོག་མར་གཤིན་རྗེ་གཤེད་ཀྱི་བསྙེན་པ་སྔོན་དུ་སོང་ན་ལེགས་ཤིང་། དེ་ལྟར་མིན་ཡང་དམིགས་བརྩེ་མའི་བསྙེན་པ་སྔོན་དུ་ངེས་པར་འགྲོ་དགོས་པས། དེ་ལ་ཐོག་མར་གནས་ཁང་ཕྱི་དོར་བྱས། ༧རྗེའི་བྲིས་སྐུ་ལ་སོགས་པའི་སྐུ་གསུང་ཐུགས་ཀྱི་རྟེན་བཀྲམས། མཆོད་པ་གཡོ་མེད་ཅིང་བཀོད་པ་མཛེས་པར་བཤམས་ལ། སྟན་བདེ་བ་ལ་དགེ་སེམས་ཁྱད་པར་ཅན་དང་ལྡན་པས་འདུག་ལ། སྐྱབས་ཡུལ་རྣམས་གསལ་བཏབ་སྟེ། བླ་མ་ལ་སྐྱབས་སུ་མཆིའོ། །སངས་རྒྱས་ལ་སྐྱབས་སུ་མཆིའོ། །ཆོས་ལ་སྐྱབས་སུ་མཆིའོ། །དགེ་འདུན་ལ་སྐྱབས་སུ་མཆིའོ། །ཁམས་གསུམ་ཆོས་ཀྱི་རྒྱལ་པོ་ཤར་ཙོང་ཁ་པ་ཆེན་པོའི་ལྷ་ཚོགས་འཁོར་དང་བཅས་པ་རྣམས་ལ་སྐྱབས་སུ་མཆིའོ། །དཔལ་མགོན་དམ་པ་ཆོས་སྐྱོང་བའི་སྲུང་མ་ཡེ་ཤེས་ཀྱི་སྤྱན་དང་ལྡན་པ་རྣམས་ལ་སྐྱབས་སུ་མཆིའོ། །ཞེས་པ་ལན་གསུམ་གྱིས་ཉུང་མཐའ་བྱས་པའི་གྲངས་ཇི་ལྟར་རིགས་པ་དང་། སངས་རྒྱས་ཆོས་དང་ཚོགས་ཀྱི་མཆོག་རྣམས་ལ། ཞེས་སོགས་ཀྱིས་ཀྱང་སེམས་བསྐྱེད། མར་གྱུར་སེམས་ཅན་ཐམས་ཅད་ཅེས་སོགས་ཀྱིས་ཚད་མེད་བཞི་བསྒོམས། དངོས་གཞི་ནི། རང་གི་སྤྱི་བོར་སེངྒེ་ཆེན་པོ་བརྒྱད་ཀྱིས་བཏེག་པའི་རིན་པོ་ཆེའི་ཁྲི་མཐོ་ཞིང་ཡངས་པའི་སྟེང་ཁར་སྣ་ཚོགས་པད་ཟླ་ཉི་མའི་དཀྱིལ་འཁོར་གྱི་གདན་ལ། མཉམ་མེད་ཐུབ་པའི་དབང་པོ་ནས་རང་གི་དྲིན་ཅན་རྩ་བའི་བླ་མའི་བར་གྱི་བླ་མ། ཡི་དམ། སངས་རྒྱས། བྱང་སེམས་དཔའ་བོ་མཁའ་འགྲོ་ཆོས་སྐྱོང་སྲུང་མ་ཐམས་ཅད་འདུས་པའི་བདག་ཉིད་

ཐུབ་དབང་རྡོ་རྗེ་འཆང་སྔོ་བཟང་གྲགས་པ་སྐུ་མདོག་དཀར་ལ་དམར་བའི་མདངས་ཆགས་པ།
ཞལ་གྱི་དཀྱིལ་འཁོར་ཤིན་ཏུ་འཛུམ་ཞིང་སྤྱན་དཀྱུས་རིང་བ། སྐུ་ལ་ཆོས་གོས་ငུར་སྨྲིག་གསུམ་
མཛེས་པར་གསོལ་བ། དབུ་ལ་པཎ་ཞྭ་གསེར་གྱི་མདོག་ཅན་སྣེ་རིང་གསོལ་བ། ཕྱག་གཉིས་
ཆོས་འཁོར་གྱི་ཕྱག་རྒྱས་ཨུཏྤ་ལའི་ཡུ་བ་ཐུགས་ཀར་བཟུང་བའི་འདབ་མ་སྣན་གཡས་གཡོན་གྱི་
ཐད་དུ་ཁ་ཕྱེ་བའི་སྟེང་དུ་ཤེས་རབ་ཀྱི་རལ་གྲི་དང་བརྒྱད་སྟོང་པའི་གླེགས་བམ་བསྣམས་པ།
ཞབས་རྡོ་རྗེ་སྐྱིལ་ཀྲུང་གིས་བཞུགས་པ། འོད་ཟེར་གྱི་ཚོགས་ཞིང་ཁམས་ཀུན་འགེངས་པར་
འཕྲོས་པས་ཞིང་ཁམས་ཐམས་ཅད་སྐུ་ལ་སྣང་ཞིང་། སྐུས་ཞིང་ཁམས་ཐམས་ཅད་ཁྱབ་པའི་
བདག་ཉིད་ཅན་དུ་བཞུགས་པའི་སྤྱི་བོར་ཨོཾ་དཀར་པོ། མགྲིན་པར་ཨཱཿདམར་པོ། ཐུགས་
ཀར་ཧཱུྃ་སྔོན་པོ། ཐུགས་ཀའི་ཧཱུྃ་ལས་འོད་ཟེར་འཕྲོས་པས་རང་བཞིན་གྱི་གནས་ནས་ཆོས་ཀྱི་
རྒྱལ་པོ་ཙོང་ཁ་པ་ཆེན་པོ་ལ་སངས་རྒྱས་དང་བྱང་ཆུབ་སེམས་དཔའི་ཚོགས་ཀྱིས་བསྐོར་བ་སྤྱན་
དྲངས། ཛཿཧཱུྃ་བཾ་ཧོཿགཉིས་སུ་མེད་པར་གྱུར། གང་གི་དྲིན་གྱིས་བདེ་ཆེན་ནི། །སྐད་
ཅིག་ཉིད་ལ་འཆར་བ་གང་། །བླ་མ་རིན་ཆེན་ལྟ་བུ་ཡི། །རྡོ་རྗེ་ཅན་ཞབས་པད་ལ་འདུད།
ཅེས་ཕྱག་དང་། དངོས་བཤམས་ཡིད་སྤྲུལ་མཆོད་པ་མ་ལུས་འབུལ། །ཐོག་མེད་ནས་བསགས་
སྡིག་ལྟུང་ཐམས་ཅད་བཤགས། །སྐྱེ་འཕགས་དགེ་བ་རྣམས་ལ་རྗེས་ཡི་རང་། །འཁོར་བ་མ་
སྟོངས་བར་དུ་ལེགས་བཞུགས་ནས། །འགྲོ་ལ་ཆོས་ཀྱི་འཁོར་ལོ་བསྐོར་བ་དང་། །བདག་
གཞན་དགེ་རྣམས་བྱང་ཆུབ་ཆེན་པོར་བསྔོ། །ཞེས་ཡན་ལག་བདུན་པ་བྱ། དེ་ནས་མཎྜལ་ཞིག་ཕུལ་
ལ། ཐུགས་ཀར་ཉི་མའི་དཀྱིལ་འཁོར་གྱི་སྟེང་དུ་ཧྲཱིཿཡིག་གི་མཐར་མཚན་སྔགས་ཀྱིས་བསྐོར་
བ་ལས་བདུད་རྩིའི་རྒྱུན་བབས། ལུས་ཀྱི་ནང་གང་། སྡིག་སྒྲིབ་དག །དབང་བཞི་ཐོབ།
སྐུ་བཞི་མངོན་དུ་གྱུར་བའི་ནུས་པ་བཞག་པར་བསམ་ལ། ཨོཾ་ཨཱཿགུ་རུ་བཛྲ་ཆྭ་ར་སུ་མ་ཏི་ཀཱིརྟི་
སིདྡྷི་ཧཱུྃ་ཧཱུྃ། ཞེས་ཇི་ལྟར་རིགས་པ་བཟླས་རྗེས། དགེ་བ་འདི་ཡིས་མྱུར་དུ་བདག །ཅེས་སོགས་
དང་། དཔལ་ལྡན་རྩ་བའི་བླ་མ་རིན་པོ་ཆེ། །བདག་གི་སྙིང་གར་པདྨའི་སྟེང་བཞུགས་ལ། །
བཀའ་དྲིན་ཆེན་པོའི་སྒོ་ནས་རྗེས་བཟུང་སྟེ། །མྱུར་དུ་ཁྱེད་རང་ལྟ་བུར་བྱིན་གྱིས་
རློབས། །ཞེས་གསོལ་བ་བཏབ་པས། བླ་མ་ལྷ་བདག་ཉིད་ལ་དགྱེས་བཞིན་དུ་ཐིམ་པས་རང་
ཉིད་སེནྡྷེ་ཆེན་པོ་བརྒྱད་ཀྱིས་བཏེག་པའི་རིན་པོ་ཆེའི་ཁྲི་མཐོ་ཞིང་ཡངས་པའི་ཞེས་པ་ནས་ཐུགས

ཀར་རྩྭ་སྔོན་པོ་ཞེས་པའི་བར་སྔར་བཞིན་བརྗོད། ཐུགས་ཀའི་རྩྭ་ལས་སྤྲོས་པའི་མཆོད་པའི་ལྷ་མོ་རྣམས་ཀྱིས་མཆོད་པར་བསམ་ལ། ཨོཾ་ཨཱཿ གུ་རུ་བཛྲ་དྷཱ་ར་སུ་མ་ཏི་ཀཱིརྟི་ས་པ་རི་ཝཱ་ར་ཨརྒྷཾ་ནས་ཤབྡའི་བར་གྱིས་མཆོད། རྒྱལ་བ་ཀུན་གྱི་མཁྱེན་བརྩེ་མ་ལུས་པ། །གཅིག་ཏུ་བསྡུས་པ་རྗེ་བཙུན་འཇམ་པའི་དབྱངས། །ངུར་སྨྲིག་གར་རོལ་བློ་བཟང་གྲགས་པའི་དཔལ། །གསོལ་བ་འདེབས་སོ་བྱིན་གྱིས་བརླབ་ཏུ་གསོལ། །ཞེས་བསྟོད། རང་ཉིད་རྗེ་བླ་མར་གསལ་བའི་ཐུགས་ཀར་ཉི་མའི་དཀྱིལ་འཁོར་གྱི་སྟེང་དུ་དྷཱིཿ ཡིག་དམར་སེར། དེའི་མཐའ་སྐོར་དུ། དམིགས་མེད་བརྩེ་བའི་གཏེར་ཆེན་སྤྱན་རས་གཟིགས། །དྲི་མེད་མཁྱེན་པའི་དབང་པོ་འཇམ་པའི་དབྱངས། །གངས་ཅན་མཁས་པའི་གཙུག་རྒྱན་ཙོང་ཁ་པ། བློ་བཟང་གྲགས་པའི་ཞབས་ལ་གསོལ་བ་འདེབས། །ཞེས་པ་བསྐོར་བ་ལས་འོད་ཟེར་འཕྲོས་འགྲོ་བའི་དོན་བྱས། སྔར་འདུས་ཐུགས་ཀའི་ས་བོན་ལ་ཐིམ་པར་བསམ་ལ། དམིགས་བརྩེ་མ་ཅི་མང་བཟླ་སྟེ་བསྙེན་ཚད་ནི་འབུམ་ཕྲག་གསུམ་མོ། །དེ་ནས་མཇུག་ཏུ། དགེ་བ་འདི་ཡིས་མྱུར་དུ་བདག །ཅེས་སོགས་དང་སྔར་བཞིན་ཨརྒྷཾ་སོགས་ཀྱིས་མཆོད་པ་འབུལ་ཞིང་བསྟོད་པས་ཀྱང་བསྟོད། གཞན་ཡང་། དཔལ་ལྡན་ས་གསུམ་མ་ལ་སོགས་པའི་བསྟོད་པ་དང་སྨོན་ལམ་ཅི་རིགས་པར་བྱའོ། །དེ་ལྟར་བསྙེན་པ་སོང་ནས་ལས་ཚོགས་བསྒྲུབ་པ་ལ། ཛའི་བུམ་པ་གཙང་མའི་ནང་དུ་གཡུ་བྱུ་རུ་སྤོས་ཤེལ་རྣམས་དང་། རྒྱ་མཚོར་འབབ་པའི་ཆུ་ཀླུང་གི་ཆུ་རྣམས་ཀྱིས་བཀངས། བླ་མའི་རྣལ་འབྱོར་དང་བདག་བསྐྱེད་སྔོན་དུ་འགྲོ་བས་དམིགས་བརྩེ་མ་སྟོང་ཕྲག་ལས་མི་ཉུང་བ་བགྲངས་ཏེ་ཆུ་ལ་ཕུ་བཏབ། སློབ་མ་དེ་མདུན་དུ་འོང་བའམ། དེའི་སར་ཕྱིན་ཏེ་ཁྲུས་པའམ། ཧ་ཅང་ནད་ཀྱིས་གདུངས་པ་རྣམས་ལ་ནི་རས་བཟང་པོ་སོགས་ལ་རྒྱ་སྣག་དང་། དགེ་སློང་གཙང་མའི་དྲི་ཆུ་དང་། གླ་རྩི་སྦྱར་ཏེ་དམིགས་བརྩེ་མ་དབུ་ཅན་ཚག་མེད་པ་འཁྲེང་གཅིག་ཏུ་བྲིས་པ་གཡོག །སྦྲུར་བཟོད་པ་ཡིན་ན་ལུས་ཀྱི་རྒྱབ་མདུན་ལ་འབྲི། དེ་ནས་རང་དང་བསྒྲུབ་བྱ་གཉིས་ཀྱིས་དམིགས་བརྩེ་མ་ཅི་ཐོན་བཟླ། དམིགས་པ་ནི་རང་ཉིད་རྗེ་བླ་མར་གསལ་བའི་ཐུགས་ཀའི་དམིགས་བརྩེ་མའི་ཡིག་འབྲུ་ལས་འོད་ཟེར་འཕྲོས་པས་བསྒྲུབ་བྱ་དེའི་སྙིང་ཁར་ཟླུག་སྙིང་སྔོ་ང་ལྟ་བུའི་དམར་སེར་ངེ་བ་ཞིག་གི་དབུས་སུ་སྲོག་གི་རླུང་དུ་གྱུར་བའི་སྲོག་རླུང་གི་ངོ་བོ་རླུང་ཁ་དོག་སྔོན་པོ་དང་། མེའམ་ཁྲག་གི་རླུང་གི་ངོ་བོ་རླུང་ཁ་དོག་དམར་པོ་དང་། སའམ་སྨིན་གྱི་རླུང་གི་ངོ་བོ་རླུང་ཁ་དོག་སེར་པོ་རྣམས་གནས་པ་ལ་འཕོག་པས། དེ་དག་ཐམས་ཅད་ཚམ་གྱིས་བདུད་རྩིའི་ངོ་བོར་གྱུར་ཏེ་སྤྱི་བོ་ནས་ཧང་མཐིལ་གྱི་བར་གང་། ལས་སེམས་ཐམས་ཅད་བདེ་ལྷན་ལྷན་སོང་བར་མོས་པ་དང་མཉམ་དུ་ལུས་ལ་དམིགས་བརྩེ་མའི་གོ་ཁྲབ་གོན་པར་བསམས

ལ། དམིགས་བརྩེ་མ་བཟླས་ནས་ཕྱི་འདེབས་ཅིང་མཐར་ཧ་ཅང་གི་རྐས་བ་སོགས་མ་ཡིན་ན་ཁྲུས་བྱས་ཞིང་། རྐས་པ་དང་ཧ་ཅང་ན་པ་ཡིན་ན་ཁྲུས་འཐོར་བར་བྱའོ། །འདིས་ནི་ཤིན་ཏུ་ཕན་པར་འགྱུར་ཏེ། འདི་ལ་ཡང་བཟའ་ཡིག་སྙིང་བའི་ལུགས་སུ་བྱས་ན་ལེགས་སོ། །ཐར་བཤད་པ་ལྟར་གྱི་སྨོན་ལམ་དང་བཀྲ་ཤིས་སོགས་བྱའོ། །ཞེས་སྒྲོག་རླུང་བཅོས་པའི་ཐབས་ཀྱི་ལས་ཚོགས་ནག་འགྲོས་སུ་བཀོད་པའོ། །མངྒ་ལཾ།

༈ ན་མོ་གུ་རུ། འདིར་དམིགས་བརྩེ་མའི་ལས་ཚོགས་ཀྱི་ནང་ནས་རྒྱལ་པོ་གྲི་ཐོགས་ཀྱི་བཟའ་ཡིག་གི་ལས་ཚོགས་ནག་འགྲོས་སུ་བྱ་བ་ལ། ཐོག་མར་བསྙེན་པ་གལ་ཆེ་བས། ལས་ཚོགས་འདི་བསྒྲུབ་པ་ལ་ཐོག་མར་གཤིན་རྗེ་གཤེད་ཀྱི་བསྙེན་པ་སྔོན་དུ་སོང་ན་ལེགས་ཤིང་། དེ་ལྟར་མིན་ཡང་དམིགས་བརྩེ་མའི་བསྙེན་པ་སྔོན་དུ་ངེས་པར་འགྲོ་དགོས་པས། དེ་ལ་ཐོག་མར་གནས་ཁང་བྱི་དོར་བྱས། ༠རྗེའི་བྲིས་སྐུ་ལ་སོགས་པའི་སྐུ་གསུང་ཐུགས་ཀྱི་རྟེན་བཀྲམས། མཆོད་པ་གཡོ་མེད་ཅིང་བཀོད་པ་མཛེས་པར་བཤམས་ལ། སྟན་བདེ་བ་ལ་དགེ་སེམས་ཁྱད་པར་ཅན་དང་ལྡན་པས་འདུག་ལ། སྐྱབས་ཡུལ་རྣམས་གསལ་བཏབ་སྟེ། བླ་མ་ལ་སྐྱབས་སུ་མཆིའོ། །སངས་རྒྱས་ལ་སྐྱབས་སུ་མཆིའོ། །ཆོས་ལ་སྐྱབས་སུ་མཆིའོ། །དགེ་འདུན་ལ་སྐྱབས་སུ་མཆིའོ། །ཁམས་གསུམ་ཆོས་ཀྱི་རྒྱལ་པོ་ཤར་ཙོང་ཁ་པ་ཆེན་པོའི་ལྷ་ཚོགས་འཁོར་དང་བཅས་པ་རྣམས་ལ་སྐྱབས་སུ་མཆིའོ། །དཔལ་མགོན་དམ་པ་ཆོས་སྐྱོང་བའི་སྲུང་མ་ཡེ་ཤེས་ཀྱི་སྤྱན་དང་ལྡན་པ་རྣམས་ལ་སྐྱབས་སུ་མཆིའོ། །ཞེས་པ་ལན་གསུམ་གྱིས་ཉུང་མཐའ་བྱས་པའི་གྲངས་ཇི་ལྟར་རིགས་པ་དང་། སངས་རྒྱས་ཆོས་དང་ཚོགས་ཀྱི་མཆོག་རྣམས་ལ། ཅེས་སོགས་ཀྱིས་ཀུང་སེམས་བསྐྱེད། མར་གྱུར་སེམས་ཅན་ཐམས་ཅད་ཅེས་སོགས་ཀྱིས་ཚད་མེད་བཞི་བསྒོམས། དངོས་གཞི་ནི། རང་གི་སྤྱི་བོར་སེངྒེ་ཆེན་པོ་བརྒྱད་ཀྱིས་བཏེག་པའི་རིན་པོ་ཆེའི་ཁྲི་མཐོ་ཞིང་ཡངས་པའི་སྟེང་ཁར་སྣ་ཚོགས་པད་ཟླ་ཉི་མའི་དཀྱིལ་འཁོར་གྱི་གདན་ལ་མཉམ་མེད་ཐུབ་པའི་དབང་པོ་ནས་རང་གི་དྲིན་ཅན་རྩ་བའི་བླ་མའི་བར་གྱི་བླ་མ། ཡི་དམ། སངས་རྒྱས། བྱང་སེམས། དཔའ་བོ་མཁའ་འགྲོ་ཆོས་སྐྱོང་སྲུང་མ་ཐམས་ཅད་འདུས་པའི་བདག་ཉིད་ཐུབ་དབང་རྡོ་རྗེ་འཆང་བློ་བཟང་གྲགས་པ་སྐུ་མདོག་དཀར་ལ་དམར་བའི་མདངས་ཆགས་པ། ཞལ་གྱི་དཀྱིལ་འཁོར་ཤིན་ཏུ་འཛུམ་ཞིང་སྤྱན་དཀྱུས་རིང་བ། སྐུ་ལ་ཆོས་གོས་ངུར་སྨྲིག་གསུམ་མཛེས་པར་གསོལ་བ། དབུ་ལ་པཎ་ཞྭ་གསེར་གྱི་མདོག་ཅན་སྣེ་རིང་གསོལ་བ། ཕྱག་གཉིས་ཆོས་འཁོར་གྱི་ཕྱག་རྒྱས་ཨུཏྤ་ལའི་ཡུ་བ་ཐུགས་ཀར་བཟུང་བའི་འདབ་མ་སྙན་གཡས་གཡོན་གྱི་ཐད་དུ་ཁ་ཕྱེ་བའི་སྟེང་དུ་ཤེས་རབ་ཀྱི་རལ་གྲི་དང་བརྒྱད་སྟོང་པའི་གླེགས་བམ་བསྣམས་པ།

ཞབས་རྡོ་རྗེ་སྐྱིལ་ཀྲུང་གིས་བཞུགས་པ། འོད་ཟེར་གྱི་ཚོགས་ཞིང་ཁམས་ཀུན་འགེངས་པར་འཕྲོས་པས། ཞིང་ཁམས་ཐམས་ཅད་སྒྱུ་ལ་སྣང་ཞིང་། སྒྱུས་ཞིང་ཁམས་ཐམས་ཅད་ཁྱབ་པའི་བདག་ཉིད་ཅན་དུ་བཞུགས་པའི་སྤྱི་བོར་ཨོཾ་དཀར་པོ། མགྲིན་པར་ཨཱཿདམར་པོ། ཐུགས་ཀར་ཧཱུྃ་སྔོན་པོ། ཐུགས་ཀའི་ཧཱུྃ་ལས་འོད་ཟེར་འཕྲོས་པས་རང་བཞིན་གྱི་གནས་ནས་ཆོས་ཀྱི་རྒྱལ་པོ་ཙོང་ཁ་པ་ཆེན་པོ་ལ་སངས་རྒྱས་དང་བྱང་ཆུབ་སེམས་དཔའི་ཚོགས་ཀྱིས་བསྐོར་བ་སྤྱན་དྲངས། ཛཿཧཱུྃ་བཾ་ཧོཿགཉིས་སུ་མེད་པར་གྱུར། གང་གི་དྲིན་གྱིས་བདེ་ཆེན་ནི། །སྐད་ཅིག་ཉིད་ལ་འཆར་བ་གང་། །བླ་མ་རིན་ཆེན་ལྟ་བུ་ཡི། །རྡོ་རྗེ་ཅན་ཞབས་པད་ལ་འདུད། ཅེས་ཕྱག་དང་། དངོས་བཤམས་ཡིད་སྤྲུལ་མཆོད་པ་མ་ལུས་འབུལ། །ཐོག་མེད་ནས་བསགས་སྡིག་ལྟུང་ཐམས་ཅད་བཤགས། །སྐྱེ་འཕགས་དགེ་བ་རྣམས་ལ་རྗེས་ཡི་རང་། །འཁོར་བ་མ་སྟོངས་བར་དུ་ལེགས་བཞུགས་ནས། །འགྲོ་ལ་ཆོས་ཀྱི་འཁོར་ལོ་བསྐོར་བ་དང་། །བདག་གཞན་དགེ་རྣམས་བྱང་ཆུབ་ཆེན་པོར་བསྔོ། །ཞེས་ཡན་ལག་བདུན་པ་བྱ། དེ་ནས་མཎྜལ་ཞིག་ཕུལ་ལ། ཐུགས་ཀར་ཉི་མའི་དཀྱིལ་འཁོར་གྱི་སྟེང་དུ་ཧྲཱིཿཡིག་གི་མཐར། མཚན་སྔགས་ཀྱིས་བསྐོར་བ་ལས་བདུད་རྩིའི་རྒྱུན་བབས་ལུས་ཀྱི་ནང་གང་། སྡིག་སྒྲིབ་དག །དབང་བཞི་ཐོབ། སྐུ་བཞི་མངོན་དུ་གྱུར་པའི་ནུས་པ་བཞག་པར་བསམ་ལ། ཨོཾ་ཨཱཿགུ་རུ་བཛྲ་དྷ་ར་སུ་མ་ཏི་ཀཱིརྟི་སིདྡྷི་ཧཱུྃ་ཧཱུྃ། ཞེས་ཇི་ལྟར་རིགས་པ་བཟླས་རྗེས། དགེ་བ་འདི་ཡིས་མྱུར་དུ་བདག །ཅེས་སོགས་དང་། དཔལ་ལྡན་རྩ་བའི་བླ་མ་རིན་པོ་ཆེ། །བདག་གི་སྙིང་གར་པདྨའི་སྟེང་བཞུགས་ལ། །བཀའ་དྲིན་ཆེན་པོའི་སྒོ་ནས་རྗེས་བཟུང་སྟེ། །མྱུར་དུ་ཁྱེད་རང་ལྟ་བུར་བྱིན་གྱིས་རློབས། །ཞེས་གསོལ་བ་བཏབ་པས། བླ་མ་ལྟ་བདག་ཉིད་ལ་དགྱེས་བཞིན་དུ་ཐིམ་པས་རང་ཉིད་སིདྡྷི་ཆེན་པོ་བརྒྱད་ཀྱིས་བརྟེན་པའི་རིན་པོ་ཆེའི་ཁྲི་མཐོ་ཞིང་ཡངས་པའི་ཞེས་པ་ནས། ཐུགས་ཀར་ཧཱུྃ་སྔོན་པོ་ཞེས་པའི་བར་སྔར་བཞིན་བརྗོད། ཐུགས་ཀའི་ཧཱུྃ་ལས་སྤྲོས་པའི་མཆོད་པའི་ལྷ་མོ་རྣམས་ཀྱིས་མཆོད་པར་བསམ་ལ། ཨོཾ་ཨཱཿགུ་རུ་བཛྲ་དྷ་ར་སུ་མ་ཏི་ཀཱིརྟི་ས་པ་རི་ཝཱ་ར་ཨརྒྷཾ་ནས་ཤབྡའི་བར་གྱིས་མཆོད། རྒྱལ་བ་ཀུན་གྱི་མཁྱེན་བརྩེ་མ་ལུས་པ། །གཅིག་ཏུ་བསྡུས་པ་རྗེ་བཙུན་འཇམ་པའི་དབྱངས། །ངུར་སྨྲིག་གར་རོལ་བློ་བཟང་གྲགས་པའི་དཔལ། །གསོལ་བ་འདེབས་སོ་བྱིན་གྱིས་བརླབ་ཏུ་གསོལ། །ཞེས་བསྟོད། རང་

ཉིད་རྗེ་བླ་མར་གསལ་བའི་ཐུགས་ཀར་ཉི་མའི་དཀྱིལ་འཁོར་གྱི་སྟེང་དུ་ཧྲཱིཿ ཡིག་དམར་སེར། དེའི་མཐའ་སྐོར་དུ། དམིགས་མེད་བརྩེ་བའི་གཏེར་ཆེན་སྤྱན་རས་གཟིགས། །དྲི་མེད་མཁྱེན་པའི་དབང་པོ་འཇམ་པའི་དབྱངས། །གངས་ཅན་མཁས་པའི་གཙུག་རྒྱན་ཙོང་ཁ་པ། བློ་བཟང་གྲགས་པའི་ཞབས་ལ་གསོལ་བ་འདེབས། །ཞེས་པ་བསྐོར་བ་ལས་འོད་ཟེར་འཕྲོས། འགྲོ་བའི་དོན་བྱས། སླར་འདུས། ཐུགས་ཀའི་ས་བོན་ལ་ཐིམ་པར་བསམ་ལ། དམིགས་བརྩེ་མ་ཅི་མང་བཟླ་སྟེ་བསྙེན་ཚད་ནི་འབུམ་ཕྲག་གསུམ་མོ། དེ་ནས་མཇུག་ཏུ། དགེ་བ་འདི་ཡིས་མྱུར་དུ་བདག །ཅེས་སོགས་དང་སྔར་བཞིན་ཨརྒྷཾ་སོགས་ཀྱིས་མཆོད་པ་འབུལ་ཞིང་བསྟོད་པས་ཀྱང་བསྟོད། གཞན་ཡང་། དཔལ་ལྡན་ས་གསུམ་མ་ལ་སོགས་པའི་བསྟོད་པ་དང་སྨོན་ལམ་ཅི་རིགས་པར་བྱའོ། །དེ་ལྟར་བསྙེན་པ་སོང་ནས་ལས་ཚོགས་བསྒྲུབ་པ་ལ། བུམ་པ་བསྒྲུབ་པ་དང་རྒྱ་ཤོག་སེར་པོའི་སྟེང་དུ་དམིགས་བརྩེ་མ་ཚིག་རྐང་རེ་རེ་སོ་སོར་བྲིས་པའི་གཟའ་ཡིག་བཟློམ་པ་རྣམས་གཟའ་བཅོས་ཀྱི་སྐབས་སུ་བཤད་པ་ལྟར་བྱས་ལ། ནད་པ་མདུན་དུ་འོང་བའི་རྗེས་སུ་ཀུ་ཤས་ཁྲུས་ཆུ་གཏོར་ཞིང་དམིགས་བརྩེ་མ་ཅི་མང་བརྗོད་པའི་མཐར། སངས་རྒྱས་ཀྱི་བདེན་པ་དང་། ཆོས་ཀྱི་བདེན་པ་དང་། དགེ་འདུན་གྱི་བདེན་པ་དང་། ཆོས་ཀྱི་རྒྱལ་པོ་ཙོང་ཁ་པ་ཆེན་པོའི་ལྷ་ཚོགས་འཁོར་དང་བཅས་པ་རྣམས་ཀྱི་བདེན་པ་དང་། བདེན་པ་ཆེན་པོའི་བྱིན་གྱིས་བརླབས་ཀྱིས་བསྒྲུབ་བྱ་འདིའི་ལུས་ངག་ཡིད་གསུམ་ལ་གནོད་པའི་ནད་གདོན་འདི་རྣམས་ཞི་བར་གྱུར་ཅིག །རབ་ཏུ་ཞི་བར་གྱུར་ཅིག །ཀུན་ཏུ་རབ་ཏུ་ཞི་བར་གྱུར་ཅག །ཅེས་བརྗོད་ཅིང་རང་ཉིད་རྗེ་བླ་མར་གསལ་བའི་ཐུགས་ཀ་ནས་འོད་ཟེར་དཔག་ཏུ་མེད་པ་འཕྲོས། བསྒྲུབ་བྱའི་ལུས་ལ་ཕོག་པས་ནད་གདོན་དེ་དག་ཐམས་ཅད་འོག་སྒོ་ནས་ནག་འདུར་ཏེ་ཐོན། ལུས་ཤེལ་གོང་ཏྭལ་ཕྱིས་པ་ལྟ་བུར་གྱུར་སོང་སྐམ་པ་དང་བཅས་ཏེ་ཁྲུས་ཆུས་འཕྱུལ་ནས་བཟའ་ཡིག་སྟེར། མཐིང་ཤོག་བཟང་པོ་ལ་གསེར་དངུལ་གྱིས་བྲིས་པའི་དམིགས་བརྩེ་མ་ལེགས་པར་རབ་གནས་བྱས་པ་ག་ཤམ་ནས་བསྒྲིལ་ཏེ་སྲུང་སྐུད་ཁྲ་བོས་བཅིངས་ནས་མགུལ་དུ་བཏགས། དེས་ནི་ཤིན་ཏུ་ཕན་པར་འགྱུར་རོ། །འདི་ལ་ས་ཆུ་མེ་རླུང་གི་དབྱེ་བ་སོགས་མི་དགོས་ཤིང་། རྒྱལ་གཟེར་གྱིས་གདུངས་པ་དང་། གདོན་གྱིས་བརླམས་པ་དང་། བྱིས་པ་བྱ་གདོན་གྱིས་གཙེས་པ་དང་། ཀླུའི་གདོན་གྱིས་གནོད་པ་དང་། གླ་མ་དང་། དྲང་སྲོང་དང་། ཀན་པོ་དང་། བརྗེད་བྱེད་དང་། སྨྱོ་བྱེད་ལ་སོགས་པ་ཐམས་ཅད་ལ་མཆོག་ཏུ་ཟབ་པོ། སྔར་བཤད་པ་ལྟར་གྱི་སྨོན་ལམ་དང་བཀྲ་ཤིས་སོགས་བྱའོ། །ཞེས་རྒྱལ་པོ་གྲི་ཐོགས་ཀྱི་བཟའ་ཡིག་གི་ལས་ཚོགས་ནག་འགྲོས་སུ་བཀོད་པའོ།། །།མངྒ་ལཾ། །

༈ ན་མོ་གུ་རུ། འདིར་དམིགས་བརྩེ་མའི་ལས་ཚོགས་ཀྱི་ནང་ནས་ཇག་འཆིང་གི་ལས་ཚོགས་ནག་འགྲོས་སུ་བྱ་བ་ལ། ཐོག་མར་བསྙེན་པ་གལ་ཆེ་བས། ལས་ཚོགས་འདི་བསྒྲུབ་པ་ལ་ཐོག་མར་གཤིན་རྗེ

གཉིད་ཀྱི་བསྙེན་པ་སྔོན་དུ་སོང་ན་ལེགས་ཤིང་། དེ་ལྟར་མིན་ཡང་དམིགས་བརྩེ་མའི་བསྙེན་པ་སྔོན་དུ་ངེས་པར་འགྲོ་དགོས་པས། དེ་ལ་ཐོག་མར་གནས་ཁང་བྱི་དོར་བྱས། ༧རྗེའི་བྲིས་སྐུ་ལ་སོགས་པའི་སྐུ་གསུང་ཐུགས་ཀྱི་རྟེན་བཀྲམས། མཆོད་པ་གཡོ་མེད་ཅིང་བཀོད་པ་མཛེས་པར་བཤམས་ལ། སྟན་བདེ་བ་ལ་དགེ་སེམས་ཁྱད་པར་ཅན་དང་ལྡན་པས་འདུག་ལ། སྐྱབས་ཡུལ་རྣམས་གསལ་བཏབ་སྟེ། བླ་མ་ལ་སྐྱབས་སུ་མཆིའོ། །སངས་རྒྱས་ལ་སྐྱབས་སུ་མཆིའོ། །ཆོས་ལ་སྐྱབས་སུ་མཆིའོ། །དགེ་འདུན་ལ་སྐྱབས་སུ་མཆིའོ། །ཁམས་གསུམ་ཆོས་ཀྱི་རྒྱལ་པོ་ཤར་ཙོང་ཁ་པ་ཆེན་པོའི་ལྷ་ཚོགས་འཁོར་དང་བཅས་པ་རྣམས་ལ་སྐྱབས་སུ་མཆིའོ། །དཔལ་མགོན་དམ་པ་ཆོས་སྐྱོང་བའི་སྲུང་མ་ཡེ་ཤེས་ཀྱི་སྤྱན་དང་ལྡན་པ་རྣམས་ལ་སྐྱབས་སུ་མཆིའོ། །ཞེས་པ་ལན་གསུམ་གྱིས་ཉུང་མཐའ་བྱས་པའི་གྲངས་ཇི་ལྟར་རིགས་པ་དང་། སངས་རྒྱས་ཆོས་དང་ཚོགས་ཀྱི་མཆོག་རྣམས་ལ། ཅེས་སོགས་ཀྱིས་ཀྱང་སེམས་བསྐྱེད། མར་གྱུར་སེམས་ཅན་ཐམས་ཅད་ཅེས་སོགས་ཀྱིས་ཚད་མེད་བཞི་བསྒོམས། དངོས་གཞི་ནི། རང་གི་སྤྱི་བོར་སེངྒེ་ཆེན་པོ་བརྒྱད་ཀྱིས་བཏེག་པའི་རིན་པོ་ཆེའི་ཁྲི་མཐོ་ཞིང་ཡངས་པའི་སྟེང་ཁར་སྣ་ཚོགས་པད་ཟླ་ཉི་མའི་དཀྱིལ་འཁོར་གྱི་གདན་ལ་མཉམ་མེད་ཐུབ་པའི་དབང་པོ་ནས་རང་གི་དྲིན་ཅན་རྩ་བའི་བླ་མའི་བར་གྱི་བླ་མ། ཡི་དམ། སངས་རྒྱས། བྱང་སེམས། དཔའ་བོ་མཁའ་འགྲོ་ཆོས་སྐྱོང་སྲུང་མ་ཐམས་ཅད་འདུས་པའི་བདག་ཉིད་ཐུབ་དབང་རྡོ་རྗེ་འཆང་བློ་བཟང་གྲགས་པ་སྐུ་མདོག་དཀར་ལ་དམར་བའི་མདངས་ཆགས་པ། ཞལ་གྱི་དཀྱིལ་འཁོར་ཤིན་ཏུ་འཛུམ་ཞིང་སྤྱན་དཀྲུས་རིང་བ། སྐུ་ལ་ཆོས་གོས་ངུར་སྨྲིག་གསུམ་མཛེས་པར་གསོལ་བ། དབུ་ལ་པཎ་ཞྭ་གསེར་གྱི་མདོག་ཅན་སྣེ་རིང་གསོལ་བ། ཕྱག་གཉིས་ཆོས་འཁོར་གྱི་ཕྱག་རྒྱས་ཨུཏྤ་ལའི་ཡུ་བ་ཐུགས་ཀར་བཟུང་བའི་འདབ་མ་སྙན་གཡས་གཡོན་གྱི་ཐད་དུ་ཁ་བྱེ་བའི་སྟེང་དུ་ཤེས་རབ་ཀྱི་རལ་གྲི་དང་བརྒྱད་སྟོང་པའི་གླེགས་བམ་བསྣམས་པ། ཞབས་རྡོ་རྗེ་སྐྱིལ་ཀྲུང་གིས་བཞུགས་པ། འོད་ཟེར་གྱི་ཚོགས་ཞིང་ཁམས་ཀུན་འགེངས་པར་འཕྲོས་པས། ཞིང་ཁམས་ཐམས་ཅད་སྐུ་ལ་སྣང་ཞིང་། སྐུས་ཞིང་ཁམས་ཐམས་ཅད་ཁྱབ་པའི་བདག་ཉིད་ཅན་དུ་བཞུགས་པའི་སྤྱི་བོར་ཨོཾ་དཀར་པོ། མགྲིན་པར་ཨཱཿདམར་པོ། ཐུགས་ཀར་ཧཱུྃ་སྔོན་པོ། ཐུགས་ཀའི་ཧཱུྃ་ལས་འོད་ཟེར་འཕྲོས་པས་རང་བཞིན་གྱི་གནས་ནས་ཆོས་ཀྱི་རྒྱལ་པོ་ཙོང་ཁ་པ་ཆེན་པོ་ལ་སངས་རྒྱས་དང་བྱང་ཆུབ་སེམས་དཔའི་ཚོགས་ཀྱིས་བསྐོར་པ་སྤྱན་དྲངས། ཛཿཧཱུྃ་བཾ་ཧོཿ གཉིས་སུ་མེད་པར་གྱུར། གང་གི་དྲིན་གྱིས་བདེ་ཆེན་ནི། །

སྐད་ཅིག་ཉིད་ལ་འཆར་བ་གང་། །བླ་མ་རིན་ཆེན་ལྷ་བུ་ཡི། །རྡོ་རྗེ་ཅན་ཞབས་པད་ལ་འདུད། ཅེས་ཕྱག་དང་། དངོས་བཤམས་ཡིད་སྤྲུལ་མཆོད་པ་མ་ལུས་འབུལ། །ཐོག་མེད་ནས་བསགས་སྡིག་ལྟུང་ཐམས་ཅད་བཤགས། །སྐྱེ་འཕགས་དགེ་བ་རྣམས་ལ་རྗེས་ཡི་རང་། །འཁོར་བ་མ་སྟོངས་བར་དུ་ལེགས་བཞུགས་ནས། །འགྲོ་ལ་ཆོས་ཀྱི་འཁོར་ལོ་བསྐོར་བ་དང་། །བདག་གཞན་དགེ་རྣམས་བྱང་ཆུབ་ཆེན་པོར་བསྔོ། །ཞེས་ཡན་ལག་བདུན་པ་བྱ། དེ་ནས་མཎྜལ་ཞིག་ཕུལ་ལ། ཐུགས་ཀར་ཉི་མའི་དཀྱིལ་འཁོར་གྱི་སྟེང་དུ་ཧཱུཾ་ཡིག་གི་མཐར། མཚན་སྔགས་ཀྱིས་བསྐོར་བ་ལས་བདུད་རྩིའི་རྒྱུན་བབས་ལུས་ཀྱི་ནང་གང་། སྡིག་སྒྲིབ་དག །དབང་བཞི་ཐོབ། སྐུ་བཞི་མངོན་དུ་གྱུར་པའི་ནུས་པ་བཞག་པར་བསམ་ལ། ཨོཾ་ཨཱཿ གུ་རུ་བཛྲ་ཧཱ་ར་སུ་མ་ཏི་ཀཱིརྟི་སིདྡྷི་ཧཱུཾ་ཧཱུཾ། ཞེས་ཇི་ལྟར་རིགས་པ་བཟླས་རྗེས། དགེ་བ་འདི་ཡིས་མྱུར་དུ་བདག །ཅེས་སོགས་དང་། དཔལ་ལྡན་རྩ་བའི་བླ་མ་རིན་པོ་ཆེ། །བདག་གི་སྙིང་གར་པདྨའི་སྟེང་བཞུགས་ལ། །བཀའ་དྲིན་ཆེན་པོའི་སྒོ་ནས་རྗེས་བཟུང་སྟེ། །མྱུར་དུ་ཁྱེད་རང་ལྷ་བུར་བྱིན་གྱིས་རློབས། །ཞེས་གསོལ་བ་བཏབ་པས། བླ་མ་ལྷ་བདག་ཉིད་ལ་དགྱེས་བཞིན་དུ་ཐིམ་པས་རང་ཉིད་སེངྒེ་ཆེན་པོ་བརྒྱད་ཀྱིས་བཏེག་པའི་རིན་པོ་ཆེའི་ཁྲི་མཐོ་ཞིང་ཡངས་པའི་ཞེས་པ་ནས། ཐུགས་ཀར་ཧཱུཾ་སྔོན་པོ་ཞེས་པའི་བར་སྔར་བཞིན་བརྗོད། ཐུགས་ཀའི་ཧཱུཾ་ལས་སྤྲོས་པའི་མཆོད་པའི་ལྷ་མོ་རྣམས་ཀྱིས་མཆོད་པར་བསམ་ལ། ཨོཾ་ཨཱཿ གུ་རུ་བཛྲ་ཧཱ་ར་སུ་མ་ཏི་ཀཱིརྟི་ས་པ་རི་ཝཱ་ར་ཨརྒྷཾ་ནས་ཤབྡའི་བར་གྱིས་མཆོད། རྒྱལ་བ་ཀུན་གྱི་མཁྱེན་བརྩེ་མ་ལུས་པ། །གཅིག་ཏུ་བསྡུས་པ་རྗེ་བཙུན་འཇམ་པའི་དབྱངས། །ངུར་སྨྲིག་གར་རོལ་བློ་བཟང་གྲགས་པའི་དཔལ། །གསོལ་བ་འདེབས་སོ་བྱིན་གྱིས་བརླབ་ཏུ་གསོལ། །ཞེས་བསྟོད། རང་ཉིད་རྗེ་བླ་མར་གསལ་བའི་ཐུགས་ཀར་ཉི་མའི་དཀྱིལ་འཁོར་གྱི་སྟེང་དུ་ཧཱུཾ་ཡིག་དམར་སེར། དེའི་མཐའ་སྐོར་དུ། དམིགས་མེད་བརྩེ་བའི་གཏེར་ཆེན་སྤྱན་རས་གཟིགས། །དྲི་མེད་མཁྱེན་པའི་དབང་པོ་འཇམ་པའི་དབྱངས། །གངས་ཅན་མཁས་པའི་གཙུག་རྒྱན་ཙོང་ཁ་པ། བློ་བཟང་གྲགས་པའི་ཞབས་ལ་གསོལ་བ་འདེབས། །ཞེས་པ་བསྐོར་བ་ལས་འོད་ཟེར་འཕྲོས། འགྲོ་བའི་དོན་བྱས། སླར་འདུས། ཐུགས་ཀའི་ས་བོན་ལ་ཐིམ་པར་བསམ་ལ། དམིགས་བརྩེ་མ་ཅེམང་བཟླ་སྟེ་བསྙེན་ཚད་ནི་འབུམ་ཕྲག་གསུམ་མོ། དེ་ནས་མཐུག་ཏུ། དགེ་བ་འདི་ཡིས་མྱུར་དུ་

བདག ། ཅེས་སོགས་དང་སྔར་བཞིན་ཨཀྵོ་སོགས་ཀྱིས་མཆོད་པ་འབུལ་ཞིང་བསྟོད་པས་ཀྱང་བསྟོད། གཞན་ཡང་དཔལ་ལྡན་ས་གསུམ་མ་ལ་སོགས་པའི་བསྟོད་པ་དང་སྨོན་ལམ་ཅི་རིགས་པར་བྱའོ། །དེ་ལྟར་བསྙེན་པ་སོང་ནས་ལས་ཚོགས་བསྒྲུབ་པ་ལ། ཆོམ་རྐུན་བྱེད་པའི་མི་རྣམས་ཐིག་པ་ལས་བཟློག་འདོད་ཀྱི་སྙིང་རྗེ་ཆེན་པོས་ཉེ་བར་བསླངས་ཏེ་སྔར་བཤད་པ་ལྟར་གྱི་བླ་མའི་རྣལ་འབྱོར་དང་བདག་བསྐྱེད་བསྒོམ་པ་རྣམས་སྔོན་དུ་བཏང་། གོམ་པ་དགུ་བོར་བའི་ཁང་པའི་འོག་ནས་ས་སྤར་མོ་གང་བླངས་ལ། དམིགས་བརྩེ་མ་ཅི་མང་བཟླས་ནས་ཕུ་འདེབས། རང་ཉིད་རྗེ་བླ་མར་གསལ་བའི་ཐུགས་ཀར་ཧྲཱིཿཡིག་གི་མཐར་སྐོར་དུ་དམིགས་བརྩེ་མས་བསྐོར་བའི་ཚིག་རྐང་དང་པོ་དམིགས་མེད་ཅེས་སོགས་ལས་འོད་ཟེར་འཕྲོས་པའི་རྩེ་མོ་ལ་ལྕགས་ཀྱུའི་ཚོགས་དཔག་ཏུ་མེད་པ་འཕྲོས། དགྲ་ཇག་རྣམས་ཀྱི་སྟོབས་རྣམས་བཀུག་ནས་རང་གི་ཁང་པའི་འོག་ཏུ་ཚུད། དྲི་མེད་ཅེས་སོགས་ཀྱི་ཚིག་རྐང་གཉིས་པ་ལས་འོད་ཟེར་འཕྲོས་པའི་རྩེ་མོ་ལ་ཞགས་པའི་ཚོགས་དཔག་ཏུ་མེད་པ་འཕྲོས་པས། དགྲ་ཇག་རྣམས་ཀྱི་ཉ་བསྡམས་པར་བསམས་ལ་ཅུང་ཟད་ཀྱང་འགྲོ་མི་ནུས་པར་བསམ། གངས་ཅན་མཁས་པའི་ཞེས་སོགས་ཚིག་རྐང་གསུམ་པ་ལས་འོད་ཟེར་འཕྲོས་པའི་རྩེ་མོ་ལ་ལྕགས་སྒྲོག་གི་ཚོགས་དཔག་ཏུ་མེད་པ་འཕྲོས་པས། དགྲ་ཇག་རྣམས་ཀྱི་ལུས་ངག་ཡིད་གསུམ་བསྡམས་ཏེ་འགུལ་པ་ཙམ་ཡང་མི་ནུས་པར་བསམས། བློ་བཟང་གྲགས་པའི་ཞེས་སོགས་ཚིག་རྐང་བཞི་པ་ལས་འོད་ཟེར་འཕྲོས་པའི་སྣེ་མོ་ལ་རིའི་རྒྱལ་པོ་རི་རབ་དང་། གསེར་གྱི་རི་བདུན་དང་རི་ནག་པོ་དགུ་ལ་སོགས་པ་ཕྱིས་ཏེ་དགྲ་ཇག་གི་མཐའ་བསྐོར་བས་གང་དུ་ཡང་འགྲོ་ས་མེད་པར་བསམས་ཏེ་བྱེ་མ་ཕྱོགས་བཞིར་གཏོར། གོང་གི་དམིགས་པ་རྣམས་མ་ཡེངས་པའི་ངོས་ནས་དམིགས་བརྩེ་མ་འདྲེན་གྱིན་ལམ་དུ་འགྲོ་བར་བྱ་སྟེ། ཇག་པ་ཡོད་ན་རང་གི་གཟུགས་པོ་གྲུག་པ་དང་། འཁྲིག་པ་སོགས་འོང་ཞིང་། མེད་ན་ཁང་པ་སྤྲང་པ་དང་ལྟེ་བ་སོགས་འོང་ངོ། །ཇག་པ་མེད་པ་ཤེས་ཚེ་ཏིང་ངེ་འཛིན་སྔོད་ཅིང་ཡུལ་དང་ནོར་སོགས་བསྲུང་ན་བསྲུང་བྱའི་ཕྱོགས་བཞིར་མཐོ་བཞི་བརྩེགས། སྔར་བཞིན་ས་བླངས་ལ་ཕུ་བཏབ། ཤར་ཕྱོགས་ཀྱི་མཐོ་ཚིག་རྐང་དང་པོ་ལས་སྤྱན་རས་གཟིགས། ལྷོ་ཕྱོགས་ཀྱི་མཐོ་ཚིག་རྐང་གཉིས་པ་ལས་འཇམ་དབྱངས། ནུབ་ཕྱོགས་ཀྱི་མཐོ་ཚིག་རྐང་གསུམ་པ་ལས་ཕྱག་རྡོར། བྱང་ཕྱོགས་ཀྱི་མཐོ་ཚིག་རྐང་བཞི་པ་ལས་རྗེ་བླ་མར་བསྒོམས། སྔགས་བཏབ་པའི་བྱེ་མས་བསྲུང་བྱའི་མཐའ་སྐོར། སྔར་གྱི་དམིགས་པ་དང་བཅས་ཏེ་དམིགས་བརྩེ་མ་བཟླ་བར་བྱའོ། །འདིས་ནི་དམག་གི་དཔུང་ཆེན་པོ་ཡང་བཟློག་པར་འགྱུར་རོ། །སྔར་བཤད་པ་ལྟར་གྱི་སྨོན་ལམ་དང་བཀྲ་ཤིས་སོགས་བྱའོ། ཞེས་ཇག་འཆིང་གི་ལས་ཚོགས་ནག་འཁྲོས་སུ་བཀོད་པའོ། །མངྒ་ལཾ། ༔

ན་མོ་གུ་རུ། འདིར་དམིགས་བརྩེ་མའི་ལས་ཚོགས་ཀྱི་ནང་ནས་ཞིང་གི་རྩ་འདོན་པའི་ལས་ཚོགས་ནག་འཁྲོས་སུ་བྱ་བ་ལ། ཐོག་མར་བསྙེན་པ་གཡལ་ཆེ་བས། ལས་ཚོགས་འདི་བསྒྲུབ་པ་ལ་ཐོག་མར་གཤིན་རྗེ

གཤེད་ཀྱི་བསྙེན་པ་སྔོན་དུ་སོང་ན་ལེགས་ཤིང་། དེ་ལྟར་མིན་ཡང་དམིགས་བརྩེ་མའི་བསྙེན་པ་སྔོན་དུ་ངེས་པར་འགྲོ་དགོས་པས། དེ་ལ་ཐོག་མར་གནས་ཁང་བྱི་དོར་བྱས། ༧རྗེའི་བྲིས་སྐུ་ལ་སོགས་པའི་སྐུ་གསུང་ཐུགས་ཀྱི་རྟེན་བཀྲམས། མཆོད་པ་གཡོ་མེད་ཅིང་བཀོད་པ་མཛེས་པར་བཤམས་ལ། སྟན་བདེ་བ་ལ་དགེ་སེམས་ཁྱད་པར་ཅན་དང་ལྡན་པས་འདུག་ལ། སྐྱབས་ཡུལ་རྣམས་གསལ་བཏབ་སྟེ། བླ་མ་ལ་སྐྱབས་སུ་མཆིའོ། །སངས་རྒྱས་ལ་སྐྱབས་སུ་མཆིའོ། །ཆོས་ལ་སྐྱབས་སུ་མཆིའོ། །དགེ་འདུན་ལ་སྐྱབས་སུ་མཆིའོ། །ཁམས་གསུམ་ཆོས་ཀྱི་རྒྱལ་པོ་ཤར་ཙོང་ཁ་པ་ཆེན་པོའི་ལྷ་ཚོགས་འཁོར་དང་བཅས་པ་རྣམས་ལ་སྐྱབས་སུ་མཆིའོ། །དཔལ་མགོན་དམ་པ་ཆོས་སྐྱོང་བའི་སྲུང་མ་ཡེ་ཤེས་ཀྱི་སྤྱན་དང་ལྡན་པ་རྣམས་ལ་སྐྱབས་སུ་མཆིའོ། །ཞེས་པ་ལན་གསུམ་གྱིས་ཇི་སྲིད་མཐའ་བྱས་པའི་གྲངས་ཇི་ལྟར་རིགས་པ་དང་། སངས་རྒྱས་ཆོས་དང་ཚོགས་ཀྱི་མཆོག་རྣམས་ལ། ཅེས་སོགས་ཀྱིས་ཀྱང་སེམས་བསྐྱེད། མར་གྱུར་སེམས་ཅན་ཐམས་ཅད་ཅེས་སོགས་ཀྱིས་ཚད་མེད་བཞིན་བསྒོམས། དངོས་གཞི་ནི། རང་གི་སྤྱི་བོར་སེང྄་ཆེན་པོ་བརྒྱད་ཀྱིས་བཏེག་པའི་རིན་པོ་ཆེའི་ཁྲི་མཐོ་ཞིང་ཡངས་པའི་སྟེང་ཁར་སྣ་ཚོགས་པད་ཟླ་ཉི་མའི་དཀྱིལ་འཁོར་གྱི་གདན་ལ་མཉམ་མེད་ཐུབ་པའི་དབང་པོ་ནས་རང་གི་དྲིན་ཅན་རྩ་བའི་བླ་མའི་བར་གྱི་བླ་མ། ཡི་དམ། སངས་རྒྱས། བྱང་སེམས། དཔའ་བོ་མཁའ་འགྲོ་ཆོས་སྐྱོང་སྲུང་མ་ཐམས་ཅད་འདུས་པའི་བདག་ཉིད་ཐུབ་དབང་རྡོ་རྗེ་འཆང་བློ་བཟང་གྲགས་པ་སྐུ་མདོག་དཀར་ལ་དམར་བའི་མདངས་ཆགས་པ། ཞལ་གྱི་དཀྱིལ་འཁོར་ཤིན་ཏུ་འཛུམ་ཞིང་སྤྱན་དཀྱུས་རིང་བ། སྐུ་ལ་ཆོས་གོས་ངུར་སྨིག་གསུམ་མཛེས་པར་གསོལ་བ། དབུ་ལ་པཎ་ཞྭ་གསེར་གྱི་མདོག་ཅན་རྣེ་རིང་གསོལ་བ། ཕྱག་གཉིས་ཆོས་འཁོར་གྱི་ཕྱག་རྒྱས་ཨུཏྤ་ལའི་ཡུ་བ་ཐུགས་ཀར་བཟུང་བའི་འདབ་མ་སྙན་གཡས་གཡོན་གྱི་ཐད་དུ་ཁ་ཕྱེ་བའི་སྟེང་དུ་ཤེས་རབ་ཀྱི་རལ་གྲི་དང་བརྒྱད་སྟོང་པའི་གླེགས་བམ་བསྣམས་པ། ཞབས་རྡོ་རྗེ་སྐྱིལ་ཀྲུང་གིས་བཞུགས་པ། འོད་ཟེར་གྱི་ཚོགས་ཞིང་ཁམས་ཀུན་འགེངས་པར་འཕྲོས་པས། ཞིང་ཁམས་ཐམས་ཅད་སྐུ་ལ་སྣང་ཞིང་། སྐུས་ཞིང་ཁམས་ཐམས་ཅད་ཁྱབ་པའི་བདག་ཉིད་ཅན་དུ་བཞུགས་པའི་སྤྱི་བོར་ཨོཾ་དཀར་པོ། མགྲིན་པར་ཨཱཿདམར་པོ། ཐུགས་ཀར་ཧཱུྃ་སྔོན་པོ། ཐུགས་ཀའི་ཧཱུྃ་ལས་འོད་ཟེར་འཕྲོས་པས་རང་བཞིན་གྱི་གནས་ནས་ཆོས་ཀྱི་རྒྱལ་པོ་ཙོང་ཁ་པ་ཆེན་པོ་ལ་སངས་རྒྱས་དང་བྱང་ཆུབ་སེམས་དཔའི་ཚོགས་ཀྱིས་བསྐོར་བ་སྤྱན་དྲངས། ཛཿཧཱུྃ་བཾ་ཧོཿགཉིས་སུ་མེད་པར་གྱུར། གང་གི་དྲིན་གྱིས་བདེ་ཆེན་ནི། །

སྐད་ཅིག་ཉིད་ལ་འཆར་བ་གང་། །བླ་མ་རིན་ཆེན་ལྷ་བུ་ཡི། །རྡོ་རྗེ་ཅན་ཞབས་པད་ལ་
འདུད། ཅེས་ཕྱག་དང་། དངོས་བཤམས་ཡིད་སྤྲུལ་མཆོད་པ་མ་ལུས་འབུལ། །ཐོག་མེད་ནས་
བསགས་སྡིག་ལྟུང་ཐམས་ཅད་བཤགས། །སྐྱེ་འཕགས་དགེ་བ་རྣམས་ལ་རྗེས་ཡི་རང་། །
འཁོར་བ་མ་སྟོངས་བར་དུ་ལེགས་བཞུགས་ནས། །འགྲོ་ལ་ཆོས་ཀྱི་འཁོར་ལོ་བསྐོར་བ་
དང་། །བདག་གཞན་དགེ་རྣམས་བྱང་ཆུབ་ཆེན་པོར་བསྔོ། །ཞེས་ཡན་ལག་བདུན་པ་བྱ། དེ་
ནས་མཎྜལ་ཞིག་ཕུལ་ལ། ཐུགས་ཀར་ཉི་མའི་དཀྱིལ་འཁོར་གྱི་སྟེང་དུ་ཧྲཱིཿཡིག་གི་མཐར།
མཚན་སྔགས་ཀྱིས་བསྐོར་བ་ལས་བདུད་རྩིའི་རྒྱུན་བབས་ལུས་ཀྱི་ནང་གང་། སྡིག་སྒྲིབ་
དག །དབང་བཞི་ཐོབ། སྐུ་བཞི་མངོན་དུ་གྱུར་བའི་ནུས་པ་བཞག་པར་བསམ་ལ། ཨོཾ་
ཨཱཿགུ་རུ་བཛྲ་ཧ་ར་སུ་མ་ཏི་ཀཱིརྟི་སིདྡྷི་ཧཱུྃ་ཧཱུྃ། ཞེས་ཇི་ལྟར་རིགས་པ་བཟླས་རྗེས། དགེ་བ་འདི་ཡིས་
མྱུར་དུ་བདག །ཅེས་སོགས་དང་། དཔལ་ལྡན་རྩ་བའི་བླ་མ་རིན་པོ་ཆེ། །བདག་གི་སྙིང་
གར་པདྨའི་སྟེང་བཞུགས་ལ། །བཀའ་དྲིན་ཆེན་པོའི་སྒོ་ནས་རྗེས་བཟུང་སྟེ། །མྱུར་དུ་
ཁྱེད་རང་ལྟ་བུར་བྱིན་གྱིས་རློབས། །ཞེས་གསོལ་བ་བཏབ་པས། བླ་མ་ལྷ་བདག་ཉིད་ལ་དགྱེས་
བཞིན་དུ་ཐིམ་པས་རང་ཉིད་སེམྤ་ཆེན་པོ་བརྒྱད་ཀྱིས་བཏེག་པའི་རིན་པོ་ཆེའི་ཁྲི་མཐོ་ཞིང་
ཡངས་པའི་ཞིས་པ་ནས། ཐུགས་ཀར་ཧཱུྃ་སྔོན་པོ་ཞེས་པའི་བར་སྔར་བཞིན་བརྗོད། ཐུགས་ཀའི་ཧཱུྃ་
ལས་སྤྲོས་པའི་མཆོད་པའི་ལྷ་མོ་རྣམས་ཀྱིས་མཆོད་པར་བསམ་ལ། ཨོཾ་ཨཱཿགུ་རུ་བཛྲ་ཧ་ར་སུ་མ
ཏི་ཀཱིརྟི་ས་པ་རི་ཝཱ་ར་ཨརྒྷཾ་ནས་ཤབྡའི་བར་གྱིས་མཆོད། རྒྱལ་བ་ཀུན་གྱི་མཁྱེན་བརྩེ་མ་ལུས
པ། །གཅིག་ཏུ་བསྡུས་པ་རྗེ་བཙུན་འཇམ་པའི་དབྱངས། །ངུར་སྨྲིག་གར་རོལ་བློ་བཟང་
གྲགས་པའི་དཔལ། །གསོལ་བ་འདེབས་སོ་བྱིན་གྱིས་བརླབ་ཏུ་གསོལ། །ཞེས་བསྟོད། རང་
ཉིད་རྗེ་བླ་མར་གསལ་བའི་ཐུགས་ཀར་ཉི་མའི་དཀྱིལ་འཁོར་གྱི་སྟེང་དུ་ཧྲཱིཿཡིག་དམར་སེར།
དེའི་མཐའ་སྐོར་དུ། དམིགས་མེད་བརྩེ་བའི་གཏེར་ཆེན་སྤྱན་རས་གཟིགས། །དྲི་མེད་
མཁྱེན་པའི་དབང་པོ་འཇམ་པའི་དབྱངས། །གངས་ཅན་མཁས་པའི་གཙུག་རྒྱན་ཙོང་ཁ་པ།
བློ་བཟང་གྲགས་པའི་ཞབས་ལ་གསོལ་བ་འདེབས། །ཞེས་པ་བསྐོར་བ་ལས་འོད་ཟེར་འཕྲོས།
འགྲོ་བའི་དོན་བྱས། སླར་འདུས། ཐུགས་ཀའི་ས་བོན་ལ་ཐིམ་པར་བསམ་ལ། དམིགས་བརྩེ་མ
ཅེམང་བཟླ་སྟེ་བསྙེན་ཚད་ནི་འབུམ་ཕྲག་གསུམ་མོ། དེ་ནས་མཐུག་ཏུ། དགེ་བ་འདི་ཡིས་མྱུར་དུ་

བདག །ཅེས་སོགས་དང་སྔར་བཞིན་ཨཀྵོ་སོགས་ཀྱིས་མཆོད་པ་འབུལ་ཞིང་བསྟོད་པས་ཀྱང་བསྟོད། གཞན་ཡང་དཔལ་ལྡན་ས་གསུམ་མ་ལ་སོགས་པའི་བསྟོད་པ་དང་སྨོན་ལམ་ཅི་རིགས་པར་བྱའོ། །དེ་ལྟར་བསྙེན་པ་སོང་ནས་ལས་ཚོགས་བསྒྲུབ་པ་ལ། དགེ་འདུན་སྡོང་ཕྲག་མང་པོ་ཚོགས་པའི་ཆབ་བསིལ་གྱིས། གད་པ་རྙིང་པའི་ས། སྲིད་པའི་བྱེ་མ། དགེ་སློང་གཙང་མའི་དྲི་ཆུ། བུ་ལོ་བརྒྱད་པ་དང་བུ་མོ་ལོ་བརྒྱད་མའི་དྲི་ཆུ་རྣམས་བྱེ་མ་དང་བསྲེས། ཁྱི་དང་བུད་མེད་ཀྱིས་མ་འགོམ་པའི་ཤིང་ལ་ཕུར་པ་མང་པོ་བཅོས་ལ་ཕུར་པ་དེ་རྣམས་ལ་དམིགས་བརྩེ་མ་འདྲི། ཆེད་དུ་གཉེར་ནས་བསད་པ་མ་ཡིན་པ་རང་བཞིན་གྱིས་ཤི་བའི་ར་ཡི་རྙིང་བུ་བཤུས་པའི་ནང་དུ་ལོ་ཏོག་གི་ཕུད་དང་། སྔར་བཤད་པའི་རྫས་དེ་རྣམས་དང་། ལན་ཚགས་ལ་བསྒོ་པའི་ཚང་བུ་མང་པོ་བླུག །རང་ཉིད་རྗེ་བླ་མའི་རྣལ་འབྱོར་བརྟན་པོ་དང་ལྡན་པའི་ཐུགས་ཀ་ནས་སྤྲོས་པའི་འོད་ཟེར་གྱིས་ཞིང་ལ་རྩ་གཏོང་བའི་སྡེ་བརྒྱད་རྣམས་བཀུག་ཏེ་ར་ཀྲུལ་གྱི་ནང་དུ་ཚུད་པར་བསམས་ལ། ན་མོ་རྗེ་བཙུན་རྩ་བ་དང་བརྒྱུད་པར་བཅས་པའི་དཔལ་ལྡན་བླ་མ་དམ་པ་རྣམས་ཀྱི་བཀའ་བདེན་པ་དང་། སངས་རྒྱས་ཀྱི་བཀའ་བདེན་པ་དང་། ཆོས་ཀྱི་བཀའ་བདེན་པ་དང་། དགེ་འདུན་གྱི་བཀའ་བདེན་པ་དང་། ཁྱད་པར་དུ་ཡང་ཁམས་གསུམ་ཆོས་ཀྱི་རྒྱལ་པོ་ཤར་ཙོང་ཁ་པ་བློ་བཟང་གྲགས་པའི་དཔལ་གྱི་བཀའ་བདེན་པ་དང་། བདེན་པ་ཆེན་པོའི་བྱིན་གྱིས་བརླབས་ཀྱིས་ལོ་ཐོག་ལ་གནོད་ཅིང་འཚེ་བའི་སྡེ་བརྒྱད་སྤྱི་དང་། ཁྱད་པར་དུ་ཡང་རྟལ་དམར་པོ་གཏོང་བར་བྱེད་པའི་གནོད་བྱེད་རྣམས་འདིར་བཀུག་པར་གྱུར། ཅེས་ལན་གསུམ་བརྗོད། ར་ཀྲུལ་གྱི་ཁ་ཡུགས་མའི་སྐྲ་ཡིས་བཅིངས་ལ་ཞིང་ཐམས་ཅད་མཐོང་བའི་ས་སྣང་མཐོ་ས་ཞིག་ཏུ་དཀར་གུར་ཕུབས་ཏེ། མདུན་དུ་ཀྲུལ་པ་བཞག་ནས་དམིགས་པ་ནན་ཏན་དང་བཅས་ཏེ་ཞག་བདུན་གྱི་བར་དུ་དམིགས་བརྩེ་མ་བཟླ། ཞག་བདུན་སོང་བའི་ཉིན་དམིགས་བརྩེ་མ་བཏབ་པའི་བྱེ་མ་མང་དུ་གྲབས་བྱེད། དཔའ་བོ་མཚོན་ཆ་ཐོགས་པ་མང་པོ་དང་། སྐྱེས་པ་དར་མ་འུར་རྡོ་ཐོགས་པ་ལ་སོགས་པ་མང་དུ་འདུ་བྱས་ར་ཀྲུལ་དེ་མི་སྟག་ལོ་པ་གཅིག་གིས་ཁྱེར། རང་ཉིད་རྗེ་བླ་མར་གསལ་བའི་ཐུགས་ཀ་ནས་རལ་གྲི་གཤིན་རྗེ་གཤེད་ལ་སོགས་པའི་ཚོགས་དཔག་ཏུ་མེད་པ་ནམ་མཁའི་དབྱིངས་ཐམས་ཅད་ཁྱབ་པར་སྤྲོས། ཞིང་ལ་གནོད་བྱེད་སྤྱི་དང་ཁྱད་པར་དུ་ཡང་རྩའི་བདག་པོ་དང་། རྩ་ཐམས་ཅད་རྒྱ་མཚོའི་ཕ་མཐར་དེང་པར་བསམས་ལ་ཡོད་ཚད་ཀྱིས་དམིགས་བརྩེ་མ་འུར་ཆེམས་ཆེམས་པ་ཞིག་འདོན། དཔའ་བོ་རྣམས་ཀྱིས་མཚོན་ཆ་བཏོན་ནས་ཀི་ཧོ་ཞེས་རྒྱུགས། བསྒྲུབ་པ་པོ་རྣམས་ཀྱིས་ཞིང་ལ་བྱེ་མ་འཐོར་ཞིང་བརྒྱུག །སྐྱེས་པ་རྣམས་ཀྱིས་འུར་རྡོའི་ཁྲོང་དུ་བྱེ་མ་བཙུག་པ་བརྡེབ་ཅིང་བརྒྱུག །དེ་ཐམས་ཅད་ཀྱིས་སྔོན་དུ་ར་ཀྲུལ་ཐེགས་པ་དེད་ལ་གོང་གི་དམིགས་པ་མ་ཡེངས་པའི་ངང་ནས་ར་ཀྲུལ་རྒྱ་མཚོར་འབབ་པའི་ཆུ་ཀླུང་དུ་དོར། རྩ་སོང་རྩ་སོང་རྩ་དང་སད་ཐམས་ཅད་རྒྱ་མཚོ་ཆེན་པའི་ཕ་རོལ་ཏུ་སོངས་ཤིག །ཅེས་ཀི་སྒྲ་དང་སྭ་སྒྲ་མཚོན་ཆའི་སྒྲ་མང་པོ་བྱ། ཕྱི

མིག་མི་བལྟ་བར་ཕྱིར་ལོག་ལ་ཐར་ཀྱི་ཕྱུར་པ་རྣམས་ཞིང་གི་མཐར་མང་པོ་བཙུགས། ཕྱོགས་བཞིར་མདོ་བཞི་བརྩིགས། གཞི་བདག་གཏོར་མ་གཅིག་བཏང་། སྟོང་གསུམ་གྱི་སྟོང་ཆེན་པོའི་འཇིག་རྟེན་གྱི་ཁམས་ལ་གནས་པའི་སྡེ་བརྒྱད་འབྱུང་པོ་སྤྱི་དང་། ཁྱད་པར་དུ་ཡང་ཡུལ་འདིའི་གཞི་བདག་གཉན་པོ་རྣམས་ཉོན་ཅིག །ཁྱེད་རྣམས་མཚུངས་མེད་དམ་པ་རྒྱལ་བ་བློ་བཟང་གྲགས་པའི་བཀའ་དང་དམ་ལས་མ་འདའ་བར་ཡུལ་འདིར་རྩའི་གནོད་པ་སྐད་ཅིག་ཀྱང་མ་གཏོང་ཅིག་མ་གཏོང་ཅིག་མ་གཏོང་ཅིག །ཅེས་ལན་གསུམ་བརྗོད། འདིས་ནི་ལོ་བདུན་གྱི་བར་དུ་ཐུབ་པར་རྗེ་ཉིད་ཀྱི་ཞལ་གྱིས་བཞེས་པའོ། །ཐར་བཤད་པ་ལྟར་གྱི་སྨོན་ལམ་དང་བཀྲ་ཤིས་སོགས་བྱའོ། ཞེས་ཞིང་གི་རྩ་འདོན་པའི་ལས་ཚོགས་ནག་འགྲོས་སུ་བཀོད་པའོ།། །།མངྒ་ལཾ། །ༀ

ན་མོ་གུ་རུ། འདིར་དམིགས་བརྩེ་མའི་ལས་ཚོགས་ཀྱི་ནང་ནས་ཁ་ཟས་འཚོང་བར་བྱེད་པའི་མན་ངག་གི་ལས་ཚོགས་ནག་འགྲོས་སུ་བྱ་བ་ལ། ཐོག་མར་བསྙེན་པ་གལ་ཆེ་བས། ལས་ཚོགས་འདི་བསྒྲུབ་པ་ལ་ཐོག་མར་གཤིན་རྗེ་གཤེད་ཀྱི་བསྙེན་པ་སྔོན་དུ་སོང་ན་ལེགས་ཤིང་། དེ་ལྟར་མིན་ཡང་དམིགས་བརྩེ་མའི་བསྙེན་པ་སྔོན་དུ་ངེས་པར་འགྲོ་དགོས་པས། དེ་ལ་ཐོག་མར་གནས་ཁང་བྱི་དོར་བྱས། ༧རྗེའི་བྲིས་སྐུ་ལ་སོགས་པའི་སྐུ་གསུང་ཐུགས་ཀྱི་རྟེན་བཀྲམས། མཆོད་པ་གཡོ་མེད་ཅིང་བཀོད་པ་མཛེས་པར་བཤམས་ལ། སྟན་བདེ་བ་ལ་དགེ་སེམས་ཁྱད་པར་ཅན་དང་ལྡན་པས་འདུག་ལ། སྐྱབས་ཡུལ་རྣམས་གསལ་བཏབ་སྟེ། བླ་མ་ལ་སྐྱབས་སུ་མཆིའོ། །སངས་རྒྱས་ལ་སྐྱབས་སུ་མཆིའོ། །ཆོས་ལ་སྐྱབས་སུ་མཆིའོ། །དགེ་འདུན་ལ་སྐྱབས་སུ་མཆིའོ། །ཁམས་གསུམ་ཆོས་ཀྱི་རྒྱལ་པོ་ཤར་ཙོང་ཁ་པ་ཆེན་པོའི་ལྷ་ཚོགས་འཁོར་དང་བཅས་པ་རྣམས་ལ་སྐྱབས་སུ་མཆིའོ། །དཔལ་མགོན་དམ་པ་ཆོས་སྐྱོང་བའི་སྲུང་མ་ཡེ་ཤེས་ཀྱི་སྤྱན་དང་ལྡན་པ་རྣམས་ལ་སྐྱབས་སུ་མཆིའོ། །ཞེས་པ་ལན་གསུམ་གྱིས་ཉུང་མཐའ་བྱས་པའི་གྲངས་ཇི་ལྟར་རིགས་པ་དང་། སངས་རྒྱས་ཆོས་དང་ཚོགས་ཀྱི་མཆོག་རྣམས་ལ། ཞེས་སོགས་ཀྱིས་ཀྱང་སེམས་བསྐྱེད། མར་གྱུར་སེམས་ཅན་ཐམས་ཅད་ཅེས་སོགས་ཀྱིས་ཚད་མེད་བཞི་བསྒོམས། དངོས་གཞི་ནི། རང་གི་སྤྱི་བོར་སེངྒེ་ཆེན་པོ་བརྒྱད་ཀྱིས་བཏེག་པའི་རིན་པོ་ཆེའི་ཁྲི་མཐོ་ཞིང་ཡངས་པའི་སྟེང་ཁར་སྣ་ཚོགས་པད་ཟླ་ཉི་མའི་དཀྱིལ་འཁོར་གྱི་གདན་ལ་མཉམ་མེད་ཐུབ་པའི་དབང་པོ་ནས་རང་གི་དྲིན་ཅན་རྩ་བའི་བླ་མའི་བར་གྱི་བླ་མ། ཡི་དམ། སངས་རྒྱས། བྱང་སེམས། དཔའ་བོ་མཁའ་འགྲོ་ཆོས་སྐྱོང་སྲུང་མ་ཐམས་ཅད་འདུས་པའི་བདག་ཉིད་ཐུབ་དབང་རྡོ་རྗེ་འཆང་བློ་བཟང་གྲགས་པ་སྐུ་མདོག་དཀར་ལ་དམར་བའི་མདངས་ཆགས་པ།

ཞལ་གྱི་དཀྱིལ་འཁོར་ཤིན་ཏུ་འཛུམ་ཞིང་སྤྱན་དཀྱུས་རིང་བ། སྐུ་ལ་ཆོས་གོས་ངུར་སྨིག་གསུམ་མཛེས་པར་གསོལ་བ། དབུ་ལ་པཎ་ཞྭ་གསེར་གྱི་མདོག་ཅན་སྣེ་རིང་གསོལ་བ། ཕྱག་གཉིས་ཆོས་འཁོར་གྱི་ཕྱག་རྒྱས་ཨུཏྤ་ལའི་ཡུ་བ་ཐུགས་ཀར་བཟུང་བའི་འདབ་མ་སྣན་གཡས་གཡོན་གྱི་ཐད་དུ་ཁ་ཕྱེ་བའི་སྟེང་དུ་ཤེས་རབ་ཀྱི་རལ་གྲི་དང་བརྒྱད་སྟོང་པའི་གླེགས་བམ་བསྣམས་པ། ཞབས་རྡོ་རྗེ་སྐྱིལ་ཀྲུང་གིས་བཞུགས་པ། འོད་ཟེར་གྱི་ཚོགས་ཞིང་ཁམས་ཀུན་འགེངས་པར་འཕྲོས་པས། ཞིང་ཁམས་ཐམས་ཅད་སྐུ་ལ་སྣང་ཞིང་། སྐུས་ཞིང་ཁམས་ཐམས་ཅད་ཁྱབ་པའི་བདག་ཉིད་ཅན་དུ་བཞུགས་པའི་སྤྱི་བོར་ཨོཾ་དཀར་པོ། མགྲིན་པར་ཨཱཿདམར་པོ། ཐུགས་ཀར་ཧཱུྃ་སྔོན་པོ། ཐུགས་ཀའི་ཧཱུྃ་ལས་འོད་ཟེར་འཕྲོས་པས་རང་བཞིན་གྱི་གནས་ནས་ཆོས་ཀྱི་རྒྱལ་པོ་ཙོང་ཁ་པ་ཆེན་པོ་ལ་སངས་རྒྱས་དང་བྱང་ཆུབ་སེམས་དཔའི་ཚོགས་ཀྱིས་བསྐོར་བ་སྤྱན་དྲངས། ཛཿཧཱུྃ་བཾ་ཧོཿགཉིས་སུ་མེད་པར་གྱུར། གང་གི་དྲིན་གྱིས་བདེ་ཆེན་ནི། །སྐད་ཅིག་ཉིད་ལ་འཆར་བ་གང་། །བླ་མ་རིན་ཆེན་ལྟ་བུ་ཡི། །རྡོ་རྗེ་ཅན་ཞབས་པད་ལ་འདུད། ཅེས་ཕྱག་དང་། དངོས་བཤམས་ཡིད་སྤྲུལ་མཆོད་པ་མ་ལུས་འབུལ། །ཐོག་མེད་ནས་བསགས་སྡིག་ལྟུང་ཐམས་ཅད་བཤགས། །སྐྱེ་འཕགས་དགེ་བ་རྣམས་ལ་རྗེས་ཡི་རང་། །འཁོར་བ་མ་སྟོངས་བར་དུ་ལེགས་བཞུགས་ནས། །འགྲོ་ལ་ཆོས་ཀྱི་འཁོར་ལོ་བསྐོར་བ་དང་། །བདག་གཞན་དགེ་རྣམས་བྱང་ཆུབ་ཆེན་པོར་བསྔོ། །ཞེས་ཡན་ལག་བདུན་པ་བྱ། དེ་ནས་མཎྜལ་ཞིག་ཕུལ་ལ། ཐུགས་ཀར་ཉི་མའི་དཀྱིལ་འཁོར་གྱི་སྟེང་དུ་ཧྲཱིཿཡིག་གི་མཐར། མཚན་སྔགས་ཀྱིས་བསྐོར་བ་ལས་བདུད་རྩིའི་རྒྱུན་བབས་ལུས་ཀྱི་ནང་གང་། སྡིག་སྒྲིབ་དག །དབང་བཞི་ཐོབ། སྐུ་བཞི་མངོན་དུ་གྱུར་པའི་ནུས་པ་བཞག་པར་བསམ་ལ། ཨོཾ་ཨཱཿགུ་རུ་བཛྲ་དྷ་ར་སུ་མ་ཏི་ཀཱིརྟི་སིདྡྷི་ཧཱུྃ་ཧཱུྃ། ཞེས་ཅི་ལྟར་རིགས་པ་བཟླས་རྗེས། དགེ་བ་འདི་ཡིས་མྱུར་དུ་བདག །ཅེས་སོགས་དང་། དཔལ་ལྡན་རྩ་བའི་བླ་མ་རིན་པོ་ཆེ། །བདག་གི་སྙིང་གར་པདྨོའི་སྟེང་བཞུགས་ལ། །བཀའ་དྲིན་ཆེན་པོའི་སྒོ་ནས་རྗེས་བཟུངས་ཏེ། །མྱུར་དུ་ཁྱེད་རང་ལྟ་བུར་བྱིན་གྱིས་རློབས། །ཞེས་གསོལ་བ་བཏབ་པས། བླ་མ་ལྷ་བདག་ཉིད་ལ་དགྱེས་བཞིན་དུ་ཐིམ་པས་རང་ཉིད་སེནྡྷ་ཆེན་པོ་བརྒྱད་ཀྱིས་བཏེག་པའི་རིན་པོ་ཆེའི་ཁྲི་མཐོ་ཞིང་ཡངས་པའི་ཞེས་པ་ནས། ཐུགས་ཀར་ཧཱུྃ་སྔོན་པོ་ཞེས་པའི་བར་སྔར་བཞིན་བརྗོད། ཐུགས་ཀའི་ཧཱུྃ་

ལས་སྦྱོར་བའི་མཆོད་པའི་ལྷ་མོ་རྣམས་ཀྱིས་མཆོད་པར་བསམ་ལ། ཨོཾ་ཨཱཿ གུ་རུ་བཛྲ་ཧཱ་ར་སུ་མ་ཏིཀཱིརྟི་ས་པ་རི་ཝཱ་ར་ཨརྒྷཾ་ནས་ཤབྡའི་བར་གྱིས་མཆོད། རྒྱལ་བ་ཀུན་གྱི་མཁྱེན་བརྩེ་མ་ལུས་པ། །གཅིག་ཏུ་བསྡུས་པ་རྗེ་བཙུན་འཇམ་པའི་དབྱངས། །ངུར་སྨྲིག་གར་རོལ་བློ་བཟང་གྲགས་པའི་དཔལ། །གསོལ་བ་འདེབས་སོ་བྱིན་གྱིས་བརླབ་ཏུ་གསོལ། །ཞེས་བསྟོད། རང་ཉིད་རྗེ་བླ་མར་གསལ་བའི་ཐུགས་ཀར་ཉི་མའི་དཀྱིལ་འཁོར་གྱི་སྟེང་དུ་ཧཱུཾ་ཡིག་དམར་སེར། དེའི་མཐའ་སྐོར་དུ། དམིགས་མེད་བརྩེ་བའི་གཏེར་ཆེན་སྤྱན་རས་གཟིགས། །དྲི་མེད་མཁྱེན་པའི་དབང་པོ་འཇམ་པའི་དབྱངས། །གངས་ཅན་མཁས་པའི་གཙུག་རྒྱན་ཙོང་ཁ་པ། །བློ་བཟང་གྲགས་པའི་ཞབས་ལ་གསོལ་བ་འདེབས། །ཞེས་པ་བསྐོར་བ་ལས་འོད་ཟེར་འཕྲོས། འགྲོ་བའི་དོན་བྱས། སླར་འདུས། ཐུགས་ཀའི་ས་བོན་ལ་ཐིམ་པར་བསམ་ལ། དམིགས་བརྩེ་མ་ཅིམང་བཟླ་སྟེ་བསྙེན་ཚད་ནི་འབུམ་ཕྲག་གསུམ་མོ། དེ་ནས་མཇུག་ཏུ། དགེ་བ་འདི་ཡིས་མྱུར་དུ་བདག །ཅེས་སོགས་དང་སྔར་བཞིན་ཨརྒྷཾ་སོགས་ཀྱིས་མཆོད་པ་འབུལ་ཞིང་བསྟོད་པས་ཀྱང་བསྟོད། གཞན་ཡང་དཔལ་ལྡན་ས་གསུམ་མ་ལ་སོགས་པའི་བསྟོད་པ་དང་སྨོན་ལམ་ཅི་རིགས་པར་བྱའོ། །དེ་ལྟར་བསྙེན་པ་སོང་ནས། ལས་ཚོགས་བསྒྲུབ་པ་ལ། དམིགས་བརྩེ་མའི་དོན་ཁྲར་བཤད་པའི་དེ་རྣམས་ལ་ཕྱོག་ཆས་ཕྱེ་བའི་ཤེར་ཕྱིན་མ་རྣམས་ཀྱི་མན་ངག་སྟེ། འདི་ཉམས་སུ་ལེན་ཚུལ་ནི་ཐོག་མར་བླ་མའི་རྣལ་འབྱོར་དང་རྗེ་རིན་པོ་ཆེའི་བདག་བསྐྱེད་བསྒོམས་པ་སོགས་ཁྲར་བཤད་པ་བཞིན་སྔོན་དུ་བཏང་། སངས་རྒྱས་ཆོས་ཚོགས་མ་ལན་གསུམ་གྱིས་སྐྱབས་འགྲོ་སེམས་བསྐྱེད་དང་། མར་གྱུར་སེམས་ཅན་ཐམས་ཅད། ཅེས་སོགས་ཀྱིས་ཚད་མེད་བཞི་བསྒོམས། དངོས་གཞི་ནི། ཨོཾ་སྭ་བྷཱ་ཝ་ཤུདྡྷཿ སརྦ་དྷརྨཱཿ སྭ་བྷཱ་ཝ་ཤུདྡྷོ྅ཧཾ། སྟོང་པ་ཉིད་དུ་གྱུར། སྟོང་པའི་ངང་ལས་པཾ་ལས་པདྨ་དང་ཨ་ལས་ཟླ་བའི་དཀྱིལ་འཁོར་གྱི་སྟེང་དུ་རང་ཉིད་ལྷ་མོ་དཀར་མོ་ཕྱག་གཡས་ཁམས་གསུམ་དབང་དུ་སྡུད་པའི་ལྕགས་ཀྱུ་དང་། གཡོན་དགོས་འདོད་ཐམས་ཅད་འབྱུང་བའི་གཏེར་གྱི་བུམ་པ་བསྣམས་པ་བཞེངས་པའི་སྟབས་ཀྱིས་བཞུགས་པ། དར་གྱི་ན་བཟའ་གསོལ་ཞིང་མཛེས་པའི་རྒྱན་གྱིས་སྤྲས་པར་གྱུར། དེའི་ཐུགས་ཀར་ཟླ་བའི་དཀྱིལ་འཁོར་གྱི་སྟེང་དུ་དམིགས་བརྩེ་མའི་ཡིག་འབྲུས་བསྐོར་བ་ལས་འོད་ཟེར་འཕྲོས། ཕྱག་གཡས་ཀྱི་ལྕགས་ཀྱུ་ལ་ཐོག །དེ་ལས་སྟོང་གསུམ་ཁྱབ་པའི་འོད་ཟེར་འཕྲོས། ཁམས་གསུམ་གྱི་ཟས་ནོར་ཐམས་ཅད་བསྡུས། བུམ་པའི་ནང་དུ་བཅུག །རང་དང་སེམས་ཅན་ཐམས་ཅད་ལ་འབད་མེད་དུ་བྱུང་བར་བསམས་ལ་དམིགས་བརྩེ་མ་གང་མང་བཟླ།

འདི་སྣེ་ཟས་ནོར་ཐམས་ཅད་འབད་མེད་དུ་འབྱུང་ངོ་། སྔར་བཤད་པ་ལྟར་གྱི་སྨོན་ལམ་དང་བཀྲ་ཤིས་སོགས་བྱའོ། ཞེས་ཁ་ཟས་འོང་བར་བྱེད་པའི་མན་ངག་ནག་འགྲོས་སུ་བཀོད་པའོ།། །།མངྒ་ལཾ།། ༈།།

ན་མོ་གུ་རུ། འདིར་དམིགས་བརྩེ་མའི་ལས་ཚོགས་ཀྱི་ནང་ནས་རང་གང་དུ་འགྲོ་ཡང་བར་ཆད་སྲུང་ཚུལ་གྱི་ལས་ཚོགས་ནག་འགྲོས་སུ་བྱ་བ་ལ། ཐོག་མར་བསྙེན་པ་གལ་ཆེ་བས། ལས་ཚོགས་འདི་བསྒྲུབ་པ་ལ་ཐོག་མར་གཤིན་རྗེ་གཤེད་ཀྱི་བསྙེན་པ་སྔོན་དུ་སོང་ན་ལེགས་ཤིང་། དེ་ལྟར་མིན་ཡང་དམིགས་བརྩེ་མའི་བསྙེན་པ་སྔོན་དུ་ངེས་པར་འགྲོ་དགོས་པས། དེ་ལ་ཐོག་མར་གནས་ཁང་བྱི་དོར་བྱས། ༡རྗེའི་བྲིས་སྐུ་ལ་སོགས་པའི་སྐུ་གསུང་ཐུགས་ཀྱི་རྟེན་བཀྲམས། མཆོད་པ་གཡོ་མེད་ཅིང་བཀོད་པ་མཛེས་པར་བཤམས་ལ། སྟན་བདེ་བ་ལ་དགེ་སེམས་ཁྱད་པར་ཅན་དང་ལྡན་པས་འདུག་ལ། སྐྱབས་ཡུལ་རྣམས་གསལ་བཏབ་སྟེ། བླ་མ་ལ་སྐྱབས་སུ་མཆིའོ། །སངས་རྒྱས་ལ་སྐྱབས་སུ་མཆིའོ། །ཆོས་ལ་སྐྱབས་སུ་མཆིའོ། །དགེ་འདུན་ལ་སྐྱབས་སུ་མཆིའོ། །ཁམས་གསུམ་ཆོས་ཀྱི་རྒྱལ་པོ་ཤར་ཙོང་ཁ་པ་ཆེན་པོའི་ལྷ་ཚོགས་འཁོར་དང་བཅས་པ་རྣམས་ལ་སྐྱབས་སུ་མཆིའོ། །དཔལ་མགོན་དམ་པ་ཆོས་སྐྱོང་བའི་སྲུང་མ་ཡེ་ཤེས་ཀྱི་སྤྱན་དང་ལྡན་པ་རྣམས་ལ་སྐྱབས་སུ་མཆིའོ། །ཞེས་པ་ལན་གསུམ་གྱིས་ཉུང་མཐའ་བྱས་པའི་གྲངས་ཇི་ལྟར་རིགས་པ་དང་། སངས་རྒྱས་ཆོས་དང་ཚོགས་ཀྱི་མཆོག་རྣམས་ལ། ཞེས་སོགས་ཀྱིས་ཀུན་སེམས་བསྐྱེད། མར་གྱུར་སེམས་ཅན་ཐམས་ཅད་ཅེས་སོགས་ཀྱིས་ཚད་མེད་བཞི་བསྒོམས། དངོས་གཞི་ནི། རང་གི་སྤྱི་བོར་སེང་ཆེན་པོ་བརྒྱད་ཀྱིས་བཏེག་པའི་རིན་པོ་ཆེའི་ཁྲི་མཐོ་ཞིང་ཡངས་པའི་སྟེང་ཁར་སྣ་ཚོགས་པད་ཟླ་ཉི་མའི་དཀྱིལ་འཁོར་གྱི་གདན་ལ་མཉམ་མེད་ཐུབ་པའི་དབང་པོ་ནས་རང་གི་དྲིན་ཅན་རྩ་བའི་བླ་མའི་བར་གྱི་བླ་མ། ཡི་དམ། སངས་རྒྱས། བྱང་སེམས། དཔའ་བོ་མཁའ་འགྲོ་ཆོས་སྐྱོང་སྲུང་མ་ཐམས་ཅད་འདུས་པའི་བདག་ཉིད་ཐུབ་དབང་རྡོ་རྗེ་འཆང་སྔོ་བཟང་གྲགས་པ་སྐུ་མདོག་དཀར་ལ་དམར་བའི་མདངས་ཆགས་པ། ཞལ་གྱི་དཀྱིལ་འཁོར་ཤིན་ཏུ་འཛུམ་ཞིང་སྤྱན་དཀྲུས་རིང་བ། སྐུ་ལ་ཆོས་གོས་ངུར་སྨྲིག་གསུམ་མཛེས་པར་གསོལ་བ། དབུ་ལ་པཎ་ཞྭ་གསེར་གྱི་མདོག་ཅན་རྩེ་རིང་གསོལ་བ། ཕྱག་གཉིས་ཆོས་འཁོར་གྱི་ཕྱག་རྒྱས་ཨུཏྤ་ལའི་ཡུ་བ་ཐུགས་ཀར་བཟུང་བའི་འདབ་མ་སྣ་གཡས་གཡོན་གྱི་ཐད་དུ་ཁ་ཕྱེ་བའི་སྟེང་དུ་ཤེས་རབ་ཀྱི་རལ་གྲི་དང་བརྒྱད་སྟོང་པའི་གླེགས་བམ་བརྣམས་པ། ཞབས་རྡོ་རྗེ་སྐྱིལ་ཀྲུང་གིས་བཞུགས་པ། འོད་ཟེར་གྱི་ཚོགས་ཞིང་ཁམས་ཀུན་འགེངས་པར་

འཕྲོས་པས། ཞིང་ཁམས་ཐམས་ཅད་སྐུ་ལ་སྣང་ཞིང་། སྐུས་ཞིང་ཁམས་ཐམས་ཅད་ཁྱབ་པའི་བདག་ཉིད་ཅན་དུ་བཞུགས་པའི་སྤྱི་བོར་ཨོཾ་དཀར་པོ། མགྲིན་པར་ཨཱཿདམར་པོ། ཐུགས་ཀར་ཧཱུྃ་སྔོན་པོ། ཐུགས་ཀའི་ཧཱུྃ་ལས་འོད་ཟེར་འཕྲོས་པས་རང་བཞིན་གྱི་གནས་ནས་ཆོས་ཀྱི་རྒྱལ་པོ་ཙོང་ཁ་པ་ཆེན་པོ་ལ་སངས་རྒྱས་དང་བྱང་ཆུབ་སེམས་དཔའི་ཚོགས་ཀྱིས་བསྐོར་བ་སྤྱན་དྲངས། ཛཿཧཱུྃ་བཾ་ཧོཿ གཉིས་སུ་མེད་པར་གྱུར། གང་གི་དྲིན་གྱིས་བདེ་ཆེན་ནི། །སྐད་ཅིག་ཉིད་ལ་འཆར་བ་གང་། །བླ་མ་རིན་ཆེན་ལྟ་བུ་ཡི། །རྡོ་རྗེ་ཅན་ཞབས་པད་ལ་འདུད། ཅེས་ཕྱག་དང་། དངོས་བཤམས་ཡིད་སྤྲུལ་མཆོད་པ་མ་ལུས་འབུལ། །ཐོག་མེད་ནས་བསགས་སྡིག་ལྟུང་ཐམས་ཅད་བཤགས། །སྐྱེ་འཕགས་དགེ་བ་རྣམས་ལ་རྗེས་ཡི་རང་། །འཁོར་བ་མ་སྟོངས་བར་དུ་ལེགས་བཞུགས་ནས། །འགྲོ་ལ་ཆོས་ཀྱི་འཁོར་ལོ་བསྐོར་བ་དང་། །བདག་གཞན་དགེ་རྣམས་བྱང་ཆུབ་ཆེན་པོར་བསྔོ། །ཞེས་ཡན་ལག་བདུན་པ་བྱ། དེ་ནས་མཎྜལ་ཞིག་ཕུལ་ལ། ཐུགས་ཀར་ཉི་མའི་དཀྱིལ་འཁོར་གྱི་སྟེང་དུ་ཧྲཱིཿཡིག་གི་མཐར། མཚན་སྔགས་ཀྱིས་བསྐོར་བ་ལས་བདུད་རྩིའི་རྒྱུན་བབས་ལུས་ཀྱི་ནང་གང་། སྡིག་སྒྲིབ་དག །དབང་བཞི་ཐོབ། སྐུ་བཞི་མངོན་དུ་གྱུར་པའི་ནུས་པ་བཞག་པར་བསམ་ལ། ཨོཾ་ཨཱཿགུ་རུ་བཛྲ་ཛྙཱ་ན་སུ་མ་ཏི་ཀཱིརྟི་སིདྡྷི་ཧཱུྃ་ཧཱུྃ། ཞེས་ཇི་ལྟར་རིགས་པ་བཟླས་རྗེས། དགེ་བ་འདི་ཡིས་མྱུར་དུ་བདག །ཅེས་སོགས་དང་། དཔལ་ལྡན་རྩ་བའི་བླ་མ་རིན་པོ་ཆེ། །བདག་གི་སྙིང་གར་པདྨའི་སྟེང་བཞུགས་ལ། །བཀའ་དྲིན་ཆེན་པོའི་སྒོ་ནས་རྗེས་བཟུང་སྟེ། །མྱུར་དུ་ཁྱེད་རང་ལྟ་བུར་བྱིན་གྱིས་རློབས། །ཞེས་གསོལ་བ་བཏབ་པས། བླ་མ་ལྷ་བདག་ཉིད་ལ་དགྱེས་བཞིན་དུ་ཐིམ་པས་རང་ཉིད་སེངྒེ་ཆེན་པོ་བརྒྱད་ཀྱིས་བཏེག་པའི་རིན་པོ་ཆེའི་ཁྲི་མཐོ་ཞིང་ཡངས་པའི་ཞེས་པ་ནས། ཐུགས་ཀར་ཧཱུྃ་སྔོན་པོ་ཞེས་པའི་བར་སྔར་བཞིན་བཟློད། ཐུགས་ཀའི་ཧཱུྃ་ལས་སྤྲོས་པའི་མཆོད་པའི་ལྷ་མོ་རྣམས་ཀྱིས་མཆོད་པར་བསམ་ལ། ཨོཾ་ཨཱཿགུ་རུ་བཛྲ་ཛྙཱ་ན་སུ་མ་ཏི་ཀཱིརྟི་ས་པ་རི་ཝཱ་ར་ཨརྒྷཾ་ནས་ཤབྡའི་བར་གྱིས་མཆོད། རྒྱལ་བ་ཀུན་གྱི་མཁྱེན་བརྩེ་མ་ལུས་པ། །གཅིག་ཏུ་བསྡུས་པ་རྗེ་བཙུན་འཇམ་པའི་དབྱངས། །ངུར་སྨྲིག་གར་རོལ་བློ་བཟང་གྲགས་པའི་དཔལ། །གསོལ་བ་འདེབས་སོ་བྱིན་གྱིས་བརླབ་ཏུ་གསོལ། །ཞེས་བསྟོད། རང་ཉིད་རྗེ་བླ་མར་གསལ་བའི་ཐུགས་ཀར་ཉི་མའི་དཀྱིལ་འཁོར་གྱི་སྟེང་དུ་ཧྲཱིཿཡིག་དམར་སེར།

དེའི་མཐའ་སྐོར་དུ། དམིགས་མེད་བརྩེ་བའི་གཏེར་ཆེན་སྤྱན་རས་གཟིགས། །དྲི་མེད་མཁྱེན་པའི་དབང་པོ་འཇམ་པའི་དབྱངས། །གངས་ཅན་མཁས་པའི་གཙུག་རྒྱན་ཙོང་ཁ་པ། བློ་བཟང་གྲགས་པའི་ཞབས་ལ་གསོལ་བ་འདེབས། །ཞེས་པ་བསྐོར་བ་ལས་འོད་ཟེར་འཕྲོས། འགྲོ་བའི་དོན་བྱས། སླར་འདུས། ཐུགས་ཀའི་ས་བོན་ལ་ཐིམ་པར་བསམ་ལ། དམིགས་བརྩེ་མ་ཅིམང་བཟླ་སྟེ་བསྙེན་ཚད་ནི་འབུམ་ཕྲག་གསུམ་མོ། དེ་ནས་མཇུག་ཏུ། དགེ་བ་འདི་ཡིས་མྱུར་དུ་བདག །ཅེས་སོགས་དང་སྔར་བཞིན་ཨཀྵོ་སོགས་ཀྱིས་མཆོད་པ་འབུལ་ཞིང་བསྟོད་པས་ཀྱང་བསྟོད། གཞན་ཡང་། དཔལ་ལྡན་ས་གསུམ་མ་ལ་སོགས་པའི་བསྟོད་པ་དང་སྨོན་ལམ་ཅི་རིགས་པར་བྱའོ། །དེ་ལྟར་བསྙེན་པ་སོང་ནས་ལས་ཚོགས་བསྒྲུབ་པ་ལ། ཕྱོགས་གང་དུ་འགྲོ་ཡང་། དེའི་སྔ་དྲོ་སྔ་བར་ལངས་ཏེ་སྔར་བཤད་པ་ལྟར་གྱི་བླ་མའི་རྣལ་འབྱོར་དང་བདག་བསྐྱེད་སྔོན་དུ་འགྲོ་བས་རྟེན་གསུམ་རྣམས་ལ་ཁྲུས་གསོལ་ལེགས་པར་བྱས། དེའི་ཁྲུས་ཆུ་ལ་དམིགས་བརྩེ་མ་གང་དྲག་བཏབ། གང་དུ་འགྲོ་བའི་ཕྱོགས་སུ་ནམ་མཁའ་ལ་གཏོར་རང་ཉིད་རྗེ་བླ་མར་གསལ་བའི་ཐུགས་ཀ་ནས་འོད་ཟེར་འཕྲོས། རང་གི་ཡུལ་ཕྱོགས་དེ་ནས་གང་དུ་འགྲོ་བའི་ཡུལ་ཕྱོགས་དེའི་བར་ཁྱབ་པས་བར་གཅོད་གང་གིས་ཀྱང་གླགས་མི་རྙེད་པར་བསམས། འདིས་ནི་ལམ་གྱི་བར་ཆད་སྤྱི་དང་ཁྱད་པར་དུ་ནད་རིམས་བཞི་བརྒྱ་རྩ་བཞི་ལས་བསྲུང་བར་འགྱུར་རོ། །སྔར་བཤད་པ་ལྟར་གྱི་སྨོན་ལམ་དང་བཀྲ་ཤིས་སོགས་བྱའོ། ཞེས་རང་གང་དུ་འགྲོ་ཡང་བར་ཆད་སྲུང་ཚུལ་གྱི་ལས་ཚོགས་ནག་འགྲོས་སུ་བཀོད་པའོ། །ཞེས་དམིགས་བརྩེ་མའི་ལས་ཚོགས་བཅུ་གཅིག་ནག་འགྲོས་སུ་བཀོད་པ་འདི་ནི་༈ཤཱཀྱའི་དགེ་སློང་བློ་བཟང་དཔལ་ལྡན་ཡེ་ཤེས་ཀྱིས་སྦྱར་བའོ། །།མངྒ་ལཾ། །།

༄༅། །འཇམ་མགོན་བླ་མ་རིགས་གསུམ་མགོན་པོ་དང་འབྲེལ་བའི་སྒོ་ནས་རྣམ་སྲས་ཀྱི་ཏེར་བུམ་སྒྲུབ་ཚུལ་འདོད་རྒུའི་རེ་སྐོང་ཞེས་བྱ་བ་བཞུགས་སོ།

༄། །ན་མོ་བེ་ཤྲཱ་ཝ་ཎ་ཡ། ཀུན་ལ་བརྩེ་བའི་རླུང་གིས་བསྐུལ་བ་ལས། །དགེ་བའི་སྤྲིན་ཕུང་གསར་བས་གནམ་འགེངས་ཤིང་། །མངར་བསིལ་ཆར་བཟང་དུས་སུ་རྟག་འབེབ་པས། །བསོད་ནམས་སྟོན་ཐོག་གཡུར་དུ་ཟ་བ་འབྱུང་། །འདིར་རྒྱལ་ཆེན་རྣམ་ཐོས་སྲས་ཞེས་གླིང་བཞི་ཐུན་མོང་གི་ནོར་གྱི་བདག་པོ་རང་ཅག་གི་སྐལ་པ་ཅན་གྱི་ལྷ་གང་དེའི་དཔལ་འཕོངས་བསལ་བ་འདོད་པ་འཛོ་བའི་བུམ་པ་བསྒྲུབ་པར་འདོད་ན། དངུལ་ལམ་ཟངས་ཀྱི་བུམ་པ་སྔར་ལོངས་མ་སྤྱད་པ་དགུ་བྱུང་ན་རབ། མ་བྱུང་ན་གཅིག་ཀྱང་རུང་། ཡུལ་གྱི་བྲེ་གང་ཤོང་བའི་ནང་དུ། བསོད་ནམས་དཔལ་འབྱོར་གྱིས་མངོན་པར་མཐོ་བ་སའི་ཚངས་པ་གོང་མ་ཆེན་མོ་དང་། རྒྱལ་བའི་བསྟན་པའི་བདག་པོ་རྒྱལ་བ་ཏྭ་ལའི་བླམ། སྣང་བ་མཐའ་ཡས་པཎ་ཆེན་ཨེར་ཏེ་ནི། བྱང་ཕྱོགས་གཙུག་གི་རྒྱན་ཕྲུར་རྗེ་བཙུན་དམ་པ་སོགས་སྐྱེས་བུ་དམ་པ་དང་། མི་ཕྱུག་ཅན་རྣམས་ཀྱི་གཏེར་མཛོད་ནས་བྱུང་བའི་གསེར་དངུལ་སོགས་རིན་པོ་ཆེ། གོས་ཆེན། ཤིང་ཏོག སྐྱེ་རུང་གི་འབྲུ་སྣ་ཚོགས་རྣམས་ཀྱིས་བཀང་ལ་དབུས་སུ་རྣམ་སྲས་གསེར་ཆེན་གཙོ་མཛད། གཙོ་འཁོར་དགུའི་ཙ་ཀ་ལི། རྒྱབ་ཏུ་རང་རང་གི་སྙིང་པོ། ས་ཕྱོགས་ཡུལ་འདིར་ལོ་ཐོག་འབྱོར་པ་རྒྱས་པའི་དགེ་ལེགས་སྨོལ། ཞེས་པའི་སྤེལ་ཚིག་བྲིས། བུམ་པའི་ཕྱི་རོལ་དུ་བཀྲ་ཤིས་རྟགས་བརྒྱད་བྲིས། ན་བཟའ་བཟང་པོས་སྤྲུབས། བུམ་པ་གས་ཆག་མེད་པ་དང་། རྫས་ཀྱང་དབུལ་པོ་དང་ཁྲིམས་ཕོག་པ་དང་རྒྱུད་ཆད་པ་དང་བཀྲ་མི་ཤིས་པའི་མིའི་ལག་ནས་བྱུང་བ་དང་། སྲན་མ། བྲ་བོ། མི་གཙང་བས་འབག་པ་རྣམས་བླུག་མི་ཆོག །བཀྲ་ཤིས་རྒྱུ་སྐར་གང་བྱེད་བདག་པོར་འཕྲོད་པའི་ཉིན། གཙུག་ལག་ཁང་གི་དབུས་མ་ལ་ཟུངས་ཐག་བཏགས་ནས་བཞག །སྡོམ་པ་དག་པ་དགེ་སློང་བརྒྱ་རྩ་བརྒྱད་དམ། ཉུང་མཐའ་དགེ་སློང་བཞི་ཡན་ཆད་ཉིན་མཚན་རྒྱུན་མི་འཆད་པར་ཞག་བདུན་གཙང་སྦྲས་ཟས་དཀར་ལ་བརྟེན་ནས་སྒྲུབ་དགོས་སོ། །སྐྱབས་འགྲོ་སེམས་བསྐྱེད་ཚད་མེད་བཞི་སྒོམ། དགའ་ལྡན་ལྷ་བརྒྱ་མས་ཚོགས་བསགས །

བདག་བསྐྱེད་ནི། སྭ་བྷཱ་ཝས་སྟོང་པར་སྦྱངས། སྟོང་པའི་ངང་ལས། སྟོན་ཐོག་ཕུན་སུམ་ཚོགས་པ་ནོར་བུས་གཏམས་པའི་ཞིང་ཁམས་ཀྱི་དབུས་སུ་སེང་གེ་བརྒྱད་ཀྱིས་བཏེགས་པའི་རིན་པོ་ཆེའི་ཁྲིའི་སྟེང་དུ་སྣ་ཚོགས་པདྨ་དང་ཟླ་བའི་དཀྱིལ་འཁོར་གྱི་གདན་ལ་རང་ཉིད་རྗེ་བཙུན་བླ་མ་བློ་བཟང་གྲགས་པ་དཀར་ལ་དམར་བའི་མདངས་ཅན། དབུ་ལ་པཎ་ཞྭ་སྔོ་རིང་སྐུ་ལ་ཆོས་གོས་རྣམ་གསུམ་གསོལ་བ། ཕྱག་གཡས་ཆོས་འཆད་ཀྱི་ཕྱག་རྒྱ་ཐུགས་ཀར་མཛད་ཅིང་། ཕྱག་གཡོན་མཉམ་བཞག་གི་སྟེང་ན་ཡིད་བཞིན་གྱི་ནོར་བུ་འཛིན་པ། ཞབས་རྡོ་རྗེའི་སྐྱིལ་ཀྲུང་གིས་བཞུགས་པ། སྐུ་ལས་འོད་ཟེར་སེར་པོ་ཕྱོགས་བཅུར་འཕྲོ་བ། སྤྱི་བོར་པདྨ་དང་ཟླ་བའི་གདན་ལ་རྗེ་བཙུན་འཇམ་དབྱངས་དམར་སེར། ཟུར་ཕུད་ལྔ་དང་ལྡན་པ། ཕྱག་གཡས་ཤེས་རབ་ཀྱི་རལ་གྲི་འཕྱར་ཞིང་། གཡོན་ཆོས་འཆད་ཀྱི་ཕྱག་རྒྱས་ཨུཏྤ་ལའི་ཡུ་བ་ཐུགས་ཀར་འཛིན་ཅིང་སྐན་གྱི་ཐད་ཀར་ཁ་བྱེ་བའི་སྟེང་ན་ཤེར་ཕྱིན་གྱི་པོ་ཏི་ལ་ནོར་བུས་མཚན་པ། རིན་པོ་ཆེའི་རྒྱན་སྣ་ཚོགས་ཀྱིས་བརྒྱན་ཅིང་ཞབས་རྡོ་རྗེའི་སྐྱིལ་ཀྲུང་གིས་བཞུགས་པ། མགྲིན་པར་སྤྱན་རས་གཟིགས་ཞལ་ལྷར་དཀར་བ། ཕྱག་དང་པོ་གཉིས་ཐུགས་ཀར་ཐལ་མོ་སྦྱར་བའི་བར་ན་ཡིད་བཞིན་གྱི་ནོར་བུ་འཛིན་པ། ཕྱག་གཡས་གཉིས་པས་ཤེལ་ཕྲེང་། གཡོན་གཉིས་པས་པདྨ་དཀར་པོ་འཛིན་པ། རིན་པོ་ཆེའི་སྣ་ཚོགས་ཀྱིས་བརྒྱན་ཅིང་ཞབས་རྡོ་རྗེའི་སྐྱིལ་ཀྲུང་གིས་བཞུགས་པ། ཐུགས་ཀར་པདྨ་དང་ཉི་མའི་གདན་ལ། ཕྱག་ན་རྡོ་རྗེ་སྔོན་པོ་སྤྱན་གསུམ་དང་ལྡན་པ། དབུ་སྐྲ་དམར་སེར་གྱེན་དུ་བརྫེས་པ། ཁྲོས་པའི་ཉམས་ཅན། ཕྱག་གཡས་གསེར་གྱི་རྡོ་རྗེ་འཕྱར་ཞིང་། གཡོན་ཐུགས་ཀར་སྡིགས་མཛུབ་མཛད་པས་ནོར་བུས་མཚན་པའི་ཞགས་པ་འཛིན་པ། རུས་པའི་རྒྱན་དང་སྦྲུལ་གྱིས་བརྒྱན་པ། སྟག་གི་པགས་པའི་ཤམ་ཐབས་ཅན། ཞབས་གཡས་བསྐུམས་གཡོན་བརྐྱང་བས་ཡེ་ཤེས་ཀྱི་མེ་དཔུང་འབར་བའི་དབུས་ན་བཞུགས་པ། དེ་ཐམས་ཅད་ཀྱི་སྤྱི་བོར་ཨོཾ། མགྲིན་པར་ཨཱཿ ཐུགས་ཀར་ཧཱུཾ། ཐུགས་ཀའི་ཧཱུཾ་ལས་འོད་འཕྲོས། སྔོམ་པ་དང་འདྲ་བའི་ཡེ་ཤེས་པ་སྤྱན་དྲངས། ཛཿ ཧཱུཾ་བཾ་ཧོཿ གཉིས་སུ་མེད་པར་ཐིམ་པར་གྱུར། སླར་ཡང་ཐུགས་ཀ་ནས་འོད་འཕྲོས། དབང་གི་ལྷ་རིགས་ལྔ་སྤྱན་དྲངས། བུམ་ཆུས་སྤྱི་བོ་ནས་དབང་བསྐུར། ལུས་གང་དྲི་མ་དག །འཇམ་དབྱངས་ལ་རྣམ་སྣང་། སྤྱན་རས་གཟིགས་ལ་འོད་དཔག་མེད། ཕྱག་རྡོར་ལ་མི་བསྐྱོད་པས

དབུ་བརྒྱན་པར་གྱུར། ཨོཾ་སུ་མ་ཏི་ཀཱིརྟི་ཤྲཱི་ཨཀྵ་སོགས། སློ་གྲོས་ཁང་བཟང་གིས་བསྟོད། དམིགས་བརྩེ་མ་དང་། ཨོཾ་ཨ་ར་པ་ཙ་ན་དྷཱིཿ ཨོཾ་མ་ཎི་པདྨེ་ཧཱུྃ། ཨོཾ་བཛྲ་པཱ་ཎི་ཧཱུྃ་ཕཊ། བཟླ་ཡིག་བརྒྱད་དང་། ཚེ་རབས་ཀུན་ཏུ་ཞེས་སྨོན་ལམ་གདབ། མཆོད་གཏོར་རྣམས་གཏོར་ཆོག་ལྟར་བྱིན་གྱིས་རླབས་བུམ་པ་བསངས་སྦྱངས། སྟོང་པའི་ངང་ལས་རང་གི་མདུན་དུ་ཧཱུྃ་ལས་བུམ་པའི་ནང་རིན་པོ་ཆེའི་གཞལ་ཡས་ཁང་གྲུ་བཞི། སྒོ་བཞི་རྟ་བབས་བཞི་དང་བཅས་པ། འཁོར་ས་རིམ་པ་གསུམ་དང་ལྡན་པའི་དབུས་ན་ཁང་བུ་བརྩེགས་པ་དགུ་ཡོད་པའི་དབུས་མའི་ཕོ་བྲང་སུམ་བརྩེགས་སུ་གནས་པའི་རྩེ་མོར་ནོར་བུ་རིན་པོ་ཆེའི་ཏོག་གིས་སྤྲས་པ། ཡོགས་རྣམས་སུ་དྲ་བ་དང་དྲ་བ་ཕྱེད་པ་འཕྱང་ཞིང་། མདའ་ཡབ་དང་པུ་ཤུ་དང་ལྡན་པ། ཤར་ཤེལ། ལྷོ་བཻཌཱུརྻ། ནུབ་པདྨ་རཱ་ག། བྱང་གསེར་ལས་གྲུབ་པའི་ཀ་བ་ཉིས་སྟོང་ལྔ་བརྒྱ་ཕྱོགས་རེ་ནས་བརྒྱན་པ། གཏེར་གྱི་ཁང་པ་བཅོ་ལྔ་དག་གིས་སྤྲས་པ། དེའི་ཕྱི་རོལ་གྱི་ཕྱོགས་མཚམས་བརྒྱད་དུ་བུམ་པ་བཟང་པོ་བརྒྱད། དཔག་བསམ་གྱི་ཤིང་བརྒྱད། རིན་པོ་ཆེའི་ལྗོན་ཤིང་བརྒྱད། རྫིང་བུ་བཟང་པོ་རིན་པོ་ཆེའི་ལྗོན་ཤིང་མེ་ཏོག་དང་ལྡན་པ་བརྒྱད། འདོད་འཇོ་བ་བརྒྱད་རྣམས་སྤེལ་མར་གནས་པའི་ཕྱིར་རོལ་ནས་རིན་པོ་ཆེའི་ར་བ་གྲུ་བཞི་པས་བསྐོར་བ། ཕོ་བྲང་དབུས་མའི་ནང་དུ་ཧྲཱིཿ ལས་སྣ་ཚོགས་པདྨ་འདབ་མ་བརྒྱད་པ། དེའི་སྟེང་དུ་ཨ་ལས་ཟླ་བའི་དཀྱིལ་འཁོར། དེའི་སྟེང་དུ་བཻ་སེར་པོ་ལས་བྱུང་བའི་རྒྱལ་མཚན་བཻས་མཚན་པ། དེ་ལས་འོད་འཕྲོས། འཕགས་པ་མཆོད། སེམས་ཅན་རྣམས་ཀྱི་དབུལ་ཕོངས་ཀྱི་སྡུག་བསྔལ་བསལ། འཇིག་རྟེན་ཁམས་ཀྱི་དཔལ་འབྱོར་ཕུན་ཚོགས་ཐམས་ཅད་བསྡུས་ཏེ་བཻ་ལ་ཐིམ། དེ་ཡོངས་སུ་གྱུར་པ་ལས། རྒྱལ་པོ་ཆེན་པོ་ངལ་བསོས་པོ་སྐུ་མདོག་གསེར་གཙོ་མ་ལྟ་བུ་ཞལ་གཅིག་ཕྱག་གཉིས་པ། གཡས་པ་རིན་པོ་ཆེའི་རྒྱལ་མཚན་འཛིན་ཅིང་། གཡོན་རིན་པོ་ཆེ་སྣ་ཚོགས་སྐྱུག་པའི་གཏེར་གྱི་ནེའུ་ལེ་འཛིན་པ། སེང་གེ་ཉལ་བ་ཁ་དེ་ཉིད་ལ་བལྟ་བའི་སྟེང་ན་སེམས་དཔའི་སྐྱིལ་མོ་ཀྲུང་གིས་བཞུགས་པ། ཞལ་ནས་རིན་པོ་ཆེའི་ཆར་འབེབས་པས་སྐྱེ་རྒུ་ཐམས་ཅད་ཕོངས་པ་ལས་སྒྲོལ་ཞིང་། དབུ་ལ་རིན་པོ་ཆེའི་དབུ་རྒྱན་གསོལ་བ། རིན་པོ་ཆེའི་རྒྱན་དཔག་ཏུ་མེད་པས་སྤྲས་ཤིང་། ཕྲག་གོང་གཉིས་ན་ཉི་མ་དང་ཟླ་བས་བརྒྱན་པ། ནམ་མཁའ་མཛོད་ལ་མངའ་བརྙེས་ཤིང་ཉི་མ་འབུམ་གྱི་གཟི་བརྗིད་དང་ལྡན་པ། སྐུ་ལས་འོད་ཟེར་སེར་པོ་

ཕྱོགས་བཅུར་འཕྲོ་བ། ཤར་གྱི་ཁང་བརྩེགས་ཀྱི་ནང་དུ་པདྨའི་གདན་ལ་ཛམྦྷ་ལ་སེར་པོ་གཡས་རིན་པོ་ཆེ་བསྣམས་པ། ལྷོར་གང་བ་བཟང་པོ་སེར་པོ་གཡས་བུམ་བཟང་བསྣམས་པ། ནུབ་ཏུ་ནོར་བུ་བཟང་པོ་དཀར་པོ་གཡས་ནོར་བུ་བསྣམས་པ། བྱང་དུ་ཀུ་བེ་ར་ནག་པོ་གཡས་རལ་གྲི་བསྣམས་པ། ཤར་ལྷོར་ཡང་དག་ཤེས་སེར་པོ་གཡས་གསེར་གྲི་བསྣམས་པ། ལྷོ་ནུབ་ཏུ་འབྲོག་གནས་ནག་པོ་གཡས་རིན་པོ་ཆེའི་མདུང་བསྣམས་པ། ནུབ་བྱང་དུ་ལྭ་རྩེ་ན་སེར་སྐྱ་གཡས་ཁང་བརྩེགས་བསྣམས་པ། བྱང་ཤར་དུ་འཛམ་པོ་འཁྱིལ་བ་དཀར་པོ་གཡས་གྲི་ཐུབ་བསྣམས་པ། ཐམས་ཅད་ཀྱང་གཡོན་པ་གཉེར་གྱི་ནེའུ་ལེ་བསྣམས་པ། རང་རང་གི་སྐུ་མདོག་དང་མཚུངས་པའི་ཧ་ལ་ཆིབས་ཤིང་རྒྱན་སྣ་ཚོགས་ཀྱིས་སྤྲས་པ། དཔའ་ཞིང་བརྗིད་ལ་ཇམས་པ། མི་སྡུག་པའི་ཆ་བྱད་ཅན། འཁོར་ས་དང་པོ་ལ་བདུད་རྩིའི་རྫིང་བུའི་དབུས་སུ་ཀླུ་ཆེན་བརྒྱད་གསེར་གྱི་མདོག་ཅན་གཡས་ཡིད་བཞིན་གྱི་ནོར་བུ་དང་། གཡོན་གཉེར་གྱི་བུམ་པ་བསྣམས་པ། དགོས་འདོད་སྣ་ཚོགས་ཀྱི་ཆར་འབེབས་ཅིང་། སྤྲུལ་གྱི་གདེངས་ཀས་བརྒྱན་པ། སྟེང་ན་ཆུ་འཛིན་སེར་པོའི་འབྲུག་སྒྲ་སྒྲོགས་པས་སྒྲུབ་པ་པོའི་སྙན་གྲགས་ཕྱོགས་བཅུར་རྒྱས་པར་བྱེད་པ། འཁོར་ས་བར་པ་ལ་གནོད་སྦྱིན་བྱེ་བའི་ཚོགས་དང་། འཁོར་ས་ཐ་མ་ལ་ལྷ་མ་སྲིན་སྡེ་བརྒྱད་ཀྱི་དམག་ཚོགས་སྲིན་པོའི་གཟུགས་ཅན་དྲག་ཏུ་ཁྲོས་ཤིང་བརྗམས་པ། ཕྱག་གཡས་ན་མཚོན་ཆ་སྣ་ཚོགས་པ་འཛིན་ཅིང་། གཡོན་ཐམས་ཅད་ནེའུ་ལེ་འཛིན་པ། གཙོ་འཁོར་ཐམས་ཅད་ཀྱི་སྤྱི་བོར་ཨོཾ་དཀར་པོ། མགྲིན་པར་ཨཱཿདམར་པོ། ཐུགས་ཀར་ཧཱུྃ་སྔོན་པོ། ཐུགས་ཀའི་ཧཱུྃ་ལས་འོད་ཟེར་འཕྲོས་ལྕང་ལོ་ཅན་ནས་སྤྲོས་པ་དང་འདྲ་བའི་ཡེ་ཤེས་པ་སྤྱན་དྲངས། བེ་ས་འཛིན་དབང་པོ་བྱང་ཕྱོགས་ནས། །རིན་ཆེན་མང་སྤྲུལ་རྣམ་ཐོས་སྲས། །སྣོན་པོ་རྟ་བདག་བརྒྱད་ལ་སོགས། །འཁོར་དང་བཅས་པ་གཤེགས་སུ་གསོལ། །ཨོཾ་བཻ་ཤྲ་ཝ་ཎ་ཡེ་ས་པ་རི་ཝཱ་ར་ཨ་གཙྪ་ཡ་ཛཿ ཨོཾ་བཻ་སྭཱཧཱ། བཻ་རིང་པོ་བརྗོད། ཛཿཧཱུྃ་བཾ་ཧོཿ དམ་ཚིག་པ་དང་གཉིས་སུ་མེད་པར་གྱུར། ཨོཾ་རཏྣ་ཨུ་གུ་ཏུ་ཨ་ཧྲི་ཀྵི་ཧུ་ཨཾ། ཞེས་རིན་པོ་ཆེའི་དབུ་རྒྱན་གྱི་དབང་བསྐུར། དྲི་མེད་ཡིད་དུ་འོང་བ་ཡི། །ཞེས་སོགས་ཆུ་བཞི་ཉེར་སྤྱོད་རོལ་མོ་གཏོར་ཚོག་ལྟར་རམ། བསྡུ་ན། ཨོཾ་བཻ་ཤྲ་ཝ་ཎ་ཡེ་ས་བ་ར་ཝཱ་ར་པུཥྤེ་ཙཻ་པྲ་ཏཱིཙྪ་ཡ་ཨཱཿཧཱུྃ། ཞེས་སོགས་སྔགས་ཙམ་གྱིས་མཆོག་དེ་ནས། དྲི་མེད་རྩེབས་སྟོང་འོད་འབར་འཁོར་ལོ་དང་། །འདོད་རྒྱུའི་ཆར་འབེབས

ནོར་བུ་རིན་པོ་ཆེ། །འཆི་མེད་བུ་མོའི་དཔལ་འཕྲོག་བཙུན་མོ་མཆོག །འགྱུར་བའི་བང་མཛོད་འཛིན་པའི་ཁྱིམ་བདག་ཆེ། །ནོར་བུའི་སྣ་སྒྲུབ་མཛེས་པའི་ཅང་ཤེས་རྟ། །གངས་རི་དབང་པོ་དང་མཚུངས་གཉིས་འཐུང་མཆོག །ཕས་རྒོད་དགྲ་སྡེ་འཇོམས་པའི་དམག་དཔོན་ཏེ། །རྒྱལ་སྲིད་ནོར་བུ་རྣམ་བདུན་འབུལ་བར་བགྱི། །སྲིད་ཞིའི་ཚ་གདུང་སེལ་བྱེད་རིན་ཆེན་གདུགས། །བཀྲ་ཤིས་དགེ་བས་འཁྱུད་པའི་གསེར་གྱི་ཉ། །རོ་བརྒྱ་བདུད་རྩིས་བཀང་བའི་བུམ་པ་བཟང་། །འཁོར་བའི་འདམ་གྱིས་མ་གོས་པདྨ་དཀར། །རྨོངས་པའི་གཉིད་ལས་སད་བྱེད་ཆོས་ཀྱི་དུང་། །དགེ་མཚན་རྣམ་དཀར་སྤེལ་བའི་དཔལ་བེའུ། །མི་མཐུན་ཕྱོགས་ལས་རྒྱལ་བའི་རྒྱལ་མཚན་ཆེ། །ཡོངས་ལ་དབང་བསྒྱུར་གསེར་བཟང་འཁོར་ལོ་སྟེ། །བཀྲ་ཤིས་བཅིངས་པའི་རྟགས་བརྒྱད་དམ་པ་འདི། །འགྲོ་ཀུན་བསམ་པ་རྫོགས་ཕྱིར་འབུལ་བར་བགྱི། །རབ་འབྱམས་ཞིང་ན་ཡིད་འོང་གཟུགས་མཛེས་མཆོག །རྣར་སྙན་ཡིད་འབབ་སྒྲ་སྙན་གང་ཡོད་དང་། །དྲི་ཞིམ་ངད་ཀྱིས་སྟོང་གསུམ་ཡོངས་གང་ཞིང་། །རོ་བརྒྱ་ལྡན་པའི་ལྷ་ཡི་ཞལ་ཟས་དང་། །འཇམ་མཉེན་འཁྲིལ་ཆགས་ལྷ་རྫས་ན་བཟའི་ཚོགས། །ཀུན་བཟང་མཆོད་པའི་སྤྲིན་ལ་འགྲན་པ་བཞིན། །རྒྱལ་ཆེན་འཁོར་དང་བཅས་ལ་ཕུལ་བ་ཡིས། །འགྲོ་ཀུན་མི་ཟད་གཏེར་ལ་ལོངས་སྤྱོད་ཤོག །བཻ་དུས་གསུམ་བདེ་བར་གཤེགས་པ་མ་ལུས་པའི། །ཡོན་ཏན་རང་བཞིན་རྒྱལ་བ་རིན་ཆེན་མང་། །བྱང་ཕྱོགས་གནོད་སྦྱིན་སྐྱོང་བའི་སྡེ་དཔོན་གྱི། །རྣམ་རོལ་འདོད་རྒུའི་མཆོག་སྦྱིན་ཁྱོད་ལ་འདུད། །གླིང་བཞི་ཡོངས་ལ་ནོར་གྱི་རེ་བ་སྐོང་། །དབུལ་ཕོངས་སྡུག་བསྔལ་མ་ལུས་སེལ་མཛད་པ། །ནམ་མཁའ་མཛོད་ལ་མངའ་བརྙེས་ནོར་གྱི་ལྷ། །བདེ་སྐྱིད་མྱུར་དུ་སྩོལ་མཛད་ཁྱོད་ལ་འདུད། །དངོས་གྲུབ་གཏེར་ཟྲུར་བཙུན་མོ་སྲས་དང་བློན། །ཁྱད་པར་ནོར་གྱི་དབང་ཕྱུག་རྟ་བདག་བརྒྱད། །འཁོར་དང་བཅས་ལ་གུས་པས་ཕྱག་བགྱིད་ན། །འདོད་དོན་མ་ལུས་ལྷུན་གྱིས་འགྲུབ་པར་མཛོད། །དཔྱིད་ཀྱི་དུས་སུ་མྱུ་གུ་སྔོ་ཏིང་ཏིང་། །སོས་ཀ་དབྱར་ཁར་ལོ་འདབ་བྱུར་བུར་དང་། །སྟོན་གྱི་ཟླ་བར་འབྲུ་སྙེ་རབ་སྨིན་པ། །ལོ་ཏོག་ཕུན་སུམ་ཚོགས་པའི་དགེ་མཚན་སྤེལ། །མཐུན་པའི་རླུང་གིས་ཉེ་བར་བསྐུལ་བ་ཡི། །སྤྲིན་སྔོན་སྟུག་པོ་འཁྲིགས་ཤིང་སྒྲུངས་པ་ལས། །ཞི་བའི་འབྲུག་སྒྲ་དར་དིར་སྒྲོག་བྱེད་ཅིང་། །ཡན་ལག་བརྒྱད་ལྡན་ཆར་པ་དུས་

སུ་འབེབ། །ར་ཁྲིག་སྲུ་ལྡན་ཧ་ནོར་ར་ལུག་ཁྲུ། །བུ་ཚ་འཕེལ་བས་ས་སྟེང་ཡོངས་འགེང་ཞིང་། །ནད་མེད་གནོད་འཚེ་བྲལ་བའི་ཡུན་རིང་འཚོ། །ཁྲུ་མཆོག་རབ་ཏུ་ལེགས་པའི་བཀྲ་ཤིས་སྩོལ། །ཕ་བུ་འཛངས་ཤིང་བརྩེ་བ་སྲི་ཞུ་སྤེལ། །ཕོ་མོ་ཤ་ཚ་ཕན་ཚུན་མཐུན་པོ་དང་། །ཕུ་ནུ་ཡིད་འོང་འབྲལ་མི་ཕོད་པ་ཡི། །རྣམ་གསུམ་ཐུགས་མཐུན་རྒྱས་པའི་དགེ་ལེགས་སྩོལ། །བདག་པོ་བརྩེ་ལྡན་བློན་པོའི་དྲ་དྲང་པོ། །མཆོག་དམན་ཐམས་ཅད་མཁས་ཤིང་བརྟན་པ་དང་། །འགྲོ་ལུགས་སྲོལ་བཟང་མི་ཉམས་འཕེལ་པོ་སྟེ། །རྟག་གནས་ལྷ་ཡི་བཀྲ་ཤིས་བཟང་པོ་སྩོལ། །བཟླས་པ་བྱ་བ་ནི། གཟུངས་ཐག་བཟུང་སྟེ། རྒྱལ་པོའི་ཐུགས་ཀའི་པདྨའི་ལྟེ་བར་ཟླ་བའི་དཀྱིལ་འཁོར་གྱི་སྟེང་དུ་རྡོ་རྗེ་རྩེ་ལྔ་པ། དེའི་ལྟེ་བར་བཻ་གསེར་གྱི་མདོག་ཅན་གྱིས་མཚན་པ། མཐའ་སྐོར་དུ་སྙིང་པོ་དང་གཟུངས་རིང་གིས་བསྐོར་བ་ལ་དམིགས་ཏེ། ལྕེ་རྡོ་རྗེའི་སྦུ་གུ་ཅན་དུ་གྱུར་པས་སྔགས་བཟླས་པས། རང་གི་ཐུགས་ཀའི་ཧཱུྃ་གི་འོད་ཟེར་གྱི་རྩེ་ལས་མཆོད་ཚོགས་སྤྲོས། རྒྱལ་པོ་འཁོར་བཅས་ལ་མཆོད་པས་ཐུགས་དགྱེས་ཏེ་རྒྱལ་པོ་འཁོར་དང་བཅས་པའི་ཐུགས་ཀའི་སྔགས་ཕྲེང་ལས་འོད་ཟེར་དམར་པོ་འཕྲོས་བུམ་པའི་རྫས་ལ་ཕོག་པས་རིན་པོ་ཆེ་དང་བདུད་རྩིར་གྱུར། ཡང་སྔགས་ཀྱི་འོད་ཟེར་གྱིས་འཇིག་རྟེན་ཁམས་ཀྱི་མཐུ་སྟོབས་དང་། དབང་ཕྱུག་དང་། དཔལ་འབྱོར་དང་། གཟི་བརྗིད་དང་། ལོངས་སྤྱོད་ལ་སོགས་པ་ཕུན་སུམ་ཚོགས་པའི་བྱེ་བྲག་ཐམས་ཅད་བསྡུས་ཏེ་བུམ་པར་ཐིམ་པས་བུམ་པའི་ནང་གི་ནོར་རྫས་རྣམས་ལུད་པ་དང་། རྒྱལ་པོ་འཁོར་བཅས་ཀྱི་ཞལ་དང་ནེའུ་ལེ་རྣམས་ནས་རིན་པོ་ཆེ་ལྷུག་ལྷུག་ལུད་གནས་ཁང་དང་གཙུག་ལག་ཁང་ལ་སོགས་པའི་ནང་ཐམས་ཅད་ཁེངས་ནས་སྤྱོད་པས་འཛད་པ་མེད་པར་གྱུར་བར་བསམ་ལ་བཟླའོ། །གཟུངས་རིང་ནི། ཏདྱཐཱ། ཏ་ལི་མ་ཎི་བྷ་དྲ། ཧི་ལི་ཧི་ལི་མ་ཎི་བྷ་དྲ། ཀི་ལི་མ་ཎི་བྷ་དྲ། ཀི་ལི་ཀི་ལི་མ་ཎི་བྷ་དྲ། ཀུ་རུ་མ་ཎི་བྷ་དྲ། ཀུ་རུ་ཀུ་རུ་མ་ཎི་བྷ་དྲ། ཏུ་རུ་མ་ཎི་བྷ་དྲ། ཏུ་རུ་ཏུ་རུ་མ་ཎི་བྷ་དྲ། སུ་རུ་མ་ཎི་བྷ་དྲ། སུ་རུ་སུ་རུ་མ་ཎི་བྷ་དྲ། ཙུ་རུ་མ་ཎི་བྷ་དྲ། ཙུ་རུ་ཙུ་རུ་མ་ཎི་བྷ་དྲ། ཨོཾ་ཨེ་ཧྱ་ཧི། ཏིཥྛ་ཏིཥྛ། སརྦ་ཨརྠ་མེ་སཱ་དྷ་ཡ། ཏདྱཐཱ། སུ་དྷ་ནེ། སུ་ར་གེ། སུ་མ་ཏེ། སུ་སུ་ཁེ། ཧི་ལི་མི་ལི་སྭཱ་ཧཱ། སྙིང་པོ་ནི། ཨོཾ་བཻ་ཤྲ་ཝ་ཎ་ཡེ་སྭཱ་ཧཱ། འཁོར་གྱི་སྙིང་པོ་ནི། ཨོཾ་ཛམྦྷ་ལ་ཛ་ལེནྡྲ་ཡེ་སྭཱ་ཧཱ། ཨོཾ་པུརྞ་བྷ་དྲ་ཡེ་སྭཱ་ཧཱ། ཨོཾ་མ་ཎི་བྷ་དྲ་ཡེ་སྭཱ་ཧཱ། ཨོཾ་ཀུ་བེ་ར་ཡེ་སྭཱ་ཧཱ། ཨོཾ་སཾ་བྷ་ཛ་ན་ཡེ་སྭཱ་ཧཱ། ཨོཾ་ཀུ་ཎྜ་ཏ

ན་ཡེ་སྭཱ་ཧཱ། ཨོཾ་པདྨེ་ཀ་ཡེ་སྭཱ་ཧཱ། ཨོཾ་པི་ཙི་ཀུཎྜ་ལི་ཡེ་སྭཱ་ཧཱ། ཞེས་པའོ། །གཙོ་བོའི་ཐུགས་ཀ་མ་མཐའ་འབྱུམ་ཕྱག་བརྒྱད་སྔ་བ་བཅད་ནས་བཟློའོ། །གཏོར་མ་ནི་གཏོར་ཆོག་ལྟར་རམ། ཡང་ན། ཆོས་སྐྱོང་འཁོར་དང་བཅས་པའི་ཐུགས་ཧཱུྃ་ལས་སྐྱེས་པའི་རྡོ་རྗེ་དཀར་པོ་རྩེ་གཅིག་པ་འོད་ཀྱི་སྦུ་གུ་ཅན་དུ་གྱུར། ཨོཾ་བཻ་ཤྲ་ཝ་ཎ་ས་པ་རི་ཝཱ་ར་ཨི་དཾ་བ་ལིཾ་ཏ་ཁ་ཁ་ཁཱ་ཧི་ཁཱ་ཧི། ལན་བདུན་བརྗོད། མཆོད་བསྟོད་བྱ། མཐུ་དང་རྫུ་འཕྲུལ་ཆེ་མངའ་བའི། །གནོད་སྦྱིན་བདག་པོ་ཁྱེད་རྣམས་ཀྱིས། །སྦྱིན་བདག་གམ། བདག་གི་བསམ་པ་མ་ལུས་པ། །མྱུར་དུ་འགྲུབ་པར་མཛད་དུ་གསོལ། །ཞེས་འཕྲིན་ལས་བཅོལ། ཡེ་དྷརྨ་དང་། ཡིག་བརྒྱ་གང་མང་། ནོངས་པ་བཟོད་གསོལ། འདིར་ནི་རྟེན་དང་ལྡན་ཅིག་ཏུ། །སོགས་ཀྱིས་བརྟན་བཞུགས། བཀྲ་ཤིས་རྣམས་བྱ། ཐུན་ཕྱི་མ་རྣམས་ལ། རང་གི་མདུན་དུ་བུམ་པའི་ནང་རིན་པོ་ཆེའི་གཞལ་ཡས་ཁང་གྲུ་བཞི། སྒོ་བཞི། ཞེས་པ་ནས། ཕོ་བྲང་དབུས་མའི་ནང་དུ་སྣ་ཚོགས་པདྨ་འདབ་མ་བརྒྱད་པ། དེའི་སྟེང་དུ་ཟླ་བའི་དཀྱིལ་འཁོར། དེའི་སྟེང་དུ་རྒྱལ་པོ་ཆེན་པོ་ངལ་བསོས་པོ་སྐུ་མདོག་གསེར་གཙོ་མ་ལྟ་བུ། ཞེས་སོགས་མན་ཆད་བཀྲ་ཤིས་ཀྱི་བར་བདྲའོ། །སྒྲུབ་པ་ཐོན་པའི་ཐུན་མཐའ་མར་ཡེ་དྷརྨ་དང་ཡིག་བརྒྱ་ཅི་མང་བཟླས་ཏེ་བཀྲ་ཤིས་རྒྱས་པར་བྱ། བུམ་པ་མིས་མི་མཐོང་བར་སྒམ་གྱི་ནང་དུ་བཅུག་ལ་གཙང་སར་བཞག །མཆོད་པ་མ་ཆད་པར་འབུལ་ན་མཆོག་དམན་ཀུན་གྱི་འདི་ཕྱིའི་རེ་བ་ཡོངས་སུ་བསྐོང་བར་འགྱུར་རོ། །སྨྲས་པ། ལས་འབྲེལ་ལས་ཅན་གང་དེ་ཉིད། །གཞན་གྱིས་སྐྱོབ་ཡུལ་མིན་གཟིགས་ནས། །གང་ལ་བསྐུལ་བ་ཐུགས་བསྐྱོང་ཕྱིར། །ནོར་བུའི་ཆར་འབེབས་འདི་བྱས་སོ། །ནོར་ལྷའི་ནོར་བུམ་སྒྲུབ་པ་ཡིས། །རིན་ཆེན་མང་གི་རྟེན་འབྲེལ་དེས། །གནས་སྐབས་འཁོར་བ་རབ་རྒྱས་ཤིང་། །མཐར་ཕྱུག་རིན་མང་གདུལ་བྱར་གྱུར། །དཀའ་བརྒྱས་ནོ་འཚོང་མི་བྱེད་ཅིང་། །ཁེ་བཟང་བུན་བསྐྱེད་མ་བྱས་པར། །ཆོས་ཀྱི་རྒྱ་མཚོ་ཆེན་པོ་ནས། །དེད་དཔོན་ཡིད་བཞིན་ནོར་བུ་བླངས། །ཀུན་ལ་བརྩེ་བའི་བསམ་པས་བསྐུལ། །མཐུན་འཇུག་སྦྱོར་བས་འདི་བྱས་པའི། །ཡི་གེའི་ཡིད་བཞིན་ནོར་བུམ་འདིས། །སྦྱིན་པའི་པར་ཕྱིན་རྫོགས་པར་ཤོག །ཅེས་འཇམ་མགོན་བླ་མ་རིགས་གསུམ་མགོན་པོ་དང་འབྲེལ་བའི་སྒོ་ནས་རྒྱལ་ཆེན་རྣམ་ཐོས་སྲས་ཀྱི་ནོར་བུམ་སྒྲུབ་ཚུལ་འདོད་རྒུའི་རེ་སྐོང་ཞེས་བྱ་བ་འདི་ནི་སའི་ཚངས་པ་གོང་མ་ཆེན་པོའི་སྐུ་བཅར་སྤྱི་ཁྱབ་ཀོ་ཆིག་ཨམ་བན། ནང་གི་ཤོག་ཆེན་བཅུ་དྲུག་གི་མི་མཆོན་རྣ་བའི་མི་དམག་ཁྲི་ཚོ་བྱང་གི་ལས་དོན་ཐམས་ཅད་བྱེད་པའི་ཨམ་བན། ཀྲོས་སུ་བགྲོད་པའི་ལས་དོན་སྤྱི་ཁྱབ་ཨམ་བན། ཨམ་ལ་ཏཱ་ཏ

ར་ཡམ་བན། ཉམ་ཉར་མང་ཀ་ཚོའི། །བསྐུལ་བ་ནས་མན་ཤོག་གི་ཇ་སག །དོས་གྲོས་དར་ཏན་དབང་། ཀུ་རུན་ཨེ་ཕུ་ཕྲུ་ཤླིས་སའི་ལེའུ་ཁྲི་ཚོའི་རྒྱང་རིང་ནས་གསུང་ཤོག་གི་ལམ་དུ་རང་གི་ཡབ་ཡུལ་ལྷ་སྡེ་རིམ་པ་དང་པོ། གཉིས་པ། གསུམ་པ། བཞི་པའི་ཐབས་ཇི་སྟོང་ཕྲག་ཕྱེད་དང་གཉིས། མི་སྡེ་དམག་མི་ཁྲི་ཚོ་གཉིས་དང་སྟོང་ཕྲག་ལྔ་ཐམས་ཅད་ནས་ལོ་ལེགས་བདེ་སྐྱིད་འགྱུར་བ་རྒྱུས་པའི་ཆེད་དུ་གང་ཕན་པའི་ཐབས་བགྱིས་དགོས་ཞེས་བསྐུལ་བ་ལ་བརྟེན་ནས། ཤཱཀྱའི་བཙུན་གཟུགས་དོན་གྲུབ་རྒྱལ་མཚན་གྱིས་ལྷ་ལྡན་ས་ཆར་སྦྱར་བ་དགེ་ལེགས་འཕེལ།། །། སརྦ་མངྒ་ལཾ།། །།

༄༅། །རྗེ་བླ་མ་རིགས་གསུམ་སྤྱི་སྒྲུབ་ལ་བརྟེན་ནས་ས་བཅུད་གསོ་བའི་ལྷ་ཀླུའི་བུམ་པ་གཅིག་འདུས་སུ་སྒྲུབ་པའི་བཅའ་སྒྲིག་སྒྲུབ་ཐབས་ཀྱི་ཆོ་གའི་འཁྲིགས་སྦེབས་བྱིན་རླབས་འོད་སྟོང་འདྲེན་པའི་ངོ་མཚར་སྐྱུ་རེངས་གསར་པ་ཞེས་བྱ་བ་ཞུགས་སོ།

༄། །ན་མོ་གུ་རུ་ཀུ་ལ་ཧི་ཏཱ་ཤྲཱ་ཡ། རྒྱལ་ཀུན་མཁྱེན་པའི་ངོ་བོ་འཇམ་དཔལ་དབྱངས། །དམིགས་མེད་ཐུགས་རྗེའི་རང་གཟུགས་པད་དཀར་འཆང་། །མཐུ་སྟོབས་རང་བཞིན་གསང་བ་ཀུན་འཛིན་ལྷ། །རིགས་གསུམ་གཅིག་འདུས་རྗེ་བཙུན་ཙོང་ཁ་པར། །བཏུད་ནས་བསིལ་ལྗོངས་འགྲོ་བློའི་སྐྱིད་ཚལ་དུ། །བདེ་སྐྱིད་སྤྲང་རྩེའི་རྒྱལ་མཚན་འཛུམ་པའི་སྐད། །ས་བཅུད་གསོ་བའི་བྱིན་ནུས་ཏ་ལྡང་འདི། །འདྲེན་བྱེད་ཆོ་གའི་སྐྱ་རེངས་འདི་ན་ཤར། །འདིར་དུས་གསུམ་རྒྱལ་བ་ཀུན་གྱི་མཁྱེན་བརྩེ་ནུས་པའི་རང་གཟུགས་ས་གསུམ་གྱི་འདྲེན་པ་གཅིག་པུ་ཁམས་གསུམ་ཆོས་ཀྱི་རྒྱལ་པོ་ཙོང་ཁ་པ་ཆེན་པོ་རིགས་གསུམ་སྤྱི་སྒྲུབ་ཀྱི་སྒོ་ནས། ལྷ་ཀླུའི་བུམ་པ་གཅིག་འདུས་ཀྱིས་ས་བཅུད་བུམ་པའི་བཅའ་གཞོམ་དང་སྒྲུབ་ཐབས་ཀྱི་ཆོ་གའི་ནག་འགྲོས་ཕྱོགས་གཅིག་ཏུ་དགོད་པ་ལ། ཐོག་མར་བུམ་པའི་རྒྱུ་རབ་བཟངས་སོགས་ཀྱི་རིན་པོ་ཆེ་དང་། མ་ཐ་ནའང་ཛ་བུམ་སོ་མ་མཆུ་ཞབས་སོགས་བཟོ་དབྱིབས་གང་ལེགས་ཚང་ཚད་ཡུལ་གྱི་བྲེ་གང་གཤོང་བར་བྱིན་རྟེན་དང་ཀླུ་སྨན་གྱི་ཁུ་བ་བསྲེས་པའི་ས་དཀར་གྱིས་མདོག་བསྒྱུར་བ་ལ། སྤྲིན་དང་བབ་བླ་མདོར་རིས་ལྡང་ལྡང་སོགས་དང་མ་འདྲེས་པའི་ཆུ་ཚོན་གྱིས། །མདུན་ངོས་ཀྱི་སྟོད་དུ་ནོར་བུ་འབར་བའམ་ནོར་བུ་མིག་གསུམ་པ་ལྷ་བུའི་མདུན་རྟགས་དང་། དེ་འབྲེལ་རྟགས་བརྒྱད་དང་རྒྱལ་སྲིད་སྣ་བདུན་སོགས་ཀྱི་བཀྲ་ཤིས་པའི་རི་མོ་དང་། སྨད་ཀྱི་ཆར་ཆུ་རིས་ཉ་སྦྲུལ་སྦལ་སྦྲང་སོགས་ཀླུའི་མཐུན་རྫས་ཀྱི་རི་མོ། ཞབས་རར་པདྨ། ཁ་ལེབ་ལ་དགའ་འཁྱིལ་གྱིས་མཚོན་པ། ཀ་ཅི་ལྷ་བུར་བུམ་གདན་པདྨ་འདབ་བརྒྱད་དང་། ཁ་འཆིང་ལ་འཁོར་ལོ་རྩིབས་བརྒྱད་དམ་རྡོ

རྗེ་རྒྱ་གྲམ་གྱིས་མཚོན་པ་སྟེ། ནང་རྫས་ཀྱི་སྟོད་དུ་རྗེ་བླ་མའི་སྐུ་དང་། སྟོ་བའི་ཚོད་ཙམ་དུ་ནོར་གཏེར་གཙོ་བོར་བྱེད་ན་ཀླུ་ནོར་རྒྱས་ཡབ་ཡུམ་དང་། ཆུ་གཏེར་གཙོ་བོར་བྱེད་ན་ཝ་རུ་ཎ་ཡབ་ཡུམ། ཕྱོགས་མཚམས་སུ་ཀླུ་ཆེན་བརྒྱད་ཡུམ་བཅས་ཀྱི་ཙཀྲི་ཆོ་གའི་མངོན་རྟོགས་དང་མཐུན་པ་གོང་ལྟར་སྦྱིན་སོགས་མ་འདྲེས་པའི་ཚོན་གསེར་གྱིས་སྤྲུད་པ། མ་ཐའང་ཙཀྲར་དྲི་བཟང་ཀླུ་སྨན་སོག་གིས་ཁ་དོག་བསྒྱུར་བ་དང་། བུམ་པའི་ནང་རྫས་ལ། ལྕགས་རག་ཞ་ཉེ་ཏིག་ཚ་ཕྲ་རྡོ་རྗེ་ཕ་ལམ་སོགས་མ་འདྲེས་པའི་རིན་པོ་ཆེ་སྣེ་གང་འཛོམ། །བྲ་རྒྱ་བད་གསུམ་ཀེ་ཚེ་ཤངས་ཚེ་སྲན་མ་ནག་པོ་སོགས་མ་འདྲེས་བའི་གྲོ་ནས་སྲན་དཀར་མོན་སྲན་རྗེའུ་རྒྱ་སྲན་འབྲས་ཧྲིལ་དཀར་ནས་སོ་སོགས་ཀྱི་འབྲུ་སྣ་ཁྱད་ཆེ་ཙམ། ཀླུ་ལ་གནོད་རིགས་དང་དུག་ཤིང་སོགས་མ་འདྲེས་པའི་གནས་ཆེན་ཁག་སོགས་ཀྱི་ཤིང་སྣ་གང་འཛོམ། གནས་ཆེན་ཁག་དང་ཀུན་དགའ་ར་བ་གཙུག་ལག་ཁང་རྒྱལ་བོའི་ཕོ་བྲང་ཕྱུག་པོའི་ཞིང་ས་སོགས་ཀྱི་བཀྲ་ཤིས་པའི་ས་སྣ་རྡོ་སྣེ། མཚོ། ཐིང་། ལྕིངས་ཀ། ཆུ་མིག། རྒྱུན་འབབ་ཀྱི་ཆུ་སྣ། ཁྲི་ཕག་བོང་བུ་ཛ་མོང་མ་ཡིན་པའི་རྟ་དྲེལ་མཛོ་གནག་ར་ལུག་སོགས་ནོར་དབང་པོ་ཡར་རྒྱས་ཀྱི་སྤུ་སྣ་གང་རྙེད། ཟ་འོག་མ་ཡིན་པའི་གོས་སྣ། དར་སྣ། རས་སྣ། ཇ་སྣ། མར་སྣ། ཚྭ། བུལ། ཤིང་ཏོག་སྣེ་འཛོམ། ཀ་ར། བུ་རམ། སྦྲང་རྩི། ར་དཀར་བ་དམར་གྱི་འོ་མ། སླ་རྩི། ཤིང་ཀུན། ཁྲུང་ཐེར། ཚ་བ་གསུམ། བཙན་དུག་སོགས་དུག་རིས་ཀྱི་སྨན་དང་། དན་རོག་སོགས་སྐྱུགས་ཤལ་གྱི་སྨན། ཤ་ཆང་སྒོག་ཙོང་སོགས་ཀླུ་ལ་གནོད་པའི་རིགས་གཏན་ནས་མ་འདྲེས་པའི་སྨན་སྣ་གང་འཛོམ་དང་། མེད་དུ་མི་རུང་བའི་ཀླུ་སྨན་ལ། ཐང་ཤིང་ལོ་མ། སྟག་མའི་ལོ་མ། རྩ་རྒྱ་མདོང་། རྩ་སྦྲུལ་གྱི་པགས་པ། ཟི་ར་དཀར་ནག། དབང་ལག། ཆུ་སྲིན་སྙེར་མོ། ཛ་ཏི། ལི་ཤི། ཨ་བར་སྒྲུར་གསུམ། དྲི་བཟང་། གུར་གུམ། སླེ་ཏྲེས། ཤིང་མངར། གཉྫ་ཀ་རི། སྟག་ཆེར། རུ་རྟ། ག་གོ་ལ། སྤང་སྤོས། མཁན་པ། ཨུཏྤལ་སྔོན་པོ་སོགས་དྲི་ཞིམ་པོའི་མེ་ཏོག་སྣ་ཚོགས། གུ་ཤ། ཙམ་པ་ཀ། གུ་གུལ་དཀར་པོ། རྒྱ་མཚོའི་ལྦུ་བ། རྒྱ་མཚལ། མཚལ་དཀར། དུང་དཀར། གུ་ཡུ། འདམ་བུ། མགྲོན་བུ། སྙིང་ཞོ་ཤ། མཁལ་མ་ཞོ་ཤ། གླ་གོར་ཞོ་ཤ། རྒྱ་ཟམ་དམར་པོ། གཟི། ཟི་རུན། རས་སྐྱུད་དམར་པོ། བུ་ཤེལ་རྩེ། ཤུ་དག་དཀར་པོ། རྡོ་རྒྱུས་སོགས་ཀྱི་རྡོ་སྨན། ནཱ་ག་ཕུས་པ། ནཱ་ག་གེ་སར། སོ་མ་ར་ཙའི་འབྲས་བུ། སུ་ཀྨེལ། ཀྲུན་འབྲུམ་བཅས་ཀྱི་ཕྱེ་མ་དང་སྨན་རྟོག་སོགས་མ་ཚང་བ་མེད་པ་འདུ་བྱས་ཏེ། ཐོག་མར་གཟའ་ཚེས་ཐེབས་སོགས་དང་བསྟུན་སྒྲུབ་པ་པོ་བླ་མེད་ཀྱི་དབང་ཐོབ་ཅིང་དམ་ཚིག་དང་སྡོམ་པ་དག་པ། ལྷའི་རྣལ་འབྱོར་ལ་བརྩོན་པ། རབ་ཏུ་རྗེ་བླ་མ་རིགས་གསུམ་སྤྱི་སྒྲུབ་ཀྱི་བྱིན་རླབས་རྗེས་གནང་ངམ་ཉམས་འཁྲིད་དང་། མ་ཐའང་དགའ་ལྡན་ལྷ་བརྒྱ་མ་སོགས་ཀྱི་ཁྲིད་རྒྱུན་ཐོབ་པའི་སྒོ་ནས། རྗེ་བླ་མ་ཡས་སྲས་ལ་དད་པ་བརྟན་པོས། ལས་ཚོགས་བཅུ་གཅིག་གི་གཞུང་ནས་བཤད་པའི་དམིགས་བརྩེ་མའི་བསྙེན་ཚད་སོང་བའི་སྒྲུབ་པ་པོས་ཀླུ་ལ་གནོད་པའི་ཟས་སྤྱོད་སྤངས

ཏེ་ཁྲུས་དང་གཙང་སྦྲ་ལ་གནས་པས། རྗེ་བླ་མའི་བདག་བསྐྱེད་ཀྱི་མཆོད་གཏོར་དང་བགེགས་གཏོར་གྱུར་ཡུངས་སོགས་ཕྱག་ལེན་བཞིན་བཤམས་ལ། སྔོན་ལ་འཁོད་དེ་སྐྱབས་སེམས་ནས་བཟུང་རྗེ་བླ་མ་ལ་བརྟེན་པའི་བླ་མའི་རྣལ་འབྱོར་བདག་བསྐྱེད་བཟླས་པ་གཏོར་འབུལ་རྣམས་འོག་ནས་འབྱུང་བ་ལྟར་སོང་རྗེས། འཇིགས་བྱེད་དཔའ་གཅིག་གམ་སྤྱི་འགྲོའི་བདུད་རྩི་འཁྱིལ་པའི་སྒོ་ནས་བསང་བུམ་བསྒྲུབ། སྦྱངས་གསུམ་སྔོན་དུ་འགྲོ་བའི་བགེགས་གཏོར་བཏང་སྟེ། བུམ་པ་བུམ་རྫས་ལ་གནས་པའི་བགེགས་བསྐྲད་ཟིན་པ་དང་། བུམ་རྫས་རྣམས་ཀླུག་ཚུལ་ཐོག་མར་ཤིང་སྣ་ས་སྣ་རྡོ་སྣ་ཆུ་སྣའི་རིལ་བུ་ཛ་མར་ཚྭ་བུལ་ཤིང་ཏོག་སྨན་རིགས་དར་སྣ་གོས་སྣ་རིན་པོ་ཆེ་སྣ་ལྔ་སོགས་བུམ་པའི་སུམ་གཅིག་ཙམ་བཀང་སྟེ་སྲུབ་རྣམས་འབྲུ་སྣས་བཀང་བའི་དབུས་སུ་ནོར་གཏེར་གཙོ་བོར་བྱས་ན་མདུན་རྟགས་དང་མཐུན་པར་ནོར་རྒྱས་ཡབ་ཡུམ་དང་། ཆུ་གཏེར་གཙོ་བོར་བྱེད་ན་ཕ་ཏུ་ཀ་ཡབ་ཡུམ། དེ་གཉིས་གང་དབུས་སུ་སོང་ཡང་དེའི་གོ་སར་གཅིག་ཤོས་འགྲོ་དགོས་ཤིང་། དེའི་མདུན་ནས་བརྩམས་ཏེ་སོ་སོའི་མཚན་བྱང་བཞིན་བྱང་བུར་སྦྱར་བའི་ཙཀླི་ཕྱོགས་མཚམས་སུ་གཡས་བསྐོར་དུ་འཛུགས། དེ་དག་གི་སེང་དབར་འབྲུ་སྣ་སྨན་ཕྱེ་སོགས་ཀྱིས་བར་མེད་དུ་བཀང་། དེའི་སྟེང་དུ་ཁ་ལེབ་ལམ་རེག་ཙམ་རྗེ་བླ་མའི་ཙཀླི་སྦྱར་བའི་ཤིང་བྱང་བཞུགས་སུ་གསོལ་ཞིང་། དེ་དག་གི་ཚོན་རིས་སོགས་ལ་མ་གནོད་པའི་བར་མཚམས་རྣམས་བུབ་སྟོང་དུ་མ་ལུས་པ་འབྲུ་སྣ་དང་། ཤུག་ཕྱེ་སོགས་ཀྱིས་ཁ་དམ་པོར་གཙོད། ཁ་འཆིང་མགུལ་འཆིང་སོགས་མཐོང་བརྒྱུད་ཀྱི་ཕྱག་བཞེས་ལྟ་བཅོས་སུ་མ་སོང་བར་གལ་གནད་ཆེ་ཞིང་། དེ་ནས་བུམ་སྒྲུབ་དངོས་ལ་འཇུག་པ་ནི། ཐོག་མར་སྟེགས་ཀྱི་ཁར་རས་དཀར་སོགས་བཏང་བའི་སྟེང་དུ་བུམ་པ་སོ་སོའི་བུམ་གདན་རས་དཀར་ལ་པདྨ་འདབ་བརྒྱད་བྲིས་པ་བཀྲམ་སྟེ་བུམ་པའི་མདུན་ཕྱོགས་མ་ལོག་པར་བཞུགས་སུ་གསོལ་ཞིང་། འོས་འགབ་ཞིག་ཏུ་རྗེ་བླ་མའི་བྲིས་འབུར་གང་རིགས་ཀྱི་སྐུ་བརྙན་བཀྲམ་པའི་མདུན་དུ་བདག་མདུན་གྱི་མཆོད་པ་དང་། རིན་པོ་ཆེའི་སྣོད་དུ་འདས་ལྟར་འབུལ་རྒྱུའི་བླ་གཏོར་པད་འདབ་ཅན། ཀླུའི་ཉེར་སྤྱོད་ལ། ར་དཀར་བ་དམར་གྱི་འོ་མ་དང་ཆུ་གཙང་བསྲེས་པའི་མཆོད་ཡོན། དྲི་ཞིམ་པོའི་མེ་ཏོག་དཀར་པོ། ཙནྡ་དཀར་དམར་ཨ་ག་རུ་སྤོས་དཀར་སོགས་ཀྱི་བདུག་སྤོས། མར་དཀར་གྱི་མར་མེ། ཙནྡ་དཀར་དམར་དང་དྲི་བཟང་སྦྱར་བའི་དྲི་ཆབ། འོ་མ་དང་ཀླུ་སྨན་བསྲེས་པའི་ལྷ་བཤོས། ཏིང་ཤག་སོགས་ཀྱི་རོལ་མོའི་བྱེ་བྲག་དང་བཅས་ཉེར་སྤྱོད་ཚར་དགུའམ་ཅི་འབྱོར་བཤམས། ཀླུ་སྨན་དང་གོང་ལྟར་གྱི་འོ་མ་བསྲེས་པའི་ཟླུམ་གཏོར་ཆེ་བ་གཅིག་གི་མཐར་པདྨ་འདབ་བརྒྱད་ཀྱི་སྟེང་ཟླུམ་གཏོར་ཆུང་བ་བརྒྱད་ཀྱིས་བསྐོར་བའི་ཀླུ་གཏོར་དང་། རྫའི་ཁམ་ཕོར་ར་དཀར་བ་དམར་གྱི་འོ་མ་བླུག་པ་དགུ། སྣོད་གཞན་ཞིག་ཏུ་གཞི་བདག་གཏོར་མ། མདུན་དུ་ཀུ་ཤའི་མཆུན་པོའི་ཁ་རྒྱན་དང་བཅས་པའི་ལས་བུམ་བླ་མེད་བུམ་རྫས་ཀྱི་བཅུད་དང་ལྡན་པ། རྡོར་དྲིལ་ཏིང་ཤག་འཐོར་ནས་གུར་ཡུངས། སྟེགས་གཞན་ཞིག་གི་ཁར་ཁྲི་

པོའི་མཆོད་པ་དང་བགེགས་གཏོར་རྣམས་བཤམས། ༈དངོས་གཞི་ལ། སྒྲུབ་པ་པོ་སྟན་བདེ་བ་ལ་འཁོད་ནས་དགེ་སེམས་ཁྱད་པར་ཅན་གྱི་ངང་ནས། བདག་དང་འགྲོ་བ་ནམ་མཁའི་མཐའ་དང་མཉམ་པའི་སེམས་ཅན་ཐམས་ཅད་ཀྱིས་དུས་འདི་ནས་བཟུང་སྟེ་ཇི་སྲིད་བྱང་ཆུབ་སྙིང་པོ་ལ་མཆིས་ཀྱི་བར་དུ་དཔལ་ལྡན་བླ་མ་དམ་པ་རྣམས་ལ་སྐྱབས་སུ་མཆིའོ། །རྫོགས་པའི་སངས་རྒྱས་བཅོམ་ལྡན་འདས་རྣམས་ལ་སྐྱབས་སུ་མཆིའོ། །དམ་པའི་ཆོས་རྣམས་ལ་སྐྱབས་སུ་མཆིའོ། །འཕགས་པའི་དགེ་འདུན་རྣམས་ལ་སྐྱབས་སུ་མཆིའོ། །ཁམས་གསུམ་ཆོས་ཀྱི་རྒྱལ་པོ་ཙོང་ཁ་པ་ཆེན་པོའི་ལྷ་ཚོགས་འཁོར་དང་བཅས་པ་རྣམས་ལ་སྐྱབས་སུ་མཆིའོ། །ལན་གསུམ་ཉུང་མཐའ། སངས་རྒྱས་ཆོས་དང་ཚོགས་ཀྱི་ནས་སངས་རྒྱས་འགྲུབ་པར་ཤོག །ཅེས་སོགས་ལན་གསུམ་གྱིས་སེམས་བསྐྱེད། སེམས་ཅན་ཐམས་ཅད་བདེ་བ་ནས་ཆགས་སྡང་གཉིས་དང་བྲལ་བའི་བཏང་སྙོམས་ལ་གནས་པར་གྱུར་ཅིག །ཅེས་ལན་གསུམ་གྱིས་ཚད་མེད་བཞི་བསྒོམ། ཁྱད་པར་མ་སེམས་ཅན་ཐམས་ཅད་ཀྱི་དོན་དུ་བདག་གི་ཚེ་འདི་ཉིད་ལ་མྱུར་བ་མྱུར་བར་ཡང་དག་པར་རྫོགས་པའི་སངས་རྒྱས་ཀྱི་གོ་འཕང་ཐོབ་པར་བྱ། དེའི་ཆེད་དུ་ཁམས་གསུམ་ཆོས་ཀྱི་རྒྱལ་པོ་ཙོང་ཁ་པ་རིགས་གསུམ་སྤྱི་སྒྲུབ་ཀྱི་བསྒོམ་བཟླས་ལ་འཇུག་པར་བགྱིའོ། །ཞེས་ཁྱད་པར་ཅན་གྱི་སེམས་བསྐྱེད་ལན་གསུམ་བྱ། དེ་ནས་དངོས་གཞི་ཆོག་ལ་འཇུག་པ་ནི། རང་གི་སྤྱི་བོར་སེང་གེ་ཆེན་པོ་བརྒྱད་ཀྱིས་བཏེག་པའི་རིན་པོ་ཆེའི་ཁྲི་མཐོ་ཞིང་ཡངས་པའི་སྟེང་ཁར་སྣ་ཚོགས་པད་ཟླ་ཉི་མའི་དཀྱིལ་འཁོར་གྱི་གདན་ལ། མཉམ་མེད་ཐུབ་པའི་དབང་པོ་ནས་རང་གི་དྲིན་ཅན་རྩ་བའི་བླ་མའི་བར་གྱི་བླ་མ། ཡི་དམ། སངས་རྒྱས། བྱང་སེམས། དཔའ་བོ་མཁའ་འགྲོ་ཆོས་སྐྱོང་སྲུང་མ་ཐམས་ཅད་འདུས་པའི་བདག་ཉིད་ཐུབ་དབང་རྡོ་རྗེ་འཆང་བློ་བཟང་གྲགས་པ་སྐུ་མདོག་དཀར་ལ་དམར་བའི་མདངས་ཆགས་པ། ཞལ་གྱི་དཀྱིལ་འཁོར་ཤིན་ཏུ་འཛུམ་ཞིང་སྤྱན་དགྱེས་རིང་བ། སྐུ་ལ་ཆོས་གོས་ངུར་སྨྲིག་གསུམ་མཛེས་པར་གསོལ་བ། དབུ་ལ་པཎ་ཞྭ་གསེར་གྱི་མདོག་ཅན་རྩེ་རིང་གསོལ་བ། ཕྱག་གཉིས་ཆོས་འཁོར་གྱི་ཕྱག་རྒྱས་ཨུཏྤ་ལའི་ཡུ་བ་ཐུགས་ཀར་བཟུང་བའི་འདབ་མ་སྙན་གཡས་གཡོན་གྱི་ཐད་དུ་ཁ་ཕྱེ་བའི་སྟེང་དུ་ཤེས་རབ་ཀྱི་རལ་གྲི་དང་བརྒྱད་སྟོང་པའི་གླེགས་བམ་བསྣམས་པ། ཞབས་རྡོ་རྗེ་སྐྱིལ་ཀྲུང་གིས་བཞུགས་པ། འོད་ཟེར་གྱི་ཚོགས་ཞིང་ཁམས་ཀུན་འགེངས་པར་འཕྲོས་པས། ཞིང་ཁམས་ཐམས་ཅད་སྐུ་ལ་

སྣང་ཞིང་། སྐུས་ཞིང་ཁམས་ཐམས་ཅད་ཁྱབ་པའི་བདག་ཉིད་ཅན་དུ་བཞུགས་པའི་སྤྱི་བོར་པད་ཟླའི་གདན་ལ་འཇམ་དབྱངས་དམར་སེར་གཡས་ཤེས་རབ་ཀྱི་རལ་གྲི་དང་གཡོན་སྟོང་ཕྲག་བརྒྱད་པའི་གླེགས་བམ་བསྣམས་པ། མགྲིན་པར་པད་ཟླའི་གདན་ལ་སྤྱན་རས་གཟིགས་དབང་ཕྱུག་སྐུ་མདོག་དཀར་པོ་ཞལ་ལྷར་དྭངས་ཤིང་དྲི་མ་མེད་པ། ཞལ་གཅིག་ཕྱག་བཞི་པ་ཕྱག་དང་པོ་གཉིས་ཐུགས་ཀར་ཐལ་མོ་སྦྱར་བ། གཡས་འོག་མས་ཤེལ་ཕྲེང་དང་། གཡོན་འོག་མས་པདྨ་དཀར་པོ་འདབ་མ་བརྒྱད་པ་འཛིན་པ། ཐུགས་ཀར་པད་ཉིའི་གདན་ལ་ཕྱག་ན་རྡོ་རྗེ་གཡས་རྡོ་རྗེ་ཕྲག་གོང་དུ་འཕྱར་ཞིང་། གཡོན་ཐུགས་ཀར་སྡིགས་མཛུབ་མཛད་པ། སྤྲུལ་བརྒྱད་དང་ཁྲོ་བོའི་རྒྱན་གྱིས་བརྒྱན་པ། སྟག་གི་པགས་པའི་ཤམ་ཐབས་ཅན། ཞབས་གཉིས་བརྐྱང་བསྐུམ་གྱི་སྟབས་ཀྱིས་བཞུགས་པར་གྱུར། རྗེ་བླ་མའི་སྤྱི་བོར་ཨོཾ་དཀར་པོ། མགྲིན་པར་ཨཱཿདམར་པོ། ཐུགས་ཀར་ཧཱུྃ་སྔོན་པོ། ཐུགས་ཀའི་ཧཱུྃ་ལས་འོད་ཟེར་འཕྲོས་པས་རང་བཞིན་གྱི་གནས་ནས་ཆོས་ཀྱི་རྒྱལ་པོ་ཙོང་ཁ་པ་ཆེན་པོ་ལ་སངས་རྒྱས་དང་བྱང་ཆུབ་སེམས་དཔའི་ཚོགས་ཀྱིས་བསྐོར་བ་སྤྱན་དྲངས། ཛཿཧཱུྃ་བཾ་ཧོཿ གཉིས་སུ་མེད་པར་གྱུར། གང་གི་དྲིན་གྱིས་བདེ་ཆེན་ནི། །སྐད་ཅིག་ཉིད་ལ་འཆར་བ་གང་། །བླ་མ་རིན་ཆེན་ལྟ་བུ་ཡི། །རྡོ་རྗེ་ཅན་ཞབས་པད་ལ་འདུད། །ཅེས་ཕྱག་དང་། དངོས་བཤམས་ཡིད་སྤྲུལ་མཆོད་པ་མ་ལུས་འབུལ། །ཐོག་མེད་ནས་བསགས་སྡིག་ལྟུང་ཐམས་ཅད་བཤགས། །སྐྱེ་འཕགས་དགེ་བ་རྣམས་ལ་རྗེས་ཡི་རང་། །འཁོར་བ་མ་སྟོངས་བར་དུ་ལེགས་བཞུགས་ནས། །འགྲོ་ལ་ཆོས་ཀྱི་འཁོར་ལོ་བསྐོར་བ་དང་། །བདག་གཞན་དགེ་རྣམས་བྱང་ཆུབ་ཆེན་པོར་བསྔོ། །ཞེས་ཡན་ལག་བདུན་པ་བྱ། དེ་ནས་མཎྜལ་ཞིག་ཕུལ་ལ། ཐུགས་ཀར་ཉི་མའི་དཀྱིལ་འཁོར་གྱི་སྟེང་དུ་ཧྲཱིཿཡིག་གི་མཐར། མཚན་སྔགས་ཀྱིས་བསྐོར་བ་ལས་བདུད་རྩིའི་རྒྱུན་བབས་ལུས་ཀྱི་ནང་གང་། སྡིག་སྒྲིབ་དག དབང་བཞི་ཐོབ། སྐུ་བཞི་མངོན་དུ་གྱུར་པའི་ནུས་པ་བཞག་པར་བསམས་ལ། ཨོཾ་ཨཱཿགུ་རུ་བཛྲ་དྷ་ར་སུ་མ་ཏི་ཀཱིརྟི་སིདྡྷི་ཧཱུྃ་ཧཱུྃ། ཞེས་ཇི་ལྟར་རིགས་པ་བཟླས་རྗེས། དགེ་བ་འདི་ཡིས་མྱུར་དུ་བདག །ཅེས་སོགས་དང་། དཔལ་ལྡན་རྩ་བའི་བླ་མ་རིན་པོ་ཆེ། །བདག་གི་སྙིང་ཁར་པདྨོའི་སྟེང་བཞུགས་ལ། །བཀའ་དྲིན་ཆེན་པོའི་སྒོ་ནས་རྗེས་བཟུང་སྟེ། །མྱུར་དུ་ཁྱེད་རང་ལྟ་བུར་བྱིན་གྱིས་རློབས། །ཞེས་གསོལ་བཏབ་པས། བླ་མ་ལྷ་བདག་ཉིད་ལ་དགྱེས་

བཞིན་དུ་ཐིམ་པས་རང་ཉིད་སེང་གེ་ཆེན་པོ་བརྒྱད་ཀྱིས་བཏེག་པའི་རིན་པོ་ཆེའི་ཁྲི་མཐོ་ཞིང་ཡངས་པའི་ཞེས་པ་ནས། ཛཿ ཧཱུྃ་བཾ་ཧོཿ གཉིས་སུ་མེད་པར་གྱུར། ཅེས་པའི་བར་གོང་བཞིན་བརྗོད། དེ་ནས་བསངས་ཆུ་སྒྲུབ་པ་ལ། བུམ་པ་བྱ་རྒྱུད་བླ་མེད་གང་རིགས་ཀྱི་བུམ་རྫས་དང་དྲི་བཟང་གི་ཆུས་བཀང་བའི་སྟེང་གཟུངས་ཐོར་བཞག་ནས། ཧྲཱིཿ ཀྵྲཱི་འམ། ཨ་མྲྀ་ཏ་ས་བསངས། བུམ་པ་སྟོང་པ་ཉིད་དུ་གྱུར། སྟོང་པའི་ངང་ལས་བུམ་པའི་ནང་དུ་ཉི་མའི་དཀྱིལ་འཁོར་གྱི་སྟེང་དུ་ཧཱུྃ་ཡིག་གི་མཐར། ཧྲཱིཿ ཀྵྲཱི་འམ། ཨ་མྲྀ་ཏའི་སྔགས་ཀྱིས་བསྐོར་བ་ལས་འོད་ཟེར་འཕྲོས། རྒྱལ་བ་སྲས་བཅས་ཀྱི་བྱིན་རླབས་ནུས་མཐུ་ཐམས་ཅད་བདུད་རྩི་འོད་ཟེར་དང་བཅས་པའི་རྣམ་པར་སྤྱན་དྲངས། བུམ་པའི་ཆུ་ལ་ཐིམ་པས་ནུས་པ་དང་ལྡན་པར་གྱུར། སྔགས་གཉིས་གང་རིགས་བརྒྱ་རྩ་བཟླས་མཐར། ཧཱུྃ་ཡིག་སྔགས་ཕྲེང་ཉི་གདན་དང་བཅས་པ་འོད་དུ་ཞུ་ནས་བུམ་ཆུའི་རྣམ་པར་གྱུར། པར་བསམ། དེ་ནས་བདག་བསྐྱེད་ཀྱི་མཆོད་པ་ལས་བུམ་གྱི་ཆུས། ལས་སྔགས་གཉིས་གང་ཡིན་གྱིས་བསངས། སྭ་བྷཱ་ཝས་སྦྱངས། སྟོང་པའི་ངང་ལས་ཨ་ལས་བྱུང་བའི་ཞེས་སོགས་བླ་མེད་ལྟར་བྱིན་གྱིས་བརླབས། རང་གི་ཐུགས་ཀའི་ཧཱུྃ་ལས་བྱུང་བའི་མཆོད་པའི་ལྷ་མོ་རྣམས་ཀྱིས་མཆོད་པར་གྱུར། ཨོཾ་ཨཱཿ གུ་རུ་བཛྲ་ཧ་ར་སུམ་ཏེ་གྲྀཧྞེ་ས་པཱ་རི་ཨརྒྷཾ་པྲ་ཏཱི་ཙྪ་ཧཱུྃ་སྭཱཧཱ། ནས། ཤབྡའི་བར་གྱིས་མཆོད། གཞོན་ནུའི་ཆ་ལུགས་འཆང་བ་པོ། །ཤེས་རབ་སྒྲོན་མེད་རབ་ཏུ་བརྒྱན། །འཇིག་རྟེན་གསུམ་གྱི་མུན་སེལ་བའི། །འཇམ་པའི་དབྱངས་ལ་ཕྱག་འཚལ་ལོ། །སྐྱོན་གྱིས་མ་གོས་སྐུ་མདོག་དཀར། །རྫོགས་སངས་རྒྱས་ཀྱིས་དབུ་ལ་བརྒྱན། །ཐུགས་རྗེའི་སྤྱན་གྱིས་འགྲོ་ལ་གཟིགས། །སྤྱན་རས་གཟིགས་ལ་ཕྱག་འཚལ་ལོ། །ལྕང་ལོ་ཅན་གྱི་གནས་མཆོག་དམ་པ་ན། །གསང་སྔགས་རིག་སྔགས་ཀུན་གྱི་བདག་པོ་སྟེ། །ལོག་འདྲེན་བགེགས་ཀྱི་ཚོགས་རྣམས་འཇོམས་མཛད་པ། །བཅོམ་ལྡན་རྡོ་རྗེ་འཛིན་ལ་ཕྱག་འཚལ་ལོ། །རྒྱལ་བ་ཐམས་ཅད་གཅིག་བསྡུས་རྡོ་རྗེ་འཆང་། །གདུལ་བྱའི་དོན་དུ་བཤེས་གཉེན་ཚུལ་འཛིན་པ། །བློ་བཟང་གྲགས་པའི་དཔལ་ཞེས་ས་གསུམ་གྱི། །སྐྱེ་དགུའི་འདྲེན་པ་མཆོག་ལ་ཕྱག་འཚལ་ལོ། །ཞེས་པས་བསྟོད། དེ་ནས་བཟླས་པ་བྱ་བ་ནི། རང་ཉིད་རྗེ་བླ་མར་གསལ་བའི་སྤྱི་བོར་འཇམ་དབྱངས་ཀྱི་ཐུགས་ཀར་དྷཱིཿཡིག་དང་། མགྲིན་པར་སྤྱན་རས་གཟིགས་ཀྱི་ཐུགས་ཀར་ཧྲཱིཿཡིག། ཐུགས་ཀར་ཕྱག་རྡོར་གྱི་ཐུགས་ཀར་ཧཱུྃ་ཡིག་གི་མཐར་རིགས་གསུམ་སོ་སོའི་གཟུངས་དང་། རྗེ་བླ་མའི་ཐུགས་ཀར

ཧྲཱིཿ ཡིག་གི་མཐར་མཚན་ཐུགས་དམིགས་བརྩེ་མས་བསྐོར་བ་ལས། འོད་ཟེར་ཁ་དོག་སྣ་ཚོགས་འཕྲོ་བའི་རྩེ་མོར་མཆོད་པའི་ལྷ་མོ་ཕྱག་ན་མཆོད་རྫས་སྣ་ཚོགས་ཐོགས་པ་སྤྲོས་ཏེ། རྒྱལ་བ་སྲས་བཅས་ཐམས་ཅད་ལ་མཆོད་པ་ཕུལ་བས་དེ་རྣམས་དགྱེས་ཤིང་། དེ་རྣམས་ཀྱི་མཁྱེན་བརྩེ་ནུས་པའི་བྱིན་རླབས་ཐམས་ཅད་འོད་ཟེར་གྱི་རྣམ་པར་སྤྱན་དྲངས། གནས་གསུམ་གྱི་ལྷ་དང་རང་གི་སྙིང་གའི་ཐུགས་ཕྲེང་ལ་ཐིམ། རང་ཉིད་མཁྱེན་བརྩེ་ནུས་པའི་བདག་ཉིད་དུ་གྱུར། ཡང་འོད་ཟེར་འཕྲོས་པའི་རྩེ་ལ་སངས་རྒྱས་བྱང་སེམས་ཀྱི་སྐུའི་རྣམ་པ་དཔག་མེད་སྤྲོས་ཏེ། རིགས་དྲུག་གི་འགྲོ་བ་རྣམས་དང་། ཀླུ་རིགས་རྣམས་ལ་ཕོག་པས་རིགས་དྲུག་གི་སྡིག་སྒྲིབ་སྡུག་བསྔལ་སྤྱི་དང་ཁྱད་པར་ཀླུ་རིགས་རྣམས་ཀྱི་ལས་ཉོན་སྡིག་སྒྲིབ་མཁའ་ལྡིང་བྱེ་ཆེན་སོགས་ཀྱི་སྡུག་བསྔལ་ལས་གྲོལ་ཞིང་ཀླུའི་སྐྱེ་གནས་ལས་ཐར་ཏེ། དེ་དག་ཆོས་ཀྱི་རྒྱལ་པོ་ཙོང་ཁ་པ་ཆེན་པོའི་གོ་འཕང་ལ་འགོད་པར་བསམ་ལ། རིགས་གསུམ་མགོན་པོའི་གཟུངས་དང་། ཨོཾ་ཨཱཿ གུ་རུ་བཛྲ་ཧྲི་ར་སུ་མ་ཏི་ཀཱིརྟི་སིདྡྷི་ཧཱུྃ་ཧཱུྃ། ཞེས་པའི་མཚན་ཐུགས་གང་མང་དང་། དམིགས་མེད་བརྩེ་བའི་གཏེར་ཆེན་སྤྱན་རས་གཟིགས། །དྲི་མེད་མཁྱེན་པའི་དབང་པོ་འཇམ་དཔལ་དབྱངས། །བདུད་དཔུང་ལུས་འཇོམས་མཛད་གསང་བའི་བདག །གངས་ཅན་མཁས་པའི་གཙུག་རྒྱན་ཙོང་ཁ་པ། །བློ་བཟང་གྲགས་པའི་ཞབས་ལ་གསོལ་བ་འདེབས། །ཞེས་བརྒྱ་སྟོང་ཅི་འགྲུབ་བཟླ་ཞིང་། མཐུག་ཏུ་ཡིག་བརྒྱ་ལན་གསུམ་ལ་སོགས་པས་ལྷག་ཆད་བཀང་། མཆོད་བསྟོད་མདོར་བསྡུས་ཞིག་བྱ། དགེ་བ་འདི་ཡིས་མྱུར་དུ་བདག བློ་བཟང་གྲགས་པ་འགྲུབ་གྱུར་ནས། །ཞེས་སོགས་ཀྱིས་བསྔོ་སྨོན་བྱའོ། །༔དེ་ནས་བུམ་སྒྲུབ་དངོས་ལ། ཐོག་མར་ཡོ་བྱད་བྱིན་གྱིས་བརླབ་པ་ནི། བུམ་པ་སོགས་ལ་བསང་བདུག་ལེགས་པར་བཏང་རྗེས་ལས་ཐུགས་ཀྱིས་བསངས། སྭ་བྷཱ་ཝས་སྟོང་བར་སྦྱངས། སྟོང་པའི་ངང་ལས་པདྨ་དང་ཟླ་བའི་སྟེང་དུ་ཧཱུྃ་ལས་རིན་པོ་ཆེའི་བུམ་པ་ཡངས་ཤིང་རྒྱ་ཆེ་བ་རྣམས་ཀྱི་ནང་དུ་ཨོཾ་དང་རང་རང་གི་མིང་ཡིག་དང་པོ་ཐིག་ལེས་བརྒྱན་པ་ཞུ་བ་ལས་བྱུང་བའི་མཆོད་པའི་སྤྲིན་དང་། ལོངས་སྤྱོད་ཀྱི་ཚོགས་ཟད་པར་མི་ནུས་པ་ནམ་མཁའ་མཛོད་དང་མཉམ་པས་ཀླུ་རྣམས་བདེ་སྐྱིད་ཀྱི་དཔལ་ཕྱུན་སུམ་ཚོགས་པ་ལ་འགོད་པར་གྱུར། ཐལ་མོ་ཁོང་སྟོང་སྙིང་ཁར་བཞག་སྟེ་ཆོས་ཉིད་རྣམ་དག་གི་ཐུགས་དང་ཕྱག་རྒྱས་སྦྱང་བ་ནི། ཨོཾ་སྭ་བྷཱ་ཝ་ཤུདྡྷཱཿ སརྦ་དྷརྨཱ་སྭ་བྷཱ་ཝ་ཤུདྡྷོ྅ཧཾ། ཞེས་པའི་ཐུགས་བརྒྱ་རྩ་བཟླས་པའི་མཐར། ཡོ་བྱད་མ་དག་པ་སྦྱང་ཞིང་ཉེས་པའི་སྐྱོན་དང་བྲལ་བར་གྱུར། དེ་ནས་ཐལ་མོ་ཁོང་སྟོང་དཔྲལ་བའི་དབྱིངས་སུ་བསྐོར་ཞིང་སོ་གོལ་ཕྱར་དུ་གཏོགས་པ་དང་ལྷན་ཅིག་ནམ་མཁའ་མཛོད་ཀྱི་ཐུགས་དང་ཕྱག་རྒྱས་སྤེལ་བ་ནི། ཨོཾ་ན་མཿ སརྦ་ཏ་ཐཱ་ག་ཏ་བྷྱོ་བི་

ཤྲཱི་སུ་ཁེ་ཧྲཱིཿ སརྦ་བུདྡྷ་པི་ཨུཀྐ་ཏེ་སྭཱ་ར་ཙ་ཧེ་མཾ་ག་ག་ན་པི་སྭཱཧཱ། ཞེས་པའི་ཐུགས་བརྒྱ་རྩ་བཟླས་པའི་མཐར། མགྲོན་སོ་སོའི་སེམས་དང་མཐུན་པའི་ཡོ་བྱད་ཀྱིས་ནམ་མཁའི་ཁམས་ཐམས་ཅད་ཁྱབ་པར་གྱུར། དེ་ནས་རྡོ་རྗེ་ཐལ་མོའི་མཐེ་བོང་བསྐོལ་བའི་མཐེབ་མཛུབ་ངོས་ཕྱེ་ལ། བདུད་རྩི་འཁྱིལ་བའི་ཐུགས་དང་ཕྱག་རྒྱས་བསྒྱུར་བ་ནི། ཨོཾ་བཛྲ་ཨ་མྲི་ཏ་ཀུཎྜ་ལི་ཧ་ན་ཧ་ན་ཧཱུཾ་ཕཊ། ཅེས་པའི་ཐུགས་བརྒྱ་རྩ་བཟླས་པའི་མཐར། མགྲོན་སོ་སོ་ཚིམ་བྱེད་ཀྱི་བདུད་རྩིར་གྱུར། དེ་ནས་གཡས་ཁྲུ་ཚུར་བཅིངས་པའི་མཛུབ་མོ་བསྒྲེངས་པ་སྙིང་ཁར་བཞག་སྟེ་རྒྱ་ཆེན་ཤུགས་ལྡན་གྱི་ཐུགས་དང་ཕྱག་རྒྱས་ཐེབ་པར་བྱ་བ་ནི། ནམཿ སརྦ་ཏ་ཐཱ་ག་ཏ་ཨ་ཝ་ལོ་ཀི་ཏེ་ཨོཾ་སམྦྷ་ར་སམྦྷ་ར་ཧཱུཾ། ཞེས་པའི་ཐུགས་བརྒྱ་རྩ་བཟླས་མཐར། འཕགས་པ་རྣམས་ཀྱི་སྤྱན་སྔར་མཆོད་སྤྲིན་མཐའ་ཡས་པ་དང་། སེམས་ཅན་སོ་སོའི་དབང་པོ་ལྔའི་སྤྱོད་ཡུལ་དུ་ལོངས་སྤྱོད་ཟད་མི་ཤེས་པ་འབྱུང་བ་གྱུར། དེ་ནས་གཡོན་པའི་མཐེ་བོང་ལག་མཐིལ་དུ་བཞག་པའི་མཆོག་སྦྱིན་གྱི་ཕྱག་རྒྱ་དང་ཡེ་ཤེས་སྐར་མདའི་ཐུགས་ཀྱིས་མགྲོན་རྣམས་མཉེས་ཤིང་རྒྱལ་ཕམ་དང་རྟོད་པ་མེད་པར་བྱ་བ་ནི། ཨོཾ་ཛྙཱན་ཨ་ཝ་ལོ་ཀི་ཏེ་ན་མ་ས་མ་ནྟ་སྥ་ར་ཎ་ར་སྨི་བྷ་ཝ་ས་མ་ཡ་མ་ཧཱ་མ་ཎི་དུ་རུ་དུ་རུ་ཧྲི་ད་ཡ་ཛྭ་ལ་ནི་སྭཱཧཱ། ཞེས་པའི་ཐུགས་བརྒྱ་རྩ་བཟླས་མཐར། འཕགས་པ་རྟུལ་གྱི་གྲངས་དང་ལྡན་པ་རྣམས་མཉེས་ཤིང་སེམས་ཅན་རྣམས་ཕམ་རྒྱལ་དང་རྟོད་པ་མེད་པར་མོས་པ་བཞིན་ཐོབ་པར་གྱུར། དེ་ནས་སོར་མོ་རྣམས་ནང་དུ་བསྐོལ་བའི་རྡོ་རྗེ་བསྣམས་པ་ལས་མཐེ་བོང་གཤིབས་ཏེ་བསྒྲེངས་པའི་ཕྱག་རྒྱ་དང་དབང་བསྒྱུར་འཁོར་ལོའི་ཐུགས་ཀྱིས་དབང་དུ་བྱ་བ་ནི། ནམཿ ས་མནྟ་བུདྡྷཱ་ནཾ་གྲ་ཧ་ཤྭ་རི་པྲ་བྷཱ་ཏེ་མ་ཧཱ་ས་མ་ཡེ་སྭཱཧཱ། ཞེས་པའི་ཐུགས་བརྒྱ་རྩ་བཟླས་མཐར། མགྲོན་ཐམས་ཅད་ཀྱིས་བདག་ལ་དམ་ཚིག་གི་དབང་གིས། ཕན་བདེའི་འཕྲིན་ལས་སྒྲུབ་པར་ཞལ་གྱིས་བཞེས་པར་འགྱུར་རོ། དེ་ལྟར་ཕྱག་བརྒྱ་དང་བཅས་ཐུགས་རྣམས་བརྒྱ་རྩ་རེ་བཟླ་བ་ཕྱག་བཞེས་སུ་སྣང་། དེ་ནས་བུམ་པ་རྣམས་ལས་ཐུགས་ཀྱིས་བསངས། སྭ་བྷཱ་ཝས་སྦྱང་། སྟོང་པའི་ངང་ལས་པཾ་ལས་བྱུང་བའི་རིན་པོ་ཆེའི་བུམ་པ་དཀར་པོ། ལྟོ་བ་ཆེ་བ། མགྲིན་པ་རིང་བ། མཆུ་འཕྱང་བ་ལ་སོགས་པའི་མཚན་ཉིད་ཐམས་ཅད་དང་ལྡན་པ། ནང་དུ་ལོངས་སྤྱོད་ཆུ་མཆོག་དཔག་བསམ་གྱི་ཤིང་སྣ་ཚོགས་ཀྱིས་གང་བའི་བུམ་སྟོད་ཀྱི་དབུས་སུ་པད་ཟླའི་གདན་ལ་ཧྲཱིཿ ལས་རྒྱལ་བ་ཀུན་གྱི་མཁྱེན་བརྩེ་ནུས་པའི་རང་གཟུགས་རིགས་གསུམ་མགོན་པོ་དང་ངོ་བོ་དབྱེར་མེད་པའི་བདག་ཉིད་ཐུབ་དབང་རྡོ་རྗེ་འཆང་བློ་བཟང་གྲགས་པ་ཞེས་པ་ནས་རྗེ་བླ་མའི་སྤྱི་བོར་ཨོཾ་དཀར་པོ། །མགྲིན་པར་ཨཱཿ དམར་པོ། ཐུགས་ཀར་ཧཱུཾ་སྔོན་པོས་མཚན་པར་གྱུར།

བུམ་པའི་སྣོད་ཀྱི་ཆར་ཀླུའི་ཕོ་བྲང་རིན་པོ་ཆེ་ལས་གྲུབ་བརྒྱ་ཕུང་དང་རྒྱན་སྣ་ཚོགས་ཀྱིས་མཛེས་པ། ཕོར་ཡུག་ཏུ་བྲག་རི་དང་སྤང་སྤོངས་མཚོ་རྫིང་བུ་ནགས་ཚལ་མེ་ཏོག་དང་བཅས་པས་བསྐོར་ཞིང་མཛེས་པའི་དབུས་སུ་པདྨ་འདབ་མ་བརྒྱད་པའི་ལྟེ་བར་ཕྲུཿ སྔོན་པོ་ཡོངས་སུ་གྱུར་པ་ལས་ཀླུའི་རྒྱལ་པོ་ནོར་རྒྱས་སྐུ་མདོག་སྔོན་པོ་སྤྱི་བོར་ཨུཏྤལ་སྔོན་པོས་མཚན་པ། སྤྲུལ་མགོའི་གདེངས་ཀ་བདུན་དང་ལྡན་པ་ཞལ་གཅིག་ཕྱག་གཉིས་པ་སྨད་སྤྲུལ་མཇུག་ཏུ་འཁྱིལ་བ། གཡས་རིན་པོ་ཆེ་དང་གཡོན་ཨུཏྤལ་བསྣམས་པ། དེའི་མདུན་དུ་ཡུམ་ཀླུ་མོ་ནོར་བུའི་ཅོད་པན་ཅན་སྤྲུལ་མགོའི་གདེངས་ཀ་བདུན་དང་ལྡན་ཞིང་། སྨད་སྤྲུལ་མཇུག་ཏུ་འཁྱིལ་བ། ཕྱག་གཉིས་ཀྱིས་རིན་པོ་ཆེ་དང་ཨུཏྤལ་བཟུང་བ་ནས་ཐལ་མོ་སྦྱར་ཏེ་ཡབ་ལ་གཟིགས་པ། འདབ་མ་བརྒྱད་ལ་ཕྲུཿ བརྒྱད་ཡོངས་སུ་གྱུར་པ་ལས་ཤར་དུ་མཐའ་ཡས་གསེར་མདོག་སྤྱི་བོར་པདྨས་མཚན་པ། ལྷོར་པདྨ་སེར་པོ་སྤྱི་བོར་དཔལ་བེའུས་མཚན་པ། ནུབ་ཏུ་འཇོག་པོ་དམར་པོ་སྤྱི་བོར་ནོར་བུ་དགའ་འཁྱིལ་གྱིས་མཚན་པ། བྱང་དུ་ཚ་ལྷ་དཀར་པོ་སྤྱི་བོར་ཐིག་ལེ་དམར་པོས་མཚན་པ། དབང་ལྡན་དུ་པདྨ་ཆེན་པོ་དཀར་པོ་སྤྱི་བོར་རྩེ་གསུམ་པས་མཚན་པ། ཤར་ལྷོར་དུང་སྐྱོང་སེར་སྐྱ་སྤྱི་བོར་བཀྲ་ཤིས་ཀྱིས་མཚན་པ། ལྷོ་ནུབ་ཏུ་སྟོབས་རྒྱུ་དཀར་དམར་མཁྲིན་པར་རི་མོ་གསུམ་པས་མཚན་པ། ནུབ་བྱང་དུ་རིགས་ལྡན་སེར་སྐྱ་མཁྲིན་པར་ཟླ་ཚེས་ཀྱིས་མཚན་པ། ཐམས་ཅད་ཀྱང་ཞལ་གཅིག་ཕྱག་གཉིས་སྟོད་ལྷའི་ལུས་ལྟར་མཛེས་ཤིང་། སྨད་སྤྲུལ་མཇུག་ཏུ་འཁྱིལ་བ། སྤྲུལ་མགོའི་གདེངས་ཀ་བདུན་དང་ལྡན་ཞིང་། ཕྱག་གཉིས་རིན་པོ་ཆེའི་གཏེར་གྱི་བུམ་པ་བསྣམས་ཤིང་། རིན་པོ་ཆེ་སྣ་ཚོགས་ཀྱིས་བརྒྱན་པ། གཡོན་ཕྱོགས་ནས་རང་དང་འདྲ་བའི་ཀླུ་མོས་བརྟེན་པ་ཡུམ་ཐམས་ཅད་ཀྱང་སྤྲུལ་མགོའི་གདེངས་ཀ་དང་ལྡན་པ། དེ་ཐམས་ཅད་ཀྱི་སྤྱི་བོར་ཨོཾ། མགྲིན་པར་ཨཱཿ ཐུགས་ཀར་ཧཱུྃ། བདག་མདུན་གྱི་ཐུགས་ཀའི་ཧཱུྃ་ལས་འོད་ཟེར་འཕྲོས་པས། དགའ་ལྡན་གྱི་གནས་ནས་ཆོས་ཀྱི་རྒྱལ་པོ་ཙོང་ཁ་པ་ཆེན་པོ་ལ་སངས་རྒྱས་དང་བྱང་ཆུབ་སེམས་དཔའི་ཚོགས་ཀྱིས་བསྐོར་བ་དང་། རྒྱ་མཚོ་ཆེན་པོ་ནས་ཀླུའི་རྒྱལ་པོ་འཁོར་དང་བཅས་པ་སྤྱན་དྲངས། ཏིང་ཤག་སོགས་ཀྱི་རོལ་མོ་བརྡུང་ཞིང་།

བདག་ཅག་འགྲོ་ཀུན་ཀླུ་ཚོགས་བཅས་པ་ལ། །ཐུགས་རྗེའི་དབང་གིས་ལེགས་པར་རབ་དགོངས་ནས། །བྱིན་རླབས་བདུད་རྩིའི་ཆར་ཆེན་འབེབས་པའི་ཕྱིར། །ད་ལྟ་ཉིད་དུ་

གནས་འདིར་གཤེགས་སུ་གསོལ། །ཛཿ ཧཱུྃ་བཾ་ཧོཿ ཛ་ཧྲི་བླ་མ་དམ་ཚིག་པ་དང་གཉིས་སུ་མེད་པར་གྱུར། ཨོཾ། ཀླུ་རྒྱལ་མཐའ་ཡས་ལ་སོགས་པ། །མཆོད་པའི་གནས་འདིར་སྤྱན་འདྲེན་ན། །རང་རང་བཙུན་མོ་གཡོག་འཁོར་བཅས། །འདིར་བྱོན་དམ་ཚིག་པ་ལ་བཞུགས། །ཨོཾ་ཨཱ་གཙྪ་ཨཱ་གཙྪ་མཧཱ་ནཱ་ག་ཨ་ཧྲི་པ་ཏི་ཡེ་སཏྭ་ཧྲུར་ཧྲུ་ཕཊ་ཕྲུཾ་ཕུ་སྭཱཧཱ། ཛཿ ཧཱུྃ་བཾ་ཧོཿ། ཀླུ་རྒྱལ་འཁོར་བཅས་དམ་ཚིག་པ་དང་གཉིས་སུ་མེད་པར་གྱུར། པདྨ་ཀ་མ་ལ་ཡེ་སྟྭཾ། དེ་ནས་རྗེ་བླ་མའི་མཆོད་པ་གོང་ལྟར་བྱིན་གྱིས་རླབས་ནས། བསོད་ནམས་ཞིང་དུ་སོགས་ཀྱིས་མཆོད་ཕྲེང་ཚིགས་བཅད་དང་། ཨོཾ་ཨཱཿ ཀུ་རུ་བཛྲ་ཧླ་ར་སུ་མ་ཏི་ཀླཱིཏེ་སྭ་པ་རི་ཝ་ར་ཨཀྵོཾ་ནས་ཤཔྟའི་བར་གྱིས་མཆོད། རྣམ་དག་གངས་རིའི་ཕྲེང་པས་ཡོངས་བསྐོར་བའི། །ཕྱོགས་འདིར་བདག་ཅག་མགོན་མེད་རྣམས་ཀྱི་མགོན། །བློ་དམན་བསམ་པའི་ངོ་དང་འཚམ་པའི་སྐུར། སྟོན་མཛད་བླ་མ་མཆོག་ལ་ཕྱག་འཚལ་བསྟོད། །ཅེས་པས་བསྟོད། དེ་ནས། མདུན་བསྐྱེད་ཀྱི་རྗེ་བླ་མའི་ཐུགས་ཀར་ཟླ་བའི་དཀྱིལ་འཁོར་གྱི་སྟེང་དུ་ཧྲཱིཿ ཡིག་གི་མཐར་དམིགས་བརྩེ་མས་བསྐོར་བ་ལས་འོད་ཟེར་འཕྲོས། རྒྱལ་བ་སྲས་བཅས་ལ་མཉེས་པའི་མཆོད་པ་ཕུལ། སྐུ་གསུང་ཐུགས་ཀྱི་བྱིན་རླབས་ཐམས་ཅད་འོད་ཟེར་གྱི་རྣམ་པར་བསྡུས་ནས་རྗེ་བླ་མར་ཐིམ་པས་དེའི་སྐུ་ལས་བདུད་རྩིའི་རྒྱུན་བབས། རིགས་དྲུག་གི་སེམས་ཅན་སྤྱི་དང་། ཁྱད་པར་ཀླུ་རིགས་རྣམས་ལ་ཕོག་པས། ལས་ཉོན་སྡིག་སྒྲིབ་ཐམས་ཅད་དག། མཁའ་ལྡིང་དང་བྱེ་ཚན་ལ་སོགས་པའི་འཇིགས་པ་ཐམས་ཅད་དང་བྲལ་ཏེ། །གནས་སྐབས་བདེ་བ་དང་མཐར་ཐུག་ཀླུའི་སྐྱེ་གནས་ལས་ཐར་པ་དང་། དེའི་དབང་གིས་མི་ལ་སོགས་པའི་འགྲོ་བ་རྣམས་ལ་ཀླུའི་ཁ་ཆྲངས་དུག་རིགས་ལ་སོགས་པའི་ནད་དང་གནོད་པ་ཐམས་ཅད་དང་བྲལ་བར་གྱུར་བར་བསམ་ལ། དམིགས་བརྩེ་མ་གང་མང་དང་། ཡིག་བརྒྱ་ལྷག་ཆད་བསྐང་། མཆོད་པ་སྔར་ལྟར་བྱིན་རླབས་དང་གཏོར་མ་ལས་སྔགས་ཀྱིས་བསངས། སྭ་བྷཱ་ཝ་ས་སྟོང་པར་སྦྱངས། སྟོང་པའི་ངང་ལས་ཧྲཱུྃ་ལས་རིན་པོ་ཆེའི་སྣོད་ཡངས་ཤིང་རྒྱ་ཆེ་བའི་ནང་དུ་གཏོར་མ་ལྷའི་ཞལ་ཟས་འདོད་པའི་ཡོན་ཏན་ལྔ་དང་ལྡན་པའི་སྟེང་དུ། ཨོཾ་ཨཱཿ ཧཱུྃ་གིས་མཚན་པ་ལས་འོད་ཟེར་འཕྲོས། འཁོར་འདས་ཀྱིས་བསྡུས་པའི་བཅུད་ཐམས་ཅད་འབྲུ་གསུམ་ལ་ཐིམ་ཞིང་། དེ་ཉིད་འོད་དུ་ཞུ་བ་ལས་བྱུང་བའི་བདུད་རྩིའི་རྒྱ་མཚོ་ཆེན་པོར་གྱུར། ཨོཾ་ཨཱཿ ཧཱུྃ། ལན་གསུམ་གྱིས་བྱིན་གྱིས་བརླབས། རྗེ་བཙུན་བླ་མའི་ཐུགས་འོད་ཟེར་གྱི་སྦྲུ་གུས་གཏོར་མའི་

བཅུད་ཐམས་ཅད་དྭངས་ཏེ་གསོལ་བར་གྱུར། བར་བསམ་ལ། ཨོཾ་ཨཱཿ གུ་རུ་བཛྲ་ཧླ་ར་སུ་མ་ཏི་ཀྲཱི་ཊེ་ས་པ་རི་ཝཱ་ར་ཨིདཾ་བ་ལིཾ་ཏ་ཁ་ཁ་ཁཱ་ཧི་ཁཱ་ཧི། ཞེས་པ་བདུན་གྱིས་ཕུལ། ཐར་ལྷར་ཨཀྵོཾ་སོགས་ཀྱིས་མཆོད་རྣམ་དག་གངས་རི་མས་བསྟོད། ཡི་གེ་བརྒྱ་པ་ལན་གསུམ་དང་། དགེ་བ་འདི་ཡིས་སོགས་ཀྱིས་སྨོན་ལམ་བྱ། དེ་ནས་ཞབས་བསིལ་ངོར་བའི་ཀླུའི་མཆོད་པ་བྱ་རྒྱུད་སྤྱི་འགྲོ་ལྟར་བྱིན་གྱིས་བརླབས། ཨོཾ་མནྟྲ་ནཱ་ག་ཨཱདྷི་པ་ཏི་ཡེ་གྲི་ཧྣེ་དཾ་ཨཀྵོཾ། ནས་ཤཔྟའི་བར་གྱིས་མཆོད། གདེངས་ཀ་ནོར་བུ་འབར་བའི་འོད་ཟེར་གྱིས། །ས་འོག་གནས་པའི་སྨན་པ་རང་གསལ་ནས། །བསྟན་ལ་རབ་གནས་མཐུ་སྟོབས་བསམ་མི་ཁྱབ། ཀླུ་རྒྱལ་འཁོར་དང་བཅས་ལ་ཕྱག་འཚལ་བསྟོད། །ཅེས་པས་བསྟོད། ཀླུ་རྣམས་ཀྱི་སྙིང་ཁར་ཕུཿ ཡིག་གི་མཐར་ཐུགས་ཀྱིས་བསྐོར་བ་ལ་རང་གི་ཐུགས་ཀའི་འོད་ཟེར་གྱིས་བསྐུལ་བས། དེ་རྣམས་ཀྱིས་ནམ་མཁའི་དབྱིངས་སུ་རིན་པོ་ཆེའི་རང་བཞིན་གྱི་སྤྲིན་དཀྲིགས། དེ་ལས་འབྲུག་གི་སྒྲ་བསྒྲག་པས་སྙན་པའི་གྲགས་པ་ཕྱོགས་ཀུན་ཏུ་སྤེལ། རིན་པོ་ཆེ་དང་འབྲུ་དང་ཟས་ནོར་དང་ཆུའི་ཆར་འབབས་ས་ཕྱོགས་ཐམས་ཅད་དང་ཁྱིམ་དང་བང་བ་རྣམས་གང་བར་བསམས་ལ། ཨོཾ་བཱ་སུ་ཀི་སཾ་སྭཱཧཱ། ཡུལ་ཕྱོགས་དང་དགོན་གནས་ལ་སོགས་པའི་དཔལ་འབྱོར་ཐམས་ཅད་རྒྱས་པར་མཛད་དུ་གསོལ། ཞེས་སྤེལ་ཚིག་སྦྱར་བ་དང་དེ་བཞིན་དུ་སྦྱར་ཏེ། ཨོཾ་ཨཱཿ ཨ་ནནྟ་ཡེ་སྭཱཧཱ། ཨོཾ་ཨཱཿ པདྨ་ཡེ་སྭཱཧཱ། ཧཱུཾ་ཨཱཿ ཏ་ཀྵ་ཀཱ་ཡེ་སྭཱཧཱ། ཨོཾ་ཨཱཿ ཝ་རུ་ཎ་ཡེ་སྭཱཧཱ། ཨོཾ་ཨཱཿ མཧཱ་པདྨ་ཡེ་སྭཱཧཱ། ཨོཾ་ཨཱཿ ཤཾ་ཁ་པ་ལ་ཡེ་སྭཱཧཱ། ཨོཾ་ཨཱཿ ཀརྐོ་ཊ་ཡེ་སྭཱཧཱ། ཨོཾ་ཨཱཿ ཀུ་ལི་ཀཱ་ཡེ་སྭཱཧཱ། ཞེས་གང་མང་བཟླ། དེ་ནས་ཡིག་བརྒྱས་ལྷག་ཆད་ཁ་བསྐངས། དེ་ནས་རང་གི་མདུན་དུ་ཟངས་གཞོང་སོགས་རིན་པོ་ཆེའི་སྣོད་དུ་གཡམ་པ་གཙང་མ་ལྟ་བུ་བཏིང་ནས་དེའི་དབུས་སུ་ཁོ་ཕོར་ར་དཀར་བ་དམར་གྱི་འོ་མར་ཀླུ་སྨན་བསྲེས་པ་གཅིག་དང་། ཕྱོགས་མཚམས་སུ་དེ་འདྲ་བརྒྱད་བཀོད། དེར་སྦྲིང་རྒྱུའི་འགའ་རུ་ལྟ་བུར་ཆུ་གཙང་འོ་མ་འདྲེས་པ་དང་། ཀླུའི་གཏོར་མ་ཆབ་གཅིག་བྱིན་གྱིས་བརླབ་པ་ནི། ལས་ཐུགས་ཀྱིས་བསང་། སྭ་བྷཱ་ཝས་སྟོང་པར་སྦྱངས། སྟོང་པའི་ངང་ལས་བྷྲཱུཾ་ལས་རིན་པོ་ཆེ་ལས་གྲུབ་པའི་སྣོད་ཡངས་ཤིང་རྒྱ་ཆེ་བ་རྣམས་ཀྱི་ནང་དུ་གཏོར་མ་ལྷའི་ཞལ་ཟས་འདོད་པའི་ཡོན་ཏན་ལྔ་དང་ལྡན་པའི་སྟེང་དུ་ཨོཾ་ཨཱཿ ཧཱུཾ་གིས་མཚན་པ་ལས་འོད་ཟེར་འཕྲོས། འཁོར་འདས་ཀྱི་བསྡུས་པའི་བཅུད་ཐམས་ཅད་འབྲུ་གསུམ་ལ་ཐིམ། དེ་ཉིད་འོད་དུ་ཞུ་བ་ལས་བྱུང་བའི་བདུད་རྩིའི་རྒྱ་མཚོ་ཆེན་པོར་གྱུར། ཨོཾ་ཨཱཿ ཧཱུཾ། ལན་གསུམ་གྱིས་བྱིན་གྱིས་བརླབས་ནས། དེ་དག་གི་སྟེང་དུ་ཆུ་རྒྱུན་འོ་མ་དང་འདྲེས་པ་སྦྲིངས་ཤིང་། ཨོཾ་བཱ་སུ་ཀི་སཾ་སྭཱཧཱ། ཞེས་པ་བརྒྱ་རྩ་དང་། གདེངས་ཀའི་ཕྱག་རྒྱ

བཅས་ཏེ། ཨོཾ་ཧེ་ལི་ཧེ་ལི་མཧྣ་ཧེ་ལི་ཕྲུཾ་ཕུ་སྭཱཧཱ། ཞེས་མཇུག་ཏུ་སེ་གོལ་གཏོག་པ་དང་བཅས་པ་གསུམ་དང་། ཨོཾ་ཧྒྲཱ་ཡ་ཧྒྲཱ་ཡ། ས་མྣ་ཡ་ཧི་ཏྲ་ཕྲུཾ་ཕུ་སྭཱཧཱ། ཞེས་ལན་གསུམ་གྱིས་གཏོར་མ་བསྔོ། ཆོས་རྣམས་ཐམས་ཅད་རྒྱུ་ལས་བྱུང་། །དེ་རྒྱུ་དེ་བཞིན་གཤེགས་པས་གསུངས། །རྒྱུ་ལ་འགོག་པ་གང་ཡིན་པ། །དགེ་སྦྱོང་ཆེན་པོས་འདི་སྐད་གསུངས། །སྐར་མ་རབ་རིབ་མར་མེ་དང་། །སྒྱུ་མ་ཟིལ་པ་ཆུ་བུར་དང་། །རྨི་ལམ་གློག་དང་སྤྲིན་ལྟ་བུ། །འདུས་བྱས་ཆོས་རྣམས་འདི་ལྟར་བལྟ། །ཞེས་ཆོས་སྦྱིན་བྱ། དེ་ནས་ཀླུ་ཡི་རྒྱལ་པོ་འཁོར་དང་བཅས་པ་ཐམས་ཅད་བདག་ཉིད་ལ་གུས་པར་བསམས་ཤིང་། མཆོག་སྦྱིན་གྱི་ཕྱག་རྒྱ་བཅས་ལ། ཀླུ་ཡི་རྒྱལ་པོ་འཁོར་བཅས་ལ། །དཀར་མངར་གསུམ་དང་སྨན་གྱིས་ནི། །སྟགས་པའི་འོ་མའི་མཆོད་སྦྱིན་འདི། །འབུལ་གྱི་ཆོམས་ཤིང་ནད་གདོན་ཞི། །ཡུལ་ཕྱོགས་ཐམས་ཅད་བདེ་བར་མཛོད། །སྨན་དང་སྟགས་དང་ཏིང་འཛིན་གྱི། །ནུས་པས་ཀླུ་ཡི་ཚོགས་རྣམས་ཀྱི། །ནད་དང་སྡུག་བསྔལ་ཀུན་ཞི་ཞིང་། །འདོད་པ་མ་ལུས་འགྲུབ་གྱུར་ཅིག །དེ་ཡི་མཐུ་ལས་ཡུལ་ཕྱོགས་བདེ། །ལོ་ཕྱུགས་ལེགས་ཤིང་ཆར་ཆུ་སྙོམས། །རྩི་བཅུད་འབྲས་བུ་རབ་ཏུ་རྒྱས། །བསམ་པ་ལྷུན་གྱིས་འགྲུབ་གྱུར་ཅིག །ཅེས་མགྲོན་རྣམས་ལ་བསྔོས་པས་ཀླུ་རྣམས་ཀྱི་སྡུག་བསྔལ་ཞི། ལོངས་སྤྱོད་བསམ་གྱིས་མི་ཁྱབ་པ་འཕེལ། རབ་ཏུ་དགའ་བར་བསམས་ལ། ཡི་གེ་བརྒྱ་པ་ལན་གསུམ་བརྗོད། སླར་ཡང་ཁམ་ཕོར་དགུ་འོ་མ་ཀླུ་སྨན་དང་སྦྱར་བས་བཀང་བ་སྟགས་དྲུག་དང་ཕྱག་རྒྱ་དྲུག་གིས་བྱིན་གྱིས་བརླབས་ལ། ཀླུ་དགའ་རང་བྱེད་པའི་ཕྱག་རྒྱ་དང་བཅས་ཏེ། ཨོཾ་ཧེ་ལི་ཧེ་ལི་མཧྣ་ཧེ་ལི་ཕྲུཾ་ཕུ་སྭཱཧཱ། ལན་གསུམ་བརྗོད་ཅིང་སེ་གོལ་གཏོག། ཨོཾ་ཧྒྲཱ་ཡ་ཧྒྲཱ་ཡ་ས་མྣ་ཡ་ཧི་ཏྲ་ཕྲུཾ་ཕུ་སྭཱཧཱ། ཀླུ་ཆེན་བརྒྱད་པོ་འཁོར་བཅས་ཀྱིས། །མཆོད་སྦྱིན་གཏོར་མ་འདི་རྣམས་ལ། །རྣལ་འབྱོར་བདག་ཅག་འཁོར་བཅས་ལ། །ནད་མེད་ཚེ་དང་དབང་ཕྱུག་དང་། །དཔལ་དང་གྲགས་དང་སྐལ་བ་བཟང་། །ལོངས་སྤྱོད་རྒྱ་ཆེན་ཀུན་འཐོབ་ཅིང་། །ཞི་དང་རྒྱས་ལ་སོགས་པ་ཡི། །ལས་ཀྱི་དངོས་གྲུབ་བདག་ལ་སྩོལ། །དམ་ཚིག་ཅན་གྱིས་བདག་ལ་སྲུངས། །དངོས་གྲུབ་ཀུན་གྱི་སྟོང་གྲོགས་མཛོད། །དུས་མིན་འཆི་དང་ནད་རྣམས་དང་། །གདོན་དང་བགེགས་རྣམས་ཞི་བ་དང་། །རྨི་ལམ་ངན་དང་མཚན་མ་ངན། །བྱ་བྱེད་ངན་རྣམས་མེད་པར་མཛོད། །འཇིག་རྟེན་བདེ་ཞིང་ལོ་ལེགས་དང་། །འབྲུ་རྣམས་འཕེལ་ཞིང་ཆོས་འཕེལ་དང་། །བདེ་ལེགས་ཐམས་ཅད་འབྱུང་བ་དང་། །ཡིད་ལ་འདོད་པ་ཀུན་འགྲུབ་ཤོག །ཡིག་བརྒྱ་ལན་གསུམ་གྱིས་བརྟན་པར་བྱས། ཁམ་

ཕོར་རྣམས་བླུ་རང་རང་ཕྱོགས་སུ་དོར་བར་བྱའོ། །སླར་ཡང་མཆོད་པ་ཁ་གསོས་ཏེ་བནླབས་ནས། གཏང་རག་གི་མཆོད་བསྟོད་བྱ། མཇུག་ཏུ་ཚད་ལྷག་ཉེས་པ་ཞི་ཆེད་ཡིག་བརྒྱ་ལན་གསུམ། གང་ཡང་བདག་བློ་ཞེས་སོགས་དང་། མ་རྙེད་ཡོངས་སུ་ཞེས་སོགས་དང་། ལྷག་པ་དང་ནི་ཞེས་སོགས་ཀྱི་བཟོད་གསོལ་དང་། འདིར་ནི་རྟེན་དང་ཞེས་སོགས་དང་། ཨོཾ་སུ་པྲ་ཏི་ཥྛ་ས་བརྟན་བཞུགས་ཀྱི་མཐར། སྨོན་ལམ་ནི། དགེ་བ་འདི་ཡིས་མྱུར་དུ་བདག །ློ་བཟང་གྲགས་པ་འགྲུབ་གྱུར་ནས། །འགྲོ་བ་གཅིག་ཀྱང་མ་ལུས་པ། །དེ་ཡི་ས་ལ་འགོད་པར་ཤོག །དེ་ལྟར་ཀུན་མཁྱེན་མཉམ་མེད་ཙོང་ཁ་པའི། །གོ་འཕང་མཆོག་དེ་མངོན་དུ་བྱ་བའི་ཕྱིར། །བླ་མའི་རྣལ་འབྱོར་བསྐྱེད་པའི་རིམ་པར་བཅས། །བསྒོམས་པས་དེ་དོན་མངོན་དུ་འགྱུར་བར་ཤོག །ཁྱད་པར་ཁྱེད་ཀྱི་ཆོས་སྐུ་དང་མཚུངས་པའི། །སྟོང་ཉིད་དང་ལས་རབ་མཛེས་མཚན་དཔེའི་སྐུ། །དཀར་གསལ་ཆོས་འཆད་རལ་གྲི་གླེགས་བམ་ཅན། །བསྒོམས་པས་ཁྱོད་སྐུ་མངོན་དུ་འགྱུར་བར་ཤོག །སྐུ་གསུང་ཐུགས་ཀྱི་རྡོ་རྗེ་ཡི་གེར་བཅས། །གནས་གསུམ་དག་ཏུ་བརྟན་པར་བརླབས་པ་ལས། །འབད་རྩོལ་མེད་པར་རླུང་སེམས་མ་ལུས་པ། །རྡུ་ཏིའི་ནང་དུ་བསྡུས་པའི་དཔལ་ཐོབ་ཤོག །གསོལ་འདེབས་རྒྱལ་པོའི་ཚིགས་སུ་བཅད་པ་ཡི། །བསྙེན་སྒྲུབ་ཕ་མཐར་ཕྱིན་པ་ལེགས་བསྐྱངས་ནས། །ལས་ཚོགས་བཅུ་གཅིག་ལ་སོགས་ལས་རབ་འབྱམས། །མ་ལུས་བསྒྲུབ་ལ་ཐོགས་པ་མེད་པར་ཤོག །ཁྱད་པར་ཐུབ་དབང་རྡོ་རྗེ་འཆང་དབང་ནས། །རྩ་བའི་བླ་མའི་བར་གྱི་ངོ་བོ་ཉིད། །བློ་བཟང་གྲགས་པའི་དཔལ་མཆོག་ཁྱོད་ཀྱིས་ནི། །ཚེ་རབས་ཀུན་ཏུ་འབྲལ་མེད་རྗེས་འཛིན་ཤོག །ཚེ་ཡི་མཐར་ཡང་བློ་བཟང་གྲགས་པའི་དཔལ། །ཡིད་འོང་མཆོད་སྤྲིན་སྐལ་པའི་རོལ་མོ་བཅས། །བུ་བུ་ཚུར་ཤོག་དགའ་ལྡན་གནས་འགྲོ་ཞེས། །གསུང་གི་དབྱུགས་དབྱུང་དངོས་སུ་ཐོབ་བར་ཤོག །རྣམ་དག་བསམ་པས་ཚུལ་འདིར་འབད་པ་ལས། །བྱུང་བའི་དགེ་བས་མཐའ་ཡས་འགྲོ་བ་རྣམས། །སྐྱེ་ཞིང་སྐྱེ་བར་བློ་བཟང་ཞི་ཁྲོ་ཡིས། །འབྲལ་བ་མེད་པར་རྗེས་སུ་འཛིན་གྱུར་ཅིག །ཅེས་ལས་ཚོགས་ཀྱི་གཞུང་བཞིན་སྨོན་ལམ་བྱ། ཤིས་བརྗོད་ནི། རབ་ཡངས་ནམ་མཁའ་ཏིལ་གྱི་གང་བུ་བཞིན། །ཡོངས་སུ་གང་བའི་བློ་བཟང་གྲགས་པའི་དཔལ། །ཁ་ཅིག་མེ་ཏོག་སྣ་ཚོགས་ཆར་འབེབས་ཤིང་། །ལ་ལ་བཀྲ་ཤིས་གདངས་སྙན་གླུ་རྩ་ལེན། །གཞན་དག་བགེགས་དཔུང་འཇོམས་

པའི་འཕྲིན་ལས་ཀྱིས། །ཁྱེད་ལ་རྟག་ཏུ་དཔལ་གནས་བརྗོད་པ་འདི། །ཤིས་བར་གྱིས་ལ་ཡིད་བདེ་བསྐྱེད་ཅིག་དང་། །ཤིས་བརྗོད་འཕྲེང་བ་བདག་གིས་བསྒྲགས་པར་བྱ། །རྨད་བྱུང་མཚན་དཔེའི་དཔལ་འབར་ཡོངས་སྤྱོད་རྫོགས། །ཁ་སྦྱོར་བདེ་སྟོང་རོ་ལ་རྟག་རོལ་ཅིང་། །དམིགས་མེད་ཐུགས་རྗེས་ཞི་བའི་མཐའ་སྤངས་པ། །བློ་བཟང་ཡན་ལག་བདུན་ལྡན་ལ་ཕྱག་འཚལ། །གསང་བ་ཀུན་གྱི་བདག་པོ་དགེ་ལེགས་དཔལ། །ཆོས་ཀྱི་རྒྱལ་མཚན་ཆོས་ཀྱི་རྡོ་རྗེ་དང་། །བློ་བཟང་དོན་གྲུབ་ཆོས་ཀྱི་རྒྱལ་མཚན་སོགས། །རྩ་བ་བརྒྱུད་པའི་བླ་མ་མཆོག་རྣམས་ལ། །དགེ་མཚན་ཇི་སྙེད་མཆིས་པའི་བཀྲ་ཤིས་དེས། །ཁྱེད་རྣམས་ཇི་བཞིན་ལམ་མཆོག་འདི་ཉིད་ལས། །བློ་བཟང་རྡོ་རྗེ་འཆང་དབང་མྱུར་ཐོབ་ནས། །འགྲོ་ཀུན་ཚུལ་དེར་འགོད་པའི་བཀྲ་ཤིས་ཤོག །ཆོས་ཀྱི་ཕུང་པོ་བརྒྱད་ཁྲི་བཞི་སྟོང་གི །སྙིང་པོ་གཅིག་ཏུ་བསྡུས་པའི་བསྟོད་པའི་རྒྱལ། །གང་གི་ཉམས་ལེན་རིམ་པ་ཐམས་ཅད་ཀྱིས། །བཀྲ་ཤིས་དགེ་མཚན་རྒྱ་མཚོས་ཁྱབ་གྱུར་ཅིག །ཚུལ་དེར་སྤྱོད་པའི་འཕགས་པའི་གང་ཟག་དང་། །ལམ་ལ་ཞུགས་དང་སོ་སོ་སྐྱེ་བོ་ཡི། །དགེ་འདུན་དཀོན་མཆོག་ཇི་སྙེད་མཆིས་པ་ཡིས། །བཀྲ་ཤིས་བྱེ་བ་ཆར་དུ་ཕབ་ཏུ་གསོལ། །ནམ་མཁའི་ཁྱོན་ལྟར་ཡངས་པའི་ཕོ་བྲང་། སོགས་བྱའོ། །དེ་ལྟར་ཐུན་དུ་བཅད་ནས་སྒྲུབ་པའི་ཚེ་ཐུན་རྗེས་མ་སོ་སོར་བདག་མདུན་གྱི་མཆོད་གཏོར་ཞལ་གསོ་དང་། མདུན་བསྐྱེད་སྐབས་ས་བོན་ལས་གསར་དུ་མི་བསྐྱེད་པར། པད་ཟླའི་གདན་ལ་རྒྱལ་བ་ཀུན་གྱི་མཁྱེན་བརྩེ་ཞེས་དང་། པདྨ་འདབ་མ་བརྒྱད་པའི་ལྟེ་བར་ཀླུའི་རྒྱལ་པོ་ཞེས་དང་། འདབ་མ་བརྒྱད་ལ་ཤར་དུ་མཐའ་ཡས་གསེར་མདོག་ཞེས་སོགས་སྔར་ཡིད་གསལ་འདེབས་པའི་ཚུལ་གྱིས་འདོན་པ་བསྒྱུར་དགོས་པ་ཚིག་སྒྲི་དང་མཐུན་ལ། དེ་ལྟར་གཞུང་དུ་སྒྲུབ་ཞག་རབ་ཉེར་གཅིག །འབྲིང་བཅོ་ལྔ། ཐ་མ་བདུན་དུ་སྒྲུབ་ཅེས་གསུངས་ཀྱང་། སྒྲུབ་ཞག་གསུམ་སོགས་མཛད་པའང་ཕྱག་བཞེས་ལ་སྣང་བས་སྐབས་སུ་གང་བབས་མཛད་ཆོག་པ་འདྲ་ཞིང་། སྒྲུབ་ཞག་ཐོན་ནས་སྒྲ་བའི་ཚེ་ག་དེ་མ་ཐག་ནས་འཆད་པར་འགྱུར་བ་ལྟར་བྱའོ། །༈ མཇུག་ཏུ་གཏེར་བུམ་ཇི་ལྟར་སྦ་བའི་ཚུལ་ནི། གཏེར་བུམ་སྦ་བའི་ས་ཕྱོགས་ཀླུ་གནས་ངེས་པའམ། ཡང་ཐོག་གམ། ཀླུ་ཁང་ངམ། ནང་གི་སྐུ་སོགས་ཀྱི་ནང་དུ་སྦས་ན། དེའི་ཉིན་ཀླུ་ཐེབ་བྱུང་ན་རབ། དེ་མིན་ཕྱོག་དང་མ་འཛོམ་པར་བྱས་ཏེ་ཉི་མ་དེ་ལ་རྗེ་བླ་མའི་བདག་བསྐྱེད་བསྒོམས་པའི་རྒྱུན་ཡོད་ན་དེས་འཐུས་ཤིང་། མེད་ན་ས་གནས་དེར་བདག་བསྐྱེད་ཀྱི་མཆོད་པ་དང་། མདུན་བསྐྱེད་ཀླུའི་མཆོད་གཏོར། རྫ་ཕོར་ར་དཀར་བ་དམར་གྱི་འོ་མ་བླུགས་པ་དགུ། ཞིང་སྐྱོང་གི་མཆོད་པ་དང་གཏོར་མ་བཅས

བཤམས། གནས་དེར་ཐོག་མར་རྒྱབ་ཆོས་སྤྲིན་ཆེན་པོའི་མདོ། གསེར་འོད་དམ་པ། ཀླུའི་སྤང་སྐོང་སོགས་ཀློག་རྗེས། གོང་གི་སྐབས་འགྲོ། བདག་དང་འགྲོ་བ་ནམ་མཁའི་ཞེས་པ་ནས། བླ་མའི་རྣལ་འབྱོར་དང་འབྲེལ་བའི་བདག་བསྐྱེད། ལས་བུམ་བསྒྲུབ་པ། མཆོད་བསྟོད་བཟླས་པ། དགེ་བ་འདི་ཡིས་མྱུར་དུ་བདག །བློ་བཟང་གྲགས་པ་འགྲུབ་གྱུར་ནས། །ཞེས་པའི་འདོད་དོན་གསོལ་བཏབ་བར་སྟོན་དུ་བཏང་སྟེ། མདུན་བསྐྱེད་ཀྱི་མཆོད་གཏོར་རྣམས་བྱིན་གྱིས་བརླབས། དྲིལ་སིལ་སོགས་ཀྱི་རོལ་མོ་དང་བཅས། ཨོཾ། ཀླུ་རྒྱལ་དགའ་བོ་ཉེར་དགའ་བོ། །མཐའ་ཡས་སྟོབས་རྒྱུ་རིགས་ལྡན་དང་། །དུང་སྐྱོང་པདྨ་པདྨ་ཆེ། །འཇོག་པོ་རྒྱ་མཚོ་རྒྱ་མཚོ་ཆེ། །ཁྱད་པར་ནོར་རྒྱས་འཁོར་དང་བཅས། །རང་རང་བཙུན་མོ་གཡོག་དག་དང་། །ཡོངས་སྐྱོང་རྒྱ་མཚོའི་དཔལ་བཅས་ཏེ། །འདིར་སྤྱན་བཏན་པར་བཞུགས་ནས་ཀྱང་། །བསམ་པ་མ་ལུས་ལྷུན་གྱིས་སྒྲུབས། །ཨོཾ་ཨཱཿ གཙྪ་ཨཱ་གཙྪ་མཧཱ་ནཱ་ག་ཨཧྱི་པ་ཏེ་ཡེ་སཔ་ཧྲུ་ཧྲུ་ཕ་ཕྲུཾ་ཕུ་སྭཱཧཱ། ཞེས་བརྗོད་པས་ཀླུའི་རྒྱལ་པོ་འཁོར་དང་བཅས་པ་མདུན་དུ་བྱོན་པར་བསམ། པདྨ་ཀ་མ་ལ་ཡེ་སྟྭཾ། ཞེས་གདན་ཕུལ། ཨོཾ་ནཱ་ག་ནཱ་རྡྷ་ས་པ་རི་ཝཱ་ར་ཨི་དཾ་པ་ལིཾ་ཏ་ཡེ་གྲི་ཧྣེ་དཾ་ཨཀྵུཾ་པྲ་ཏི་ཙྪ་སྭཱཧཱ། ཞེས་པ་ནས། ཤབྡའི་བར་གྱིས་མཆོད། ཨོཾ་ཧྲཱིཥྟ་ཡ་ཧྲཱིཥྟ་ཡ། ས་ནྣཱ་ཡ་ཧི་ཧྲ་ཕྲུཾ་ཕུ་སྭཱཧཱ། ཞེས་པ་ལན་གསུམ་གྱིས་གཏོར་མ་ཕུལ། དེ་ནས་ཞིང་སྐྱོང་གི་མཆོད་གཏོར་བྱིན་གྱིས་བརླབས་ལ། རང་གི་ཐུགས་ཀའི་འོད་ཟེར་གྱིས་ཞིང་སྐྱོང་འཁོར་དང་བཅས་པ་སྤྱན་དྲངས། ཨོཾ་ཨ་ཀཱ་རོ་ལན་གསུམ་གྱིས་གཏོར་མ་ཕུལ། ཨོཾ་ཀྵེ་ཏྲ་པཱ་ལ་ས་པ་རི་ཝཱ་ར་ཨཀྵུཾ་ནས། ཤབྡའི་བར་གྱིས་མཆོད། གང་དག་འདིར་གནས་ལྷ་དང་ཀླུ། །གནོད་སྦྱིན་སྲིན་པོའམ་ནི་གཞན། །གཏེར་ཆེན་དོན་དུ་ས་འདི་ནི། །བདག་ཞུ་ཁྱེད་ཀྱིས་གནང་བར་མཛོད། །ཅེས་གསོལ་བས། རིག་པ་འཛིན་པ་ཅི་དགའ་བར་གྱིས་ཤིག་ཅེས་གནང་བ་བྱིན་པར་བསམ། དེ་ནས་སྐབས་འདིར་ཀླུ་གཏོར་གཏོང་དགོས་པར་གསུངས་ལས་སྤྱན་འདྲེན་གོང་གིས་འཐུས་པས་གསར་དུ་སྤྱན་དྲངས་མི་དགོས་ཤིང་། རང་ཉིད་ཇོ་བླ་མར་གསལ་བའི་ཕྱག་གི་མཐིལ་ལས་བདུད་རྩི་འོ་མའི་ཆུ་རྒྱུན་བབས་པ་དང་འདྲེས་པས། མདུན་གྱི་མཆོད་གཏོར་དམ་རྫས་རིན་པོ་ཆེ་དང་སྨན་སྣ་ཚོགས་ཡེ་ཤེས་ལས་གྲུབ་པའི་འདོད་དགུའི་རྒྱ་མཚོ་ཆེན་པོ་ལ་མགྲོན་རྣམས་ཀྱིས་ཡོངས་སྤྱོད་པས་ལུས་དང་ཡན་ལག་དང་དབང་པོ་ཉམས་པ་གསོས། སྡུག་བསྔལ་དང་སྡིག་སྒྲིབ་དག་ཟག་མེད་ཀྱི་བདེ་བས་རྒྱུད་གང་བར་བསམ་ལ། ལག་པ་གཡས་པས་ཆུ་རྒྱུན་སྤེལ། གཡོན་པས་སེ་གོལ་གདབ་སྟེ། ཨོཾ་བཱ་སུ་ཀི་ཏཾ་སྭཱཧཱ། ཞེས་པ་བརྒྱ་རྩ་སོགས་བཟླ་བ་ནི་ཀླུ་གཏོར་དངོས་གཞིའོ། །དེ་ནས།

ཀླུ་ཚོགས་ཀུན་གྱི་རྗེར་གྱུར་ཅིང་། །གདེངས་ཀ་ནོར་བུའི་འོད་ཟེར་གྱིས། །འདོད་རྒུའི་དངོས་གྲུབ་མཆོག་སྩོལ་བའི། །ཤཱ་རུ་ཊ་ལ་ཕྱག་འཚལ་ལོ། །མཐའ་ཡས་དང་ནི་འཇོག་པོ་དང་། །སྟོབས་ཀྱི་རྒྱུ་དང་རིགས་ལྡན་དང་། །ནོར་རྒྱསདང་ནི་དུང་སྐྱོང་དང་། །པདྨ་དང་ནི་ཆུ་ལྷ་དང་། །དགའ་བོ་དང་ནི་ཉེར་དགའ་བོ། །རྒྱ་མཚོ་དང་ནི་རྒྱ་མཚོ་ཆེ། །དཔལ་གྱི་འོད་དང་འོད་ཆེན་དང་། །གཟུགས་ཆེན་སྤྲུལ་བཟང་སྟོབས་པོ་ཆེ། །ཀླུ་ཡི་རྒྱལ་པོ་འཁོར་དང་བཅས། །འདིར་གཤེགས་རྒྱན་གྱི་གཏོར་མ་བཞེས། །མཛེས་པའི་དཀར་གསུམ་མཆོད་པ་དང་། །མངར་གསུམ་འོ་མའི་རྒྱ་མཚོ་འཁྱིལ། །རིན་ཆེན་མཛེས་པའི་ཐེམས་སྐས་ཅན། །ཀླུ་ཡི་སྡུག་བསྔལ་སྐྱོབ་བྱེད་པའི། །མཐུན་པའི་རྫས་སུ་འདི་གྱུར་ཅིག །མཆོད་སྦྱིན་གཏོར་མ་འདི་བཞེས་ལ། །བདག་ཅག་ཡོན་མཆོད་འཁོར་བཅས་ལ། །བཞི་བརྒྱ་རྩ་བཞིའི་ནད་རྣམས་དང་། །ཀླུ་ལས་གྱུར་པའི་ནད་ཀྱི་རིགས། །མཐོང་བའི་དུག་དང་རེག་པའི་དུག །བསམ་ངན་དུག་དང་ཁ་རླངས་དུག །སྦྱོར་བའི་དུག་ལ་སོགས་པ་ཀུན། །མ་ལུས་སྨན་དུ་ཞི་གྱུར་ཅིག །བདག་ལས་གཅེས་པའི་རྫས་ཁྱེར་ལ། །ཀླུ་ཡི་ནད་རྣམས་ཞི་བར་མཛོད། །འཕྲིན་ལས་རྣམ་བཞིའི་དངོས་གྲུབ་དང་། །དཔལ་འབྱོར་ལོངས་སྤྱོད་རྒྱས་པར་མཛོད། །སྨན་གྱི་རྒྱལ་པོ་བཟང་དྲུག་གིས། །དོན་སྙོད་ཉམས་པ་གསོས་གྱུར་ཅིག །ཧྲཱི་ཏི་གུར་ཀུམ་བཟང་པོ་ཡིས། །ཤ་ཁྲག་མཆིན་པ་ཉམས་པ་གསོས། །མགྲིན་པུ་དུང་དང་དར་དམར་གྱིས། །སོ་རུས་ལྤེ་ཉམས་གསོས་གྱུར་ཅིག ། རྨ་བྱའི་མདོངས་དང་དར་ཚོན་ལྔས། །གཟི་མདངས་རྒྱས་ཤིང་སྙིང་ནོ་ཤ། མཁལ་མ་ནོ་ཤ་ཀླུ་གོར་ཤས། །སྙིང་མཁལ་གློ་བའི་ནད་གསོས་གྱུར། །དབང་ལག་ཆུ་སྲིན་སྙེར་མོ་ཡིས། །ཡན་ལག་ཉམས་པ་གསོས་གྱུར་ཅིག །པུ་ཤེལ་རྩེ་དང་རྡོ་རྒྱུས་ཀྱིས། །རྩ་རྒྱུས་ཉམས་པ་གསོས་གྱུར་ཅིག །སྤང་སྤོས་སླེ་ཏྲེས་བྱི་ཐང་ཀ །རྒྱ་མཚོའི་ལྦུ་བ་འབྲས་བུ་གསུམ། །སྨན་གྱི་བྱེ་བྲག་སྣ་ཚོགས་ཀྱིས། །ཕུང་ཁམས་སྐྱེ་མཆེད་ཉམས་པ་གསོས། །རིན་ཆེན་སྣ་ལྔ་འབྲུ་ཚོགས་ཀྱིས། །བང་མཛོད་ཉམས་པ་གསོས་གྱུར་ཅིག །དཀར་གསུམ་མངར་གསུམ་ཁ་ཟས་ཀྱིས། །ཁ་དོག་ཉམས་པ་གསོས་གྱུར་ཅིག །མི་ཟད་གཏེར་གྱི་བུམ་བཟང་འདིས། །དགོས་འདོད་རེ་བ་སྐོང་གྱུར་ཅིག། མདོར་ན་མཐུན་པའི་རྫས་རྣམས་ཀྱིས། །ཀླུ་དང་ས་བདག་ཐམས་ཅད་ཀྱི། །ནད་དང་སྡུག

བསྔལ་གསོས་གྱུར་ཏེ། །དབང་པོ་གསལ་ཞིང་ལོངས་སྤྱོད་རྒྱས། །བྱམས་པའི་སེམས་ཀྱིས་རྒྱུད་གང་ནས། །འཇིག་རྟེན་ཁམས་རྣམས་ཐམས་ཅད་དུ། །ལོ་ཕྱུགས་ལེགས་ཤིང་ཆར་ཆུ་སྙོམས། །རྩེ་བཅུད་འབྲས་བུ་རྒྱས་པར་མཛོད། །བར་འདིར་ཀཾ་ཀ་ནིའི་ཐུགས་ཀྱིས་ཀླུ་རྣམས་ཀྱི་སྡིག་སྒྲིབ་སྦྱོང་པའི་ཆུ་སྦྱིན་སྦྲོན་བྱ། དེ་ནས། ཆོས་རྣམས་ཐམས་ཅད་རྒྱུ་ལས་བྱུང་། །དེ་རྒྱུ་དེ་བཞིན་གཤེགས་པས་གསུངས། །རྒྱུ་ལ་འགོག་པ་གང་ཡིན་པ། །དགེ་སྦྱོང་ཆེན་པོས་འདི་སྐད་གསུངས། །ཀླུ་དང་ས་བདག་འཁོར་བཅས་རྣམས། །རང་གི་ལུས་ལ་དཔེ་ལོང་ལ། །གཞན་ལ་གནོད་པ་མ་བྱེད་ཅིག །ཕན་པའི་འབྲས་བུ་བདེ་བ་དང་། །གནོད་པའི་འབྲས་བུ་སྡུག་བསྔལ་འབྱུང་། །ས་བོན་ཚ་བ་རྣམས་ལས་ནི། །འབྲས་བུ་ཚ་བ་འབྱུང་འགྱུར་ཞིང་། །ས་བོན་མངར་བ་རྣམས་ལས་ནི། །འབྲས་བུ་མངར་བ་འབྱུང་བར་འགྱུར། །དེ་བཞིན་དམ་ཚིག་དྲན་གྱིས་ལ། །ཞེ་སྡང་ཁྲོ་བའི་སེམས་པོར་ཏེ། །བྱམས་པའི་སེམས་ཀྱིས་ཁྱབ་པར་མཛོད། །དབང་པོ་ལྔ་ཡི་སྤྱོད་ཡུལ་དུ། །འདོད་རྒུའི་ལོངས་སྤྱོད་ཕུན་སུམ་ཚོགས། །ཀླུ་ཡི་ནད་རྣམས་གསོས་གྱུར་ནས། །སྡུག་བསྔལ་ཀུན་ལས་གྲོལ་གྱུར་ཅིག །ཕྱག་ན་རྡོ་རྗེའི་ཞལ་མཐོང་སྟེ། །མཁའ་ལྡིང་བྱེ་ཚན་འཇིགས་པ་དང་། །ངན་སོང་སྡུག་བསྔལ་ལས་གྲོལ་ནས། །རྡོ་རྗེ་སེམས་དཔའི་ཚེ་འཐོབ་ཤོག །ཅེས་པའི་མཇུག་ཏུ་གཤེགས་གསོལ་མི་བྱ་བར། ཀླུ་ཆེན་བརྒྱད་འཁོར་དང་བཅས་པའི་ཀླུ་རིགས་ཐམས་ཅད་དང་། བྱེ་བྲག་ལུང་པ་འདིར་གནས་པའི་ཀླུ་རིགས་ཐམས་ཅད་བུམ་ནང་གི་ཀླུ་ལ་ཐིམ་པར་གྱུར། ཛཿ ཧཱུྃ་བཾ་ཧོཿ རང་དང་མདུན་བསྐྱེད་ཀྱི་ཛྙེ་བླ་མའི་ཐུགས་ཀ་ནས་འོད་ཟེར་འཕྲོས་པ་ཀླུ་རྣམས་ལ་ཕོག་པས་བྱང་ཆུབ་ཀྱི་སེམས་དང་ལྡན་པར་གྱུར། དམིགས་བཅས་མ་ཎི་འབུམ་བཟླ། ལྷས་ཀྱང་དུས་སུ་ཆར་འབེབས་ཤིང་། །ཞེས་སོགས་ཀྱི་སྨོན་ལམ་བྱའོ། །༈ དེ་ནས་གཏོར་བུམ་སྦྲ་སའི་གནས་ཀླུ་ཁང་དང་། ནང་གི་སྐྱ་སོགས་སྤྱར་གྱི་བུམ་ཁང་སྙིང་པ་ཡིན་ན་ཡང་ཚིག་མདོར་བསྡུས་ཤིག་བྱས་ནས་བུམ་ཁང་ཁ་ཕྱེ་དགོས་པས། དེའི་མདུན་ཉེར་སྤྱོད་ཚར་གཅིག་བཤམས་ལ་བྱིན་བརླབས་ནས། ཨོཾ་སརྦ་ཏ་ཐཱ་ག་ཏ་ཨརྒྷཾ་སོགས་ཀྱིས་མཆོད། ཆོས་དབྱིངས་ཡེ་ཤེས་རྣམ་པར་དག །རྣམ་པར་སྣང་མཛད་བཅོམ་ལྡན་འདས། །ཏིང་ངེ་འཛིན་གྱི་ཕྱག་རྒྱ་ཅན། །ཕྱག་འཚལ་བཅོམ་ལྡན་རྣམ་སྣང་ལ། །ཞེས་པས་བསྟོད། མི་ལོང་ལ་དེའི་གཟུགས་བརྙན་འཆར་དུ་བཅུག་ནས། རང་གི་ཐུགས་ཀའི་ཧཱུྃ་ལས་འོད་ཟེར་འཕྲོས་པས་རྟེན་སྙིང་པའི་དམ་ཚིག་པ་དང་ཡེ་ཤེས་པ་གཉིས་སྤྱན་དྲངས་ཏེ་མེ་ལོང་ནང་གི་གཟུགས་བརྙན་

ལ་ཐིམ་པར་གྱུར། ཅེས་དང་སྔར་ཡང་གོང་བཞིན་གྱི་མཆོད་བསྟོད་བྱ། དེ་ནས་ཇོད་ཏུ་ཤ་ཏུ་དགོ་ཏུ་སོགས་ཀྱིས་ཁ་སྦྱེ་ནས། བུམ་གདན་པདྨ་འདབ་བརྒྱད་གཏིང་བའི་སྟེང་འབྲུ་སྣ་སོགས་སྦྱེ་མར་གདལ་ནས། བུམ་པ་ཞལ་ཕྱོགས་ཡུལ་གྲོང་དང་མཚོ་རྫིང་སོགས་སུ་སློག་སྟེ་བཞུགས་སུ་གསོལ། སངས་རྒྱས་འཁོར་དང་བཅས་པ་དང་། །བྱང་སེམས་སྲས་བཅས་ཉན་ཐོས་དང་། །ཁྲིད་པར་རྒྱལ་བ་སྟོང་ཁ་པའི། །བདེན་པའི་བྱིན་རླབས་དམ་པ་ཡིས། །གཏེར་ཆེན་འདི་ཉིད་སྦས་པའི་མཐུས། །ཀླུ་དང་ས་བདག་ཐམས་ཅད་ཀྱི། །ལས་ངན་སྡིག་སྒྲིབ་སྡུག་བསྔལ་ཞི། །བསམ་པ་ཆོས་བཞིན་འགྲུབ་གྱུར་ཅིག །དེ་ལྟར་འོག་ཏུ་ཀླུ་བདེ་བས། །སྟེང་དུ་མི་རྣམས་དར་ཞིང་རྒྱས། །ཆར་ཆུ་འཕེལ་ཞིང་ལོ་ཏོག་ཀུན། །དབྱར་གྱི་མཚོ་ལྟར་རྒྱས་གྱུར་ཅིག །ཅེས་བརྗོད་ནས་ཐོག་མར་དཀར་གོང་དང་ནེའུ་བསིང་སོགས་ཀྱིས་ཁ་བསུབ་སྟེ་མི་མངོན་པར་བྱས་རྗེས་ས་དཀར་གསོལ། དེ་ནས་ཀླུ་ཁང་སོགས་རབ་གནས་ཀྱི་མཆོད་པ་གསོ་བའམ་གསར་པ་བཤམས་ཏེ་བརླབས། བུམ་ཁང་ལས་ཐུགས་ཀྱིས་བསངས། སྭ་བྷཱ་ཤས་སྦྱངས། སྟོང་པའི་ངང་ལས་ཨོཾ་ལས་རྣམ་སྣང་དཀར་པོ་བྱང་ཆུབ་མཆོག་གི་ཕྱག་རྒྱ་ཅན། རིན་པོ་ཆེ་དང་དར་གྱི་ན་བཟའ་གསོལ་པ། ཞབས་རྡོ་རྗེ་སྐྱིལ་ཀྲུང་གིས་བཞུགས་པའི་སྤྱི་བོར་ཨོཾ། མགྲིན་པར་ཨཱཿ ཐུགས་ཀར་ཧཱུྃ། ཐུགས་ཀའི་ཧཱུྃ་ལས་འོད་ཟེར་འཕྲོས་པས་རྟེན་རྟེང་བའི་དམ་ཡེ་གཉིས་དང་། རང་བཞིན་གྱི་གནས་ནས་བསྒོམ་པ་དང་འདྲ་བའི་ཡེ་ཤེས་པ་དབང་ལྷ་དང་བཅས་པ་སྤྱན་དྲངས། ཛཿ ཧཱུྃ་བཾ་ཧོཿ གཉིས་སུ་མེད་པར་གྱུར། དབང་ལྷས་དབང་བསྐུར། མི་བསྐྱོད་པས་དབུ་བརྒྱན་པར་གྱུར། གོང་བཞིན་མཆོད་བསྟོད་བྱ། ཨོཾ་ཨཱཿ ཇི་ན་ཇི་ཀ་ཧཱུྃ་ཕཊ། ཅི་འགྲུབ་བཟླས་མཐར་ཡིག་བརྒྱ་ལན་གསུམ་གྱིས་བརྟན་པར་བྱས་ཏེ། བཅོམ་ལྡན་འདས་རྣམ་པར་སྣང་མཛད་འོད་དུ་ཞུ་བ་ལས་ཀླུ་ཁང་སོགས་ཀྱི་རྣམ་པར་གྱུར། ཨོཾ་སུ་པྲ་ཏིཥྛ་བཛྲ་ཡེ་སྭཱཧཱ། ཞེས་པས་བརྟན་བཞུགས་དང་། ཇི་ལྟར་རིགས་པའི་བསྔོ་སྨོན་ཤིས་བརྗོད་ཀྱིས་མཐའ་བརྒྱན་པར་བྱའོ། །ཀླུ་ཁང་གསར་བ་སོགས་དང་ནེའུ་གསིང་རི་བྲག་སོགས་སུ་སྦས་ན་ཡང་ཆོག་མི་དགོས་ཤིང་། ཀླུ་ཁང་དང་ནང་གི་སྐུ་གསར་དུ་བྲིས་པ་སོགས་ལ་རབ་གནས་གོང་བཞིན་བྱས་ན་ལེགས་སོ། །འདིར་སྨྲས་དང་། བློ་བཟང་ཡན་ལག་བདུན་ལྡན་རྡོ་རྗེ་འཆང་། །རིགས་གསུམ་སྤྱི་རུ་སྒྲུབ་པ་ལ་བརྟེན་པའི། །བརྒྱུད་ལྡན་དམ་པའི་ཞལ་ལུང་སྨུ་ཏི་ཀ །འཁྲིགས་སྟིགས་སྲིད་བུར་བསྟར་བའི་ཕྲེང་འདི་ཕྱེལ། །གཞུང་དོན་གདམས་པར་ཤར་ལ་མི་མཐོ་ཡང་། །རང་གཞན་དོན་གཉིས་སྒྲུབ་ལ་ཁས་འཆེ་བའི། །ཐོས་ཉུང་གཏོ་ཚོགས་མཁན་ལ་ཕན

སྲིད་ན། །སྲུང་བར་སྨིན་ཏུ་ཟངས་རྣམས་འདི་ཡོངས་ཤིག །འདི་ལྟར་འབད་ལ་ནོངས་པའི་ཚ་མཆིས་ན། །རང་ཉིས་གཞན་ལ་འགལ་བའི་གོ་སྐབས་ཅི། །བླ་མ་ལྟར་བཅས་སྤྱན་སྔར་བཤགས་བགྱིད་ན། །དག་དང་ཚངས་པར་འགྱུར་བ་ཉེས་པའི་གཤིས། །རྣམ་དཀར་ལེགས་ལམ་ཕྱུང་པོ་ཅི་མཆིས་མཐུས། །ཕྱག་ན་པདྨོའི་སྐུ་ཚེ་རྟག་བརྟན་ཅིང་། །གསང་གསུམ་མཛད་འཕྲིན་འོད་སྣང་འབུམ་འཁྲོ་བའི། །ཆོས་སྲིད་ཉི་ཟླའི་དཀྱིལ་འཁོར་བླ་ན་འབར། དེ་མཐུས་ནོར་འཛིན་ཁྱོན་འདིར་འབྱུང་ལྔའི་དཔྱིད། །སྨོམས་པས་རྩི་བཅུད་ལོ་ཏོག་དགེ་འབྲས་ལ། །འགྲོ་ཀུན་བག་ཡངས་སྤྱོད་པའི་སྐལ་བཟང་གི །ཤིས་པའི་དཔྱངས་སྣན་ཕྱོགས་ཀུན་སྙན་གྱུར་ཅིག །ཅེས་ས་སྤྲུལ་བཀའ་ཤག་ལྟན་རྒྱས་ནས་ལྟག་བསམ་ཆེར་བསྐྱོད་ཀྱིས་རྗེ་བླ་མ་རིགས་གསུམ་སྤྱི་སྒྲུབ་ལ་བརྟེན་ནས་ས་བཅུད་གསོ་བའི་ལྷ་བླུའི་བུམ་པ་གཅིག་ཐུས་སྟོང་ཕྲག་བརྒྱལ་བ་སྒྲུབ་བཞེད་ཀྱིས་བཅའ་སྒྲིག་སྐབས། །དམ་པ་གོང་མའི་གསུང་དུ་འདི་རིགས་ཀྱི་སྒྲུབ་གཞུང་ཡོད་ན་འང་། དེ་མིན་ཚེ་གའི་ཕྱོགས་སྒྲིག་ནག་འགྲོས་མཆོག་དམན་ཀུན་གྱིས་འཇུག་པ་བདེ་བ་ཞིག་གསར་དུ་སྒྲིག་དགོས་ཞེས་ཕེབས་བ་བཞིན། འདིར་བརྟེན་ལྷ་བླུ་གཅིག་འཐུས་ཀྱི་སྒྲུབ་གཞུང་ཐུ་ཕན་མིག་ལམ་དུ་མ་སོན་ཡང་། གཙོ་བོར་༧རྒྱལ་མཆོག་ལྔ་པ་ཆེན་པོས་མཛད་པའི་དམིགས་བརྩེ་མའི་ཊཱི་ཀ་ཁྲིད་ཐིག་དོན་རབ་གསལ་དང་། ཡོངས་འཛིན་ཐམས་ཅད་མཁྱེན་པ་ཡེ་ཤེས་རྒྱལ་མཚན་གྱིས་མཛད་པའི་རྗེ་བླ་མ་རིགས་གསུམ་སྤྱི་སྒྲུབ་ལ་བརྟེན་པའི་ཆར་འབེབས། པཎ་ཆེན་ཆོས་ཀྱི་རྒྱལ་པོ་བློ་བཟང་དཔལ་ལྡན་ཡེ་ཤེས་ཀྱིས་མཛད་པའི་རྗེ་བླ་མ་ལ་བརྟེན་པའི་ལྷ་བླུའི་བུམ་པ་སོ་སོར་སྒྲུབ་ཚུལ་དང་ཆར་འབེབས་ཀྱི་ལས་ཚོགས། སེང་ཆེན་བློ་བཟང་བསྟན་འཛིན་དཔལ་འབྱོར་གྱིས་མཛད་པའི་རྗེ་བླ་མ་ལ་བརྟེན་པའི་ལྷ་བླུའི་བུམ་པ་གཅིག་འཐུས་སུ་སྒྲུབ་པའི་ལྟན་ཐབས་རྣམས་གཞུང་བསྒྲིགས། གཞན་ཡང་རང་ཕྱོགས་ཀྱི་དམ་པ་དུ་མས་མཛད་པའི་ས་བཅུད་བུམ་སྒྲུབ་རྣམས་ཀྱི་སྙིང་པོ་བསྡུས་ཏེ་བཀོད་པའི་བུམ་སྒྲུབ་ཀྱི་ཚོ་ག་བྱིན་ནུས་འོད་སྟོང་འབྱིན་པའི་ངོ་མཚར་སྐྱ་རེངས་གསར་པ་ཞེས་བྱ་བ་འདི་ཉིད་རྒྱུད་སྟོད་ཤར་རྩེ་ཆོས་རྗེའི་གོ་མིང་འཛིན་པ་སེར་སྨད་ཁང་པོ་བ་ངག་དབང་ཚུལ་ཁྲིམས་ཀྱིས་སྨུག་ཁྲིས་སུ་བཏབ་པའི་དགེ་བས་འགྲོ་ཀུན་རྗེ་བླ་མ་མཆོག་གིས་རྗེས་སུ་འཛིན་པའི་རྒྱུར་གྱུར་ཅིག །

དགེ་ལེགས་འཕེལ།། །།

༄༅། །རྗེ་བླ་མ་ལ་བརྟེན་པའི་བླ་མའི་རྣལ་འབྱོར་དགའ་ལྡན་ལྷ་བརྒྱ་མར་གྲགས་པའི་ཁྲིད་ཡིག་སྙན་རྒྱུད་མན་ངག་གཉེར་གྱི་ཁ་བྱང་ཞེས་བྱ་བ་བཞུགས་སོ།

ན་མོ་གུ་རུ་མཉྫུ་གྷོ་ཥ་ཡ། རབ་འབྱམས་རྒྱལ་བ་ཀུན་གྱི་གསང་བ་གསུམ། །ཐབས་མཁས་མཛད་པས་དུར་སྨིག་རོལ་བ་ཅན། །བྱང་ཕྱོགས་འགྲོ་བ་ཡོངས་ཀྱི་མགོན་གཅིག་པུ། །བླ་མེད་བླ་མ་དེ་ལ་སྙིང་ནས་འདུད། །མ་ལུས་རྒྱལ་བ་ཀུན་གྱི་ཡབ་གྱུར་ཀྱང་། །མ་རིག་འཁྲུལ་པའི་འགྲོ་ལ་རྗེས་བརྩེ་བས། །མ་ལུས་ཞིང་དུ་རྒྱལ་སྲས་གཞོན་ནུའི་ཚུལ། །མ་ནོར་ལམ་སྟོན་བླ་མ་དེ་ལ་འདུད། །ཟབ་ཡངས་བློ་གྲོས་ཐོགས་པ་མེད་པའི་ཐུགས། །ནམ་ཡང་འགག་མེད་ཀུན་ཏུ་བཟང་པོའི་གསུང་། །ཕྱིན་ཡངས་ཞིང་ཀུན་གྲགས་པས་མཛེས་པའི་སྐུ། །ནམ་ཡང་བསླུ་མེད་བླ་མ་དེ་ལ་འདུད། །ཐོག་མེད་དུས་ནས་སྲིད་པའི་མུན་ཁང་དུ། །ངལ་བསོ་མེད་པར་སྡུག་བསྔལ་བརྒྱུས་གཙེས་པ། །ཉམ་ཐག་བདག་ལ་ཐུགས་རྗེས་གཟིགས་མཛོད་ལ། །ལམ་བཟང་བལྟ་བའི་བློ་མིག་མཆོག་སྩོལ་ཅིག །དེ་ལ་འདིར་རྗེ་བླ་མ་ལ་བརྟེན་པའི་བླ་མའི་རྣལ་འབྱོར་དགའ་ལྡན་ལྷ་བརྒྱ་མར་གྲགས་པའི་ཟབ་ཁྲིད་བྱིན་རླབས་ཀྱི་ཚན་ཀ་ཆེ་ཞིང་ཤིན་ཏུ་གསང་བ་སྙན་རྒྱུད་ཀྱི་མན་ངག་འདི་ཉིད་ཉམས་སུ་ལེན་པ་ལ། སྔོན་འགྲོ་དང་། དངོས་གཞི་དང་། རྗེས་ཀྱི་རིམ་པ་གསུམ། དང་པོ་ནི་གཙང་ཞིང་ཡིད་དུ་འོང་བའི་ས་ཕྱོགས་སུ་རྗེ་བླ་མའི་བྲིས་འབུར་གྱི་སྐུ་བརྙན་ལེགས་པ་རབ་གནས་ཅན་ཞིག་གིས་གཙོས་རྟེན་གསུམ་རྣམས་སྲི་ཞུ་དང་བཅས་པར་བཞུགས་སུ་གསོལ། དེའི་མདུན་དུ་མཆོད་པ་རྣམས་བཀོད་པ་མཛེས་པར་བཤམ། རང་ཉིད་བདེ་བ་ལ་འཁོད་ནས་སྐྱབས་འགྲོ་སེམས་བསྐྱེད་ཚད་མེད་བཞི་རྣམས་རྒྱུད་དང་འདྲེས་ངེས་བྱ་དགོས་པས། དེའི་ཚུལ་ནི་ཐོ་རངས་ལྷ་བུ་ཡིན་ན་ལུས་གནད་བཅས་ཏེ་རིག་པ་དྭངས་སྙིགས་ཕྱེ་ནས་སེམས་དུག་གསུམ་གྱི་དབང་དུ་མ་སོང་བར་

དགེ་སེམས་ཁྱད་པར་གྱི་ངང་ནས། དལ་འབྱོར་རྙེད་དཀའ། ནམ་འཆི་ཆ་མེད། ལས་རྒྱུ་འབྲས། འཁོར་བའི་ཉེས་དམིགས་རྣམས་དྲག་ཏུ་བསམས་ནས་འཇིགས་ཤིང་སྐྲག་པའི་བློ་ཅི་སྐྱེ་དང་། འཇིགས་པ་དེ་དག་ལས་སྐྱོབ་པའི་སྐྱབས་དཀོན་མཆོག་གསུམ་ལས་གཞན་དུ་མེད་པས་སྙིང་རུང་སྟུག་རུང་མཐོར་གཏོང་དམར་གཏོང་དཀོན་མཆོག་རིན་པོ་ཆེ་ཁྱོ་ན་མཁྱེན་སྙམ་དུ་བློ་འགེལ་ཤུགས་དྲག་གི་སྒོ་ནས། མདུན་གྱི་ནམ་མཁར་དཔག་བསམ་སྡོང་པོའི་སྙེང་དུ་རྗེ་བླ་མ་ཡབ་སྲས་གསུམ་ལ་དངོས་བརྒྱུད་ཀྱི་བླ་མ་ཡི་དམ་སངས་རྒྱས་བྱང་སེམས་དཔའ་བོ་མཁའ་འགྲོ་ཆོས་སྐྱོང་སྲུང་མའི་ཚོགས་དང་བཅས་པས་བསྐོར་བའི་སྐྱབས་ཡུལ་གསལ་བཏབ། དེ་དག་གི་སྐུ་གསུང་ཐུགས་ཡོན་ཏན་འཕྲིན་ལས་དང་བཅས་པ་ལ་དད་གུས་དྲག་པ་དང་། རང་གི་མཐའ་སྐོར་དུ་ཕ་མ་རིགས་དྲུག་གི་སེམས་ཅན་རྣམས་གསལ་བཏབ་སྟེ། རང་དང་སེམས་ཅན་ཐམས་ཅད་ཀྱིས་མགྲིན་གཅིག་ཏུ་བརྗོད་པར་བསམས་ལ། བདག་དང་འགྲོ་བ་ནམ་མཁའི་མཐའ་དང་མཉམ་པའི་སེམས་ཅན་ཐམས་ཅད་དཔལ་ལྡན་བླ་མ་དམ་པ་རྣམས་ལ་སྐྱབས་སུ་མཆིའོ། །རྫོགས་པའི་སངས་རྒྱས་བཅོམ་ལྡན་འདས་རྣམས་ལ་སྐྱབས་སུ་མཆིའོ། །དམ་པའི་ཆོས་རྣམས་ལ་སྐྱབས་སུ་མཆིའོ། །འཕགས་པའི་དགེ་འདུན་རྣམས་ལ་སྐྱབས་སུ་མཆིའོ། །ཞེས་ལན་མང་དུ་བརྗོད། དེ་ནས། སངས་རྒྱས་ཆོས་དང་ཚོགས་ཀྱི་མཆོག་རྣམས་ལ། །བྱང་ཆུབ་བར་དུ་བདག་ནི་སྐྱབས་སུ་མཆི། །བདག་གི་སྦྱིན་སོགས་བགྱིས་པའི་བསོད་ནམས་ཀྱིས། །འགྲོ་ལ་ཕན་ཕྱིར་སངས་རྒྱས་འགྲུབ་པར་ཤོག །ཅེས་ལན་མང་དུ་བརྗོད་ཅིང་སེམས་བསྐྱེད་ཤུགས་དྲག་ཏུ་བསྒོམ། དེ་ནས། སེམས་ཅན་ཐམས་ཅད་བདེ་བ་དང་བདེ་བའི་རྒྱུ་དང་ལྡན་པར་གྱུར་ཅིག །སེམས་ཅན་ཐམས་ཅད་སྡུག་བསྔལ་དང་སྡུག་བསྔལ་གྱི་རྒྱུ་དང་བྲལ་བར་གྱུར་ཅིག །སེམས་ཅན་ཐམས་ཅད་སྡུག་བསྔལ་མེད་པའི་བདེ་བ་དང་མི་འབྲལ་བར་གྱུར་ཅིག །སེམས་ཅན་ཐམས་ཅད་ཉེ་རིང་ཆགས་སྡང་གཉིས་དང་བྲལ་བའི་བཏང་སྙོམས་ལ་གནས་པར་གྱུར་ཅིག །ཁྱད་པར་སེམས་ཅན་ཐམས་ཅད་ཀྱི་དོན་དུ་མྱུར་བ་མྱུར་བར་ཡང་དག་པར་རྫོགས་པའི་སངས་རྒྱས་ཀྱི་གོ་འཕང་རིན་པོ་ཆེ་ཅི་ནས་ཀྱང་ཐོབ་པར་བྱ། དེའི་ཕྱིར་དུ་ལམ་ཟབ་མོ་བླ་མ་ལྷའི་རྣལ་འབྱོར་ཉམས་སུ་བླང་བར་བགྱིའོ། །ཞེས་ལན་མང་དུ་བརྗོད། དེ་ལྟར་སྐྱབས་འགྲོ་སེམས་བསྐྱེད་ཀྱི་སྐོར་རྣམས་ནན་ཏན་དུ་བྱས་དགོས་ཏེ། ཆོས་

གང་བྱེད་ཀྱང་སྐྱབས་འགྲོ་ནི་གཞི་དང་རྩ་བ་དང་སྙིང་པོ་བུར་མེད་མི་རུང་དང་། སེམས་བསྐྱེད་ནི་ཐེག་པ་ཆེན་པོའི་ལམ་གྱི་རྩ་བ་དང་གཞུང་ཤིང་ལྟ་བུར་གསུངས་པས་ཤིན་ཏུ་གལ་ཆེ། འདི་དག་གི་དམིགས་རྣམ་ཡིད་ལ་བྱ་ཚུལ་ནི་སྐྱབས་འགྲོའི་ཁྲིད་ཡིག་སོགས་སུ་བཀོད་པ་ལས་ཤེས་པར་བྱའོ། །གཉིས་པ་དངོས་གཞི་ནི། དགའ་ལྡན་གྱི་ཞིང་ཁམས་ནས་རྗེ་བླ་མ་ཡབ་སྲས་གསུམ་སྤྱན་དྲངས་ཏེ་མདུན་གྱི་ནམ་མཁར་བཞུགས་པ་ལ་དམིགས་ནས་ཡན་ལག་འདུན་པ་མཎྜལ་དང་བཅས་པ་ཕུལ་ཏེ། གསོལ་འདེབས་དམིགས་སྐོར་མན་ངག་ཞལ་ཤེས་བཞིན་དུ་ཉམས་སུ་ལེན་པར་བྱེད་པ་ཡིན་ལ། དེའི་ཚུལ་ནི། ཐོག་མར་དགའ་ལྡན་གྱི་ཞིང་གསལ་གདབ་པ་ནི། རང་རེ་འཛམ་བུ་གླིང་པ་ལ་ལྟོས་པའི་བྱང་ན་རི་རབ་ལྷུན་པོ། དེའི་སྟེང་ན་སུམ་ཅུ་རྩ་གསུམ་གྱི་ལྷ་གནས་དེའི་སྟེང་གི་ནམ་མཁར་འཐབ་བྲལ་གྱི་ལྷ་གནས། དེའི་སྟེང་གི་ནམ་མཁར་དགའ་ལྡན་ཡོད་ཅིང་། དགའ་ལྡན་གྱི་ལྷ་གནས་བྱིངས་ལས་གྲོང་ལས་དགོན་པའི་ཚུལ་དུ་རྗེ་བཙུན་བྱམས་པ་མགོན་པོའི་བཞུགས་གནས་ཡོད་ཅིང་། ཞིང་ཁམས་དེ་ནི་རིན་པོ་ཆེ་སྣ་ཚོགས་ལས་གྲུབ་པའི་ས་གཞི་མནན་ན་ནེམ་བྱེད་ཅིང་བཏེག་ན་ཕར་བྱེད་པ། དཔག་བསམ་གྱི་ཤིང་མང་པོས་གང་བ། ཤིང་དེ་དག་ལས་གང་འདོད་ཀྱི་དངོས་པོ་མཐའ་དག་ཡིད་བཞིན་དུ་འབབ་པ། གཞན་ཡང་མཚོ་དང་། རྫིང་བུ་དང་། མེ་ཏོག་གི་ཚལ་དང་། སྤྲུལ་པའི་བྱ་སྣ་ཚོགས་པ་དག་གིས་ཆོས་ཀྱི་སྒྲ་དབྱངས་སྒྲོག་པ། ཞིང་ཁམས་དེའི་དབུས་ན་རྗེ་བཙུན་གྱི་ཕོ་བྲང་རྒྱལ་མཚན་མཐོན་པོ་ཞེས་བྱ་བ་རིན་པོ་སྣ་ཚོགས་ལས་གྲུབ་པའི་གཞལ་ཡས་ཁང་འོད་ཀྱིས་ཉི་མ་དང་ཟླ་བའི་འོད་ཀྱང་ཟིལ་གྱིས་གནོན་པ། ཕོ་བྲང་དེའི་ཕྱི་ངོས་སུ་རིན་པོ་ཆེའི་དྲ་བ་དང་། དྲ་ཕྱེད་བ་དང་། དྲིལ་བུ་དང་། ཟ་ཡབ་ལ་སོགས་པའི་རྒྱན་དུ་མ་ཕྱང་ཕྱུལ་དུ་གཡོ་བ། ལྷ་རྣམས་ཀྱིས་ནམ་མཁའ་ལས་མཆོད་རྫས་དུ་མ་ཐོགས་ཏེ་མཆོད་པ་བྱེད་བཞིན་པ། ཕོ་བྲང་དེའི་མདུན་ན་རྗེ་བཙུན་བྱམས་མགོན་འཁོར་ཚོགས་རྒྱ་མཚོ་ལྟ་བུ་ལ་ཆོས་གསུང་བའི་གནས་ཡིད་དགའ་ཆོས་འཛིན་ཅེས་བྱ་བའི་ཀུན་དགའ་ར་བ་གསེར་གྱི་ས་གཞི་ལ་བཻཌཱུརྻའི་མིག་མང་རིས་སུ་བྲིས་པ། མཆོད་པའི་སྤྲིན་བསམ་གྱིས་མི་ཁྱབ་པ་དང་ལྡན་པའི་དབུས་ན་སེང྄ཉས་བཏེག་པའི་རིན་པོ་ཆེའི་ཁྲིའི་སྟེང་དུ་རྗེ་བཙུན་བྱམས་པ་མགོན་པོ་ཞལ་རང་རེ་འཛམ་བུ་གླིང་པ་ལ་ཕྱོགས་ཏེ་ཞབས་གཉིས་བཟང་པོའི་འདུག་སྟངས་ཀྱིས་བཞུགས་པ། སྐུ་

གསེར་གྱི་ལྷུན་པོ་ལྟ་བུ་ཉི་མ་འབུམ་གྱི་མདངས་ཀྱང་ཟིལ་གྱིས་གནོན་པའི་འོད་ཟེར་ཕྱོགས་བཅུར་འཕྲོ་བ། ཐུགས་ཀ་ན་རྗེ་ཡབ་སྲས་གསུམ་མེ་ལོང་ལ་གཟུགས་བརྙན་ཤར་བ་བཞིན་དུ་བཞུགས་པ། ལྷའི་བུ་ནམ་མཁའ་དྲི་མ་མེད་པ་དང་། འཇམ་དཔལ་སྙིང་པོ་ལ་སོགས་པའི་སྤྲུལ་པའི་འཁོར་མཐའ་ཡས་པ་དང་། གཞན་ཡང་བྱང་ཆུབ་སེམས་དཔའ་གྲངས་མེད་པ་དང་བཅས་པ་ལ་ཐེག་པ་ཆེན་པོའི་ཆོས་འདོམས་བཞིན་དུ་བཞུགས་པ་གསལ་བཏབ་ལ། རྗེ་ཡབ་སྲས་གསུམ་རྗེ་བཙུན་གྱི་ཐུགས་ཀ་ནས་སྤྱན་དྲངས་ཏེ་རང་གི་མདུན་གྱི་ནམ་མཁར་བྱོན་ན་ཅི་མ་རུང་སྙམ་དུ་མོས་གུས་དྲག་པོའི་སྒོ་ནས། དགའ་ལྡན་ལྷ་བརྒྱའི་མགོན་གྱི་ཐུགས་ཀ་ནས། རབ་དཀར་ཞོ་གསར་སྤུངས་འདྲའི་ཆུ་འཛིན་རྩེར། །ཆོས་ཀྱི་རྒྱལ་པོ་ཀུན་མཁྱེན་བློ་བཟང་གྲགས། །སྲས་དང་བཅས་པ་གནས་འདིར་གཤེགས་སུ་གསོལ། །ཞེས་བརྗོད། དེ་ནས་རང་གི་མདུན་གྱི་ནམ་མཁར་སེང་གེ་ཆེན་པོ་བརྒྱད་ཀྱིས་བཏེག་པའི་རིན་པོ་ཆེའི་ཁྲི་ཆེ་བ་ཞིག་དང་། དེའི་གཡས་གཡོན་དུ་ཁྲི་ཆུང་གཉིས་གསལ་བཏབ་ལ་རྗེ་ཡབ་སྲས་གསུམ་བྱོན་ནས་ཁྲི་སོ་སོའི་སྟེང་དུ་བཞུགས་པར་མོས། དེ་ཡང་དབུས་ཀྱི་ཁྲིའི་སྟེང་དུ་རྗེ་བཙུན་འཇམ་དཔལ་ཉུར་སྙིག་གར་གྱིས་རོལ་པ་ཁམས་གསུམ་ཆོས་ཀྱི་རྒྱལ་པོ་ཙོང་ཁ་པ་ཆེན་པོ་སྐུ་མདོག་དཀར་ལ་དམར་བའི་མདངས་ཅན། སྐུ་ལ་ཆོས་གོས་རྣམ་གསུམ་གསོལ་ཞིང་དབུ་ལ་པཎ་ཞྭ་གསེར་གྱི་མདོག་ཅན་གསོལ་བ། ཞབས་རྡོ་རྗེའི་སྐྱིལ་ཀྲུང་གིས་བཞུགས་པ། ཕྱག་གཉིས་ཐུགས་ཀར་ཆོས་འཁོར་གྱི་ཕྱག་རྒྱ་མཛད་པས་ཨུཏྤ་ལའི་ཡུ་བ་བཟུང་བ་སྐུ་དཔུང་གཡས་གཡོན་དུ་ཨུཏྤལ་ཁ་བྱེ་བའི་སྟེང་དུ་ཤེས་རབ་ཀྱི་རལ་གྲི་དང་ཤེར་ཕྱིན་གྱི་གླེགས་བམ་རྣམས་པ། ཐུགས་ག་ནས་གང་འདུལ་གྱི་སྤྲུལ་པ་ཕྱོགས་བཅུར་ཕར་སྤྲོ་བ་དང་ཚུར་བསྡུ་བཞིན་པ། རྒྱལ་བ་ཀུན་གྱི་མཁྱེན་བརྩེ་ནུས་གསུམ་གཅིག་ཏུ་བསྡུས་པའི་ངོ་བོར་བཞུགས་པ། གཡས་སུ་རྒྱལ་ཚབ་ཐམས་ཅད་མཁྱེན་པ་དང་གཡོན་དུ་མཁས་གྲུབ་ཐམས་ཅད་མཁྱེན་པ་གཉིས་བཞུགས་པ་གསལ་བཏབ་ལ། བདག་ཅག་སྙིགས་མའི་འགྲོ་བ་ཡོངས་ཀྱི་མགོན་སྐྱབས་དང་དཔུང་གཉེན་མཆོག་ཏུ་ནམ་མཁའ་མ་ཟད་ཀྱི་བར་དུ་བཞུགས་ནས་ཕྱིར་འཇིག་རྟེན་ཐམས་ཅད་དུ་ཐུབ་པའི་བསྟན་པ་དར་བ་དང་། ལྷག་པར་བྱང་ཕྱོགས་ཁ་བ་ཅན་གྱི་ལྗོངས་འདིར་ཐུབ་པའི་བསྟན་པ་དར་ཞིང་རྒྱས་པ་དང་། དེའི་མཐུས་བདག་ཅག་རྣམས་མྱུར་དུ་སྨིན་ཅིང་གྲོལ་བར་བྱིན་གྱིས་བརླབ་ཏུ་གསོལ་

སྐམ་དུ་བསམས་ལ། མདུན་གྱི་ནམ་མཁར་སེང་ཁྲི་པད་ཟླའི་སྟེང་། །རྗེ་བཙུན་བླ་མ་དགྱེས་པའི་འཛུམ་དཀར་ཅན། །བདག་བློ་དད་པའི་བསོད་ནམས་ཞིང་མཆོག་ཏུ། །བསྟན་པ་རྒྱས་ཕྱིར་བསྐལ་བརྒྱར་བཞུགས་སུ་གསོལ། །དེ་ནས་རང་གི་ལུས་བརྒྱ་སྟོང་མང་པོར་སྤྲུལ་ཏེ་ཕྱག་འཚལ་བ་དང་། དངོས་བཤམས་ཡིད་སྤྲུལ་གྱི་མཆོད་ཚོགས་འབུལ་བ་སོགས་ཚིག་རིས་སོ་སོ་དང་་བསྟུན་པའི་དམིགས་པ་དང་བཅས། ཤེས་བྱའི་ཁྱོན་ཀུན་འཇལ་བའི་བློ་གྲོས་ཐུགས། །སྐལ་བཟང་རྣ་བའི་རྒྱན་གྱུར་ལེགས་བཤད་གསུང་། །གྲགས་པའི་དཔལ་གྱིས་ལྷམ་མེར་མཛེས་པའི་སྐུ། །མཐོང་ཐོས་དྲན་པས་དོན་ལྡན་ལ་ཕྱག་འཚལ། །ཡིད་འོང་མཆོད་ཡོན་སྣ་ཚོགས་མེ་ཏོག་དང་། །དྲི་ཞིམ་བདུག་སྤོས་སྣང་གསལ་དྲི་ཆབ་སོགས། །དངོས་བཤམས་ཡིད་སྤྲུལ་མཆོད་སྤྲིན་རྒྱ་མཚོ་འདི། །བསོད་ནམས་ཞིང་མཆོག་ཁྱེད་ལ་མཆོད་པར་འབུལ། །བདག་གིས་ཐོག་མེད་དུ་ནས་བསགས་པ་ཡི། །ལུས་ངག་ཡིད་ཀྱི་སྡིག་པ་ཅི་བགྱིས་དང་། །ཁྱད་པར་སྡོམ་པ་གསུམ་གྱི་མི་མཐུན་ཕྱོགས། །སྙིང་ནས་འགྱོད་པ་དྲག་པོས་སོ་སོར་བཤགས། །སྙིགས་མའི་དུས་འདིར་མང་ཐོས་སྒྲུབ་ལ་བརྩོན། །ཆོས་བརྒྱད་སྤངས་པའི་དལ་འབྱོར་དོན་ཡོད་བྱེད། །མགོན་པོ་ཁྱོད་ཀྱི་རླབས་ཆེན་མཛད་པ་ལ། །བདག་ཅག་བསམ་པ་ཐག་པས་ཡི་རང་ངོ་། །རྗེ་བཙུན་བླ་མ་དམ་པ་ཁྱེད་རྣམས་ཀྱིས། །ཆོས་སྐུའི་མཁའ་ལ་མཁྱེན་བརྩེའི་སྤྲིན་འཁྲིགས་ནས། །ཇི་ལྟར་འཚམ་པའི་གདུལ་བྱའི་འཛིན་མ་ལ། །ཟབ་རྒྱས་ཆོས་ཀྱི་ཆར་པ་དབབ་ཏུ་གསོལ། །བདག་གིས་ཇི་སྙེད་བསགས་པའི་དགེ་བ་འདིས། །བསྟན་དང་འགྲོ་བ་ཀུན་ལ་གང་ཕན་དང་། །ཁྱད་པར་ཆོས་ཀྱི་རྒྱལ་པོ་ཙོང་ཁ་པའི། །བསྟན་པའི་སྙིང་པོ་རིང་དུ་གསལ་བྱེད་ཤོག །དེ་ནས་མཎྜལ་རྒྱས་པའམ་མདོར་བསྡུས། བྱེ་བ་ཕྲག་བརྒྱའི་གླིང་བཞི་ལྷུན་པོར་བཅས། །རིན་ཆེན་བདུན་དང་ཉེ་བའི་རིན་ཆེན་སོགས། །ཀུན་དགའ་བསྐྱེད་པའི་སྣོད་བཅུད་ཕུན་སུམ་ཚོགས། །ལྷ་མིའི་ལོངས་སྤྱོད་འདོད་དགུའི་གཏེར་ཆེན་པོ། །དང་བའི་སེམས་ཀྱིས་ཕུལ་བྱུང་ཞིང་གི་མཆོག །སྐྱབས་མགོན་ཐུགས་རྗེའི་གཏེར་ལ་དབུལ་བ་བགྱི། །ཞེས་མཎྜལ་ཕུལ། དེ་ནས། དཔལ་ལྡན་གསུམ་འགྲོ་བའི་མིག་གཅིག་པུ། །ཐར་འདོད་ཡོངས་ཀྱི་བླ་ན་མེད་པའི་མགོན། །རྒྱལ་བ་ཀུན་ལས་ལྷག་པའི་ཐུགས་རྗེ་ཅན། །ཟླ་མེད་བླ་མ་མཆོག་ལ་གསོལ་བ་འདེབས། །ཞེས་པ

ནས། མཆོག་གི་དངོས་གྲུབ་བརྙེས་ལ་གསོལ་བ་འདེབས། །ཞེས་པའི་བར་རྣམ་ཐར་གསོལ་འདེབས་ཚང་མ་འདོན་ཞིང་། མདོར་བསྡུས་བྱ་བར་འདོད་ན་འདི་ལྟར། སྲས་བཅས་རྒྱལ་བས་འདུལ་བར་མ་ནུས་པའི། །ཧ་ཅང་སྙིགས་མ་ལྡ་བདོའི་འགྲོ་བ་ལ། །ལྷག་པར་བརྩེ་བའི་མགོན་པོ་ཐུགས་རྗེ་ཅན། །འཇམ་མགོན་བླ་མའི་ཞབས་ལ་གསོལ་བ་འདེབས། །བདག་རྒྱུད་སྨིན་ཅིང་གྲོལ་བར་བྱིན་གྱིས་རློབས། །བགྲང་ཡས་བསྐལ་པ་རྒྱ་མཚོའི་ཕ་རོལ་ནས། །རྒྱལ་བ་དཔང་པོའི་ཏོག་གི་སྤྱན་སྔ་རུ། །མ་ལུས་འགྲོ་བ་སྒྲོལ་བའི་དམ་བཅའི་ཁུར། །བཞེས་མཛད་འཇམ་མགོན་བླ་མར་གསོལ་བ་འདེབས། །བདག་རྒྱུད་སྨིན་ཅིང་གྲོལ་བར་བྱིན་གྱིས་རློབས། །དེ་ནས་བརྩམས་ཏེ་སངས་རྒྱས་ཞིང་མང་དུ། །གནྡའི་ཧི་སྙེད་རྒྱལ་པ་མཆོད་མཛད་ཅིང་། །དཔག་མེད་གདུལ་བྱ་སྨིན་གྲོལ་ལམ་ལ་བཀོད། །འཇམ་མགོན་བླ་མའི་ཞབས་ལ་གསོལ་བ་འདེབས། །བདག་རྒྱུད་སྨིན་ཅིང་གྲོལ་བར་བྱིན་གྱིས་རློབས། །ཞིང་འདིར་ཐུབ་བསྟན་ཉིན་བྱེད་ཤར་བའི་ཚེ། །ཁྱོད་ཐུགས་འདབ་སྟོང་རྫོགས་པའི་དྲི་བཟང་གིས། །བློ་ལྡན་བུང་བ་མ་ལུས་ཚིམ་པར་མཛད། །འཇམ་མགོན་བླ་མའི་ཞབས་ལ་གསོལ་བ་འདེབས། །བདག་རྒྱུད་སྨིན་ཅིང་གྲོལ་བར་བྱིན་གྱིས་རློབས། །སྔོན་ཚེ་དམ་བཅས་སྨོན་ལམ་མཛད་པ་བཞིན། །སྐུ་གསུང་ཐུགས་ཀྱི་སྤྲུལ་པ་དཔག་མེད་པས། །རྒྱ་བོད་ཀུན་ཏུ་ཐུབ་བསྟན་སྤེལ་བར་མཛད། །འཇམ་མགོན་བླ་མའི་ཞབས་ལ་གསོལ་བ་འདེབས། །བདག་རྒྱུད་སྨིན་ཅིང་གྲོལ་བར་བྱིན་གྱིས་རློབས། །གངས་རིའི་ཁྲོད་འདིར་མཁས་གྲུབ་མང་མྱོན་ཡང་། །རྒྱ་སྐར་ཁྲོད་ན་མཚན་མའི་མགོན་པོ་ལྟར། །རྣམ་པ་ཀུན་ནས་འགྲན་པའི་ཟླ་བྲལ་བ། །འཇམ་མགོན་བླ་མའི་ཞབས་ལ་གསོལ་བ་འདེབས། །བདག་རྒྱུད་སྨིན་ཅིང་གྲོལ་བར་བྱིན་གྱིས་རློབས། །ཐུབ་པའི་གསུང་རབ་མདོ་རྒྱུད་མ་ལུས་པ། །སྤེལ་ལ་ཐུབ་དབང་ཉིད་དང་མཚུངས་སོ་ཞེས། །བྱམས་པ་མགོན་པོས་ལེགས་སོའི་དབུགས་དབྱུང་མཛད། །འཇམ་མགོན་བླ་མའི་ཞབས་ལ་གསོལ་བ་འདེབས། །བདག་རྒྱུད་སྨིན་ཅིང་གྲོལ་བར་བྱིན་གྱིས་རློབས། །སྙིགས་ཏའི་ལྗོངས་འདིར་འདྲེ་སྲིན་གདུག་ཅན་ཚོགས། །འདུལ་མཛད་མཚོ་ལས་སྐྱེས་པའི་རྡོ་རྗེ་ཡང་། །མགོན་པོ་ཁྱོད་ཀྱི་སྒྱུ་འཕྲུལ་དྲ་བ་ཉིད། །འཇམ་མགོན་བླ་མའི་ཞབས་ལ་གསོལ་བ་འདེབས། །བདག་རྒྱུད་སྨིན་ཅིང་གྲོལ་བར་བྱིན་གྱིས་རློབས། །འཕགས་པའི་ཡུལ་

གྱི་བཀའ་དང་མན་ངག་ཀུན། །བྱང་ཕྱོགས་ཡུལ་འདིར་དར་མཛད་ཐུགས་རྗེ་ཅན། །ཐུལ་བྱུང་ཞབས་ཞེས་གྲགས་པའང་ཁྱོད་ཉིད་ལགས། །འཇམ་མགོན་བླ་མའི་ཞབས་ལ་གསོལ་བ་འདེབས། །བདག་རྒྱུད་སྨིན་ཅིང་གྲོལ་བར་བྱིན་གྱིས་རློབས། །རྒྱལ་བའི་ཉིན་བྱེད་འོད་ཀྱིས་མ་བཟིས་པའི། །སྙོངས་པའི་མུན་ནུམ་འཐིབས་པའི་བྱང་ཕྱོགས་འདིར། །ཐུབ་བསྟན་སྒྲོན་མེ་གསལ་མཛད་ཐུགས་རྗེ་ཅན། །འཇམ་མགོན་བླ་མའི་ཞབས་ལ་གསོལ་བ་འདེབས། །བདག་རྒྱུད་སྨིན་ཅིང་གྲོལ་བར་བྱིན་གྱིས་རློབས། །གངས་རིའི་ར་བས་བསྐོར་བའི་ཞིང་ཁམས་འདིར། །ཕན་བདེའི་འབྱུང་གནས་རྒྱལ་བསྟན་རིན་པོ་ཆེ། །ཡུན་རིང་གནས་པའི་བདེན་ཚིག་སྨོན་ལམ་མཛད། །འཇམ་མགོན་ཐུགས་རྗེ་ཅན་ལ་གསོལ་བ་འདེབས། །བདག་རྒྱུད་སྨིན་ཅིང་གྲོལ་བར་བྱིན་གྱིས་རློབས། །རྒྱལ་བ་ཀུན་གྱི་མཁྱེན་བརྩེ་ནུས་པ་གསུམ། །གཅིག་བསྡུས་རིགས་གསུམ་སྒྱུ་འཕྲུལ་དྲྭ་བའི་གར། །བླ་མ་ཡི་དམ་མཆོག་གསུམ་ཀུན་འདུས་རྗེ། །འཇམ་མགོན་བླ་མའི་ཞབས་ལ་གསོལ་བ་འདེབས། །བདག་རྒྱུད་སྨིན་ཅིང་གྲོལ་བར་བྱིན་གྱིས་རློབས། །མགོན་པོ་ཁྱོད་ཀྱི་ཐུགས་རྗེའི་འོད་ཟེར་གྱིས། །བདག་བློ་རྨོངས་པའི་མུན་ཚོགས་རབ་སངས་ཏེ། །ཟབ་དང་རྒྱ་ཆེའི་གསུང་རབ་མཐའ་དག་ལ། །གཞན་དྲིང་མི་འཛོག་སྤོབས་པ་ཐོབ་པར་ཤོག །དམ་པའི་བཤེས་ལས་གསུང་རབ་མང་ཐོས་ཤིང་། །དེ་དོན་བསམས་པས་ངེས་ཤེས་སྐྱེད་པ་དང་། །ཡང་དག་དོན་ལ་རྩེ་གཅིག་འཛོག་ནུས་པའི། །ཐོས་བསམ་སྒོམ་གསུམ་བདག་ལ་སྩོལ་དུ་གསོལ། །གཟུངས་སྤོབས་མངོན་ཤེས་ཏིང་འཛིན་ལ་སོགས་པ། །ཡོན་ཏན་ཀུན་གྱིས་བདག་རྒྱུད་ཕྱུག་པ་དང་། །ཉམ་ཐག་འགྲོ་བ་འདི་ཀུན་སྒྲོལ་བ་ལ། །བླ་མ་ཁྱེད་རང་ལྷ་བུར་བྱིན་གྱིས་རློབས། །ཞེས་གསོལ་བ་འདེབས་ཤིང་ཁྱད་པར། དམིགས་མེད་བརྩེ་བའི་གཏེར་ཆེན་སྤྱན་རས་གཟིགས། །དྲི་མེད་མཁྱེན་པའི་དབང་པོ་འཇམ་དཔལ་དབྱངས། །བདུད་དཔུང་མ་ལུས་འཇོམས་མཛད་གསང་བའི་བདག །གངས་ཅན་མཁས་པའི་གཙུག་རྒྱན་ཙོང་ཁ་བ། །བློ་བཟང་གྲགས་པའི་ཞབས་ལ་གསོལ་བ་འདེབས། །ཞེས་ལན་བརྒྱ་སྟོང་སོགས་བརྗོད་ནས་གསོལ་བ་ཤུགས་དྲག་ཏུ་བཏབ་པས་རྗེ་ཡབ་སྲས་གསུམ་གྱི་ཐུགས་ཀ་ནས་འོད་ཟེར་དཀར་པོ་སྦྲུ་གུའི་རྣམ་པ་ཅན་བྱུང་། །དེའི་ནང་ནས་བདུད་རྩིའི་རྒྱུན་བབས་པ་རང་གི་སྤྱི་བོ་ནས་ཞུགས་

པས་ལུས་ཀྱི་ནང་ཐམས་ཅད་གང་། ཐོག་མེད་ནས་བསགས་པའི་སྡིག་སྒྲིབ་ནད་གདོན་དང་བཅས་པ་ཐམས་ཅད་སངས་ཀྱིས་དག །ལུས་ཤེལ་སྒོང་གཡའ་དག་པ་བཞིན་དུ་དྭངས་གསལ་འོད་ཀྱི་རང་བཞིན་ཅན་དུ་གྱུར་པའི་མོས་པ་ཡང་ཡང་བྱ། གསོལ་འདེབས་འདི་ལ་དམིགས་སྐོར་མན་ངག་ཞལ་ཤེས་ཆེས་མང་དུ་ཡོད་ཀྱང་རང་ཅག་སྙིགས་མའི་སེམས་ཅན་ལས་ངན་ཅན་རྣམས་ལ་ལས་སྒྲིབ་སྦྱོང་བ་ཉིད་གལ་ཆེ་བས་སྒོང་གི་དམིགས་བསྐོར་དེ་ཉིད་ལ་གཙོ་བོར་བྱ་ཞིང་། ཐུན་གྱི་མཇུག་ཏུ་རྗེ་ཡབ་སྲས་གསུམ་གྱི་ཐུགས་ཀ་ནས་བདུད་རྩི་དམར་སེར་གྱི་རྒྱུན་བྱུང་ནས་རང་གི་ལུས་ལ་ཐིམ་པས་རྗེ་བཙུན་འཇམ་པའི་དབྱངས་ཀྱི་སྐུ་གསུང་ཐུགས་ཀྱི་བྱིན་རླབས་ཐོབ་པའི་མོས་པ་བརྟན་པོ་བྱའོ། །གཞན་ཡང་ཤེས་རབ་ཆེ་བ། གསལ་བ། ཟབ་པ། མྱུར་བ། འཆད་རྩོད་རྩོམ་གསུམ་སོགས་ཀྱི་མན་ངག་དང་། དམིགས་བརྩེ་མའི་གསོལ་འདེབས་ཐེག་པ་ཆེན་པོའི་ལམ་གྱི་གནད་ཐབས་ཤེས་ཆ་ཚང་འབྲས་བུ་དང་བཅས་པ་བསྟན་པར་ཤེས་པར་བྱེད་ཚུལ་དང་། མན་ངག་འདི་ལ་བརྟེན་ནས་ཞི་རྒྱས་དབང་དྲག་གི་ལས་སྒྲུབ་ཚུལ་ཡང་མཆིས་ཤིང་། མདོ་སྔགས་གཉིས་ཀའི་ལམ་གྱི་སྙིང་པོའི་གནད་ལ་ཉམས་ལེན་སྙིང་པོར་བྱས་ཏེ་ཚེ་གཅིག་ལ་ཟུང་འཇུག་སྒྲུབ་པའི་ཚུལ་ཡང་མཆིས་པས། མན་ངག་གི་གནད་མཐའ་དག་པར་ནི་ཚེ་རློས་བཏང་སྟེ་དབེན་པའི་རི་ཚུལ་དུ་སྒྲུབ་པ་སྙིང་པོར་བྱེད་པ་དག་གིས་བཤེས་གཉེན་དམ་པ་ཡུན་རིང་དུ་མཉེས་པར་བྱས་པ་ཁོ་ན་ལས་ཤེས་པར་བྱ་བ་ཉིད་དོ། །

གསུམ་པ་མཇུག་ཏུ་ཇི་ལྟར་བྱ་བ་ནི། གསོལ་འདབས་ཡུན་རིང་དུ་བྱས་པའི་མཐར་ཐུན་བསྡུ་བའི་ཚེ། དཔལ་ལྡན་རྩ་བའི་བླ་མ་རིན་པོ་ཆེ། །བདག་གི་སྙིང་གར་པདྨོའི་གདན་བཞུགས་ལ། །བཀའ་དྲིན་ཆེན་པོའི་སྒོ་ནས་རྗེས་བཟུང་སྟེ། །སྐུ་གསུང་ཐུགས་ཀྱི་དངོས་གྲུབ་སྩོལ་དུ་གསོལ། །ཞེས་གསོལ་བ་བཏབ་པས་སྲས་གཉིས་རྗེ་ལ་ཐིམ། རྗེ་བླ་མ་རང་གི་སྤྱི་བོར་བྱོན་ནས་རང་ལ་ཐིམ་པས་རྒྱུད་བྱིན་གྱིས་བརླབས་པའི་མོས་པ་དང་། དུས་སྐབས་ཀུན་ཏུ་རྗེ་བླ་མ་སྙིང་དབུས་སུ་བཞུགས་པའི་མོས་པ་བརྟན་པོ་བྱའོ། །དེ་ནས་བསྔོ་བ་སྨོན་ལམ་གྱི་རྒྱས་འདེབས་དང་། ལྷག་པར། དེང་ནས་བཟུམས་ཏེ་ཚེ་རབས་ཀུན་ཏུ་བདག །ཉེས་སོགས་རྣམ་ཐར་གསོལ་འདེབས་ཀྱི་མཇུག་གི་སྨོན་ལམ་འདོན་ཞིང་། གཞན་ཡང་ལམ་གྱི་རིམ་པ་རྒྱུད་ལ་སྐྱེ་བ་དང་ཚེ་རབས་ཀུན་ཏུ་རྗེ་བླ་མས་རྗེས་སུ་འཛིན་པའི་སྨོན་ལམ་བྱ་བར་འདོད་ན་འདི་

ལྟར། དགེ་བ་འདི་ཡིས་ཚེ་རབས་ཐམས་ཅད་དུ། །ཐེག་པ་མཆོག་གི་དགེ་བའི་བཤེས་གཉེན་གྱིས། །འབྲལ་བ་མེད་པར་རྗེས་སུ་འཛིན་པ་དང་། ཟབ་རྒྱས་ཆོས་ཚུལ་རྒྱ་མཚོ་འདོམས་པར་ཤོག །ནོར་བཟང་གཞོན་ནུ་མགོན་པོ་བྱམས་པ་དང་། །རྟག་ཏུ་ཡིས་ཆོས་འཕགས་ཇི་བཞིན་དུ། །རང་གི་ལུས་དང་སྲོག་ཀྱང་ཡོངས་བཏང་སྟེ། །བཀའ་བཞིན་སྒྲུབ་བ་སྙིང་པོར་བྱེད་པར་ཤོག །འཁོར་བའི་གནས་ལ་ཞེན་པ་ལོག་པ་དང་། །བྱམས་དང་སྙིང་རྗེ་བྱང་ཆུབ་སེམས་འབྱོངས་ཤིང་། །ཡང་དག་ལྟ་དང་རིམ་གཉིས་ཟབ་མོའི་ལམ། །མྱུར་དུ་རྒྱུད་ལ་སྐྱེ་བར་བྱིན་གྱིས་རློབས། །ཚེ་འདིའི་སྣང་བ་འགགས་པར་གྱུར་མ་ཐག །དགའ་ལྡན་ཆོས་ཀྱི་ཕོ་བྲང་དམ་པ་དེར། །མི་ཕམ་འཇམ་དཔལ་སྙིང་པོའི་ཞབས་དྲུང་དུ། །སྐྱེས་ནས་ཐེག་མཆོག་བདུད་རྩིས་འཚོ་བར་ཤོག །ནམ་ཞིག་རྨད་བྱུང་བཀོད་པའི་ཞིང་ཁམས་སུ། །དེ་བཞིན་གཤེགས་པ་སེང་གེའི་ང་རོ་ཡི། །འཁོར་གྱི་ཐོག་མ་ཉིད་དུ་བདག་གྱུར་ཏེ། །བྱང་ཆུབ་མཆོག་ཏུ་ལུང་བསྟན་ཐོབ་པར་ཤོག །ཅེས་བརྗོད་ཅིང་སྨོན་ལམ་བྱའོ། །ཐུན་དངོས་གཞི་ལ་དེ་ལྟར་འབད་ནས་ཐུན་མཚམས་རྣམས་སུ་འང་བྱ་བ་ཅི་བྱེད་ཀྱང་རྗེ་བླ་མ་ལ་གསོལ་བ་འདེབས་བཞིན་དུ་བྱེད་དང་། བཟའ་བཏུང་སོགས་ཀྱི་ཚེ་ནའང་སྙིང་གའི་རྗེ་བླ་མ་ལ་འབུལ་བའི་ཚུལ་དུ་ལོངས་སྤྱོད་ཚོགས་མྱུར་དུ་རྫོགས་པའི་ཐབས་མཆོག་ཏུ་གསུངས་ཤིང་། །མདོར་ན་སྣང་བ་ཐམས་ཅད་རྗེ་བླ་མའི་གསང་གསུམ་གྱི་རྣམ་རོལ་ཤ་སྟག་ཏུ་འཆར་བའི་མན་ངག་གི་ཚུལ་ལའང་བག་ཆགས་ཙམ་ཐེབས་བྱའོ། །དེ་ལྟར་ཉམས་སུ་བླངས་ན་ཚེ་རབས་ཀུན་ཏུ་རྗེ་བླ་མས་རྗེས་སུ་འཛིན་པ་དང་། འཕྲུལ་དུའང་བློ་གྲོས་མཆོག་ཏུ་འཕེལ་ཞིང་འདོད་པའི་དོན་རྣམས་འགྲུབ་པ་དང་། ལྷག་པར་ཡང་རྒྱལ་གདོན་གྱི་འཚེ་བ་བཟློག་པ་ལ་ཆེས་ཤིན་ཏུ་བསྔགས་པར་གསུངས་པས་ཐུན་བཞི་འམ། མ་མཐའ་ཐུན་རེ་རེ་ནས་ཏན་གྱིས་ཉམས་སུ་བླང་བར་བྱའོ། །སྦྱོར་དངོས་རྗེས་གསུམ་གྱི་མན་ངག་མཐའ་དག་པར་ནི་ཞལ་ལས་ཤེས་པར་བྱ་བ་ཉིད་དོ། །སྙན་རྒྱུད་མན་དག་རབ་ཡངས་གོ་འབྱེད་ཁྱོན། །བདག་བློ་ཉམ་ཆུང་སྦྲང་བུའི་ཤོག་རྩལ་གྱིས། །འཇལ་བ་མཁས་རྣམས་ཁྲེལ་བའི་རྒྱུར་སྣང་ཡང་། །དད་ལྡན་སློབ་མས་བསྐུལ་ཕྱིར་ཚུལ་འདི་སྦྱར། །ཐུབ་བསྟན་ཉིད་བྱེད་ནུབ་རིར་གོས་མདར་འཛིན། །མི་བཟད་སྙིགས་མའི་སྨག་རུམ་འཐིབས་དུས་འདིར། །དད་བརྩོན་རྣམ་དཔྱོད་ལྡན་པའི་ཤེས་ལྡན་

དག །དེ་ལྟའི་ལམ་བཟང་མཆོག་ལ་འཇུག་པར་རིགས། །གང་ལ་གསོལ་བ་བཏབ་ན་རྒྱལ་ཀུན་གྱི། །མཁྱེན་བརྩེ་ནུས་པའི་གྲུ་ཆར་མྱུར་འབེབས་པ། །འཇམ་མགོན་མན་ངག་ནོར་བུ་འཇལ་དུས་འདིར། །གསོལ་བ་ཐེབ་ཅེས་བདག་གིས་ཕན་པར་སྨྲས། །འདི་ལྟར་གཡར་ཁྲལ་བགྱིས་ལ་ལེགས་པའི་ཆ། །ཅུང་ཟད་མཆིས་ན་དགེ་དེས་འགྲོ་བ་ཀུན། །མ་ནོར་ལམ་བཟང་མཆོག་འདིར་རབ་ཞུགས་ནས། །མྱུར་དུ་བདུད་བཞིའི་གཡུལ་ལས་རྒྱལ་གྱུར་ཅིག །

ཅེས་རྗེ་བླ་མའི་རྣལ་འབྱོར་དགའ་ལྡན་ལྷ་བརྒྱ་མར་གྲགས་པའི་ཁྲིད་ཡིག་སྙན་རྒྱུད་མན་ངག་གཏེར་གྱི་ཁ་བྱང་ཞེས་བྱ་བ་འདི་ནི། དད་པ་དང་གཏོང་བ་ལ་སོགས་པའི་ཡོན་ཏན་དུ་མས་ཕྱུག་པ་སྐྱིད་གྲོང་རྫོང་བཞུགས་སྡེ་པའི་སྲས་བསོད་ནམས་དཔལ་འབྱོར་གྱིས་ཡང་དང་ཡང་དུ་བསྐུལ་བ་ལ་བརྟེན་ནས། སྙན་རྒྱུད་མན་ངག་འཛིན་པའི་དགེ་སློང་ཡེ་ཤེས་རྒྱལ་མཚན་གྱིས་བཀྲ་ཤིས་བསམ་གཏན་གླིང་དུ་སྦྱར་བའོ། །འདིས་ཀྱང་ཐུབ་པའི་བསྟན་པ་རིན་པོ་ཆེ་འཕེལ་བར་གྱུར་ཅིག །

༄༅། །དགའ་ལྡན་ལྷ་བརྒྱ་མར་གྲགས་པའི་བླ་མའི་རྣལ་འབྱོར་ཁྲིད་ཡིག་དངོས་གྲུབ་ཀུན་འབྱུང་ཞེས་བྱ་བ་བཞུགས་སོ།

༄། །ན་མོ་གུ་རུ་མཉྫུ་གྷོ་ཥ་ཡ། རྒྱལ་ཀུན་མཁྱེན་རབ་ཡོངས་འདུས་ལྷག་པའི་ལྷ། །འཇམ་དབྱངས་མི་ཡི་རྣམ་རོལ་བློ་བཟང་གྲགས། །སྐྱབས་གནས་ཀུན་འདུས་ངོ་བོར་ལེགས་དམིགས་ནས། །གསོལ་འདེབས་དངོས་གྲུབ་ཀུན་སྩོལ་མདོར་བསྡུས་སྤེལ། །འདིར་དགའ་ལྡན་ལྷ་བརྒྱ་མར་གྲགས་པའི་ཁྲིད་མདོར་བསྡུས་བྱ་ཚུལ་ནི། སློབ་མ་རྣམས་མདུན་དུ་ཚོགས་པ་དང་། ཞེར་སྙིང་བཟློག་བཅས་མཉམ་དུ་བྱས་རྗེས་མཇལ་འབུལ་དུ་བཙུག །དེ་ནས་འདི་སྐད་བརྗོད་པར་བྱ་སྟེ། འོ་ལགས་སོ། །མ་གྱུར་སེམས་ཅན་ཐམས་ཅད་ཀྱི་དོན་དུ་མྱུར་བ་མྱུར་བར་ཡང་དག་པར་རྫོགས་པའི་སངས་རྒྱས་ཀྱི་གོ་འཕང་རིན་པོ་ཆེ་ཅི་ནས་ཀྱང་ཐོབ་པ་ཞིག་བྱའོ། །དེའི་ཕྱིར་དུ་དམ་པའི་ཆོས་ཟབ་མོ་འདི་ལྟ་བུ་གསན་ནས་ཉམས་སུ་བླང་བར་བྱའོ་སྙམ་པའི་ཆོས་གསན་པའི་ཀུན་སློང་དང་ཀུན་སྤྱོད་ལ་སོགས་པ་ལེགས་པར་གསལ་བཏབ་ནས་གསན་པར་ཞུ། གསན་པར་བྱ་བའི་ཆོས་ནི། ༈ རྒྱལ་བ་ཀུན་གྱི་མཁྱེན་བརྩེ་ནུས་གསུམ་གཅིག་ཏུ་བསྡུས་ཤིང་རྒྱལ་བའི་བསྟན་པ་འདི་ལ་རྒྱལ་བ་རང་ཉིད་སླར་ཕྱིན་པ་དང་ཁྱད་པར་མ་མཆིས་པའི། །༈ བདག་ཅག་གི་དཔལ་ལྡན་བླ་མ་དམ་པ་རྗེ་བཙུན་ཆོས་ཀྱི་རྒྱལ་པོ་ཙོང་ཁ་པ་ཆེན་པོ་དེ་ཉིད་སྐྱབས་གསུམ་ཀུན་འདུས་ཀྱི་ངོ་བོར་མོས་ནས་གསོལ་བ་འདེབས་པའི་བླ་མའི་རྣལ་འབྱོར་དགའ་ལྡན་ལྷ་བརྒྱ་མར་གྲགས་པའི་ཁྲིད་ཀྱི་རིམ་པ་འདི་ཉིད་ཡིན་པས། འདི་ཉམས་སུ་ལེན་པ་ལ་དང་པོ་སྔོན་འགྲོ་ཉམས་སུ་ལེན་ཚུལ་ནི། གཙང་ཞིང་ཡིད་དུ་འོང་བའི་གནས་སུ་དཀོན་མཆོག་གི་རྟེན་སྤྱི་དང་ཁྱད་པར། རྗེ་བླ་མའི་སྐུ་དགྲམ། དེའི་མདུན་དུ་མཆོད་ཡོན་སོགས་ཀྱི་མཆོད་པ་ཅི་འབྱོར་བ་བཀོད་པས་མཛེས་པར་བཤམ། རང་ཉིད་བདེ་བའི་སྟན་ལ་འཁོད་ནས་རང་གི་ཀུན་སློང་ལ་ཇི་ལྟ་བུ་ཞིག་འདུག

བརྟག་ནས་ཉོན་མོངས་པ་དང་ཚེ་འདི་དོན་གཉེར་གྱི་ཀུན་སློང་ལ་སོགས་པ་འདུག་ན་དེ་དག་ཕྱིར་བསལ་ཏེ། དལ་འབྱོར་དོན་ཆེ་རྙེད་དཀའ་དང་འཆི་བ་མི་རྟག་པའི་ངང་ཚུལ་བསམ་ནས། ༔ དལ་བའི་རྟེན་ལ་སྙིང་པོ་ལེན་འདོད་སྐྱིད་ཐུབ་པ་ཞིག་དང་། དེ་ཡང་འཆི་བའི་འོག་ཏུ་ངན་སོང་གསུམ་གྱི་སྡུག་བསྔལ་སྤྱོད་དགོས་ཚུལ་བསམ་པས་འཇིགས་ནས་དཀོན་མཆོག་ལ་སྙིང་ཐག་པ་ནས་སྐྱབས་སུ་སོང་སྟེ་ལས་དཀར་ནག་གི་བླང་དོར་ཚུལ་བཞིན་དུ་འབད་པར་བྱའོ་སྙམ་པ་དང་། དེ་ཙམ་གྱིས་ད་དུང་འཁོར་བ་ལས་མི་ཐར་བས་འཁོར་བ་རྒྱུ་དང་བཅས་བ་རྩ་བ་ནས་སྤོང་བའི་ཐབས་སུ་ལམ་བསླབ་པ་གསུམ་ལ་ནན་ཏན་དུ་བསླབ་པོ་སྙམ་པ་དང་། དེ་ཡང་རང་ཉིད་གཅིག་བུ་འཁོར་བ་ལས་ཐར་བ་ཙམ་མ་ཡིན་པར་ཚེ་རབས་ཐོག་མ་མེད་པ་ནས་དྲིན་གྱིས་བསྐྱངས་པའི་དྲིན་ཅན་གྱིས་མ་རྣམས་བདེ་བ་ཐམས་ཅད་དང་ལྡན་པ་དང་སྡུག་བསྔལ་ཐམས་ཅད་ལས་གྲོལ་བར་འདོད་པའི་བྱམས་སྙིང་རྗེ་བསྐྱེད་ཅིང་། མདོར་ན། ༔ དལ་བའི་རྟེན་ལ་སྙིང་པོ་ལེན་འདོད་ཆེས་ཆེར་བསྐྱེད་ནས་མར་གྱུར་སེམས་ཅན་ཐམས་ཅད་ཀྱི་དོན་དུ་རྫོགས་པའི་སངས་རྒྱས་ཀྱི་གོ་འཕང་ཐོབ་པ་ཞིག་ངེས་པར་བྱའོ་སྙམ་པའི་ཀུན་སློང་དུང་དུང་བཞིན་བསྐྱེད། དེའི་ངང་ནས། ༔ རང་གཞན་སེམས་ཅན་ཐམས་ཅད་སྡུག་བསྔལ་རྒྱུ་དང་བཅས་པ་ལས་སྐྱོབ་པ་ནི། སྐྱབས་བསླུ་བ་མེད་པ་དཀོན་མཆོག་གསུམ་ལ་རག་ལས་པར་མཐོང་ནས་དེ་ལ་སྐྱབས་འགྲོ་སྙིང་ཐག་པ་ནས་བྱའོ་སྙམ་དུ་བསམ་ནས། ༔ མདུན་གྱི་ནམ་མཁར་པདྨའི་སྟོང་པོ་ཡངས་ཤིང་རྒྱ་ཆེ་བ་འདབ་མ་སྟོང་དང་ལྡན་པ། །དེའི་ལྟེ་བར་རང་གི་དྲིན་ཅན་རྩ་བའི་བླ་མ་དང་ངོ་བོ་དབྱེར་མེད་པའི་རྗེ་བཙུན་ཆོས་ཀྱི་རྒྱལ་པོ་ཙོང་ཁ་པ་ཆེན་པོ། གཡས་གཡོན་དུ་སྲས་ཀྱི་ཐུ་བོ་རྒྱལ་ཚབ་མཁས་གྲུབ་གཉིས། མཐའ་སྐོར་དུ་དངོས་དང་བརྒྱུད་པའི་བླ་མ་ཡི་དམ་སངས་རྒྱས་བྱང་སེམས་དཔའ་བོ་མཁའ་འགྲོ་བསྟན་བསྲུང་ཡེ་ཤེས་པའི་ཚོགས་ཀྱིས་བསྐོར་བའི་སྐྱབས་ཡུལ་གསལ་གདབ། རང་གི་མཐའ་སྐོར་དུ་ཚེ་འདིའི་ཕ་མ་ཉེ་དུས་མཚོན་མཁའ་ཁྱབ་ཀྱི་སེམས་ཅན་ཐམས་ཅད་སའི་དྲིག་པ་བཞིན་འཁོད་པར་མོས་ནས། ༔ རང་དང་སེམས་ཅན་ཐམས་ཅད་འཁོར་བ་སྤྱི་དང་བྱེ་བྲག་གི་སྡུག་བསྔལ་སྤྱོད་དགོས་ཚུལ་འཇིགས་ཤིང་སྐྲག་པ་དང་། དཀོན་མཆོག་ལ་དེ་ལས་སྐྱོབ་པའི་ནུས་པ་ཡོད་པར་ཡིད་ཆེས་པའི་བློ་བསྐྱེད་ནས་བློ་ལིང་བཀལ་གྱི་སྐྱབས་འགྲོ་བྱའོ་སྙམ་དུ། བླ་མ་ལ་སྐྱབས་སུ་མཆིའོ། །ཞེས་སོགས་སྐྱབས་འགྲོ་བཞི་སྐོར་གྱི་ཚིག་གང་མང་བརྗོད། དེ་ནས་སེམས་ཅན་རྣམས་ཀྱིས་རང་གི་མ་བྱས་ཚུལ། །དྲིན་གྱིས་བསྐྱངས་ཚུལ། དྲིན་བཟོ་དགོས་ཚུལ། དེ་ཡང་བྱམས་སྙིང་རྗེ་དང་ལྷག་བསམ་གྱི་དམིགས་རྣམ་གསལ་བཏབ་ནས་དེ་དག་གི་

དོན་དུ་རྫོགས་པའི་སངས་རྒྱས་ཀྱི་གོ་འཕང་ཐོབ་འདོད་ཀྱིས་སེམས་བསྐྱེད་དེ། སངས་རྒྱས་ཆོས་ཚོགས་མ་ལྷ་བུའི་སེམས་བསྐྱེད་ཀྱི་ཚིགས་བཅད་མང་དུ་བརྗོད། །དེ་ནས། ༔སེམས་ཅན་རྣམས་བདེ་བས་འཕོངས་ཤིང་སྡུག་བསྔལ་གྱིས་མནར་ཚུལ་བསམས་ནས་འདི་རྣམས་བདེ་བ་དང་བདེ་བའི་རྒྱུ་ཐམས་ཅད་དང་ལྡན་ན་ཅི་མ་རུང་བར་ལྡན་པར་གྱུར་ཅིག །ལྡན་པར་བདག་གིས་བྱའོ། །སྙམ་པ་སོགས་ཀྱི་སྒོ་ནས། ༔སེམས་ཅན་ཐམས་ཅད་བདེ་བ་དང་། ཞེས་སོགས་ལན་གསུམ་གྱིས་ཚད་མེད་བཞི་བསྒོམ། ༔དེ་ནས་བདུན་གྱི་སྐྱབས་ཡུལ་རྣམས་འོད་དུ་ཞུ་ནས་རང་གི་སྨིན་མཚམས་སུ་ཐིམ་པས་བྱིན་གྱིས་རླབས་བྱུང་སྙམ་པ་བྱ། མདོར་ན་གནས་ཁང་ཕྱི་དོར་བྱ་བ་ནས་བཟུང་སྟེ། ཚད་མེད་བཞི་བསྒོམ་པའི་བར་ལམ་རིམ་ནས་འབྱུང་བ་བཞིན་རྒྱས་བསྡུས་ཅི་རིགས་པ་ཞིག་བྱའོ། །༔དེ་ཡན་གྱིས་སྦྱོར་བའི་རིམ་པ་སོང་བ་ཡིན། །ད་དངོས་གཞི་ཉམས་སུ་ལེན་ཚུལ་ནི། །༔རང་ཅག་གནས་པའི་འཛམ་བུའི་གླིང་འདིའི་བྱང་ཕྱོགས་སུ་ཡོད་པའི་རི་རབ་ཀྱི་སྟེང་ཕྱོགས་ཡ་ཚད་ཞིག་ཏུ་དགའ་ལྡན་གྱི་ལྷ་གནས་ཞེས་བྱ་བ་ཡོད། དེར་གྲོང་ལས་དགོན་པའི་ཚུལ་དུ་འཕགས་པ་རྗེ་བཙུན་བྱམས་པ་མགོན་པོའི་ཕོ་བྲང་རྒྱལ་མཚན་མཐོན་པོ་དང་། དེའི་མདུན་དུ་རྗེ་བཙུན་བྱམས་མགོན་གྱིས་ཆོས་གསུང་སའི་ཀུན་དགའ་རབ་ཡིད་དགའ་ཆོས་འཛིན་ཞེས་བྱ་བ་ཡོད་པས། ༔རང་ཉིད་ཁ་རི་རབ་ཀྱི་ངོས་སུ་ཕྱོགས་པའམ་ཕྱོགས་པར་མོས་ནས་སྟེང་གི་ནམ་མཁར་ས་གཞི་རིན་པོ་ཆེ་སྣ་ཚོགས་ལས་གྲུབ་ཅིང་མཚོ་དང་། རྫིང་དང་། འབབ་ཆུ་དང་། དཔག་བསམ་གྱི་ཤིང་སོགས་ཀྱིས་བརྒྱན་པའི་རྗེ་བཙུན་གྱི་ཞིང་ཁམས་རྣམ་པར་དག་པ། དེའི་དབུས་སུ་ཕོ་བྲང་རྒྱལ་མཚན་མཐོན་པོ་རིན་པོ་ཆེ་སྣ་ཚོགས་ལས་གྲུབ་པའི་རྒྱན་བཀོད་ཕུལ་དུ་ཕྱིན་པ། ༔ཕྱི་བལྟས་ནང་གསལ་བ། ནང་བལྟས་ཕྱི་གསལ་བ། བལྟ་བས་ཆོག་མི་ཤེས་པ། ༔དེའི་མདུན་དུ་ཡིད་དགའ་ཆོས་འཛིན་གྱི་ཀུན་དགའ་ར་བ་གསེར་གྱི་ས་གཞི་ལ་བཻཌཱུརྻའི་མིག་མང་རིས་སུ་བྲིས་པ་སོགས་རྒྱན་དང་བཀོད་པ་བལྟ་བས་མི་ངོམས་པ། དེའི་དབུས་སུ་སེང་གེ་ཆེན་པོ་བརྒྱད་ཀྱིས་བཏེག་པའི་རིན་པོ་ཆེའི་ཁྲིའི་སྟེང་དུ་རྗེ་བཙུན་བྱམས་པ་མགོན་པོ་སྐུ་མདོག་གསེར་བཙོ་མ་ལྟ་བུ་ཉི་མ་འབུམ་གྱི་གཟི་འོད་ཅན། །རིན་པོ་ཆེའི་རྒྱན་དང་དར་གྱི་ན་བཟའ་གསོལ་བ། བཟང་པོའི་འདུག་སྟངས་ཀྱིས་བཞུགས་པ། དེའི་མཐའ་བསྐོར་དུ་ཇོ་བོ་རྗེ་དང་། རྗེ་ཡབ་སྲས་སོགས་དག་པའི་འཁོར་ཚོགས་གྲངས་མེད་པས་བསྐོར་བར་གསལ་གདབ། རང་

ཉིད་ཀྱང་གནས་དེར་སླེབ་ནས་དག་པའི་ཞིང་གི་སྣོད་བཅུད་དེ་དག་མངོན་སུམ་དུ་ཁྲ་ལམ་མེར་
མཐོང་བྱུང་སྙམ་པའི་མོས་པ་བསྐྱེད། དེ་ནས་ཐོག་མར་ཚོགས་ཞིང་སྤྱན་དྲང་བ་ནི། རྗེ་
བཙུན་གྱི་ཐུགས་ཀ་གསེར་གྱི་གཏན་པ་ཕྱིས་བལྟ་བུ་ལ་དཔལ་ལེའུའི་དྲ་མིག་ཁྲ་སེང་ངེ་བ་ཡོད་
པའི་སྦུབས་ན་སྤྲིན་དཀར་པོ་ལྡིང་བའི་སྟེང་དུ་རྗེ་བླ་མ་ཡབ་སྲས་གསུམ། ༔སྐུ་མདོག་དཀར་ལ་དམར་
བའི་མདངས་ཆགས་པ། དབུ་པཎ་དང་ན་བཟའ་ཆོས་གོས་རྣམ་གསུམ་གསོལ་བ། ཕྱག་རྒྱ་དང་ཕྱག་མཚན།
བཞུགས་སྟབས་སོགས་བྲིས་པའི་ནང་བཞིན། ༔བཞུགས་པ་གསལ་བཏབ། དེ་ནས་རྗེ་བླ་མའི་ཡོན་
ཏན་དྲན་པའི་སྒོ་ནས་དད་གུས་ཆེན་པོས། དགའ་ལྡན་ལྷ་བརྒྱའི་མགོན་གྱི། ཞེས་སོགས་ཀྱི་
ཚིགས་བཅད་གཅིག་བརྗོད་དེ་ཚོགས་ཀྱི་ཞིང་དུ་སྤྱན་དྲངས་པས། རྗེ་བཙུན་བྱམས་མགོན་གྱི་
ཐུགས་ཀ་ནས་སྤྲིན་དཀར་པོ་དར་དཀར་བརྐྱངས་པ་འདྲ་བའི་སྟེང་རྗེ་བླ་མ་ཡབ་སྲས་གསུམ་
བཞུགས་པ་རང་གི་མདུན་ཐད་དུ་བྱོན་པར་བསམས་ནས་སྐྱབས་གནས་ཀུན་འདུས་ཀྱི་བདག་
ཉིད་དུ་མོས། དེ་ནས་ཡན་ལག་བདུན་པ་རིམ་བཞིན་བྱ་དགོས་པས། དང་པོ་གསོལ་བ་གདབ་
པའི་ཡན་ལག་བྱ་ཚུལ་ནི། རང་གི་མདུན་ཐད་ཀྱི་ནམ་མཁར་དཔུས་སུ་སེང་ཁྲི་ཆེ་བ་ཞིག་དང་། དེའི་
གཡས་གཡོན་དུ་སེང་ཁྲི་ཆུང་བ། དེ་གསུམ་ཀའི་སྟེང་དུ་སྣ་ཚོགས་པདྨ་དང་ཟླ་བའི་གདན་རེ་
རེ། དེ་དག་གི་སྟེང་དུ་རྗེ་བླ་མ་ཡབ་སྲས་གསུམ་བཞུགས་པར་མོས་ནས། མདུན་གྱི་ནམ་
མཁར། ཞེས་སོགས་ཚིག་བཅད་གཅིག་བརྗོད་དེ། ༔བདག་ཅག་འགྲོ་བ་མགོན་མེད་རྣམས་ཀྱི་
སྐྱབས་མགོན་དཔུང་གཉེན་དང་། མདོ་སྔགས་ཀྱི་བསྟན་པ་རིན་པོ་ཆེ་དྲི་མ་མེད་པ་དར་ཞིང་རྒྱས་པའི་སླད་དུ་
བསྐལ་བརྒྱའི་བར་དུ་བཞུགས་སུ་གསོལ་སྙམ་པའི་སྒོ་ནས། ༔གསོལ་བ་གདབ། དེ་ནས་གཉིས་པ་
ཕྱག་འཚལ་བའི་ཡན་ལག་ནི། རྗེ་བླ་མའི་༔ཐུགས་ཀྱི་ཆ་ཤས་གཅིག་གིས་ཀྱང་ཤེས་བྱའི་གནས་ཕྲ་
རགས་ཡོད་དོ་ཅོག་ཐམས་ཅད་དུས་ཅིག་ཅར་དུ་མངོན་སུམ་དུ་གཟིགས་ནུས་པ་དང་། གསུང་གི་ཆ་ཤས་
གཅིག་གིས་ཀྱང་སྐལ་ལྡན་གྱི་འགྲོ་བ་རང་རང་གི་སྐད་དུ་གོ་ནས་གནས་སྐབས་དང་མཐར་ཐུག་གི་བདེ་ལེགས་
སྟེར་བར་ནུས་པ་དང་། སྐུ་མཚན་དཔེ་གསལ་རྫོགས་དང་ཞིང་། ཞིང་ཁམས་ཀུན་ཏུ་གང་འདུལ་གྱི་སྤྲུལ་པ་
སྟོན་ནུས་པ་སོགས། ༔སྐུ་གསུང་ཐུགས་ཀྱི་ཡོན་ཏན་རྣམས་དྲན་བཞིན་པའི་ངང་ནས། ༔རང་གི་
ལུས་གྲངས་མེད་པ་སྤྲུལ་ཤིང་སེམས་ཅན་རྣམས་ཀྱིས་ཀྱང་རང་དང་མཉམ་དུ་ལུས་ཀྱིས་ཕྱག་འཚལ་བ་དང་།
ངག་གིས་བསྟོད་དབྱངས་བརྗོད་པ་དང་ཡིད་ཀྱིས་དད་གུས་ཆེན་པོ་བསྐྱེད་དེ། ༔ལུས་ངག་ཡིད་གསུམ་གྱི་སྒོ་
ནས་ཕྱག་འཚལ་བར་མོས་ནས། །ཤེས་བྱའི་ཁྱོན་ཀུན་འཇལ་བའི་ཞེས་སོགས་ཚིག་བཅད་གཅིག་དོན་དྲན་

བཞིན་པས་བརྗོད། །དེ་ནས་གསུམ་པ་མཆོད་པ་འབུལ་བའི་ཡན་ལག་ནི། །ཡིད་འོང་མཆོད་ཡོན་སྣ་ཚོགས་མེ་ཏོག་ཅེས་སོགས་ཀྱི་ཚིག་བཅད་གཅིག་བརྗོད་དོ། །དེའི་སྐབས་སུ། ༔མཆོད་པའི་ལྷ་མོ་ཕྱག་ན་མཆོད་ཡོན་ལ་སོགས་པའི་ཆུ་བཞི་དང་། ཉེར་སྤྱོད་རོལ་མོ་རྣམས་ཐོགས་པ་དང་། འདོད་ཡོན་སྣ་ལྔ་དང་། རྒྱལ་སྲིད་སྣ་བདུན་དང་། ཉེ་བའི་རིན་ཆེན་བདུན་དང་། བཀྲ་ཤིས་པའི་རྟགས་བརྒྱད་དང་། རྫས་བརྒྱད་དང་། གཞན་ཡང་འཇིག་རྟེན་ན་བདག་པོས་མ་བཟུང་བའི་ཆུ་མཚོ་སོགས་འདོད་རྒུ་ཡིད་དུ་འོང་བ་ཇི་སྙེད་ཡོད་པ་དང་། ཀུན་ཏུ་བཟང་པོའི་མཆོད་སྤྲིན་སོགས། ༔མདོར་བསྡུ་ན་བླ་ན་ཡོད་པ་དང་བླ་ན་མེད་པའི་མཆོད་པའི་བྱེ་བྲག་བསམ་གྱི་མི་ཁྱབ་པ་ཕུལ་བས་བདག་གིར་བཞེས་ཏེ་ཐུགས་རྒྱུད་བདེ་བ་ཁྱད་པར་ཅན་སྐྱེར་བས་མཉེས་ཤིང་ཚིམ་སོང་སྙམ་པ་བྱ། དེ་ནས་བཞི་པ་བཤགས་པ་བྱ་བ་ནི། ༔རང་གཞན་གཉིས་ཀས་ཐོག་མ་མེད་པ་ནས་ད་ལྟའི་བར་ལུས་ངག་ཡིད་གསུམ་གྱི་སྒོ་ནས་བསགས་པའི་སྡིག་ལྟུང་ཇི་སྙེད་ཅིག་མཆིས་པ་འབྲས་བུ་སྨིན་མ་ཟིན་པ་དང་། ཁྱད་པར་ཚེ་འདིར་སྡོམ་པ་གསུམ་གྱི་མི་མཐུན་ཕྱོགས་བཅས་རང་གི་ཉེས་ལྟུང་ཇི་སྙེད་བྱུང་བས་མཚོན། ༔རང་གཞན་གྱིས་བགྱིས་པའི་སྡིག་ལྟུང་མི་དགེ་བའི་ཚོགས་རྣམས། ༔འདི་ཕྱི་གཉིས་ཀར་གནོད་པའི་ཉེས་དམིགས་ཤིན་ཏུ་ཆེ་བ་ཡིན་པར་ཤེས་པར་བྱས་ནས། ༔སྔར་བྱས་ལ་འགྱོད་སེམས་དང་། ཕྱིན་ཆད་སྲོག་དང་བསྡོས་ཏེ་མི་བྱེད་སྙམ་པའི་སྡོམ་སེམས་བསྟེན་ནས་སྙིང་ཁོང་རུས་པའི་གཏིང་ནས་བཤགས་སྙམ་པ་བགྱིས་ཏེ། གང་ཞིག་ཐོག་མེད་དུས་ནས་ཞེས་སོགས་ཀྱི་ཚིག་བཅད་གཅིག་པོ་དེ་དོན་དྲན་བཞིན་པའི་སྒོ་ནས་བརྗོད་ཅིང་ཉེས་ལྟུང་དེ་དག་ཀུན་དག་སོང་སྙམ་པའི་མོས་པ་བྱ། ༔དེ་ཡང་སྡིག་པ་བཤགས་པ་ལ་སྟོབས་བཞི་ཚང་དགོས་པས་གོང་དུ་སྐྱབས་འགྲོ་སེམས་བསྐྱེད་བྱེད་པ་ནི་རྟེན་གྱི་སྟོབས་དང་། སྔར་བྱས་ལ་འགྱོད་སེམས་བསྐྱེད་པ་ནི་རྣམ་པར་སུན་འབྱིན་པའི་སྟོབས་དང་། ཕྱིན་ཆད་མི་བྱེད་སྙམ་པའི་སྡོམ་སེམས་བསྟེན་པ་ནི་ཉེས་པ་ལས་སླར་ལྡོག་པའི་སྟོབས་དང་། གོང་གི་ཕྱག་སོགས་ནི་གཉེན་པོ་ཀུན་ཏུ་སྤྱོད་པའི་སྟོབས་ཡིན་པ་དེ་དག་རེ་རེ་ནས་ནན་ཏན་དུ་འབད་དགོས་པ་ཡིན། ༔དེ་ནས་ལྔ་པ་རྗེས་སུ་ཡི་རང་གི་ཡན་ལག་བྱ་ཚུལ་ནི། སྙིགས་མའི་དུས་འདིར་མང་ཐོས། ཞེས་སོགས་ཀྱི་ཚིགས་བཅད་འདི་བརྗོད་པའི་སྐབས་ནས། རྗེ་བླ་མས་སྙིགས་མ་ལྔ་བདོ་བའི་དུས་མཐའ་འདིར་ཕྱིན་ནས། ༔མདོ་སྔགས་ཀྱི་རྒྱལ་བའི་གསུང་རབ་དགོངས་འགྲེལ་དང་བཅས་པ་ལ་དང་པོར་ཐོས་པ་བརྒྱ་ཆེན་པོ་བཙལ། དེ་ནས་ཐོས་དོན་མཐའ་དག་འདོར་རྒྱུ་སྤུ་ཙམ་ཡང་མེད་པར་འཚང་རྒྱ་བའི་ཐབས་ཤ་སྟག་དང་གདམས་པའི

མཆོག་ཏུ་གཟིགས་ཏེ། ཉིན་མཚན་ཀུན་ཏུ་ཉམས་བཞེས་མཛད་པས་དོན་མཐའ་དག་མངོན་དུ་གྱུར་ཏེ་གྲུབ་པ་མཆོག་གི་སར་གཤེགས་ནས་ཆོས་བརྒྱུད་ཀྱི་འཆིང་བས་མ་གོས་པའི་དལ་འབྱོར་ཐོབ་པ་དོན་ཡོད་པར་མཛད་ཅིང་། གདུལ་བྱ་ཚད་མེད་པའང་ཚུལ་དེར་བཀྲི་བའི་ལུགས་སྲོལ་དྲི་མ་མེད་པ་འདི་ལ་ད་ལྟ་ཡང་རང་ཅག་ཡོངས་སྤྱོད་དུ་ཚོགས་པ་སོགས། ༔ མདོ་སྔགས་ཀྱི་བསྟན་པ་ཡོངས་སུ་རྫོགས་པའི་ཆ་ལ་རྒྱལ་བ་རང་ཉིད་སླར་བྱོན་པ་དང་ཁྱད་པར་མ་མཆིས་ཤིང་། བསྟན་པ་དང་འགྲོ་བའི་དོན་དུ་འགྱུར་བའི་སྐུ་གསུང་ཐུགས་ཀྱི་མཛད་པ་འཕྲིན་ལས་གང་གི་ཆ་ལའང་སྔོན་བྱོན་དམ་པ་གང་གིས་kྱང་བསྙོན་དུ་མེད་པའི་ཚུལ་རྣམས་བསམས་ནས་བསམ་པ་ཐག་པ་ནས་རྗེས་སུ་ཡི་རང་བསྐྱེད་དེ་བདག་ཅག་ཀྱང་རྗེ་བླ་མའི་མཛད་པ་དང་རྣམ་ཐར་དེ་ལྟར་བུའི་རྗེས་སུ་འཇུག་པར་བྱའོ་སྙམ་པའི་མོས་པ་དྲག་པོ་བྱ། དེའི་རྗེས་སུ་དྲུག་པ་ཆོས་འཁོར་བསྐོར་བར་བསྐུལ་བའི་ཡན་ལག་ནི། རྗེ་བཙུན་བླ་མ་དམ་པ་ཁྱེད་རྣམས་ཀྱི་ཐུགས་ཆོས་སྐུ་ནམ་མཁའ་ལྟ་བུ་ལས་གཡོ་བ་མེད་ཀྱང་སྐལ་ལྡན་གྱི་གདུལ་བྱ་རྣམས་ལ་མཁྱེན་པ་དང་བརྩེ་བས་ཉེ་བར་དགོངས་ཏེ་རང་རང་གི་སྐལ་བ་དང་འཚམས་པའི་ཟབ་པ་དང་རྒྱ་ཆེ་བའི་ཆོས་ཀྱི་འཁོར་ལོ་རྒྱུན་ཆད་མེད་པར་བསྐོར་དུ་གསོལ་སྙམ་དུ། རྗེ་བཙུན་བླ་མ་དམ་པ་ཞེས་སོགས་ཚིག་བཅད་གཅིག་གིས་གསོལ་བ་བཏབ་པས་དེ་ལྟར་ཞལ་གྱིས་བཞེས་པའི་མོས་པ་བྱ། དེའི་རྗེས་སུ་བདུན་པ་བསྔོ་བའི་ཡན་ལག་བྱ་ཚུལ་ནི། བདག་གིས་བླ་མའི་རྣལ་འབྱོར་བསྒོམ་པ་འདིས་མཚོན་རང་གཞན་གྱིས་དུས་གསུམ་དུ་བསགས་པའི་དགེ་རྩ་ཐམས་ཅད་སྤྱིར་བསྟན་འགྲོ་ཡོངས་ལ་གང་ཕན་པའི་ཐབས་སུ་འགྱུར་བ་དང་། ཁྱད་པར་རྗེ་བླ་མའི་མདོ་སྔགས་ཀྱི་བསྟན་པ་དྲི་མ་མེད་པ་འདི་ཉིད་ཕྱོགས་དུས་ཀུན་ཏུ་ཉིན་མོ་ལྟར་གསལ་བར་བྱེད་ནུས་པའི་རྒྱུར་གྱུར་ཅིག་སྙམ་དུ་བསམས་ནས། བདག་གིས་ཇི་སྙེད་བསགས་པའི་ཞེས་སོགས་ཚིག་བཅད་གཅིག་གི་དོན་དྲན་བཞིན་པའི་སྒོ་ནས་དགེ་བ་བསྔོ། །དེའི་རྗེས་སུ་དམིགས་བརྩེ་མའི་སྒོ་ནས་གསོལ་བ་གདབ་ཅིང་དངོས་གྲུབ་ཞུ་བའི་ཚུལ་ལ། དམིགས་བརྩེ་མའི་དོན་མདོར་བསྡུ་ན། ༔ བྱང་སེམས་ཐམས་ཅད་ཀྱི་ནང་ནས་བརྩེ་བ་སྙིང་རྗེ་ཆེན་པོ་མངའ་བ་ལ་སྤྱན་རས་གཟིགས་འགྲན་ཟླ་མེད་པ་དང་། ཇི་ལྟ་ཇི་སྙེད་རྟོགས་པའི་མཁྱེན་རབ་མངའ་བ་ལ་རྗེ་བཙུན་འཇམ་དཔལ་དབྱངས་འགྲན་ཟླ་དང་བྲལ་བ་དང་། ཕྱི་ནང་གི་བདུད་དང་མི་མཐུན་ཕྱོགས་འཛོམས་

པའི་མཐུ་སྟོབས་ནུས་པ་མངའ་བ་ལ་རྗེ་བཙུན་གསང་བའི་བདག་པོ་འགྲན་ཟླ་དང་བྲལ་བ་ཡིན་ཞིང་རྗེ་བླ་མ་ཡང་དེ་གསུམ་དང་སྒོ་ཀུན་ནས་མཚུངས་ཤིང་། ཚུལ་དེས་བོད་གངས་ཅན་ན་བསྟན་འགྲོའི་དོན་མཛད་པ་ལ་མཁས་གྲུབ་ཐམས་ཅད་ཀྱི་ནང་ནས་འགྲན་ཟླ་དང་བྲལ་བས་ཀུན་གྱི་གཙུག་གི་རྒྱན་དུ་གྱུར་པ་ཡིན་པས། དེས་ན། ༔ མཁྱེན་བརྩེ་ནུས་གསུམ་མངའ་བ་ལ་འགྲན་པའི་ཟླ་མ་མཆིས་པའི་རིགས་གསུམ་མགོན་པོ་དང་སྒོ་ཀུན་ནས་མཚུངས་ཤིང་། གངས་ཅན་མཁས་པ་ཡོངས་ཀྱི་གཙུག་གི་རྒྱན་དུ་གྱུར་པའི་ཤར་ཙོང་ཁ་པ་བློ་བཟང་གྲགས་པའི་དཔལ་གྱི་ཞབས་ཀྱི་པདྨོ་ལ་སྤྱི་བོས་བཏུད་དེ་གསོལ་བ་འདེབས་སོ་བདག་ཀྱང་སྨུར་དུ་ཁྱེད་རང་ལྟ་བུར་འགྱུར་བར་བྱིན་གྱིས་བརླབ་ཏུ་གསོལ། །ཞེས་པ་ཡིན་པས་དེ་ལྟར་དོན་དྲན་བཞིན་པའི་སྒོ་ནས་དམིགས་བརྩེ་མ་བརྒྱ་སྟོང་སོགས་ཅི་འགྲུབ་བཟླ་བ་ཡིན། ༔ དེ་ནི་ཕྱི་མཚུངས་པས་གསལ་བྱེད་ཀྱི་སྒོ་ནས་གསོལ་བ་འདེབས་པ་དང་རྗེ་བླ་མའི་ཕྱི་སྒྲུབ་ཞེས་བྱ་བ་ཡིན། ཡང་སྤྱན་རས་གཟིགས་ཀྱི་ཐུགས་རྒྱུད་ལ་ཇི་ལྟར་མངའ་བའི་བརྩེ་བ་སྙིང་རྗེ་ཆེན་པོ་དང་། རྗེ་བཙུན་འཇམ་དཔལ་དབྱངས་ཀྱི་ཐུགས་རྒྱུད་ལ་ཇི་ལྟར་མངའ་བའི་མཁྱེན་རབ་དང་། དཔལ་གསང་བའི་བདག་པོའི་ཐུགས་རྒྱུད་ལ་ཇི་ལྟར་མངའ་བའི་ནུས་མཐུ་རྣམས་རྗེ་བླ་མ་ལ་མངའ་བ་ཡིན་པས་དེ་ལྟར་མོས་ནས་ སྔར་ལྟར་གསོལ་བ་གདབ་ཅིང་། དེ་ནི་ནང་ཡོན་ཏན་དེ་ལྡན་གྱི་སྒོ་ནས་གསོལ་བ་གདབ་པ་རྗེ་བླ་མའི་ནང་སྒྲུབ་ཞེས་བྱ་བ་ཡིན། ཡང་རྒྱལ་བ་ཐམས་ཅད་ཀྱི་སྙིང་རྗེ་དང་མཁྱེན་རབ་དང་ནུས་མཐུ་གསུམ་རིམ་པ་བཞིན་ལྟར་ཤར་བ་ནི་རིགས་གསུམ་མགོན་པོ་ཡིན་ཞིང་། རྗེ་བླ་མ་ཡང་དེ་གསུམ་དང་ངོ་བོ་གཅིག་ཡིན་པས་དེ་ལྟར་མོས་ནས་སྔར་བཞིན་གསོལ་གདབ། དེ་ནི་གསང་བ་ལྷག་པའི་ལྷ་དང་ངོ་བོ་དབྱེར་མེད་དུ་གསོལ་བ་འདེབས་པ་དང་རྗེ་བླ་མའི་གསང་སྒྲུབ་ཡིན། ༼མདོར་ན་རྗེ་བླ་མ་ལྷག་པའི་ལྷ་རིགས་གསུམ་མགོན་པོ་དང་ཕྱི་མཚུངས་པ་གསལ་བྱེད། ནང་ཡོན་ཏན་དེ་ལྡན། གསང་བ་ལྷག་པའི་ལྷའི་ངོ་བོར་མོས་པ་ཅི་རིགས་ཀྱི་སྒོ་ནས་གསོལ་བ་འདེབས་བཞིན་པར་དངོས་གྲུབ་ཞུ་བའི་ཚུལ་ནི། དེ་ལྟར་གསོལ་བ་བཏབ་པས་རྗེ་བླ་མ་ཡབ་སྲས་གསུམ་མཉེས་ནས་དེ་གསུམ་གྱི་ཐུགས་ཀ་ནས་འོད་དཀར་པོ་སྣུ་གུ་ཅན་ཕུ་དུང་ལྟ་བུ་རེ་རེ་བྱུང་བ་མདུན་གྱི་བར་སྣང་མཚམས་སུ་སྣུ་གུ་གཅིག་ཏུ་འདྲིས་ནས་རང་གི་སྤྱི་བོའི་ཚངས་བུག་ལ་ཐུག །དེ་དག་གི་ནང་ནས་ངོ་བོ་ཡེ་ཤེས་ཡིན་པ་ལ་རྣམ་པ་བདུད་རྩི་

དཀར་པོའི་རྒྱུན་དཔག་ཏུ་མེད་པ་བྱུང་། རང་གི་སྤྱི་བོ་ནས་ཞུགས་ཏེ་ལུས་ཀྱི་ནང་ཐམས་ཅད་གང་བས་ཐོག་མེད་ནས་བསགས་པའི་སྡིག་སྒྲིབ་དང་མི་ཤེས་པའི་རྨོངས་པ་ནད་གདོན་ཐམས་ཅད་དུད་ཁུ་དང་སོལ་ཁུ་སོགས་ཀྱི་རྣམ་པར་དབང་པོའི་སྒོ་དང་བ་སྤུའི་བུ་ག་ཐམས་ཅད་ནས་ཕྱིར་དེད་དེ་ལྷག་མེད་དུ་བྱས། ལུས་ཡེ་ཤེས་ཀྱི་བདུད་རྩི་གང་ཞིང་མི་ཤེས་པའི་མུན་པ་ཐམས་ཅད་གར་སོང་ཆ་མེད་དུ་སྒྱུར་ནས་ལུས་ཀྱི་ནང་ཐམས་ཅད་གསལ་སིང་ངེ་བར་བྱས། ལུས་སེམས་བདེ་བས་གང་ཞིང་ཐོས་བསམ་བསྒོམ་གསུམ་གྱི་ཤེས་རབ་སོགས་ལུང་རྟོགས་ཀྱི་ཡོན་ཏན་ཐམས་ཅད་འཕེལ་ཞིང་རྒྱས་བར་བྱས་སོང་སྙམ་པའི་མོས་པ་བྱ་བ་ཡིན། དེ་ཡང་འཆད་རྩོད་རྩོམ་གསུམ་ལ་སོགས་པའི་དངོས་གྲུབ་དམིགས་ཕྱག་ནས་ཞུ་བའི་ཚུལ་ནི། ༧མ་དག་འཁྲུད་དང་མི་ཤེས་གསལ། །སྐུ་ཡིས་ཚེ་ཞིང་གསུང་གིས་གསལ། །ས་བོན་མྱུར་བ་ཕྱག་མཚན་ཟབ། །གླེགས་བམ་རལ་གྲི་གླེགས་རལ་གྱིས། །འཆད་དང་རྩོད་དང་རྩོམ་པའོ། །ཞེས་པའི་སྨོན་ཚིག་ལྟར། དང་པོ་སྐུའི་སྒོ་ནས་ཤེས་རབ་ཆེ་བསྒྲུབ་ཚུལ་ནི། མ་དག་འཁྲུད་ཅིང་མི་ཤེས་པ་བསལ་བའི་དམིགས་པ་གོང་ལྟར་སོང་རྗེ་སྐབས་ཡང་དམིགས་བརྩེ་མས་གསོལ་བ་བཏབ་པས་འོད་ཀྱི་སྨྱུ་གུ་དེ་ནས་བདུད་རྩི་དམར་སེར་གྱི་རྒྱུན་བབས་པ་སྤྱི་བོ་ནས་ཞུགས་པས་ལུས་ཀྱི་ནང་ཐམས་ཅད་གང་། ཁྱད་པར་བདུད་རྩིའི་རྡུལ་ཕྲ་རབ་ཐམས་ཅད་རྗེ་བཙུན་འཇམ་དཔལ་དབྱངས་ཀྱི་སྐུའི་རྣམ་པས་བར་མཚམས་མེད་པར་གཏམས། དེ་དག་ལས་འོད་ཟེར་འཕྲོས་པས་ཕྱོགས་བཅུའི་རྒྱལ་བ་སྲས་བཅས་ཐམས་ཅད་ཀྱི་ཐུགས་རྒྱུད་ཀྱི་མཁྱེན་རབ་ཀྱི་ཡོན་ཏན་སྤྱི་དང་ཁྱད་པར་ཤེས་རབ་ཆེ་བའི་ཡོན་ཏན་ཐམས་ཅད་རྗེ་བཙུན་འཇམ་དཔལ་དབྱངས་ཀྱི་སྐུའི་རྣམ་པ་དཔག་ཏུ་མེད་པ་སྤྱན་དྲངས། བ་སྤུའི་བུ་ག་ཐམས་ཅད་ནས་ཞུགས། ལུས་ཀྱི་ནང་གི་འཇམ་དབྱངས་རྣམས་ལ་ཐིམ་པས་ལུས་ཀྱི་ནང་ཐམས་ཅད་ལྷ་སྐུ་འོད་ཟེར་དང་བཅས་པས་གསལ་སིང་ངེ་བར་བྱས། མ་རིག་པའི་མུན་པ་སྤྱི་དང་ཁྱད་པར་བླང་དོར་གྱི་གནས་རྣམས་རང་སྟོབས་ཀྱིས་འབྱེད་པ་ལ་རྨོངས་པའི་རྨོངས་པ་ཐམས་ཅད་གསལ། ཕྱིར་ཤེས་བྱ་ཐམས་ཅད་ལ་བློ་གྲོས་ཀྱི་སྣང་བ་རྒྱས་ཤིང་། བྱེ་བྲག་ཏུ་རྒྱལ་བའི་གསུང་རབ་ཀྱི་དགོངས་དོན་སོགས་བླང་དོར་གྱི་གནས་ཐམས་ཅད་རང་སྟོབས་ཀྱིས་འབྱེད་ནུས་པའི་ཤེས་རབ་བརླབས་ཆེ་བ་ཐོབ་བྱུང་སྙམ་པའི་དམིགས་པ་བརྟན་པོ་མ་ཡེངས་པར་བྱ། གཉིས་པ་གསུང་གི་སྒོ་ནས

ཤེས་རབ་གསལ་བ་སྒྲུབ་ཚུལ་ནི། མ་དག་པ་འབྲུད་པ་སོགས་ཀྱི་དམིགས་པ་གཞན་ཐམས་ཅད་སྤར་དང་འདྲ་བ་ལས་སྐུའི་ཚབ་ཏུ་གསུང་ཨ་ར་པ་ཙ་ན་དང་དམིགས་བརྩེ་མ། ཤེས་རབ་ཆེ་བའི་ཚབ་ཏུ་ཤེས་རབ་གསལ་བའི་ཁྱད་པར་སྒྲུར་ནས། ཁྱད་པར་ཀུན་ནས་ཉོན་མོངས་པ་དང་རྣམ་པར་བྱང་བའི་ཆ་ཤས་ཕྲ་ཞིང་ཕྲ་བ་ཚུན་ཆད་ཀྱང་ཀུ་ཤའི་རྩེ་མོ་དང་སྐྲའི་རྩེ་མོར་བརྒྱད་བཤགས་པའི་ཚོད་ཙམ་དུ་མ་འདྲེས་པར་ཇི་ལྟ་བ་བཞིན་དུ་འབྱེད་ནུས་པ་ལ་སྒྲོངས་བ་ཐམས་ཅད་བསལ་ཞིང་དེ་ལྟར་འབྱེད་ནུས་པའི་ཤེས་རབ་གསལ་བ་ཐོབ་བྱུང་སྙམ་པ་བྱ། གསུམ་པ་ཐུགས་ཀྱི་སྒོ་ནས་ཤེས་རབ་མྱུར་བ་སྒྲུབ་ཚུལ་ནི། གཞན་རྣམས་སྔར་བཞིན་ལས་སྐུའི་ཚབ་ཏུ་ཧྲཱིཿཡིག་དང་། ཤེས་རབ་ཆེ་བའི་ཚབ་ཏུ་ཤེས་རབ་མྱུར་བའི་ཁྱད་པར་སྒྲུར་ནས་མ་རྟོགས་པ་དང་ཕྱིན་ཅི་ལོག་ཏུ་རྟོག་པ་དང་ཐེ་ཚོམ་གྱི་བློ་སྐྱེས་མ་ཐག་ཏུ་འགོག་ནུས་པ་ལ་སྒྲོངས་པའི་སྒྲོངས་པ་ཐམས་ཅད་གསལ་ཞིང་དེ་ལྟར་འགོག་ནུས་པའི་ཤེས་རབ་མྱུར་པ་ཐོབ་བྱུང་སྙམ་དུ་བསམ། བཞི་པ་ཕྱག་མཚན་གྱི་སྒོ་ནས་ཤེས་རབ་ཟབ་པ་སྒྲུབ་ཚུལ་ནི། གཞན་རྣམས་སྔར་དང་འདྲ་བ་ལས། སྐུའི་ཚབ་ཏུ་རལ་གྲི་དང་གླེགས་བམ་དང་། ཤེས་རབ་ཆེ་བའི་ཚབ་ཏུ་ཤེས་རབ་ཟབ་པའི་ཁྱད་པར་སྒྲུར་ནས་ཁྱད་པར་གསུང་རབ་ཀྱི་ཚིག་དོན་ལ་ཐོགས་རྟགས་མེད་ཅིང་། རིག་པ་མཐའ་ཡས་པའི་སྒོ་ནས་རྣམ་པར་འབྱེད་པ་ལ་སྒྲོངས་པ་བསལ་ཞིང་དེ་ལྟར་རྣམ་པར་འབྱེད་པ་ལ་འཇུག་པའི་ཤེས་རབ་ཟབ་པ་ཐོབ་བྱུང་སྙམ་དུ་བསམ། ལྔ་པ་གླེགས་བམ་གྱི་སྒོ་ནས་འཆད་པའི་དངོས་གྲུབ་སྒྲུབ་ཚུལ་ནི། གཞན་རྣམས་སྔར་དང་འདྲ་བ་ལས་སྐུའི་ཚབ་ཏུ་གང་འཆད་རྒྱུའི་གླེགས་བམ་དང་། རྒྱལ་བ་སྲས་བཅས་ཀྱི་དང་ཁྱད་པར་འཆད་པ་ལ་ཐོགས་པ་མི་མངའ་བའི་པཎྜི་ཏ་སོགས་ཀྱི་འཆད་པའི་ཤེས་རབ་གླེགས་བམ་གྱི་རྣམ་པར་སྤྲུན་དྲངས་པ་དང་། ཁྱད་པར་གསུང་རབ་ཀྱི་ཚིག་དོན་ལ་སྒྲོངས་པའི་མི་ཤེས་པ་སྦྱངས་ཤིང་ཚིག་དོན་རྣམས་ཇི་ལྟ་བ་བཞིན་ཡོང་དུ་ཆུད་ནས་སྐལ་ལྡན་གཞན་ལ་སྟོན་ཏེ་རྗེས་སུ་འཛིན་ནུས་པའི་ཤེས་རབ་ཐོབ་བྱུང་སྙམ་དུ་བསམ། དྲུག་པ་རལ་གྲིའི་སྒོ་ནས་རྩོད་པའི་དངོས་གྲུབ་སྒྲུབ་ཚུལ་ནི། གཞན་རྣམས་སྔར་ལྟར་ལས་སྐུའི་ཚབ་ཏུ་རལ་གྲིའི་འཁོར་ལོ། དེ་ཡང་ལྟེ་བར་རལ་གྲི་སོ་གཉིས་མ་གྱེན་འབྲེང་གི་ཡུ་བ་གཡེར་ཁ་ལྟ་བུ་ནས་རལ་གྲིའི་རྩེབས་དྲུག་འཐོན་པ། དབུས་ཀྱི་རལ་གྲིའི་ཡུ་བའི་མཚམས་སུ་ཟླ་གདན་ལ་ཧྲཱིཿཡིག་ཕྱི་ནང་གཉིས་ཀར་གསལ་བ་དང་། རྩེབས་

ཧྲུག་གི་སྟེང་དུ་མ་རིག་ཙམ་གྱི་ཟླ་གདན་ལ་ཨོཾ་ཨ་ར་པ་ཙ་ན་ཞེས་པ་རེ་ཡི་གེ་རེ་རེ་འམ། ཡང་ན་དམིགས་བཙོམ། མཚམས་རྣམས་སུ་ཟླ་གདན་ལ་ཧྲཱིཿ རེ་དང་བཅས་པའི་འཁོར་ལོའི་རྣམ་པ་དང་ཤེས་རབ་ཆེ་བའི་ཆབ་ཏུ་རྟོད་པའི་ཤེས་རབ་ཞེས་པའི་ཁྱད་པར་སྒྱུར་ནས། ལུས་ཀྱི་ནང་གི་འཁོར་ལོ་དེ་རྣམས་ཤིན་ཏུ་མྱུར་བར་གཡས་བསྐོར་དུ་འཁོར་བས་ལོག་པར་སྨྲ་བའི་ཕས་ཀྱི་རྒོལ་བའི་ལོག་རྟོག་ཐམས་ཅད་འཇོམས་པ་ལ་སྤོངས་པའི་དྲ་བ་ཐམས་ཅད་བཅད། རྟོད་པ་ལ་ཐོགས་པ་མེད་པའི་ཤེས་རབ་ཁྱད་པར་ཅན་ཐོབ་བྱུང་སྙམ་དུ་བསམ། བདུན་པ་གླེགས་རལ་གཉིས་ཀའི་སྒོ་ནས་རྩོམ་པའི་ཤེས་རབ་སྒྲུབ་ཚུལ་ནི། གཞན་རྣམས་སྔར་ལྟར་ལ་སྐུའི་ཚབ་ཏུ་གླེགས་བམ་དང་རལ་གྲི་དང་། ཤེས་རབ་ཆེ་བའི་ཚབ་ཏུ་རྩོམ་པའི་ཤེས་རབ་ཞེས་པའི་ཁྱད་པར་སྒྱུར་ནས། གང་རྩོམ་པ་ལ་སྤོངས་པའི་མི་ཤེས་པ་ཐམས་ཅད་སྤྱངས་ཤིང་། རྩོམ་པ་ལ་ཐོགས་པ་མེད་པའི་ཤེས་རབ་ཁྱད་པར་ཅན་ཐོབ་བྱུང་སྙམ་དུ་བསམ། དེ་ལྟར་དམིགས་བསྐོར་བདུན་པོ་ཐམས་ཅད་དམ་དེ་དག་ལས་རང་ལ་གང་འདོད་པའི་དངོས་གྲུབ་ཞུ་བའི་གསོལ་འདེབས་ལ་འབད་པས་མཆོག་ཅིང་། ༤མདོར་ན་མ་དག་པ་འཕྲུལ་པའི་དམིགས་སྐོར་གོང་བཞིན་སྟོན་དུ་བཏང་ནས་སྐུའི་སྒོ་ནས་ཤེས་རབ་ཆེ་བའི་དངོས་གྲུབ། གསུང་གི་སྒོ་ནས་ཤེས་རབ་གསལ་བའི་དངོས་གྲུབ། ཐུགས་ས་བོན་གྱི་སྒོ་ནས་ཤེས་རབ་མྱུར་བའི་དངོས་གྲུབ། ཕྱག་མཚན་གྱི་སྒོ་ནས་ཤེས་རབ་ཟབ་པའི་དངོས་གྲུབ། གླེགས་བམ་གྱི་སྒོ་ནས་འཆད་པའི་ཤེས་རབ་ཀྱི་དངོས་གྲུབ། རལ་གྲིའི་སྒོ་ནས་རྟོད་པའི་ཤེས་རབ་ཀྱི་དངོས་གྲུབ། གླེགས་རལ་གཉིས་ཀའི་སྒོ་ནས་རྩོམ་པའི་ཤེས་རབ་ཀྱི་དངོས་གྲུབ་སྒྲུབ་ཚུལ་གྱི་དམིགས་སྐོར་རྣམས་དང་གཞན་ཡང་དབང་བཞི་བྱིན་རླབས་ཀྱི་ཚུལ་དུ་ལེན་པའི་དམིགས་སྐོར་རྣམས་དང་། ཞི་རྒྱས་དབང་དྲག་གི་ལས་རབ་འབྱམས་སྒྲུབ་ཚུལ་རྣམས་ཤེས་པར་བྱས་ནས་ལག་ལེན་ལ་ཐེབས་པར་བྱ། དེ་ནས་མཇུག་གི་བྱ་བ་ནི། དཔལ་ལྡན་རྩ་བའི་བླ་མ་རིན་པོ་ཆེ། །ཞེས་སོགས་བརྗོད་དེ་གསོལ་བ་བཏབ་པས། ཤྲས་གཉིས་ཀྱིས་གཙོ་བོ་ལ་ཐིམ། དེ་གཉིས་ཀྱི་སེང་ཁྲི་ཡང་གཙོ་བོའི་སེང་ཁྲི་ལ་ཐིམ། རྗེ་བླ་མའི་སེང་ཁྲི་པད་ཟླ་རང་གི་སྤྱི་བོ་ནས་རྩ་དབུ་མའི་ནང་བརྒྱུད་དེ་རང་གི་སྙིང་དམིགས་པས་གྱེན་དུ་སླང་ནས་ཚལ་བ་བརྒྱད་དུ་བྱེས་པར་མོས་པ་ལ་ཐིམ་པས་པདྨ་འདབ་བརྒྱད་ཀྱི་རྣམ་པར་གྱུར་པར་བསམ། རྗེ་བླ་མ་ཡང་རང་གི་སྤྱི་བོར་བྱོན། རྩ་དབུ་མའི་

ནང་བརྒྱུད་དེ་སྙིང་ཁའི་པདྨོའི་དབུས་སུ་རང་སེམས་དང་དབྱེར་མེད་དུ་འདྲེས་ནས་ཞལ་རང་བལྟ་ཕྱོགས་མཐུན་པར་བཞུགས། དེ་ནས་པད་འདབ་རྣམས་ཕྱུངས་སྐུ་ཁ་བསྡུས་པ་ལྟར་བསྡུས་ནས་ནང་འོད་ཟེར་སྣ་ལྔས་ཞལ་པ་བྱས་པ་ལྟ་བུ་དང་། ཕྱི་ནས་དམིགས་བརྩེ་མའི་ཐུགས་ཕྲེང་སོགས་ཀྱིས་དཀྲིས་པར་བསམས་ནས་རྒྱུན་པར་དེ་ལ་གསོལ་བ་གདབ་པ་དང་། བཟའ་བཏུང་བདུད་རྩིར་མོས་ནས་མཆོད་པ་དང་། གང་སྣང་ཐམས་ཅད་རྗེ་བླ་མའི་གསང་བ་གསུམ་གྱི་ངོ་བོར་བལྟ་བའི་ཉམས་ལེན་ལ་འབད་དགོས་ཤིང་། ཐུན་རྗེས་མ་སོགས་ཀྱི་ཚེ་སྙིང་ཁའི་ཐུགས་ཕྲེང་གི་ཐག་པ་དཀྱིལ་ནས་འདབ་མ་རྣམས་ཁ་ཕྱེ་བའི་དམིགས་པ་བྱས་ནས་སྔར་ལྟར་སྒོམ་པ་ཡིན། མཇུག་ཏུ་བསྔོ་བ་སྨོན་ལམ་གྱིས་རྒྱས་གདབ་པ་སོགས་དལ་འབྱོར་ཐོབ་པ་དོན་དང་ལྡན་པ་ཞིག་ཅི་ནས་ཀྱང་འབད་པར་བྱའོ། །དུས་གསུམ་རྒྱལ་བའི་མཁྱེན་བརྩེ་ནུས་པ་ཀུན། །རིགས་གསུམ་འདུས་སྐུར་དབྱེར་མེད་ཅོང་ཁ་པའི། །གསང་གསུམ་མཆོག་ཐུན་དངོས་གྲུབ་རབ་བསྐུལ་བས། །སྲིད་གསུམ་འགྲོ་ལ་འདོད་རྒུ་སྟོལ་གྱུར་ཅིག །ཅེས་དགའ་ལྡན་ལྷ་བརྒྱ་མར་གྲགས་པའི་བླ་མའི་རྣལ་འབྱོར་གྱི་ཁྲིད་ཡིག་མདོར་བསྡུས་བརྒྱངས་བསྐུམས་བགྱིས་ཚོག་པ་འདི་ལྟ་བུ་ཞིག་བྲིས་ཞེས་དམ་པའི་སྐྱེ་འཛིན་མཆོག་ནས་བཀའ་སྐུལ་བཞིན་དང་པ་མཁན་པོས་ར་ས་སྤང་ལུང་རི་ཁྲོད་དུ་སྦྱར་བའི་ཡི་གེ་པ་ནི་ཆོས་མཛད་ཡེ་ཤེས་བསྐལ་བཟང་ངོ་། །

༄༅། །ཟབ་ལམ་བླ་མའི་རྣལ་འབྱོར་དགའ་ལྡན་ལྷ་བརྒྱ་མའི་ཟབ་གནད་ཡོངས་སུ་རྫོགས་པ་ཐོ་ཙམ་དུ་བཀོད་པ་བཞུགས་སོ།

༄། །དགའ་ལྡན་གནས་སུ་ཕྱི་བཞིན་བགྲོ་བའི་ཕྱིར། །འཇུག་ངོགས་སྟོན་མཛད་འཇམ་དཔལ་སྙིང་པོ་ལ། །བཏུད་ནས་ཚུལ་དེ་རྒྱ་ཆེར་གནས་པ་ལས། །གསང་བའི་སྙིང་པོ་མདོ་རུ་བྲི་བར་བྱ། །དེའང་ཡོན་ཏན་ཀུན་གྱི་གཞི་རྟེན་ཟབ་ལམ་བླ་མའི་རྣལ་འབྱོར་ཇི་སྙེད་ཅིག་ཡོད་པ་ལས། རྒྱལ་མཚན་གྱི་ཏོག་ལྟར་མཐོ་བ་དགའ་ལྡན་ལྷ་བརྒྱ་མར་གྲགས་པ་ནི། རེས་འགའ་གསོལ་འདེབས་དབྱངས་ཀྱི་གཟུགས། །ཞེས་དམིགས་བརྩེ་མ་ལ་གསུངས་པ་དང་འདྲ་བར་མཁྱེན་གཏེར་གཞོན་ནུའི་ཡེ་ཤེས་ཀྱི་སྒྱུ་འཕྲུལ་ཐུགས་སུ་ཤར་བ་སྤྲུལ་པའི་གླེགས་བམ་ལས་བྱུང་བའི་མན་ངག་འདུལ་ནག་པ་སོགས་ཀྱི་དུས་སྨས་ཆོས་སུ་མཛད་ཀྱང་། རྒྱུད་ཆེན་སངས་རྒྱས་རྒྱ་མཚོས་ཁྱབ་བརྡལ་དུ་སྤེལ་བ་ཡིན་ལ། དེའང་རྗེ་བླ་མ་ནི་ལྷོ་བྲག་གྲུབ་ཆེན་གྱིས་བྱམས་མགོན་དུ་གཟིགས་ཤིང་ཕྱག་ན་རྡོ་རྗེས་དེ་ལྟར་ལུང་བསྟན་པ་དང་། རྗེས་འཇུག་ཐུགས་དང་དབུ་མའི་ལྟ་བ་ལ་ཟུང་འབྲེལ་དུ་སློབ་པའི་དབང་པོ་རྣོ་ཤོས་རྣམས་ཐད་བྱུང་བཀོད་པ་སོགས་སུ་སྨོན་པ་གཙོ་བོར་བྱེད་ཀྱང་། གཞི་ཚུལ་ཁྲིམས་རྣམ་པར་དག་པ་དང་བྱམས་སྙིང་རྗེ་སོགས་ལ་རྩལ་དུ་འདོན་པའི་བཀའ་གདམས་ཀྱི་རྣམ་ཐར་འཛིན་པ་བྱིངས་ཀྱིས་རྒྱུ་དེ་དང་མཐུན་པར་དགའ་ལྡན་དུ་སྐྱེ་བ་གཙོ་བོར་བྱེད་དགོས་པའི་རྟེན་འབྲེལ་གྱིས་དགོན་པའི་མིང་དགའ་ལྡན་དུ་བཏགས་ཤིང་། དེ་གྲུབ་མཐའ་སྤྱི་ལའང་ཐོགས་པ་མདོའི་ལུང་བསྟན་དང་མཐུན་ནོ། །བཀའ་གདམས་གོང་མ་རྣམས་ཀྱང་ཇོ་བོ་ཡབ་སྲས་དགའ་ལྡན་དུ་བཞུགས་ཡོད་པས་དེར་སྨོན་པ་མཛད་ཚུལ་གྱི་ལོ་རྒྱུས་མང་བ་ལྟར་ན་དེ་དག་ལའང་དགའ་ལྡན་པ་ཟེར་དགོས་པའི་ཚོད་དུ་ཡོད་པས། བཀའ་གདམས་གླེགས་བམ་དུ་ཡན་ལག་གི་མིང་དེ་མ་མོ་ལ་བཏགས

ན་ཞིགས་གསུངས་ཏེ། ཡན་ལག་ནི་བཀའ་གདམས་ཕྱི་མ་དང་། མ་མོ་བཀའ་གདམས་སྔ་མ་ལ་བྱེད་དགོས་སོ། །དེས་ན་འདི་ཉིད་ཉམས་སུ་ལེན་པར་འདོད་པས་འདིའི་གཞུང་ལྟར་གྱི་ཞིང་བཀོད་དམ། རྗེ་བླ་མའི་སྐུ་བརྙན་བྲིས་འབུར་ཅི་རིགས་སོགས་བཀྲམ་པའི་མདུན་དུ་མཆོད་པ་གཙང་མར་བཤམ། སྤྱོད་ལམ་ཚུལ་མཐུན་གྱིས་འཁོད། རང་རྒྱུད་ལ་ལེགས་པར་བརྟགས་ཏེ་ཀུན་སློང་རྣམ་པར་དག་པ་གལ་ཆེ་ལ། དེའང་བླ་ལ་ཏའི་རྟོགས་བརྗོད་ལྟར་ཚེ་འདིའི་ལུས་ལོངས་སྤྱོད་ལ་ཆགས་པ་ནི་དག་པའི་ཞིང་དུ་བགྲོད་པའི་གེགས་ཀྱི་གཙོ་བོ་བྱ་འཕུར་བའི་གཤོག་པར་རྡོ་བཏགས་པ་ལྟ་བུ་ཡིན་པས་མནོག་ཆུང་ཞིང་ལྷིག་པ་དུ་མའི་རྒྱུར་འགྱུར་བ་དང་མི་རིང་བར་འདོར་དགོས་པའི་ཚུལ་བསམས་ཏེ་ཞེན་པ་བཅད། ཞིང་གི་ཡོན་ཏན་མཐོང་སྟེ་དེར་སྐྱེ་འདོད་ཀྱི་འདུན་པ་སྦྱོང་བ་ནི་ཞིང་སྦྱོང་བའི་རྒྱལ་སྲས་ཀྱི་སྤྱོད་པ་ཁྱད་པར་ཅན་ཡིན་ལ། ཁྱད་པར་དུ་ཞིང་དེར་སྐྱེ་བའི་རྒྱུ་མེད་མི་རུང་ཡིན་པས་ཡིད་འཁུལ་བ་དགོས་སོ། །དེའང་ཞིང་གི་སྤྱི་མ་ཤར་བར་མི་འབྱུང་བས་འཇིག་རྟེན་སྤྱིའི་ཆགས་ཚུལ་མདོན་པ་གོང་འོག་ལྟར་དང་། ཁྱད་པར་ས་བླའི་གནས་འཐབ་བྲལ་གྱི་སྟེང་དུ་དགའ་ལྡན་ཡོད་ཚུལ། དེའི་ཕྱོགས་གཅིག་ན་གྲོང་ལས་དགོན་པའི་ཚུལ་དུ་བྱམས་མགོན་གྱི་ཞིང་ཁམས། དབུས་སུ་ཕོ་བྲང་རྒྱལ་མཚན་མཐོན་པོ། མདུན་ན་ཆོས་སྟོན་པའི་གནས་ཡིད་དགའ་ཆོས་འཛིན། དེང་སེང་གེའི་ཁྲི་ལ་རྗེ་བཙུན་བྱམས་མགོན་བཟང་པོའི་བཞུགས་སྟངས་མཛད་ཅིང་ནམ་མཁའ་དྲི་མ་མེད་པ་དང་སྲས་འཇམ་དཔལ་སྙིང་པོ་སོགས་འཁོར་ཚོགས་གྲངས་མེད་པ་ལ་ཆོས་སྟོན་བཞིན་པར་བཞུགས་པ་སོགས་དག་པའི་ཞིང་གི་སྣོད་བཅུད་ཀྱི་འབྱོར་བ་ཕུན་སུམ་ཚོགས་པ་སྤྱི་འགྲོའི་བཀོད་པ་མདོ་སྡེ་རྣམས་ལས་ཇི་ལྟར་འབྱུང་བ་བཞིན་བསམས་ཏེ་མ་བརྗེད་པའི་དྲན་པས་གང་དུ་འགྲོའང་གནས་དེར་འགྲོ་བ་ཡིན་སྙམ་པ་དང་། གནས་ལུས་ལོངས་སྤྱོད་ཀུན་ཀྱང་ཞིང་དེའི་ཁྱད་པར་དུ་བལྟ་བ། མཚན་མོ་མགོ་བྱང་དུ་བལྟས་ཏེ་ཉལ་བའི་ཚེའང་བྱམས་མགོན་གྱི་ཞབས་ལ་མགོན་གཏད་དེ་རང་སེམས་དེའི་ཐུགས་དང་དབྱེར་མེད་དུ་བསྲེས་པའི་ངང་ནས་གཉིད་དུ་འགྲོ་བ་སོགས་བྱས་ན་དགོས་པ་སྔ་མའི་སྟེང་སྔགས་ཀྱི་ཐེག་པའི་སྨིན་བྱེད་དང་འཕོ་བའི་སྦྱོང་ཐབས་སུའང་འགྱུར་རོ། །དེ་ལྟར་ཡུན་དུ་གོམས་པས་བློ་དེའི་ངོར་ཧྲིལ་གྱིས་འགྲོ་བ་ཞིག་བྱས་ན་ཐུན་ལ་འཇུག་ཁར་གསལ་ཐེབས་སླ་ཞིང་དགེ་རྩ་ཀུན་དེས་ཟིན་པ་འབྱུང་ངོ་། །ཐུན་ལ་

འཇུག་ཁར་མདུན་དུ་བད་སྟོང་ཡངས་ཤིང་རྒྱ་ཆེ་བའི་ལྟེ་བར་རང་གི་རྩ་བའི་བླ་མ་དང་དབྱེར་མེད་ཀྱི་རྗེ་ཡབ་སྲས་གསུམ་ལ་སྐྱབས་ཡུལ་མ་ཚང་བ་མེད་པས་བསྐོར་བ་དང་། རང་གི་མཐར་ཕ་མ་རིགས་དྲུག་གི་འགྲོ་བ་ཀུན་ཚོགས་པར་བསམས་ལ། འཁོར་བ་སྤྱི་བྱེ་བྲག་གི་སྡུག་བསྔལ་བསམས་ནས་འཇིགས་ཤིང་སྐྲག་པ་དང་། དཀོན་མཆོག་ལ་དེ་ལས་སྐྱོབ་པའི་ནུས་པ་ཡོད་ཚུལ་གྱི་ཡོན་ཏན་བསམས་ཏེ་སྐྱབས་འགྲོ་གང་མང་དང་། རང་གིས་བླ་མ་ལྷའི་གོ་འཕང་མངོན་དུ་བྱས་ཏེ་མ་རྒན་རྣམས་སྒྲོལ་བར་འདོད་པའི་སེམས་བསྐྱེད་ཤུགས་དྲག་པོ་ཚད་མེད་བཞིའི་ཚུལ་གྱིས་བསྒོམ། དངོས་གཞི་ལ་སྤྱན་འདྲེན་པ། ཚོགས་གསོག་པ། གསོལ་བ་འདེབས་པ་གསུམ་ལས། དང་པོ་ནི། དགའ་ལྡན་ལྷ་བརྒྱའི་ཞེས་སོགས་ཚིགས་བཅད་བརྗོད་པ་ན་བྱམས་མགོན་གྱི་ཐུགས་མཚན་དཔལ་གྱི་བེའུ་ཁྲ་སང་ངེ་བའི་ནང་ནས་རྗེ་ཡབ་སྲས་གསུམ་ག་སྤྲིན་དཀར་པོ་ཞིག་ཐོལ་གྱིས་བྱུང་བའི་སྟེང་དུ་བཞུགས་ཏེ་ཡུད་ཀྱིས་བྱོན་པར་མོས། སྤྱིར་ཆོས་གཟུགས་ཀྱིས་སྐུས་ཀུན་ཏུ་ཁྱབ་པས་མོས་པའི་རྗེན་ཙམ་ལས་འགྲོ་འོང་ལ་མ་བལྟོས་པ་དུས་ཀྱི་ཁམས་ལྟ་བུ་དང་། མེ་ལོང་དངོས་པོ་བླ་བ་རབ་སྟོན་པས་སྣང་ཅིག་དེ་ཉིད་ལ་ནང་དུ་འཆར་བ་ཐེ་ཚོམ་མེད་པ་ལྟར་རང་གིས་མོས་པ་བྱས་ཙམ་ན་བྱོན་ཡོད་པ་ཐེ་ཚོམ་མེད་སྐམ་དུ་ཐག་ཆོད་པ་ཞིག་བློ་འཁྲུལ་བ་ལ་མེད་མི་རུང་ཡིན་ནོ། །འོན་ཀྱང་འདི་ལྟར་སྤྱན་འདྲེན་པའང་ཡོངས་སྐུ་ལས་གཟུགས་སྐུར་བཞེངས་པ་དང་། སྟོང་པ་བདེ་བར་ཤར་བའི་རྒྱུ་འཛིན་དང་རླུང་གི་ཉེར་ལེན་ལས་ལྷའི་སྐུར་ལྡང་བ་ཞིང་འགྲོ་བའི་དོན་དུ་འབྱོན་པའི་རྟེན་འབྲེལ་དུ་འགྱུར་ལ་དེའི་སྨིན་བྱེད་ཀྱི་རྒྱུར་ཡང་གཞོལ་བ་ཡིན་ནོ། །གཉིས་པ་ཚོགས་གསོག་པ་ནི་ཡན་ལག་བདུན་ལས། དང་པོར་ནད་པ་ཉམ་ཐག་སྨན་པ་ལ་གཏུགས་བ་ལྟར་ལེགས་ཚོགས་ཀུན་གྱི་རྩ་བ་བླ་མ་ཁོ་ནར་ཐུག་པ་ཤེས་ནས་དེ་དང་མི་འབྲལ་བ་ཁོ་ན་གལ་ཆེ་བར་མཐོང་བའི་ཤུགས་ཀྱིས་མྱ་ངན་ལས་མི་འདའ་བར་གསོལ་བ་འདེབས་པ་སྔོན་དུ་བྱས་ཏེ། མདུན་གྱི་ནམ་མཁར་ཞེས་སོགས་བརྗོད་ཅིང་། སྨིན་མཚམས་མདའ་གང་གི་ཐད་ཀྱི་ནམ་མཁར་སེང་ཁྲི་པད་ཟླ་དང་བཅས་པ་ཆེ་ཆུང་གསུམ་གྱི་དབུས་མར་རྗེ་བླ་མ་སྐུ་མདོག་ཐབས་ཤེས་ཟུང་དུ་འཇུག་པའི་རང་འོད་ཀྱི་དཀར་ལ་དམར་བའི་མདངས་ཆགས་པ། རྒྱུ་དང་འབྲས་བུའི་ཐེག་པ་དང་སྟོང་པ་དང་རྟེན་འབྱུང་གི་ཆོས་ཚུལ་ཕྱོགས་རེ་བ་མ་ཡིན་པར་ལུ་གུ་རྒྱུད་དུ་འབྲེལ་བར་སྟོན་པའི་ཆོས་ཀྱི་འཁོར་ལོའི་ཕྱག་རྒྱ་ཅན།

འགྲོ་བ་རྣམས་ལ་མཉེས་ཤིན་པའི་བྱམས་པ་དང་སྙིང་རྗེ་ཨུཏྤལ་ལ་བརྟེན་ཏེ་ཡེ་ཤེས་ཀྱི་རལ་གྲིས་མི་ཤེས་པའི་འཆིང་བ་གཅོད་ལ། གླེགས་བམ་གྱིས་ཡང་དག་པའི་ལམ་བགྲོད་ཚུལ་མ་ནོར་བར་སྟོན་པ། ཚུལ་ཁྲིམས་ཀྱི་ཕུང་པོ་ཡོངས་སུ་རྫོགས་པར་མཚོན་པའི་ཆོས་གོས་རྣམ་གསུམ་གསོལ་ཞིང་། རྒྱལ་བའི་དགོངས་པ་མཐའ་དག་བསྡིགས་བཅད་བརྡར་བ་བཞིན་དཔྱད་པ་གསུམ་གྱིས་གཏན་ལ་འབེབས་པར་མཚོན་པའི་གསེར་མདོག་ཅན་གྱི་པཎ་ཞྭ་གོང་ན་མེད་པའི་ལྟ་བའི་དབྱིངས་སུ་བསྟེགས་པས་རྩེ་མོ་རྣོ་ཞིང་མཐོ་བ། སྐྱིལ་ཀྲུང་རྣམ་པ་བཞིའི་ཚུལ་གྱིས་ཟུང་འཇུག་མངོན་དུ་མཛད་པས་རྡོ་རྗེ་སྐྱིལ་མོ་ཀྲུང་གིས་བཞུགས་པ། གདུལ་བྱའི་སྐལ་བ་ཇི་ལྟ་བར་སྤྲོ་ཞིང་སྡུད་པའི་འོད་ཀྱི་དཀྱིལ་འཁོར་ཅན། དམིགས་པ་མེད་པའི་སྙིང་རྗེས་འཇུམ་པའི་ཉམས་དང་ལྡན་པ། གཡས་སུ་རྒྱལ་ཚབ་རྗེ་ཡར་འགྲེས་དུལ་གྱི་རྣམ་པ། གཡོན་དུ་མཁས་གྲུབ་རྗེ་དར་ལ་བབ་ཅིང་མཁས་པའི་འགྱིང་བག་ཅན། གཉིས་ཀ་ཆོས་འཆད་གླེགས་བམ། གླེགས་བམ་རྣམས་གསུང་རབ་ཀུན་གྱི་རྩེ་མོ་ཤེར་མདོའམ། གནས་སྐབས་གང་ལ་ཉམས་ལེན་ལྷུར་བྱ་བ་དེ་མོས་ན་རྟེན་གྱི་ཁྱད་ཆེའོ། །ཕྱག་འཚལ་བ་ནི། ཤེས་བྱའི་ཁྱོན་ཀུན་སོགས་ཏེ། རྣམ་གྲངས་མེད་མང་པོ་མཁྱེན་པ་ལས་སངས་རྒྱས་སུ་བཞག་པ་མིན་གྱི། གཞི་གཅིག་ལའང་ཇི་ལྟ་ཇི་སྙེད་ཀྱི་རང་བཞིན་གཉིས་འབྱུང་བ་དེ་ཉིད་མངོན་པར་བྱང་ཆུབ་དོན་དུ་མདོ་ལས་གསུངས་པས། སངས་རྒྱས་ཉག་གཅིག་གི་མ་འདྲེས་པའི་ཆོས་ཡིན་ནོ། །སྟོན་པ་པོ་ཆོས་ཀྱི་མངའ་བདག་ཏུ་གྱུར་ཀྱང་གདུལ་བྱའི་སྐལ་པ་གཙོ་ཆེ་བས། མདོ་སྔགས་ཟུང་དུ་འཇུག་པ་རྒྱལ་བའི་དགོངས་པ་ཡོངས་སུ་རྫོགས་པ་ལ་སྤྱོད་པའི་གདུལ་བྱ་བློ་མཆོག་རྣམས་དང་སྟོད་བཅུད་ལ་འཚམ་པས་རྣ་བའི་རྒྱན་དུ་གྱུར་པ་གསུང་གི་ཡོན་ཏན། སྒོ་གང་ནས་ཀྱང་ཞུམ་པར་མི་འགྱུར་བ་གྲགས་པའི་གཟི་བྱིན་གྱིས་ཀུན་ལས་མངོན་པར་འཕགས་པ་སྐུའི་ཡོན་ཏན་ཏེ། འདིའི་གོ་རིམ་ནི་མགོན་པོ་འཇམ་དབྱངས་རྒྱལ་བ་ཀུན་གྱི་ཐུགས་ཡེ་ཤེས་ཀྱི་ངོ་བོར་གྱུར་པའི་ཆ་ནས་དེ་གཙོ་བོར་བྱས་ཏེ། འཇམ་དཔལ་གཤིན་རྗེའི་གཤེད་ལའང་ཐུགས་ཀྱི་མཆོད་པ་སྟོན་དུ་བྱས་པ་དང་ཐུགས་རྡོ་རྗེའི་ལྷ་ཚོགས་སྔར་བསྒོམ་པ་བཞིན་ཏེ། བྱིན་རླབས་འཇུག་པའང་ཆོས་དོན་རྟོགས་ཤིང་དེའི་ཚད་པ་སོགས་ལ་དབང་འགྱུར་བ་དང་དེ་ལས་གཟི་བྱིན་རྒྱས་པར་འགྱུར་རོ། །དེ་གསུམ་ནི་ཆོས་ཀྱི་སྐུས་རབ་ཏུ་ཕྱེ་བས་མས་རིམ་བཞིན་མཐོང་ཐོས་དྲན་པ་དོན་ལྡན་

དུ་འགྱུར་ཏེ། དེ་ལྟར་སེམས་པ་དང་སྒོ་གསུམ་གྱི་ཕྱག་གིས་རྡོ་རྗེ་གསུམ་ཡང་འགྲུབ་པར་འགྱུར་རོ། །ཡིད་འོང་མཆོད་ཡོན་སོགས་ཀྱིས་མཆོད་པ་དངོས་སུ་བཤམས་ཤིང་ཡིད་ཀྱིས་སྤྲུལ་པ་བླ་ན་མེད་པ་ནམ་མཁའི་མཐས་གཏུགས་པ་དང་། ཀུན་ཏུ་བཟང་པོར་སྤྲུལ་ཞིང་དེའི་སྨོན་པའི་མཐུ་ལས་བྱུང་བ། ཀུན་ཏུ་བཟང་པོའི་སེམས་ཀྱིས་ཟིན་པའི་མཆོད་པའི་སྤྲིན་འཁོར་གསུམ་ཡོངས་སུ་དག་པ་དབུལ་ཞིང་། འདིའི་མན་ངག་ཐུན་མོང་མ་ཡིན་པ་ནི་བླ་མ་ཐུབ་དབང་རྡོ་རྗེ་འཆང་ཞེས་སེམས་དཔའ་སུམ་བརྩེགས་སུ་བསམས་པ་ལ་མཆོད་པའང་ཀུན་ཏུ་བཟང་པོས་བདེ་སྟོང་དབྱེར་མི་ཕྱེད་པའི་བདག་ཉིད་ཕྱི་ནང་གསང་བ་དེ་ཁོ་ན་ཉིད་བཞི་ཆར་གྱི་མཆོད་པ་ཕུལ་ནས་དབང་ལམ་འབྲས་བུའི་རྟེན་འབྲེལ་ཀུན་འགྲིགས་ཤིང་དམ་ཚིག་མཆོག་ཏུ་འགྱུར་རོ། །གང་ཞིག་ཐོག་མེད་སོགས་ཀྱིས་བཤགས་པ་བྱ་སྟེ། མི་བཅུད་དུག་ཟོས་པ་རིམ་བར་ལྡང་པ་ན་འགའ་འང་སྡོད་མི་ཚུགས་པ་བཞིན། མནར་མེད་སོགས་སུ་རང་དང་མཚུངས་པར་སྤྱོད་པ་དུ་མས་གཟིར་བའི་ཚུལ་དང་སྡིག་དབུགས་ཀྱི་འགྱུ་བ་མི་བརྟན་པའི་རང་བཞིན། ཐོག་མེད་ནས་སྡིག་པའི་སྒོ་མཐའ་ཡས་པས་སྣ་རེ་རེ་ལའང་རྒྱལ་པོའི་མཛོད་དུ་བལྟས་པ་བཞིན་བསྐལ་པ་ཀུན་ཏུ་དེ་ཁོ་ན་བསགས་པ་ལྟར་ཡོད་ཚུལ། དེའི་ཀློང་ནས་བདེ་འགྲོར་སླེབ་ཚུལ་མེད་པ་ལ་ཇི་ལྟར་ཕྱིན་སྙམ་དགྲ་མི་ཞ་པོས་བདས་པ་ལྟར་འཇིགས་སྐྲག་དང་འགྱོད་པ་དག་པོས་ཕྱིན་ཆད་སྡིག་ལ་བབས་ཀྱང་མི་བྱེད་སྙམ་པའི་སྒོ་ནས་ཞིང་ཁྱད་པར་ཅན་མདུན་ན་བཞུགས་པའི་མཐུ་ཁོ་ནས་སྦྱོང་དགོས་པར་འདུག་སྙམ་སྟེ་བཤགས་ཤིང་། ཁྱད་པར་དུ་སྡོམ་པ་གསུམ་དང་འགལ་བའི་ཉེས་པ་ནི་སྡིག་པ་དང་ལྟུང་བའི་སྒོ་གཉིས་ནས་རྣམ་སྨིན་མི་བཟད་ཅིང་ལམ་གྱི་རྟོགས་པ་ཕྱིར་བསྒྲིང་བར་བྱེད་པས་ཉེས་པའི་གཏིང་རྡོར་བསམས་ཏེ་བཤགས་ཤིང་། གཉེན་པོར་ཡིད་མི་ཆེས་པའང་ལོག་པར་ལྟ་བ་ཡིན་པས་ཞིང་གི་མཐུས་ལྷག་མེད་དུ་དག་སོང་སྙམ་དུ་ཡིད་ཆེས་དང་དགའ་བ་སྐྱེད་ལ། སྡིག་ལྟུང་མི་དམིགས་པར་ལྟ་བའང་སྤྱོད་པའི་ཐབས་ཀྱི་མཆོག་ཏུ་མདོ་ལས་གསུངས་སོ། །ཐུགས་ཀའི་རྡོ་རྗེ་འཆང་དེ་ཉིད་ཞི་བ་རྡོ་རྗེ་སེམས་དཔའ་འགྲོ་བ་སྙེད་དུ་བསྒྱུར་ཏེ་སྤྱི་བོར་བྱོན་པའི་སྦྱོར་མཚམས་ནས་བབ་པའི་བདུད་རྩིའི་རྒྱུན་གྱིས་རིམ་པས་སྒྲིབ་བཞི་དག་ཅིང་ལམ་གྱི་ནུས་པ་འཛོམ་པ་དང་། སྒྲིབ་པ་མ་ལུས་པ་བྱང་བ་དང་ཡོན་ཏན་རྫོགས་པ་སྲང་མདའི་མཐོ་དམན་བཞིན་ལྷན་ཅིག་པས་བཞི་ཐོབ་པར་མོས་ཏེ་སྟུགས་

སྔོམ་གསོ་བའི་ཐབས་མཆོག་ཏུ་འགྱུར་རོ། །འདིར་སྡིགས་སྔོམ་གསོ་བ་གསུངས་པ་འདིས་སྐབས་གཞན་རྣམས་ཀྱང་སྡིགས་དང་འབྲེལ་བ་མཚོན་དགོས་སོ། །རྗེས་སུ་ཡི་རང་བ་ནི། སྙིགས་མའི་དུས་འདིར་ཞེས་སོགས་ཏེ། མི་དགེ་བའི་རྩ་བ་ཅན་གྱི་ཆོས་བརྒྱད་ནི་ལྷ་ཅི་སྨོས་ལ། རང་གཅེས་འཛིན་པ་དང་བཅས་པའི་ཆོས་བརྒྱད་ཁྲ་བོའང་མེད་ཅིང་། དངོས་པོར་ཞེན་པའི་བག་ཆགས་ཀྱི་གནས་མེད་པས་ཐ་ན་ཆོས་བརྒྱད་དཀར་པོའང་སྤངས་ཏེ་མཐུན་སྣང་དུའང་ཐོས་བསམ་སྒོམ་གསུམ་གཅིག་ཏུ་དྲིལ་བ་བ་དང་། དེ་ཐམས་ཅད་ཀ་ནི་ཀ་ནས་འདུས་པའི་བར་ལུང་རྟོགས་ཀྱི་བསྟན་པ་མཐའ་དག་ལ་ཕན་པ་མ་ཚང་བ་མེད་པར་འགྱུར་བས་ཆླབས་ཆེ་བ། གང་ལ་ལྟོས་ན་གཞན་མཐའ་དག་ཕྱོགས་རེ་བ་ཁོ་ནར་འགྲོ་བ་དེ་ལྟ་བུའི་ཚུལ་ལ་རྣམ་པར་ཐར་པ་ཐུན་མོང་མ་ཡིན་པར་ཤེས་པས་རྗེས་སུ་ཡི་རང་ངོ༌། འགྲོ་བའང་སྟོངས་འདི་ཙམ་མ་ཡིན་པར་ཤམྦྷ་ལ་དང་འགྲོ་གླིང་བ་སོགས་སུ་སྤྱོད་པ་མཐའ་ཡས་པར་སྟོན་ལ། ནམ་མཁའི་མཐས་གཏུགས་པར་འགྲོ་བའི་དོན་སྤྱོད་པའི་ཚུལ་ཡང་གསུང་ལས་འབྱུང་བ་ལྟར་རེ། །ཆོས་འཁོར་བསྐོར་བར་བསྐུལ་བ་ནི། རྗེ་བཙུན་བླ་མ་སོགས་ཏེ། ཆོས་སྐུ་ནམ་མཁར་བདག་པོའི་རྒྱན་མཁྱེན་བརྩེའི་ཆུ་འཛིན་འཁྲིགས་པ་ལས་སོ་སོའི་སྐལ་བ་བཞིན་ཆོས་ཆར་ཕབ་པ་སྟེ་རིང་ནས་དམ་བཅས་པའི་དགོས་པ་སྒྲུབ་པར་གསོལ་ཞིང་། ཡང་སྒྲིབ་པ་མ་ལུས་པར་དག་པ་ཆོས་ཀྱི་སྐུའི་དབྱིངས་སུ་མཁྱེན་པ་སྟོང་བའི་ཡེ་ཤེས་དང་བརྩེ་བ་བདེ་ཆེན་གྱི་ཐབས་དབྱེར་མི་ཕྱེད་པ་རྒྱུ་འཛིན་གྱི་ཕུང་པོ་བཞིན་དཀྱིལ་འཁོར་གྱི་འཁོར་ལོ་མཐའ་ཡས་པར་དཀྲིགས་པའི་ཕྲོང་དུ་གདུལ་བྱ་དབང་གིས་སྨིན་པར་བྱེད་ཅིང་། ཟབ་པ་མཚན་མ་མེད་པ་དང་རྒྱ་ཆེ་བ་ལྷའི་འཁོར་ལོར་གསལ་བའམ། ཟབ་པ་བཅོས་མིན་གྱི་རྫོགས་པའི་རིམ་པ་དང་། ཐབས་རྒྱ་ཆེ་བ་སྟོན་པའི་གཟུགས་ཅན་བསྐྱེད་པའི་རིམ་པ། ཡང་ན་ཟབ་པ་འོད་གསལ་གྱི་ཡེ་ཤེས་དང་། རྒྱ་ཆེ་བ་སྒྱུ་མའི་སྐུ་ཟུང་དུ་འཇུག་པ་དང་བཅས་པའི་གདམས་པའི་ཆར་གྱིས་སྲིད་པའི་རྩ་བ་གཉིས་ཀྱི་ཚ་གདུང་དང་དབུལ་བ་སེལ་བར་གསོལ་བ་གདབ་བོ། །གསེར་གྱི་འཁོར་ལོ་རྩིབས་སྟོང་སོགས་ཕུལ་ཏེ་གསོལ་བ་བཏབ་པར་མོས་ལ་ཚངས་པའི་གཟུགས་སུ་མོས་ཀྱང་རུང་སྟེ། སྐུལ་བ་པོ་དང་སྟུད་པ་པོར་སྟོན་པའི་རྟེན་འབྲེལ་དུའང་འགྱུར་རོ། །བསྔོ་བ་ནི། བདག་གིས་ཇི་སྙེད་སོགས་ཏེ། དགེ་ཚོགས་ཚད་མི་ཟ་ཞིང་ཁྱད་པར་བྱང་ཆུབ་མཆོག་གི་ཡན་ལག་ཏུ་སྒྱུར་བྱེད་

བསྔོ་བ་ཡིན་པས་ནང་པའི་བསྟན་པ་དང་ཐེག་ཆེན་གྱི་ཁྱད་ཆོས་སུའང་གསུངས་སོ། །བསྔོ་བའི་སྨོན་ཆེན་པོ་དམ་ཆོས་འཛིན་པར་བསྔོ་བ་ཡིན་ལ། འདིར་དེའི་ནང་ནས་ཀྱང་བསྐལ་པ་དཔག་མེད་དུ་དམ་བཅས་པ་བཞིན་རྒྱ་འབྲས་ཀྱི་ཐེག་པ་ཟུང་དུ་འཇུག་པའི་ཆོས་ཚུལ་སྙིང་པོའི་དོན་ཆ་ཚང་བ་འདི་ཉིད་རྒྱས་པར་སྨོན་པ་ཡིན་ཏེ། ད་ལྟ་ཉིད་ནས་ཀྱང་བཀོད་པ་མཐའ་ཡས་པས་ཞིང་རབ་འབྱམས་སུ་སྤེལ་བར་མཛད་པ་དང་། དགེ་བའི་དངོས་པོ་དེ་ལྟ་བུའི་སྒྱུ་འཕྲུལ་སྣ་ཚོགས་སུ་སྣང་བར་སྨོས་པའང་ཐབས་མཁས་ཀྱི་སྒོ་བླ་ན་མེད་པའོ། །གསོལ་བ་གདབ་པ་ནི། ཕྱི་ནང་གསང་བའི་རྣམ་ཐར་གདོན་ཞིང་གསོལ་བ་གདབ་པ་དང་། མཚན་སྔགས་བཟླས་ཏེ་གསོལ་བ་གདབ་པ་སོགས་ལས། འདིར་དམིགས་བརྩེ་མའི་སྒོ་ནས་གཙོ་བོར་བྱེད་ན། མཁྱེན་བརྩེ་ནུས་གསུམ་ལ་འཕགས་པ་རིགས་གསུམ་ཆེས་ལྷག་པ་བཞིན། གངས་ཅན་མཁས་པ་ཀུན་ལས་ཆེས་ལྷག་པར་མཚུངས་ཆོས་སྦྱར་བ་ཕྱི་དང་། དེ་གསུམ་གྱི་མཁྱེན་བརྩེ་ནུས་གསུམ་ཇི་ལྟ་བ་ཐུགས་ལ་ལྡན་པར་བལྟ་བ་ནང་དང་། དེ་གསུམ་ངོ་བོ་གཅིག་པར་སྤྲུལ་པའི་གླིགས་བམ་གྱི་ལུང་དང་གསང་རྣམ་ཀྱི་ལོ་རྒྱུས། འགྲོ་བའི་སྐྱབས་སུ་འགྱུར་བའི་རྒྱུའི་གཙོ་བོ་གསུམ་ཡ་མི་འབྲལ་བའི་རིགས་པས་ཀྱང་དེ་གསུམ་དང་ངོ་བོ་དབྱེར་མི་ཕྱེད་པར་བལྟ་བ་གསང་བ་སྟེ། དེ་ལའང་རྒྱུད་སོ་སོའི་རིགས་གསུམ་གྱི་དབྱེ་བས་ནང་གསེས་ཀྱི་ཕྱི་ནང་གསང་བའི་སྒྲུབ་ཚུལ་གྱི་རིམ་པ་མཐའ་ཡས་པར་འབྱུང་ངོ་། །དེ་ལ་བརྟེན་པའི་ལས་སྦྱོར་ཡང་ཆེས་མང་བ་ཐ་སྣད་བརྒྱུད་དུ་འབྱུང་ལ། ད་ལྟའང་ལས་ཚོགས་ཐོར་བུ་འགའ་ཙམ་ཡོད་ཀྱང་འདིར་བཀའ་བབ་ཀྱི་འཕྲིན་ལས་ཆོས་རབ་ཏུ་རྣམ་འབྱེད་ཀྱི་ཤེས་རབ་སྒྲུབ་པ་གཙོ་བོའི་དབང་དུ་བྱས་ཏེ། མ་དག་འཁྲུད་ཅིང་མི་ཤེས་གསལ། །སྐུ་ཡིས་ཚེ་ཞིང་གསུང་གིས་གསལ། །ས་བོན་སྦྱར་བ་ཕྱག་མཚན་ཟབ། །གླེགས་བམ་རལ་གྲི་གླེགས་རལ་གྱིས། །འཆད་དང་རྩོད་དང་རྩོམ་པའོ། །ཞེས་པ་ལྟར་ལ། འགའ་ཞིག་ཏུ་མ་དག་པ་འཁྲུད་པ་སྦྱོར་བ་དང་། མི་ཤེས་པ་བསལ་བ་དངོས་གཞིར་བྱས་ཏེ་ཕྱི་མ་བདུན་དེའི་དབྱེ་བར་མཛད་པ་དང་། ལ་ལར་བདུད་རྩི་འོད་ཟེར་དང་བཅས་པས་མ་དག་པ་བཀྲུས་ཏེ་གསལ་སང་ངེར་གྱུར་བར་བསྒོམས་པས་དང་པོ་གཉིས་དམིགས་སྐོར་གཅིག་ཏུ་མཛད་ཀྱང་། དགོངས་པའི་མཐིལ་ནི་ལས་དང་པོ་པས་མ་དག་པས་བཀྲུས་ཏེ་ཕྱིར་འདོན་པའི་དམིགས་པ་གཙོ་བོ་དང་། རྟོགས་པ་གོང་མར་གཞོལ་བ་རྣམས་སྦྲིན་

སེམས་སྨན་པ་བསལ་བ་བཞིན་རང་སར་དག་པ་གཙོ་བོར་བྱ་ལ། སོག་རྟོག་གི་དྲ་བ་སྲ་ཤང་ལྷ་བུ་རྣམས་ཕྱེ་མར་འཐག་སྟེ་མ་རིག་པ་གཅོད་པ་ཞེས་གསུམ་དུ་མཛད་དོ། །སྒོམ་ཚུལ་དངོས་ནི་ཡབ་སྲས་གསུམ་གའི་ཐུགས་ཀ་ནས་འོད་ཀྱི་སྲུ་གུ་སྲ་ལྷུག་ཙམ་པ་གསུམ་ཐོན་པ་མཚམས་ཤིག་ནས་གཅིག་ཏུ་འདྲེས་ཏེ་རང་གི་སྤྱི་བོར་བཞུགས། དེ་བརྒྱུད་དེ་བདུད་རྩི་འོད་ཟེར་དང་བཅས་པའི་རྒྱུན་བྱུང་བས་དངོས་གཞིའི་རྟོགས་པ་དེ་དང་དེའི་གེགས་བྱེད་ཀྱི་གློ་ངན་རྣམས་གཙོ་བོར་སྦྱངས་པའི་དམིགས་པ་བྱ། ཞི་བ་དཀར་པོ་པད་དཀར་འཛིན། མཆོག་སྦྱིན་སྐྱབས་སྦྱིན་ཕྱག་རྒྱ་ཅན། །བུམ་ཆུ་མི་ཡོང་ལ་སོགས་ཏེ། །ཞེས་སོགས་རྗེ་རྗེའི་ཚིག་སྦྲམ་བཞིན་ཁ་དོག་སོགས་ཀྱི་དབྱེ་བས་ལས་བཞི་སྦྱོབ་ཚུལ་དང་། མར་ཁུའི་མདོག་དང་དཀར་སྔོན་བསིལ་དྲོད་སོགས་ཀྱི་མོས་པས་རླུང་མཁྲིས་བད་ཀན་གྱི་ནད་སེལ་བ་སོགས་དགོས་པ་དུ་མ་ཞར་བྱུང་དུ་སྦྱོབ་ནུས་སོ། །དངོས་གཞིའི་ཚེ་བདུད་རྩིའི་ཚོགས་པའི་རྣལ་ཕྲ་རབ་ཆུན་ཆད་འཇམ་དབྱངས་ཞི་ཁྲོ་དང་རྗེ་བླ་མའི་སྐུ། དེ་དག་གི་ཐུགས་དང་གསོལ་འདེབས་ཀྱི་སྙིང་པོ། ཧྲཱིཿ ཧཱུྃ་སོགས་ས་བོན་དང་། ཁྱད་པར་དུ་འཇམ་དཔལ་རྩ་བརྒྱུད་ལས་ལུང་བསྟན་པ་བཞིན་གྱི་མ་ལ་ཐིག་ལེས་བརྒྱན་ཏེ་ཧཱུྃ་གི་ཀླད་ཀོར་དུ་འགོད་པ་ཐུན་མོང་མ་ཡིན་པའི་མན་ངག་གི་ས་བོན་ཡིན་ལ། དེའི་མཐར་དམིགས་བརྩེ་མ་སོགས་ཀྱིས་བསྐོར་བ་ལས་འོད་ཀྱི་སྦྲོ་བསྡུས་སྟོད་བཙུད་སྐྱུར་སྦྱངས་སོགས་སྔགས་ཀྱི་བཟླས་པ་ཇི་ལྟ་བ་བཞིན་བྱས་ན་ལེགས། ཕྱག་མཚན་ནི་གླེགས་རལ་གྲི་གྱུག་སོགས་དང་། འཆད་པའི་དུས་ཀྱི་གླེགས་བམ་ནི་གང་བཤད་བྱ་དེ་ཉིད་ཀྱི་རྩ་འགྲེལ་སོགས་གཙོ་བོར་བྱ། རལ་གྲི་ཚིག་རྐྱང་ངམ་གྱེན་འགྲེང་གི་ཡུ་བའི་སྣོ་ངར་རལ་གྲི་དྲུག་སོགས་ཀྱི་རྩ་བ་ཟུག་པའི་འཁོར་ལོ་མུ་ཁྱུད་མེད་པ་བྱ། ཕྱིར་སྡོམ་ཏེ་ཕྱིར་རྒོལ་གྱི་ལོག་རྟོག་གཅོད་པའམ་སྤོབས་པ་གཞོམ་པའི་དམིགས་པ་ཞི་དྲག་དགོས་པ་དང་སྦྱོར་ཚུལ་ཤེས་དགོས། བརྩམ་བྱའི་དོན་ལ་སྦྱོངས་པ་རལ་གྲིས་བཅད་དེ། ཚིག་དོན་ཕུན་སུམ་ཚོགས་པའི་སྤོབས་པ་གླེགས་བམ་གྱིས་བསྐྱང་པར་མོས་པ་སྟེ། སྐབས་ཐོབ་ཀྱི་རེ་རེ་གཙོ་བོར་བྱས་པས་ཆོག་གི །བདུན་ག་ཐར་ཆགས་སུ་དགོས་པའི་ངེས་པ་མེད་དོ། །འོད་ཀྱི་སྦྲོ་བསྡུ་ཙམ་ཞིག་ཤར་ཕྱིན་གྱི་གླེང་གཞིར་ཡང་འབྱུང་བས་བདུད་རྩི་འབེབ་སྦྱང་ནི་སྔགས་ཀྱི་ལུགས་པ་ཡིན་ལ། འདིས་ཐུན་མོང་དང་ཐུན་མོང་མ་ཡིན་པའི་སྙིང་རྗེ་མཚོན་ཞིང་འགྲུབ་པ་དང་འོད་ཟེར་གྱིས་འོད་གསལ་འགྲུབ་ལ།

གཞི་ལམ་འབྲས་བུའི་སྐབས་ཀུན་ཏུ་འབྱུང་བ་ལྔའི་ཁམས་དང་དུག་ལྔ་སྦྱོང་ཞིང་། ཐོག་པས་ཕྱི་བའི་ཡེ་ཤེས་ལྔ་དང་རིགས་ལྔ་འགྲུབ་པ་སོགས་ཀྱི་དོན་དུ་འོད་དང་བདུད་རྩི་ཐམས་ཅད་སྔ་ལྔ་པར་བྱས་པ་ཡིན་ནོ། །རིགས་སོ་སོའི་རྣམ་པ་སྒོམ་པར་འདོད་པས་ཀྱང་གནས་གསུམ་དུ་བསམས་ལ་རང་རང་གིས་བོན་སྔགས་འཕྲེང་དང་བཅས་པའི་དམིགས་པ་སྐྱོང་ཞིང་། རང་རང་གི་རིགས་ཞི་ཁྲོ་སྣ་ཚོགས་སུ་བསྒྱུར་པས་ལས་སྦྱོར་ཇི་སྙེད་པའང་བྱར་རུང་ངོ་། །དེ་ནས་སྲས་ཀྱི་ཐུ་བོ་གཉིས་གཙོ་བོ་ལ་བསྟུས་པ་རང་གི་སྤྱི་བོར་སྤྱན་འདྲེན། འཕོ་བ་སྦྱོང་བར་འདོད་པས་ཐུགས་ཀའི་ས་བོན་ལ་བལྟས་ཏེ་མོས་འདུན་དྲག་པོ་དང་བཅས་འོད་ཀྱི་ལྕགས་ཀྱུ་དང་རླུང་གི་མདའ་གཞུའི་སྦྱོར་བས་རང་ཉིད་གྱེན་དུ་སྤར་བ་དང་གནས་སུ་འབེབས་པ་སོགས་ཀྱི་དམིགས་པ་མཚམས་འདིར་བྱ། བྱམས་མགོན་དང་རྗེ་བླ་མ་དབྱེར་མི་ཕྱེད་པའི་ངེས་ཤེས་ཀྱིས་དེའི་ཞིང་དུ་འཕོ་འདུན་དྲག་པོས་ཐུགས་རྗེ་བསྐུལ་ཕྱིར་བྱམས་པས་དམ་བཅའི་གཟུངས་བཟླས་ན་ལེགས། དེ་ནས་དེའི་གདན་གྱི་པདྨ་སྙིང་བའི་རྩ་འདབ་དང་། ཟླ་ཉིའམ་མདོན་བྱང་བཞིན་དུ་ཟླ་བ་གཅིག་པུར་ཡང་ཚང་དུ་རུང་བས་དེ་མི་ཤིགས་པའི་ཐིག་ལེ་དཀར་དམར་ལ་ཐིམ་པའི་རྒྱུ་དང་རྐྱེན་ལས་གདན་རྫོགས་པར་བསམས། དེར་དབུ་མའི་ལམ་ནས་སྤྱན་འདྲེན་བའང་སྙིང་དབུ་མའི་ཕྱི་རོལ་ཏུ་བསམས་ན་མཐར་རླུང་ཐིམ་པ་ལ་མི་ཕན་པས། དབུ་མ་ཕྲའང་ཁབ་མིག་ཏུ་རི་མཐོང་བ་ལྟར་སྙིང་དེའི་ནང་དུ་ཚུད་པ་བསྒོམ་པར་གསུང་། སྙིང་གར་བྱོན་པ་རང་གི་ཤིན་ཏུ་ཕྲ་བའི་རླུང་སེམས་དང་དབྱེར་མེད་དུ་འདྲེས་པ་སྲོག་འཛིན་གྱི་མདོག་ཅན་དུ་བལྟ་ལ། ཕྱག་རྒྱ་ཆེན་པོ་བསྒོམ་པར་འདོད་ན་བླ་མ་སྙིང་གར་ཐིམ་པའི་ཚེ་མོས་གུས་གདུང་སེམས་ཀྱི་མཐུས་སྐོམ་པས་བདུད་རྩི་མྱུང་བ་བཞིན་ངོམས་ཤིང་བདེ་ཆམ་གྱིས་འགྲོ་བ་དེའི་ངང་ལས་ཕྲ་མོའི་ཤེས་པས་སེམས་ཀྱི་རང་བཞིན་ལ་བལྟ་བ་སོགས་གཞུང་བཞིན་དུ་བྱེད། གནས་དང་དམིགས་རྟེན་གྱི་ནུས་པས་ཇི་ཙམ་བསྒོམ་པ་བཞིན་རླུང་ཐིམ་ཤུལ་ཆེ་ཞིང་། དེའི་མཐུས་དགའ་བཞི་དང་སྟོང་བཞི་རིམ་པར་འཆར་བས་འོད་གསལ་མངོན་དུ་འགྱུར་ཞིང་། དེ་ལས་སྒྱུ་མའི་སྐུར་ལྡང་བ་སོགས་རྫོགས་རིམ་ཟབ་མོའི་གནད་ཐམས་ཅད་ཀྱང་སྒྱུ་འཕྲུལ་འདིས་བདེ་བླག་ཏུ་འགྲུབ་ནུས་ལ། འདི་ལ་ཟབ་གནད་འདི་ལྟར་ཡོད་པ་ནི། དཔལ་ལྡན་རྩ་བའི་བླ་མ་རིན་པོ་ཆེ། །བདག་གི་སྙིང་གར་པདྨའི་གདན་བཞུགས་ལ། །ཞེས་བླ་མེད་ཀྱི་ཐུན་མོང་

མ་ཡིན་པའི་ཆོས་སྐད་དང་བསྲེས་པས་ཡོད་པ་འདི་ཉིད་ཡིན་པས་བློ་གྲོས་ཅན་རྣམས་ཀྱིས་ཞིབ་མོར་དཔྱད་ན་རྟོགས་པར་འགྱུར་རོ། །མཐར་སྙིང་གའི་པདྨ་ཟུམ་པའི་ཕྱི་རོལ་ནས་འོད་ཟེར་འཕྲོ་ཐག་དང་། སྐད་གཉིས་ཅི་རིགས་པའི་དམིགས་བརྩེ་མ། འཇམ་དཔལ་ཞི་ཁྲོའི་སྔགས་སོགས་འཕྲེང་རྟོག་གི་རྣམ་པར་གནས་པས་བསམས་པར་བསམས། ནམ་ཡང་གསོགས་གསོལ་མི་བྱ་བར་ཉིན་རྗེས་མ་རྣམས་སུའང་སྨྲུན་འདྲེན་པ་སོགས་ཚང་བར་བྱས་པའི་མཇུག་ཏུ་སྔར་ཡོད་ལ་བསྒོམ་པས་བྱིན་རླབས་བརྟན་པར་འགྱུར་ཞིང་སྲུང་བ་ཆེན་པོར་འགྲོ་བ་དང་། ལྷ་རྗེས་སུ་དྲན་པ་དང་མི་འབྲལ་བས་བག་ཡོད་པར་འགྱུར་ཞིང་། ཟས་གོས་གནས་མལ་ལ་གང་སྤྱོད་མཆོད་པར་བསྒྱུར་བས་དཀོར་སྒྲིབ་བྱང་ཞིང་ཚོགས་རྫོགས་པ་དང་། དགེ་བའི་བྱ་བ་གང་ལའང་དེས་ཐོགས་འབྱིན་ཞིང་། མདོར་ན་ཚེ་རབས་ཀུན་ཏུ་མི་འབྲལ་བར་རྗེས་སུ་འཛིན་པས་མྱུར་བ་ལས་ཀྱང་ཆེས་མྱུར་བར་བྱང་ཆུབ་འཐོབ་ནུས་སོ། །ཀུན་ཏུ་ཁྱབ་ཅིང་གྲགས་ན་ཡང་། །བསྔུར་དཀའ་སེམས་ཀྱི་རྡོ་རྗེ་བཞིན། །གྱུར་པའི་ཟབ་གནད་འདི་བཀྲོལ་བ། །བསྟན་དང་འགྲོ་བའི་དཔལ་གྱུར་ཅིག །ཅེས་ཟབ་ལམ་བླ་མའི་རྣལ་འབྱོར་འགའ་ལྡན་ལྷ་བརྒྱ་མའི་ཟབ་གནད་ཡོངས་སུ་རྫོགས་པ་ཐོ་ཙམ་དུ་བཀོད་པ་འདི་ནི་རྣམ་དཔྱོད་ཡངས་པ་ཨུ་རུ་ཀུ་ཆེན་གུ་ཤྲི་དགེ་སློང་དཀོན་མཆོག་མཁས་གྲུབ་ཀྱིས་ནན་ཆེར་བསྐུལ་ཞིང་། ཕྱི་སོར་བསྟན་པའི་གསལ་བྱེད་ཐུ་མད་ལོ་ཙཱ་བ་ཞབས་དྲུང་དཀོན་མཆོག་དགེ་ལེགས་རྒྱ་མཚོ་དང་། མཁས་པའི་དབང་པོ་བླ་མ་དབུ་མཛད་ཚུལ་ཁྲིམས་རྒྱ་མཚོ་གཉིས་ནས་ཀྱང་སྔགས་ཀྱི་ཟབ་གནད་དང་འབྲེལ་བ་ཞིག་དགོས་ཞེས་སྐུལ་མ་བགྱིས་ཡོད་པ་བཞིན། ༼བཙུན་པ་དཀོན་མཆོག་བསྟན་པའི་སྒྲོན་མེས་སྦྱར་བའི་ཡི་གེ་པ་ནི་སྔགས་རམ་པ་དཀོན་མཆོག་ཀུན་དགའ་འོ། །

༄༅། །དགའ་ལྡན་ལྷ་བརྒྱ་མའི་ཁྲིད་ཡིག་ཉིན་སྣང་བས་སྒྲུར་འཇུག་ཅེས་བྱ་བ་བཞུགས་སོ།

༄༅། །འདིར་བླ་མའི་རྣལ་འབྱོར་དགའ་ལྡན་ལྷ་བརྒྱ་མའི་ཁྲིད་ཉམས་སུ་ལེན་པ་ལ། སྔོན་འགྲོ་དངོས་གཞི་རྗེས་དང་གསུམ་ལས། དང་པོ་སྦྱོར་བ་ནི། གནས་ཁང་བྱི་དོར་བྱས། རྗེ་བླ་མའི་ཁྲིས་འབུར་གྱི་སྐུ་སོགས་སྐུ་གསུང་ཐུགས་བརྟེན་བཀྲམ། ཚུ་བཞི་ཉེར་སྤྱོད་འདོད་ཡོན་ལྔ་བཀྲ་ཤིས་རྟགས་བརྒྱད། རྒྱལ་སྲིད་སྣ་བདུན་སོགས་ཅི་འབྱོར་བའི་མཆོད་པ་གཡོ་ཟོལ་དང་ཀུན་སློང་ངན་པ་སྤངས་ཏེ་བཤམས། སྟན་བདེ་བ་ལ་སྤྱོད་ལམ་བག་ཡོད་ཀྱིས་འཁོད་དེ། སྐྱབས་འགྲོ་སེམས་བསྐྱེད་ཚད་མེད་བཞི་སྤྱི་ལྟར་ཉམས་སུ་བླངས་ཏེ། གཉིས་པ་དངོས་གཞི་ལ། གང་ནས་སྤྱན་འདྲེན་པའི་གནས། སྤྱན་དྲངས་ནས་ཡན་ལག་བདུན་པ་འབུལ་བ། གསོལ་བ་བཏབ་སྟེ་དངོས་གྲུབ་ཞུ་བ་གསུམ། དང་པོ་ནི། སྤྱིར་འཛམ་གླིང་བྱེ་བ་ཕྲག་བརྒྱའི་སྟེང་ན་དགའ་ལྡན་བྱེ་བ་ཕྲག་བརྒྱ་དེ་ན་བྱམས་མགོན་བྱེ་བ་ཕྲག་བརྒྱའི་འཁོར་ན་རྗེ་བླ་མ་དེ་སྙེད་ཅིག་བཞུགས་པ་ལས་རང་རེ་འཛམ་བུའི་གླིང་འདིའི་སྟེང་གི་ལྷའི་བུ་རབ་དགའ་ལྡན་གྱི་གནས་ལས་ཟུར་དུ་དཔག་ཚད་ལྔ་བརྒྱའི་ས་ན། རྒྱལ་མཚན་མཐོན་པོའི་མདུན་ན་རྗེ་བཙུན་གྱིས་འཁོར་ས་བཅུའི་བྱང་ཆུབ་སེམས་དཔའ་དང་ལྷའི་ཚོགས་ལ་ཆོས་སྟོན་པའི་གནས་ཡིད་དགའ་ཆོས་འཛིན་ཞེས་བྱ་བ། རིན་པོ་ཆེའི་སྣ་ཚོགས་ལས་གྲུབ་པའི་ས་གཞི། རིན་པོ་ཆེའི་ལྗོན་ཤིང་དང་། ཡན་ལག་བརྒྱད་ལྡན་གྱི་ཆུ་ཀླུང་དང་། རྫིང་བུ་རྣམས་སུ་པདྨ་ཁ་དོག་སྣ་ཚོགས་ཀྱིས་གང་བའི་དབུས་ན་སྤྱིལ་བའི་བྱ་རྣམས་ཀྱིས་ཆོས་ཀྱི་སྒྲ་དབྱངས་སྣ་ཚོགས་པ་སྒྲོགས་པ། དེའི་དབུས་སུ་རིན་པོ་ཆེའི་ཁྲིའི་སྟེང་དུ་རྗེ་བཙུན་བྱམས་མགོན། སྐུ་མདོག་གསེར་བཙོ་མའི་མདོག་ཅན། ཞལ་གཅིག་ཕྱག་གཉིས་ཆོས་འཆད་ཀྱི་ཕྱག་རྒྱ་སྟེང་འོག་ཏུ་མཛད་པ། བཟང་པོའི་བཞུགས་སྟངས་མཛད་པ། འོད་ཟེར་མཐའ་ཡས་པ་འཕྲོ་བ། འཁོར་བྱང་སེམས་དང་ལྷའི་ཚོགས་

དཔག་ཏུ་མེད་པས་བསྐོར་བ། ཞལ་རང་རེ་འཛམ་བུའི་གླིང་ཕྱོགས་སུ་གཟིགས་པ། ཐུགས་ཀ་དཔལ་གྱི་བེའུ་ལས་སངས་རྒྱས་དང་བྱ་ཆུབ་སེམས་དཔའི་ཚོགས་དཔག་ཏུ་མེད་པ་ཕྱིར་སྤྲོ་བ་དང་ནང་དུ་འདུ་བ་དཔག་ཏུ་མེད་པས་འགྲོ་བའི་དོན་མཛད་པ་ཞིག་གསལ་བཏབ། ཐུགས་ཀའི་དཔལ་བེའུའི་དྲ་མིག་གསུམ་ལས་ཕྱིན་དཀར་པོ་ཞོ་གསར་བ་ཕྱུངས་པ་ལྟ་བུ་གསུམ་ཤད་ཀྱིས་བྱུང་བའི་དབུས་མ་མཐོ་ཞིང་གཡས་གཡོན་གཉིས་དམའ་བའི་དབུས་མའི་སྟེང་ན་ཆོས་ཀྱི་རྒྱལ་པོ་ཙོང་ཁ་པ་ཆེན་པོ་སྐུ་མདོག་དཀར་གསལ་འཛུམ་པའི་ཞལ་ཁྲིམ་ཅན། ཕྱག་གཉིས་ཆོས་འཁོར་གྱི་ཕྱག་རྒྱས་ཨུཏྤ་ལའི་ཡུ་བ་མཐེབ་མཛུབ་ཀྱིས་འཛིན་པ། པཎ་ཞྭ་གསེར་མདོག་སྔེ་རིང་དང་། ན་བཟའ་ཆོས་གོས་རྣམ་གསུམ་གསོལ་བ། ཞབས་རྡོ་རྗེའི་སྐྱིལ་ཀྲུང་གིས་བཞུགས་པ། གཡས་སུ་རྒྱལ་ཚབ་རྗེ་དང་། གཡོན་དུ་མཁས་གྲུབ་རྗེ། དབུ་ཞྭ་ན་བཟའ་གཙོ་བོ་དང་མཚུངས་ཤིང་། ཕྱག་གཡས་ཆོས་འཆད་དང་། གཡོན་མཉམ་བཞག་གི་སྟེང་ན་གླེགས་བམ་བསྣམས་པ། དེའི་མཐའ་བསྐོར་དུ་སངས་རྒྱས་དང་བྱང་ཆུབ་སེམས་དཔའ་གང་ལ་གང་འདུལ་གྱི་སྐུའི་བཀོད་པ་བསམ་གྱིས་མི་ཁྱབ་པ་སྟོན་པ་དང་བཅས་པ་སྤྱན་དྲངས་པར་བསམ་ལ། དགའ་ལྡན་ལྷ་བརྒྱའི་སོགས་ཚིགས་བཅད་གཅིག་བརྗོད། གཉིས་པ་སྤྱན་དྲངས་ཏེ་ཡན་ལག་བདུན་པ་འབུལ་བའི་ཐོག་མར་རང་གིས་སེང་གེ་ཆེན་པོ་བརྒྱད་ཀྱིས་བཏེགས་པའི་ཁྲི་མཐོ་ཞིང་ཡངས་པ་གསུམ་ཕུལ་བའི་སྟེང་དུ་ཡབ་སྲས་གསུམ་བསྐལ་པ་རྒྱ་མཚོའི་བར་དུ་བདག་ཅག་རྣམས་ལ་དགྱེས་པའི་འཛུམ་ཞལ་ལྷམ་མེར་བཞུགས་པར་བསམ་སྟེ། མདུན་གྱི་ནམ་མཁར་སོགས་ཚིགས་བཅད་གཅིག་བརྗོད། དེ་ནས་རང་གི་ལུས་གྲངས་མེད་པ་སྤྲུལ་ཏེ་ཡན་ལག་ལྔ་ས་ལ་བཙུགས་ནས་ཕྱག་འཚལ་བ་ལུས་ཀྱི་ཕྱག །དབྱངས་ཀྱི་ཡན་ལག་རྒྱ་མཚོའི་སྒོ་ནས་མཁྱེན་བརྩེ་ནུས་གསུམ་གྱི་ཡོན་ཏན་བརྗོད་པ་ངག་གི་ཕྱག །ཡིད་ཀྱིས་ཡབ་སྲས་གསུམ་གྱི་སྐུ་གསུང་ཐུགས་ཀྱི་ཡོན་ཏན་དྲན་པ་ཡིད་ཀྱི་ཕྱག་དང་བཅས་ཏེ། ཤེས་བྱའི་ཁྱོན་ཀུན་སོགས་ཚིགས་བཅད་གཅིག་བརྗོད། མཆོད་ཡོན་ཞབས་བསིལ་མེ་ཏོག་བདུག་སྤོས་སོགས་དང་བཀྲ་ཤིས་རྟགས་བརྒྱད། རྒྱལ་སྲིད་སྣ་བདུན་སོགས་དངོས་སུ་བཤམས་པ་དང་། ཡིད་ཀྱིས་སྟོང་གསུམ་གྱི་འཇིག་རྟེན་གྱི་ཁམས་རྣམས་ཐམས་ཅད་མཆོད་རྫས་ཀྱིས་གང་བར་མོས་ནས། ཡོད་འོང་མཆོད་ཡོན་སོགས་བརྗོད་དེ་མཆོད་པ་ཕུལ། བདག་གིས་ཐོག་མ་མེད་པ་ནས་ད་ལྟའི་བར་དུ

དུག་གསུམ་གྱི་སྒོ་ནས་བསགས་པའི་མི་དགེ་བཅུ་མཚམས་མེད་ལྔ་སོགས་སྒོ་གསུམ་གྱི་སྡིག་པ་བགྱིས་པ་ཐམས་ཅད་དང་། ཁྱད་པར་དུ་རང་གིས་ཁས་བླངས་པའི་སོ་ཐར་བྱང་སེམས་གསང་སྔགས་ཀྱི་སྡོམ་པ་དང་འགལ་བའི་ལྟུང་བ་ཐམས་ཅད་ཡབ་སྲས་གསུམ་གྱི་ཞབས་དྲུང་དུ་སྙིང་ཐག་པ་ནས་བཤགས་སྙམ་དུ། གང་ཞིག་ཐོག་མེད་སོགས་བརྗོད་དེ་སྡིག་པ་བཤགས། རྗེས་སུ་ཡི་རང་ནི། རྗེ་བླ་མའི་གསང་བ་བསམ་གྱིས་མི་ཁྱབ་པའི་རྣམ་ཐར་སྤྱི་དང་ཁྱད་པར་སྙིགས་དུས་འདིར་རྒྱལ་བའི་གསུང་རབ་མཐའ་དག་སངས་རྒྱ་བའི་གདམས་ངག་ཏུ་ཤར་ནས་ཐོས་བསམ་སྒོམ་གསུམ་མཛད་ཚུལ་དེ་ཐམས་ཅད་ཆོས་བརྒྱད་ཀྱིས་འཆིང་བས་མ་གོས་པར་བསྟན་པ་དང་སེམས་ཅན་གྱི་དོན་དུ་བསྔོ་བར་མཛད་པ་ལ་ཡིད་དགའ་བ་དང་བཅས། སྙིགས་མའི་དུས་འདིར་སོགས་བརྗོད། ཤེས་བྱ་ཐམས་ཅད་ལ་ཁྱབ་པའི་ཡེ་ཤེས་ཆོས་སྐུའི་མཁའ་དབྱིངས་སུ་སྙིང་རྗེ་ཆེན་པོའི་ཆུ་འཛིན་འཁྲིགས་པ་ལས། གདུལ་བྱ་རང་རང་གི་བློ་དང་འཚམས་པར་མདོ་སྔགས་ཀྱི་ཟབ་པ་དང་རྒྱ་ཆེ་བའི་ཆོས་ཀྱི་འཁོར་ལོ་བསྐོར་དུ་གསོལ་སྙམ་པས། ཆོས་སྐུའི་མཁའ་ལ་སོགས་བརྗོད། བསྔོ་བའི་ཡན་ལག་ནི། དེ་ལྟར་བདག་གིས་བླ་མའི་རྣལ་འབྱོར་བསྒོམས་པ་འདིས་མཚོན། བདག་གིས་ཚེ་འདིར་ལུས་ངག་ཡིད་གསུམ་གྱིས་དགེ་བའི་རྩ་བ་ཇི་སྙེད་ཅིག་བསགས་པ་ཐམས་ཅད་སྤྱིར་བསྟན་འགྲོ་རྣམས་ལ་གང་ལ་གང་ཕན་གྱི་རྒྱུར་འགྱུར་བ་དང་། ཁྱད་པར་དུ་རྗེ་བླ་མའི་བཤད་སྒྲུབ་ཀྱིས་བསྟན་པ་ཤཱཀྱ་ཐུབ་པའི་མདོ་སྔགས་ཀྱི་བསྟན་པའི་སྙིང་པོ་གཅིག་ཏུ་བསྡུས་པ་འདི་སྲིད་མཐའི་བར་དུ་ཕྱོགས་ཐམས་ཅད་གོང་ནས་གོང་དུ་དར་ཞིང་རྒྱས་པའི་རྒྱུར་གྱུར་ཅིག་སྙམ་ནས། བདག་གིས་ཇི་སྙེད་སོགས་བརྗོད། གསུམ་པ་གསོལ་བ་བཏབ་སྟེ་དངོས་གྲུབ་ཞུ་བ་ནི་དམིགས་བརྩེ་མ་བཞི་སྐོར་དང་། ཐར་འདོད་ཐར་པར་འཇུག་པའི་སོགས་ཀྱིས་རྒྱལ་ཚབ་རིན་པོ་ཆེ་དང་། གཞུང་ལུགས་རལ་པ་འཐུག་པོས་སོགས་ཀྱིས་མཁས་གྲུབ་རྗེར་གསོལ་བ་བཏབ་སྟེ་དངོས་གྲུབ་ཞུ་བ་ལ་མ་དག་པ་འབྲུད་པའི་དངོས་གྲུབ་ཞུ་བ་ནི། རྗེ་བླ་མ་འཇམ་དབྱངས། རྒྱལ་ཚབ་རྗེ་སྤྱན་རས་གཟིགས། མཁས་གྲུབ་རྗེ་གསང་བའི་བདག་པོར་མོས་ནས་སྔར་ལྟར་གསོལ་བ་བཏབ་པས། ཡབ་སྲས་གསུམ་གའི་ཐུགས་ཀ་ནས་འོད་ཟེར་དཀར་པོའི་སྨྱུ་གུ་གསུམ་བྱུང་བ་རང་གི་སྤྱི་བོར་འདྲིས་ཏེ་ཚངས་བུག་ལ་ཐུག་པའི་ནང་ནས་བདུད་རྩི་དཀར་པོའི་རྒྱུན་དཔག་ཏུ་མེད་པ་བྱུང་། རང་གི་ལུས་ཀྱི་

རྩ་འཁོར་ཐམས་ཅད་གང་བས་སྡིག་སྒྲིབ་ཐམས་ཅད་དག་སྟེ་ལུས་ཤེལ་སྒོང་གཡའ་དག་པ་བཞིན་དུ་གྱུར་པར་བསམ། མི་ཤེས་པ་བསལ་བའི་དངོས་གྲུབ་ཞུ་བ་ནི། སྔར་ལྟར་གསོལ་བ་བཏབ་པས། ངོ་བོ་ཡབ་སྲས་གསུམ་གྱི་མཁྱེན་བརྩེ་ནུས་པའི་ཡོན་ཏན་ཡིན་པ་ལ་རྣམ་པ་བདུད་རྩི་དམར་སེར་གྱི་རྒྱུན་དཔག་ཏུ་མེད་པ་བྱུང་། རྩ་འཁོར་ཐམས་ཅད་ཁེང་། བདུད་རྩིའི་རྡུལ་ཕྲ་རབ་རྣམས་ཡོངས་སུ་གྱུར་པ་ལས་རྗེ་བཙུན་འཇམ་དབྱངས་གཡས་རལ་གྲི། གཡོན་གླེགས་བམ་བསྣམས་པ། ཞབས་རྡོ་རྗེའི་སྐྱིལ་ཀྲུང་ཅན་དུ་གྱུར་པས་ལུས་ཀྱི་ནང་ཐམས་ཅད་གང་བས་རང་ཉིད་ཤེས་རབ་ཆེ་བ་འཇམ་དབྱངས་ལྟར་གྱུར་པའི་མོས་པ་བྱེད། ཤེས་རབ་གསལ་བའི་དམིགས་པ་ནི། གཞན་སྔར་ལྟར་ལ་བདུད་རྩིའི་རྡུལ་ཕྲ་རབ་རྣམས། ཨོཾ་ཨ་ར་པ་ཙ་ན་ཧྲཱིཿ ཞེས་པའི་སྔགས་སུ་གྱུར་པས་ལུས་ཀྱི་རྩ་འཁོར་ཐམས་ཅད་གང་བས་ཤེས་རབ་གསལ་བ་འཇམ་དབྱངས་ལྟར་གྱུར་པའི་མོས་པ་བྱེད། ཡང་སྔར་ལྟར་གསོལ་བ་བཏབ་པས་བདུད་རྩིའི་རྡུལ་རྣམས་ཧྲཱིཿ དམར་སེར་རིང་ཆ་ཆེག་དྲག་ཅན་དུ་གྱུར་ལུས་གང་བས་ཤེས་རབ་མྱུར་བ་ཐོབ་པའི་མོས་པ་བྱེད། ཤེས་རབ་ཟབ་པའི་དམིགས་པ་ལ་གསུམ་ཡོད་པས། འཆད་པ་ལ་བདུད་རྩིའི་རྡུལ་རྣམས་གང་འཆད་ཀྱི་གསུང་རབ་དེའི་གླེགས་བམ་གྱི་རྣམ་པར་གྱུར་པ་དང་། རྩོད་པ་ལ་བདུད་རྩིའི་རྡུལ་ཕྲ་རབ་རྣམས་རལ་གྲི་རྩིབས་དྲུག་པའི་འཁོར་ལོས་ལུས་ཀྱི་ནང་གང་བས་རྩོད་པ་ལ་ཐོགས་པ་མེད་པའི་མོས་པ་བྱེད། རྩོམ་པ་ལ་བདུད་རྩིའི་རྡུལ་རྣམས་གླེགས་བམ་དང་རལ་གྲིའི་རྩིབས་དྲུག་པའི་འཁོར་ལོ་གཉིས་ཀས་ལུས་ཀྱི་ནད་ཐམས་ཅད་གང་བས། རང་ཉིད་རྩོམ་པ་ལ་འཇམ་དབྱངས་ལྟར་གྱུར་པའི་མོས་པ་བྱེད། ཐུན་འཇོག་ཁར། དཔལ་ལྡན་རྩ་བའི་བླ་མ་རིན་པོ་ཆེ་སོགས་ཀྱིས་གསོལ་བ་བཏབ་པས་འོད་ཀྱི་ཕྲུ་གུ་སུམ་ཡབ་སྲས་གསུམ་གྱི་ཐུགས་ཀར་ཐིམ། སེང་ཁྲི་པད་ཉི་བཅས་འོད་དུ་ཞུ་བ་ཡབ་སྲས་གསུམ་སོ་སོར་ཐིམ། སྲས་གཉིས་འོད་དུ་ཞུ་ནས་རྗེ་བླ་མར་ཐིམ། རྗེ་བླ་མ་ཡང་ཇེ་ཆུང་ཇེ་ཆུང་ལ་སོང་རང་གི་སྤྱི་བོའི་བྲ་ག་ནས་སྙིང་པདྨ་འདབ་བརྒྱད་དུ་གྱུར་པའི་ལྟེ་བར་རང་སེམས་དང་དབྱེར་མེད་དུ་བཞུགས། པདྨ་ཁ་ཟུམ་པའི་སྟོད་དུ་ཨ་ར་པ་ཙ་ན། སླད་དམིགས་བརྩེ་མས་གཡོན་སྐོར་བའི་མོས་པ་དང་། པདྨའི་སྟེར་མི་བསྐྱོད་པའི་རང་བཞིན་གྱི་རྡོ་རྗེ་རྩེ་ལྔ་པ་ཕྱེད་པས་རྒྱས་གདབ། ཐུན་རྗེས་མ་རྣམས་ཀྱི་ཚེ་དམིགས་པས་སྙིང་གའི་པདྨ་ཁ་ཕྱེ་སྟེ་རྗེ་བླ་མ་སྔར་གྱི་རྗེ་བླ་མར་ཐིམ་

པའི་མོས་པ་བྱས་ཏེ། བཟའ་བཏུང་གི་ཚེ་མཆོད་པ་ཕུལ་བའི་དམིགས་པ་བྱེད་དགོས་སོ། །
གསུམ་པ་མཇུག་ཏུ་བསྔོ་སྨོན་བྱེད་ཚུལ་ནི། ང་ཡི་བླ་མ་བློ་བཟང་གྲགས་པ་དེ་སོགས་དང་།
དེ་ལྟར་བསྟན་པའི་རྣམ་དཀར་དགེ་བ་ཡང་། །རྗེ་བཙུན་བླ་མ་ཡབ་སྲས་རྣམ་གསུམ་གྱིས། །
ཚེ་རབས་ཀུན་ཏུ་སོགས་དང་། གཞན་ནུས་དུས་ནས་བླ་མ་ལྷ་མཆོག་ལ། །གསོལ་བ་བཏབ་
པའི་བློ་བཟང་གྲགས་པ་སོགས་བསྔོ་སྨོན་བཀྲ་ཤིས་བྱའོ། །ཞེས་པ་འདི་ནི་ཞུ་དུ་མུ་ཙུན་
ཧོག །ལྷུང་རིགས་སྨྲ་བ་བློ་གསལ་དཀོན་མཆོག་ཆོས་དར་གྱིས་བསྐུལ་བ་བཞིན། ༧རྒྱལ་
མཁན་མིང་གྲགས་རྒྱལ་གྱིས་བྲིས་པའོ། །

༄༅། །དགའ་ལྡན་ལྷ་བརྒྱ་མའི་ཁྲིད་ཡིག་ལས་ཚོགས་
དང་བཅས་པ་དངོས་གྲུབ་ཀུན་འབྱུང་
ཞེས་བྱ་བ་བཞུགས་སོ།

༄། །ན་མོ་གུ་རུ་མཉྫུ་གྷོ་ཥ་ཡ། རིགས་གསུམ་རྣམ་འཕྲུལ་བློ་བཟང་གྲགས་པའི་
ཞབས། །དཀོན་མཆོག་ཀུན་འདུས་བཤེས་གཉེན་ཚུལ་བཟུང་སྟེ། །འཇིགས་མེད་རྣམ་
དཔྱོད་སྤོབས་པའི་མཆོག་སྩོལ་པ། །ཁྱབ་བདག་སྨྲ་བའི་དབང་པོ་དེ་ལ་འདུད། །གང་དེའི་
དྲིན་གྱིས་བསྐལ་བ་བྱེ་བར་ཡང་། །རྙེད་པར་དཀའ་བ་དབེན་ས་སྙན་བརྒྱུད་ཀྱི། །ཟབ་ལམ་
བདུད་རྩིའི་སྙིང་པོ་སྙིང་ལ་སིམ། །ད་དུང་བྱང་ཆུབ་པར་དུ་བརྩེ་བས་སྐྱོངས། །འདིར་
ཁམས་གསུམ་ཆོས་ཀྱི་རྒྱལ་པོ་ཙོང་ཁ་པ་ཆེན་པོའི་གསུང་ཐུགས་དམིགས་བརྩེ་མའི་བསྙེན་
སྒྲུབ་ལས་གསུམ་བྱེད་པ་ལ། དེ་ཡང་ཟབ་ལམ་བླ་མའི་རྣལ་འབྱོར་དགའ་ལྡན་ལྷ་བརྒྱ་མར་
གྲགས་པའི་མཐའ་ངག་ནི་དམིགས་བརྩེ་མའི་གདམས་པ་ཡིན་ལ། དེ་ཡང་དམིགས་བརྩེ་མ་ནི་བླ་
མ་འགའ་ཞིག་གིས་རྗེ་རེད་མདའ་པས་མཛད་པར་བཞེད་ཀྱང་། རང་ལུགས་ལ་རྗེ་རིན་པོ་ཆེ་
དང་རྗེ་བཙུན་འཇམ་དབྱངས་ཀྱི་མཁྱེན་རབ་གསོལ་འདེབས་དབྱངས་ཀྱི་རྣམ་པར་ཤར་བ་ཡིན་
ཏེ། བཀའ་གདམས་གླེགས་བམ་ལས། བདག་གི་སྤྲུལ་པ་དམ་པ་གཅིག། རེས་འགའ་དགེ་
སློང་ཉིད་དུ་སྤྲུལ། ཞེས་པས་རྗེ་རིན་པོ་ཆེ་དང་། རེས་འགའ་ཡིག་འབྲུ་གཟུངས་ཀྱི་གཟུགས་
ཞེས་པས་ཨ་ར་པ་ཙ་ན། རེས་འགའ་གསོལ་འདེབས་དབྱངས་ཀྱི་གཟུགས། ཞེས་པས་
དམིགས་བརྩེ་མའི་རྣམ་པར་ཤར་ནས་སེམས་ཅན་གྱི་དོན་མཛད་པར་གསུངས་པ་བཞིན་ཡིན་
པའི་ཕྱིར་རོ། །དེའི་ཁྲིད་ལ་རྗེ་བླ་མའི་མཁྱེན་པ་དང་བརྩེ་བ་དང་ནུས་པ་གསུམ་རིམ་པ་
བཞིན་རྗེ་བཙུན་འཇམ་དབྱངས་ཀྱི་མཁྱེན་པ་དང་། སྤྱན་རས་གཟིགས་ཀྱི་བརྩེ་བ་དང་།
ཕྱག་ན་རྡོ་རྗེའི་ནུས་པ་གསུམ་དང་མཚུངས་པར་ངེས་པའི་སྒོ་ནས་གསོལ་བ་འདེབས་པ་ཕྱི་

མཚུངས་པ་གསལ་བྱེད་དམ་ཕྱི་སྒྲུབ་དང་། དེར་མ་ཟད་དེ་གསུམ་གྱི་མཁྱེན་བརྩེ་ནུས་པ་གསུམ་རྗེ་བླ་མའི་ཐུགས་རྒྱུད་ལ་མངའ་བའི་སྒོ་ནས་གསོལ་བ་འདེབས་པ་ནང་ཡོན་ཏན་དེ་ལྡན་ནམ་ནང་སྒྲུབ་དང་། དེར་མ་ཟད་རྗེ་བླ་མ་རིགས་གསུམ་མགོན་པོ་དང་ངོ་བོ་དབྱེར་མེད་དུ་མོས་པའི་སྒོ་ནས་གསོལ་བ་འདེབས་པ་གསང་བ་ལྷག་པའི་ལྷ་དང་ངོ་བོ་དབྱེར་མེད་དུ་གསོལ་བ་འདེབས་པའམ་གསང་སྒྲུབ་དང་གསུམ་ཡོད་པའི་ནང་ནས་དམིགས་བརྩེ་མའི་ལས་ཚོགས་རྣམས་ནི་གསང་སྒྲུབ་ཀྱི་ལས་ཚོགས་ཡིན་ནོ། །ཕྱིར་གསོལ་བ་འདེབས་ཚུལ་མང་ཡང་མཁྱེན་པ་དང་བརྩེ་བ་གཉིས་ཀྱི་སྒོ་ནས་གསོལ་བ་འདེབས་པ་ནི་གཙོ་བོ་ཡིན་ཏེ། དེ་ལ་གདུལ་བྱ་གཞན་སྐྱོབས་པའི་ནུས་པ་ཚང་བའི་ཕྱིར་རོ། །ཡང་དམིགས་བརྩེ་མ་ལ་རྗེ་བླ་མ་དང་རིགས་གསུམ་མགོན་པོ་དབྱེར་མེད་དུ་མོས་པའི་སྒོ་ནས་བཞི་སྐོར། དེའི་ཐུགས་ཀར་ཐུབ་དབང་དེའི་ཐུགས་ཀར་རྡོ་རྗེ་འཆང་ཡུམ་བཅས་བསྐྱེད་ནས། དངོས་གྲུབ་ཀུན་འབྱུང་ཐུབ་དབང་རྡོ་རྗེ་འཆང་། །དམིགས་མེད་བརྩེ་བའི་གཏེར་ཆེན་སྤྱན་རས་གཟིགས། །དྲི་མེད་མཁྱེན་པའི་དབང་པོ་འཇམ་པའི་དབྱངས། །གངས་ཅན་མཁས་པའི་གཙུག་རྒྱན་བློ་བཟང་གྲགས། །དཔལ་ལྡན་བླ་མའི་ཞབས་ལ་གསོལ་འདེབས། ཞེས་པའི་དྲུག་སྐོར་དང་། སྐུ་ནོར་བུ་མཐོང་འཛིན་ལ་བརྟེན་པའི་ཕྱི་སྒྲུབ། གསུང་ཉི་མ་སྣང་བྱེད་ལ་བརྟེན་པའི་ནང་སྒྲུབ། ཐུགས་གསང་བ་མཐོང་འཛིན་ལ་བརྟེན་པའི་གསང་སྒྲུབ། དེ་རེ་རེ་ལ་ནང་གསེས་ཀྱི་ཕྱི་ནང་གསང་གསུམ་དུ་ཕྱེ་བས་དགུ་སྐོར་རྣམས་སུ་ཡོད་ཅིང་། ཕྱི་ནང་གསང་གསུམ་འཇོག་ཚུལ་བླ་མ་འགའ་ཞིག་གིས། འཇམ་དབྱངས་ཕྱི་ནང་གསང་གསུམ་འཇམ་དབྱངས་ཆོས་སྐོར་ལྟར་དང་། སྤྱན་རས་གཟིགས་ཕྱག་བཞི་པ་ཕྱི། བཅུ་གཅིག་ཞལ་ནང་། རྒྱལ་བ་རྒྱ་མཚོ་གསང་བ། ཕྱག་རྡོར་གོས་སྔོན་ཅན་ཕྱི། འབྱུང་འདུལ་ནང་། འཁོར་ཆེན་གསང་སྒྲུབ་ཏུ་བཞེད་པས་དང་པོའི་འཇོག་ཚུལ་ཉུང་ཡང་ཕྱི་མ་གཉིས་ཀྱི་འཇོག་བྱེད་དཀའ་མོར་འདུག་པས། ལྕང་སྐྱ་རིན་པོ་ཆེས་ནི། རིགས་གསུམ་མགོན་པོ་བྱ་རྒྱུད་ནས་བཤད་པ་ཕྱི། རྣལ་འབྱོར་རྒྱུད་ནས་བཤད་པ་ནང་། བླ་མེད་ནས་བཤད་པ་གསང་སྒྲུབ་ཏུ་བཞེད་པ་རྒྱུད་སྡེའི་སྒྲ་བཤད་དང་མཐུན་པས་ཤིན་ཏུ་ལེགས་སོ། །འདིའི་ཁྲིད་ཀྱི་དམིགས་རིམ་ནི་རྒྱུད་ཆེན་སངས་རྒྱས་རྒྱ་མཚོ་ཡན་ཆད་དུ་འདོན་ཆ་ཡི་གེར་མ་བཀོད་པར་སྙན་བརྒྱུད་དུ་གནས་པ་ལ་རྗེ་དེ་ཉིད་ཀྱིས་བླ་མའི་རྣལ་འབྱོར་

དགའ་ལྡན་ལྷ་བརྒྱ་མར་གྲགས་པ་འདི་མཛད་པ་ཡིན་ཞིང་། དེ་ལྟ་བུའི་གདམས་པ་ཟབ་མོ་ཉམས་སུ་ལེན་པ་ལ། སྦྱོར་དངོས་རྗེས་གསུམ་ལས། དང་པོ་ནི། མདོ་སྡེ་རྒྱན་ལས། བློ་ལྡན་གང་དུ་སྒྲུབ་པའི་ཡུལ། །ལེགས་པར་རྙེད་དང་གནས་བཟང་དང་། ས་བཟང་པ་དང་གྲོགས་བཟང་དང་། །རྣལ་འབྱོར་བདེ་བའི་ཡོ་བྱད་ལྡན། ཞེས་གསུངས་པས་དེ་ལྟ་བུའི་གནས་ཕུན་སུམ་ཚོགས་པའམ། དེ་ལྟར་མ་གྲུབ་ཀྱང་རང་གི་སྒྲུབ་ཁང་སོགས་སུ་མཚམས་བྱ་བ་ལ། ཆོ་འཕྲུལ་གྱི་དུས་ཆེན་ནམ་རྒྱལ་ཟླ་བ་སོགས་ཀྱི་དུས་ལ་སྒྲུབ་ན་རབ་ཡིན་ཅིང་དེ་ལྟར་མིན་ཡང་དུས་གང་ཡང་རུང་བར་ཐོག་མར་བར་ཆད་ཞི་བ་དང་ཚོགས་རྫོགས་པ་སོགས་ཀྱི་ཆེད་དུ། དཀོན་མཆོག་གི་རྟེན་ལ་མཆོད་འབུལ། དགེ་འདུན་གྱི་སྡེ་ལ་བསྙེན་བཀུར། སླཱ་ཚྭ་འདེབས་པ། མཆོད་མེ་འབུལ་བ། གཏོར་མ་བརྒྱ་རྩ་ཚ་གསུམ་འབྱུང་བཞི་གཏོར་མ་ལོ་གྲངས་གཏོང་བ་དབུལ་འཕོངས་ལ་སྦྱིན་གཏོང་སོགས་གང་འགྲུབ་བྱས་ལ། སྒྲུབ་ཁང་གི་ཕྱི་ནང་ཉེ་འཁོར་ཐམས་ཅད་ལ་གང་དར་ལེགས་པར་བྱས། སྒྲུབ་ཁང་གི་ནང་དུ་དྲི་ཞིམ་པོའི་ཆུ་དང་བདུད་རྩི་ལྔ་དང་བ་བྱུང་གིས་ལེགས་པར་བྱུགས། མེ་ཏོག་སིལ་མ་གཅལ་དུ་བཀྲམས། ཇི་ལྟར་འོས་པའི་ཕྱོགས་སུ་སྟེགས་ཀྱི་ཁར་རྗེ་ཐམས་ཅད་མཁྱེན་པའི་སྐུ་བྲིས་འབུར་ཅི་རིགས་ཀྱིས་གཙོས་སྐུ་གསུང་ཐུགས་ཀྱི་རྟེན་རྣམས་ལེགས་པར་བཀྲམ་རྟེན་གྱི་དྲུང་དུ་ཆུ་གཉིས་ཉེར་སྤྱོད་རོལ་མོ་འདོད་ཡོན་ལྔ་རྒྱ་ལ་སྲིད་སྣ་བདུན་བཀྲ་ཤིས་རྟགས་བརྒྱད་སོགས་གཡོ་སྒྱུ་དང་འཇིག་རྟེན་ཆོས་བརྒྱད་ཀྱི་དབང་དུ་མ་སོང་བར་ལེགས་པར་བཤམས། དཀར་གཏོར་བགེགས་གཏོར་ཆོས་རྒྱལ་གྱི་མཆོད་གཏོར་རྣམས་ཕྱག་ལེན་ལྟར་བཤམས་ཏེ། རང་ལ་ཉེར་མཁོའི་ཡོ་བྱད་ཐམས་ཅད་ཚོགས་པར་བྱའོ། །གཉིས་པ་དངོས་གཞི་ལ། བསངས་ཆུ་སྒྲུབ་ཚུལ། བསྲུང་འཁོར་བསྒོམ་པ། ཐོ་ལྟར་བསྐྱེད་ཅིང་མཇལ་ཕུལ་ཏེ་གསོལ་བ་འདེབས་ཚུལ། བླ་མའི་རྣལ་འབྱོར་བསྒོམ་ཚུལ་དང་བཞི་ལས། དང་པོ་བསངས་ཆུ་སོགས་སྒྲུབ་ཚུལ་ནི། རང་ཉིད་སྐད་ཅིག་གིས་དཔལ་རྡོ་རྗེ་འཇིགས་བྱེད་ཞལ་གཅིག་ཕྱག་གཉིས་ཀྱིས་གྲི་གུག་དང་ཐོད་པ་འཛིན་པ་ཡུམ་དང་བཅས་པའི་སྐུར་བཞེངས་པར། བསམ་ལ། ཁཎྜ་རོ་ཧི་ག་བརྒྱ་རྩ་བརྒྱད་ཀྱིས་བསངས་ཆུ་སྒྲུབ། དེ་ནས་དཀར་གཏོར་ལ་ཆབ་ཀྱིས་བྲན། ཤྭ་བྷཱ་ཝས་སྦྱངས། སྟོང་པའི་ངང་ལས་བྱུང་ཧཱུྃ་ལས་རིན་པོ་ཆེའི་སྣོད་ཡངས་ཤིང་རྒྱ་ཆེ་བའི་ནང་དུ་ལྷ་རྫས་ལས་གྲུབ་པའི་གཏོར་མ་ཟག་པ་

མེད་པའི་ཡེ་ཤེས་ཀྱི་བདུད་རྩིའི་རྒྱ་མཚོ་ཆེན་པོར་གྱུར། ཨོཾ་ཨཱཿཧཱུྃ། ལན་གསུམ་གྱིས་བྱིན་གྱིས་རླབས། མཆོད་སྦྱིན་གྱི་གཏོར་མ་འདོད་པའི་ཡོན་ཏན་ལྔ་དང་ལྡན་པ་འདི་ཉིད་སའི་ལྷ་མོ་བརྟན་མའི་གཙོས་ཡུལ་བདག་གནས་བདག་གཞི་བདག་སྤྱི་དང་ཁྱད་པར་ས་ཆ་ཡུལ་ཕྱོགས་གནས་གཞི་འདི་ཉིད་ལ་གནས་པའི་འབྱུང་པོ་དཀར་ཕྱོགས་ལ་མངོན་པར་དགའ་བ་རྣམས་ལ་འབུལ་ལོ། །བཞེས་ལ་སྤྱིར་སངས་རྒྱས་ཀྱི་བསྟན་པ་དང་བསྟན་འཛིན་སྐྱོང་བ་དང་ཁྱད་པར་རྣལ་འབྱོར་བ་བདག་ཅག་གིས་ཟབ་མོ་བླ་མ་ལྷའི་བསྙེན་སྒྲུབ་བྱེད་པ་ལ་ཀོ་ལོང་ཧྲུང་ཐྲག་རྟོག་བསམ་སྦྱོར་ངན་པའི་ལས་མ་བྱེད་པར་འགལ་རྐྱེན་ཐམས་ཅད་སེལ་མཐུན་རྐྱེན་ཐམས་ཅད་སྒྲུབས། བསྙེན་སྒྲུབ་མཐར་ཕྱིན་པ་སོགས་ཇི་ལྟར་འདོད་པའི་དོན་ཐམས་ཅད་ཡིད་བཞིན་དུ་འགྲུབ་པའི་འཕྲིན་ལས་དང་སྟོང་གྲོགས་རྒྱ་ཆེན་པོ་མཛད་དུ་གསོལ། བདག་གིས་བསམ་པའི་སྟོབས་དང་ནི། །དེ་བཞིན་གཤེགས་པའི་བྱིན་སྟོབས་དང་། །ཆོས་ཀྱི་དབྱིངས་ཀྱི་སྟོབས་རྣམས་ཀྱིས། །དོན་རྣམས་གང་དག་བསམ་པ་ཀུན། །དེ་དག་ཐམས་ཅད་ཅི་རིགས་པ། །ཐོགས་པ་མེད་པར་འབྱུང་གྱུར་ཅིག །ཅེས་དཀར་ཕྱོགས་པ་རྣམས་ལ་འཕྲིན་ལས་བཅོལ། དེ་ནས་བགེགས་གཏོར་ལ་ཆབ་བྲན། ཨ་ཀཱ་རོ་ལན་གསུམ་གྱིས་བྱིན་གྱིས་རླབས། ན་མཿསརྦ་ཏ་ཐ་ག་ཏ་བྷྱོ། བི་ཤྭ་མུ་ཁེ་བྷྱཿ སརྦ་ཐད་ཁཾ་ཨུད་ག་ཏེ་སྥ་ར་ཎ་ཧི་མཾ་ག་ག་ན་ཁཾ་གྲྀ་ཧྣཱ་དཾ་བ་ལིཾ་ཏ་ཡེ་སྭཱ་ཧཱ། ལན་གསུམ་གྱིས་བགེགས་ལ་གཏོར་མ་བྱིན། རང་འཇིགས་བྱེད་དུ་གསལ་བའི་ཐུགས་ཀ་ནས་ཁྲོ་བོའི་ཚོགས་བསམ་གྱིས་མི་ཁྱབ་པ་འཕྲོས། བགེགས་ཐམས་ཅད་ནམ་མཁའི་མཐའ་ཀླས་པར་བསྐྲད་ཅིང་ཚར་བཅད་པར་བསམ་ལ། ན་མོ་རྗེ་བཙུན་རྩ་བ་དང་བརྒྱུད་པར་བཅས་པའི་དཔལ་ལྡན་བླ་མ་དམ་པ་རྣམས་ཀྱི་བཀའ་བདེན་པ་དང་། སངས་རྒྱས× ཆོས་ཀྱི× དགེ་འདུན× ཁྲོ་བོའི་རྒྱལ་པོ་དཔལ་རྡོ་རྗེ་འཇིགས་བྱེད་ཆེན་པོའི་ལྷ་ཚོགས་རྣམས་ཀྱི× དཔལ་མགོན་དམ་པ་ཆོས་སྐྱོང་བའི་སྲུང་མ་རྣམས་ཀྱི× བདེན་པ་ཆེན་པོའི་བྱིན་གྱིས་བརླབས་ཀྱིས་བདག་གིས་བླ་མ་ལྷའི་བསྙེན་སྒྲུབ་ཟབ་མོ་བགྱིད་པ་ལ་བར་དུ་གཅོད་པར་རྩོམ་པའི་བགེགས་ཀྱི་ཚོགས་གང་ཡིན་པ་ཐམས་ཅད་མཆོད་སྦྱིན་གྱི་གཏོར་མ་དམ་པ་འདིས་ཚིམ་པར་གྱིས་ལས་ཕྱོགས་འདིར་མི་གནས་པར་རྒྱང་རིང་དུ་སོང་ཤིག །གལ་ཏེ་མི་འགྲོ་བ་དེ་དག་ཐམས་ཅད་ཁྲོ་བོའི་ཚོགས་དཔག་ཏུ་མེད་པས་སྐད་ཅིག་

ཉིད་ལ་ཐལ་བའི་རྡུལ་ཕྲན་བཞིན་དུ་བརླག་པར་བགྱིད་པས་དོར་མ་བཟློ་བར་སྒྱུར་དུ་སོང་ཤིག །ཨོཾ་ཧྲཱིཿ ཧྲཱི་སོགས་དྲག་སྔགས་བརྗོད་ཅིང་ཡུངས་དཀར་གྱིས་བྲབ། གུ་གུལ་གྱི་དུད་པ་གདུག་ཅིང་རོལ་མོ་དྲག་པོ་བྱས་ཏེ་ནག་ཕྱོགས་པ་རྣམས་བསྒྲད་པར་བྱའོ། །གཉིས་པ་བསྲུང་འཁོར་བསྒོམ་ཚུལ་ནི། རང་གི་ཐུགས་ཀའི་ཧཱུྃ་ལས་འོད་ཟེར་འོག་ཏུ་འཕྲོས་པས་རྡོ་རྗེའི་ས་གཞི། ཕྱོགས་སུ་འཕྲོས་པས་རྡོ་རྗེའི་ར་བ། སྟེང་དུ་འཕྲོས་པས་རྡོ་རྗེའི་གུར། གུར་གྱི་འོག་ར་བའི་སྟེང་དུ་རྡོ་རྗེའི་བླ་རེ་སྟེ་དེ་ཐམས་ཅད་རྡོ་རྗེ་འབར་བའི་རང་བཞིན་པར་མཚམས་མེད་པ་དུམ་བུ་གཅིག་ཏུ་གྱུར་པའི་ཕྱི་རོལ་ཏུ་བསྐལ་པ་འཇིགས་པའི་མེ་ལྟ་བུ་ཁ་དོག་སྣ་ལྔའི་མེ་དཔུང་ཕྱོགས་བཅུར་འཕྲོ་བར་གྱུར། ཅེས་བསྲུང་འཁོར་བསྒོམ། གསུམ་པ་ཐོ་ལྷར་བསྐྱེད་ཅིང་། དེ་ནས་ཕྱི་རོལ་གྱི་ཐོའི་རྩེར་ཕྱིན་ཏེ། མཆོད་གཏོར་ཕྱིན་གྱིས་བརླབས་ལ། མདུན་དུ་པདྨ་ཉི་མ་མ་ཧེའི་སྟེང་དུ། ཡ་ལས་ཐོད་དབྱུག་ཡས་མཚན་པ་དེ་ལས་འོད་ཟེར་འཕྲོས། དགྲ་བགེགས་གདུག་པ་ཅན་ཐམས་ཅད་ཚར་བཅད་ཚུར་འདུས་དབྱུག་ཏོ་ལ་ཐིམ་པ་དེ་ཡོངས་སུ་གྱུར་པ་ལས་ལས་ཀྱི་གཤིན་རྗེ་ནག་པོ་ཞལ་གཅིག་ཕྱག་གཉིས་པ་མ་ཧེའི་གདོང་པ་ཅན། དམར་ཞིང་ཟླུམ་པའི་སྤྱན་གསུམ་དང་ལྡན་པ། གཡས་པས་ཐོད་དབྱུག་དང་། གཡོན་པས་བཞགས་པ་འཛིན་པ། དབུ་སྐྲ་དམར་སེར་གྱེན་དུ་ལངས་པ་དེའི་གཡོན་དུ་ཙཾ་དང་རྩེ་གསུམ་ལས་ཙ་མུཎྜི་ཞལ་གཅིག་ཕྱག་གཉིས་ཀྱིས་གཡས་རྩེ་གསུམ་དང་། གཡོན་ཐོད་པ་འཛིན་པ། ཡ་བ་ཏི་ལ་སོགས་པ་གཤིན་རྗེ་ཕོ་མོའི་འཁོར་གྱིས་བསྐོར་བའི་སྤྱི་བོར་ཨོཾ་དཀར་པོ། མགྲིན་པར་ཨཱཿ དམར་པོ། ཐུགས་ཀར་ཧཱུྃ་སྔོན་པོས་མཚན་པར་གྱུར། རང་གི་ཐུགས་ཀའི་ཧཱུྃ་ལས་འོད་ཟེར་འཕྲོས་པས་ཡེ་ཤེས་པ་དང་དབང་ལྷ་གཤིན་རྗེའི་གཤེད་རིགས་ལྔ་འཁོར་དང་བཅས་པ་སྤྱན་དྲངས། ཨོཾ་ཀ་ལ་རཱུ་པ་ས་པ་རི་ཝཱ་ར་ཨེ་ཧྱ་ཧི། ཛཿ ཧཱུྃ་བཾ་ཧོཿ གཉིས་སུ་མེད་པར་གྱུར། དབང་ལྷ་རྣམས་ཀྱིས་དབང་བསྐུར་བས་དྲི་མ་དག ཆུའི་ལྷག་མ་ཡར་ལུད་པ་ལས་རྡོ་རྗེ་ནག་པོ་རྩེ་ལྔ་པ་རེ་རེས་དབུ་བརྒྱན་ཅིང་། དབང་ལྷ་རྣམས་ཀྱང་དེ་ཉིད་ལ་ཐིམ་པར་གྱུར། ཨོཾ་ཀ་ལ་རཱུ་པ་ས་རི་ཝཱ་ར་ས་མ་ཡ་སྟྭཾ། ཞེས་དང་། དམ་ལ་བཞག། ཨོཾ་ཀ་ལ་རཱུ་པ་སརྦ་བི་གྷྣཱན་ཤ་ཏྲཱུཾ་ནཱ་ར་ཡ་ཨི་དཾ་བ་ལིཾ་ཧྲཱིཾ་ཁ་ཁ་ཁཱ་ཧི་ཁཱ་ཧི་ཧཱུྃ་ཕཊ། ཅེས་དང་། ཙ་མུཎྜི་ཡ་བ་ཏི་ལ་སོགས་པའི་གཤིན་རྗེ་ཕོ་བརྒྱད་མོ་བརྒྱད་ཆོས་རྒྱལ་ཕྱི་ནང་གསང་གསུམ་བཀའ་སྲོད་བྲན་

གཡོག་འཁོར་དང་བཅས་པ་རྣམས་ཀྱི་ཞལ་དུ་སརྦ་བི་ཤྭན་ཞེས་སོགས་སྦྱར་བ་ལན་གསུམ་མམ་བདུན་གྱིས་གཏོར་མ་འབུལ། ཨོཾ་ཀ་ལ་རུ་པ་ས་པ་རི་ཝཱ་ར་ཨརྒྷཾ་ནས་ཤབྡའི་བར་གྱིས་མཆོད། ཨོཾ་ཀ་ལ་རུ་པ་ས་རི་ཝཱ་ར་ཨོཾ་ཨཱཿཧཱུྃ། གིས་ནང་མཆོད་འབུལ། འཆི་བདག་མ་དང་སྲུང་དགྲ་མ་སོགས་ཀྱིས་བསྟོད་ཅིང་འཕྲིན་ལས་བཅོལ། དེ་ནས་ནང་དུ་འོངས་ཏེ་རྒྱབ་མཐོ་ཤིང་མདུན་དམའ་བའི་འོག་ཏུ་ས་དཀར་གྱིས་གཡུང་དྲུང་བྲིས་ལ། བདེ་ཤིང་འཇམ་བའི་སྟེང་དུ། ས་གནོན་མཉམ་བཞག་གི་ཕྱག་རྒྱ་བྱས་ཏེ། ཨོཾ་ཨཱཿབཛྲ་ཨ་ས་ན་ཧཱུྃ་སྭཱཧཱ། ཞེས་ལན་གསུམ་གྱིས་གདན་བྱིན་གྱིས་རླབས། མཎྜལ་ཕུལ། ཆོས་ཀྱི་རྒྱལ་པོ་ཙོང་ཁ་པ་ཆེན་པོའི་ལྷ་ཚོགས་འཁོར་དང་བཅས་པ་ཁྱེད་རྣམས་ཀྱི་བདག་གིས་སྡིག་སྒྲིབ་ཐམས་ཅད་ཞི་བ་དང་། མཐུན་རྐྱེན་བསམ་དོན་ཐམས་ཅད་ཡིད་བཞིན་དུ་འགྲུབ་པ་དང་། བར་ཆད་ཐམས་ཅད་བསལ་དུ་གསོལ། ཞེསགསོལ་བ་བཏབ་པསཞལ་གྱིས་བཞེས་པར་བསམ་མོ། བཞི་པ་བླ་མའི་རྣལ་འབྱོར་བསྒོམ་ཚུལ་དངོས་ལ། ཚོགས་ཞིང་སྤྱན་འདྲེན་པ། དེ་ལ་ཚོགས་བསགས་པ། གསོལ་བ་བཏབ་སྟེ་དངོས་གྲུབ་ཞུ་བ་གསུམ་ལས། དང་པོ་ནི། སྤྱིར་རྗེ་རིན་པོ་ཆེ་སངས་རྒྱས་ཐམས་ཅད་དང་ངོ་བོ་གཅིག་ཡིན་པས་དག་པའི་ཞིང་གང་ནས་སྤྱན་དྲངས་ཆོག་མོད། འོན་ཀྱང་དགའ་ལྡན་ནས་སྤྱན་འདྲེན་པ་ནི་གདུལ་བྱ་ཐུན་མོང་གི་སྣང་ངོར་སྐུ་ཚེ་ཕྱི་མར་དགའ་ལྡན་དུ་འཁྲུངས་ཚུལ་བསྟན་པ་དང་། སྨོ་བྲག་གྲུབ་ཆེན་ལ་ལུང་བསྟན་བྱུང་བ་བཞིན་རྗེ་བཙུན་བྱམས་པ་མགོན་པོ་དང་ངོ་བོ་གཅིག་པ་དང་། རྗེ་དགེ་འདུན་གྲུབ་དང་འཇམ་དབྱངས་དགའ་བའི་བློ་གྲོས་སོགས་བླ་མ་གོང་མ་རྣམས་ཀྱིས། མ་འོངས་པ་ན་རྗེ་བཙུན་བྱམས་པ་མགོན་པོའི་འཁོར་གྱི་ཐོག་མར་གྱུར་ནས་བསྟན་པ་ལ་བྱ་བ་བྱེད་པའི་ཆེད་དུ་ཡིན་གསུངས་པས། དེ་ནས་དགའ་ལྡན་གྱི་གནས་ཀྱི་ཡོན་ཏན་སོགས་ཞིང་བཀོད་ལས་བྱུང་བ་ལྟར་དྲན་པར་བྱས་ལ་དེ་ལྟ་བུའི་ཞིང་ཁམས་ཕུན་སུམ་ཚོགས་པ་བལྟམ་བས་མི་ངོམས་པའི་དབུས་སུ་སེངྒེ་ཆེན་པོ་བརྒྱད་ཀྱིས་བཏེགས་པའི་རིན་པོ་ཆེའི་ཁྲི་ཡངས་ཤིང་རྒྱ་ཆེ་བའི་སྟེང་དུ་རྗེ་བཙུན་བྱམས་པ་མགོན་པོ་སྐུ་མདོག་གསེར་བཙོ་མ་ལྟ་བུ། ཉི་མ་འབུམ་དང་འདྲ་བའི་འོད་ཟེར་ཅན། རིན་པོ་ཆེའི་རྒྱན་དང་ལྷ་རྫས་ཀྱི་ན་བཟའ་གསོལ་བ། ཞབས་བཟང་པོའི་འདུག་སྟངས་ཀྱིས་བཞུགས་པ་ལ་འཁོར་གྱིས་བསྐོར་བ་གསལ་བཏབ། དེར་སླེབ་ནས་ཞིང་གི་ཡོན་ཏན་ཐམས་ཅད་རང་གིས་མངོན་སུམ་དུ་མཐོང་སྙམ་བྱེད་པ་དང་། རྗེ་བཙུན་གྱི་གསུང་གི་སྒྲ

ལྷང་ལྷང་ཐོས་པའི་མོས་པ་ཤུགས་དྲག་པོ་ཅི་ཐུབ་བྱས་ན་དག་པའི་ཞིང་སྤྱོད་དུ་འགྲོ་བ་དང་། ཕྱི་མར་གནས་དེར་སྐྱེ་བའི་བག་ཆགས་འཇོག་པ་སོགས་ཀྱི་དགོས་པ་ཤིན་ཏུ་ཆེ། དེ་ནས་རྗེ་བཙུན་གྱི་ཐུགས་ཀ་ནས་སྤྲིན་དཀར་པོ་ལྡིང་བའི་སྟེང་ན་རྗེ་བླ་མ་སྐུ་མདོག་དཀར་ལ་དམར་བའི་མདངས་ཆགས་པ་ཕྱག་གཉིས་ཆོས་འཁོར་གྱི་ཕྱག་རྒྱས་ཨུཏྤལ་ལའི་ཡུ་བ་བཟུང་བའི་སྟེང་དུ་རལ་གྲི་དང་ཤེར་ཕྱིན་གྱི་གླེགས་བམ་བསྣམས་པ། སྐུ་ལ་ཆོས་གོས་རྣམ་གསུམ་དང་དབུ་ལ་པཎ་ཞྭ་གསེར་གྱི་མདོག་ཅན་གསོལ་བ། ཞབས་རྡོ་རྗེའི་སྐྱིལ་ཀྲུང་གིས་བཞུགས་པའི་གཡས་སུ་རྒྱལ་ཚབ་ཐམས་ཅད་མཁྱེན་པ་དང་གཡོན་དུ་མཁས་གྲུབ་སྨྲ་བའི་ཉི་མ་གཉིས་ཀའང་། སྐུ་མདོག་དང་ན་བཟའ་གཙོ་བོ་དང་འདྲ་བ་ལ། ཕྱག་གཡས་ཆོས་འཆད་དང་། གཡོན་པ་མཉམ་བཞག་གི་སྟེང་ན་གླེགས་བམ་བསྣམས་པ་ཞབས་རྡོ་རྗེའི་སྐྱིལ་ཀྲུང་གིས་བཞུགས་པ་གསུམ་ལེགས་པར་གསལ་བཏབ། གཞན་ཡང་བྱམས་མགོན་གྱི་ཐུགས་ཀ་ནས་འོད་ཟེར་གྱི་སྣེ་ལ་གང་ལ་གང་འདུལ་གྱི་སྤྲུལ་པ་མུ་མེད་པ་ཕར་འཕྲོ་བ་དང་ཚུར་སྡུད་པར་བསམ། དེ་ནས་རྗེ་བླ་མའི་སྐུ་གསུང་ཐུགས་ཀྱི་ཡོན་ཏན་དྲན་པས་མགོན་སྐྱབས་དང་དཔུང་གཉེན་གྱི་སླད་དུ་འདིར་གཤེགས་ན་ཅི་མ་རུང་སྙམ་པའི་གདུང་ཤུགས་དྲག་པོས། དགའ་ལྡན་ལྷ་བརྒྱའི་སོགས་ཤྲོ་ལོ་ཀ་གཅིག་གིས་སྤྱན་དྲངས་ཏེ་རྗེ་བླ་མ་ཡབ་སྲས་གསུམ་སྐྱབས་གསུམ་ཀུན་འདུས་པའི་བདག་ཉིད་དུ་མོས་པ་ནི་མཁས་གྲུབ་དམ་པ་རྣམས་ཀྱི་ཕྱག་ལེན་མ་ནོར་བའོ། །གཉིས་པ་ནི། དེ་ལྟར་བསོད་ནམས་ཀྱི་ཞིང་མཆོག་དམ་པ་སྤྱན་དྲངས་པ་ལ། ཡན་ལག་བདུན་པའི་སྒོ་ནས་ཚོགས་བསགས་པ་ནི། དེ་ཡང་ཐོག་མར་མདུན་གྱི་ནམ་མཁར་སེངྒེའི་ཁྲི་ཡངས་ཤིང་རྒྱ་ཆེ་བ་དང་། གཡས་གཡོན་དུ་དེ་ལས་དམའ་བའི་ཁྲི་པདྨ་དང་ཟླ་བའི་གདན་ལ་རྗེ་ཡབ་སྲས་གསུམ་བཞུགས་པར་མོས་ལ། བདག་དང་བདག་འདྲའི་མ་རྒན་སེམས་ཅན་བླང་དོར་གྱི་གནས་ལ་བལྟ་བའི་མིག་ལོང་བ་རྣམས་ཀྱི་ལོང་ཁྲིད་དང་། ཉོན་མོངས་དུག་གསུམ་གྱི་ནད་ཤུགས་དྲག་པོས་གཟིར་བ་རྣམས་གསོ་བྱེད་ཀྱི་སྨན་པ་དང་། སྡུག་བསྔལ་གྱི་རྒྱ་མཚོ་ཆེན་པོའི་གློང་དུ་བྱིང་བ་རྣམས་འདྲེན་བྱེད་ཀྱི་མཉན་པ། མགོན་མེད་སྐྱབས་མེད་ཀྱི་འགྲོ་བ་མཐའ་དག་གིས་མགོན་སྐྱབས་དམ་པ་ནི་ལེགས་ཚོགས་ཀུན་གྱི་གཞི་རྟེན་གཅིག་པུ་ཁྱེད་ཡབ་སྲས་ལས་གཞན་དུ་མེད་པས་བདག་ཅག་གདུལ་བྱ་རྣམས་ཀྱི་མགོན་དང་། མདོ་སྔགས་ཀྱི་བསྟན་པའི་སྙིང་པོ་དྲི་མ

མེད་པ་བཤད་སྒྲུབ་ཀྱི་སྒོ་ནས་དར་ཞིང་རྒྱས་པའི་སླད་དུ་བསྐལ་པ་བྱེ་བ་བརྒྱར་ཡང་ཞབས་པད་གཡོ་མེད་བརྟན་པར་བཞུགས་སུ་གསོལ་སྙམ་ནས། མདུན་གྱི་ནམ་མཁར་སེང་ཁྲི་པད་ཟླའི་སྟེང་། ཞེས་གསོལ་བ་གདབ། དེའི་ཚེ་རང་གི་དམིགས་པས་སྔར་བཤད་པའི་སེངྒེས་བཏེགས་པའི་རིན་པོ་ཆེའི་ཁྲི་དེ་ལྟ་བུ་གསུམ་ཡབ་སྲས་གསུམ་ལ་ཕུལ་བས་རང་རང་གི་ཁྲི་ལ་ཐིམ་པར་སོམས། འདིར་ཐོག་མར་མྱུ་ངན་ལས་མི་འདའ་བར་གསོལ་བ་འདེབས་པའི་ཡན་ལག་འབྱུང་བ་ནི། ཚོགས་བསོག་པའི་བསོད་ནམས་ཀྱི་ཞིང་ས་བླ་ན་མེད་པ་ནི་དྲིན་ཅན་རྩ་བའི་བླ་མ་ཡིན་ལ། དེ་ལ་ཚོགས་བསགས་པ་ལ་ཚོགས་ཀྱི་ཞིང་དུ་བརྟན་པར་བཞུགས་དགོས་པས་ཐོག་མར་བརྟན་བཞུགས་ཀྱི་གསོལ་བ་གདབ་པ་ཡིན་ཞེས་གསུངས། ཕྱག་འཚལ་བའི་ཡན་ལག་སོགས་ཡན་ལག་ལྷག་མ་རྣམས་ནི་ཁྲིད་ཡིག་སོགས་ལས་འབྱུང་བ་ལྟར་དོན་དྲན་བཞིན་པའི་སྒོ་ནས། ཤེས་བྱའི་ཁྱོན་ཀུན་འཇལ་བའི་བློ་གྲོས་ཐུགས། ཞེས་པ་ནས། བསྟན་པའི་སྙིང་པོ་རིང་དུ་གསལ་བྱེད་ཤོག །ཅེས་པའི་བར་བརྗོད་དོ། །གསུམ་པ་ལ། མ་དག་འཁྲུད་དང་མི་ཤེས་བསལ། །སྐུ་ཡིས་ཆེ་ཞིང་གསུང་གིས་གསལ། །ས་བོན་སྨུར་བ་ཕྱག་མཚན་ཟབ། །གླེགས་བམ་རལ་གྲི་གླེགས་རལ་གྲིས། །འཆད་དང་རྩོད་དང་རྩོམ་པའོ། ཞེས་གསུངས་པ་ལྟར། དང་པོ་ལ་མ་དག་འཁྲུད་པའི་དམིགས་པ་ནི་རྗེ་ཡབ་སྲས་གསུམ་གྱི་ཐུགས་ཀ་ནས་འོད་ཀྱི་སྦུ་གུ་གསུམ་བྱུང་བ་རང་གི་སྤྱི་བོའི་སོར་གསུམ་གྱི་ཐད་དུ་འདྲིས་པ་ལས། ངོ་བོ་སྤངས་རྟོགས་ཀྱི་ཡོན་ཏན་ཡིན་པ་ལ་རྣམ་པ་བདུད་རྩི་དཀར་པོ་བྱུང་ནས་ལུས་ཐམས་ཅད་གང་བ་ཙམ་གྱིས་ལུས་སེམས་བདེ་ཆམ་ཆམ་སོང་བས་སྡིག་སྒྲིབ་ནད་གདོན་ཐམས་ཅད་ས་གཟར་ལ་ཆུ་བླུག་པ་བཞིན་དུ་འོག་སྒོ་སོགས་ནསམར་བྱུང་བར་མོས་པ་མས་འདེད་དང་། རྩ་སྦུར་ཡོད་པའི་སྣོད་ནང་དུ་ཆུ་བླུགས་ནས་གང་བའི་ཚེ་རྩ་སྦུར་རྣམས་ཡར་ཐོན་པ་བཞིན་དུ་སྟེང་ནས་བྱུང་སྤྱི་བོ་ལས་ཕྱིར་བྱུང་བར་བསམ་པ་ཡས་འདེད་དང་། མུན་ཁྲིད་དུ་མར་མེ་སྦར་བ་ན་མུན་པ་གར་སོང་ཆ་མེད་དུ་འགྲོ་བ་ལྟར། བདུད་རྩིས་གང་བ་ཙམ་གྱིས་སྣང་ངོར་སྡིག་སྒྲིབ་ཀུན་གར་སོང་ཆ་མེད་དུ་སོང་བ་དང་། དེས་ངོར་རང་བཞིན་མི་དམིགས་པར་སོང་བ་ལ་དམིགས་པ་ཐུང་འདེད་ཀྱི་དམིགས་པ་སྟེ། སྡིག་སྒྲིབ་སྦྱོང་བྱེད་ཀྱི་དམིགས་རིམ་གསུམ་བྱེད། དེ་ཡང་སྡིག་སྒྲིབ་དུད་ཁུ་དང་སོལ་ཁུའི་རྣམ་པར་དང་། ནད་རྣམས་རྣག་དང་ཁྲག་གི་རྣམ་པར་དང་། གདོན་རྣམས་སྡིག་པ་དང་སྦྲུལ་དང་

སྨོམ་སོགས་ཀྱི་རྣམ་པར་བྱུང་བ་དང་། ཡང་བདུད་རྩིའི་རྒྱལ་པྲ་རབ་རྣམས། སྙིང་གདོན་ལ་ཕྱག་རྡོར། བར་གདོན་རྒྱལ་པོ་ལྷ་བུ་ལ་ཧ་མགྲིན། འོག་གདོན་ལ་ཁྱུང་གི་རྣམ་པར་སྒྲིས་ནས་ཚར་བཅད་ཅིང་འཇོམས་པའོ། །གཞན་ཡང་རྩི་ལམ་ངན་པ་དང་འཆི་ལྟས་ལ་སོགས་ལྟས་ངན་པ་བྱུང་བའི་ཚེ་སྡིག་སྒྲིབ་ནད་གདོན་དང་ལྟས་ངན་པ་འབྱུང་བ་དེ་དག་འོག་སྒོ་ནས་གཟུགས་མི་སྡུག་པའི་རྣམ་པར་ཐོན་ས་འོག་ཏུ་སོང་སྟེ་ས་འོག་ན་གཤིན་རྗེ་ཁ་གདངས་ཡོད་པའི་ཁར་སོང་བས་དེ་དག་རང་གི་སྨད་དུ་ཟས་ནས་བྱང་ཞིང་དག་པར་བསམས། མི་ཤེས་པ་བསལ་བ་ལ། སྐུ་ཡིས་ཆེ་ཞིང་གསུང་གིས་གསལ་ཞེས་པ་ལྟར་སྐུའི་སྒོ་ནས་ཤེས་རབ་ཆེ་བ། གསུང་གི་སྒོ་ནས་ཤེས་རབ་གསལ་བ། ས་བོན་གྱི་སྒོ་ནས་ཤེས་རབ་མྱུར་བ། ཕྱག་མཚན་གྱི་སྒོ་ནས་ཤེས་རབ་ཟབ་པ་སྐྱུབ་ཚུལ་སོགས་རྒྱས་པར་ནི་ཁྲིད་ཡིག་སོགས་ལས་ཤེས་བར་བྱ་ལ། འདིའི་ཤེས་རབ་ཟབ་པ་ཞེས་པ་གཏུགས་པ་མེད་པའི་ཤེས་རབ་ལ་ཟེར་བས། དེ་ལ་གླེགས་བམ་ཀྱི་སྒོ་ནས་འཆད་པ་ལ་གཏུགས་པ་མེད་པའི་ཤེས་རབ། རལ་གྲིའི་སྒོ་ནས་རྩོད་པ་ལ་གཏུགས་པ་མེད་པའི་ཤེས་རབ། གླེགས་རལ་གཉིས་ཀའི་སྒོ་ནས་རྩོམ་པ་ལ་གཏུགས་པ་མེད་པའི་ཤེས་རབ་གསུམ་སྒྲུབ་པར་གསུངས་བས་དེས་ན་རྩོད་པའི་སྐབས་སུ་རལ་གྲིའི་འཁོར་ལོ་རྩེ་བས་དྲུག་པ་གཡས་སྐོར་དུ་མགྱོགས་པར་འཁོར་བས་རྩོད་པ་ལ་བར་དུ་གཅོད་པའི་སྡིག་སྒྲིབ་ཐམས་ཅད་བྱང་ཞིང་དག །ཕས་རྒོལ་གྱི་ལོག་རྟོག་གི་དྲ་བ་ཐམས་ཅད་ཐད་ཐད་བཅད་པར་གྱུར་པར་བསམ་ལ། དམིགས་བརྩེ་མ་ཅི་ནུས་བཟླ་ཞིང་། དེ་ལྟར་དམིགས་པ་དང་ལྡན་པའི་སྒོ་ནས་བཟླས་པ་རྣལ་འབྱོར་ཐུན་བཞིར་བྱ་བར་གསུངས་སྟེ། སྒྲོན་གསལ་ལས། དེ་ལྟར་བརྟགས་པ་ཉིད་ཀྱིས་ཐུན་བཞིར་བསླབ་པར་བྱས་ན་དགེ་བའི་རྩ་བ་ཡོངས་སུ་སྨིན་པས། ཞེས་དང་། མདོ་སྡེ་ལས། ཐུན་བཞིར་ལྷའི་རྣལ་འབྱོར་ལ་གོམས་པས་བདག་དང་གཞན་གྱི་དོན་ཕུན་སུམ་ཚོགས་པར་སྒྲུབ་པའི་ཕྱིར། ཞེས་གསུངས་པ་ལྟར་ལ། ཐུན་བཞི་ནི། ཇོ་ལན་རྡྷ་རས། ཐུན་བཞིར་ཕྱིན་གྱིས་བརླབས་པ་ཞེས་པ་ནི། ཐོ་རངས་དང་། ཉིན་གུང་དང་། ཕྱི་དྲོ་དང་། མཚན་མོ་སྟེ་སྨོམ་པའི་རིམ་པའོ་ཞེས་གསུངས་པ་ལྟར་རོ། །འདིའི་ཐོ་རང་ཞེས་པ་ཉི་མ་ཤར་བའི་སྔོན་སྟེ། ཉི་མ་ཤར་པའི་ཚེ་ཐུན་གཏོང་དགོས་ཤིང་དེ་བཞིན་དུ་ཉིན་གུང་ཞེས་པ་ཉི་མ་དྲོས་ཆེན་ནས་ཉིན་གུང་མ་ཡོན་བར་དང་། ཕྱི་དྲོ་ཞེས་པ་གུང་ཡོལ་ནས་ཉི་མ

ཉུབ་པའི་སྒོང་དང་། མཚན་མོ་ཞེས་པ་ཉི་མ་ནུབ་ནས་ཀྱང་མ་ལོན་པའི་བར་རོ། །ཐུན་དངོས་དང་ཐུན་མཚམས་རྣམས་སུ། སེམས་མ་གཡེངས་པར་སྨྲ་བ་བཅད་དེ་བཟླས་པ་ལ་བརྩོན་པ་མདོ་རྒྱུད་དང་མཐུན་པར་བྱ་དགོས་ཏེ། དཔུང་བཟང་གིས་ཞུས་པའི་རྒྱུད་ལས། །བཟླས་བརྗོད་བྱེད་ཚེ་མི་མྱུར་མི་དལ་ཞིང་། །སྒྲ་ཆེར་མི་བྱ་ཧ་ཅང་ཆུང་བའང་མིན། །སྨྲ་བཞིན་མ་ཡིན་གཞན་དུ་གཡེང་བཞིན་མིན། །ཀུག་སྐྱེད་ཀླད་ཀོར་ཚིག་རྣམས་ཉམས་པས་མིན། །ཞེས་དང་། སྤྱོད་འཇུག་ལས། བཟླས་བརྗོད་དང་ནི་དཀའ་ཐུབ་ཀུན། །ཡུན་རིང་དུས་སུ་སྤྱད་བྱས་ཀྱང་། །སེམས་གཞན་གཡེང་བས་བྱས་པ་ནི། །དེ་ཉིད་རིགས་པས་དོན་མེད་གསུང་། ཞེས་པ་རྣམས་ཀྱི་དོན་ཡིད་ལ་བཞག་ནས་བསྙེན་སྒྲུབ་དང་བཟླས་བརྗོད་གང་འདྲ་ཞིག་བྱེད་ཀྱང་དྲན་ཤེས་བག་ཡོད་བརྟན་པོས་གནད་དུ་འགྲོ་ངེས་པ་རེ་ལ་འབད་དགོས་སོ། །བསྙེན་པ་ལ་ཡང་གྲངས་བསྙེན། དུས་བསྙེན། མཚན་མའི་བསྙེན་པ་དང་གསུམ་ཡོད་པས། དང་པོ་ནི་འབུམ་ཕྲག་བཞི་འམ་དྲུག་དང་། གཉིས་པ་ནི། ཟླ་བ་བཞི་འམ་དྲུག །གསུམ་པ་ནི། རབ་ཞལ་དངོས་སུ་མཐོང་བ་དང་གསུང་ཐོས། འབྲིང་ཉམས་སྣང་དུ་ཞལ་མཐོང་གསུང་ཐོས། ཐ་མ་རྨི་ལམ་དུ་རལ་གྲི་དང་གླེགས་བམ་སོགས་ཕྱག་མཚན་རྙེད་པ་ནམ་མཁར་འཕུར་བ་དང་གོས་གསར་པ་གྱོན་པ་སོགས་རྨི་བར་གསུངས་སོ། །ཐུན་མཇུག་ཏུ་སྐྱབས་ཡུལ་རྣམས་བསྡུ་ཚུལ་ལ་རྒྱས་བསྡུས་གཉིས་ལས། དང་པོ་ནི། ཚོགས་བསགས་དུས་སུ་མདུན་དུ་བསྒོམ། །གསོལ་བ་བཏབ་དུས་སྤྱི་བོར་བསྒོམ། །དུས་རྣམས་ཀུན་ཏུ་སྙིང་ཁར་བསྒོམ། ཞེས་གསུངས་པ་ལྟར། དཔལ་ལྡན་རྩ་བའི་བླ་མ་རིན་པོ་ཆེ། བདག་གིས་སྤྱི་བོར་པདྨའི་གདན་བཞུགས་ལ། ཞེས་སོགས་ཀྱིས་གསོལ་བ་བཏབས་པས། སྲས་མཆོག་གཉིས་ཁྲི་དང་བཅས་པ་གཙོ་བོ་ལ་ཐིམ་ཞིང་། རྗེ་བླ་མ་ཚུར་བྱོན་ནས་རང་དང་ཁ་ལྷ་ཕྱོགས་མཐུན་པར་སྤྱི་བོར་བཞུགས་པ་ལ་དམིགས་ཏེ། དཔལ་ལྡན་ས་གསུམ་མ་དང་། གསང་རྣམ། རྣམ་དག་གངས་རི་མ་སོགས་གསོལ་འདེབས་ཅི་རིགས་དང་། མདོ་སྔགས་ལམ་གྱི་བྱིན་རླབས་ཞུ་བ་བདུད་རྩི་འབེབས་སྦྱངས་གི་དམིགས་པ་བྱས་པའི་རྗེས་སུ་རང་གི་སྙིང་ཁ་ཐུར་བསྟན་པ་དེ་བློ་གྲོས་ཀྱིན་དུ་བསླང་ཏེ་ཚལ་བ་བརྒྱད་དུ་གྱེས་པའི་སྙིང་ཡན་ཆད་རྩ་དབུ་མ་རྫོགས་རིམ་སྐབས་ཕྲ་བ་དགོས་ཀྱང་འདིར་ཙུང་ཟད་སྦོམ་སེབ་ཡར་སྣ་སྤྱི་བོར་ཐལ་ལེ་ཡོད་པ་གསལ་བཏབ་ལ།

དཔལ་ལྡན་རྩ་བའི་བླ་མ་རིན་པོ་ཆེ། །བདག་གིས་སྙིང་གར་པདྨའི་གདན་བཞུགས་ལ། ཞེས་སོགས་ཀྱིས་གསོལ་བ་བཏབ་པས་སེང་ཁྲི་མར་འབྱོན་ནས་རང་གི་སྙིང་ལ་ཐིམ་བས་སྙིང་པདྨ་འདབ་བརྒྱད་དུ་གྱུར། པད་ཟླ་ཡང་ཁམས་དཀར་དམར་ལ་ཐིམ་བས་སླར་ཡང་པད་ཟླར་གྱུར། རྗེ་བླ་མ་མཐེབ་གང་ཙམ་དུ་གྱུར་ནས་ཤིན་ཏུ་ཕྲ་བའི་རླུང་སེམས་ལ་ཐིམ་པ་ལས་སླར་ཡང་རང་གི་རླུང་སེམས་དང་དབྱེར་མི་ཕྱེད་པར་རྗེ་བླ་མའི་རྣམ་པར་བཞེངས་པའི་སྐུ་ལས་འོད་ཟེར་འཕྲོས་པས་ལུས་སེམས་ཐམས་ཅད་བདེ་ཆམ་ཆམ་སོང་ཞིང་འོག་གི་པད་འདབ་ཕྱུངས་སྐྱར་གྱུར་པའི་སྟེང་དུ་མི་བསྐྱོད་པའི་ངོ་བོར་གྱུར་བའི་རྡོ་རྗེ་སྔོན་པོ་རྩེ་ལྔ་པ་ཕྱེད་པའི་ཏོག་གིས་མནན་པའི་ཕྱུངས་སྐྱུའི་སྟེང་གི་ཐང་དུ་ཨ་ར་པ་ཙན་སེར་པོ་དང་། དེའི་འོག་ཏུ་དམིགས་བརྩེ་མ་སེར་པོས་དཀྲིས་ཤིང་། དེ་ཡང་དམིགས་བས་འཆི་དུས་པ་མ་གཏོགས་གང་གིས་ཀྱང་འབྱེད་མི་ནུས་པར་བསམ་མོ། བསྡུས་པ་ནི། སྤྱི་བོར་སྤྱན་དྲངས་ནས་གསོལ་བ་འདེབས་པར་མི་བྱེད་པར་དང་པོ་ཉིད་ནས་སྙིང་གར་བཞུགས་སུ་གསོལ་བར་བྱའོ། །ཐུན་རྗེས་མ་རྣམས་ལ་རང་གིས་བསྒོམ་པའི་རྗེ་བླ་མ་དེ་སྙིང་གའི་རྗེ་ལ་ཐིམ་པས་རང་གི་སེམས་ཡང་དང་ཡང་དུ་རབ་གནས་བྱས་པ་ལ་བརྟེན་ནས་རྒྱུད་བྱིན་གྱིས་རླབས་པ་དང་། བཟའ་བཏུང་དང་གོས་སོགས་ལ་ལོངས་སྤྱོད་པའི་ཚེ་དེ་དག་བྱིན་གྱིས་རླབས་ནས་རྗེ་བླ་མ་ལ་འབུལ་བ་དང་། གཟུགས་ཡིད་དུ་འོང་བ་མཐོང་བ་དེ་ཉིད་གཟུགས་རྡོ་རྗེ་མར་མོས་ནས་རྗེ་བླ་མ་ལ་ཕུལ་བས་ཐུགས་རྒྱུད་ཆེམ་པ་དང་། དེ་བཞིན་དུ་སྒྲ་དང་དྲི་དང་རོ་དང་རེག་བྱ་རྣམས་ལ་ཤེས་བར་བྱ་ལ། གཞན་གྱིས་རང་ལ་ཕྱག་བྱེད་པའི་ཚེ། །སྙིང་ཁའི་རྗེ་བླ་མ་ལ་ཕྱག་བྱས་པར་མོས་པ་དང་། གཞན་ལ་བྱིན་རླབས་བྱེད་པའི་ཚེ་ཡང་རྗེ་བླ་མས་བྱིན་རླབས་མཛད་པར་མོས་ནས་བྱིན་རླབས་བྱིན་པས་གཞན་ལ་ཕན་ཐོགས་རྒྱ་ཆེན་པོ་འབྱུང་བར་འགྱུར་བ་དང་། གཞན་ཡང་འཇམ་དབྱངས་ཆོས་སྐོར་ནས་བཤད་པའི་ཞི་རྒྱས་དབང་དྲག་གི་ལས་རྣམས་ཀྱང་འདིས་འགྲུབ་པར་འགྱུར་བ་དང་། རང་གི་ཤིན་ཏུ་ཕྲ་བའི་རླུང་སེམས་དང་རྗེ་བླ་མ་ངོ་བོ་དབྱེར་མེད་དུ་སེམས་བརྟན་པོས་རླུང་སྙིང་ཁར་བསྡུས་ཏེ་རྫོགས་རིམ་གྱི་རྟོགས་པ་ཁྱད་པར་ཅན་སྐྱེས་པར་འགྱུར་ཞིང་གནས་སྐབས་དང་མཐར་ཐུག་གི་འདོད་དོན་ཐམས་ཅད་འགྲུབ་བར་འགྱུར་བ་སོགས་ཕན་ཡོན་བསམ་གྱིས་མི་ཁྱབ་པས་དེས་ན་དེ་ལྟ་བུའི་གདམས་པ་ཟབ་མོའི་སྒོ་ནས་དལ་འབྱོར་ལ་སྙིང་པོ་ལེན་པར་

བྱའོ། །གསུམ་པ་མཇུག་གི་བྱ་བ་ནི། དེ་ལྟར་བསྙེན་པ་རྫོགས་པར་སོང་བའི་རྗེས་སུ། མཚམས་གྲོལ་ཁར་བཟླས་པའི་མཐར་ཡི་གེ་བརྒྱ་པས་ལྷག་ཆད་ཁ་བསྐང་། མཚམས་མཐར་ཕྱིན་པའི་གཏང་རག་ཏུ་ཚོགས་སྐྱོང་དང་ཡུལ་ལྷ་གཞི་བདག་ལ་གསོལ་མཆོད་དང་བསང་སོགས་གཏོར། མཚམས་མཇུག་ལྷ་ལ་མཆོད་གཏོར་ཕུལ། ཨོཾ་ཁྱེད་ཀྱི་སེམས་ཅན་དོན་ཀུན་མཛད། ཅེས་སོགས་ཀྱིས་གཤེགས་གསོལ་བྱ། མཇུག་ཏུ་བསྔོ་བ་སྨོན་ལམ་གྱི་རྒྱས་གདབ་བྱའོ། །དེ་ལྟར་བསྙེན་པ་སོང་ནས་ལས་ཚོགས་རྒྱས་པར་པར་གཞན་དུ་གསལ་ཞིང་། ས་བོན་ཙམ་བཀོད་ན་ཐོག་མར་འདིའི་སྒོ་ནས་ཆར་འབེབས་བྱེད་པར་འདོད་ན། རིན་པོ་ཆེ་དང་རྫས་སོགས་བུམ་པ་སྐྱོན་མེད་ཀྱི་ནང་དུ་ཀླུ་ལ་མི་གནོད་ཞིང་ཕན་པའི་མེ་ཏོག་དང་སྨན་སྣ་ཚོགས་བག་ཕྱེ་དང་བསྲེས་ཏེ་རིལ་བུ་བརྒྱ་རྩ་བརྒྱད་བྱས་པ་དམིགས་བཅས་མ་ཅི་མང་བཟླས་ཏེ་འདོན་བཞིན་བུམ་པར་བླུག །བུམ་པའི་ཁ་གྲུ་ཕྱི་སོགས་ཀྱིས་བཅད་དེ་དར་གྱིས་ཁ་གཡོགས་པ་སྲད་བུ་དམར་པོས་བཅིངས། ཆུ་མིག་བཟང་པོའི་ཁར་སོང་སྟེ་རང་ཉིད་རྗེ་བླ་མར་མོས་པའི་ཐུགས་ཀའི་འོད་ཟེར་འཇའ་ཚོན་གྱི་དྲ་བ་ལྟ་བུས་ཀླུ་ཐམས་ཅད་བཀུག་པར་བསམ་ལ། རྒྱ་མཚོ་ཆེན་པོ་བཞི་དང་། ཆུ་བོ་བཞི་དང་། མཚོ་དང་། ལྟིང་ག་སོགས་འཛམ་བུའི་གླིང་ན་གནས་པའི་ཀླུ་ཐམས་ཅད་འདིར་འདུས་ཤིག །ཅེས་བརྗོད་ཅིང་རོལ་མོ་གང་ཡོད་ཀྱིས་སྒྲ་བྱས་ལ། འདིར་ཚོགས་པའི་ཀླུ་ཐམས་ཅད་ཉོན་ཅིག །འཛམ་བུའི་གླིང་གི་ཡུལ་ཕྱོགས་སྤྱི་དང་ཁྱད་པར་དུ་ས་ཕྱོགས་འདིར་ཐན་པ་ཤིན་ཏུ་ཆེ་བས་ཆར་མྱུར་དུ་ཕོབས་ཤིག །དྲག་ཏུ་ཕོབས་ཤིག །ཐུབ་དབང་རྡོ་རྗེ་འཆང་བློ་བཟང་གྲགས་པའི་བཀའ་ཡིན་པས་དེ་ལས་མ་འདའ་ཞིག །ཞེས་འདིན་ཚིག་བརྗོད། དམིགས་བརྩེ་མའི་ཚིག་རྐང་རེ་རེ་བྲིས་པའི་དར་ལྕོག་བཞི་ཕྱོགས་བཞིའི་ཐོའི་སྟེང་དུ་བཙུགས་ཏེ་ཤར་གྱི་ཐོ་རྣམ་སྣང་གི་ཁྱུང་དཀར་པོ། ལྷོའི་ཐོ་རིན་འབྱུང་གི་ཁྱུང་སེར་པོ། ནུབ་ཀྱི་ཐོ་འོད་དཔག་མེད་ཀྱི་ཁྱུང་དམར་པོ། བྱང་གི་ཐོ་དོན་འགྲུབ་ཀྱི་ཁྱུང་ནག་པོ་རྣམས་སུ་བསམ་ལ་རང་རང་གི་ཁ་དོག་དང་མཚུངས་པའི་གཏོར་མ་དང་། མཆོད་བསྟོད་བྱ། བུམ་པ་ནང་དུ་མི་མངོན་པར་བཞག །རང་ཉིད་རྗེ་བླ་མར་གསལ་བའི་ཐུགས་ཀ་ནས་ཀླུའི་ཚོགས་དང་མཉམ་པའི་འོད་ཟེར་འཕྲོས། འོད་ཟེར་རེ་རེའི་རྩེ་ལ་རྗེའི་སྐུ་རེ་རེ་མོས་ཏེ་ཀླུ་རྣམས་ཀྱི་སྤྱི་བོར་བཞུགས་པའི་སྐུ་ལས་བདུད་རྩིའི་རྒྱུན་བབས་པས་ཀླུའི་སྡུག་བསྔལ་ཐམས་

ཅན་གསལ། བདེ་དགའ་ཡོངས་སྤྱོད་རྒྱས་པ་དང་། ཞིང་བ་རྣམས་ཀྱི་ཐན་པས་གདུང་བའི་ལས་ཀྱི་སྒྲིབ་པ་སྦྱངས་ཏེ་ལོ་ཏོག་ཕུན་སུམ་ཚོགས་པ་འབྱུང་བར་མོས་ཤིང་། ཀླུ་རྣམས་དགའ་བས་ཁ་མིག་གདེངས་ཀ་བ་སྦྲུའི་བུ་ག་ཐམས་ཅད་ནས་ཆར་གྱི་རྒྱུན་བབས་པས་ས་གཞི་ཐམས་ཅད་ཆར་རྒྱུན་གྱིས་སྐོམས་པར་བསམ་ལ་དམིགས་བརྗེ་མ་བཟླས་པས་ངེས་པར་ཆར་འབེབས་པར་འགྱུར་རོ། །ཀླུ་གཏོར་དང་། མདོ་སྡེ་སྤྲིན་ཆེན་ཀློག་པ་དང་། ཀླུང་གནོན། སྤྲིན་སྤུད་སོགས་ལ་བརྩོན་པར་བྱ། དེ་ཡང་ཀླུང་གནོན་བྱ་ཚུལ་ནི། གོས་དར་སྣམ་རས་སམ། ཤོག་བུ་ལ་དབུས་སུ་ཀླུང་ལྷ་གཅིག་དང་། དེའི་མཐར་ཀླུང་ལྷ་དྲུག་འོག་ནས་འབྱུང་པ་ལྟར་བྲིས། དེའི་སྙིང་ཁར་ཡཾ་ཡིག་གི་མཐར་ཝཱ་ཡུ་སྟཾ་ཝཱ་ཡ་ལམ་ནན་ཞེས་པས་བསྐོར་བ་བྲིས་ཏེ་མདུན་དུ་བཞག་ལ། །ཨ་མྲི་ཏ་ས་བསངས། སྭ་བྷཱ་ཝ་ས་སྦྱངས། སྟོང་པའི་ངང་ལས་ཡཾ་སྔོན་པོ་བདུན་ཡོངས་སུ་གྱུར་པ་ལས་ཀླུང་ལྷ་མཆེད་བདུན་དུ་བའི་མདོག་ཅན་ཤ་བ་ནག་པོ་ལ་ཞོན་པ། ལག་པ་གཉིས་ཀྱིས་ཀླུང་རས་དྲིལ་ཏེ་འཛིན་པ། ཀླུང་ལྷ་ཤ་བ་དང་བཅས་པ་གཉིད་ལོག་པའི་རྣམ་པ་ཅན་དུ་གྱུར། རང་གི་ཐུགས་ཀའི་ཧཱུྃ་ལས་ཁྲོ་བོ་ལྕགས་ཀྱུ་དང་ཞགས་པ་ཐོགས་པ་དཔག་ཏུ་མེད་པ་སྤྲོས་ཏེ་ནུབ་བྱང་ནས་ཀླུང་ལྷ་མཆེད་བདུན་འཁོར་དང་བཅས་པ་བཀུག་ནས་གཟུགས་བརྙན་ལ་ཐིམ་པར་གྱུར། དམིགས་བརྗེ་མའི་མཇུག་ཏུ། ཝཱ་ཡུ་ཨ་ཀརྵ་ཡ་ཛཿ ཛཿ ཧཱུྃ་བཾ་ཧོཿ ཞེས་གང་མང་བཟླ་ཞིང་དངོས་སུ་ཁུག་པའི་མོས་པ་བརྟན་པོ་བྱ། དེ་ནས་ཡཾ་སོ་སོ་ལ་ལྟེ་བ་ཆག་མ་ཤོར་བར་ལྟེ་བ་ལ་ལྟོའི་བྱང་མཚམས་སུ་དོང་གྲུ་གསུམ་བྲུས་པའི་ནང་དུ་བཞག །དེའི་སྟེང་དུ་རྫ་ཕོར་གྱི་ནང་དུ་རི་རབ་ཧཱུྃ་སུཾ་ཧཱུྃ་གིས་མཚན་པ་བྲིས་པས་བཀབ་པའི་སྟེང་དུ་རྡོ་གཡའ་མ་ལ་ས་དཀྱིལ་སེར་པོའི་དབུས་སུ་སྣ་ཚོགས་རྡོ་རྗེ་གྱེན་འགྲེང་གི་ལྟེ་བར་ལཾ་བྲིས་པས་མནན་ལ་སྟེང་དུ་སས་བཀང་། དེའི་སྟེང་དུ་སཙྪ་སེར་པོ་རབ་གནས་ཅན་གྱིས་མནན་པས་ཀླུང་ལྷ་འཁོར་བཅས་ཐིབས་ཀྱིས་ནོན་པས་ལྡང་མི་ནུས་པར་བསམ་ལ། དམིགས་བརྗེ་མའི་མཇུག་ཏུ། ཝཱ་ཡུ་སྟཾ་ཝཱ་ཡ་སྟུ་ལཾ་ནན། ཞེས་བཏགས་ལ་བཟླའོ། །དེ་ལྟར་མ་ལྕོགས་ན། རང་གི་ཐུགས་ཀ་ནས་འོད་ཟེར་འཕྲོས། ཀླུང་ལྷ་མཆེད་བདུན་ལ་ཕོག་པས་དེ་རྣམས་ཀྱི་བསམ་ངན་སྦྱོར་རྩུབ་ཐམས་ཅད་ཞི་བས་ཆར་འབེབས་པ་ལ་གྲོགས་ལྡན་མཛད་བསམ་པས་འཐུས་སོ། །སྤྲིན་སྤུད་ཀྱི་སྔགས་ནི། ཨོཾ་ནཱ་ག་ཤ་ཏེ་ཤྲཱཀྐུ་ན་ཛ་ཡ། ཏ་ཐཱ་ག་ཏ་ཡ། ཨརྷ་ཏེ། སམྱཀ་སཾ་བུདྡྷ་ཡ།

ཧཱུྃ་ཕཊ྄། ཨོཾ་ཙ་ར་ཙར། ཚིཀྐ་ཚིཀྐ། བཛྲ་ཤེ་ལ་ཧི་ང་ཡེ་སྭཱ་ཧཱ། སྲིན་འཛིན་པའི་སྔགས་ནི། ཨོཾ་བཛྲ་ཏུཎྜེ་མི་ལི་མི་ལི་སྭཱ་ཧཱ། ཞེས་བཟླ། དམིགས་བཅེ་མ་བཟླས་པའི་མཇུག་ཏུ་གོང་བཞིན་མཆོད་བསྟོད་བྱ། དེ་ལྟར་ཞག་བཅུ་གཉིས་བདུན་སོགས་ཇི་ལྟར་མཚམས་པར་རྩེ་གཅིག་ཏུ་སྒྲུབས་ཏེ་མཇུག་ཏུ་རིལ་བུ་རྣམས་ཆུ་མིག་ཏུ་བླུག་པས་ཀླུ་རྣམས་ལ་ལོངས་སྤྱོད་བསམ་གྱིས་མི་ཁྱབ་པ་དང་བདེ་བ་ཕུན་སུམ་ཚོགས་པ་འབྱུང་བར་མོས་ཏེ་གཏང་རག་གི་ཚུལ་དུ་ཀླུ་གཏོར་དང་བསྔོ་བ་སྨོན་ལམ་གྱིས་རྒྱས་འདེབས་པར་བྱའོ། །ཐ་དེའི་སྒོ་ནས་སད་བསྲུང་བར་འདོད་ན། བླ་གབ་མེད་པའི་ས་ཕྱོགས་སུ་རྗེའི་སྙིང་པོ་གསུམ་བརྩུགས་པར་རིགས་གསུམ་མགོན་པོས་བྱིན་གྱིས་རླབས་པར་མོས་པའི་སྟེང་ཟངས་སྣོད་ཆེ་ཆུང་ཅི་རིགས་པ་རྟེན་ལ་ཁྲུས་གསོལ་བའི་ཆུས་བཀང་བའི་ནང་དུ་མར་ལས་སྦྲུལ་ལྡིང་སོགས་ཆུའི་སྲོག་ཆགས་སྣ་ཚོགས་པའི་གཟུགས་བརྙན་བྱས་པ་ཀླུའི་རྒྱལ་པོ་ཆེན་པོར་མོས། དེའི་འོག་ཏུ་དུག་ཤིང་མ་ཡིན་པའི་བུད་ཤིང་གི་མེས་ཆུ་དེ་མ་ཁོལ་ཙམ་བྱས་པ་ལ་བསྐོར་བ་བྱེད་ཅིང་ཆུ་མིག་ཀླུ་ཐམས་ཅད་གནས་པའི་རྒྱ་མཚོ་ཆེན་པོར་མོས་ལ་རང་ཉིད་རྗེ་བླ་མར་གསལ་བའི་ཐུགས་གནས་འོད་ཟེར་བསམ་གྱིས་མི་ཁྱབ་པ་སྤྲིན་ཕུང་ལྟ་བུ་འཕྲོས་ཏེ་ཀླུ་ཐམས་ཅད་ཆུ་མིག་དེར་བཀུགས་པར་བསམ་ལ་དེ་ཐམས་ཅད་ཀྱི་སྤྱི་བོར་རྗེ་བླ་མ་བཞུགས་པའི་སྐུ་ལས་བདུད་རྩིའི་རྒྱུན་བབས་ལུས་སེམས་བདེ་བས་ཁྱབ། ཁ་མིག་གདེངས་ཀ་བ་སྤུའི་བུ་ག་ཐམས་ཅད་ནས་རྫོང་དང་ལྡན་པའི་སྤྲིན་གྱི་ཕུང་པོ་འཛམ་བུ་གླིང་ཐམས་ཅད་དུ་ཁྱབ་པར་འཕྲོས་བས་སད་འབྱུང་བའི་གོ་སྐབས་འཕྲོག་ཅིང་། ཡང་སྐུའི་འོད་ཟེར་གྱིས་སངས་བདག་རྣམས་ཀྱི་གནོད་སེམས་ཞི་ཞིང་རྗེ་བླ་མ་ལ་སྐྱབས་སུ་སོང་བའི་མོས་པ་བྱེད་ཅིང་། ཡང་འོད་ཟེར་འཕྲོས་པས་འཛམ་གླིང་ཐམས་ཅད་ལོངས་སྤྱོད་དང་ལྡན་པར་བསམ་ལ། དམིགས་བཅེ་མ་ཞག་བཅུ་གཉིས་བདུན་ལ་སོགས་པའི་བར་དུ་མ་ཆད་པར་བཟླས་ཏེ་གསོལ་བ་བཏབ་ན་ངེས་པར་སད་བསྲུང་བར་འགྱུར་རོ། །འདིའི་སྒོ་ནས་མཆོན་བསྲུང་བའི་བཟའ་ཡིག་ནི། བླ་གབ་དང་བཅས་པའི་སར་ནམ་མཁའ་མི་མཐོང་བར་བྱས་ཏེ་མཐིང་ཤོག་སོགས་ཤོག་བུ་གཙང་མ་ལ་གསེར་རམ་རྒྱ་སྣག་སོགས་ཀྱིས་དམིགས་བཅེ་མ་ཆད་ལྷག་མེད་པར་ཚིག་རྐང་རེ་རེ་བརྩེགས་ནས་བྲིས་ཏེ་གུ་གུལ་དཀར་ནག་ཅན་དན་དཀར་དམར། སིནྡྷུ་ར་རྣམས་ཀྱིས་བདུགས་ཏེ་དམིགས་བཅེ་མ་ཁྲི་སོགས་བཟླས་ཏེ་ཕུ་བཏབ། སྲ་གཙན་རྒྱབ་དུ་བཞག

པའི་ཉིན་སོ་སེན་ལྔ་རྩེས་མ་རེག་པར་བཟའ་ཞིང་། དེའི་ཚེ་ལུས་ཐམས་ཅད་རྡོ་རྗེའི་རང་བཞིན་དུ་སོང་བར་བསམ་ལ་དམིགས་བརྩེ་མ་བཟླས་ན་གནམ་ལྕགས་ཐོག་གིས་ཀྱང་གནོད་མི་ནུས་སོ། །འདིའི་སྔོ་ནས་མཆོད་བསྟུང་འདོགས་པ་ནི། དམིགས་བརྩེ་མ་སྔར་ལྟར་བྲིས་ལ་རང་ཉིད་ལ་འདོགས་ན་བླ་མའི་རྣལ་འབྱོར་སྔོན་དུ་བཏང་ནས་དམིགས་བརྩེ་མ་ཅི་འགྲུབ་བཟླས་ཏེ་བསྟུང་འཁོར་སྲད་བུ་དམར་པོས་དཀྲིས་དཀར་པོའི་སྟེང་དུ་ཁ་ཤར་དུ་ཕྱོགས་ཏེ་རྡོ་རྗེ་བྲིས་པའི་སྟེང་དུ་འཁོད་ཅིང་གཞན་ལ་འདོགས་ན་དེ་ལྟར་འཁོད་དུ་བཅུག །དེ་ནས་རང་ཉིད་ཡིན་ན་ངག་ཏུ་འདོན་ཅིང་། སློབ་མ་ཡིན་ན་དེ་ལྟར་རྗེས་ཟློས་བྱེད། མཇུག་ཏུ་དཀོན་མཆོག་གསུམ་ལ་བདག་སྐྱབས་མཆི། །སོགས་རྒྱུན་བཤགས་དང་། དམིགས་བརྩེ་མ་དང་། མཆོད་བསྟུང་འདི་མིག་གི་མཐོང་བ། ལག་གིས་རེག་པ། ལུས་ལ་འཆང་བ་ཐམས་ཅད་རལ་གྲི་དང་། མདུན་གི་རྡོ་ངར་སོལ་ཞིག །རལ་སྐོར་མཁན་དང་མདའ་འཕེན་མཁན་གྱི་ལག་པ་དང་མཐེབ་སྒྲིལ་ཞིག །ཞེས་དམིགས་བརྩེ་མ་ཅི་མང་བཟླས། ཡང་ཕོ་ལྕགས་མོ་ལྕགས་ལྕགས་ནག་གི་ངར་སོད་ཅིག །མགར་སོ་ནག་གི་མདའ་གྲི་མདུང་གསུམ་ཐད་ཐད། ཅེས་དམིགས་བརྩེ་མ་འདོན། དེ་ནས་རྒྱུན་བཤགས་དང་། དམིགས་བརྩེ་མ་ལན་གསུམ་རྗེས་བཟློས་བྱས་ལ་མཆོད་བསྟུང་བཏགས་རང་རྗེ་བླ་མར་གསལ་བའི་ཐུགས་ཀའི་འོད་ཟེར་གྱིས་སྒྲུབ་བྱའི་ཤ་སྐྱི་པགས་མཚམས་ཐམས་ཅད་རྡོ་རྗེའི་གོ་ཁྲབ་ཏུ་གྱུར་པས་སྟེང་འོག་བར་གསུམ་གྱི་མཚོན་གང་གིས་ཀྱང་མི་ཚུགས་པར་བསམ་ལ་སླར་ཡང་མཆོད་སྲུང་ལག་ཏུ་བླངས་ཏེ། མགོ་བོ། ལག་པ་གཡས་གཡོན་གཉིས་རྐེད་པ། རྐང་པ་གཡས་གཡོན་གཉིས་རྣམས་ལ་ལན་དགུ་དགུ་གཡས་བསྐོར་དུ་བསྐོར་ནས་བཏགས་ན་འཁོར་བསྒྱུར་གྱི་དམག་དཔུང་གི་རལ་གྲི་ཡང་བཟློག་པར་འགྱུར་རོ། །འདིའི་སྔོ་ནས་གཟའི་གྲིབ་བསྲུང་བར་འདོད་ན། དུས་ཚོད་ལ་བརྟག་ནས་ནམ་ལངས་ལ་ཐོག་ན་ཆུ་གཟའ། སྤ་དྲོ་ཐོག་ན་ས་གཟའ། གུང་ལ་ཐོག་ན་འདུས་གཟའ། ཕྱེད་ཡོལ་ལ་ཐོག་ན་མེ་གཟའ། དགུང་མོ་ལ་ཐོག་ན་རླུང་གཟའ། དེ་བཞིན་དུ་མཚན་མོ་ཡང་ཤེས་པར་བྱ་ལ། རྐང་བ་གཡོན་པ་དང་མཁའ་སྐེད་གཡོན་པ་ན་བ་དང་། ལུས་གྲངས་ཤུམ་ཕྱེད་པ་དང་། རྣ་རྩ་སྟོན་པོར་འདུག་པ་ཆུ་གཟའ། དཔུང་བ་གཡོན་པ་དང་། ལག་བ་ན་པ་དང་། ལུས་ལྡི་བ་དང་། ཁ་སྐྱུགས་པ་ནི་ས་གཟའ། གཞོག་གཡས་ན་བ་དང་། ལག་གཡས་

ཞ་བ་དང་། སྐྱི་བ་དང་། ན་ཟུག་ཆེ་ཤིང་མི་དགའ་བ་དང་། མིག་དང་ལྕེ་དམར་བ་སོགས་ནི་མེ་གཟའ། རྐང་པ་གཡས་ཞ་བ་དང་། ལུས་འདར་བ་དང་། སྣ་ཞེམ་ཞིང་སྣ་ཆུ་འཛག་པ་རྣམས་རླུང་གཟའ། མགོན་པ་ཤེས་པ་མཐོང་མར་རྨེ་བ་རྣམས་ནི་འདུས་གཟའ་ཡང་མིག་རྣ་བ་སྣ་ལུས་རྣམས་ཀྱི་རྩ་སྟོ་བ་ཆུ་སེར་བས་དམར་བ་མེ། ལྷང་བ་རླུང་སྣ་ཚོགས་སུ་སྣང་བ་ནི་འདུས་གཟའ། འབྱུང་བ་བཞིའི་གཟའ་གང་ཡིན་བརྟགས་ཏེ་ཤེས་པར་བྱས་ལ་གནས་གཙང་མར་བུམ་པ་གཙང་མ་མགུལ་ཆིངས་དང་བཅས་པ་རྒྱ་མཚོར་འབབ་པའི་ཆུས་གང་བ། བུམ་རྫས་ཉེར་ལྔ་བཏབ། ཛ་ཏི་གུར་གུམ་ཀླི་ཏཾ་གསུམ་རྒྱ་སྣག་དང་བསྲེས་ཏེ་རྒྱ་ཤོག་སེར་པོའི་ངོས་ལ་ནམ་མཁའི་དུག་གིས་ན་བ་ལ་དམིགས་བརྩེ་མ་ཡོངས་རྫོགས་ས་གཟའ་ལ། གངས་ཅན་མཁས་པའི་གཙུག་རྒྱན་ཙོང་ཁ་བ། ཞེས་དང་། མེ་གཟའ་ལ། དམིགས་མེད་བརྩེ་བའི་གཏེར་ཆེད་སྤྱན་རས་གཟིགས། ཞེས་དང་། ཆུ་གཟའ་ལ། བློ་བཟང་གྲགས་པའི་ཞབས་ལ་གསོལ་བ་འདེབས། ཞེས་དང་། རླུང་གཟའ་ལ། དྲི་མེད་མཁྱེན་པའི་དབང་པོ་འཇམ་པའི་དབྱངས། ཞེས་པ་རྣམས་གང་སྐབས་སུ་བབས་པ་ཅི་ཙམ་དགོས་པ་བཤམས། གཤིན་རྗེའི་གཤེད་ཀྱི་བསྲུང་འཁོར་བསྒོམ་ཐུབ་ན་ལེགས། མིན་ཀྱང་རང་རྗེ་བླ་མར་གསལ་བའི་མདུན་དུ་ར་ཧུ་ལ་དུང་ཁ་དགུ་དགུ་བྱ་རོག་གི་གདོང་དང་བཅས་པ་སྦྲུལ་གཉིས་རཱའི་མདའ་གཞུ་ཐོགས་པ་མགོ་ལུས་མེད་པར་མིག་གིས་གང་བ། སྨད་སྦྲུལ་མཇུག་ཏུ་འཁྱིལ་བ། དུག་གི་ཁ་རླངས་སེར་ནག་འཁྲིགས་པ་མཐེ་བོང་ཚད་ཙམ་པ་ཞིག་བསྒོམ་ལ། རང་གི་ཐུགས་ཀ་ནས་འོད་ཟེར་དཀར་པོ་རྣོན་པོ་མདུང་ཚུགས་སུ་འཕྲོས་ཏེ་གཟའི་སྙིང་ཁར་ཕོག་བས་ལུས་སེམས་བདེ་བས་ཁྱབ་ཅིང་མཐོང་དུག་རེག་དུག་ཁ་རླངས་གི་དུག་སོགས་གཟའ་དུག་ཐམས་ཅད་ཕྱིར་ཐོན་ཞིང་། རཱའི་མདའ་གཞུ་ས་ལ་ལྷུང་ཏེ་ལྷའི་བུ་གཞོན་ནུ་ལྟ་བུར་དཀར་ཞིང་འཚེར་བ་གཅིག་ཏུ་གྱུར་ཏེ་རང་ཉིད་རྗེ་བླ་མར་གསལ་བ་ལ་ཕྱག་དང་བསྐོར་བ་བྱེད་པར་མོས་ཤིང་ཕྱིས་རང་གཞན་ཀུན་ལ་མི་གནོད་ཅིང་སྲུང་སྐྱོབས་བྱེད་པའི་དམ་བཅའ་ཕུལ་བར་མོས། དེ་ལྟར་བཟླས་པ་ཚར་ནས་ཕྱོགས་ཀྱི་ཟ་ཡིག་དང་བུམ་ཆུ་རྣམས་ལ་ཕུ་བཏབ། ཤེར་སྙིང་ལན་གཅིག་བརྗོད་ལ་བཟློག་པ་བྱས་པས་གཟའ་དེ་སྐྲགས་ནས་ལྡུགས་རེ་ནག་པོའི་ཕ་རོལ་ཏུ་སོང་བའི་རྗེས་རང་རྗེ་བླ་མར་གསལ་བའི་ཐུགས་ཀ་ནས་འཕྲོས་པའི་འོད་ཟེར་གྱིས་སྣོད་འཕྲོ་ཐམས་ཅད་ཁྱབ་པས་ཚུར་

འོངས་པའི་གོ་སྐབས་མེད་པར་བསམ་ཤིང་ནད་པ་དང་གཟའ་གདོན་དང་ནང་གཡོགས་པ་ཐམས་ཅད་རང་བཞིན་གྱིས་གྲུབ་པ་རྡུལ་ཙམ་ཡང་མེད་པའི་སྟོང་ཉིད་ལ་མཉམ་པར་བཞག །བུམ་པ་ཨ་སྲི་ཏ་ས་བསངས། སྭ་བྷཱ་ཝས་སྦྱངས་ནས། སྟོང་པའི་ངང་ལས་བུམ་པ་དཀར་པོ་ལྟོ་བ་ཆེ་ཤིང་མགྲིན་པ་ཕྲ་བ་ཁ་གཡེལ་བ་ཞབས་ཞུམ་པ་སོགས་མཚན་ཉིད་ཐམས་ཅད་དང་ལྡན་པར་གྱུར། ཨོཾ་ཏཧྲེ་ཏཧྲེ་མཧཱ་ཏཧྲེ་སྭཱཧཱ། ལྷའི་ཆུ་བོ་གངྒཱ་དང་བུམ་པའི་ཆུ་དབྱེར་མི་ཕྱེད་པར་གྱུར། བུམ་པའི་ནང་དུ་ཟླ་བའི་དཀྱིལ་འཁོར་གྱི་སྟེང་དུ་ཧྲཱིཿ ཡིག་གི་མཐར་དམིགས་བརྩེ་མའི་སྔགས་ཕྲེང་གིས་བསྐོར་བ་ལས་འོད་ཟེར་འཕྲོས་པས་ཕྱོགས་བཅུའི་རྒྱལ་བ་སྲས་བཅས་དང་རྗེ་བླ་མའི་སྐུ་གསུང་ཐུགས་ཀྱི་ཡོན་ཏན་ཐམས་ཅད་ཧྲཱིཿ ཡིག་དང་རྣམ་འཇོམས་ཁྱུང་ཁྲ་ནག་སོགས་ཀྱི་རྣམ་པར་སྤྱན་དྲངས། སྔགས་ཕྲེང་ལ་ཐིམ་དེ་ལས་བདུད་རྩིའི་རྒྱུན་བབས་པས་བུམ་པ་གང་བར་བསམ་ཞིང་། དམིགས་བརྩེ་མ་བཟླས་ལ། ཇི་ལྟར་བལྟམས་པ་སོགས་ཀྱིས། སྐྱབ་བྱ་འདིའི་གཟའ་ནད་ཐམས་ཅད་ཤིནྟཾ་ཀུ་རུ་ཡེ་སྭཱཧཱ། འབྱུང་བ་ལྔ་ལས་གྱུར་པའི་གཟའི་དུག་ཐམས་ཅད × བྱ་རོག་གི་གདོང་ལས་བྱུང་བའི་དུག × རྒྱལ་པོའི་གདོང་ལས་བྱུང་བའི × སྲིད་པའི་གདོང་ལས་བྱུང་བའི་དུག × བདུད་ཀྱི་གདོང་ལས་བྱུང་བའི × མཚོན་ཆ་ལས་བྱུང་བའི་གནམ་ལྕགས་ཀྱི་གནོད་པ་ཐམས་ཅད × མིག་ལས་བྱུང་བའི་རྒྱུ་སྐར་གྱི་དུག × མཇུག་མ་ལས་བྱུང་བའི་ཀླུའི་དུག × ཕྱི་མིག་ལྟ་བའི་དུག × དེ་ལྟར་དཀྲུས་པས་ནད་གནོད་ཐམས་ཅད་དབང་པོའི་སྒོ་དང་བ་སྤུའི་བུ་ག་ཐམས་ཅད་ནས་སྦྱིག་ཆགས་དང་དུད་ཁུའི་རྣམ་པར་ཐོན་པར་བསམ་ལ། རྨ་བྱའི་སྒྲོའི་ཆུན་པོའི་དབུས་སུ་ཧྲཱིཿ ཡིག་གི་མཐར་སྔགས་ཕྲེང་གིས་བསྐོར་བ་ལས་འོད་ཟེར་འཕྲོས། སྔར་བཀྲུས་པས་མ་དག་པའི་ནད་གདོན་སྡིག་སྒྲིབ་ཐམས་ཅད་རྗེ་ཁབ་ལེན་གྱིས་ལྕགས་བླངས་པ་ལྟར་བྱབས་ཤིང་དེད་དེ་ཁ་ནང་གི་ཆུ་ལ་ཐིམ་པར་བསམ་ཤིང་། སྔར་གྱི་ཤིནྟཾ་ཀུ་རུའི་ཚབ་ལ། ཨ་པ་ན་ཡེ་སྭཱཧཱ། ཞེས་དྲི་གླུད་ཀྱི་སྟེང་དུ་འཕོར་བཅུག །དེ་ནས་དྲི་ཆུ་དྲི་གླུད་དང་བཅས་པ་ནད་པར་གཡས་སུ་བསྐོར་ནས། ཨ་ཀར་རོ་ལན་བདུན་བརྗོད་ནས། སངས་རྒྱས་ཀྱི་བདེན་པ་དང་། ཆོས་ཀྱི × དགེ་འདུན་གྱི × ཆོས་ཀྱི་རྒྱལ་པོ་ཙོང་ཁ་པ་ཆེན་པོའི་སྐུ་གསུང་ཐུགས་ཀྱི་བདེན་པ་ཆེན་པོའི་བྱིན་རླབས་ཀྱིས་སྐྱབ་བྱ་འདི་ལ་གནོད་ཅིང་འཚེ་བར་བྱེད་པའི་གཟའ་གདོན་ཐམས་ཅད་དྲི་ཆུ་དང་

དྲི་གླུད་འདིས་ཚིམ་པར་གྱིས་ལ་སོ་སོར་རང་རང་གི་གནས་སུ་སོང་ཞིག །སུམ་ཛྷ་ནི་དྲག་ཏུ་བརྗོད་ལ་དྲི་ཆུ་དང་དྲི་གླུད་དོར་ར་ལ། སངས་རྒྱས་རྣམས་ནི་བདུད་ལས་རྒྱལ། སོགས་ཀྱི་བདེན་སྟོབས་བརྗོད། རང་རྗེ་བླ་མར་གསལ་བའི་ཐུགས་ཀའི་འོད་ཟེར་གྱིས་སྒྲུབ་བྱའི་ཤ་སྐྱི་པགས་མཚམས་ཐམས་ཅད་རྡོ་རྗེའི་རྡུལ་ཕྲ་རབ་ཀྱི་རང་བཞིན་གྱིས་སྲུང་བ་ཆེན་པོའི་གོ་ཁྲབ་གྱོན་པའི་མོས་པ་མཛོད་བྱས་ལ་སྔར་གྱི་སྔགས་ཀྱི་ཚབ་ལ་རཀྵ་རཀྵ་ཞེས་བསྲུང་ཞིང་། ཆེ་བའི་ཆེ་མཆོག་སོགས་ཀྱིས་བཀྲ་ཤིས་བྱ། གལ་ཏེ་ནད་ཀྱི་དབྱེ་བ་མི་ཤེས་པ་ཞིག་ཡིན་ན། ཟ་ཡིག་དམིགས་བཅེ་མ་ཡོངས་རྫོགས་བྲིས་ན་ལེགས། ནད་པ་སོས་ཀྱི་བར་ཁྲུས་དང་ཟ་ཡིག་སྟེར་ཞིང་། ནད་ལས་གྲོལ་བའི་ཉིན་མོ་སྲུང་སྐྱུད་དཀར་པོ་ལ་མདུད་པ་བདུན་བྱས་ཤིང་། མདུད་པ་རེ་ལ་དམིགས་བཅེ་མ་ཉེར་གཅིག་གིས་སྔགས་ནས་ནད་པའི་མགུལ་དུ་བཏགས། དེ་ནི་ཕྱིས་མི་འབྱུང་བའི་བསྲུང་བའོ། །གྲུབ་ཙམ་བཟློག་པ་ནི་སྔར་བཤད་པ་ལྟར་རྒྱུ་ཤོག་སེར་པོའི་སྟེང་དུ་དམིགས་བཅེ་མ་ཚིག་རྐང་རེ་རེ་བྲིས་ལ་མཐུག་ནས་དྲིལ་ཏེ་བླ་མའི་རྣལ་འབྱོར་དང་བདག་བསྐྱེད་སྔོན་དུ་འགྲོ་བ་དམིགས་བཅེ་མ་རབ་སྟོང་། འབྲིང་བརྒྱ་རྩ་བཟླས་ལ་ཟ་ཡིག་རྣམས་ལ་ཕུ་བཏབ། བློ་བཟང་གྲགས་པའི་ཞབས་ལ་གསོལ་བ་འདེབས། ཞེས་པ་སྤྲ་དྲོ། གངས་ཅན་མཁས་པའི་གཙུག་རྒྱན་ཙོང་ཁ་པ། ཞེས་པ་ཚ་དུས། དྲི་མེད་མཁྱེན་པའི་དབང་པོ་འཇམ་པའི་དབྱངས། ཞེས་པ་ཉིས་ཆེན་གྱི་དུས། དམིགས་མེད་བརྩེ་བའི་གཏེར་ཆེན་སྤྱན་རས་གཟིགས། ཞེས་པ་དགོང་མོ་ཟའོ། འདིའི་སྒོ་ནས་སྲོག་རླུང་བཅོས་པར་འདོན་ན། རྫ་ཕུམ་གཙང་མའི་ནང་གཡུ་ཕྱི་རུ་སྤོས་ཤེལ་རྣམས་དང་། རྒྱ་མཚོར་འབབས་པའི་ཆུ་ཀླུང་རྣམས་ཀྱིས་བཀང་བ་བདག་བསྐྱེད་སྔོན་དུ་བཏང་ནས། དམིགས་བཅེ་མ་སྟོང་ལས་མི་ཉུང་བཟླས་ཏེ་ཕུ་བཏབ། སློབ་མ་དེ་མདུན་དུ་འོངས་བའམ། དེའི་སར་ཕྱིར་ཏེ་ཀུས་པའམ་ཏ་ཅང་ནད་ཀྱིས་གདུང་བ་རྣམས་ལ་རས་བཟང་པོ་སོགས་ལ་རྒྱ་སྣག་དང་། དགེ་སློང་གཙང་མའི་དྲི་ཆུ་དང་། གླ་རྩི་སྦྱར་ཏེ་དམིགས་བཅེ་མ་དཔུ་ཅན་ཚག་མེད་པ་ཕྲེང་གཅིག་ཏུ་བྲིས་ལ་གཡོག །སྦྱོར་བཟོད་པ་ཡིན་ན་ལུས་ཀྱི་རྒྱབ་མདུན་ལ་འབྲི། དེ་ནས་རང་དང་སྒྲུབ་བྱ་གཉིས་ཀྱིས་དམིགས་བཅེ་མ་ཅི་ཐོན་བཟླ། རང་ཉིད་རྗེ་བླ་མར་གསལ་བའི་ཐུགས་ཀའི་དམིགས་བཅེ་མའི་ཡིག་འབྲུ་ལས་འོད་ཟེར་འཕྲོས་པས་སྒྲུབ་བྱ་དེའི་སྙིང་ཁར་ཟླུག་སྙིང་སྙོང་ལྷ་བུའི་དམར་སེང་ངེ་བ་ཞིག་གི་དབུས་སུ་སྲོག་གི་རླུང་དུ་

གྱུར་བའི་སྲོག་རླུང་གི་ངོ་བོ་ཁ་དོག་སྔོན་པོ་མེ་འམ་ཁྲག་གིས་རླུང་གི་ངོ་བོ་རླུང་ཁ་དོག་དམར་པོ་དང་། ས་འམ་སྤྲིན་གྱི་རླུང་གི་ངོ་བོ་ཁ་དོག་སེར་པོ་རྣམས་གནས་པ་ལ་ཕོག་པས། དེ་དག་ཐམས་ཅད་བདུད་རྩིའི་ངོ་བོར་གྱུར་ཏེ་སྤྱི་བོ་ནས་རྐང་མཐིལ་གྱི་བར་གང་། · ལུས་སེམས་བདེ་ཆམ་མ་ལྷན་ལྷན་དུ་སོང་པར་མོས་པ་དང་མཉམ་དུ་ལུས་ལ་དམིགས་བརྩེ་མའི་གོ་ཁྲབ་གྱོན་པར་བསམ་ལ། དམིགས་བརྩེ་མ་བཟླས་ནས་ཕྱུ་འདེབས་ཅིང་མཐར་ཧ་ཅང་ཏུས་པ་སོགས་མ་ཡིན་ན་ཁྲུས་བྱ་ཞིང་། ཏུས་པ་དང་ཧ་ཅང་ནད་པ་ཡིན་ན་ཁྲུས་འཁོར་བར་བྱའོ། །རྒྱལ་པོ་གྲི་ཕྱོག་གི་ཟ་ཡིག་ནི། བུམ་པ་སྒྲུབ་པ་དང་རྒྱ་ནག་སེར་པོའི་སྟེང་དུ་དམིགས་བརྩེ་མའི་ཚིག་རྐང་རེ་རེ་སོ་སོར་བྲིས་པའི་ཟ་ཡིག་བཟོམ་པ་རྣམས་གཟའ་བཙོས་ཀྱི་སྐབས་ནས་བཤད་པ་ལྟར་བྱས་ལ་ནད་ལ་ཀུ་ཤས་ཆུ་གཏོར་ཤིང་དམིགས་བརྩེ་མ་ཅི་མང་བརྗོད་པའི་མཐར་བདེན་སྟོབས་བརྗོད་ལ། རང་ཉིད་རྗེ་བླ་མར་གསལ་བའི་ཐུགས་ཀ་ནས་འོད་ཟེར་འཕྲོས་པ་སྒྲུབ་བྱའི་ལུས་ལ་ཕོག་པས་ནད་གདོན་ཐམས་ཅད་འོག་སྒོ་ནས་ཐོན་ལུས་ཤེལ་སྡོང་དྭངས་ཕྱིས་པ་ལྟར་གྱུར་སོང་སྙམ་པ་དང་བཅས་པ་ཁྲུས་ཆུས་བཀྲུས་ནས་ཟ་ཡིག་སྟེར། མཐིང་ཤོག་བཟང་པོ་ལ་གསེར་དངུལ་གྱིས་བྲིས་པའི་དམིགས་བརྩེ་མ་རབ་གནས་བྱས་པ་གཤམ་ནས་དྲིལ་ཏེ་སྲུང་སྐུད་ཁྲ་བོས་བཅིངས་ནས་མགུལ་དུ་བཏགས་ནས་རྒྱལ་གཟེར་སོགས་ལ་མཆོག་ཏུ་བཟང་ངོ་། །འདིའི་སྒོ་ནས་ཧག་ཆིངས་བྱེད་པར་འདོད་ན། ཆོམ་རྐུན་བྱེད་པའི་མི་རྣམས་སྡིག་པ་ལས་བཟློག་འདོད་ཀྱི་སྙིང་རྗེ་ཆེན་པོས་ཉེ་བར་བསླངས་ཏེ་སྔར་བཤད་པ་ལྟར་གྱི་བདག་བསྐྱེད་སྔོན་དུ་བཏང་། གོམ་པ་དགུ་བོར་བའི་རྐང་པའི་འོག་ནས་ས་སྐྱར་གང་བླངས་ལ་དམིགས་བརྩེ་མ་ཅི་མང་བཟླས་ནས་ཕྱུ་འདེབས། རང་ཉིད་རྗེ་བླ་མར་གསལ་བའི་ཐུགས་ཀར་ཧྲཱིཿ ཡིག་གི་མཐར་དམིགས་བརྩེ་མས་བསྐོར་བའི་དམིགས་མེད་བརྩེ་བའི་གཏེར་ཆེན་སྤྱན་རས་གཟིགས། ཞེས་པ་ལས་འོད་ཟེར་འཕྲོས་པའི་སྣེ་མོ་ལས་ལྕགས་ཀྱུའི་ཚོགས་དཔག་ཏུ་མེད་པ་འཕྲོས། དགྲ་ཧག་རྣམས་ཀྱི་སྟོབས་རྣམས་བཀུག་ནས་རང་གི་རྐང་པའི་འོག་ཏུ་ཚུད། །དྲི་མེད་སོགས་ལས་འོད་ཟེར་འཕྲོས་པའི་རྩེ་མོ་ལས་ཞགས་པའི་ཚོགས་དཔག་ཏུ་མེད་པ་འཕྲོས་དགྲ་ཧག་རྣམས་ཀྱི་ཉྭ་བསྡམ་པར་བསམ་ལ་ཙུང་ཟད་ཀྱང་འགྲོ་བར་མི་ནུས་པར་བསམ། གངས་ཅན་སོགས་ལས་འོད་ཟེར་འཕྲོས་པའི་སྣེ་མོ་ལས་ལྕགས་སྒྲོག་གི་ཚོགས་དཔག་ཏུ་མེད་པ་འཕྲོས་ནས་དགྲ་ཧག་རྣམས་ཀྱི་

ལུས་ངག་ཡིད་གསུམ་བསྡམས་ཏེ་འགུལ་བ་ཙམ་ཡང་མི་ནུས་པར་བསམ། བློ་བཟང་གྲགས་པའི་སོགས་ལས་འོད་ཟེར་འཕྲོས་པའི་སྔེ་མོ་ལས་རི་རབ་དང་། གསེར་རི། རི་ནག་པོ་དགུ་ལ་སོགས་པ་སྦྲུས་ཏེ་དགྲ་ཧག་གི་མཐའ་བསྐོར་ནས་གང་དུ་ཡང་འགྲོ་ས་མེད་པར་བསམས་ཏེ། ཁྲི་མ་ཕྱོགས་བཞིར་གཏོར། གོང་གི་དམིགས་པ་རྣམས་མ་གཡེངས་པའི་ངོས་ནས་དམིགས་བརྩེ་མ་འདྲེན་གྱིན་འགྲོ་བར་བྱ་སྟེ་ཧག་པ་ཡོད་ན་གཟུགས་འགུལ་བ་དང་འཁྲིགས་པ་སོགས་འོང་ཞིང་། མེད་ན་ཁང་པ་སྒྲིད་པ་དང་ལྗི་བ་སོགས་འོང་ངོ་། །ཧག་པ་མེད་པ་ཤེས་ཚེ་ཉིང་ངེ་འཛིན་སྟོད་ཅིང་ཡུལ་ནོར་སོགས་བསྲུང་ན་དེའི་ཕྱོགས་བཞིར་ཐོ་བཞི་བརྩེགས། སྔར་བཞིན་ས་བླངས་ལ་སྦུ་བཏབ། ཤར་གྱི་ཐོ་ཚིག་ཁང་དང་པོ་ལས་སྦྱིན་རས་གཟིགས། ལྷོའི་ཐོ་ཚིག་ཁང་གཉིས་པ་ལས་འཇམ་དབྱངས། ནུབ་ཀྱི་ཐོ་ཚིག་ཁང་གསུམ་པ་ལས་ཕྱག་རྡོར། བྱང་གི་ཐོ་ཚིག་ཁང་བཞི་པ་ལས་རྗེ་བླ་མར་བསྒོམ། སྔགས་བཏབ་པའི་ཕྱེ་མས་བསྲུང་བྱའི་མཐའ་བསྐོར་ལ་སྔར་གྱི་དམིགས་པས་དམིགས་བརྩེ་མ་བཟླས་ན་དམག་དཔུང་ཆེན་པོ་ཡང་བཟློག་པར་འགྱུར་རོ། འདིའི་སྐབས་ནས་ཞིང་གི་བཙའ་འདོན་པའི་མན་ངག་ནི། དགེ་འདུན་མང་པོ་ཚོགས་པའི་ཆབ་བསིལ་གྱིས། གད་པ་རྙིང་བའི་ས། སྲིད་པའི་བྱེ་མ། དགེ་སློང་གཙང་མའི་དྲི་ཆུ། བུ་ལོ་བརྒྱད་པ་བུ་མོ་ལོ་བརྒྱད་མའི་དྲི་ཆུ་རྣམས་བྱེ་མ་དང་བསྲེས། ཁྲི་དང་བུད་མེད་ཀྱིས་མ་འགོམ་པའི་ཤིང་ལ་ཕུར་བ་མང་དུ་བྱ་ཞིང་། དེ་རྣམས་ལ་དམིགས་བརྩེ་མ་འབྲི། ཆེད་དུ་གཉེར་ནས་བསད་པ་མ་ཡིན་པའི་ར་ཡི་སྙིང་བུ་བཤུས་པའི་ནང་དུ་ལོ་ཏོག་གི་ཕུང་དང་། སྔར་བཤད་པའི་རྫས་རྣམས་དང་། ལན་ཚགས་ལ་བསྲེ་རྒྱུའི་ཆང་བུ་མང་པོ་བླུག །རང་ཉིད་རྗེ་བླ་མར་གསལ་བའི་ཐུགས་ཀའི་འོད་ཟེར་གྱིས་ཞིང་ལ་བཙའ་གཏོང་བའི་སྡེ་བརྒྱད་རྣམས་བཀུག་ཏེ་ར་རྐྱལ་གྱི་ནང་དུ་ཚུད་པར་བསམ་ལ། སངས་རྒྱས་ཀྱི་བདེན་པ་དང་། ཆོས་ཀྱི× དགེ་འདུན་གྱི× ཡི་དམ་དཀྱིལ་འཁོར་གྱི་ལྷ་ཚོགས་འཁོར་དང་བཅས་པ་རྣམས་ཀྱི× ཁྱད་པར་དུ་ཡང་ཁམས་གསུམ་ཆོས་ཀྱི་རྒྱལ་པོ་ཙོང་ཁ་པ་ཆེན་པོའི× བདེན་པ་ཆེན་པོའི་བྱིན་རླབས་ཀྱིས་ལོ་ཏོག་ལ་གནོད་པའི་སྡེ་བརྒྱད་སྲི་དང་། ཁྱད་པར་དུ་ཡང་རྟུལ་དམར་པོ་གཏོང་བར་བྱེད་པའི་གནོད་བྱེད་རྣམས་འདིར་བཀུག་པར་གྱུར། ཅེས་བདགས་པའི་བདེན་སྟོབས་ལན་གསུམ་བརྗོད་ལ། ར་རྒྱལ་གྱི་ཁ་ཡུག་ས་མའི་སྐྲས་བཅིངས་ཤིང་ཐམས་ཅད

མཐོང་བའི་སར་རྒྱལ་བ་བཞག་ནས་ཞག་བདུན་གྱི་བར་ནན་ཏན་དུ་དམིགས་བརྩེ་མ་བཟླ། ཞག་བདུན་སོང་བའི་ཉིན་དམིགས་བརྩེ་མ་བཏབ་པའི་བྱེ་མ་མང་དུ་གྲུབ་བྱེད། དཔའ་བོ་མཚོན་ཆ་ཐོགས་པ་མང་པོ་དང་། སྐྱེས་པ་ཙུར་རྫོ་ཐོགས་པ་མང་དུ་འདུ་བྱས། སྟག་ལོ་པ་གཅིག་གིས་བྲུད། རང་རྗེ་བླ་མར་གསལ་བའི་ཐུགས་ཀ་ནས་རལ་གྲི་གཤིན་རྗེའི་གཤེད་ལ་སོགས་པའི་ཚོགས་དཔག་ཏུ་མེད་པ་ནམ་མཁའི་དབྱིངས་ཐམས་ཅད་ཁྱབ་པར་འཕྲོས། ཞིང་ལ་གནོད་བྱེད་སྤྱི་དང་ཁྱད་པར་དུ་བཙའི་བདག་པོ་དང་བཙའ་ཐམས་ཅད་རྒྱ་མཚོའི་ཕ་མཐར་དེད་པར་བསམ་ལ་ཡོད་ཚད་ཀྱིས་དམིགས་བརྩེ་མ་ཙུར་ཆེམས་པ་ཞིག་འདོན། དཔའ་བོ་རྣམས་ཀྱིས་མཚོན་ཆ་ཐོགས་ནས་ཁ་ཅིག་གི་ཧོ་ཞེས་རྒྱུག། སྒྲུབ་པ་པོ་རྣམས་ཀྱིས་ཞིང་ལ་བྱེ་མ་མཐོར་ཞིང་རྒྱུག། སྐྱེས་པ་རྣམས་ཀྱིས་ཙུར་རྫོར་ཕྱེ་མ་བཙུག་པ་བསྣུབ་ཅིང་ར་རྒྱལ་ཐོགས་པ་དེད་ལ་གོང་གི་དམིགས་པ་མ་ཡེངས་པའི་ངང་ནས་རྒྱ་མཚོར་འབབ་པའི་ཆུ་ཀླུང་དུ་དོར། བཙའ་སོང་བཙའ་སོང་བཙའ་དང་སད་ཐམས་ཅད་རྒྱ་མཚོའི་ཕར་འགྲམ་དུ་སོང་ཞིག་ཅེས་པའི་ཀི་སྒྲ་དང་བསྭོ་སྒྲ་མཚོན་ཆའི་སྒྲ་མང་དུ་བྱ། ཕྱི་མིག་བལྟ་བར་ཕྱིར་ལོག་ལ་སྔར་གྱི་ཕུར་བ་རྣམས་ཞིང་མཐར་བཙུག། ཕྱོགས་བཞིར་ཐོ་བཞི་བརྩེགས། གཞི་བདག་གཏོར་མ་གཅིག་བཏང་། སྟོང་གསུམ་གྱི་ཁམས་ན་གནས་པའི་འབྱུང་པོ་སྤྱི་དང་ཁྱད་པར་ཡུལ་འདིའི་གཞི་བདག་རྣམས་ཉོན་ཅིག། ཁྱེད་རྣམས་མཚུངས་མེད་དམ་པ་བློ་བཟང་གྲགས་པའི་བཀའ་དང་དམ་ལས་མ་འདའ་བར་ཡུལ་འདིའི་བཙའ་གནོད་པ་སྐད་ཅིག་ཀྱང་མ་གཏོང་ཞིག་ཅེས་ལན་གསུམ་བརྗོད་ན་ལོ་བདུན་གྱི་བར་ཐུབ་པར་རྗེ་ཉིད་ཀྱི་ཞལ་གྱིས་བཞེས་སོ། །འདིའི་སྒོ་ནས་ཁ་ཟས་འོངས་པར་བྱེད་པའི་མན་ངག་ནི། བདག་བསྐྱེད་སྔར་ལྟར་སྔོན་དུ་བཏང་། སྐྱབས་འགྲོ་སེམས་བསྐྱེད་ཚད་མེད་བཞི་བསྒོམ། སྭ་བྷཱ་ཝས་སྟོང་པར་སྦྱངས། སྟོང་པའི་ངང་ལས་བཾ་ལས་པདྨ་ཨ་ལས་ཟླ་བའི་དཀྱིལ་འཁོར་གྱི་སྟེང་དུ་རང་གི་སེམས་ཉིད་ལྷ་མོ་དཀར་མོ་ཕྱག་གཡས་ཁམས་གསུམ་དབང་དུ་བསྡུད་པའི་ལྕགས་ཀྱུ་དང་། གཡོན་དགོས་འདོད་འབྱུང་བའི་གཏེར་གྱི་བུམ་པ་བསྣམས་པ་བཞེངས་པའི་སྟབས་ཀྱི་བཞུགས་པ། དར་གྱི་ན་བཟའ་གསོལ་ཞིང་མཛེས་པའི་རྒྱན་གྱིས་སྤྲས་པ། དེའི་ཐུགས་ཀར་ཟླ་བའི་དཀྱིལ་འཁོར་གྱི་སྟེང་དུ་དམིགས་བརྩེ་མའི་ཡིག་འབྲུས་བསྐོར་བ་ལས་འོད་ཟེར་འཕྲོས། ཕྱག་གཡས་ཀྱི་ལྕགས་ཀྱུ་ལ་ཐོག དེ་ལས་

སྟོང་གསུམ་ཁྱབ་པའི་འོད་ཟེར་འཕྲོས། ཁམས་གསུམ་གྱི་ཟས་ནོར་ཐམས་ཅད་བསྡུས། བུམ་པའི་ནང་དུ་བཙུག། རང་དང་སེམས་ཅན་ཐམས་ཅད་ལ་འབད་མེད་དུ་འབྱུང་བར་བསམ་ལ་དམིགས་བརྩེ་མ་གང་མང་བཟླས་ན་ཟས་ནོར་ཐམས་ཅད་འབད་མེད་དུ་འབྱུང་ངོ་། །འདིའི་སྔོན་ནས་རང་གང་དུ་འགྲོ་བའི་བར་ཆད་བསྲུང་ཚུལ་ནི། ཕྱོགས་གང་དུ་འགྲོ་ཡང་ནང་སྔ་བར་ལངས་རྣལ་འབྱོར་དང་བདག་བསྐྱེད་སྔོན་དུ་འགྲོ་བས་རྟེན་རྣམས་ལ་ཁྲུས་གསོལ་བྱ། ཁྲུས་ཆུ་ལ་དམིགས་བརྩེ་མ་མང་དུ་བཏབ། གང་དུ་འགྲོ་བའི་ཕྱོགས་སུ་ནམ་མཁའ་ལ་གཏོར། རང་རྗེ་བླ་མར་གསལ་བའི་སྐུ་ལས་འོད་ཟེར་འཕྲོས། རང་གི་ཡུལ་ཕྱོགས་དེ་ནས་གང་དུ་འགྲོ་བའི་ཡུལ་ཕྱོགས་དེའི་བར་ཁྱབ་བར་ཆད་གང་གིས་ཀྱང་གླགས་མི་རྙེད་པར་བསམ། འདིས་ནི་ལམ་གྱི་བར་ཆད་སྲི་དང་ཁྱད་པར་དུ་ནད་རིགས་བཞི་བརྒྱ་རྩ་བཞི་ལས་བསྲུང་བར་འགྱུར་རོ། །འདིར་ནི་མདོ་ཙམ་བཀོད་པ་ཡིན་གྱི་རྒྱས་པར་པཎ་ཆེན་ཐམས་ཅད་མཁྱེན་པ་བློ་བཟང་དཔལ་ལྡན་ཡེ་ཤེས་ཀྱིས་གསུང་པའི་ལས་ཚོགས་དང་དགའ་ལྡན་མདུང་རྩེ་རས་པ་སོགས་ཀྱི་ལས་ཚོགས་དང་། བླ་མའི་ཞལ་ལས་ཤེས་པར་བྱའོ། སྨྲས་པ། ཤེས་རབ་རལ་གྲིའི་འོད་ཟེར་འབུམ་ཕྲག་འགྱེད། །ཤེས་བྱ་ཀུན་སྟོན་གླེགས་བམ་ཐུགས་ཀར་བསྣམས། །ཤེས་རབ་མཆོག་སྤྲུལ་རྗེ་བཙུན་འཇམ་དཔལ་དབྱངས། །ཤེས་རྒྱུད་ཞི་ཞིང་དུལ་བར་བྱིན་གྱིས་རློབས། །དེ་ཉིད་དུར་སྒྲིག་ཚུལ་བཟུང་ཙོང་ཁ་པ། །དེ་ཡི་རྣམ་འཕྲུལ་དཔལ་ལྡན་ཡེ་ཤེས་ཀྱི། །དེ་ཡི་རྣལ་འབྱོར་ལས་ཚོགས་རྒྱས་པར་གསུངས། །དེ་ལས་བསྡུས་ཏེ་མདོར་བསྡུས་ཚུལ་དུ་བཀོད། །བཀོད་པའི་དགེ་བས་ཚེ་རབས་ཐམས་ཅད་དུ། །དུ་མའི་ཞིང་ཁམས་བྱེ་བ་ཕྲག་བརྒྱར་ཡང་། །ཡང་དག་ལྷ་དང་ངེས་འབྱུང་བྱང་སེམས་ལམ། །ལམ་བཟང་སྒྲུབ་ལ་ནམ་ཡང་མི་ཞུམ་པར། །བར་ཆད་ཕྱི་ནང་ཉེར་འཚེ་མཐའ་དག་ཞི། །ཞི་སོགས་རབ་འབྱམས་ལས་རྣམས་ཀུན་ལ་དབང་། །དབང་བཅུ་སྟོབས་བཅུའི་ཡོན་ཏན་མཐར་སོན་ཞིང་། །ཞིང་རྣམས་ཀུན་ཏུ་འགྲོ་བའི་དོན་བྱེད་ཤོག །བདག་སོགས་དེང་ནས་ཚེ་རབས་ཐམས་ཅད་དུ། །བདག་ཉིད་ཆེན་པོ་འཇམ་མགོན་ཡབ་སྲས་མདུན། །བདག་གཞན་མཉམ་བརྗེ་བྱང་ཆུབ་སེམས་མཆོག་དང་། །བདག་མེད་གནས་ལུགས་མངོན་དུ་འགྱུར་བར་ཤོག །རྒྱལ་བ་ཀུན་གྱི་བདེན་པའི་བྱིན་རླབས་དང་། །རྒྱལ་སྲས་རྣམས་ཀྱི་ཐུགས་བསྐྱེད་སྨོན་ལམ་

མཐུས། །རྒྱལ་བ་རྣམས་ཀྱི་དམ་ཆོས་འཛིན་པ་ལ། །རྒྱལ་བ་ཙོང་ཁ་པ་དང་མཚུངས་པར་ཤོག །ཅེས་དགའ་ལྡན་ལྷ་བརྒྱ་མའི་ཁྲིད་ཡིག་ལས་ཚོགས་དང་བཅས་པ་དངོས་གྲུབ་ཀུན་འབྱུང་ཞེས་བྱ་བ་འདི་ནི། ཐོས་བསམ་ལ་སྦྱངས་པ་མཐར་ཕྱིན་ཏེ། དབེན་གནས་ཡིད་དགའ་ཆོས་འཛིན་ཚེ་དང་སྒྲུབ་པ་སྙོམས་པའི་རི་ཁྲོད་པ་དཀོན་མཆོག་འབྱུང་གནས་ཀྱིས་ནན་ཏན་དུ་བསྐུལ་ངོར། ༸བཤེས་གཉེན་དམ་པ་དུ་མའི་ཞབས་རྡུལ་སྤྱི་བོའི་གཙུག་ཏུ་བསྟེན་པ་༸རྒྱལ་མཁན་པོ་གྲགས་པ་རྒྱལ་མཚན་གྱིས་གཟིམ་ཆུང་ཡིད་དགའ་ཆོས་འཕེལ་དུ་སྦྱར་བའི་ཡི་གེ་པ་ནི་དགེ་ཚུལ་རཏྣ་ཤ་ས་ན་ཧྲ་རའོ། །

༄༅། །དགེ་ལྡན་སྙན་བརྒྱུད་ཀྱི་མན་ངག་སྲད་རྒྱུད་ལུགས་ཀྱི་བླ་མའི་རྣལ་འབྱོར་དགའ་ལྡན་ལྷ་བརྒྱ་མའི་ཁྲིད་ཡིག་བཞུགས་སོ།

༄༅། །འཇམ་དབྱངས་བླ་མ་ཆོས་ཀྱི་རྒྱལ་པོ་ཙོང་ཁ་པ་ཆེན་པོའི་ཞབས་ལ་སྤྱི་བོས་དུས་རྟག་ཏུ་ཕྱག་འཚལ་ཞིང་སྐྱབས་སུ་མཆིའོ། །བྱང་ཆུབ་སྙིང་པོའི་བར་དུ་རྗེས་སུ་བཟུང་དུ་གསོལ། །འདིར་དགེ་ལྡན་སྙན་བརྒྱུད་ཀྱི་མན་ངག་སྲད་རྒྱུད་ལུགས་ཀྱི་བླ་མའི་རྣལ་འབྱོར་དགའ་ལྡན་ལྷ་བརྒྱ་མར་གྲགས་པའི་རྣལ་འབྱོར་ཉམས་སུ་ལེན་ཚུལ་ནི། །ཐོག་མར་སྐྱབས་འགྲོའི་ཚིགས་ཞིང་གསལ་འདེབས་ཚུལ་ལ། ཁྲིད་ཡིག་ལས་འབྱུང་བ་ལྟར་རམ་ཡང་ན་ལམ་རིམ་བདེ་ལམ་གྱི་སྐྱབས་འགྲོའི་ཚོགས་ཞིང་ལྟར་བྱེད་པ་ཡང་ཁྲི་ཆེན་ནམ་བཟང་བས་གནང་སྐམ་པ་འཆར་གསུང་། དེས་ན་མདོ་སྔགས་ཀྱི་སྐྱབས་འགྲོ་བྱེད་ཚུལ་མང་དུ་གསུངས་པ་གང་ལྟར་བྱས་ཀྱང་མི་རུང་བ་ཅི་ལ་ཡོད་གསུངས། སྐྱབས་འགྲོའི་སྐབས་སུ་བདུད་རྩི་འབེབས་སྦྱངས་ལམ་ཁྲིད་ལྟར་དང་། མཐར་ཚོགས་ཞིང་རྣམས་ཀྱི་ཞལ་ནས་ཁྱོད་ཀྱི་བྱང་ཆུབ་མ་ཐོབ་ཀྱི་བར་དུ་འགལ་རྐྱེན་སེལ་བ་དང་། མཆོག་ཐུན་གྱི་དངོས་གྲུབ་ཅི་འདོད་སྩོལ་བའི་མགོན་སྐྱབས་དང་དཔུང་གཉེན་བདག་ཅག་ཡིན་ནོ་ཞེས་གསུངས་པ་ཐོས་བཞིན་པར་རང་གི་སྙིང་མཚམས་ནས་ཞུགས་ཏེ་སེམས་དང་དབྱེར་མེད་དུ་ཐིམ་པའི་མོས་པ་བྱེད་གསུངས། སྐྱབས་ཡུལ་སོ་སོ་ལ་སྦྱར་ནས་བྱེད་ན་སྐྱབས་འགྲོ་བྱས་པས་སངས་རྒྱས་སྐྱབས་སྟོན་པ་པོ་དང་། དགེ་འདུན་རྣམས་ཀྱིས་ལས་བཞི་སྒྲུབ་པ་སོགས་སྐྱབས་སྒྲུབ་པའི་གྲོགས་མཛད་པར་ཞལ་གྱིས་བཞེས་ཤིང་། དམ་པའི་ཆོས་དང་འབྲལ་བ་མེད་པར་སྐྱབས་དངོས་སུ་ཐོབ་བྱུང་སྙམ་པ་རང་རང་གི་སྐྱབས་འགྲོའི་སྐབས་སུ་དགོས་གསུངས། དེ་ནས་ཐུགས་དང་འབྲེལ་བར་ཉམས་སུ་ལེན་ན་བླ་མཆོད་ལྟར་ཡི་དམ་གང་རུང་གི་ང་རྒྱལ་གྱིས་སྔོད་བཅུད་དག་པར་བསྒྱུར་བ་དང་

མཆོད་པ་བྱིན་རླབས་བྱེད་དགོས་པར་ཁྲི་ཆེན་ནམ་བཟང་བས་གསུང་གསུངས། མདོ་ཆོག་ལྟ་བུར་བྱེད་ན་སྨན་བླའི་མདོ་ཆོག་ལྟར་དཀོན་མཆོག་གསུམ་གྱི་བདེན་པ་དང་ཞེས་སོགས་རྒྱས་བསྡུས་ཅི་རིགས་སམ་མ་མཐའང་ཐམས་ཅད་དུ་ནི་ས་གཞི་དག་ཅེས་སོགས་བརྗོད་དེ་ས་གཞི་བྱིན་གྱིས་བརླབས་ཏེ་དག་པའི་ཞིང་གི་སྣང་བ་ལ་གོམས་སུ་བཅུག ། དེ་དག་མི་ལྡོག་ནའང་རི་རབ་ཀྱིས་གཞལ་བའི་ལྷོ་རང་རེའི་བྱང་ངོས་སུ་དགའ་ལྡན་གི་ཞིང་ཁམས་གཞུང་ལྟར་གསལ་འདེབསཔ་ངེས་ཅན་བྱེད་ཅིང་། ཁྱད་པར་དུ་འཕོ་བ་སྦྱོང་སྐབས་ཡིན་ན་ཐུན་ཕྱེད་ཙམ་ལ་འདིའི་གསལ་སྣང་སྦྱང་ན་དག་པའི་ཞིང་སྦྱོང་དང་འདུན་པ་སྦྱོང་བའི་ཁྲིད་ཀྱང་འདིས་འཐུས་གསུངས། འདི་སྐབས་བྱམས་མགོན་འཁོར་དང་བཅས་པ་དང་སྣོད་བཅུད་ཀྱི་འགྱུར་བ་དེ་དག་རང་གིས་མངོན་སུམ་དུ་མཐོང་བ་དང་ཆོས་ཀྱི་སྒྲ་ལྡང་ལྡང་བ་ཆད་ལྷག་མེད་པར་ཐོས་པའི་མོས་པ་དང་བཅས་སེམས་ལ་སྤྲོ་ཉམས་བསྐྱེད་དེ་ཞིང་དེར་བྱམས་མགོན་སྲས་དང་བཅས་པའི་སྤྱན་སྔར་ད་ལྟ་ཉིད་དུ་སོང་ན་ཅི་མ་རུང་སྙམ་དུ་འདུན་པ་སྦྱངས་ཤིང་། འདི་དག་བའི་ཞིང་སྦྱོང་ཡིན་པས་རྗེ་བཙུན་གྱིས་འཆད་བཞིན་པའི་ཆོས་ཀྱང་ཤེར་མདོ་ངེས་ཅན་བྱས་ན་མ་འོངས་བའི་ཆོས་ཀྱི་ལོངས་སྤྱོད་དུ་རྟེན་འབྲེལ་གྱི་གནད་ཡོད་གསུངས། སྤྱན་འདྲེན་གྱི་ཚེ་རང་གིས་སྤྱན་འདྲེན་གྱི་ཚིག་བརྗོད་པ་བྱམས་མགོན་གྱི་ཐུགས་ཀའི་རྗེ་ཡབ་སྲས་གསུམ་གྱིས་ཉེ་རིང་ལ་སྒྲིབ་པ་མེད་པའི་སྐད་ཀྱིས་ས་ལེར་གསན། བརྩེ་བའི་སྤྱན་གྱིས་གཟིགས་ནས་མྱུར་བར་འདེང་ལ་སྐལ་ལྡན་འདི་སྨིན་གྲོལ་ལ་འགོད་པར་བྱོན་ཞེས་ཕན་ཚུན་གསུང་གླེང་དང་བཅས་མྱུར་དུ་ལྷང་གིས་བྱོན་པའི་མོས་པ་བྱེད། ཡབ་སྲས་གསུམ་སྐྱབས་གནས་ཐམས་ཅད་འདུས་པའི་བདག་ཉིད་དུ་བལྟས་ནས་འཁོར་གསལ་མི་འདེབས་པ་ཀུན་འདུས་ནོར་བུ་ལུགས་བྱེད་པའམ། འཁོར་གསལ་འདེབས་ཚུལ་ལ་ཡང་དགའ་ལྡན་ནས་སྤྱན་འདྲེན་པ་དང་། རྗེ་རིན་པོ་ཆེའི་ཐུགས་ཀ་ནས་འོད་ཟེར་གྱི་སྣེ་ལ་རྒྱ་ཆེན་སྤྱོད་རྒྱུད། ཟབ་མོ་ལྟ་རྒྱུད། ཉམས་ལེན་བྱིན་རླབས་བརྒྱུད་པའི་བླ་མ་རྒྱུད་སྡེ་བཞི་དང་འབྲེལ་བའི་ཡི་དམ་སངས་རྒྱས་བྱང་སེམས་དཔའ་བོ་མཁའ་འགྲོ་ཆོས་སྐྱོང་སྲུང་མའི་ཚོགས་དཔག་ཏུ་མེད་པ་སྤྲོས་ནས་འཁོད་པ་གང་བདེ་བྱས་ཆོག་གསུངས། འཁོར་གསལ་འདེབས་མི་འདེབས་གང་ལྟར་ཡང་རྗེ་བླ་མ་དེ་ཉིད་བརྟན་གཡོ་རྣམ་དགམ་ལུས་པའི་བྱེད་པོ། ཞིང་ཁམས་ཐམས་ཅད་རྟེན་དང་བརྟེན་པར་བཅས་པ་ལུས་ལ་

གནས་པ། སྐུ་གཅིག་གིས་ཞིང་ཁམས་ཐམས་ཅད་ཡོངས་སུ་ཁྱབ་པའི་ཡེ་ཤེས་ཀྱི་སྐུ་ཅན་སོགས་མདོར་ན་རྣམ་བྱང་གི་ཡོན་ཏན་ཐམས་ཅད་ཡོངས་སུ་རྫོགས་པའི་ངོ་བོར་རང་གི་བློ་ལ་འཆར་ཚད་དང་བསྟུན་ནས་སྒོམ་དགོས་པ་གོང་འོག་ཀུན་ཏུ་ཤིན་ཏུ་གལ་ཆེ་གསུངས། ཡན་ལག་བདུན་པའི་དམིགས་རྣམ་གཞུང་ལྟར་དང་། མཆོད་པའི་སྐབས་སུ་ཐུགས་དང་འབྲེལ་བར་བྱེད་ན་ལྷ་ཡི་མེ་ཏོག་མ་སོགས་ཀྱིས་ཀྱང་ཕྱི་ནང་གཉེར་སྤྱོད་འདོད་ཡོན་ནང་མཆོད་སྐོམས་འཇུག་གི་མཆོད་པ་སོགས་ཀྱང་འབུལ་དེ་དག་རེ་རེའི་སྐབས་སུ་ཟག་མེད་ཀྱི་བདེ་བ་ཁྱད་པར་ཅན་སྐྱེས་ཏེ་བདེ་སྟོང་སྤྱོར་བའི་དམིགས་པ་དང་། མདོ་ཚིག་ལྟར་བྱེད་ན་མཆོད་པས་ཐུགས་རྒྱུད་མཉེས་ཤིང་ཚིམ་ནས་ཅི་འདོད་སྩོལ་བའི་ཉམས་ཀྱིས་བཞུགས་པར་མོས་གསུངས། བཤགས་པའི་སྐབས་སྐྱབས་ཡུལ་རྣམས་ཀྱི་སྐུ་ལས་འོད་ཟེར་འཕྲོས་རང་གི་ལུས་ལ་ཐིམ་པས། སྒོ་གསུམ་གྱི་སྡིག་སྒྲིབ་སོགས་མ་དག་པ་ཐམས་ཅད་སྦྱངས་ནས་དག་པ་འོད་ཀྱི་གོང་བུ་ལྟར་གྱུར་པའི་མོས་པ་དང་། ཆོས་འཁོར་བསྐུལ་བའི་སྐབས་སུ་ཞལ་གྱིས་བཞེས་པ་དང་། བསྔོ་བའི་སྐབས་སྐྱབས་ཡུལ་རྣམས་ཀྱིས་རང་གི་དགེ་རྩ་རྣམས་སྨོན་གནས་དེ་དག་གི་རྒྱུར་བསྔོས་ཤིང་བྱིན་གྱིས་བརླབས་པས་ཤིང་ཏོག་སྨིན་པ་ད་ལྟ་ཉིད་དུ་ལོངས་སྤྱོད་ཅུང་ལྟར་མཁའ་མཉམ་ལུས་ཅན་ཡོངས་ལ་ཁྱབ་པའི་འབྲས་བུ་ཟད་མི་ཤེས་པའི་རྒྱུའི་ནུས་པ་ཐོགས་མེད་དུ་གྲུབ་པར་མོས་པ་བྱེད་གསུངས། རྒྱས་པར་ན་དཔལ་ལྡན་ས་གསུམ་མ་བརྗོད་ནས་མཆོག་གི་དངོས་གྲུབ་བརྙེས་ལ་གསོལ་བ་འདེབས་ཞེས་པའི་མཚམས་ནས་དམིགས་བཅུ་མ་བཟླ། དེའི་སྐབས་སུ་དམིགས་བཅུ་མའི་དོན་ཡིད་ལ་དྲན་བཞིན་དུ་འདོན་དགོས་ཤིང་། དོན་དྲན་ཚུལ་ནི་རྒྱལ་སྲས་ཀྱི་ཁྲིད་ན་སྤྱན་རས་གཟིགས་སྙིང་རྗེ་ལ་འགྲན་ཟླ་མེད་པ་དང་། འཇམ་དབྱངས་ཤེས་རབ་ལ་འགྲན་ཟླ་མེད་པ་ལྟར། གངས་ཅན་གྱི་མཁས་པའི་ཁྲིད་ན་ཐུབ་བསྟན་ཡོངས་རྫོགས་ཀྱི་གནད་ལ་མཁས་པ་རྗེ་རིན་པོ་ཆེ་ལྟ་བུ་མེད་ཚུལ་རྟོགས་བརྗོད་འདུན་ལེགས་མ་དང་། རྣམ་ཐར་དད་པའི་འཇུག་ངོགས་ལྟར་དང་། རྒྱས་པར་ན་རྗེ་རང་གི་མདོ་སྔགས་ཀྱི་གཞུང་ལུགས་རྣམས་ལས་འབྱུང་བ་ལྟར་དྲན་པ་ནི་ཕྱི་མཚུངས་པ་གསལ་བྱེད་དམ། ལུང་གི་ཡོན་ཏན་གྱི་སྒོ་ནས་གསོལ་བ་འདེབས་པ་ཡིན་ཞིང་། འཕགས་པ་རིགས་གསུམ་མགོན་པོ་ལ་མཁྱེན་བརྩེ་ནུས་གསུམ་ཇི་ཙམ་མངའ་བའམ། ཚིག་ཟིན་ལྟར་ན་སྤྱན་རས་གཟིགས་དང་། འཇམ་དབྱངས་ལ་ཐབས་

ཞེས་ཀྱི་ཡོན་ཏན་ཅི་ཙམ་མངའ་བ་ཐམས་ཅད་རྗེ་བླ་མ་ལ་མངའ་བར་ཐག་བཅད་ནས་གསོལ་བ་འདེབས་པ་ནི། ནང་ཡོན་ཏན་དེ་ལྡན་ནམ་རྫོགས་པའི་ཡོན་ཏན་གྱི་སྒོ་ནས་གསོལ་བ་འདེབས་པ་ཡིན་ལ་ལྷག་པའི་ལྷ་དང་སངས་རྒྱས་ཐམས་ཅད་རིགས་གསུམ་དང་། ཡོན་ཏན་ཐམས་ཅད་མཁྱེན་བརྩེ་ནུས་གསུམ་དུ་བསྡུས་ཤིང་། རྗེ་བླ་མ་དེ་ཉིད་རིགས་གསུམ་མགོན་པོ་དངོས་ཡིན་པར་ཡིད་ཆེས་ཀྱི་ཚད་མས་བསྒྲུབས་ནས། ཚིག་ལའང་། བདུད་དཔུང་མ་ལུས་འཇོམས་མཛད་གསང་བའི་བདག་ཅེས་སམ། མཐུ་སྟོབས་མ་ལུས་འཛིན་མཛད་གསང་བའི་བདག་ཅེས་པ་གང་རུང་བསྟན་ནས་བཞི་སྐོར་དུ་བགྲང་བ་ནི། གསང་བ་ལྷག་པའི་ལྷ་དང་ངོ་བོ་དབྱེར་མེད་དུ་གསོལ་བ་འདེབས་པ་ཡིན་གསུངས། རིགས་གསུམ་མགོན་པོ་ཐུགས་རྒྱུད་གཅིག་པ་དང་། རྗེ་ཉིད་རིགས་གསུམ་མགོན་པོ་ཡིན་པའི་སྒྲུབ་བྱེད་རྒྱས་པར་ན་གཞུང་ལུགས་སྣ་ཚོགས་ལ་རིགས་པའི་དཔྱད་སྟོབས་ཆེར་བསྐྱེད་ནས་དྲན་དགོས་ཤིང་། བསྡུ་ན། དང་པོ་བཀའ་གདམས་གླེགས་བམ་གྱི་ལུང་དང་། གཉིས་པ་ལ་འཇམ་དབྱངས་ཞི་ཁྲོ་གཉིས་ཀ་དང་ཐུགས་རྒྱུད་གཅིག་པ་གྲགས་ཆེ་ལ། གཞན་གཉིས་ནི་ཡུམ་གྱི་མནལ་ལམ་དུ་རྗེ་འདི་ལྷུམས་སུ་ཞུགས་དུས་ལྕང་ལོ་ཅན་ནས་ཕྱག་རྡོར་གྱིས་འཕངས་པའི་གསེར་གྱི་རྡོ་རྗེ་ལུས་ལ་ཐིམ་པ་རྨིས་པས་བུ་སྟོབས་ཅན་ཞིག་སྐྱེ་བ་འདྲ་དགོངས་པ་བྱུང་བ་དང་། བལྟམས་པའི་དུས་སུ་བཙུན་པ་མང་པོས་སྤྱན་རས་གཟིགས་ལ་བསྡུ་བ་བྱེད་ཟེར་བ་རྨིས་པ་སོགས་ཡིན་ཞིང་། མ་མཐའ་འང་འདི་ཙམ་དྲན་དགོས་གསུངས། ལྔ་སྐོར་བྱེད་ན་རྗེའི་ཐུགས་ཀར་ཐུབ་དབང་བཀོད་ནས་བསྟན་པའི་བདག་པོ་ཐུབ་པ་བཅོམ་ལྡན་འདས། ཞེས་མགོར་སྦྱར་ནས་ཐུབ་དབང་། རིགས་གསུམ། རྗེ་བླ་མ་ལྔ་ངོ་བོ་དབྱེར་མེད་དུ་མོས་ཤིང་། དྲུག་སྐོར་བྱེད་ན་ཐུབ་དབང་གི་ཐུགས་ཀར་རྡོ་རྗེ་འཆང་བཀོད་ནས་བསྟན་པའི་བདག་པོ་ཐུབ་པ་བཅོམ་ལྡན་འདས། རིགས་བརྒྱའི་ཁྱབ་བདག་དྲུག་པ་རྡོ་རྗེ་འཆང་ཞེས་མགོར་སྦྱར་ནས་དྲུག་པོ་དབྱེར་མེད་བྱེད་གསུངས། ཡང་ན་དངོས་གྲུབ་ཀུན་འབྱུང་ཐུབ་དབང་རྡོ་རྗེ་འཆང་། ཞེས་སོགས་ཡོངས་གྲགས་ལྟར། དགུ་སྐོར་བྱེད་ན་རྗེ་རིན་པོ་ཆེའི་དཔྲལ་བར་སྤྱན་རས་གཟིགས་ཕྱི་སྒྲུབ་ཕྱག་བཞི་པ། དེའི་ཐུགས་ཀར་སྤྱན་རས་གཟིགས་ནང་སྒྲུབ། འདི་ལ་རྣལ་འབྱོར་རྒྱུད་ནས་བཤད་པའི་སྤྱན་རས་གཟིགས་ཞེས་པ་ཙམ་ལས་མི་གསལ་བས་སྒྲུབ་ཐབས་བརྒྱ་རྩ་མ་སོགས་ལས་འཚོལ་དགོས་

གསུངས་པས་ཀུན་རིག་ལས་གསུངས་པའི། རྡོ་རྗེ་ཆོས་དེ་ཉིད་འགོད་དགོས་པར་མངོན་ཏེ་དེའི་བསྟོད་པར་འཇིག་རྟེན་དབང་རང་རྡོ་རྗེ་སྤྱན་ཞེས་དང་། དེ་ཉིད་བསྡུས་པའི་རྒྱུད་ལས། བཛྲ་ཧྲཱུཾ། དེ་ནས་དེ་བཞིན་གཤེགས་པ་ཐམས་ཅད་ཀྱི་ཐུགས་ལས་བྱུང་མ་ཐག་པ་འདི་ནི། ཞེས་པ་ནས་བྱང་ཆུབ་སེམས་དཔའ་ཆེན་པོ་ཀུན་ཏུ་སྤྱན་རས་གཟིགས་ཀྱི་ལུས་དེ་བཅོམ་ལྡན་འདས་རྣམ་པར་སྣང་མཛད་ཀྱི་ཐུགས་ལས་ཕྱུང་སྟེ། དེ་བཞིན་གཤེགས་པ་ཐམས་ཅད་ཀྱི་སྤྱན་སྟན་ཟླ་བའི་དཀྱིལ་འཁོར་ལ་གནས་ཏེ་བཀའ་ནོད་ཅིང་བཞུགས་པར་གྱུར་ཏོ། །ཞེས་གསུངས་ལ། སྒྲུབ་ཐབས་བརྒྱ་རྩར་ཡང་སྔགས་སོགས་འདི་དང་ཆ་མཚུངས་པའི་སྤྱན་རས་གཟིགས་རྡོ་རྗེ་ཆོས་གསུང་འདུག་པས་སོ་སྙམ་པས་རྣམ་དཔྱོད་ཅན་རྣམས་ཀྱིས་དཔྱད་པར་བྱའོ། །རྣལ་འབྱོར་རྒྱུད་ནས་བཤད་པའི་སྤྱན་རས་གཟིགས་དེའི་ཐུགས་ཀར་བླ་མེད་རྒྱུད་ནས་བཤད་པའི་སྤྱན་རས་གཟིགས་རྒྱལ་བ་རྒྱ་མཚོ་སྟེ་སུམ་སྦྲགས་དང་། མགྲིན་པར་འཇམ་དབྱངས་ཕྱི་ནང་གསང་གསུམ་འཇམ་དབྱངས་ཆོས་སྐོར་ལྟར་དང་། ཕྱག་རྡོར་གོས་སྔོན་ཅན་ནམ་གཏུམ་པོ་འཁོར་ཆེན་དེ་ཕྱི་ནང་གསང་གསུམ་བཀོད་ནས་གསོལ་འདེབས་བཞི་སྐོར་བྱེད་པ་གསང་བ་ལྷག་པའི་ལྷ་དང་ངོ་བོ་དབྱེར་མེད་དུ་བྱེད་ཚུལ་རྒྱས་པ་ཞིག་ཡིན་གསུངས། གནས་གསུམ་གྱི་དགུ་སྐོར་འདི་ལ་རིམ་པ་བཞིན་དུ་སྐུ་ནོར་བུ་མཛོད་འཛིན། གསུང་ཉི་མ་སྣང་བྱེད། ཐུགས་གསང་བ་མཛོད་འཛིན་ཞེས་ཀྱང་ཟེར། མན་ངག་གསལ་རྒྱས་དགོས་ཚོད་དུ་སྣང་། ཡང་ན་རྗེའི་ཐུགས་ཀར་འཇམ་དབྱངས་སུམ་བརྩེགས། རྒྱལ་ཚབ་རྗེའི་ཐུགས་ཀར་སྤྱན་རས་གཟིགས་སུམ་བརྩེགས། མཁས་གྲུབ་རྗེའི་ཐུགས་ཀར་ཕྱག་རྡོར་སུམ་བརྩེགས་བྱས་པའི་དགུ་སྐོར་ཡང་ཡོད་གསུངས་མ་དག་པ་འཕྲུད་པ་སོགས་གཞུང་ལྟར་དང་། སྔར་དག་ཟིན་པས་ད་འདི་འདྲ་མི་རུང་སྙམ་པ་མི་བྱེད་པར་ཡང་ཡང་སྦྱངས་པས་སེམས་ཀྱི་ཤུགས་རྫོགས་དགོས་པ་ཡིན་གསུངས། འཆད་རྩོད་རྩོམ་གསུམ་གྱི་ཞལ་ཤེས་ནི། འཆད་པ་ལ་བདུད་རྩི་འབེབས་སྦྱངས་གཞན་དང་འདྲ་ལ། བདུད་རྩིའི་རྡུལ་ཕྲ་རབ་ཐམས་ཅད་སྣ་ཚོགས་རྡོ་རྗེར་སྒོམ་པས་ལུས་གང་བར་བསམ། གཞན་ལ་ཆོས་འཆད་པ་སོགས་ཀྱི་ཚེ། རང་གི་སྤྱི་བོར་རྗེ་བླ་མ་བསྒོམ་སྟེ་བདུད་རྩི་འབེབས་སྦྱངས་གོང་ལྟར་ལ། ཁྱད་པར་རང་གི་ལྗེའི་སྟེང་དུ་སྣ་ཚོགས་རྡོ་རྗེ་བསྒོམ་ཞིང་། སྤྱི་བོའི་བླ་མའི་སྐུའི་བདུད་རྩི་འབེབས་སྦྱངས་ལས། སློབ་མའི་ལུས་ཀྱང་

སྔ་ཚོགས་རྡོ་རྗེས་གང་བ་སོགས་བསྒོམ་པས་བཤད་བྱའི་ཆོས་ཀྱིས་ཕན་ཐོགས་པ་ཡོང་གསུངས། རྫོད་པའི་ཚེ་རང་གི་ལྟེའི་སྟེང་དུ་གཞུང་ལྟར་གྱི་འཁོར་ལོ་དེ་ལྟར་བསྒོམས་ཤིང་འཁོར་ལོ་གཡས་དང་ཡིག་འབྲུ་གཡོན་དུ་འཁོར་བས་ཕྱིར་རྒོལ་གྱི་ལྟོ་དུམ་བུར་བཅད་ཅིང་གཏུབ་པར་མོས། གྲུབ་མཐའ་སོགས་ལ་རྫོད་པའི་སྐབས་མ་གཏོགས་གང་བྱུང་དུ་མི་བྱ་ཞིང་། རྫོད་པ་ཐུན་ཚོགས་ལ་གཞུང་དུ་གསལ་བའི་དམིགས་པས་ཀྱང་འཐུས་གསུངས། རྩོམ་པ་ལ་གཞུང་དུ་གསལ་བའི་དམིགས་པའི་སྟེང་དུ་སྣེགས་བམ་རྣམས་གང་རྩོམ་རྒྱུའི་བརྗོད་བྱ་ཅན་ཚིག་སྔན་ངག་དང་སྡེབ་སྦྱོར་ལེགས་པ་མཁས་པའི་ཡིད་འཕྲོག་པར་ནུས་པའི་སྣེགས་བམ་གྱི་རྣམ་པར་གསལ་འདེབས་པ་ཡིན་གསུངས། བདུད་རྩི་འབེབས་སྦྱངས་གང་གི་སྐབས་སུ་ཡང་སྤྱི་གཙུག་ནས་ཡར་གཞལ་བའི་སོར་བཞི་ཙམ་གྱི་མཚམས་ནས་སྒྲུ་གུ་གསུམ་འདྲེས་པ་བྱེད་ཅིང་མཐར་འོད་ཀྱི་སྒྲུ་གུ་ཡང་རང་ལ་ཐིམ་པ་ཡིན་གསུངས། དམིགས་བརྩེ་མ་ཅི་མང་བཟླས་པའི་མཐར་མཇལ་གང་མང་དང་ཡོན་ཏན་གཞིར་གྱུར་མ་སོགས་ཀྱི་སྒོ་ནས་ལམ་ཁྲིད་རྒྱས་བསྡུས་ཅི་རིགས་སྐྱོང་བ་ཡང་སྒྲོ་ན་བྱས་ཆོག་གསུངས། མཇུག་ཏུ་དཔལ་ལྡན་རྩ་བའི་བླ་མ་རིན་པོ་ཆེ་ཞེས་སོགས་ཚར་གཅིག་བརྗོད་པ་དང་། གསུམ་བརྗོད་པའི་ལུགས་གཉིས་ལས་དང་པོ་གཞུང་ལྟར། ཕྱི་མ་བྱེད་ན་བདག་གི་སྤྱི་བོར་པད་ཟླའི་ཞེས་སྦྱར་བའི་དང་པོའི་སྐབས་ཡབ་སྲས་གསུམ་གཅིག་ཏུ་གྱུར། གཉིས་པའི་སྐབས་རྗེ་བླ་མ་རང་གི་སྤྱི་བོར་བྱོན། གསུམ་པའི་སྐབས་བདག་གི་སྙིང་གར་ཞེས་བརྗོད། སྙིང་ག་ཡན་ཆད་ཀྱི་རྩ་དབུ་མ་གསལ་འདེབས་པ་སོགས་གཞུང་དུ་གསལ་བ་ལྟར་དང་། ཁྱད་པར་ནི་སྙིང་གི་རྩེ་མོར་རྡོ་རྗེའི་དབུས་སུ་ཧྲཱིཿ ཧཱུྃ་གང་རུང་གསལ་བཏབ་སྟེ་བདུད་རྩི་འབེབས་སྦྱངས་ཞི་ཁྲོ་སྔགས་སྒྲུབ་ལྟར་དང་། སྙིང་གི་སྟེང་དུ་ཨ་ར་པ་ཙ་ན་གཡས་སྐོར་དང་། དམིགས་བརྩེ་མས་གཡོན་སྐོར་དུ་དགྲི་བ་དང་། རྩ་དབུ་མའི་ཕྱི་ལ་ཡང་སྔགས་དང་དམིགས་བརྩེ་མས་དགྲི་བ་ཡིན་གསུངས། དེ་ནས་དེང་བརྩམས་མ་སོགས་སྨོན་ལམ་གྱིས་མཐའ་བརྒྱན་ཅིང་ཐུན་མཚམས་སྐབས་སུ་ཟས་གོས་སོགས་སྙིང་གའི་བླ་མ་རང་སེམས་དབྱེར་མེད་ལ་འབུལ་བ་སོགས་རང་གི་བློས་དཔག་ནས་སྦྱོད་ལམ་དོན་ལྡན་དུ་འགྱུར་བའི་རིགས་བྱེད་གསུངས། འདི་ལ་ཚིག་དྲིལ་དུ་བྱས་ནས་ཐུན་བཞི་སོགས་བྱེད་ན་ཐུན་དང་པོ་གསུམ་གྱི་ཚེ་རང་འདྲ་གཉིས་པ་རེ་ཚད་ནས་ཐིམ་པའི་དམིགས་པ་བྱེད་ཅིང་། དེ་དག་གི་སྐབས་སོགས་སུ

སྙིང་གའི་པདྨ་བུམ་སྐུའི་ཁ་སྦྱོད་ཀྱིས་གྲོལ་ནས་སྟར་ཡོད་ལ་ཐིམ་ཞིང་། སྣར་ཡང་ཁ་བསྡུ་བ་ཡིན་གསུངས། ཐུན་རྗེས་མ་རྣམས་ལ་སྤྱན་འདྲེན་ཡན་ལག་བདུན་པ་སོགས་ཐུན་དང་པོ་ལྟར་དགོས་ཤིང་། གསར་དུ་སྤྱན་དྲངས་པ་རྣམས་སྟར་ཡོད་ལ་བསྟིམ་པ་ཡིན་གསུངས། ལས་ཚོགས་བཅུ་གཅིག་སོགས་སྒྲུབ་པ་ལ་སྔོན་དུ་བསྙེན་པ་འབུམ་ཕྲག་ལྷའམ་གསུམ་དང་མ་མཐའང་འབུམ་ཕྲག་གཅིག་སྔོན་དུ་འགྲོ་དགོས་ཀྱང་། ཤེས་རབ་སྒྲུབ་པ་དང་། ཚེ་སྒྲུབ་པ་སོགས་ཀྱི་དམིགས་པ་དང་པོ་ནས་བྱས་ཆོག་གསུངས། སྤྱིར་ཤེས་རབ་སྒྲུབ་པའི་ཚེ་རྗེ་བླ་མའི་ཕྱག་མཚན་གྱི་སྣེགས་བམ་དེ་ཉིད་དབུ་ཕར་འདུལ་མདོན་སོགས་རང་གིས་གང་ལ་ཤེས་འདོད་གཙོ་བོར་ཞུགས་ཤིང་ཐོས་བསམ་སྐབས་སུ་བབས་པ་དེའི་གླེགས་བམ་ཡི་གེ་རང་སྒྲ་སྒྲོགས་པ་འོད་དང་འོད་ཟེར་ཀྱི་རང་བཞིན་ཅན་དུ་གསལ་བཏབ་པས་ཤིན་ཏུ་མྱུར་ཁྱད་ཆེ་གསུངས། ཚེ་སྒྲུབ་བྱེད་ན་རྗེ་བླ་མའི་ཕྱག་གཡས་ཆོས་འཆད་དང་། གཡོན་མཉམ་བཞག་གི་ཕྱག་རྒྱའི་སྟེང་དུ་བདུད་རྩིས་གང་བའི་བུམ་པ་བསམས་པ། དེ་ལས་བདུད་རྩིའི་རྒྱུན་བབས། རང་གི་སྤྱི་བོ་ནས་ཞུགས། ཚེའི་བར་ཆད་ཐམས་ཅད་སངས་ཀྱིས་དག །འཆི་མེད་ཚེའི་དངོས་གྲུབ་ཐོབ་པར་མོས་ཏེ་དམིགས་བརྗེ་མ་བཟླ་བའམ། བུམ་ནང་དུ་ཟླ་གདན་ལ་སྟགས་ཕྲེང་བཀོད་དེ་ཚེ་གཟུངས་དང་དམིགས་བརྗེ་མ་སྤེལ་ནས་བཟླ་བའང་རུང་། ནོར་སྒྲུབ་བྱེད་ན་ཕྱག་གཡས་མཆོག་སྦྱིན། གཡོན་མཉམ་བཞག་གི་སྟེང་ན་རིན་པོ་ཆེ་བསྣམས་པ། དེ་ལས་འདོད་དགུའི་ཆར་བབས་པས་སྒྲུབ་ཁང་ཐམས་ཅད་གང་བའི་མོས་པ་བྱེད། མངོན་སྤྱོད་ཀྱི་ལས་བྱ་བར་འདོད་ན། རྗེ་བླ་མའི་སྐུ་ལས་མེ་དཔུང་འཕྲོས་པས་དགྲ་བགེགས་ཐམས་ཅད་བསྲེགས་པར་བསམ་པ་དང་། ཁྲོ་བོ་དང་མཚོན་ཆ་སྤྲོ་བ་སོགས་ཀྱང་བྱེད། བསྲུང་བའི་ཆེད་དུ་སྙིང་གའི་རྗེ་བླ་མའི་སྐུ་ལས་རྡོ་རྗེའི་མེའི་རི་ཁ་ཕྲ་མོ་སྤྲོས་ཏེ་ལུས་ཀྱི་ཕྱི་རོལ་ཏུ་ཡེ་ཤེས་མེའི་གུར་ཁང་ནག་ཕྱོགས་པ་ཐམས་ཅད་སྐད་ཅིག་གིས་སྲེག་པར་ནུས་པ་བསྐལ་པའི་མེ་ལྟ་བུ་བསྒོམ། མདོར་ན། ཞི་བ་དཀར་པོ་པད་དཀར་འཛིན། ཞེས་སོགས་དང་། རྒྱས་སེར་རལ་གྲི་གླེགས་བམ་དང་། ཞེས་སོགས་དང་། དབང་དམར་ཚེ་བུམ་དམར་པོ་དང་། ཞེས་སོགས་འཇམ་དབྱངས་ཆོས་སྐོར་ལས་འབྱུང་བའི་མན་ངག་རྣམས་འདིར་ཡང་སྦྱར་བས་ཤིན་ཏུ་ལེགས་པ་ཡིན་གསུངས། འདིར་གཞུང་དུ་གསལ་ཞེས་པ་རྣམས་གྲུབ་མཆོག་འཇམ་དབྱངས་བདེ་བའི་རྡོ་རྗེས་མཛད་པའི་

ཁྲིད་ཡིག་ལ་བལྟ་དགོས་སོ། ། ། ། ཅེས་དཔལ་ལྡན་སྲེ་རྒྱུད་ལུགས་ཀྱི་མན་ངག་སྙན་ནས་སྙན་དུ་བརྒྱུད་པའི་ཟབ་ཆོས་འདི་ལ་སྔོན་རྒྱལ་སྲས་མེར་གན་པ་དང་། གྲུབ་མཆོག་འཇམ་དབྱངས་བདེ་བའི་རྡོ་རྗེ་དང་། རྒྱལ་དབང་བསྐལ་བཟང་རྒྱ་མཚོ་གསུམ་གྱི་ཁྲིད་ཡིག་རེ་འདུག་ནའང་དེ་དག་ལས་དངོས་སུ་མ་ཐོན་ཞིང་། བླ་མའི་ཞལ་ཤེས་སྙིག་ཁྲིད་ཞུ་དགོས་རིགས་ཕྲན་ཚེགས་སྙན་བརྒྱུད་ཀྱི་མན་ངག་གི་གཅེས་བྱུས་དང་། མན་ངག་སྐལ་མཉམ་དུ་ཐོབ་བའི་རྡོ་རྗེའི་སྤུན་དག་གི་དྲན་པ་གསོ་བ་དང་། རང་གི་ཡིད་ལ་ཡང་ཚུད་མི་ཟ་བ་སོགས་དགོས་དུ་མའི་ཆེད་དུ་ཡོངས་འཛིན་ཆོས་བཞིན་དུ་སྤྱོད་པ་དུ་མའི་བཀའ་དྲིན་གྱིས་འཚོ་བ་རཏྣ་ཧྲཱ་ཛའི་མིང་ཅན་གྱིས་ཟིན་ཐྲིས་སུ་བཏབ་པའི་དགེ་བ་འདི་ཉིད་དུས་གསུམ་གྱི་རྒྱལ་བའི་སྲས་པོ་རྣམས་ཀྱིས་ཚོགས་གཉིས་ཀྱི་དགེ་རྩ་རྣམས་གང་དུ་བསྔོ་བའི་གནས་དེ་དག་གི་རྒྱུར་སྨིན་ཞིང་། འགྲས་བུས་མཁའ་ཁྱབ་ཀྱི་སེམས་ཅན་ལ་ཕན་པ་རྒྱ་ཆེན་པོ་འབྱུང་བར་གྱུར་ཅིག །འདི་ལྟ་གྲུབ་མི་གཙང་བ་སོགས་ཆོས་འདིའི་སྣོད་དུ་མི་རུང་བ་དང་། བླ་མ་ལ་མ་ཞུས་བར་དཔེ་ཙམ་གྱིས་མན་ངག་ལ་དབང་ཟ་བ་རྣམས་ཀྱི་ལག་ཏུ་མི་འཚོར་བའི་ཕྱི་ར་བཀའ་སྲུང་ཆོས་ཀྱི་རྒྱལ་པོ་རྣམ་གསུམ་གྱིས་གཡེལ་བ་མེད་པར་མཛོད་མཛོད་མཛོད། །སརྦ་མཾ་ག་ལཾ། །

༄༅། །དམིགས་བརྩེ་མའི་ཆོས་སྐོར་ལས་ཉ་ས་བཅུད་ཁུམ་སྒྲུབ། བསྙེན་ཡིག ཉེར་མཁོ་ཁ་ཚར་རྣམས་པཎ་ཆེན་དཔལ་ལྡན་ཡེ་ཤེས་ཀྱིས་མཛད་པ་བཅས་བཞུགས་སོ།

༄། །ས་བཅུད་བུམ་སྒྲུབ་བཞུགས་སོ། ན་མོ་གུ་རུ་མཉྫུ་གྷོ་ཥ་ཡ། འདིར་ཁམས་གསུམ་ཆོས་ཀྱི་རྒྱལ་པོ་ཤར་ཙོང་ཁ་པ་ཆེན་པོ་ལ་གསོལ་བ་འདེབས་བཞིན་པས་འགྲོ་བ་ཀུན་བདེ་སྐྱིད་ལ་འགོད་པའི་ས་བཅུད་ཀྱི་བུམ་སྒྲུབ་བྱ་བར་འདོད་པས། དཀར་ལ་བརྟེན་པས་གནས་ཤིང་ཁྲུས་དང་གཙང་སྦྲ་ལ་བརྩོན་པར་བྱས་ནས། བསྟན་བདེ་བ་ལ་འཁོད་བཞིན་པས། བླ་མ་ལ་སྐྱབས་སུ་མཆིའོ། སངས་རྒྱས་ལ་སྐྱབས་སུ་མཆིའོ། ཆོས་ལ་སྐྱབས་སུ་མཆིའོ། དགེ་འདུན་ལ་སྐྱབས་སུ་མཆིའོ། ཁམས་གསུམ་ཆོས་ཀྱི་རྒྱལ་པོ་ཤར་ཙོང་ཁ་པ་ཆེན་པོའི་ལྷ་ཚོགས་འཁོར་དང་བཅས་པ་རྣམས་ལ་སྐྱབས་སུ་མཆིའོ། དཔལ་མགོན་དམ་པ་ཆོས་སྐྱོང་བའི་ × ཞེས་ལན་བདུན། ཉེར་གཅིག་གིས་སྐྱབས་འགྲོ་བྱས་རྗེས། སངས་རྒྱས་ཆོས་དང་ཚོགས་ཀྱི་ནས་འགྲུབ་པར་ཤོག།ཅེས་ལན་གསུམ་གྱི་སེམས་སྐྱེད་དང་། མར་གྱུར་སེམས་ཅན་ཐམས་ཅད་བདེ་བ་དང་ལྡན་ནས་གནས་པར་གྱུར་ཅིག །ཅེས་ཚད་མེད་བཞི་བསྒོམས་པ་སྔོན་དུ་བཏང་ནས། ཨོཾ་སྭ་བྷཱ་ཝ × ཧཾ། སྟོང་བ་ཉིད་དུ་གྱུར། སྟོང་བའི་ངང་ལས་པཾ་ལས་པད་དཀར་དང་། ཨ་ལས་ཟླ་བའི་དཀྱིལ་འཁོར་གྱི་སྟེང་དུ་རང་གི་སེམས་ཧྲཱིཿཡིག་དམར་སེར་ལས་རལ་གྲི་ཧྲཱིཿཡིག་དམར་སེར་གྱིས་མཚན་པ། དེ་ལས་འོད་འཕྲོས། འཕགས་པ་མཆོད། སེམས་ཅན་གྱི་དོན་བྱས། ཚུར་འདུས་ཡོངས་སུ་གྱུར་པ་ལས་རང་ཉིད་རྒྱལ་བ་ཀུན་གྱི་ངོ་བོ་ཁམས་གསུམ་ཆོས་ཀྱི་རྒྱལ་པོ་ཤར་ཙོང་ཁ་པ་ཆེན་པོ་སྐུ་མདོག་དཀར་གསལ་མཛེས་པའི་འཛུམ་ཞལ་དང་ལྡན་པ། སྐུ་ལ་ཆོས་གོས་ངུར་སྨྲིག་གི་མདོག་ཅན་གསུམ་མཛེས་པར་གསོལ་ཞིང་། དབུ་ལ་པཎ་ཞྭ་གསེར་གྱི་མདོག་ཅན་རྩེ་རིང་གསོལ་བ། ཞལ་གྱི་དཀྱིལ་འཁོར་ཤིན་ཏུ་འཛུམ་ཞིང་། ཟླ་བ་ཉ་ཡོངས་སུ་གང་བ་ལྟ་བུ། ཕྱག་གཉིས་ཆོས་འཁོར་གྱི་ཕྱག་རྒྱ་ཐུགས་ཀར་

མཛད་པའི་མཐེབ་མཛུབ་ཀྱིས་ཨུཏྤ་ལའི་ཡུ་བ་ནས་བཟུང་བའི་འདབ་མ་སྔོན་གཡས་གཡོན་གྱི་ཐད་དུ་ཁ་ཕྱེ་བའི་གཡས་ཀྱི་སྟེང་ན་ཤེས་རབ་ཀྱི་རལ་གྲི་དང་། གཡོན་གྱི་སྟེང་ན་ཤེར་ཕྱིན་གྱི་གླེགས་བམ་བསྣམས་པ། ཞབས་གཉིས་རྡོ་རྗེ་སྐྱིལ་ཀྲུང་གིས་བཞུགས་པའི་སྤྱི་བོར་ཨོཾ་ལས་འཁོར་ལོ་དཀར་པོའི་ལྟེ་བར་ཨོཾ་གྱིས་མཚན་པ། མགྲིན་པར་ཨཱཿལས་པདྨ་དམར་པོའི་ལྟེ་བར་ཨཱཿས་མཚན་པ། ཐུགས་ཀར་ཧཱུྃ་ལས་རྡོ་རྗེ་སྔོན་པོའི་ལྟེ་བར་ཧཱུྃ་གིས་མཚན་པ། ཐུགས་ཀའི་ཧཱུྃ་ལས་འོད་ཟེར་འཕྲོས་པས་དགའ་ལྡན་གྱི་གནས་ནས་བསྒོམས་པ་དང་འདྲ་བའི་ཡེ་ཤེས་པ་ལ་སངས་རྒྱས་བྱང་ཆུབ་སེམས་དཔའི་ཚོགས་ཀྱིས་བསྐོར་བ་སྤྱན་དྲངས། ཛཿཧཱུྃ་བཾ་ཧོཿ རང་དང་གཉིས་སུ་མེད་པར་གྱུར། མཆོད་པ་རྣམས་ཨ་ཀྲོ་ཏ་ས་བསངས། སྭ་བྷཱ་ཝས་སྟོང་པར་སྦྱངས། སྟོང་པའི་ངང་ལས་ཨོཾ་ལས་རིན་པོ་ཆེ་ལས་གྲུབ་པའི་སྣོད་ཡངས་ཤིང་རྒྱ་ཆེ་བའི་ནང་དུ་ཨོཾ་འོད་དུ་ཞུ་བ་ལས་བྱུང་བའི་མཆོད་ཡོན། ནས་རོལ་མོ་རྣམས་རང་བཞིན་བདེ་སྟོང་། རྣམ་པ་མཆོད་རྫས། བྱེད་ལས་དབང་པོ་དྲུག་གི་སྤྱོད་ཡུལ་དུ་ཟག་པ་མེད་པའི་བདེ་བ་ཁྱད་པར་ཅན་བསྐྱེད་པར་གྱུར། ཨོཾ་ཨརྒྷཾ་ཨཱཿཧཱུྃ། དེ་བཞིན་དུ། པཱ་དྱཾ། ནས་ཤབྡ་ཨཱཿཧཱུྃ། ཞེས་བྱིན་གྱིས་བརླབས། ཨོཾ་ཨཱཿགུ་རུ་སུ་མ་ཏི་ཀཱིརྟི་ས་པ་རི་ཝཱ་ར་ཨརྒྷཾ་པྲ་ཏཱིཙྪ་ཡེ་སྭཱཧཱ། ཞེས་པ་ནས་ཤབྡ་པྲ་ཏཱིཙྪ་ཡེ་སྭཱཧཱ། ཞེས་པའི་བར་གྱིས་མཆོད། རྣམ་དག་གངས་རིའི་ཁྲོད་བས་ཡོངས་བསྐོར་བའི། །× སྟོན་མཛད་བླ་མ་མཆོག་ལ་བདག་ཕྱག་འཚལ། །ཞེས་བསྟོད། རང་གི་སྙིང་གར་ཟླ་དཀྱིལ་གྱི་ལྟེ་བར་ཧྲཱིཿཡིག་གི་མཐའ་སྐོར་དུ་དམིགས་བརྩེ་མས་བསྐོར་བ་ལས་འོད་ཟེར་ཁ་དོག་སྣ་ཚོགས་པ་འཕྲོ་བའི་སྣེ་མོ་ལ་མཆོད་པའི་ལྷ་མོ་དཔག་ཏུ་མེད་པ་སྤྲོས་ཏེ། དེ་རྣམས་ཀྱི་སངས་རྒྱས་སྲས་དང་བཅས་པ་ཐམས་ཅད་ལ་མཆོད་པ་ཕུལ་བས་དེ་རྣམས་ཀྱིས་དགྱེས་ཤིང་། དེ་རྣམས་ཀྱི་བྱིན་རླབས་དང་ཐུགས་རྗེ་ནུས་མཐུ་ལ་སོགས་པ་ཐམས་ཅད་འོད་ཀྱི་རྣམ་པར་སྤྱན་དྲངས་ནས་རང་གི་སྙིང་གའི་ཐུགས་ཁྲོད་ལ་ཐིམ། མཐུ་སྟོབས་ནུས་པ་མཁྱེན་བརྩེའི་བདག་ཉིད་དུ་གྱུར། ཡང་འོད་འཕྲོས་པའི་སྣེ་ལ་སངས་རྒྱས་དང་བྱང་སེམས་ཀྱི་སྐུའི་རྣམ་པ་མཐའ་ཡས་པ་སྤྲོས་ཏེ། རིགས་དྲུག་གི་གནས་རྣམས་སུ་སོང་བས་དེ་དག་གི་སྡུག་བསྔལ་ཐམས་ཅད་སྦྱངས་ནས་ཆོས་ཀྱི་རྒྱལ་པོ་ཙོང་ཁ་པ་ཆེན་མོའི་གོ་འཕང་ལ་བཀོད་པར་བསམས་ལ། དམིགས་མེད་བརྩེ་བའི་× འདེབས། །ཞེས་པ་འདི་ཉིད་བརྒྱ་སྟོང་ཁྲི་འབུམ་ལ་སོགས་པ་ཅི་མང་བཟླ་ཞིང་། མཐུག་ཏུ། དགེ་བ་

འདི × ཤློ་བཟང་གྲགས་པའི་དཔལ་འགྲུབ་ནས། × × ཤོག ། ཅེས་དགེ་བ་བསྔོ་ཞིང་ཐར་ལྷར་མཆོད། སྤྱོད་ལམ་ཐམས་ཅད་དུ་བླ་མ་ལྷའི་སྣང་བ་དང་མ་བྲལ་བར་བྱའོ། །དེ་ནས་རིན་པོ་ཆེའི་རྫ་ལས་བྱས་པའི་བུམ་པ་ཡུལ་དེའི་བྲེ་གང་མ་མཐར་ཤོང་བ་ཁ་དོག་དཀར་པོར་བསྒྱུར་བ་མདུན་རྒྱབ་མི་ནོར་བའི་རྟགས་སུ་མདུན་ཕྱོགས་སུ་རིན་པོ་ཆེ་ཆ་དགུ་པའི་གཟུགས་འབྲི། བུམ་པ་གཅིག་གི་ནང་དུ་རྗེ་བླ་མའི་སྐུ་བྱིན་རླབས་ཅན་ཞིག་ཞལ་མདུན་ཕྱོགས་ལ་གཟིགས་ཏེ་གཞུག །བུམ་པ་གཅིག་གི་ནང་དུ་ཀླུ་ནོར་རྒྱས་ཀྱི་བུ་གཙོ་བོར་གྱུར་པའི་ཀླུ་ཆེན་བརྒྱད་ཀྱི་ཙཀྲ་གཞུག ཙཀྲ་དེ་འོ་མ་དང་ཀླུ་སྨན་འདྲེས་པའི་ཚོན་གྱིས་འབྲི་བར་བྱ་ཞིང༌། སྲིན་མ་སོང་བར་བྱེད། བུམ་པ་གཉིས་ཀའི་ནང་དུ་ལྕགས་དང་ཕ་ལམ་ཞ་ཉེ་རྣམས་མ་གཏོགས་པའི་རིན་པོ་ཆེ་གང་རྙེད་དང༌། སྨེ་ཚེ་ཤིང་ཚེ་བྲ་བོ། དན་རོག་སོགས་བཤལ་སྨན་དང་སྐྱུག་སྨན། ཤ་དང་ཚང༌། ཁྲུང་ཐིར། ཚ་བ་གསུམ། བཙན་དུག་ལ་སོགས་པའི་དུག་རིགས། སླ་རྩི་རྣམས་མ་གཏོགས་པའི་སྨན་སྣ་གང་རྙེད་དང༌། ཁྱད་བར་དུ་ཐང་ལ། སྐྱུག་པོ། རྒྱ་བྱའི་མདོངས། ཟེ་ར་དཀར་ནག སྤྲུལ་གྱི་པར་པ། དབང་ལག ཆུ་སྲིན་ཐིར་མོ། ཛཱ་ཏི། སྤོས་དཀར། ཨུཏྤལ་སྔོན་པོ། རྒྱ་མཚོའི་ལྦུ་བ། རྒྱ་མཚལ། དུང་དཀར། སྙིང་ཞོ་ཤ། མཁལ་མ་ཞོ་ཤ། གླ་སྒོར་ཞོ་ཤ། གཟི། ཤིང་ཏོག་སྣ་ཚོགས། ཆུ་སྔ་ལྔ། སྤྲུ་ཤེལ་རྩ། ཤུ་དག་དཀར་པོ། རྩེ་རྒྱུས། ན་ག་པུཥྤ། ན་ག་གེ་སར། ཏིལ་དཀར་ནག གུ་གུལ། གུར་གུམ། ཙནྡ་དཀར་དམར། ག་བུར། བུ་རམ། སྦྲང་རྩི། བ་དམར་མོ་དང་ར་དཀར་མོའི་འོ་མ་རྣམས་ཀྱིས་བུམ་པ་བཀངས། དེ་ཡང་བུམ་པའི་སུམ་གཉིས་སྨན་དེ་རྣམས་ཀྱིས་བཀང་བའི་སྟེང་དུ་སྐུ་གཟུགས་རྣམས་བཞུགས་སུ་གསོལ་ནས། དེའི་སྟེང་དུ་དར་སྣས་བཀབ་བར་བྱ་བ་ཡིན། བུམ་ཁ་གཙང་ཞིང་ཏུང་བའི་རྫ་སོགས་ཀྱིས་ལེགས་པར་བཅད་པའོ། ཡང་ན་དར་དམར་པོས་བཅད། མགུལ་འཆིང་དཀར་པོས་བརྒྱན། སྟེགས་གཙང་མའི་ཁར་སྟན་དཀར་པོ་བཏིང་པའི་དབུས་སུ་པདྨ་དཀར་པོ་འདབ་མ་བརྒྱད་པ་བྲིས་པའི་དབུས་སུ་རྗེ་བླ་མ་བཞུགས་པའི་བུམ་པ་དང༌། མདུན་དུ་ཀླུའི་བུམ་པ་བཀོད། དེའི་མདུན་དུ་འོ་མ་དང་ཆུ་གཙང་སྦྱར་བའི་ཡོན་ཆབ་དང༌། མེ་ཏོག་དཀར་པོ་དང༌། ཙནྡ་དང༌། ཨ་ག་རུ་དང༌། སྤོས་དཀར་རྣམས་ཀྱི་སྤོས། མར་དཀར་གྱི་མར་མེ། འོ་མ་དང་ཀླུ་སྨན་བསྲེས་པའི་ལྷ་བཤོས། རོལ་མོའི་བྱེ་བྲག་སོགས་ཀྱི་ཉེར་སྤྱོད་དང༌། ཀླུ་སྨན་དང་འོ་མ་སྦྱར་བའི་གཏོར་མ་ཟླུམ་པོ་རྒྱན་གྱིས་བརྒྱན་པ་དང༌། ཡང་ཟླུམ་གཏོར་ཆེ་བ་ཞིག་གི་མཐར་པདྨ་འདབ་བརྒྱད་ཀྱི་སྟེང་དུ་གཏོར་མ་ཆུང་བ་བརྒྱད་ཀྱིས་བསྐོར་བའི་ཀླུ་གཏོར་བཅས་ཤམས། ལས་བུམ་ཞིག་གི་ནང་དུ་དྲི་བཟང་དང་བཅས་པའི་ཆུ་བཤམས་པ་ལ་ཀུ་ཤའི་ཆུན་པོ་བཙུགས་པའི་ཆུའི་དཀྱིལ་དུ་ཉི་མའི་དཀྱིལ་འཁོར་གྱི་སྟེང་དུ་ཧཱུྃ་ཡིག་གི་མཐར་བདུད་རྩི་འཁྱིལ་པའི་སྔགས་ཀྱིས་བསྐོར་བ་ལས་བདུད་རྩིའི་རྒྱུན་བབས་བུམ་པའི་ཆུ་ལ་ཐིམ་པས་ནུས་པ་དང་ལྡན་པར་བསམས་ལ། ཨོཾ་བཛྲ་ཨ་མྲི་ཏ་ཀུཎྜ་ལི་ཧ་ན་ཧ་ན

ཧཱུྃ་ཕཊ། ཅེས་བརྒྱ་རྩ་བརྒྱད་བཟླས་པས་བསངས་ཆུ་བསྒྲུབས། དེས་ཡོ་བྱད་རྣམས་ལ་བསངས་གཏོར་བྱས་ཏེ། ཨ་མྲྀ་ཏ་ས་བསངས། སྭ་བྷཱ་ཝས་སྟོང་པར་སྦྱངས། སྟོང་པའི་ངང་ལས་པདྨ་དང་ཟླ་བའི་སྟེང་དུ་ཧཱུྃ་ལས་རིན་པོ་ཆེའི་བུམ་པ་ཡངས་ཤིང་རྒྱ་ཆེ་བའི་ནང་དུ་ཨོཾ་དང་རང་རང་གི་མིང་ཡིག་དང་པོ་ཐིག་ལེས་བརྒྱན་པ་ཞུ་བ་ལས་བྱུང་བའི་མཆོད་པའི་སྤྲིན་དང་། ལོངས་སྤྱོད་ཀྱི་ཚོགས་ཟད་པར་མི་ནུས་པ་ནམ་མཁའ་མཛོད་དང་མཉམ་པས་ཀླུ་རྣམས་བདེ་སྐྱིད་ཀྱི་དཔལ་ལ་འགོད་པར་གྱུར། ཐལ་མོ་ཁོང་སྟོང་སྙིང་གར་བཞག་ལ། ཨོཾ་སྭ་བྷཱ་ཝ × ཧཾ། ཐལ་མོ་ཁོང་སྟོང་དཔྲལ་བའི་དབྱིངས་སུ་བསྐོར་ཞིང་སོ་གོལ་འཕྲུར་དུ་གཏོགས་པ་དང་ལྷན་ཅིག །ཨོཾ་ན་མཿ སརྦ་ཏ་ཐཱ་གཏ་ཧྲྀ་བི་ཤྭ་མུ་ཁེ་བྷྱཿ སརྦ་ཐཱ་ཁཾ་ཨུདྒ་ཏེ་སྥ་ར་ཎ་ཧི་མཾ་ག་ག་ན་ཁཾ་སྭཱཧཱ། རྡོ་རྗེའི་མཐེ་བོང་བསྣོལ་བའི་མཐེབ་མཛུབ་ངོས་ཕྱེ་ལ། ཨོཾ་བཛྲ་ཨ་མྲྀ་ × ཧཱུྃ་ཕཊ། ལག་པ་གཡས་ཁུ་ཚུར་བཅིངས་པའི་མཛུབ་མོ་བསྒྲེངས་པ་སྙིང་གར་བཞག་ལ། ན་མཿ སརྦ་ཏ་ཐཱ་ག་ཏ་ཨ་ཝ་ལོ་ཀི་ཏེ་ཨོཾ་སམྦྷ་ར་སཾ་བྷ་ར་ཧཱུྃ། ལག་པ་གཡོན་པའི་མཐེ་བོང་ལག་མཐིལ་དུ་བཞག་པའི་མཆོག་སྦྱིན་གྱི་ཕྱག་རྒྱ་བྱས་ལ། ཨོཾ་ཛྙཱ་ན་ཨ་ཝ་ལོ་ཀི་ཏེ་ན་མཿ ས་མནྟ་སྥ་ར་ཎ་རསྨི་བྷ་ཝ་ས་མ་ཡ་མཧཱ་མ་ཎི་དུ་རུ་དུ་རུ་ཧྲི་ད་ཡ་ཛྭ་ལ་ནི་སྭཱཧཱ། སོར་མོ་རྣམས་ནང་དུ་བསྣོལ་བའི་རྡོ་རྗེ་བསྣམས་པ་ལས་མཐེ་བོང་གཤིབས་ཏེ་བསྒྲེངས། ན་མཿ ས་མནྟ་བུདྡྷཱ་ནཾ་གྲཧེ་ཤྭ་རི་པྲ་བྷཱཛྫ་ཏི་མཧཱ་ས་མ་ཡེ་སྭཱཧཱ། ཞེས་པ་སྔེ་ཐུགས་དྲུག་དང་ཕྱག་རྒྱ་དྲུག་གིས་བྱིན་གྱིས་བརླབས་ཏེ། ཐོག་མར་ཐུགས་འདི་རྣམས་ཕྱག་རྒྱ་དང་སྦྲགས་ཏེ་བརྒྱ་རྩ་རེ་མ་མཐར་བཟླ། དེ་ནས་འཇིག་རྟེན་ལས་འདས་པའི་བུམ་པ་ཨ་མྲྀ་ཏ་ས་བསངས། སྭ་བྷཱ་ཝས་སྟོང་པར་སྦྱངས། སྟོང་པའི་ངང་ལས་བཾ་ལས་བྱུང་བའི་རིན་པོ་ཆེའི་བུམ་པ་དཀར་པོ་ལྟོ་བ་ཆེ་བ། མགྲིན་པ་རིང་བ། མཆུ་འཕྱང་བ་ལ་སོགས་པ་མཚན་ཉིད་ཐམས་ཅད་ལྡན་པ། ནང་དུ་ལོངས་སྤྱོད་ཆུ་མཆོད་དཔག་བསམ་གྱི་ཤིང་རྩ་ཚོགས་ཀྱིས་གང་བའི་དབུས་སུ་པད་ཟླའི་གདན་ལ་ཧྲཱིཿ ལས་རྒྱལ་བ་ཀུན་གྱི་ངོ་བོ་ཁམས་གསུམ་ཆོས་ཀྱི་རྒྱལ་པོ་ཤར་ཙོང་ཁ་པ་ཆེན་པོ་ཞེས་པ་ནས་སྤྱན་དྲངས། ཞེས་པའི་བར་སྔར་བདག་བསྐྱེད་ཀྱི་སྐབས་བཞིན་བྱས་ལ་ཏིང་ཤག་ལ་སོགས་པའི་རོལ་མོ་བརྡུང་ཞིང་། བདག་ཅག་འགྲོ་ཀུན་ཀླུ་ཚོགས་བཅས་པ་ལ། །ཐུགས་རྗེའི་དབང་གིས་ལེགས་པར་རབ་དགོངས་ནས། །བྱིན་རླབས་བདུད་རྩིའི་ཆར་ཆེན་འབེབས་པའི་ཕྱིར། །ད་ལྟ་ཉིད་དུ་ལེགས་པར་གཤེགས་སུ་གསོལ། །ཛཿ ཧཱུྃ་བཾ་ཧོཿ དམ་ཚིག་པ་དང་གཉིས་སུ་མེད་པར་གྱུར། ཐུགས་ཀར་ཟླ་བའི་དཀྱིལ་འཁོར་གྱི་སྟེང་དུ་ཧྲཱིཿ ཡིག་གི་མཐར་དམིགས་བརྩེ་མས་བསྐོར་བ་ལས་འོད་ཟེར་འཕྲོས། རྒྱལ་བ་སྲས་བཅས་ལ་

མཉེས་པའི་མཆོད་པ་ཕུལ། སྐུ་གསུང་ཐུགས་ཀྱི་བྱིན་རླབས་རྣམས་འོད་ཟེར་གྱི་རྣམ་པར་བསྡུས་ནས་སྐུ་ལ་ཐིམ་པས་སྐུ་ལས་བདུད་རྩིའི་རྒྱུན་བབས། རིགས་དྲུག་གི་སེམས་ཅན་ཐམས་ཅད་དང་ཁྱད་པར་དུ་ཀླུའི་རིགས་རྣམས་ལ་ཕོག་པས། མཁའ་ལྡིང་དང་བྱེ་ཚན་ལ་སོགས་པའི་འཇིགས་པ་ཐམས་ཅད་དང་སྡིག་སྒྲིབ་སྦྱངས་ཏེ། གནས་སྐབས་བདེ་བ་དང་མཐར་ཐུག་ཀླུའི་སྐྱེ་གནས་ལས་ཐར་བར་བྱས་པར་བསམ་ཞིང་། དེའི་དབང་གིས་མི་ལ་སོགས་པའི་འགྲོ་བ་རྣམས་ལ་དུག་རིགས་ལ་སོགས་པའི་ནད་ཐམས་ཅད་སྦྱངས་པར་བསམ་ལ། དམིགས་བརྩེ་མ་གང་མང་བཟླ། དེ་ནས་ཡིག་བརྒྱས་ལྷག་ཆད་ཁ་བསྐངས་ཤིང་མཆོད་པ་སྔར་ལྟར་བྱིན་གྱིས་བརླབས། གཏོར་མ་ཨ་ཀྲི་ཏ་ས་བསངས། སྭ་བྷཱ་ཝས་སྟོང་བར་སྦྱངས། སྟོང་པའི་ངང་ལས་རྒྱུཾ་ལས་རིན་པོ་ཆེ་ལས་གྲུབ་པའི་སྣོད་ཡངས་ཤིང་རྒྱ་ཆེ་བའི་ནང་དུ་གཏོར་མ་ལྷའི་ཞལ་ཟས་འདོད་པའི་ཡོན་ཏན་ལྔ་དང་ལྡན་པའི་སྟེང་དུ་ཨོཾ་ཨཱཿཧཱུཾ་གིས་མཚན་པ་ལས་འོད་འཕྲོས། འཁོར་འདས་ཀྱིས་བསྡུས་པའི་ཆོས་ཐམས་ཅད་འབྲུ་གསུམ་ལ་ཐིམ་ཞིང་། དེ་ཡང་འོད་དུ་ཞུ་བ་ལས་བྱུང་བའི་བདུད་རྩིའི་རྒྱ་མཚོ་ཆེན་པོར་གྱུར། ཨོཾ་ཨཱཿཧཱུཾ། ལན་གསུམ་གྱིས་བྱིན་གྱིས་བརླབས། རྗེ་བཙུན་བླ་མའི་ཐུགས་འོད་ཟེར་གྱི་སྦྲུ་གུས་གཏོར་མའི་བཅུད་ཐམས་ཅད་དྲངས་ཏེ་གསོལ་བར་གྱུར་པར་བསམས་ལ། ཨོཾ་གུ་རུ་སུ་མ་ཏི་ཀཱིརྟི་ས་པ་རི་ཝཱ་ར་ཨི་དཾ་བ་ལིཾ་ཏ་ཁ་ཁ་ཁཱ་ཧི་ཁཱ་ཧི། ཞེས་པ་བདུན་གྱིས་གཏོར་མ་ཕུལ། སྔར་ལྟར་ཨརྒྷཾ་སོགས་ཀྱིས་མཆོད། སྔར་བཞིན་བསྟོད། ཡི་གེ་བརྒྱ་པ་ཉེར་གཅིག་གིས་བརྟན་པར་བྱས། དེ་ནས་འཇིག་རྟེན་པའི་བུམ་པ་ཨ་ཀྲི་ཏ་ས་བསངས། སྭ་བྷཱ་ཝས་སྟོང་བར་སྦྱངས། སྟོང་པའི་ངང་ལས་རྒྱུཾ་ལས་རིན་པོ་ཆེའི་བུམ་པ་མཚན་ཉིད་ཐམས་ཅད་དང་ལྡན་པའི་ནང་དུ་ཀླུའི་ཕོ་བྲང་རིན་པོ་ཆེ་ལས་གྲུབ་པ་རྒྱ་ཕིབ་དང་རྒྱན་སྣ་ཚོགས་ཀྱིས་མཛེས་པ། ཕོར་ཡུག་ཏུ་བྲག་རི་དང་སྤང་ལྗོངས་མཚོ་རྫིང་བུ་ནགས་ཚལ་མེ་ཏོག་དང་བཅས་པས་བསྐོར་ཞིང་མཛེས་པའི་དབུས་སུ་པདྨ་འདབ་མ་བརྒྱད་པའི་ལྟེ་བར་ཕུཿ སྔོན་པོ་ཡོངས་སུ་གྱུར་པ་ལས་ཀླུའི་རྒྱལ་པོ་ནོར་རྒྱས་སྐུ་གསུམ་སྔོན་པོ་སྤྱི་བོར་ཨུཏྤལ་སྔོན་པོ་ནས་མཚན་པ། སྤྱལ་མགོའི་གདེངས་ཀ་བདུན་དང་ལྡན་པ་ཞལ་གཅིག་ཕྱག་གཉིས་པ་སྨད་སྦྲུལ་མཇུག་ཏུ་འཁྱིལ་བ། གཡས་རིན་པོ་ཆེ་དང་གཡོན་ཨུཏྤལ་ལ་བསྣམས་པ། དེའི་མདུན་དུ་ཡུམ་ཀླུ་མོ་ནོར་བུའི་ཏོད་པན་ཅན་སྤྱལ་མགོའི་གདེངས་ཀ་བདུན་དང་ལྡན་ཞིང་། སྨད་སྦྲུལ་མཇུག་ཏུ་འཁྱིལ་བ། ཕྱག་གཉིས་ཀྱིས

རིན་པོ་ཆེ་དང་ཨུཏྤལ་བཟུང་ནས་ཐལ་མོ་སྦྱར་ཏེ་ཡབ་ལ་གཟིགས་པ། འདབ་མ་བརྒྱད་ལ་
ཕྱུཿ བརྒྱད་ཡོངས་སུ་གྱུར་པ་ལས་ཤར་དུ་མཐའ་ཡས་གསེར་མདོག་སྐྱ་བོར་པདྨས་མཚན་པ།
ལྷོར་པདྨ་སེར་པོ་སྐྱ་བོར་དཔལ་བེའུས་མཚན་པ། ནུབ་ཏུ་འཇོག་པོ་དམར་པོ་སྐྱ་བོར་ནོར་བུ་
དགའ་འཁྱིལ་གྱིས་མཚན་པ། བྱང་དུ་ཚ་ལྡ་དཀར་པོ་སྐྱ་བོར་ཐིག་ལེ་དམར་པོས་མཚན་པ།
དབང་ལྡན་དུ་པདྨ་ཆེན་པོ་དཀར་པོ་སྐྱ་བོར་རྩེ་གསུམ་པས་མཚན་པ། ཤར་ལྷོར་དུང་སྐྱོང་སྔོ་
སྐྱ་སྐྱ་བོར་བགྲ་ཤིས་ཀྱིས་མཚན་པ། ལྷོ་ནུབ་ཏུ་སྟོབས་རྒྱུ་དཀར་དམར་མགྲིན་པར་རི་མོ་
གསུམ་པས་མཚན་པ། ནུབ་བྱང་དུ་རིགས་ལྡན་སྔོ་སྐྱ་མགྲིན་པར་ཟླ་ཚེས་ཀྱིས་མཚན་པ།
ཐམས་ཅད་ཀྱང་ཞལ་གཅིག་ཕྱག་གཉིས་སྟོད་ལྷའི་ལུས་ལྟར་མཛེས་ཤིང་། སྨད་སྦྲུལ་མཇུག་ཏུ་
འཁྱིལ་བ། སྦྲུལ་མགོའི་གདེངས་ཀ་བདུན་དང་ལྡན་ཞིང་། ཕྱག་གཉིས་རིན་པོ་ཆེའི་གཏེར་
གྱི་བུམ་པ་བསྣམས་ཤིང་། རིན་པོ་ཆེ་སྣ་ཚོགས་ཀྱིས་བརྒྱན་པ། གཡོན་ཕྱོགས་ནས་རང་དང་
འདྲ་བའི་ཀླུ་མོས་བརྟེན་པ། ཡུམ་ཐམས་ཅད་ཀྱང་སྦྲུལ་མགོའི་གདེངས་ཀ་ལྔ་དང་ལྡན་པ།
དེ་ཐམས་ཅད་ཀྱི་སྤྱི་བོར་ཨོཾ × × ཐུགས་ཀའི་ཧཱུྃ་ལས་འོད་འཕྲོས་རྒྱ་མཚོ་ཆེན་པོ་ནས་ཀླུའི་རྒྱལ་
པོ་འཁོར་བཅས་སྤྱན་དྲངས། ཏིང་ཤག་བརྟུང་ཞིང་། ཨོཾ་ཀླུ་རྒྱལ་མཐའ་ཡས་ལ་སོགས་པ། །
མཆོད་པའི་གནས་འདིར་སྤྱན་འདྲེན་ན། རང་རང་བཙུན་མོ་གཡོག་འཁོར་བཅས། །
འདིར་བྱོན་དམ་ཚིག་པ་ལ་བཞུགས། ཨོཾ་ཨཱ་གཙྪ་ཨཱ་གཙྪ་མཧཱ་ནཱ་ག། ཨ་ཧྲི་པ་ཏི་ཡེ་སབ་ཧླུ་ར་
ཧླ་ཡ་སྦྲུ་ཕུ་སྭཱཧཱ། ཛཿ ཧཱུྃ་བཾ་ཧོཿ གཉིས་སུ་མེད་པར་གྱུར། པདྨ་ཀ་མ་ལ་ཡེ་ཤིས་སྟྭཾ། མཆོད་
གཏོར་རྣམས་ཐར་ལྟར་བྱིན་གྱིས་བརླབས་ལ། ཨོཾ་མ་ཧཱ་ནཱ་ག་ཨ་ཧྲི་པ་ཏི་ཡེ་གྲི་ཧྣ་ར་ཨཀྵཾ་ ནས་ཤབྡའི་
བར་གྱིས་མཆོད། གདེངས་ཀ་ནོར་བུ་འབར་བའི་འོད་ཟེར་གྱིས། །ས་འོག་གནས་པའི་མུན་པ་
རབ་བསལ་ནས། །བསྟན་ལ་རབ་གནས་མཐུ་སྟོབས་བསམ་མི་ཁྱབ། །ཀླུ་རྒྱལ་འཁོར་དང་
བཅས་ལ་ཕྱག་འཚལ་བསྟོད། །ཞེས་བསྟོད། ཀླུ་རྣམས་ཀྱི་སྙིང་གར་ཕྱུཿ ཡིག་གི་མཐར་སྔགས་ཀྱིས་
བསྐོར་བ་ལ་རང་གི་ཐུགས་ཀའི་འོད་ཟེར་གྱིས་བསྐུལ་བས། དེ་རྣམས་ཀྱིས་ནམ་མཁའི་དབྱིངས་སུ་རིན་པོ་
ཆེའི་རང་གཞན་གྱི་སྤྲིན་དཀྲིགས། དེ་ལས་འབྲུག་གི་སྒྲ་བསྒྲགས་པས་སྐྱན་པའི་གྲགས་པ་ཕྱོགས་ཀུན་ཏུ་སྤེལ།
རིན་པོ་ཆེ་དང་འབྲུ་དང་ཟས་དང་ཆུའི་ཆར་བབས། ས་ཕྱོགས་ཐམས་ཅད་ཁྱིམ་དང་པར་རྣམས་གང་བར་
བསམ། ཨོཾ་ཕྱཱ་སུ་གི་ཡེ་སྭཱཧཱ། ཡུལ་ཕྱོགས་དང་དགོན་གནས་ལ་སོགས་པའི་དཔལ་འབྱོར་
ཐམས་ཅད་རྒྱས་པར་མཛད་དུ་གསོལ། ཞེས་སྨྲེལ་ཚིག་སྦྱར་བ་དང་། དེ་བཞིན་དུ་སྦྱར་ཏེ། ཨོཾ་

ཨཱཿ ཨ་ན་ནྟ་ཡེ་སྭཱ་ཧཱ། ཨོཾ་ཨཱཿ པ་དྨ་ཡེ་སྭཱ་ཧཱ། ཨོཾ་ཨཱཿ ཏཀྵཱ་ཀཱ་ཡེ་སྭཱ་ཧཱ། ཨོཾ་ཨཱཿ ཞ་རྟུ་ཊ་ཡེ་སྭཱ་ཧཱ། ཨོཾ་ཨཱཿ མ་ཧཱ་པ་དྨ་ཡེ་སྭཱ་ཧཱ། ཨོཾ་ཨཱཿ ཤཾ་ཁ་པཱ་ལ་ཡེ་སྭཱ་ཧཱ། ཨོཾ་ཨཱཿ ཀ་རྐོ་ཊ་ཡེ་སྭཱ་ཧཱ། ཨོཾ་ཨཱཿ ཀུ་ལི་ཀཱ་ཡེ་སྭཱ་ཧཱ། ཞེས་གང་མང་བཟླ། དེ་ནས་ཡིག་བརྒྱས་ལྷག་ཆད་ཁ་བསྐངས། ཟའི་ཁམ་པོར་དགུར་འོ་མ་བླུག་ལ། དེ་དག་གི་སྟེང་འོ་མ་དང་འདྲེས་པ་སྦྲངས་ཤིང་། ཨོཾ་ཨཱ་སུ་གེ་ཨཾ་སྭཱ་ཧཱ། ཞེས་པ་བརྒྱ་རྩ་དང་། གདེངས་ཀའི་ཕྱག་རྒྱ་བཅས་ཏེ། ཨོཾ་ཧི་ལི་ཧི་ལི་མ་ཧཱ་ཧི་ལི་ཕྲུཾ་སྭཱ་ཧཱ། ཞེས་མཐུག་ཏུ་སེ་གོལ་གཏོགས་པ་དང་བཅས་པ་གསུམ་དང་། ཨོཾ་ཧྲཱ་ཡ་ཧྲཱ་ཡ། ས་མ་ཡ་ཧི་ཏྲ་ཕྲུཾ་ཕུ་སྭཱ་ཧཱ། ཞེས་ལན་གསུམ་གྱིས་གཏོར་མ་བསྔོ། ཆོས་རྣམས་ཐམས་ཅད་རྒྱུ་ལས་བྱུང་། །དེ་རྒྱུ་དེ་བཞིན་གཤེགས་པས་གསུངས། །རྒྱུ་ལས་འགོག་པ་གང་ཡིན་པ། །དགེ་སྦྱོང་ཆེན་པོས་འདི་སྐད་གསུངས། །སྐར་མ་རབ་རིབ་མར་མེ་དང་། །སྒྱུ་མ་ཟིལ་པ་ཆུ་བུར་དང་། །རྨི་ལམ་གློག་དང་སྤྲིན་ལྟ་བུར། །འདུས་བྱས་ཆོས་རྣམས་འདི་ལྟར་བལྟ། ཞེས་ཆོས་སྦྱིན་བྱ། དེ་ནས་ཀླུའི་རྒྱལ་པོ་འཁོར་དང་བཅས་པ་ཐམས་ཅད་བདག་ཉིད་ལ་གུས་པར་བསམས་ཤིང་། མཆོག་སྦྱིན་གྱི་ཕྱག་རྒྱ་བཅས་ལ། ཀླུ་ཡི་རྒྱལ་པོ་འཁོར་བཅས་ལ། །དཀར་མངར་གསུམ་དང་སྨན་གྱིས་ནི། །ཐུགས་པའི་འོ་མའི་མཆོད་སྦྱིན་འདི། །འབུལ་གྱིས་ཚིམས་ཞིང་ནད་གདོན་ཞི། །ཡུལ་ཕྱོགས་ཐམས་ཅད་བདེ་བར་མཛོད། །སྨན་དང་ཐུགས་དང་ཏིང་འཛིན་གྱི། །ནུས་པས་ཀླུ་ཡི་ཚོགས་རྣམས་ཀྱི། །ནད་དང་སྡུག་བསྔལ་ཀུན་ཞི་ཞིང་། །འདོད་པ་མ་ལུས་འགྲུབ་གྱུར་ཅིག། དེ་ཡི་མཐུ་ལས་ཡུལ་ཕྱོགས་བདེ། །ལོ་ཕྱུགས་ལེགས་ཤིང་ཆར་ཆུ་སྙོམས། །རྩི་བཅུད་འབྲས་བུ་རབ་ཏུ་རྒྱས། །བསམ་པ་ལྷུན་གྱིས་འགྲུབ་གྱུར་ཅིག །ཅེས་མགྲོན་རྣམས་ལ་བསྔོས་པས་ཀླུ་རྣམས་ཀྱི་སྡུག་བསྔལ་ཞི། ཡོངས་སྤྱོད་བསམ་གྱིས་མི་ཁྱབ་པ་འཕེལ་རབ་ཏུ་དགའ་བར་བསམས་ལ། ཡི་གེ་བརྒྱ་བ་ལན་གསུམ་བརྗོད། སླར་ཡང་ཁམ་ཕོར་དགུ་འོ་མ་ཀླུ་སྨན་དང་སྦྱར་བས་བཀང་བ་ཐུགས་དྲུག་དང་ཕྱག་རྒྱ་དྲུག་གིས་བྱིན་གྱིས་བརླབས། ཀླུ་དགའ་བར་བྱེད་པའི་ཕྱག་རྒྱ་དང་བཅས་ཏེ། ཨོཾ་ཧི་ལི་ཧི་ལི་མ་ཧཱ་ཧི་ལི་ཕྲུཾ་ཕུ་སྭཱ་ཧཱ། ལན་གསུམ་བརྗོད་ཅིང་སེ་གོལ་གཏོགས། ཨོཾ་ཧྲཱ་ཡ་ཧྲཱ་ཡ་ས་མ་ཡ་ཧི་ཏྲ་ཕྲུཾ་ཕུ་སྭཱ་ཧཱ། ཀླུ་ཆེན་བརྒྱད་པོ་འཁོར་བཅས་ཀྱིས། །མཆོད་སྦྱིན་གཏོར་མའི་འདི་སྙོམས་ལ། རྣལ་འབྱོར་བདག་ཅག་འཁོར་བཅས་ལ། །ནད་མེད་ཚེ་དང་དབང་ཕྱུག་དང་། །དཔལ་དང་གྲགས་དང་སྐལ་བ་བཟང་། །ལོངས་སྤྱོད་རྒྱ་ཆེན་ཀུན་འཐོབ་ཅིང་། །ཞི་དང་རྒྱས་ལ་སོགས་པ་ཡི། །ལས་ཀྱི་དངོས་གྲུབ་བདག་ལ་སྩོལ། །དམ་ཚིག་ཅན་གྱིས་བདག་ལ་སྲུངས། །དངོས་གྲུབ་ཀུན་གྱི་སྟོང་གྲོགས་མཛོད། །དུས་མིན་འཆི་དང

ནད་རྣམས་དང་། །གདོན་དང་བགེགས་རྣམས་ཞི་བ་དང་། །རྨི་ལམ་ངན་དང་མཚན་མ་ངན། །བྱ་བྱེད་ངན་རྣམས་མེད་པར་མཛོད། །འཇིག་རྟེན་བདེ་ཞིང་ལོ་ལེགས་དང་། །འབྲུ་རྣམས་འཕེལ་ཞིང་ཆོས་འཕེལ་དང་། །བདེ་ལེགས་ཐམས་ཅད་འབྱུང་བ་དང་། །ཡིད་ལ་འདོད་པ་ཀུན་འགྲུབ་ཤོག །ཡིག་བརྒྱ་ལན་གསུམ་གྱིས་བརྟན་པར་བྱས། ཁམ་ཕོར་རྣམས་ཀླུ་རང་རང་གི་ཕྱོགས་སུ་དོར་བར་བྱའོ། །དེ་ལྟར་རབ་ཞག་ཉེར་གཅིག འབྲིང་བཅོ་ལྔ། ཐ་མའམ་བདུན་དུ་བསྒྲུབས་ཏེ། ཆུ་མིག་ལ་སོགས་པ་དཀར་ཕྱོགས་ལ་དགའ་བའི་ཀླུ་གནས་ངེས་པར་ཕྱིན་ནས། སྤྲིན་ཆེན་པོ་དང་གསེར་འོད་དམ་པ་ལ་སོགས་པའི་མདོ་སྡེ་ཀློག་པ་སོགས་སྔོན་དུ་བཏང་ནས་བུམ་པ་གཉིས་ཀྱང་ཕྱོགས་དེར་འཁྱེར་ཞིང་། སྔར་བཤད་པ་ལྟར་གྱི་མཆོད་པ་བཤམས་ནས། སྔར་ལྟར་བྱིན་གྱིས་བརླབས་རྗེས། རོལ་མོ་དཀྲོལ་ཞིང་། ཨོཾ་ཀླུ་རྒྱལ་དགའ་བོ་ཉེར་དགའ་བོ། །མཐའ་ཡས་སྟོབས་རྒྱུ་རིགས་ལྡན་དང་། །དུང་སྐྱོང་པདྨ་པདྨ་ཆེ། །འཇོག་པོ་རྒྱ་མཚོ་རྒྱ་མཚོ་ཆེ། །ཁྱད་པར་ནོར་རྒྱས་འཁོར་དང་བཅས། །རང་རང་བཙུན་མོ་གཡོག་དག་དང་། །ལོངས་སྤྱོད་རྒྱ་མཚོའི་དཔལ་བཅས་ཏེ། །འདིར་སྤྱན་གདན་པར་བཞུགས་ནས་ཀྱང་། །བསམ་པ་མ་ལུས་ལྷུན་གྱིས་སྒྲུབས། །ཨོཾ་ཨཱ་གཙྪ་མཧཱ་ནཱ་ག་ཨ་ཧྲི་པ་ཏི་ཡེ་སཔ་རྦ་རྦ་ཝཱ་ཕུཾ་ཕུ་སྭཱཧཱ། ཞེས་བརྗོད་པས་ཀླུའི་རྒྱལ་པོ་འཁོར་དང་བཅས་པ་མདུན་དུ་བྱོན་པར་བསམ། པདྨ་ཀ་མ་ལ་ཡེ་སྟྭཾ། ཞེས་གདན་ཕུལ། ན་ག་ནཱ་ཛས་རི་ཞྭཱ་ར་ཨི་དཾ་ཕལ་ཏ་ཡེ་གྲིཧྞ་དཾ་ཨཁྑཾ་པྲ་ཏིཙྪ་ཡེ་སྭཱཧཱ། ཞེས་པ་ནས། ཤབྡའི་བར་གྱིས་མཆོད། སྔར་བཞིན་གཏོར་མ་ཕུལ། ཉེར་སྤྱོད་གཏོར་མ་དང་བཅས་པ་བཤམས་ནས། སྔར་བཞིན་བྱིན་གྱིས་བརླབས། རང་གི་ཐུགས་ཀའི་འོད་ཟེར་གྱིས་ཞིང་སྐྱོང་འཁོར་དང་བཅས་པ་སྤྱན་དྲངས། ཨ་ཀཱ་རོ་ལན་གསུམ་གྱིས་གཏོར་མ་ཕུལ། ཨོཾ་ནཱ་ག་ཧྲཱུ་ལ་ས་རི་ཞྭཱ་ར་ཨཁྑཾ་ནས་ཤབྡའི་བར་གྱིས་མཆོད། གང་དག་འདིར་གནས་ལྷ་དང་ཀླུ། །གནོད་སྦྱིན་སྲིན་པོའམ་ནི་གཞན། །གཏེར་ཆེན་དོན་དུ་ས་འདི་ནི། །བདག་ཞུ་ཉིད་ཀྱིས་གནང་བར་མཛོད། །ཅེས་གསོལ་བས་ཅི་དགའ་བར་གྱིས་ཤིག །ཅེས་གནང་བ་བྱིན་པར་བསམ། དེ་ནས་སྐབས་འདིར་ཀླུ་གཏོར་བཏང་རྗེས། ཀླུ་ཆེན་བརྒྱད་པོ་འཁོར་དང་བཅས་པ་དང་ཀླུ་རིགས་ཐམས་ཅད་དང་། བྱེ་བྲག་ཏུ་ལུང་པ་འདིའི་ཀླུ་རིགས་ཐམས་ཅད་བུམ་ནང་གི་ཀླུ་ལ་ཐིམ་པར་གྱུར། ཛཿ ཧཱུྃ་བཾ་ཧོཿ རང་གི་ཐུགས་ཀ་ནས་འོད་ཟེར་འཕྲོས། ཀླུ་རྣམས་ལ་ཕོག་པས་བྱང་ཆུབ་ཀྱི་སེམས་བསྐྱེད་པར་བསམས་ལ། དམིགས་བརྩེ་མ་ཇི་ལྟར་རིགས་པ་བཟླས། དེ་ནས་ཤར་དགོ་ཅན་གང་རིགས་ཀྱིས་ས་བཀོས་ཏེ། ཁྲུ་གང་གྲུ་བཞི་པར་བྱས་པའི་ནང

དུ་བཀྲ་ཤིས་རྟགས་བརྒྱད་བྲིས། དེའི་ནང་དུ་སྣོགས་བུ་ཆེ་ཆུང་གཉིས་བརྩེགས་པའི་སྣོགས་ཆེ་བའི་ཁར་འཇིག་རྟེན་ལས་འདས་པའི་བུམ་པ་བཞག །དེའི་མདུན་དུ་སྣོགས་ཆུང་ཞིག་གི་ཁར་འཇིག་རྟེན་པའི་བུམ་པ་དབུས་ཀྱི་གཙོ་བོའི་ཞལ་འཇིག་རྟེན་ལས་འདས་པའི་བུམ་པ་ལ་གཟིགས་ནས་བཞག་ཅིང་། དེའི་མཐའ་སྐོར་དུ་མཆོད་པའི་བྱེ་བྲག་ཅི་འབྱོར་བ་བཤམས་ཏེ། སྔར་བཞིན་བདག་བསྐྱེད་ནས་གཏོར་མ་དོར་བར་བྱས་རྗེས་ཞལ་རིམ་གྱིས་བསྒྲུབ་ཅིང་། སངས་རྒྱས་འཁོར་དང་བཅས་པ་དང་། །བྱང་སེམས་སྲས་བཅས་ཉན་ཐོས་དང་། །ཁྱད་པར་རྒྱལ་བ་སྟོང་ཁ་བའི། །བདེན་པའི་བྱིན་རླབས་དམ་པ་ཡིས། །གཏེར་ཆེན་འདི་ཉིད་སྦས་པའི་མཐུས། །ཀླུ་དང་ས་བདག་ཐམས་ཅད་ཀྱི། །ལས་ངན་སྡིག་སྒྲིབ་སྡུག་བསྔལ་བཞི། །བསམ་པ་ཆོས་བཞིན་འགྲུབ་གྱུར་ཅིག །དེ་ལྟར་འོག་ཏུ་ཀླུ་བདེ་བས། །སྟེང་དུ་མི་རྣམས་དར་ཞིང་རྒྱས། །ཆར་ཆུ་འཕེལ་ཞིང་ལོ་ཏོག་ཀུན། །དབྱར་གྱི་མཚོ་ལྟར་རྒྱས་གྱུར་ཅིག །ཅེས་བརྗོད་ནས་ཐོག་མར་དཀར་གོང་དང་། དེ་ནས་ནེའུ་སིང་གིས་བསྒྲུབ་སྟེ་མི་མངོན་པར་བྱའོ། །དེ་ལྟར་ལེགས་པར་སྦྱུད་ན་ཡུལ་ཕྱོགས་ཀུན་བདེ་ཞིང་བསམ་པ་ཆོས་བཞིན་དུ་འགྲུབ་པར་འགྱུར་རོ། །ཅེས་ས་བཅུད་བུམ་པ་སྒྲུབ་པའི་ཆོ་ག་འདི་ནི་༧ཤཱཀྱའི་བཙུན་པ་བློ་བཟང་དཔལ་ལྡན་ཡེ་ཤེས་ཀྱིས་སྦྱར་བའོ། །

༄༅། །བསྙེན་ཡིག་བཞུགས་སོ།

༄༅། །དམར་སེར་མདངས་འཛིན་འཇམ་མགོན་ལྷག་པའི་ལྷ། །སྙིགས་དུས་དུར་
ཁྲིག་གར་མཛད་ཙོང་ཁ་པ། །གང་གི་བྱིན་རླབས་རྣལ་འབྱོར་རིམ་པ་ཡི། །བསྙེན་ཡིག་
མདོར་བསྡུས་ཙམ་ཞིག་བྲི་བར་བྱ། །དེ་ལ་འདིར་དགའ་ལྡན་ལྷ་བརྒྱ་མའི་རྣལ་འབྱོར་ལ་བརྟེན་ནས
དམིགས་བརྩེ་མ་ལ་བསྙེན་སྒྲུབ་བྱ་བར་འདོད་པས། ཡིད་དང་མཐུན་པའི་གནས་སུ་ཕྱི་དོར་བྱས། སྐུ་གསུང་
ཐུགས་ཀྱི་རྟེན་བཀྲམ། རྒྱལ་བ་ཙོང་ཁ་པ་ཆེན་པོའི་ཕྱིས་འབུར་གྱི་སྐུ་གང་ཡང་རུང་བར་ཞུགས་སུ་གསོལ།
དེའི་མདུན་དུ་མཆོད་གཏོར་ཕུན་སུམ་ཚོགས་པ་བཤམས་ནས། མཚམས་ལ་འཇུག་ཉིན་ནང་བར་སྔ་བར
ལངས་ནས་ཁྲུས་བྱས། གནས་དེར་མེ་ཏོག་སིལ་མ་གཅལ་དུ་བཀྲམ། བྱང་ཆུབ་ཀྱི་སེམས་དང་ལྡན་པས་ཕྱི
རོལ་ཏུ་སོང་སྟེ་བགེགས་གཏོར་ཞིག་བཏང་ནས་བགེགས་བསྐྲད། ཐོ་རྣམས་རྒྱལ་པོ་འཕགས་སྐྱེས་པོར་བསྐྱེད།
ནང་དུ་འོངས་ཏེ་མནྜལ་ཞིག་ཕུལ་ནས། ཁམས་གསུམ་ཆོས་ཀྱི་རྒྱལ་པོ་ཙོང་ཁ་ཆེན་པོའི་ལྷ་ཚོགས
འཁོར་དང་བཅས་པ་ཁྱེད་རྣམས་ཀྱིས་བདག་གི་སྡིག་སྒྲིབ་ཐམས་ཅད་ཞི་བ་དང་། མཐུན་རྐྱེན
བསམ་པ་ཐམས་ཅད་ཡིད་བཞིན་དུ་འགྲུབ་པ་དང་། བར་གཅོད་ཐམས་ཅད་བསལ་དུ་གསོལ
ཞེས་གསོལ་བ་བཏབ་པས་ཞལ་གྱིས་བཞེས་པར་བསམ། དེ་ནས་མཚམས་མ་གྲོལ་གྱི་བར་དུ་རྐྱེན་གང
གིས་ཀྱང་གཞན་དུ་མི་བསྒྱུར་བའི་ཞེ་དམ་བརྟན་པོ་བྱ། མཚམས་གྲོལ་བའི་ཉིན་ཐོ་རྣམས་ཀྱི་རྒྱལ་ཆེན
གཤེགས་སུ་གསོལ་ཞིང་། མཚམས་འོག་ཏུ་མ་གཞུག་པའི་མི་རྣམས་ཁད་ཀྱིས་ཁད་ཀྱིས་འཕྲད་བར་བྱའོ། །
ཞེསདགའ་ལྡན་ལྷ་བརྒྱ་མའི་བསྙེན་ཡིག་འདི་ནི་ནང་སོ་དགེ་སློང་བློ་བཟང་ལྷུན་གྲུབ་ཀྱིས་བསྐུལ་བ་ལྟར།
བསྙེན་པའི་བྱ་བ་ཕལ་ཆེ་བ་ནི་དཀྱིལ་འཁོར་ཆེན་པོའི་བསྙེན་མཚམས་སྤྱི་དང་མཐུན་ལ། ཐུན་མོང་མ་ཡིན་པ
དགོས་པ་རྣམས་འདིར་བྲིས་ཤིང་། བསྙེན་པའི་གྲངས་ཚད་ནི་འབུམ་ཕྲག་གཅིག་ཙམ་མཐར་བྱ་སྟེ།
དམིགས་བའི་རིམ་པ་ནི་ཁྲིད་ཡིག་རྣམས་ལས་ཤེས་དགོས་པའི་དབང་དུ་བྱས་ནས་༸ཤཱཀྱའི་དགེ་སློང་རྗེ་རྗེ
འཛིན་པ་བློ་བཟང་དཔལ་ལྡན་ཡེ་ཤེས་ཀྱིས་སྦྱར་བའོ། ། །།

༄། །ཉེར་འགོ་ཁ་ཚར།

༄། །ཨོཾ་སྭསྟི། དགའ་ལྡན་ལྷ་བརྒྱ་མའི་སྐབས་སུ་ཉེ་བར་མཁོ་བ་ནི། རྗེའི་ཐུགས་ཀ་ནས་བདུད་རྩིའི་ཆར་འབེབས་ཚུལ། བད་ཀན་ཤས་ཆེན་བདུད་རྩིའི་ལྗང་གུའི་ཚོགས་དང་། མཁྲིས་པ་ཤས་ཆེན་བདུད་རྩིའི་སེར་པོ། རླུང་ཤས་ཆེན་བདུད་རྩི་དམར་པོ། ཉམས་གྲིབ་སོགས་ཀྱི་གཉེན་པོར་བདུད་རྩིའི་གཟིའི་མདོག་ཅན། གྲིབ་ཕོག་སོགས་ཀྱི་གཉེན་པོར་བདུད་རྩིའི་བསང་གི་དྲི་ངད་ལྡང་བ། གཅན་གཟན་དང་སྲིན་པོ་སོགས་ཀྱི་གཉེན་པོར་བདུད་རྩིའི་མེའི་ཕུང་པོ་འདྲ་བ་དང་། གཞན་ཡང་དུག་གི་གཉེན་པོར་བདུད་རྩི་སྔོན་པོ་ལ་སོགས་པ། མདོར་ན་ནད་ཀྱི་རིགས་གང་དང་གང་ལ་འང་རང་རང་གི་ཁམས་དང་མཐུན་པའི་ཁ་དོག་དང་ཚ་གྲང་སོགས་བྱས་ཏེ། ནད་ཚ་བའི་རིགས་ལ་བདུད་རྩི་བསིལ་བའི་རང་བཞིན་ཅན་དང་། གྲང་བའི་རིགས་ལ་བདུད་རྩི་ཚ་བའི་རང་བཞིན་དུ་བསྒོམ་པར་བྱའོ། །བདུད་རྩི་འབེབས་ཚུལ་ལ་ཡང་། རྗེ་ཡབ་སྲས་གསུམ་གྱི་ཐུགས་ཀ་ནས་ཐྲིན་དཀར་པོ་གསུམ་བྱུང་། རྩེ་མོ་རྣམས་འདྲེས་ཏེ་རང་གི་སྤྱི་བོའི་ཚངས་བུག་ཏུ་ཟུག །ཐྲིན་དེ་རྣམས་ཀྱི་ཁོག་སྦུབས་སྟོང་དུ་གྱུར། རྗེའི་ཐུགས་ཀ་ནས་བདུད་རྩིའི་རྒྱུན་འབབ་པ་དང་མཉམ་དུ་སྲས་གཉིས་ཀྱི་ཐུགས་ཀ་ནས་ཀྱང་བདུད་རྩི་འབེབས་ཚུལ་ལ་ཡང་། རྗེ་ཡབ་སྲས་གསུམ་གྱི་ཐུགས་ཀ་ནས་ཐྲིན་དཀར་པོ་གསུམ་བྱུང་། རྩེ་མོ་རྣམས་འདྲེས་ཏེ་རང་གི་སྤྱི་བོའི་ཚངས་བུག་ཏུ་ཟུག །ཐྲིན་དེ་རྣམས་ཀྱི་ཁོག་སྦུབས་སྟོང་དུ་གྱུར། རྗེའི་ཐུགས་ཀ་ནས་བདུད་རྩིའི་རྒྱུན་འབབ་པ་དང་མཉམ་དུ་སྲས་གཉིས་ཀྱི་ཐུགས་ཀ་ནས་ཀྱང་བདུད་རྩིའི་རྒྱུན་བབས། རང་གི་ཚངས་བུག་ནས་ཞུགས། ལུས་ཀྱི་ནང་ཐམས་ཅད་གང་། ནད་ལ་དམིགས་པ་ཡིན་ན། ནད་ཀྱི་དངོས་པོ་གང་ཡིན་སྦྱངས། སྒྲིར་བཏང་ལ་ཚེ་རབས་ཐོག་མ་མེད་པ་ནས་བསགས་པའི་སྡིག་སྒྲིབ་སྦྱངས། ཕྱི་ནང་བར་གསུམ་གྱི་སྡིག་སྒྲིབ་སྦྱངས་ནས་བདེ་བས་རྒྱུད་གང་ཞིང་སྡིག་སྒྲིབ་ཀྱིས་སླགས་མི་རྙེད་པར་

བསམ་མོ། །ཤེས་རབ་ཆེ་བར་འདོད་ན། རྗེ་ཡབ་སྲས་གསུམ་གྱི་ཐུགས་ཀ་ནས་ གླེགས་བམ་དང་། རལ་གྲི་དང་། འཇམ་དབྱངས་ཀྱི་སྐུ་དཔག་ཏུ་མེད་པ་སྤྲོས། བདག་ཉིད་ཀྱི་ལུས་ལ་ཞུགས་པས། བདག་ཉིད་ཤེར་རབ་འཇམ་དཔལ་དང་མཉམ་པར་བསམ། ཚེ་རིང་བར་འདོད་ན། རྗེ་ཡབ་སྲས་ཀྱི་ཐུགས་ཀ་ནས་ཚེ་བུམ་གྱི་ཚོགས་དཔག་ཏུ་མེད་པ་བྱུང་། བདག་ཉིད་ཀྱི་ལུས་ལ་ཞུགས་པས་ཚེའི་རིག་འཛིན་ཐོབ་པར་བསམ་མོ། །དབང་དུ་བསྡུ་བ་ལ་ནི། རྗེ་ཡབ་སྲས་ཀྱི་ཐུགས་ཀ་ནས་འོད་ཟེར་ལྕགས་ཀྱུ་ལྟ་བུ་འཕྲོས་པས། དབང་དུ་བསྡུ་བྱ་སྐད་ཅིག་ཉིད་ལ་བཀུག་ནས་བདག་ཉིད་ལ་གུས་པ་བྱེད་པར་བསམ་མོ། །དགྲ་བགེགས་སྒྲོལ་བར་འདོད་ན། རྗེ་ཡབ་སྲས་ཀྱི་ཐུགས་ཀ་ནས་ལས་ཀྱི་གཤིན་རྗེ་པོ་བརྒྱད་ཀྱི་ཚོགས་སྤྲོས་པས་གནོད་བྱེད་ཐལ་བའི་རྡུལ་ཕྲན་བཞིན་དུ་བརླག་པར་བསམ་མོ། །བྱ་བ་གཞན་འདི་རྣམས་ཀྱི་སྐབས་སུ་དམིགས་བརྩེ་མ་བགྲངས་ཤིང་། དྲག་པོའི་སྐབས་སུ་ཡ་མནྟ་ཀ་འདྲེན། གང་ཟག་གཅིག་ལ་གདོན་གྱི་གནོད་པ་བྱུང་ན། རྗེ་ཡབ་སྲས་ལ་གསོལ་བ་བཏབ་པས། རྗེ་ཡབ་སྲས་ཀྱི་ཐུགས་ཀ་ནས་འོད་ཟེར་དྲག་ལ་རྩུབ་པ་དཔག་ཏུ་མེད་པ་འཕྲོས་པས་གནོད་བྱེད་བསྐྲད། འོད་ཟེར་དཔག་ཏུ་མེད་པས་ནད་པ་བསྐོར་བས། གང་ཟག་དེ་ལ་ནད་གདོན་གང་གིས་ཀྱང་མི་ཚུགས་པར་བསམ་མོ། །

༄༅། །དགའ་ལྡན་འཕོ་བ་བྱ་ཚུལ། འཆི་བའི་ཚེ་འཕོ་བ་བྱ་ཚུལ་བཞུགས་སོ།

༄། །འཆི་བའི་ཚེ་འཕོ་བ་བྱ་ཚུལ་ནི། མན་ངག་ཞལ་ཤེས་ལས་ཤེས་པར་བྱའོ། །དོན་འདི་ལ་སྦྱོང་བས་གྲུབ་ཅིང་ཡིད་ཆེས་པའི་གནས་ལགས་སོ། །འདུལ་འཛིན་སློ་ནག་པའི་གསུང་རྒྱུན་བཞིན་ཡི་གེར་བཀོད་པ་ལགས་སོ། །

༈ དགའ་ལྡན་ལྷ་བརྒྱ་མའི་མན་ངག་གི་སྙིང་པོ་འཆི་བའི་ཚེ་འཕོ་བ་བྱ་ཚུལ་ནི། འདིར་བཤད་པར་བྱ་སྟེ། དེ་ཡང་དང་པོར་འཕོ་བ་སྦྱོང་ཚུལ་ནི། རང་ཁ་རི་རབ་ལ་ཕྱོགས་ནས་འདུག་པར་བསྒོམ། དེའི་སྟེང་དུ་འཐབ་བྲལ་དང་། སུམ་ཅུ་རྩ་གསུམ་གཉིས་བསྒོམ། དེའི་སྟེང་དུ་དགའ་ལྡན་གྱི་ཞིང་ཁམས་བཀོད་པ་ཕུན་སུམ་ཚོགས་པ་རྒྱལ་པོ་བཞི་ལ་ཡུལ། ཁམས་ཀྱི་ལྷའི་བུ་རྣམས་ཀྱིས་བསྐོར་བ། དེའི་དབུས་སུ་རྗེ་བཙུན་བྱམས་མགོན་གྱི་ཕོ་བྲང་རྒྱལ་མཚན་མཐོན་པོ། མདུན་དུ་ཆོས་སྐྱོང་མདུན་ས་ཡིད་དགའ་ཆོས་འཛིན། རྒྱལ་པོ་རབ་དགའ་ལ་སོགས་པའི་ལྷའི་བུ་རྣམས་ལ་སེངྒེའི་ཁྲིའི་སྟེང་ནས་རྗེ་བཙུན་བྱམས་པ་མགོན་པོ་ཆོས་གསུང་པའི་ཐུགས་ཀ་ནས་རྗེ་ཡབ་སྲས་བཞུགས་པ་ལ་མོས་གུས་དྲག་པོས། བདག་དགའ་ལྡན་གྱི་གནས་སུ་དྲང་དུ་གསོལ། འདི་ནས་ཤི་འཕོས་མ་ཐག་ཏུ་དགའ་ལྡན་གྱི་གནས་སུ་དྲང་དུ་གསོལ། ཞེས་གསོལ་བ་བཏབ་པས། རྗེ་ཡབ་སྲས་བྱམས་པ་དང་བཅས་པས་ཞལ་གྱིས་བཞེས་པར་བསམ་མོ། །གཉིས་པ་འཆི་བའི་ཚེ་འཕོ་བ་བྱ་ཚུལ་ནི། བླ་མས་བདག་དགའ་ལྡན་གྱི་གནས་སུ་དྲང་དུ་གསོལ། ཞེས་གདུང་ཤུགས་དྲག་པོས་གསོལ་བ་བཏབ་པས། རྗེ་བླ་མའི་ཐུགས་ཀ་ནས་འོད་ཟེར་ལྕགས་ཀྱུ་ལྟ་བུ་འཕྲོས་པའི་སྣེ་མོ་ལ་རྗེ་བླ་མ་གཉིས་པ་ཞིག་བྱོན། རང་གི་སྤྱི་བོའི་ཚངས་བུག་ཤག་གིས་ཕྱེ་ནས། ཕྱག་སར་ལས་འོད་ཟེར་སྤྲོས་ཏེ། རང་གི་རྣམ་ཤེས་ཨའི་རྣམ་

པར་སྙིང་གར་གནས་པ་ལ་ཐོག་སྟེ། དྲངས་ནས་དགའ་ལྡན་གྱི་གནས་སུ་སྐར་མདའ་རྒྱབ་པ་ལྟར་གཤེགས་པར་བསམ་མོ། །དེ་ལྟར་གཤེགས་པ་ལས་དགའ་ལྡན་གྱི་གནས་སུ་རྒྱལ་བ་བྱམས་པའི་ཞལ་མཐོང་། དམ་ཆོས་ལ་སྤྱོད་པར་འགྱུར་རོ། །འདི་ནི་པཎ་ཆེན་དཔལ་ལྡན་ཡེ་ཤེས་ཀྱིས་གསུངས་སོ། །

༄༅། །རྗེ་བླ་མ་ཙོང་ཁ་པ་ཆེན་པོ་ལ་བརྟེན་པའི་བུམ་བསྐྱེད་དང་ཡུལ་ཁྲུས་བྱ་ཚུལ་བདུད་རྩིའི་ཆུ་རྒྱུན་ཞེས་བྱ་བ་བཞུགས་སོ།

༄། །རིགས་གསུམ་གསང་བའི་སྒྱུ་འཕྲུལ་ང་ར་སྒྲིག་གར། །འདྲེན་མཆོག་བློ་བཟང་རྒྱལ་བའི་དབང་པོ་ཞེས། །ཡོངས་སུ་གྲགས་པ་དེ་ལ་གུས་བཏུད་ནས། །མ་དག་དྲི་མ་ཁྲུས་ཆོག་འདིར་བརྗོད་བྱ། །འདིར་ཁམས་གསུམ་ཆོས་ཀྱི་རྒྱལ་པོ་ཙོང་ཁ་པ་ཆེན་པོར་གསོལ་འདེབས་བྱིན་རླབས་སྒྱུར་འཇུག་དམིགས་བརྩེ་མའི་ལས་ཚོགས་དང་འབྲེལ་བའི་སྒོ་ནས་ཡུལ་ཁྲུས་བྱ་བར་འདོད་ན། སྒྲུབ་པ་པོ་གཙང་སྦྲ་ལ་གནས་ཤིང་། རྙེད་བཀུར་གྲགས་འདོད་སོགས་དང་། ཕྱོགས་ལྷུང་གི་བསམ་པས་མ་ཡིན་པར། དད་པ་དང་གཞན་ཕན་གྱི་བསམ་པ་དང་ལྡན་པས། སྐྱབས་འགྲོ་སེམས་བསྐྱེད་སོགས་སྒོམ་པ་སྔོན་དུ་གཏང་ནས། རྗེ་སྨན་ཁང་པ་ཆེན་པོས་མཛད་པའི་དམིགས་བརྩེ་མའི་ལས་ཚོགས་ཆར་འབེབས་སོགས་ཀྱི་ཚིག་ནས་འབྱུང་བ་ལྟར་རྗེ་བླ་མའི་བདག་བསྐྱེད་བསྒོམ་པའམ། ཡང་ན་འཇིགས་བྱེད་ཀྱི་ང་རྒྱལ་དང་ལྡན་པས། བུམ་པ་སུམ་གཉིས་ཙམ་ཆུ་གཙང་གིས་བཀང་བ་བུམ་རྫས་ཀྱིས་ཕྱུག་པ་གཟུང་ཐོར་དང་བཅས་ལེགས་པར་བཤམས་ཏེ། ཨ་ཤྲི་ཏ་ས་བསངས། སྭ་བྷཱ་ཝས་སྟོང་པར་སྦྱངས། སྟོང་པའི་ངང་ལས་བཾ་ལས་རིན་པོ་ཆེའི་བུམ་པ་དཀར་པོ་ལྟོ་བ་ཆེ་བ། མགྲིན་པ་རིང་བ། མཆུ་འཕྱང་བ་སོགས་པ་མཚན་ཉིད་ཐམས་ཅད་དང་ལྡན་པར་གྱུར། ཨོཾ་ཧཱ་ཧེ་ཧཱ་ཧེ་མ་ཧཱ་ཧཱ་ཧེ་སྭཱ་ཧཱ། ཞེས་གངྒཱའི་ཆུ་རྒྱུན་དྲངས་པར་བསམ་ལ། ལྷ་ཡི་ཆུ་བོ་གངྒཱ་དང་བུམ་པའི་ཆུ་དབྱེར་མི་ཕྱེད་པར་གྱུར། བུམ་པའི་ནང་གི་སྟོད་ཀྱི་ཆ་ཙམ་ལ་ཉི་མའི་དཀྱིལ་འཁོར་གྱི་སྟེང་དུ་དབུས་སུ་ཧྲཱིཿཡིག་དམར་སེར་དེའི་མཐའ་བསྐོར་དུ་དམིགས་བརྩེ་མའི་སྔགས་ཀྱི་འཕྲེང་བས་བསྐོར། སྔགས་ཕྲེང་ས་བོན་བཅས་པ་ལས་འོད་ཟེར་འཕྲོས། ཕྱོགས་བཅུའི་རྒྱལ་བ་སྲས་དང་བཅས་པའི་སྐུ་གསུང་ཐུགས་ཀྱི་བྱིན་རླབས་དང་ནུས་མཐུ་ཐམས་ཅད་བདུད་རྩི་འོད་ཟེར་གྱི་རྣམ་པར་སྤྱན་དྲངས། སྔགས་ཕྲེང་ས་བོན་དང་བཅས་པ་ལ་ཐིམ། དེ་ལས་བདུད་རྩིའི་རྒྱུན་བབ་པས་བུམ་པ་དག་བྱེད་ཀྱི་བདུད་རྩིས

ཡོངས་སུ་གང་བར་གྱུར། པར་བསམ་ལ་དམིགས་བརྩེ་མ་བརྒྱ་སྟོང་སོགས་ཅི་འགྲུབ་བཟླས་མཐར། ཉི་མ་སྔགས་ཕྲེང་ས་བོན་དང་བཅས་པ་འོད་དུ་ཞུ་ནས་བུམ་པའི་ཆུ་དང་དབྱེར་མེད་དུ་གྱུར་པར་བསམ་མོ། །དེ་ནས་ཡུལ་ཁྲུས་དངོས་བྱ་བ་ལ། ཁྲུས་གཞོང་མེ་ལོང་། ཀུ་ཡུངས་བཅས་འཛོམས་པར་བྱས། གནས་དགོན་སོགས་གང་ལ་བྱ་བའི་ཡུལ་ལ་མེ་ལོང་བསྟན་དེ་དག་གི་གཟུགས་བརྙན་ཤར་བ་བྱས་ལ། རང་གི་ཐུགས་ཀའི་ས་བོན་ལས་འོད་ཟེར་འཕྲོས། དགའ་ལྡན་ཆོས་ཀྱི་ཕོ་བྲང་སོགས་རྒྱལ་བའི་ཞིང་ཁམས་རབ་འབྱམས་ནས། ཕྱོགས་བཅུའི་རྒྱལ་བ་སྲས་དང་བཅས་པ་ཐམས་ཅད་ཁམས་གསུམ་ཆོས་ཀྱི་རྒྱལ་པོ་ཙོང་ཁ་པ་ཆེན་པོའི་ལྷ་ཚོགས་དང་། རྡོ་རྗེ་སེམས་དཔའ་དང་། ཁྲོ་བོ་དང་ཁྲོ་མོ་ཚེ་བ་བརྩེགས་པ། རྡོ་རྗེ་རྣམ་འཇོམས་སོགས་ཀྱི་སྐུའི་རྣམ་པ་ནམ་མཁའི་ཁམས་གང་བ་སྤྱན་དྲངས། སྟེང་གི་ནམ་མཁར་བཞུགས་པར་གྱུར། དེ་རྣམས་ཀྱི་སྐུ་ལས་དག་བྱེད་ཀྱི་བདུད་རྩིའི་ཆུ་རྒྱུན་སྣོད་བཅུད་ཐམས་ཅད་ཁྱབ་པ་དཔག་ཏུ་མེད་པ་འབྱུང་བར་གྱུར་པར་བསམ་ལ། ཇི་ལྟར་བལྟམས་པ་ཙམ་གྱིས་ནི། །ཞེས་པ་ནས། དེ་བཞིན་བདག་གིས་ཁྲུས་བགྱིའོ། །དམིགས་མེད་བརྩེ་བའི་ནས་བློ་བཟང་གྲགས་པའི་ཞབས་ལ་གསོལ་བ་འདེབས། །འཛམ་གླིང་སྤྱི་དང་ཁྱད་པར་ཡུལ་ཕྱོགས་འདིར་གནས་ཀྱི་བསྲུང་མ་ལྷ་ཀླུ་དཀར་ཕྱོགས་སྐྱོང་བ་རྣམས་ཀྱི་གཙོས་གནས་བདག་གཞིས་བདག་ལྷ་སྲིན་སྡེ་བརྒྱད་མི་ཕྱུགས་རྣམས་དང་། རྟེན་མཆོག་གནས་དགོན་ཡུལ་ལྗོངས་དང་བཅས་པ་ལ་ཉམས་གྲིབ་འཁོན་གྲིབ་བཙོག་གྲིབ་ཕོག་པ་སོགས་གྲིབ་དང་མི་གཙང་བ་ཐམས་ཅད་སངས་ཞིང་དག་པར་གྱུར་ཅིག །ཚེ་རིང་མཆེད་ལྔ་བསྟན་སྐྱོང་བཅས། །ཞེས་པ་ནས། ལྷ་ཀླུ་གཞི་བདག་རྣམས་ལ་ཁྲུས་བགྱིའོ། །དམིགས་མེད་བརྩེ་བའི་ × × × བསྟན་ལ་དད་ཅིང་དཀར་ཕྱོགས་སྐྱོང་བའི་ལྷ་ཀླུ་རྣམས་ལ་ཉམས་གྲིབ་ནས་མི་གཙང་བ་ཐམས་ཅད་སངས་ཞིང་དག་ནས། དཀར་ཕྱོགས་སྐྱོང་བའི་མཐུ་སྟོབས་གཟི་བརྗིད་རབ་ཏུ་རྒྱས་པར་གྱུར་ཅིག །རི་བྲག་ཆུ་ཀླུང་ནགས་ཚལ་སྤང་གི་ལྗོངས། །ཁང་ཞིང་ཟས་ནོར་ཡོ་བྱད་བསྲུང་བ་དང་། །སྐྱོང་ཞིང་སྤེལ་བའི་ལྷ་ཀླུའི་ཚོགས་རྣམས་ལ། །གཙང་མ་ཆབ་ཀྱི་ཁྲུས་འདི་དབུལ་ལོ་བཞེས། །གནས་དགོན་ཡུལ་ཕྱོགས་རྣམས་བསྲུང་ཞིང་སྐྱོབ་པ་དང་ནོར་དང་གཏེར་གྱི་བདག་པོའི་ལྷ་ཀླུའི་ཚོགས་རྣམས་ལ་ཉམས་གྲིབ་ × མི་གཙང་བ་ཐམས་ཅད་སངས་ཞིང་དག་ནས། ཀླུ་དགུ་ཡོངས་ལ་འདོད་དགུའི་འབྱོར་བ་ཟད་མི་ཤེས་པ་

སྒྲོལ་བའི་དབང་དང་ལྡན་པར་གྱུར་ཅིག །སྣང་ཞིང་སྲིད་པའི་ལྷ་ཀླུ་འབྱུང་ཚོགས་ལ། །དགའ་བྱེད་ཡེ་ཤེས་ཁྲུས་ཆབ་འདི་འབུལ་བས། །ཁྱེད་རྣམས་ཀུན་གྱི་ལས་ཉོན་སྡིག་སྒྲིབ་དང་། སྡུག་བསྔལ་ཉམས་གྲིབ་ལ་སོགས་དག་གྱུར་ཅིག །དམིགས་བཅས་མའི་མཐར། སྲིད་པ་གསུམ་ན་རྒྱུ་བའི་ལྷ་སྲིན་སྡེ་བརྒྱད་སྤྱི་དང་། ཁྱད་པར་ཡུལ་ཕྱོགས་འདིར་གནས་ཀྱི་ལྷ་ཀླུ་གཞི་བདག་རྣམས་ལ་ཉམས་གྲིབ་དག་ནས་བདེ་དགེ་རྒྱ་ཆེན་པོ་འབྱུང་བར་གྱུར་ཅིག །ལྷ་ཀླུ་ཀུན་ལ་ཁྲུས་ཆབ་འདི་གསོལ་བས། །གཞན་ལ་གནོད་པའི་ནད་གདོན་གཏོང་བ་སོགས། །བསམ་ངན་སྦྱོར་རྩུབ་མ་ལུས་ཞི་གྱུར་ཏེ། །ཕན་པའི་སེམས་དང་ལྡན་པས་འཚོ་གྱུར་ཅིག །དམིགས་བཅས་མའི་མཐར། སྲིད་པ་གསུམ་ན་རྒྱུ་བའི་ཞེས་པ་ནས། དག་ནས། འགྲོ་བ་ཡོངས་ལ་ཕན་པ་དང་བདེ་བའི་བསམ་པ་རྒྱ་ཆེན་པོ་དང་ལྡན་པར་གྱུར་ཅིག །རི་ཀླུང་གནས་ཁང་རྣམས་ལ་དམིགས་ནས། རྒྱལ་བ་ལྔ་ཡི་སྒྱུ་འཕྲུལ་བདུད་རྩིའི་ཆུས། །ཉོན་མོངས་ལྔ་ཡིས་བསྐྱེད་པའི་རྒུད་པའི་ཚོགས། །འབྱུང་བ་ལྔ་ལས་གྱུར་རྣམས་ལེགས་བཀྲུས་པས། །ཡེ་ཤེས་ལྔ་ཡི་རོལ་པར་དག་གྱུར་ཅིག །དམིགས་བཅས་མའི་མཐར། ཕྱོགས་འདིའི་བདག་ཏུ་བཟུང་བའི་རི་ཀླུང་ཁང་ཞིང་སོགས་མཁོ་དགུའི་ཡོ་བྱད་བརྟན་གཡོའི་ཚོགས་ཇི་སྙེད་མཆིས་པར། ཕ་རོལ་པོའི་བྱད་སྟེམས་ཕོག་པ། ཉམས་གྲིབ་སོགས་མི་གཙང་ཉེས་པའི་ཚོགས་ཀྱིས་གོས་པ་ཐམས་ཅད་སངས་ཀྱི་དག་ནས་འདོད་དགུ་ཡིད་བཞིན་དུ་འཇོ་བའི་ནུས་པ་དང་ལྡན་པར་གྱུར་ཅིག །སྦྱིན་པའི་བདག་པོའི་གནས་ཁང་ས་ཞིང་དང་། །ཕྱི་ནང་ནོར་རྫས་ཇི་སྙེད་མཆིས་པ་ལ། །བྱད་སྟེམས་ཉམས་གྲིབ་ཕོག་སོགས་ཉེས་པའི་ཚོགས། །བདུད་རྩིའི་ཆབ་འདིས་ཡོངས་སུ་དག་གྱུར་ཅིག །དམིགས་བཅས་མའི་མཐར་སྤྲོལ་ཚིག་གོང་ལྟར་བཟླ། ཕུན་ཚོགས་གཡང་གིས་ཕྱུག་པའི་ནོར་འཛིན་གཞིར། །ཆུ་ཀླུང་སྔོན་ཤིང་རྩི་བཅུད་ལོ་ཏོག་སོགས། །འཕེལ་ཞིང་རྒྱས་ལ་གནོད་པའི་བགེགས་ཚོགས་རྣམས། །ཁྲུས་འདིས་སྦྱངས་པས་འདོད་པ་འཇོ་གྱུར་ཅིག །དམིགས་བཅས་མའི་མཐར། ཡུལ་ཕྱོགས་འདིར་གནས་ཀྱི་བསྲུང་མ་ལྷ་ཀླུ་གཞི་བདག་གླ་དཔོན་འབངས་འཁོར་སྡེ་བཅས་གནས་དགོན་ཡུལ་སྡོངས་ཐམས་ཅད་ཀྱི་དམ་ཚིག་ཉམས་ཆགས་འཁོན་གྲིབ་བཙོག་གྲིབ་སོགས་དང་། དེས་བསྐྱེད་པའི་ནད་རིམས་གདོན་བགེགས་བཀྲ་མི་ཤིས་པ་སོགས་དང་སྡིག་པ་དང་སྒྲིབ་པ་བར་གཅོད་མི་མཐུན་པའི་ཕྱོགས་ཐམས་ཅད་ཤཱནྟིཾ་ཀུ་རུ་སྭཱཧཱ། ནད་ཐམས་

ཙད་ཤིཀྵཾ་ཀུ་རུ་སྭཱཧཱ། གདོན་ཐམས་ཅད་× རིམས་ཐམས་ཅད་× འགོན་ཐམས་ཅད་× གྲིབ་ཐམས་ཅད་× བྱད་ཐམས་ཅད་× བྱུར་ཐམས་ཅད་× སྐྱལ་པ་ངན་པ་ཐམས་ཅད་× ལྟས་ངན་པ་ཐམས་ཅད་× བཀྲ་མི་ཤིས་པ་ཐམས་ཅད་× ཉེ་བར་འཚེ་བ་ཐམས་ཅད་× དུས་མ་ཡིན་པར་འཆི་བ་ཐམས་ཅད་× གཟའ་དང་རྒྱུ་སྐར་གྱི་གནོད་པ་ཐམས་ཅད་× རྒྱལ་པོ་དང་ཆོམ་རྐུན་གྱི་འཇིགས་པ་ཐམས་× བདུད་ཀྱི་ཞགས་པ་ཐམས་ཅད་× གཤིན་རྗེའི་ཕོ་ཉ་ཐམས་ཅད་× བགེགས་དང་ལོག་འདྲེན་ཐམས་× བར་གཅོད་མི་མཐུན་པའི་ཕྱོགས་ཐམས་ཅད་× ཞེས་པ་ཚར་གསུམ་མམ། བདུན་བཟླ། བྱབ་པ་ནི། འདིའི་སྐབས་དམིགས་པར། སྟེང་གི་ལྷ་རྣམས་ཀྱི་སྐུ་ལས་འོད་ཟེར་འཕྲོས་བཀྲུས་པས་མ་དག་པ་ཐམས་ཅད་འོད་ཟེར་གྱིས་བྱབ་ཤིང་དེད་པའི་མོས་པ་དང་བཅས། དྲི་ཆུའི་སྣོད་དུ་དྲི་སྣུད་བཞག་ལ། རྨ་བྱའི་སྒྲོའི་ཚུན་པོའི་སྟེང་དུ་ཉི་མ་ལ་གནས་པའི་ཧཱུྃ་ཡིག་ཐུགས་ཕྲེང་དང་བཅས་པ་ལས་འོད་ཟེར་འཕྲོས་པས། བཀྲུས་པས་མ་དག་པའི་ནད་གདོན་སྡིག་སྒྲིབ་སོགས་ཐམས་ཅད་འོད་ཟེར་གྱིས་བྱབས་ཤིང་དེད་པས་མདུན་གྱི་དྲི་ཆུ་དྲི་སྣུད་ལ་ཐིམ་པར་གྱུར། དམིགས་བཅས་མ་ཚར་གསུམ་མམ་བདུན་ནམ་ཉེར་གཅིག་སོགས་བརྗོད་དེ། ཡུལ་ཕྱོགས་འདིར་གནས་ཀྱི་ཞེས་པ་ནས། སྡིག་པ་དང་སྒྲིབ་པ་བར་གཅོད་མི་མཐུན་པའི་ཕྱོགས་ཐམས་ཅད་ཨ་པ་ན་ཡེ་སྭཱཧཱ། དེ་བཞིན་དུ། ནད་ཐམས་ཅད་ཨ་པ་ན་ཡེ་སྭཱཧཱ། ནས། བར་གཅོད་མི་མཐུན་པའི་ཕྱོགས་ཐམས་ཅད་ཨ་པ་ན་ཡེ་སྭཱཧཱ། ཞེས་ཚར་གསུམ་མམ་བདུན་ལ་སོགས་པ་བརྗོད། དེ་ནས། ན་མོ་རྗེ་བཙུན་རྩ་བ་དང་བརྒྱུད་པར་བཅས་པའི་དཔལ་ལྡན་བླ་མ་དམ་པ་རྣམས་ཀྱི་བཀའ་བདེན་པ་དང་། སངས་རྒྱས་ཀྱི་བཀའ× ཆོས་ཀྱི× དགེ་འདུན× ཁམས་གསུམ་ཆོས་ཀྱི་རྒྱལ་པོ་ཙོང་ཁ་པ་ཆེན་པོའི་ལྷ་ཚོགས་རྣམས་ཀྱི་སྐུ་གསུང་ཐུགས་གསང་བ་བླ་ན་མེད་པའི་བདེན་པ་དང་། བདེན་པ་ཆེན་པོས་བྱིན་གྱིས་རླབས་པ་ལ་བརྟེན་ནས་ཡུལ་ཕྱོགས་འདིར་གནས་ཀྱི་ནད་རིམས་གདོན་བགེགས་གནོད་ཅིང་འཚེབ་ངན་པ་ཐམས་ཅད་དྲི་ཆུ་དང་དྲི་སྣུད་འདིས་ཚིམ་བར་གྱིས་ལ། རང་རང་སོ་སོའི་གནས་སུ་སོང་ཤིག །ཨོཾ་སུཾ་བྷ་ནི་ཞེས་སོགས་བརྗོད། དེ་ཡང་གར་གྱིས་ཐབ་ཅིང་བགེགས་བསྐྲད་དེ། སངས་རྒྱས་རྣམས་ནི་བདུད་ལས་རྒྱལ། །ཆོས་ནི་ཆོས་མ་ཡིན་ལས་རྒྱལ། །དགེ་འདུན་མུ་སྟེགས་རྣམས་ལས་རྒྱལ། །དབང་པོ་ལྷ་མི་རྣམས་ལས་རྒྱལ། །ལྷ་མིན་ཟླ་བ་རྣམས་ལས་རྒྱལ། །ནམ་མཁའ་ལྡིང་ནི་རྒྱ་མཚོ་ལས། །མེ་ནི་ཤིང་རྣམས་ཀུན་ལས་རྒྱལ། །ཆུ་ནི་མེ་ལས་རྒྱལ་བ་སྟེ། །རླུང་ནི་སྤྲིན་ལས་རྒྱལ་བར་གྱུར། །རྡོ་རྗེ་ཡིས་ནི་རིན་ཆེན་ཕུག །ལྷ་རྣམས་བདེན་

པར་རབ་ཏུ་གནས། །ས་ཡང་བདེན་པར་གནས་པ་ལ། །སངས་རྒྱས་དང་ནི་ཆོས་ཀྱང་བདེན། །བདེན་པ་རྒྱལ་གྱུར་བརྫུན་མ་ལགས། །བདེན་པ་དང་བདེན་པའི་ཚིགས་འདི་དག་གི་ཡུལ་ཕྱོགས་འདི་རྣམས་བདུད་དང་མི་མཐུན་པའི་ཕྱོགས་ཐམས་ཅད་ལས་རྒྱལ་བར་གྱུར་ཅིག །ཛ་ཡ་ཛ་ཡ། སིདྡྷི་སིདྡྷི་སྭཱཧཱ། དེ་རྗེས་བསྲུང་བའི་སྐབས་ཀྱི་དམིགས་པ་ནི། སྟེང་གི་ལྷ་ཚོགས་ཐམས་ཅད་སྣོད་བཅུད་ཡུལ་ཁམས་ཐམས་ཅད་ལ་ཐིམ་པས་སྣོད་ཐམས་ཅད་དག་པ་ལྷའི་གཞལ་ཡས་ཁང་དང་། བཅུད་ཐམས་ཅད་རྡོ་རྗེ་རྣམ་འཇོམས་སུ་གྱུར་པའི་སྐུ་ལས་འོད་ཟེར་འཕྲོས་པས་ཡུལ་ཁམས་རྣམས་ཀྱི་ཕྱི་རོལ་ཏུ་རྡོ་རྗེའི་ས་གཞི་གུར་བླ་རེ་མེ་རིས་ཡོངས་སུ་བསྐོར་བའི་བསྲུང་བ་ཆེན་པོར་གྱུར་པའི་མོས་པ་དང་བཅས། རང་ལྷར་གསལ་བའི་ཐུགས་ཀའི་ཧཱུྃ་ལས་འོད་ཟེར་འཕྲོས། ཡུལ་ཕྱོགས་འདི་དག་གི་སྟེང་འོག་ཕྱོགས་མཚམས་ཐམས་ཅད་རྡོ་རྗེའི་རྭ་ལྕགས་རབ་ཀྱི་རང་བཞིན་དུ་གྱུར་ཏེ། ནད་གདོན་སྡིག་སྒྲིབ་ཐམས་ཅད་ཀྱི་གནོད་པས་མི་ཚུགས་པའི་བསྲུང་བ་ཆེན་པོར་བྱིན་གྱིས་བརླབས་པར་གྱུར། དམིགས་བཅས་མ་ཆར་གསུམ་མམ་བདུན་བརྗོད་དེ། ཡུལ་ཕྱོགས་འདིར་གནས་ཀྱི་བསྲུང་མ་ལྷ་ཀླུ་གཞི་བདག་བླ་དཔོན་འབངས་འཁོར་སྡེ་བཅས་གནས་དགོན་ཡུལ་ལྡོངས་ཐམས་ཅད་ཀྱི་དམ་ཚིག་ཉམས་ཆགས་འཁོན་གྲིབ་བཙོག་གྲིབ་སོགས་དང་། དེས་བསྐྱེད་པའི་ནད་རིམས་གདོན་བགེགས་བཀྲ་མི་ཤིས་པ་སོགས་དང་སྡིག་པ་དང་སྒྲིབ་པ་བར་གཅོད་མི་མཐུན་པའི་ཕྱོགས་ཐམས་ཅད་ལས་རཀྵ་རཀྵ། ནད་ཐམས་ཅད་ལས་རཀྵ་རཀྵ། ནས། བར་གཅོད་མི་མཐུན་པའི་ཕྱོགས་ཐམས་ཅད་ལས་རཀྵ་རཀྵ། ཞེས་ཆར་གསུམ་མམ་བདུན་བརྗོད། རྒྱལ་བ་སྲས་བཅས་བདེན་པའི་མཐུ་སྟོབས་དང་། །འཇམ་མགོན་ཙོང་ཁ་པ་ཡི་བྱིན་རླབས་ཀྱིས། །ཡུལ་ཕྱོགས་འདི་རྣམས་བདག་གིས་བསྲུང་ཟིན་གྱིས། །འདི་ལ་སུས་ཀྱང་གནོད་པར་མ་བྱེད་ཅིང་། །བཛྲ་རཀྵ་རཀྵ་ཞེས་བརྗོད། འདོད་གསོལ་སྨོན་ཚིག་ནི། འཇིག་རྟེན་བདེ་ཞིང་ལོ་ལེགས་དང་། ཞེས་སོགས། ཀླུ་རྒྱལ་དགའ་བོ་ཞེས་སོགས། ལྷས་ཀྱང་དུས་སུ་ཆར་འབེབས་ཤིང་། །ལོ་ཏོག་ལུན་སུམ་ཚོགས་པ་དང་། །རྒྱལ་པོ་ཆོས་བཞིན་བྱེད་གྱུར་ཅིག །འཇིག་རྟེན་དག་ཀྱང་དར་བར་ཤོག །དཀར་ཕྱོགས་ལྷ་ཀླུ་དར་བའི་མཐུས། །མི་ཤིས་མཚན་མ་མི་འབྱུང་ཞིང་། །འདོད་དགུ་ཡིད་བཞིན་འཛོ་བ་ཡིས། །ཡུལ་འདི་བདེ་ཞིང་སྐྱིད་གྱུར་ཅིག །ལེགས་བྱས་འདབ་བརྒྱ་བཞད་པ་ལས། །ཚེ་

བསོད་གི་སར་རྟག་བཀྲ་ཤིང་། །བདེ་སྐྱིད་དགའ་སྟུ་བུང་བའི་དབྱངས། །དར་དིར་སྒྲོགས་པས་འཚོ་གྱུར་ཅིག །གནས་འདིར་བཀྲ་ཤིས་གཡང་དུ་ཆགས་པ་ཡིས། །མངའ་ཐང་ལོངས་སྤྱོད་རིགས་བརྒྱུད་འཕེལ་བ་དང་། །ཚེ་རིང་ནད་མེད་བདེ་ཞིང་སྐྱིད་པ་ཡིས། །རྟག་ཏུ་འཚོ་བས་དགེ་མཚན་འབར་གྱུར་ཅིག །བདེ་སྐྱིད་དགའ་བ་འཛོམས་པའི་ཡུལ་ལྗོངས་འདིར། །འབྱུང་ལྔའི་བཅུད་ཀྱི་ཐིག་ལེ་ཆེས་སྨིན་པས། །ཕུན་ཚོགས་སྤུཾ་གཡང་ཁྱུགས་པའི་ཛ་མཚར་དཔྱིད། །ཤིས་པའི་དགའ་སྟོན་ཡུན་དུ་རྒྱས་གྱུར་ཅིག །གཞན་ཡང་ལྗོངས་འདིར་ནད་མཚོན་མུ་གེ་སོགས། །མི་མཐུན་རྐྱེན་པའི་མིང་ཡང་མི་གྲགས་ཅིང་། །བློ་བཟང་གྲགས་བསྟན་ཕྱོགས་བཅུར་རྒྱས་པ་དང་། །འགྲོ་ཀུན་བདེ་སྐྱིད་ལྡན་པའི་བཀྲ་ཤིས་ཤོག །ཚངས་དང་ལྷ་དབང་ཞེས་སོགས་ཤིས་བརྗོད་ཀྱིས་བརྒྱན་པར་བྱའོ། །༸ཅེས་པ་འདི་ནི་དམིགས་བརྩེ་མའི་སྒོ་ནས་ཆར་འབེབས་སད་བསྲུང་སོགས་བྱེད་སྐབས་ལག་ལེན་འདུག་པ་བདེ་ཆེད། དེ་འབྲེལ་གྱིས་ཡུལ་ཁྲུས་བྱ་ཚུལ་ཞིག་དགོས་ཞེས་༸གོང་ས་མཆོག་གི་སྐུ་བཅར་མཁན་དྲུང་འབུམ་ཐང་པ་ཡེ་ཤེས་ཕུལ་བྱུང་ནས་ནན་གྱིས་བསྐུལ་མ་མཛད་པ་ལྟར་༸ཡོངས་འཛིན་ཕུར་ལྕོགས་པ་༸ཤཱཀྱའི་དགེ་སློང་བློ་བཟང་ཚུལ་ཁྲིམས་བྱམས་པ་རྒྱ་མཚོས་བྲིས་པ་དགེ་ལེགས་འཕེལ། །སརྦ་མངྒ་ལཾ།། །།

༄༅། །ཀླུའི་བུམ་གཏེར་གྱི་གདམས་པའི་གསལ་བྱེད་རིན་ཆེན་བུམ་བཟང་ཞེས་བྱ་བ་བཞུགས་སོ།

༄༅། །ན་མོ་གུ་རུ་ནཱ་གེནྡྲ་ནཱ་ཐཱ་ཡ། འདིར་ཀུན་མཁྱེན་འཇམ་དབྱངས་བཞད་པའི་ཀླུའི་བུམ་གཏེར་གྱི་སྟེང་ནས་ཁྲིད་ལན་གསུམ་མཛོས་པའི་སྐབས་ཀྱི་བརྗོད་བྱ་ནི། ཕྱོགས་བཅུའི་རྒྱལ་བ་རྣམས་ཀྱི་ཐུགས་ལ་དགོངས་རྒྱུ་གཞན་དོན་ཁོ་ན་ལས་མེད། སེམས་ཅན་ཐམས་ཅད་དྲིན་ཅན་གྱི་མར་གྱུར་པ་ཤ་སྟག་ཡིན་པས་བདེ་བ་ཐམས་ཅད་ལ་འགོད་དགོས། འགོད་རྒྱུའི་བདེ་པ་དང་དེ་སྒྲུབ་པའི་ཐབས་གྲངས་མེད། དེའི་ནང་ནས་འཇིག་རྟེན་གྱི་ཁམས་ཀྱི་མིའི་ཚེ་བསོད་ཆོས་འབྱོར་བདེ་སྐྱིད་འཕེལ་བའི་ཐབས་བསྟེན་ན་དེ་ལ་བརྟེན་ནས་རང་གིས་ཆོས་སྒྲུབ་སྟེ་སངས་རྒྱས་ཀྱི་གོ་འཕང་བཙལ་དགོས། འཇིག་རྟེན་གྱི་བདེ་སྐྱིད་དེ་ཡང་། འཛམ་བུའི་གླིང་འདིར་ཆུ་ཀླུང་ཇི་སྙེད་ཅིག་འབབ་ཅིང་། །ནས། དེ་ནི་ཀླུ་ཡི་བདག་པོ་དེ་ཡི་མཐུ་དཔལ་ཡིན། །ཞེས་ཡུལ་དེའི་ཀླུ་དགའ་བ་དང་དར་བ་དང་འཕེལ་བ་གལ་ཆེ། དེའི་སྟོབས་ཀྱིས་ཀླུའི་རྒྱལ་པོ་རྒྱ་མཚོས་ཞུས་པ་དང་། མ་དྲོས་པས་ཞུས་པའི་མདོ་སོག་ལས་སངས་རྒྱས་བཅོམ་ལྡན་འདས་ཀླུའི་ཡུལ་དུ་སྤྱན་དྲངས་ཚུལ་གྱི་རྣམ་ཐར་ལ་དཔྱད་རྒྱུ་དང་གོ་རྒྱུ་མང་། དེས་ན་ཀླུའི་བུམ་གཏེར་བྱེད་པར་འདོད་ན་རྒྱལ་དབང་ལྔ་བ་ཆེན་པོའི་གཟུངས་གཞུག་འབྲུལ་སྒྲོང་དུ་ཁུངས་མེད་ཀྱི་རང་བཟོ་བཀག་པ་ལྟར་མདོ་རྒྱུད་ཀྱི་དགོངས་པ་མ་ནོར་བ་གལ་ཆེ། ཀུན་མཁྱེན་འཇམ་དབྱངས་བཞད་པས་སྲད་རྒྱུད་རྡོ་རྗེ་འཆང་དཀོན་མཆོག་ཡར་འཕེལ་ལས་འདིའི་ཁྲིད་གསན་ཏེ་གསུང་བཤད་གཞིར་གཞག་པའི་ཚོ་ག་མཛད་པའི་སྟེང་ནས་ཁྲིད་རྒྱུན་ཡོད། སྤྱིར་བུམ་གཏེར་ལ་རིགས་མང་བ་ཐུའུ་ཀྭན་རིན་པོ་ཆེའི་གསུང་དུ། རིགས་ལྔ། སའི་ལྷ་མོ། ཀླུ། ཛམ་གྱི་གཏེར་རྣམས་གསུངས་པ་ལྟ་བུས་མཚོན་ནས་ཤེས། ཀླུའི་བུམ་གཏེར་ལ་ཡང་ཞི་རྒྱས་དབང་དྲག་གི་བུམ་གཏེར་བཞི་ཡོད། འཇམ་དབྱངས་བདེ་བའི་རྡོ་རྗེ་དང་། ཁྲི་

ངག་དབང་མཆོག་ལྡན་གྱི་མཛད་པའི་བུམ་གཏེར་སོགས་ཕྱག་ལེན་ཅུང་ཟད་འདྲ་མིན་མང་། ལས་སོ་སོའི་བུམ་གཏེར་ལ། ཞི་བར་རྫས་སྤྱི་འགྲོ་གཞིར་བཞག་ལ་ནད་ཞི་བ་ལྟ་བུར་ནད་ཀྱི་བྱེ་བྲག་གང་ཡིན་པ་དེ་དང་དེ་ཞི་བའི་སྨན་གྱི་རིགས་དང་། རྫས་ཤིན་ཏུ་འཇམ་ཞིང་ཀླུ་ལ་མི་གནོད་པ། ནད་དམིགས་གསལ་དེ་དང་དེ་ཞི་བའི་སྤེལ་ཚིག་དང་། ས་ཡང་ཞི་ཞིང་འཇམ་པར་སྒྲུབ་དང་། རྒྱས་པར་ཚེ་བསོད་ཆོས་འབྱོར་རྒྱས་པའི་རྫས་དང་། དེ་ལྟ་བུའི་སྤེལ་ཚིག་དང་འདོད་གསོལ། ས་བཀྲ་བཟང་བར་སྒྲུབ་དང་། དབང་ལ་འདི་ཐོས་པས་ཁམས་གསུམ་དབང་དུ་འགྱུར་རོ་ཞེར་བ་ལྟ་བུའི་རྫས་དང་། དེ་མཐུན་གྱི་སྤེལ་ཚིག་སྦྱོར་ཞིང་། དབང་གི་རྟེན་འབྲེལ་ལ་བསྟགས་པའི་སར་སྒྲུབ་དགོས། གཙུག་ལག་ཁང་གི་རྨང་གཞིའི་བུམ་པ་ནི་དེའི་མཐིལ་དུ་འཇོག །མཆོག་གི་གྲུབ་བརྙེས་ཀྱི་གསུང་ལས་ཞེས་པ་དཀྣ་ན་ཨ་ཙརྻ་འམ་པཎྜི་ཏ་འགྲོ་བའི་མེ་ལོང་ཞེས་ཚེའི་རིག་འཛིན་བརྙེས་ཏེ་ཚེམས་ལན་ཉི་ཤུ་རྩེས་པའི་གྲུབ་ཆེན་དེས་མཛད་པའི་ཀྲི་ཡ་ས་མ་ཀྱུ་རྩའི་ལུང་དྲངས་པ་ཡིན། གནས་རི་རྩེ། རི་སྐེད། རི་ཞོལ། ནགས་ཚལ་སོགས་སུ་འབུལ་ཚུལ་མི་འདྲ་བ་ཡོད། ས་དཔྱིབས་ཀྱི་བཀོད་པ་དང་། ཆུའི་ཁ་དོག་དྲི་རོ་ལས་དེར་གནས་པའི་ཀླུ་མི་འདྲ་ཚུལ་གྱི་ཡའི་ལུང་ཤོ་ལོ་ཀ་དང་པོས་མདོར་བསྟན་ནས། ལྷག་མས་ཞིང་དང་ཆུ་མིག་ལ་ཀླུ་མཐའ་ཡས་གནས་པ་སོགས་སོ་སོའི་གནས་མ་འདྲེས་པར་ཤེས་ན་ཀླུ་དེ་དང་དེ་གཙོ་བོར་བྱས་པའི་བུམ་གཏེར་བྱས་ན་ཤིན་ཏུ་ལེགས། དེ་འདྲ་མ་ཤེས་ན་འདིར་གསུངས་པ་ལྟར་སྤྱི་འགྲོའི་ཚིག་སྦྱར་བས་འཐུས། རིན་པོ་ཆེའི་བུམ་པ་ཀུན་པོ་སོགས་ཀྱིས་ཁྱེར་ནས་གཏེར་མི་བརྟན་པའི་དོགས་པ་ཡོད་པས་ས་གཏེར་དང་ཆུ་གཏེར་ལ་མི་ལེགས་གསུངས། དེས་ན་རྫ་སོགས་ཀྱིས་རུང་། བུམ་པའི་ཁ་དོག་སྤྱིར་བཏང་དཀར་པོ་དང་། ཞི་རྒྱས་དབང་དྲག་ལ་དཀར་སེར། མར་ནག་བྱ། མཛོད་བུམ་ནི་ཁྱིམ་གཏེར་ཁང་པའི་ནང་དུ་སྦ། ཆེ་ཆུང་གི་ཚད་རྒྱུད་ལྟར་ཆེ་འབྲིང་འདུས་པ་དང་དུས་འཁོར་གྱི་རྣམ་རྒྱལ་བུམ་པའི་ཚད་སྟགས་རིམ་ལས་གསུངས་པ་ལྟར་དང་། མ་མཐའ་ཡུ་དེའི་བྲེ་གང་ཤོང་བ་གལ་ཆེ། ད་ལྟ་ནོར་རྫས་ལ་སྲིད་པས་གཏེར་སྒྲུབ་མཁན་མང་ཡང་ནང་དུ་རྫས་ཕོར་གང་ལས་མི་ཤོང་བ་རྟེན་འབྲེལ་མི་ལེགས། བུམ་པ་གཅིག་ལས་མེད་ན་མདུན་རྒྱབ་མི་ནོར་བའི་ཕྱིར་མདུན་དུ་རིན་པོ་ཆེ་ཆ་དགུ་པ་ལས་གཞན་རི་མོ་སྣ་ཚོགས་དགོས་པའི་ངེས་པ་མེད། ཀླུ་དབང་གཙོ་འཁོར་ལྔའི་

བུམ་པ་སོ་སོར་ཡོད་ན་མདུན་དུ་རང་རང་གི་ཕྱག་མཚན་དང་། བུམ་པ་གཅིག་ལ་ཕྱོགས་སོ་སོར་བྲིས་ཆོག །འཁོར་པ་རྒྱས་པ་དང་། ས་དཔྱད་ངན་པ་བསལ་པ་སོགས་ལ་སྐུ་མེད་པར་གཏེར་རྫས་ཀྱིས་བཀང་ནས་ནམ་མཁའ་མཛོད་ཀྱི་རང་བཞིན་དུ་བྱིན་གྱིས་བརླབས་པ་གནས་ལེགས་ཉེས་ལ་ལྟོས་པ་མེད་པར་གང་འདོད་སར་བཞག་ཆོག་པ་མཆོད་པ་གར་ཡང་ཕུལ་ཆོག་པ་དང་འདྲ། ལྷ་བུམ་ལ་ཀླུ་དབང་བྱེད་ན་དེའི་སྐུ་དང་། ཀླུ་བུམ་ལ་ཀླུ་སོ་སོའི་སྐུ་དགོས། མཛོད་བུམ་དང་ཀླུ་བུམ་ཡོད་ཀྱང་ཆོག །རྫས་ལ་རག་གམ་ར་གན་ཞ་ཉེ་སོགས་མི་རུང་བས་དེ་དག་གི་ངོ་ཚེ་ཡང་བཞག་མི་ཆོག །བྲ་བོ་ནི་ཡོངས་གྲགས་གྲོ་ས་ཞེས་འབྲས་བུ་ནག་པོ་ཟུར་གསུམ་པ་དང་། ཤངས་ཚེ་ནི་ཁ་ཅིག་གིས་ཧ་ཤོའི་འབྲས་བུ་ཟེར་ཡང་སྐྱེ་ཚེ་དང་དབྱིབས་འདྲ་བའི་རྩ་འབྲས་བུ་ཙན་རི་འགོར་ཡང་ཡོད། ཡོངས་གྲགས་ཀྱི་སྨན་མ་ནི་གཏེར་རྫས་སུ་རུང་བར་གསུངས་པས། འགའ་ཞིག་གིས་སྨན་མ་མི་རུང་ཟེར་བ་སྨན་གྱི་སྨད་མ་ལ་ངོས་འཛིན་ཟེར་མཁན་ཡོད། ཁྱུང་སྔེར་དང་ཀླ་རྩེ་སོགས་ཀླུ་ལ་གནོད་པའི་སྨན་གྱིས་དྲིས་ཀྱང་མ་གོས་པ་དང་། ཤ་ཚང་གིས་མ་སྦགས་པ་ཤིན་ཏུ་གལ་ཆེ། ཡེ་ཤེས་བུམ་པའི་ནང་དུ་ཀླུ་སྨན་གྱི་རིགས་ངེས་པར་མི་དགོས་ཀྱང་། ཀླུ་བུམ་ལ་ཀླུ་གཏོར་ལྟར་གྱི་ཀླུ་སྨན་ཆ་ཚང་གལ་ཆེ། བུམ་པ་དགུ་ཡོད་ན་རེ་རེ་ལ་རང་རང་གི་སྐུ་ཐུགས་སྙིལ་དང་བཅས་པ་རེ་རེ་འཛོག །བུམ་པ་ལྔ་ཡོད་ན་ཤར་དང་ཤར་ལྷོའི་ཀླུ་ལ་བུམ་པ་གཅིག་སོགས་དེའི་རིགས་འགྲེ། གཉིས་ལས་མེད་ན་དེ་བཞིན་གཤེགས་པར་བུམ་པ་གཅིག་དང་། ཀླུ་བརྒྱད་གཙོ་བོ་དང་བཅས་པར་གཅིག་བྱ། བུམ་པ་གཅིག་གི་སྨད་ལ་ཀླུ་དང་། སྟོད་ལ་དེ་བཞིན་གཤེགས་པ་གཙོ་འཁོར་འཛོག །ཁྲི་ངག་དབང་མཆོག་ལྡན་དང་འཇམ་དབྱངས་བདེ་བའི་རྡོ་རྗེའི་གསུང་ལྟར་ན་སྐུ་རྣམས་མ་བསྒྲིལ་བར་ལེབ་མོར་དབུས་སུ་གཙོ་བོ། ཕྱོགས་མཚམས་སུ་འཁོར་རྣམས་ཞལ་གཙོ་བོ་ལ་ཕྱོགས་པའམ། ཐམས་ཅད་གཙོ་བོ་དང་ལྷ་ཕྱོགས་མཐུན་པར་འགོད་པ་དང་། སྐུ་དང་ཐུགས་སྙིལ་གཡོན་ནས་བསྒྲིལ་ཏེ་བཀོད་ཀྱང་རུང་བས་གང་བདེ་བྱ། འོན་ཀྱང་སྲིད་རྒྱུད་པའི་ཕྱག་བཞེས་ལ་ལྷ་ཀླུའི་བུམ་པ་གཉིས་སམ། གཅིག་ལས་མེད་ཚེ་ཤོག་བུ་གཅིག་ལ་ཐོག་མར་ཀླུ་དབང་རྒྱལ་པོ། དེ་ནས་མདུན་གྱི་བྱང་སེམས། དེ་ནས་གཡས་ཀྱི་བྱང་སེམས། དེ་ནས་རྒྱབ་ཀྱི་བྱང་སེམས། དེ་ནས་གཡོན་གྱི་བྱང་སེམས་རྣམས་ཐར་ཆགས་སུ་བྲིས། སྟེང་དུ་གདུགས་དང་། འོག་ཏུ་མཚོ།

མཐར་མཆོད་རྫས་རྣམས་བྲིས་ཀྱང་ཆོག །དེ་ནས་གཡས་ཕྱོགས་ནས་ནང་དུ་བསྐྱིལ་བས་གཙོ་བོ་དབུས་དང་། འཁོར་བཞི་པོ་རིམ་བཞིན་ཕྱོགས་བཞིར་འབབ་པ་ལྟར་ཡོངས། ཡང་ཤོག་བུ་གཅིག་ལ་ཀླུ་དབང་གི་སྔགས་རང་གིས་གང་འདོད་པའི་སྒྲིལ་ཆོག་དང་བཅས་འགོ་ནས་བསྐྱིལ་བས་སྐུའི་མདུན་གྱི་ཐུགས་ཀའི་ཐད་དུ་འབབ་པ་བྱས་ནས་འཛོག །དེ་བཞིན་དུ་ཤོག་བུ་གཅིག་ལ་ཀླུ་གང་གཙོ་བོར་བྱེད་པ་ཐོག་མར་བྲིས། དེར་མཐུད་ནས་ཤར་དང་ཤར་ལྷོའི་ཀླུ་སོགས་རིམ་པར་བྲིས། དེའི་འདབ་ལ་གདུགས། རྒྱལ་མཚན། བ་དན་མཆོད་རྫས་ཀྱི་བྱེ་བྲག་སྣ་ཚོགས་དང་། སྟེང་དུ་གདུགས་དང་ཟླ་རེ། འོག་ཏུ་མཚོ་དང་ཆུ་རིས་བྲིས། གཡས་ནས་ནང་དུ་བསྐྱིལ་ན་གཙོ་བོ་དབུས་སུ་འོང་ཞིང་འཁོར་ལྷག་མས་བསྐོར་བ་ལྟ་བུ་དང་། གདུགས་དང་བ་དན་ཆུ་རིས་ཀྱིས་ཀྱང་སྟེང་འོག་ཕྱོགས་མཚམས་ཀྱི་མཐའ་བསྐོར་བ་འབྱུང་། གཟུངས་གཞུག་གི་དོན་དུ་ཀླུ་རྣམས་ཀྱི་སྔགས་སྒྲིལ་ཆོག་དང་བཅས་པ་གོང་རིམ་སྔར་ལྟར་ཐར་ཚགས་སྒྲེང་གཅིག་ཏུ་བྲིས་ལ་འགོ་ནས་ནང་དུ་བསྐྱིལ་ཏེ་སྐུ་གཟུགས་ཀྱི་ཐུགས་ཀའི་ཐད་ཀྱི་མདུན་དུ་བཙུགས་ནས་འཛོག་པ་སྲིད་རྒྱུད་རྡོ་རྗེ་འཆང་གི་གསུང་རྒྱུན་འཁྲུལ་མེད་ཡིན། དེ་དག་ལ་ན་བཟའ་དང་སྐུད་པ་སོགས་གང་བདེ་བྱ། སྤྱིར་རྒྱལ་དབང་གི་འཁྲུལ་སྤོང་ལྟར་གཟུངས་གཞུག་འགོ་ནས་དྲིལ་བ་གཏན་ནས་མི་རུང་བའང་མིན་ཀྱང་མཇུག་ནས་ནང་དུ་དྲིལ་ན་ཤིན་ཏུ་ལེགས། ཀླུའི་བུམ་གཏེར་ལ་ཕྱག་ལེན་འདི་ལྟར་ན་སྔགས་ཀྱང་སྐུའི་བབས་ལྟར་དབུ་ནས་ནང་དུ་བསྐྱིལ་བས་ཁྱབ་གསུངས། མདོར་ན་བུམ་པ་གཅིག་ལ་ཆ་གསུམ་དུ་བྱས་པའི་ཆ་གཅིག་གཏེར་རྫས་ཀྱིས་བཀང་། དེའི་སྟེང་ཀླུའི་སྐུ་དང་། ཐུགས་ཀའི་ཐད་སྔགས་སྒྲིལ་བཙུགས། སྟེང་དུ་གཏེར་རྫས་བླུག །མཚམས་དར་ཞིག་ཡོད་དམ་མེད་ཀྱང་རུང་། དེའི་སྟེང་གཏེར་རྫས་ལ་ཀླུ་དབང་གི་སྐུ་དང་། མདུན་དུ་སྔགས་སྒྲིལ་བཙུགས། གཏེར་རྫས་ཀྱིས་བཀང་། ཁ་ཤིང་ཀླུམ་པོའམ་རྗོས་བཅད། སྟེང་དུ་ནོར་བུ་དཀའ་འཁྱིལ་གྱི་རི་མོ་བྲི་བའམ། ཤིང་འགོ་མཇུག་མ་ལོག་པ་ལ་བསྐོ་བ་ཕྱག་ལེན་ཡིན། བུམ་པ་དགུ་ཡོད་ན་པདྨ་འདབ་བརྒྱད་ཀྱི་ལྟེ་འདབ་དང་། གཅིག་ཡིན་ཆེ་དབུས་སུ་འགོད། ཀླུ་བུམ་དགུ་ཡོད་ན་དབུས་སུ་ལྷ་བུམ་ཀླུ་བུམ་གཉིས་བརྩེགས་ནས་འགོད་པའམ། ལྷ་བུམ་སྟེང་གི་བང་རིམ་ལྟ་བུ་གང་བདེར་བཞག་ཀྱང་ཆོག །དེ་བཞིན་གཤེགས་པའི་བུམ་པ་མེད་པར་ཀླུ་བུམ་རྐྱང་བའང་རུང་། དབུས་ཀྱི་པོ་

ཏ་ལར་ཀླུ་གཏེར་ལ་སྟེགས་མཐོན་པོའི་སྟེང་སྤང་ལྗོངས་གྲུ་བཞིར་བསྒྲིགས་པའི་སྟེང་པདྨ་འདབ་བརྒྱད་ལ་བུམ་པ་བཀོད། མཐའ་སྐོར་དུ་ཤུག་ལོ་དང་། གདུགས་དང་། བ་དན། དར་གྱི་ལྷ་ཐེ་སོགས་བཀོད་འདུག་པ་མཐོང་བས་ཕྱག་ལེན་ཡིན་མིན་མ་ངེས་ཀྱང་དཔྱར་དུས་སྤང་ལྗོངས་བཟོ་བ་སོགས་གྲུབ་ན་མཛེས་ཆ་ཡོད། ཤོག་ཆེན་གྱི་གདུགས་དང་བ་དན་སོགས་མཐའ་སྐོར་དུ་བཀོད་ཀྱང་རུང་ལ། སྐུ་གཟུགས་ཀྱི་མཐར་རི་མོར་བྲིས་པ་གཏེར་སྲུ་བ་སོགས་ལ་ལག་ཏུ་བླང་བདེ། མཐའ་མཆོད་པས་བསྐོར། ཀླུའི་མཆོད་པར་ཞབས་བསིལ་མི་དགོས། ཡོངས་གྲགས་ཀྱི་སྤོས་ལ་གླ་རྩི་ཡོད་པས་མི་རུང་། དེས་ན་འདིར་སྤོས་དཀར། ཙནྡ་དཀར་དམར། སྤང་སྤོས། ཨ་ག་རུ་ནག་པོ་སོགས་ཀྱི་སྤོས་དང་། དེས་མཚོན་ནས་མཆོད་རྫས་དང་ཡོ་བྱད་ཐམས་ཅད་ཀླུ་ལ་མི་གནོད་ཅིང་ཕན་པ་དགོས། བདག་བསྐྱེད་སེནྡྷའི་སྒྲ་དང་ཀླུ་དབང་གང་རིགས་བྱ། ལྷ་ཀླུའི་བུམ་པ་སོ་སོར་ཡོད་ན་ཧཱུྃ་གཉིས་དང་། གཅིག་ལས་མེད་ན་ཧཱུྃ་གཅིག་ལས་བསྐྱེད། བུམ་པ་མང་པོ་ཡོད་ཀྱང་ཧཱུྃ་གཉིས་ལས་བརྗོད་མི་དགོས། ཐམས་ཅད་ཀྱིས་སོ་སོར་ཧཱུྃ་རེ་གྲུབ་པར་མོས་ཞེས་གསུང་བཤད་ལས་འབྱུང་། འདིའི་ཐུགས་དྲུག་དང་ཕྱག་རྒྱ་དྲུག་ཡོངས་གྲགས་དང་ཅུང་ཟད་མི་འདྲ། ཕྱག་རྒྱ་གཞན་གཞུང་ལྟར་ལ། རྡོ་རྗེ་མོའི་མཐེ་བོང་བསྣོལ་བའི་མཐེབ་མཛུབ་ངོས་ཕྱེ་བ་ནི། མཐེ་བོང་བསྣོལ་བ་མཛུབ་མོའི་རྩ་བར་སྦྱར་བ་མ་ཡིན་པར་ཕྱིར་ཅུང་ཟད་བཀྱེད་པའོ། །བུམ་གཏེར་གྱི་སྐབས་ཐུགས་སོ་སོའི་མཇུག་ཏུ། ཡོ་བྱད་ཀྱི་མ་དག་པ་སྦྱངས་ཤིང་སྐྱོན་མེད་པར་བྱས་པར་གྱུར། ཞེས་སོགས་རང་རང་གི་དམིགས་པ་རྣམས་ཀྱང་ངག་ཏུ་བརྗོད་པ་ཕྱག་ལེན་ཡིན་གསུངས། ཐུགས་དྲུག་ཕྱག་རྒྱ་དྲུག་ཉིན་མང་པོར་འདོན་ཞིང་གཏེར་རྫས་རྣམས་ཡེ་ཤེས་ཀྱི་རང་བཞིན་དུ་བྱིན་གྱིས་བརླབས། སྤྲོ་བསྡུའི་དམིགས་བཞི་བ་ལ་སྐུ་ལས་འོད་ཟེར་དཀར་པོའི་ཚོགས་སྤྲོས་པས་ཀླུ་རྣམས་ཀྱི་སྡིག་སྒྲིབ་དང་ནད། དེའི་རྐྱེན་ལས་གྱུར་པའི་སྒྲིབ་བདག་གི་ནད་རྣམས་ཞི་བ་དང་། རྒྱས་པར་འོད་ཟེར་སེར་པོས་ཚེ་བསོད་འབྱོར་བ་རྒྱས་པ་དང་། དབང་ལ་འོད་དམར་པོས་བསྒྲུབ་བྱ་འགུགས་པ་སོགས་སྤྱི་འགྲོ་ལྟར་ཡིན། ཞིང་གི་བདག་པོ་ཀླུ་མཐའ་ཡས་ཡིན་པས་ཞིང་ནང་དུ་ཀླུ་གཏེར་འཇོག་ན་དེ་གཙོ་བོར་བྱེད་པ་སོགས་རང་རང་གིས་ཆའི་བབས་ཀྱིས་ཀླུ་གང་གཙོ་བོར་བྱ་དགོས་པ་ཤེས་ན་དེ་དང་། མི་ཤེས་ན་འཁོར་པ་རྒྱས་པ་དང་སྤྱི་འགྲོ་ལ་ནོར་རྒྱས་དང་། ཆུ་གཏེར་ལ

ཤ་ཏྲ་ཅ་གཙོ་བོར་བྱ། ཚུ་ལྷ་དབུས་སུ་སོང་ན་དེའི་གནས་སུ་ནོར་རྒྱུས་སོགས་རིགས་འདྲ། སྤྱི་བོར་བཀྲ་ཤིས་ནི་བཀྲ་ཤིས་རྟགས་བརྒྱད་དང་། དེ་མ་ཐུས་ན་ཡོངས་གྲགས་ཐིག་ལེ་བརྒྱད་བྲི་བ་དེ་མཆོན་བྱེད་ཡིན་ནམ་སྙམ། རི་མོ་གསུམ་པ་ནི་དུང་དཀར་གཡས་འཁྱིལ་ལ་བྱེད། ཞི་སོགས་ལས་མཐུན་གྱི་ཕྱག་མཚན་བསྒྱུར་ཀྱང་ཆོག །གཡོན་ཕྱོགས་ནས་རིག་མས་བསྙེན་པ་གནོད་སྦྱིན་འཁོར་ལོའི་སྒྲུབ་ཆོག་སོགས་ལ་ཡོད། ཀླུའི་དབང་ཕྱུག་གི་སྒྲུབ་ཐབས་ནི་མགོན་པོ་ཀླུ་སྒྲུབ་ཀྱི་ཡིན་པས་གོང་གི་སློབ་དཔོན་ཞེས་པ་དེ་ཡིན། ཟན་རིལ་ལ་སོར་རྩེས་རྫེས་བཏོད་པའི་ཟན་གྱི་ཁམ་ཕོར་བརྒྱད་དུ་འོ་མ་དང་ཀླུ་སྨན་བཏབ་པ་ནི་གྲི་ཡ་ནས་བཤད་པའི་གཏོར་མ་ཡིན། ཞག་བདུན་ལ་སོགས་པར་སྒྲུབ་ནས་ས་ལ་སྦ་ན་རྒྱས་པར་སྔོ་འཕྲེའི་ཐིག་དང་། མིན་ཀྱང་སའི་བདག་པོ་སོགས་ལ་བསང་དང་དཀར་གཏོར་བཏང་། ས་བཏགས་བསླང་སྦྱངས་བཟུང་རྒྱས་བསྡུས་སྐབས་བསྟུན་བྱ། འདོམ་གང་ཙམ་བྲུས་ལ་ནང་དུ་རྫོ་ཁང་བརྩིགས། དེ་ལ་ཞལ་བ་དང་ཀླུ་སྨན་བཏབ། རྣན་གྱིས་མི་གནོད་ཆེད་སྟེང་འོག་ཀུན་ཏུ་ཤུག་པ་མང་དུ་བླུག །དེའི་ནང་དུ་པད་གདན་ལ་བུམ་པ་གཉིས་ཡོད་ན་བརྩེགས་ནས་བཞག །ཟངས་གཞོང་གཙང་མར་ར་དཀར་མོ་དང་བ་དམར་མོའི་འོ་མ་ཤ་ཆང་སླ་རྩི་དང་དྲི་ངན་པས་མ་སྦགས་པར་ཐད་ཀ་དེར་བཞོས་ནས་མ་གོད་པར་བླུག་ན་ཀླུ་སྨན་གཙང་མ་ཡིན་གསུངས། པར་སྙིང་དུ་སྤོས་དཀར་པོ་དང་། པར་གསར་དུ་པོག་དཀར་པོ་ཞེས་པ་བཛྲ་གསར་སྙིང་གི་ཁྲིད་པར་ལས་དོན་གཅིག་པར་དབུས་པ་བློ་གསལ་སོགས་ཀྱིས་བཤད་དེ། སྤོས་སྣོད་ལ་པོག་ཕོར་ཟེར་བ་ལྟ་བུའོ། །ལག་པ་གཉིས་ཐལ་མོ་བྱས་པའི་སོར་མོ་རྣམས་ཀྱི་རྟིང་པ་ཡང་། ལག་མཐིལ་ཕྱེ། གུང་མོ་གཉིས་རྟོ་སྦྱར་ལ་རྩེ་ཕྱེ། སོར་མོ་ལྷག་མ་རྣམས་ཀྱི་རྩེ་ཙུང་ཟད་ཕྱིར་བཀྱེད་པ་ནི་རྒྱུད་ལས་གསུངས་པའི་ཀླུ་དགའ་བར་བྱེད་པའི་ཕྱག་རྒྱ་འབྲུལ་མེད་ཡིན་པར་སྣེག་པའི་རྗེ་རྗེའི་རྒྱ་གཞུང་ལས་འབྱུང་བར་ཀུན་མཁྱེན་གོང་མས་གསུངས། གཡོན་ཁུ་ཚུར་བྱས་པའི་མཐེ་བོང་དང་མཐེ་ཆུང་བཀུངས་པའི་མཐེ་བོང་གི་སྟེང་གཡས་པའི་སོར་མོ་རྣམས་བསྒྲིངས་པ་ནི་གདེང་ཀ་སྦྲུལ་མཇུག་དང་བཅས་པའི་ཕྱག་རྒྱ་ཡིན་པས་ཀླུ་དགའ་བར་བྱེད་པའི་ཕྱག་རྒྱ་ལ་དེ་ལྟར་བྱེད་པ་ནོར་བ་ཡིན། རྒྱས་པར་བྱེད་ན་ཉིན་ཐུན་དང་མཚན་ཐུན་བྱས་ཏེ་ཐུགས་རྒྱུན་མ་ཆད་པ་བྱ། ཀླུ་སྒྲུབ་ཀྱི་སྒྲུབ་ཐབས་སུ་ཤར་ངོས་སུ་སྦ་གསུངས་པ་ལོངས་སྤྱོད་འཕེལ་ཆེད་ཡིན་

ན་དགོན་གནས་འདི་ལྷ་བུའི་མདུན་རིའི་ངོས་ནས་ཞལ་ཚུར་བསྟན་ནས་ཁ་སྒྲོད་དུ་སྦ་ཞེས་གསུང་བཤད་གསལ་བར་གནང་། དེང་སང་གི་ལག་ལེན་འདི་དང་མི་མཐུན་པ་ལྟར་ཡོད། ས་གཞན་དུ་ཆུ་འགོ་ནས་ཡར་གོམ་པ་དགུ་སོང་བའི་ཚོད་ཙམ་དུ་གླུ་གཏེར་ཁ་ཆུ་མིག་ལ་བསྟན་ནས་སྦས་ཏེ་གླུ་ཐོ་བསླང་འདུག་པ་མི་རུང་བའང་ཆེར་མེད། འོན་ཀྱང་ཆུ་མིག་གི་འགོ་ནས་མར་གོམ་པ་དགུ་སོང་བའི་མཚམས་ནས་ཁ་ཡར་ཆུ་འགོ་ལ་བསྟན་ནས་བུམ་པ་གཉིས་ཆུ་མིག་དང་ཁ་སྒྲོད་དུ་བཞག་ན་དེར་གནས་པའི་གླུ་དར། དེ་ལ་བརྟེན་ནས་སྒྲིན་བདག་དར་བ་ཡིན། ཁང་པ་ལ་ཡང་དེ་ལྟར་སྦ་བ་གླུ་སྒྲུབ་ཀྱི་སྒྲུབ་ཐབས་ཀྱི་དགོངས་པ་སྲིད་རྒྱུད་པའི་གསུང་རྒྱུན་མ་ནོར་བ་ཡིན། ལས་སོ་སོའི་སྔགས་སྲེལ་གྱི་གནད་ལས་དམིགས་བསལ་དེ་དང་དེའི་རྫས་དང་སྲེལ་ཚིག་དམིགས་པ་སོགས་སྔར་ལྟར་ཡིན་ལ། དཔའ་རིས་དམ་ཚོས་ཀྱིས་བྲག་དཀར་དཀའ་བཅུ་རིན་པོ་ཆེར་དྲག་པོའི་གླུ་གཏེར་ཅི་འདྲ་ཡིན་ཞུས་པར། སྐུ་རྗེད་ཀྱི་རྣམ་པས། རྣལ་འབྱོར་བ་རེད་མོད། བུམ་པ་ནག་པོ། ནང་དུ་ངན་རྫས། དྲག་པོའི་སྲེལ་ཚིག །དེ་མཐུན་གྱི་དམིགས་པ་སོགས་ཕལ་ཆེར་གླུ་གཏད་ལྟ་བུ་ཡིན་པས་དྲག་པོའི་གཏེར་གྱི་དགོས་པ་མེད་གསུངས། བཀྲ་ཤིས་སློ་མང་གིས་ཆོས་གྲ་གོང་མ་རྒྱ་བསྐྲིད་པའི་སྐབས་སུ་བཀའ་རྩོམ་མཛད་ཚུལ་སྔོན་གྱི་དཔེ་རྙིང་བྲིས་མ་ཞིག་གི་མཇུག་ན་འདུག །དེ་དུས་ཀུན་མཁྱེན་གོང་མ་སློ་མང་བླ་མ་ཡིན་པས་དེ་དང་། སླར་དགོན་གསར་འདེབས་གཉེ་གའི་ཆེད་དུ་གནང་བར་ངེས། འདིའི་ཁྲིད་རྗེ་རིན་པོ་ཆེ་ནས་དཔལ་ལྡན་སྲིད་རྒྱུད་ཀྱི་དམ་པ་རྣམས་ལ་རིམ་པར་བརྒྱུད་དེ་ཀུན་མཁྱེན་འཇམ་དབྱངས་བཞད་པ། ཁྲི་ཆེན་ངག་དབང་བཀྲ་ཤིས། གསེར་ཁ་པ་ངག་དབང་བསོད་ནམས་རྒྱ་མཚོ། བྲག་དཀར་དཀའ་བཅུ་རིན་པོ་ཆེ། །དེ་ལས་གསན་པ་ཡིན་གསུངས། གསེར་ཁ་ཚང་གིས་ཕྱག་ལེན་འདི་ལས་གཞན་དུ་བྱེད་པ་ལ་བཀའ་བཀྱོན་མཛད་ཚུལ་གྱི་ལོ་རྒྱུས་ཀྱང་གསུངས་སོ། ཞེས་གླུའི་བུམ་གཏེར་གྱི་ལག་ལེན་རིན་ཆེན་བུམ་བཟང་ཞེས་བྱ་བ་འདི་ཡང་དཔག་པར་དཀའ་བའི་སྤྱོད་པ་རྒྱ་མཚོ་ལ་དབང་འབྱོར་བའི་བདག་ཉིད་ཆེན་པོ་བཀའ་དྲིན་ཟླ་མེད་རྗེ་རྗེ་འཆང་དངོས་རཏྣ་ཧྲ་ཛའི་ཞལ་སྔ་ནས་ཀྱིས་དགྱེས་བཞིན་བསྐུལ་བ་ལྟར། དགེ་སློང་ཤེས་རབ་རྒྱ་མཚོས་བྲིས་པ་བསྟན་འགྲོའི་ཕན་བདེའི་གསོས་སུ་སྨིན་པར་གྱུར་ཅིག། །།མངྒ་ལཾ། །

༄༅། །གྲང་རྒྱུད་ལུགས་ཀྱི་བླ་མའི་རྣལ་འབྱོར་དགའ་ལྡན་ལྷ་བརྒྱ་མར་གྲགས་པའི་ཁྲིད་ཀྱི་རིན་ཁྲིམས་དངོས་གྲུབ་ནོར་བུའི་སྒོ་མ་ཞེས་བྱ་བ་བཞུགས་སོ།

༄། །ན་མོ་གུ་རུ་ཏ་ས་བཛྲ་ཡ། བློ་གཏེར་ཀུན་བཟང་སྤྱོད་པའི་རྒྱ་མཚོ་ལས། །མ་སྨད་གཡས་འཁྱིལ་སྐྱེ་བ་ལྔ་བའི་དུང་། །ཡིད་འོང་གྲགས་པས་སྲིད་ཞིའི་གདུང་སེལ་པ། །མཐའ་དག་མཁས་པ་ཡོངས་ཀྱི་གཙུག་ན་མཛེས། །བརྗོད་པ་རེར་ཡང་འཇམ་དབྱངས་གཞོན་ནུ་འབུམ། །དགྱེས་དགུར་རྩེན་པའི་ལེགས་བཤད་གདོན་ལྔའི་དབྱངས། །མི་འཇིགས་བཞི་ལྡན་དམ་བཅའི་དཔལ་མངའ་བ། །དེ་ཡི་རྣལ་འབྱོར་ལས་གཞན་ཟབ་ལམ་གང་། །ཀུན་ཏུ་ཁྱབ་བདལ་ཤིན་ཏུ་ཆེ་ན་ཡང་། །ཀུན་གྱི་སྤྱོད་ཡུལ་མ་གྱུར་གསང་བའི་གནམ། །ཀུན་གཟིགས་བླ་མའི་ཞལ་ལུང་མ་ཉམས་པར། །ཀུན་བཟང་མཆོད་སྤྲིན་ཇི་བཞིན་འདི་ན་སྤྲོ། །འདིར་སྲད་རྒྱུད་ལུགས་ཀྱི་བླ་མའི་རྣལ་འབྱོར་གྱི་ཁྲིད་དམིགས་རྩུང་ཟད་བརྗེད་བྱང་དུ་བྲི་བ་ལ། དེ་ཡང་ལེགས་ཚོགས་ཐམས་ཅད་ཀྱི་རྩ་བ་དགེ་བའི་བཤེས་གཉེན་ཚུལ་བཞིན་བསྟེན་པ་ལ་རག་ལས་ཡོད་པ་རེད། ཉི་མ་གཅིག་གི་བྱ་བ་ཐུན་ཚོགས་ཞིག་ཀྱང་རང་གིས་བསམ། གཞན་ལ་དྲིས་ནས་སྒྲུབ་དགོས་ན་བླན་མེད་པ་ཡང་དག་པར་རྫོགས་པའི་སངས་རྒྱས་ཀྱི་གོ་འཕང་ནི་དགེ་བའི་བཤེས་གཉེན་གྱི་གདམས་པ་ལ་མ་བསྟེན་པར་སྒྲུབ་ལུགས་མེད། གདམས་པ་ཐོབ་པས་མི་ཚོག །བསམ་པས་བླ་མ་ལ་སངས་རྒྱས་དངོས་ཀྱི་འདུ་ཤེས་བཞག་ནས་དད་གུས་སྒྲུངས། བྱ་བ་དང་དགོས་པ་གང་ཡོད་ཀྱང་བློ་སྤོས་བྱས་ནས་གསོལ་བ་འདེབས། སྦྱོར་བས། བཀུར་སྟི་རྙེད་པ་དག་དང་རིམ་གྲོ་དང་། །སྒྲུབ་པའི་སྒོ་ནས་བླ་མ་མཉེས་པར་བྱ། །ཞེས་པ་ལྟར་མཉེས་པ་གསུམ་སྒོ་སྣ་ཚོགས་ནས་སྒྲུབ་དགོས། དེ་ལ་བློ་སྦྱོང་ཕྱིར་བླ་མའི་སྐུ་བསྒོམ། གསུང་ཚུལ་བཞིན་སྒྲུབ། ཐུགས་ཀྱི་རྟོགས་པ་དེ་ལྟ་བུ་རང་རྒྱུད་ལ་འཆར་ཕྱིར་གསོལ་བ་འདེབས་པ་ལ་

བླ་མའི་རྣལ་འབྱོར་ཞེས་བཤད། བླ་མའི་རྣལ་འབྱོར་གང་གི་སྒོ་ནས་གསོལ་བ་འདེབས་ཀྱང་རང་གི་བླ་མ་དེ་ཉིད་སྐྱབས་གནས་ཐམས་ཅད་འདུས་པའི་ངོ་བོ་ཆོས་ཀྱི་རྒྱལ་པོ་ཙོང་ཁ་པ་ཆེན་པོ་དང་ངོ་བོ་དབྱེར་མེད་དུ་བྱེད་པ་གལ་ཆེ། སྤྱིར་རྗེ་བཙུན་འཇམ་པའི་དབྱངས་ནི། དུས་གསུམ་གྱི་རྒྱལ་བ་ཐམས་ཅད་དང་པོར་བྱང་ཆུབ་མཆོག་ཏུ་སེམས་བསྐྱེད་པའི་བསྐུལ་མ་འདེབས་མཁན། བར་དུ་སྤྱོད་པ་ལ་སློབ་པའི་གྲོགས་ཀྱི་ཚུལ། ཐ་མར་སྤྱོད་པ་མཐར་ཕྱིན་པའི་ཡོངས་འཛིན་དང་། སངས་རྒྱས་ནས་སྲས་ཀྱི་ཐུ་བོའི་ཚུལ་གྱིས་གསུང་རབ་ཐམས་ཅད་ཀྱི་མངའ་བདག་མཛད། མདོར་ན་དུས་གསུམ་གྱི་རྒྱལ་བ་ཐམས་ཅད་སློབ་ལམ་དུ་ལམ་མ་སྐྱེས་པ་བསྐྱེད། སྐྱེས་པ་གནས། གནས་པ་གོང་འཕེལ་གྱི་ཡོངས་འཛིན་མཛད་པ་ཟླ་བའི་འདུག་འགྲེལ་སོགས་ལས་གསུངས་པ་ལྟར་རེད། དེ་ཉིད་བྱང་ཕྱོགས་ཁ་བ་ཅན་གྱི་གདུལ་བྱ་རྣམས་རྗེས་སུ་འཛིན་པའི་ཕྱིར་དུ་བྱིས་པའི་གཟུགས་སུ་སྤྲུལ་ནས་སངས་རྒྱས་ཀྱི་མཛད་པ་སྟོན་པར་འཇམ་དཔལ་རྩ་རྒྱུད་སོགས་ལས་ལུང་བསྟན་པ་ལྟར་དགེ་བའི་བཤེས་གཉེན་གྱི་སྐུར་བསྟན་ཏེ་རྟོགས་བརྗོད་འདུན་ལེགས་མ་ལྟར་གྱི་རྣམ་ཐར་ཐམས་ཅད་ཕྱག་ལེན་ལ་བཏབ། དོན་ལ་རྗེ་བཙུན་འཇམ་དཔལ་དབྱངས་དངོས་ཡིན་ཀྱང་སོ་སྐྱེ་ཐ་མལ་པའི་རྣམ་པས་ཐོས་བསམ་སྒོམ་གསུམ་མཛད་དེ་མཐུན་སྣང་དུའང་རིས་མེད་ཀྱི་གྲུབ་མཐའ་རྒྱ་མཚོའི་ཕ་རོལ་ཏུ་སོན་ཏེ་སྔ་མའི་ལུགས་སྲོལ་རྣམས་ལ་ཐུགས་ཚུད་ཟད་མ་ཆེས་པར་རྒྱ་གར་ཤིང་གི་རི་ལ་གླུའི་བྱང་ཆུབ་དང་། མི་ཏྲ་སོགས་དང་མཇལ་བའི་ཐུགས་འདུན་གཏད་པ་ལྷོ་བྲག་གྲུབ་ཆེན་གྱིས་ཞོལ་བཏབ། འཁོར་དག་པ་རྣམ་བརྒྱད་དང་བཅས་འོལ་ཁ་སོགས་སུ་སྒྲུབ་པ་རྒྱུན་རིང་མཛད་པས་རྗེ་བཙུན་འཇམ་པའི་དབྱངས་ཀྱི་ཞལ་དངོས་སུ་གཟིགས་ནས་ཟབ་རྒྱས་ཀྱི་གདམས་པ་ནོད་དེ་སྒྲོ་འདོགས་ལྷག་མེད་དུ་ཆོད་པའི་ཚུལ་མཛད། དོན་དེ་གཞན་ལ་འདོམས་ཕྱིར་རྒྱ་བོད་ཀྱི་གདམས་པ་རྣམ་པར་དག་པ་མཐའ་དག་གཞིར་བཞག །མ་དག་པ་རྣམས་བསལ། དེའི་སྟེང་དུ་རྗེ་བཙུན་གྱི་གདམས་པས་བརྒྱན་ནས་མདོ་སྔགས་ཀྱི་ལམ་སྲོལ་ཐུན་མོང་མ་ཡིན་པར་ཕྱེ་སྟེ་རྒྱ་བོད་ཀྱི་མཁས་པ་སུས་ཀྱང་བསྒྲུན་དུ་མེད་པའི་ལེགས་བཤད་བསམ་གྱི་མི་ཁྱབ་པའི་ཕྱག་རྗེས་བཞག། རྗེས་འཇུག་ལ་ལམ་སྟོན་པའི་ཡོངས་འཛིན། ལམ་སྒྲུབ་པའི་གྲོགས། སྒྲུབ་པའི་གནས་སོགས་མཐུན་རྐྱེན་མ་ཚང་བ་མེད་པར་སྒྲུབ་ཆེད་དགའ་ལྡན་རྣམ་པར་རྒྱལ་བའི་གླིང་

བཏབ་པས་རི་བོ་དགེ་ལྡན་པ་ཞེས་གྲགས་པར་བོ་དོང་པཎ་ཆེན་དང་། སྟག་ཚང་ལོ་ཙཱ་བ་སོགས་རིས་མེད་ཀྱི་མཁས་པ་ཐམས་ཅད་ཀྱིས་བསྔགས་བརྗོད་མཛད་པ་ལྟར་དོན་ལ་གནས། རང་རེ་ཡང་དེ་ཉིད་ཀྱི་རྗེས་འཇུག་ལྟ་བུར་ཡོད་པས་ལྷ་གང་སྒྲུབ་ཀྱང་རྗེ་བདག་ཉིད་ཆེན་པོ་དང་དབྱེར་མེད་བྱས་ན་རྟེན་འབྲེལ་དང་བྱིན་རླབས་ཀྱི་ཚན་ཀ་ཆེ། རྗེ་བླ་མའི་རྣལ་འབྱོར་གྱི་རིམ་པ་མང་དུ་ཡོད་པ་རྗེ་བཙུན་འཇམ་པའི་དབྱངས་ཀྱི་རྣམ་པར་གསལ་འདེབས་པ་མཁས་གྲུབ་ཐམས་ཅད་མཁྱེན་པ་དང་། བ་སོ་ཆོས་རྒྱན་ལ་གནང་བ་ལྟ་བུ་དང་། དགའ་ལྡན་ལྷ་བརྒྱ་མར་གྲགས་པའི་གདམས་པ་རྗེ་བཙུན་གྱི་རྗེ་བླ་མ་ལ་བསྐུལ་པ་པཎ་ཆེན་དགེ་འདུན་གྲུབ་སོགས་སྲས་ཀྱི་ཐུ་བོ་ཕལ་ཆེར་ལ་གནང་། དེ་དུས་ངོར་བ་ཀུན་བཟང་གིས་ཕྲག་དོག་གི་རྣམ་པ་ལྟ་བུ་ཙུང་ཟད་མཛད་པ་དང་། སྟར་ཐང་བྱང་ཆེན་གྱི་རྒྱབ་ཀྱི་རི་བོ་དགུ་འདུས་ཀྱི་རྩེ་མོར་ཕེབས་པས་དགའ་ལྡན་ངོས་ནས་སྤྲིན་དཀར་པོ་ཞིག་ཐོལ་གྱིས་བྱུང་བའི་རྐྱེན་གྱི་ཤར་གངས་རི་མ་མགུར་དབྱངས་སུ་མཛད་པའང་ཉམས་ལེན་འདི་འདྲའི་རྐྱེན་གྱིས་ཡིན་པར་གསུང་རྒྱུན་ལས་འབྱུང་། དེ་བཞིན་དུ་དབེན་ས་སོགས་ལའང་དམིགས་བརྩེ་མའི་མན་ངག་གི་རྒྱུན་མང་པོ་ཡོད་ཀྱང་འདུལ་ནག་པ་དཔལ་ལྡན་བཟང་པོས་རྗེ་ཤེས་རབ་སེངྒེ་ལ་གསན་ནས་གདམས་པ་འདིའི་སྙོམས་རྒྱལ་པོ་བཏུལ་བ་སོགས་གྲགས་ཆེ། དེ་ནས་དཔོན་པོ་འཇམ་དབྱངས་དགེ་འདུན་འཕེལ། །འདུལ་ནག་སྤྲུལ་སྐུ་པཎ་ཆེན་བསམ་འགྲུབ་རྒྱ་མཚོ། རྒྱུད་པ་བཀྲ་ཤིས་འཕགས། རྒྱུད་ཆེན་བརྩོན་འགྲུས་འཕགས། དེ་ལ་རྒྱུད་ཆེན་སངས་རྒྱས་རྒྱ་མཚོས་གསན་ནས་ད་ལྟའི་དགའ་ལྡན་ལྷ་བརྒྱ་མ་འདི་ཡི་གེར་བཀོད། །ཐར་སྐྱབས་མཆོག་འཇིགས་མེད་དབང་པོའི་བཀའ་ཆོས་ཞིག་གི་སྐབས་དགེ་བཤེས་བློ་བཟང་འཇིགས་མེད་ཀྱིས་འདི་རྩོམ་པ་པོའི་གསལ་ཁ་ཞུ་འདོད་ནས་འདུལ་ནག་པའི་སྒྲུར་བྱང་བཏབ་པ་ཞིག་ཕུལ་བར། འདི་ཡི་གེར་འགོད་པ་པོ་སྨད་རྒྱུད་སངས་རྒྱས་རྒྱ་མཚོ་ཡིན་གསུངས། དེ་ལ་རྒྱུད་ཆེན་དཀོན་མཆོག་རྒྱ་མཚོ་དང་། དེ་ནས་རྒྱུད་ཆེན་དཀོན་མཆོག་ཡར་འཕེལ་བར་སྨད་རྒྱུད་ཁོ་ན་ལ་བརྒྱུད་པས་སྨད་རྒྱུད་ལུགས་ཞེས་གྲགས། དེ་ལ་མེར་གན་བླ་མ་ངག་དབང་བློ་གྲོས་ཀྱིས་གསན། འདི་འབྲུངས་ཡུལ་ཅུན་གར་ཡིན་པས་ལམ་རིམ་ཆེན་མོ་སོག་སྐད་དུ་བསྒྱུར་བ་སོགས་ཡོད་འདུག་པས་མེར་གན་དེའི་ཚེ་ལོ་ཡིན་ནམ་མ་ངེས། སྨད་རྒྱུད་པའི་མན་ངག་ཐོར་བུའི་བཀའ་བབས་ཀྱི་སློབ་མ་ཡིན། འདི་

ཡན་ཆད་དུ་ཁྲིད་ཡིག་ཡི་གེར་བཏབ་བ་མེད་པས་ཟིན་བྲིས་ཞུང་ངུ་ཞིག་མཛད་པ་ཁྱི་དགེ་ལེགས་བཤད་གླིང་དུ་པར་ཡོད། སྨད་རྒྱུད་པ་དང་མེར་གན་རྣམ་གཉིས་ལ་ཀུན་མཁྱེན་འཇམ་དབྱངས་བཞད་པས་གསན་ནས་ཁྲིད་གནང་པ་ལ་ཟིན་བྲིས་ཐོར་བུ་གསུང་འབུམ་དུ་བཞུགས། ཀུན་མཁྱེན་བླ་མ་ལ་ཐང་སག་པ་དངོས་གྲུབ་རྒྱ་མཚོས་གསན། དེ་གཉིས་ཀར་འཇམ་དབྱངས་བདེ་བའི་རྡོ་རྗེས་གསན་ཏེ་ཁྲིད་ཡིག་བརྒྱུད་འདེབས་དང་བཅས་པ། འཕོ་ཁྲིད་ཚིགས་བཅད་ལྷུག་བཅས་མཛད་པ་ཡིན་ཏེ། ཁྲིད་ཡིག་ལས། འདི་འདྲ་རིགས་ཀུན་ཁྱབ་བདག་རྡོ་རྗེ་འཆང་། །ཐ་མ་གདུལ་བྱའི་སྣང་ངོར་བཤེས་གཉེན་ཚུལ། །རྣམ་རོལ་འཇམ་དབྱངས་བཞད་པའི་རྡོ་རྗེ་དང་། །ཕ་རྒོད་དངོས་གྲུབ་རྒྱ་མཚོའི་ཕྲིན་ལས་ཐོབ། །ཅེས་དང་། འབྲས་སྤུངས་དར་འབབས་སུ་སྐུ་འཁྲུངས་ནས་མ་འགྱུར་བར་དགེ་འཕེལ་རི་རྩེར་མཛུབ་སྟོན་བྱེད། ངག་གྲོལ་ནས་དེར་འགྲོ་ཟེར་བ་ལྟར་དགུང་ལོ་བཅུ་བའི་སྐབས་ཀུན་མཁྱེན་འཇམ་དབྱངས་བཞད་པར་མཇལ་བས་གསང་འདུས་ཀྱི་དབང་བསྐུར་བ་དེ་ནས་བཟུང་བླ་མ་ལ་ཡི་དམ་གྱི་ལྷ་དངོས་ལས་ཐ་མལ་གྱི་སྣང་བ་སྐད་ཅིག་ཀྱང་འཆར་མ་མྱོང་ཞེས་རྗེ་རང་གིས་གསུངས་ཤིང་། བརྒྱུད་འདེབས་སུ། གཞོན་ནུའི་དུས་ནས་ལྷ་དང་བླ་མ་ཡིས། །བྱིན་གྱིས་བརླབས་པའི་སྣང་བ་རབ་རྒྱས་པ། འཇམ་དཔལ་རྒྱ་མཚོ། ཞེས་གསུངས་དོན་ཡང་དེ་ཡིན་གསུངས། དེ་ལ་དཔལ་འཁོར་ཆོས་སྡེའི་མཁན་ཆེན་དགེ་འདུན་རྒྱ་མཚོས་གསན་ཞིང་འཕོ་ཁྲིད་གསུང་རྩོམ་ཞུས། དེ་ཉིད་བཀྲ་ཤིས་འཁྱིལ་དུ་ཕེབས་སྐབས་སྐྱབས་མགོན་རྡོ་རྗེ་འཆང་འཛིགས་མེད་དབང་པོ། ཁྲི་བསོད་ནམས་དབང་རྒྱལ། ཁྲི་བློ་བཟང་སྨན་གྲགས་སོགས་ཀྱིས་གསན། སྐྱབས་མགོན་རྡོ་རྗེ་འཆང་ནས་འདི་ཀའི་ཚོགས་ཆེན་ལ་ཁྲིད་གནང་སྐབས་གུང་ཐང་འཇམ་པའི་དབྱངས་དཀོན་མཆོག་བསྟན་པའི་སྒྲོན་མེས་གསན། སྐྱབས་མགོན་རྡོ་རྗེ་འཆང་ཡབ་སྲས་གཉིས་དང་། ཐུའུ་བཀྭན་བློ་བཟང་ཆོས་ཀྱི་ཉི་མ་གསུམ་ག་ལས་བདག་གིས་ཁྲིད་ཐོབ་ཅིང་། ཁྱད་པར་ཁྲི་བསོད་ནམས་དབང་རྒྱལ་ལས་བླ་མ་འཇམ་དབྱངས་བའི་ཁྲིད་ཡིག་ཚིག་འབྲུ་ཅིག་ཀྱང་མ་ལུས་པའི་ཞིབ་བ་བཤད་ཕུད་ལྷག་མ་མེད་པར་ཐོབ་པའི་སྐབས་ཀྱི་གསུང་བཤད་ཐོ་ཙམ་ཡི་གེར་བཀོད་ཡོད་པ་དེ་ཡིན། ཞལ་ལས་ཤེས་གསུངས་པ་རྣམས་ལ་ཡང་གསུང་བཤད་འདུག་པས་ཁྲིད་ཡིག་དེའི་བཤད་རྒྱུན་ལ་བསམ་ནས་ད་རེས་ཀྱང་དེའི་སྟེང་ནས་ཁྲིད་

འབུལ་བ་ཡིན་གསུངས། ཀུང་ཐང་རིན་པོ་ཆེས་ཡོངས་འཛིན་ཡེ་ཤེས་རྒྱལ་མཚན་ལའང་གསན་པའི་ཟིན་བྲིས་སོགས་ཁྲིད་ཡིག་ཁ་ཤས་དང་། མདུང་རྩེ་རས་པ། སྨན་ཁང་པ། ཁྲིད་ངག་དབང་མཆོག་ལྡན། རྒྱལ་དབང་བསྐལ་བཟང་རྒྱ་མཚོ། པཎ་ཆེན་དཔལ་ལྡན་ཡེ་ཤེས་སོགས་ཀྱི་ཁྲིད་ཡིག་དང་ལས་ཚོགས་ཀྱང་ཡོད། དེ་ལྟར་བརྒྱུད་རིམ་ཞིབ་པར་ཞུས་པ་ནི། ད་ལྟ་ཕྱོགས་གཞན་ན་རང་གིས་མ་ཐོབ་པར་གཞན་ལ་དབང་ཁྲིད་ལུང་བཤད་འཆད་མཁན་ཡོད་པར་ཐོས་པས་མན་ངག་ལ་ཐེ་ཚོམ་ཟབ་སྲིད་པས་དེ་བསལ་ནས་ཡིད་ཆེས་བསྐྱེད་པའི་ཕྱིར་དུ་ཡིན་གསུངས། དེ་ཡང་རྗེ་བཙུན་འཇམ་པའི་དབྱངས་ཀྱིས་རྗེ་བདག་ཉིད་ཆེན་པོ་ལ་ལམ་གྱི་ངོ་བོ་མ་ནོར། གོ་རིམ་མ་འཁྲུགས། གྲངས་མ་ཆད་པ་དགོས་གསུངས་པ་ལྟར་ཐོས་བསམ་ཉམས་ལེན་གང་གི་སྐབས་སུ་སབ་ཅད་ངེས་པ་ཤིན་ཏུ་གལ་ཆེ་བས་འདི་ལའང་སྦྱོར་དངོས་རྗེས་གསུམ། དང་པོ་ལ། གནས་ཁང་ཕྱི་དོར་རྒྱུས་པ་མ་གྲུབ་ཀྱང་སྐྱོན་རགས་པ་བསལ་ནས་སེམས་རྒྱུད་སྦྱོང་བའི་རྟེན་འབྲེལ་བསྒྲིགས། འདིའི་ཞིང་བཀོད་སོགས་རྗེ་ཡབ་སྲས་གཙོ་བོར་གྱུར་བའི་སྐུ་གསུང་ཐུགས་རྟེན་བྲིས་འབུར་ཅི་རིགས་བཀྲམ་པའམ། མ་མཐའ་ཚོམ་བུ་ཙམ་རེ་བཀོད་ནས་དེར་སྐྱབས་ཡུལ་མ་ཚང་བ་མེད་པར་བཞུགས་ཡོད་སྙམ་པ་བྱས། རྟེན་བཟང་ངན་དང་རྒྱུ་བཟོ་ལེགས་ཉེས་གསར་རྙིང་སོགས་ལ་བརྟེན་ནས་ཆོས་སྤང་གི་ལས་བསགས་ཉེན་ཆེ་བས་དེ་འདྲ་ལ་ལྟོས་པ་མེད་པར་སངས་རྒྱས་བྱང་སེམས་དེ་དང་དེ་དངོས་ཡིན་སྙམ་པའི་དད་གུས་ཀྱི་གོ་རིམ་མ་འཆོལ་བར་བཀྲམ་དགོས་ཏེ། རྗེ་བློ་བཟང་ཆོས་ཀྱི་ཉི་མས། ཁྱེད་འགའ་པོས་ཐང་ཀས་ཡོལ་བ་མ་རྒྱུག་ཅེས་བཀའ་བསྐྱོན་ཚུལ་གསུངས། དེ་དག་གཞན་གྱི་མིག་ལྟར་མཛེས་ཆེད་དང་། ཁྲིམ་པ་དང་ཡང་ཐུན་མོང་གི་ཁང་པའི་ཕྱི་དོར་ལྟ་བུ་ཆུད་ཟོས་སུ་མ་སོང་བར་སྣོ་གསུམ་གྱི་སྒྲིབ་པ་བག་ཆགས་དང་བཅས་པ་སྦྱོང་བ་དང་། རྗེ་ཡབ་སྲས་སྤྱན་འདྲེན་པའི་བསྙེན་བཀུར། ཞིང་སྦྱོང་གི་རྒྱུར་དམིགས་དགོས་ཏེ། གསེར་ཕྲེང་ལས། ཞིང་སྦྱོང་བ་ནི་རང་གི་སེམས་སྦྱོང་བའོ། །ཞེས་སོ། །མཆོད་པ་མང་ཉུང་ལ་ལྟོས་པ་མེད་པས་ཆུ་ཐབ་གང་བཤམས་ཀྱང་དེ་དམིགས་རྟེན་བྱས་ནས་སྟོང་ཡངས་ཤིང་རྒྱ་ཆེ་བ། བཙུད་རྒྱ་མཚོ་ཙམ་ཚོགས་ཞིང་རྣམས་ཀྱིས་ནམ་མཁའ་ཇི་སྲིད་དུ་ཁྱུད་ཀྱང་ཟད་མི་ཤེས་པ། འོད་ཟེར་གྱི་སྤྲིན་འཁྲིགས་པའི་ཀློང་ནས་ཆུ་གཉིས་ཉེར་སྤྱོད་རོལ་མོ་བཀྲ་ཤིས་རྟགས་རྫས་སོགས་དང་། དེ་རེ་

རེའི་ཁ་དོག་དང་དབྱིབས་སོགས་འདོད་ཡོན་ལྔའི་མཆོད་ཚོགས་མ་ཚང་བ་མེད་པས་རབ་འབྱམས་རྒྱ་མཚོའི་ཞིང་ཁམས་རྒྱས་པར་འགེངས་པ། བཀོད་པ་མཛེས་པའི་དོན་ཡང་རྒྱ་མིས་ཚོང་ཐང་བཀྲམ་པ་ལྟར་བུར་རྣག་གེ་བ་མང་པོ་ཞིག་ལ་གོ་རྒྱུ་མ་ཡིན་པར། ཐལ་མོ་གཅིག་སྦྱོར་རམ། སྤོས་རྐང་གཅིག་འབུལ་ཡང་ཀུན་སློང་དམན་པས་མ་སྦགས་པར་སྒོ་སྣ་ཚོགས་ནས་བསམ་བློ་རྒྱ་ཆེར་བཏང་སྟེ་ཚུལ་དང་མཐུན་པའི་སྤྱོད་ལམ་གྱིས་གུས་པས་ཕུལ་ན་གང་བྱས་ཆོས་སུ་འགྲོ་ཞིང་། གཙོ་ཆེར་བསམ་པའི་འཕྲེར་སོ་ལ་རག་ལས་པ་འབབ་ཀྱི་ཐལ་མཆོད་ལ་ཕ་དམ་པས་བསྟུགས་བརྗོད་མཛད་པ་ལྟར་རེད་དངོས་པོ་རྒྱ་ཆེན་པོ་དང་མང་ཉུང་ལ་རག་ལས་སྙམ་པ་བླུན་རྟགས་ཡིན་ཏེ། མདོ་སྡེ་རྣམས་སུ། སྟོང་གསུམ་གྱི་འཇིག་རྟེན་གྱི་ཁམས་རིན་པོ་ཆེ་སྣ་བདུན་གྱི་བཀང་སྟེ་དུས་ཡུན་རིང་པོར་ཕུལ་བ་བས་མདོ་འདིའི་ཚིགས་བཅད་གཅིག་འཆང་བ་དང་། ཀློག་པ་དང་། ཁ་ཏོན་བྱེད་པའི་བྱེ་བ་བརྒྱ་སྟོང་གི་ཆར་ཡང་བསྙུན་དུ་མེད་པར་གསུངས་པའི་ཀློག་པ་དང་། ཁ་ཏོན་བྱེད་པ་ཐོས་བསམ་ལ་གོ་དགོས། ཐོས་བསམ་རྒྱ་ཆེན་པོ་མ་ནུས་ཀྱང་སློབས་བམ་བཅངས་ན་ཕན་ཡོན་ཆེ་བ་འཆང་བ་དང་། ཞེས་པའི་དོན་ཡིན་པས་འདི་དག་ཤིན་ཏུ་གོ་དགོས། གླིང་བཞི་པོ་གང་ཡིན་ཀྱང་རང་རང་གི་བྱང་ངོས་ན་རི་རྒྱལ་ཡོད་པས་རང་ཁ་བྱང་དུ་ཕྱོགས་པའམ་ཕྱོགས་པར་མོས་ཏེ་བདེ་བའི་གདན་ལ་ལུས་རྣམ་སྣང་གི་ཆོས་བདུན་སོགས་སྤྱོད་ལམ་ཚུལ་དང་མཐུན་པར་འཁོད་རང་རྒྱུད་ལ་ལེགས་པར་བརྟགས་ནས་དགེ་སེམས་ཁྱད་པར་ཅན་གྱི་ངང་ནས་སྐྱབས་འགྲོའི་ཚོགས་ཞིང་བདེ་ལམ། འཇམ་དཔལ་ཞལ་ལུང་། གཞན་རིགས་མི་འདྲ་བ་གང་ལྟར་གསལ་བཏབ་ཀྱང་རུང་། འདིའི་ཐུན་མོང་མ་ཡིན་པ་མདུན་གྱི་ནམ་མཁར་པདྨའི་སྟོང་པོ་ཡལ་ག་ལོ་འདབ་རྒྱས་པའི་རྩེ་མོར་པདྨ་འདབ་བཞི་ལྟེ་བ་དང་བཅས་པའི་དབུས་སུ་རྗེ་བླ་མ་ཡབ་སྲས་གསུམ་ལ་དངོས་བརྒྱུད་ཀྱི་བླ་མ་རྣམས་ཀྱིས་བསྐོར་ནས་ཁྲིམ་ཚོགས་སུ་བཞུགས་པ། འདབ་མ་བཞིར་སངས་རྒྱས་ལ་ཆ་གཉིས་འབྱེད་ན་མདུན་དུ་ཡི་དམ་རྒྱུད་སྡེ་བཞིའི་ལྷ་ཚོགས། གཡས་སུ་ལོངས་སྤྲུལ་གྱི་སངས་རྒྱས། རྒྱབ་ཏུ་ཡུམ་ཆེན་མོ་ལ་ལུང་གི་ཆོས་བྲག་རི་ལྟར་བརྩེགས་པས་བསྐོར་བ། བྱང་དུ་ཐེག་པ་གསུམ་གྱི་དགེ་འདུན་དཔའ་བོ་མཁའ་འགྲོ་ཆོས་སྲུང་རྣམས་དང་། དགེ་འདུན་ལ་ཆ་གཉིས་འབྱེད་ན་ཤར་དུ་ཡི་དམ་དང་དུས་གསུམ་གྱི་སངས་རྒྱས། ལྷོར་ཆོས། ནུབ་ཏུ་ཐེག་པ་གསུམ་གྱི་དགེ་འདུན།

བྱང་དུ་མཁའ་འགྲོ་ཆོས་སྐྱོང་བཅས་གསལ་བཏབ་ལ་སྐྱབས་སེམས་ཚད་མེད་བཞི་བདུད་རྩི་འབེབས་སྦྱངས་དང་བཅས་རྒྱས་བསྡུས་ཅི་ལྟར་རིགས་པ་ལམ་ཁྲིད་ལྟར་བྱ། མཐར་ཚོགས་ཞིང་རྣམས་འོད་དུ་ཞིམ་གྱིས་ཞུ་ནས་རང་གི་སྨིན་མཚམས་ནས་ཐིམ་པས་རྒྱུད་བྱིན་གྱིས་བརླབས་ཤིང་། པདྨའི་སྟོང་པོ་སོགས་ན་བུན་ཡལ་བ་ལྟར་མི་དམིགས་པར་བསམ། ཡང་ན་མདོ་ལས། གང་གིས་མོས་པ་གཏོར་བྱས་པ། །དེ་ཡི་མདུན་ན་ཐུབ་པ་བཞུགས། །ཞེས་དང་། ཡེ་ཤེས་ཇི་སྙེད་ཁྱབ་གྱུར་ལ། སྐུ་ཡིས་ཀྱང་ནི་དེ་སྙེད་ཁྱབ། །ཅེས་སོགས་ཀྱི་དོན་དྲན་ཏེ་ཚོགས་ཞིང་ནམ་མཁའ་གང་བ་བསམ་ལ་སངས་རྒྱས་ཆོས་ཚོགས་མ་ལན་གསུམ་གྱིས་སྐྱབས་འགྲོ་སེམས་བསྐྱེད་བྱ། མདོ་ལས་སངས་རྒྱས་བརྒྱ་སྟོང་ཁྲི་འབུམ་སོགས་ལ་ཕྱག་འཚལ་ཚུལ་གསུངས་པ་ཡང་ཕྱོགས་བཅུའི་སངས་རྒྱས་ཐམས་ཅད་ལ་ཕྱག་འཚལ་བའི་དོན་ཡིན་ཞིང་། ཤན་པོ་འགགས། སངས་རྒྱས་ནམ་མཁའ་གང་བ་ལ་ཕྱག་འཚལ་ལོ། །ཞེས་པའང་སྐྱེས་བུ་དམ་པ་གོང་མ་འགས་བསླབས་པ་ཡིན་པས་དོན་འདི་དང་འདྲ། །ད་ལྟ་དེ་འདྲའི་སྒྲོས་ཙམ་ཡང་མེད་པར་གཞི་བདག་སོགས་ལ་གཙོ་བོར་འཛིན་པ། མདོ་སྡེ་མང་པོར། དཀར་ཕྱོགས་རིམ་གྱིས་འགྲིབ་པར་གསུངས་པ་དང་། འགའ་ཞིག་ལས། ལྷ་མ་སྲིན་ལ་ཕྱོགས་ཏེ་ཞེས་པ་ལྟ་བུའི་དོན་དང་མཐུན་པར་འདུག །སངས་རྒྱས་ཆོས་ཚོགས་མའི་རྐང་པ་དང་པོས་གང་ལ་སྐྱབས་སུ་འགྲོ་བའི་ཡུལ། བྱང་ཆུབ་བར་དུ་ཞེས་དུས་ཅི་ཙམ་དུ་སྐྱབས་སུ་འགྲོ་བ། བདག་ནི་ཞེས་པ་གང་གིས་སྐྱབས་སུ་འགྲོ་བའི་རྟེན། སྐྱབས་སུ་མཆི་ཞེས་པས་རྒྱུ་གཉིས་ཚང་བའི་སྐྱབས་འགྲོའི་ངོ་བོ་དང་སྐྱབས་སུ་འགྲོ་ཚུལ་བསྟན། བདག་གིས་ཞེས་པས་སེམས་བསྐྱེད་པ་པོ་སྦྱིན་སོགས་བགྱིས་པ་འདི་དག་གིས་ཞེས་པས་སེམས་བསྐྱེད་པའི་བསྔོ་བྱའི་རྫས་སམ་དགེ་རྩ། འགྲོ་ལ་ཕན་ཕྱིར་ཞེས་སེམས་བསྐྱེད་པའི་དགོས་པ་དང་གཞན་དོན་དོན་གཉེར། སངས་རྒྱས་ཞེས་པ་དོན་དུ་གཉེར་བྱའི་བྱང་ཆུབ། འགྲུབ་པར་ཤོག་ཅེས་བྱང་ཆུབ་དོན་གཉེར་གྱིས་སྨོན་ལམ་བཏབ་པ་སེམས་བསྐྱེད་དངོས་ཏེ། མདོ་སྡེ་རྒྱན་དང་འགྲེལ་བ་དོན་གསལ་དུ། སེམས་བསྐྱེད་པ་སྨོན་ལམ་གྱི་བདག་ཉིད་ཅན་དུ་གསུངས་པ་ལྟར་རོ། །སངས་རྒྱས་ཞེས་པའི་སངས་པ་ནི་སྐྱོན་ཀུན་ཟད་དང་། རྒྱས་པ་ནི་ཡོན་ཏན་ཀུན་རྫོགས་ལ་གོ་དགོས། ཉེ་བར་འཁོར་གྱིས་ཞུས་པའི་མདོར་ལྟུང་བཤགས་ཀྱི་སངས་རྒྱས་སོ་ལྔའི་མཚན་ལ་དེ་བཞིན་གཤེགས་པ་ཞེས་མེད་ཀྱང་། ཇེ་

བདག་ཉིད་ཆེན་པོས་སྨྲར་བ་སངས་རྒྱས་དེ་དང་དེའི་ཡོན་ཏན་དྲན་ཆེད་ཡིན་པས་གལ་ཆེ་ཞེས་གུང་ཐང་འཇམ་པའི་དབྱངས་ནས་གསུངས། དེ་བཞིན་གཤེགས་པ་ཞེས་པའི་དོན་བཤད་ཚུལ་མང་ཡང་ཡུལ་ཇི་ལྟ་བ་བཞིན་དུ་ཡུལ་ཅན་ཡེ་ཤེས་གཤེག་པ་ཞེས་པ་བདེན་གཉིས་གཅིག་ཆར་མངོན་སུམ་དུ་གཟིགས་པ་འདི་གནད་ཆེ་གསུངས། ཉིས་པ་དངོས་གཞི་ལ། ཚོགས་ཞིང་སྤྱན་འདྲེན་པ། དེ་ལ་ཚོགས་བསགས་པ། གསོལ་བ་བཏབ་སྟེ་དངོས་གྲུབ་ཞུ་བ་གསུམ། དང་པོ་ནི། མངོན་པ་གོང་མ་ལྟར་འཇིག་རྟེན་གྱི་ཁམས་སྤྱིའི་གནས་ཚུལ་ཡིད་ངོར་འཆར་དུ་བཙུག་ལ། རི་རྒྱལ་གླིང་བཞི་ཀའི་བྱང་ན་ཡོད་པས། རང་ཉིད་གནས་པའི་བྱང་གི་ཕྱོགས་སུ་རི་རབ་བང་རིམ་བཞི་པའི་རྩེ་མོར་སུམ་ཅུ་རྩ་གསུམ་དང་། གནས་ནས་གནས་འོག་ཇི་སྲིད་པ། །དེ་ནི་དེ་ཡི་གོང་དེ་སྲིད། ཅེས་པ་ལྟར་དེ་ལས་རིམ་གྱིས་གོང་དུ་འཕགས་པའི་ནམ་མཁར་འཐབ་བྲལ། དེའི་སྟེང་ལྷ་རབ་དགའ་ལྡན་གྱི་གནས་བྱིངས་གྲོང་ཁྱེར་ལྟ་བུ་ལ། དེ་ལས་ལོགས་སུ་དགོན་པའི་ཚུལ་དུ་བྱམས་མགོན་གྱི་ཐུགས་བསྐྱེད་སྨོན་ལམ་ལས་གྲུབ་པའི་ཞིང་ཁམས་རིན་པོ་ཆེའི་རང་བཞིན་ལག་མཐིལ་ལྟར་སྙོམས་ཤིང་བདེ་བ། རྡོ་དང་གསེག་མ་སོགས་མེད་ཅིང་མནན་ན་ནེམ་ཞིང་བཏེགས་ན་སྤར་བྱེད་པ། གསེར་གྱི་ས་གཞི་ལ་བཻཌཱུརྱའི་མིག་མང་རིས་སུ་བྲིས་པ། སྐྱིད་མོའི་ཚལ་དང་། མཚོ་དང་། རྫིང་བུ། དགོས་འདོད་འབྱུང་བའི་ལྗོན་ཤིང་དང་། རིན་པོ་ཆེའི་བྱེ་མ་བདལ་བའི་ཆུ་མཚོ་ལས་བྱ་སྣ་ཚོགས་ཀྱིས་དམ་པའི་ཆོས་ཀྱི་སྒྲ་དབྱངས་སྙན་པོ་བརྒྱུད་མར་སྒྲོགས་ཤིང་། དྲི་བཟང་པོའི་ངད་ཀྱིས་ཡོངས་སུ་འགེངས་པ། ཡིད་ལ་དྲན་པ་ཙམ་གྱིས་དགའ་བ་བསྐྱེད་པ་སོགས་དག་པའི་ཞིང་གི་འཕྲོར་པ་ཡོངས་སུ་རྫོགས་པའི་དཔུས་སུ་རྣམ་པར་རྒྱལ་བའི་ཕོ་བྲང་གིས་ཆ་ཤས་ཙམ་ཡང་འགྲན་དུ་མེད་པ་ཆོས་ཀྱི་མཐོ་བའི་ཁང་བཟང་རྒྱལ་མཚན་མཐོན་པོ་གཟིམས་ཁང་དང་། དེའི་མདུན་ན་རྗེ་བཙུན་གྱིས་ཆོས་གསུངས་པའི་ཀུན་དགའ་ར་བ་ཡིད་དགའ་ཆོས་འཛིན་ཆོས་གྲྭ་ལྟ་བུ། འདིའི་རྟེན་འབྲེལ་གྱིས་བླ་མ་རྣམས་གཟིམས་ཁང་རྒྱལ་མཚན་ཐོན་པོ་དང་། ཡིད་དགའ་ཆོས་འཛིན་སོགས་ཀྱི་མིང་འདོགས་མཛད། དེར་སེཾྷ་བརྒྱད་ཀྱིས་བཏེགས་པའི་རིན་པོ་ཆེའི་ཁྲིའི་སྟེང་དུ་རྒྱལ་ཚབ་མི་ཕམ་མགོན་པོ་སྐུ་མདོག་གསེར་བཙོ་མ་ལྟ་བུ་ཉི་མ་འབུམ་གྱི་གཟི་བརྗིད་དང་ལྡན་པ། ཞལ་གཅིག་ཕྱག་གཉིས་ཐུགས་ཀར་ཆོས་འཁོར་གྱི་ཕྱག་རྒྱས་ཀླུ་ཤིང་གི་མེ་ཏོག་སྟོང་བུ་དང་བཅས་པ་

འཁོར་ལོ་དང་སྤྱི་བླུག་གིས་མཚན་པ་འཛིན་པ། རིན་པོ་ཆེའི་རྒྱན་དང་དར་གྱི་ན་བཟའ་གསོལ་བ། དབུ་གཙུག་ཏུ་སྟོན་པ་ཤཱཀྱ་ཐུབ་པའི་ངོ་བོ་བྱང་ཆུབ་མཆོག་རྟེན་གྱིས་སྤྲས་པ། ད་ལྟ་ཉིད་དུ་འཛམ་བུ་གླིང་དུ་འབྱོན་པར་བཞེང་པས་བཟང་པོའི་བཞུགས་སྟངས་ཀྱིས་དགྱེས་པའི་འཇུམ་ཞལ་ལྷམ་མེར་རང་ལ་གཟིགས་ནས་བཞུགས་པ། དེའི་གཡས་སུ། དགའ་ལྡན་གནས་ན་ནམ་མཁའ་དྲི་མ་མེད། །ཅེས་པ་ལྟར་མཉམ་མེད་རྗེ་བོ་ཆེན་པོའི་སྐུའི་རྣམ་རོལ་ལྷའི་བུ་ནམ་མཁའ་དྲི་མེད་དང་། གཡོན་དུ། དགའ་ལྡན་གནས་སུ་འཇམ་དཔལ་སྙིང་པོ་ཞེས། །འཇམ་པའི་དབྱངས་དང་གསང་བའི་བདག་པོ་ཡིས། །གསལ་བར་ལུང་བསྟན་རྗེ་བཙུན་ཆོས་ཀྱི་རྗེ། །ཞེས་པ་ལྟར་རྗེ་བླ་མའི་སྐུ་ཚེ་རྗེས་མ་ལྷའི་བུ་འཇམ་དཔལ་སྙིང་པོ། གཞན་ཡང་སྟོ་བྲག་གྲུབ་ཆེན་གྱི་སྐུའི་སྐྱེ་བ་ལྷའི་བུ་དྲི་མེད་འོད་ཟེར་སོགས་ཕྱོགས་བཅུའི་ཞིང་ཁམས་རབ་འབྱམས་ནས་འདུས་པའི་དག་པའི་འཁོར་ཚོགས་དཔག་ཏུ་མེད་པ་ལ་ཤེར་ཕྱིན་གྱི་མདོ་སྡེའི་སྒྲ་དབྱངས་ལྷང་ལྷང་སྒྲོགས་པ་དང་། ཐན་སྙོན་ཤིང་རླུང་གིས་བསྐུལ་བ་དང་། བྱ་སྣ་ཚོགས་ཀྱིས་དམ་པའི་ཆོས་སྒྲ་སྙན་པར་སྒྲོགས་པ་རང་གི་རྣ་བས་གསལ་བར་ཐོས་ཤིང་དེའི་དོན་ཡིད་ལ་འཆར་བཞིན་པ། དྲི་བཟང་པོའི་ངད་ལྡན་སུམ་ཚོགས་པ་ཡང་སྣ་ཤེས་ཀྱིས་མྱོང་བ། སྟོད་བཅུད་ཀྱི་བཀོད་པའི་ཁྱད་པར་དང་ཡོན་ཏན་མཐའ་དག་མིག་གིས་མངོན་སུམ་དུ་མཐོང་བ་སོགས་གནས་དངོས་སུ་ཕྱིན་པ་ལྟ་བུའི་གསལ་སྣང་དང་མོས་གུས་ཤུགས་དྲག་པོ་རྒྱུན་རིང་བྱས་ན་དག་པའི་ཞིང་སྦྱོང་དང་། འཕོ་བའི་སྨིན་བྱེད་སོགས་སུ་འགྱུར་རོ། །དེ་ཡང་འཕགས་པ་འཇམ་དཔལ་གྱིས་དྲིས་པའི་མདོ་ལས། སངས་རྒྱས་ཀྱི་ཕྱག་ཞབས་ལ་རི་མོའི་རྗེས་ཀྱིས་མཚན་བརྒྱད་ཅུ་གསུངས་པ་དང་། གཞན་ཡང་དབུ་གདུགས་ལྷ་བུ། མགྲིན་པ་དུང་། སྤྱན་གསེར་ཉ། མགུལ་བུམ་པ། ལྷགས་པདྨ་སོགས་སྐུ་ལ་བཀྲ་ཤིས་ཀྱི་མངའ་བྱད་མང་དུ་ཡོད་པ་ལས་འདིར་དཔེ་བྱད་བརྒྱད་ཅུའི་ནང་ཚན། དཔལ་གྱི་བེའུ་དང་བཀྲ་ཤིས་ནི། ཞེས་པ་ལྟར་ཐུགས་ཀ་དཔལ་གྱི་བེའུ་ཁྲ་སང་ངེ་བའི་ནང་ཤེལ་སྒོ་ལ་སྐུ་འདྲ་བཞུགས་པའམ་གསེར་གྱི་མེ་ལོང་ཕྱིས་པ་ལ་གཟུགས་བརྙན་ཤར་བ་ལྟར་རྗེ་ཡབ་སྲས་གསུམ་བཞུགས་པའི་སྤྱན་གྱི་དཀར་ནག་དང་གཟིགས་སྟངས་ཚུན་ཆད་རང་གིས་མངོན་སུམ་དུ་མཐོང་བཞིན་པར་བསམ་ལ། དགའ་ལྡན་ཞེས་བརྗོད་པའི་སྐབས་སུ་སྟོད་དང་། ལྷ་བརྒྱའི་མགོན་ཞེས་པའི་སྐབས་སུ་བཅུད་

གསལ་གདབ། དེ་ནས་སྤྱན་འདྲེན་གྱི་ཚིག་ལྷག་མ་རྣམས་བརྗོད་པ་རྗེ་ཡབ་སྲས་ཀྱིས་ཉེ་རིང་ལ་སྒྲིབ་པ་མེད་པའི་སྐན་གྱིས་གསན། བརྩེ་བའི་ཐུགས་ཀྱིས་ལྷག་པར་དགོངས་ནས་སྐལ་ལྡན་རིགས་ཀྱི་བུ་འདི་རྗེས་སུ་བཟུང་སྟེ་སྨིན་གྲོལ་གྱི་ལམ་ལ་འགོད་པར་བྱའོ་ཞེས་ཕན་ཚུན་དགྱེས་པའི་གསུང་གླིང་དང་བཅས་རྗེ་བཙུན་གྱི་ཐུགས་ཀ་ནས་སྤྲུལ་བའི་བཀོད་པ་རབ་འབྱམས་སྤྲོ་བའི་གསེབ་ནས་སྐྱེས་བུ་སྟོབས་ལྡན་གྱི་ལག་པ་བསྐུམ་པ་ལས་བརྐྱངས་པ་ལྟར་ཐོགས་པ་མེད་པར་བྱོན། དེ་ཡང་འཆར་བདེ་ཁྱད་དར་དཀར་བརྐྱངས་པ་ལྟ་བུའི་སྤྲིན་གྱི་ཐག་པ་རྗོལ་བའི་སྣ་མོར་སྤྲིན་དཀར་པོ་ཞོ་གསར་པ་སྤྲུངས་པ་ལྟ་བུ་ལྡིང་པ་རང་གི་སྨིན་མཚམས་ཀྱི་ཐད་ཀྱི་ནམ་མཁར་འབུར་པོ་གསུམ་དུ་དོད་པའི་དབུས་མ་ཅུང་ཟད་ཆེ་ཞིང་མཐོ་བའི་སྟེང་རྗེ་བླ་མ་སྐུ་མདོག་དཀར་ལ་དམར་གདངས་ཆགས་པ། སྐུ་དྲང་ཞིང་ཤ་རྒྱས་པའི་བརྗིད་བག་ཅན། སྟོ་བ་ལྡིར་པས་སྐྱིལ་ཀྲུང་ཙོན་པ་ལྟ་བུ། ཤངས་རྒྱས་ཤིང་གཟེངས་མཐོ་བ། ཕྱག་གཉིས་ཆོས་འཁོར་གྱི་ཕྱག་རྒྱས་པདྨའི་ཡུ་བ་བཟུང་བའི་འདབ་མ་སྐན་གཡས་གཡོན་གྱི་ཐད་དུ་ཁ་ཕྱེ་བའི་སྟེང་ན་རལ་གྲི་དང་གླེགས་བམ་བསྣམས་པ། གཡས་སུ་རྒྱལ་ཚབ་དར་མ་རིན་ཆེན་སྐུ་མདོག་དཀར་ཤས་ཆེ་ལ་གསེར་མདངས་ཆགས་པ། ཅུང་ཟད་བགྲེས་ཉམས་དང་དབུ་དུད་ཅིང་ཞི་དུལ་གྱི་རྣམ་པ་ཅན། སྐུ་ཤ་སྲབ་ཅིང་སྤྱན་ཟབ་པ། སྨིན་མ་རིང་ཞིང་སྨིན་ཚུགས་དང་མཁྲུར་ཆོས་མཐོ་བ། ཡིད་ཙམ་འཛུམ་པ། གཡོན་དུ་མཁས་གྲུབ་ཐམས་ཅད་མཁྱེན་པ་སྐུ་མདོག་དཀར་ལ་དམར་དམངས་ཆེ་བ། གཞོན་ཤ་ཆགས་ཤིང་སྐུ་ཤ་བརྒྱག་པ། སྤྱན་ཧུར་བག་ཅན་ཧེ་འབུར་ཚུགས་སུ་གཟིགས་པ། རྗེའི་བསྟན་པ་ལ་ལོག་པར་ལྟ་བ་ཟིལ་གྱིས་གནོན་པའི་རྣམ་འགྱུར་ཅན། འགྱིང་བག་གི་ཉམས་ཀྱིས་བཞུགས་པ། སྐུའི་རྣམ་པ་དེ་ལྟར་གསལ་བཏབ་ན་ཡབ་སྲས་ཀྱི་ཐུགས་རྒྱུད་ཀྱི་རྟོགས་པ་རང་རྒྱུད་ལ་སྐྱེ་བ་དང་། རྗེ་བླ་མའི་བསྟན་པ་ལ་མ་རྟོག་ལོག་རྟོག་ཐེ་ཚོམ་གྱིས་བསླད་པ་མི་འཇུག་པའི་རྟེན་འབྲེལ་ཡོད་ལ། ཞལ་བཞུགས་དུས་ཀྱི་སྐུའི་ཉམས་ཡང་ཕལ་ཆེར་དེ་ལྟར་གནས་པ་བླ་མ་གོང་མའི་གསུང་རྒྱུན་ཡིན་པར་ཁྲི་ནམ་མཁའ་བཟང་པོ་གསུངས་ཤིང་། འདྲ་སྐུ་རྙིང་པ་ཕལ་ཆེར་ཀྱང་སྐུ་ཉམས་དེ་ཁོ་ན་ལྟར་འདུག་པ་བལྟས་པས་ཤེས་ཞེས་ཁྲི་བསོད་ནམས་དབང་རྒྱལ་བས་བསྒྲུངས། དེ་གཉིས་ཕྱག་གཡས་ཆོས་འཆད་དང་། གཡོན་ཤེར་ཕྱིན་གྱི་མདོ་སྟེའམ་རང་ཉིད་གང་ལ་ཐོས་བསམ་སྒོམ་པ་བྱེད་པའི་གླེགས་བམ་

བསྔམས་པ། ཡབ་སྲས་གསུམ་ག་ཡང་པཎ་ཆེ་གསེར་མདོག་དང་། ཆོས་གོས་རྣམ་གསུམ་གསོལ་ཞིང་། ཞབས་རྡོ་རྗེའི་སྐྱིལ་ཀྲུང་གིས་བཞུགས་པ། ཞིང་ཁམས་ཐམས་ཅད་སྐུ་ལ་སྣང་ཞིང་། སྐུས་ཞིང་ཁམས་ཐམས་ཅད་ཡོངས་སུ་འགེངས་པའི་བརྟན་གཡོ་རྣམ་དག་གི་བདག་ཉིད་ཅན་ཞེས་ཁྲི་བསོད་ནམས་དབང་རྒྱལ་གསུངས་པ་ཤིན་ཏུ་གནད་ཆེ། དེ་ཡང་། རྡུལ་གཅིག་སྟེང་ན་རྡུལ་སྙེད་སངས་རྒྱས་རྣམས། །ཞེས་སོགས་ལྟར་སྐུའི་རྡུལ་རབ་གཅིག་ལ་ཕྱོགས་བཅུའི་དག་པའི་བརྟན་གཡོ་རབ་འབྱམས་མ་ལུས་པར་གནས་ཚོག་པ་ཞིང་ཁམས་ཐམས་ཅད་སྐུ་ལ་སྣང་བའི་དོན། དེ་ལྟ་བུའི་བཀོད་པ་གནས་པའི་རྡུལ་གཅིག་གིས་ཞིང་ཁམས་ཐམས་ཅད་ཁྱབ་ཚོག་པ་སྐུས་ཞིང་ཀུན་ཁྱབ་པའི་དོན། སྣོད་ཐམས་ཅད་གཞལ་ཡས་ཁང་དང་བཅུད་ཐམས་ཅད་ལྷའི་རྣམ་རོལ་ལས་གཡོ་བ་མེད་པ་ལ་བརྟན་གཡོ་རྣམ་དག་གི་བདག་ཉིད། ཅེས་གསུངས། སྤྱིར་རྣམ་མཁྱེན་གྱི་ངོར་སྣོད་ཐམས་ཅད་གཞལ་ཡས་ཁང་དང་། བཅུད་ཐམས་ཅད་ལྷ་ཡིན་པ་དང་། རྣམ་མཁྱེན་ལ་དེ་ལྟར་ཤར་བ་ཡིན་ཟེར་བ་མིན་ཀྱང་དེ་ལྟར་ཤར་བ་ཞིག་ཡོད་དགོས། དེར་མ་ཟད་ཆོས་ཐམས་ཅད་བུམ་པར་ཤར་བའང་ཡོད་དེ། ཆོས་ཐམས་ཅད་བུམ་པར་འཛིན་པའི་རྟོག་པ་ཡོད་པའི་ཕྱིར། དེར་ཐལ། ཆོས་ཐམས་ཅད་བུམ་པ་མ་ཡིན་པར་རྟོགས་པའི་ཚད་མ་ཡོད་པའི་ཕྱིར་བྱས་ཆོག །སྣོད་ཐམས་ཅད་དག་པའི་ཞིང་དང་བཅུད་ཐམས་ཅད་ལྷར་ཤར་བ་དེ་འོག་མིན་སྟུག་པོ་བཀོད་པའི་རྡུལ་ཕྲ་རབ་རེ་རེའི་སྟེང་དུ་ཡོད་ཚོག་ལ། དེ་ལྟར་འཇོག་ཚུལ་ཞིག་ཀྱང་ཡོད་དགོས། གོ་རྒྱུ་དེ་འདྲ་ཞིག་ཡིན་ཀྱང་ཁས་ལེན་ལ་ཆིག་འཁྲི་ཚོད་མི་ཐུབ་པ་ནི། དབུ་མའི་ཡིག་ཆར། དབང་ཐོབ་པའི་རྣམ་བཞག་བྱེད་ན་རྣམ་བཞག་ཐམས་ཅད་འཇིག་བར་འགྱུར། གསུངས་པ་ལྟར་ཡིན་པས། དབང་ཐོབ་པའི་རྣམ་བཞག་དབང་ཐོབ་པའི་རྣམ་བཞག་ལྟར་འཇོག་ཐུབ་པ་དགོས། ང་ཚོས་སྣང་བ་ལྟར་བཞག་ན་ཐམས་ཅད་ཞིག་འགྲོ། སྤར་རྡུལ་གཅིག་ལ་རྡུལ་སྙེད་ཀྱི་སངས་རྒྱས་གསུངས་པ་དེ་ལས་ཀྱང་ལྷག་པ། རྡུལ་གཅིག་སྟེང་ན་རྡུལ་སྙེད་ཞིང་རྣམས་ཏེ། །ཞིང་དེར་བསམ་གྱི་མི་ཁྱབ་སངས་རྒྱས་རྣམས། །སངས་རྒྱས་སྲས་ཀྱི་དབུས་ན་བཞུགས་པ་དག །བྱང་ཆུབ་སྤྱོད་པ་སྤྱོད་ཅིང་བལྟ་བར་བགྱི། །ཞེས་རྡུལ་གཅིག་ལ་རྡུལ་སྙེད་ཀྱི་སངས་རྒྱས་ཀྱི་ཞིང་དང་། ཞིང་རེ་རེར་བསམ་གྱིས་མི་ཁྱབ་པའི་སངས་རྒྱས་འཁོར་བཅས་བཞུགས་པ་ལ་སློབ་པའི་སྐབས་སུ་རང་ལུས་

དེ་སྐྱེད་སྤྲུལ་ནས་བྱང་ཆུབ་ཀྱི་སྤྱོད་པ་སྤྱོད་དགོས་པ་དང་། དེ་ལྟར་མ་ལུས་ཐམས་ཅད་ཕྱོགས་སུ་ཡང་། །ཞེས་སོགས་ཕྱོགས་བཅུའི་འཇིག་རྟེན་གྱི་ཁམས་ན་སྐྲའི་རྩེ་མོ་ཙམ་གྱི་ཁྱོན་ལ་ཡང་དུས་གསུམ་གྱི་འཇིག་རྟེན་གྱི་ཁམས་མ་ལུས་པའི་སྐད་ཅིག་མ་དང་རྡུལ་ཕྲ་རབ་ཀྱི་གྲངས་མཉམ་གྱི་སངས་རྒྱས་རྒྱ་མཚོ་དང་། ཞིང་ཁམས་རྒྱ་མཚོར་སྤྱོད་པ་དེ་སྐྱེད་དུ་འཇུག་པ་སྟེ་བསྐལ་པ་སྐད་ཅིག་དང་། སྐད་ཅིག་བསྐལ་པར་བྱིན་གྱིས་བརླབས་ཚུལ་དེ་འདྲ་ཡིན་པ་འདྲ། གསུང་གཅིག་ཡན་ལག་རྒྱ་མཚོའི་སྒྲ་སྐད་ཀྱིས། །ཞེས་སོགས་ལྟར་གསུང་ཨ་ཞེས་པའི་གདངས་གཅིག་བུ་ལ་གསུང་དབྱངས་ཡན་ལག་དྲུག་ཅུའི་ཆ་ཤས་རྫོགས་པ། ཡན་ལག་རྒྱ་མཚོའི་གདངས་དང་། རྒྱལ་བ་ཐམས་ཅད་ཀྱི་གསུང་དབྱངས་རྣམ་པ་ཐམས་ཅད་པར་འཆར་པ་དང་། དེ་ཡང་འགྲོ་བ་རང་རང་གི་ཁམས་དང་བསམ་པ་བག་ལ་ཉལ་ཇི་ལྟར་བར་བྱ་རི་དྭགས་ཚུན་ཆད་དང་མཚམས་པའི་གདངས་སུ་འཇུག་པ་གསུང་གི་འཕྲིན་ལས་འཇུག་ཚུལ་ཡིན། གང་ཡང་བསྐལ་པ་དུས་གསུམ་ཚད་དེ་དག །ཅེས་སོགས་ལྟར་བུམ་པ་ད་ལྟ་བའི་དུས་དེའི་འདས་པ་དང་མ་འོངས་པའི་དུས་ཀྱི་བུམ་པ་མེད་ཀྱང་སེམས་ལ་འཆར་ལུགས་ཡོད། འདས་མ་འོངས་འཇལ་བའི་ད་ལྟ་བའི་ཤེས་པ་ཚད་མ་ཡོད་པས་དེའི་ཡུལ་ཡོད་དགོས། དུས་སྐད་ཅིག་མ་གཅིག་ལ་འདས་མ་འོང་གི་བསྐལ་པ་ཐམས་ཅད་ཀྱི་སངས་རྒྱས་ཀྱི་འཕྲིན་ལས་ཀྱི་འཇུག་པ་འཆར་ཚུལ་དང་འཇུག་ཚུལ་ཡོད། དུས་གསུམ་གྱི་བསྐལ་པ་ཐམས་ཅད་སྐད་ཅིག་མ་རེའི་ཆ་ཤས་ལ་རྣལ་འབྱོར་པས་འཇོག་ཐུབ་པ་ཡོད། འདས་མ་འོང་གི་སངས་རྒྱས་ད་ལྟ་མེད་ཀྱང་དེ་ལ་མཇལ་ཚུལ་སྲིད་པ་དེ་ལྟ་བུའི་བསམ་གྱིས་མི་ཁྱབ་པའི་ཏིང་ངེ་འཛིན་ལ་རྒྱུ་མའི་ཏིང་འཛིན་གྱི་རྣམ་ཐར་ཞེས་གསུང་ཏེ། རྟག་ཏུ་དེ་དག་གིས་ནི་སྤྱོད་ཡུལ་ལ། སྒྱུ་མ་ལྟ་བུའི་རྣམ་ཐར་སྟོབས་ཀྱིས་འཇུག །ཅེས་སོ། །སྔགས་ཀྱི་ཟུང་འཇུག་གི་བཤད་པ་འདི་ལས་ཕྲ་ཡང་དོན་གྱི་འགྲོ་ལུགས་ཕལ་ཆེར་འདྲ་བས་འགྲེལ་བ་བཞི་སྦྲགས་ཀྱི་ཟུང་འཇུག་གི་བཤད་པའི་ཐད་མདོ་སྡེ་ཕལ་པོ་ཆེའི་ལུང་དྲངས་པའི་དོན་དེ་ཡིན་ཞེས་གུང་ཐང་འཇམ་པའི་དབྱངས་ནས་གསུངས། དེསན་སྟོད་གཞལ་ཡས་ཁང་དང་བཅུད་ལྷ་དང་ལྷ་མོའི་རྣམ་རོལ་ལས་གཡོ་བ་མེད་པ་ཟུང་འཇུག་གི་སྐབས་སུ་ཡོད་པས་བརྟན་གཡོ་རྣམ་དག་གི་བདག་ཉིད་ཅེས་པ་དེ་ལ་གོ་དགོས། འདི་དག་ཤིན་ཏུ་དགའ་ཡང་ཕྱོགས་འགྲོ་ཙམ་དཔྱད་པའི་རྟེན་དུ་ཞུས་པ་ཡིན། དེའི་མཐའ་

སྐོར་དུ་བླ་མ་ཡི་དམ་སངས་རྒྱས་བྱང་སེམས་དཔའ་བོ་མཁའ་འགྲོ་ཆོས་བསྲུང་བསམ་གྱིས་མི་ཁྱབ་པ་དགའ་ལྷན་ནས་རྗེ་དང་ལྷན་ཅིག་སྤྱན་འདྲེན་པའམ། རྗེའི་ཐུགས་ཀ་ནས་སྤྲོས་ཀྱང་ཆོག་ལ། ཡབ་སྲས་གསུམ་སྐྱབས་གནས་མ་ལུས་པ་འདུས་པའི་བདག་ཉིད་དུ་བསམ་པ་ཀུན་འདུས་ནོར་བུ་ལུགས་བྱས་ཀྱང་ལེགས་སོ། །གཉིས་པ་དེ་ལ་ཚོགས་བསགས་པ་ཡན་ལག་བདུན་པ་ལ་གོ་རིམ་མི་འདྲ་པ་ཡོད་པས་འདིར་ལེགས་ཚོགས་ཀྱི་རྩ་བ་རྗེ་བླ་མ་དང་ནམ་ཡང་མི་འབྲལ་བ་ཤིན་ཏུ་གལ་ཆེ་བས་མྱ་ངན་ལས་མི་འདའ་བར་གསོལ་བ་འདེབས་པ་ཐོག་མར་མཛད་དེ། རྗེ་བཙུན་བླ་མ་དམ་པ་ཞེས་ཡོན་ཏན་དང་། དཀྱིལ་པའི་འཛུམ་དཀར་སྒྲོ་པ། ཐབས་ཤེས་ཟུང་དུ་འཇུག་པས་དཀར་ལ་དམར་མདངས་ཆགས་པ། མདོ་སྔགས་གཉིས་དང་སྟོང་པ་ཉིད་འབྱུང་ཟུང་འབྲེལ་དུ་སྟོན་པའི་ཕྱག་གཉིས་ཆོས་འཁོར་གྱི་ཕྱག་རྒྱས་འཆད་པ། རལ་གྲིས་རྩོད་པ། གླེགས་བམ་གྱིས་རྩོམ་པ། ཨུཏྤ་ལས་དེའི་ཀུན་སློང་བྱམས་སྙིང་རྗེ། ཚུལ་ཁྲིམས་དག་པས་ཆོས་གོས་གསུམ་གསོལ་ཞིང་། བསྲིག་བཅད་བདར་བའི་གསེར་བཞིན་རྒྱལ་བའི་དགོངས་པ་གསལ་བར་མཛད་པས་པཎ་ཞྭ། ལྟ་བ་ཕུ་ཐག་ཆོད་པས་རྩེ་མོ་རྣོ་བ། སྐྱིལ་ཀྲུང་གིས་རྫོགས་པའི་ཡོན་ཏན་ཏེ། སྐུའི་རྣམ་པ་མཚོན་དོན་དང་བཅས་པ་དྲན་ནས་བལྟ་བས་ནམ་ཡང་ངོམས་པ་མེད་པའི་སྐུ་དང་ཡོན་ཏན་མཐོང་བའི་ཡིད་དང་བའི་དད་པ། སྐྱབས་གནས་སུ་བསྟེན་ན་ནམ་ཡང་མི་བསླུ་སླམ་པ་ཡིད་ཆེས་ཀྱི་དད་པ། གོ་འཕང་དེ་ལྟ་བུ་ཐོབ་ན་ཅི་མ་རུང་སླམ་དུ་མངོན་འདོད་ཀྱི་དད་པས་བདག་དང་བདག་འདྲའི་འགྲོ་བ་ཐམས་ཅད་ལ་བླང་དོར་གྱི་གནས་ཕྱི་ཅི་མ་ལོག་པར་བསྟན་ནས་སྲིད་ཞིའི་རྒུད་པ་ཐམས་ཅད་ལས་སྐྱོལ་བའི་མགོན་དང་། འཕྲུལ་བྲལ་མདོ་སྔགས་ཟུང་འབྲེལ་གྱི་བསྟན་པ་དྲི་མ་མེད་པ་བཤད་སྒྲུབ་གཉིས་ཀྱིས་སྤེལ་བའི་སླད་དུ་བསྐལ་བརྒྱར་བཞུགས་སུ་གསོལ་ཞེས་ཡབ་སྲས་གསུམ་ག་ལ་རང་ལུས་སེང་གེ་བརྒྱད་ཀྱིས་བཏེགས་པའི་རིན་པོ་ཆེའི་ཁྲི་པད་ཟླ་དང་བཅས་པ་ཆེ་ཆུང་གསུམ་དུ་སྤྲུལ་ནས་ཕུལ་བས་སྟར་ཁྲི་དང་བཅས་གསོལ་བཏབ་ཡོད་ན་དེ་ལ་ཐིམ་པ་དང་། མེད་ན་རང་གིས་ཕུལ་བའི་ཁྲི་ལ་བཞུགས་ནས་ཇི་ལྟར་གསོལ་བ་བཏབ་པ་ལྟར་ནམ་ཡང་མྱ་ངན་ལས་མི་འདའ་བར་ཞལ་གྱིས་བཞེས་པར་བསམ། གཉིས་པ་ཕྱག་འཚལ་བ་ནི། ཞེས་བྱའི་ཚིག་ཀུན་སོགས་ཏེ། ཤེས་བྱའི་ཁྱོན་ནམ་མཁའ་དང་དཔེ་སྦྱར་ན་ས་ནམ་མཁའ་མཐའ་མེད་པ་ལྟར་ཤེས་བྱ་མཐའ་མེད།

འཇལ་བ་ནི་གསུང་རབ་ཀྱི་བརྗར་ཚད་མས་རྟོགས་པ་དང་། ཡོངས་གྲགས་འདོམ་ལ་འཇལ་བ་དཔེར་བྱས་ན་སངས་རྒྱས་ཀྱི་མཁྱེན་པ་དང་ཤེས་བྱའི་མཐའ་མཉམ་ས་བཅུ་མན་ཆད་ཀྱི་ཤེས་པས་འཇལ་ན་ཤེས་བྱ་ལྷག་པ་དཔའ་བོའི་བསྟོད་པ་བརྒྱ་ལྔ་བཅུ་པར། ཁྱོད་འབའ་ཞིག་གི་ཡེ་ཤེས་ཀྱིས། །ཤེས་བྱ་ཐམས་ཅད་ཁྱབ་ལགས་ཀྱི། །ཁྱོད་ལས་གཞན་པ་ཐམས་ཅད་ཀྱི། །ཤེས་བྱ་ཕོན་ལྷག་པ་ལགས། །ཞེས་པ་ལྟར་ཏེ། དཔེ་འགའ་ཞིག་ཏུ་ཡངས་པའི་ཞེས་འབྱུང་བའང་མི་ཤོང་བ་མེད་པའི་དོན་ཏེ་ཐལ་ཆེར་འདྲ། སྐལ་བཟང་ནི་བྱང་སེམས་ལ་བྱེད་པ་སོགས་དོན་འཆད་ལུགས་མང་ཞིང་། རྣ་བའི་རྒྱན་དུ་གྱུར་ཚུལ་ཁྱད་གཞི་ཁྱད་ཆོས་བརྒྱན་ཚུལ་སོ་སོར་དཔྱད་ན་མང་ཡང་རྣ་བར་སྙན་ཞིང་ཡིད་ལ་འབབ་པ། རྩོངས་མུན་སེལ་པ་སོགས་ལེགས་བཤད་ཀྱི་ཁྱད་པར་བཅུ་དང་། གྲགས་པའི་དཔལ་ནི་མཚན་དཔེ་སོགས་སྐུའི་ཡོན་ཏན་མཐོང་ན་མི་མཐུན་པ་མེད་ཀྱང་བལྟ་བས་མི་ངོམས་པ་སྟེ་ཐུགས་གསུང་སྐུ་ཡི་གསང་བ་གསུང་དང་། མཐོང་ཐོས་དྲན་རེག་གིས་འགྲོ་བའི་རེ་བ་སྐོང་བ་འཕྲིན་ལས་ཀྱི་ཡོན་ཏན་ཏེ། མདོ་སྡེ་ལས། བྱང་སེམས་ལ་དད་པས་མིག་གིས་ལྟ་བ་ཕན་ཡོན་ཆེ་ཚུལ་དང་། ཆོས་ཀྱི་སྐུས་རབ་ཏུ་ཕྱེ་བས་ན་མཐོང་པས་ཀྱང་སེམས་ཅན་གྱི་དོན་བྱེད་ལ། ཐོས་པ་དང་རེག་པས་ཀྱང་སེམས་ཅན་གྱི་དོན་བྱེད་དོ། །ཞེས་དང་། སངས་རྒྱས་བྱང་སེམས་རེ་རེའི་མཚན་བརྗོད་པ་དང་ཐོས་པའི་ཕན་ཡོན་མདོ་ལས་ཇི་སྙེད་གསུངས་པ་དང་། ཁྱད་པར་འཇམ་དཔལ་གྱི་མཚན་བརྗོད་པ་དང་ཐོས་པ་ཕན་ཡོན་ཆེ་བ་དང་། དྲན་པས་འཇིགས་པ་ལས་སྐྱོབ་པ་སྤྱན་རས་གཟིགས་ཀྱི་ལོ་རྒྱུས་སོགས་མདོ་བསྟན་བཅོས་ལས་གསུངས་པ་རྣམས་དྲན་ནས་ཡབ་སྲས་ཀྱི་སྐུའི་རྡུལ་ཕྲ་རེ་རེ་ལའང་ཞིང་ཁམས་དཔག་ཏུ་མེད་པ་དང་། མཁའ་ཁྱབ་ཀྱི་སྤྲུལ་པའི་བཀོད་པ་ཐམས་ཅད་ལ་རང་ལུས་དེ་སྙེད་སྤྲུལ་ནས་སྒོ་གསུམ་གྱིས་ཕྱག་འཚལ་བ་བཟང་སྤྱོད་དང་ལམ་ཁྲིད་ལྟར་བྱ། མཆོད་པ་ནི། ཡིད་འོང་མཆོད་ཡོན་སོགས་ཏེ། ཡིད་འོང་དང་། སྣ་ཚོགས་གཉིས་ཐམས་ཅད་ཀྱི་ཐོག་མཐར་སྦྱར་ཏེ་ཡིད་དུ་འོང་བའི་མཆོད་ཡོན་སྣ་ཚོགས་ནས་ཡིད་དུ་འོང་བའི་རོལ་མོ་སྣ་ཚོགས་པའི་བར་ཏེ། དཀོན་མཆོག་ཏ་ལའི་མདོ་ལྟར་མེ་ཏོག་ལྷ་བུ་རེ་རེ་ལའང་གདུགས་རྒྱལ་མཚན། བ་དན་བླ་རེ། ཁང་བརྩེགས། མེ་ཏོག་གི་ཚལ། ཕྲེང་བ་སྤེལ་བ་དང་། སིལ་མ། ཁ་དོག་དབྱིབས་གཟུགས་རིགས་མི་འདྲ་བ་མང་བ་སྣ་ཚོགས་ཀྱི་དོན་ཡིན།

རི་རབ་ཁང་ཁྱིམ་སྤྱང་ས་སྦྱོངས་སྐྱིད་ཚལ་མེ་ཏོག་ཆུ་མཚོ་ཉི་ཟླ་གླིང་བཞི་རི་རབ་སོགས་བདག་པོས་བཟུང་བ་དང་མ་བཟུང་བའི་ཕྱི་ནང་གི་ཡོ་བྱད་ཐམས་ཅད་དངོས་སུ་བཤམས་པར་བསྒྲུས། ད་ལྟ་འགའ་ཞིག་གིས་ཡིད་སྤྲུལ་གྱི་མཆོད་པ་ང་འདྲ་བྲུ་ཡོད་དོགས་མེད་ཅེས་རང་གིས་རང་ལ་གནང་བ་ཡིན། མི་ཚིག་ཅེས་བཀག་པ་གཞན་ཐམས་ཅད་ལག་ལེན་ལ་འདེབས་པ་འདུག་མོད། དེ་ལ་ཡིད་ཀྱིས་སྤྲུལ་པ་དེ་དགོས་ཞེས་བསྒྲིགས་མཁན་མི་ཡོང་། རང་གི་སེམས་སྦྱངས་པའི་རྟེན་འབྲེལ་གྱིས་ཚོགས་བསགས་ཡོད་བས་མར་མེ་ཆུང་ངུ་ལས་མེད་ཀྱང་རིན་པོ་ཆེའི་སྟོང་སྟོང་གསུམ་དང་རྒྱ་ཁྱོན་མཉམ་པའི་ནང་ལྡའི་ཟག་མེད་ཀྱིས་བདུད་རྩི་རྒྱ་མཚོ་ལྟར་འཁྱིལ་བ། སྟོང་བུ་རི་རབ་ཀྱི་མེ་ལྕེའི་འོད་ཟེར་ནམ་མཁས་གར་ཁྱབ་ཏུ་སྤྲོས་པའི་གསེབ་ནས་ཀུན་ཏུ་བཟང་པོའི་མཆོད་སྤྲིན་བསམ་གྱིས་མི་ཁྱབ་པ་ཕན་ཚུན་གོ་མི་འགོག་བས་རྒྱལ་བ་རྣམས་ཟག་མེད་ཀྱི་བདེ་བས་དགྱེས་བར་བྱས། འོད་ཟེར་གྱིས་མཁའ་ཁྱབ་ཀྱི་མ་དག་པའི་སྣོད་ཀྱི་འཇིག་རྟེན་གྱི་མུན་པ་དང་། བཅུད་ཀྱི་སེམས་ཅན་གྱི་སྡོངས་པ་ཐམས་ཅད་དང་། གྲངས་དམྱལ་དང་། གླིང་བར་གི་མུན་པའང་སེལ་ཞིང་། དེའི་ངད་ཀྱིས་འཁྱག་པའི་སྡུབས་དང་གངས་རི་སོགས་ཞུ་ནས་དེ་དག་གྲངས་པའི་སྡུག་བསྔལ་ལས་བསྐྱབས་ཏེ་བདེ་བ་ཕུན་སུམ་ཚོགས་པ་ལ་བཀོད། འོད་ཀྱིས་རིག་པས་རྗེའི་བསྟན་པ་ལ་དད་གུས་ཐོབ་པར་བསམ་པ་སོགས་དམིགས་པའི་འཕྲུལ་འདེབས་སྣ་ཚོགས་ཀྱིས་རང་ལུས་གྲངས་མེད་སྤྲུལ་ནས་ཕུལ་བས་རྗེ་ཡབ་སྲས་ཀྱིས་ཀྱང་དེ་སྙིད་ཀྱི་སྤྲུལ་བའི་བཀོད་པ་བསྟན་ནས་མཆོད་པ་བདག་གིར་བཞེས་ཏེ་འགྲོ་བའི་དོན་མཛད་པར་མོས་ན་རྗེ་ཡབ་སྲས་ཀྱི་བྱིན་རླབས་དང་། ཏིང་ངེ་འཛིན་གྱི་སྟོབས་ཀྱིས་འགྲུབ་སྟེ། སྐྱབས་མགོན་རྡོ་རྗེ་འཆང་ནས། སེམས་ཅན་གྱི་མོས་པ་དང་། སངས་རྒྱས་ཀྱི་འཕྲིན་ལས་ཀྱི་མཐའ་མ་བཀག་པས་མར་མེ་ཆུང་ངུ་ཡང་སྐོང་བུ་སྟོང་གསུམ་ཙམ། སྟོང་བུ་རི་རབ། །མར་ཁུ་རྒྱ་མཚོ་ལྟ་བུ་སོགས་ཡིད་སྤྲུལ་ལག་འཐོག་དགོས་པ་མེད་གསུང་། དེ་ལྟར་གོམས་པས་གསལ་སྣང་དང་རྟོགས་པ་སྐྱེས་ནས་མཐོན་པའི་སྐབས་དངོས་སུ་དེ་ལྟར་སྤྲུལ་ནུས་པ་འབྱུང་རྒྱ་མཚོ་ནི་མང་ཚིག་ཡིན་པས་ཐམས་ཅད་ལ་སྦྱོར། ཐུགས་དང་འབྲེལ་བར་ཉམས་སུ་ལེན་ན་ བླ་མཆོད་ལྟར་ཐོག་མར་ཡི་དམ་ལྷའི་ང་རྒྱལ་གྱིས་སྣོད་བཅུད་སྦྱངས་བསྒྱུར་དང་། མཆོད་པ་བྱིན་གྱིས་བརླབས་ཏེ་འདིར་ཕྱི་ནང་གསང་བ་དེ་ཁོ་ན་ཉིད། ཀྱི་མཆོད་པ་ཚིག་རྒྱས་བསྡུས་ཅི་རིགས

པས་འབུལ། སྐྱབས་མགོན་རྡོ་རྗེ་འཆང་ནས་མཆོད་ཡུལ་རྣམས་ཟུང་འཇུག་གི་སྐུ་ཅན་ཤ་སྟག་ཡིན་པས་ཕྱག་མཆོད་སོགས་ལ་ཟུང་འཇུག་གི་ཕྱག་མཆོད་ཀྱི་དམིགས་རྣམ་བསྐྱངས་ན་ལེགས་ཞེས་རྒྱལ་བ་བསྐལ་བཟང་རྒྱ་མཚོས་གསུངས་གསུང་བ་ཚིག་ཉུང་ཡང་དོན་རྒྱ་ཆེ་བས་དེ་ལྟར་བྱས་ན་ལེགས། བཤགས་པ་ནི། གང་ཞིག་ཐོག་མེད་སོགས་ཏེ། སྡིག་པ་རེ་རེ་ཙམ་མ་ཡིན་པར་དུས་ཐོག་མེད་ནས་ད་ལྟའི་བར་སྒོ་གསུམ་གྱིས་བསགས་པའི་སྡིག་པ་གང་ཞིག་སྟེ་གང་ཡོད་ཐམས་ཅད་བཤགས་ན་དེར་མ་འདུས་པའི་སྡིག་པ་མེད། ཁྱད་པར་སྡོམ་ལྡན་ལ་ཉེས་པ་དང་སྡིག་པའི་ལྷི་ཤོས་དང་། བཤམས་བསྡམས་གལ་ཆེ་ཤོས་སྡོམ་གསུམ་གྱི་བཅས་འགལ་ཡིན་པས་དེ་རྣལ་དུ་བཏོན་པ་གོ་རྒྱུ་དང་གནད་ཆེ་བས་དེའི་སྐབས་སུ་སོ་ཐར་གྱི་ཕམ་ལྷག་ལྟུང་བྱེད་སོར་བཤགས་ཉེས་བྱས་ཕྱོགས་མཐུན་དང་བཅས་པ་དང་། སྡིགས་བྱང་སེམས་ཀྱི་རྩ་ལྟུང་ཉེས་བྱས་རྣམས་སོ་སོར་ཡིད་ལ་དྲན་ན་འདག་སྟོབས་ཆེ། བཤགས་ཚུལ་ཚིགས་ཞིང་རྟེན་གྱི་སྟོབས། ཉེས་པ་སྔ་མར་འགྱོད་སེམས་རྣམ་པར་སུན་འབྱིན་པའི་སྟོབས། ཕྱིས་མི་འགྱིད་པའི་སྡོམ་སེམས་ཉེས་པ་ལས་སླར་ལྡོག་པའི་སྟོབས། བཤགས་པ་གཉེན་པོ་ཀུན་ཏུ་སྤྱོད་པའི་སྟོབས་ཏེ་བཞི་ཚང་ན་ངེས་པར་འདག །སྡིག་པར་འགྱོད་པ་མེད་ན་སྡོམ་སེམས་མི་སྐྱེ། འགྱོད་སྡོམ་མེད་པར་ཁ་ཙམ་གྱིས་བཤགས་པས་འདག་ཆེ་བ་ཆུང་བས་འདིར་ཡང་ཚིག་ལ་ཐོན་པར་བྱས་པ་གནད་ཟབ། འགྱོད་པ་སྐྱེ་ཐབས་སྡིག་པའི་རྣམ་སྨིན་དང་འཆི་བ་ལ་བསམ་བློ་བཏང་། སྡིག་པས་འཕྲུལ་ལ་མཚོན་བཞིན་མི་གཙོད་ཅིང་། །ཞེས་སོགས་ལྟར་ད་ལྟ་སྡིག་འབྲས་མངོན་དུ་མ་གྱུར་པར་བག་ཆགས་ཀྱི་ངོ་བོར་གནས་པ་སླར་སྨིན་ནས་ཚ་གྲང་སོགས་ཀྱི་སྡུག་བསྔལ་ཡིད་དུ་མི་འོང་བ་མྱོང་ཚེ་བཟོད་གླག་མེད། དེ་མྱོང་པ་པོ་རྒྱུད་གཞན་མ་ཡིན་པར་རང་གིས་མྱོང་དགོས། ད་ལྟ་ནད་ལ་སོགས་པའི་སྡུག་བསྔལ་དྲག་པོས་མནར་ན་དཀའ་ལས་ཅི་ཙམ་འདུག །རེ་ཞིག་ཐོག་ཏུ་བབས་མ་བབས་ཀྱི་ཁྱད་ཙམ་མ་གཏོགས་སྐྱེ་བ་རྗེས་མར་མྱོང་ཡང་དེ་དང་འདྲ། དགེ་སྡིག་སྣ་རེའི་འབྲས་བུ་སྐྱེ་བ་ལྔ་བརྒྱ་སོགས་སུ་མྱོང་ཚུལ་འདུལ་བ་ལུང་ལྟར་རེད། སྔ་མར་སྡིག་པ་བསགས་པ་རང་གིས་མི་ཤེས་ཀྱང་སྡིག་འབྲས་ད་ལྟ་མྱོང་བ་མཐོང་བ་ལྟར་སླར་སྡུག་བསྔལ་མྱོང་རྒྱུད་ལྟ་མི་ཤེས་ཀྱང་། མྱོང་དུས་ཤེས་ཡོང་། ཁ་ཤས་ཀྱིས་སྐུ་ཕྱོགས་ཀྱི་ཐུགས་རྗེར་དྲག་མོད་ཟེར་བ་རེ་ཞིག་སེམས་གསོ་ཙམ་ལས་སེམས་ན་དེ་འདྲའི་བློ་གཏད་ཆུགས་ཐུབ་པའང་མེད་

པས་མི་མང་གི་གཏམ་ལ་ཡིད་བརྟན་མེད། གུང་ཐང་འཇམ་པའི་དབྱངས་ནས། ང་ཆོས་སྐྱབས་འགྲོ་དང་སྡིག་བཤགས་བྱེད་པ་འདི་ང་ཕྱོད་ལ་འཇུལ་བ་ཡིན་ཞེས་བྱིས་པས་རྩེད་མོ་རྩེས་བ་དང་འདྲ་གསུངས། དེས་ན་སྡིག་བཤགས་འདོད་ན་འགྱོད་སེམས་ཀྱིས་བཤགས་ནས་སྡིག་པའི་འཕྲོ་ཆོད་པ་གལ་ཆེ་བར་མདོ་ལས་གསུངས་པ་འདི་ཡིད་ལ་འཛིན་དགོས། དེ་ལྟར་བཤགས་པས་རྗེ་ཡབ་སྲས་ཀྱི་སྐུའི་ཆ་ལས་བདུད་རྩི་སྣ་ལྔ་འོད་ཟེར་དང་བཅས་པའི་རྒྱུན་བབས། ཚེ་རབས་ཐོག་མེད་ནས། བསགས་པའི་སྡིག་སྒྲིབ་ཉེས་ལྟུང་དང་། དེ་དག་གི་རྣམ་སྨིན། རྒྱུ་མཐུན། བདག་འབྲས་ཐམས་ཅད་དག། ཕྱིན་ཆད་སྡིག་པས་མི་གོས་པར་བྱིན་གྱིས་བརླབས་པར་བསམ། ཁ་ཅིག། སྡིག་པ་མང་བས་བཤགས་ཀྱང་འདག་དཀའ་སྙམ་ན་དེ་ནི་གཡག་ཞར་གྱིས་རྩྭ་ཟོས་པ་ལྟར་ཕྱོགས་གཅིག་ལས་མ་མཐོང་བས་ལན། སྡིག་པར་རྣམ་སྨིན་ཡོད་པ་དང་། བཤགས་པས་འདག་པ་གཉིས་ཀ་སངས་རྒྱས་ཀྱིས་གསུངས་པ་བདེན་མཉམ་ཡིན་པས་ཐམ་དག་སོང་། ཕྱིས་སྡོམ་སྙམ་པ་དགོས་སོ། །རྗེས་སུ་ཡི་རངས་ནི། སྙིགས་མའི་དུས་འདིར་སོགས་ཏེ། སངས་རྒྱས་ཀྱི་འཕྲིན་ལས་ལ་བྱ་བ་ཡུལ་ལ་ཡོད་པའི་འཕྲིན་ལས་དང་། བྱེད་པ་པོ་རང་ལ་ཡོད་པའི་འཕྲིན་ལས་གཉིས་གསུངས་པ་ལྟར་འདི་ཡང་རྗེ་ཡབ་སྲས་དང་། རྗེས་འཇུག་གཉིས་ཀ་ལ་སྦྱར་ནས་བཤད་ཆོག་ཅེས་གུང་ཐང་འཇམ་པའི་དབྱངས་གསུངས། རྗེའི་ཐུན་མོང་མ་ཡིན་པའི་གསང་བ་ལག་ན་རྡོ་རྗེས་ཀྱང་མི་དཔོག་པར་གསུངས་པས་རྗེས་སུ་ཡི་རང་གི་ཡུལ་མང་ཡང་། ཐུན་མོང་བ་སྙིགས་མའི་དུས་འདི་ལྟ་བུར་ཕྱིན་ནས། དང་པོར་རྒྱ་ཆེན་ཐོས་པ་མང་དུ་བཙལ། །ཞེས་སོགས་ལྟར་མདོ་སྔགས་ཕྱོགས་མེད་ལ་ཐོས་བསམ་དང་། ཐོས་དོན་སེམས་རྒྱུད་ལ་སྦྱར་བའི་ཉམས་ལེན་ཟུང་འབྲེལ་གྱི་སྒོ་ནས་སྟོན་པས་དང་པོ་ཐུགས་བསྐྱེད་པ་ནས་བཟུང་མཐར་སངས་རྒྱས་པའི་བར་གྱི་མཛད་པ་ཐམས་ཅད་སྐུ་ཚེ་གཅིག་ལ་ཕྱག་ལེན་དུ་བཏབ་ནས་རྗེས་འཇུག་རྣམས་ཀྱང་ཚུལ་དེ་ལྟ་བུར་བགྲི་བར་མཛད་པས་ད་ལྟའི་བར་ཐོས་བསམ་ཙུང་ཟད་ཡོད་པ་འདི་རྗེའི་བཀའ་དྲིན་དང་ཁྱད་ཆོས་བསམ་གྱི་མི་ཁྱབ་པ་ཞིག་རེད། ས་སྟེང་གར་འབྲུག་གི་མཁས་གྲུབ་ཚད་ལྡན་རྣམས་ལ་མང་ཐོས་སྒྲུབ་བརྩོན་ཡོད་པ་གཞིར་བཞག །རྗེས་འབྲང་འགའ་ཞིག་ཐོས་བསམ་སྒོམ་གྲུབ་རིས་འཛོག་ཏུ་སོང་ནས་ཐོས་བསམ་མི་དགོས་པར་སྒོམ་གྱིས་ཆོག་པར་འདོད་དེ། ཟན་ཟ་བའི་སྦྱོར་བ་མ་བཅམས་པར་ཟ་ལུགས་མེད་

ན་དགེ་སྦྱོར་བྱེད་ལུགས་མ་ཤེས་པར་སྒོམ་ཅི་ལྟར་བྱེད། ལུང་རྟོགས་ཀྱི་ཡོན་ཏན་སྐྱེ་བ་ལ་ཆོས་འཁོར་བསྐོར་དགོས་པ་ཐོས་བསམ་གལ་ཆེ་བའི་རྟགས་རེད། དེ་མིན་ན་སངས་རྒྱས་འཇིག་རྟེན་དུ་བྱོན་ནས་ཆོས་འཁོར་བསྐོར་ཅི་ལ་དགོས། བྱམས་འཇམ་དབྱངས་མཆོག་ཟུང་ཐམས་ཅད་ཀྱིས་ལུས་གནད་ལྟ་སྟངས་དང་ཁ་ཏོན་བྱས་པས་ཆོག། རྟོགས་པའི་ཡོན་ཏན་ཤེས་རབ་ལ་རག་ལས། ཆོས་རབ་ཏུ་རྣམ་འབྱེད་ཀྱིས་ཤེས་རབ་ཐོས་བསམ་ལ་རག་ལས་པས་ལུང་གི་ཆོས་འཁོར་བསྐོར་དགོས་སོང་བ་རེད། བསམ་གཟུགས་བརྒྱད་ཐོབ་དང་། མངོན་ཤེས་ལྔ་ལྡན་གྱི་ཕྱི་རོལ་བའི་དྲང་སྲོང་ཇི་སྙེད་དང་། ལྷའི་ང་རྒྱལ་གསལ་སྣང་གྲུབ་ནས་ཧཱུྃ་ཤི་ཕཊ་འཁྱིལ་ཐོང་བཙན་ཀླུའི་སོ་རྒྱུས་དང་། རླུང་བཟུང་ནས་ནམ་མཁའ་ལ་འཕུར་བ། གཏུ་མ་མོ་བསྒོམས་ནས་རས་རྐྱང་ཐུབ་པ་ལྟ་བུའི་རྫོགས་རིམ་ཆ་འདྲ་ཕྱི་རོལ་པ་ལ་ཡོད་པ་བཀྟེ་ཏ་སའི་སྙིང་པོས་ཇོ་ཇོ་ལ་ཞུས་པ་ལྟ་བུ། སྔགས་གྲངས་བསགས་ནས་ཕུ་བཏབ་པས་ཆར་འཆད་པ། རྨ་གསོ་བ་ལྟ་བུ་ལ་སྔགས་ཀྱི་ནུས་པ་ཟེར། རྫས་སྔགས་སྨན་དང་མཐུད་སྔགས་ཀྱི་ནུས་པ་བསམ་གྱིས་མི་ཁྱབ་ཅེས་ལྷུམ་བུ་འགའ་རེ་ལའང་དེ་འདྲའི་ནུས་པ་སྲིད་པས་རྟོགས་པའི་ཡོན་ཏན་ག་ལ་ཡིན། དེས་ན་རྗེ་བདག་ཉིད་ཆེན་པོ་བོད་གངས་ཅན་གྱི་མཁས་པ་ཡོངས་ཀྱི་གཙུག་རྒྱན་དུ་གྱུར་ཀྱང་དེ་ལ་ཅི་མི་སྙམ་པར་ཞབས་འབྲིང་དགེ་འདུན་ལྔ་བཅུ་ཙམ་མིག་མཆི་མ་ཅ་རེ་བཞག་ནས་འཇམ་བའི་དབྱངས་ཀྱི་བཀའ་བཞིན་འོལ་ཁ་སོགས་སུ་ཕྱག་ལ་ཁྲག་རྗོལ་གྱི་བར་མཉལ་འབུལ་བ་སོགས་ཀྱི་དཀའ་སྤྱད་དང་། ཆོས་བརྒྱད་དཀར་ནག་ཁྲ་གསུམ་ཟིལ་གྱིས་མནན་ནས་ལམ་བསླབ་པ་གསུམ་ལ་སྒྲུབ་པ་སྙིང་པོར་མཛད་པའི་རྣམ་ཐར་མཐའ་དག་དང་། རྗེས་འཇུག་བུ་སློབ་རྣམས་ཀྱི་བཤད་སྒྲུབ་ཟུང་འབྲེལ་གྱི་རྣམ་ཐར། ད་ལྟ་དེ་འདྲ་དཀོན་ཡང་ཆོས་བརྒྱད་སྤངས་ནས་གཞུང་ལུགས་རྒྱ་མཚོར་ཐོས་བསམ་དང་། ཐོས་དོན་སྒྲུབ་པ་སྙིང་པོར་བྱས་ན་ལེགས་ཞེས་ཁ་ནས་སྨྲ་བ་འདི་ཙམ་ཡན་ཆད་རྗེ་ཡབ་སྲས་ཀྱི་ཐུགས་རྗེར་གོ་ནས་རྗེས་སུ་ཡི་རངས་སྙིང་ཐག་པ་ནས་བསྒོམས་ན་ཡི་རངས་བྱ་བའི་ཡུལ་རྒྱ་ཆེ་བའི་ཚོད་ཀྱིས་དགེ་རྩ་བསམ་གྱིས་མི་ཁྱབ་པ་སྟུད་དེ། འགྲེལ་བ་དོན་གསལ་ལས། རྗེས་སུ་ཡི་རངས་པ་ཡིད་ལ་བྱེད་པས་ནི་རང་གཞན་གྱི་དགེ་བའི་རྩ་བ་མཉམ་པ་ཉིད་ཐོབ་པོ། །ཞེས་སོ། །ཨ་རིག་དགེ་བཤེས་འོད་ཟེར་རྒྱལ་མཚན་ཚང་གིས། རྗེ་བདག་ཉིད་ཆེན་པོ་རྣམ་ཐར་མཁས་གྲུབ་རིན་པོ་ཆེས་བསྐྱར་དུས་ན།

མི་དམན་རྣམ་དཔྱོད་མཆོག་གིས་ལེགས་བསྡམས་ཤིང་། །ནས། གཅིག་ཏུ་སྒྲུབ་ལ་དགྱེས་པ་དེ་ཙམ་དོ། །གསུངས་པ་རྗེའི་རྣམ་ཐར་འཆུག་མེད་ཡིན། རྗེ་བདག་ཉིད་ཆེན་པོ་གོང་མ་རྒྱལ་པོས་གདན་དྲངས་ནས་ཁོའི་བླ་མ་བྱེད་དགོས་ཞུས་དུས། ངེད་ཁམས་མི་བདེ་ཞེས་སེར་རྩེའི་བྲག་སྲུབ་ལ་ཡིབ་ནས་སྐུལ་མ་ཚུགས། དེ་མིན་པ་རྒྱལ་ཚབ་མཁས་གྲུབ་གཉིས་ཀྱིས་མགོ་བྱས། ས་སྐྱོང་ཀར་འབྲུག་དགེ་ལྡན་པའི་བླ་མའི་རིགས་སུ་ལའང་གོང་མས་དེ་འདྲ་ཞིག་སྐྱས་ནམ་གིར་མི་རྒྱུག་མཁན་མེད་གསུངས་པའང་ཉམས་འཆར་ལྟ་བུ་ལ་དཔྱད་ན་གོ་རྒྱུ་ཆེ། །སྡིག་པ་ལ་ཡི་རངས་དང་འདུན་པ་གཅིག་དྲིལ་བྱས་ན་བྱེད་པ་པོ་དང་མཉམ་པའི་ཉེས་དམིགས་འབྱུང་བ་མཛོད་ལས། དམག་ལ་སོགས་པ་དོན་གཅིག་ཕྱིར། །ཐམས་ཅད་བྱེད་པ་པོ་བཞིན་ལྡན། །ཞེས་དང་། ཀློ་སྦྱོང་ལས། དགྲ་ལ་སྡུག་བསྔལ་བྱུང་ན་དགའ་བ་ཡི་རངས་གོ་ལོག་ཏུ་གསུངས་པ་ཁ་ཆེན་ཆོས་རྒྱན་ལྟར་རོ། །འཁོར་ལོ་བསྐོར་བར་བསྐུལ་བ་ནི། རྗེ་བཙུན་བླ་མ་སོགས་ཏེ། རྗེ་བླ་མའི་དག་པ་གཉིས་ལྡན་གྱི་ཆོས་སྐུ་ནམ་མཁའ། མཁྱེན་བརྩེ་ཆུ་འཛིན་ཏེ་སྤྲིན། མདོ་སྔགས་ཟབ་རྒྱས་ཀྱི་ལུང་གི་ཆོས་འཁོར་བསྐོར་བ་ཆར་བབས་པ། སྐལ་ལྡན་གྱི་གདུལ་བྱའི་ཤེས་རྒྱུད་འཛིན་མ་སྟེ་ས་གཞི། རྫོགས་པའི་ཆོས་འཁོར་མྱུ་གུའི་གཟུགས་སུ་བཀོད་དེ། ཆོས་སྐུའི་ནམ་མཁར་མཁྱེན་བརྩེའི་སྤྲིན་འཁྲིགས་པ་ལས། འགྲོ་རྣམས་ཞི་བའི་ལས་དང་ནི། །ཞེས་སོགས་ལྟར་ཕྱི་མའི་ངན་འགྲོ་ལས་སྐྱོབ་བྱེད་སྐྱབས་འགྲོ་ལས་འབྲས། སྲིད་པའི་རྒྱུད་པ་སེལ་པ་ལམ་བསླབ་གསུམ། ཞི་བའི་གདུང་བ་འཕྲོག་པ་བྱམས་སྙིང་རྗེ་བྱང་སེམས། ཟབ་མོའི་ལྟ་བ། ལམ་རིམ་གཉིས་སོགས་གང་ལ་གང་འདུལ་གྱི་ལུང་གི་ཆོས་ཀྱི་ཆར་བརྒྱུད་བླ་མ་སོགས་ལྟར་འབབ་རྩོལ་དང་བྲལ་བས་ལྷུན་གྲུབ་རྒྱུན་མི་འཆད་དུ་ཕབས་ནས་གདུལ་བྱའི་ཤེས་རྒྱུད་ལ་རྫོགས་པའི་ཆོས་ཀྱི་མྱུ་གུ་སྐྱེ་བར་མཛད་དུ་གསོལ། ཞེས་གསོལ་བ་བཏབ་པ་ལྟར་ཞལ་གྱི་བཞེས་ཤིང་དེ་ལྟར་དུ་བྱིན་གྱིས་རླབས་པར་བསམ། བསྔོ་བ་ནི། བདག་གིས་ཇི་སྙེད་སོགས་ཏེ། རང་གིས་དུས་གསུམ་གྱི་ང་ཡིད་ལ་དྲན་པར་བྱས་ནས་ཕྱག་འཚལ་བ་སོགས་ཡན་ལག་བདུན་གྱིས་མཚོན་པའི་དགེ་རྩ་སྔར་བསགས་ཟིན་པ། ད་ལྟ་བསགས་བཞིན་པ། མ་འོངས་པ་ན་བསགས་འགྱུར་གྱི་དགེ་བའི་དངོས་པོ་མཐའ་དག་བསྔོ་བྱའི་རྫས་དང་། བསྔོ་བའི་གནས་མཁའ་ཁྱབ་ཀྱི་བསྟན་འགྲོར་གང་ལ་གང་ཕན་ཏེ། སྤྱོད་འཇུག་བསྔོ་ལེ་སོགས་ལྟར་ན་

ནད་གདོན་སོགས་ཉེར་འཚེས་གཙེས་བ་དེ་ལས་གྲོལ་བ། ནོར་ལོངས་སྤྱོད་བུ་དང་ བྲན་འཁོར་གྱིས་དབུལ་བ་སེལ་བ། འགྲོ་བ་རིགས་དྲུག་སྤྱི་བྱེ་བྲག་གི་སྡུག་བསྔལ་ཇི་སྙེད་པ་ལས་སྐྱོབ་པ་ནས་རྒྱུན་མཐའ་མ་རྣམས་ཤེས་སྒྲིབ་ཕྲ་མོ་ལས་གྲོལ་བའི་བར་དང་། དུས་གསུམ་གྱི་རྒྱལ་བ་སྲས་བཅས་ཀྱི་འཆད་རྩོད་རྩོམ་གསུམ་བྱ་བ་ལས་ཀྱི་འཁོར་ལོ་སོགས་སྐུ་གསུང་ཐུགས་ཀྱི་མཛད་པ་མཐའ་དག་ཐུགས་ཀྱིས་ཇི་ལྟར་བཞེས་པ་བཞིན་འགྲུབ་པ་དང་། དེ་ལྟར་བསྟན་འགྲོར་ སྨན་པའི་ཐབས་ལ་རིགས་མང་ཡང་གྲུབ་མཐའ་རིས་མེད་ཀྱི་ཆོས་འོ་མ་ལྟ་བུ་དང་། དེ་བསྡུབ་པའི་མར་གྱི་ཉིང་ཁུ་ལྟར་བསྟན་པའི་གནད་ཀུན་ཡོངས་སུ་རྫོགས་པ་མགོ་བཤེས་གཉེན་བསྟེན་ཚུལ་ནས་མཇུག་མི་སློབ་པའི་ཟུང་འཇུག་གི་བར་གྱི་ལམ་གྱི་རིམ་པ་ཆ་ཚང་ལ་མ་ནོར་བར་གདན་ཐོག་གཅིག་ཏུ་སྒྲུ་བའི་ལམ་གྱིས་ཉམས་སུ་བླངས་པས་ཆོག་པ་རྗེའི་ལུགས་སྲོལ་འདིའི་ཁྱད་ཆོས་ཡིན་པས་བསྟན་པའི་སྙིང་པོ་ཞེས་གསུངས་པ་ལ་གོ་རྒྱུ་ཆེ། དེ་རིང་དུ་གསལ་བ་ནི་ཚེ་འདི་དང་སྐྱེ་བ་རེ་ཙམ་མ་ཡིན་པར་འཁོར་བ་མ་སྟོང་བར་དང་། ནམ་མཁའ་ཇི་སྲིད་དུ་ཐོས་བསམ་སྒོམ་པས་རང་གིས་ཉམས་འོག་ཏུ་ཚུད་དེ། འཆད་རྩོད་རྩོམ་པས་གཞན་ལ་གསལ་བྱེད་ཤོག་ཅེས་རྒྱལ་བའི་མཛད་པ་ཐམས་ཅད་བདག་ཉིད་ཀྱི་ཁུར་དུ་བསྣམས་པས་ཕན་ཡོན་བསམ་གྱིས་མི་ཁྱབ་པ་འཐོབ། དུས་གསུམ་དུ་འབྱོན་དང་འབྱོན་འགྱུར་གྱི་རྒྱལ་བ་སྲས་དང་བཅས་པའི་སྐུའི་རྣམ་པ་རྗེ་དང་འདྲ་མ་འདྲ་ཅི་ལྟར་ཡང་གསུང་རྒྱུའི་ཆོས་ལ་རྗེ་རིན་པོ་ཆེས་གསུངས་པ་འདི་ལས་མཆོག་ཏུ་གྱུར་པ་དང་། ཉམས་ལེན་ལའང་འདི་ལས་ལྷག་པ་སྟོན་རྒྱུ་མེད་པས་བྱམས་མགོན་གྱི་དུས་སོགས་སུ་རྗེའི་བསྟན་པ་སྤེལ་མི་ནུས་པའི་སྐྱོན་ཡང་མེད་དོ། །དེ་ལྟར་བསྔོས་བས་དགེ་རྩ་ཆུད་མི་ཟ་ཞིང་ཟད་པ་མེད་པར་ཤིང་ཐོག་སྨིན་པ་ད་ལྟ་ཉིད་དུ་ལོངས་སྤྱད་རུང་ལྟར་ཅི་ལྟར་སྨོན་པའི་འབྲས་བུ་བདེ་བླག་ཏུ་འགྲུབ་པའི་རྒྱུའི་ནུས་པ་ཐོགས་མེད་དུ་བྱིན་གྱིས་བརླབས་པར་བསམ། ཡན་ལག་བདུན་པོ་འདི་རྒྱལ་སྲས་ཀྱི་སྤྱོད་པའི་སྨོན་ཆེ་ཤོས་ཡིན་པས་ས་མཐོན་པོ་ལ་གནས་པའི་བྱང་སེམས་རྣམས་ཀྱང་སངས་རྒྱས་སོ་སོའི་དྲུང་དུ་བྱོན་པའི་ཚེ་འདི་ཁོ་ན་མཛད་ཚུལ་མདོ་སྡེ་རང་རང་ལ་བལྟས་ན་ཤེས་ཤིང་། ཕྱག་སོགས་གོ་རིམ་བཞིན་དུ། ང་རྒྱལ་དང་། སེར་སྣ་དང་། དུག་གསུམ་སོགས་སྤྱང་བྱ་སྤྱི་དང་། ཐུག་དོག་དང་། ཆོས་སྤོང་གི་ལས། བླ་མའི་ཐུགས་དཀྲུགས་པ། ལོག་ལྟ་རྣམས་ཀྱི་གཉེན་པོར་འགྱུར། ཆོས་འཁོར་

བསྐུལ་བས་ཚེ་རབས་ཐམས་ཅད་དུ་ཆོས་དང་མཇལ། མྱ་ངན་ལས་མི་འདའ་བར་གསོལ་བས་ཚེ་སྐྱབ་མཆོག་ཏུ་འགྱུར། བྱང་ཆུབ་ཏུ་བསྔོ་བས་དགེ་རྩ་མི་ཟད་ཅིང་འཕེལ་བ་དང་། ཚོགས་བསགས་སྒྲིབ་སྦྱངས་ལ་འདི་ལས་ལྷག་པ་མེད། འདིས་སྡིག་སྒྲིབ་འདག་སྟེ། སྤང་བྱའི་གཉེན་པོ་བསྐྱེད་ན་སྤང་བྱ་འཇོམས་པའི་ཕྱིར། ཚོགས་རྫོགས་ཏེ། སངས་རྒྱས་བྱང་སེམས་ལ་ཁྲིམས་པའི་སེམས་ཀྱིས་བལྟས་ཀྱང་ཕན་ཡོན་ཐོབ་ན་དད་པས་ཕྱག་མཆོད་སོགས་སྨྲས་མི་དགོས་པའི་ཕྱིར། འདིར་ཚོགས་རྫོགས་པ་ནི་ཕན་ཡོན་ཐོབ་པ་ལ་བྱེད། ཆོས་སྤྱོད་དང་། ལས་འབྲས་མེད་པར་ལྟ་བའི་ལོག་ལྟ་གཉིས་སྡིག་པའི་ལྕི་ཤོས་ཡིན་པས། མདོ་ལས་ཀྱང་། ལོག་སྤྱོད་རྣམས་ནི་མ་གཏོགས་སོ། །ཞེས་གསུངས། བཤེས་སྤྲིངས་ལས། གང་ཟག་ལོག་པར་ལྟ་བས་དགེ་སྤྱོད་ཀྱང་། །ཐམས་ཅད་རྣམ་པར་སྨིན་པ་མི་བཟད་ལྡན། །ཞེས་པར། དགེ་རྩལ་འབྲས་བུ་ཡིད་མི་འོང་འབྱུང་ཚུལ་མེད་པས་སྔར་ལམ་རིམ་བཤད་ལུང་སྐབས་འཕྲོས་པ་དང་། རྒྱལ་མཁན་ཆེན་ཚང་ལ་ཞུས་པར། འདི་ལ་བླམ་ལ་སྨོད་པའི་ལོག་ལྟ་ལ་བྱེད་པ་འདྲ་ཞེས་ཤེས་བྱེད་དང་བཅས་གོ་བསྐོར་ཚབ་ཆེ་བའི་ལན་གནང་། ཕྱིས་ལམ་རིམ་སོགས་ལ་ཞིབ་ཏུ་བལྟས་པར། ལོག་ལྟས་སྔར་ཡོད་ཀྱི་དགེ་རྩ་བཅད། སྐར་ཙུང་ཟད་རེ་བསགས་ཀྱང་བསམ་པའི་སྟོབས་ཀྱིས་མཐུ་ཆུང་ཞིང་། འབྲས་བུ་ངན་འགྲོ་སོགས་སུ་རྣམ་སྨིན་ཡིད་དུ་མི་འོང་བ་དང་འགྲོགས་ནས་སྤྱོད་དགོས་པ། སྨིན་པའི་ལོངས་སྤྱོད་དག་ནི་འགྲོ་ངན་ནའང་། སྐྱེ་བོ་ཚུལ་ཁྲིམས་རྐང་པ་ཉམས་ལས་འབྱུང་། །ཞེས་པ་དང་ཕྱོགས་འདྲའམ་སྙམ། ལས་འབྲས་ལ་ཡིད་མི་ཆེས་པའང་དེ་དང་ཉེ་ཞིང་རྣམ་སྨིན་ལྕི་བས། ལས་འབྲས་ལ་ཡིད་ཆེས་ཀྱི་དད་པ་ལ་འཇིག་རྟེན་པའི་ཡང་དག་པའི་ལྟ་བ་ཞེས་བདེ་ལེགས་ཐམས་ཅད་ཀྱི་རྩ་བར་གསུངས་སོ། །སྒྲ་ན། སྐབས་འདིར་མཉལ་ཀྱང་ཐུལ། དེ་ནས་རྒྱས་པར་བྱེད་ན། དཔལ་ལྡན་ས་གསུམ་མ། མཆོག་གི་དངོས་གྲུབ་བརྙེས་ལ་གསོལ་བ་འདེབས། །ཞེས་པའི་བར་བཏོན་ཏེ། ས་གསུམ་གྱི་འགྲོ་བ་ལ་ཐར་བ་དང་ཐམས་ཅད་མཁྱེན་པའི་ལམ་སྟོན་པའི་མིག་གཅིག་པུ་དང་། ཐར་བར་འཁྲིད་པའི་དེད་དཔོན་སངས་རྒྱས་གྲངས་མེད་བྱོན་ཀྱང་འདུལ་བར་མ་ནུས་པའི་འགྲོ་བ་ལ་དགེ་བའི་བཤེས་གཉེན་གྱི་རྣམ་པར་སྤྲུལ་ནས་རྒྱལ་བའི་དགོངས་པ་ཡོངས་སུ་རྫོགས་པར་བསྟན་པས་རྒྱལ་བ་ཀུན་ལས་ལྷག་པའི་ཐུགས་རྗེ་དང་ལྡན་པ་སོགས་ཚིག་རེས་ལྟར་གྱི་དོན་དྲན་

ནས་རྗེས་སུ་ཡི་རང་དང་། དད་པ་བསྐྱེད་དེ། རྗེ་ཉིད་ཀྱི་ལུང་རྟོགས་ཀྱི་ཡོན་ཏན་དེ་ལྟ་བུ་ད་ལྟ་ཉིད་དུ་བདག་ལ་སྩོལ་ནས་མགོན་པོ་ཁྱེད་དང་འདྲ་བར་བྱིན་གྱིས་བརླབ་ཏུ་གསོལ། །ཞེས་དལ་བུས་བརྗོད་པ་ཆོས་སྐྱོང་གསོལ་འདེབས་ཀྱི་རིགས་ཐམས་ཅད་ཀྱི་འདོན་ཚུལ་ཡིན་ཞེས་ཁྲི་བསོད་ནམས་དབང་རྒྱལ་གསུངས། ཁྲི་ནམ་མཁའ་བཟང་པོ་ཆོས་སྐྱོང་གཞན་ལས་ཀྱང་འདི་ལ་ཐུགས་གཙིགས་ཆེ་ཞིང་བྱམས་པ་རིན་པོ་ཆེས་སྐབས་སྐབས་སུ་སེ་འབྲས་ལ་མང་ཇ་བཏང་ནས་སྐབས་འཇུག་མི་ཞུ་ཡང་དཔལ་ལྡན་ས་གསུམ་མ་རེ་རེས་ཅན་དུ་འདོན་པས། རྒྱུས་ཡོད་རྣམས་ཕུར་བུ་ལྕོག་གི་མང་ཇ་རེད་ཅེས་ཤེས་པ་ཡོད་གསུངས། འདི་ལ་གཞན་ཕྱོགས་པ་འགའ་རེས་ས་གསུམ་གྱི་མིག་ཡིན་ན་ས་གསུམ་ལ་མིག་གཅིག་ལས་མེད་པར་ཐལ་བ་དང་། རྒྱལ་བ་ཀུན་ལས་ལྷག་ན་སངས་རྒྱས་ཐམས་ཅད་མཉམ་པ་ཉིད་གསུམ་གྱིས་མི་མཉམ་པར་ཐལ་བའི་སྐྱོན་བརྗོད་པ། གང་ཟག་རང་རང་ལ་མིག་ཏུ་འགྱུར་ཚུལ་དང་། རྒྱལ་བ་ཐམས་ཅད་ལས་བཀའ་དྲིན་ཆེ་ཚུལ་ཡོད་པ་མ་གོ་བས་ལན་ཞིང་། གྱུར་ན་ཡང་། མིག་གཅིག་ཡིན་ཀྱང་། ཀུན་གྱི་གཟུགས་མིག་གིས་མཐོང་དགོས་པ་དང་། སངས་རྒྱས་གཞན་ཐམས་ཅད་དངོས་སུ་མ་མཐོང་ཞིང་། རྗེའི་བཀའ་དྲིན་ལ་བརྟེན་ནས་རང་རང་སངས་རྒྱས་ཀྱི་བསྟན་པ་དང་མཇལ། བསྟན་པ་ཕྱོགས་བཅུར་འཕེལ་བས་ཐ་ན་ཟན་ཁམ་གཅིག་སྦྱོད་པ་ཙམ་ཆད་ཀྱི་སྟེང་ན་རྗེའི་བཀའ་དྲིན་དང་འབྲེལ་ལམ་གྱི་འཇུག་པ་ཡོད་ཚུལ་ཤེས་ན་བསམ་གྱིས་མི་ཁྱབ་པའི་གནས་དད་པར་བྱ་བ་ཁོ་ནའོ། །འདིའི་ཚིག་དོན་ཞིབ་ཏུ་ཤེས་པར་འདོད་ན། དྭགས་པོ་ངག་དབང་གྲགས་པ་དང་། ཀོ་ཁུ་བ་ཆོས་རྒྱ་མཚོའི་ས་བཅད། པཎ་ཆེན་བློ་བཟང་ཆོས་རྒྱན། འཇམ་དབྱངས་ཤེས་རབ། ར་སྟོང་ངག་དབང་ཆོས་གྲགས་ཀྱི་ཊཱིཀྐ་སོགས་སུ་བལྟའོ། །དམིགས་བརྩེ་མ་ནི། རྗེ་བདག་ཉིད་ཆེན་པོས། དམིགས་མེད་བརྩེ་བའི་གཏེར་ཆེན་སྤྱན་རས་གཟིགས། །དྲི་མེད་མཁྱེན་པའི་དབང་པོ་འཇམ་པའི་དབྱངས། །གངས་ཅན་མཁས་པའི་གཙུག་རྒྱན་རེད་མདའ་བ། །གཞོན་ནུ་བློ་གྲོས་ཞབས་ལ་གསོལ་བ་འདེབས། །ཞེས་སྨྲ་བར་རེད་མདའ་བས་འདི་ཁྱེད་རང་ལ་འོས་ཞེས་ད་ལྟའི་འདིར་ལྟར་ཚིག་བསྒྱུར་ནས་རྗེའི་གསོལ་འདེབས་སུ་བྱས་པ་དང་། དོན་དངོས་གནས་ལ་རྗེ་བཙུན་འཇམ་པའི་དབྱངས་ཀྱི་གསུང་གི་ཆ་ཤས་དེར་ཤར་བ་བཀའ་གདམས་གླེགས་བམ་ལས། བདག་གི་སྤྲུལ་པ་དམ་པ་

ཞིག །རེས་འགའ་དགེ་སློང་ཉིད་དུ་སྤྲུལ། །ཞེས་པས་རྗེ་རིན་པོ་ཆེ་གཙོ་བོར་བསྟན། རེས་འགའ་གསོལ་འདེབས་དབྱངས་ཀྱི་གཟུགས། །ཞེས་པས་དམིགས་བརྩེ་མ་སོགས་དང་། རེས་འགའ་ཡིག་འབྲུ་གཟུངས་ཀྱི་གཟུགས། །ཞེས་པས་སྐུ་འབུམ་ཙནྡན་གྱི་ཡི་གེ་སོགས་བསྟན་པ་གསུང་རྒྱུན་ཡིན་པས་མཐའ་གཅིག་ཏུ་རེ་རེ་བོ་ན་ཡིན་པའི་ངེས་པ་རང་མེད། འདིའི་སྒོས་གསོལ་བ་འདེབས་པ་ལ་ཕྱི་མཚུངས་པ་གསལ་བྱེད་ཀྱི་སྒོ་ནས་གསོལ་བ་འདེབས་པ། ནང་ཡོན་ཏན་དེ་ལྡན་གྱི་སྒོ་ནས་གསོལ་བ་འདེབས་པ། གསང་བ་ལྷག་པའི་ལྷ་དང་ངོ་བོ་དབྱེར་མེད་དུ་གསོལ་བ་འདེབས་པ་གསུམ། དང་པོ་ནི། ཚིག་རིས་ལྟར་ན་རྒྱལ་སྲས་རྣམས་ཀྱི་ཁྲིད་ན་མཁྱེན་བརྩེའི་ཡོན་ཏན་འཇམ་དབྱངས་དང་སྤྱན་རས་གཟིགས་འགྲན་ཟླ་དང་བྲལ་བ་ལྟར་བོད་གངས་ཅན་གྱི་མཁས་པ་ཡོངས་ཀྱི་ནང་ན་འཆད་རྩོད་རྩོམ་གསུམ་ལ་མཁས་པའི་ཡོན་ཏན་རྗེ་བདག་ཉིད་ཆེན་པོ་འགྲན་ཟླ་མེད་ཅེས་དེ་གཉིས་ཀྱི་མཁྱེན་བརྩེ་དཔེར་བཀོད་ནས་མཚུངས་འདྲ་སྦྱར་ཏེ་ལུང་གི་ཡོན་ཏན་དྲན་ནས་གསོལ་བ་འདེབས་པ་རྗེ་བླ་མའི་ཕྱི་སྒྲུབ་དང་། གཉིས་པ་ནི། མཁྱེན་བརྩེ་རྗེ་བཙུན་འཇམ་དཔལ་དབྱངས་དང་སྤྱན་རས་གཟིགས་དང་འདྲ་བ་ཙམ་དུ་མ་ཟད། དེ་གཉིས་ཀྱི་ཐུགས་རྒྱུད་ལ་ཡོན་ཏན་ཅི་ཙམ་མངའ་བ་དེ་ལྟ་བུ་རྗེ་ལའང་མངའ་བར་ཐག་བཅད་དེ་སྒྲུབ་པའི་ཡོན་ཏན་ནམ། ཐབས་ཤེས་དང་། སྲིད་ཞིའི་མཐའ་ལ་མི་གནས་པའི་རྟོགས་པའི་ཡོན་ཏན་དྲན་ནས་གསོལ་བ་འདེབས་པ་རྗེ་བླ་མའི་ནང་སྒྲུབ་དང་། དེ་གཉིས་ལ་དམིགས་བརྩེ་མ་ཡོངས་གྲགས་འཇམ་དབྱངས། སྤྱན་རས་གཟིགས། རྗེ་དང་གསུམ་སྐོར་གྱིས་ཚིག་ཅིང་། དང་པོ་ལ་མཁྱེན་བརྩེ་ནུས་གསུམ་རིགས་གསུམ་དང་འདྲ་མཚུངས་སྦྱར་བ་དང་། གཉིས་པ་ལ། རིགས་གསུམ་གྱི་མཁྱེན་བརྩེ་ནུས་གསུམ་ཅི་ཙམ་པ་དེ་ཙམ་རྗེའི་ཐུགས་རྒྱུད་ལ་མངའ་ཞེས་གསུངས་པའི་སྐབས་ཀྱང་ཡོད་དོ། །གསུམ་པ་ནི། འཕགས་པ་རིགས་གསུམ་མགོན་པོ་ལ་མཁྱེན་བརྩེ་ནུས་པའི་ཡོན་ཏན་ཅི་ལྟར་མངའ་བ་དེ་ཙམ་རྗེ་ཡབ་སྲས་ལ་མངའ་བ་ཙམ་དུ་མ་ཟད། རྒྱལ་བ་ཐམས་ཅད་ཀྱི་མཁྱེན་བརྩེ་ནུས་པའི་རང་གཟུགས་རྡོ་རྗེ་གསུམ་མམ་རིགས་གསུམ་གྱི་མགོན་པོ་དེ་ཉིད་དགེ་བའི་བཤེས་གཉེན་གྱི་རྣམ་པར་རོལ་བ་རྗེ་བདག་ཉིད་ཆེན་པོར་ཐག་བཅད་དེ་ངོ་བོ་དབྱེར་མེད་དུ་བྱས་ནས། མཁྱེན་བརྩེ་ནུས་གསུམ་སོགས་སྤངས་རྟོགས་ཡོངས་རྫོགས་ཀྱི་ཡོན་ཏན་དྲན་ནས་དམིགས་བརྩེ་མར། བདུད་དཔུང་

མ་ལུས་འཛོམས་མཛད་གསང་བའི་བདག། ཅེས་པའམ། མཐུ་སྟོབས་མ་ལུས་འཛིན་མཛོད་གསང་བའི་བདག །ཅེས་པ་གང་རིགས་སྦྱར་ཏེ་རིགས་གསུམ་མགོན་པོ་དང་། རྗེ་བདག་ཉིད་ཆེན་པོ་སྟེ་བཞི་སྐོར་དུ་བྱས་ནས་གསོལ་བ་འདེབས་ཤིང་འདིར་རྗེའི་གནས་གསུམ་དུ་རིགས་གསུམ་དངོས་སུ་བཀོད་ཀྱང་ཆོག །འཇམ་དབྱངས་བདེ་བའི་རྡོ་རྗེའི་ཁྲིད་ཡིག་ཏུ། དབྱེར་མེད་དུ་སྒྲུབ་ཚུལ་གྱི་ལུང་རིགས་དང་། ངོ་མཚར་བའི་གསུང་རྒྱུན་ཞལ་ལས་ཤེས་ཞེས་པའི་ལུང་ནི། འཇམ་དཔལ་རྩ་རྒྱུད་དང་། བཀའ་གདམས་གླེགས་བམ་སོགས་སུ་རིགས་གསུམ་སོ་སོར་སྒྲུབ་པ་དང་། དབྱེར་མེད་བསྒྲུབ་པའི་ལུང་མང་པོ་དང་། རིགས་པ་ནི་སངས་རྒྱས་པ་ན་ལྷ་ཐམས་ཅད་ཀྱི་ངོ་བོར་སངས་རྒྱས་ཏེ་ཆོས་སྐུ་དབྱེར་མེད་ཀྱི་ཀློང་ནས་གང་འདུལ་གྱི་ལྷ་དང་སྤྲུལ་པའི་བཀོད་པ་སྣ་ཚོགས་སྟོན་པ་བྱམས་གཞུང་དུ་གསང་བ་བསམ་གྱིས་མི་ཁྱབ་པའི་མདོ་དྲངས་པ་ལྟར་ཕྱོགས་བཅུའི་སངས་རྒྱས་ཐམས་ཅད་ཀྱི་མཁྱེན་བརྩེ་ནུས་གསུམ་གཟུགས་སུ་ཤར་བ་རིགས་གསུམ་མགོན་པོ་ཡིན་པས་མཁྱེན་བརྩེ་ནུས་གསུམ་རིགས་གསུམ་གྱི་གདགས་གཞི། རིག་གསུམ་དེ་ལ་བཏགས་པའི་བཏགས་ཆོས་སུ་གྲུབ་པ་དང་། ངོ་མཚར་བའི་གསུང་རྒྱུན་རྣམ་ཐར་དད་པའི་འཇུག་ངོགས་དང་། རྟོགས་ལྡན་པའི་གསུངས་ལྟར་མཆིམས་བློ་བཟང་གྲགས་པ་སོགས་ཀྱི་ལུང་བསྟན་དང་། ཆོས་རྗེ་དོན་གྲུབ་རིན་ཆེན་དང་། ཡབ་ཡུམ་གྱི་རྨི་ལྟས་རྣམས་ཡིན་ཞེས་ཁྲི་བསོད་ནམས་དབང་རྒྱལ་གསུངས་ཏེ། དེ་དག་རིགས་གསུམ་མགོན་པོ་དང་། འཇམ་དཔལ་ཞི་ཁྲོ་རྡོ་རྗེ་སློབ་དཔོན་གྱི་རྣམ་པར་འབྱོན་པའི་ལྟས་འཁྲུལ་མེད་ཡིན་པས་དེ་དག་གི་སྒོ་ནས་རྗེ་དང་རིགས་གསུམ་མགོན་པོ་འཇམ་དཔལ་ཞི་ཁྲོ་སོགས་ངོ་བོ་དབྱེར་མེད་ཀྱི་ངེས་པ་ཅི་རྙེད་བྱ། རིགས་གསུམ་མགོན་པོ་རྒྱུད་ཐ་དད་ཡིན་པས་གང་ཟག་གཅིག་ཏུ་འགྲོ་ལུགས་མེད་སྙམ་ན། རིགས་གསུམ་མགོན་པོ་རྒྱུད་ཐ་དད་པ་ཞིག་ཀྱང་འཇོག་དགོས་མོད་ཀྱང་། སངས་རྒྱས་ཐམས་ཅད་ཀྱི་མཁྱེན་བརྩེ་ནུས་པའི་ཡོན་ཏན་གཟུགས་སྐུར་སྟོན་ཚུལ་ཞིག་ལ་རིགས་གསུམ་མགོན་པོའི་ཐ་སྙད་བཏགས་པས་གང་ཟག་གཅིག་སངས་རྒྱས་པ་ན་རིགས་གསུམ་མགོན་པོ་སོགས་སངས་རྒྱས་ཐམས་ཅད་ཀྱི་གོ་འཕང་ཐོབ་པས་ཁྱབ་སོང་བ་དེས། དགེ་བ་འདི་ཡིས་མྱུར་དུ་བདག །རིགས་གསུམ་མགོན་པོ་འགྲུབ་གྱུར་ནས། ཞེས་སོགས་ལྷ་ཐམས་ཅད་ལ་སྦྱར་ཆོག །དེའི་གོ་འཕང་ཐོབ་ཚུལ་མེད་ན་སྨོན་ལམ་དེ་ལྟར་

བཏབ་པ་ཙོག་ཙམ་ལས་དོན་མེད་དུ་འགྱུར། རང་རེ་བདེན་འཛིན་གོམས་ཤུགས་ཆེ་བས་དགེ་བསྒོམས་དང་ཁྲི་པ་བསྒོམས་ན་རང་ཚུགས་ཞིག་ཡོད་དགོས་པ་ལྟར། སངས་རྒྱས་ཞེས་པའང་འོད་ཀོར་རེ་བའི་གཟུགས་ཅན་ཞིག་སེམས་ལ་ཤར་ཡོད་ཀྱང་དེ་འདྲ་མིན། ད་ལྟ་ཕ་མའི་ཁུ་ཁྲག་དང་ཚེ་འདིའི་མིང་གཟུགས་ཀྱི་ཕུང་པོ་ཚོགས་པ་ལ་ངའོ་ཞེས་ཐ་སྙད་བཏགས། འདི་དོར་ན་ལུས་རྟེན་རིགས་འདྲའི་རྒྱུན་ཆད་ཀྱང་རྣམ་ཤེས་རྒྱུན་མི་ཆད་པར་འགྲོ་བ་གཞན་གྱི་གཟུགས་སམ། གཟུགས་མེད་ལྟ་བུར་སྐྱེ་ན་དེའི་མིང་བཞིའི་ཕུང་པོ་ལ་བརྟེན་ནས་ངའོ་ཞེས་དེའི་ང་འགྲུབ། ཕུང་པོ་བཞི་ཚོགས་དེ་ཉོན་མོངས་ཐམས་ཅད་ཀྱིས་སྒྲིབ་ནས་ཡོད་ལ། རྣམ་ཤེས་རྟེན་གང་ལ་བརྟེན་པ་དེས་དགེ་བའི་བཤེས་གཉེན་ལས་ལེགས་བཤད་ཐོས། དོན་ལ་བླང་དོར་གྱིས་ཞུགས་པས་མི་དགེ་བའི་ཕྱོགས་ཇེ་ཞན། ཤེས་རབ་སོགས་དགེ་བའི་ཚོགས་རྒྱ་ཇེ་ཆེར་འཕེལ་ནས་ཉོན་མོངས་མངོན་གྱུར་ཉམས་སྨད་པས་སྦྱོར་ལམ་དང་། མཐོང་སྤངས་ས་བོན་དང་བཅས་པ་སྤངས་པས་མཐོང་ལམ་ཐོབ། དེའང་སེམས་ན་རྟག་པ་དང་བདེན་གྲུབ་སོགས་སུམ་ཐའ་གཅིག་ཏུ་འཐད་སྙམ་དུ་འཛིན་པ་ཐམས་ཅད་རྩ་བ་ནས་མེད་སོང་བ་ལ་སྤྱངས་ཞེས་བཤད། དེའི་ཚེ་སྤང་བྱ་ཀུན་བཏགས་སྤངས་ཀྱང་ངམ་ངམ་ཤུགས་ཀྱིས་སྐྱེ་བའི་ལྷན་སྐྱེས་མི་ཐོག་པ་ལས་ལམ་སྔ་མའི་རྒྱུན་ཡང་ཡང་གོམས་ཏེ་སྤང་བྱ་ལྷན་སྐྱེས་གཉེན་པོའི་སྟོབས་ཀྱིས་མེད་པའི་ཆ་ལ་སྒོམ་སྤང་རིམ་པར་སྤངས་ཞེས་བཤད། དེ་ལྟར་སེམས་ཀྱི་རང་བཞིན་ལ་དྲི་མས་བསླད་པ་མ་ཞུགས་པའི་སྟོབས་ཀྱི་ཉོན་མོངས་པའི་ནུས་པ་ཇེ་ཆུང་དང་ཇེ་སྲབ་ལ་སོང་ནས་བག་ཆགས་དང་བཅས་པ་དག་པས་རྣམ་ཤེས་གློ་བུར་གྱི་དྲི་མ་དང་བྲལ་ཏེ་རང་བཞིན་རྣམ་དག་གི་སྟོང་པ་ཉིད་དང་སེམས་རྣོ་གཅིག་ཏུ་ཞུགས་ཏེ་དྲི་མས་བསླད་པ་མ་ཞུགས་པའི་སེམས་ཀྱི་རང་བཞིན་མངོན་དུ་གྱུར་པ་ལ་སངས་རྒྱས་ཞེས་ཐ་སྙད་བཏགས། རང་བཞིན་རྣམ་དག་དང་། གློ་བུར་རྣམ་དག་གཉིས་ཚོགས་ཀྱི་སྣང་ཆ་དེར་མདོ་ལྟར་ན་འོག་མིན་དང་། སྔགས་ལྟར་ན་སྟོད་ཐམས་ཅད་གཞལ་ཡས་ཁང་དང་། བཅུད་ཐམས་ཅད་ལྷའི་རྣམ་རོལ་དུ་གྲུབ། ཕལ་ཆེར་ལ་འོག་མིན་ཀྱང་རྒྱ་ནག་པོ་བྲང་དང་། ལྷ་ས་ལྷ་བུའི་ས་ཆ་ཞིག་ན་ཁང་བཟང་རྒྱ་ཆེན་པོ་ཞིག་གི་ནང་ཁྲི་མཐོན་པོའི་སྟེང་ན་ལོངས་སྐུ་རྒྱན་ཆ་ལུགས་ཅན་ཚོགས་འཚོགས་པ་ལྟར་འཁོར་མང་པོས་བསྐོར་ནས་ཡོད་པའི་ཚུགས་ཐུབ་ཅིག་འཆར་ཀྱང་དྲི་མས་དག་པའི་སེམས་ཐུགས

དང་། དེའི་བཞེན་པའི་རླུང་རྟེན་དང་བརྟེན་པའི་གཟུགས་སྐུ། དེའི་གདངས་གསུང་དུ་འཆར་ཞིང་། སངས་རྒྱས་ཐམས་ཅད་ལ་འོག་མིན་རེ་ཡོད་པ་ནམ་མཁའི་མཐའ་ཁྱབ་ཀྱི་འཇིག་རྟེན་གྱི་ཁམས་ཡིན་ཀྱང་ཡེ་ཤེས་ཀྱི་རང་བཞིན་ཡིན་པས་གཟུགས་ཅན་གཞན་ལྟར་གཅིག་གཅིག་གིས་གོ་མི་འགོག །དྲི་མས་དག་པའི་རང་བཞིན་རྣམ་དག་གི་སྟོང་ཉིད་དེ་ལ་རྒྱལ་བ་ཐམས་ཅད་ཀྱི་ཐུགས་རོ་གཅིག་ཏུ་ཞུགས་ནས་ཆོས་སྐུ་ངོ་བོ་དབྱེར་མེད་དུ་སོང་བ་དེའི་ཀློང་ནས་སངས་རྒྱས་སྟོང་། བདེ་གསང་འཇིག་གསུམ་སོགས་སྤྲུལ་པ་གྲངས་མེད་མཛད་པས་མཁྱེན་བརྩེ་ནུས་གསུམ་གྱི་ཆ་ལ་རིགས་གསུམ་མགོན་པོར་བཏགས་ཆོག །སངས་རྒྱས་སྟོང་སོགས་རྒྱུད་ཐ་དད་པའང་ཁས་ལེན་དགོས་ཀྱང་ཐམས་ཅད་ཆོས་སྐུ་དབྱེར་མེད་དུ་སོང་བ་དེའི་ཀློང་ནས་ཤར་བ་འདྲ་བས་གང་ཟག་རེ་རེ་དང་རྒྱུད་གཅིག་པའི་སངས་རྒྱས་སྟོང་སོགས་འཛོག་པ་སྐུའི་རྣམ་པ་དང་གནས་སྐབས་ཀྱི་མཛད་པ་སྟོན་ལུགས་ཀྱིས་བཏགས་པ། མདོ་སྡེ་རྒྱན་ལས། ཀླུང་དག་ས་ཡི་འོག་ཏུ་མ་སོང་བར། །ནས། སེམས་ཅན་ཚོགས་ཆེའི་ཉེ་བར་སྤྱོད་པ་ཆེ། །ཞེས་དཔེ་དང་བཅས་གསུངས། དེའི་གནད་ཀྱིས་སངས་རྒྱས་གཅིག་གིས་སེམས་ཅན་གྱི་དོན་བྱས་ན་སངས་རྒྱས་ཐམས་ཅད་ཀྱིས་དེའི་དོན་མཛད་པར་འགྲོ་བས་སངས་རྒྱས་ཐམས་ཅད་ཚོགས་དང་ཆོས་སྐུ་འཕྲིན་ལས་འགྲོ་དོན་མཉམ་པར་གསུངས་ཤིང་། སྐྱོན་ཀུན་ཟད། ཡོན་ཏན་ཀུན་ལྡན་ཞེས་པའང་དེ་ལྟར་གོ་དགོས། དམིགས་བརྩེ་མ་འདི་ལ་བརྟེན་ནས་ལྷ་ཞི་ཁྲོ་རབ་འབྱམས་ཀྱི་ལས་ཚོགས་སྒྲུབ་ཆོག་པའི་རྩ་བའང་འདི་ལ་ཐུག་ཅེས་བླ་མ་རྣམས་གསུངས། རྗེའི་གནས་གསུམ་གྱི་རིགས་གསུམ་སོ་སོའི་ཐུགས་ཀར་རང་རང་གི་ས་བོན་ལ་རང་རང་གི་སྔགས་ཀྱིས་བསྐོར་བར་མོས་ནས་ཨ་ར་པ་ཙ། མ་ཎི། བཛྲ་པཱ་ཎི་དང་དམིགས་བརྩེ་མ་བཟླས་ནས་སོ་སོའི་ལས་ཚོགས་རྣམས་ཀྱང་སྒྲུར་ཆོག །བདེ་ལམ་དུ་ཚོགས་ཞིང་གི་གནས་ལྟར་ཡི་གེ་ལྔ་བཀོད་པ་ལུས་དཀྱིལ་དང་། གང་འདུལ་གྱི་སྤྲུལ་པ་འཕྲོ་བ་དཀྱིལ་འཁོར་རྒྱལ་མཆོག་གི་མཛད་པ་དང་གནད་འདྲ་བས་འདིར་ཡང་རྗེ་དང་རིགས་གསུམ་གྱི་ཐུགས་ཀའི་འོད་ཟེར་གྱིས་དོན་གཉིས་བྱེད་པ་དང་། དཀྱིལ་འཁོར་རྒྱལ་མཆོག་གི་མཛད་པའི་སྐབས་ལྟར་ཉམས་ལེན་བསྐྱངས་ཆོག། དགོས་པ་ཁྱད་པར་ཅན་གྱི་ཚེ་རྗེའི་ཐུགས་ཀར་ལྷ་གང་བཀོད་ཀྱང་ཆོག །ཁྱད་པར་ཤེས་རབ་སྒྲུབ་པ་ལ་བཀའ་བབས་ཆེ་བས་རྗེའི་ཐུགས་ཀར་འཇམ་དབྱངས་བཀོད་ནས་གང་བློ་མ་དང་།

དམིགས་བརྩེ་མས་གསོལ་བ་བཏབ་པས་ཕྱག་གི་རལ་གྲིའི་ཡུ་བ་ཐུགས་ཀར་གཏད་པའི་རྩེ་མོ་རང་གི་ཚངས་བུག་ཏུ་ཟུག །དེ་ལས་བདུད་རྩིའི་རྒྱུན་གྱིས་སྡིག་སྒྲིབ་དང་ཉོངས་མུན་བསལ་ནས་ཤེས་རབ་ཀྱི་སྣང་བ་རྒྱས་པ་དང་། ཐུགས་ཀར་ཧྲཱིཿའམ་ཧཱུཾ་གི་ཐིག་ལེ་ལ་མཾ་གྱིས་མཚན་པའི་མཐར་དམིགས་བརྩེ་མ་དང་ཨ་ར་པ་ཙ་བཀོད་ནས་བཟླ་ཞིང་སྟོད་བཙུད་སྦྱངས་བསྒྱུར་གྱི་དམིགས་པ་བྱ། དམིགས་བརྩེ་མ་ལྷ་སྐོར་བྱེད་ན་རྗེའི་ཐུགས་ཀར་ཐུབ་དབང་བཀོད་ནས། བསྟན་པའི་བདག་པོ་ཐུབ་པ་བཅོམ་ལྡན་འདས། །དམིགས་མེད་བརྩེ་བའི་ ×། དྲི་མེད་མཁྱེན་ ×། བདུད་དཔུང་ ×། གངས་ཅན་ ×། བློ་བཟང་གྲགས་པའི་ཞབས་ལ་གསོལ་བ་འདེབས། །ཞེས་པ་དང་། དྲུག་སྐོར་བྱེད་ན་རྗེའི་ཐུགས་ཀར་ཐུབ་དབང་། དེའི་ཐུགས་ཀར་རྡོ་རྗེ་འཆང་བཀོད་ནས། སྲིད་རྒྱུད་པ་ལྟར་ན། བསྟན་པའི་བདག་པོ་ཐུབ་པ་བཅོམ་ལྡན་འདས། །རིགས་བརྒྱའི་ཁྱབ་བདག་དྲུག་པ་རྡོ་རྗེ་འཆང་། །དམིགས་མེད་མན་ཚད་སྤྱི་མ་དང་འདྲ། །དབེན་སཔ་ལྟར་ན། དངོས་གྲུབ་ཀུན་འབྱུང་ཐུབ་དབང་རྡོ་རྗེ་འཆང་། །དམིགས་མེད ×། དྲི་མེད ×། བདུད་དཔུང་ ×། གངས་ཅན་མཁས་པའི་གཙུག་རྒྱན་བློ་བཟང་གྲགས། །སྐྱབས་གསུམ་ཀུན་འདུས་བླ་མ་སངས་རྒྱས་ལ། །སྒོ་གསུམ་གུས་པའི་སྒོ་ནས་གསོལ་བ་འདེབས། །རང་གཞན་སྨིན་ཅིང་གྲོལ་བར་བྱིན་གྱིས་རློབས། །མཆོག་དང་ཐུན་མོང་དངོས་གྲུབ་བསྩལ་དུ་གསོལ། །ཞེས་འདོན་ཞིང་གཉིས་ཀའི་ལྷ་འགོད་ཚུལ་ལ་ཁྱད་མེད། རྗེའི་ཐུགས་ཀར་འཇིགས་བྱེད་བཀོད་ནས། འཇམ་དཔལ་ཁྲོས་པའི་བློས་གར་གཤིན་རྗེ་གཤེད། །ཅེས་སྦྱར་ཀྱང་ཆོག །དགུ་སྐོར་བཀའ་རྒྱ་དམ་ཡང་སྐྱབས་མགོན་རྡོ་རྗེ་འཆང་བཀའ་དྲིན་ཅན་ནས་སྩོན་ཚོགས་མང་ལ་གནང་སྟེ། དེ་ཡང་རྗེའི་དཔྲལ་བར་ཕྱི་བྱ་སྤྱོད་ནས་བཤད་པའི་སྤྱན་རས་གཟིགས་ཕྱག་བཞི་པ། དེའི་ཐུགས་ཀར་ནང་རྣལ་འབྱོར་རྒྱུད་ནས་བཤད་པའི་སྤྱན་རས་གཟིགས་སྒྲུབ་ཐབས་བརྒྱ་རྩ་མ་སོགས་ནས་བཙལ་དགོས་ཞེས་གསུངས་པས། ཀུན་རིག་གི་རྡོ་རྗེ་ཆོས་རྣལ་འབྱོར་རྒྱུད་ནས་བཤད་པ་དང་། སྒྲུབ་ཐབས་བརྒྱ་རྩ་ནས་གསུངས་པའི་སྤྱན་རས་གཟིགས་ཀྱང་ཡིན་པར་རྟོད་པ་མེད་པས་དེའམ། གཞན་བཀོད་ཀྱང་རུང་། དེའི་ཐུགས་ཀར་གསང་བ་བླ་མེད་ནས་བཤད་པའི་སྤྱན་རས་གཟིགས་རྒྱལ་བ་རྒྱ་མཚོ་དང་། མཁྲིན་པར་འཇམ་དབྱངས་ཕྱི་ནང་གསང་གསུམ་དེའི་ཆོས་སྐོར་ལྟར་ཞེས་གསུངས་ཏེ།

དེ་དག་བླ་མེད་ཡིན་པས་རྒྱུད་སྡེའི་རིམ་པ་ལྟར་ཡང་ཉུང་བ་འདྲ། །ཐུགས་ཀར་ཕྱག་རྡོར་གོས་སྔོན་ཅན་གྱི། གཏུམ་པོ་ནང་འཁོར་ཆེན་གསང་བ་ཞེས་སྐྱབས་མགོན་རྗེ་རྗེ་འཆང་ནས་གསུངས། ཕྱག་རྡོར་ལ་བརྒྱུད་སྡེ་མང་པོ་ནས་བཤད་པ་འདུག་ཀྱང་བྱ་སྤྱོད་ནས་བཤད་པའི་གོས་སྔོན་ཅན་དང་། རྣམ་འཕྲོར་རྒྱུད་ནས་བཤད་པའི་གཏུམ་ཆེན་བཀོད་པས་ཆོག །བརྒྱ་རྒྱམ་སོགས་སུ་རིགས་གསུམ་མགོན་པོའི་སྒྲུབ་ཐམས་ཅད་མང་ཡང་རྒྱུད་སྡེའི་དབྱེ་བ་འབྱེད་དཀའ། ཡང་རྗེའི་ཐུགས་ཀར་འཇམ་དབྱངས། རྒྱལ་ཚབ་རྗེའི་ཐུགས་ཀར་སྤྱན་རས་གཟིགས། མཁས་གྲུབ་རྗེའི་ཐུགས་ཀར་གསང་བདག་ཕྱི་ནང་གསང་གསུམ་སྔར་ལྟར་བཀོད་པའི་དགུ་སྐོར་ཀྱང་ཡོད་པས་འདི་དག་ལ་དམིགས་བརྩེ་མ་བཞི་སྐོར་བཟླས་པས་ཆོག །འདིའི་གསང་བ་གསུམ་ལ་རི་ཁྲོད་དབང་པོ་བློ་བཟང་དཀོན་མཆོག་པའི་གསུང་རྒྱུན་ཞིག་གཞན་ལས་ཐོས་ཀྱང་ཞིབ་ཆ་མ་ངེས་ཞེས་དོགས་གཅོད་དང་བཅས་གསུངས། ལྷ་སྐབས་འདིར་འགོད་དམ། དང་པོ་ནས་བཀོད་དེ་ཡེ་ཤེས་པ་སྤྱན་དྲངས་ནས་བསྟིམས་པ་སོགས་ཀྱང་འདོད་ན་བྱས་ཆོག །བཞི་སྐོར་དགུ་སྐོར་གང་ལ་ཡང་རྗེའི་སྤྱི་བོར་སྤྱན་རས་གཟིགས་བཀོད་པ་སྐུ་ནོར་བུ་མཛོད་འཛིན། མཁྱེན་པར་འཇམ་དབྱངས་བཀོད་པ་གསུང་ཉི་མ་སྨང་བྱེད། ཐུགས་ཀར་ཕྱག་རྡོར་བཀོད་པ་ཐུགས་གསང་བ་མཛོད་འཛིན་དང་། དེའི་དང་པོ་ལ་བརྟེན་ནས་ཕྱི་སྒྲུབ། གཉིས་པ་ལ་བརྟེན་ནས་ནང་སྒྲུབ། གསུམ་པ་ལ་བརྟེན་ནས་གསང་སྒྲུབ་དང་། དེ་རེ་རེ་ལ་ཕྱི་ནང་གསང་གསུམ་ཕྱེ་བས་དགུ་སྐོར་སོགས་ཀྱི་མིང་ཐོ་ཙམ་རྗེ་ཆོས་ཀྱི་རྡོ་རྗེའི་གསུང་རྒྱུན་དབེན་ས་བཀའ་འབུམ་དུ་བཞུགས་པ་ལྟར་རོ། །སྐུ་ནོར་བུ་མཛོད་འཛིན་སོགས་རིགས་གསུམ་གྱི་མཚན་གྱི་རྣམ་གྲངས་དང་། དམིགས་བརྩེ་མའི་ས་བཅད་དུའང་སྦྱར་ཆོག །དེ་ལྟར་གསོལ་བ་བཏབ་ནས་དངོས་གྲུབ་ཞུ་བ་ལ། འཇམ་དབྱངས་ཆོས་སྐོར་ལས། མ་དག་འཁྲུད་ཅིང་མི་བཤེས་གསལ། ཞེས་གསུངས་པ་འདིའི་མི་ཤེས་པ་བསལ་བ་སྦྱོར་བའི་ཁྲུངས་སུ་བསྟུས་པ་དང་། དངོས་གཞིའི་དམིགས་སྐོར་བདུན་གྱི་དབྱེ་གཞིར་བྱས་པ་གཉིས་འདུག །གང་ལྟར་སྔོན་དུ་འགྲོ་བ་མ་དག་པ་འཁྲུད་པའི་དམིགས་པ་ནི། རྗེ་ཡབ་སྲས་གསུམ་གྱི་ཐུགས་ཀ་ནས་འོད་ཀྱི་སྦུ་གུ་དཀར་པོ་གསུམ་བྱུང་བ་རང་གི་སྤྱི་བོ་ནས་སོར་བཞིའི་འཚམས་སུ་འདྲེས་ཏེ་སྣེ་མོ་རང་གི་ཚངས་བུག་ཏུ་ཟུག །དེའི་ནང་ནས་ང་བོ་ཡབ་སྲས་གསུམ་གྱི་མཁྱེན་

བརྩེ་ནུས་གསུམ་གྱི་རང་བཞིན་ལ། རྣམ་པ་ཞི་བའི་ལས་དང་སྒྲིབ་སྦྱོང་གི་རྟེན་འབྲེལ་དུ་བདུད་རྩི་དཀར་པོ་འོ་མའི་རྒྱུན་ལྟ་བུ་དང་། དམིགས་བསལ་ནད་ཞི་བ་ལ་དེ་དང་དེའི་གཉེར་པོར་གྱུར་པའི་སྨན་གྱི་རང་བཞིན་གྱི་བདུད་རྩིའི་རྒྱུན་བབས་པ་ཚངས་བུག་ནས་ཞུགས། ཀང་མཐིལ་གྱི་སེན་མོའི་རྩལ་ཕྲ་རབ་ཡན་ཆད་ཕྱི་མ་ལ་ཆུ་ཐིམ་པ་ལྟར་སིབ་ཀྱིས་གང་བས་ཐོག་མེད་ནས་སྒོ་གསུམ་གྱིས་བསགས་པའི་སྡིག་པ་མི་དགེ་བའི་ལས་ཐམས་ཅད་དང་དེའི་ཀུན་སློང་དུག་གསུམ། རྩ་བ་མ་རིག་པ་ས་བོན་དང་བཅས་པ་ཉོན་སྒྲིབ་དང་། དེ་དག་གི་བག་ཆགས་ཤེས་སྒྲིབ། ཁྱད་པར་རྫོངས་ མུན་ཐམས་ཅད་དུད་ཁུ་དང་སོལ་ཁུའི་རྣམ་པ། རླུང་ཁྲིས་བད་ཀན་སོགས་འབྱུང་བ་འཁྲུགས་པའི་ནད་རྣམས་རྣག་ཁྲག་ཆུ་སེར་ལྷན་ལྷེན། སྟེང་འོག་བར་གསུམ་གྱི་གདོན་བགེགས་རྣམས་སྦོམ་སྡིག་སྦྲུལ་ལྕོང་སོགས་སྲོག་ཆགས་མི་སྡུག་པའི་རྣམ་པར་དབང་པོའི་སྒོ་དང་བ་སྤུའི་བུ་ག་ཐམས་ཅད་ནས་ལྷག་མེད་དུ་ཐོན་ཏེ་ལུས་ཤེལ་བུམ་དུ་མར་མེ་སྦར་བ་ལྟར་དངས་གསལ་འོད་ཀྱི་རང་བཞིན་ཅན་དུ་གྱུར་པར་བསམ། ནད་གདོན་སོགས་གང་ནས་ནས་ཕྱིར་ཐོན་ཏེ་བདུད་རྩིའི་རང་བཞིན་གྱི་སླུད་དང་གཏོར་མས་ནད་བདག་རྣམས་ངོམས་ཤིང་ཆོམ་ནས་གནོད་འཚེའི་བསམ་སྦྱོར་དང་བྲལ་ཏེ་བྱང་ཆུབ་ཀྱི་སེམས་ཁྱད་པར་ཅན་སྐྱེས་པར་བསམ་པ་དང་། རྗེའི་ཐུགས་ཀ་ནས་འོད་ཟེར་འཕྲོས་པས་གནོད་བྱེད་རྣམས་བཀུག་སྟེ་མདུན་དུ་ཐ་མལ་བའི་རྣམ་པར་འཁོད་པ་ལ་བདུད་རྩི་འབེབས་སྦྱང་དང་། རྗེའི་གསུང་ཐོས་པ་ཙམ་གྱིས་དད་ནས་སྟེར་བཏང་བའི་ནད་ལ་སོགས་པ་ཕྱིར་བླངས་ཏེ་རྗེའི་གདུལ་བྱར་གྱུར་པའི་མོས་པ་དང་། གཙོ་ཆེར་སྡིག་སྒྲིབ་སྦྱངས་ན་ནད་གདོན་ཞར་ལ་ཐེགས། མི་དགེ་བའི་ལས་སྣང་གདོན་བགེགས་སུ་འཆར་བ། གཟུང་འཛིན་རྣམ་རྟོག་འཁྲུལ་པའི་གྲོང་ཁྱེར་དུ། །

ཞེས་སོགས་ལྟར་མ་རིག་པའི་དབང་གིས་ཉོན་མོངས་པ་སྐྱེས། དེས་ལས་བསགས་ཏེ་རིགས་དྲུག་གི་གྲོང་ཁྱེར་དུ་འཁྱམས། དེར་ཕ་མ་ཉེ་དུ་སོགས་ཐམས་ཅད་རྟོག་པས་བཏགས་ཙམ་དང་གཙོ་ཆེར་ལས་སྣང་གིས་བཞག །གདོན་བགེགས་ལ་གང་ཟག་ཡིན་མིན་དུ་མ་ཡོད་ཚོག་པ་དམྱལ་བའི་གཤིན་རྗེ་གང་ཟག་ཡིན་མིན་གྲུབ་མཐའ་སོ་སོས་རྩོད་ཚུལ་ལས་ཤེས། གདོན་བགེགས་ལའང་མ་དང་གཉེན་ཡོད་པས་ཐམས་ཅད་ལ་གནོད་པ་མིན་ཀྱང་རང་རང་གི་ལས་སྣང་གིས་གནོད་པས་སྡིག་པ་དག་ན་ལས་སྣང་རང་ཤུགས་ཀྱིས་ཞི་འགྲོ། དམིགས་པ་འདི་ལྟར་

དམིགས་བརྩེ་མ་བགྲང་ན་དེ་ལས་ལྷག་པའི་སྒྲིབ་སྦྱོང་དང་རིམ་གྲོ་མེད་པས་ཡིད་ཆེས་ཀྱི་དང་གུས་གལ་ཆེ། མནན་གཏད་སོགས་ལ་ཡང་འདིའི་འོད་ཟེར་གྱིས་བསྒྱུར་སྦྱངས་བྱས་ནས་རྗེ་དང་རིགས་གསུམ་མགོན་པོས་མ་ལོན་ན་གཞན་གྱིས་དཀའ། རྒྱུན་པར་སྡིག་སྒྲིབ་ཐམས་ཅད་མུན་ཁུང་དུ་ཉི་ཟེར་ཞུགས་པ་ལྟར་གར་སོང་ཆ་མེད་དུ་བསལ་བའི་མོས་པ་དང་། སྡིག་པའི་འཁོར་གསུམ་མི་དམིགས་པའི་སྟོང་སྦྱངས་ནན་ཏན་བྱས་ན་སྟོབས་ཆེ་གསུངས། དངོས་གཞི་ལ། འདི་དང་ཞི་ཁྲོ་སྒྲགས་སྒྲུབ་སོགས་འཇམ་དབྱངས་ཆོས་སྐོར་གྱི་མན་ངག་ཡིན་པས་ཤེས་རབ་སྒྲུབ་པ་རྒྱལ་དུ་བཏོན་ཏེ། སྐུ་ཡིས་ཆེ་ཞིང་གསུང་གིས་གསལ། །ས་བོན་སྦྱོར་བ་ཕྱག་མཚན་ཟབ། །གླེགས་བམ་རལ་གྲི་གླེགས་རལ་གྱིས། །འཆད་དང་རྩོད་དང་རྩོམ་པའོ། །ཞེས་སྐུའི་སྒོ་ནས་ཤེས་རབ་ཆེ་བ་བསྒྲུབ་པ། གསུང་གི་སྒོ་ནས་ཤེས་རབ་གསལ་བ་བསྒྲུབ་པ། ཐུགས་ས་བོན་གྱི་སྒོ་ནས་ཤེས་རབ་སྦྱོར་བ་བསྒྲུབ་པ། ཕྱག་མཚན་གྱི་སྒོ་ནས་ཟབ་པའི་ཤེས་རབ་བསྒྲུབ་པ། གླེགས་བམ་གྱི་སྒོ་ནས་འཆད་པའི་ཤེས་རབ་སྒྲུབ་པ། རལ་གྲིའི་འཁོར་ལོའི་སྒོ་ནས་རྩོད་པའི་ཤེས་རབ་སྒྲུབ་པ། གླེགས་རལ་གཉིས་ཀའི་སྒོ་ནས་རྩོམ་པའི་ཤེས་རབ་བསྒྲུབ་པ་དང་བདུན། དང་པོ་ནི། མ་དག་པ་འབྲུད་པའི་དམིགས་པ་གོང་ལྟར་ལ། ཁྱད་པར་རྒྱལ་བའི་གསུང་རབ་ཀྱི་དགོངས་དོན་དང་བླང་དོར་གྱི་གནས་རྣམས་རང་སྟོབས་ཀྱིས་འབྱེད་པ་ལ་རྨོངས་པ་ཐམས་ཅད་བསལ་བའི་མོས་པ་དང་། སྔར་ཡང་དམིགས་བརྩེ་མ་བགྲང་ནས་གསོལ་བ་བཏབ་པས་འོད་ཀྱི་སྦུ་གུ་ལས་བདུད་རྩི་འཇམ་དབྱངས་དམར་སེར་གྱི་ཁ་དོག་ལྟར་ཤེས་རབ་རྒྱས་པའི་རྟེན་འབྲེལ་དུ་སེར་པོ། དངོས་གྲུབ་མྱུར་དུ་འགུགས་པའི་རྟེན་འགྲེལ་དུ་དམར་པོ་སྟེ་དམར་སེར་འོད་དང་འོད་ཟེར་འབར་བའི་རྒྱུན་འབབ་བཞིན་པ་ཡིན་ཀྱང་རྒྱ་མཚོ་ཆེན་པོའི་ནང་ཆར་བབས་པས་མི་ངོམས་པ་ལྟར་སྐྲ་སེན་ཚུན་ཆད་གཏམས་པར་མོས་ནས་བདུད་རྩི་དེ་ལ་དམིགས་པ་ཙུང་ཟད་གཏད། དེ་ནས་བདུད་རྩིའི་རྡུལ་ཕྲ་རབ་རེ་རེ་ནས་རྗེ་བཙུན་འཇམ་དབྱངས་དམར་སེར་གཡས་རལ་གྲི་དང་། གཡོན་གླེགས་བམ་འཛིན་པའམ། འཇམ་དབྱངས་གང་རིགས་ཀྱི་ལྷའི་སྐུ་འོད་ཟེར་དང་བཅས་པས་ལུས་ཐམས་ཅད་གང་ཀྱང་དེ་རྣམས་ལས་འོད་ཟེར་འཕྲོས་པས་ཕྱོགས་བཅུའི་ཞིང་ཁམས་ཐམས་ཅད་ཁྱབ། འོད་ཟེར་གྱི་རྩེ་ལ་མཆོད་པའི་ལྷ་མོ་མཆོད་རྫས་སྣ་ཚོགས་ཐོགས་པ་དཔག་མེད་སྤྲོས་ནས་རྒྱལ་བ་ཐམས་ཅད་

མཆོད་པས། མཉེས་པར་བྱས། དེ་དང་མཉམ་དུ་རྗེ་ཡབ་སྲས་ཀྱི་ཐུགས་ཀ་ནས་ཀྱང་འོད་ཟེར་དཔག་མེད་འཕྲོས་པས་སྲས་བཅས་རྒྱལ་བའི་ཐུགས་རྒྱུད་བསྐུལ་ཏེ་མཁྱེན་པའི་ཡེ་ཤེས་ཐམས་ཅད་རྗེ་བཙུན་འཇམ་དབྱངས་ཀྱི་སྐུ་ཆེ་བ་རི་རབ། བར་བ་རི་ཕྲན། ཆུང་བ་མི་ཚད། ཡང་ཆུང་རྡུལ་ཕྲན་ཙམ་པ་དཔག་ཏུ་མེད་པ་རྒྱ་མཚོ་ལ་ཆར་བབས་པ་བཞིན་དུ་རང་གི་ལུས་ལ་ཞུགས། ལུས་ཀྱི་ནང་གི་འཇམ་དབྱངས་རྣམས་ལ་ཐིམ་པས་ཤེས་བྱ་ཐམས་ཅད་ལ་བློ་གྲོས་ཀྱི་སྣང་བ་ཐོགས་པ་མེད་དུ་རྒྱས། ཁྱད་པར་མདོ་སྔགས་ཀྱི་གསུང་རབ་མཐའ་དག་གི་ཚིག་དོན་དང་། གླང་དོར་གྱི་གནས་ལ་གཞན་དྲིང་མི་འཇོག་པར་རང་སྟོབས་ཀྱིས་འབྱེད་ནུས་པའི་ཤེས་རབ་རླབས་ཆེ་བ་ཐོབ་བྱུང་སྙམ་པའི་དམིགས་པ་ཤུགས་དྲག་བྱེད་ཅིང་། རང་འཇམ་དབྱངས་ཀྱི་སྐུར་གྱུར་པར་མོས་ཀྱང་ཆོ་གསུངས། གཉིས་པ་ནི། མ་དག་པ་འཁྲུད་པ་སྟར་ལྟར་ལ། ཀུན་བྱང་གི་ཆོས་རྣམས་ཀྱི་ཚིག་དོན་གྱི་ཆ་ཤས་ཕྲ་ཞིང་ཕྲ་བ་རྣམས་འབྱེད་པ་ལ་རྨོངས་པའི་མུན་པ་དག་པར་བསམ་པ་དང་། ཡང་གསོལ་བ་བཏབ་པས་བདུད་རྩི་དམར་སེར་གྱི་རྒྱུན་བབས་པས་ལུས་གང་། བདུད་རྩིའི་རྡུལ་ཕྲ་རབ་རྣམས་དམིགས་བརྩེ་མ་དང་། འཇམ་དབྱངས་ཞི་ཁྲོའི་ཕྱག་མཚན། ཨཱ་ལི་ཀཱ་ལི་གསེར་མདོག་གི་རྣམ་པས་ལུས་གང་། འོད་ཟེར་གྱི་རྒྱལ་བ་སྲས་བཅས་ཀྱི་གསལ་བའི་ཤེས་རབ་ཐམས་ཅད་ཕྱག་མཚན་ཕྲེང་གི་རྣམ་པར་སྤྱན་དྲངས་ནས་ལུས་ཀྱི་ཕྱག་མཚན་རྣམས་ལ་ཐིམ་པས། ཇི་ལྟར་ཇི་སྙེད་ཀྱི་ཆ་ཤས་ཕྲ་ཞིང་ཕྲ་བ་རྣམས་ཀུ་ཤའི་རྩེ་ལྟར་མ་འདྲེས་པར་འབྱེད་ནུས་པའི་ཤེས་རབ་གསལ་བ་ཐོབ་པར་བསམ། གསུམ་པ་ནི། མ་དག་པ་འཁྲུད་པའི་སྐབས། མ་རྟོག་ལོག་རྟོག་ཐེ་ཚོམ་གྱི་དྲ་བ་མཐའ་དག་མྱུར་བ་ཉིད་དུ་གཅོད་པ་ལ་གེགས་བྱེད་སྨྲུངས་པ་དང་། སླར་ཡང་བདུད་རྩི་དམར་སེར་གྱིས་ལུས་གང་བའི་རྡུལ་རྣམས་འཇམ་དབྱངས་ཀྱི་ས་བོན་ཧྲཱིཿ དབྱངས་ཅན་མའི་ས་བོན་ཧྲཱིཾ། འཇིགས་བྱེད་ཀྱི་ས་བོན་ཧཱུྃ་སོགས་རང་སྒྲ་ཀ་ལ་པིང་ཀའམ་འབྲུག་སྒྲ་སོགས་གང་འོས་ཀྱི་གདངས་སྙན་པར་སྒྲོགས་བཞིན་པ་དང་། དེ་དང་རྗེའི་འོད་ཟེར་གྱིས་རྒྱལ་བ་སྲས་བཅས་ཀྱི་མྱུར་བའི་ཤེས་རབ་ཐམས་ཅད་ས་བོན་རང་སྒྲ་སྒྲོགས་བཞིན་པའི་རྣམ་པར་སྤྱན་དྲངས་ནས་དེ་ལ་ཐིམ་པས་མ་རྟོག་ལོག་རྟོག་ཐེ་ཚོམ་གྱི་བློ་སྐྱེས་མ་ཐག་ཏུ་འགོག་ནུས་པའི་མྱུར་བའི་ཤེས་རབ་ཐོབ་པར་བསམ། བཞི་པ་ནི། མ་དག་པ་འཁྲུད་པའི་སྐབས། གསུང་རབ་ཀྱི་ཚིག་དོན་ལ་གཏུགས་པ་མེད་པར

འཇུག་པ་ལ་རྨོངས་པའི་མི་ཤེས་པ་སྤྱངས་པ་དང་། སྣར་ཡང་བདུད་རྩི་དམར་སེར་གྱིས་ལུས་གང་བའི་རྩལ་རྣམས་འཇམ་དབྱངས་ཞི་ཁྲོ་ཡབ་ཡུམ་གྱི་ཕྱག་མཚན་གླེགས་རལ། གྲི་ཐོད། ཐི་ཞང་ལ་སོགས་པའི་རྣམ་པ་དང་། དེ་དང་རྗེའི་འོད་ཟེར་གྱི་རྒྱལ་བ་སྲས་བཅས་ཀྱི་ཟབ་པའི་ཤེས་རབ་ཕྱག་མཚན་གྱི་རྣམ་པར་སྤྱན་དྲངས་ནས་ལུས་ཀྱི་ནང་གི་ཕྱག་མཚན་ལ་ཐིམ་པས། གསུང་རབ་ཀྱི་ཚིག་དོན་རེ་རེ་ལའང་ཐོགས་རྟོགས་མེད་པར་རིགས་པ་བརྒྱ་ཕྲག་གིས་འཇུག་པ་ལ་གཏུགས་པ་མེད་པའི་ཤེས་རབ་ཟབ་པ་རྗེ་བཙུན་འཇམ་པའི་དབྱངས་ལྟ་བུ་ཐོབ་བྱུང་སྙམ་དུ་བསམ། ལྔ་པ་ནི། མ་དག་པ་འབྲུད་པའི་སྐབས། གསུང་རབ་ཀྱི་ཚིག་དོན་ལ་རྨོངས་པའི་མི་ཤེས་པ་སྤྱངས་པ་དང་། སྣར་ཡང་བདུད་རྩི་དམར་སེར་གྱིས་ལུས་གང་བའི་རྩལ་རྣམས་གང་འཆད་རྒྱུའི་གླེགས་བམ་རང་སྒྲ་སྒྲོགས་པ། དེ་དང་རྗེའི་སྐུའི་འོད་ཟེར་གྱིས་རྒྱལ་བ་སྲས་བཅས་རྣམས་དང་ཐོགས་མེད་སྐུ་མཆེད་སོགས་ཀྱི་འཆད་པའི་ཤེས་རབ་གང་འཆད་རྒྱུའི་གླེགས་བམ་གྱི་རྣམ་པར་སྤྱན་དྲངས་ནས་ལུས་ཀྱི་ནང་གི་གླེགས་བམ་ལ་ཐིམ་པས། ཚིག་དོན་མཐའ་དག་ཇི་བཞིན་ཧོང་དུ་ཆུད་ནས་གཞན་ལ་ཕྱིན་ཅི་མ་ལོག་པར་སྟོན་ནུས་པའི་ཤེས་རབ་ཐོབ་པར་བསམ། དྲུག་པ་ནི། མ་དག་པ་འབྲུད་པའི་སྐབས། ཕས་རྒོལ་གྱི་ལོག་རྟོག་འཇོམས་པ་ལ་རྨོངས་པ་སྤྱངས་པ་དང་། སྣར་ཡང་བདུད་རྩི་དམར་གསེར་གྱིས་ལུས་གང་བའི་རྩལ་ཕྲ་རབ་རྣམས་རལ་གྲི་སོ་གཉིས་མའི་འཁོར་ལོ་རྩིབས་དྲུག་པའི་ལྟེ་བར་རལ་གྲི་གྲིན་འཁྲིང་གི་ཡུ་བའི་ལྷུགས་འཚམས་སུ་ཧྲཱིཿ་དམར་སེར། རྩིབས་དྲུག་ལ་ཟླ་གདན་གྱི་སྟེང་དམིགས་བརྩེ་མའམ་ཨ་ར་པ་ཙ་ན། འཚམས་རྣམས་སུ་ཟླ་གདན་ལ་ཧྲཱིཿ་དམར་སེར་གྱིས་མཚན་པ། དེ་དང་རྗེའི་སྐུ་ལས་འོད་ཟེར་འཕྲོས་རྒྱལ་བ་སྲས་བཅས་དང་། ཕྱོགས་གླང་ཆོས་གྲགས་སོགས་ཀྱི་རྩོད་པའི་ཡོན་ཏན་ཐམས་ཅད་དེ་ལྟ་བུའི་རལ་གྲིའི་འཁོར་ལོའི་རྣམ་པར་སྤྱན་དྲངས་ཏེ་ལུས་ཀྱི་རལ་གྲི་ལ་བསྟིམས་པས་འཁོར་ལོ་གཡས་དང་ཡིག་འབྲུ་གཡོན་དུ་འཁོར་བས་ཕས་རྒོལ་གྱི་ལོག་རྟོག་གཅོད་པ་ལ་རྨོངས་པའི་དྲ་བ་བཅད་དེ། རྩོད་པ་ལ་ཐོགས་པ་མེད་པའི་ཤེས་རབ་ཐོབ་པར་བསམ། བདུན་པ་ནི། མ་དག་པ་འབྲུད་པའི་སྐབས། རྩོམ་པ་ལ་རྨོངས་པ་ཐམས་ཅད་སྤྱངས་པ་དང་། སྣར་ཡང་བདུད་རྩི་དམར་སེར་གྱིས་ལུས་གང་བའི་རྩལ་ཕྲ་རབ་རྣམས་གང་རྩོམ་རྒྱུའི་གླེགས་བམ་རང་སྒྲ་སྒྲོགས་པ་བཞིན་པ་དང་། རལ་གྲིའི་འཁོར་ལོ་སྔ་མ་ལྟ་བུ་དང་།

དེ་དང་རྗེའི་འོད་ཟེར་གྱིས་རྒྱལ་བ་སྲས་བཅས་རྣམས་དང་དཔའ་བོ་ཙནྡྲ་གོ་མི་སོགས་ཀྱི་རྩོམ་པའི་ཤེས་རབ་ཐམས་ཅད་དེ་ལྟ་བུའི་གླེགས་རལ་གྱི་རྣམ་པར་སྤྱན་དྲངས་ནས་ལུས་ཀྱི་གླེགས་རལ་ལ་ཐིམ་པས་སྦྱངས་པ་རྣམས་རལ་གྲིའི་འཁོར་ལོས་བཅད། རྩོམ་པ་ལ་ཐོགས་པ་མེད་པའི་ཤེས་རབ་ཐོབ་པར་བསམ། དམིགས་བསྐོར་བདུན་ཀ་སྐྱོང་བའམ། རེ་རེ་ཙམ་སྐྱོང་བ་གང་བདེ་བྱེད། འཇམ་དབྱངས་བདེ་བའི་རྡོ་རྗེའི་ཁྲིད་ཡིག་ཏུ་འཆད་རྩོད་རྩོམ་གསུམ་ལ་ད་དུང་ཞལ་ཤེས་ཁྱད་པར་ཅན་འགའ་ཞིག་ཡོད་ཅེས་པ། འཆད་པ་ལ་བདུད་རྩིའི་རྡུལ་ཕྲ་རབ་རྣམས་སྣ་ཚོགས་རྡོ་རྗེ་དང་། རང་གི་ལྟེ་སྙིང་དུའང་སྣ་ཚོགས་རྡོ་རྗེ་བཀོད། སློབ་མའི་ལུས་ཀྱང་སྣ་ཚོགས་རྡོ་རྗེས་གཏམས་པར་མོས་ན་བཤད་པའི་ཆོས་ཀྱི་ཕན་ཐོགས་པ་ཡོང་། རྩོད་པ་ལ། ལུས་ཀྱི་རལ་གྲིའི་འཁོར་ལོ་དང་། ལྟེ་སྙིང་དུའང་རལ་གྲིའི་འཁོར་ལོ་དེ་ལྟ་བུ་བཀོད་ནས་བསྐོར་བས་རང་གཞན་གྱི་ལོག་རྟོག་གཅོད་པ་ལ་སྦྱངས་པ་ཐམས་ཅད་ཐད་ཐད་བཅད་པར་བསམ། ཕྱི་རྒོལ་གྱི་ལྟེ་དུམ་བུར་བཅད་པ་སོགས་ཀྱི་དམིགས་པ་གང་བྱུང་དུ་མི་རུང་། ལག་པའི་མཐེ་བོང་གི་རྩེར་རལ་གྲི་བསྒོམ་པ་དང་། དེའི་འོད་ཟེར་གྱིས་རང་གཞན་གྱི་ལོག་རྟོག་བཅད། ཕ་རོལ་པོའི་རྩོད་པའི་ཤེས་རབ་དྲངས་ནས་རང་གི་རྩོད་པའི་གྲོགས་སུ་གྱུར་པར་མོས། རྩོམ་པའི་ཚེ། གང་རྩོམ་རྒྱུའི་གསུང་རབ་ཀྱི་བརྗོད་བྱའི་དོན་དང་ལྡན་ཞིང་ཚིག་སྙན་ངག་དང་སྡེབ་སྦྱོར་ལེགས་པ་དབྱངས་ཅན་མའི་པི་ཝང་གི་གདངས་ལྟར་སྙན་པ། རང་སྒྲ་སྒྲོགས་བཞིན་པ་དང་། སྤྱི་བོར་བླ་མ་སྙིང་གར་འཇམ་པའི་དབྱངས། །ལྟེ་ལ་དབྱངས་ཅན་བཀོད་པའི་ལེགས་བཤད་ཀྱིས། །ཞེས་གསུངས་པ་ལྟར། འཇམ་དབྱངས་དང་དབྱངས་ཅན་གྱི་འཁོར་ལོ་བཀོད་པ་སོགས་སོ། །རྩོམ་པ་ལ་འཆད་རྩོད་གཉིས་ཀའི་བྱེད་ལས་ཡོད་པས་གླེགས་རལ་འབྲེལ་མར་བྱས་པ་ཡིན། ཚེ་སྒྲུབ་ལ། རྗེ་བླ་མའི་ཐུགས་ཀར་ཚེ་དཔག་མེད་གསལ་བཏབ། ཕྱག་གི་ཚེ་བུམ་དང་། ཐུགས་ཀར་ཧྲཱིའི་མཐར་ཚེ་གཟུངས་རིང་ཐུང་དང་། དམིགས་བརྩེ་མ་བཀོད་དེ་གཉིས་ཀ་སྦྲེལ་ནས་ཟླ་བའི་སོ་སོར་བཟླས་ཏེ་ཚེ་ཁྲིད་ཀྱི་དམིགས་པ་རྣམས་རྒྱས་པར་སྐྱོངས། ཀླུ་ནད་སོགས་ལ་རྗེའི་ཐུགས་ཀར་ཁྱུང་ཁྲ་བཀོད་ལ་དེའི་ཐུགས་དང་དམིགས་བརྩེ་མ་བཀྲང་། ནད་རྣམས་སྦལ་སྦྲུལ་ལ་སོགས་པའི་རྣམ་པར་གང་ནས་ནས་ཐོན་པ་སྐྱུ་ལས་ཁྱུང་གི་ཚོགས་སྲེག་པས་ལྷག་མེད་དུ་ཟོས། ནད་མེད་པའི་བདེ་བ་དང་ལྡན་པར་བསམ་ལ་བདེ་ཉམས་

བསྐྱེད། དེ་བཞིན་དུ་ཞི་རྒྱས་དབང་དྲག་རང་རང་ལ་ལས་མཐུན་གྱི་དམིགས་པ་དང་བདུད་རྩི་འབེབས་སྦྱངས་ཡོད་ལ། གཞན་ཡང་ནོར་སྒྲུབ། ཆར་འབེབས། རིལ་སྒྲུབ་སོགས་ལས་ཚོགས་བརྒྱ་རྩ་བརྒྱད་ཡོད་ཀྱང་ཕལ་ཆེར་གྱི་རྒྱུན་ཉམས། མདུང་རྩེ་རས་པས་བཅུ་གཅིག་ཙམ་གྱི་བ་པ་ཎ་ཆེན་དཔལ་ལྡན་ཡེ་ཤེས་ཀྱིས་རྒྱས་པར་བཀྲོལ་བ་ལྟར་ཡིན། དམིགས་བརྩེ་མ་འདི་རྗེ་དང་རིགས་གསུམ་མགོན་པོ་དབྱེར་མེད་དུ་གསོལ་བ་འདེབས་བྱེད་རྒྱལ་བའི་ཡེ་ཤེས་ཀྱི་རང་གཟུགས་ཡིན་པས་སྤྱན་རས་གཟིགས་དང་དབྱེར་མེད་དུ་སྒྲུབ་པའི་ཡིག་དྲུག་བགྲང་བའི་ཕན་ཡོན་ཐམས་ཅད་འདི་ལས་འབྱུང་། འཇམ་དབྱངས་དང་དབྱེར་མེད་བྱས་ནས་སྒྲུབ་པས་ཨ་ར་པ་ཙ་ན་བགྲང་པའི་ཕན་ཡོན་ཐམས་ཅད་འདི་ལས་འབྱུང་། ཕྱག་རྡོར་དང་དབྱེར་མེད་དུ་སྒྲུབ་པས་བཛྲ་པཱ་ཎི་བགྲང་བའི་ཕན་ཡོན་ཐམས་ཅད་འདི་ལས་འབྱུང་། སྔོན་གྱི་དམ་པ་གོང་མ་རྣམས་དང་ཁྱད་པར་ཁྲི་ནམ་མཁའ་བཟང་དང་། དཔོན་སློབ་བྱམས་པས་རྒྱུན་དུ་དམིགས་རྩེ་མ་ཁོ་ན་ཞལ་འདོན་མཛད་ཅིང་ཁྲི་ནམ་བཟང་བ་སྐུ་འདའ་ཁར་ཡང་འདས་མཆོད་ལ་ཚོག་གཞན་མི་དགོས། ཞག་ཞི་དགུར་དམིགས་བརྩེ་མ་བསྒྲང་ཞེས་གསུང་བཀོད་གནང་། བྱམས་པ་རིན་པོ་ཆེ་གཙང་དུ་ཕེབས་སྐབས་འགའ་ཞིག་གིས། འབྲེལ་ཙམ་དུ་ཆོས་ཆུང་ཆུང་ཞིག་ཐུགས་རྗེ་གཟིགས་ཞེས་དམིགས་བརྩེ་མའི་ལུང་ཞུས་པར། ཁྱེད་ཚོ་ལ་ཆུང་བ་རེད་དེ། ང་ལ་དེ་ལས་ཆེ་བའི་ཆོས་མེད་ཅེས་བཀའ་བསྒྱུན་མཛད་པ་དང་། མཁན་ཆེན་དགེ་འདུན་རྒྱ་མཚོས་འདིས་ཁྲིད་གནང་སྐབས། དམིགས་བརྩེ་མའི་འདི་ཤེས་རབ་འཕེལ་བ་ལ་བསམ་གྱིས་མི་ཁྱབ། ངས་ཀྱང་དཔལ་འཁོར་ཆོས་སྡེའི་མཁན་ས་འདི་ཐོད་བས་བླངས་དུས་ཕྱེད་གཡོ་སྒྱུ་དང་། ཕྱེད་ལྷག་པའི་ལྷའི་ཐུགས་རྗེས་ཀྱང་ཡིན་ཞེས་གསུངས་པར་ཁྲི་བློ་བཟང་སྣན་གྲགས་གསུངས། རྡོ་རྗེ་འཆང་རབ་བརྟེན་རྒྱ་མཚོས་དམིགས་བརྩེ་མ་ཁོ་ན་ཞལ་འདོན་མཛད་པས་ཁྲིའི་དུས་འཛིན་གྲྭ་བཅུ་གསུམ་གྱི་བརྩེ་བཞག་ལན་རེ་གཟིགས་པས་ཤར་ཤར་ཐོན་པ་དང་། དེ་བཞིན་དུ་དགེ་བཤེས་ཐུམ་ཕལ་ཆེར་དམིགས་བརྩེ་མའི་སྒོ་ནས་ཤེས་རབ་མི་ལྷར་འབར། བརྩོན་འགྲུས་ཆེ་བས་དཀྱུན་གྲང་སྐང་ལ་ཡང་རྐང་ལག་རང་གི་ཡིན་པ་མི་ཤེས་པའི་ཚོད་ཙམ་དུ་སྦྱོང་སྦྱངས་དང་། དུས་རྒྱུན་དཔྱད་པ་བྱས་པས་ཉེར་ལེན་དང་ལྷན་ཅིག་བྱེད་རྐྱེན་ཚོགས་པས་སློབ་གཉེར་འགྲན་ཟླ་མེད་པ་བྱུང་བ་རེད། ལྷ་སྒྲུབ་པ་ལྷན་ཅིག་བྱེད་རྐྱེན་ཡིན་པས་ཉེར་ལེན་ཐོས་བསམ

མེད་པར་ཞལ་ནས་ཆོས་ཡོད་ན་དུད་འགྲོ་ཚོལ་ཅིའི་ཕྱིར་མི་ཡོང་། ཐལ་ཆེར་ལ་ཞེས་རབ་མེད་པ་མིན་ཀྱང་བརྩོན་འགྲུས་ཞན་པས་ལན་ནས་འདུག་གསུངས། དམིགས་བརྩེ་མ་ཚར་རེ་དང་དམིགས་པ་ཚར་རེ་སྒྲུགས་ནས་ནན་ཏན་བྱས་ན་གྲངས་ལ་ལྟོས་བ་མེད་པ་བླ་མ་ཐམས་ཅད་ཀྱིས་གསུངས། ཐོན་སྙིང་རླུང་། གཟའ། གླུ་སོགས་ནད་དྲག་པོ་འདྲིས་གྲོལ་བ་གྲངས་རྩི་རྒྱུ་ཡོད། འདུལ་ནག་པའི་ལོ་རྒྱུས་དང་རླུང་བུམ་པ་ཅན་བཟུང་ནས་མཁའ་ལ་གཤེགས་ཏེ་མདུང་གི་རྩེ་མོའི་སྐྱིལ་ཀྲུང་གིས་འཁོད་པས་མདུང་རྩེ་རས་པར་གྲགས་པ་ཁོང་གིས། མི་ཐམས་ཅད་དམིགས་བརྩེ་མ་འདོན་པར་བསྐུལ། མ་བཏོན་པའི་ཁ་ལ་གཟའ་ནད་བཏང་ཡོད་གསུངས། དེ་དུས་ཀྱི་སྡེ་པ་རིན་སྤུངས་པས་འདོན་མ་ཉན་པས་ཁ་ཡོ་སོང་བར། དམིགས་བརྩེ་མ་འདོན་བཙུག་པས་དེ་འཕྲལ་སོར་ཆུད་པ་ལྟ་བུས་མཚོན་ནུས། ད་ལྟ་ཡིད་ཆེས་ཀྱི་དད་པ་ཞན་སོང་བས་འདིས་མཆོག་པར་ཕན་དང་། ཐད་ཐུད་སོགས་ཅི་ཙམ་བྱས་ཀྱང་སྟབས་ལེགས་རེ་ལས་དཀའ་གསུངས། དེ་ནས་ལམ་ཁྲིད་སྐྱོང་ན་མཉལ་ཐུལ་ལ་ཉམས་མགུར་དང་། ཡོན་ཏན་གཞིར་གྱུར་མ་ལྟ་བུའི་སྒོ་ནས་དམིགས་རྣམ་སྐྱོང་ཞེས་ཁྲི་བསོད་ནམས་དབང་རྒྱལ་གསུངས། སྨྲིན་ཏིང་ངེ་འཛིན་གྱི་དབང་བཞི་རྒྱས་བསྡུས་ཅི་རིགས་བླངས། དེ་ལྟར་མཁའ་དབྱིངས་མ་དང་། གོང་དུ་བླ་མ་འཇམ་དབྱངས་པའི་བརྒྱུད་འདེབས་བཏོན་ན། འདིར། མདུན་གྱི་འཆི་མེད་ལྷ་ལམ་མཁའ་དབྱིངས་སུ། །ཞེས་པ་མན་ཆད་བརྗོད། གསུམ་པ་མཇུག་གི་རིམ་པ་ནི། དཔལ་ལྡན་རྩ་བའི་བླ་མ་རིན་པོ་ཆེ། །ཞེས་སོགས་ལན་གཅིག་བརྗོད་ན། བདག་གི་སྙིང་གར་ཞེས་སྦྱོར་ཞིང་། དེའི་ཚེ་འོག་ནས་འབྱུང་བའི་དམིགས་པ་ཚང་བར་བྱེད། ལན་གསུམ་བརྗོད་ཚེ། དང་པོ་གཉིས་ལ་བདག་གི་སྤྱི་བོར་དང་། ཐ་མ་ལ་སྙིང་གར་ཞེས་སྦྱོར་ཞིང་། དང་པོའི་ཚེ་འོད་ཀྱི་ སྤུ་གུ་རང་ལ་ཐིམ། སྲས་གཉིས་རྗེ་བླ་མའི་སྐུ་དཔུང་གཡས་གཡོན་གྱི་ཐད་ནས་རྗེ་བླ་མ་ལ་ཐིམ། སེང་ཁྲི་གཉིས་རྗེའི་སེང་ཁྲི་ལ་ཐིམ། གཉིས་པའི་སྐབས་རྗེ་བླ་མ་སེང་ཁྲི་དང་བཅས་པ་རང་གི་སྤྱི་བོར་བྱོན་ནས་རང་དང་ལྷ་ཕྱོགས་མཐུན་པར་བཞུགས། གསུམ་པའི་ཚེ་ཟླ་དཀྱུ་མ་ཁ་ཕྱེ་བའི་ནང་བརྒྱུད་དེ་རྗེའི་སེང་ཁྲི་སྙིང་ལ་ཐིམ་པས་སྙིང་གི་རྩེ་མོ་གཡོན་དུ་ཕྱོགས་པ་སྣོམས་གྱེན་དུ་བསླང་སྟེ་ཉི་ཟེར་བཀྱི་བ་ལྟར་ཚལ་བ་བརྒྱད་དུ་གྱེས་པ་པདྨ་འདབ་བརྒྱད་དུ་གྱུར། བཤད་པ་སྤྱི་འགྲོ་ལ་སྙིང་ག་ཡན་ཆད་ཀྱི་དབུ་མ་གསལ་འདེབས་པ་

དང་། ཡོངས་འཛིན་རིན་པོ་ཆེས་དབུ་མ་དཀྱུས་ལྟར་གསལ་བཏབ་ནས་དེར་ཁབ་མིག་ནས་རི་རྒྱལ་མཐོང་བ་ལྟར་སྙིང་བུམ་སྐུ་དང་བཅས་ཚུད་པར་མོས་གསུངས་པར་གུང་ཐང་འཇམ་པའི་དབྱངས་གསུངས། འདི་ལ་དབུ་མའི་ཕྱི་ནས་སྦྱགས་ཀྱིས་བཀྲི་བ་ཡིན་མིན་མ་ཞུས་འདུག་གསུངས། པད་ཟླའི་གདན་སྙིང་གའི་ཁམས་དཀར་དམར་ལ་ཐིམ་པས་པད་ཟླར་གྱུར། རྗེའི་སྐུ་མཐེབ་སོར་ཙམ་འོད་དང་འོད་ཟེར་གྱི་རང་བཞིན་དབུ་མའི་ནང་ནས་མར་བྱོན་ཏེ་ཤིན་ཏུ་ཕྲ་བའི་རླུང་སེམས་ལ་ཐིམ་པས་རླུང་སེམས་རྗེ་བླ་མའི་སྐུར་བཞེངས་པར་མོས། ཕྱག་ཆེན་སོགས་ཀྱི་དམིགས་རིམ་སྐྱོང་འདོད་ན་འང་ཁྲིད་ཡིག་ལྟར་བྱ། དེ་ནས་སྙིང་པདྨ་འདབ་བརྒྱད་ཁ་ཕུབ་ཀྱིས་འདུས། རྗེ་བླ་མའི་ཐུགས་ཀའི་ཧཱུྃ་ལས་འོད་ཟེར་འཕྲོས་པས་སྙིང་གི་རྩེ་མོར་རྡོ་རྗེ་སྔོན་པོ་ལྟེ་བ་ནས་བཀས་པའི་ཕྱེད་པའི་ཧཱུྃ་རི་རབ་ལས་ལྷི་བའི་རེག་བྱ་དང་ལྡན་པས་མནན་པར་བསམ། སླར་ཡང་ཧཱུྃ་ལས་འོད་ཟེར་འཕྲོས་པས་དེའི་དབུས་ནའི་ནང་དུ་ཞུགས་པས་བླ་མ་མི་བསྐྱོད་པའི་ངོ་བོ་ཧཱུྃ་ཡིག་སྔོན་པོ་གྱེན་འགྲེང་འོད་དང་འོད་ཟེར་གྱི་རང་བཞིན་ཅན། དེ་ལས་འོད་ཟེར་མར་འཕྲོས་པ་ཕྲེང་ཐག་དང་སྔགས་ཕྲེང་རྫོགས་གི་རྣམ་པར་ཨ་ར་པ་ཙས་གཡས་སྐོར་དང་། དམིགས་བརྩེ་མས་གཡོན་སྐོར་དུ་རྡོ་རྗེ་དང་པདྨ་བུམ་སྐུའི་བར་འཚམས་དང་། །ཙ་དབུ་མའི་ཕྱི་ལ་ཡང་སྦྱི་བོའི་བར་དུ་གྲུ་གུ་ལྟར་མི་འགྲུལ་བར་དཀྲི་བ་ནི། ཁྱད་པར་སྙིང་ཁམས་དཀྲུགས་པའི་ནད་རིམས་སོགས། །ཁྱོད་ཞབས་དྲན་པས་མྱུར་དུ་ཞི་བར་མཛོད། །ཅེས་པའི་མན་ངག་ཁྱད་པར་ཅན་ཡིན། སྙིང་གའི་རང་སེམས་རྗེ་བླ་མར་གསལ་བའི་ཐུགས་ཀར་ས་བོན་ལ་སྔགས་ཕྲེང་བཀོད་ནས་ཨ་ར་པ་ཙ་དང་དམིགས་བརྩེ་མ་བཟླ་བའམ། སྙིང་གའི་རྗེའི་ཐུགས་ཀར་ལྷག་པའི་ལྷ་ཅི་ལྟར་རིགས་པ་བཀོད་ནས་དེའི་སྔགས་དང་དམིགས་བརྩེ་མ་བཟླས་ཀྱང་ཆོག །ཡང་རང་སེམས་རྗེ་བླ་མར་གསལ་པ་ལྷ་ཅི་ལྟར་རིགས་པའི་སྐུར་བཞེངས་ནས་དེའི་ཉམས་ལེན་སྐྱོང་བ་དང་། བགེགས་ཀྱི་བར་ཆད་ཞི་བ་ལ་སྙིང་གའི་རྗེ་བླ་མའི་སྐུ་ལས་འོད་ཟེར་གྱི་རེ་ཁ་ཕྲ་མོ་བྱམས་སྙིང་རྗེ་བྱང་ཆུབ་ཀྱི་སེམས་ཀྱི་རང་བཞིན་ཅན་འཕྲོས་པས་ལུས་ཀྱི་ཕྱི་རོལ་ནས་ཇེ་ཆེར་སོང་སྟེ་དཀར་ཕྱོགས་པ་ལ་འཇའ་འོད། ནག་ཕྱོགས་པ་རྣམས་ཀྱིས་བལྟ་བར་མི་བཟོད་པའི་མེའི་གུར་ཁང་། དེའི་འོད་ཟེར་གྱིས་གདོན་བགེགས་ཐམས་ཅད་བྱ་སྒྲོ་མེར་བསྲེག་པ་ལྟར་གཞོབ་ཐུལ་གྱིས་ཚིག་པར་མོས་ནས་སྟོང་ཉིད་ལ་མཉམ་པར་བཞག །དེའི་

ཕྱིར་རྡོ་རྗེའི་ར་གུར་དང་། འབྱུང་བཞིའི་གུར་ཁང་སོགས་སྐྱོད་ལམ་ཐམས་ཅད་དུ་བསམས་ན་གདོན་བགེགས་ཀྱིས་གླག་མི་རྙེད་ཅེས་སྐྱབས་མགོན་རྡོ་རྗེ་འཆང་ནས་ཚོགས་མང་ལ་འདིའི་ཁྲིད་གནང་སྐབས་གསུངས། འདི་འདྲ་ལ་བླ་མའི་མན་ངག་དགོས། བླ་མ་བསྟེན་ཞེས་པ་མཉམ་དུ་འགྲོགས་པའི་དོན་མིན། བླ་མའི་གསུང་གི་བདུད་རྩི་མྱང་། སངས་རྒྱས་དངོས་ཀྱི་འདུ་ཤེས་སྒོམས་དགོས། གདུལ་བྱ་སྐལ་ལྡན་མི་ལ་ལྟ་བུར་མར་པས་བཀའ་བསྐྱོན་སོགས་དཀའ་སྤྱད་དྲག་པོ་མཛད་བཅུག་པས་ཚོགས་རྫོགས་ཀྱང་། དེང་སང་བམ་བམ་བྱས་ནས་བླ་སློབ་མ་མཁོན་ཙམ་ཨེ་ཡོང་ལྟ་དགོས་པའི་ཚོད་ལ་སླེབ་སོང་བ་རེད། །བླ་མའི་གསུང་གི་བདུད་རྩི་ཙུང་ཟད་རེ་མྱང་བ་སེམས་ལ་བཟུང་ནས་དཔྱད་ན་དེའི་ས་བོན་བྱས་ནས་སྣོ་ཕྱེ་བ་ལྟར་ཡོང་བ་རྗེ་བཙུན་འཇམ་པའི་དབྱངས་ཀྱིས་རྗེ་ལ་གདམས་པ་ལྟར་ཡིན་པས་ཚོགས་བསགས་ཀྱི་རྒྱབ་ཆོག་པ་གལ་ཆེ། དུས་རྒྱུན་པར་དགའ་ལྡན་གྱི་ཞིང་གི་བཀོད་པ་དང་བྱམས་མགོན་འཁོར་བཅས་ཀྱི་སྐུའི་རྣམ་པ་ཡིད་ངོར་ཡང་ཡང་གསལ་འདེབས་པ་དང་། བླ་མ་སྙིང་གར་སྤྱན་དྲངས་པ་ན་རང་གི་སྤྱི་བོ་ནས་སྤྲིན་དཀར་པོ་ཐག་པ་ལྟ་བུས་དགའ་ལྡན་གྱི་བྱམས་མགོན་གྱི་ཐུགས་ཀའི་བར་དུ་སྦྲེལ་བར་བསམ་ན་འཕོ་བ་འགྱུར་བའི་དགོས་པ་ཆེ་ཞེས་པཎ་ཆེན་དཔལ་ལྡན་ཡེ་ཤེས་གསུངས་པར་ཡོངས་འཛིན་འབྲོང་རྩེ་པ་བློ་བཟང་ཚུལ་ཁྲིམས་གསུངས། ཁོང་དམིགས་བརྩེ་མ་ལ་ཐུགས་དམ་དུ་མཛད་པས་དམིགས་སྐོར་ལ་འཕྲོས་པ་འགའ་རེ་གནང་བར་ལན་ཞུས། ཞལ་ནས། དགའ་ལྡན་ལྷ་བརྒྱའི་ཞེས་འདོན་རྒྱུ་ཞིག་འདུག་མོད། དེ་ཨ་མདོའི་ས་ཆའི་མི་ཚོ་ཐམས་ཅད་ཀྱིས་འཁྱེར་གི་ཡོད་ཟེར་བ་བདེན་ནམ་གསུངས། སློང་མོ་བས་ཀྱང་འདོན་ཞུས་པར། དེ་ལེགས་པ་མ་བྱུང་། སྐན་རྒྱུད་རེད་དོ། །ཞེས་ཐུགས་ལ་མི་བདེ་བ་ལྟ་བུ་གནང་། དེས་ན་གཞན་གྱིས་ཤེས་ཀྱང་རང་རང་གིས་སྐན་རྒྱུད་ལ་གཅེས་སྤྲས་བྱེད་དགོས་གསུངས། ཡང་ན རྗེ་བླ་མ་རང་གི་སྙིང་གར་ཐིམ་པས་རང་སེམས་དང་ཐུགས་དབྱེར་མེད་དུ་མོས་ཀྱང་རུང་། དེ་ཡང་རྒྱུན་དུ་མི་དགེ་བ་འགོག་ཅི་ཐུབ། དགེ་རྩ་སྤེལ་ཅི་ཐུབ་བྱས་ནས་སྒོ་གསུམ་གྱི་བྱ་བ་ཐམས་ཅད་ཆོས་སུ་འགྲོ་བ་ལ་འབད་ན་དེའི་ཐུགས་དང་བསྲེ་ལུགས་ཡིན་གྱི། གཟུགས་ཅན་གྱི་ཆུ་དང་འོ་མ་ལྟར་བསྲེ་ལུགས་མེད། ཆོས་དང་མི་མཐུན་པའི་བསམ་པ་ནམ་ཤར་ཀྱང་ངོས་ཟིན་པར་བྱས་ནས་བཀག །བློ་འགྲོ་མི་ཉན་ཡང་དེའི་དབང་དུ་མི་གཏོང་བར་

བརྩོན་འགྲུས་དྲག་པོ་བྱས་ན་བློ་སྦྱོང་ཞེས་པའང་དེ་ལ་ཟེར། སེམས་ཆོས་དང་མི་མཐུན་ན་ཕྱི་ནས་ཅི་ལྟར་འཛམ་འཛམ་བྱས་ཀྱང་ནང་ན་ཉོན་མོངས་པའི་མེ་འབར་ཞིང་། ཀུན་རྟོག་སྣ་ཚོགས་པའི་རྒྱ་འཁྲུགས་པ་ཞི་དཀའ་གསུངས། མཐར་དེང་བརྩམས་མ་དང་། ཚེ་རབས་ཀུན་ཏུ། ཤཱཀྱ་ལའི་སྨོན་ལམ་དང་། ཐེག་ཆེན་ལམ་གྱི་གཞུང་ཤིང་བྱང་ཆུབ་སེམས། །ཡང་དག་ལྟ་བའི་གནད་དང་རིམ་གཉིས་ལ། །འཁྲུལ་མེད་ངེས་པ་རྙེད་ནས་བརྩོན་པ་ཡིས། །ཁྱོད་གསུང་སྒྲུབ་པ་སྙིང་པོར་བྱེད་པར་ཤོག །སྡེ་སྣོད་གསུམ་དང་རྒྱུད་སྡེ་རྣམ་པ་བཞི། །གདམས་པའི་མཆོག་ཏུ་གཟིགས་པའི་བཤད་སྒྲུབ་ཀྱིས། །ཀུན་མཁྱེན་རྒྱལ་བའི་བསྟན་པ་རྒྱས་མཛད་པ། ཁམས་གསུམ་ཆོས་ཀྱི་རྒྱལ་པོའི་བཀྲ་ཤིས་ཤོག །ཅེས་ཁྲི་ནམ་མཁའ་བཟང་པོ་གསུངས་པར་རྗེ་བསོད་ནམས་དབང་རྒྱལ་པ་གསུངས་ཏེ། བྲག་དཀར་དཀའ་བཅུ་རིན་པོ་ཆེ་དང་རྣམ་གཉིས་ཁྲི་ཆེན་དེ་ཉིད་ལས་བསྙེན་རྫོགས་མཛད་པས་ཐུགས་ཞེན་ཆེ་ཞིང་། འདིའི་ཁྲིད་ཀྱང་སྨོན་ལམ་གྱི་དགུང་ཇ་ཞིག་ལ་གནང་སོང་ཞེས་རྗེ་བསོད་ནམས་དབང་རྒྱལ་བ་གསུངས། ཁྲི་ཆེན་དེ་ཉིད་ནས་འབྱུང་ཁྲའི་རྗེས་གནང་རེ་གནང་ན་ཉེ་འཁོར་གྱི་ཐར་ནུས་སོགས་དུག་རིགས་ཉིན་ཁ་ཤས་ལ་སྐམ་འགྲོ། མགོན་ཆོས་ཀྱི་རྗེས་གནང་གི་དུས་ནང་ཐམས་ཅད་ཤ་ཆེན་གྱི་དྲིས་ཁྱབ་ཡོད། གང་གནང་ཡང་གཞན་དང་མི་འདྲ་བའི་ཞིབ་ཆ་དང་བྱིན་རླབས་ཆེ་ཞེས་ཉེ་གནས་གཞུང་བ་མགོ་དཀར་དུ་གྲགས་པ་ལོ་དུ་བླ་མ་བློ་བཟང་བསྟན་འཛིན་ལས་ཐོས་གསུངས། ཐུན་འཚམས་སུ་ཟས་གོས་སོགས་ལུས་གསོ་ཆེད་ཙམ་མ་ཡིན་པར་གྱོན་བ་ལྷ་རྫས་ཀྱི་གོས་སུ་མོས་ནས་སྙིང་གའི་བླ་མ་ལ་ན་བཟར་འབུལ་བ་དང་། བཟའ་བཏུང་ནང་མཆོད་ལྟར་རམ། ཨོཾ་ཨཱཿཧཱུཾ་གིས་བདུད་རྩིར་བྱིན་གྱིས་བརླབས་ནས་ཇ་མཆོད་འདྲེན་པ་མཉམ་མེད་མ་ལྟར་སྙིང་གའི་རྗེ་བླ་མ་ལ་འབུལ་ཞིང་། དེ་ཉིད་སྐྱབས་གནས་ཀུན་འདུས་པས་ཟས་གཙང་སྲུས་སོགས་དང་། རང་ལྷའི་ང་རྒྱལ་གྱིས་ནང་གི་སྦྱིན་སྲེག་གི་ཚུལ་དུ་སྤྱོད་པ། རང་ལུས་ལྷ་སྐུ་ངོ་བོ་ཉིད། །སོགས་ཀྱི་དོན་ལྟར་སྤྱད་ན་སྔགས་ཀྱི་བཟའ་བའི་དམ་ཚིག་མ་བསྙེན་པའི་ཉེས་པ་ཁེགས་ཤིང་དཀོར་སྒྲིབ་ཀྱིས་མི་ཚུགས་པའི་ཐབས་ཟབ་མོ་ཡིན། ཆོས་གྲྭ་སྐུ་རམ་ལ་དཔལ་ལྡན་རྩ་བའི་བླ་མ་དང་། །དམིགས་བརྩེ་མ། ཚོགས་འཚོགས་པ་དང་གྲོལ་བའི་དུས་དམིགས་བརྩེ་མ་གསུངས་པའང་རྣལ་འབྱོར་འདི་ཉིད་ཉམས་ལེན་དུ་ཡོད་པའི་དབང་

དུ་བྱས་ཧེ་སྙིང་གའི་རྗེ་བླ་མ་ལ་གསོལ་བ་འདེབས་པ་ཡིན་པས་ཤེས་པ་གལ་ཆེ། སྤར་དགོན་པ་འདིར་དམིགས་བརྩེ་མ་དང་། གཞོན་ནུའི་དུས་ནས་མ་འབྲེལ་མར་རྒྱང་འཛིན་སོགས་བྱེད་ཀྱང་ཕྱིས་སྐྱབས་མགོན་རྗེ་རྗེ་འཆང་ནས་ཀུན་མཁྱེན་གོང་མའི་གདུང་མཆོད་ལ་དེ་ལྟར་དང་། རྒྱུན་པར་དམིགས་བརྩེ་མས་ཚོག་པ་གནང་སོང་། དེ་ལྟར་སྤྱོད་ལམ་ཐམས་ཅད་དུ་སྙིང་གའི་རྗེ་བླ་མ་མ་བརྗེད་པར་འབྲལ་མེད་དུ་བྱས་ན་འཆི་བའི་དུས་རྗེ་ཡབ་སྲས་ཀྱི་བཀའ་དྲིན་ལ་བརྟེན་ནས་དགའ་ལྡན་མཁའ་སྤྱོད་སོགས་སུ་སྐྱེ་བ་འཛིན་པ་ལ་ཐེ་ཚོམ་མེད་ཅིང་། རྫོག་ལྡོག་པའི་གསུང་སྒྲོས་ལྟར་ཚེ་རབས་གཏན་གྱི་མདུན་མ་འགྲུབ་པ་ལག་རྗེར་མཆིས་ཞེས་བླ་མ་རྣམས་གསུངས་སོ། །ཁྲིད་ལྷན་ཅིག་ཐོབ་པས་ནང་ཕན་ཚུན་དོགས་གཅོད་བྱས་ཚོག་ཀྱང་མན་ངག་ཡིན་པས་གཞན་བྱུང་ཚད་ལ་སྨྲ་མི་ཚོག །དབང་དང་དུགས་པོ་བརྩེགས་ན་འཕྲོད། ཅེས་དབང་ཡང་ཡང་ཉན་ན་སྟུགས་སྡོམ་ཉམས་པ་གསོ་ཞིང་། དབང་བརྡ་སྤྲར་མ་གོ་བ་འཕྲོད། ཁྲིད་དང་བཤད་པ་ཡང་ཡང་ཉན་ན་སྤར་ཐོས་ཟིན་པ་ལ་ཞུས་དག་དང་ཐེ་ཚོམ་ཆོད། བརྗེད་པའི་དྲན་པ་གསོ། མ་ཐོས་པ་གསར་དུ་ཐོས། བཀའ་ཆོས་གཅིག་ལ་བཤད་པ་ཐམས་ཅད་ཐོན་དཀའ། བཀའ་རྒྱ་ཅན་ལ་དེ་ལྟར་བཤད་པའི་སྲོལ་ཡང་མེད་པས་མན་ངག་རྫོགས་པ་དཀའ། ཁྲིད་ལན་གཅིག་ཐོབ་ནས་གདམས་པ་ལྷག་མ་རྣམས་ཁས་ལེན་ཞུ་བའི་ཚུལ་གྱིས་སྐབས་ནམ་ཡོད་དུ་ཞུས་ཚོག་ཚུལ་རྒྱུ་མཚན་དང་བཅས་བྲག་དཀར་དགའ་བཅུ་རིན་པོ་ཆེས་གསུངས། ཟླ་ཚང་འདིར་ཀུན་མཁྱེན་བླ་མ་སྐུ་ཕྲེང་གོང་འོག་ནས་མན་ངག་ཐམས་ཅད་ལ་བཀའ་རྒྱ་བཀྲོལ། ལས་ཚོགས་མང་པོ་ཚོགས་སུ་བཙུགས་པས་འཚུབས་མེད། ས་གཞན་ནས་དེ་འདྲ་མི་ཚོག་པའང་ཤེས་དགོས་གསུངས་སོ། །དཀོན་མཆོག་ཀུན་འདུས་རྒྱལ་ཀུན་གསང་བའི་མཛོད། །མཚན་ལྡན་བཤེས་གཉེན་དམ་པའི་བཀའ་དྲིན་ལས། །ཡབ་རྗེའི་ཐུགས་བཅུད་གདམས་པའི་ཉིང་ཁུ་འདི། །བགོད་པས་སྐྱེ་བར་དམ་ཆོས་ཀུན་འཛིན་ཤོག །ཅེས་སྲིད་རྒྱུད་ལུགས་ཀྱི་བླ་མའི་རྣལ་འབྱོར་དགའ་ལྡན་ལྷ་བརྒྱ་མར་གྲགས་པའི་ཁྲིད་ཀྱི་ཟིན་བྲིས་དངོས་གྲུབ་ནོར་བུའི་སྙེ་མ་པ་འདི་ཡང་འཇམ་དཔལ་དབྱངས་དངོས་རྗེ་བཙུན་དཀོན་མཆོག་བསྟན་པའི་སྒྲོན་མེ་དཔལ་བཟང་པོ་དང་། འཇམ་དབྱངས་བླ་མ་དཀོན་མཆོག་རྒྱལ་མཚན་དཔལ་བཟང་པོའི་བཀའ་དྲིན་ལས་ལམ་འདིའི་དམིགས་ཁྲིད་ཞིབ་རྒྱས་ཡང་ཡང་མནོས་པ་དགེ་སློང་ཤེས་རབ་རྒྱ་མཚོས་དྲན་ཐོ་ཙམ་དུ་ཡི་གེར་བཀོད་པའོ།། །།

༄༅། །རྗེ་བླ་མར་བརྟེན་པའི་རིལ་སྒྲུབ་ཀྱི་ཆོ་ག་ དོན་གཉིས་བདེ་བླག་འགྲུབ་པའི་ཐེམ་སྐས་ ཞེས་བྱ་བ་བཞུགས་སོ།

༄༅། །སྔོ་བཟང་རྒྱལ་བ་སྟོང་གིས་མཛད་པའི་ཁུར། །གཅིག་ཏུ་བཞེད་པའི་གྲགས་སྙན་སྲིད་པའི་ཁོང་། །ཡོངས་སུ་བརྒྱལ་བའི་ངོ་མཚར་ལྷུར་བཞེས་པ། །ཁམས་གསུམ་བླ་མ་ཙོང་ཁ་པ་དེར་འདུད། །གང་དེའི་སྒོ་ནས་རང་གཞན་ཕན་བདེའི་དཔྱིད། །གང་འདོད་འབྱུང་བའི་རིལ་སྒྲུབ་ཆོ་ག་འདི། །གང་གིས་ཚུལ་བཞིན་འབད་པར་བྱས་གྱུར་ན། །གང་ཞིག་དོན་གཉིས་བདེ་བླག་འགྲུབ་པོ་ཀྱེ། །དེ་ལ་འདིར་འཇམ་མགོན་བླ་མ་ཆོས་ཀྱི་རྒྱལ་པོ་ཙོང་ཁ་པ་ཆེན་པོར་བརྟེན་པའི་རིལ་སྒྲུབ་ཀྱི་ཆོ་ག་བྱ་བའི་ཚུལ་ནི། པདྨ་འདབ་མ་བརྒྱད་པའི་སྟེང་དུ་བུམ་པ་མགུལ་ཆིངས་དང་ལྡན་པའི་ནང་དུ། སེལ་མེད་ཀྱི་དམ་རྫས་ཁྲུངས་བཙུན་མང་དུ་འདུས་པའི་རིལ་བུས་ཕྱུར་བུར་གཏམས་པ་ལ་ཁ་རྒྱན་གཟུངས་ཐག་དང་བཅས་པ། མཆོད་གཏོར་སོགས་གཙང་སྤྲ་དང་ལྡན་པའི་སྒོ་ནས། སྐྱབས་འགྲོ་སེམས་བསྐྱེད་རྒྱས་པ་སྤྱི་ལྟར་དང་། དེ་ནས་བདག་བསྐྱེད་ནི། ཨོཾ་སྭ་བྷཱ་ཝ་སོགས། སྟོང་པ་ཉིད་དུ་གྱུར། སྟོང་པའི་ངང་ལས་པཾ་ལས་པདྨ་དཀར་པོ་དང་། ཨ་ལས་ཟླ་བའི་དཀྱིལ་འཁོར་གྱི་སྟེང་དུ་རང་གི་སེམས་ཉིད་དྷཱིཿཡིག་དམར་སེར་ལས་རལ་གྲི་དྷཱིཿཡིག་དམར་སེར་གྱིས་མཚན་པ། དེ་ལས་འོད་འཕྲོས། འཕགས་པ་མཆོད། སེམས་ཅན་གྱི་དོན་བྱས། ཚུར་འདུས་ཡོངས་སུ་གྱུར་པ་ལས། རང་ཉིད་རྒྱལ་བ་ཀུན་གྱི་ངོ་བོ་ཁམས་སུ་ཆོས་ཀྱི་རྒྱལ་པོ་ཙོང་ཁ་པ་ཆེན་པོ་སྐུ་མདོག་དཀར་གསལ་མཛེས་པའི་འཛུམ་ཞལ་དང་ལྡན་པ། སྐུ་ལ་ཆོས་གོས་ངུར་སྨྲིག་གི་མདོག་ཅན་གསུམ་མཛེས་པར་གསོལ་ཞིང་། དབུ་ལ་པཎ་ཞྭ་གསེར་གྱི་མདོག་ཅན་སྣེ་རིང་གསོལ་བ། ཞལ་གྱི་དཀྱིལ་འཁོར་ཤིན་ཏུ་འཛུམ་ཞིང་ཟླ་བ་ཉ་ཡོངས་སུ་གང་བ་ལྟ་བུ།

ཕྱག་གཉིས་ཆོས་འཁོར་གྱི་ཕྱག་རྒྱ་ཐུགས་ཀར་མཛད་པའི་མཐེབ་མཛུབ་ཀྱི་ཨུཏྤ་ལའི་ཡུ་བ་བཟུང་བའི་འདབ་མ་སྣན་གཡས་གཡོན་གྱི་ཐད་དུ་ཁ་བྱེ་བའི་གཡས་ཀྱི་སྟེང་ན་ཤྲིབ་ཀྱི་རལ་གྲི་དང་། གཡོན་གྱི་སྟེང་ན་ཤེར་ཕྱིན་གྱི་གླེགས་བམ་བསྣམས་པ། ཞབས་གཉིས་རྡོ་རྗེའི་སྐྱིལ་ཀྲུང་གིས་བཞུགས་པའི་སྤྱི་བོར་ཨོཾ་ལས་འཁོར་ལོ་དཀར་པོའི་ལྟེ་བར་ཨོཾ་གྱིས་མཚན་པ། མགྲིན་པར་ཨཱཿ་ལས་པདྨ་དམར་པོའི་ལྟེ་བར་ཨཱཿ་ས་མཚན་པ། ཐུགས་ཀར་ཧཱུྃ་ལས་རྡོ་རྗེ་སྔོན་པོའི་ལྟེ་བར་ཧཱུྃ་གིས་མཚན་པ། ཐུགས་ཀའི་ཧཱུྃ་ལས་འོད་ཟེར་འཕྲོས་པས་བསྒོམས་པ་དང་འདྲ་བའི་ཡེ་ཤེས་པ་ལ། སངས་རྒྱས་དང་བྱང་ཆུབ་སེམས་དཔའི་ཚོགས་ཀྱིས་བསྐོར་བ་དགའ་ལྡན་གནས་ནས་སྤྱན་དྲངས། ཛཿ ཧཱུྃ་བཾ་ཧོཿ རང་དང་གཉིས་སུ་མེད་པར་གྱུར། མཆོད་པ་རྣམས་ཨ་མྲི་ཏ་ས་བསངས། སྭ་བྷཱ་ཝས་སྟོང་པར་སྦྱངས། སྟོང་པའི་ངང་ལས་ཨོཾ་ལས་རིན་པོ་ཆེ་ལས་གྲུབ་པའི་སྣོད་ཡངས་ཤིང་རྒྱ་ཆེ་བའི་ནང་དུ་ཨོཾ་འོད་དུ་ཞུ་བ་ལས་བྱུང་བའི་མཆོད་ཡོན། ནས་རོལ་མོ་རྣམས་རང་བཞིན་བདེ་སྟོང་། རྣམ་པ་མཆོད་རྫས། བྱེད་ལས་དབང་པོ་དྲུག་གི་སྤྱོད་ཡུལ་དུ་ཟག་པ་མེད་པའི་བདེ་བ་ཁྱད་པར་ཅན་བསྐྱེད་པར་གྱུར། ཨོཾ་ཨརྒྷཾ་ཨཱཿ ཧཱུྃ་ནས་ཤབྡ་ཨཱཿ ཧཱུྃ། ཞེས་བྱིན་གྱིས་བརླབས། ཨོཾ་ཨཱཿ གུ་རུ་སུ་མ་ཏི་ཀཱིརྟི་ས་པ་རི་ཝཱ་ར་ཨརྒྷཾ་པྲ་ཏཱིཙྪ་ཡེ་སྭཱཧཱ། ཞེས་པ་ནས། ཤབྡ་པྲ་ཏཱིཙྪ་ཡེ་སྭཱཧཱ། ཞེས་པའི་བར་གྱིས་མཆོད། རྣམ་དག་གངས་རིའི་ཁྲོད་བས་ཡོངས་བསྐོར་བའི། །× སྟོན་མཛད་བླ་མ་མཆོག་ལ་བདག་ཕྱག་འཚལ། །ཞེས་བསྟོད། རང་གི་སྙིང་གར་ཟླ་བའི་དཀྱིལ་འཁོར་གྱི་སྟེང་དུ་ཧཱིཿ ཡིག་གི་མཐར་དམིགས་བརྩེ་མས་བསྐོར་བ་ལས་འོད་ཟེར་འཕྲོས་པས། རྒྱལ་བ་སྲས་བཅས་མཆོད། དེ་རྣམས་ཀྱི་ཐུགས་རྗེ་དང་བྱིན་རླབས་ཐམས་ཅད་ཚུར་བསྡུས་ནས་རང་ལ་ཐིམ། ཡང་འོད་ཟེར་འཕྲོས་པས་སེམས་ཅན་ཐམས་ཅད་ཀྱི་སྡིག་སྒྲིབ་དང་སྡུག་བསྔལ་སྦྱངས་ཆོས་ཀྱི་རྒྱལ་པོ་ཙོང་ཁ་པ་ཆེན་པོའི་གོ་འཕང་ལ་བཀོད། འོད་ཟེར་ཚུར་འདུས་སྔགས་འཕྲེང་ས་བོན་དང་བཅས་པ་ལ་ཐིམ་པས་སྤྲོ་བསྡུའི་མཛད་པ་ཅན་དུ་གྱུར། ཞེས་དམིགས་བརྩེ་མ་གང་མང་བཟླས་པའི་མཐར་ཡིག་བརྒྱ་ཚར་གསུམ། དགེ་བ་འདི་ཡིས་× བློ་བཟང་གྲགས་པ་འགྲུབ་× འགྲོ་བ་× ཅེས་སོགས་བསྔོ་སྨོན་ཅི་རིགས་དང་། མདུན་བསྐྱེད་ཀྱི་མཆོད་པ་གོང་ལྟར་བྱིན་གྱིས་བརླབས་ནས། བུམ་པ་ཨ་མྲི་ཏ་ས་བསངས། སྭ་བྷཱ་ཝས་སྦྱངས། སྟོང་པ་ཉིད་དུ་

གྱུར། སྟོང་པའི་ངང་ལས་པདྨ་དཀར་པོ་འདབ་མ་བརྒྱད་པའི་དབུས་སུ་ཧྲཱི་དཀར་པོ་ཡོངས་སུ་གྱུར་པ་ལས། བུམ་པ་དཀར་པོ་སྟོ་བ་ཆེ་བ་མགྲིན་པ་རིང་བ་མཆུ་འཕྱང་བ་ལྷ་རྫས་ཀྱི་གོས་ཀྱིས་མགུལ་དཀྲིས་པ་སོགས་མཚན་ཉིད་ཐམས་ཅད་དང་ལྡན་པ་བྱི་བུམ་པའི་རྣམ་པ་ཡིན་པ་ལ། ནང་གཞལ་ཡས་ཁང་བཀོད་པའི་ཁྱད་པར་ཡོངས་སུ་རྫོགས་པའི་དབུས་སུ་རིལ་བུ་རྣམས་པོ་ལས་པདྨ་དཀར་པོ་དང་། ཨཱཿལས་ཟླ་བའི་དཀྱིལ་འཁོར་གྱི་སྟེང་དུ་ཧྲཱིཿལས་རལ་གྲི་ཧྲཱིཿདམར་སེར་གྱིས་མཚན་པ། དེ་ལས་འོད་ཟེར་འཕྲོས། འཕགས་པ་མཆོད། སེམས་ཅན་གྱི་དོན་བྱས་ཚུར་འདུས་ཡོངས་སུ་གྱུར་པ་ལས། རྒྱལ་བ་ཀུན་གྱི་ངོ་བོ་ནས་ལྟེ་བར་ཧཱུྃ་གིས་མཚན་པ། ཞེས་པའི་བར་སྔར་བཞིན་ལ། བདག་མདུན་གཉིས་ཀའི་ཐུགས་ཀའི་ཧཱུྃ་ལས་འོད་ཟེར་འཕྲོས་པས་དགའ་ལྡན་གྱི་གནས་ནས་བསྐྲོམས་པ་དང་འདྲ་བའི་ཡེ་ཤེས་པ་ལ་སངས་རྒྱས་དང་བྱང་ཆུབ་སེམས་དཔའི་ཚོགས་ཀྱིས་བསྐོར་བ་སྐད་ཅིག་གིས་མདུན་གྱི་ནམ་མཁར་སྤྱན་དྲངས། རོལ་མོ་དབྱངས་དང་བཅས་པས། མ་ལུས་སེམས་ཅན་ཀུན་གྱི་སོགས་ཀློ་ཀ་གསུམ་དང་། བཅོམ་ལྡན་འདིར་ནི་བྱོན་པ་ལེགས། །ཞེས་སོགས་ཀྱིས་གཞུག་གསོལ་བྱས་ཏེ། ཛཿཧཱུྃ་བཾ་ཧོཿདམ་ཚིག་པ་དང་གཉིས་སུ་མེད་པར་གྱུར་པས་སྐྱབས་གནས་ཀུན་འདུས་ཀྱི་བདག་ཉིད་ཅན་དུ་གྱུར། འདིའི་མཚམས་སུ་ཁྲུས་གསོལ་རྒྱས་བསྡུས་ཡོང་སྐབས་དང་བསྟུན་ནས་བྱའོ། །མཆོད་ཕྲེང་གི་སྐབས། རྒྱལ་བ་རྒྱ་མཚོའི་མཆོད་རྫས་སོགས་ཀྱིས་འབུལ། །ཨོཾ་ཨཱཿགུ་རུ་སུ་མ་ཏི་ཀཱིརྟི་ས་པ་ར་ཝཱ་ར་ཨརྒྷཾ་པྲ་ཏཱིཙྪ་ཡེ་སྭཱཧཱ། ཞེས་པ་ནས། ཤཔྟའི་བར་སྦྱར་ཤིང་། འདོད་ཡོན་ལྔ་ཡང་། ཨེ་མ་མཆོད་པ་བླ་ན་མེད། །ཅེས་སོགས་དང་། ཞིང་འདིར་འཁོར་ལོ་རིན་པོ་ཆེས། །སོགས་རྒྱལ་སྲིད་སྣ་བདུན་ཐུགས་དང་བཅས་པས་ཕུལ་རྗེས། དེ་ལས་གཞན་ཡང་མཆོད་པའི་སོགས་ཀྱང་བཅུག །མཎྜལ་རྒྱས་པ་ཕུལ་རྗེས་བསྟོད་པ་ནི། རྣམ་དག་གངས་རི × གང་གི་མཚན་ཙམ་ཐོས་དང་དྲན་པས་ཀྱང་། །བར་ཆད་ཀུན་སེལ་དངོས་གྲུབ་ཀུན་སྩོལ་བ། །བྱིན་རླབས་ཐུགས་རྗེའི་གཏེར་གྱུར་ཅོང་ཁ་པ། །བློ་བཟང་གྲགས་པའི་ཞབས་ལ་གསོལ་བ་འདེབས། །བསྡུས་པ་བྱེད་སྐབས་ཁྲུས་གསོལ་སྐོར་བཞག་པའི། མཆོད་ཕྲེང་ཐུགས་འབུལ་ཙམ་བྱས་པའི་བསྟོད་པ་ཚར་མཚམས། མདུན་བསྐྱེད་ཀྱི་རིལ་བུ་རྗེ་བླ་མར་གསལ་བ་རྣམས་ཀྱི་ཐུགས་ཀར་ཟླ་བའི་དཀྱིལ་འཁོར་གྱི་སྟེང་དུ། ཧྲཱིཿཡིག་གི་མཐར་

དམིགས་བརྩེ་མས་བསྐོར་བ་ལས་འོད་ཟེར་གྱི་སྣེ་ལ་མཆོད་པའི་ལྷ་མོ་དཔག་ཏུ་མེད་པ་སྤྲོས། རྒྱལ་བ་སྲས་བཅས་ལ་མཉེས་པའི་མཆོད་པ་ཕུལ། དེ་རྣམས་ཀྱི་སྐུ་གསུང་ཐུགས་ཀྱི་ཡོན་ཏན་དང་བྱིན་རླབས་ཐམས་ཅད་འོད་ཟེར་གྱི་རྣམ་པར་ཚུར་བསྡུས། སླར་ཡང་འོད་ཟེར་འཕྲོས་པས་རིགས་དྲུག་གི་སེམས་ཅན་ཐམས་ཅད་ཀྱི་སྡིག་སྒྲིབ་སྡུག་བསྔལ་བག་ཆགས་དང་བཅས་པ་སྦྱངས་ཏེ་ཆོས་ཀྱི་རྒྱལ་པོའི་གོ་འཕང་ལ་བཀོད་པ་སོགས་སྤྲོ་བ་དང་བསྡུ་བའི་མཛད་པ་བསམ་གྱིས་མི་ཁྱབ་པར་གྱུར་པར་བསམ་ལ་དམིགས་བརྩེ་མ་ཅི་མང་བཟླས་མཐར་ཡིག་བརྒྱ་ཚར་གསུམ་དང་། དགོང་ཐུན་གྱི་མཇུག་ཏུ་གཏོར་མ་འབུལ་བ་ནི། གཏོར་མ་ཨ་ཤྲཱི་ཏས་བསངས། སྭ་བྷཱ་ཝས་སྟོང་པར་སྦྱངས། སྟོང་པའི་ངང་ལས་བྷྲཱུཾ་ལས་རིན་པོ་ཆེ་ལས་གྲུབ་པའི་སྣོད་ཡངས་ཤིང་རྒྱ་ཆེ་བའི་ནང་དུ་གཏོར་མ་ལྔའི་ཞལ་ཟས་འདོད་པའི་ཡོན་ཏན་ལྔ་དང་ལྡན་པའི་སྟེང་དུ། ཨོཾ་ཨཱཿཧཱུྃ་གིས་མཚན་པ་ལས་འོད་འཕྲོས། འཁོར་འདས་ཀྱིས་བསྡུས་པའི་ཆོས་ཐམས་ཅད་འབྲུ་གསུམ་ལ་ཐིམ་ཞིང་། དེ་ཡང་འོད་དུ་ཞུ་བ་ལས་བྱུང་བའི་བདུད་རྩིའི་རྒྱ་མཚོ་ཆེན་པོར་གྱུར། ཨོཾ་ཨཱཿཧཱུྃ། ལན་གསུམ་གྱིས་བྱིན་གྱིས་བརླབས། རྗེ་བཙུན་བླ་མའི་ལྗགས་འོད་ཟེར་གྱི་སྦུ་གུས་གཏོར་མའི་བཅུད་ཐམས་ཅད་དྲངས་ཏེ་གསོལ་བར་གྱུར་པར་བསམ་ལ། ཨོཾ་གུ་རུ་སུ་མ་ཏི་ཀཱིརྟི་ས་པ་རི་ཝཱ་ར་ཨི་དཾ་བ་ལིངྟ་ཁ་ཁ་ཁཱ་ཧི་ཁཱ་ཧི། ཞེས་བདུན་གྱིས་གཏོར་མ་འབུལ། ཕྱར་ལྷར་ཨརྒྷཾ་སོགས་ཀྱིས་མཆོད། ཕྱར་བཞིན་བསྟོད། ཡིག་བརྒྱས་ལྷག་ཆད་ཁ་བསྐང་ཞིང་། བཟོད་གསོལ་དང་འདོད་དོན། གསོལ་འདེབས་བསྔོ་སྨོན་སོགས་དང་། བདག་བསྐྱེད་ཀྱི་ཉེར་བསྡུ་ནི། བདག་ཉིད་ཀྱི་ཐུགས་ཀ་ནས་འོད་ཟེར་འཕྲོས། སྣོད་བཅུད་ཐམས་ཅད་འོད་དུ་ཞུ་ནས་ཐུགས་ཀའི་ས་བོན་ལ་ཐིམ། དེ་ཡང་མི་དམིགས་པ་སྟོང་པ་ཉིད་དུ་གྱུར། སྟོང་པའི་ངང་ལས་སླར་ཡང་བླ་མ་ཆོས་ཀྱི་རྒྱལ་པོ་ཙོང་ཁ་པ་ཆེན་པོའི་སྐུར་བཞེངས་པར་གྱུར། ཞེས་པ་དང་། ཤིས་བརྗོད་གང་མོས་བྱའོ། །དེ་ལྟར་ཉིན་རེ་བཞིན་ཐུན་ཐ་མར་བདག་བསྐྱེད་དང་། དེ་ནས་མདུན་བསྐྱེད་ལ་གཙོ་བོར་ཐུན་བར་མ་ཆད་པ་བྱེད་ཅིང་གྲོལ་བའི་ཉིན་རྗེས་ཆོག་རྣམས་ཚར་མཚམས། མདུན་བསྐྱེད་ཀྱི་རྗེ་བླ་མ་རྣམས་འོད་དུ་ཞུ་ནས་དམ་རྫས་ཀྱི་རིལ་བུ་སྦྱོང་བ་ཙམ་གྱིས་ནད་གདོན་བར་ཆད་སྡིག་སྒྲིབ་མ་ལུས་པ་ལྷག་མེད་དུ་སྦྱོང་ཞིང་ས་ལམ་གྱི་རྟོགས་པའི་ཡོན་ཏན་ཐམས་ཅད་ཐོགས་པ་མེད་པར་རྒྱུད་ལ་སྐྱེ་བའི་བྱིན་རླབས་ནུས་མཐུ་བསམ་གྱིས་མི་

ཁྱབ་པའི་བདག་ཉིད་ཅན་དུ་གྱུར། ཞེས་བརྗོད། མཐར་བདག་བསྐྱེད་ཀྱི་ཉེར་བསྡུ་དང་ཤིས་པ་བརྗོད་པའི་མེ་ཏོག་གི་ཆར་བསྐྱིལ་བར་བྱའོ། །ཞེས་རྗེ་བླ་མ་ཆོས་ཀྱི་རྒྱལ་པོ་ཙོང་ཁ་པ་ཆེན་པོར་བརྟེན་པའི་རིལ་སྒྲུབ་འདི་ལྟ་བུ་ཞིག་དགོས་ཞེས། ཆོས་ཚུལ་རྒྱ་མཚོར་མཁྱེན་པའི་སྤྱན་དཀྱུས་རིང་བའི་སྐང་སྟེ་པ་སྐལ་བཟང་ལེགས་གསུང་ནས་བསྐུལ་བའི་ངོར། ཐུ་ཕན་རྗེ་བླ་མར་བརྟེན་པའི་རིལ་བུ་སྒྲུབ་ཚུལ་དམ་པ་གོང་མས་མཛད་པའི་ཡིག་ཆའི་ཁུངས་མ་མཐོང་ཡང་། ཆར་འབེབས་སོགས་ཀྱི་སྐབས་ཀླུ་རྣམས་ལ་ཕན་གདགས་པའི་ཕྱིར། རིལ་བུ་རྗེ་བླ་མར་བསྐྱེད་ནས་སྒྲུབ་པ་མཛད་སྲོལ་ལྟར། འདིར་ཡང་དེ་ལྟར་བགྱི་བར་འགལ་བ་མེད་སྙམ་པའི་གཡར་ཁྲལ་ཙམ་དུ༑ཆོས་རྗེ་ངག་དབང་པས་ཆབ་མདོ་བྱམས་པ་གླིང་གི་གཟིམས་ཚུང་ཉི་འོད་འཁྱིལ་བར་སྦྱར་བ་དགེ་ལེགས་འཕེལ། ། ། །

༄༅། །ས་བཅུད་བུམ་སྒྲུབ་ཀྱི་ལྷན་ཐབས་ཞེས་བྱ་བ་བཞུགས་སོ།

༄༅། །ཆོས་ཀྱི་རྒྱལ་པོ་ཙོང་ཁ་པ་ཆེན་པོར་རྟེན་པའི་ས་བཅུད་བུམ་པ་སྒྲུབ་པ་དང་སྦྲ་བའི་ཚུལ་པཎ་ཆེན་ཐམས་ཅད་མཁྱེན་གཟིགས་ཆེན་པོས་མཛད་པའི་ལྷན་ཐབས་བཞུགས་སོ། །༈ འདིར་རྗེ་བླ་མ་ཆོས་ཀྱི་རྒྱལ་པོ་ཙོང་ཁ་པ་ཆེན་པོ་ལ་བརྟེན་ནས་ས་བཅུད་བུམ་པ་སྒྲུབ་པའི་ཚུལ། པཎ་ཆེན་ཐམས་ཅད་མཁྱེན་གཟིགས་ཆེན་པོས་སྤྲུལ་བའི་ཆོ་གའི་སྟེང་ནས་ཉམས་སུ་ལེན་སྐབས་ཅུང་ཟད་ཁ་འགེངས་དགོས་པ་དང་། གོ་རིམ་རྣམས་ནག་འགྲོས་ཀྱི་བཀོད་པས་བལྟས་ཆོག་ལྟ་བུ་ཞིག་མེད་ན་འདྲིས་ཆུང་བ་རྣམས་ཀྱིས་ཤེས་དཀའ་བར་འདུག། དེའི་ནང་གི་བུམ་སྒྲུབ་ཀྱི་སྐབས་ཐོག་མར་དབུ་གཙུགས་པའི་ཉིན་སྐྱབས་འགྲོ་ནས་བདག་བསྐྱེད་བཟླས་པ་དང་བཅས་རྫོགས་ཀྱི་བར་བཏང་ནས། དེ་མཚམས་གཞི་བདག་གཏོར་མ་དང་བགེགས་གཏོར་བསྔོ་བ་གཉིས་སྔ་ལྟར་བྱས་རྗེས་རྒྱུན་པར་དེ་གཉིས་མི་དགོས་པ་ལས་བུམ་སྒྲུབ་པ་ནས་མདུན་བསྐྱེད་ཚང་མ། ཁམ་ཕོར་རྣམས་ཀླུ་རང་རང་གི་ཕྱོགས་སུ་དོར་བའི་བར་གཞུང་ལྟར་གཏོར་མ་ཐུབ་བཞིན་རབ་ཚང་མ་ཚར་རེ་རེ་གཏོང་བའམ་མ་ཐུབ་ན་སྔ་དྲོ་དང་ཕྱི་དྲོ་ཚང་མ་ཚར་རེ་རེ་འགྲོ་བ་ངེས་པར་གཏོང་། དགོངས་ཐུན་གྱི་མཇུག་བཏང་རག་གི་མཆོད་པ་བྱིན་གྱིས་བརླབས། ཨོཾ་ཨཱཿ ཀུ་རུ་སུ་ཞེས་པ་ནས × ཨཀྵོཾ་ནས་ཤཱནྟི་བར་དང་། གོང་ལྟར་བསྟོད། ཀླུ་རྣམས་ལ་ཨོཾ་མནྟྲ་ནཱ་ག × ཨཀྵོཾ་སོགས་ཀྱིས་མཆོད། གདེངས་ཀ་སོགས་ཀྱིས་བསྟོད། ཡིག་བརྒྱས་ལྷག་ཆད་བསྐང་། མ་རྙེད་ཡོངས་སུ་དང་། ལྷག་པ་དང་ནི་ཆད་པ་སོགས་ཀྱིས་བཟོད་པར་གསོལ། མདུན་བསྐྱེད་ཀྱི་ལྷ་རྣམས། འདིར་ནི་གཟུགས་དང་སོགས་ཀྱི་མཐར། ཨོཾ་སུ་པྲ་ཏིཥྛ་བཛྲ་ཡེ་སྭཱཧཱ། འཇིག་རྟེན་བདེ་ཞིང་དང་། ལྷས་ཀྱང་དུས་སུ་ཆར་སོགས། རྨད་བྱུང་སྲུས་བཅས་སོགས་འདོད་དོན་གསོལ་བ་བཏབ། བདག་བསྐྱེད་ཀྱི་ཡེ་ཤེས་པ་རང་བཞིན་གྱི་གནས་སུ་གཤེགས། དམ་

ཚིག་པ་འོད་དུ་ཞུ་ནས་ཐུགས་ཀའི་ས་བོན་ལ་ཐིམ། དེ་ཡང་མི་དམིགས་པ་སྟོང་པ་ཉིད་དུ་གྱུར། སྟོང་པའི་ངང་ལས། སླར་ཡང་བླ་མ་ཆོས་ཀྱི་རྒྱལ་པོ་ཙོང་ཁའི་སྐུར་བཞེངས་པར་གྱུར། མཇུག་ཏུ་ཤིས་བརྗོད་གང་འོས་བྱའོ། །དེ་དག་ནི་བུམ་པ་སྒྲུབ་པའི་སྐབས་དང་། བུམ་པ་སྒྲ་ཚུལ་ནི། སྤ་བའི་གནས་དེར། སྦྱིན་ཆེན་དང་། སྣང་བརྒྱད། གསེར་འོད་སྒྲོགས་པ། ཡུལ་དེའི་གཞི་བདག་གི་བསང་མཆོད་སོགས་རྒྱས་བར་བྱས་ཏེ། རང་གི་མདུན་དུ་སྡེགས་ཀྱི་ཁར་ཁམ་ཕོར་དཀར་པོ་གསུམ་གྱི་ནང་དུ་འོ་མར་ཟླུ་སྨན་བསྲེས་པས་བཀང་བ་དང་། གནས་དེའི་གཞི་བདག་རྣམས་ལ་འབུལ་རྒྱུའི་དཀར་གཏོར་ག་ཅིག །དེའི་མདུན་དུ་ཆུ་གཉིས་ཉེར་སྤྱོད་སོགས་མཆོད་པ་ཚར་གཉིས་བཤམས། དེའི་དང་པོ་ཟླུའི་མཆོད་པ་དང་ཁམ་ཕོར་དུ་བླུག་པའི་ཟླུ་སྨན་རྣམས་བྱིན་གྱིས་བརླབས་པ་ནི། མཆོད་པ་བྱིན་རླབས་མདུན་བསྐྱེད་སྐབས་ལྟར་དང་། ཁམ་ཕོར་བྱིན་རླབས་སྔགས་དྲུག་དང་ཕྱག་རྒྱ་དྲུག་གིས་བྱིན་གྱིས་བརླབས། དེ་ནས་ཟླུ་སྤྱན་འདྲེན་ཞིང་མཆོད་པ་སོགས་ནི། ཨོཾ་ཟླུ་རྒྱལ་དགའ་བོ་སོགས་གཞུང་ལྟར་དང་། དེ་ནས་ཡང་གཞི་བདག་ལ་འབུལ་རྒྱུའི་མཆོད་གཏོར་གཉིས་ཀུང་ཐར་མདུན་བསྐྱེད་ཀྱི་སྐབས་ལྟར་བྱིན་གྱིས་བརླབས་ཏེ། རང་གི་ཐུགས་ཞེས་པ་ནས། བདག་ཞུས་ཁྱེད་ཀྱིས་གནང་བར་མཛོད་ཀྱི་བར་གཞུང་ལྟར་དང་། སྐབས་འདིར་ཟླུ་གཏོར་དབུལ་བ་ནི་བུམ་ནང་གི་ཟླུ་དང་། གསར་དུ་སྤྱན་དྲངས་པའི་ཟླུ་གཉིས་ཀ་ལ་འབུལ་དགོས། དེ་ནས། ཟླུ་ཆེན་བརྒྱད་པོ་ཞེས་སོགས། དམིགས་བཅས་མ་ཧེ་ལྟར་རིགས་པ་བཟླས་ཞེས་པའི་བར་དང་། དེ་ནས་རི་ལྟ་བུ་གསར་དུ་བཀོ་དགོས་པ་ཡིན་ན། དང་པོར་ཙོད་ཏུས་བཀོ་ཞིང་དེ་ནས་གང་བདེར་བཀོ། ནང་དུ་གཡམ་སྒྲོམ་སོགས་ཆུའི་གནོད་པ་མི་ཡོང་བའི་ཐབས་གང་ཟབ་བྱ། སྡིགས་མཐོ་བའི་ཁར་ལྷ་བུམ་རང་ཕྱོགས་སུ་ཞལ་གཟིགས་པའི་མདུན་དུ་སྡེགས་བུ་དམར་བར་ཟླུ་བུམ་ཞལ་ལྷ་བུམ་ལ་ཕྱོགས་པར་བཞག་པའི་མདུན་དུ་བུམ་སྒྲུབ་སྐབས་གང་དགོས་ཀྱི་མཆོད་གཏོར་སྤྱན་གཟིགས་སོགས་ཚང་མ་ཚོགས་པར་བྱས། ལས་བུམ་བསྒྲུབས་པ་ནས་མདུན་བསྐྱེད་ལྷ་བུམ་ཟླུ་བུམ་བསྒྲུབས། ཁམ་ཕོར་རྣམས་ཟླུ་རང་རང་གི་ཕྱོགས་སུ་དོར་བའི་བར་གཞུང་བཞིན་བྱས་ཏེ། དེའི་འཚམས་གསེར་སྐྱེམས་འབུལ་བར་སྦྱིན། འོ་མ་དང་ཇ་ཐང་ལས་ཆང་མ་འདྲེས་པ་བྱེད་དགོས་ཤིང་། གསེར་སྐྱེས་བཤམས་པ་ལ་དམིགས་ཏེ། ཨོཾ་བཛྲ་ཨ་མྲྀ་ཏ་ས་བསངས། སྭ་བྷཱ་ཝས་སྦྱངས། སྟོང་པའི་ངང་ལས་གསེར་སྐྱེམས་འདོད་པའི་ཡོན་ཏན་ལྔ་དང་ལྡན་པ་ཟག་པ་མེད་པའི་ཡེ་ཤེས་ཀྱི་བདུད་རྩིའི་རྒྱ་མཚོ་ཆེན་པོར་གྱུར། ཨོཾ་ཨཱཿཧཱུྃ། ལན་གསུམ། རྣམ་དག་བདེ་སྟོང་རོལ་པ་ལས་བྱུང་བའི། །འདོད་ཡོན་ཀུན་ཚང་གསེར་སྐྱེམས་མཆོད་པ་འདི། །བླ་མ་ཡི་དམ་མཁའ་འགྲོ་སྲུང་མ་དང་། །འདིར་གནས་མཐུ་ཆེན་འཁོར་དང་བཅས་ལ་འབུལ། །བཞེས་ནས་སངས་རྒྱས་བསྟན་པ་ཕྱོགས་བཅུར་དང་། །བླ་མའི་སྐུ་ཚེ་འཕེལ་ལས

རྒྱས་པ་དང་། །འགྲོ་ཀུན་ཆོས་དང་བདེ་སྐྱིད་འཕེལ་བ་སོགས། །གང་བསམ་ལས་རྣམས་སྒྲུབ་པའི་གྲོགས་མཛོད་ཅིག །ཕྱོགས་བཅུའི་རྒྱལ་བ་སྲས་དང་བཅས་པ་ཐམས་ཅད་དང་སྐྱབས་གནས་བསླུ་བ་མེད་པ་མཉམ་མེད་ཆོས་ཀྱི་རྒྱལ་པོ་ཙོང་ཁ་པ་ཆེན་པོས། ཐུབ་པའི་བསྟན་པ་སྤྱི་དང་ཁྱད་པར་ཞྭ་སེར་ཅོད་པཎ་འཆང་བའི་ལུགས་དྲི་མ་མེད་པ་འདི་ཉིད་ཕྱོགས་དུས་ཐམས་ཅད་དུ་འཕེལ་ཞིང་རྒྱས་པ་དང་། དེ་འཛིན་གྱི་སྐྱེས་ཆེན་སྤྱི་དང་ཡོངས་ཀྱི་འདྲེན་པ་ཐམས་ཅད་མཁྱེན་ཅིང་གཟིགས་པ་ཆེན་པོ་རྒྱལ་བ་ཡབ་སྲས་ཀྱི་ཞབས་པད་བརྟན་ཅིང་། རྣམ་དཀར་གྱི་འཕྲིན་ལས་ཕྱོགས་མཐར་རྒྱས་པ་དང་། དགེ་འདུན་གྱི་སྡེ་ཐམས་ཅད་ཁྲིམས་གཙང་ཞིང་བཤད་སྒྲུབ་འཕེལ་བ་དང་། དེ་དག་གི་མཐུ་ལས་འཇིག་རྟེན་གྱི་ཁམས་སྤྱི་དང་བྱེ་བྲག་ཐམས་ཅད་དུ་ནད་མུག་འཁྲུག་རྩོད་ལོ་ཉེས་སོགས་མི་འདོད་པའི་ཉེར་འཚེ་མཐའ་དག་ཞི་ཞིང་། མཐུན་རྐྱེན་ཚེ་བསོད་དཔལ་འབྱོར་འདོད་པའི་དངོས་པོ་ཐམས་ཅད་དབྱར་མཚོ་ལྟར་འཕེལ་བ། འགྲོ་བ་རྣམས་དཀར་ནག་གི་ལས་ལ་བླང་དོར་ཚུལ་བཞིན་བྱེད་པས་ཆོས་ལྟར་སྤྱོད་པ་སོགས། མདོར་ན་གནས་སྐབས་དང་མཐར་ཐུག་གི་བདེ་ལེགས་རྒྱ་ཆེན་པོ་ཡིད་བཞིན་དུ་འགྲུབ་པར་མཛད་དུ་གསོལ། རྗེས་ཚོག་བུམ་སྒྲུབ་སྐབས་ལྟར་མཆོད་བསྟོད་བཟོད་གསོལ། བརྟན་བཞུགས་རྣམས་དང་འདོད་དོན་ལ་གསོལ་བ་འདེབས་པ་བཅས་ཏེ། སྨྲ་བ་དངོས་ནི། སངས་རྒྱས་འཁོར་དང་བཅས་པ་ཞེས་སོགས་དང་། རྒྱས་པར་སྦྱོར་ན། ཧཱུྃ་ཉོན་ཅིག་ས་བདག་ཀླུ་གཉན་ཀུན། །ཕྱོལ་སོང་གླེན་བག་ཅན་གྱི་རིགས། །ཀླུ་ཆེན་བརྒྱད་པོ་འཁོར་དང་བཅས། །དེ་རིང་ཁྱེད་ལ་གཏེར་དག་སྦ། །རིན་ཆེན་མི་ཟད་གཏེར་ཆེན་འདི། །ཀླུའི་གཞལ་ཡས་ཕོ་བྲང་དུ། །མི་ཟད་གཏེར་ཆེན་འདི་སྦས་པས། །དཔྱིད་ཀྱི་དུས་སུ་སྐྱེམས་ཤིག །དབྱར་གྱི་དུས་སུ་རྫུལ་ཅིག །སྟོན་གྱི་དུས་སུ་ཚིག་ཅིག །དགུན་གྱི་དུས་སུ་འཁྲུག་ཅིག །མི་ཟད་གཏེར་ཆེན་འདི་སྦས་པས། །ཀླུ་རྣམས་རྟག་ཏུ་ལོངས་སྤྱོད་ཅིང་། །བདེ་སྐྱིད་ཕུན་སུམ་ཚོགས་གྱུར་ཅིག །རིན་ཆེན་ལྷ་ཡི་གཏེར་སྦས་པས། །མི་ཟད་གཏེར་དང་འཕྲད་པར་ཤོག །སྙིང་པོ་ལྷ་ཡི་× དབང་པོ་ལྷ་དང་འཕྲད་པར་ཤོག །སྨན་སྣ་ལྷ་ཡི་× ནད་ཀྱི་སྡུག་བསྔལ་ཞི་བར་ཤོག །འབྲུ་སྣ་ལྷ་ཡི་× མུ་གེའི་བསྐལ་པ་ཞི་བར་ཤོག །སྤོས་སྣ་ལྷ་ཡི་× ཚུལ་ཁྲིམས་རྣམ་པར་དག་པར་ཤོག །ཆུ་སྣ་ལྷ་ཡི་× ཆར་ཆུ་དུས་སུ་འབེབས་པར་ཤོག །ཤིང་སྣ་× རྩེ་ཤིང་ནགས

ཚལ་རྒྱས་པར་ཤོག །འོ་མ་ལྷ × ཟས་ནོར་རོ་མཆོག་ལྡན་པར་ཤོག །དར་ཟབ་ལྷ × གོས་རྣམས་རྫིད་དང་ལྡན་པར་ཤོག །ཀླུ་ཡི་ནོར་བརྒྱད × འཁོར་དང་ལོངས་སྤྱོད་རྒྱས་པར་ཤོག །ནོར་བུ་རིན་ཆེན་གཏེར × བསམ་པ་ཡིད་བཞིན་འགྲུབ་པར་ཤོག།ཀླུ་གཟུགས་སྨན་ཚོགས × བཀྲིས་ནད་མེད་བདེ་བར་ཤོག །ཛ་བུམ་གསར་པའི × མི་འཇིགས་བཞི་དང་ལྡན་པར་ཤོག །མི་ཟད་རིན་ཆེན་བུམ་པ་འདི། །སྔ་ནི་མི་མངོན་དབྱིངས་སུ་སྦ། །བཙོལ་ནི་གདུག་པ་ཀླུ་ལ་བཙོལ། །དབང་ནི་མི་དང་སྤྱི་ལ་དབང་། །ཀླུ་ཡིས་སྤྱོད་ན་མི་ལ་ཕན། །འོག་ཏུ་ཀླུ་སྡུག་དར་བ་ཡིན། །འོག་ཏུ་ཀླུ་རྒྱས་དར་བ་བཞིན། །སྟེང་དུ་མི་རྒྱས་དར་བ་ཡིན། །འོག་ཏུ་ཀླུ་གཉན་བཙན་པ་ལྟར། །སྟེང་ན་མི་གཉན་བཙན་པར་ཤོག །འོག་ཏུ་ཀླུ་སྐྱིད་བདེ་བ་ལྟར། །སྟེང་དུ་མི་སྐྱིད་བདེ་བར་ཤོག །རིན་ཆེན་ཛ་ཡི་བུམ་པ་ནས། །ཀླུ་དང་མི་ཡི་གནས་ཕྱོགས་སུ། །སྐྱིད་ཀྱི་ཆུ་མིག་བརྡོལ་བ་ཡིན། །ནོར་གྱི་བང་མཛོད་ཆེན་པོ་རྙེད། །ཟས་ཀྱི་རོ་མཆོག་ཆེན་པོ་བྱེད། །གོས་ཀྱི་རིག་བྱ་སྲབ་ལ་འཇམ། །ད་ནི་སྦ་འོ་དབྱིངས་སུ་སྦ། །དབྱིངས་སུ་སྦས་པས་འདོར་མི་སྲིད། །མི་འདོར་པ་ཡི་འབྲས་བུ་ཡིས། །ཀླུ་རྣམས་ཆོས་དང་འཕྲད་པར་ཤོག །མི་རྣམས་དབུལ་འཕོངས་བྲལ་པར་ཤོག །སྔ་མཁན་རྣམས་ལ་དངོས་གྲུབ་སྩོལ། །ཀླུ་ཡི་གདུག་རྩུབ་ཞི་བར་མཛོད། །གཉན་གྱི་བྱུང་ཐག་བཅད་དུ་གསོལ། །ས་བདག་གདུག་པ་བཤིག་ཏུ་གསོལ། །ཀོ་ལོང་ཞེ་སྡང་ཞི་བར་མཛོད། །ཅེས་བརྗོད་ལ་གཡམ་པ་སོགས་ཀྱིས་ཁ་བཅད་ལ་རིམ་གྱིས་ཞལ་བསུབ། དེ་ཡང་ཀླུ་ཁང་ལྷ་བུ་བརྩིགས་པའི་ཡང་ན་སར་སྦས་པ་དང་ཁང་པའི་གྲུང་གི་ནང་དུ་བཞག་བ་གང་ཡིན་ཀྱང་ངོས་སྐྲམས་པར་བྱས་ཏེ་ས་དཀར་སོགས་ཀྱིས་ལེགས་པར་བྱུག་ལ་གནས་དེ་ཉིད་རྣམ་སྣང་དུ་བསྐྱེད་གོས་པས། ཨོཾ་བཛྲ་ཨ་ཤྲི་ཏ་སབསངས། ཤུ་ནྱ་ཏཱས་སྦྱངས། ཀླུ་ཁང་སྟོང་པ་ཉིད་དུ་གྱུར། སྟོང་པའི་ངང་ལས་ཨོཾ་ལས་འཁོར་ལོ་ཨོཾ་གྱིས་མཚན་པ་ལས། བཅོམ་ལྡན་འདས་རྣམ་པར་སྣང་མཛད་སྐུ་མདོག་དཀར་པོ་ཞལ་བཞི་དཀར་བ། ཕྱག་གཉིས་ཏིང་ངེ་འཛིན་གྱི་ཕྱག་རྒྱས་འཁོར་ལོ་རྩིབས་བརྒྱད་པ་བསྣམས་པ། རིན་པོ་ཆེའི་རྒྱན་གྱིས་བརྒྱན་ཅིང་། ཞབས་གཉིས་རྡོ་རྗེ་སྐྱིལ་ཀྲུང་གིས་བཞུགས་པ། དེའི་སྤྱི་བོར་ཨོཾ × × དེ་ལས་འོད་ཟེར་འཕྲོས། བསྒོམས་པ་དང་འདྲ་བའི་ཡེ་ཤེས་པ་དང་དབང་གི་ལྷ་རྣམས་སྤྱན་དྲངས། ཛཿ ཧཱུྃ་བཾ་ཧོཿ གཉིས་སུ་མེད་པར་གྱུར། ཨོཾ་སརྦ་ཏ་ཐཱ་ག་ཏ་ཨ་བྷི་ཥེ་ཀ་ཏ་ས་མ་ཡ་ཤྲཱི་ཡེ་

སྭཱ་ཧཱ། ཆོས་དབྱིངས་ཡེ་ཤེས་རྣམ་པར་དག །རྣམ་པར་སྣང་མཛད་བཅོམ་ལྡན་འདས། །ཏིང་ངེ་འཛིན་གྱི་ཕྱག་རྒྱ་ཅན། །ཕྱག་འཚལ་བཅོམ་ལྡན་རྣམ་སྣང་ལ། །ཞེས་པས་བསྟོད། ཨོཾ་སརྦ་བིད་སརྦ་ཨ་ཝ་ར་ཎ་བི་ཤོ་དྷ་ནེ་ཧ་ན་ཧཱུྃ་ཕཊ། ཅེས་དང་ཡིག་བརྒྱ་བཟླ། གོང་བཞིན་མཆོད་ཆོས་དབྱིངས་ཡེ་ཤེས་རྣམ་ཐར་དག །ཞེས་སོགས་བརྗོད། རྣམ་ཐར་སྣང་མཛད་འོད་དུ་ཞུ་ནས་སླུ་ཁང་གི་རྣམ་ཐར་གྱུར། ཨོཾ་སུ་པྲ་ཏིཥྛ་བཛྲ་ཡེ་སྭཱ་ཧཱ། ཞེས་བརྗོད་ལ་མེ་ཏོག་འཐོར། བདག་བསྐྱེད་ཀྱི་ལྷ་ལ་མཆོད་བསྟོད། བཟོད་གསོལ། ཉེར་བསྡུ་རྣམས་གོང་བཞིན་བྱ། རྗེས་དགེ་བ་བསྔོ་བ་དང་མཐར། ཕུན་སུམ་ཚོགས་པ་མངའ་བ་སོགས་ཀྱིས་ཤིས་བརྗོད་རྒྱས་པར་བྱའོ། །ཞེས་པཎ་ཆེན་ཐམས་ཅད་མཁྱེན་གཟིགས་ཆེན་པོས་མཛད་པའི་རྗེ་བླ་མར་བརྟེན་པའི་ས་བཅུད་བུམ་པ་སྒྲུབ་པ་དང་སྦ་བའི་ཚུལ་མཛད་པའི་ཆོ་གའི་ལྷན་ཐབས་ནག་འགྲོས་སུ་བཀོད་པ་འདི་ནི་ཤཱཀྱའི་དགེ་སློང་ཙུག་ར་ངག་དབང་པས་བྲིས་པ་དགེ་ལེགས་འཕེལ། །

༄༅། །བླ་མའི་རྣལ་འབྱོར་གྱི་ཟིན་བྲིས་བཞུགས་སོ།

༄། །རྒྱལ་བ་བྱམས་པ་མགོན་པོ་ནས། །སངས་རྒྱས་རྣམས་ལ་ལྷག་པར་བྱས། །དེ་ལས་དགེ་བའི་རྩ་བ་བསྐྲུན། །དགེ་བའི་བཤེས་ཀྱི་མགོན་བཅས་པ། །འདི་མཉན་པ་ཡི་སྣོད་ཡིན་ནོ། །ཞེས་གསུངས་པ་ལྟར། རྒྱལ་བའི་གསུང་རབ་ཐམས་ཅད་ཀྱི་རབ་དང་ཕུལ་དུ་གྱུར་པ་བཅོམ་ལྡན་འདས་ཀྱི་དགོངས་པའི་གཏད་སོ་མཐར་ཐུག་ཕ་རོལ་ཏུ་ཕྱིན་པའི་དོན་ཟབ་མོ་འདི་ཉིད་ཐོས་བསམ་སྒོམ་གསུམ་གྱིས་གཏན་ལ་འབེབས་པ་ལ་བཀའ་གདམས་གླེགས་བམ་ཆེན་མོར་རྗེ་བཙུན་འཇམ་དབྱངས་དང་རྗེ་བླ་མས་དྲིས་ལན་གྱི་སྒོ་ནས་གསུངས་པ་ལྟར་བླ་མའང་གང་བྱུང་གིས་མི་རུང་བས་དཔེར་ན་རྒྱ་མཚོའི་གླིང་དུ་འགྲོ་བའི་ཚེ་དེད་དཔོན་ལམ་རྒྱུས་མཁས་པ། སྙིང་སྟོབས་དང་ལྡན་པ། སྙིང་རྗེ་དང་ལྡན་པ། ཕྱིར་མི་ལྡོག་པ་དེ་ལྟ་བུ་ཞིག་བརྟན་དགོས་པ་ལྟར། འདི་ཡང་མ་གི་ཐར་པ་ཆ་མཐུན་ནས་བཟུང་ཐམས་ཅད་མཁྱེན་པའི་ཡེ་ཤེས་ཀྱི་བར་ཐེག་པ་ཆེན་པོའི་ལམ་གྱི་ལུས་ཡོངས་སུ་རྫོགས་པ་ལ་མཁས་ཤིང་གཞན་ལ་འདོམས་པའི་ཐུགས་རྗེ་དང་ལྡན་པ་ཞིག་དགོས། ཡི་དམ་ཡང་གསང་བདེ་འཇིགས་གསུམ་ཡ་མ་བྲལ་བ་ཞིག་དང་། ཆོས་སྐྱོང་ཡང་སྐྱེས་བུ་གསུམ་གྱི་ལམ་གྱི་འགྲོས་དང་མཐུན་པ་ཞིག་དགོས་དེའི་ནང་ནས་ཀྱང་རྗེ་བླ་མ་ལ་བརྟེན་པའི་རྣལ་འབྱོར་ནི་ཐམས་ཅད་ལས་ཁྱད་པར་འཕགས་པ་ཡིན་པས་དོན་གང་ཞིག་སྒྲུབ་ཀྱང་འདི་ལས་ལྷག་པ་མེད་དོ། སྟོན་རྗེ་ཤེས་རབ་སེངྒེའི་སློབ་མ་འདུལ་ནག་པ་དཔལ་ལྡན་བཟང་པོ་དང་འདུལ་འཛིན་བློ་བཟང་གྲགས་པ་གཉིས་ལ་འདུལ་དཀར་ནག་ཏུ་གྲགས་པའི་ནང་ཚན་འདུལ་ནག་པ་དེ་སྲད་ཀྱི་ལུང་པའི་ཕུར་བཞུགས་པའི་མདའ་ན་མི་ཚང་སྟོབས་ཆེ་ཞིག་ཡོད་པའི་བུ་རྒྱལ་འགོང་གིས་ཟིན་ནས་གང་གིས་ཀྱང་སླགས་མ་ཁེལ་ན། ཕྱུགས་རྫི་དེས་ངེད་ཚོའི་ལུང་པའི་ཕུག་འདིར་རེས་འགའ་གཡག་ཆེན་པོ་ཞིག་འདུག །རེས་འགའ་དགེ་སློང་ཞིག་འདུག །དེ་རང་བཞིན་པ་ཞིག་མིན་པ་

འདྲ་བས་ཁོང་ལ་ཞུས་ན་ཐབས་རེ་ཡོད་དམ་ཞེས་གྲོས་བཏབ་པ་ལ་བརྟེན་ནས་དེ་དག་གི་གསོལ་བ་བཏབ་པ་ན། དང་པོར་ཞལ་གྱིས་མ་བཞེས། ནན་གྱིས་ཞུས་པས་སྲིད་རྒྱུད་འདེབས་པའི་དུས་ལ་བབ་པའི་ སྟ་ལྟས་སུ་གཟིགས་ནས། འོ་ན་ངས་ཕན་མི་ཕན་བལྟས་ཏེ་ཕན་ན་ཡོང་པས་ཆོག །དང་པོར་ངའི་ལྷུ་ དང་ཕྲེང་རྡོག་འདི་རྣམས་ཁྱེར་ལ་རྒྱལ་འགོང་ཞུགས་དུས་ལྷམ་སྟེང་དུ་ཞོག །ཕྲེང་རྡོག་རྣམས་སྐར་ཁུང་དུ་ཞོག་ལ་ཅི་ཟེར་སྟོས་ཤིག་གསུང་བ་ལྟར་བྱས་པས། རྒྱལ་འགོང་དེས་སྐད་ངན་བཏོན་ཏེ་སྟེང་ནས་རི་རབ་ལྷུན་པོས་མནན་བྱུང་། སྒོ་ཐམས་ཅད་ཁྲོ་བོ་འཛིགས་སུ་རུང་བས་བཀག་འདུག །ད་གང་དུ་འགྲོ་ཞེས་སྡུག་སྐད་བཏོན་པའི་ཚུལ་ཞུས་ཏེ་སྤྱན་དྲངས་ནས་བླ་མས་དམ་ལ་བཏགས་ཏེ། དམིགས་བརྩེ་མས་གར་ཁྱབ་ཀྱི་ཕྱོགས་སུ་མི་སྣོད་པའི་དམ་བཅའ་གྱིས། གལ་ཏེ་མི་བྱེད་ན་ཐལ་བའི་རྡུལ་དུ་བརླག་གོ་ཞེས་གསུངས་པས། རྒྱལ་འགོང་དེས་ཁྱེད་བྱང་ཆུབ་སེམས་དཔའ་ཡིན་པས་རྒྱལ་འགོང་ལའང་ཐུགས་རྗེས་གཟིགས་དགོས། སྟོད་ཛ་ཏིའི་མེ་ཏོག་སྐྱེ་བའི་ས་ནས་ཤར་རྒྱ་མཚོའི་མཐའི་བར་དུ་དམིགས་བརྩེ་མས་མ་ཁྱབ་ས་མི་འདུག་པས་བདག་གང་དུ་འགྲོ་ཞེས་གསོལ་བ་བཏབ་པ་ན། དགའ་ལྡན་ལྷ་བརྒྱ་མའི་སྒོ་ནས་དམིགས་བརྩེ་མ་གྲངས་མཁན་གར་ཡོད་སར་གནོད་པ་མི་བྱེད་པའི་དམ་བཅའ་གྱིས་གསུངས་ཏེ་དམ་ལ་བཏགས་པས། རང་རེ་རི་བོ་དགེ་ལུགས་པ་རྣམས་སྐུ་རིམ་བྱེད་ཀྱང་འདི་ལས་ལྷག་པ་མེད། ཁྲི་ཆེན་ནམ་མཁའ་བཟང་ཞིང་གཤེགས་ཚེ་གསེར་ཁྲིའི་སྟེང་ནས་ཕྱག་ཁྲི་ལ་བརྡབ་སྟེ། ངའི་བུ་བ་ཐམས་ཅད་ལ་དམ་ཅན་ཆོས་རྒྱལ་ཁྱོད་དཔང་པོ་ཡིན་ད་རེས་ངས་བཟློག་པ་བྱས་ན་སེ་གོལ་གཅིག་གཏོགས་པའི་ཡུན་ལ་ཁོང་ཚོ་ཐམས་ཅད་བརླག་ཐུབ་སྟེ། དགའ་ལྡན་ཡིད་དགའ་ཆོས་འཛིན་དུ་དགེ་སློང་བྱས་འགྲོ་བ་མ་གཏོགས་འབའ་རང་བྱས་ནས་མི་འགྲོ་གསུངས་ནས་དེ་འཕྲུལ་ཐེ་བོ་ཁང་དུ་ཐེབས་སྟེ། ང་ལ་ཚེ་ག་མང་པོ་མི་དགོས། ཞག་ཞི་དགུའི་རིང་ལ་དམིགས་བརྩེ་མ་བགྲོང་གསུང་ནས་སྐུ་འདའ་བ་ཡིན། དར་མ་ཟད་སད་སེར་བསྲུང་བ་ཆར་འབེབས་ཆར་གཅོད་ཚུན་ཆད་ཀྱང་འདིའི་ལས་ཚོགས་ཀྱིས་མི་ཐུབ་པ་མི་སྲིད་པས་འདི་ལ་ནན་ཏན་སྙིང་པོ་མཛད་དགོས། དེ་ལའང་ཐུན་གྱི་ངོ་བོ་ལ་ཇི་ལྟར་བྱ་བ། ཐུན་མཚམས་སུ་ཇི་ལྟར་བྱ་བའི་ཚུལ་གཉིས། དང་པོ་ལ་སྔོན་འགྲོ་ཇི་ལྟར་བྱ་བ་དང་། དངོས་གཞི་ལ་ཇི་ལྟར་བྱ་བ་དང་། མཇུག་ཏུ་ཇི་ལྟར་བྱ་བའི་ཚུལ་གསུམ་མོ། །

དང་པོ་ལའང་བསྟན་པའི་འཇུག་སྒོ་སྐྱབས་འགྲོ་དང་། ཐེག་པ་ཆེན་པོའི་ལམ་གྱི་གཞུང་ཤིང་སེམས་བསྐྱེད་གཉིས། དང་པོ་ནི་སྦྱོར་བའི་ཆོས་དྲུག་སྔོན་དུ་བཏང་སྟེ། རང་གི་མདུན་གྱི་ནམ་མཁར་པདྨའི་སྡོང་པོ་ཡངས་ཤིང་རྒྱ་ཆེ་བའི་སྟེང་དུ་སེངྒེས་བཏེགས་པའི་རིན་པོ་ཆེའི་ཁྲི་ལ་དབུས་སུ་རྗེ་བླ་མ། མཐའ་སྐོར་སངས་རྒྱས་བྱང་སེམས་ནམ་མཁའི་ཁམས་གང་བ་ལྟ་བུའི་ཚོགས་ཞིང་གསལ་བཏབ་སྟེ། བདག་དང་འགྲོ་བ་ནམ་མཁའི་མཐའ་དང་མཉམ་པའི་སེམས་ཅན་ཐམས་ཅད་དུས་ད་ནས་བཟུང་སྟེ་ཇི་སྲིད་བྱང་ཆུབ་སྙིང་པོ་ལ་མཆིས་ཀྱི་བར་དུ་དཔལ་ལྡན་བླ་མ་དམ་པ་རྣམས་ལ་སྐྱབས་སུ་མཆིའོ། །སངས་རྒྱས་× དམ་པའི་× འཕགས་པའི་× ཞེས་ལན་བདུན་སོགས་བརྗོད། དེ་ན་སེམས་བསྐྱེད་ཐུན་མོང་བའི་མཇུག་ཏུ། ནམ་མཁའ་དང་མཉམ་པའི་སེམས་ཅན་ཐམས་ཅད་ཀྱི་དོན་དུ་བླ་མ་སངས་རྒྱས་ཀྱི་གོ་འཕང་རིན་པོ་ཆེ་ཅི་ནས་ཀྱང་མྱུར་བ་ཉིད་དུ་ཐོབ་པར་བྱ། དེའི་ཕྱིར་དུ་ལམ་ཟབ་མོ་བླ་མ་ལྷའི་རྣལ་འབྱོར་ཉམས་སུ་བླང་བར་བྱའོ། །ཞེས་ལམ་ལ་དམིགས་པའི་སེམས་བསྐྱེད་དང་ཁྱབ་པར་སེམས་བསྐྱེད་བྱ། དེ་ན་སངས་རྒྱས་ཀྱི་མཛོད་སྤུའི་གན་སྨིན་མཚམས་ནི་བྱིན་རླབས་འཇུག་པའི་སྒོ་ཡིན་པས་ཚོགས་ཞིང་རྣམས་དེར་བསྡུའོ། །གཉིས་པ་དངོས་གཞི་ལ། དགའ་ལྡན་གྱི་གནས་གསལ་བཏབ་སྟེ་དགའ་ལྡན་ནས་བླ་མ་ཡབ་སྲས་གསུམ་སྤྱན་འདྲེན་པ། ཡན་ལག་བདུན་པ་མཎྜལ་དང་བཅས་པ་དབུལ་བ། རྣམ་ཐར་གསོལ་འདེབས་ཀྱི་སྒོ་ནས་ཡོན་ཏན་དྲན་ཏེ་གསོལ་བ་གདབ་པ། མཚན་སྔགས་བགྲང་ནས་འདོད་བྱའི་དོན་ལ་སྨོན་ལམ་གདབ་པ་བཞི། དང་པོ་དགའ་ལྡན་གསལ་འདེབས་པ་དང་། སྤྱན་འདྲེན་ཚུལ་གཉིས། དང་པོ་ནི། བ་ཚྭ་ཅན་གྱི་རྒྱ་མཚོའི་ནང་ནས་དབང་ཆེན་གསེར་གྱི་ས་གཞིར་འགོ་ཙམ་རེ་སྟེང་དུ་ཐོན་པའི་ལྷོ་ཕྱོགས་འདི་ཤིང་རྟའི་དབྱིབས་ལྟ་བུ། ནུབ་ཕྱོགས་ཟླུམ་པོ་སྒོང་ལྟ་བུ། བྱང་གྲུ་བཞི་ཤོ་ལྟ་བུ། ཤར་ཚེས་བརྒྱད་ཀྱི་ཟླ་བ་ལྟ་བུ་ཞིག་ཡོད་ལ། ལྷུན་པོའི་མདངས་འཕོག་ལུགས་ཀྱིས་མངོན་པར་སྐབས་ཡོད་ཀྱི་གཟུགས་བར་སྣང་སྐྱ་སེང་ལ་ནམ་མཁར་གྲགས་པ་འདི་འང་མདོག་མི་འདྲ་བས་གླིང་སོ་སོའི་ཆུ་མདོག་ཀྱང་མི་འདྲ་ལ། དེ་ཐམས་ཅད་ཀྱི་བྱང་ཕྱོགས་གསེར་གྱི་རི་བདུན་དང་རོལ་མཚོ་བདུན་བརྒྱལ་བའི་དབུས་ན་རི་རབ་ཡོད་ཅིང་། དེའི་བང་རིམ་རྣམས་རྒྱལ་ཆེན་རིས་བཞི་དང་། རྩེ་མོར་སུམ་ཅུ་རྩ་གསུམ། དེའི་སྟེང་དུ་འཐབ་བྲལ། དེའི་སྟེང་དུ་དགའ་ལྡན་ཡོད་ལ། དེའི་

ཕྱོགས་གཅིག་ན་བྱམས་མགོན་གྱི་ཕོ་བྲང་རྒྱན་མཚན་མཐོན་པོ་གྲོང་ལས་དགོན་པའི་ཚུལ་དུ་གནས་པའི་མདུན་ན་ཆོས་སྟོན་པའི་ཀུན་དགའ་ར་བ་ཡི་དགའ་ཆོས་འཛིན་ཅེས་བྱ་བའི་མཐའ་སྐོར་དུ་དགོས་འདོད་འབྱུང་བའི་དཔག་བསམ་གྱི་ལྗོན་པ་དང་གསེར་གྱི་བྱེ་མ་བརྡལ་བའི་ཁྲུས་ཀྱི་རྫིང་བུ་དུ་མས་བསྐོར་བའི་དབུས་ན་ཁྲི་ཆེན་པོའི་སྟེང་དུ་ཁྲི་ཆུང་ལ་རྒྱལ་བ་བྱམས་པ་མགོན་པོ་འཁོར་ཡོས་བསྐྱར་བའི་འདུག་སྟངས་བཟང་པོའི་བཞུགས་སྟངས་མཛད་པའི་ཐུགས་ཀ་གསེར་གྱི་རི་བོ་ཉི་མ་འབུམ་གྱིས་སྤྲུགས་པ་ལྟ་བུ། འཛིག་རྟེན་ཐམས་ཅད་འོད་ཀྱིས་འགེངས་ནུས་པ་དཔལ་གྱི་བེའུ་དང་བཀྲ་ཤིས་ཀྱི་རི་མོ་ཡོད་པའི་ནང་ན་མེ་ལོང་ངོས་ཀྱི་གཟུགས་བརྙན་ལྟར་རྗེ་ཡབ་སྲས་གསུམ་བཞུགས་པ། གཡས་ན་དཔལ་ལྷ་གཅིག་དཱི་པཾ་ཀ་ར་ལྷའི་བུའི་རྣམ་པ་བཟུང་བ་ལྷའི་བུ་ནམ་མཁའ་དྲི་མ་མེད་པ་དང་། གཡོན་ན་རང་ཅག་གི་རྗེ་བླ་མའི་རྣམ་རོལ་ལྷའི་བུ་འཇམ་དཔལ་སྙིང་པོ་དང་། མཐའ་སྐོར་དུ་འཕགས་པ་ཐོགས་མེད་སྐུ་མཆེད་སོགས་དགའ་ལྡན་དུ་ཕྱིན་པའི་རྒྱལ་སྲས་གྲངས་མེད་རྣམས་བཞུགས་པའི་རྣམ་པ་གསལ་འདེབས་པ་ནི་ཡང་དག་པའི་མཐའ་མངོན་དུ་བྱེད་པའི་སྟོན་འགྲོ་རྫོགས་སྨིན་སྦྱངས་གསུམ་གྱི་ཡ་གྱལ་ཞིང་སྦྱོང་བ་ལ་འགྲོ་བ་སྔོ་ཀ་དང་པོ་འདིའི་ཐུན་མོང་མ་ཡིན་པའི་མན་ངག་ཡིན་ཞིང་། འོག་མ་རྣམས་ལའང་ཐུན་མོང་མ་ཡིན་པའི་མན་ངག་རེ་རེ་ཡོད་དོ། །དེ་ན་སྤྱན་འདྲེན་ཚུལ་ནི་རང་ཉིད་གནས་དེར་ཕྱིན་པའི་ཉམས་བརྟན་ཏེ་ཀྱེ་མ་བདག་ལ་ཆེ་འདིར་ནི་ཞིང་འདིར་འོངས་ཏེ་ཁྱོད་རྣམས་དངོས་སུ་མཇལ་བའི་སྐལ་བ་མི་འདུག་པས་ངའི་མགོན་སྐྱབས་དང་དཔུང་གཉེན་དམ་པར་འཛམ་བུ་གླིང་དུ་འབྱོན་དགོས་ཞེས་གདུང་ཤུགས་དྲག་པོའི་སྒོ་ནས། དགའ་ལྡན་ལྷ་བརྒྱའི་ཞེས་སོགས་དལ་བུར་གདངས་སྙན་པོས་བསྒྲགས་ན་དགའ་ལྡན་ནས་གསན་ཏེ་ལག་དར་བསྐུམ་པ་ལས་བརྐྱང་བ་བཞིན་དུ་སྐད་ཅིག་དེ་ཉིད་ལ་ཕེབས་མི་ཕེབས་དོགས་པ་ཙམ་ཡང་ཅི་ལ་དགོས་ཏེ། ཚོགས་ལམ་ཆེན་པོ་ནས་ཆོས་རྒྱུན་གྱི་ཏིང་ངེ་འཛིན་ཐོབ་སྟེ། ཤའི་མིག་གིས་དཔག་ཚད་བརྒྱ་སོགས་མཐོང་ཞིང་། ལྷའི་རྣ་བས་དེ་སྙེད་ཀྱི་སྒྲ་ཐོས་ན། རྗེ་བླ་མས་ཡེ་ཤེས་ཀྱིས་མི་གཟིགས་པ་ག་ལ་སྲིད། དེ་ནས་གཉིས་པ་ཡན་ལག་བདུན་པ་མཎྜལ་དང་བཅས་པ་དབུལ་བ་ལ། སྤྱིར་གཞུང་ཐམས་ཅད་དུ་མྱ་ངན་ལས་མི་འདའ་བར་གསོལ་བ་འདེབས་པ་རྗེས་སུ་འབྱུང་ཡང་། འདིར་སྔོན་དུ་བཀོད་པ་མན་ངག་ཡིན་ཏེ། དཔེར་ན་ནད་པ་ཉམ་ཐག་པ་

སྨན་པ་དུ་མས་ཐོར་ནས་འཆི་བར་ཐག་ཆོད་ཀྱང་རང་ཉིད་ལ་གསོན་པའི་རེ་བ་ཡོད་པ་ཞིག་ཡུལ་མི་ཐམས་ཅད་ཀྱིས་སྨན་པའི་རྒྱལ་པོ་ལྟ་བུར་བསྟེགས་ཤིང་ཐམས་ཅད་ལ་ཕན་པ་ནླབས་ཆེ་བའི་སྨན་པ་མཁས་པ་འགྲན་ཟླ་མེད་པ་གཅིག་དང་ཕྲད་བྱུང་ན་དང་པོར་རང་དང་ནད་འདི་ལས་མ་གྲོལ་གྱི་བར་དུ་ཁྱེད་བཞུགས་ནས་ནད་འདི་སེལ་གྲོགས་མཛད་དགོས་ཞེས་ཞུ་བ་ལྟར། རང་རེ་སྙིགས་མ་ལྔ་བདོ་བའི་དུས་ཀྱི་གདུལ་བྱ་དམུ་རྒོད་འདུལ་དཀའ་བ་སངས་རྒྱས་བྱང་སེམས་ཐམས་ཅད་ཀྱིས་ཡལ་བར་དོར་བ་མགོན་མེད་པ་སྐྱབས་མེད་པ་ངེད་རྣམས་ལ་རེ་ས་ཁྱེད་མིན་པ་མེད་པས། ངེད་ཅག་གི་མགོན་དུ་བྱང་ཆུབ་མ་ཐོབ་བར་དུ་བཞུགས་དགོས་ཞེས་གསོལ་བ་འདེབས་པ་ཡིན་ལ། གསལ་འདེབས་ཚུལ་ཡང་མདུན་དུ་སྨིན་མཚམས་ཀྱི་ཐད་ཀྱི་ནམ་མཁར་སེང་ཁྲི་ཆེ་ཆུང་གསུམ་གསལ་བཏབ་པའི་དབུས་མ་ལ་རྗེ་བླ་མ་དབུ་ཞྭ་གསེར་གྱི་མདོག་ཅན་རྗེ་མོ་ནམ་མཁའ་ལ་རེག་པའི་ཚོད་ཅིག་གསལ་འདེབས་དགོས། དེའི་རྒྱུ་མཚན་ཡང་བོད་འདིར་མཁས་གྲུབ་མང་པོ་ཞིག་བྱོན་ཀྱང་ལྟ་བ་རྗེ་ལས་མཐོ་བ་མེད་པའི་གནད་ཀྱིས་ཡིན་ཞིང་། དེ་བཞིན་དུ་རྒྱལ་ཚབ་མཁས་གྲུབ་གཉིས་ཀྱང་སྐུའི་རྣམ་པ་གསལ་འདེབས་ལུགས་ལ་རྟེན་འབྲེལ་གྱི་གནད་ཤིན་ཏུ་ཆེ་བས། རྒྱལ་ཚབ་རྗེ་སྐུ་ན་ཡ་ཟད་བགྲེས་པའི་རྣམ་པ་ཅན་སྐུ་མཆོག་སྟོ་བསངས། སྤྱན་གཞུ་སྤྱན་ཚུལ་གྱིས་བཞུགས་པ་ཞིག་གསལ་བཏབ་ན་གསུང་རབ་ཐམས་ཅད་ལམ་གྱི་རིམ་པར་འཁྱེར་བ་ལ་ནང་བྱན་ཚུད་པ་སོགས་ཀྱི་དགོས་པ་ཆེ་ཞིང་། མཁས་གྲུབ་རྗེ་ནི་ལང་ཚོ་དར་ལ་བབ་པ་སྐུ་མདོག་དཀར་ལ་དམར་བའི་མདངས་ཆགས་ཤིང་སྤྱན་འབུར་ཚུགས་སུ་གཟིགས་ཏེ། རྩུང་ཟད་འཁྲིང་བའི་ཚུལ་གྱིས་བཞུགས་པ་ཞིག་གསལ་བཏབ་ན་མཁས་གྲུབ་རྗེ་སྤྱིར་རྗེ་བླ་མའི་གསུང་ཐམས་ཅད་དང་། ཁྱད་པར་ཟབ་མོ་དབུ་མའི་ལྟ་བ་དང་གསང་སྔགས་རྡོ་རྗེ་ཐེག་པའི་ཕྱོགས་ལ་ཕས་རྒོལ་བའི་ཀླན་ཀ་གང་བྱུང་ཡང་རྩོད་ངག་སེང྄་གེ་ང་རོ་རེ་རེས་ཀྱང་བཟློག་པར་བྱེད་པ་ལ་ས་ཆེན་པོ་འདིའི་སྟེང་ན་འགྲན་པའི་ཟླ་དང་བྲལ་བ་ཡིན་པས་གནད་ཤིན་ཏུ་ཆེ་སྟེ། །ཁྲི་ཆེན་རྡོ་རྗེ་འཆང་གི་གསུང་ལས་སྟོན་རྗེ་ཐམས་ཅད་མཁྱེན་པས་དགའ་ལྡན་འདེབས་པའི་ཚེ་འདུལ་འཛིན་པ་ལག་གི་ཐླར་བསྐོས་ཏེ། རྡོ་བཏེགས་པའི་མཐའ་ལས་བྱུང་བའི་རུང་ཁང་བྱིན་རླབས་སོགས་མཛད་ཅིང་། གཙུག་ལག་ཁང་གི་གཞིག་བཏིང་དབུས་མ་གཏོགས་པའི་ལོག་རི་སོགས་ཀྱིས་ཞལ་བཀོད་མཛད་ནས། རྗེ་རང་ཉིད་ལྷ་ལྡན་སྨོན་

ལམ་འཇུག་པ་དང་། རིམ་ལྔ་གསལ་སྒྲོན་རྩོམ་པ་སྐྱེ་མཛད་ཆེན་གཞན་གཉིས་ཀྱི་སྐྱ་བཀོན་ལ་ཚོལ་ཁར་གཤེགས་པའི་ཞལ་དུ་ཡོག་རིས་ཐལ་ཆེར་གྲུབ་ནས། དབུས་ལ་གང་འབྲི་མ་ཤེས་པ་དང་བུ་ཆེན་རྣམས་བཀའ་བསྒྲོས་ཐོག་ནས་བསྟན་པའི་བདག་པོ་ཡིན་པས་ཐུབ་དབང་གི་སྐུ་འབྲི་བར་མཛད། རྗེས་སྣར་གཟིགས་ཏེ་ཁྱེད་ཅག་ལ་ཆོས་སྟོན་པའི་བླ་མ་འདྲ་མེད་གསུང་ནས་དགྱེས་པར་མ་གྱུར་པའི་གནད་ཀྱིས་དགའ་ལྡན་མ་དགོན་ཡིན་ཀྱང་སེར་འབྲས་ལྷ་བུའི་འཕེལ་རྒྱས་མ་བྱུང་བ་ཡིན་པས་འདི་ཙམ་ལའང་རྟེན་འབྲེལ་མ་ལོག་པ་གལ་ཆེའོ། །གཉིས་པ་ཕྱག་འཚལ་ལ་ནི། ཤེས་བྱའི་ཕྲིན་ཀུན་འཇལ་བའི་ཞེས་སོགས་འདི་ཚད་ལས་འདས་པའི་བསྟོད་པ་ཡིན་ཏེ། འདིར་ཕྲིན་ཀུན་ཞེས་པ་ཆེས་མང་ཞིང་འབྱམས་ཀླས་པའི་དོན་མ་ཡིན་པར། སློབ་དཔོན་དཔའ་བོས། མཁྱེན་པའི་སྐད་ཅིག་གཅིག་གིས་ཀྱང་། །ཤེས་བྱའི་དཀྱིལ་འཁོར་ཀུན་ཁྱབ་ཅན། །ཞེས་པ་ལྟར་གཞི་བུམ་པ་ལྟ་བུ་ཀུན་རྫོབ་པའི་སྣང་བ་མི་འགོག་པར་མཉམ་རྗེས་ངོ་བོ་གཅིག་ཏུ་སོང་བ་སངས་རྒྱས་ཁོ་ན་མ་གཏོགས་པ་ལ་མི་སྲིད་པས། ད་ལྟའི་སྟན་ངག་མཁན་གཞན་རྣམས་ངལ་བ་བརྒྱ་ཕྲག་མང་པོ་བྱས་ཀྱང་བསྟོད་པ་འདི་འདྲ་འོངས་པའི་རེ་བ་མེད་དོ། །སྐལ་བཟང་རྣ་བའི་རྒྱན་གྱུར་ཅེས་པའི་སྐལ་བཟང་ནི་བྱང་ཆུབ་སེམས་དཔའ་ཡིན་ཏེ། དབང་བསྐུར་བའི་ཚེ་ཡོལ་བའི་ཕྱི་འཇུག་གི་རིགས་དང་མོས་པ་དྲི་བའི་སྐབས་སུ། ཁྱོད་སུ་ཡིན་ཅི་ལ་དགའ་ཞེས་ཁྱོད་ཚེ་འདིའི་བདེ་བ་ཙམ་དོན་དུ་གཉེར་བའི་གང་ཟག་ཡིན་ནམ། ངན་འགྲོའི་སྡུག་བསྔལ་གྱིས་འཇིགས་ནས་ལྷ་ལུས་མི་ལུས་ཙམ་འདོད་མཁན་ཡིན་ནམ། འཁོར་བ་མཐའ་དག་ལ་ཞེན་པ་ལོག་ནས་རང་ཉིད་ཐར་པ་ཙམ་འདོད་མཁན་ཞིག་ཡིན་ནམ། མཁའ་ཁྱབ་ཀྱི་སེམས་ཅན་ཐམས་ཅད་སྒྲོལ་བར་འདོད་པའི་རྒྱལ་སྲས་བྱང་ཆུབ་སེམས་དཔའ་ཞིག་ཡིན་ཞེས་དྲི་བའི་ལན་དུ། སྐལ་བཟང་བདག་བདེ་བ་ཆེན་པོ་ལའོ། །ཞེས་བྱང་ཆུབ་སེམས་དཔའ་སྐལ་བ་བཟང་པོ་བདེ་བ་ཆེན་པོའི་ཡེ་ཤེས་དོན་དུ་གཉེར་མཁན་ཞིག་ཅེས་ལན་བཏབ་པས་ཤེས་སོ། །དེ་ལྟ་བུའི་བྱང་ཆུབ་སེམས་དཔའ་ས་བཅུ་པ་མན་ཆད་ཐམས་ཅད་ཀྱི་རྣ་བའི་རྒྱན་དུ་གྱུར་པ་ནི་རྗེ་བླ་མའི་གསུང་རྣམས་ཡིན་ཏེ། སྔ་རབས་པ་འགའ་ཞིག་གིས་གསུངས་རྣམས་སྤྱོད་པའི་ཚ་ནས་དགའ་རབ་ཡོད་ཀྱང་ལྟ་བའི་སྐོར་གནད་དུ་མ་སོང་བའི་དབང་གིས་བདག་ཉིད་ཆེན་པོ་རྣམས་གཟིགས་ན་ལྟ་བའི་ཚ་ནས་མི་དགྱེས་པས་རྣ་བའི་རྒྱན་དུ་

མི་འགྱུར་ལ། ཁ་ཅིག་ལྷ་བའི་སྐོར་དགའ་རབ་ཡོད་ཀྱང་མངོན་པ་གོང་འོག་གི་ཆོས་རྣམས་ཀྱི་རང་སྤྱིའི་མཚན་ཉིད་འདུལ་བའི་ལག་ལེན་སོགས་ལ་མ་སྦྱངས་པའི་ཆ་ནས་རྣ་བའི་རྒྱན་དུ་མི་འགྱུར། དཔེར་ན་པཎ་ཆེན་བློ་བཟང་ཡེ་ཤེས་དཔལ་བཟང་པོ་དེ་ཉིད་སྐུ་ན་ཕྲ་མོའི་ཚེ་མཚན་ཉིད་ཞབས་ཕྱི་དགེ་བཤེས་འཇམ་དབྱངས་ཆོས་འཕེལ་ཟེར་པ་དེས་མཛོད་ཀྱི་བགྲོ་གླེང་ཕུལ་ཏེ་ཁས་ལེན་ཤོར་བ་ན་པཎ་ཆེན་རིན་པོ་ཆེའི་ཕྱག་མཛོད་དེ་ཁང་པར་འདུག་ཟེར་བའི་དཔེ་ལྷ་བུ་ཡོད་མོད། རྗེ་བླ་མའི་གསུང་རབ་རྣམས་ལ་མདོ་སྔགས་གང་གི་ཐད་ནས་སུ་འདྲ་ཞིག་གིས་དཔྱད་ཀྱང་མི་འཐད་པའི་ཆ་ཕྲ་མོ་ཙམ་ཡང་མེད་པས་རྒྱལ་བའི་སྲས་པོ་ཐམས་ཅད་ཀྱི་ཐུགས་འཕྲོག་པར་འགྱུར་རོ། །གྲགས་པའི་དཔལ་གྱིས་ཞེས་པ་འདིའི་གྲགས་པ་ནི། སྙན་པའི་བ་དན་འཇིག་རྟེན་གསུམ་ན་གྲགས། །ཞེས་པ་ལྟ་བུ་མི་སྙན་པ་མཐའ་དག་ཟད་པའི་སྙན་གྲགས་ལ་བྱེད་དགོས་ལ། མོའུ་གལ་གྱི་བུ་ལྟ་བུའི་བདག་ཉིད་ཆེན་པོའང་གནས་ངན་ལེན་གྱི་དྲི་མ་མ་ཟད་ཅིང་། ས་བཅུ་པའི་བྱང་ཆུབ་སེམས་དཔའ་འོད་ཟེར་ཆེན་པོའི་དབང་བསྐུར་ཐོབ་པ་རྣམས་ཀྱང་གཉིས་སྣང་འཁྲུལ་པའི་བག་ཆགས་མ་ཟད་པའི་ཆ་ནས་མི་སྙན་པ་བརྗོད་དུ་ཡོད་པས་འདི་ནི་རྒྱལ་བ་ཉག་གཅིག་གི་ཡོན་ཏན་ཡིན་ནོ། །དེ་དག་གི་གོ་རིམ་ཡང་སྐུའི་ཡོན་ཏན་ཕྱར་བརྗོད་པ་སྤྱིའི་ལམ་སྲོལ་ཡིན་མོད་ཀྱང་། འདིར་ཐུགས་ལ་ཐོག་མར་བསྟོད་པ་མན་ངག་ཡིན་ཏེ། རྒྱལ་བ་ཐམས་ཅད་ཀྱི་མཁྱེན་རབ་གཅིག་ཏུ་བསྡུས་པའི་རང་གཟུགས་ནི་རྗེ་བཙུན་འཇམ་པའི་དབྱངས་ཡིན་ཞིང་། རྗེ་བླ་མ་འཇམ་དབྱངས་དངོས་ཡིན་པའི་གནད་ཀྱིས་བྱིན་རླབས་འཇུག་པའི་ཚེའང་ཐོག་མར་ཐུགས་ཀྱི་བྱིན་རླབས་ཞུགས་ཏེ་ཤེས་རབ་སྐྱེ་བ་ཆོས་ཉིད་ཡིན་ཞིང་། དེ་ནས་ངག་ལ་ཞུགས་ཏེ་ཚིག་དོན་དང་ངེས་ཚིག་སོགས་ལ་ཐོག་པ་མེད་པའི་སྤོབས་པ་སྐྱེ། དེ་ནས་ལུས་ལ་ཞུགས་ཏེ་མཁས་མང་རྒྱ་མཚོ་ལྟ་བུའི་དབུས་སུ་ལེགས་བཤད་ཀྱི་ང་རོ་སྒྲོགས་པ་ལ་བག་ཚ་བ་མེད་པའི་གཟི་བརྗིད་སྐྱེའོ། །འདིའི་གནད་ཀྱིས་ཡི་དམ་རྡོ་རྗེ་འཇིགས་བྱེད་ལ་དྲི་ཆབ་འབུལ་བའི་ཚེ། གཞན་དང་མི་མཐུན་པར་ཕྱར་བླང་བ་ཡིན་ཏེ། དེ་ནི་ཐུགས་ཀྱི་མཆོད་པ་ཡིན་པས་ཐུགས་ཀྱི་བྱིན་རླབས་དང་པོར་འཇུག་པའི་རྟེན་འབྲེལ་ཡོན་ནོ། །མཆོད་པ་དགུས་ན་གསལ་ཞིང་། བཤགས་པ་སྡོམ་པ་གསུམ་གྱི་བཅས་མཚམས་ལས་བརྩམས་ཏེ་བྱེད་པ་འདིའང་རང་རེ་རི་བོ་དགེ་ལུགས་པའི་ཐུན་མོང་མ་ཡིན་པའི་ཁྱད་ཆོས་ཡིན་

ཏེ། རྗེ་བཙུན་བླ་མ་ཙོང་ཁ་པ་ཆེན་པོའི་འཕྲིན་ལས་ཐམས་ཅད་ཀྱི་ནང་ནས་ཀྱང་སྡོམ་པ་གསུམ་གྱི་བཅས་མཚམས་ལ་དག་ཐེར་མཛད་པ་འདི་ཉིད་གཙོ་བོ་ཡིན་ནོ། །རྗེས་སུ་ཡི་རང་ནི། སྙིགས་མའི་དུས་འདིར་མང་ཐོས་སྒྲུབ་ལ་བརྩོན། །ཞེས་སོགས་ཏེ། ད་ལྟ་རྩོད་ལྡན་སྙིགས་མ་ལྔ་བདོ་བའི་དུས་འདིར་གསུང་རབ་རབ་འབྱམས་ལ་ཐོས་པ་རྒྱ་མཚོའི་ཕ་རོལ་ཏུ་སོན་ཅིང་། ཐོས་པའི་དོན་ལ་སྒྲུབ་པ་སྙིང་པོར་མཛད་པ་ནི་ཐ་སྙད་རིག་པའི་གཞུང་ལས་ཕུལ་བྱུང་གི་རྒྱན་དུ་གྲགས་པ་ལྟར་བླ་ན་མེད་པའི་ཡོན་ཏན་ཡིན་ཞིང་། ཆོས་བརྒྱད་སྤངས་པའི་ཚུལ་ལ་སྟོན་སྟོད་ལུང་དུ་སྡེ་སྣོད་འཛིན་པ་བརྒྱད་བརྒྱ་ཙམ་ལ་ཆོས་ཀྱི་དགའ་སྟོན་སྩོལ་བའི་ཚེ། རྗེ་བཙུན་འཇམ་པའི་དབྱངས་ཀྱིས་དཔའ་བོ་རྡོ་རྗེ་ལ་ལན་བསྐུར་ཏེ་གསུངས་པ་རྣམས་བསྐྱར་ནས་ཡང་དཔའ་བོ་རྡོ་རྗེས་ཐུགས་དོགས་ཞྲོས་ཏེ་འཇམ་དབྱངས་ལ་ཞུས་པ་ཆོས་རྗེ་བློ་བཟང་པས་བསྟན་པའི་བྱ་བ་རླབས་ཆེན་པོ་འདི་འདྲ་གནང་བའི་ཚེ་ངས་བསྐོལ་ན་ང་ལ་མིས་ཁ་བཏང་ཡོང་བས་དེ་མི་གསུང་བ་ཞུ་ཞུས་ཙ་ན། བསྟན་པ་ལ་ཕན་མི་ཕན་ཁྱོད་ཀྱིས་མི་ཤེས། ད་ལྟ་ཁ་བཤད་ཡམ་ཡམ་འདིས་གར་ཡང་མི་ཕན། འདིའི་མུ་བྱས་ན་ཕོ་རང་འདས་པའི་འོག་ཏུ་བསྟན་པ་ལ་ཕན་རྒྱུ་མེད་པས་འདི་ཙམ་གྱིས་མི་ཡོང་མཁའ་ཁྱབ་ཀྱི་སེམས་ཅན་གྱི་རྗེས་གཏོང་དགོས། ཁྱོད་རང་ལ་མིས་ཁ་གཏོང་ཤས་ཆེ་སྟེ་བཟོད་པ་སྒོམ་གསུང་། དེ་ནས་རྗེ་རིན་པོ་ཆེས་ཀྱང་སྡེ་སྣོད་འཛིན་པ་དེ་སྙེད་ཅིག་མིག་མཆེ་མ་ཙ་རེ་ཤུལ་དུ་བཞག་ནས་འཁོར་དག་པ་རྣམ་བརྒྱད་ཁྲིད་དེ། རྟོགས་ལྡན་འཇམ་དཔལ་རྒྱ་མཚོ་ནི་ཚེ་རབས་མང་པོར་འཇམ་པའི་དབྱངས་ཀྱིས་རྗེས་སུ་བཟུང་སྟེ་འཇམ་པའི་དབྱངས་ལ་མི་དང་མི་ལབ་པ་ལྟར་བྱ་བ་ཐམས་ཅད་ཞུས་ནས་བྱེད་པའི་སྐུ་ཐང་ཞིག་འབྲལ་མེད་དུ་ཡོད་ལ་གཞན་ཐམས་ཅད་འབྲལ་སྤྱང་ཐུབ་དབང་གི་སྐུ་མ་གཏོགས་པ་སྐུ་གསུང་ཐུགས་རྟེན་རྣམས་ཀྱང་བཞག་སྟེ་འོལ་ཁར་གཤེགས་པའི་ཚེ་ཡབ་སྲས་ཐམས་ཅད་ཀྱི་སྐུ་ཆས་བསྡོམས་ཀྱང་གསེར་ཞོ་གང་དུ་མི་སོང་ལ། དེའི་ཚེ་ལྷུང་བཤགས་སོ་ལྔ་རེ་ལ་ཐུན་རེ་མཛད་དེ་བཤག་སྦྱངས་དང་། ཕྱག་ངར་རྡོལ་རྡོལ་དུ་མཉལ་ཕུལ་བས་སྐུ་ཕྱག་རྨ་རོར་སོང་བ་དེ་ལྟ་བུའི་དཀའ་སྤྱད་དྲག་པོ་མཛད་པའི་ཚེ། དང་པོ་སྐུ་དབང་རྒྱལ་པོ་དང་ལྟུང་བཤགས་ཀྱི་ལྷ་སོ་ལྔ་དང་པཎ་གྲུབ་ཞལ་གཟིགས། འོན་ཀྱང་ད་ལྟའི་ང་རང་ཚོ་ལྟ་བུའི་རྨི་ལམ་དུ་བུད་མེད་ནག་ཧྲིང་ཧྲིང་ཞིག་རྨིས་ན་དཔལ་ལྡན་ལྷ་མོ་ཞལ་གཟིགས་བྱུང་ཟེར་མཁན་ལྟ་བུ་མ་ཡིན་པར།

རྒྱུད་སྡེ་ནས་དང་པོར་ཟིལ་གྱིས་མནོན་པའི་བལྟ་སྟངས་སོགས་དང་དཀའ་གནད་ལ་དྲི་བ་སོགས་ཀྱིས་བརྟག་དགོས་པར་གསུངས་པས། དང་པོར་འཇམ་དཔལ་རྒྱ་མཚོ་པ་ལ་ཉམས་སྣང་དེ་དག་དངོས་ཡིན་མིན་འཇམ་དབྱངས་ལ་དྲིར་བཅུག་པའི་ཚེ། འཇམ་དབྱངས་ཀྱིས་དེ་ཉམས་སྣང་ཡིན་ཀྱང་རྟེན་འབྲེལ་གྱི་གནད་ཆེ་བས་གསོལ་བ་ཐོབ་གསུངས་པ་བཞིན་མཛད་པའི་མཐར་བུདྡྷ་པ་ལི་ཏ་རབ་བྱེད་བཅོ་བརྒྱད་པའི་དུས་ཐ་སྙད་ཙམ་དུ་ཡོད་པར་གསུང་བའི་ཐད་དུ་ལྟ་བའི་ངེས་པ་རྙེད་དེ་མདོ་སྔགས་གཉིས་ཀའི་ལམ་ལ་སྒྲོ་འདོགས་ལྷག་མ་མ་ལུས་པར་ཆོད་དོ། །ཆོས་འཁོར་བསྐུལ་བ་དཀྱུས་ལྟར་ལ། བསྔོ་བ་འདི་འང་རྗེའི་ཐུན་མོང་མ་ཡིན་པའི་ཕྱག་སྲོལ་ཡིན་ཏེ། དང་པོར་རྒྱ་ཆེན་ཐོས་པ་མང་དུ་བཙལ། × × × ཆེད་དུ་བསྔོས། །ཞེས་གསུངས་པ་ལྟར་རྒྱལ་སྲས་ཀྱི་སྨོན་ལམ་རླབས་པོ་ཆེ་ཐམས་ཅད་བསྡུད་པའི་ཤིན་ཏུ་འགངས་ཆེ་བ་ནི་བསྟན་པའི་སྙིང་པོ་འདི་ཉིད་རྒྱས་པའི་ཕྱིར་དུ་བསྔོ་བ་འདི་ཡིན་ནོ། །གསུམ་པ་རྣམ་ཐར་གསོལ་འདེབས་ཀྱི་སྒོ་ནས་གསོལ་བ་འདེབས་པ་ནི། དཔལ་ལྡན་ས་གསུམ་འགྲོ་བའི་མི་གཅིག་པུ། །ཞེས་པ་ནས། མཆོག་གི་དངོས་གྲུབ་བརྙེས་ལ་གསོ་བ་འདེབས། །ཞེས་པའི་བར་གྱི་དོན་བསྟུན། རྗེ་བླ་མ་ནི། བློ་དང་བཟང་གི་མཚན་ཅན་སྐྱེས་བུ་འབྱུང་། །ཟེར་བ་ལྷ་བུས་འོག་ནས་ཐོན་པའི་ཆོས་དེ་འདྲ་ལ་རེ་མ་དགོས་པར་འཇལ་དཔལ་ཙ་རྒྱུད་སོགས་ནས་ལན་བརྒྱ་ཕྲག་ཏུ་ལུང་བསྟན་ཅིང་། མདོ་སྡེ་རྒྱན་ལས་ཀྱང་། དེ་ལྟར་བློ་བཟང་སྐྱོ་བ་མེད་ལྡན་བརྩེ་བ་ཅན། །སྟོན་པར་རབ་གྲགས་ཆོ་ག་བཟང་ཤེས་ལྡན་པ་ཡི། །བྱང་ཆུབ་སེམས་དཔའི་ལེགས་པར་སྒྲུབ་ཡིན་པ་སྟེ། །བཤད་པའི་སྐྱེ་བོའི་ནང་ན་ཉི་མ་བཞིན་དུ་ལྷམ། །ཞེས་མཚན་སྒྲ་གསལ་བར་ལུང་བསྟན་པའི་དོན་བཞིན་མདོ་སྨད་དུ་བལྟམས་པའི་ལྷོ་བ་བཅད་པའི་ཁྲག་ལས་ཙནྡ་ཀྱི་སྡོང་པོ་ཡལ་གའི་སྟེང་སེང་གེ་ང་རོའི་སྐུ་འབུམ་ཕྲག་བཞུགས་པ་སྐྱེ་བའི་རྫུ་འཕྲུལ་གྱི་བཀོད་པ་གཅིག་པུ་བོད་ཀྱི་མཁས་གྲུབ་གསེར་གྱི་རི་བོ་འདྲ་བ་ཇི་སྙེད་བྱོན་པའི་ཁྲོད་ན་མ་བྱུང་སྟེ། རྗེ་བླ་མ་ལས་ལྷག་པ་ལྟ་ཞོག། རྗེ་བླ་མ་འདྲ་བ་ཞིག་ཀྱང་བྱོན་ཡོད་ན་བསྟན་དགོས་པ་ལ་མེད་པའི་ཕྱིར་ཏེ། མར་པ་མི་ལ་སོགས་གྲུབ་པའི་དབང་ཕྱུག་ཆེན་པོ་ཡིན་ཀྱང་འདུལ་བའི་སྐོར་སོགས་གསལ་བར་མཛད་པའི་གཏམ་མི་སྣང་ཞིང་། འདི་སྔོ་བྲག་མར་བའི་ཕར་ཕྱིན་ཡིན་ཟེར་བའང་མ་མཐོང་ངོ་། །དེ་བཞིན་དུ་ཁ་ཅིག་སྤྱོད་ཕྱོགས་མ་ཚང་། ལ་ལར་

ལྟ་བའི་སྐོར་མ་ཚང་། ལ་ལར་མདོ་ཕྱོགས་དགའང་སྔགས་ཕྱོགས་མ་ཚང་སོད། ཁམས་གསུམ་འགྲོ་བའི་བླ་མ་ཆོས་ཀྱི་རྒྱལ་པོ་ཙོང་ཁ་པ་ཆེན་པོ་ནི། མདོ་ཕྱོགས་ཀྱི་གཞུང་ཆེན་མོ་མཐའ་དག་དང་། གསང་སྔགས་རྒྱུད་སྡེ་བཞིའི་གནད་མ་ལུས་པ་ལ་ནང་བྱན་ཚུད་པའི་གསུང་རབ་ལམ་གསུང་རབ་ལམ་རིམ་ཆེ་ཆུང་། རྩ་འཇུག་གི་རྣམ་བཤད་གཉིས། ལེགས་བཤད་སྙིང་པོ། ལེགས་བཤད་གསེར་ཕྲེང་། སྔགས་རིམ་ཆེན་མོ། །རིམ་ལྔ་གསལ་སྒྲོན། སྤྲས་དོན་ཀུན་གསལ་སོགས་འགྲན་ཟླ་མེད་པའི་ལེགས་བཤད་རྣམས་ད་ལྟའང་བཞུགས་ཡོད་པས། དེ་འདྲ་བ་ལ་དཔག་ནས་འབྲས་བུའི་རྟགས་ཀྱིས་རྗེ་རིན་པོ་ཆེ་ལ་དད་པ་གཏིང་ཚུགས་པ་ཞིག་བྱུང་ན་སུས་ཀྱང་གཞན་དུ་དྲངས་མི་ནུས་པའི་ཁྱད་པར་ཤིན་ཏུ་ཆེ་སྟེ། ཐམས་ཅད་མཁྱེན་པ་བློ་བཟང་སྐལ་བཟང་རྒྱ་མཚོའི་གསུང་ལས་རྗེ་བླ་མ་ལ་ཤེས་ནས་དད་པ་ཐོབ་པ་གསུངས་པ་དེ་གནད་ཤིན་ཏུ་ཆེའོ། །བཞི་པ་མཚན་སྔགས་ཀྱི་སྒོ་ནས་གསོལ་བ་བཏབ་སྟེ་འདོད་དོན་ལ་སྨོན་ལམ་གདབ་པ་ནི། དམིགས་མེད་བརྩེ་བའི་ཞེས་སོགས་སོ། །འདིའི་དོན་ལ་ཕྱི་མཚུངས་པ་གསལ་བྱེད། ནང་ཡོན་ཏན་དེ་ལྟན། གསང་བ་ལྷག་པའི་ལྷ་དང་དབྱེར་མེད་དུ་བསམ་ནས་གསོལ་བ་འདེབས་ཚུལ་གསུམ་དང་། ཁྱད་པར་མཁས་གྲུབ་ཤེས་རབ་སེངྒེ་ནས་བརྒྱུད་པའི་ཤེས་རབ་བློ་འཕེལ་གྱི་མན་ངག་གཉིས་ཡོད་ལ། དེའང་རྒྱལ་བ་ཐམས་ཅད་ཀྱི་ཐུགས་རྗེ་གཅིག་ཏུ་བསྡུས་པའི་རང་གཟུགས་མཚུངས་པ་མེད་པ་ནི་མགོན་པོ་སྤྱན་རས་གཟིགས་ཡིན་ཞིང་། མཁྱེན་པའི་ངོ་བོ་མཚུངས་ཟླ་མེད་པ་འཇམ་དབྱངས་ཡིན་པ་ལྟར། རྗེ་བླ་མའང་གངས་ཅན་གྱི་མཁས་གྲུབ་ཐམས་ཅད་ཀྱི་གཙུག་རྒྱན་ཟླ་མེད་པ་ཡིན་ལ། ཡང་རྣམ་པ་གཅིག་ཏུ་ན་རྗེ་བླ་མ་བརྩེ་བ་དང་མཁྱེན་པའི་བདག་ཉིད་དེ་གཉིས་ཀྱི་ཡོན་ཏན་ཧེ་ཅམ་པ་རྫོགས་པར་མངའ་བ་དང་། ཡང་རིགས་གསུམ་མགོན་པོའི་ངོ་བོ་ཡིན་པ་ངེས་དོན་ཏེ། བཀའ་གདམས་གླེགས་བམ་ལས་རིག་གསུམ་མགོན་པོ་དང་ཐུགས་རྒྱུད་གཅིག་པར་ལན་གྲངས་དུ་མར་གསུངས་ནས། ཀླུ་སྒྲུབ་ཀྱང་རྗེ་བླ་མ་དང་ཐུགས་རྒྱུད་གཅིག་པར་བཤད་པ་ཡོད་དོ། །གཉིས་པ་ཤྲིབ་བློ་འཕེལ་གྱི་གདམས་པ་ཉམས་སུ་ལེན་ཚུལ་ནི། མ་དག་འཁྲུལ་ཅིང་མི་ཤེས་བསལ། །ཞེས་དང་འཇམ་དབྱངས་ཆོས་སྐོར་ལས་བྱུང་བ་ལྟར། མདུན་གྱི་རྗེ་བླ་མ་ཡབ་སྲས་གསུམ་གའི་ཐུགས་ཀ་ནས་འོད་ཟེར་གསུམ་འཕྲོ་བ་སྤྱི་བོར་གཅིག་ཏུ་འདྲིས་ནས་ཟུག་པ་ནང་སྦུ་གུ་ཁོང་སྟོང་དུ་ཡོད་པ་

ལས་བདུད་རྩིའི་རྒྱུན་བབ་པའི་མོས་པ་བྱེད། བདུད་རྩིའི་མདོག་ཀྱང་བད་ཀན་ཅན་གྱིས་སྔོན་པོ་དང་། རླུང་ནད་ཅན་གྱིས་མར་ཁུའི་མདོག་ལྟ་བུར་གསལ་བཏབ། དེ་ལྟར་ནད་གདོན་སྡིག་སྒྲིབ་ཐམས་ཅད་བྱུང་ཞིང་དག་པའི་མོས་པ་བྱས་ཏེ་སྡིག་སྒྲིབ་དག་པའི་མཚན་མ་ནམ་བྱུང་གི་བར་བསྒོམ་མོ། །གཉིས་པ་མི་ཤེས་པ་བསལ་བ་ལ། །སྐུའི་སྒོ་ནས་ཁྲིབ་ཆེ་བ། གསུང་གི་སྒོ་ནས་ཁྲིབ་གསལ་བ། ས་བོན་གྱི་སྒོ་ནས་མྱུར་བ། ཕྱག་མཚན་གྱི་སྒོ་ནས་ཟབ་པ། གླེགས་བམ་གྱི་སྒོ་ནས་འཆད་པ། རལ་གྲིའི་སྒོ་ནས་རྩོད་པ། གླེགས་རལ་གཉིས་ཀའི་སྒོ་ནས་རྩོམ་པའི་ཁྲིབ་སྦྱོབ་ཚུལ་སོགས་དུ་མ་ཡོད། འདི་ནི་རྗེ་བཙུན་ཡེ་ཤེས་རྒྱན་མཚན་དཔལ་བཟང་པོས་སྔ་མང་གྲ་ཁང་དུ་མངོན་རྟོགས་རྒྱན་གྱི་བཤད་ལུང་གནང་སྐབས་ཡོངས་འཛིན་གྱི་ཐད་དུ་དགའ་ལྡན་ལྷ་བརྒྱ་མ་དང་སྦྱར་ནས་བཤད་པ་གང་གནང་བའི་རིམ་པ་ཁོལ་བུར་བཏོན་ཏེ། ༄བཙུན་པ་དཀོན་མཆོག་བསྟན་པའི་སྒྲོན་མེས་ཟིན་བྲིས་བགྱིས་པའོ། །

༄། །འཛམ་མགོན་ཡབ་སྲས་གསུམ་གྱི་ཐུགས་ཀ་ནས། །ཐོན་པའི་འོད་ཀྱི་སྨྱུ་གུའི་ལམ་བརྒྱུད་དེ། །བདུད་རྩིའི་རྒྱུན་བབ་སྤྱི་བོ་ནས་ཞུགས་ནས། །མི་ཤེས་རྨོངས་པའི་དྲི་མ་སྦྱངས་པར་གྱུར། །ཞེས་མ་དག་འབྲུད་པའི་དམིགས་པ་སྟོན་དུ་བཏང་ནས། བདུད་རྩིའི་རྡུལ་རྣམས་འཛལ་དཔལ་ཞི་ཁྲོ་ཡི། །སྐུ་ཡི་རྣམ་པར་གནས་པས་ལུས་གང་སྟེ། །རབ་འབྱམས་གཞུང་དོན་འཛིན་ལ་ཐོགས་མེད་པའི། །རླབས་ཆེན་ཤྲེབ་ཐོབ་པར་བྱིན་གྱིས་རློབས། །བདུད་རྩིའི་རྡུལ་རྣམས × སྔགས་ཀྱི་རྣམ་པར་གནས་པས་ལུས་གང་སྟེ། །དཀའ་གནད་ཕྲ་ཞིབ་མ་འདྲེས་འབྱེད་པ་ཡི། །ཤྲེབ་གསལ་བ × བདུད་རྩིའི × ས་བོན་རྣམ་ཐར་གནས་པས་ལུས་གང་སྟེ། །ཐེ་ཚོམ་འཆིང་བ་འཕྲུལ་དུ་གཅོད་པ་ཡི། །ཤྲེབ་སྦྱུར་བ × བདུད་རྩིའི × ཕྱག་མཚན་རྣམ་པར་གནས × ཟབ་མོའི་དོན་གྱི་གཏིང་མཐའ་དཔོག་པ་ཡི། །ཤྲེབ་ཟབ་མོ × བདུད་རྩིའི་རྡུལ་རྣམས་གང་ཞིག་བཤད་བྱ་ཡི། །གླེགས་བམ་རྣམ་པར་གནས × ཚིག་དོན་ཀུན་ལ་ངེས་པ་མཆོག་སྟེར་བ། །འཆད་པའི་ཤྲེབ × བདུད་རྩིའི་རྡུལ་རྣམས་ཤྲེབ་རལ་གྲི་ཡི། །འཁོར་ལོའི་རྣམ་པར་གནས × སྨྲ་ངན་ཚོགས་ཀྱི་སྤོབས་པ་འཇོམ་པ་ཡི། །རྩོད་པའི་ཤྲེབ × བདུད་རྩིའི་རྡུལ་རྣམས་གཞུང་གི་གླེགས་བམ་དང་། །རལ་གྲིའི་རྣམ་པར་གནས × སྒྲ་དོན་ལྡན་ཚོགས་སྙན་གསལ་དགའ་བསྐྱེད་པའི། །རྩོམ་པའི་ཤྲེབ་ཐོབ་པར་བྱིན × འདི་འང་གུང་ཐང་རིན་པོ་ཆེའི་གསུང་ངོ།། །།

༄༅། །མེ་ཏོག་འཛོར་རྒྱལ་ཞེས་བྱ་བ་བཞུགས་སོ།

༄། །རྗེ་རིན་པོ་ཆེ་ལ་བརྟེན་པའི་མེ་ཏོག་སྒྲུབ་ཚུལ་མདོར་བསྡུས་གསེར་གྱི་མེ་ཏོག་ཅེས་བྱ་བ་ཞུགས་སོ། །ན་མོ་གུ་རུ་སུ་མ་ཏི་ཀིརྟི་ཡ། བུ་སྟོན་ཐམས་ཅད་མཁྱེན་པའི་ཕྱག་ལེན་ཞ་ལུ་རི་ཕུག་ཏུ་སྒྲུབ་པའི་རྟུལ་ཚོན་ཞིང་ལ་འཛོར་ཚུལ་གྱི་རྗེས་སུ་འབྲངས་ནས་མིགས་བརྩེ་མའི་སྔ་ནས་མེ་ཏོག་འཛོར་ཚུལ་བཤད་པ་ལ། ཡོའམ་བླ་བའམ་དབྱར་དང་འབྲེལ་བར་འབྲུ་གཙང་ལེགས་པ་དྲི་བཟང་སོགས་རྩི་སེར་པོས་བྱུགས་ལ་བུམ་པ་མཚན་ལྡན་བཀང་སྟེ། མཚན་ཉིད་ལྡན་པའི་རིན་ཆེན་བུམ་བཟང་ནང་། །སེང་ཁྲི་པད་ཟླའི་སྟེང་དུ་མེ་ཏོག་དང་། །གཉིས་སུ་མེད་པའི་རྗེ་བཙུན་ཙོང་ཁ་པ། །སྐུ་གསུམ་དཀར་གསལ་དགྱེས་པའི་འཛུམ་ཞལ་ཅན། །ཆོས་གོས་རྣམ་གསུམ་གསེར་མདོག་པཎ་ཞྭ་གསོལ། །ཆོས་འཁོར་ཕྱག་རྒྱས་གླེགས་བམ་རལ་གྲི་འཛིན། །ཞབས་གཉིས་རྡོ་རྗེ་སྐྱིལ་ཀྲུང་གིས་བཞུགས་པའི། །སྐུ་ལས་འོད་ཟེར་སེར་པོའི་ཚོགས་འཕྲོས་ཏེ། །འགྲོ་ཀུན་སྒྲིབ་སྦྱངས་རྒྱལ་བའི་གོ་འཕང་བཀོད། །སླར་ཡང་འོད་འཕྲོས་རྒྱལ་བ་སྲས་བཅས་ཀྱི། །བྱིན་རླབས་ནུས་མཐུ་མ་ལུས་སྤྱན་དྲངས་ནས། །རྗེ་ལ་ཐིམ་པས་དབྱེར་མེད་རོ་གཅིག་གྱུར། དགའ་ལྡན་ལྷ་བརྒྱ་མའམ། བློ་གྲོས་ཁང་བཟང་བསླབ་གསུམ་ནོར་གྱིས་ཕྱུག། ནས་བློ་བཟང་གྲགས་པའི་ཞབས་ལ་ཕྱག་འཚལ་ལོ། །དངོས་བཤམས་ཡིད་སྤྲུལ་མཆོད་པ་མ་ལུས་འབུལ། །ཐོག་མེད་ནས་བསགས་སྡིག་ལྟུང་ཐམས་ཅད་བཤགས། །སྐྱེ་འཕགས་དགེ་བ་རྣམས་ལ་རྗེས་ཡི་རང་། །འཁོར་བ་མ་སྟོང་བར་དུ་ལེགས་བཞུགས་ནས། །འགྲོ་ལ་ཆོས་ཀྱི་འཁོར་ལོ་བསྐོར་བ་དང་། །བདག་གཞན་དགེ་རྣམས་བྱང་ཆུབ་ཆེན་པོར་བསྔོ། །གླིང་བཞི་རི་རབ་ཉི་ཟླ་རིན་ཆེན་བདུན། །རིན་ཆེན་མཎྜལ་ཀུན་བཟང་མཆོད་པའི་ཚོགས། །བློ་ཡིས་བླངས་ནས་འཛམ་མགོན་བླ་མར་འབུལ། །ཐུགས་རྗེས་བཞེས་ནས་བྱིན་གྱིས་བརླབ་ཏུ་གསོལ། །དེ་ནས་དམིགས་བརྩེ་མ་གྲྭ་བ་སོ་སོ་ནས་འབུམ་ཕྲག་ཐེ་འགྲུབ་བཟླས

མཐར། དེ་ལྟར་རྩེ་གཅིག་གསོལ་བ་བཏབ་པའི་མཐུས། །འཇམ་མགོན་བླ་མ་འོད་དུ་རབ་ཞུ་ནས། །མེ་ཏོག་རྣམས་དང་དབྱེར་མེད་གཅིག་གྱུར་ཏེ། །བྱིན་རླབས་ཡོན་ཏན་ཕུན་སུམ་ཚོགས་པར་གྱུར། །ཅེས་བརྗོད་ཅིང་། མཐར་འབྲུ་རྣམས་བླ་གྲྭ་ཚང་མས་ཆོས་གོས་དབུ་ཞྭ་བཞེས། རོལ་མོ་དང་བཅས་ཏེ་ཡེ་ཧྣ་ཏྨ་སྟོན་དུ་འགྲོ་བའི་བཀྲ་ཤིས་ཚིགས་བཅད་དང་། བསྟན་འབར་མ། ཀུང་ཐང་རིན་པོ་ཆེས་མཛད་པའི་དགེ་ལྡན་བསྟན་པ་རྒྱས་པའི་སྨོན་ལམ་སོགས་གསུངས་ནས་རྗེ་བཙུན་ཙོང་ཁ་པ་ཆེན་པོའི་མདོ་སྔགས་ཟུང་འབྲེལ་གྱི་བསྟན་པ་རིན་པོ་ཆེ་རྒྱས་པའི་སྨོན་ལམ་གྱི་འཚམས་སྦྱོར་ཡང་དག་པར་བྱས་ཏེ། གཙུག་ལག་ཁང་གི་ཕྱི་ནང་བར་གསུམ་ཆོས་གྲྭ་བཅས་ལ་མེ་ཏོག་འཐོར་བར་བྱའོ། །ཞེས་རྗེ་བླ་མ་ལ་བརྟེན་ནས་མེ་ཏོག་སྒྲུབ་ཚུལ་གསེར་གྱི་མེ་ཏོག་ཅེས་བྱ་བ་འདི་ལྟ་བུ་ཞིག་དགོས་ཞེས་མང་དུ་ཐོས་པའི་མཆོག་གྱུར་སྔོན་བླ་མ་དོན་གྲུབ་རྒྱལ་མཚན་གྱིས་ལྷ་གོས་བཅས་བསྐུལ་མ་བྱུང་ཡང་། འདི་རིགས་གསར་རྩོམ་ལ་རང་བཟོའི་ཉེས་པ་འབྱུང་ཉེན་ཆེ་མོད། སྐུའི་རྗེས་གནང་གི་སྐབས་འབྲུ་ལྟར་དམིགས་ནས་འཐོར་བ་དང་རིལ་བུ་སྒྲུབ་ཚུལ་ལ་ཁ་བསྐྱར་ལྟ་བུ་སོང་གཤིས་འགལ་བ་མེད་སྙམ་ནས་ངོ་མ་བཀློག་ཙམ་དུ་བྲིས་ཤིང་། བསྐུལ་པ་པོ་ཡང་འབྱོར་མ་ཐག་གྲྭ་བ་གཞན་ཞིག་གིས་ཀྱང་གསེར་གྱི་མེ་ཏོག་གསར་པ་ཕྱིར་བྱུང་བའི་དགའ་སྤྲོ་དང་བཅས་རྟ་ཚག་པ་ངག་དབང་བློ་བཟང་བསྟན་པའི་རྒྱལ་མཚན་གྱིས་ཤིང་འབྲུག་ཟླ་༨ཚེས་བཟང་པོར་སྦྱར་བ་དགེ་ལེགས་འཕེལ། ། །།

༄། །སྨད་བརྒྱུད་ལུགས་ཀྱི་བླ་མའི་རྣལ་འབྱོར་དགའ་ལྡན་ལྷ་བརྒྱ་མའི་དམིགས་རིམ་བརྗེད་བྱང་དུ་བཀོད་པ་ཟབ་ལམ་ནོར་བུའི་གན་མཛོད་ཅེས་བྱ་བ་བཞུགས་སོ།

༄། །ན་མོ་གུ་རུ་སུ་མ་ཏི་ཀཱིརྟི་ཡེ། དེ་ལ་དགའ་ལྡན་ལྷ་བརྒྱ་མ་ཞེས་ཡོངས་སུ་གྲགས་པའི་བླ་མའི་རྣལ་འབྱོར་དུ་ལྷ་ཐམས་ཅད་ཀྱིས་འདོན་བཞིན་པ་ཡིན་པས་ཤིན་ཏུ་སླ་བ་ཞིག་ཡིན་སྙམ་པ་སེམས་ལ་འཆར་མཁན་ཡོད། སྙན་རྒྱུད་ཀྱི་གདམས་ངག་རྗེ་བཙུན་འཇམ་པའི་དབྱངས་ཀྱིས་རྗེ་བླ་མ་ལ་གདམས་ངག་འདི་འདྲ་རྗེས་འཛུག་རྣམས་ཀྱིས་ཉམས་སུ་བླང་ན་དོན་ཆེ་ཞེས་གནང་། མཁས་གྲུབ་ཚིག་རྒྱུད་དང་པ་སོ་ཚིག་རྒྱུད་ཀྱི་བླ་མའི་རྣལ་འབྱོར་དབེན་ས་པ་ལ་གྲགས་ཆེ། འདི་རྗེས་སློབ་མ་གཞན་དང་གཞན་ལའང་གནང་སྟེ་བུ་ཆེན་ཐམས་ཅད་ལ་རྣལ་འབྱོར་འདིའི་ཉམས་ལེན་ཡོད་ཀྱང་རྗེ་ཤེས་རབ་སེང་གེ་ནས་སྨད་རྒྱུད་ལ་རིམ་པར་བརྒྱུད་དེ་ཀུན་མཁྱེན་འཇམ་དབྱངས་བཞད་པའི་བར་དུ་བྱུང་བས་སྨད་རྒྱུད་ལུགས་ཀྱི་བླ་མའི་རྣལ་འབྱོར་ཟེར། པཎ་ཆེན་དགེ་འདུན་གྲུབ་ཀྱིས་ཀྱང་སྣར་ཐང་རྒྱབ་རི་བྱང་ཆེན་སྒང་གི་སྒྲུབ་གནས་སུ་བཞུགས་སྐབས་ཤར་ཕྱོགས་ནས་སྤྲིན་དཀར་པོ་ཞིག་ཐོལ་གྱིས་བྱུང་བའི་རྐྱེན་གྱིས་རྗེ་ཡབ་སྲས་དྲན་ཏེ། ཤར་གངས་རི་དཀར་པོའི་རྩེ་མོ་ན། །སྤྲིན་དཀར་པོ་གནམ་ལ་བསྙེགས་འདྲ་བ། །དེ་མཐོང་བའི་མོད་ལ་བླ་མ་དྲན། །དྲིན་བསམ་ཞིང་བསམ་ཞིང་དད་པ་སྐྱེས། །འབྲོག་དགེ་ལྡན་རྣམ་པར་རྒྱལ་བ་དེར། །མཚན་བརྗོད་པར་དཀའ་བའི་རིན་པོ་ཆེ། །ཕ་བློ་བཟང་གྲགས་པ་ཡབ་སྲས་བཞུགས། །ཞེས་གསུང་མགུར་གནང་བ་ནི། དུས་རྒྱུན་པར་དགའ་ལྡན་ནས་སྤྲིན་དཀར་པོའི་སྟེང་རྗེ་ཡབ་སྲས་སྤྱན་དྲངས་ཏེ་གསོལ་བ་འདེབས་བཞིན་པའི་རྣལ་འབྱོར་གྱི་ཉམས་ཡིན། ཀུན་མཁྱེན་འཇམ་དབྱངས་བཞད་པ་ལས་ཐང་སག་པ་དངོས་གྲུབ་རྒྱ་མཚོ་དང་། དེ་གཉིས་ཀ་ལས་འཇམ་དབྱངས་བདེ་བའི་རྡོ་རྗེའམ་མཚན་དངོས་

འཇམ་དཔལ་རྒྱ་མཚོས་གསན་ཏེ་ཁྲིད་ཡིག་རྒྱས་པ་ཙྪྙ་མ་ཊིའི་ཕྲེང་མཛེས་ཞེས་པ་མཛད་པས་ཁ་ཅིག་མཚན་ལ་བརྟེན་ནས་རྒྱལ་བ་འཇམ་དཔལ་རྒྱ་མཚོར་འཁྲུལ་བ་ཡོད། དེ་ཡན་རྒྱལ་སྲས་མེར་གན་པ་དང་། ཀུན་མཁྱེན་གོང་མའི་ཟིན་བྲིས་ཞུང་དུ་ལས་ཡི་གེ་མེད། འཇམ་དབྱངས་བདེ་བའི་རྡོ་རྗེ་ལས་མཁན་ཆེན་དགེ་འདུན་རྒྱ་མཚོ་དང་། དེ་ལས་སྐྱབས་མགོན་རྡོ་རྗེ་འཆང་གིས་གསན་ཏེ་འདུ་ཁང་ནས་ཚོགས་མང་ལ་གནང་བ་ཐོབ། ཡང་ཁྲི་ནམ་མཁའ་བཟང་གིས་འཇམ་དབྱངས་བདེ་བའི་རྡོ་རྗེ་ལས་གསན། ཁྲི་ནམ་མཁའ་བཟང་། མཁན་ཆེན་དགེ་འདུན་རྒྱ་མཚོ། སྐྱབས་མགོན་རྡོ་རྗེ་འཆང་གསུམ་ཀ་ལས་འཇམ་དབྱངས་བླ་མ་ཁྲི་བསོད་ནམས་དབང་རྒྱལ་པས་གསན། དེ་ལས་བླ་མ་འཇམ་དབྱངས་པའི་ཡི་གེའི་སྟེང་ནས་བཤད་པ་རྒྱས་པར་ཐོབ་པས་དེ་ལྟ་བུའི་བརྒྱུད་པ་དམ་པ་བར་མ་ཆད་པ་ལས་འོང་བའི་གདམས་པ་ཉམས་སུ་ལེན་པ་ལ་ཐོག་མར་གནས་ཁང་བྱི་དོར་བྱས་ནས་སྐུ་གསུང་ཐུགས་ཀྱི་རྟེན་སྤྱི་དང་། ཁྱད་པར་རྗེ་བླ་མའི་སྐུ་བྲིས་འབུར་ཅི་རིགས་དམིགས་རྟེན་དུ་དགྲམ། དེའི་སྤྱན་སྔར་མཆོད་པ་གཡོ་མེད་ཅིང་བཀོད་པ་མཛེས་པར་བཤམས་པ་གཉིས་ལམ་ཁྲིད་ཀྱི་སྐབས་དང་འདྲ། སྟན་བདེ་བར་ཚུལ་དང་མཐུན་པར་འཁོད་དེ། སྐྱབས་འགྲོ་སེམས་བསྐྱེད་བདེ་ལམ་ལྟར་ཡང་རུང་། འདི་རང་གི་ལུགས་ལ་མདུན་གྱི་ནམ་མཁར་པདྨའི་སྡོང་པོ་ཡལ་ག་སོ་འདབ་རྒྱས་པའི་རྩེ་མོར་པདྨ་འདབ་མ་བཞི་པའི་ལྟེ་བར་སེངྒེ་ཆེན་པོ་བརྒྱད་ཀྱིས་བཏེག་པའི་རིན་པོ་ཆེའི་ཁྲིའི་སྟེང་དུ་སྐྱབས་གནས་ཀུན་འདུས་ཀྱི་ངོ་བོ་ཆོས་ཀྱི་རྒྱལ་པོ་ཙོང་ཁ་པ་ཆེན་པོ་ལ་དངོས་དང་བརྒྱུད་པའི་བླ་མ་རྣམས་ཀྱིས་བསྐོར་བ། ཤར་གྱི་འདབ་མ་ལ་རྒྱུད་སྡེ་བཞི་དང་འབྲེལ་བའི་ཡི་དམ་དཀྱིལ་འཁོར་གྱི་ལྷ་ཚོགས། གཡས་ཀྱི་འདབ་མར་ཕྱོགས་བཅུ་དུས་གསུམ་གྱི་ལོངས་སྤྱོད་ཀྱི་སངས་རྒྱས། རྒྱབ་ཀྱི་འདབ་མར་འགོག་ལམ་གྱི་རང་བཞིན་ལུང་གི་ཆོས་དཀོན་མཆོག་གླེགས་བམ་གྱི་རྣམ་པ་གདོང་དར་ཅུར་བསྟན་ནས་བྲག་རི་ལྟར་བརྩེགས་པ། གཡོན་གྱི་འདབ་མར་སློབ་པ་དང་མི་སློབ་པའི་ཐེག་གསུམ་འཕགས་པའི་དགེ་འདུན་གྱི་ཚོགས་མ་ལུས་པ་བཀོད་པའི་ཚོགས་ཀྱི་ཞིང་སྟེ་སངས་རྒྱས་འདབ་མ་གཉིས་ལ་བཀོད་པའི་ལུགས་སོ། །ཡང་ན་ཤར་དུས་སངས་རྒྱས་དང་ཡི་དམ། ནུབ་ཏུ་ཐེག་གསུམ་འཕགས་པའི་དགེ་འདུན། བྱང་དུ་ཆོས་སྐྱོང་ཡེ་ཤེས་པའི་ཚོགས་ཏེ་དགེ་འདུན་དཀོན་མཆོག་འདབ་མ་གཉིས་ལ་བཀོད། རང་གི་མཐའ་སྐོར་

དུ་ཚེ་འདིའི་ཕ་མས་ཐོག་དྲངས་སེམས་ཅན་ཐམས་ཅད་གསལ་བཏབ། དགེ་སྦྱོར་གྱི་ཀུན་སློང་གནས་སྐབས་ཚེ་འདིའི་རྐྱེན་སེལ་མཐུན་སྒྲུབ་ཙམ་བསམ་པས་བཤད་པ་ལྟར་གྱི་ཕན་ཡོན་ཆེན་པོ་འབྱུང་བའི་སྒོ་བཀག །སྡུག་བསྔལ་ཐམས་ཅད་འཁོར་བའི་སྡུག་བསྔལ་ལས་འདས་པས་དེ་ལས་སྐྱོབ་པའི་གསོལ་འདེབས་བྱས་ན་ཚེ་འདིའི་རྐྱེན་སེལ་དེའི་ནང་དུ་ཚང་བས། ཕྱི་མའི་སྡུག་བསྔལ་སྐྱོབ་པའི་གསོལ་འདེབས་སྐྱབས་འགྲོའི་མ་མཐའ་རེད། སྐྱབས་འགྲོ་བྱས་པས་མི་ཆོག །ཕྱིས་མ་བསམ་ན་སྐྱབས་འགྲོ་ཁ་ཙམ་དུ་འགྲོ། སྡིག་པའི་ལས་ལ་འཇུག་པ་ཡོན་ཏན་དུ་གོ་ན་སྐྱབས་འགྲོ་འོང་བའི་ཐབས་མེད། དེ་ནས་ཡོངས་གྲགས་ལྟར་ཕྱོགས་བཅུ་དུས་གསུམ་སོགས་བླ་མའི་ཡོན་ཏན་དྲན་པའི་སྐྱབས་འགྲོ་རྒྱས་པའམ། བླ་མ་ལ་སྐྱབས་སུ་མཆིའོ། །དེས་དཔུས་ཀྱི་བླ་མས་གཙོ་བྱས་ཐམས་ཅད་ལ་སྐྱབས་འགྲོ་དང་བདུད་རྩི་འབེབས་སྦྱངས་བྱེད་པ་ལྷག་མ་རྣམས་ལ་རིགས་འདྲ། ཡི་དམ་དང་ཆོས་སྐྱོང་སྐྱབས་འགྲོ་བཞི་སྐོར་གྱི་ནང་དུ་འདུ་ཡང་། རྒྱུད་སྡེ་བཞིའི་དབང་ཐོབ་ནས་དམ་ཚིག་བསྲུང་བའི་སྟེང་རིམ་གཉིས་དང་མཚན་བཅས་མཚན་མེད་ཀྱི་རྣལ་འབྱོར་ལ་བརྩོན་པ་དང་། ཆོས་སྐྱོང་སོ་སོའི་རྗེས་གནང་གི་སྲུ་གསུང་ཐུགས་ཀྱི་དམ་ཚིག་སྤྱི་དང་མཆོད་གཏོར་བསྐེན་སྒྲུབ་གཏང་རག་གི་དོད་ཐུབ་དེ་གཉིས་ལ་དམིགས་ཀྱིས་བཀའ་བའི་སྐྱབས་འགྲོ་བྱས། སངས་རྒྱས་ཆོས་ཚོགས་མས་སེམས་བསྐྱེད་པའི་སྒོ་ནས་སྐྱབས་འགྲོ་བྱས་པ་སྟེ། ཐེག་ཆེན་གྱི་སྐྱབས་འགྲོ་དང་། སེམས་བསྐྱེད་ཀྱི་ཉམས་ལེན་གནད་གཅིག་ལ་འབབ། དཀོན་མཆོག་གསུམ་ལ་སོགས་ཀྱིས་བྱང་སྡོམ་འཛིན་པ་དང་། ཚད་མེད་བཞི་སྒོམ་པ་བཅས་ཐམས་ཅད་ལ་ཡོད་པས་མེད་མི་རུང་བར་ཉམས་སུ་ལེན་དགོས། དེ་མན་ཆད་ཀྱི་ཚིགས་བཅད། དགོས་དབང་གིས་བསྟན་པས་འདོན་ལུགས་མི་འདྲ་བ་རང་རང་གིས་བབས་དང་བསྟུན། མཐར་ཚོགས་ཞིང་རང་ལ་བསྡུས། པད་སྟོང་སྤྲིན་ལྟར་ཡལ། རྒྱས་པ་དེ་ལྟ་བུ་མ་གྲུབ་ནའང་། སངས་རྒྱས་ཆོས་ཚོགས་མ་དང་། ཚད་མེད་བཞི་ཚར་གསུམ་དམིགས་རྣམ་འཕྲོད་པ་བྱས་ནས་དལ་བུས་བརྗོད། ཁྲིད་ཀྱི་དུས་སྦྱོར་དངོས་མཇུག་གསུམ་གྱི་བཤད་པ་ལག་ལེན་དུས་རྒྱས་བསྡུས་གང་བྱེད་རང་ལ་རག །འདོན་ཆ་མང་ན་ཉམས་ལེན་གནད་དུ་འགྲོ་བ་མི་འོང་ཞེས་སློང་རྗེ་བླ་མ་གསུངས་པར་གྲུང་ཐང་འཇམ་པའི་དབྱངས་ཀྱིས་གསུངས། གནད་དུ་སོང་ན་མཆོད་པ་རྒྱ་ཆེ་ཆུང་དང་གྲངས་ཀྱི་མང་ཉུང་། ཡུན་གྱི་རིང་ཐུང་

ལ་མི་སྟོས། ཚོགས་ཞིང་གིས་རང་དང་སེམས་ཅན་མཐའ་ཡས་པར་ཆོས་འཁོར་བསྐོར་བཞིན་པ། མཛད་པ་བཅུ་གཉིས་སྟོན་བཞིན་པ། དཔེ་ལྟ་བ་དང་བློ་འཛིན་ལའང་རང་ལ་དེའི་ཚིག་སྟོན་བཞིན་པ་དང་། རང་གིས་རྗེས་ཟློས་མཛད་དེ་དོན་བློ་ལ་འཆར་ཞིང་དེ་ལྟར་གྱི་རྟོགས་པ་སྐྱེ་བར་བྱིན་གྱིས་བརླབས་བཞིན་པར་བསམ། ཆོས་གླེག་པའི་སྔོན་དུ། གང་ཟག་དམ་པ་ལྷ་ཡི་སྐད་དང་ཀླུ་དང་གནོད་སྦྱིན་སྐད། ནས། ཆོས་སྟོན་ཏོ། །ཞེས་འདོན་པ་སྔོན་གྱི་ཕྱག་ལེན་ཡིན་ཞེས་སྐལ་ལྡན་རྒྱ་མཚོས་གསུངས་པས། གང་ཟག་དམ་པ་སངས་རྒྱས་ལ་བྱེད་ཅིང་། རང་གིས་ཀྱང་དེའི་རྣམ་ཐར་ལྟར་ལག་ལེན་དུ་སྐྱོང་བའི་དོན་ཡིན་འདུག །བླ་མའི་རྣལ་འབྱོར་དངོས་གཞི་ལ་ཐོག་མར་ཚོགས་ཞིང་སྤྱན་འདྲེན་དགོས་པས། མདོ་ལས། ཡེ་ཤེས་རྗེ་སྙིང་ཁྱབ་གྱུར་པ། །སྐུ་ཡིས་ཀྱང་ནི་དེ་སྙིང་ཁྱབ། །གསུང་བ་ལྟར་རྗེ་བདག་ཉིད་ཆེན་པོ་ཞིང་འདིར་བཞུགས་དང་། འདིར་མི་བཞུགས་བྱ་བ་མེད་ཀྱི་ཐུན་མོང་སྣང་ཚོད་ལ་བྱམས་པའི་སྤྲུལ་པ་དང་། སྐུ་ཚེ་རྗེས་མར་དགའ་ལྡན་དུ་སྐྱེ། སྤྲུལ་ཚུལ་ལའང་རིགས་མང་བས་ཕྱི་བྲག་གྲུབ་ཆེན་ལ་ཕྱག་རྫོར་གྱིས་ཞལ་གཟིགས་ནས་སང་ཉིན་རྗེ་བཙུན་བྱམས་པ་ཁྱོན་པ་ལ་བསླབ་ཏུས་ཞུས་གསུངས། དེར་རྗེ་བདག་ཉིད་ཆེན་པོ་ཁྱོན་པ་ན་ལྷོ་བྲག་པས་རྗེ་རིན་པོ་ཆེ་བྱམས་མགོན་དུ་གཟིགས་པ་རྣམ་པ་གཉིས་ཀའི་རྣམ་ཐར་དུ་ཡོད། ཕྱི་མར་གར་སྐྱེ་ལུང་བསྟན་མང་ཡང་། དགའ་ལྡན་དུ་འགྲོ་བ་འདི་ལ་ཡི་དམ་ཐམས་ཅད་ཞལ་མཐུན་པ་ཡིན་ཞེས་རྗེ་རང་གིས་གསུངས་པ་ལྟར་ད་ལྟ་བྱམས་མགོན་གྱི་དྲུང་ན་རྒྱལ་སྲས་འཇམ་དཔལ་སྙིང་པོར་འཁྲུངས་ནས་བཞུགས་པའི་རྟེན་འབྲེལ་གྱིས་དགའ་ལྡན་ནས་སྤྱན་འདྲེན་པ་ཡིན། དེའང་། རང་སྔོད་གནས་འཛམ་བུ་གླིང་། དེའི་བྱང་དུ་ཕྱོགས་པའམ་ཕྱོགས་པར་མོས་ལ། དེར་རི་རབ་ཀྱི་རྩེར་སུམ་ཅུ་རྩ་གསུམ་མན་ཆད་ས་དང་འབྲེལ་བའི་གནས། དེ་ནས་སྟེང་དུ་འཕགས་པའི་ནམ་མཁར་འཐབ་བྲལ། དེའི་སྟེང་དུ་དགའ་ལྡན་རྣམས་ཀོ་བ་འཆར་ཆེད་གསུང་བཤད་གནང་བ་ལས་གསལ་འདེབས་ཚེ་དགའ་ལྡན་གྱིས་ཚིག །དེ་ཡང་འདོད་ལྷ་རིགས་དྲུག་གི་ནང་ཚན་གྱི་དགའ་ལྡན་བྱིངས་གྲོང་ཁྱེར་ལྷ་བུ་ལ། རྗེ་བཙུན་གྱི་ཞིང་ཁམས་གྲོང་ལས་ཟུར་དུ་ཕྱེ་བའི་དགོན་པ་ལྟ་བུ་སྟེ། ཞིང་དེས་གཞི་རིན་པོ་ཆེའི་རང་བཞིན་མནན་ན་ནེམ་ཞིང་བཏེག་ན་སྤར་བྱེད་པ། རིན་པོ་ཆེའི་ལྗོན་ཤིང་། ཡིད་དུ་འོང་བའི་ཆུ་མཚོ། སྤང་ལྗོངས། མེ་ཏོག །ནེའུ་

སེང་སོགས་དག་པའི་ཞིང་གི་བཀོད་པ་ཡོངས་སུ་རྫོགས་པའི་ཡེ་ཤེས་ཀྱི་རང་བཞིན་ཅན། དེའི་ཀྱབ་ངོས་སུ་བྱམས་མགོན་གྱི་ཕོ་བྲང་ཆོས་ཀྱིས་མཛེ་པའི་ཁང་བཟང་རྒྱལ་མཚན་མཛོན་པོ་ཞེས་བྱ་བ་ཡོད་ལ། དེའི་མདུན་དུ་རྗེ་བཙུན་གྱིས་འཁོར་རྣམས་ལ་ཆོས་སྟོན་པའི་ཀུན་དགའ་ར་བ་ཡིད་དགའ་ཆོས་འཛིན། དེའི་དབུས་སུ་སེང་ཁྲིས་བཏེགས་པའི་རིན་པོ་ཆེའི་ཁྲིའི་སྟེང་དུ་རྒྱལ་བ་བྱམས་པ་མགོན་པོ་ཞལ་རང་རེ་འཛམ་གླིང་ངོས་ལ་གཟིགས་པ། ཆོས་འཆད་པའི་བརྡར་ཕྱག་གཉིས་ཐུགས་ཀར་ཆོས་འཁོར་མཛད་པའི་མཐེབ་འཛུབ་ཀྱིས་པདྨའི་ཡུ་བ་བཟུང་བའི་འདབ་མ་སྣན་གཡས་གཡོན་གྱི་ཐད་ཀར་ཁ་བྱེ་བའི་སྟེང་ན་འཁོར་ལོ་དང་བདུད་རྩིས་གང་བའི་སྤྱི་བླུག་བསྣམས་པ། སྐྱུར་བ་སྐྱུར་བར་འཛམ་གླིང་དུ་འབྱོན་པའི་རྟེན་འབྲེལ་དུ་བཟང་པོའི་བཞུགས་སྟངས་ཅན། ན་བཟའ་ཆོས་གོས་ངུར་སྨྲིག་གསོལ་བའི་དགེ་སློང་གི་ཆ་བྱད་ཅན་འཁོར་རྣམས་ལ་སྐྱེས་བུ་གསུམ་གྱི་ལམ་གྱི་རིམ་པའི་ཆོས་སྟོན་པ་རང་གི་ཉ་བས་ལྷང་ལྷང་ཐོས་བཞིན་གསལ་བཏབ། དེའི་ཐུགས་ཀ་ནས། དཔལ་གྱི་བེའུ་དང་བཀྲ་ཤིས་ནི། །སངས་རྒྱས་དཔེ་བྱད་བཟང་པོར་བཞེད། ཅེས་དཔེ་བྱད་བརྒྱད་ཅུའི་ནང་ཚན་ཐུགས་ཀ་དཔལ་གྱི་བེའུའི་རི་མོ་དྲ་མིག་ལྟ་བུ་ཁྲ་སེང་ངེ་བའི་གསེབ་ན་རྗེ་ཡབ་སྲས་གསུམ་མེ་ལོང་ལ་གཟུགས་བརྙན་གསལ་བ་ལྟར་བཞུགས་པའི་སྤྱན་གྱི་དཀར་ནག་ཚུན་ཆད་མིག་གིས་མཐོང་བཞིན་པ་བསམ། བྱམས་མགོན་གྱི་དག་པའི་ཞིང་ཁམས་རྟེན་དང་རྟེན་པར་བཅས་པ་དང་། རྗེ་ཡབ་སྲས་གསུམ་འཁོར་དང་བཅས་པ་ཡང་ཡང་གསལ་བཏབ་ན་ཞིང་དེར་སྐྱེ་བའི་རྟེན་འབྲེལ་ལེགས་ཚོགས་ཆེ། ཁྱད་པར་འཕོ་བ་སྦྱོང་བའི་སྐབས་ཞིང་གི་རྣམ་པ་ཡིད་ནས་མ་བོར་བ་དགོས་གསུང་པ་ཡིན། དེ་ལྟ་བུའི་སྔོ་ནས་ངག་ཏུ་བརྗོད་དེ་དགའ་ལྡན་ཞེས་ཞིང་། ལྷ་བརྒྱའི་ཞེས་བཙུད། མགོན་ཞེས་བྱམས་པ་སྣེ་ངག་ནས་བརྗོད་པའི་ཚིག་འཁོར་དང་བཅས་པའི་སྐད་ཀྱིས་ལེགས་པར་གསན། ཡབ་སྲས་གསུམ་ཀ་ཐུགས་མཉེས་བཞིན་དུ་སྐལ་ལྡན་རིགས་ཀྱི་བུ་འདི་ད་ལྟའི་བར་འཁོར་བར་འཁྱམས་ནས་སྡུག་བསྔལ་སྣ་ཚོགས་བརྒྱུད་མར་མྱོང་ཡང་ད་རེས་དལ་འབྱོར་གྱི་རྟེན་ཐོབ། དམ་པའི་ཆོས་ལ་དད་པ་སྐྱེད་དེ་རང་རེ་ཚོ་ཚོགས་བསགས་པའི་ཞིང་དུ་སྤྱན་འདྲེན་གི་འདུག་པས། ད་ལྟ་ཉིད་དུ་འབྱོན་ཞེས་ཕན་ཚུན་གསུང་གླིང་གནང་བཞིན་པ་སྐད་ཅིག་དེ་ཉིད་ལ་བྱམས་མགོན་གྱི་ཐུགས་ཀ་ནས་སྤྲིན་དཀར་པོ་རྫོལ་བ་ཐག་པ་བརྒྱངས་པ་ལྟ་བུར་རང་གི་སྤྱིན

འཚམས་ཀྱི་ཐད་རབ་ཏུ་དཀར་བའི་ཞོ་གསར་བ་སྲུངས་པ་ལྷ་བུའི་རྒྱུ་འཛིན་ནམ་སྤྲིན་གྱི་ཕུང་པོ་འབུར་པོ་གསུམ་ངོད་དུ་འཁྲིགས་པའི་དབུས་མ་ཆེ་བའི་སྟེང་། རྗེ་བདག་ཉིད་ཆེན་པོ་གཡས་གཡོན་སྲས་ཀྱི་ཐུ་བོ་གཉིས་མེད་མི་ནུང་དུ་དགོས། ཡབ་སྲས་གསུམ་སྐྱབས་གནས་ཀུན་འདུས་ཀྱི་བདག་ཉིད་ཡིན་སྙམ་པའི་མོས་པ་བྱས་ནས་གསོལ་བ་བཏབ་ན་ཀུན་འདུས་ནོར་བུ་ལུགས་ཟེར། བླ་མ་ཡི་དམ་སངས་རྒྱས་བྱང་སེམས་དཔའ་བོ་མཁའ་འགྲོ་ཆོས་བསྲུང་ཐམས་ཅད་སྤྱན་དྲངས་ནས་མཐའ་བསྐོར་དུ་བཞུགས་པར་མོས་ཀྱང་རུང་། ཚིག་ངག་ཏུ་བརྗོད་པ་བཞིན་དོན་ཡིད་ལ་དྲན་པ་འདོན་པ་གང་ལའང་འདྲ། ནོ་སོ་ཀ་གཅིག་ལ་བསམ་བློ་ལེགས་པར་བཏང་ན་བག་ཆགས་ཁྱད་པར་ཅན་འཇོག །ངེས་པར་ཚར་ཕུད་ཅེ་ལ་དགོས། སྐད་ཅིག་དཀྲོང་བསྐྱེད་ལེགས་པར་བྱས་ན་སྐུ་གསུམ་ལ་བག་ཆགས་འཇོག །ཚིག་ཁ་ནས་ཐོན་ཙམ་གྱིས་ཕུད་བྱས་པས་དེ་འདྲའི་བག་ཆགས་མ་བཞག་པའང་ཡོད་པས་སོ། །དེ་ནས་རང་གིས་སེནྡྷི་ཆེན་པོ་བརྒྱད་ཀྱིས་བརྟེགས་པའི་ཁྲི་པད་ཟླའི་གདན་དང་བཅས་པ་གསུམ་ཕུལ་བས་ཁྲི་སྟེང་ཐུགས་དགྱེས་པའི་ཉམས་ཀྱིས་ཞལ་འཛུམ་པའི་རྣམ་པ། སྐུ་མདོག་དཀར་ལ་དམར་བའི་མདངས་ཆགས་པ། སྐུ་ལས་འོད་ཟེར་མཐའ་ཡས་པ་སྤྲོ་བ་ལ། བདག་གིས་བླ་མ་ཡབ་སྲས་ཁྱེད་རྣམས་ལ་ཤིན་ཏུ་དད་པའི་སྒོ་ནས་བསོད་ནམས་ཀྱི་ཚོགས་བསགས་རྒྱུ་ཡིན་པས། བསོད་ནམས་ཀྱི་ཞིང་མཆོག་ཅེས་ཞིང་གི་སྒོ་ནས་མཐུ་ཆེ་བ་དང་། ཚོགས་ཀྱི་ཞིང་དུ་དུས་ཐུང་ངུ་ཙམ་མ་ཡིན་པར་བསྐལ་བརྒྱར། དགོས་པ་ཆུང་ངུ་ཙམ་མ་ཡིན་པར་རང་རྒྱུད་ལ་ལུང་རྟོགས་ཀྱི་བསྟན་པའི་སྙིང་པོ་རྒྱས་ཕྱིར་བཞུགས་བར་གསོལ་བ་བཏབ་པས་མོས་པ་བཞིན་ཅི་འདོད་ཀྱི་བར་བཞུགས་པར་ཞལ་གྱིས་བཞེས་པར་བསམ། རང་རེའི་སེམས་ཀྱི་འཆར་སྒོ་ལ་བསྟན་པ་རྒྱས་པ་ནི་རང་རྒྱུད་དང་མ་འབྲེལ་བའི་ཕྱི་རོལ་གྱི་ཆོས་ཞིག་འཆར་ཀྱང་དེ་འདྲ་མ་ཡིན་པར་རང་ཉིད་ལུང་གི་བསྟན་པར་ཞུགས་ནས་དེ་ལ་ཐོས་བསམ་བྱས་པས་རང་རྒྱུད་ལ་རྟོགས་པའི་བསྟན་པ་མ་སྐྱེས་པ་སྐྱེས། སྐྱེས་པ་གནས། གནས་པ་གོང་འཕེལ་དགོས། དེའི་དང་པོ་སྐྱབས་འགྲོ་དང་ལམ་བསླབ་པ་གསུམ་གྱི་ཉམས་ལེན་ཡིན་པས། དགེ་བསྙེན་ནས་རིམ་པར་ཆོས་ཚིག་བཞི་པ་ཞིག་བློ་ལ་བཟུང་བས་བསྟན་པ་རྒྱས་པའི་མགོ་ཚུགས། ལམ་ལ་རིམ་པར་བསླབ་ནས་སངས་རྒྱས་པ་ན་རང་རྒྱུད་ལ་བསྟན་པ་རྒྱས་པ་མཐར་ཕྱིན་ནས་སེམས་ཅན་ཐམས་ཅད་ཀྱི་རྒྱུད་ལ་སྤེལ་ན་དེ་ལ་

བསྟན་པ་རྒྱས་ཟེར་བ་ལས་ཁང་པ་ཕེབས། མང་པོ་འཚོགས་སྟོན་མོ་བྱེད་པ་ལྟར་ཞུར་ཆེ་བ་བསྟན་པ་རྒྱས་པ་ག་ལ་ཡིན་ཀྱང་དེའི་ཆ་རྐྱེན་དུ་འགྲོ་བས་གཙོ་བོ་རང་གཞན་གྱི་སེམས་རྒྱུད་ལ་ལུང་རྟོགས་འཕེལ་དགོས། ཕྱག་ལ། ཤེས་བྱ་དང་ཡོད་པ་དོན་གཅིག་པ་ཁ་དོག་དཀར་དམར་དུས་ནས་ཤེས། ཕྱིན་ནི་རྒྱ་ཆེ་ཆུང་གི་སྟེང་ནས་བཤད་པས་གཞལ་བྱའི་རྒྱ་ཚད་དེ་ཕ་མཐའ། འཇལ་བ་ནི་ཡུལ་ཅན་གྱིས་ཡུལ་གཞལ་བ་ལེགས་བཤད་འདོམ་དུ་འཇལ་ཟེར་བ་དང་། ཐག་པ་འདོམ་ལ་འཇལ་བ་ལྟ་བུ། དེའང་ སྔགས་བསྟོད་ལས། ཕྱིད་འབའ་ཞིག་གི་ཡེ་ཤེས་ཀྱིས། །ཞེས་སོགས་ལྟར་ཤེས་བྱ་རྒྱ་ཆེ་བས་ཉན་རང་བྱང་སེམས་ཀྱི་མཁྱེན་པས་དུས་གཅིག་ལ་མ་ཁྱབ། སངས་རྒྱས་ཀྱི་མཁྱེན་པས་བདེན་གཉིས་གཅིག་ཆར་གཟིགས་པས། ཤེས་བྱའི་ཕྱིན་དང་མཉམ་པའི་བློ་གྲོས་སམ། རྣམ་མཁྱེན་གྱི་མངའ་བདག་དུ་གྱུར་ཚུལ་དྲན། ཐུགས་ཀྱི་ཡོན་ཏན་དང་པོར་སྨོས་པ་དགའ་ལྡན་ལྷ་བརྒྱ་མའི་སྐབས་ནས་དམིགས་བརྩེ་མས་གསོལ་བ་བཏབ་ན་འཆད་རྩོད་རྩོམ་གསུམ་གྱི་ཤེས་རབ་སོགས་ཐུགས་ཀྱི་བྱིན་རླབས་ཐོག་མར་འཇུག་པའི་རྟེན་འབྲེལ་ཡོད། གསུང་གི་ཡོན་ཏན་ལེགས་པར་བཤད་པ་སྐལ་ལྡན་གྱི་གདུལ་བྱའི་རྣ་བར་སྙན་ཞིང་ཡིད་དུ་འོང་བ་རྣ་རྒྱན་དཔེར་བཀོད་དེ། རྒྱུ་མཚན་གསུང་གི་དོན་ཉམས་སུ་བླངས་པས་སྡུག་བསྔལ་ཐམས་ཅད་དང་བྲལ། བདེ་བ་ཐམས་ཅད་དང་ལྡན་པའི་སངས་རྒྱས་ཀྱི་གོ་འཕང་ཐོབ་པར་འགྱུར་བས་སོ། །སྐུའི་ཡོན་ཏན་དཔལ་ནི་ཕྲུན་སུམ་ཚོགས་པའི་མིང་ཡིན་པས་མཚན་དཔེ་སོགས་ཀྱིས་མཛེས་པའི་སྣང་པའི་གྲགས་པ་འཇིག་རྟེན་གསུམ་དུ་ཁྱབ་པ། སེམས་ཅན་གྲངས་མེད་པའི་ནང་ན་ཁྱད་པར་འཕགས་པའི་ལྷམ་མེར་གསལ་བ་སྐུའི་ཡོན་ཏན་དང་། འཕྲིན་ལས་ཀྱི་ཡོན་ཏན། སྐུ་མཐོང་བ། གསུང་ཐོས་པ། ཐུགས་དྲན་པས་དོན་ལྡན་སངས་རྒྱས་ཀྱི་གོ་འཕང་སྟེར་བའི་ཞིང་གི་མཆོག་རྗེ་ཡབ་སྲས་གསུམ་གྱི་བ་སྤུའི་ཁུང་བུ་རེ་རེར་སངས་རྒྱས་ཀྱི་ཞིང་ཁམས་དཔག་མེད་བསྟན་ནས་ཡོང་པར་རང་ལུས་དེ་སྙེད་སྤྲུལ་ནས། ཡིད་ཤིན་ཏུ་དང་བས་ངག་ནས་བསྟོད་དབྱངས་བརྗོད་པའམ་མིན་ཀྱང་ཡིད་ལ་དྲན་ནས། ལུས་ཐམས་ཅད་ས་ལ་བབ་པའམ་ཡན་ལག་ལྔ་ཕྱག་གམ་ཐལ་མོ་སྦྱར་བ་སྒྲུགས་ནས། ཅི་ཙམ་རྒྱ་ཆེ་བའི་ཚོད་ཀྱི་ཕན་ཡོན་ཡོད་པས། བ་སྤུའི་ཁུང་བུར་བྱང་ཆུབ་སེམས་རྣམས་དང་། ཞེས་སོགས་ལྟར་བསམ། མཆོད་པ་ལ། ཡིད་འོང་དང་སྣ་ཚོགས་ཐམས་ཅད་ལ་སྦྱར་བ་ཡིད་དུ་འོང་བའི་

མཆོད་ཡོན་སྣ་ཚོགས་ཏེ། སྣ་ཚོགས་ནི། མེ་ཏོག་ཕལ་ཆར་མེ་ཏོག་ པདྨ་རེ་དང་། ཞེས་སོགས་ལྟར་དང་། དེའང་རང་གིས་དངོས་སུ་བཤམས་པ་དང་། དེ་གཅིག་བུ་དང་མཆོད་ཡུལ་ཡང་རང་གི་ལྷ་རྟེན་ཙམ་མ་ཡིན་པར། དེ་ལ་བརྟེན་ནས་ཡིད་ཀྱིས་མར་མེ་གཅིག་ཡིན་ཀྱང་སྟོང་བུ་སྟོང་གསུམ་ཙམ། སྡོང་བུ་རི་རབ་ཙམ། མར་ཁུ་རྒྱ་མཚོ་ཙམ། འོད་ཀྱིས་ཕྱོགས་བཅུའི་འཇིག་རྟེན་ཁམས་ཀྱི་མུན་པ་མ་ལུས་པ་སེལ་ནུས་པ་འཁོར་བའི་མཐའི་བར་དུ་འབྱུང་བ་ཡིད་ལ་དྲན་པ་ལ་ཡིད་སྤྲུལ་ཟེར། མཆོད་སྤྲིན་རྒྱ་མཚོ་ནི། རབ་འབྱམས་རྒྱ་མཚོ་དཔག་མེད་ན། །ཞེས་སོགས་ལྟར་ཡིན་པས་ཡིད་སྤྲུལ་དོན་མེད་སྐམ་པ་རང་རང་ཟས་གོས་ལ་བརྐམ་ཆགས་ཆེ་བའི་རིགས་འགྲེ་ཚོགས་ཞིང་ལ་སྤྱུར་བས་ལན། དཀོན་མཆོག་ལ་མཆོད་པ་དེ་དག་བཀྲེས་སྐོམ་སེལ་བའི་དོན་མ་ཡིན་པར། བདག་གི་དོན་སྣང་ཉིད་ཀྱི་མཐུས་བཞེས་ཤིག་ཅེས་པ་ལྟར་གཞན་དོན་བསྒྲུབ་པའི་ཡོ་བྱད་དང་རང་རང་གི་ཚོགས་བསགས་ཆེད་ཡིན་པས་བསམ་པ་ཅི་ཙམ་རྒྱ་ཆེ་བའི་ཚོད་ཀྱིས་ཚོགས་རྫོགས་པའི་ནུབས་ཆེ། དེ་འདྲ་མ་ཤེས་ན་མཆོད་པ་གནད་དུ་མི་འགྲོ། དེས་ན་མཆོད་པ་རེ་རེའི་སྐབས་སུ་ལུས་གྲངས་མེད་སྤྲུལ་ཏེ། མཆོད་རྫས་ནམ་མཁའ་གང་བ་ཕུལ་བས་སྐུའི་བཀོད་པ་བསམ་གྱིས་མི་ཁྱབ་པས་གཞན་དོན་དུ་དགོངས་ཏེ་བཞེས་ནས་སེམས་ཅན་གྱི་དོན་བསྒྲུབ་པའི་མཛད་པ་མཛད་པ་ལ་མཆོད་པ་བདག་གིར་མཛད་ཅེས་གསུངས། མཐར་སྤྲུལ་པ་ཐམས་ཅད་ཡབ་སྲས་གསུམ་གྱི་ངང་དུ་བཞུགས་པར་མོས། མཆོད་ཡུལ་མཆོད་རྫས་མཆོད་མཁན་ཐམས་ཅད་ས་གཞི་བར་སྣང་ནམ་མཁའི་ཁྱོན་གང་བས་ཕན་ཚུན་གོ་མི་འགོག་པ་སེམས་ལ་ཆུད་ན་དེ་ཡིན། གྲུབ་མཐའ་བཞིའི་ནང་ན་རྣམ་རིག་མ་ཡིན་པའི་གཟུགས་གཟུགས་མཚན་ཉིད་པར་ཁས་ལེན་པ་བྱེ་སྨྲའི་ལུགས་ལའང་དེ་ཐོགས་མེད་ཀྱི་གཟུགས་དང་། ཐོགས་བཅས་གཟུགས་ཅན་བཅུ་ལས་མེད། འདི་ཡིད་ཀྱི་རང་བཞིན་གྱི་མཆོད་པ་ཡིན་པས་གནས་འདི་ན་སྟོད་བཞིན་དུ་དབུས་གཙང་མན་ཆད་སེམས་ལ་ཤར་ཀྱང་མི་ཆུད་པའི་དགོས་པ་མེད་པ་ལྟར་ཡིད་ལ་ཤར་བས་ཚོག །ཚོགས་ཞིང་ལའང་རང་གི་བློ་དང་འཚམས་པའི་ཁྲི་ཆུང་ང་ཞིག་གི་སྟེང་དུ་ཚོགས་ཞིང་ནམ་མཁའ་གང་བ་མེ་ལོང་ལ་རི་རྒྱལ་དང་། ཐྲེ་ལམ་དུ་ཁང་མིག་ཆུང་ངུར་སྣང་པོ་ཆེའི་ཁྲུ་འཁྲིགས་པ་ལྟར་སེམས་ལ་ཤར་བས་ཚོག་གི །མེ་ལོང་དང་ཁང་མིག་ཏུ་ཤོང་མི་ཤོང་གི་རྟོགས་པ་མི་དགོས་པ་དང་འདྲའོ། །བཤམས་པ་ལ། གང་ཞིག་སྤྱི་སྙ་ཡིན་

པས་སྡོ་གསུམ་གྱི་སྡིག་པ་ཐམས་ཅད་དེ། སེམས་ཀྱི་རྒྱུན་ཐོག་མ་མེད་པས་དུས་འདི་ཙམ་ནས་འཁོར་བར་འཁོར། དེ་ཕན་ཆད་ལ་མ་འཁོར་ཞེས་མཚམས་བཟུང་རྒྱུ་མེད། ཉོན་མོངས་ཅན་གྱི་གང་ཟག་ཡིན་པས་གང་དུ་སྐྱེས་ཀྱང་སྡིག་པ་འབའ་ཞིག་བསགས། དེས་ན་ཚེ་འདིར་བསགས་པའི་སྡིག་པ་རེ་རེ་ཙམ་མ་ཡིན་པར་སྡོ་གསུམ་གྱི་སྡིག་པ་གང་བགྱིས་པ་ཐམས་ཅད་དང་། ཁྱད་པར་སོ་ཐར་རིགས་བརྒྱད་ལས་ཁྲིམས་པའི་སྡོམ་པ་གསུམ་དང་། རབ་བྱུང་གི་ལྟུང་བ་ལས་གང་ཁས་བླངས་པ་དང་། བྱང་སེམས་ཀྱི་རྩ་ལྟུང་བཅོ་བརྒྱད་དང་ཉེས་བྱས་ཞེ་དྲུག སྔགས་ཀྱི་རྩ་ལྟུང་བཅུ་བཞི་དང་སྦོམ་པོ་བརྒྱད་སོགས་རིགས་ལྔ་སྤྱི་བྱེ་བྲག་གི་དམ་ཚིག་སྟེ། སྡོམ་ལྡན་གྱིས་དགེ་སྡིག་གང་བྱས་སྟོབས་ཆེ་ཞིང་། ཁྱད་པར་བསྲུང་ན་ཕན་ཡོན་དང་མ་བསྲུང་ན་ཉེས་དམིགས་ལྷག་པར་ཆེ་བས་ཁ་ནས་ཚིག་འདོན་པ་ཙམ་མ་ཡིན་པར། སྔར་བྱས་ལ་སྙིང་ནས་འགྱོད་པ་ཤུགས་དྲག་པོ་དང་ཕྱིས་མི་བགྱིད་པའི་སྡོམ་སེམས་ཏེ་སྟོབས་ཚང་བས་བཤགས། ད་ལྟ་སྡིག་པ་བག་ལ་ཉ་ནས་ཡོད་པས་མི་ཤེས་ཀྱང་མངོན་དུ་གྱུར་ན་ངན་སོང་གསུམ་དུ་སྡུག་བསྔལ་བཟོད་གླག་མེད་ཚུལ་བསམ་ནས་འགྱོད་དགོས། ཚེ་འདིར་འགའ་ཞིག །ཚེ་ཐུང་། ནད་མང་། ལོངས་སྤྱོད་དབུལ། གྲོགས་མེད་ཅིང་། འབྲལ་བ་དང་། ལ་ལ་དེ་ལས་ལྡོག་པ་སོགས་ཐམས་ཅད་སྔོན་གྱི་དགེ་སྡིག་གི་འབྲས་བུ་ཁོ་ན་ཡིན་ཀྱང་ང་བུ་བཟང་སྙམ་པ་དང་། འབད་རྩོལ་ཁོ་ན་ལ་རག་སྙམ་པ་ལོག་ཤེས་ཡིན། དེ་ལྟར་བཤགས་པས་རྗེ་ཡབ་སྲས་གསུམ་གྱི་སྐུ་ལས་འོད་ཟེར་འཕྲོས་པ་རང་ལུས་ལ་ཐིམ།། སྤྱི་གཙུག་ནས་རྐང་མཐིལ་བར་འོད་ཟེར་གྱིས་ཁྱབ། ཐོག་མེད་ནས་བསགས་པའི་སྡིག་ལྟུང་ཐམས་ཅད་མུན་ཁུང་དུ་སྒྲོན་མེ་སྦར་བ་ལྟར་གར་སོང་ཆ་མེད་དུ་ཡལ་བའི་མོས་པ་བྱས་ནས་སྡིག་པའི་འཁོར་གསུམ་རང་བཞིན་གྱིས་གྲུབ་པའི་སྟོང་པ་ལ་མཉམ་པར་བཞག་པས་འདག་ཚབ་ཆེ། རྗེས་སུ་ཡི་རང་ལ། སྙིགས་མའི་དུས་ནི། ལྟ་བ། ཉོན་མོངས། སེམས་ཅན། ཚེ། དུས་སྙིགས་མ་ལྔ་སྟེ། སྟོན་པ་སྙིགས་མའི་དུས་སུ་བྱོན་ཀྱང་དེ་དུས་གང་ཟག་ཕལ་ཆེ་བས་ཕྱི་མ་ཕན་ཆད་ཀྱི་ཐར་པ་དང་ཐམས་ཅད་མཁྱེན་པ་དོན་དུ་གཉེར་བའི་གཙོ་བོ་དང་། ཕྱི་རོལ་པས་ཀྱང་རང་རང་གི་ཐར་པ་དང་ལམ་ནོར་སོང་བ་ལས་འདོད་རྒྱུ་གཏན་བདེ་འདོད་ནས་དེའི་ཐབས་ཚོལ་བ་ལ་ཞུགས་པ་རེད། དེང་སང་གཏན་བདེ་ཕར་ཞོག །ཕྱི་མ་ཁས་མི་ལེན་པ་མང་། ཕྱི་མ་མེད་མ་

བྱས་ཀྱང་ཚེ་འདི་གལ་ཅན་དུ་བྱས་ནས་ཕྱི་མ་ཞར་ལ་ལུས་འགྲོ་བ་འདི་ལྟ་བ་སྐྱིགས་པས་ལན།
སྣང་བླང་ལ་སེམས་མཐུན་པ་ལྟ་བ་མཐུན་པ་ཞེས་འདུལ་བར་གསུངས། གང་ཤར་ཕྱིན་ཅི་ལོག
གི་འཆར་སྒོ་ཁོ་ན་དང་། མི་མང་གིས་ཟེར་ཞེས་རྗེས་ལ་རྒྱུག་པ་འདི་ལྟ་བའི་སྐྱིགས་མ་ཡིན།
ཚེ་སྐྱིགས་མ། འདི་ནམ་ངེས་ཐ་མར་ནི། ལོ་བཅུ་དང་པོ་དཔག་ཏུ་མེད། ཅེས་པ་ལྟར་ཚེ་ལོ་
དཔག་མེད་ནས་རིམ་གྱིས་འགྲིབ་སྟེ། འཁོར་བ་འཇིག་འཇིག་རྟེན་དུ་བྱོན་དུས་བརྒྱད་ཁྲི།
གསེར་ཐུབ་དུས་བཞི་ཁྲི། འོད་སྲུང་དུས་ཉི་ཁྲི། བརྒྱ་བའི་དུས་སྟོན་པ་འཇིག་རྟེན་དུ་བྱོན་ཏེ།
ད་ལྟ་དེའང་འགྲིབ་ནས་བརྒྱ་ལོན་པ་ཉ་བས་གོ་རྒྱུ་མེད་པར་སོང་སྟེ། སུམ་ཅུ་བཞི་བཅུ་བརྒལ་
ན་ཕལ་ཆེར་འཆི་བ་ཚེ་སྐྱིགས་ཀྱང་དེ་མི་ཤེས་པར་གདོན་བགེགས་ཀྱིས་བར་ཆད་བཙམས་སྙམ་
པ་ཡང་ལྟ་བ་སྐྱིགས་མ་ཡིན། ཉོན་མོངས་སྐྱིགས་མ་སྔར་དུག་གསུམ་རང་རང་གི་བྱ་བ་དང་
བྱེད་ལས་བྱས་ནས་འགྲོ་ཡང་། ད་ལྟ་ཉོན་མོངས་ཐམས་ཅད་ཀྱི་བྱ་བ་འདྲེས་ནས་གཉེན་པོ་
བརྟེན་དགོས་ཀྱང་མི་ཤེས་པར་སོང་བ་ཨ་རིག་དགེ་ཤེས་ཀྱི་དྲུང་དུ་སྟོང་སྐོར་གྱི་ཚོང་པ་མང་པོ་
ལུང་བསྟན་ཞུར་འོང་བར། ཚོང་དང་ལྟད་མོར་དབུས་ལ་སོང་ཚོག ། གཞན་དགོས་པ་མེད།
སྟོན་ཨ་མདོའི་སྟོད་ལེགས་པའི་ནང་དབུས་གཙང་གི་ཆོས་ཀྱི་བདུད་རྩིས་བཀང་ནས་ཡོང་། ད་
ལྟ་ཨ་མདོའི་དུག་གསུམ་གྱི་སྙིང་པོད་པའི་དུག་གསུམ་བསྟན་ནས་འོང་གསུངས། རྗེ་བོ་མཇལ་
ན་ཕན་ཡོན་མི་ཆེའམ་ཞུས་པར། ལམ་དུ་ཞུགས་པ་ནས་བཟུང་། ཏ་དཔྱལ་རེ་དང་། བག་
ཚོད་པོ་རེས་རིན་ཐང་ཅི་ཁུག་ཅེས་རྩར་བཅད་ནས་སྲིད་པ་ཁོ་ན་སྒོམ་བཞིན་སོང་སྟེ། རྗེ་བོ་ལ་
གཡས་སྐོར་གཡོན་སྐོར་མང་པོའི་ཞར་ལ་རེ་རེ་བལྟས་པས་ཕན་ཡོན་རང་མི་ཡོང་གསུང་བ་དགེ་
ཤེས་ཀྱི་གཏམ་དུ་འདུག ། དེ་འདྲའི་སྐྱིགས་མ་ལྔ་བདོ་བའི་དུས་འདིར་ཆོས་རྣམ་དག་བསྒྲུབ་
པ་དཀོན་ཀྱང་། ད་ལྟ་མང་ཐོས་བསྒྲུབ་བརྩོན་གྱིས་དལ་འབྱོར་དོན་ལྡན་བྱེད་མཁན་ཡོད་པ་
རྗེ་ཡབ་སྲས་ཀྱི་དྲིན་ཡིན་པས། དེ་ལྟ་བུའི་རླབས་པོ་ཆེའི་མཛད་པ་ལ་ཤིན་ཏུ་དགའ་བས་ཡི་
རང་བ་དང་། དེའང་ཆོས་བརྒྱད་མ་བཀག་པར་དལ་འབྱོར་དོན་ལྡན་འོང་བའི་གནས་མེད།
ཆོས་བརྒྱད་ནི། བསྟོད་ན་དགའ་ལ་སྨད་ན་མི་དགའ། སྙེད་ན་དགའ་ལ་མ་སྙེད་ན་མི་དགའ།
བདེ་ན་དགའ་ལ་སྡུག་བསྔལ་ན་མི་དགའ། སྙན་པར་གྲགས་ན་དགའ་ལ་མ་གྲགས་ན་མི་
དགའ་བ་སྟེ་འདོད་པའི་ཕྱོགས་བཞི་དང་། མི་འདོད་པའི་ཕྱོགས་བཞི་རྩི་ལམ་ཚུན་ཆད་ལྡན་

སྐྱེས་བཞིན་དུ་འགྲོགས་ཏེ་བསགས་པས་དལ་འབྱོར་དོན་མེད་ཕོ་ནར་སོང་བས། ཆོས་བརྒྱུད་སྤྱང་དཀའ་ཡང་། རགས་པ་མགོ་མཚོན་པ་ཡན་ཆད་ལ་སྤྱངས་པའི་སྒྲུས་བསྟན་ནས་ཡི་རང་བསྔོམ་པ་དང་། རྗེ་ཉིད་དང་སྦྱར་ན། དང་པོ་རྒྱ་ཆེན་ཐོས་པ་མང་དུ་བཙལ། །ཞེས་མང་ཐོས། ཐམར་ཉིན་མཚན་ཀུན་དུ་ཉམས་སུ་བླང་། ཞེས་བསྒྲུབ་བརྩོན། ཆོས་བརྒྱུད་དཀར་ནག་ཁྲ་གསུམ་གང་གིས་ཀྱང་མ་གོས་པར་མཛད་པ་ཐམས་ཅད་བསྟན་པ་རྒྱས་ཤིང་འགྲོ་བའི་བདེ་སྐྱིད་འཕེལ་བའི་ཐབས་ཁོ་ནར་གཞོལ་བའི་རླབས་པོ་ཆེའི་མཛད་པ་རྟོགས་བརྗོད་འདུན་ལེགས་མ་ལྟར་དྲན་ནས་ཡི་རངས་དགོས་པར་འཇམ་དབྱངས་བླ་མ་བསོད་ནམས་དབང་རྒྱལ་བས་གསུངས། དེ་ལྟར་རྗེའི་རྣམ་ཐར་དང་མཛད་པ། རྗེའི་བཀའ་དྲིན་ལས་གདུལ་བྱའི་རྒྱུད་ཀྱི་དགེ་སེམས་ཕྲ་མོ་ཚུན་ཆད་ཀྱི་རྣམ་ཐར་ལ་ཡི་རང་བསྔོམས་པ་འདི་སངས་རྒྱས་ཀྱི་འཕྲིན་ལས་ལ་བྱ་བ་ཡུལ་ལ་ཡོད་པ་དང་། བྱེད་པ་པོ་རང་ལ་ཡོད་པ་གཉིས་ཕྱེ་བ་དང་རྗེས་སུ་མཐུན་པའི་ཡི་རང་སྔོམ་ཚུལ་ཡིན་པར་གུང་ཐང་འཇམ་པའི་དབྱངས་ཀྱིས་གསུངས། ཆོས་འཁོར་བསྐུལ་བ་འཇིག་རྟེན་ནམ་མཁར་སྤྲིན་འཁྲིགས། དེ་ལས་ཆར་བབས། དེ་ལ་བརྟེན་ནས་མེ་ཏོག་དང་འབྲས་བུ་སྨིན་པ་ལྟར། ཆོས་སྐུ་ནམ་མཁའ་སོགས་སུ་སྦྱར། ཆོས་སྐུ་ལ་ངོ་བོ་ཉིད་སྐུ་དང་། ཡེ་ཤེས་ཆོས་སྐུ་གཉིས། དང་པོ་ལ་རང་བཞིན་རྣམ་དག་གི་ངོ་བོ་ཉིད་སྐུ་དང་། གློ་བུར་དྲི་བྲལ་གྱི་ངོ་བོ་ཉིད་སྐུ་གཉིས་ལས། དང་པོ་ནི་སངས་རྒྱས་ཀྱི་སའི་རང་བཞིན་མེད་པའི་སྟོང་ཉིད་དང་། གཉིས་པ་སྤང་བྱ་ཆོས་དབྱིངས་ཀྱི་ངོ་བོར་ཟད་པའི་དག་ཆ་ཡིན་པས་ནམ་མཁའི་གཟུགས་སུ་བཀོད། མཁྱེན་བརྩེ་གཉིས་ཡེ་ཤེས་ཆོས་སྐུ་སྟེ་ངོ་བོ་ཉིད་སྐུ་དང་ངོ་བོ་གཅིག་གི་ཚུལ་དུ་ཡོད་པས་སྤྲིན་གྱི་གཟུགས་སུ་བཀོད། འཛིན་མ་ས་གཞིའི་མིང་ཡིན་པས་གདུལ་བྱའི་ཤེས་རྒྱུད་ས་གཞིའི་གཟུགས་སུ་བཀོད། གདུལ་བྱའི་ཁམས་བསམ་མོས་པ་མི་འདྲ་བས། ཐེག་པ་ཆེ་ཆུང་། སྡེ་སྣོད་གསུམ། རྒྱུད་སྡེ་བཞི་གང་ལ་དགའ་བ་ལ་དེ་དང་འཚམས་པའི་ཆོས་གསུངས་པ་ཆར་བབས་པའི་གཟུགས་སུ་བཀོད་པ་སྟེ། སྔོན་ངག་ལ་གཟུགས་སུ་བཀོད་དང་དཔེ་སྦྱར་བ་མི་འདྲ། དེའང་དངོས་སུ་ཆོས་གསུངས་པའམ་ཐ་ན་ལག་བརྡ་ཙམ་གྱིས་དོན་གོ་ཡང་སངས་རྒྱས་ཀྱིས་ཆོས་བསྟན་པའི་ལག་རྗེས་དང་། རང་རང་ལ་ཆོས་ཀྱི་སྣང་བ་ཤར་བ་སངས་རྒྱས་ཀྱི་འཕྲིན་ལས་སུ་གོ་དགོས་པ། སྒྲ་མེད་ཀྱང་དེ་དེ་ལྟར་སྣང་། །ཞེས་རྗེ་

འཕྲུལ་བསྟན་པ་ལས་གདུལ་བྱའི་རྒྱུད་ལ་དད་སོགས་སྐྱེས་པ་ལ་སྨྲ་མེད་ལུས་ཀྱི་རྣམ་འགྱུར་གྱི་སྒོ་ནས་ཆོས་སྟོན་པའི་ཐབས་སྣང་བཞག་པ་ལ་རྩོད་པ་ཡོད་ཀྱང་། སེམས་ལ་འབྱུར་རྩེ་ཞིག་ཡོད་ན། ལུས་ཅན་ཀུན་གྱིས་བྱ་དང་ནི། །ཞེས་སོགས་ལྟར་ཡིན་པས་དེ་ལྟར་གསོལ་བ་བཏབ་པས་ཆོས་འཁོར་བསྐོར་བར་ཞལ་གྱིས་བཞེས་པར་མོས། མྱ་ངན་ལས་མི་འདའ་བར་གསོལ་བ་འདེབས་པ་གོང་དུ་སོང་བས། བསྔོ་བ་ནི། བདག་གིས་ཞེས་དུས་གསུམ་གྱི་ང་ཡིད་ངོར་བྱས། ཐེ་སྙེད་ནི་ཅི་ཡོད་དེ་དུས་ཐོག་མེད་ནས་ད་ལྟའི་བར་ཐེ་སྙེད་བསགས་ཟིན་པ། མ་འོང་བ་ན་འཁོར་བ་མ་སྟོངས་བར་ཐེ་སྙེད་བསགས་འགྱུར། ད་ལྟ་བསགས་བཞིན་པ་ཐེ་སྙེད་ཡོད་པ་ཞེས་དུས་གསུམ་གྱི་དགེ་རྩ་བློ་ངོར་བསྡུས་ཏེ་འདིས་ཞེས་ཡིད་ལ་འཆར་དུ་བཙུག །སྤྱིར་འཁོར་བ་མ་སྟོངས་པར་ནམ་མཁས་གར་ཁྱབ་ཏུ་བསྟན་འགྲོ་གང་ཡོད་ལ་གང་ལ་གང་འཚམས་ཀྱིས་ཕན་འདོགས་པའི་སྨོན་ལམ་སྟེ། བསྟན་པ་དང་སློབ་གཉེར་སྒོམ་སྒྲུབ་ཕྱོགས་རེ་བ་མ་ཡིན་པར་ཡོངས་རྫོགས་དགོས། འདུལ་བ་ཙམ་དང་། སྒོམ་ཙམ་རེ་མི་ཡོང་བས་གང་ཕན་གསུངས་པའི་ཚིག་གི་ནུས་པ་གོ་དགོས། གང་ལའང་བསྟན་པའི་གནད་རྫོགས་པ་དང་དེ་དཔྱད་པ་ལ་རག་ལས་པས་ལུང་རྟོགས་ཀྱི་ཡོན་ཏན་དྲན་ཆེད་དུ་གལ་ཆེ་དུས་དམིགས་བརྩེ་མ་རྒྱང་འཐེན་བྱས་པ་ཧ་གོ་ནས་རྩེད་མོར་མ་སོང་བ་དགོས། དེ་ལས་ཁྱད་པར་དུ་རྗེའི་བསྟན་པའི་སྙིང་པོ་ཡུན་རིང་པོའི་བར་དུ་རང་རྒྱུད་ལ་ཐོས་བསམ་སྒོམ་པས་གསལ། གཞན་རྒྱུད་ལ་འཆད་རྩོད་རྩོམ་པས་གསལ། མ་མཐའ་བྱ་བ་ལས་ཀྱི་འཁོར་ལོའི་སྒོ་ནས་གསལ་བའི་ཐབས་བྱེད་པ་ཚུན་ཆད་ཀྱིས་སྨོན་ལམ་བཏབ་པ་ཡིན་པས། འདི་འཁོར་ལོ་གསུམ་ལ་གོ་དགོས། འཁོར་ལོ་གསུམ་ནི། ཀློག་པ་ཐོས་བསམ་གྱི་འཁོར་ལོ། སྤོང་བ་བསམ་གཏན་གྱི་འཁོར་ལོ། བྱ་བ་ལས་ཀྱི་འཁོར་ལོའོ། །དང་པོ་ནི། སྡེ་སྣོད་གསུམ་ལ་ཐོས་བསམ་དང་། གཉིས་པ་ཐོས་དོན་སྒོམ་སྒྲུབ་བྱེད་པ་ཉོངས་མོངས་སྤོང་བྱེད་ཀྱི་ཐབས་དངོས་རེད། གསུམ་པ་ནི། བསྟན་པ་ཡུན་རིང་དུ་གནས་པའི་ཐབས་སུ་གཙུག་ལག་ཁང་བཞེངས་པ་སོགས་ཏེ། གཙུག་ལག་ཁང་རྣམས་ཀློག་པ་དང་། །ཞེས་སོགས་ལྟར་ཡིན་པས་ཐོས་བསམ་གཉིས་བཤད་པ་དང་། སྒོམ་པ་ལ་སྒྲུབ་པའི་ཐབས་སྣང་བཏགས་པས་ཐོས་སྒོམ་གཉིས་དང་བཤད་སྒྲུབ་ཅེས་པ་དོན་འདྲ། བསྟན་པའི་སྙིང་པོ་ནི་དེའི་གནད་དེ། ཐུགས་ཀྱི་ཐབས་སྣང་ཡིན། སངས་རྒྱས་བཅོམ་ལྡན་འདས་ཀྱིས

ཆོས་ཕྱུང་བརྒྱད་ཁྲི་བཞི་སྟོང་གསུངས་པའི་མཆོག་ཤེར་མདོ་དང་། སྙིང་པོ་ཡང་སྙིང་སྒྲུ་འོད་ལབྱེད་པ་ལམ་རིམ་ལྟར་རེད། རྒྱ་མཚན་སངས་རྒྱས་ཀྱིས་གང་གསུང་། གདུལ་བྱ་རྣམས་འཁོར་བ་ལས་གྲོལ་ཆེད་ཡིན་པས་འཁོར་བ་ལས་གྲོལ་བ་ཆོས་གསུངས་པའི་དགོས་པ་དང་སྙིང་པོ་ཡིན། གྲུབ་མཐའ་བཞི་ལས་བྱེ་མདོ་ལ་ཤེར་མདོ་ཁས་མི་ལེན་པ་ཡོད་ཀྱང་ཐེག་དམན་གྱི་མདོ་ཤེར་མདོའི་ཡན་ལག་ཡིན། ལྟ་བ་རྟག་གཅིག་རང་དབང་ཅན་གྱི་བདག་གིས་སྟོངས་པ་དང་། རང་རྐྱ་ཐུབ་པའི་རྫས་ཡོད་ཀྱིས་སྟོངས་པ་ལས་མ་ཤེས་པས་ཤེར་མདོའི་གནད་མ་རྟོགས། སེམས་ཙམ་པས་གཞན་དབང་ཡོངས་གྲུབ་བདེན་གྲུབ་དང་། ཀུན་བཏགས་བདེན་མེད་དུ་ཁས་བླངས་ཏེ། གང་ཟག་གི་བདག་མེད་ལ་རང་རྐྱ་ཐུབ་པའི་རྫས་ཡོད་ཀྱིས་སྟོངས་པ་དང་། ཆོས་ཀྱི་བདག་མེད་ལ་ཕྱི་རོལ་དོན་སྟོང་དང་གཟུང་འཛིན་གཉིས་སྟོང་ལས་འཛོག་མ་ནུས་པས་ཤེར་མདོ་དང་ལྟ་བ་དང་བསྟན་པའི་གནད་མ་རྟོགས། རང་རྒྱུད་པས་ཆོས་ཐམས་ཅད་བདེན་མེད་དུ་ཁས་བླངས་ཀྱང་། རང་ངོས་ནས་མ་གྲུབ་པའི་སྟོངས་ཉིད་འཛོག་མ་ནུས། ཆོས་ཐམས་ཅད་རང་ངོས་ནས་མ་གྲུབ་པ་ལ་ཐ་སྙད་ཀྱི་རྣམ་བཞག་འགལ་མེད་དུ་འཛོག་ཤེས་པ་ཐལ་འགྱུར་བ་ལས་མེད་སོང་བ་རེད། རང་ངོས་ནས་མ་གྲུབ་པའི་སྟོང་ཉིད་བཞག་པ་དེའི་ནང་ཆོས་ཕྱུང་བརྒྱད་ཁྲི་བཞི་སྟོང་གི་གནད་འདུས་པས། ཁྱོད་ཀྱིས་རྗེ་སྙེད་བཀའ་སྩལ་བ། །ཞེས་སོགས་གསུངས། བོད་ཁ་བ་ཅན་གྱི་ལྗོངས་འདིར་ས་སྐྱིང་བཀའ་བརྒྱུད་རྗོ་ནང་སོགས་གྲུབ་མཐའ་མང་བ་ཐམས་ཅད་ཀྱིས་རང་རང་ལ་ཐལ་འགྱུར་བ་དང་། འགའ་ཞིག་གིས་དེ་ལས་ཀྱང་ལྟ་བ་མཐོ་བར་ཁས་ལེན། ས་སྐྱའི་དང་པོ་ས་ཆེན་ཀུན་སྙིང་དང་། དེ་སྲས་བསོད་ནམས་རྩེ་མོ་དང་། རྗེ་བཙུན་གྲགས་པ་རྒྱལ་མཚན་གཉིས་རྟེན་དགེ་བསྙེན་ཡིན་པས་དཀར་པོ་རྣམ་གསུམ། ས་པཎ་དང་འཕགས་པ་གཉིས་རབ་བྱུང་ཡིན་པས་དམར་པོ་རྣམ་གཉིས་ཏེ་ས་ཆེན་གོང་མ་ལྔ་ཐལ་འགྱུར་བ་ཡིན་ཀྱང་གསུང་ལུགས་རྗེ་ལྟར་གསལ་པོ་མ་བྱུང་། རྗེས་མ་འགའ་ཞིག་ཐལ་འགྱུར་བ་ཕར་ཞོག །རང་རྒྱུད་པའི་ཕྱོགས་སུ་ཡང་མ་སོང་བར་སེམས་ཙམ་པ་ཡིན་མིན་དཔྱོད་དགོས་པ་ལྟར་ཡོད། བཀའ་བརྒྱུད་པའི་ཆོས་ཕྱུག་ཏེ་ལོ་ན་རོ་ལ་ཐུག་པས་མར་མི་ཡབ་སྲས་ངེས་པར་ཐལ་འགྱུར་བ་ཡིན་པའི་གསུང་མགུར་མང་ཡང་རྗེ་རིན་པོ་ཆེ་ལྟར་མི་གསལ། ཉིང་མས་སློབ་དཔོན་པདྨ་ལ་ཁུངས་བཙོལ་བས་སློབ་དཔོན་ཆེན་པོ་རྫོགས་རིམ་གྱི་

རྟོགས་པ་མཐོན་པོ་ལ་གནས་པས་ལྟ་བ་ཐལ་འགྱུར་བ་ལས་འོས་མེད། སེམས་ཙམ་པ་དང་རང་རྒྱུད་པའི་ལྟ་བའི་སྟེང་ནས་བསྐྱེད་རིམ་དང་། བདེ་སྟོང་བསྒོམ་ན་བར་སྐབས་སུ་ཐལ་འགྱུར་དུ་མ་འཕོས་ན་སྔགས་ཀྱི་ཐུན་མོང་མ་ཡིན་པའི་ཞི་ལྷག་ཟུང་འབྲེལ་སྐྱེ་ལུགས་མེད་པས། ཁོ་རང་ཚོའི་བཤད་ཚུལ་ལ་ཕར་དེད་ན་སློབ་དཔོན་པདྨ་ངོས་མ་ཟིན་འདུག །འོན་ཀྱང་ཞི་འཚོས་རང་རྒྱུད་པའི་ལྟ་བ་བཤད་པས་ཆོས་གསར་ཚུགས་ཀྱི་དུས་དེ་དང་མི་མཐུན་པ་ཞིག་གསུང་ན་མི་འགྲིགས་པས་མན་ངག་ལྟ་བའི་ཕྲེང་བའི་ཚིག་རིས་ལ་རང་རྒྱུད་པ་ལྟར་ཡོད། བཀའ་གདམས་རྗེ་འབྲོམ་ནས་བྱུང་བས་ཐལ་འགྱུར་བ་ལས་མ་འདས་ཀྱང་བར་སྐབས་སུ་ཉམས། དེས་ན། ཚིག་སྤྱིའི་བཤད་སྒྲུབ་རྟགས་ཀྱི་དགེ་སྦྱོང་གིས། ཞེས་སོགས་ལྟར་གཞུང་ལུགས་ཉམས་ཏེ་རྒྱ་བོད་ཕལ་ཆེར་དབུ་མར་ཁས་འཆེ་ཡང་། ཐལ་འགྱུར་བའི་ལྟ་བ་གསལ་ལ་མ་ནོར་བ་སྟོན་མཁན་རྗེ་འདྲ་བ་མ་བྱུང་བས་ལུང་སྐྱའི་ལྟ་མགུར་དུ། ས་སྙིང་དཀར་འབྲུག་གི་མཁས་གྲུབ་མང་པོས། །ཞེས་སོགས་གསུངས་པའི་རྒྱུ་མཚན་དེ་ཡིན། རྗེ་རིན་པོ་ཆེའི་ལྟ་བ་མ་ནོར་བས་གཞི་ལ་བདེན་གཉིས་ཟུང་འཇུག་དོན་དམ་པར་རང་ངོས་ནས་མེད་ཀྱང་ཐ་སྙད་དུ་རྒྱུ་འབྲས་བསླུ་མེད་གསུངས་པ་ལ་ཆོས་གསུངས་པའི་གནད་རྫོགས་པས་ལེགས་པར་ཉམས་སུ་ལེན་ཤེས་ན་ཆེ་བ་བཞི་དང་། བསྟན་པ་ཐམས་ཅད་གྲུ་བཞི་ལམ་གྱིས་འཁྱེར་བ་ཡོང་བས་བསྟན་པའི་སྙིང་པོ་ཞེས་གསུངས་པ་ཡིན། དེ་ལྟར་རྗེ་ཡབ་སྲས་ཀྱིས་བསྔོ་བའི་དབང་པོ་མཛད་ནས་སྨོན་ལམ་འགྲུབ་པར་བྱིན་གྱིས་བརླབ་པར་བསམ། རྒྱས་པར་ན་ཁྲི་ནམ་བཟང་སོགས་ཀྱིས་གསུང་རྒྱུན་ལྟར་སྐབས་འདིར་མཇལ་ཕྱུལ་ནས། དཔལ་ལྡན་ས་གསུམ་མ་མཆོག་གི་དངོས་གྲུབ་བརྙེས་ལ་གསོལ་བ་འདེབས། ཞེས་པའི་བར་དོན་དྲན་བཞིན་བརྗོད། དམིགས་བརྩེ་མའི་མན་ངག་ལ་ཕྱི་ནང་གསང་གསུམ་ཡོད་ཀྱང་དེ་དང་མ་ཏེ་སོགས་ཀྱིས་ཅི་བྱེད། ཐད་ཐུད་ཕར་བྱས་ན་ཟབ་སྨམ་པ་སྐྱེ་སྲིད། དེ་ལས་དམིགས་བརྩེ་མ་སུམ་སྐོར་ལ་ཕྱི་ནང་གཉིས་ཀའི་གདམས་པ་ཡོད། དང་པོ་ཕྱི་མཚུངས་པ་གསལ་བྱེད་ནི། རྗེ་རིན་པོ་ཆེ་འཇམ་དབྱངས་དང་སྤྱན་རས་གཟིགས་དང་མཚུངས། དེ་དམིགས་བརྩེ་མས་གསལ་བར་བྱེད་ཅེས་པ་སྟེ། སྙིང་རྗེའི་ཡོན་ཏན་ལ་བྱང་སེམས་ཐམས་ཅད་ལས་སྤྱན་རས་གཟིགས་འགྲན་ཟླ་དང་བྲལ། ཤེས་རབ་ཀྱི་ཡོན་ཏན་ལ་བྱང་སེམས་ཐམས་ཅད་ལས་འཇམ་དབྱངས་འགྲན་ཟླ་དང་བྲལ། དེ་

གཉིས་ཐབས་ཤེས་ཀྱི་ཡོན་ཏན་འབྲལ་ཟླ་མེད་པ་དཔེར་བྱས་ནས་གངས་ཅན་མཁས་པའི་ཁྲིད་ན་རྗེ་བདག་ཉིད་ཆེན་པོ་འགྲན་ཟླ་མེད་པར་མཁས་པ་ཀུན་གྱི་གཙུག་རྒྱན་དུ་གྱུར་ཚུལ་མང་དུ་ཐོས་པ་ལུང་གི་ཡོན་ཏན་དྲན་ནས་གསོལ་བ་འདེབས་པ་དང་། ནང་ཡོན་ཏན་དེ་ལྡན་ནི། ཐབས་ཀྱི་ཡོན་ཏན་ཐམས་ཅད་སྙིང་རྗེ་དང་། ཤེས་རབ་ཀྱི་ཡོན་ཏན་ཐམས་ཅད་སྟོང་ཉིད་ལྟ་བར་བསྡུས་ནས་བྱང་སེམས་ཐམས་ཅད་ཀྱི་ནང་ན་ཐབས་ཤེས་ཀྱི་ཡོན་ཏན་ལ་སྤྱན་རས་གཟིགས་དང་འཇམ་དབྱངས་གཉིས་འགྲན་ཟླ་མེད། དེ་གཉིས་ཀྱི་ཐུགས་རྒྱུད་ལ་ཐབས་ཤེས་ཀྱི་ཡོན་ཏན་ཅི་ཙམ་མངའ་བ་དེ་འདྲ་རྗེའི་ཐུགས་རྒྱུད་ལའང་མངའ་བར་ཐག་བཅད་དེ་ཚུལ་བཞིན་བསྒྲུབ་པ་ནང་གི་རྟོགས་པའི་ཡོན་ཏན་ཐབས་ཤེས་དང་། སྒོམ་པ་དང་། སློབ་ལམ་གྱི་ཡོན་ཏན་དྲན་ནས་གསོལ་བ་འདེབས་པ་སྟེ་ཐོས་བསམ་གྱི་ཡོན་ཏན་ཕྱི་དང་སྒོམ་སྒྲུབ་ཀྱི་ཡོན་ཏན་ནང་ལ་སྦྱར་ཏེ་ཕྱི་སྒྲུབ་དང་ནང་སྒྲུབ་ཀྱི་ཐ་སྙད་བཏགས་པ་ཡིན། གསང་བ་ལྷག་པའི་ལྷ་དང་ངོ་བོ་དབྱེར་མེད་དུ་གསོལ་བ་འདེབས་པ་ལ། བདུད་དཔུང་མ་ལུས་འཇོམས་མཛད་གསང་བའི་བདག། ཅེས་པའམ། མཐུ་སྟོབས་མ་ལུས་འཛིན་མཛད་གསང་བའི་བདག །ཅེས་སྒྱུར་ནས་འཕགས་པ་རིགས་གསུམ་གྱི་མགོན་པོ་དང་། རྗེ་རིན་པོ་ཆེ་ངོ་བོ་དབྱེར་མེད་དུ་བྱས་ནས་དམིགས་བརྩེ་མ་བཞི་སྐོར་བྱེད་དེའང་རྗེ་རིན་པོ་ཆེ་སྐུ་བལྟམས་པའི་སྐབས་ཡུམ་གྱི་རྨི་ལམ་དུ་བཙུན་པ་མང་པོས་སྤྱན་རས་གཟིགས་ལ་བསུ་བ་བྱེད་ཅེས་སེར་ཕྲེང་བྱེད་པ་དང་། བལྟམས་པའི་ཚེ་ཡུམ་གྱི་ཐུགས་ཀའི་ཞལ་སྒོ་ནས་གསེར་སྐུ་ཐོན་པ་ལ་ཁྲུས་གསོལ་བ་དང་། ཡབ་ཀྱི་རྨི་ལམ་དུ་རི་བོ་རྩེ་ལྔ་ནས་འོང་བའི་བཙུན་པ་གླེགས་བམ་ཁུར་པས་གནས་གཡོར་ཞེས་ཁང་བའི་ཡང་ཐོག་ཏུ་འགྲོ་བ་དང་། ལྷུང་ཡོ་ཅན་ནས་ཕྱག་ན་རྡོ་རྗེས་འཕངས་པའི་རྡོ་རྗེ་ཡུམ་གྱི་ཐུགས་ཀར་ཐིམ་པ་རྨིས་པ་ཐུན་མོང་སྣང་ཚོད་དང་བསྟུན་པའི་རིགས་གསུམ་གྱི་སྤྲུལ་པའི་རྟགས་དང་། ལུང་གིས་བསྒྲུབ་ན། འཇམ་དཔལ་རྩ་རྒྱུད་ལས། ང་ནི་མྱ་ངན་འདས་འོག་ཏུ། །ཞེས་སོགས་ལྟར་སའི་སྙིང་འདིར་འདུལ་བའི་སྡེ་སྣོད་ལྟར་ཚུལ་ཁྲིམས་ཀྱི་བསླབ་པའི་ལག་ལེན་དང་། བྱིང་རྒོད་དང་བྲལ་བའི་སྒོམ་དང་ཟབ་མོའི་ལྟ་བའི་གནད་ཀྱིས་སྟོངས་པ་ན་རྗེ་བཙུན་འཇམ་པའི་དབྱངས་ཀྱོད་ཉིད་བྱིས་པའི་གཟུགས་ཀྱིས་བྱོན་ནས་སངས་རྒྱས་ཀྱི་མཛད་པ་སྟོན་པར་གསུངས་པ་དང་། སྟོན་པ་ཁ་བ་ཅན་དུ་མ་བྱོན་ཀྱང་སྤྱན་རས་གཟིགས་ཀྱི་འདུལ་

ཞིང་དུ་བྱིན་གྱིས་བརླབས་ནས་དེ་ཉིད་ཀྱི་སྤྲུལ་པ་དུ་མ་རིམ་པར་བྱོན་ཏེ་བསྟན་འགྲོའི་དོན་མཛད་པ། ཤར་ནས་ཟླ་བའི་དཀྱིལ་འཁོར་མཛེས། །ཞེས་རྗེ་དང་། སྤྱན་རས་གཟིགས་དབང་བཟང་པོར་སྤྲུལ། །ཞེས་པཎ་ཆེན་དགེ་འདུན་གྲུབ་པ་སོགས་རིགས་གསུམ་ངོ་བོ་ཐ་མི་དད་པའི་ལུང་བསྟན་མཐའ་ཡས་པ་བཀའ་གདམས་གླེགས་བམ་དུ་ཡོད་པ་རྣམས་སོ། །རིགས་པས་བསྒྲུབ་ན། རིགས་གསུམ་གང་ཟག་རང་རྒྱུད་པ་ཐ་དད་པ་གསུམ་མ་ཡིན་པར་སྤང་བྱ་སྤངས་པའི་ཆོས་དབྱིངས་ངོ་བོ་གཅིག །དེ་ལ་སྙོམས་པར་ཞུགས་པའི་ཡེ་ཤེས་ཆོས་སྐུ་ངོ་བོ་གཅིག་པས་ཆོས་སྐུའི་ནམ་མཁའ་ལས་རིགས་གསུམ་སོགས་གཟུགས་སྐུའི་རྣམ་པ་མི་འདྲ་བ་སྤྲིན་རྗོལ་བ་ལྟར་བསྟན་པས་དོན་ལ་གཟུགས་སྐུ་ཐམས་ཅད་ཀྱི་ཡེ་ཤེས་ཆོས་སྐུ་དང་། ངོ་བོ་ཉིད་སྐུ་ངོ་བོ་གཅིག་ཡིན། སངས་རྒྱས་ཐམས་ཅད་ཀྱི་ཆོས་སྐུའི་རང་བཞིན་ནམ་སྣང་ཚ་ལྟར་ཤར་བས་མཁྱེན་པའི་ཡོན་ཏན་ལྟར་ཤར་བ་འཇམ་དབྱངས། བརྩེ་བའི་ཡོན་ཏན་ལྟར་ཤར་སྤྱན་རས་གཟིགས། ནུས་པའི་ཡོན་ཏན་ལྟར་ཤར་བ་ཕྱག་རྡོར། འཕྲིན་ལས་ལྟར་ཤར་བ་སྒྲོལ་མ་དང་། དེ་བཞིན་དུ། ཞི་རྒྱས་དབང་དྲག་གི་འཕྲིན་ལས་དང་། རྒྱས་པ་གཅིག་པུ་ལའང་ཚེ་བསོད་ཆོས་ནོར་ཤེས་རབ་རྒྱས་པ་དང་། དེ་རེ་རེ་ལའང་རིགས་མི་འདྲ་བ་མང་བས་ཡོན་ཏན་གྱི་ཆ་ཤས་སོ་སོ་གདགས་གཞིར་བྱས་ནས་ལྷག་པའི་ལྷ་རིགས་མི་འདྲ་བའི་ཐ་སྙད་སྦྱར་བ་ལས་ཐམས་ཅད་ཆོས་སྐུའི་ངོ་བོར་རོ་གཅིག་པས་མཁྱེན་བརྩེ་ནུས་གསུམ་ལྟར་ཤར་བ་དེར་མ་འདུས་པའི་ལྷ་མེད། མཁྱེན་བརྩེ་ནུས་གསུམ་དུ་མ་འདུས་པའི་ཡོན་ཏན་མེད། མཁྱེན་བརྩེ་ནུས་གསུམ་གྱི་ཡོན་ཏན་མ་ལུས་པ་དགེ་བའི་བཤེས་གཉེན་གྱི་སྐུའི་རྣམ་པར་བསྟན་པ་རྗེ་བདག་ཉིད་ཆེན་པོ་རིགས་གསུམ་དང་ངོ་བོ་དབྱེར་མེད་དུ་གསོལ་བ་འདེབས་པའོ། །དེ་ལྟར་ཕྱི་སྒྲུབ་ཀྱི་སྒོ་ནས་སྡེ་སྣོད་གསུམ་གྱི་དགོངས་དོན་ལ་དཔྱད་སྒོམ་བྱས་ནས། ཐེག་པ་གསུམ་ཀྱི་ལུང་གི་ཡོན་ཏན་མཐའ་དག་རྗེའི་རྣམ་ཐར་དང་སྦྱར་ནས་གསོལ་བ་འདེབས། ནང་སྒྲུབ་ཀྱི་སྒོ་ནས་ཐེག་གསུམ་འཕགས་པའི་རྟོགས་རིགས་ཀྱི་ཡོན་ཏན་མ་ལུས་པ་རྗེའི་རྣམ་ཐར་དང་སྦྱར་ནས་གསོལ་བ་འདེབས། གསང་སྒྲུབ་ཀྱི་སྒོ་ནས་འཕགས་པ་རིགས་གསུམ་མགོན་པོའི་གསང་གསུམ་གྱི་ཡོན་ཏན་མ་ལུས་པ་རྗེའི་རྣམ་ཐར་དང་སྦྱར་ནས་གསོལ་བ་འདེབས་ཚུལ་མདོ་རྒྱུད་ཀྱི་གཞུང་ལུགས་ཐམས་ཅད་ལ་སྦྱར་ནས་ཤེས་དགོས། དམིགས་བརྩེ་མ་དེ་འདྲའི་རྒྱ་ཆེན་པོ་ཞིག

ཡིན་པས་དོན་གོ་བ་ཤིན་ཏུ་དཀའ་འང་དཔྱད་པ་གལ་ཆེ། ཐོས་བསམ་དང་དཔྱད་པ་སྒོམ་བྱེད་པའི་ཐབས་ཡིན་པས་དེ་མེད་ན་བླུན་སྒོམ་དུ་འགྲོ། ཕྱི་ནང་གསང་གསུམ་གྱི་སྒྲུབ་པ་གནད་དུ་འགྲོ་བ་དཔྱད་སྒོམ་གྱི་ཁུངས་ནས་འབྱུང་དགོས། དམིགས་བརྩེ་མའི་ལས་ཚོགས་མང་ཡང་རྗེ་རིན་པོ་ཆེ་འཇམ་དབྱངས་ཀྱི་སྐུའི་རྣམ་རོལ་ཡིན་པས་ཤེས་རབ་བསྒྲུབ་ཚུལ་གྲགས་ཆེ། དེ་ལ་དམིགས་སྐོར་བདུན་ཡོད་པ་རེ་རེ་ལ་མ་དག་པ་འཁྲུད་པའི་དམིགས་པ་སྒྲིབ་སྦྱོང་ཡིན་པས་གཅིག་གམ་བདུན་སྟོན་དུ་འགྲོ་དགོས་པས། རྗེ་ཡབ་སྲས་གསུམ་གྱི་ཐུགས་ཀ་ནས་འོད་ཀྱི་སྨྱུ་གུ་གསུམ་བྱུང་བ་རང་གི་སྤྱི་བོ་ནས་ཡར་སོར་བཞིའི་ཐད་གཅིག་ཏུ་འདྲིལ། དེའི་ནང་བརྒྱུད་དེ་ངོ་བོ་མཁྱེན་བརྩེ་ནུས་གསུམ་གྱི་བྱིན་རླབས། རྣམ་པ་བདུད་རྩི་དཀར་པོ་འོ་མའི་མདོག་ཅན་རང་གི་ཚངས་བུག་ནས་ཞུགས། ལུས་གང་། ཤུ་ཆུ་དྲག་པོས་རྩ་སྨུར་དེད་པ་བཞིན་རང་གིས་ཚེ་རབས་ཐོག་མེད་ནས་བསགས་པའི་མི་དགེ་བ་བཅུ། མཚམས་མེད་པ་ལྔ། སྡོམ་གསུམ་དང་འགལ་བའི་ཉེས་པ། དུག་གསུམ་སོགས་ཉོན་སྒྲིབ་ས་བོན་དང་བཅས་པ། དེའི་བག་ཆགས་ཤེས་སྒྲིབ་ཐམས་ཅད་དུད་ཁུ་དང་སོལ་ཁུའི་རྣམ་པར་དབང་པོའི་སྒོ་དང་བ་སྤུའི་བུ་ག་ཐམས་ཅད་ནས་ནག་ནུར་གྱིས་ཕྱི་རོལ་དུ་ཐོན་ནས་དག་པར་བསམ། ཉོན་མོངས་སོ་སོ་དང་། མི་དགེ་བ་སོ་སོ། སྡིག་སྒྲིབ་སྤྱི་དང་། རེ་རེ་ལ་དམིགས་ཀྱིས་བཀར་བའི་བདུད་རྩི་འབེབ་སྦྱངས། སྡིག་སྒྲིབ་ཐམས་ཅད་དུད་སོལ། བཞི་བརྒྱ་རྩ་བཞིའི་ནད་སོགས་རྣག་ཁྲག་ཆུ་སེར། སྟེང་འོག་བར་གསུམ་གྱི་གདོན་བགེགས་རྣམས་སྡིག་སྦྲུལ་སྦལ་ལྕོང་སོགས་སྲོག་ཆགས་མི་སྡུག་པའི་རྣམ་པར་ཐོན་པ་སོགས་སོ་སོར་ཐུབ་ན་ལེགས། མ་ནུས་ན་ཐམས་ཅད་གཅིག་ཆར་དག་སྟེ་ལུས་དྭངས་གསལ་འོད་ཀྱི་རང་བཞིན་ཅན་དུ་གྱུར། སྐུ་གསུང་ཐུགས་དང་མཁྱེན་བརྩེ་ནུས་པའི་ཡོན་ཏན་གྱི་ངོ་བོ་བདུད་རྩིས་ལུས་མེར་གྱིས་གང་བར་མོས་ནས་དམིགས་བརྩེ་མ་བགྲང་ན་རྒྱ་གར་ལྷ་གཅིག་བྱེད་ཚུལ་འདི་ལྟར་ཡིན་པས་ཀང་ནད་ལ་ཁྲིང་ཁྲ་ཟུར་དུ་ག་ལ་དགོས་དམིགས་སྐོར་བདུན་ལས། སྐུའི་སྒོ་ནས་ཤེས་རབ་ཆེ་བ་སྒྲུབ་པ་ལ། སྔར་ཡང་འོད་དང་འོད་ཟེར་འབར་བའི་བདུད་རྩི་དམར་སེར་གྱི་རྒྱུ་ནི་རིམ་གྱིས་བབས་པ་རང་གི་ཚངས་བུག་ནས་ཞུགས། ལུས་ཀྱི་ཆ་ཐམས་ཅད་བདུད་རྩི་དམར་སེར་གྱིས་གཏམས། འོད་ཟེར་གྱིས་ཕྱོགས་བཅུའི་རྒྱལ་བ་རྣམས་ཀྱི་མཁྱེན་པའི་ཡོན་ཏན་ཐམས་ཅད་འཇམ་དབྱངས་ཀྱི་སྐུ་ཆེ་བ་རི་

རབ་ནས་ཆུང་བ་རྣལ་ཕྲན་ཙམ་ཆར་ཕེབས་པ་བཞིན་རང་ལ་ཐིམ་པས་ལུས་ཀྱི་བདུད་རྩི་དང་འདྲེས། བདུད་རྩིའི་རྣལ་ཕྲ་རབ་རྣམས་འཇམ་དབྱངས་ཀྱི་སྐུར་གྱུར་ནས་ལུས་ཐམས་ཅད་འཇམ་དབྱངས་ཀྱི་སྐུས་གང་། ལུས་ཀྱི་རྣལ་ཕྲ་རབ་འཇམ་དབྱངས་ཀྱི་སྐུར་གསལ་བ་དང་། རྗེ་ཡབ་སྲས་གསུམ་ལས་འོད་ཟེར་འཕྲོས། ཕྱོགས་བཅུའི་རྒྱལ་བ་སྲས་བཅས་མཆོད་པས་མཉེས་པར་བྱས། དེ་རྣམས་ཀྱི་མཁྱེན་པའི་ཡོན་ཏན་ཐམས་ཅད་འཇམ་དབྱངས་ཀྱི་སྐུའི་རྣམ་པར་སྤྱན་དྲངས་ཏེ་ལུས་ཀྱི་འཇམ་དབྱངས་ལ་ཐིམ་པས་ཤེས་རབ་རླབས་ཆེ་བ་འཇམ་པའི་དབྱངས་ལྟ་བུ་ཐོབ་པར་བསམ་ཞིང་མཐར་རང་འཇམ་དབྱངས་ཀྱི་སྐུར་གྱུར་པར་མོས་པ་ཡང་ཡང་བྱ། རླབས་པོ་ཆེའི་ཤེས་རབ་ནི་རྒྱལ་བའི་གསུང་རབ་ཀྱི་ཚིག་དོན་གང་ཡིན་ཀྱང་གཞན་དྲིང་མི་འཇོག་པ་སྟེ་གཞན་ལ་འདྲི་པ་སོགས་ལ། མི་ལྟོས་པར་རང་སྟོབས་ཀྱིས་འབྱེད་ནུས་པའོ། །མཚམས་བཅད་ནས་དེ་ཁོན་ལ་ཚིག་དྲིལ་དུ་བསྐྱངས་ཀྱང་ཆོག གསལ་བ་ལ་གཞན་འདྲ་ཞིང་། བདུད་རྩིའི་རྣལ་ཕྲ་རབ་རྣམས་དམིགས་བརྩེ་མའི་ཡི་གེའི་གཟུགས་གསེར་ཞུན་མས་བྲིས་པ་ལྟ་བུ་རང་སྔ་སྒྲོགས་བཞིན་པ་དང་། ཨ་ར་པ་ཙ་སོགས་འཇམ་དབྱངས་ཀྱི་གཟུངས་སྔགས་དང་རིག་སྔགས་ཀྱི་རྣམ་པས་ལུས་གང་བ་སོགས་དང་། རྒྱལ་བ་སྲས་བཅས་ཀྱི་གསལ་བའི་ཡོན་ཏན་ཐམས་ཅད་དེ་ལྟ་བུའི་ཡིག་འབྲུ་འོད་དང་འོད་ཟེར་འབར་བའི་རྣམ་པར་ཐིམ་པས་འཇམ་དབྱངས་དང་མཉམ་པའི་ཤེས་རབ་གསལ་བ་ཐོབ་པར་བསམ། ཤེས་རབ་གསལ་བ་ནི། ཀུན་བྱང་གི་ཆ་ཤས་ཕྲ་ཞིང་ཕྲ་བ་རྣམས་འདྲེས་པར་འབྱེད་ནུས་པ་སྟེ། བསྐུས་བྲའི་ཁྱོད་སྒྲའི་གོང་འོག་གི་ཚིག་མཚམས་དང་མང་ཉུང་། བུམ་པ་ཡིན་པ་དང་ཡིན་པར་གྱུར་པ་རགས་རིམ་འདྲ་ཡང་རྟོད་ཚེ་མི་འདྲ་བའི་ཁྱད་ཕྱེ་ནས་རྩོད་པ་དང་། ལན་འདེབས་ལུགས་མང་པོ་ཡོད་པ་མ་འདྲེས་པར་འབྱེད་པ་ལྟ་བུ་སྟེ་ཞིབ་ཆ་ཕྲ་མོ་འབྱེད་མི་ནུས་པ་ཤེས་རབ་གསལ་བ་མེད་པས་ལན་ནོ། །མྱུར་བ་ལ། བདུད་རྩིའི་རྣལ་ཕྲ་རབ་རྣམས་ཧྲཱིཿ ཌྷཱིཿ སོགས་ལྷའི་ས་བོན་གྱི་རྣམ་པར་བྱེད། གཞན་སྔར་དང་འདྲ། ཤེས་རབ་མྱུར་བ་ནི། མ་རྟོགས་ལོག་རྟོག་ཐེ་ཚོམ་སྐྱེས་འཕྲལ་འགོག་ནུས་པ་སྟེ། མིང་ནས་སྨོས་མ་ཐག་ལམ་ལམ་འཆར་བ་དང་། རྩོད་པ་ལ་རིགས་པ་འཕང་ས་འཕྲལ་ཐག་ཆོད་པའི་ལན་ཐེབས་པ་སྟེ། དམ་བཅའ་ཆེན་མོ་དང་ཚོགས་གླེང་ལྟ་བུའི་སྐབས་ལན་མྱུར་བ་དང་། རྒྱུན་གྱི་རྩོད་པ་ལ་ཡིག་ཆ་ཀློག་ཐོག་ན་ཡོད་པར་གཞིར་

བཞག་སྟེ་དཔྱད་ནས་ལན་འདེབས་པ་གལ་ཆེ། དེ་ལྟར་དཔྱད་པས་ཡིན་མིན་གྱི་དབྱེ་བ་ཐག་ཆོད་པ་ལ་བློ་སྐྱིད་ཟེར། ཟབ་པ་ལ། ཕྱག་མཚན་གྱི་རྣམ་པར་བྱེད་ཅིང་གཞན་འདྲ། ཤེས་རབ་ཟབ་པ་ནི། རྒྱ་མཚོ་ལྟར་གཏིང་ཟབ་པ་ཚིག་གཅིག་གི་དོན་བརྟག་ཅིང་དཔྱད་ན་འཛད་མེད་འཆར་བ་དགེ་བཤེས་ངག་དབང་རྒྱ་མཚོའི་རྣམ་ཐར་ལྟ་བུ་དགོས། འཆད་རྩོད་རྩོམ་པ་རང་རང་ལ་ཟབ་པའི་ཤེས་རབ་ཡོད། འཆད་རྩོད་རྩོམ་གསུམ་ལ། གང་འཆད་པའི་གླེགས་བམ་དང་། རྡོ་རྗེ་རྩེ་ལྔ་པའི་ཡུ་བ་ཅན་གྱི་རལ་གྲི་འཁོར་ལོ་དང་། གླེགས་རལ་འབྲེལ་མའི་རྣམ་པར་སྤྱན་འདྲེན་ཞིང་། གཞན་འདྲའོ། །མ་དག་པ་འཁྲུད་པ་ལ་སྒྲིབ་སྦྱོང་དང་སྤང་བ་ཕུན་ཚོགས། མི་ཤེས་པ་གསལ་བ་ལ་ཚོགས་བསགས་དང་རྟོགས་པ་ཕུན་ཚོགས་ཀྱི་ཉམས་ལེན་ཚང་བས་གནད་ཆེ། ཆེ་གསལ་མྱུར་ཟབ་སོགས་ཀྱི་དམིགས་སྐོར་བདུན་འཛམ་དབྱངས་དཀར་སེར། འཛིགས་བྱེད། དབྱངས་ཅན་མ་དཀར་དམར་སོགས་ལའང་སྦྱར་ཚོག་པས་དེ་དག་གི་ཚེ་བི་ཕྃ། ཧཱུཿ མི་ཡོང་སོགས་སྐབས་དེའི་ལྷ་སྔགས་ཕྱག་མཚན་གཙོ་བོར་བྱ། སྐུའི་རྣམ་པ་མི་འདྲ་བ་ལས་སྐུ་གསུང་ཐུགས་མཁྱེན་བརྩེ་ནུས་གསུམ། སྤང་རྟོགས་འདྲ་བས་ཡིད་ཆེས་རྩེ་གཅིག་པས་གསོལ་བ་བཏབ་ན་རིགས་གསུམ་མགོན་པོའི་སྙིང་པོ་བགྲང་བའི་བྱིན་རླབས་སྟུད་དང་། དངོས་གྲུབ་ཅི་ལྟར་བཤད་པ་རྣམས་ཀྱང་འགྲུབ་ཅེས་ཡིག་ཆ་དང་གསུང་རྒྱུན་ཡིན་པས་ལེགས་པར་གསོལ་བ་བཏབ་ན་རིགས་གསུམ་མགོན་པོའི་བཟླས་པའི་གོ་ཆོད། རྗེའི་ཐུགས་ཀར་ཐུབ་དབང་དང་། དེའི་ཐུགས་ཀར་རྡོ་རྗེ་འཆང་བཀོད་པའི་དྲུག་སྐོར་དང་། གནས་གསུམ་དུ་ཕྱི་ནང་གསང་གསུམ་རེ་བཀོད་པའི་དགུ་སྐོར་དང་། དེར་མ་ཟད་ལྷ་གཞན་དང་གཞན་ཡང་རྗེའི་ཐུགས་ཀར་བཀོད་ཚོག །རྗེའི་ཐུགས་ཀར་སྒྲོལ་མ་བཀོད་ནས་དམིགས་བརྩེ་མ་དང་ཏཱ་རེ་སྤྲེལ་ནས་བཟླ། ཚེ་དཔག་མེད་སོགས་གཞན་ལ་འདྲ། ཐུགས་ཀར་མ་བཀོད་ཀྱང་ཚེ་སྒྲུབ་ལ་རྗེ་རིན་པོ་ཆེའི་ཕྱག་གཉིས་མཉམ་བཞག་གི་སྟེང་ན་འཆི་མེད་ཚེའི་བདུད་རྩིས་གང་བའི་བུམ་པ་བསྣམས་པ། གཡས་གཡོན་དུ་པད་སྡོང་ལ་གླེགས་རལ་དང་། ཡང་ན་ཕྱག་གཡས་ཐུགས་ཀར་ཆོས་འཁོར་གཡོན་མཉམ་བཞག་གི་སྟེང་ན་ཚེ་བུམ་བསྣམས་པ་བསམ་ལ་དམིགས་བརྩེ་མ་དང་ཚེ་གཟུངས་རིང་ཐུང་སྤྲགས་ནས་བཟླ་ཞིང་། དམིགས་པ་ཚེ་ཁྲིད་ལྟར་སྐྱོང་ཞེས་སྐྱབས་མགོན་རྡོ་རྗེ་འཆང་གིས་གསུངས། སྐབས་དུས་བགེགས་ཀྱི་བར་ཆད་བཟློག

པ་གལ་ཆེ་བས་སྔགས་དང་དམིགས་བརྩེ་མས་གདོན་བགེགས་ཀྱི་བར་ཆད་ཞི་བའི་གསོལ་བ་བཏབ། རྗེ་ཡབ་སྲས་ཀྱི་སྐུ་ལས་འོད་ཟེར་འཕྲོས་པས་གནོད་བྱེད་ཐམས་ཅད་རྡོ་ཁབ་ལེན་གྱིས་ལྕགས་ཕྱེ་སྡུད་པ་ལྟར་དྲངས་ནས་རྗེའི་དྲུང་དུ་ཐལ་མོ་སྦྱར་ཏེ་འཁོད། ཐུགས་ཀ་ནས་འོད་དང་བདུད་རྩིའི་རྒྱུན་བབས་པ་སྤྱི་བོ་ནས་ཞུགས། ལུས་ཀྱི་ནང་ཐམས་ཅད་གང་། ཁོའི་ཉོན་མོངས་པ་དུག་གསུམ། དེས་བསྐྱེད་པའི་གནོད་འཚེའི་བསམ་སྦྱོར་དང་གདུག་སེམས་ཞི་ནས་མ་དང་བུ་བཞིན་གདུང་སེམས་དང་། བྱམས་སྙིང་རྗེ་བྱང་ཆུབ་ཀྱི་སེམས་དང་ལྡན་པར་བསམ། རང་གིས་གནོད་བྱེད་འདིའི་རྒྱུད་བྱིན་གྱིས་རློབས་ཞེས་གསོལ་བ་བཏབ་པས་རྗེའི་གདུལ་བྱར་གྱུར་ཏེ་གསུང་གི་བདུད་རྩི་མྱང་། ཆོས་སྤྱོད་པའི་སྐལ་ལྡན་དུ་གྱུར་པར་མོས་ཞེས་སྐྱབས་མགོན་རྡོ་རྗེ་འཆང་གསུངས། འདོད་ན་ཏིང་ངེ་འཛིན་གྱི་དབང་བཞི་ལེན་ཞིང་དབང་མ་ཐོབ་ན་མི་ཆོག །མཛོད་དགེའི་འཚམས་པ་ཚང་ལ་འདིའི་རིགས་གསུམ་གྱི་དོན་དུ་བདེ་གསང་འཇིགས་གསུམ་བཀོད་པ་ཞིག་ཡོད་སྐད་ཐོས་ཤིང་། དེ་འདྲའི་གསུང་ཟུར་ཞིག་ཀྱང་བྱུང་ཡང་ཡིད་མ་ཆེས་པའི་ཉམས་འདྲ་བ་ཞིག་ཐོན་པས་བཞག་སོང་། དེ་ལྟར་བྱས་ཆོག་ཀྱང་འཇིགས་གསང་འཇམ་དབྱངས་དང་། ཕྱག་རྡོར་ལ་འཇོག་སླ། བདེ་མཆོག་སྤྱན་རས་གཟིགས་ཀྱི་དོད་བྱེད་པ་ཐུན་མོང་མ་ཡིན་པའི་སྙིང་རྗེ་ལ་ག་ནུ་ཏའི་སྒྲ་བཤད་ལྟར་རམ་དཔྱད་ཅེས་ཕྲན་ལ་གསུང་འཕྲོས་སུ་གནང་བ་འདིར་བཀོད། བླ་མཆོད་དང་བདེ་ལམ་གྱི་ཁྲིད་ཐོབ་ན་དེའི་མན་ངག་འདིར་སྦྱར་ནས་གུང་ཐང་རིན་པོ་ཆེའི་དགའ་ལྡན་ལྷ་བརྒྱ་མའི་གཞུང་བསྲང་ལྟར་ཉམས་སུ་བླངས་ཆོག་པ་གསུང་བཤད་ལ་ཡོད་པས་ཐོག་མར་རང་ལྟར་གསལ་བཏབ། སྟོད་བཅུད་དག་པར་བསྒྱུར། དམ་ཚིག་པ་གསལ་བཏབ། དགའ་ལྡན་ནས་ཡེ་ཤེས་པ་སྤྱན་དྲངས་ཏེ་བསྟིམ། སེང་ཁྲི་དང་ཡན་ལག་བདུན་པ་མཎྜལ་སོགས་གྲངས་མེད་ཕུལ་བ་སྤྲུལ་པ་དེ་སྙེད་ཀྱིས་བདག་གིར་བཞེས། ཕྱག་གི་སྐབས་སུ་ལང་ནས་ཕྱག་འཚལ་བ་དང་། མཆོད་པ་མཎྜལ་སོགས་ཀྱི་གྲངས་བསོག་པ་དང་། ཕྱི་ནང་གསང་བ་དེ་ཁོ་ན་ཉིད་ཀྱི་མཆོད་པ་རྒྱས་པ་བདེ་གསང་སོགས་ཀྱི་མཆོད་འཕྲེང་ལྟར་དང་། བཤགས་པའི་སྐབས་སུ་སྡོམ་གསུམ་གྱི་ཕྱིར་བཅོས་ཡིག་བརྒྱ་སོགས་སྐབས་སུ་གང་བབས་རྒྱས་པར་བྱེད་ན་སྦྱར་ཆོག །ཤེས་རབ་འཕེལ་བའི་དམིགས་པ་བདུན་ཐར་ཆགས་སམ་རེ་རེ་ལ་རྩལ་དུ་བཏོན་ཀྱང་རུང་། མདོར་ན་བདེ་ལམ་

དང་བླ་མཆོད་སོགས་ལས་ཟུར་པ་མེད་པས་རེ་རེ་ནས་ཞིབ་བཤད་མི་དགོས། དེའི་མན་ངག་ཐམས་ཅད་སྒྱུར་ཆོག་གསུངས་པ་འདིས་འཐུས། མཇུག་ཏུ་ཡོན་ཏན་གཞིར་གྱུར་མ་འམ་ལམ་ཡོངས་རྫོགས་ཀྱི་གསོལ་འདེབས་ཅི་རིགས་སྒྱུར། མཐར་བླ་མ་སྙིང་གར་སྤྱན་འདྲེན་པ་སོགས་སྔར་དགའ་ལྡན་ལྷ་བརྒྱ་མའི་ཟིན་བྲིས་གཞན་དུ་བཀོད་ཟིན་ཏོ། །མདོ་རྒྱུད་རྒྱ་བོད་པཎ་གྲུབ་མཐའ་དག་གི །གདམས་པའི་ཡང་སྙིང་བསྒྲུབ་པ་གཅིག་པའི་ལམ། །ཚང་ལ་མ་ནོར་འདི་འདྲ་གདེངས་ཅན་གྱི། །གཙུག་ནོར་ཇི་བཞིན་སྤྱི་བོར་བརྟེན་པར་རིགས། །འདིར་འབད་དགེ་ཚོགས་ཟླ་འོད་བྱེ་བ་བརྒྱུས། །རིག་པའི་ཀུ་མུད་རྩེ་དགའ་འཛིན་པ་དེས། །འགྲོ་བ་ཀུན་ཀྱང་མཚན་ལྡན་བཤེས་གཉེན་གྱིས། །ནམ་ཡང་འབྲལ་མེད་དགྱེས་བཞིན་རྗེས་འཛིན་ཤོག །དེ་སྐད་སྨྲས་ལས་མལ་དུ་ནམ་གཡེང་གིས། །དལ་འབྱོར་སྟོང་ཟད་བྱེད་པའི་དུས་འདའ་བ། །ཤེས་རབ་རྒྱ་མཚོ་ཞེས་བྱའི་རྟོག་གེ་པས། །བླ་མའི་གསུང་རྒྱུན་ཚད་མི་ཟ་ཕྱིར་སྤེལ། །ཅེས་སྲིད་རྒྱུད་ལུགས་ཀྱི་བླ་མའི་རྣལ་འབྱོར་དགའ་ལྡན་ལྷ་བརྒྱ་མའི་ཁྲིད་ཀྱི་དམིགས་རིམ་བརྗེད་བྱང་དུ་བཀོད་པ་ཟབ་ལམ་ནོར་བུའི་གན་མཛོད་ཅེས་བྱ་བ་འདི་ཡང་རྒྱལ་བ་ཀུན་ལས་ལྷག་པའི་བཀའ་དྲིན་མཚུངས་པ་མ་མཆིས་པ་འཇམ་དབྱངས་བླ་མ་རྡོ་རྗེ་འཆང་དཀོན་མཆོག་རྒྱལ་མཚན་དཔལ་བཟང་པོ་ཞལ་ལས་སྔར་ཡང་ཁྲིད་ཚར་གཉིས་ཐོས་པ་བཞིན། དགེ་སློང་ཤེས་རབ་རྒྱ་མཚོས་རང་གི་དྲན་པའི་གསལ་འདེབས་སུ་བྲིས་པའོ།། །།

༄༅། །སྐྱབས་གནས་ཀུན་གྱི་བདག་ཉིད་ཆོས་ཀྱི་རྒྱལ་པོ་ཙོང་ཁ་པ་ཆེན་པོ་ལ་དམིགས་བརྩེ་མའི་གསོལ་འདེབས་དང་འབྲེལ་བའི་བླ་མའི་རྣལ་འབྱོར་དགའ་ལྡན་ལྷ་བརྒྱ་མའི་ཁྲིད་ཡིག་འཇམ་དཔལ་སྙིང་པོའི་བྱིན་རླབས་ཕྱུར་འཇུག་གི་མན་ངག་ནོར་བུའི་གཏེར་མཛོད་ཅེས་བྱ་བ་ཞུགས་སོ།

༄། །ན་མོ་གུ་རུ་མཉྫུ་གྷོ་ཥ་ཡ། བློ་གྲོས་ཆུ་གཏེར་བསྲུབས་པའི་བཅུད་བཟང་ལས། །མ་རྨད་བསྟུ་བཞིའི་རིན་ཆེན་ལྷུན་པོ་དབང་། །སྲིད་ཞིའི་གདུང་སེལ་གྲགས་པའི་ཆོས་ཀྱི་རྗེ། །འཇམ་མགོན་དཔལ་ལྡན་བླ་མས་དུས་ཀུན་སྐྱོངས། །མཐོང་བའི་མོད་ལ་སྲིད་ཞིའི་འཇིགས་པ་སེལ། །མཚན་ཙམ་ཐོས་པས་ལྡོངས་པ་དྲུང་ནས་འབྱིན། །ཡིད་ལ་དྲན་པས་བློ་མཆོག་དཔལ་སྟེར་བ། །རིགས་གསུམ་སྤྲུལ་འཕྲུལ་བླ་མ་དེར་ཕྱག་འཚལ། །གང་འདིར་ཟབ་ལམ་བླ་མའི་རྣལ་འབྱོར་མཆོག །གང་གི་ཉམས་སུ་ལེན་པའི་རྣལ་འབྱོར་པས། །གང་ལ་ཡིད་ཙམ་ཕྱོགས་པས་རྣལ་འབྱོར་མཆོག །གང་འདོད་ལྷུན་གྱིས་འགྲུབ་པའི་དངོས་གྲུབ་སྩོལ། །འདིར་དགའ་ལྡན་ལྷ་བརྒྱ་མར་གྲགས་པའི་བླ་མའི་རྣལ་འབྱོར་གྱི་དམིགས་རྣམ་སྐྱོང་ཚུལ་ནི། །དེ་ཡང་བླ་མའི་རྣལ་འབྱོར་བྱ་བ་ནི། ལེགས་ཚོགས་ཐམས་ཅད་ཀྱི་རྩ་བ། དགེ་བའི་བཤེས་གཉེན་ཚུལ་བཞིན་དུ་བསྟེན་པ་ལ་རག་ལས་པ་ནི། དཔེར་ན་ཉིན་གཅིག་གི་བྱ་བ་ཕྲན་ཚེགས་ཀྱང་། རང་གིས་བསམས། གཞན་ལ་དྲིས་ནས་སྒྲུབ་དགོས་ན། བླ་ན་མེད་པའི་བྱང་ཆུབ་སྒྲུབ་པ་ལ། བཤེས་གཉེན་དམ་པའི་གདམས་པ་ལ་མ་བརྟེན་པར་སྒྲུབ་ལུགས་མེད་པས། བླ་མ་ལ་སངས་རྒྱས་དངོས་ཀྱི་འདུ་ཤེས་བཞག་ནས། དད་གུས་སྒྲུང་བ།

བྱ་བ་དང་། དགོས་པ་གང་ཡོད་ཀྱང་། བློ་སྟོབས་བྱས་ནས་གསོལ་བ་འདེབས་པ། བཀུར་སྟི་རྙེད་པ་དག་དང་རིམ་གྲོ་དང་། སྒྲུབ་པའི་སྒོ་ནས་བླ་མ་མཉེས་པར་བྱ། །ཞེས་གསུངས་པ་ལྟར། རྙེད་པ་ཟང་ཟིང་། བཀུར་སྟི་ཕྱག་གཡོག །བཀའ་བཞིན་བསྒྲུབ་པའི་མཆོད་པས་མཉེས་པ་སོགས་སྒོ་སྣ་ཚོགས་ནས་བསྒྲུབ་པ། སྐུ་བསྒོམ་པ། གསུང་བསྒྲུབ་པ། ཐུགས་ཀྱི་རྟོགས་པ་དེ་ལྟ་བུ་རང་རྒྱུད་ལ་འཕོ་བའི་ཕྱིར་རང་གི་བླ་མ་དེ་ཉིད་སྐྱབས་གནས་ཐམས་ཅད་འདུས་པའི་ངོ་བོ་ཆོས་ཀྱི་རྒྱལ་པོ་ཙོང་ཁ་པ་ཆེན་པོ་དང་། ངོ་བོ་དབྱེར་མེད་དུ་བྱས་ནས་གསོལ་བ་འདེབས་པ་ལ། བླ་མའི་རྣལ་འབྱོར་ཞེས་བཤད་ལ། སྤྱིར་རྗེ་བཙུན་འཇམ་པའི་དབྱངས་ནི། དུས་གསུམ་གྱི་སངས་རྒྱས་ཐམས་ཅད་དང་པོ་བྱང་ཆུབ་མཆོག་ཏུ་ཐུགས་བསྐྱེད་པའི་བསྐུལ་མ་འདེབས་པ་མཛད། བར་དུ་རྒྱལ་སྲས་ཀྱི་སྤྱོད་པ་སྤྱོད་པའི་གྲོགས་ཀྱི་ཚུལ། ཐ་མར་སྤྱོད་པ་མཐར་ཕྱིན་པའི་ཡོངས་འཛིན་དང་། སངས་རྒྱས་ནས་སྲས་ཀྱི་མཐུ་བོའི་ཚུལ་གྱིས་གསུང་རབ་ཐམས་ཅད་ཀྱི་མངའ་བདག་མཛད། མདོར་ན་དུས་གསུམ་གྱི་རྒྱལ་བ་ཐམས་ཅད་སློབ་ལམ་དུ་ལམ་མ་སྐྱེས་པ་བསྐྱེད་པ། སྐྱེས་པ་གོང་འཕེལ་གྱི་ཡོངས་འཛིན་མཛད། དེ་ཉིད་བྱང་ཕྱོགས་ཁ་བ་ཅན་གྱི་གདུལ་བྱ་རྣམས་རྗེས་སུ་འཛིན་པའི་ཕྱིར་དུ། ཕྱིས་པའི་གཟུགས་སུ་སྤྲུལ་ནས་སངས་རྒྱས་ཀྱི་མཛད་པ་སྟོན་པར་འཇམ་དཔལ་རྩ་རྒྱུད་སོགས་ལས་ལུང་བསྟན་པ་ལྟར། འཇམ་དབྱངས་དངོས་ཡིན་ཀྱང་། སོ་སྐྱེ་ཐ་མལ་པའི་རྣམ་པས། ཐོས་བསམ་སྒོམ་གསུམ་མཛད་པ་དང་། མཐུན་སྣང་དུ་འང་། རིས་མེད་ཀྱི་གྲུབ་མཐའ་རྒྱ་མཚོའི་ཕ་རོལ་ཏུ་སོན། བོད་སྔ་མ་རྣམས་ཀྱི་ལྟ་བའི་ལུགས་སྲོལ་ལ་ཐུགས་ཚུང་ཟད་མ་ཆེས་པ་དང་། རྒྱ་གར་ཤིང་གི་རི་ལ། ཀླུའི་བྱང་ཆུབ་དང་། མི་ཏྲ་སོགས་དང་མཇལ་བའི་ཐུགས་འདུན་གྱིས་ཕེབས་པར། ལྷོ་བྲག་གྲུབ་ཆེན་གྱིས་ཞོལ་བཏབ། འཁོར་དག་པ་རྣམ་བརྒྱད་དང་བཅས་འོལ་དགའ་སོགས་སུ་སྒྲུབ་པ་རྒྱུན་རིང་མཛད་པས། ཡི་དམ་གྱི་ལྷ་མང་པོའི་ཞལ་གཟིགས་ཤིང་རྗེ་བཙུན་འཇམ་པའི་དབྱངས་ལས་ཟབ་རྒྱས་ཀྱི་གདམས་པ་ནོད་དེ། སྒྲོ་འདོགས་ལྷག་མེད་དུ་ཆོད་པའི་ཚུལ་མཛད། དོན་དེ་གཞན་ལ་གདམས་ཕྱིར། རྒྱ་བོད་ཀྱི་གདམས་པ་རྣམ་པར་དག་པ་མཐའ་དག་གཞིར་བཞག །མ་དག་པ་རྣམས་བསལ་ཏེ། རྗེ་བཙུན་གྱི་གདམས་པས་བརྟན་ནས་མདོ་སྔགས་ཀྱི་ལམ་སྲོལ་ཐུན་མོང་མ་ཡིན་པར་ཕྱེ་སྟེ། རྒྱ་བོད་ཀྱི་མཁས་པ་སུས་ཀྱང་

བསྐྱུན་དུ་མེད་པའི་ལེགས་བཤད་བསམ་གྱིས་མི་ཁྱབ་པའི་ཕྱག་རྗེས་བཞག །རྗེས་འཇུག་རྣམས་ལ་ལམ་སྟོན་པའི་ཡོངས་འཛིན། ལམ་སྒྲུབ་པའི་གྲོགས། སྒྲུབ་པའི་གནས་སོགས་མཐུན་རྐྱེན་མ་ཚང་བ་མེད་པར་བསྒྲུབ་ཆེད་དུ། དགའ་ལྡན་རྣམ་པར་རྒྱལ་བའི་གླིང་བཏབ་པས། རི་བོ་དགེ་ལྡན་པ་ཞེས་དྲག་ཞན་ཀུན་གྱིས་བསྔགས་བརྗོད་ཀྱི་ཡུལ་དུ་མཛད་པ་ལྟར་ལ། རང་ཅག་རྣམས་ཀྱང་། དེ་ཉིད་ཀྱི་རྗེས་འཇུག་ལྟ་བུར་ཡོད་པས་ལྷ་གང་སྒྲུབ་ཀྱང་རྗེ་བླ་མ་དང་དབྱེར་མེད་དུ་བྱས་ན་དངོས་གྲུབ་མྱུར་ཞིང་བྱིན་རླབས་ཀྱི་ཚན་ཀ་ཆེ་ཞེས་གསུངས། རྗེ་བླ་མའི་རྣལ་འབྱོར་གྱི་རིམ་པ་མང་དུ་ཡོད་ཀྱང་། རྗེ་བཙུན་འཇམ་པའི་དབྱངས་ཀྱི་རྣམ་པར་གསལ་འདེབས་པ། མཁས་གྲུབ་ཐམས་ཅད་མཁྱེན་པ་དང་། བ་སོ་ཆོས་ཀྱི་རྒྱལ་མཚན་ལ་གནང་བ་ལྟ་བུ་དང་། དགའ་ལྡན་ལྷ་བརྒྱ་མར་གྲགས་པའི་གདམས་པ། རྗེ་བཙུན་གྱིས་རྗེ་བླ་མ་ལ་སྨྲུལ་བ། རྗེ་དགེ་འདུན་གྲུབ་སོགས་སྲས་ཀྱི་ཐུ་བོ་ཕལ་ཆེར་ལ་གནང་བ་འདི། རྗེ་བཙུན་གྱིས་རྗེ་བླ་མ་ལ། ལམ་གྱི་ངོ་བོ་མ་ནོར། གོ་རིམ་མ་འཁྲུགས་གྲངས་མ་ཆད་པ་དགོས་གསུངས་པ་ལྟར། སྦྱོར་བ་དངོས་གཞི། འཇུག་གསུམ། དང་པོར་གནས་ཁང་བྱི་དོར་རྒྱས་པར་མ་གྲུབ་ཀྱང་། སྐྱོན་རགས་པ་བསལ་ནས་སྒོ་གསུམ་གྱི་སྒྲིབ་པ་སྦྱོང་བ་དང་། རྗེ་ཡབ་སྲས་སྤྱན་འདྲེན་པའི་བསྙེན་བཀུར། ཞིང་སྐྱོང་གི་རྒྱུར་དམིགས་ནས་སེམས་རྒྱུད་སྦྱོང་བའི་རྟེན་འབྲེལ་བསྒྲིག་དགོས་དེ། གསེར་འཕྲེང་ལས། ཞིང་སྦྱོང་བ་ནི་རང་གི་སེམས་སྦྱོང་བའོ། །ཞེས་གསུངས། རྗེ་ཡབ་སྲས་གཙོ་བོར་གྱུར་པའི་སྐུ་གསུང་ཐུགས་ཀྱི་བྲིས་འབུར་ཅི་རིགས་བཀྲམ་པའམ། མ་མཐའ་ཆོམ་བུ་རེ་ཙམ་བཀོད་ནས་དེར་སྐྱབས་ཡུལ་མ་ཚང་བ་མེད་པར་བཞུགས་ཡོད་སྙམ་པར་བྱེད། རྟེན་བཟང་ངན་དང་། བཟོ་ལེགས་ཉེས། གསར་རྙིང་སོགས་ལ་བརྟེན་ནས་ཆོས་སྤོང་གི་ལས་བསགས་ཉེན་ཆེ་དེ་འདྲ་མ་སྤྱོས་པ། སངས་རྒྱས་བྱང་སེམས་དེ་དང་དེ་དངོས་ཡིན་སྙམ་པའི་དད་གུས་ཀྱིས་གོ་རིམ་མ་འཆོལ་བར་བཀྲམ། མཆོད་པ་མང་ཉུང་ལ་སྤྲོས་པ་མེད་པས། ཆུ་ཐེབས་ཆེ་གང་བཤམས་ཀྱང་། དེ་དམིགས་རྟེན་བྱས་ནས་སྟོང་ཡངས་ཤིང་རྒྱ་ཆེ་བ་བཙུད་རྒྱ་མཚོ་ཙམ། ཚོགས་ཞིང་རྣམས་ཀྱིས་ནམ་མཁའ་ཇི་སྲིད་དུ་ཁྱབ་ཀྱང་ཟད་མི་ཤེས་པ། འོད་ཟེར་གྱི་སྤྲིན་འཁྲིགས་པའི་གློང་ནས། ཆུ་གཉིས་ཉེར་སྤྱོད་རོལ་མོ། བཀྲ་ཤིས་རྟགས་རྫས་སོགས་དང་། དེ་རེ་རེའི་ཁ་དོག་དབྱིབས་འདོད་ཡོན་ལྔ་སོགས་མཆོད་

ཚོགས་མ་ཚང་བ་མེད་པའི་རབ་འབྱམས་རྒྱ་མཚོའི་ཞིང་ཁམས་རྒྱས་པར་འགོད་པ། བཀོད་པས་མཛེས་པར་བཞམས་པ། མཆོད་པ་ཆེ་ཆུང་ཇི་ལྟར་འབུལ་ཡང་། ཀུན་སློང་དམན་པས་མ་སྦགས་པར་སྔོ་སྣ་ཚོགས་ནས་བསམ་བློ་རྒྱ་ཆེན་བསྐྱེད་དེ། སྤྱོད་ལམ་ཚུལ་མཐུན་གྱི་གུས་པས་འབུལ་དགོས་ཏེ། འདི་དག་བསམ་པའི་ཁྲིར་སོ་ལ་རག་ལས་པ་ནི། འབན་གྱི་ཐལ་ཆོས་ལ། ཕ་དམ་པས་བསྔགས་བརྗོད་མཛད་པ་ལྟར་རོ། །གླིང་བཞི་རང་རང་གི་བྱང་ངོས་ན་རི་རྒྱལ་ཡོད་པས། རང་བྱང་དུ་ཁ་ཕྱོགས་པའམ་ཕྱོགས་པར་མོས་ཏེ། བདེ་བའི་སྟན་ལ་ལུས་རྣམ་སྣང་གི་ཆོས་བདུན་སོགས་སྤྱོད་ལམ་ཚུལ་དང་མཐུན་པར་འཁོད། རང་རྒྱུད་ལ་ལེགས་པར་བརྟགས་ནས་དགེ་སེམས་ཁྱད་པར་ཅན་གྱི་ངང་ནས། སྐྱབས་འགྲོ་བྱེད། ཚོགས་ཞིང་གསལ་འདེབས་ཚུལ་མང་ཡང་། འདིའི་ཐུན་མོང་མ་ཡིན་པ་ནི། མདུན་གྱི་ནམ་མཁར། པདྨ་སྡོང་པོ་ཡལ་ག་ལོ་འདབ་རྒྱས་པའི་རྩེ་མོར་པདྨ་འདབ་མ་བཞི་ལྡེ་བ་དང་བཅས་པའི་དབུས་སུ་རྗེ་བླ་མ་ཡབ་སྲས་གསུམ་ལ་དངོས་བརྒྱུད་ཀྱི་བླ་མ་རྣམས་ཀྱིས་བསྐོར་ནས་བཞུགས་པ། འདབ་མ་བཞིའི་ཤར་རིམ་མདུན་དུ་ཡི་དམ་རྒྱུད་སྡེ་བཞིའི་ལྷ་ཚོགས། ལྷོར་ལོངས་སྤྲུལ་གྱི་སངས་རྒྱས། ནུབ་ཏུ་ཡུམ་ཆེན་མོ་ལ་ཆོས་བྲག་རི་ལྟར་བརྩེགས་པས་བསྐོར་བ། བྱང་དུ་ཐེག་པ་གསུམ་གྱི་དགེ་འདུན་དཔའ་བོ་མཁའ་འགྲོ་ཆོས་སྲུང་རྣམས་ཀྱིས་བསྐོར་བར་དམིགས། རང་གི་མཐའ་སྐོར་དུ་སེམས་ཅན་རྣམས་གསལ་བར་དམིགས་ཏེ། ཐམས་ཅད་སྡུག་བསྔལ་ལས་སྒྲོལ་བའི་སྐྱབས་མཐར་ཐུག་ལ་ཡིད་ཆེས་ཀྱི་ངེས་པ་བསྐྱེད་པ་ཕྱིའི་ཡན་ལག །སྡུག་བསྔལ་རྒྱུད་བཅས་པ་ལས་གཏན་ནས་སྒྲོལ་བའི་སྐྱབས་རང་རྒྱུད་ལ་བརྟེན་འདོད་ཀྱི་ནང་གི་ཡན་ལག་གི་སྒོ་ནས། སངས་རྒྱས་ཆོས་ཚོགས་མ་ལུས་གསུམ་བྱེད། དེ་ཡང་སངས་རྒྱས་ཆོས་དང་ཚོགས་བཅས་མཆོག་རྣམས་ལ། །ཞེས་པས། གང་ལ་སྐྱབས་སུ་འགྲོ་བའི་ཡུལ། བྱང་ཆུབ་བར་དུ་ཞེས་པས་དུས་ཇི་ཙམ་དུ་སྐྱབས་འགྲོ་བའི་ཡུན་དང་། སྐྱབས་འགྲོ་མི་གཏོང་བའི་དམ་བཅའ་བསྟན། བདག་ནི་ཞེས་པས་གང་གིས་སྐྱབས་སུ་འགྲོ་བའི་རྟེན་བསྟན། སྐྱབས་སུ་མཆི་ཞེས་པས་རྒྱུ་གཉིས་ཚང་བའི་སྐྱབས་འགྲོ་ངོ་བོ་དང་སྐྱབས་སུ་འགྲོ་ཚུལ་བསྟན། བདག་གིས་ཞེས་པས་སེམས་བསྐྱེད་པ་པོ་བསྟན། སྦྱིན་སོགས་བགྱིས་པ་འདི་དག་གིས་ཞེས་པས། སེམས་བསྐྱེད་ཀྱི་བསྒོ་བྱའི་རྫས་སམ། དགེ་རྩ་བསྟན། འགྲོ་ལ་ཕན་ཕྱིར་ཞེས་པས་སེམས་

བསྐྱེད་པའི་དགོས་པ་དང་། གཞན་དོན་དོན་གཉེར་བསྟན། སངས་རྒྱས་ཞེས་པས་དོན་དུ་གཉེར་བྱའི་བྱང་ཆུབ་བསྟན། འགྲུབ་པར་ཤོག་ཅེས་པས། བྱང་ཆུབ་དོན་གཉེར་སྨོན་ལམ་བཏབ་པ་སེམས་བསྐྱེད་དངོས་ཏེ། འགྲེལ་པ་དོན་གསལ་ལས་སེམས་བསྐྱེད་པ་སྨོན་ལམ་གྱི་བདག་ཉིད་གསུངས་པ་ལྟར་རོ། །གཉིས་པ་དངོས་གཞི་ལ། ཚོགས་ཞིང་སྤྱན་འདྲེན་པ། དེ་ལ་ཚོགས་བསགས་པ། གསོལ་བ་བཏབ་སྟེ་དངོས་གྲུབ་ཞུ་བ་དང་གསུམ། དང་པོ་ནི། མངོན་པ་ནས་འཇིག་རྟེན་གྱི་ཁམས་སྤྱིའི་ནམ་བཞག་བཤད་པ་རྣམས་ཡིད་ངོར་འཆར་དུ་བཙུག་ལ། རི་རྒྱལ་གླིང་བཞི་གའི་བྱང་དུ་ཡོད་པས་རང་གནས་པའི་བྱང་གི་ཕྱོགས་སུ་རི་རྒྱལ་བང་རིམ་བཞི་པའི་རྩེ་མོར་སུམ་ཅུ་རྩ་གསུམ་དང་། གནས་ནས་གནས་འོག་ཇི་སྲིད་པ། །དེ་ནི་དེ་ཡི་གང་དེ་སྲིད། །ཅེས་པ་ལྟར། དེ་ལས་རིམ་གྱིས་འཕགས་པའི་ནམ་མཁའ་ལ། འཐབ་བྲལ། དེའི་སྟེང་དུ་དགའ་ལྡན། དེ་ལས་གྲོང་ལས་དགོན་པའི་ཚུལ་ཙམ་གྱི་ནམ་མཁའ་ལ། རྗེ་བཙུན་བྱམས་མགོན་གྱི་ཐུགས་བསྐྱེད་སྨོན་ལམ་ལས་གྲུབ་པའི་ཞིང་ཁམས་རིན་པོ་ཆེའི་རང་བཞིན་ལག་མཐིལ་ལྟར་མཉམ་ཞིང་བདེ་བ། རྡོ་དང་གསེག་མ་སོགས་མེད་ཀྱང་། མནན་ན་ནེམ་ཞིང་། བཏེག་ན་སྤར་བྱེད་པ། གསེར་གྱི་ས་གཞི་ལ་བཻཌཱུརྻའི་མིག་མང་རིས་སུ་བྲིས་པ། སྐྱིད་མོས་ཚལ་དང་རྫིང་བུ། དགོས་འདོད་འབྱུང་བའི་ལྗོན་ཤིང་དང་། རིན་པོ་ཆེའི་བྱེ་མ་བརྡལ་བའི་ཆུ་མཚོ་ལས་བྱ་སྣ་ཚོགས་ཀྱིས་དམ་པའི་ཆོས་ཀྱི་སྡོམ་བཞི་ལ་སོགས་པའི་སྒྲ་དབྱངས་སྙན་པོ་བརྒྱུད་མར་སྒྲོགས་ཤིང་། དྲི་བཟང་པོའི་ངད་ཀྱིས་ཡོངས་སུ་འགེངས་པ། ཡིད་ལ་དྲན་པ་ཙམ་གྱིས་དགའ་བ་བསྐྱེད་པ་སོགས་དག་པའི་ཞིང་གི་འཀོར་པ་ཡོངས་སུ་རྫོགས་པའི་དབུས་སུ། རྣམ་པར་རྒྱལ་བའི་ཕོ་བྲང་གིས་ཆ་ཤས་ཙམ་ཡང་འགྲན་དུ་མེད་པའི་ཆོས་ཀྱིས་མཛོ་བའི་ཁང་བཟང་རྒྱལ་མཚན་མཐོན་པོ་གཟིམས་ཁང་དང་། དེའི་མདུན་དུ་རྗེ་བཙུན་གྱིས་ཆོས་གསུངས་པའི་ཀུན་དགའ་ར་བ་ཡིད་དགའ་ཆོས་འཛིན་ཆོས་གྲྭ་ལྟ་བུ། དེའི་དབུས་སུ་སེང་གེ་ཆེན་པོ་བརྒྱད་ཀྱིས་བཏེག་པའི་རིན་པོ་ཆེའི་ཁྲིའི་སྟེང་དུ་རྗེ་བཙུན་བྱམས་པ་མགོན་པོ་ལོངས་སྐུའི་རྣམ་པ་བཟང་པོའི་བཞུགས་སྟངས་ཅན་སྐུ་མདོག་གསེར་བཙོ་མ་ལྟ་བུ། ཉི་མ་འབུམ་གྱི་གཟི་བརྗིད་དང་ལྡན་པ་ཞལ་གཅིག་ཕྱག་གཉིས་ཐུགས་ཀར་ཆོས་འཁོར་གྱི་ཕྱག་རྒྱས་ཀླུ་ཤིང་གི་སྡོང་པོ་མེ་ཏོག་དང་བཅས་པའི་འཁོར་ལོ་དང་། སྤྱི་བླུག་འཛིན་པ། རིན་པོ་ཆེའི་

རྒྱན་དང་། དར་གྱི་ན་བཟའ་གསོལ་བ། དབུ་གཙུག་ཏུ་སྟོན་པ་ཤཱཀྱ་ཐུབ་པའི་ངོ་བོ་བྱང་ཆུབ་མཆོད་རྟེན་གྱིས་སྤྲས་པ་ད་ལྟ་ཉིད་དུ་འཛམ་བུ་གླིང་དུ་འབྱོན་པར་བཞེད་པ་ལྟར་དགྱེས་བའི་འཛུམ་ཞལ་ལྷམ་མེར་རང་ལ་གཟིགས་ནས་བཞུགས་པ། གཡས་སུ་ཛོ་བོ་རྗེ་ལྷའི་བུ་དྲི་མ་མེད་པ་དང་། གཡོན་དུ་རྗེ་བླམ་ལྷའི་བུ་འཇམ་དཔལ་སྙིང་པོ་དང་། སྟོ་བྲག་གྲུབ་ཆེན་ལྷའི་བུ་དྲི་མེད་འོད་ཟེར། བུ་སྟོན་ཐམས་ཅད་མཁྱེན་པ་ལྷའི་བུའི་རྣམ་པར་རོལ་བ་སོགས། དག་བའི་འཁོར་ཚོགས་དཔག་ཏུ་མེད་པས་བསྐོར་བ་ལ། ཤར་ཕྱིན་གྱི་མདོ་སོགས་ཐེག་པ་ཆེན་པོའི་ཆོས་འབབ་ཞིག་གསུང་བ། ཐན་སྦྱོན་ཤིང་ཧྲུང་གིས་བསྐུལ་བ་དང་། བྲ་སྣ་ཚོགས་ཀྱིས་དམ་པའི་ཆོས་ཀྱི་སྒོམ་བཞིའི་སྒྲ་སྙན་པར་སྒྲོགས་པ་རང་གི་རྣ་བས་ཐོས་ཤིང་དོན་ཡིད་ལ་འཆར་བ་བཞིན་དང་། དྲི་བཟང་པོའི་ངད་ལྡན་སྤུམ་ཚོགས་པ་སྣ་ཤེས་ཀྱིས་མྱོང་། སྟོད་བཅུད་ཀྱི་བཀོད་པའི་ཡོན་ཏན་མཐའ་དག་མིག་གིས་མངོན་སུམ་དུ་མཐོང་བ་སོགས་ཀྱི་གནས་དེར་དངོས་སུ་ཕྱིན་པ་ལྟ་བུའི་གསལ་སྣང་དང་མོས་གུས་ཤུགས་དྲག་རྒྱུན་རིང་དུ་བྱས་ན་དག་པའི་ཞིང་སྦྱོང་དང་། འཕོ་བའི་སྨིན་བྱེད་སོགས་སུ་འགྱུར་བ་ཡིན་གསུངས། བྱམས་མགོན་གྱི་ཐུགས་ཀར་དཔལ་གྱི་བེའུ་སྦྲ་སང་ངེ་བའི་ནང་། གསེར་གྱི་མཆུལ་ལམ་ཤེལ་བུམ་ལྟ་བུ་ཕྱི་ནང་གསལ་བའི་ནང་དུ། ཁྲིན་དཀར་པོ་མཐོ་དམན་གསུམ་གྱི་སྟེང་དུ་རྗེ་ཡབ་སྲས་བཞུགས་པའི་སྤྲིན་གྱི་དཀར་ནག་དང་། གཟིགས་སྣང་ཚུན་ཆད་རང་གིས་མངོན་སུམ་དུ་མཐོང་བཞིན་པ་ལྟ་བུའི་གསལ་སྣང་འདོན། སྦྱོར་རྗེ་བཙུན་བྱམས་པ་ལ་ཡོངས་སྤྲུལ་གཉིས་གསལ་འདེབས་ཚུལ་ཡོད་ཀྱང་། ད་ལྟ་བསྟན་པ་འདིར། དམ་པ་ཧོག་དཀར་གྱིས། རྗེ་བཙུན་བྱམས་མགོན་ལ་དབུ་རྒྱན་ཐུལ་ཏེ་དགའ་ལྡན་གྱི་རྒྱལ་ཚབ་ཏུ་མངའ་གསོལ་ཏེ་ཇི་ལྟར་བཞུགས་པའི་དོན་བཞིན་ཡོངས་སྐུར་གསལ་དགོས་གསུངས། དེ་ལྟར་རྗེ་བཙུན་གྱི་ཐུགས་ཀའི་རྗེ་ཡབ་སྲས་གསུམ་རང་ཅག་རྣམས་ཀྱི་བསོད་ནམས་གསོག་པའི་ཞིང་དུ་མདུན་གྱི་ནམ་མཁར་སྤྱན་འདྲེན་འདོད་ཀྱི་བསམ་པས། དགའ་ལྡན་ཞེས་བརྗོད་པས་སྟོད་དང་། ལྷ་བརྒྱའི་མགོན་ཞེས་བརྗོད་པས་བཅུད་གསོལ་འདེབས། སྤྱན་འདྲེན་གྱི་ཚིག་ལྷག་མའི་སྐབས་རྗེ་ཡབ་སྲས་རྣམས་ཐག་ཉེ་རིང་ལ་སྒྲིབ་པ་མེད་པ་སྣན་གྱིས་གསན། བརྩེ་བའི་ཐུགས་ཀྱིས་ལྷག་པར་དགོངས་ནས། སྐལ་ལྡན་རིགས་ཀྱི་བུ་འདི་རྗེས་སུ་བཟུང་སྟེ་སྨིན་གྲོལ་གྱི་ལམ་ལ་འགོད་པར་བྱའོ། །ཞེས་ཕན་ཚུན་དགྱེས་པའི་གསུང་གླེང་དང་

བཅས་རྗེ་བཙུན་གྱི་ཐུགས་ཀ་ནས་དར་དཀར་བསྐྱངས་པ་ལྟ་བུའི་སྤྲིན་གྱི་ཐག་པ་རྫོལ་བའི་སྟེ་མོ་སྤྲིན་དཀར་པོ་ཞོ་གསར་བ་སྤུངས་པ་ལྟ་བུ་ལྡིང་བ་རང་གི་སྤྲིན་མཚམས་ཀྱི་ནམ་མཁའི་སྤྲིན་དེ་འབུར་པོ་གསུམ་དུ་དོད་པའི་དབུས་མ་ཅུང་ཆེ་ཞིང་མཐོ་བའི་སྟེང་རྗེ་བླ་མ་སྐུ་མདོག་དཀར་ལ་དམར་བའི་མདངས་ཆགས་པ། སྐུ་དྭངས་ཤིང་སྐུ་ཤ་རྒྱས་པའི་བཞེད་བག་ཅན། ལྟོ་བ་ལྡིར་བའི་སྐྱིལ་ཀྲུང་ཐོན་པ་ལྟ་བུ། ཤངས་རྒྱས་ཤིང་གཟེང་མཐོ་བ། ཕྱག་གཉིས་ཆོས་འཁོར་གྱི་ཕྱག་རྒྱས་པདྨའི་ཡུ་བ་བཟུང་བའི་འདབ་མ་སྟན་གྱི་གཡས་གཡོན་ཐད་དུ་ཁ་བྱེ་བའི་སྟེང་ན་ཤེས་རབ་ཀྱི་རལ་གྲི་དང་ཤེར་ཕྱིན་གྱི་གླེགས་བམ་བསྣམས་པ། གཡས་སུ་རྒྱལ་ཚབ་དར་མ་རིན་ཆེན་སྐུ་མདོག་དཀར་ཤས་ཆེ་ལ་གསེར་མདངས་ཆགས་པ་ཅུང་ཟད་བགྲེས་ཉམས་དང་དབུ་དུད་ཅིང་ཞི་དུལ་གྱི་རྣམ་པ་ཅན་སྐུ་ཤ་སྲབ་ཅིང་སྤྱན་ཟབ་པ། སྨིན་མ་རིང་ཞིང་སྨིན་ཚུགས་དང་མཁུར་ཚོས་མཐོ་བ། ཡིད་ཙམ་འཛུམ་པ། གཡོན་དུ་མཁས་གྲུབ་རྗེ་སྐུ་མདོག་དཀར་ལ་དམར་བའི་མདངས་ཆགས་པ། གཞོན་ཤ་ཆགས་ཤིང་། སྐུ་ཤ་བརྒྱགས་པ་སྤྱན་ཧུར་བག་ཅན་ཏེ་འབུར་ཚུགས་སུ་གཟིགས་པ། རྗེའི་བསྟན་པ་ལ་ལོག་པར་ལྟ་བ་ཟིལ་གྱིས་གནོན་པའི་རྣམ་འགྱུར་ཅན། འཁྱིང་བག་གི་ཉམས་ཀྱིས་བཞུགས་པ། སྐུའི་རྣམ་པ་དེ་ལྟར་གསལ་བཏབ་ན་རྗེ་ཡབ་སྲས་ཀྱི་ཐུགས་རྒྱུད་ཀྱི་རྟོགས་པ་རང་རྒྱུད་ལ་སྐྱེ་བ་དང་། རྗེ་བླ་མའི་བསྟན་པ་ལ་མ་རྟོགས་ལོག་རྟོག་ཐེ་ཚོམ་གྱི་སྣང་མི་འཇུག་པའི་རྟེན་འབྲེལ་ཡོད་གསུངས། ཕྱག་གཉིས་ཀྱི་གཡས་ཆོས་འཆད་དང་། གཡོན་གྱིས་གླེགས་བམ་བསྣམས་པ། གསུམ་ཀའི་དབུ་ལ་པཎ་ཞྭ་སྣ་རིང་གསེར་མདོག་ཅན་དང་། སྐུ་ལ་ཆོས་གོས་ངུར་སྨྲིག་གསུམ་གསོལ་ཞིང་། ཞབས་རྡོ་རྗེའི་སྐྱིལ་ཀྲུང་གིས་བཞུགས་པ། ཞིང་ཁམས་ཐམས་ཅད་སྐུ་ལ་སྣང་ཞིང་། སྐུས་ཞིང་ཁམས་ཐམས་ཅད་ཡོངས་སུ་འགེངས་པའི་བརྟན་གཡོ་རྣམ་དག་གི་བདག་ཉིད་ཅན་དེ། རྡུལ་གཅིག་སྟེང་ན་རྡུལ་སྙེད་སངས་རྒྱས་རྣམས། །ཞེས་གསུངས་པ་ལྟར། སྐུའི་རྡུལ་ཕྲ་རབ་གཅིག་ལ་ཕྱོགས་བཅུའི་དག་པའི་བརྟན་གཡོ་རབ་འབྱམས་མ་ལུས་པ་གནས་ཚོག་པ་ཞིང་ཁམས་ཐམས་ཅད་སྐུ་ལ་སྣང་བའི་དོན། དེ་ལྟ་བུ་བཀོད་པ་གནས་པའི་རྡུལ་གཅིག་གི་ཞིང་ཁམས་ཐམས་ཅད་ཁྱབ་ཚོག་པ་སྐུས་ཞིང་ཁམས་ཀུན་ཁྱབ་པའི་དོན། སྣོད་ཐམས་ཅད་གཞལ་ཡས་ཁང་དང་། བཅུད་ཐམས་ཅད་ལྷའི་རྣམ་རོལ་ལས་གཡོ་བ་མེད་པ་ལ། བརྟན་གཡོ་རྣམ་དག་གི་བདག་ཉིད་

ཀྱི་དོན་ཡིན་གསུངས། རྡུལ་གཅིག་སྟེང་ན་རྡུལ་སྙེད་ཞིང་རྣམས་ཏེ། །ཞིང་དེར་བསམ་གྱིས་མི་ཁྱབ་སངས་རྒྱས་རྣམས། །སངས་རྒྱས་སྲས་ཀྱི་དབུས་ན་བཞུགས་པ་དག །བྱང་ཆུབ་སྤྱོད་པ་སྤྱོད་ཅིང་བལྟ་བར་བགྱི། །ཞེས་གསུངས་པ་ལྟར་རྡུལ་གཅིག་ལ་རྡུལ་སྙེད་ཀྱི་སངས་རྒྱས་ཀྱི་ཞིང་དང་ཞིང་རེ་རེ་ལ་བསམ་གྱིས་མི་ཁྱབ་པའི་སངས་རྒྱས་འཁོར་བཅས་བཞུགས་པ་ལ་སློབ་པའི་གནས་སྐབས་སུ་རང་ལུས་དེ་སྙེད་དུ་སྤྲུལ་ནས་བྱང་ཆུབ་ཀྱི་སྤྱོད་པ་སྤྱོད་དགོས་པ་དང་། དེ་ལྟར་མ་ལུས་ཐམས་ཅད་ཕྱོགས་སུ་ཡང་། །ཞེས་པ་ལྟར། ཕྱོགས་བཅུའི་འཇིག་རྟེན་གྱི་ཁམས་ན་སྐྲའི་རྩེ་མོ་ཙམ་གྱི་ཁྱོན་ལ་ཡང་དུས་གསུམ་གྱི་འཇིག་རྟེན་གྱི་ཁམས་མ་ལུས་པ་སྐད་ཅིག་མ་དང་། རྡུལ་ཕྲ་རབ་ཀྱི་གྲངས་མཉམ་གྱི་སངས་རྒྱས་རྒྱ་མཚོ་དང་། ཞིང་ཁམས་རྒྱ་མཚོར་སྤྱོད་པ་དེ་སྙེད་དུ་འཇུག་པ་སྟེ་བསྐལ་བ་སྐད་ཅིག་མ་དང་། སྐད་ཅིག་བསྐལ་བར་བྱིན་གྱིས་བརླབས་ཚུལ་དེ་འདྲ་ཡིན་པ་དང་། གསུང་གཅིག་ཡན་ལག་རྒྱ་མཚོའི་སྒྲ་སྐད་ཀྱིས། །ཞེས་སོགས་ལྟར། ཨ་ཞེས་པའི་གདངས་གཅིག་པུ་ལ་གསུང་དབྱངས་ཡན་ལག་དྲུག་ཅུའི་ཆ་ཤས་རྫོགས་པ་ཡན་ལག་རྒྱ་མཚོའི་གདངས་དང་། རྒྱལ་བ་ཐམས་ཅད་ཀྱི་གསུང་དབྱངས་རྣམ་པ་ཐམས་ཅད་པར་འཆར་བ་དང་། དེ་ཡང་འགྲོ་བ་རང་རང་གི་ཁམས་དང་བསམ་པ་བག་ལ་ཉལ་ཇི་ལྟ་བུ་བ་དང་རི་དྭགས་ཚུན་ཆད་དང་འཚམས་པའི་གདངས་སུ་འཇུག་པ་གསུང་གི་འཁྲིན་ལས་འཇུག་ཚུལ་དང་། གང་ཡང་བསྐལ་པ་དུས་གསུམ་ཚད་དེ་དག །ཅེས་སོགས་ལྟར། སྐད་ཅིག་མ་གཅིག་ལ་འདས་མ་འོངས་པའི་བསྐལ་པ་ཐམས་ཅད་དུ་སངས་རྒྱས་ཀྱི་འཁྲིན་ལས་ཀྱི་འཇུག་པ་འཆར་ཚུལ་དང་། དུས་གསུམ་གྱི་བསྐལ་པ་ཐམས་ཅད་སྐད་ཅིག་མ་རེའི་ཆ་ཤས་ལ་རྣལ་འབྱོར་པས་འཇོག་ཐུབ་པ་དང་། དེ་འདྲའི་ཏིང་ངེ་འཛིན་བསམ་གྱིས་མི་ཁྱབ་པ་ལ་སྒྱུ་མའི་ཏིང་ངེ་འཛིན་གྱི་རྣམ་ཐར་ཞེས་རྟག་ཏུ་དེ་དག་གིས་ནི་སྤྱོད་ཡུལ་ལ། སྒྱུ་མ་ལྟ་བུར་རྣམ་ཐར་སྟོབས་ཀྱིས་འཇུག །ཅེས་སོགས་གསུངས། དེའི་མཐའ་སྐོར་དུ་བླ་མ་ཡི་དམ་སངས་རྒྱས་བྱང་སེམས་ཉན་རང་དཔའ་བོ་མཁའ་འགྲོ་ཆོས་སྐྱོང་བསམ་གྱིས་མི་ཁྱབ་པ། དགའ་ལྡན་ནས་རྗེ་དང་ལྷན་ཅིག་སྤྱན་འདྲེན་པའམ་རྗེའི་ཐུགས་ཀ་ནས་སྤྲོས་ཀྱང་ཆོག་ལ། ཡབ་སྲས་གསུམ་སྐྱབས་གནས་མ་ལུས་འདུས་པའི་བདག་ཉིད་དུ་བསམ་པ་ཀུན་འདུས་ནོར་བུ་ལུགས་བྱས་ཀྱང་ཆོག །གཉིས་པ་དེ་ལ་ཚོགས་བསགས་པ་ཡན་ལག་བདུན་པ་འབུལ་བ་ལ།

ཡན་ལག་བདུན་ལ་གོ་རིམ་མི་འདྲ་བ་ཡོད་པས། འདིར་ལེགས་ཚོགས་ཀྱི་རྩ་བ་རྗེ་བླ་མ་དང་མི་འབྲལ་བ་ཤིན་ཏུ་གལ་ཆེ་བས་ཞིང་མཆོག་དམ་པར་བརྟན་པར་བཞུགས་པར་དགོས་གསུངས། དེའི་ཕྱིར་དུ་རང་གི་སྙིང་ག་ནས་སེནྡྷེ་ཆེན་པོ་བརྒྱད་ཀྱིས་བཏེག་པའི་རིན་པོ་ཆེའི་ཁྲི་པད་ཟླ་དང་བཅས་པ་དབུས་མཐོ་ལ་གཡས་གཡོན་གཉིས་དམའ་བ་ཕུལ་ནས། རྟག་ཏུ་མྱ་ངན་ལས་མི་འདའ་བར་བཞུགས་པར་བསམ་ལ། མདུན་གྱི་ནམ་མཁའ་ཞེས་སོགས་བརྗོད་པས། རྗེ་བཙུན་བླ་མ་ཞེས་བས་ཡོན་ཏན་དང་། དགྱེས་པའི་འཛུམ་དཀར་སྤྲོ་བ། ཐབས་ཤེས་ཟུང་དུ་འཇུག་པས་དཀར་ལ་དམར་བའི་མདངས་ཆགས་པ། མདོ་སྔགས་གཉིས་དང་། སྟོང་པ་རྟེན་འབྱུང་ཟུང་འབྲེལ་དུ་སྟོན་པས་ཕྱག་གཉིས་ཆོས་འཁོར་གྱི་ཕྱག་རྒྱ་འཆང་བ། རལ་གྲིས་རྩད་པ། གླེགས་བམ་གྱིས་རྩོམ་པ། ཨུཏྤལ་དེས་ཀུན་སློང་བྱམས་སྙིང་རྗེ། ཚུལ་ཁྲིམས་དག་པས་ཆོས་གོས་གསུམ་གསོལ་བ། རྒྱལ་བའི་དགོངས་པ་གསལ་བར་མཛད་པས་པཎ་ཞྭ། ལྷ་བ་ཕུ་ཐག་ཆོད་པས་རྩེ་མོ་རྣོ་བ། སྐྱིལ་ཀྲུང་གིས་རྫོགས་པའི་ཡོན་ཏན་ཏེ། སྐུའི་རྣམ་པ་མཚོན་དོན་དང་བཅས་པ་དྲན་ནས། བལྟས་པས་ནམ་ཡང་ངོམས་པ་མེད་པའི་སྐུ་དང་། ཡོན་ཏན་མཐོང་བས་ཡིད་དང་བའི་དད་པ། སྐྱབས་སུ་བསྟེན་ན་ནམ་ཡང་མི་བསླུ་སྙམ་པ་ཡིད་ཆེས་ཀྱི་དད་པ། གོ་འཕང་དེ་ལྟ་བུ་ཐོབ་ན་ཅི་མ་རུང་སྙམ་དུ་མངོན་དོད་ཀྱི་དད་པས། བདག་དང་བདག་འདྲའི་འགྲོ་བ་རྣམས་ལ་བླང་དོར་གྱི་གནས་ཕྱིན་ཅི་མ་ལོག་པར་བསྟན་ནས། སྲིད་ཞིའི་རྒུད་པ་ཐམས་ཅད་ལས་སྐྱོབ་པའི་མགོན་དང་། མདོ་སྔགས་ཟུང་འབྲེལ་གྱི་བསྟན་པ་དྲི་མ་མེད་པ་བཤད་སྒྲུབ་གཉིས་ཀྱིས་སྤེལ་བའི་སླད་དུ་བསྐལ་བརྒྱར་བཞུགས་སུ་གསོལ་ཞེས་གསོལ་བ་བཏབ་པ་ཞལ་གྱིས་བཞེས་པར་བསམ། གཉིས་པ་ཕྱག་འཚལ་བའི་ཡན་ལག་ནི། ཤེས་བྱའི་ཕྲིན་ཀུན་ཞེས་སོགས་ཏེ། ཤེས་བྱའི་ཕྲིན་རྣམས་མཁའ་དང་འདྲ་བ་མཐའ་མེད་འཇལ་བ་ནི་ཚད་མའི་རྟོགས་པ་ལ་བྱེད་པ་དང་། འདོམ་ལ་འཇལ་བ་དཔེར་བྱས་ནས། སངས་རྒྱས་ཀྱི་མཁྱེན་པ་དང་ཤེས་བྱའི་མཐའ་མཉམ་པ་དང་། ཡངས་པའི་ཞེས་འབྱུང་བ་ཡང་། ཁྱོད་ཀྱི་མཁྱེན་པའི་ཡུལ་དུ་མི་ཤོང་བ་མེད་པའི་དོན་ནོ། །དེས་ཆོས་སྐུའི་ཡོན་ཏན་མཐར་ཕྱིན་པའི་ཐུགས་ཏེ་དང་པོར་སྨོས་པ་ནི་རྗེ་བླ་མ་དང་རྗེ་བཙུན་འཇམ་དབྱངས་གཉིས་ཤེས་རབ་ཀྱི་ལྷ་ཡིན་པས་སྐུ་གསུང་ཐུགས་ཀྱི་ཕྲིན་ལས་འཇུག་པའི་ཚེ། ཐུགས་ཀྱི་ཕྲིན་ལས་ཐོག་མར་འཇུག་པའི་རྟེན

འབྲེལ་ཡོད་གསུངས། སྐལ་བཟང་རྣ་བའི་ཞེས་སོགས་ཀྱིས། སྐལ་བཟང་བྱང་སེམས་ལ་བཤད་པ་མང་བའི་རྣ་བའི་རྒྱན་དུ་གྱུར་ཚུལ་ནི། རྣ་བར་སྙན་ཞིང་ཡིད་ལ་འབབ། །སྔོངས་མུན་སེལ་བ་སོགས་ལེགས་བཤད་ཀྱི་ཁྱད་པར་བཅུ་སོགས་ཀྱིས་ཇི་ལྟར་མངོན་དུ་མཛད་པའི་གོ་འཕང་འགྲོ་བ་ལ་སྟོན་པར་མཛད་པའི་དབྱངས་བླ་ན་མེད་པའི་གསུང་དང་། གྲགས་པའི་དཔལ་ནི། སྐུ་མཆོག་མཚན་དཔེས་སྤྲས་པ། ད་ལྟར་རང་ཅག་རྣམས་དང་རྣམ་པ་མཐུན་པའི་རབ་བྱུང་གི་ཆ་ལུགས་ཀྱི་ཚུལ་བཟུང་བ་སོགས་སྐུ་སྟེ། སྐུ་གསུང་ཐུགས་ཀྱི་གསང་བ་གསུམ་དང་། མཐོང་ཐོས་དྲན་རེག་གིས་ཀྱང་དོན་ལྡན་བླ་ན་མེད་པའི་འགྲོ་བའི་རེ་བ་སྐོང་བ་འཕྲིན་ལས་ཀྱི་ཡོན་ཏན་ཏེ་ཆོས་ཀྱི་སྐུའི་རབ་ཏུ་ཕྱེ་པས་ན། མཐོང་པས་ཀྱང་སེམས་ཅན་གྱི་དོན་བྱེད་ལ། ཐོས་པ་དང་། རེག་པས་ཀྱང་སེམས་ཅན་གྱི་དོན་བྱེད་དོ། །ཞེས་གསུངས། གསུམ་པ་མཆོད་པའི་ཡན་ལག་ནི། ཡིད་འོང་མཆོད་ཡོན་ཞེས་སོགས་རང་གཞན་གྱིས་བདག་ཏུ་བཟུང་བ་དང་། མ་བཟུང་བའི་ལྷ་མིའི་ལོངས་སྤྱོད་སོགས་དང་། ཁྱད་པར་རང་གི་དགེ་ཚོགས་ཀྱི་འབྲས་བུར་གྱུར་པའི་ལྷ་མིའི་ལོངས་སྤྱོད་འབྱུང་བ་དང་འབྱུང་འགྱུར་ཐམས་ཅད་མཆོད་པའི་སྤྲིན་ཕུང་བསམ་གྱིས་མི་ཁྱབ་པའི་ཚུལ་དུ་མོས་ཏེ། དངོས་བཤམས་ཡིད་སྤྲུལ་གྱི་མཆོད་པ་མཐའ་དག་ཕུལ་བ་ལྟར། ལེགས་པར་བཞེས་པའི་མོས་པ་བྱེད་དགོས་གསུངས། ཡིད་འོང་དང་། སྣ་ཚོགས་གཉིས་ཐོག་མཐའ་སྦྱར་ཏེ། ཡིད་དུ་འོང་བའི་མཆོད་ཡོན་སྣ་ཚོགས་ནས། རོལ་མོ་སྣ་ཚོགས་བར་དེ་མེ་ཏོག་ལྷ་བུ་རེ་རེ་ལའང་། གདུགས་རྒྱལ་མཚན། བ་དན། བླ་བྲེ། ཁང་བརྩེགས། མེ་ཏོག་གི་ཚལ་སོགས་དང་། དཔེ་བས་རིགས་མི་འདྲ་བ་མང་བསྣ་ཚོགས་ཀྱི་དོན་ཡིན། རི་རབ་ཁང་ཁྲིམ་སྤང་ལྗོངས། སྐྱེད་ཚལ། མེ་ཏོག ཆུ་མཚོ། ཉི་ཟླ། གླིང་བཞི། རི་རབ་སོགས་བདག་པོས་བཟུང་བ་དང་། མ་བཟུང་བའི་ཕྱི་ནང་གི་ཡོ་བྱད་ཐམས་ཅད་དངོས་སུ་བཤམས་པར་བསྡུས། ཡིད་སྤྲུལ་ནི། མར་མེ་ཆུང་ངུ་ལས་མེད་ཀྱང་། རིན་པོ་ཆེའི་སྣོད་སྟོང་གསུམ་དང་ཁྱོན་མཉམ་པའི་ནང་། ལྷའི་ཟག་མེད་ཀྱི་བདུད་རྩི་རྒྱ་མཚོ་ལྟར་འཁྱིལ་བ། སྡོང་བུ་རི་རབ། མེ་ལྕེའི་འོད་ཟེར་ནམ་མཁས་གར་ཁྱབ་ཏུ་སྦྲོས་པའི་གསེབ་ནས། ཀུན་ཏུ་བཟང་པོའི་མཆོད་ཚོགས་བསམ་གྱིས་མི་ཁྱབ་པ། ཕན་ཚུན་གོ་མི་འགག་པའི་ཚུལ་གྱིས་རྒྱལ་བ་རྣམས་ཟག་མེད་ཀྱི་བདེ་བས་དགྱེས་པར་བྱས། འོད་ཟེར་གྱིས་

མཁའ་ཁྱབ་ཀྱི་མ་དག་པའི་སྣོད་ཀྱི་འཇིག་རྟེན་གྱི་མུན་པ་དང་། བཅུད་ཀྱི་སེམས་ཅན་རྣམས་ཀྱི་མི་ཤེས་པའི་རྨོངས་པ་ཐམས་ཅད་དང་། གྲང་དམྱལ་དང་། གླིང་བར་གྱི་མུན་པའང་སེལ་ཞིང་། དེའི་འོད་ཀྱིས་འཁྱགས་པའི་སྦུབས་དང་། གངས་རི་སོགས་ཞུ་ནས། དེ་དག་གྲང་བའི་སྡུག་བསྔལ་ལས་བསྐྱབས་ཏེ། བདེ་བ་ཕུན་སུམ་ཚོགས་པ་ལ་བཀོད། འོད་ཀྱིས་རིག་པས་རྗེའི་བསྟན་པ་ལ་དད་གུས་ཐོབ་པར་དམིགས་པའི་འཕྲུལ་འདེགས་སྣ་ཚོགས་ཀྱིས་རང་ལུས་གྲངས་མེད་དུ་སྤྲུལ་ནས་ཕུལ་བས། རྗེ་ཡབ་སྲས་རྣམས་ཀྱིས་ཀྱང་དེ་སྙེད་ཀྱི་སྤྲུལ་པའི་བཀོད་པ་བསྟན་ནས་མཆོད་པ་བདག་གིར་མཛད་དེ་འགྲོ་བའི་དོན་མཛད་པར་མོས་ན། རྗེ་ཡབ་སྲས་རྣམས་ཀྱི་བྱིན་རླབས་འཇུག་པའི་ཁྱད་ཆེ་གསུངས། དེ་ལྟར་གོམས་པའི་གསལ་སྣང་དང་རྟོགས་པ་སྐྱེས་ན། ས་མཐོན་པོའི་སྐབས་དངོས་སུ་དེ་ལྟར་སྤྲུལ་ནུས་པ་འབྱུང་། ༈ ཡན་ལག་བཞི་པ་བཤགས་པ་ནི། གང་ཞིག་ཐོག་མེད་ཅེས་སོགས་ཏེ། རང་གིས་ཐོག་མེད་ནས་རྒྱུ་དུག་གསུམ་གྱི་སྒོ་ནས་ལུས་ངག་ཡིད་གསུམ་གྱིས་བསྐྱེད་པའི་སྡིག་པ་མི་དགེ་བའི་ཚོགས་སྤྱི་དང་། ཁྱད་པར་སྡོམ་པ་གསུམ་གྱི་བཅས་མཚམས་དང་འགལ་བའི་ཉེས་ཚོགས་མཐའ་དག་གི་རྣམ་སྨིན་སྡུག་བསྔལ་དྲག་པོ་འབྱིན་པ་ལ་མི་བཟོད་པའི་འགྱོད་སེམས་དྲག་པོ་བསྐྱེད་པ་རྣམ་པར་སུན་འབྱིན་པའི་སྟོབས་དང་། སྡུག་བསྔལ་རྒྱུ་དང་བཅས་པ་སྐྱབས་ཡུལ་རྣམས་ལ་བཤགས་ཕྱིན་ལྷག་མེད་དུ་འདག་པའི་ནུས་པ་སྐྱབས་ཡུལ་འདི་ཉིད་ལ་ཡོད་པ་ཡིད་ཆེས་ཀྱི་མོས་གུས་དྲག་པོས་བཤགས་སེམས་དྲག་པོ་བསྐྱེད་པ་གཉེན་པོ་ཀུན་ཏུ་སྤྱོད་པའི་སྟོབས། སྐྱབས་ཡུལ་འདི་རྣམས་ཀྱིས་སྡིག་པའི་འབྲས་བུ་མཐའ་དག་ལས་ལྷག་མེད་དུ་སྐྱོབ་ནུས་པར་ངེས་པ་རྟེན་གྱི་སྟོབས། །ཕྱིན་ཆད་སྡིག་པ་རྒྱུད་དང་བཅས་པ་ལ་སྡོམ་སེམས་སྐྱེད་པ་སྡིག་པ་ལས་སླར་བཟློག་པའི་སྟོབས་དེ། སྟོབས་བཞི་ཚང་བའི་མོས་པ་དྲག་པོའི་སྒོ་ནས། ཁྱད་པར་སྡོམ་པ་གསུམ་གྱི་མི་མཐུན་ཕྱོགས། ཞེས་སོགས། སོ་ཐར་གྱི་ཕམ་པ་བཞི། ལྷག་མ་བཅུ་གསུམ་སོགས་ཕྱོགས་མཐུན་དང་བཅས་པ་དང་། བྱང་སེམས་ཀྱི་རྩ་ལྟུང་བཅོ་བརྒྱད་ཉེས་བྱས་ཞེ་དྲུག་དང་། གསང་སྔགས་ཀྱི་རྩ་ལྟུང་བཅུ་བཞི་སྦོམ་པོ་བརྒྱད་མཚན་དང་བཅས་པ་རྣམས་ཡིད་ལ་དྲན་ནས་བཤགས་ན་འདག་སྟོབས་ཆེ་གསུངས། འགྱོད་སེམས་མེད་པ་ཁ་ཙམ་གྱི་བཤགས་པས་འདག་ཚབ་ཆུང་། །འགྱོད་པ་སྐྱེ་ཐབས་སྡིག་པའི་རྣམ་སྨིན་དང་། འཆི་བ་ལ་བསམས་ནས། ད་ལྟ་

སྡིག་འབྲས་མངོན་དུ་མ་གྱུར་ཙ་ན། སྔར་སྡིག་འབྲས་སྨིན་ནས། ཚ་གྲང་སོགས་ཀྱི་སྡུག་བསྔལ་ཡིད་དུ་མི་འོང་བ་མྱོང་ཆེ་བཟོད་གླག་མེད། དེ་མྱོང་བ་པོ་རྒྱུད་གཞན་མ་ཡིན་པ་རང་གིས་མྱོང་དགོས་ཚུལ་སོགས་བསམ་དགོས། དེ་ལྟར་བཤགས་པས། རྗེ་ཡབ་སྲས་གསུམ་གྱི་སྐུའི་ཆ་ལས་བདུད་རྩི་སྣ་ལྔ་འོད་ཟེར་དང་བཅས་པའི་རྒྱུན་བབས། རང་གཞན་སེམས་ཅན་ཐམས་ཅད་ཀྱི་ལུས་སེམས་ལ་ཞུགས། ཚེ་རབས་ཐོག་མེད་ནས་བསགས་པའི་སྡིག་ལྟུང་དེ་དག་གི་རྣམ་སྨིན། རྒྱུ་མཐུན། རྗེ་ཡབ་སྲས་གསུམ་གྱི་སྐུའི་ཆ་ལས་བདུད་རྩི་སྣ་ལྔ་འོད་ཟེར་དང་བཅས་པའི་རྒྱུན་བབས། རང་གཞན་སེམས་ཅན་ཐམས་ཅད་ཀྱི་ལུས་སེམས་ལ་ཞུགས། ཚེ་རབས་ཐོག་མེད་ནས་བསགས་པའི་སྡིག་ལྟུང་དེ་དག་གི་རྣམ་སྨིན། རྒྱུ་མཐུན། བདག་འབྲས་རྣམས་དག། ཁྱིན་ཆད་སྡིག་ལྟུང་གིས་མི་གོས་པར་བྱིན་གྱིས་རློབ་པར་བསམ། འགའ་ཞིག་གིས། སྡིག་པ་ལ་ཐོག་མ་མེད་པས། མ་ལུས་པ་འདག་དཀའ་བསམ་ན་ཡང་། སྡིག་པར་རྣམ་སྨིན་ཡོད་པ་དང་། མ་བཤགས་ན་མྱོང་དགོས་པར་སངས་རྒྱས་ཀྱིས་གསུངས་པ་དང་། ཡང་ཡང་བཤགས་ན་ལྷག་མེད་དུ་འདག་འགྲོ་བ་ཡང་སངས་རྒྱས་ཀྱིས་གསུངས་བ་གཉིས་བདེན་མཉམ་ཡིན་གསུངས། ༈ཡན་ལག་ལྔ་པ་རྗེས་སུ་ཡི་རངས་ནི། སྙིགས་མའི་དུས་འདིར་ཞེས་སོགས་ཏེ། རྗེ་བླ་མ་ཉིད་ནས་ཐོས་བསམ་སྒོམ་གསུམ་གྱི་མཛད་པ་བླ་ན་མ་མཆིས་པ་མཐའ་དག་ལ། བདག་གིས་ཀྱང་དེ་བཞིན་སློབ་འདོད་ཀྱི་དགའ་བ་ཁྱད་པར་ཅན་སྒོམ་པའི་སྒོ་ནས་ཡི་རངས་བསྒོམ་དགོས་པ་རྗེའི་གསང་བའི་རྣམ་པར་ཐར་པ་ཐུན་མོང་མ་ཡིན་པ་ནི། ཕྱུག་ན་རྗེ་རྗེས་ཀྱང་དཔོགས་མི་ནུས་པར་གསུངས་པ་ལྟར་ལ་ཐུན་མོང་པ། སྙིགས་མའི་དུས་འདིར་ཞེས་པ་ལྟར། དང་པོར་རྒྱ་ཆེན་ཐོས་པ་མང་དུ་བཙལ། ཞེས་སོགས་གསུངས་པ་ལྟར། མདོ་སྔགས་ཕྱོགས་རིས་མེད་པར་ཐོས་བསམ་དང་། ཐོས་དོན་ཐུགས་རྒྱུད་ལ་སྦྱོར་བས་ཉམས་ལེན་ཟུང་འབྲེལ་གྱི་སྒོ་ནས། སྟོན་པས་དང་པོར་ཐུགས་བསྐྱེད་པ་ནས་བཟུང་། མཐར་སངས་རྒྱས་པའི་བར་གྱི་མཛད་པ་ཐམས་ཅད་རྗེ་འདི་ཉིད་ཀྱི་སྐུ་ཚེ་གཅིག་ལ་ཕྱག་ལེན་དུ་བཏབ་ནས་རྗེས་འཇུག་རྣམས་ཀྱང་ཚུལ་འདི་ལྟ་བུར་དགེ་བར་མཛད་པས། ད་ལྟའི་བར་ཐོས་བསམ་མཛད་མཁན་མང་བ་ཡང་རྗེ་བླ་མའི་བཀའ་དྲིན་དང་ཁྱད་ཆོས་ཡིན། ཆོས་བརྒྱད་སྤངས་པའི་ཞེས་གསུངས་པ་ལྟར་ཆོས་བརྒྱད་ནི། བསྟོད་དང་སྨད་དང་སྙན་པར་གྲགས། །ཞེས་པས།

འདོད་ཕྱོགས་བཞི་དང་། མི་འདོད་ཕྱོགས་བཞི་ལ་བྱེད། སྙིགས་མ་ལྔ་ནི། ལྟ་བ། ཉོན་མོངས། སེམས་ཅན། ཚེ། དུས་སྙིགས་མ་རྣམས་སོ། །དེ་ལྟར་ན་རྗེ་བླ་མ་འདི་ཉིད་གངས་ཅན་མཁས་པ་ཡོངས་ཀྱི་གཙུག་རྒྱན་དུ་གྱུར་ཏེ། ཞབས་འབྲིང་ལྔ་བརྒྱ་ཙམ་གྱིས་བསྐོར་བ་རྣམས་ཆོས་སྲིད་ཀྱི་སྐྱོང་གནང་མཛད་ན། དེ་ལ་ཇི་མི་སྙམ་པར་ཞབས་འབྲིང་དགེ་འདུན་རྣམས་མིག་འཆི་མ་ཙ་རེ་བཞག་ནས། བླ་མ་དང་ཡི་དམ་ལྷའི་བཀའ་བཞིན་འོལ་དགའ་ཕྱོགས་སུ་ཕྱག་རྫོལ་ནས་ཉུས་པ་ལ་ཐུག་གི་བར་མཉལ་འབུལ་བ་སོགས་ཀྱི་དཀའ་སྤྱད་མཛད་པ་དང་། ཆོས་བརྒྱད་དཀར་ནག་ཁྲ་གསུམ་ཟིལ་གྱིས་མནན་ནས། ལམ་བསླབ་པ་གསུམ་ལ་སྒྲུབ་པ་སྙིང་པོར་མཛད་པའི་རྣམ་ཐར་དང་། རྗེས་འཇུག་བུ་སློབ་ཀྱིས་བཤད་སྒྲུབ་ཟུང་འབྲེལ་གྱི་རྣམ་ཐར་དང་། ད་ལྟ་ཡང་ཐོས་དོན་རྒྱུད་ལ་སྦྱར་ནས་སྒྲུབ་པ་སྙིང་པོར་བྱས་ན་ལེགས་ཞེས་སྨྲ་བ་འདི་ཙམ་ཡང་རྗེ་ཡབ་སྲས་རྣམས་ཀྱི་ཐུགས་རྗེར་གོ་ནས། རྗེས་སུ་ཡི་རངས་སྙིང་ཐག་པ་ནས་བསྔོམ་ན་ཡི་རངས་བྱ་བའི་ཡུལ་རྒྱ་ཆེ་བའི་ཚོད་ཀྱིས་དགེ་རྩ་ཡང་བསམ་གྱིས་མི་ཁྱབ་པར་འབྱུང་སྟེ། འགྲེལ་པ་དོན་གསལ་ལས། རྗེས་སུ་ཡི་རངས་པ་ཡིད་ལ་བྱེད་པས་ནི། རང་གཞན་གྱི་དགེ་བའི་རྩ་བ་མཉམ་པ་ཉིད་ཐོབ་པོ། །ཞེས་གསུངས་སྡིག་པ་ལ་ཡི་རངས་དང་འདུན་པ་གཅིག་དྲིལ་བྱས་ན་བྱེད་པ་པོ་དང་མཉམ་པའི་ཉེས་དམིགས་འབྱུང་བར་མཛོད་ལས། དམག་ལ་སོགས་པ་དོན་གཅིག་ཕྱིར། ཐམས་ཅད་བྱེད་པ་པོ་བཞིན་ལྡན། །ཞེས་དང་། བློ་སྦྱོང་ལས། དགྲ་ལ་སྡུག་བསྔལ་བྱུང་ན་དགའ་བ་ཡི་རངས་གོ་ལོག་ཏུ་གསུང་བ་ལྟར་རོ། །ཆོས་འཁོར་བསྐོར་བར་བསྐུལ་བའི་ཡན་ལག་ནི། རྗེ་བཙུན་བླ་མ་དམ་པ་ཞེས་སོགས་ཏེ། རྗེ་བླ་མའི་དག་པ་གཉིས་ལྡན་གྱི་ཆོས་སྐུའི་ནམ་མཁར་མཁྱེན་བརྩེ་ཆུ་འཛིན་ཏེ་སྤྲིན། མདོ་སྔགས་ཟབ་རྒྱས་ཀྱི་ལུང་གི་ཆོས་འཁོར་བསྐོར་བ་ཆར་འབབ་པས། སྐལ་ལྡན་གྱི་གདུལ་བྱའི་ཤེས་རྒྱུད་འཛིན་མ་སྟེ་ས་གཞི། རྟོགས་པའི་ཆོས་འཁོར་སྨྱུ་གུའི་གཟུགས་སུ་བཀོད་དེ། ཕྱི་མའི་ངན་འགྲོ་སྐྱོབ་བྱེད་སྐྱབས་འགྲོ། སྲིད་པའི་རྒྱུད་པ་སེལ་བྱེད་ལམ་བསླབ་པ་གསུམ། ཞི་བའི་གདུང་བ་འཕྲོག་པར་བྱེད་པ་བྱམས་སྙིང་རྗེ་བྱང་སེམས་ཟབ་མོ་དབུ་མའི་ལྟ་བ། ལམ་རིམ་གཉིས་སོགས་གང་ལ་གང་འདུལ་གྱི་ལུང་གི་ཆོས་འཁོར་བསྐོར་བ་ལས། གདུལ་བྱ་རང་རང་གི་རྒྱུད་ལ་རྟོགས་པའི་ཆོས་ཀྱི་སྨྱུ་གུ་བསྐྱེད་པར་མཛད་དུ་གསོལ། ཞེས་གསོལ་བ་བཏབ་པ་ཞལ་

གྱིས་བཞེས་ཤིང་དེ་ལྟར་དུ་བྱིན་གྱིས་བརླབ་ཏུ་གསོལ་སྙམ་པ་དང་། བསྔོ་བའི་ཡན་ལག་ནི། བདག་གིས་ཇི་སྐད་ཅེས་སོགས་ཏེ། རང་གིས་དུས་གསུམ་གྱི་ང་ཡིད་ལ་དྲན་པར་བྱས་ནས། ཕྱག་འཚལ་བ་དང་མཆོད་པ་ཕུལ་བ་སོགས་ཡན་ལག་དྲུག་གིས་མཚོན་པའི་དགེ་རྩ་སྤར་བསགས་ཟིན་པ་དང་། ད་ལྟར་གསོག་བཞིན་པ་དང་མ་འོངས་པ་ན་བསགས་འགྱུར་གྱི་དགེ་རྩ་མཐའ་དག་བསྔོ་བྱའི་རྫས་དང་། བསྔོ་བའི་གནས། མཁའ་ཁྱབ་ཀྱི་བསྟན་འགྲོ་གང་ལ་གང་ཕན་སྟེ། བསྟན་པར་གང་ཕན་ནི། ཐོས་བསམ་སློབ་གཉེར་ནས། སྒོམ་སྒྲུབ་སོགས་ཕྱོགས་རེ་བ་མ་ཡིན་པ་ཡོངས་རྫོགས་ལ་གང་ཕན་དང་། འགྲོ་བར་གང་ཕན་ནི། འགྲོ་བ་ནད་གདོན་གྱིས་འཚེ་བ་རྣམས་དེ་ལས་གྲོལ་ཐབས་དང་། ནོར་ལོངས་སྤྱོད་རིགས་རྒྱུད་བྲན་འཁོར་གྱི་དབུལ་བ་སེལ་བ། འགྲོ་བ་རིགས་དྲུག་གི་སྡུག་བསྔལ་ཇི་སྐྲིད་ལས་བསྐྱབ་པ་དང་། དུས་གསུམ་གྱི་རྒྱལ་བ་སྲས་བཅས་ཀྱིས་འཆད་རྩོད་རྩོམ་གསུམ་བྱ་བ་ལས་ཀྱི་འཁོར་ལོ་སོགས། སྐུ་གསུང་ཐུགས་ཀྱི་མཛད་པ་མཐའ་དག་ཐུགས་བཞེད་ལྟར་འགྲུབ་པ་དང་། ཁྱད་པར་རྗེ་བཙུན་ཞིས། གྲུབ་མཐའ་རིས་མེད་ཀྱི་ཆོས་འོ་མ་ལྟ་བུ་དང་། དེ་བསྲུབས་པའི་མར་གྱི་ཉིང་ཁུ་ལྟར་བསྟན་པའི་གནད་ཀུན་ཡོངས་སུ་རྫོགས་པ། མགོ་བཤེས་གཉེན་བསྟེན་ཚུལ་ནས་འཇུག་མི་སློབ་པའི་ཟུང་འཇུག་གི་བར་ཚང་ལ་མ་ནོར་བ་གདན་ཐོག་གཅིག་ཏུ་གྲུ་བཞིའི་ལམ་གྱིས་ཉམས་སུ་བླང་ཚོག་པ་རྗེའི་ལུགས་སྲོལ་འདིའི་ཁྱད་ཆོས་ཡིན་པས། བསྟན་པའི་སྙིང་པོ་དང་། སྔགས་ལྟར་ན་སངས་རྒྱས་ཀྱིས་ཆོས་ཀྱི་ཕུང་པོ་བརྒྱད་ཁྲི་བཞི་སྟོང་གསུངས་པའི་མཆོག་ཤེར་མདོ་དང་། སྙིང་པོའི་ཡང་སྙིང་སྙུ་ལུས་དང་འོད་གསལ་ལ་བྱེད་པ་སོགས་ལམ་རིམ་བཞིན་ནོ། །བསྟན་པ་དེ་ཉིད་རང་དུ་གསལ་བར་བྱེད་པ་ནི། ཆེ་འདི་དང་ཕྱི་མ་ཙམ་མ་ཡིན་པར། འཁོར་བ་མ་སྟོང་གི་བར་དང་། ནམ་མཁའ་ཇི་སྲིད་དུ་ཐོས་བསམ་སྒོམ་པས་རང་གི་ཉམས་འོག་ཏུ་ཚུད་དེ། འཆད་རྩོད་རྩོམ་པས་གཞན་ལ་གསལ་བར་བྱེད་པར་ཤོག །ཅེས་པ་དང་དེ་ལྟར་བསྔོས་པས། དགེ་རྩ་ཆུད་མི་ཟ་ཞིང་ཟད་པ་མེད་པར། ཤིང་ཐོག་སྨིན་པ་ད་ལྟ་ཉིད་དུ་ལོངས་སྤྱོད་རུང་ལྟར། སྨོན་འབྲས་བདེ་བླག་ཏུ་འགྲུབ་པའི་རྒྱུའི་ནུས་པ་ཐོགས་མེད་དུ་བྱིན་གྱིས་བརླབ་ཏུ་གསོལ་བསམ། ཡན་ལག་བདུན་ནི་རྒྱལ་སྲས་ཀྱི་སྤྱོད་པའི་སྨོམ་ཆེ་ཤོས་ཡིན་པས། རྒྱལ་སྲས་ས་ཐོབ་པ་རྣམས་ཀྱིས་སངས་རྒྱས་སོ་སོའི་དྲུང་དུ་ཕྱིན་ནས་འདི་ཁོ་ནར་མཛད་པའི་

ཚུལ་ལས་ཤེས་སོ། །དེ་ཡང་རིམ་པ་བཞིན་དུ་ཕྱག་འཚལ་བ་ང་རྒྱལ་གྱི་གཉེན་པོ། མཆོད་པ་ཕུལ་བ་སེར་སྣའི་གཉེན་པོ། བཤགས་པ་ཞེ་སྡང་གི་གཉེན་པོ། རྗེས་སུ་ཡི་རངས་པ་ཕྲག་དོག་གི་གཉེན་པོ། བཞུགས་སུ་གསོལ་བས། ཆོས་སྤོང་གི་ལས་དང་བླ་མའི་ཐུགས་དཀྲུག་པ། བླམར་སྨོད་པའི་ལོག་པར་ལྟ་བ་སོགས་ལོག་ལྟ་རྣམས་ཀྱི་གཉེན་པོ། ཆོས་འཁོར་བསྐོར་བ་བསྐུལ་བས། ཚེ་རབས་ཀུན་ཏུ་ཆོས་དང་མཇལ་བ། མྱ་ངན་ལས་མི་འདའ་བར་གསོལ་བས། ཚེ་གྲུབ་ཀྱི་མཆོག་ཏུ་འགྱུར། བྱང་ཆུབ་ཏུ་བསྔོ་བས། དགེ་རྩ་མི་ཟད་ཅིང་། འཕེལ་བ་དང་། ཡན་ལག་འདི་དག་ནི་ཚོགས་བསགས་སྒྲིབ་སྦྱོང་གི་གཙོ་བོ་དང་། ཚོགས་རྫོགས་པ་ནི་ཕན་ཡོན་ཐོབ་པ་ལ་བྱེད་གསུངས། ཆོས་སྤོང་དང་ལས་འབྲས་མེད་པ་ལྟ་བའི་ལོག་ལྟས་སྟོར་ཡོད་ཀྱི་དགེ་རྩ་བཅད། སྐར་ཙུང་ཟད་རེ་བསགས་ཀྱང་བསམ་པའི་སྟོབས་ཀྱིས་མཐུ་ཆུང་ཞིང་། འབྲས་བུ་ངན་འགྲོ་སོགས་སུ་རྣམ་སྨིན་ཡིད་མི་འོང་དང་འགྲོགས་ནས་སྤྱོད་དགོས་པས། ལས་འབྲས་ལ་ཡིད་མི་ཆེས་པའང་དེ་དང་ཉེ་ཞིང་རྣམ་སྨིན་ལྷེ་བས་ལས་འབྲས་ལ་ཡིད་ཆེས་པའི་དད་པ་ལ། འཇིག་རྟེན་པའི་ཡང་དག་པའི་ལྟ་བ་ཞེས་པའི་ལེགས་ཚོགས་ཐམས་ཅད་ཀྱི་རྩ་བར་གསུངས། སྐབས་འདིར་མཇུལ་ཕྱུལ། དེ་ནས་དཔལ་ལྡན་ས་གསུམ་མ། མཆོག་གི་དངོས་གྲུབ་བརྙེས་ལ་གསོ་བ་འདེབས། ཅེས་པའི་བར་དོན་དྲན་བཞིན་པར་བཏང་། མ་བཏོན་ཀྱང་ཆད་པའི་སྐྱོན་མེད། དམིགས་བརྩེ་མ་འདི་རྗེ་བླ་མས་རྗེ་བཙུན་རེད་འདའ་བ་ལ་གསུངས་ཀྱང་། རྗེ་བཙུན་རེད་འདའ་བས། འདི་ཁྱེད་ལ་འོས་ཞེས་ཚིག་བསྒྱུར་ནས་རྗེ་བླ་མའི་གསོལ་འདེབས་སུ་མཛད་པ་ཡིན། འདི་ལ་ཕྱི་མཚུངས་པ་གསལ་བྱེད། ནང་ཡོན་ཏན་དེ་ལྡན། གསང་བ་ལྷག་པའི་ལྷ་དང་ངོ་བོ་དབྱེར་མེད་ཀྱི་གསོལ་བ་འདེབས་ཚུལ་གསུམ་ཡོད་པས། དང་པོ། རྗེ་བླ་མ། འཇམ་དབྱངས་དང་། སྤྱན་རས་གཟིགས་དང་མཚུངས་ཏེ། རྒྱལ་སྲས་རྣམས་ཀྱི་ནང་ན། མཁྱེན་བརྩེའི་ཡོན་ཏན། འཇམ་དབྱངས་དང་། སྤྱན་རས་གཟིགས་གཉིས་འགྲན་ཟླ་དང་བྲལ་བ་ལྟར། བོད་གངས་ཅན་འདིར། འཆད་རྩོད་རྩོམ་གསུམ་ལ་མཁས་པའི་ཡོན་ཏན་ལ་རྗེ་བདག་ཉིད་ཆེན་པོ་འགྲན་ཟླ་དང་བྲལ་ཞིས་མཁྱེན་བརྩེའི་ཡོན་ཏན་དཔེར་བཀོད་ནས་མཚུངས་འདྲ་སྦྱར་ཏེ། མང་དུ་ཐོས་པ་ལུང་གི་ཡོན་ཏན་དྲན་པའི་སྒོ་ནས་གསོལ་བ་འདེབས་པ་རྗེ་བླ་མའི་ཕྱི་སྐྱབས་དང་། གཉིས་པ་ནང་ཡོན་ཏན་དེ་ལྡན་གྱི་སྒོ་ནས

གསོལ་བ་འདེབས་པ་ནི། འཇམ་དབྱངས་དང་། སྤྱན་རས་གཟིགས་གཉིས་ཀྱི་མཁྱེན་བརྩེའི་ཡོན་ཏན་དང་འདྲ་བ་རྗེ་བླ་མར་མངའ་བ་ཙམ་མ་ཟད། དེ་གཉིས་ཀྱི་ཐུགས་རྒྱུད་ཡོན་ཏན་ཅི་ཙམ་མངའ་བ་དེ་ལྟ་བུ་རྗེ་བླ་མ་ལ་མངའ་བ་དང་། གཞན་ཡང་ཐབས་ཀྱི་ཆ་ཐམས་ཅད་སྙིང་རྗེ་དང་ཤེས་རབ་ཀྱི་ཆ་ཐམས་ཅད་སྟོང་ཉིད་ཀྱི་ལྟ་བར་བསྡུས་ནས་ཐབས་ཤེས་ཀྱི་ཡོན་ཏན་དེ་གཉིས་འགྲན་ཟླ་མེད་པས་ན། དེ་གཉིས་ཀྱི་ཐུགས་རྒྱུད་ལ་ཐབས་ཤེས་ཀྱི་ཡོན་ཏན་ཅི་ཙམ་མངའ་བ་རྗེ་བླ་མ་ལ་མངའ་བ་ཐག་བཅད་ནས་གསོལ་བ་འདེབས་པ་ཚུལ་བཞིན་སྒྲུབ་པ་རྫོགས་པའི་ཡོན་ཏན་གྱི་སྒོ་ནས་དང་ནང་སྒྲུབ་ཡིན། ཐོས་བསམ་གྱི་ཡོན་ཏན་ཕྱི་དང་། སྒོམ་སྒྲུབ་ཀྱི་ཡོན་ཏན་ནང་ལ་སྦྱར་ཏེ། ཕྱི་སྒྲུབ་དང་། ནང་སྒྲུབ་ཀྱི་ཐ་སྙད་བཏགས། ཕྱི་སྒྲུབ་ནང་སྒྲུབ་གཉིས་ལ། འཇམ་དབྱངས་སྤྱན་རས་གཟིགས་རྗེ་བླ་མ་གསུམ་དང་སྦྱར་བས་གསུམ་སྐོར།

གསུམ་པ། གསང་བ་ལྷག་པའི་ལྷ་དང་ངོ་བོ་དབྱེར་མེད་དུ་གསོལ་བ་འདེབས་ཚུལ་ནི། འཕགས་པ་རིགས་གསུམ་མགོན་པོ་ལ་མཁྱེན་བརྩེ་ནུས་པའི་ཡོན་ཏན་ཅི་ཙམ་མངའ་བ་རྗེ་ཡབ་སྲས་ལ་མངའ་བ་ཙམ་དུ་མ་ཟད། རྒྱལ་བ་ཀུན་གྱི་མཁྱེན་བརྩེ་ནུས་པའི་རང་གཟུགས་རྗེ་རྗེ་གསུམ་མམ། རིགས་གསུམ་གོན་པོ་དེ་ཉིད་དགེ་བའི་བཤེས་གཉེན་གྱི་ཚུལ་དུ་རོལ་བ། རྗེ་བདག་ཉིད་ཆེན་པོར་ཐག་བཅད་དེ་ངོ་བོ་དབྱེར་མེད་པར། དམིགས་མེད་ནས། བདུད་དཔུང་མ་ལུས་འཇོམས་མཛད་གསང་བའི་བདག །ཅེས་གསོལ་བ་འདེབས་པ་བཞི་སྐོར་དང་། འདིར་རྗེ་བླ་མའི་གནས་གསུམ་ལ། རིགས་གསུམ་མགོན་པོ་དངོས་སུ་བཀོད་ཀྱང་ཚིག །སྤྱིར་རིགས་གསུམ་མགོན་པོ་དང་རྒྱུད་གཅིག་དང་། ཐ་དད་འཇོག་ཚུལ་གསུངས་ཀྱང་། ལུང་དང་། རིགས་པའི་སྒོ་ནས། རིགས་གསུམ་མགོན་པོ། འཇམ་དཔལ་ཞི་ཁྲོ་རྡོ་རྗེ་སློབ་དཔོན་གྱི་རྣམ་པར་བྱོན་པའི་ལྟས་འཕྲུལ་མེད་ལ་ཡིད་ཆེས་ཀྱིས། དེ་དག་དབྱེར་མེད་ཀྱི་ངེས་པ་ཅི་རྙེད་བྱ། རྒྱལ་བ་ཀུན་གྱི་མཁྱེན་པའི་ཡེ་ཤེས་གདགས་གཞི་དང་། དེ་ལ་འཇམ་དཔལ་དབྱངས་ཞེས་བཏགས་པ་སྟེ། དཔེར་ན་ཕ་མའི་ཁུ་ཁྲག་དང་། ཚེ་འདིའི་མིང་གཞི་གཟུགས་ཀྱི་ཕུང་པོ་ཚོགས་པ་ལ་ངའོ་ཞེས་ཐ་སྙད་བཏགས་པ་བཞིན་ཡིན་ཏེ། དེ་འདྲའི་གདགས་གཞི་བཏགས་ཆོས་ཀྱི་ཚུལ་སོགས་ཉོན་མོངས་ཀྱིས་བསྒྲིབས་ནས་ཡོད་ཀྱང་། དགེ་བའི་བཤེས་གཉེན་གྱི་ལེགས་བཤད་ཀྱི་གདམས་ངག་ཉན། དོན་ལ་བླང་དོར་གྱིས་ཞུགས་པས། མི་དགེ

བའི་ཕྱོགས་ཇེ་ཞན། དགེ་བའི་ཕྱོགས་རྒྱ་ཇེ་ཆེར་འཕེལ་ནས་ཉོན་མོངས་མངོན་གྱུར་ཉམས་སྨད་མཐར་གཅིག་འཛིན་གྱི་བློ་འགག། དེ་ཡང་ཡང་གོམས་པས། ངམ་ངམ་ཤུགས་ཀྱིས་སྐྱེས་པའི་ལྷན་སྐྱེས་རིམ་བཞི་སྤངས་པའི་མཐར། སེམས་ཀྱི་རང་བཞིན་ལ་དྲི་མས་བསྣད་པ་མ་ཞུགས་པའི་སྟོབས་ཀྱིས་ཉོན་མོངས་པའི་ནུས་པ་ཇེ་ཆུང་དང་། ཇེ་སྲབ་ཏུ་སོང་ནས་བག་ཆགས་དང་བཅས་པ་དག་པ་དང་། སེམས་བློ་བུར་གྱི་དྲི་མ་དང་བྲལ་ཏེ། རང་བཞིན་རྣམ་དག་གཉིས་ཚོགས་ཀྱི་སྣང་ཆ་ལ་མདོ་ལྟར་ན་འོག་མིན་དང་། སྔགས་ལྟར་ན་སྟོད་གཞལ་ཡས་ཁང་དང་། བཅུད་ལྷའི་རྣམ་རོལ་དུ་གྲུབ། དེས་ན། སངས་རྒྱས་ཐམས་ཅད་ལ་འོག་མིན་རེ་ཡོད་ཚོག་སྟེ། ནམ་མཁའི་མཐས་ཁྱབ་ཀྱི་འཇིག་རྟེན་གྱི་ཁམས་ཡིན་ཀྱང་། ཡེ་ཤེས་ཀྱི་རང་བཞིན་ཡིན་པས། གཟུགས་ཅན་གཞན་ལྟར། གཅིག་གཅིག་གིས་གོ་མི་འགོག་པ། ཆོས་སྐུའི་ཀློང་ནས། སངས་རྒྱས་སྟོང་དང་། བདེ་གསང་འཇིགས་གསུམ་སོགས་སྤྲུལ་པ་གྲངས་མེད་དུ་འཕྲོ་བ་ཡང་། མཁྱེན་བརྩེ་ནུས་གསུམ་དེ་དག་གི་རྣམ་པར་ཤར་པ་ལ་བྱེད་དགོས་གསུངས། རྗེའི་གནས་གསུམ་གྱི་རིགས་གསུམ་སོ་སོའི་ཐུགས་ཀར་རང་རང་གི་ས་བོན་ལ་རང་རང་གི་སྔགས་ཀྱིས་བསྐོར་བ་མོས་ནས། ཨ་ར་པ་ཙ་ན། མ་ཎི། བཛྲ་པ་ཎི་སོགས་དང་། དམིགས་བརྩེ་མ་བཟླས་ནས་སོ་སོའི་ལས་ཚོགས་རྣམས་ཀྱང་སྒྲུར་ཚོག །དགོས་པ་ཁྱད་པར་ཅན་གྱི་ཚེ། རྗེའི་ཐུགས་ཀར་ལྷ་གང་བཀོད་ཀྱང་ཚོག །ཁྱད་པར་ཤེས་རབ་སྒྲུབ་པ་ལ་བཀའ་བབས་ཆེ་བས། རྗེའི་ཐུགས་ཀར་འཇམ་དབྱངས་བཀོད་ནས། གང་བློ་མ་དང་། དམིགས་བརྩེ་མས་གསོལབ་བཏབ་པས། ཕྱག་གི་རལ་གྲིའི་ཡུ་བ་ཐུགས་ཀར་གཏད་པའི་རྩེ་མོ་རང་གི་ཚངས་བུག་ཏུ་ཟུག །དེ་ལས་བདུད་རྩིའི་རྒྱུན་གྱིས་སྒྲིབ་པ་དང་། སྟོང་སུན་བསལ་ནས་ཤེས་རབ་ཀྱི་སྣང་བ་རྒྱས་པ་དང་། ཐུགས་ཀའི་ཧྲཱིཿ འམ་ཧཱུྃ་གི་ཐིག་ལེ་ལ་མཾཿ ཀྱིས་མཚན་པའི་མཐར། དམིགས་བརྩེ་མ་དང་། ཨ་ར་པ་ཙ་བཀོད་ནས་བཟླ་ཞིང་སྟོད་བཅུད་སྒྱུངས་བསྒྱུར་གྱི་དམིགས་པ་བྱ། དམིགས་བརྩེ་མ་ལྔ་སྐོར་བྱེད་ན་རྗེའི་ཐུགས་ཀར་ཐུབ་དབང་བཀོད་ནས། བསྟན་པའི་བདག་པོ་ཐུབ་པ་བཅོམ་ལྡན་འདས། དམིགས་མེད་ × དྲི་མེད་ × བདུད་དཔུང་ × གངས་ཅན་ × བློ་བཟང་གྲགས་པའི་ཞབས་ལ་གསོལ་བ་འདེབས། །དྲག་སྐོར་ལ། རྗེའི་ཐུགས་ཀར་ཐུབ་དབང་། དེའི་ཐུགས་ཀར་རྡོ་རྗེ་འཆང་བཀོད་ནས། སྔར་ཆུད་པ་ལྟར་ན། བསྟན་

པའི་བདག་པོ་ཐུབ་པ་བཅོམ་ལྡན་འདས། །རིགས་བརྒྱའི་ཁྱབ་བདག་དྲུག་པ་རྡོ་རྗེ་འཆང་། དམིགས་བརྩེ་མ་མན་འདྲ། དབེན་ས་པ་ལྟར་ན། དངོས་གྲུབ་ཀུན་འབྱུང་ཐུབ་དབང་རྡོ་རྗེ་འཆང་། །དམིགས་མེད་×དྲི་མེད་×བདུད་དཔུང་×གངས་ཅན་མཁས་པའི་གཙུག་རྒྱན་བློ་བཟང་གྲགས། །སྐྱབས་གསུམ་ཀུན་འདུས་བླ་མ་སངས་རྒྱས་ལ། །སྒོ་གསུམ་གུས་པའི་སྒོ་ནས་གསོལ་བ་འདེབས། །རང་གཞན་སྨིན་ཅིང་གྲོལ་བར་བྱིན་གྱིས་རློབས། །མཆོག་དང་ཐུན་མོང་དངོས་གྲུབ་སྩལ་དུ་གསོལ། །གཉིས་ཀའི་ལྷ་འགོད་ཚུལ་ལ་ཁྱད་མེད། རྗེའི་ཐུགས་ཀར་འཛིགས་བྱེད་བཀོད་ནས། འཇམ་དཔལ་ཁྲོས་པའི་ཀློས་ཀར་གཤིན་རྗེའི་གཤེད། །ཅེས་བསྒྱུར་ཀྱང་ཆོག དགུ་སྐོར་བཀའ་རྒྱ་དམ་པར་བྱེད། རྗེའི་དབྲལ་བར། ཕྱི་བྲ་སྒྲུབ་ནས་བཤད་པའི་སྤྱན་རས་གཟིགས་ཕྱག་བཞི་པ། དེའི་ཐུགས་ཀར་ནང་རྣལ་འབྱོར་རྒྱུད་ནས་བཤད་པའི་སྤྱན་རས་གཟིགས་རྡོ་རྗེ་ཆོས་དང་། དེའི་ཐུགས་ཀར་གསང་བ་བླ་མེད་ནས་བཤད་པའི་སྤྱན་རས་གཟིགས་རྒྱལ་བ་རྒྱ་མཚོ། མཁྲིན་པར་འཇམ་དབྱངས་ཕྱི་ནང་གསང་གསུམ། ཐུགས་ཀར་ཕྱག་རྡོར་གོས་སྔོན་ཕྱི། གཏུམ་པོ་ནང་། འཁོར་ཆེན་གསང་བ་ཞེས་གསུངས། ཡང་རྗེའི་ཐུགས་ཀར་འཇམ་དབྱངས། རྒྱལ་ཚབ་རྗེའི་ཐུགས་ཀར་སྤྱན་རས་གཟིགས། མཁས་གྲུབ་རྗེའི་ཐུགས་ཀར་ཕྱག་རྡོར་ཕྱི་ནང་གསང་གསུམ་སྔར་ལྟར་བཀོད་པའི་དགུ་སྐོར་ཡང་བྱས་ཆོག །རྗེ་བླ་མའི་སྤྱི་བོར་སྤྱན་རས་གཟིགས་བཀོད་པ་སྐུ་ནོར་བུ་མཛོད་འཛིན། མཁྲིན་པར་འཇམ་དབྱངས་བཀོད་པ་གསུང་ཉི་མ་སྣང་བྱེད། ཐུགས་ཀར་ཕྱག་རྡོར་བཀོད་པ་ཐུགས་གསང་བ་མཛོད་འཛིན་དང་། དེའི་དང་པོ་ལ་བརྟེན་ནས་ཕྱི་སྒྲུབ་དང་། གཉིས་པ་ལ་བརྟེན་ནས་ནང་སྒྲུབ་དང་། གསུམ་པ་ལ་བརྟེན་ནས་གསང་སྒྲུབ་དང་། དེ་རེ་རེ་ལ་ཕྱི་ནང་གསང་གསུམ་ཕྱེ་བའི་དགུ་སྐོར་ཡང་དབེན་ས་ལྟར་རོ། །དེ་ལྟར་གསོལ་བ་བཏབ་ནས་དངོས་གྲུབ་ཞུ་བ་ལ། འཇམ་དབྱངས་ཆོས་སྐོར་ལས། མ་དག་འཁྲུད་ཅིང་མི་ཤེས་གསལ། ཞེས་སོགས། མ་དག་འཁྲུད་ཅིང་མི་ཤེས་གསལ་བ་སྦྱོར་བ་དང་། དངོས་གཞི་དམིགས་སྐོར་མདུན་གྱི་དབྱེ་གཞི་གང་བྱེད་ཀྱང་། སྔོན་འགྲུད་པའི་དམིགས་པ་ནི། རྗེ་ཡབ་སྲས་གསུམ་གྱི་ཐུགས་ཀ་ནས་འོད་ཀྱི་སྦུ་གུ་དཀར་པོ་གསུམ་བྱུང་བ་རང་གི་སྤྱི་བོ་ནས་སོར་བཞིའི་མཚམས་སུ་འཇྲིས་ཏེ་སྣེ་མོ་རང་གི་ཚངས་བུག་ཏུ་ཟུག །དེའི་ནང་ནས་ངོ་བོ་ཡབ་སྲས་གསུམ་གྱི་མཁྱེན་

བཅྭ་ནུས་གསུམ་གྱི་རང་བཞིན་ལ། རྣམ་པ་ཞི་བའི་ལས་དང་སྒྲིབ་སྦྱོང་གི་རྟེན་འབྲེལ་དུ་བདུད་རྩི་དཀར་པོ་འོ་མའི་རྒྱུན་ལྟ་བུ་དང་། དམིགས་བསལ་ནད་ཞི་བ་ལ་དེ་དང་དེའི་གཉེན་པོར་གྱུར་བའི་སྨན་གྱི་རང་བཞིན་གྱི་བདུད་རྩིའི་རྒྱུན་བབས་པ་ཚངས་བུག་ནས་ཞུགས། རྐང་མཐིལ་གྱི་སེན་མོའི་རྡུལ་ཕྲ་རབས་ཡན་ཆད། བྱེ་མར་ཆུ་ཐིམ་པ་ལྟར་སིབ་ཀྱིས་གང་བས། ཐོག་མེད་ནས་སྒོ་གསུམ་གྱིས་བསགས་པའི་སྡིག་སྒྲིབ་ཐམས་ཅད་དང་། དེའི་ཀུན་སློང་དུག་གསུམ། རྩ་བ་མ་རིག་པ་ས་བོན་དང་བཅས་པ་ཉོན་སྒྲིབ་དང་། དེའི་བག་ཆགས་ཤེས་སྒྲིབ། ཁྱད་པར་རྨོངས་མུན་ཐམས་ཅད་དུད་ཁུ་དང་སོལ་ཁུའི་རྣམ་པར། རླུང་མཁྲིས་བད་ཀན་སོགས་འབྱུང་བ་འཁྲུགས་པའི་ནད་རྣམས་རྣག་ཁྲག་དང་ཆུ་སེར་ལྷན་ལྷེན། སྙིང་འོག་བར་གསུམ་གྱི་གདོན་བགེགས་རྣམས་སྡོམ་སྡིག་སྦལ་སྦྲང་སོགས་སྲོག་ཆགས་མི་སྡུག་པའི་རྣམ་པར་དབང་པོའི་སྒོ་དང་བ་སྤུའི་བུ་ག་ཐམས་ཅད་ནས། ལྷག་མེད་དུ་ཐོན་ཏེ་ལུས་ཤེལ་བུམ་དུ་མར་མེ་སྦར་བ་ལྟར། དྭངས་གསལ་འོད་ཀྱི་རང་བཞིན་ཅན་དུ་གྱུར་པར་བསམ། ནད་གདོན་སོགས་ནང་ནས་ཕྱིར་ཐོན་ཏེ་བདུད་རྩིའི་རང་བཞིན་གྱི་སླུ་དང་གཏོར་མས་ནད་བདག་རྣམས་ངོམས་ཤིང་ཚིམ་ནས་གནོད་འཚེའི་བསམ་སྦྱོར་དང་བྲལ་ཏེ་བྱང་ཆུབ་ཀྱི་སེམས་སྐྱེས་པར་བསམ། རྗེའི་ཐུགས་ཀ་ནས་འོད་ཟེར་འཕྲོས་པས་གནོད་བྱེད་རྣམས་བཀུག་སྟེ་མདུན་དུ་ཐ་མལ་པའི་རྣམ་པར་འཁོད་པ་ལ་བདུད་རྩི་འབེབས་སྦྱངས་དང་། རྗེའི་གསུང་ཐོས་པ་ཙམ་གྱིས་དད་ནས་སྤར་བཏང་བའི་ནད་ལ་སོགས་པ་ཕྱིར་བླངས་ཏེ། རྗེའི་གདུལ་བྱར་གྱུར་པར་མོས་པ་དང་། གཙོ་ཆེར་སྡིག་སྒྲིབ་སྦྱངས་ན་ནད་གདོན་ཞར་ལ་ཁེངས། མི་དགེ་བའི་ལས་སྣང་གདོན་བགེགས་སུ་ཤར་བས། སྡིག་པ་དག་ན་ལས་སྣང་རང་ཤུགས་ཀྱིས་ཞི་འགྲོ་གསུངས། མནན་གཏད་སོགས་ལ་ཡང་འདིའི་འོད་ཟེར་གྱིས་བསྒྱུར་སྦྱངས་བྱས་ནས་མི་ཚུགས་གསུངས། རྒྱུན་པར་སྡིག་སྒྲིབ་ཐམས་ཅད་མུན་ཁུང་དུ་ཉི་ཟེར་ཞུགས་པ་ལྟར་གར་སོང་ཆ་མེད་དུ་གསལ་བའི་མོས་པ་དང་། སྡིག་པའི་འཁོར་གསུམ་མི་དམིགས་པའི་སྟོང་སྦྱངས་ནན་ཏན་བྱས་ན་སྟོབས་ཆེ་གསུངས། དངོས་གཞི་ལ། སྐུ་ཡིས་ཆེ་ཞིང་གསུང་གིས་གསལ། །ས་བོན་སྨུར་བ་ཕྱག་མཚན་ཟབ། །གླེགས་བམ་རལ་གྲི་གླེགས་རལ་གྱིས། །འཆད་དང་རྩོད་དང་རྩོམ་པའོ། །ཞེས་སྐུ་ཡི་སྒོ་ནས་རྩོད་པའི་ཤེས་རབ། གླེགས་རལ་གཉིས་ཀའི་སྒོ་ནས་རྩོམ་པའི་ཤེས་རབ་

བསྒྲུབ་པ་དང་བདུན། དང་པོ་ནི་མ་དག་འཁྲུལ་པའི་དམིགས་པ་གོང་ལྟར་ལ། ཁྱད་པར་རྒྱལ་བའི་གསུང་རབ་ཀྱི་དགོངས་དོན་དང་བླང་དོར་གྱི་གནད་རྣམས་རང་སྟོབས་ཀྱིས་འབྱེད་པ་ལ་རྨོངས་པ་ཐམས་ཅད་བསལ་བའི་དམིགས་པ་དང་། སླར་ཡང་དམིགས་བརྩེ་མ་བགྲང་ནས་གསོལ་བ་བཏབ་པས་འོད་ཀྱི་སྦུ་གུ་ལས་བདུད་རྩིའི་རྒྱུན་འཇམ་དབྱངས་དམར་སེར་གྱི་ཁ་དོག་ལྟར་ཤེས་རབ་རྒྱས་པའི་རྟེན་འབྲེལ་དུ་སེར་པོ། དངོས་གྲུབ་མྱུར་དུ་འགུགས་པའི་རྟེན་འབྲེལ་དུ་དམར་པོ་སྟེ། དམར་སེར་འོད་དང་འོད་ཟེར་འབར་བའི་རྒྱུན་འབབ་བཞིན་པར་རྒྱ་མཚོ་ཆེན་པོ་ལ་ཆར་བབས་པས་མི་ངོམས་པ་ལྟར་སྐྲ་སེན་ཚུན་ཆད་གཏམས་པར་མོས་ནས་བདུད་རྩི་དེ་ལ་དམིགས་པ་ཙུང་ཟད་གཏད། དེ་ནས་བདུད་རྩིའི་རྡུལ་ཕྲ་རབས་རེ་རེ་ནས་འཇམ་དབྱངས་དམར་སེར་གླེགས་རལ་བསྣམས་པའམ། འཇམ་དབྱངས་གང་རིགས་ཀྱི་ལྷའི་སྐུ་འོད་ཟེར་དང་བཅས་པས་ལུས་ཐམས་ཅད་གང་། དེ་རྣམས་ལས་འོད་ཟེར་འཕྲོས་པས་ཕྱོགས་བཅུའི་ཞིང་ཁམས་ཐམས་ཅད་ཁྱབ། འོད་ཟེར་གྱི་རྩེ་ལ་མཆོད་པའི་ལྷ་མོ་མཆོད་པའི་བྱེ་བྲག་སྣ་ཚོགས་ཐོགས་པ་དཔག་མེད་སྤྲོས་ནས། རྒྱལ་བ་ཐམས་ཅད་མཆོད་པས་མཉེས་པར་བྱས། དེ་དང་མཉམ་དུ་རྗེ་ཡབ་སྲས་ཀྱི་ཐུགས་ཀ་ནས་ཀྱང་འོད་ཟེར་དཔག་མེད་འཕྲོས་པས་སྲས་བཅས་རྒྱལ་བའི་ཐུགས་རྒྱུད་བསྐུལ། མཁྱེན་པའི་ཡེ་ཤེས་ཐམས་ཅད་རྗེ་བཙུན་འཇམ་དབྱངས་ཀྱི་སྐུ་ཆེ་ཆུང་དཔག་ཏུ་མེད་པ་རྒྱ་མཚོ་ལ་ཆར་བབས་པ་བཞིན་དུ་རང་གི་ལུས་ཀྱི་འཇམ་དབྱངས་རྣམས་ལ་ཐིམ་པས་ཤེས་བྱ་ཐམས་ཅད་ལ་བློ་གྲོས་ཀྱི་སྣང་བ་ཐོགས་མེད་དུ་རྒྱས་ཁྱད་པར་མདོ་སྔགས་ཀྱི་གསུང་རབ་མཐའ་དག་གི་ཚིག་དོན་དང་། བླང་དོར་གྱི་གནས་ལ་གཞན་དྲིང་མི་འཇོག་པར་རང་སྟོབས་ཀྱིས་འབྱེད་ནུས་པའི་ཤེས་རབ་ཆེ་བ་ཐོབ་བྱུང་སྙམ་པའི་དམིགས་པ་ཤུགས་དྲག་བྱེད་ཅིང་། རང་འཇམ་དབྱངས་ཀྱི་སྐུར་གྱུར་པའི་དམིགས་པ་བྱས་ཀྱང་ཆོག གཉིས་པ། མ་དག་འཁྲུལ་པ་སྔར་ལྟར་ལ། ཀུན་བྱང་གི་ཆོས་རྣམས་ཀྱི་ཚིག་དོན་འབྱེད་པ་ལ་རྨོངས་པའི་མུན་པ་དག་པར་བསམ་པ་དང་། ཡང་གསོལ་བ་བཏབ་པས་བདུད་རྩི་དམར་སེར་གྱི་རྒྱུན་བབས་པས་ལུས་གང་། བདུད་རྩི་རྡུལ་ཕྲ་རབ་རྣམས་དམིགས་བརྩེ་མ་དང་། འཇམ་དབྱངས་ཞི་ཁྲོའི་སྔགས་ཨ་ར་པ་ཙ་ན་དང་། ཨཱ་ལི་ཀཱ་ལི་གསེར་མདོག་གི་རྣམ་པས་ལུས་གང་། འོད་ཟེར་གྱིས་རྒྱལ་བ་སྲས་བཅས་ཀྱི་གསལ་བའི་ཤེས་རབ་ཐམས་ཅད་སྔགས

འཕྲེང་གི་རྣམ་པར་སྨིན་དྲངས་ནས་ལུས་ཀྱི་སྟེགས་རྣམས་ལ་ཐིམ་པས། ཇེ་ལྟ་ཇེ་སྙེད་ཀྱི་ཚཤེས་ཕྲ་ཞིང་ཕྲ་བ་རྣམས་ཀུ་ཤའི་རྩེ་ལྟར་མ་འདྲེས་པར་འབྱེད་ནུས་པའི་ཤེས་རབ་གསལ་བ་ཐོབ་པར་བསམ། གསུམ་པ་ནི། མ་དག་འཁྲུད་པའི་སྐབས། མ་རྟོགས་ལོག་རྟོག་ཐེ་ཚོམ་གྱི་དྲ་བ་མཐའ་དག་མྱུར་དུ་གཅོད་པ་ལ་བགེགས་བྱེད་སྒྲིབས་པ་དང་། སྔར་ཡང་གསོལ་བ་བཏབ་པས་བདུད་རྩི་དམར་སེར་གྱིས་ལུས་གང་བའི་རྟུལ་རྣམས་འཇམ་དབྱངས་ཀྱི་ས་བོན་ཧྲཱིཿ དབྱངས་ཅན་མའི་ས་བོན་ཧྲཱིཿ འཇིགས་བྱེད་ཀྱི་ས་བོན་ཧཱུྃ་སོགས་རང་སྒྲ་འབྲུག་སྒྲ་སོགས་གང་འོས་ཀྱི་གདངས་སྙན་པར་སྒྲོགས་བཞིན་པ་དང་། དེ་དང་དུས་མཉམ་དུ་རྗེའི་འོད་ཟེར་གྱིས། རྒྱལ་བ་སྲས་བཅས་ཀྱི་སྨྲ་བའི་ཤེས་རབ་ཐམས་ཅད་དེ་བཞིན་སྨིན་དྲངས་ནས་ཐིམ་པས། མ་རྟོགས་ལོག་རྟོག་ཐེ་ཚོམ་གྱི་བློ་སྐྱོན་མ་ཐག་ཏུ་འགོག་ནུས་པའི་སྨྲ་བའི་ཤེས་རབ་ཐོབ་པར་བསམ། བཞི་པ་ནི། མ་དག་འཁྲུད་པའི་སྐབས། གསུང་རབ་ཀྱི་ཚིག་དོན་ལ་གཏུགས་པ་མེད་པར་འཇུག་པའི་རྨོངས་པའི་མི་ཤེས་པ་སྒྲིབས་པ་དང་། སྔར་ཡང་བདུད་རྩི་དམར་སེར་གྱིས་ལུས་གང་བའི་རྟུལ་ཕྲ་རབ་རྣམས་འཇམ་དབྱངས་ཞི་ཁྲོ་ཡབ་ཡུམ་གྱི་ཕྱག་མཚན་གླེགས་རལ་གྲི་ཐོད། པི་ཝང་ལ་སོགས་པའི་རྣམ་པ་དང་། དེ་དང་རྗེའི་འོད་ཟེར་གྱིས་རྒྱལ་བ་སྲས་བཅས་ཀྱི་ཟབ་པའི་ཤེས་རབ་ཕྱག་མཚོན་གྱི་རྣམ་པར་སྨིན་དྲངས་ནས་ལུས་ཀྱི་ནང་གི་ཕྱག་མཚན་ལ་ཐིམ་པས། གསུང་རབ་ཀྱི་ཚིག་དོན་རེ་རེ་ལའང་ཐོགས་རྟུགས་མེད་པར་རིགས་པ་བརྒྱ་ཕྲག་གིས་འཇུག་པ་ལ་གཏུགས་པ་མེད་པའི་ཤེས་རབ་ཟབ་པ་འཇམ་དབྱངས་ལྟ་བུ་ཐོབ་བྱུང་སྙམ་དུ་བསམས། ལྔ་པ་ནི། མ་དག་འཁྲུད་པའི་སྐབས། གསུང་རབ་ཀྱི་ཚིག་དོན་ལ་རྨོངས་པའི་མི་ཤེས་པ་སྒྲིབ་པ་དང་། སྔར་ཡང་བདུད་རྩི་དམར་སེར་གྱིས་ལུས་གང་བའི་རྟུལ་རྣམས་གང་འཆད་རྒྱུའི་གླེགས་བམ་རང་སྒྲ་སྒྲོགས་པ། དེ་དང་རྗེའི་འོད་ཟེར་གྱིས་རྒྱལ་བ་སྲས་བཅས་རྣམས་དང་། ཐོགས་མེད་སྐུ་མཆེད་སོགས་ཀྱི་འཆད་པའི་ཤེས་རབ། གང་འཆད་རྒྱུའི་གླེགས་བམ་གྱི་རྣམ་པར་སྨིན་དྲངས་ནས་ལུས་ཀྱི་ནང་གི་གླེགས་བམ་ལ་ཐིམ་པས་ཚིག་དོན་མཐའ་དག་ཁོང་དུ་ཆུད་ནས་གཞན་ལ་ཕྱིན་ཅི་མ་ལོག་པར་སྟོན་ནུས་པའི་ཤེས་རབ་ཐོབ་པར་བསམ། དྲུག་པ་ནི། མ་དག་འཁྲུད་པའི་སྐབས། ཕས་རྒོལ་གྱི་ལོག་རྟོག་འཇོམས་པ་ལ་རྨོངས་པ་སྒྲིབ་པ་དང་། སྔར་ཡང་བདུད་རྩི་དམར་སེར་གྱིས་ལུས་གང་བའི་རྟུལ་ཕྲ་རབ་

རྣམས་རལ་གྲི་སོ་གཉིས་མའི་འཁོར་ལོ་རྩིབས་དྲུག་པའི་ལྟེ་བར་རལ་གྲི་གྲིན་འགྲེང་གི་ཡུ་བའི་ལྟུགས་མཚམས་སུ་ཧྲཱིཿ དམར་སེར་རྩིབས་དྲུག་ལ་ཨྠ་གདན་གྱི་སྟེང་དམིགས་བརྩེ་མའམ། ཨ་ར་པ་ཙ་ན། མཚམས་རྣམས་སུ་ཨྠ་གདན་ལ་ཧྲཱིཿ དམར་སེར་གྱིས་མཚན་པ། དེ་དང་ཧྲཱིའི་སྐུ་ལས་འོད་ཟེར་འཕྲོས་རྒྱལ་བ་སྲས་བཅས་དང་། ཕྱོགས་སྣང་ཆོས་གྲགས་སོགས་ཀྱི་རྩོད་པའི་ཡོན་ཏན་ཐམས་ཅད་དེ་ལྟ་བུའི་རལ་གྲི་འཁོར་ལོའི་རྣམ་པར་སྤྱན་དྲངས་ཏེ་ལུས་ཀྱི་རལ་གྲི་ལ་བསྟིམས་པས། འཁོར་ལོ་གཡས་དང་ཡིག་འབྲུ་གཡོན་དུ་འཁོར་བས། ཕས་རྒོལ་གྱི་ལོག་རྟོག་གཅོད་པ་ལ་སྤོབས་པའི་དྲ་བ་བཅད་དེ། རྩོད་པ་ལ་ཐོགས་པ་མེད་པའི་ཤེས་རབ་ཐོབ་པར་བསམས། བདུན་པ་ནི། མ་དག་འབྲུད་པའི་སྐབས། རྩོམ་པ་ལ་སྤོབས་པ་ཐམས་ཅད་སྒྲུང་བ་དང་། སླར་ཡང་བདུད་རྩི་དམར་སེར་གྱིས་ལུས་ཐམས་ཅད་གང་བའི་རྡུལ་ཕྲ་རབ་རྣམས་གང་རྩོམ་རྒྱུའི་གླེགས་བམ་རང་སྨྲ་སྒྲོགས་བཞིན་པ་དང་། རལ་གྲིའི་འཁོར་ལོ་སྔ་མ་ལྟ་བུ་དང་། དེ་དང་ཧྲཱིའི་འོད་ཟེར་གྱིས་རྒྱལ་བ་སྲས་བཅས་ཀྱི་རྩོམ་པའི་ཤེས་རབ་རྣམས་དང་། དཔའ་བོ་དང་ཙནྡྲ་གོ་མི་སོགས་ཀྱི་རྩོམ་པའི་ཤེས་རབ་ཐམས་ཅད་དེ་ལྟ་བུའི་གླེགས་རལ་གྱི་རྣམ་པར་སྤྱན་དྲངས་ནས་ལུས་ཀྱི་གླེགས་རལ་ལ་ཐིམ་པས། སྤོབས་པ་རྣམས་རལ་གྲིའི་འཁོར་ལོས་བཅད། རྩོམ་པ་ལ་ཐོགས་པ་མེད་པའི་ཤེས་རབ་ཐོབ་པར་བསམ། དམིགས་སྐོར་བདུན་ག་སྐྱོང་བའམ། རེ་རེ་ཙམ་སྐྱོང་བ་གང་བདེ་བྱ། འཇམ་དབྱངས་བདེ་བའི་རྡོ་རྗེའི་ཁྲིད་ཡིག་ཏུ་འཆད་རྩོད་རྩོམ་གསུམ་ལ་ད་དུང་ཞལ་ཤེས་ཁྱད་པར་ཅན་འགའ་ཞིག་ཡོད་ཅེས་པ་ནི། འཆད་པ་ལ་བདུད་རྩིའི་རྡུལ་ཕྲ་རབ་རྣམས་སྔ་ཚོགས་རྡོ་རྗེ་དང་། རང་གི་ལྗེ་སྟེང་དུའང་སྔ་ཚོགས་རྡོ་རྗེ་བཀོད། སློབ་མའི་ཀུང་སྔ་ཚོགས་རྡོ་རྗེས་གཏམས་པར་མོས་ན་བཤད་པའི་ཆོས་ཀྱི་ཕན་ཐོགས་པ་ཡོང་། རྩོད་པ་ལ་ལུས་ཀྱི་རལ་གྲིའི་འཁོར་ལོ་དང་། ལྗེ་སྟེང་དུའང་རལ་གྲིའི་འཁོར་ལོ་དེ་ལྟ་བུའི་བཀོད་པས་བསྐོར་བས་རང་གཞན་གྱི་ལོག་རྟོག་གཅོད་པ་ལ་སྤོབས་པ་ཐམས་ཅད་ཐད་ཐད་གཅད་པར་བསམ། ཕྱི་རྒོལ་གྱི་ལྗེ་དུམ་བུ་གཅད་པ་སོགས་ཀྱི་དམིགས་པ་གང་བྱུང་དུ་མི་རུང་། ལག་པའི་མཐེ་བོང་གི་རྩེར་རལ་གྲི་བསྒོམ་པ་དང་། དེའི་འོད་ཟེར་གྱིས་རང་གཞན་གྱི་ལོག་རྟོག་བཅད། ཕ་རོལ་པོའི་རྩོད་པའི་ཤེས་རབ་དྲངས་ནས་རང་གི་རྩོད་པའི་གྲོགས་སུ་གྱུར་པར་མོས། རྩོམ་པའི་ཚེ་གང་རྩོམ་རྒྱུའི་གསུང་རབ་ཀྱི་བརྗོད་བྱའི་དོན་དང་ལྡན་ཞིང་ཚིག་སྙན

ངག་དང་སྙིང་སྦྱོར་ལེགས་པ་དབྱངས་ཅན་མའི་པི་ཝང་གི་གདངས་ལྟར་སྙན་པ། རང་སྒྲ་སྒྲོགས་བཞིན་པ་དང་། སྤྱི་བོར་བླ་མ་སྙིང་གར་འཇམ་དབྱངས། ལྕེ་ལ་དབྱངས་ཅན་བཀོད་པའི་ལེགས་བཤད་ཀྱིས། ཞེས་གསུངས་པ་ལྟར། འཇམ་དབྱངས་དང་དབྱངས་ཅན་གྱི་འཁོར་ལོ་སོགས་སོ། །ཚེ་སྒྲུབ་ཀྱི་ཚེ། རྗེ་བླ་མའི་ཐུགས་ཀར་ཚེ་དཔག་མེད་གསལ་བཏབ། ཕྱག་གི་ཚེ་བུམ་དང་། ཐུགས་ཀའི་ཧྲཱིཿ འི་མཐར་ཚེ་གཟུངས་རིང་ཐུང་དང་། དམིགས་བརྩེ་མ་བཀོད་དེ་གཉིས་ཀ་སྤེལ་ནས་བཟླ་བའམ་སོ་སོར་བཟླས་ཏེ་ཚེ་ཁྲིད་ཀྱི་དམིགས་པ་རྣམས་རྒྱས་པར་སྐྱོང་། གླུ་ནད་སོགས་ལ་རྗེའི་ཐུགས་ཀར་ཁྱུང་ཁྲ་བཀོད་ལ། དེའི་ཐུགས་དང་དམིགས་བརྩེ་མ་བགྲང་། ནད་རྣམས་སྦལ་སྦྲུལ་སོགས་ཀྱི་རྣམ་པར་གང་ནས་ཐོད་པ་སྐྱུ་ལས་ཁྱུང་གི་ཚོགས་སྲོས་ཏེ་ལྷག་མེད་དུ་ཟོས། ནད་མེད་པའི་བདེ་བ་དང་ལྡན་པར་བསམས་ལ་བདེ་ཉམས་བསྐྱེད། དེ་བཞིན་དུ་ཞི་རྒྱས་དབང་དྲག་རང་རང་ལ་ལས་མཐུན་གྱི་དམིགས་པ་དང་། བདུད་རྩི་འབེབས་སྦྱང་། གཞན་ཡང་ནོར་སྒྲུབ་ཆར་འབེབས་རིལ་སྒྲུབ་སོགས་ལས་ཚོགས་ལྟར་ཡིན། དམིགས་བརྩེ་མ་འདི་རྗེ་དང་རིགས་གསུམ་མགོན་པོ་དབྱེར་མེད་དུ་གསོལ་འདེབས་བྱེད། རྒྱལ་བའི་ཡེ་ཤེས་ཀྱི་རང་གཟུགས་ཡིན་པས་རིགས་གསུམ་མགོན་པོ་དབྱེར་མེད་དུ་བསྒྲུབ་པས་དེ་རྣམས་ཀྱི་གཟུངས་སྔགས་བགྲང་བའི་ཕན་ཡོན་ཐམས་ཅད་འདི་ལས་འབྱུང་། སློབ་གཉེར་སྐབས། གསུང་རབ་ཀྱི་དོན་ལ་དཔྱད་པའི་ཉེར་ལེན་དང་། ཤེས་རབ་ཀྱི་ལྷ་སྒྲུབ་པ་ལྷན་ཅིག་བྱེད་རྐྱེན་ཡིན་པས། ཐོས་བསམ་མེད་པར་ལྷ་བསྒྲུབ་པ་ཙམ་གྱིས་ཆོས་མི་འབྱུང་ཞེས་བླ་མ་རྣམས་ཀྱི་གསུངས། ཏིང་ངེ་འཛིན་གྱིས་དབང་བཞི་རྒྱས་བསྡུས་ཅི་རིགས་བླང་། གསུམ་པ་འཇུག་གི་རིམ་པ་ནི། དཔལ་ལྡན་རྩ་བའི་བླ་མ་རིན་པོ་ཆེ། །བདག་གི་སྤྱི་བོར་པདྨའི་ཞེས་དང་། ཐ་མ་ལ་སྙིང་གར་ཞེས་བརྗོད། དང་པོའི་ཚེ་འོད་ཀྱི་སྦུ་གུ་རང་ལ་ཐིམ། སྲས་གཉིས་རྗེ་བླ་མའི་སྐུ་དཔུང་གཡས་གཡོན་གྱི་ཐད་ནས་རྗེ་བླ་མ་ལ་ཐིམ། སེང་ཁྲི་གཉིས་རྗེ་བླ་མའི་སེང་ཁྲི་ལ་ཐིམ། གཉིས་པའི་སྐབས་རྗེ་བླ་མ་སེང་ཁྲི་དང་བཅས་པ་རང་གི་སྤྱི་བོར་རང་དང་ལྷ་ཕྱོགས་མཐུན་པར་བཞུགས། གསུམ་པའི་ཚེ་རྩ་དབུ་མ་ཁ་ཕྱེ་བའི་ནང་བརྒྱུད་དེ་རྗེའི་སེང་ཁྲི་རང་གི་སྙིང་ལ་ཐིམ་པས། སྙིང་ཁ་ཀྱིན་དུ་སྣང་བ་པདྨ་འདབ་བརྒྱད་དུ་གྱུར། པད་ཟླའི་གདན། སྙིང་ཁའི་ཁམས་དཀར་དམར་ལ་ཐིམ་པས་པད་ཟླར་གྱུར། རྗེའི་སྐུ་མཐིབ་

སོར་ཙམ་འོད་ཀྱི་རང་བཞིན་དབུ་མ་ནས་བརྒྱུད་ནས་ཕྱིན་ཏེ་ཤིན་ཏུ་ཕྲ་བའི་རླུང་སེམས་ལ་ཐིམ། རང་སེམས་རྗེ་བླ་མའི་སྐུར་བཞེངས་པར་མོས། དེ་ནས་སྙིང་པདྨ་འདབ་བརྒྱད་ཁ་ཕུབ་ཀྱིས་འདུས། རྗེ་བླ་མའི་ཐུགས་ཀའི་ཧཱུྃ་ལས་འོད་ཟེར་འཕྲོས་པས་སྙིང་གའི་རྩེ་མོ་རྡོ་རྗེ་སྔོན་པོ་ལྟེ་བ་ནས་བཀས་པ་ཕྱེད་པའི་ཧཱུྃ་རི་རབ་ལས་ལྗི་བའི་ནུས་པ་དང་ལྡན་པས་མནན་པར་བསམ། སླར་ཡང་ཧཱུྃ་ལས་འོད་ཟེར་འཕྲོས་པ། དེའི་དབུས་ནའི་ནང་དུ་ཞུགས་པས། བླ་མ་མི་བསྐྱོད་པའི་ངོ་བོ་ཧཱུྃ་ཡིག་སྔོན་པོ་ཤིན་དུ་སླང་བ་འོད་ཀྱི་རང་བཞིན་ཅན། དེ་ལས་འོད་ཟེར་མར་འཕྲོས་པ་ཕྲེང་ཐག་དང་ སྔགས་ཕྲེང་རྫོགས་གི་རྣམ་པར་ཨ་ར་པ་ཙ་གཡས་སྐོར་དང་། དམིགས་བརྩེ་མའི་གཡོན་སྐོར་དུ་རྡོ་རྗེ་དང་པདྨ་བུམ་སྐུས་བར་མཚམས་མེད་པ་དང་དབུ་མའི་ཕྱི་ལ་ཡང་སྤྱི་བོའི་བར་དུ་གྲུ་གུ་ལྟར་མི་འགུལ་བར་དཀྲིས་པར་བསམ། སྙིང་གི་རང་སེམས་རྗེ་བླ་མར་གསལ་པའི་ཐུགས་ཀར་ས་བོན་ལ་སྔགས་ཕྲེང་བཀོད་ན། ཨ་ར་པ་ཙ་དང་། དམིགས་བརྩེ་མ་བཟླ་བའམ། སྙིང་གའི་རྗེ་ཐུགས་ཀར་ལྷག་པའི་ལྷ་ཅི་ལྟར་རིགས་པ་བཀོད་ནས་དེའི་སྔགས་དང་། དམིགས་བརྩེ་མ་བཟླས་ཀྱང་ཆོག །བགེགས་ཀྱི་བར་ཆད་ཞི་བ་ལ། སྙིང་གའི་རྗེ་བླ་མའི་སྐུ་ལས་འོད་ཟེར་གྱི་རེ་ཁ་ཕྲ་མོ། ཁྱམས་སྙིང་རྗེ་བྱང་ཆུབ་ཀྱི་སེམས་ཀྱི་རང་བཞིན་ཅན་འཕྲོས་པ་ལུས་ཀྱི་ཕྱི་རོལ་ནས་ཧྲི་ཆེར་སོང་སྟེ་དཀར་ཕྱོགས་པ་ལ་འཇའ་འོད། ནག་ཕྱོགས་པ་ལ་ལྟ་མི་བཟོད་པའི་མེའི་གུར་ཁང་། དེའི་འོད་ཀྱིས་གདོན་བགེགས་རྣམས་བྱ་སྤུ་མེར་བསྲེགས་པ་ལྟར་གཞོབ་ཐུལ་གྱིས་ཆོག་པར་མོས་ནས་སྟོང་ཉིད་ལ་མཉམ་པར་བཞག །དེའི་ཕྱིར་རྡོ་རྗེ་ར་གུར་དང་། འབྱུང་བཞིའི་གུར་ཁང་སོགས་བསམས་ན་གདོན་བགེགས་ཀྱིས་གླགས་མི་རྙེད་གསུངས། རྒྱུན་ལྡན་དགའ་ལྡན་གྱི་ཞིང་གི་བཀོད་པ་དང་། བྱམས་མགོན་འཁོར་བཅས་ཀྱི་སྐུའི་རྣམ་པ་ཡིད་ངོར་ཡང་ཡང་གསལ་འདེབས་པ་དང་། བླ་མ་སྙིང་གར་སྤྱན་དྲངས་པ་ན། རང་གི་སྤྱི་བོར་སྤྲིན་དཀར་པོ་ཐག་པ་ལྟ་བུས་དགའ་ལྡན་གྱི་བྱམས་མགོན་གྱི་ཐུགས་ཀའི་བར་སྤྲེལ་བར་བསམ་ན་འཕོ་བ་འབྱོངས་པའི་དགོས་པ་ཆེ། རྗེ་བླ་མ་རང་ལ་ཐིམ་པས། རྗེ་བླ་མའི་ཐུགས་དང་རང་གི་སེམས་དབྱེར་མེད་དུ་མོས་ནས་བསྒོམ་ན་རྗེ་བླ་མའི་ཐུགས་དང་བསྲེ་ཚུལ་ཡིན་ཀྱང་། གཟུགས་ཅན་གྱི་ཆུ་དང་འོ་མ་ལྟར་བསྲེ་ལུགས་མེད། རྒྱུན་དུ་མི་དགེ་བ་འགོག་ཅི་ཐུབ། དགེ་རྩ་སྤེལ་ཅི་ཐུབ་ཀྱིས་སྒོ་གསུམ་གྱི་བྱ་བ་ཐམས་ཅད་ཆོས་སུ་འགྲོ་བ་ལ་འབད་ན་དེའི་

ཐུགས་དང་བསྲེ་ཚུལ་ཡིན་གསུངས། ཐུན་མཚམས་སུ་ཟས་གོས་སོགས་འཚོ་བྱེད་ཙམ་མ་ཡིན་པར་གྱོན་པ་ལྷ་རྫས་ཀྱི་གོས་སུ་དམིགས་ནས་སྙིང་གའི་བླ་མ་ལ་ན་བཟའ་འབུལ་བ་དང་། བཟའ་བཏུང་ནང་མཆོད་ལྟར་རམ། ཨོཾ་ཨཱཿཧཱུྃ་གིས་བདུད་རྩིར་བྱིན་གྱིས་བརླབས་ནས། སྙིང་གའི་བླ་མ་ལ་འབུལ་བ་དང་། རང་ལྷའི་ང་རྒྱལ་གྱིས་ནང་གི་སྦྱིན་སྲེག་གི་ཚུལ་དུ་སྤྱད་ན་སྔགས་ཀྱི་བཟའ་བའི་དམ་ཚིག་མ་བརྟེན་པའི་ཉེས་པ་ཁེགས་ཤིང་དཀོར་སྒྲིབ་ཀྱིས་མི་ཚུགས་པའི་ཐབས་ཟབ་མོ་ཡིན། དེ་ལྟར་སྤྱོད་ལམ་ཐམས་ཅད་དུ་སྙིང་གའི་རྗེ་བླ་མ་མ་བརྗེད་པར་འབྲལ་མེད་དུ་བྱས་ན་འཆི་ཁར་རྗེ་བླ་མ་ཡབ་སྲས་ཀྱི་བཀའ་དྲིན་ལ་བརྟེན་ནས་དགའ་ལྡན་མཁའ་སྤྱོད་སོགས་སུ་སྐྱེ་བ་འཛིན་པ་ལ་ཐེ་ཚོམ་བྱེད་མི་དགོས། རྫོག་ལྡོག་པའི་གསུང་ལས་ང་ནི་གང་དུ་འདུག་ཀྱང་བླ་མའི་སྣང་བ་དང་བྲལ་མ་མྱོང་བས་ཚེ་གཅིག་གིས་སངས་རྒྱས་དེ་ང་ལ་ཡོང་ཡོང་འདྲ་ཞེས་གསུངས་པ་ལྟར་ཡིན། དེ་ཡང་སྙིང་གར་བཞུགས་པའི་བླ་མའི་སྐུའི་བཀོད་པ་འཆི་ཁ་ཚུན་ཆད་དུ་བསྟུ་རྒྱུ་མིན་པའི་ཐུན་རྗེས་མ་སོགས་ཀྱི་ཚེ་བསྒོམས་པའི་བླ་མ་སྟེར་སྙིང་དབུས་སུ་བཞུགས་པ་ལ་ཡེ་ཤེས་སེམས་དཔའི་ཚུལ་གྱིས་བསྒོམ་པར་བྱ་ཞིང་། དེའི་ཚེ་སྙིང་པདྨ་འདབ་བརྒྱད་ཀྱི་སྔགས་འཕྲེང་རྣམས་དཀྲོལ་ནས་པདྨ་འདབ་བརྒྱད་ཁ་ཕྱེ་བའི་དབུས་ཀྱི་རང་སེམས་བླ་མར་གསལ་བ་ལ་བསྒོམ་པ་དང་། པདྨ་ཁ་ཟུམ་པ་སོགས་གོང་བཞིན་བསྒོམ་པར་བྱ། མདོར་ན་སྙིང་དབུས་ཀྱི་རང་སེམས་བླ་མ་དང་ངོ་བོ་དབྱེར་མེད་དུ་གསོལ་བ་ལ་གསོལ་བ་རྩེ་གཅིག་ཏུ་བཏབ་སྟེ་གང་ཤར་ཐམས་ཅད་བླ་མའི་ཐུགས་བདེ་སྟོང་དབྱེར་མེད་ཀྱི་རྣམ་རོལ་འབའ་ཞིག་ཏུ་འཆར་བ་ལ་བསླབ་པ་གཙོ་བོར་བྱ་ཞིང་། ལྷག་པར་དུ་ཡང་བླ་མའི་ཐུགས་རྒྱུད་བསྐུལ་བའི་བཟླས་པའི་མཐར་ཐུག་ཟབ་མོ་རྡོ་རྗེའི་བཟླས་པའི་རྣལ་འབྱོར་ལ་བརྟེན་ནས་སྙིགས་དུས་ཀྱི་ཚེ་ཐུང་གཅིག་ལ་སངས་རྒྱས་ཀྱི་སར་བགྲོད་པའི་ཚུལ་ཀྱང་ཡོད་པས་བླ་མའི་ཞལ་ནས་ཤེས་པར་བྱེད་དགོས་པ་ཡིན་ནོ་གསུངས། དེ་ལྟ་བུའི་བླ་མའི་རྣལ་འབྱོར་གྱི་རིམ་པ་ཉམས་སུ་བླངས་པའི་དགེ་རྩ་རྣམས་གང་དུ་བསྔོ་བའི་ཚུལ་ནི་ཚེ་རབས་ཀུན་ཏུ་ཐེག་མཆོག་དགེ་བའི་བཤེས་ཀྱིས་འབྲལ་མེད་རྗེས་སུ་འཛིན་ཅིང་། རྒྱལ་བ་རྣམས་ཀྱི་དམ་ཆོས་མ་ལུས་པ་རྒྱལ་པའི་དགོངས་པ་ཇི་ལྟ་བ་བཞིན་དུ་བཟུང་ནས་འགྲོ་ཀུན་སྨིན་གྲོལ་གྱི་ལམ་བཟང་མཆོག་ལ་འགོད་པའི་རྒྱུར་བསྔོ་བ་ཡིན་ལ། དེ་ཡང་ནི་རྒྱལ་མཆོག་ལྔ་པ་ཆེན་པོའི་གསུང་ལས།

སྐྱབས་གནས་ཀུན་འདུས་ཀྱི་བདག་ཉིད་ཆོས་ཀྱི་རྒྱལ་པོ་ཙོང་ཁ་པ་ཆེན་པོ་ལ་གསོལ་བ་འདེབས་སོ། །བདག་གི་ལུས་ངག་ཡིད་གསུམ་བྱིན་གྱིས་རློབས་ཤིག །བཙོས་མ་མ་ཡིན་པའི་ངེས་འབྱུང་གི་བསམ་པས་རྒྱུད་བསྒྲུབ་ནས། བྱམས་སྙིང་རྗེ་བྱང་ཆུབ་ཀྱི་སེམས་དང་ཟབ་མོ་དབུ་མའི་ལྟ་བ་ལམ་རིམ་པ་གཉིས་ཀྱི་རྣལ་འབྱོར་ཟབ་མོ་ཉམས་སུ་ལེན་ནུས་པར་བྱིན་གྱིས་རློབས་ཤིག །དེ་ལྟར་ཉམས་སུ་བླངས་པས་ཆོས་ལམ་དུ་སོང་སྟེ་མཁའ་མཉམ་སེམས་ཅན་ཀུན་གྱི་དོན་དུ་རྫོགས་པའི་སངས་རྒྱས་ཐོབ་པར་བྱིན་གྱིས་རློབས་ཤིག །མདོར་ན་ཚེ་རབས་ཀུན་ཏུ་རྗེ་བཙུན་ཙོང་ཁ་པ་ཆེན་པོས་རྗེས་སུ་བཟུང་ནས་རང་གཞན་གྱི་དོན་རྒྱ་ཆེན་པོ་སྒྲུབ་ནུས་པར་བྱིན་གྱིས་བརླབ་ཏུ་གསོལ། ཞེས་དང་རྒྱལ་མཆོག་བསྐལ་བཟང་རྒྱ་མཚོས། དེ་ལྟར་དངོས་གྲུབ་མ་ལུས་འབྱུང་བའི་གནས། །རྗེ་བཙུན་བླ་མ་མཆོད་ཅིང་གསོལ་བཏབ་མཐུས། །སྐྱེ་བ་ཀུན་ཏུ་འཇམ་དབྱངས་བླ་མ་ཡིས། །མཉེས་བཞིན་རྗེས་སུ་འཛིན་པ་ཉིད་གྱུར་ཅིག །རིན་ཆེན་དུ་མ་ལས་གྲུབ་དགའ་ལྡན་ཞིང་། །ངོ་མཚར་བྱེ་བའི་དཔུས་ན་མི་ཕམ་མགོན། །ལེགས་པར་བསྔོམས་པས་རྣམ་དག་ཞིང་འགྲུབ་ཅིང་། །ཚེ་འཕོས་མོད་ལ་གནས་དེར་སྐྱེ་བར་ཤོག །རྗེ་བཙུན་ཐུགས་ཀ་ནས་འཕྲོས་ སྤྲིན་དཀར་ཡུག །བརྒྱངས་པའི་སྣེ་མོ་བླ་མ་སྲས་དང་བཅས། །སྤྱན་དྲངས་ཡན་ལག་བདུན་གྱིས་ཚོགས་བསགས་པས། །བདག་རྒྱུད་བདེ་བླག་ཉིད་དུ་སྨིན་པར་ཤོག །དུས་གསུམ་རྒྱལ་བའི་མཁྱེན་བརྩེ་ནུས་པ་རྣམས། །ཟུང་འཇུག་སྒྲུལ་སྐུར་ཤར་བའི་རྣམ་འདྲེན་གང་། །རིགས་གསུམ་ངོ་བོར་ཐག་བཅད་གསོལ་བཏབ་མཐུས། །མཆོག་མཐུན་དངོས་གྲུབ་མ་ལུས་མྱུར་ཐོབ་ཤོག །ཁྱད་པར་དག་པ་ཡེ་ཤེས་བདུད་རྩིའི་རྒྱུས། །སྒོ་གསུམ་སྡིག་སྒྲིབ་མི་ཤེས་ཀུན་འཁྲུད་ཅིང་། འཆད་རྩོད་རྩོམ་སོགས་མཐའ་ཡས་ཤེས་བྱ་ལ། །བློ་གྲོས་མགོན་པོ་འཇམ་དབྱངས་མཚུངས་པར་ཤོག །བྱང་ཤར་ངོ་མཚར་ཐུད་བྱུང་བཀོད་པའི་ཞིང་། །རྣམ་འདྲེན་སེང་གེའི་ང་རོའི་ཞབས་དྲུང་དུ། །འཁོར་གྱི་ཐོག་མར་སྐྱེས་ནས་མདོ་སྔགས་ལ། །ཐོས་བསམ་སྒོམ་པས་རྟག་ཏུ་འདའ་བར་ཤོག །མདོར་ན་སྐྱེ་ཞིང་སྐྱེ་བ་ཐམས་ཅད་དུ། །རྗེ་བཙུན་བློ་བཟང་གྲགས་པ་ཡབ་སྲས་དང་། །མི་འབྲལ་རྒྱལ་བའི་ཆོས་ཚུལ་ཀུན་བཟུང་ནས། །བསྟན་དང་འགྲོ་བའི་དོན་ཆེན་ལྷུར་ལེན་ཤོག །ཅེས་སོགས་ཀྱི་ཚིག་དོན་རྣམས་དྲན་བཞིན་པའི་ངང་ནས་བསྔོ་སྨོན་རྣམ་

པར་དག་པས་མཐའ་བརྒྱན་པར་བྱའོ། །སྨྲས་པ། འདི་ཡི་དགེ་བས་མཁའ་མཉམ་འགྲོ་བ་ཀུན། །རྗེ་བཙུན་མཁྱེན་པའི་གཏེར་གྱིས་རྗེས་བཟུང་སྟེ། །བདེ་ཆེན་ཡེ་ཤེས་སྣང་བ་རབ་རྒྱས་ནས། །སྨྲིབ་གཉིས་མུན་པའི་ཚོགས་ལས་རྒྱལ་གྱུར་ཅིག །སྙིང་དབུས་རང་སེམས་བླ་མ་དབྱེར་མེད་དུ། །བསྒོམ་པའི་རླུང་རྣམས་རྡུ་ཏྲིར་ཐིམ་པའི་མཐུས། །འོད་གསལ་སྒྱུ་ལུས་ཟུང་འཇུག་མངོན་གྱུར་ནས། །ས་གསུམ་འགྲོ་བའི་རེ་བ་སྐོང་བར་ཤོག །སྲིད་རྒྱུད་ལུགས་ཀྱི་བླ་མའི་རྣལ་འབྱོར་དགའ་ལྡན་ལྷ་བརྒྱ་མ་ཞེས་སུ་གྲགས་པ་འདི་ཉིད་ཀྱི་དམིགས་ཁྲིད་འཇམ་དཔལ་སྙིང་པོའི་བྱིན་རླབས་མྱུར་འཇུག་གི་མན་ངག་ནོར་བུའི་གཏེར་མཛོད་ཅེས་བྱ་བ་འདི་ཉིད་རྗེ་བཙུན་བླ་མ་ཅོང་ཁ་པ་ཆེན་པོ་ལ་མི་ཕྱེད་པའི་དད་པ་བརྟན་པོ་དང་ལྡན་པའི་ཞྭ་སེར་རིང་ལུགས་འཛིན་པ་ཞ་གེཀྲ་མ་ཅེས་བླ་མ་གོང་མ་རྣམས་ཀྱི་མན་ངག་ཞལ་ཤེས་རྣམས་ཇི་ལྟ་བ་བཞིན། ཡི་གེར་བཀོད་དེ་རང་གི་སློབ་བུ་ངག་དབང་ཚུལ་ཁྲིམས་དོན་ལྡན་ལ་ལེགས་པར་གདམས་པ་ཡིན་ནོ། །དགེ་བ་འདིས་ཀྱང་ཚེ་རབས་ཀུན་ཏུ་རྗེ་བཙུན་བླ་མས་འབྲལ་མེད་རྗེས་སུ་འཛིན་པའི་རྒྱུར་གྱུར་ཅིག། །།

༄༅། །དམིགས་བརྩེ་མའི་སྒོ་ནས་རྒྱལ་མཚན་རྩུགས་པའི་ཆོ་ག་མི་མཐུན་ཕྱོགས་ལས་རྒྱལ་བའི་རྒྱལ་མཚན་ཞེས་བྱ་བ་བཞུགས་སོ།

༄། །ན་མོ་གུ་རུ་སུ་མ་ཏི་ཀཱིརྟི་ཡེ། འདིར་ལྷ་གཅིག་བླ་མའི་ཞལ་ནས། རྗེ་རིན་པོ་ཆེའི་བསྟན་པ་དྲི་མ་མེད་པ་འདི་ཡང་ཡར་འཕེལ་བའི་རྟེན་འབྲེལ་སྒོ་དུ་མ་ནས་འབད་པར་འཚལ་ལོ། །ཞེས་གསུངས་པས་དམིགས་བརྩེ་མའི་སྒོ་ནས་རྒྱལ་མཚན་འཛུགས་པར་འདོད་པས། དགའ་ལྡན་ལྷ་བརྒྱ་མ། ཕྱག་འཚལ་ཉེར་གཅིག །རྒྱལ་མཚན་རྩེ་མོའི་དཔུང་རྒྱན། དགེ་ལྡན་བསྟན་པ་རྒྱས་པའི་སྨོན་ལམ་རྣམས་ཉེར་གཅིག་རེ། དམིགས་བརྩེ་མ་ཚིག་རྐང་དྲུག་འབུམ། ཡང་དམིགས་བརྩེ་མ་དང་འབྲེལ་བར། ཨོཾ་དྷ་རེ་ཏུཏྟ་རེ་ཏུ་རེ་སུ་མ་ཏི་ཀཱིརྟི་ཤ་ས་ན་ཨརྠ་སིདྡྷ། ཞེས་སྤེལ་ཚིག་སྦྱར་བ། དེ་དག་པར་བཟློས་ནས་བཏབ་སྟེ། དྲི་བཟང་ཕྱུག །རྒྱལ་མཚན་གྱི་སྲོག་ཤིང་ལ་དམིགས་བརྩེ་མ་སྤེལ་ཚིག་ཅན་དྲིས། དེའི་སྟེང་དུ་དམིགས་བརྩེ་མ་དང་། འོག་ཏུ་རྒྱལ་མཚན་རྩེ་མོའི་དཔུང་རྒྱན། དེ་གཉིས་ཀྱི་ཕྱི་རོལ་ཏུ་དམིགས་བརྩེ་མ། ཡང་དེའི་ཕྱི་རོལ་སྟེང་དང་འོག་ཏུ་དམིགས་བརྩེ་མ་དང་། སྒྲོལ་མ་རྣམས་ཡི་གེ་ཕྱིར་བསྟན་ཏེ་མཛུགས་ནས་འགྲིལ། དེའི་ཕྱི་རོལ་སྟེང་དུ་དགའ་ལྡན་ལྷ་བརྒྱ་མ། འོག་ཏུ་དམིགས་བརྩེ་མ་སྤེལ་ཚིག་ཅན། དེ་གཉིས་ཀྱི་ཕྱི་རོལ་དམིགས་བརྩེ་མ་སྤེལ་ཚིག་ཅན། ཡང་དེའི་ཕྱི་རོལ་སྟེང་དང་འོག་ཏུ་དམིགས་བརྩེ་མ་སྤེལ་ཚིག་ཅན་དང་དགེ་ལྡན་བསྟན་པ་རྒྱས་པའི་སྨོན་ལམ་རྣམས་སྤར་ལྷར་འགྲིལ། ན་བཟའ་སེར་པོ་བྱ། རྒྱལ་མཚན་དུ་གཞུག་ཏུ་གསོལ་ཞིང་ཞབས་ལེགས་པར་བཀག །རིག་པ་དེས་རྒྱལ་མཚན་ཆུང་བ་ལ་གྲངས་ཉུང་དུ་བཏང་བ་དང་། ཆེ་བ་ལ་མང་དུ་བཏང་བའང་ཤེས་པར་བྱའོ། །དུས་བཟང་གཟའ་སྐར་བཟང་པོར་གཙུག་ལག་ཁང་གི་དབུས་སུ་སྣོད་གཙང་མ་འབྲུས་བཀང་བ་ལ་རྒྱལ་མཚན་གཉིས་བཙུགས། མཐའ་སྐོར་དུ་

མཆོད་པ་རྒྱ་ཆེན་པོ་བཤམས། གང་ཡོད་དམ་དགེ་སློང་བརྒྱ་རྩ་བརྒྱད་དམ་ཉི་ཤུ་ལས་མི་ཉུང་བས་ཐེག་ཆེན་གསོ་སྦྱོང་བླང་ཞིང་། བཀྲ་ཤིས་གསོ་སྦྱོང་གིས་མགོ་བྲངས་ཏེ་མཚམས་ཏ་ཙང་དམ་པོ་མི་བྱེད་པར་ཐམས་ཅད་ཐུགས་མཐུན་པའི་སྒོ་ནས། བདག་བསྐྱེད་འཇིགས་བྱེད་ཉེར་བསྡུ་ཡན་ཆད་སོང་ནས། བགེགས་བསྐྲད་སྔ་ལྟར་བྱ། མཆོད་པ་བསངས་སྦྱངས། ཨོཾ་ལས་རིན་པོ་ཆེའི་སྣོད་ཡངས་ཤིང་རྒྱ་ཆེ་བའི་ནང་དུ་ཨོཾ་འོད་དུ་ཞུ་བ་ལས་བྱུང་བའི་མཆོད་ཡོན། ཞེས་པ་མན་ཆད་འཇིགས་བྱེད་ལྟར་བྱིན་གྱིས་བརླབ། རྒྱལ་མཚན་བསང་སྦྱངས་སྟོང་པའི་ངང་ལས་སེང་གེ་ཆེན་པོ་བརྒྱད་ཀྱིས་བཏེགས་པའི་རིན་པོ་ཆེའི་ཁྲི་མཐོ་ཞིང་ཡངས་པའི་སྟེང་ཁར་སྣ་ཚོགས་པདྨ་ཟླ་བའི་གདན་ལ་རྒྱལ་མཚན་རྣམས་སྐྱབས་གནས་ཐམས་ཅད་འདུས་པའི་བདག་ཉིད་ཐུབ་དབང་རྡོ་རྗེ་འཆང་བློ་བཟང་གྲགས་པ་སྐུ་མདོག་དཀར་ལ་དམར་བའི་མདངས་ཆགས་པ། ཞལ་གྱི་དཀྱིལ་འཁོར་ཤིན་ཏུ་འཛུམ་ཞིང་སྤྱན་དཀྱུས་རིང་བ། སྐུ་ལ་ཆོས་གོས་ངུར་སྨྲིག་གསུམ་མཛེས་པར་གསོལ་བ། དབུ་ལ་པཎ་ཞྭ་གསེར་གྱི་མདོག་ཅན་རྩེ་རིང་གསོལ་བ། ཕྱག་གཉིས་ཆོས་འཁོར་གྱི་ཕྱག་རྒྱས་ཨུཏྤ་ལའི་ཡུ་བ་ཐུགས་ཀར་བཟུང་བའི་འདབ་མ་སྙན་གཡས་གཡོན་གྱི་ཐད་དུ་ཁ་ཕྱེ་བའི་སྟེང་དུ་ཤེས་རབ་ཀྱི་རལ་གྲི་དང་བརྒྱད་སྟོང་པའི་གླེགས་བམ་བསྣམས་པ། ཞབས་རྡོ་རྗེའི་སྐྱིལ་ཀྲུང་གིས་བཞུགས་པ། འོད་ཟེར་གྱི་ཚོགས་ཞིང་ཁམས་ཀུན་འགེངས་པར་འཕྲོས་པས། ཞིང་ཁམས་ཐམས་ཅད་སྐུ་ལ་སྣང་ཞིང་སྐུས་ཞིང་ཁམས་ཐམས་ཅད་ཁྱབ་པའི་བདག་ཉིད་དུ་བཞུགས་པའི་སྤྱི་བོར་ཨོཾ་དཀར་པོ། མགྲིན་པར་ཨཱཿདམར་པོ། ཐུགས་ཀར་ཧཱུྃ་སྔོན་པོ། ཐུགས་ཀའི་ཧཱུྃ་ལས་འོད་ཟེར་འཕྲོས་པས་རང་བཞིན་གྱི་གནས་ནས་ཆོས་ཀྱི་རྒྱལ་པོ་ཙོང་ཁ་པ་ཆེན་པོ་ལ་སངས་རྒྱས་དང་བྱང་ཆུབ་སེམས་དཔའི་ཚོགས་ཀྱིས་བསྐོར་བ་སྤྱན་དྲངས། དགའ་ལྡན་ལྷ་བརྒྱའི་མགོན་གྱི་ཐུགས་ཀ་ནས། །ཞེས་པ་ནས། སྲས་དང་བཅས་པ་གནས་འདིར་གཤེགས་སུ་གསོལ། །ཛཿ ཧཱུྃ་བཾ་ཧོཿ དམ་ཚིག་པ་དང་དབྱེར་མེད་པར་གྱུར། མདུན་གྱི་ནམ་མཁར་སེང་ཁྲི་པད་ཟླའི་སྟེང་། །ཞེས་པ་ནས། བསྟན་པའི་སྙིང་པོར་རིང་དུ་གསལ་བྱེད་ཤོག །རྗེའི་ཐུགས་ཀའི་ཧཱུྃ་ལས་འོད་ཟེར་སྣ་ལྔ་འཕྲོས། ཕྱོགས་བཅུ་ནས་གསང་བདེ་འཇིགས་གསུམ་སོགས་རྒྱུད་སྡེ་བཞིའི་ཡི་དམ་དང་། བསྐལ་བཟང་གི་སངས་རྒྱས་སོགས་ཕྱོགས་བཅུའི་སངས་རྒྱས་དང་། ཉེ་བའི་སྲས་ཆེན་སོགས་བྱང་

ཆུབ་སེམས་དཔའ་རྣམས་དང་། ཉན་རང་དཔའ་བོ་དཔའ་མོ་ཆོས་སྐྱོང་སྲུང་མའི་ཚོགས་དང་། འཁོར་འདས་ཀྱི་བཅུད་དང་བཀྲག་མདངས་གཟི་བརྗིད་རྣམས་བཀུག་ཏེ་རྗེའི་སྐུ་ལ་ཆར་འབབ་པ་བཞིན་དུ་ཐིམ་པར་བསམ་ལ། དམིགས་བརྩེ་མ་བརྗོད། ཐུན་མཐར། ཨོཾ་ཨཱཿ གུ་རུ་བཛྲ་ཏྣ་ར་སུམ་ཏི་ཀཱི་རྟི་ས་པ་རི་ཝཱ་ར་ཨརྒྷཾ་ནས་ཤཔྟའི་བར་གྱིས་མཆོད། རྒྱལ་བ་ཀུན་གྱི་མཁྱེན་བརྩེ་མ་ལུས་པ། །གཅིག་ཏུ་བསྡུས་པ་རྗེ་བཙུན་འཇམ་དཔལ་དབྱངས། །ངུར་སྨྲིག་གར་རོལ་བློ་བཟང་གྲགས་པའི་དཔལ། །གསོལ་བ་འདེབས་སོ་བྱིན་གྱིས་བརླབ་ཏུ་གསོལ། །ཞེས་བསྟོད། དགེ་ལྡན་བསྟན་པ་རྒྱས་པའི་སྨོན་ལམ་འདོན། ཐུན་ཕྱི་མ་རྣམས་ལ་རྒྱལ་མཚན་ལས་ཐམས་ཅད་པས་བསང་། སེང་གེ་ཆེན་པོ་བརྒྱད་ཀྱིས་བཏེགས་པའི་རིན་པོ་ཆེའི་ཁྲི་མཐོ་ཞིང་ཡངས་པའི་སྟེང་ཁར་སྣ་ཚོགས་པདྨ་དང་ཟླ་བའི་གདན་ལ་སྐྱབས་གནས་ཐམས་ཅད་འདུས་པའི་བདག་ཉིད་ཐུབ་དབང་རྡོ་རྗེ་འཆང་བློ་བཟང་གྲགས་པ། ཞེས་པ་ནས། སྨོན་ལམ་གྱི་བར་ཐུན་སྔ་མ་ལྟར་རོ། །ཐུན་པར་དུ་དགེ་སློང་བཞི་རེས་མོས་དམིགས་བརྩེ་མ་རྒྱུན་མ་ཆད་པར་བཟླ། མ་མཐའ་འབུམ་ཕྲག་བཞིས་སྒྲུབ། གྲོལ་པའི་ཐུན་མཐར། རྒྱལ་བ་རྒྱ་མཚོ་དང་། ཨེ་མ་མཆོད་པ་སོགས་ཚིགས་བཅད་སྤུགས་དང་བཅས་པས་མཆོད་ཅིང་། བསྟོད་པའི་མཇུག་ཏུ། རྗེ་བཙུན་བླ་མ་དགྱེས་པས་རྒྱལ་མཚན་གྱི་རྣམ་པར་གྱུར་པར་བསམ་ལ། སྨོན་ལམ་བརྗོད། ཚོགས་འཁོར་བྱ། རྒྱལ་མཚན་བཞི་དྲུག་སྟེབས་གཅིག་ལ་སྒྲུབ་ཀྱང་ཆོག །རྒྱལ་མཚན་དེ་གཟའ་སྐར་བཟང་པོར་གཙུག་ལག་ཁང་གི་ཐོག་ཏུ་བཙུགས་ནས་རབ་གནས་བཀྲ་ཤིས་རྒྱས་བྱེད་ལྟར་རྒྱལ་མཚན་གྱི་རབ་གནས་བྱ་ཞིང་བཀྲ་ཤིས་རྒྱས་པར་བྱའོ། །རྒྱ་ཁང་ཡིན་ན་གཞི་རའི་ནང་དུ་གཟུངས་དུ་གཞུགས་པའམ། གཞི་རའི་གཡས་གཡོན་དུ་རེ་རེ་འཛུགས་ཀྱང་ཆོག་གོ །ཞེས་དམིགས་བརྩེ་མའི་སྒོ་ནས་རྒྱལ་མཚན་ཚུགས་པའི་ཆོ་ག་མི་མཐུན་ཕྱོགས་ལས་རྒྱལ་བའི་རྒྱལ་མཚན་ཞེས་བྱ་བ་འདི་ནི། ལས་སྨོན་བཟང་པོས་འབྲེལ་བའི་འཚོ་བྱེད་གསང་སྔགས་བསྟན་འཛིན་གྱིས་བསྐུལ་ངོར། རྗེ་བཙུན་བླ་མ་ཡེ་ཤེས་དོན་གྲུབ་བསྟན་པའི་རྒྱལ་མཚན་དཔལ་བཟང་པོས་མཛད་པའི་རྒྱལ་མཚན་འཛུགས་ཚུལ་ལ་མ་ཚང་བ་རྣམས་ཁ་བསྐང་སྟེ། རྗེ་ཡབ་སྲས་ཀྱིས་བྱིན་གྱིས་བརླབ་པའི་དབེན་པའི་གནས་མཆོག་ར་ཁ་བྲག་ཏུ་འཇམ་དབྱངས་འཕྲིན་ལས་ཀྱིས་སྦྱར་བའོ། །འདིའི་དགེ་བས་དགེ་ལྡན་བསྟན་པའི་རྒྱལ་མཚན་རྒྱས་པར་གྱུར་ཅིག ། །།

༄༅། །དམིགས་བརྩེ་མའི་སྒོ་ནས་བཀྲུ་བྱབས་བསྲུང་བ་བྱ་ཚུལ་གདུད་སེལ་བདུད་རྩིའི་ཆུ་རྒྱུན་ཞེས་བྱ་བ་བཞུགས་སོ།

༄༅། །ན་མོ་གུ་རུ་སུ་མ་ཏི་ཀཱིརྟི་ཡ། འདིར་དཔལ་རྡོ་རྗེ་འཇིགས་བྱེད་ཀྱི་བསྙེན་པ་དང་། དམིགས་བརྩེ་མའི་བསྙེན་པ་སྔོན་དུ་སོང་བའི་གང་ཟག་གིས། གཞན་དོན་དུ་བུམ་ཆོག་དང་། བཀྲུ་བྱབས་བསྲུང་གསུམ་བྱེད་པར་འདོད་ན། རྗེ་རིན་པོ་ཆེའི་བྲིས་སྐུ་ལ་སོགས་པའི་མདུན་དུ་ཆུ་གཉིས་ཉེར་སྤྱོད་སོགས་ཀྱི་མཆོད་པ་གཙང་ཞིང་ཀྱ་ནོམ་པ་བཤམས། བུམ་པ་གཙང་མའི་ནང་དུ་རྒྱ་ཚོར་འབབ་པའི་ཆུ་ལ་བུམ་རྫས་ཉེར་ལྔ་བཏབ་པས་སུམ་གཉིས་ཙམ་བཀང་། བུམ་ནང་དུ་ལྷ་བསྐྱེད་ན་བུམ་པ་སྟེགས་མཐོན་པོའི་སྟེང་དུ་བཞག་ནས་མཐར་མཆོད་པ་བཤམས་ཀྱང་ལེགས། རང་གི་མདུན་དུ་བཞག་ཀྱང་རུང་། རྡོ་རྗེ་འཇིགས་བྱེད་ཀྱི་ཆོག་བཟླས་པ་གཏོར་འབུལ་ལས་གཞན་གྱི་གཏོར་འབུལ་ཉེར་བསྡུ་དང་བཅས་པ་སྔོན་དུ་བཏང་ན་ཕུན་སུམ་ཚོགས་པར་འགྱུར་ལ་མ་གྲུབ་ཀྱང་རུང་། རྗེ་བླ་མ་སྐྱབས་གནས་ཀུན་འདུས་སུ་རྩེ་གཅིག་ཏུ་མོས་པའི་དད་གུས་དང་བཅས་ཏེ། སྐྱབས་འགྲོ་སེམས་བསྐྱེད་དང་། དགའ་ལྡན་ལྷ་བརྒྱ་མ་སྔོན་དུ་འགྲོ་བའི་དམིགས་བརྩེ་མ་ཅི་འགྲུབ་བཟླས། དཔལ་ལྡན་རྩ་བའི་བླ་མ་རིན་པོ་ཆེ། །བདག་གི་སྙིང་གར་པདྨའི་གདན་བཞུགས་ལ། །བཀའ་དྲིན་ཆེན་པོའི་སྒོ་ནས་རྗེས་བཟུང་སྟེ། །མྱུར་དུ་ཁྱེད་རང་ལྟ་བུར་བྱིན་གྱིས་རློབས། །ཞེས་གསོལ་བ་བཏབ་པས་མདུན་གྱི་བླ་མ་ལྷ་ལས། བླ་མ་ལྷ་གཉིས་པ་ཞིག་དབྱེས་བཞིན་དུ་ཕྱིན་ནས། རང་ཉིད་ལ་ཐིམ་པས་རང་ཉིད་སྐད་ཅིག་གིས་ཁམས་གསུམ་ཆོས་ཀྱི་རྒྱལ་པོ་བཙོང་ཁ་པ་ཆེན་པོ་སྐུ་མདོག་དཀར་ལ་དམར་བའི་མདངས་ཆགས་པ། ཞལ་གཅིག་ཕྱག་གཉིས་ཆོས་འཁོར་གྱི་ཕྱག་རྒྱ་མཛད་པས་ཡུ་བ་ནས་བཟུང་བའི་ཨུཏྤ་ལའི་སྟེང་ན་ཤེས་རབ་ཀྱི་རལ་གྲི་དང་ཤེར་ཕྱིན་གྱི་གླེགས་བམ་བསྣམས་པ། པཎ་ཞྭ་དང་ཆོས་གོས་རྣམ་གསུམ་གསོལ་ཞིང་འོད་ཀྱི་ཕུང་པོའི་དབུས་ན་སྣ་ཚོགས་པདྨ་དང་ཟླ་བའི་གདན་ལ་རྡོ་རྗེ་དཀྱིལ་མོ་ཀྲུང་གིས་བཞུགས་པར་གྱུར། བུམ་པ་ཨ་མྲི་ཏས་བསངས། སྭ་བྷཱ་ཝས་སྟོང་པར་སྦྱངས། སྟོང་པའི་

ངང་ལས་བཾ་ལས་བྱུང་བའི་རིན་པོ་ཆེའི་བུམ་པ་དཀར་པོ་སྔོ་བ་ཆེ་བ་མགྲིན་པ་རིང་བ་མཆུ་འཕྱང་བ་ལ་སོགས་པ་མཚན་ཉིད་ཐམས་ཅད་དང་ལྡན་པར་གྱུར། ཨོཾ་ཧཱརྟེ་ཧཱརྟེ་མཧཱ་ཧཱརྟེ་ཡེ་སྭཱཧཱ། ལྷའི་ཆུ་བོ་གངྒཱ་དང་བུམ་པའི་ཆུ་དབྱེར་མི་ཕྱེད་པར་གྱུར། བུམ་པའི་ནང་དུ་ཟླ་བའི་དཀྱིལ་འཁོར་གྱི་སྟེང་དུ་ཧྲཱིཿ ཡིག་གི་མཐའ་སྐོར་དུ་དམིགས་བརྩེ་མའི་ཡིག་འབྲུ་ཞལ་ལྷར་འཚེར་བས་བསྐོར་བ་ལས་འོད་ཟེར་འཕྲོས། ཕྱོགས་བཅུའི་སངས་རྒྱས་དང་བྱང་ཆུབ་སེམས་དཔའ་ཐམས་ཅད་ཀྱི་བྱིན་རླབས་དང་། ཁྱད་པར་དུ་ཡང་དགའ་ལྡན་གྱི་གནས་ནས་ཆོས་ཀྱི་རྒྱལ་པོ་ཙོང་ཁ་པ་ཆེན་པོའི་སྐུ་གསུང་ཐུགས་ཀྱི་བྱིན་རླབས་ཐམས་ཅད་རྗེ་བླ་མའི་སྐུ་དང་ཕྱག་མཚན་དང་། ས་བོན་ཧྲཱིཿ ཡིག་དང་། རྡོ་རྗེ་རྣམ་འཇོམས་དང་། ཕྱག་ན་རྡོ་རྗེ་དང་། ཁྱུང་ཁྲ་ནག་ལ་སོགས་པའི་རྣམ་པར་སྤྱན་དྲངས། བུམ་པའི་ནང་གི་དམིགས་བརྩེ་མ་ལ་ཐིམ་པས་དག་བྱེད་ཀྱི་བདུད་རྩིའི་རྒྱ་མཚོ་ཆེན་པོར་གྱུར་པར་བསམ་ལ། གཟུངས་ཐག་ནས་བཟུང་སྟེ། དམིགས་བརྩེ་མ་ཅི་འགྲུབ་བཟླས། དེ་ནས་ཡིག་འབྲུ་ཟླ་བ་དང་བཅས་པ་འོད་དུ་ཞུ་ནས་བུམ་པའི་ཆུ་ལ་ཐིམ་པར་གྱུར། ནད་པའི་མདུན་དུ་དྲི་གླུད་ཚང་བུ་དང་བཅས་པ་བཞག ། རང་གི་ཐུགས་ཀའི་ཧཱུྃ་གི་འོད་ཟེར་གྱིས་མདུན་གྱི་བླ་མ་ལྷའི་ཐུགས་རྒྱུད་བསྐུལ། དེའི་ཐུགས་ཀ་ནས་འོད་ཟེར་འཕྲོས། ཕྱོགས་བཅུའི་རྒྱལ་བ་སྲས་དང་བཅས་པ་སྤྱན་དྲངས་ནས་མདུན་གྱི་ནམ་མཁར་བཞུགས། རོལ་མོའི་སྒྲ་སྒྲོགས་མེ་ཏོག་གི་ཆར་འབེབས། བཀྲ་ཤིས་ཀྱི་གླུ་དབྱངས་ཀྱིས་ཤིས་པ་བརྗོད། བུམ་པར་གནས་པའི་བདུད་རྩི་དང་། སྐུ་ལས་བདུད་རྩིའི་རྒྱུན་བབས་པས་བསྒྲུབ་བྱའི་སྤྱི་བོ་ནས་རྐང་མཐིལ་གྱི་བར་གྱི་ལུས་ནང་ཐམས་ཅད་གང་བས་ནད་གདོན་སྡིག་སྒྲིབ་ཐམས་ཅད་དབང་པོའི་སྒོ་དང་བ་སྤུའི་བུ་ག་ཐམས་ཅད་ནས་ཕྱི་རོལ་ཏུ་ནག་ཉུར་གྱིས་ཐོན་པར་གྱུར། དམིགས་བརྩེ་མ་བཟླས་པའི་མཐར། སངས་རྒྱས་ཀྱི་བདེན་པ་དང་། ཆོས་ཀྱི་བདེན་པ་དང་། དགེ་འདུན་གྱི་བདེན་པ་དང་། ཆོས་ཀྱི་རྒྱལ་པོ་ཙོང་ཁ་པ་ཆེན་པོའི་བདེན་པ་དང་། བདེན་པ་ཆེན་པོའི་བྱིན་གྱིས་བརླབས་པ་ལ་བརྟེན་ནས་བསྒྲུབ་བྱ་འདིའི་ཚེ་རབས་ཐོག་མེད་ནས་བསགས་པའི་ལས་ངན་སྡིག་སྒྲིབ་བག་ཆགས་དང་བཅས་པ་ཐམས་ཅད་ཤཱནྟིཾ་ཀུ་རུ་ཡེ་སྭཱཧཱ། ལུས་ངག་ཡིད་གསུམ་ལ་གནོད་པའི་ནད་ཐམས་ཅད་ × ། སྟེང་འོག་བར་གསུམ་གྱི་གདོན་བགེགས་ཀྱི་གནོད་པ་ཐམས་ཅད་ཤཱནྟིཾ × ། ཕ་རོལ་གྱི་ཟད་འདྲེ་ཐོད་གཏོང་གི་གནོད་པ་ཐམས་

ཅན་×། ས་ཆུ་མེ་རླུང་གི་འབྱུང་བའི་གནོད་པ་ཐམས་ཅད་×། དུས་མ་ཡིན་པའི་འཆི་བ་ཐམས་ཅད་×། བར་ཆད་མི་མཐུན་པའི་ཕྱོགས་ངན་པ་ཐམས་ཅད་ཤྲཱིཧཱུྃ་ཀུ་རུ་ཡེ་སྭཱཧཱ། ཁར་ཆུ་ཙུང་ཟད་འཛིན་དུ་བཅུག་སྟེ། རྒྱ་བྱིའི་སྒྲོའི་ཆུན་པོ་ཐོགས་ནས། རང་དང་ལྷ་རྣམས་ཀྱི་ཕྱག་ན་གནས་པའི་རྡོ་རྗེ་དང་བཅས་པའི་རྒྱ་བྱིའི་སྒྲོའི་ཆུན་པོའི་རྩེ་མོར་ཟླ་བ་ལ་གནས་པའི་ཧཱུྃཿ ཡིག་དམིགས་བརྩེ་མའི་ཡིག་འབྲུ་དང་བཅས་པ་ལས་སྤྲོས་པའི་འོད་ཟེར་གྱིས་བཀྲུས་པས་མ་དག་པའི་ནད་ཀྱི་ལྷག་མ་རྣམས་བྱབས་ཤིང་དེད་པས་ཁ་ནང་གི་ཆུ་ལ་ཐིམ་པར་གྱུར། ཅེས་བརྗོད་དེ་དམིགས་བརྩེ་མ་དང་། གོང་གི་ཤྲཱིཧཱུྃ་ཀུ་རུ་ཡེ་སྭཱཧཱ། ཞེས་པའི་ཚིག་ཏུ་ཨ་པ་ན་ཡེ་སྭཱཧཱ། ཞེས་བྱ་བས་ནས་ཁ་ཡི་དྲི་ཆུ། དྲི་གླུད་ཀྱི་སྟེང་དུ་འདོར་དུ་བཅུག། དྲི་ཆུ་དང་དྲི་གླུད་ལག་ཏུ་ཐོགས་ནས་ནད་པ་ལ་གཡས་སུ་བསྐོར་ནས་ཨ་ཀ་རོ་ལན་བདུན་བརྗོད། སངས་རྒྱས་ཀྱི་བདེན་པ་དང་། ཆོས་ཀྱི་×། དགེ་འདུན་གྱི་×། ཆོས་ཀྱི་རྒྱལ་པོ་སྟོང་ཁ་པ་ཆེན་པོའི་བདེན་པ་དང་། བདེན་པ་ཆེན་པོའི་བྱིན་གྱིས་བརླབས་པ་ལ་བརྟེན་ནས་སྒྲུབ་བྱ་འདི་ལ་གནོད་ཅིང་འཚེ་བའི་གདོན་ཐམས་ཅད་དྲི་ཆུ་དང་དྲི་གླུད་འདིས་ཚིམ་པར་གྱིས་ལ་རང་རང་སོ་སོའི་གནས་སུ་སོང་ཞིག། དྲི་ཆུ་དང་དྲི་གླུད་དོར། སུམྦྷ་ནི་དྲག་ཏུ་བརྗོད། ཡུངས་ཀར་གྱིས་བྲབ། གཟའ་ནད་ཡིན་ན་གུ་གུལ་གྱིས་བདུག་པར་མི་བྱ་གསུངས། དེ་ནས་ཡང་འབྲུ་དཀར་གྱིས་གཏོར་ཞིང་། སངས་རྒྱས་རྣམས་ནི་བདུད་ལས་རྒྱལ། ཞེས། བདེན་པ་རྒྱལ་གྱུར་རྫུན་མ་ལགས། བདེན་པ་དང་བདེན་པའི་ཚིག་འདི་དག་གིས། བསྒྲུབ་བྱ་འདི་ཉིད་བདུད་དང་མི་མཐུན་པའི་ཕྱོགས་ཐམས་ཅད་དང་། ཁྱད་པར་དུ་ཡང་ནད་གདོན་ཐམས་ཅད་ལས་རྒྱལ་ནས་ཤིན་ཏུ་བཀྲ་ཤིས་པར་གྱུར་ཅིག །བཟའ་ཡིག་སྟེར་འདོད་ན་སྐབས་འདིར་སྟེར། རྡོ་རྗེ་སློབ་མ་དང་རང་གི་སྙིང་གའི་ཧཱུྃཿ ཡིག་གི་མཐའ་སྐོར་དུ་དམིགས་བརྩེ་མས་སྐོར་བ་ལས་འོད་ཟེར་འཕྲོས། ལུས་ཀྱི་ཤ་སྐྱི་ཤུགས་མཚམས་ཐམས་ཅད་རྡོ་རྗེའི་རྡུལ་ཕྲ་རབ་ཀྱིས་ཁྱབ་པས་བར་ཆད་མི་མཐུན་པའི་ཕྱོགས་གང་གིས་ཀྱང་གླགས་མི་རྙེད་པར་བསམ་ལ། དམིགས་བརྩེ་མའི་བདེན་བདར་དང་བཅས་པའི་མཇུག་ཏུ་ཤྲཱིཧཱུྃ་ཀུ་རུ་ཞེས་པའི་ཚིག་རྣམས་རཀྵ་ཞེས་པར་བསྒྱུར་ཏེ་སྒྲུབ་བྱའི་གནས་རྣམས་སུ་རྡོ་རྗེ་རྒྱ་གྲམ་དུ་རེག །དེ་ནས་མཆོག་གསུམ་བསླུ་བ་མེད་པའི་བྱིན་རླབས་དང་། ཁམས་གསུམ་ཆོས་ཀྱི་རྒྱལ་པོའི་མཐུ་སྟོབས་ཀྱིས། །བསྒྲུབ་བྱ་འདི་ལ་བདག་གིས་བསྲུངས་ཟིན་གྱིས། །འདི་ལ་སུས་ཀྱང་གནོད་པ་མ་བྱེད་ཅིག །བཛྲ་རཀྵ་རཀྵ། ཚེ་བའི་ཚེ་མཆོག

སོགས་ཀྱིས་ཞིས་པ་བརྗོད། གོང་དུ་བུམ་པ་བསྒྲུབས་པ་དང་། བཀྲུ་བྱབས་ཀྱི་སྐབས་རིགས་གསུམ་མགོན་པོ་དང་ཁྲོ་བྲུང་ཁྲ་ནག་སོགས་ཀྱི་གཟུངས་དམིགས་བཅོ་མ་དང་སྤྱིལ་བའམ་ཟུར་དུ་བཟླས་ཀྱང་རུང་ངོ་། ནད་ཅི་བྲག་པ་ལ། ལུས་ངག་ཡིད་གསུམ་ལ་གནོད་པའི་གཟའ་ནད་ཐམས་ཅད་ཤཱནྟིཾ་ཀུ་རུ་ཡེ་སྭཱཧཱ། བྱ་རོག་གི་གདོང་ལས་བྱུང་བའི་ནམ་མཁའི་དུག་ཐམས་ཅད་×། ལྷའི་གདོང་ལས་བྱུང་བའི་ཆུའི་དུག་ཐམས་ཅད་×། རྒྱལ་པོའི་གདོང་ལས་བྱུང་བའི་སའི་དུག་×། སྲིན་པོའི་གདོང་ལས་བྱུང་བའི་མེའི་དུག་×། བདུད་ཀྱི་གདོང་ལས་བྱུང་བའི་རླུང་གི་དུག་×། མཚོན་ཆ་ལས་བྱུང་བའི་གནམ་ལྕགས་ཀྱི་གནོད་པ་རྣམས་×། མིག་རྣམས་ལས་བྱུང་བའི་རྒྱ་སྐར་གྱི་དུག་ཐམས་ཅད་×། ཡན་ལག་རྣམས་ལས་བྱུང་བའི་ཀི་གང་གི་དུག་×། མཇུག་མ་ལས་བྱུང་བའི་ཀླུའི་དུག་×། ཕྱི་མིག་ལྷ་བའི་དུག་×། ལྷ་བུའམ། རིམས་ཉིན་གཅིག་པ་ལ་སོགས་པའི་རིམས་ནད་ཐམས་ཅད་×། ཡན་ལག་ན་བ་དང་། ཉིང་ལག་ན་པ་ཐམས་ཅད་×། མགོ་བོ་ན་བ་དང་རྩིབ་ལོགས་ན་བ་ཐམས་ཅད་×། ལྷ་བུ་སྦྱོར། ཡང་ཀླུ་གདོན་གྱི་གནོད་པ་ལ་སེཾ་ཧེའི་སྐབས་འམ། ཀླུ་དབང་རྒྱལ་པོའི་གཟུངས་སྤྲེལ་ནས། གཙུག་ན་ཡིད་བཞིན་ནོར་བུ་ཅན། །མིག་ནི་གདེང་བ་སྔོ་འཕྱེའི་རིགས། །ཀླུ་ཆེན་བརྒྱད་པོ་མཐོང་བའི་དུག །བཟོད་དཀའི་དུག་རྣམས་ཕྱིར་ཕྱུང་ཞིག །ལུས་ཅན་མགོ་བོ་ཐ་དད་ལ། །ཞེ་སྡང་དྲག་པོ་རྒྱལ་པོའི་རིགས། །རིགས་བཞི་ཀླུ་བརྒྱད་ཡིད་ཀྱི་དུག །བཟོད་དཀའི་དུག་རྣམས་×། གཉེར་ལ་གནས་པ་འཛད་པའི་རིགས། །གཙང་མ་ཕལ་ལ་གནོད་མི་བྱེད། །ཀླུ་ཕྲན་འབུམ་སྡེ་རེག་པའི་དུག །བཟོད་དཀའི་×། ཞེ་ངན་གནག་པ་ཕྱུལ་སོང་རིགས། །ཐིག་བཞི་ལྕགས་ལ་ན་བུན་འཐིབས། །གཉན་ཆེན་འབུམ་སྡེ་ཁ་རླངས་དུག །བཟོད་དཀའི་×། །དམན་པའི་ཆ་འཛིན་ཞེ་སྡང་ཅན། །བདེན་པ་མི་ཉན་ཀུན་ལ་གནོད། །ས་བདག་སྡེ་བཞི་མཆེ་བའི་དུག །བཟོད་དཀའི་×། །དྲེགས་པ་སྡེ་བརྒྱད་འབར་བ་ཡི། །གླིན་པ་ང་རྒྱལ་མཐུ་བོ་ཆེ། །འགྲོ་བ་འདི་ལ་གང་གནོད་པ། །བཟོད་×། །སྦྱོར་གཞན་རབ་ཏུ་འཕྲོས་པའི་ཕོ་ཉ་ནི། །སྤྲུལ་པ་འབུམ་སྡེས་འགྲོ་ལ་གནོད་པ་སྐྱེལ། །སྨན་དང་སྔགས་དང་ཕྱག་རྒྱ་ཏིང་འཛིན་གྱིས། །བཟོད་དཀའི་མི་བཟད་དུག་རྣམས་ཕྱིར་ཕྱུང་ཞིག །ཀླུ་རྒྱལ་རིགས་ཀྱི་གནོད་པ་ལས་བྱུང་བའི་ནད་དང་དུག་ཐམས་ཅད་ཤཱནྟིཾ་×། རྗེ་རིགས་ཀྱི་གནོད་པ་ལས་བྱུང་བའི།× བྲམ་ཟེའི་

རིགས་ཀྱི་གནོད་པ་ལས་བྱུང་བའི ×། དམང་རིགས་དང་གདོལ་བའི་རིགས་ཀྱི་གནོད་པ་ལས་བྱུང་བའི་ ×ཀུ་རུ་སྭཱཧཱ། ཞུ་བུ་སྦྱོར། སྤྱིའི་དུག་དབྱུང་བྱེད་འདོད་ན། སྒྲུབ་ཐབས་རྒྱ་མཚོ་ལས་བྱུང་བའི། ཨོཾ་མཧཱ་མཱ་ཡཱུ་རཱི་བིདྱཱ་རཱ་ཛྙཱི་ ཧྲཱུཾ་ཧྲཱུཾ་ཕཊ་ཕཊ། ཞེས་སོགས་ཀྱི་རྨ་བྱ་ཆེན་མོའི་སྔགས་དང་སྦྲགས་ནས། དམིགས་པ་གོང་གི་དེ་ཁ་བསྒྱུར་ཞིང་ཏདྱ་ཐཱ། ཡཱ་བ་ཏི། ཧཱ་བ་ཏི། ཧཱ་ར་ཀི། ཧུ་ལུ། ཧུ་ལུ་མེ་སྭཱཧཱ། འདོད་ཆགས་ཞེ་སྡང་ × × × × ×དགེ་འདུན་གཟི་ཡིས་དུག་བཅོམ་མོ། །སངས་རྒྱས་ཀུན་གྱི་སྟོབས་གང་དང་། །དགྲ་བཅོམ་རྣམས་ཀྱི་གྲགས་གང་དང་། །དེ་བཞིན་གཤེགས་པའི་གཟི་བརྗིད་ཀྱིས། །ངས་ནི་བདེ་ལེགས་འགྱུར་བར་བྱས། །ས་ནི་དུག་གི་× × × × ×གཡོ་བའི་སྣོད་དུ་དུག་སོང་ཞིག །གོང་གི་བདེན་སྟོབས་ཀྱི་མཐར། ཉོན་མོངས་པ་དུག་གསུམ་དང་། དེ་ལས་བྱུང་བའི་དུག་ཐམས་ཅད་ཤྲཱི་ཧྲཱི་ཀུ་རུ་ཡེ་སྭཱཧཱ། འབྱུང་བ་དང་འབྱུང་བ་ལས་བྱུང་བའི་དུག་ཐམས་ཅད་× སྟེང་འོག་བར་གསུམ་གྱི་གདོན་བགེགས་ཀྱི་གནོད་པ་དང་། དེ་ལས་བྱུང་བའི་དུག་ཐམས་ཅད་× རིག་སྔགས་ཀྱི་རྒྱལ་མོ་རྨ་བྱ་ཆེན་མོས་དུག་བཅོམ་མོ། ཚེ་དང་ལྡན་པ་འདི་བདེ་ལེགས་སུ་གྱུར་ཅིག །ཅེས་སོགས་སྦྱོར། རྒྱས་པར་ན། དམིགས་བརྩེ་མའི་མཐར། དུག་བཅོམ་མོ། །དུག་ངེས་པར་བཅོམ་མོ། །སངས་རྒྱས་ཀྱི་གཟི་བརྗིད་ཀྱིས་དུག་ངེས་པར་བཅོམ་མོ། རང་སངས་རྒྱས་ཀྱི་གཟི་བརྗིད་ཀྱིས་དུག་བཅོམ་མོ། །དགྲ་བཅོམ་པའི་གཟི་བརྗིད་ཀྱིས་དུག་བཅོམ་མོ་ཕྱིར་མི་འོང་བའི ×། ལན་ཅིག་ཕྱིར་འོང་བའི ×། རྒྱུན་དུ་ཞུགས་པའི ×། བདེན་པ་སྨྲ ×། ཚངས་པའི་མེ་དཔལ་གྱིས ×། དབང་པོའི་རྡོ་རྗེའི་གཟི་བརྗིད་ཀྱིས་དུག་བཅོམ་མོ། ཁྱབ་འཇུག་གི་འཁོར་ལོས་དུག་བཅོམ་མོ། །གཤིན་རྗེའི་བེ་ཅོན་གྱིས ×། ཆུ་ལྷའི་ཞགས་པས ×། ལྷ་མ་ཡིན་གྱི་རྒྱུས་དུག་བཅོམ་མོ། །ཀླུའི་རིགས་ཀྱི་དུག ×། དྲག་པོའི་མདུང་རྩེས ×། སྐེམ་བྱེད་ཀྱི་མདུང་ཐུང་གིས་དུག ×། རིག་སྔགས་ཀྱི་རྒྱལ་མོ་རྨ་བྱ་ཆེན་མོས ×། དུག་ངེས་པར་བཅོམ་མོ། །དུག་སའི་ནང་དུ་སོང་ཞིག །བདག་དུག་ཐམས་ཅད་དང་། བེའུ་ལྷ་བུའི་དུག་དང་། ཏ་ལ་ཏ་ལའི་དུག་དང་། ནག་པོ་བརྩེགས་པའི་དུག་དང་། མཆེ་བའི་དུག་དང་། རྩ་བའི་དུག་དང་། །བ་ཟས་ཀྱི་དུག་དང་། ཕྱི་མའི་དུག་དང་། ལྐ་བའི་དུག་དང་། གློག་གི་དུག་དང་། སྤྲིན་གྱི་དུག་དང་། སྦྲུལ་དང་། བྱི་བ་དང་། སྲིན་བུ་ཀེ་ཏ་དང་། ལུ་ཏ་དང་། ཀན་ཛ་བ་དང་། སྦལ་པ་དང་།

སྦྲང་བུ་དང་། བུང་བ་དང་། བ་ཏ་ར་དང་། ཏ་མ་བུ་ཀ་དང་། ཏེ་ལ་ཏའི་དུག་དང་། མེའི་དུག་དང་། སྡིག་པའི་དུག་དང་། མི་མ་ཡིན་པའི་དུག་དང་། དགས་པའི་དུག་དང་། སྨན་གྱི་དུག་དང་། རིག་སྔགས་ཀྱི་དུག་ལས་བདག་བདེ་ལེགས་སུ་གྱུར་ཅིག །དུག་ཐམས་ཅད་ལས་བདག་བདེ་ལེགས་སུ་གྱུར་ཅིག །ཏདྱ་ཐཱ། མན་ཚད་གོང་ལྟར་བྱ། འདི་རྒྱུད་ཀྱི་ཚིག་མ་ཉོར་བར་བཞག་པ་ཡིན་པས། ཚེ་དང་ལྡན་པ་འདི་ཞེས་སོགས་ཀྱི་ཚིག་ཕྲད་ཅི་རིགས་སྐབས་དང་བསྟུན། ཤིན་ཏུ་བསྡུ་ན། ཚིགས་བཅད་དང་བདེན་སྟོབས་ཅན་གྱིས་ཀྱང་ཚོག་གོ །གོང་དུ་ལྷའི་བསྐྱེད་ཚོག་རྒྱས་པར་བྱེད་ན། ལྷའི་ཆུ་བོ་གངྒཱ་དང་བུམ་པའི་ཆུ་དབྱེར་མི་ཕྱེད་པར་གྱུར་ཡན་ཐར་ལྟར་དང་། རྣམ་རྒྱལ་བུམ་པའི་ནང་དུ་སྣ་ཚོགས་པདྨ་དང་ཟླ་བའི་གདན་གྱི་སྟེང་དུ། ཁམས་གསུམ་ཆོས་ཀྱི་རྒྱལ་པོ་ཙོང་ཁ་པ་ཆེན་པོ་སྐུ་མདོག་དཀར་ལ་དམར་བའི་མདངས་ཆགས་པ། ཞལ་གཅིག་ཕྱག་གཉིས་ཆོས་འཁོར་གྱི་ཕྱག་རྒྱ་མཛད་པས་ཡུ་བ་ནས་བཟུང་བའི་ཨུཏྤ་ལའི་སྟེང་ན་ཤེས་རབ་ཀྱི་རལ་གྲི་དང་། ཤེར་ཕྱིན་གྱི་གླེགས་བམ་བསྣམས་པ། པཎ་ཞྭ་དང་ཆོས་གོས་རྣམ་གསུམ་གསོལ་ཞིང་འོད་ཀྱི་ཕུང་པོའི་དབུས་ན་ཞབས་རྡོ་རྗེའི་སྐྱིལ་མོ་ཀྲུང་གིས་བཞུགས་པར་གྱུར། དེའི་སྤྱི་བོར་ཨོཾ་དཀར་པོ། མགྲིན་པར་ཨཱཿདམར་པོ། ཐུགས་ཀར་ཧཱུྃ་སྔོན་པོ། ཐུགས་ཀའི་ཧཱུྃ་ལས་འོད་ཟེར་འཕྲོས་རང་བཞིན་གྱི་གནས་ནས་ཁམས་གསུམ་ཆོས་ཀྱི་རྒྱལ་པོ་ཙོང་ཁ་པ་ལ་སངས་རྒྱས་དང་བྱང་ཆུབ་སེམས་དཔའི་ཚོགས་ཀྱིས་བསྐོར་བ་སྤྱན་དྲངས། ངོ་མཚར་རྨད་བྱུང་བཀོད་པའི་འཇིག་རྟེན་ནས། །བདེ་གཤེགས་སེངྒེའི་ང་རོ་སྒྲོག་པའི་སྐུ། །ཆོས་ཀྱི་རྒྱལ་པོ་ཀུན་མཁྱེན་བློ་བཟང་གྲགས། །སྙིགས་དུས་འགྲོ་བ་འདྲེན་ཕྱིར་གཤེགས་སུ་གསོལ། །རྣམ་དག་ཆོས་ཀྱི་དབྱིངས་ལས་མ་གཡོས་ཀྱང་། །ཚད་མེད་ཐུགས་རྗེས་འགྲོ་ལ་ཕྱོགས་བཅུར་གཟིགས། །རྒྱལ་བ་ཀུན་གྱི་འཕྲིན་ལས་རྒྱས་མཛད་པ། །དུས་གསུམ་བླ་མ་འཁོར་བཅས་གནས་འདིར་གཤེགས། །ཨོཾ་སུ་མ་ཏི་ཀཱིརྟི་ས་པ་རི་ཝཱ་ར་ཨེ་ཧྱེ་ཧི་བཛྲ་ས་མ་ཡ་ཛཿ ཛཿ ཛཿ ཧཱུྃ་བཾ་ཧོཿ གཉིས་སུ་མེད་པར་གྱུར། བསྟུན་མཆོད་པ་ཕྱགས་འབུལ་ཙམ་དང་། སྤྲོ་ཚེ། མཆོད་པ་ཨ་མྲྀ་ཏས་བསངས། སྭ་བྷཱ་ཝས་སྦྱངས། སྟོང་པའི་ངང་ལས་ཨོཾ་ལས་རིན་པོ་ཆེའི་སྣོད་ཡངས་ཤིང་རྒྱ་ཆེ་བ་རྣམས་ཀྱི་ནང་དུ། ཨོཾ་འོད་དུ་ཞུ་བ་ལས་བྱུང་བའི་མཆོད་ཡོན། ཞབས་བསིལ། མེ་ཏོག། བདུག་སྤོས། སྣང་གསལ། དྲི་ཆབ། ཞལ་ཟས། རོལ་མོ་རྣམས་དྭངས་ཤིང་ཐོགས་པ་མེད་

པ་ནམ་མཁའ་དང་མཉམ་པར་གྱུར། ཨོཾ་ཨཀྵོ་ཛྙཱཿཧཱུཾ། ཞེས་པ་ནས། ཨོཾ་ཤབྡ་ཛྙཱཿཧཱུཾ། ཞེས་བྱིན་གྱིས་བརླབས། རབ་འབྱམས་རྒྱ་མཚོ་དཔག་མེད་ན། །མཆོད་ཡོན་ཇི་སྙེད་ཡོད་པ་རྣམས། །བདག་གིས་གུས་པར་བཤམས་པ་འདི། །རྗེ་བཙུན་བློ་བཟང་གྲགས་པ་ལ། །འབུལ་གྱིས་ལེགས་པར་བཞེས་ནས་ཀྱང་། །དངོས་གྲུབ་མ་ལུས་སྩལ་དུ་གསོལ། །ཨོཾ་གུ་རུ་སུ་མ་ཏི་ཀཱིརྟི་ཨརྒྷཾ་པྲ་ཏི་ཙྪ་སྭཱཧཱ། དེ་བཞིན་མཆོད་ཡོན་གྱི་གནས་སུ་ཞབས་བསིལ་ནས་རོལ་མོའི་བར་དང་། ཨརྒྷཾ་གྱི་གནས་སུ་ཤབྡའི་བར་བཅུག་ལ། མཆོད་པ་ཕུལ། བློ་གྲོས་ཁང་བཟང་བརླབ་གསུམ་ནོར་གྱིས་ཕྱུག །བཟང་པོའི་འཕྲིན་ལས་གདུལ་བྱའི་དཔལ་དུ་ཤར། །གྲགས་པའི་འོད་ཟེར་འཛམ་གླིང་ཕྱོགས་བཅུར་འཕྲོ། །བློ་བཟང་གྲགས་པའི་ཞབས་ལ་ཕྱག་འཚལ་ལོ། །ཞེས་པས་བསྟོད་དོ། །ཐུགས་ཀར་ཟླ་བའི་དཀྱིལ་འཁོར་གྱི་སྟེང་དུ་ཧཱིཿཡིག་གི་མཐའ་སྐོར་དུ་དམིགས་བརྩེ་མའི་ཡིག་འབྲུ་ཤེལ་ཕྲེང་འཆར་པས་བསྐོར་བ་ལས་འོད་ཟེར་འཕྲོས་ཕྱོགས་བཅུའི་སངས་རྒྱས་དང་བྱང་ཆུབ་སེམས་དཔའ་ཐམས་ཅད་ཀྱི་བྱིན་རླབས་དང་ཁྱད་པར་དུ་ཡང་དགའ་ལྡན་གྱི་གནས་ནས་ཆོས་ཀྱི་རྒྱལ་པོ་ཙོང་ཁ་པ་ཆེན་པོའི་སྐུ་གསུང་ཐུགས་ཀྱི་བྱིན་རླབས་ཐམས་ཅད་རྗེ་བླ་མའི་སྐུ་དང་། ཕྱག་མཚན་དང་། ས་བོན་ཧཱིཿཡིག་དང་། རྡོ་རྗེ་རྣམ་འཇོམས་དང་། ཕྱག་ན་རྡོ་རྗེ་དང་། ཁྱུང་ཁྲ་ནག་ལ་སོགས་པའི་རྣམ་པར་སྤྲིན་དྲངས། ཐུགས་ཀའི་སྔགས་ཕྲེང་ལ་ཐིམ། དེ་ལས་བདུད་རྩིའི་རྒྱུན་བབས་པས་ལུས་པ་གང་བར་གྱུར། ཅེས་བརྗོད་ཅིང་བཟླས་པ་བྱེད། སླར་ཡང་མཆོད་བསྟོད་དང་འདོད་དོན་ལ་གསོལ་བ་བཏབ་ཏེ། རྗེ་བླ་མ་འོད་དུ་ཞུ་ནས་ལུས་ཆུ་ལ་ཐིམ་པས་ལུས་པའི་ཆུ་དང་རོ་གཅིག་ཏུ་གྱུར། ཁྲུས་ཀྱི་ཚིག་གོང་ལྟར་བྱེད། བསྒྲུབ་བྱ་རང་གནས་སུ་སོང་རྗེས། སླར་ཡང་དམིགས་བརྩེ་མ་ཅི་འགྲུབ་བཟླས་ནས། དཔལ་ལྡན་ཙ་བའི་བླ་མ་ཞེས་སོགས་ཀྱིས་རྗེ་བླ་མ་འཁོར་བཅས་སྙིང་དབུས་སུ་བཞུགས་སུ་གསོལ། དེང་བཙམ་མ་སོགས་དང་། སྨོན་ལམ་འཇམ་དབྱངས་བདེ་བའི་རྡོ་རྗེས་མཛད་པ་ནི། མདུན་གྱི་འཆི་མེད་ལྷ་ལམ་མཁའ་དབྱིངས་སུ། །ཡབ་རྗེ་བླ་མ་སྲས་བཅས་ལེགས་བསྒོམས་ཤིང་། །ཕྱག་འཚལ་མཆོད་སོགས་བགྱིས་པའི་རྣམ་དཀར་གྱིས། །བྱིན་བརླབས་འཇུག་པའི་འགལ་རྐྱེན་ཀུན་ཞི་ཤོག །དེ་ནས་བྱིན་རླབས་ཟབ་མོའི་བསྟོད་ཚིག་གིས། །གསོལ་བ་བཏབ་པས་རྗེ་བཙུན་ཡབ་སྲས་ཀྱི། །ཐུགས་ཀ་ནས་བྱུང་འོ་མའི་མདོག་ཅན་གྱི། །བདུད་རྩིས་མ་དག་དྲི་མ་ཀུན་འཁྲུད་ཤོག །སླར་ཡང་གསོལ་བ་བཏབ་པས

དམར་སེར་གྱི། །བདུད་རྩི་འོད་ཟེར་བཅས་པས་ལུས་གང་བས། །མི་ཤེས་རྨོངས་པའི་མུན་པ་ཀུན་བསལ་ནས། །ཤེས་རབ་སྣང་བའི་འོད་ཀྱིས་ཁྱབ་པར་ཤོག །དེ་ལས་ཤེས་རབ་ཆེ་གསལ་མྱུར་བ་དང་། །ཟབ་དང་འཆད་རྩོད་རྩོམ་པའི་བློ་གྲོས་ཀྱིས། །འགྲོ་བའི་ཡིད་ཀྱི་མུན་པ་སེལ་བ་ལ། །རྗེ་བཙུན་མཁྱེན་པའི་གཏེར་དང་མཚུངས་པར་ཤོག །མཁའ་དབྱིངས་བཞུགས་པའི་རྗེ་བཙུན་བླ་མ་མཆོག །སྤྱི་བོ་ནས་བརྒྱུད་སྙིང་དབུས་རྡུ་ཏིའི་དབུས། །ཐིགས་ཀྱིས་རང་སེམས་བླ་མ་དབྱེར་མེད་དུ། །འདྲེས་ནས་སྒོ་གསུམ་བྱིན་རླབས་འཇུག་པར་ཤོག །འདི་སྣང་འགག་ཆེ་འདའ་ཁའི་རྣལ་འབྱོར་གྱིས། །དགའ་ལྡན་མཁའ་སྤྱོད་གནས་སུ་བགྲོད་ནས་ནི། །བློ་བཟང་རྒྱལ་བ་ཡབ་སྲས་ཞལ་མཐོང་ཞིང་། །གསུང་གི་བདུད་རྩིའི་དགའ་སྟོན་སྤྱོད་པར་ཤོག །ནམ་ཞིག་སྐྱབས་མགོན་ཡབ་རྗེ་བླ་མ་མཆོག །ངོ་མཚར་རྨད་བྱུང་བཀོད་མཛེས་འཛིག་རྟེན་དུ། །རྒྱལ་བའི་མཛད་པ་ཉེ་བར་སྟོན་པའི་ཚེ། །འཁོར་གྱི་ཐོག་མ་ཉིད་དུ་འགྱུར་བར་ཤོག །དེ་ཚེ་རྒྱལ་བ་དེ་ཡི་ཕྱག་དབུས་ཀྱི། །མཆོད་སྡོང་མཐོང་བའི་མོད་ལ་ཐེག་མཆོག་གི །ལམ་བཟང་མངོན་དུ་བྱེད་པའི་དབང་རྣོན་གྱི། །གདུལ་བྱའི་མཆོག་ཏུ་བདག་ནི་འགྱུར་བར་ཤོག །དེར་མ་སོན་པའི་ཚེ་རབས་ཀུན་ཏུ་ཡང་། །རྒྱལ་བ་ཡབ་སྲས་རྣམས་ཀྱིས་རྗེས་བཟུང་ཞིང་། །བསྟན་དང་མཇལ་ནས་ལེགས་བཤད་གསུང་རབ་ལ། །ངོམས་པ་མེད་པའི་ཐོས་པ་བྱེད་པར་ཤོག །ཤེས་བརྗོད་ནི། པཎ་ཆེན་ཐམས་ཅད་མཁྱེན་པས་མཛད་པ་ལ་ཚིག་ཟུར་ཙམ་ཟད་བཅོས་པ་འདི་ལྟར། རབ་ཡང་ནམ་མཁའ་ཉིལ་གྱིས་གང་བ་བཞིན། །ཡོངས་སུ་གང་བའི་བློ་བཟང་གྲགས་པའི་དཔལ། །ཁ་ཅིག་མི་རྟོག་སྣ་ཚོགས་ཆར་འབེབས་ཤིང་། །ལ་ལ་བཀྲ་ཤིས་གདངས་སྙན་གླུ་རུ་ལེན། །གཞན་དག་བགེགས་དཔུང་འཇོམས་པའི་འཕྲིན་ལས་ཀྱིས། །ཁྱེད་ལ་རྟག་ཏུ་དཔལ་གནས་བརྗོད་པ་འདིས། །ཤིས་པར་གྱིས་ལ་ཡིད་བདེ་བསྐྱེད་ཅིག་དང་། །ཤིས་བརྗོད་འཕྲེང་བ་བདག་གིས་བསྒྲགས་པར་བྱ། །རྨད་བྱུང་མཚན་དཔེའི་དཔལ་འབར་ལོངས་སྤྱོད་རྫོགས། །ཁ་སྦྱོར་བདེ་སྟོང་རོ་ལ་རྟག་རོལ་ཅིང་། །དམིགས་མེད་ཐུགས་རྗེས་ཞི་བའི་མཐའ་སྤངས་པ། །བློ་བཟང་ཡན་ལག་བདུན་ལྡན་ལ་ཕྱག་འཚལ། །གསང་བ་ཀུན་གྱི་བདག་པོ་དགེ་ལེགས་དཔལ། །ཤེས་རབ་སེངྒེ་དཔལ་ལྡན་བཟང་པོ་དང་། །ཆོས་ཀྱི་རྒྱལ་མཚན་ཆོས་ཀྱི་རྡོ་རྗེ་སོགས། །རྩ་བ་བརྒྱུད་

པའི་བླ་མ་མཆོག་རྣམས་ལ། །དགེ་མཚན་ཇི་སྐྱིད་མཆིས་པའི་བཀྲ་ཤིས་དེས། །ཁྱེད་རྣམས་ཇི་བཞིན་ལམ་མཆོག་འདི་ཉིད་ལས། །བློ་བཟང་རྡོ་རྗེ་འཆང་དབང་མྱུར་ཐོབ་ནས། །འགྲོ་ཀུན་ཚུལ་དེར་འགོད་པའི་བཀྲ་ཤིས་ཤོག །ཆོས་ཀྱི་ཕུང་པོ་བརྒྱད་ཁྲི་བཞི་སྟོང་གི །སྙིང་པོ་གཅིག་ཏུ་བསྡུས་པའི་བསྟོད་པའི་རྒྱལ། །གང་གི་ཉམས་ལེན་རིམ་པ་ཐམས་ཅད་ཀྱིས། །བཀྲ་ཤིས་དགེ་མཚན་རྒྱ་མཚོས་ཁྱབ་གྱུར་ཅིག །ཚུལ་དེར་སྤྱོད་པའི་འཕགས་པའི་གང་ཟག་དང་། །ལམ་ལ་ཞུགས་དང་སོ་སོའི་སྐྱེ་བོ་ཡི། །དགེ་འདུན་དཀོན་མཆོག་ཇི་སྐྱིད་མཆིས་པ་ཡིས། བཀྲ་ཤིས་བྱེ་བ་ཆར་དུ་ཕབ་ཏུ་གསོལ། །ནམ་མཁའི་ཁྱོན་ལྟར་ཡངས་པའི་ཕོ་བྲང་སོགས་བྱའོ། །ཞེས་དམིགས་བརྩེ་མའི་སྒོ་ནས། བཀྲ་བྱབས་བསྲུང་བ་བྱ་ཚུལ་གདུང་སེལ་བདུད་རྩིའི་ཆུ་རྒྱུན་ཞེས་བྱ་བ་འདི་ནི། དགའ་ལྡན་བསམ་འགྲུབ་གླིང་ནས་དད་བརྩོན་ལྡན་པའི་དགེ་ཚུལ་ངག་དབང་བསྟན་འཛིན་གྱིས་བསྐུལ་ངོར། ༧རིགས་པ་སྨྲ་བ་དཀོན་མཆོག་རྒྱལ་མཚན་གྱིས་བླ་མའི་མན་ངག་གི་རྗེས་སུ་འབྲང་སྟེ་ལས་ཚོགས་བཅུ་གཅིག་སོགས་ཀྱི་འགྲོས་དང་མཐུན་པར་བཀོད་པའི་ཡི་གེ་པ་ནི་དགེ་ཚུལ་དཀོན་མཆོག་ཆོས་འབྱོར་རོ། འདིས་ཀྱང་འགྲོ་ཀུན་བླ་མ་ལྷས་འབྲལ་མེད་རྗེས་སུ་བཟུང་ནས། གཏན་བདེའི་དཔལ་ལ་མྱུར་དུ་རེག་པར་གྱུར་ཅིག། །།སརྦ་མངྒ་ལཾ།། །།

༄༅། །རྗེ་བླ་མ་སྨན་ཁང་པའི་དག་སྣང་དམིགས་བརྒྱ་མའི་སྒོ་ནས་ཆར་འབེབས་དང་སྲིད་བསྲུང་བའི་འཁོར་ལོ་སྒྲུབ་ཚུལ་བཅས་བཞུགས་སོ།

༄༅། །རྗེ་བླ་མ་སྨན་ཁང་པའི་དག་སྣང་མའི་ཆར་འབེབས་དང་སྲིད་བསྲུང་གི་དམིགས་བརྒྱ་མའི་འཁོར་ལོ་སྒྲུབ་ཚུལ་ནི། སྟེགས་མཐོན་པོར་སྣོད་བཟང་པོར་འབྲུ་དཀར་བླུག་པའི་སྟེང་སོགས་སུ་འཁོར་ལོ་བཤམས། དེའི་མདུན་དུ་གཏོར་མ་དང་བདག་མདུན་གྱི་མཆོད་པ་བཤམས། རང་གི་མདུན་དུ་བགེགས་གཏོར་དང་འཐོར་ནས་སོགས་མགོ་བའི་ཡོ་བྱད་རྣམས་ཚོགས་པར་བྱས། དེ་ནས་དེ་ཀའི་གཞུང་ནས་བཤད་པ་བཞིན་དུ་ཟུང་འཇུག་སྒྲུབ་པའི་ཤིང་རྟ་ལྟར་གྱི་བདག་བསྐྱེད་སོགས་བྱས་ན་ལེགས་པས་དེ་ལྟར་བྱ། འདིར་ནི་གནས་སྐབས་འཇུག་པ་བདེ་ཆེད་དུ་པཎ་ཆེན་བློ་བཟང་དཔལ་ལྡན་ཡེ་ཤེས་ཀྱིས་མཛད་པའི་དམིགས་བརྒྱ་མའི་ལས་ཚོགས་བཅུ་གཅིག་པ་ལྟར་བདག་བསྐྱེད་བྱ་བས་སྔོན་འགྲོ་སྐྱབས་སུ་འགྲོ་བ་ནི། སྐྱབས་ཡུལ་རྣམས་གསལ་བཏབ་སྟེ། །༈།བླ་མ་ལ་སྐྱབས་སུ་མཆིའོ། །སངས་རྒྱས་ལ་སྐྱབས་སུ་མཆིའོ། །ཆོས་ལ་སྐྱབས་སུ་མཆིའོ། །དགེ་འདུན་ལ་སྐྱབས་སུ་མཆིའོ། །ཁམས་གསུམ་ཆོས་ཀྱི་རྒྱལ་པོ་ཤར་ཙོང་ཁ་པ་ཆེན་པོའི་ལྷ་ཚོགས་འཁོར་དང་བཅས་པ་རྣམས་ལ་སྐྱབས་སུ་མཆིའོ། །དཔལ་མགོན་དམ་པ་ཆོས་སྐྱོང་བའི་སྲུང་མ་ཡེ་ཤེས་ཀྱི་སྤྱན་དང་ལྡན་པ་རྣམས་ལ་སྐྱབས་སུ་མཆིའོ། །ཞེས་པ་ལན་གསུམ་གྱིས་ཉུང་མཐའ་བྱས་པའི་གྲངས་ཇི་ལྟར་རིགས་པ་དང་། སངས་རྒྱས་ཆོས་དང་ཚོགས་ཀྱི་མཆོག་རྣམས་ལ། །ཞེས་སོགས་ཀྱིས་ཀུན་སེམས་བསྐྱེད། མར་གྱུར་སེམས་ཅན་ཐམས་ཅད་ཅེས་སོགས་ཀྱིས་ཚད་མེད་བཞི་བསྒོམས། དངོས་གཞི་ནི། རང་གི་སྤྱི་བོར་སེངྒེ་ཆེན་པོ་བརྒྱད་ཀྱིས་བཏེགས་པའི་རིན་པོ་ཆེའི་ཁྲི་མཐོ་ཞིང་ཡངས་པའི་སྟེང་ཁར་སྣ་ཚོགས་པད་ཟླ་ཉི་མའི་དཀྱིལ་འཁོར་གྱི་གདན་ལ། མཉམ་མེད་ཐུབ་པའི་དབང་པོ་ནས་རང་གི་དྲིན་ཅན་རྩ་བའི་བླ་མའི་བར་གྱི་བླ་མ། ཡི་དམ། སངས་རྒྱས། བྱང་སེམས། དཔའ་བོ་མཁའ་འགྲོ་ཆོས་སྐྱོང་སྲུང་མ་ཐམས་ཅད་འདུས་པའི་བདག་ཉིད་ཐུབ་དབང་རྡོ་རྗེ་འཆང་བློ་བཟང་གྲགས་པ་སྐུ་མདོག

དཀར་ལ་དམར་བའི་མདངས་ཆགས་པ། ཞལ་གྱི་དཀྱིལ་འཁོར་ཤིན་ཏུ་འཛུམ་ཞིང་སྤྱན་དགུས་རིང་བ། སྐུ་ལ་ཆོས་གོས་ངུར་སྨིག་གསུམ་མཛེས་པར་གསོལ་བ། དབུ་ལ་པཎ་ཞྭ་གསེར་གྱི་མདོག་ཅན་སྣེ་རིང་གསོལ་བ། ཕྱག་གཉིས་ཆོས་འཁོར་གྱི་ཕྱག་རྒྱས་ཨུཏྤ་ལའི་ཡུ་བ་ཐུགས་ཀར་བཟུང་བའི་འདབ་མ་སྐྱན་གཡས་གཡོན་གྱི་ཐད་དུ་ཁ་བྱེ་བའི་སྟེང་དུ་ཤེས་རབ་ཀྱི་རལ་གྲི་དང་བརྒྱད་སྟོང་པའི་གླེགས་བམ་བསྣམས་པ། ཞབས་རྡོ་རྗེ་སྐྱིལ་ཀྲུང་གིས་བཞུགས་པ། འོད་ཟེར་གྱི་ཚོགས་ཞིང་ཁམས་ཀུན་འགེངས་པར་འཕྲོས་པས། ཞིང་ཁམས་ཐམས་ཅད་སྐུ་ལ་སྣང་ཞིང་། སྐུས་ཞིང་ཁམས་ཐམས་ཅད་ཁྱབ་པའི་བདག་ཉིད་ཅན་དུ་བཞུགས་པའི་སྤྱི་བོར་ཨོཾ་དཀར་པོ། མགྲིན་པར་ཨཱཿདམར་པོ། ཐུགས་ཀར་ཧཱུྃ་སྔོན་པོ། ཐུགས་ཀའི་ཧཱུྃ་ལས་འོད་ཟེར་འཕྲོས་པས་རང་བཞིན་གྱི་གནས་ནས་ཆོས་ཀྱི་རྒྱལ་པོ་ཙོང་ཁ་པ་ཆེན་པོ་ལ་སངས་རྒྱས་དང་བྱང་ཆུབ་སེམས་དཔའི་ཚོགས་ཀྱིས་བསྐོར་བ་སྤྱན་དྲངས། ཛཿཧཱུྃ་བཾ་ཧོཿགཉིས་སུ་མེད་པར་གྱུར། །གང་གི་དྲིན་གྱིས་བདེ་ཆེན་ནི། །སྐད་ཅིག་ཉིད་ལ་འཆར་བ་གང་། །བླ་མ་རིན་ཆེན་ལྟ་བུ་ཡི། །རྡོ་རྗེ་ཅན་ཞབས་པད་ལ་འདུད། །ཅེས་ཕྱག་དང་། དངོས་བཤམས་ཡིད་སྤྲུལ་མཆོད་པ་མ་ལུས་འབུལ། །ཐོག་མེད་ནས་བསགས་སྡིག་ལྟུང་ཐམས་ཅད་བཤགས། །སྐྱེ་འཕགས་དགེ་བ་རྣམས་ལ་རྗེས་ཡི་རང་། །འཁོར་བ་མ་སྟོངས་བར་དུ་ལེགས་བཞུགས་ནས། །འགྲོ་ལ་ཆོས་ཀྱི་འཁོར་ལོ་བསྐོར་བ་དང་། །བདག་གཞན་དགེ་རྣམས་བྱང་ཆུབ་ཆེན་པོར་བསྔོ། །ཞེས་ཡན་ལག་བདུན་པ་བྱ། དེ་ནས་མཎྜལ་ཞིག་ཕུལ་ལ། ཐུགས་ཀར་ཉི་མའི་དཀྱིལ་འཁོར་གྱི་སྟེང་དུ་ཧྲཱིཿཡིག་གི་མཐར། མཚན་སྔགས་ཀྱིས་བསྐོར་བ་ལས་བདུད་རྩིའི་རྒྱུན་བབས་ལུས་ཀྱི་ནང་གང་། སྡིག་སྒྲིབ་དག དབང་བཞི་ཐོབ། སྐུ་བཞི་མངོན་དུ་གྱུར་པའི་ནུས་པ་བཞག་པར་གྱུར་པར་བསམས་ལ། ཨོཾ་ཨཱཿགུ་རུ་བཛྲ་ཧ་ར་སུ་མ་ཏི་ཀཱིརྟི་སིདྡྷི་ཧཱུྃ་ཧཱུྃ། ཞེས་ཇི་ལྟར་རིགས་པ་བཟླས་རྗེས། དགེ་བ་འདི་ཡིས་མྱུར་དུ་བདག །ཅེས་སོགས་དང་། དཔལ་ལྡན་རྩ་བའི་བླ་མ་རིན་པོ་ཆེ། །བདག་གི་སྙིང་ཁར་པདྨའི་སྟེང་བཞུགས་ལ། །བཀའ་དྲིན་ཆེན་པོའི་སྒོ་ནས་རྗེས་བཟུང་སྟེ། །མྱུར་དུ་ཁྱེད་རང་ལྟ་བུར་བྱིན་གྱིས་རློབས། །ཞེས་གསོལ་བ་བཏབ་པས། བླ་མ་ལྷ་བདག་ཉིད་ལ་དགྱེས་བཞིན་དུ་ཐིམ་པས་རང་ཉིད་སེནྡྷེ་ཆེན་པོ་བརྒྱད་ཀྱི་བཏེག་པའི་རིན་པོ་ཆེའི་ཁྲི་མཐོ་ཞིང་ཡངས་པའི་ཞེས་པ་ནས་ཐུགས་ཀར་ཧཱུྃ་སྔོན་པོས་མཚན་པར་

གྱུར་ཞེས་པའི་བར་སྔར་བཞིན་བརྗོད། དེ་ནས་མཆོད་པ་རྣམས། ཨ་ཨྀ་ཏ་ས་བསངས། སྭ་བྷཱ་ཝས་སྦྱངས། སྟོང་པའི་ངང་ལས་ཨོཾ་ལས་རིན་པོ་ཆེ་ལས་གྲུབ་པའི་སྣོད་ཡངས་ཤིང་རྒྱ་ཆེ་བ་རྣམས་ཀྱི་ནང་དུ་ཨོཾ་འོད་དུ་ཞུ་བ་ལས་བྱུང་བའི་མཆོད་ཡོན་ནས་རོལ་མོ་རྣམས་རང་བཞིན་བདེ་སྟོང་རྣམ་པ་མཆོད་རྫས་བྱེད་ལས་དབང་པོ་དྲུག་གི་སྤྱོད་ཡུལ་དུ་ཟག་པ་མེད་པའི་བདེ་བ་ཁྱད་པར་ཅན་བསྐྱེད་པར་གྱུར། ཨོཾ་ཨརྒྷཾ་ཨཱཿཧཱུཾ། ནས་ཤབྡ་ཨཱཿཧཱུཾ། གིས་བྱིན་གྱིས་རླབས། ཐུགས་ཀའི་ཧཱུཾ་ལས་སྤྲོས་པའི་མཆོད་པའི་ལྷ་མོ་རྣམས་ཀྱིས་མཆོད་པར་བསམས་ལ། ཨོཾ་ཨཱཿ གུ་རུ་བཛྲ་རཏྣ་ར་སུ་མ་ཧེ་གཱུཧྱེ་ས་པ་རི་ཝཱ་ར་ཨརྒྷཾ་ནས་ཤབྡ་འི་བར་གྱིས་མཆོད། རྒྱལ་བ་ཀུན་གྱི་མཁྱེན་བརྩེ་མ་ལུས་པ། །གཅིག་ཏུ་བསྡུས་པ་རྗེ་བཙུན་འཇམ་དཔལ་དབྱངས། །ངུར་སྨྲིག་གར་རོལ་བློ་བཟང་གྲགས་པའི་དཔལ། །གསོལ་བ་འདེབས་སོ་བྱིན་གྱིས་བརླབ་ཏུ་གསོལ། །ཞེས་པའམ། རྒྱལ་བ་ཐམས་ཅད་གཅིག་བསྡུས་རྡོ་རྗེ་འཆང་། །གདུལ་བྱའི་དོན་དུ་བཤེས་གཉེན་ཚུལ་འཛིན་པ། །བློ་བཟང་གྲགས་པའི་དཔལ་ཞེས་ས་གསུམ་གྱི། །སྐྱེ་དགུའི་འདྲེན་པ་མཆོག་ལ་ཕྱག་འཚལ་ལོ། །ཅེས་པ་གང་རིགས་ཀྱིས་བསྟོད། རང་ཉིད་རྗེ་བླ་མར་གསལ་བའི་ཐུགས་ཀར་ཉི་མའི་དཀྱིལ་འཁོར་གྱི་སྟེང་དུ་ཧཱུཾཿ ཡིག་དམར་སེར། དེའི་མཐའ་བསྐོར་དུ། དམིགས་མེད་བརྩེ་བའི་གཏེར་ཆེན་སྤྱན་རས་གཟིགས། །དྲི་མེད་མཁྱེན་པའི་དབང་པོ་འཇམ་པའི་དབྱངས། །བདུད་དཔུང་མ་ལུས་འཇོམས་མཛད་གསང་བའི་བདག །གངས་ཅན་མཁས་པའི་གཙུག་རྒྱན་ཙོང་ཁ་པ། །བློ་བཟང་གྲགས་པའི་ཞབས་ལ་གསོལ་བ་འདེབས། །ཞེས་པས་བསྐོར་བ་ལས་འོད་ཟེར་འཕྲོས། འགྲོ་བའི་དོན་བྱས། སླར་འདུས། ཐུགས་ཀའི་ས་བོན་ལ་ཐིམ་པར་གྱུར་པར་བསམས་ལ། དམིགས་བརྩེ་མ་ཅི་མང་བཟླས་ཏེ་བསྙེན་ཚད་ནི་འབུམ་ཕྲག་བཞིའོ། །དེ་ནས་མཐུག་ཏུ། དགེ་བ་འདི་ཡིས་མྱུར་དུ་བདག །ཅེས་སོགས་དང་སྔར་བཞིན། ཨརྒྷཾ་སོགས་ཀྱིས་མཆོད་པ་འབུལ་ཞིང་བཏོད་པས་ཀྱང་བསྟོད། དེ་ནས་འཁོར་ལོ་སྒྲུབ་པ་དངོས་ནི་འཁོར་ལོ་བགེགས་བསྲུང་གྱི་འདྲི་ལྟར་བྱ། དེ་ནས་འཁོར་ལོ་ཨ་ཨྀ་ཏ་ས་བསངས། སྭ་བྷཱ་ཝས་སྦྱངས། སྟོང་པའི་ངང་ལས་སྣ་ཚོགས་པདྨ་དང་ཟླ་བའི་གདན་ལ་ཧཱུཾཿ ལས་རྒྱལ་བ་ཀུན་གྱི་ངོ་བོ་ཁྱབ་དབང་རྡོ་རྗེ་འཆང་བློ་བཟང་གྲགས་པ། ཞེས་པ་ནས་སྤྱན་དྲངས་ཞེས་པའི་བར་བདག་བསྐྱེད་བཞིན་བྱ། དེ་ནས། བློ་གྲོས་ཁང་བཟང་བརྟན་གསུམ་ནོར་གྱིས་ཕྱུག །བཟང་པོའི་འཕྲིན་ལས་གདུལ་བྱའི་དཔལ་དུ་

ཤར། །གྲགས་པའི་འོད་ཟེར་འཛམ་གླིང་ཕྱོགས་བཅུར་འཕྲོ། །དཔལ་ལྡན་བླ་མ་འཁོར་བཅས་གཤེགས་སུ་གསོལ། །ཛཿ ཧཱུྃ་བཾ་ཧོཿ གཉིས་སུ་མེད་པར་གྱུར། །དེ་ནས་ཆུ་གཉིས་ཉེར་སྤྱོད་རོལ་མོ་འདོད་ཡོན་ལྔ་དང་བཅས་པ་བྱིན་གྱིས་རླབས། རྒྱས་པར་འདོད་ན། རྒྱལ་བ་རྒྱ་མཚོ་སོགས་དང་། ཨེ་མ་ཧོ་མཆོད་པ། སོགས་ཚིགས་བཅད་སྔགས་དང་བཅས་པའམ། བསྡུ་ན་སྔགས་རྐྱང་གིས་ཆུ་གཉིས་ཉེར་སྤྱོད་རོལ་མོ་འདོད་ཡོན་ལྔ་དང་བཅས་པ་འབུལ། རྒྱལ་བ་ཀུན་གྱི་སོགས་ཀྱི་བསྟོད་པས་བསྟོད། ཐུགས་ཀར་ཟླ་བའི་དཀྱིལ་འཁོར་གྱི་སྟེང་དུ་ཧྲཱིཿ ཡིག་གི་མཐར་དམིགས་བརྩེ་མས་བསྐོར་བ་ལས་འོད་ཟེར་འཕྲོས། རྒྱལ་བ་སྲས་དང་བཅས་པ་ལ་མཉེས་པའི་མཆོད་པ་ཕུལ། དེ་རྣམས་ཀྱི་སྐུ་གསུང་ཐུགས་ཀྱི་བྱིན་རླབས་རྣམས་འོད་ཟེར་གྱི་རྣམ་པར་བསྡུས་ནས་སྐུ་ལ་ཐིམ། དེ་ལས་བདུད་རྩིའི་རྒྱུན་བབ་པས་བདག་དང་འགྲོ་བ་ཐམས་ཅད་ཀྱི་སྡིག་སྒྲིབ་བག་ཆགས་དང་བཅས་པ་ཐམས་ཅད་སྦྱངས། གནས་སྐབས་དང་མཐར་ཐུག་གི་བདེ་ལེགས་ཕུན་སུམ་ཚོགས་པ་ལ་བཀོད་པར་གྱུར་པར་བསམ་ལ། དམིགས་བརྩེ་མ་ཅི་འགྲུབ་བཟླ། ཡིག་བརྒྱས་ལྷག་ཆད་ཁ་བསྐང་། གཏོར་མ་སྔར་ལྟར་བསངས་སྦྱངས། སྟོང་པའི་ངང་ལས་བྷྲཱུྃ་ལས་རིན་པོ་ཆེ་ལས་གྲུབ་པའི་སྣོད་ཡངས་ཤིང་རྒྱ་ཆེ་བའི་ནང་དུ་གཏོར་མ་ལྷའི་ཞལ་ཟས་འདོད་པའི་ཡོན་ཏན་ལྔ་དང་ལྡན་པའི་སྟེང་དུ་ཨོཾ་ཨཱཿ ཧཱུྃ་གིས་མཚན་པ་ལས་འོད་འཕྲོས། འཁོར་འདས་ཀྱིས་བསྡུས་པའི་བཅུད་ཐམས་ཅད་བསྡུས་ནས་འབྲུ་གསུམ་ལ་ཐིམ་ཞིང་དེ་ཡང་འོད་དུ་ཞུ་ནས་བདུད་རྩིའི་རྒྱ་མཚོ་ཆེན་པོར་གྱུར། ཨོཾ་ཨཱཿ ཧཱུྃ། ལན་གསུམ་གྱིས་རླབས། རྗེ་བཙུན་བླ་མའི་ལྗགས་འོད་ཟེར་གྱི་སྦུ་གུས་གཏོར་མའི་བཅུད་ཐམས་ཅད་དྲངས་ཏེ་གསོལ་བར་གྱུར། ཨོཾ་ཨཱཿ གུ་རུ་བཛྲ་ཧྲ་ར་སུ་མ་ཏི་ཀིརྟི་ཨི་དཾ་བ་ལིཾ་ཏ་ཁ་ཁ་ཁཱ་ཧི་ཁཱ་ཧི། ཞེས་ལན་གསུམ་མམ་བདུན་གྱིས་གཏོར་མ་ཕུལ། མཆོད་བསྟོད་བྱ། དེ་རྗེས། འཁོར་ལོ་རྗེ་བླ་མར་གསལ་བ་འོད་དུ་ཞུ་ནས་བྲིས་པའི་འཁོར་ལོ་དང་ཡིག་འབྲུ་སོ་སོའི་རྣམ་པར་གྱུར། འདིར་ནི་གཟུགས་དང་། ཞེས་སོགས་ཀྱི་མཐར། ཨོཾ་སུ་པྲ་ཏིཥྛ་བཛྲ་ཡེ་སྭཱ་ཧཱ། ཞེས་བརྗོད་ནས་མེ་ཏོག་གཏོར་ཏེ་རབ་གནས་བྱ། དེ་ནས་འཁོར་ལོའི་བྱ་བ་དངོས་ནི། རང་ཉིད་རྗེ་བླ་མར་གསལ་བའི་སྤྱི་བོར་སེངྒེ་ཆེན་པོ་བརྒྱད་ཀྱིས་བཏེག་པའི་ཞེས་པ་ནས་གཉིས་སུ་མེད་པར་གྱུར། ཞེས་པའི་བར་བདག་བསྐྱེད་ཀྱི་ཚོགས་ཞིང་ལྟར་བྱ། དེ་ནས་མཆོད་བསྟོད་དང་། ཡན་ལག་བདུན་པ་མཎྜལ་དང་བཅས་པ་ཕུལ། དེ་ནས། ཚོགས་ཞིང་གི་ཐུགས་ཀའི་ཧྲཱིཿ ཡིག་ལས་འོད་ཟེར་

འཕྲོས་པས། འཁོར་ལོའི་ཧྲཱིཿ ཡིག་ལ་ཐོག དེ་ལས་འོད་ཟེར་ཕྱོགས་བཅུར་འཕྲོས་པས་ཧཱུཾ་རྣམས་ལ་ཐོག །དེ་རྣམས་ཁྲོ་བོ་ཞལ་གཅིག་ཕྱག་གཉིས་པ་ཕྱག་གཡས་རྡོ་རྗེ་མེ་འབར་བ་འཕྱར་ཞིང་གཡོན་བསྡིགས་མཛུབ་མཛད་པ་བཅུར་གྱུར། དེ་རྣམས་ལས་འོད་ཟེར་འཕྲོས་པ་དམིགས་བརྩེ་མའི་ཡིག་འབྲུ་རྣམས་ལ་ཐོག ཡིག་འབྲུ་རེ་རེ་ནས་འོད་ཟེར་དཔག་ཏུ་མེད་པ་འཕྲོས། ལྷ་ཀླུ་སྲི་བརྒྱད་སོགས་རྩི་བཅུད་ལོ་ཐོག་རྒྱས་པ་ལ་བར་དུ་གཅོད་པར་བྱེད་པའི་སེམས་ལྡན་རྣམས་དང་སྤྲིན་འཐོར་བར་བྱེད་པའི་རླུང་ལྷ་རྣམས་ལ་ཐོག་པས་དེ་རྣམས་ཀྱི་བསམ་ངན་སྦྱོར་རྩུབ་ལས་གྱུར་པའི་བཙའ་ཐན་སད་སེར་གྱི་གནོད་པ་ཐམས་ཅད་ཞི་བར་གྱུར་ཏེ་མཐུན་རྐྱེན་སྒྲུབ་པ་དང་། སེམས་མེད་ཀྱི་འགལ་རྐྱེན་རྣམས་ལ་ཐོག་པས་ལུན་ཁུང་ལ་མར་མེ་དང་། རྩྭ་ཕུར་ལ་མེ་དཔུང་འཕྲད་པ་བཞིན་གཏན་མེད་དུ་བྱས། ཁྱད་པར་ཀླུའི་རྒྱལ་པོ་དགའ་བོ་དང་འཇོག་པོ་ལ་སོགས་པའི་རྒྱལ་རིགས་དང་། རྗེའུ་རིགས་དང་། དམངས་རིགས་དང་། གདོལ་པའི་རིགས་ཐམས་ཅད་ལ་ཐོག་པས་དེ་རྣམས་ཀྱིས་འདོད་རྒུའི་གཏེར་ཆེན་པོ་ལ་ལོངས་སྤྱོད་པར་གྱུར་པར་བསམ་ཞིང་། དེ་ནས་ཀླུ་རྣམས་ཀྱིས་དགའ་བ་ཆེན་པོས་རྒྱ་བོད་ཧོར་སོགས་འཛིག་རྟེན་གྱི་ཁམས་སྤྱི་དང་། ཁྱད་པར་བོད་གངས་ཅན་གྱི་ཡུལ་ལྗོངས་ཀུན་ཏུ་སྐད་ཅིག་ལ་སྤྲིན་ཆེན་པོ་བསྡུས་ནས་རྩི་བཅུད་ལོ་ཐོགས་སོགས་ལ་སྨན་པའི་ཆར་གྱི་རྒྱུན་བཟང་པོ་རབ་ཏུ་ཕབ་པར་གྱུར། བར་བསམས་ནས་འཁོར་ལོ་ལག་པའམ་རླུང་དང་ཆུ་སོགས་ཀྱིས་དལ་བུས་བསྐོར་བཞིན་པར་དམིགས་བརྩེ་མ་ཅི་འགྲུབ་བཟླ། དེ་ནས་ས་གསུམ་མ་དང་། གཞུང་བཞིན་གྱི་སྔོན་ལམ་བརྗོད་ཀྱང་ཆོག ཐུན་རྗེས་མ་རྣམས་ལ། ཚོགས་ཞིང་གི་ཐུགས་ཀའི་ཧྲཱིཿ ཡིག་ལས། ཞེས་སོགས་དམིགས་པ་དང་བཅས་པའི་འཁོར་ལོ་བསྐོར་བ་ནས་འཇུག་ཀྱང་རུང་བ་འདྲ་ཞིང་། ཡང་ན། རང་ཉིད་རྗེ་བླ་མར་གསལ་བའི་སྤྱི་བོར་ཞེས་པ་ནས་འཇུག་ཀྱང་རུང་ལ། ཡང་ན། བདག་བསྐྱེད་རྫོགས་པར་བསྒོམས་ནས་འཁོར་ལོ་སྒྲུབ་ཆོག་སྐོར་བཞག རང་ཉིད་རྗེ་བླ་མར་གསལ་བའི་སྤྱི་བོར་ཞེས་སོགས་འཁོར་ལོའི་བྱ་བ་དངོས་ནས་འཇུག་པས་ཆོག་ལ། གང་ལྟར་ཡང་། ཚོགས་ཞིང་གི་ཐུགས་ཀའི་ཧྲཱིཿ ཡིག་ལས་འོད་ཟེར་འཕྲོས་པས་འཁོར་ལོའི་ཧྲཱིཿ ཡིག་ལ་ཐོག དེ་ལས་འོད་ཟེར་ཕྱོགས་བཅུར་འཕྲོས་པས་ཁྲོ་བོ་རྣམས་ལ་ཐོག དེ་རྣམས་ལས་འོད་ཟེར་འཕྲོས་པས་དམིགས་བརྩེ་མའི་ཡིག་འབྲུ་རྣམས་ལ་ཐོག ཅེས་འདོན་པ་བསྒྱུར། ཐུན་མཐའ་མའི་མཇུག་ཏུ་སྔོན་ལམ་ཤིས་བརྗོད་བྱ་བས་འདི་

ལྟར། དགེ་བ་འདི་ཡིས་མྱུར་དུ་བདག །བློ་བཟང་གྲགས་པ་འགྲུབ་གྱུར་ནས། །འགྲོ་བ་གཅིག་ཀྱང་མ་ལུས་པ། །དེ་ཡི་ས་ལ་འགོད་པར་ཤོག །དེ་ལྟར་ཀུན་མཁྱེན་མཉམ་མེད་ཙོང་ཁ་པའི། །གོ་འཕང་མཆོག་དེ་མངོན་དུ་བྱ་བའི་ཕྱིར། །བླ་མའི་རྣལ་འབྱོར་བསྐྱེད་པའི་རིམ་པར་བཅས། །བསྒོམས་པས་དེ་དོན་མངོན་དུ་འགྱུར་བར་ཤོག །ཁྱད་པར་ཁྱེད་ཀྱི་ཆོས་སྐུ་དང་མཚུངས་པའི། །སྟོང་ཉིད་དང་ལས་རབ་མཛེས་མཚན་དཔེའི་སྐུ། །དཀར་གསལ་ཆོས་འཆད་རལ་གྲི་གླེགས་བམ་ཅན། །བསྒོམས་པས་ཁྱོད་སྐུ་མངོན་དུ་འགྱུར་བར་ཤོག །སྐུ་གསུང་ཐུགས་ཀྱི་ཧཱུཾ་ཧྲཱིཿཡི་གེར་བཅས། །གནས་གསུམ་དག་ཏུ་བརྟན་པར་བརླབས་པ་ལས། །འབད་རྩོལ་མེད་པར་རླུང་སེམས་མ་ལུས་པ། །རྡུ་ཏིའི་ནང་དུ་བསྡུས་པའི་དཔལ་ཐོབ་ཤོག །གསོལ་འདེབས་རྒྱལ་པོའི་ཚིགས་སུ་བཅད་པ་ཡི། །བསྙེན་བསྒྲུབ་ཕ་མཐར་ཕྱིན་པ་ལེགས་བསྐྱངས་ནས། །ལས་ཚོགས་བཅུ་གཅིག་ལ་སོགས་ལས་རབ་འབྱམས། །མ་ལུས་བསྒྲུབ་ལ་ཐོགས་པ་མེད་པར་ཤོག །ཁྱད་པར་ཐུབ་དབང་རྡོ་རྗེ་འཆང་དབང་ནས། །རྩ་བའི་བླ་མའི་བར་གྱི་ངོ་བོ་ཉིད། །བློ་བཟང་གྲགས་པའི་དཔལ་མཆོག་ཁྱོད་ཀྱིས་ནི། །ཚེ་རབས་ཀུན་ཏུ་འབྲལ་མེད་རྗེས་འཛིན་ཤོག །ཚེ་ཡི་མཐར་ཡང་བློ་བཟང་གྲགས་པའི་དཔལ། །ཡིད་འོང་མཆོད་སྤྲིན་སྣ་ཚོགས་པའི་རོལ་མོ་བཅས། །ཏུ་ཏུ་ཚུར་ཤོག་དགའ་ལྡན་གནས་འགྲོ་ཅེས། །གསུང་གི་དབྱུགས་དབྱུང་དངོས་སུ་ཐོབ་པར་ཤོག །རྣམ་དག་བསམ་པས་ཚུལ་འདིར་འབད་པ་ལས། །བྱུང་བའི་དགེ་བས་མཐའ་ཡས་འགྲོ་བ་རྣམས། །སྐྱེ་ཞིང་སྐྱེ་བར་བློ་བཟང་ཞི་ཁྲོ་ཡིས། །འབྲལ་བ་མེད་པར་རྗེས་སུ་འཛིན་གྱུར་ཅིག །ཅེས་བརྗོད།

ཐར་བདག་བསྐྱེད་ཀྱི་སྐབས་སུ་བཤད་པ་བཞིན་ཐུན་བསྡུས་ལ། ཤིས་བརྗོད་ནི། རབ་ཡངས་ནམ་མཁའ་ཏིལ་གྱི་གང་བུ་བཞིན། །ཡོངས་སུ་གང་བའི་བློ་བཟང་གྲགས་པའི་དཔལ། །ཁ་ཅིག་མེ་ཏོག་སྣ་ཚོགས་ཆར་འབེབས་ཤིང་། །ལ་ལ་བཀྲ་ཤིས་གདངས་སྙན་གླུ་རུ་ལེན། །གཞན་དག་བགེགས་དཔུང་འཇོམས་པའི་འཕྲིན་ལས་ཀྱིས། །ཁྱེད་ལ་རྟག་ཏུ་དཔལ་གནས་བརྗོད་པ་འདི། །ཤིས་བར་གྱིས་ལ་ཡིད་བདེ་བསྐྱེད་ཅིག་དང་། །ཤིས་བརྗོད་འཕྲེང་བ་བདག་གིས་བསྒྲགས་པར་བྱ། །རྨད་བྱུང་མཚན་དཔེའི་དཔལ་འབར་ལོངས་སྤྱོད་རྫོགས། །ཁ་སྤྱོར་བདེ་སྟོང་རོ་ལ་རྟག་རོལ་ཅིང་། །དམིགས་མེད་ཐུགས་རྗེས་ཞི་བའི་མཐའ་སྤངས་པ། །བློ་བཟང་

ཡན་ལག་བདུན་ལྡན་ལ་ཕྱག་འཚལ། །གསང་བ་ཀུན་གྱི་བདག་པོ་དགེ་ལེགས་དཔལ། ། ཆོས་ཀྱི་རྒྱལ་མཚན་ཆོས་ཀྱི་རྡོ་རྗེ་དང་། །བློ་བཟང་དོན་གྲུབ་ཆོས་ཀྱི་རྒྱལ་མཚན་སོགས། ། རྩ་བ་བརྒྱུད་པའི་བླ་མ་མཆོག་རྣམས་ལ། །དགེ་མཚན་ཇི་སྙེད་མཆིས་པའི་བཀྲ་ཤིས་དེས། ། ཁྱེད་རྣམས་ཇི་བཞིན་ལམ་མཆོག་འདི་ཉིད་ལས། །བློ་བཟང་རྡོ་རྗེ་འཆང་དབང་མྱུར་ཐོབ་ནས། །འགྲོ་ཀུན་ཚུལ་དེར་འགོད་པའི་བཀྲ་ཤིས་ཤོག །ཆོས་ཀྱི་ཕུང་པོ་བརྒྱད་ཁྲི་བཞི་སྟོང་གི །སྙིང་པོ་གཅིག་ཏུ་བསྡུས་པའི་བསྟོད་པའི་རྒྱལ། །གང་གི་ཉམས་ལེན་རིམ་པ་ཐམས་ཅད་ཀྱིས། །བཀྲ་ཤིས་དགེ་མཚན་རྒྱ་མཚོས་ཁྱབ་གྱུར་ཅིག །ཚུལ་དེར་སྤྱོད་པའི་འཕགས་པའི་གང་ཟག་དང་། ལམ་ལ་ཞུགས་དང་སོ་སོ་སྐྱེ་བོ་ཡི། །དགེ་འདུན་དཀོན་མཆོག་ཇི་སྙེད་མཆིས་པ་ཡིས། །བཀྲ་ཤིས་བྱེ་བ་ཆར་དུ་ཕབ་ཏུ་གསོལ། །ནམ་མཁའི་ཁྱོན་ལྟར་ཡངས་པའི་ཐོ་བྲང་སོགས་བྱའོ། །ཉིན་རྗེས་མ་རྣམས་ལ་འཁོར་ལོ་སྒྲུབ་པའི་སྐོར་མ་བྱས་ཀྱང་ཆོག་མོད་ཀྱང་། བྱས་ན་ཡང་ཕུན་སུམ་ཚོགས་ཤིང་། བགེགས་བསྐྲད་པ་མ་གཏོགས་གཞན་སྔར་བཞིན་བྱ། ཡང་འཁོར་ལོའི་སྒྲུབ་པ་ཙམ་བྱ་དུས་འཁོར་ལོའི་བྱ་བ་དངོས་རྣམས་བཞག་ནས་གཞན་སྔར་བཞིན་བྱ། སད་བསྲུང་བའི་ཚེ་གཞན་རྣམས་སྔར་དང་འདྲ་བ་ལ་འཁོར་ལོ་བསྐོར་བའི་དམིགས་པའི་སྐབས་སུ། བཙའ་ཐན་སད་སེར་ལ་སོགས་པའི་གནོད་པ་ཐམས་ཅད་ཞི་བར་བྱས། ཁྱད་པར་འོད་ཟེར་གྱིས་བར་སྣང་ཁེངས་པས་བསད་བྱེད་ཀྱི་བ་མོ་རྣམས་ལ་ཕོག་པས་ཞྭངས་པ་ཕྱུ་རུ་ཞུ་ནས་ཆར་དང་ཆུ་རིས་ཀྱིས་ནམ་མཁའ་ཁེངས་པར་གྱུར་པར་བསམས་ལ་འཁོར་ལོ་བསྐོར་བཞིན་དམིགས་བརྩེ་མ་བཟླ། ལས་གྲུབ་ནས་འཁོར་ལོ་མཆོད་གྲལ་དུ་བཞུགས་སུ་གསོལ། འདི་ལྟར་བྲིས་པ་ནི་ཚོང་འདུས་འོ་མ་ལྷ་བུའི་ཉིན་ཆེ་རུང་གནས་སྐབས་འཇུག་པ་བདེ་ཆེད་དུ་བགྱིས་པས་དཔྱད་དོ། །ཀྵྃ

སད་བསྲུང་བྱ་ཚུལ་ནི། རང་གི་མདུན་དུ་སྙིད་བུ་དཔུང་གསུམ་བཅས། དེའི་སྟེང་དུ་ཟངས་ཆེ་ཆུང་གང་ཡང་རུང་བ་ཞིག་གི་ནང་དུ་ཀླུ་གནས་ངེས་པའི་ཆུ་མིག་དཀུའི་ཆུ་དང་རྟེན་བྱིན་ཅན་ལ་ཁྲུས་གསོལ་བྱས་པའི་ཆུས་བཀང་ས། དེའི་ནང་དུ་མར་ལ་སྦྲུས་པའི་སྤལ་བ་དང་། སྟོང་མོ་ལ་སོགས་པའི་ཆུའི་སྲོག་ཆགས་ཀྱི་གཟུགས་སྣ་ཚོགས་པ་བཏབ་ལ་ཀླུའི་རྒྱལ་པོ་རྣམས་སུ་མོས་པ་བྱ། ཟངས་ཀྱི་འོག་ཏུ་དུག་ཤིང་མ་ཡིན་པའི་བསངས་སྣ་ལ་སོགས་པས་མེ་ཆུང་དུ་སྦར་ཏེ་ཆུ་དེ་མ་ཁོལ་ཙམ་དུ་བསྲོས་དེའི་སྟེང་དུ་གང་འོས་ཀྱི་ཁར་རྗེ་བླ་མའི་སྐུ་བྱིན་ཅན་ཞིག་བཞུགས་སུ་གསོལ། བདག་བསྐྱེད་གོང་བཞིན་བྱ་ལ། དངོས་གཞི་དམིགས་པའི་སྐོར་འཇུག་པ་བདེ་ཆེད་དུ་འོང་ན་ཚིག་ཏུ་བྱ་ཚུལ་ནི། སྙིད་བུ་རྐང་པ་དང་པོ་སྤྱན་རས་གཟིགས། གཉིས

པ་འཛམ་དབྱངས། གསུམ་པ་ཕྱག་རྡོར་གྱི་ངོ་བོར་གྱུར་པར་བསམ། དེའི་སྟེང་གི་ཟངས་ནང་གི་ཆུ་འདི་ཉིད་རྒྱ་མཚོ་ཆེན་པོ་བཞིའི་བདག་ཉིད་ཅན་གྱི་ཆུ་བོར་གྱུར་པར་བསམ་དེའི་སྟེང་གི་བར་སྣང་ལ་སེནྡྷ་ཆེན་པོ་བརྒྱད་ཀྱིས་བཏེག་པའི་ཞེས་པ་ནས་ཉི་མའི་དཀྱིལ་འཁོར་གྱི་གདན་ལ་ཐུབ་དབང་རྡོ་རྗེ་འཆང་བློ་བཟང་གྲགས་པ་ཞེས་པ་ནས། བདག་ཉིད་ཅན་ལ་བླ་མ་ཡི་དམ་སངས་རྒྱས་བྱང་སེམས་དཔའ་བོ་མཁའ་འགྲོ་ཆོས་སྐྱོང་བསྲུང་མའི་ཚོགས་ཐམས་ཅད་ཀྱིས་བསྐོར་ནས་བཞུགས་པར་གྱུར་པར་བསམ། དེ་ནས་དམིགས་བརྩེ་མ་གང་ཐུབ་བཟླས་ནས། དེ་ལྟར་གསོལ་བ་བཏབ་པས་མདུན་གྱི་རྗེ་བླ་མ་གཙོ་འཁོར་རྣམས་ལས་རང་འདྲ་གཉིས་པ་མར་མེ་གཅིག་ལས་གཉིས་ཆད་ཀྱི་ཚུལ་དུ་བྱུང་པ་འོད་དུ་མེར་གྱིས་ཞུ་ནས་རྒྱ་མཚོ་ཆེན་པོ་དེ་དང་དབྱེར་མེད་དུ་གྱུར་པར་བསམ། རང་ཉིད་རྗེ་བླ་མར་གསལ་བ་དང་མདུན་གྱི་རྗེ་བླ་མ་གཙོ་འཁོར་རྣམས་ཀྱི་ཐུགས་ཀ་ནས་འོད་ཟེར་གྱི་ཚོགས་འཕྲོ་ཞིང་འཐུག་པ་སྤྲིན་འདྲ་བ་དཔག་ཏུ་མེད་པ་སྦྲོས་པས་ཀླུའི་རྒྱལ་པོ་ཆེན་པོ་རྣམས་སྐད་ཅིག་གིས་བཀུག་སྟེ་རྒྱ་མཚོ་ཆེན་པོ་བཞིའི་བདག་ཉིད་ཅན་གྱི་ཆུ་བོ་དེའི་ནང་དུ་གནས་པར་གྱུར་པར་བསམ། རང་གི་ཐུགས་ཀ་ནས་འོད་ཟེར་འཕྲོས། མདུན་གྱི་རྗེ་བླ་མ་གཙོ་འཁོར་རྣམས་ལ་ཕོག དེ་རྣམས་ཀྱི་ཐུགས་ཀ་ནས་འོད་ཟེར་འཕྲོས་པས་ནམ་མཁའི་དབྱིངས་ཀུན་ཏུ་སྤྲིན་གྱི་ཕུང་པོ་ཆེན་པོ་བསྟུས་པ་དང་། དེ་རྣམས་ཀྱི་སྐུ་ལས་ཡེ་ཤེས་ཀྱི་མེ་རབ་ཏུ་འབར་བ་ཕྱོགས་བཅུར་འཕྲོས་པའི་ས་གཞི་ཐམས་ཅད་ལ་དྲོད་ཆེན་པོ་བསྐྱེད་དེ་རྒྱ་མཚོ་རང་དབང་མེད་པར་ཁོལ། དེའི་རླངས་པ་སྤྲིན་ལ་ཕོག་པས་འཛམ་བུ་གླིང་ཐམས་ཅད་སྨུགས་པས་གང་བར་གྱུར་པར་བསམ་ཆུ་དེའི་རླངས་པ་མ་ཆད་པར་མི་འབུད་ཅིང་དེ་ལ་བསྐོར་བ་བྱེད་ཀྱིན་དམིགས་བརྩེ་མ་བརྒྱ་རྩ་བཏོན་ནས་ཆུ་ལ་ཕུ་འདེབས། ཡང་རང་ཉིད་རྗེ་བླ་མར་གསལ་བ་དང་མདུན་གྱི་རྗེ་བླ་མ་གཙོ་འཁོར་རྣམས་ཀྱི་ཐུགས་ཀ་ནས་འོད་ཟེར་གྱི་ཚོགས་འཕྲོ་ཞིང་འཐུག་པ་སྤྲིན་དང་འདྲ་བ་དཔག་ཏུ་མེད་པ་འཕྲོས། ཀླུ་རྣམས་ལ་ཕོག་པས་ལུས་ཐམས་ཅད་བདེ་བས་ཁྱབ། ཀླུ་རྣམས་ཀྱི་ནད་དང་སྡིག་སྒྲིབ་ཐམས་ཅད་གསལ། བྱེ་ཚན་མཁའ་ལྡིང་གི་གནོད་པ་ལ་སོགས་པ་སྡུག་བསྔལ་ཐམས་ཅད་དང་བྲལ། ཕན་པ་བྱང་ཆུབ་ཀྱི་སེམས་དང་ལྡན་པར་བྱས་ནས་ལུས་ལ་བདེ་དྲོད་ཆེན་པོ་སྐྱེས་པའི་སྟོབས་ཀྱིས་ཁ་དང་། མིག་དང་། རྣ་བ་དང་། སྣ་དང་། སྤོ་བ་དང་། སྤྲུལ་མགོའི་གདེངས་ཀ་རྣམས་ལས་བྱུང་

བའི་སྤྲིན་གྱི་ཕུང་པོས་ནམ་མཁའི་དབྱིངས་ཐམས་ཅད་ཁྱབ་པས་འཛམ་བུ་གླིང་ཐམས་ཅད་རྗོད་ཀྱིས་གང་། ཁྱགས་སད་ཀྱི་རིགས་འབྱུང་བའི་གོ་སྐབས་མེད་པར་གྱུར་པར་བསམ་ལ་མི་འབུད་ཅིང་བསྐོར་བ་བྱེད་ཀྱིན་དམིགས་བརྩེ་མ་བརྒྱ་རྩ་བཏོན་ནས་ཆུ་ལ་ཕུ་འདེབས། ཡང་འོད་ཟེར་ལྟར་འཕྲོས་ཏེ་སེམས་ཅན་ཐམས་ཅད་ཁྱད་པར་ཁྱགས་སད་འབྱུང་ཡུལ་གྱི་སེམས་ཅན་རྣམས་ལ་ཕོག་པས་དེ་རྣམས་ཀྱི་ལས་ངན་སྡིག་སྒྲིབ་སྤྱི་དང་བྱེ་བྲག་ཏུ་ཁྱགས་སད་ཀྱི་འབྲས་བུ་སྨྱོང་འགྱུར་གྱི་ལས་ངན་རྣམས་སྦྱངས་ཏེ་དགའ་བདེ་ཕུན་སུམ་ཚོགས་པ་ལ་ལོངས་སྤྱོད་པའི་སྐལ་པ་དང་ལྡན་པར་གྱུར་པར་བསམ་ལ་སྔར་ལྟར་བྱ། ཡང་འོད་ཟེར་སྔར་ལྟར་འཕྲོས་ཏེ་རྩི་བཅུད་ལོ་ཏོག་སོགས་ལ་བར་དུ་གཅོད་པར་བྱེད་པའི་སེམས་ལྡན་སྲི་དང་ཁྱད་པར་སྤྲིན་འཐོར་བར་བྱེད་པའི་རླུང་ལྷ་རྣམས་ལ་ཕོག་པས་དེ་རྣམས་ཀྱི་བསམ་ངན་སྦྱོར་རྩུབ་ཐམས་ཅད་ཞི་བར་གྱུར་ཏེ་མཐུན་རྐྱེན་སྒྲུབ་པ་དང་། སེམས་མེད་ཀྱི་འགལ་རྐྱེན་རྣམས་ལ་ཕོག་པས་སྨུན་ཁུང་ལ་མར་མེ་དང་རྩྭ་སྤུར་ལ་མེ་དཔུང་འཕྲད་པ་བཞིན་གཏན་མེད་དུ་བྱས་པར་གྱུར་པར་བསམ་ལ་སྔར་བཞིན་བྱ། ཡང་འོད་ཟེར་སྔར་ལྟར་འཕྲོས་ལ། སད་ཀྱི་བདག་པོ་རྣམས་ཀྱི་ལུས་ལ་ཕོག་པས་རྗོད་ཀྱིས་ལུས་འཛུལ་ཁད་པ་ཙམ་དུ་གྱུར་ནས་སྐྲག་སྟེ། རྗེ་བླ་མ་གཙོ་འཁོར་ལ་སྐྱབས་སུ་སོང་པས་ལུས་སེམས་བདེ་བས་གང་ཞིང་བྱང་ཆུབ་ཀྱི་སེམས་དང་ལྡན་པར་གྱུར་པར་བསམ་ལ་སྔར་ལྟར་བྱ། ཡང་འོད་ཟེར་སྔར་ལྟར་འཕྲོས་པས་ལྷ་ཀླུ། སྡེ་བརྒྱད་ཀྱི་ཚོགས་མདུན་དུ་བཀུག་ནས་སྦྱིན་སོགས་དཀར་ཆོས་ཀྱི་ལས་བྱས་ནས་འབྲས་བུ་བདེ་བ་འབྱུང་བ་དང་། སྒོ་གསུམ་ལོག་པར་སྤྱད་ན་དམྱལ་བ་མནར་མེད་པའི་ཁྲོ་ཆུ་འཁོལ་མས་བསྲེག་ཚུལ་སོགས་ལས་འབྲས་ཀྱི་རྣམ་བཞག་བསྟན་པས་ལྷ་ཀླུ་སྡེ་བརྒྱད་སྤྱི་དང་། ཁྱད་པར་སད་ཀྱི་སྣ་འདྲེན་དེས་རྗེ་བླ་མ་ལ་དད་གུས་དྲུང་དྲུང་བྱེད་ཅིང་བཀའ་བཞིན་སྒྲུབ་པར་གྱུར་པར་བསམ་ལ་སྔར་ལྟར་བྱ། ཡང་འོད་ཟེར་སྔར་ལྟར་འཕྲོས་པས་ལྷ་ཀླུ་སྡེ་བརྒྱད་སོགས་རྩི་བཅུད་ལོ་ཏོག་རྣམས་ལ་བར་དུ་གཅོད་པར་བྱེད་པའི་རིགས་ཐམས་ཅད་ཐུགས་རྗེ་དང་ནུས་མཐུས་སྐྱབས་ཅིང་འཛམ་བུའི་གླིང་ཐམས་ཅད་དུ་ཟས་གོས་ཀྱི་ཆར་ཕབ་པས་སེམས་ཅན་ཐམས་ཅད་ཟས་གོས་ལོངས་སྤྱོད་ཀྱི་དཔལ་ཕུན་སུམ་ཚོགས་པ་དང་ལྡན་པར་གྱུར་པར་བསམ་ལ་མི་འབུད་ཅིང་བསྐོར་བ་བྱེད་ཀྱིན་དམིགས་བརྩེ་མ་བརྒྱ་རྩ་བཏོན་ནས་ཆུ་ལ་འདེབས་པ་སོགས་སྔར་བཞིན་བྱའོ། །ཙ་ལ་ཡ་མ་མ་ཤ་ཀ་ཐྭག་ཏོལ་མུ་བཟོད་ད་ཤ

མ་ཐུ་ཤ་པ་འདི། ཆར་འབེབས་བྱེད་པ་ལ། དང་པོ་ཐེལ་གཏོན་གྱི་དམིགས་པ་ནི། མཚོ་སོགས་སུ་འགྲོ་བའི་སྔ་ཉིན་ནས་མཚོ་སོགས་གང་ཡིན་པ་དེར་ཀླུའི་ཕོ་བྲང་ཡོད་དུ་འོང་བའི་ནང་དུ་ཀླུའི་ལོངས་སྤྱོད་བསམ་གྱིས་མི་ཁྱབ་པ་དང་ཀླུ་རིགས་མང་པོ་འདུས་ནས་འཁོར་བར་བསམ། རང་ཉིད་རྗེ་བླ་མར་གསལ་བའི་ཐུགས་ཀ་ནས་འོད་ཟེར་ལྕགས་རིའི་རྣམ་པ་ཅན་འཕྲོས། མཚོ་སོགས་ཀྱི་ཀླུའི་ཕོ་བྲང་གི་མཐར་འོད་ཀྱི་ལྕགས་རིས་བསྐོར་བས་དེ་ན་གནས་པའི་ཀླུ་རྣམས་གཞན་དུ་འགྲོ་མི་ནུས་པར་བསམ་པ་ཡང་ཡང་བྱས་ལ། རྨི་ལམ་རྟགས་པ་བྱས་ནས་བརྟགས་པ་ལེགས་ན་དེར་འགྲོ་དེ་མིན་གཞན་དུ་སྤོས། གང་ལྟར་ཀྱང་ཁྲུས་དང་གཙང་སྦྲ་དང་དཀར་གཏོར་ལ་གནས་པས་རིན་པོ་ཆེའམ་ཛཾ་བཟང་པོ་ལས་བྱས་པའི་བུམ་པ་ཁ་དོག་རང་བཞིན་གྱི་དཀར་བའམ། སྦྲིན་མེད་བར་ས་དཀར་ཙན་དན་དཀར་པོའི་ལྡེ་གུ་དང་བཅས་པས་བྱུག་པའི་ནང་དུ་དུག་རིགས་མིན་ཅིང་ཀླུ་ལ་མི་གནོད་པའི་མེ་ཏོག་སྣ་ཚོགས་ལེགས་པར་བཏུས་ལ་བག་ཕྱེ་བཟང་པོ་དང་བསྲེས་ཏེ་རིལ་བུ་ཆེ་ཆུང་ལུག་རིལ་ཙམ་ཇི་ལྟར་དགོས་པ་བསྒྲིལ་ནས་གང་གི་ཉིན་ཆར་འབེབས་བྱ་བའི་ཐོ་རངས་སྔ་བར་ལངས་ཏེ་འགྲུབ་ན་ཡི་དམ་གྱི་བདག་བསྐྱེད་སྔོན་དུ་བཏང་། མ་འགྲུབ་ཀྱང་ཆད་པའི་སྐྱོན་དུ་མི་འགྱུར་རམ་སྙམ། གོང་དུ་བཤད་པ་ལྟར་གྱི་བླ་མའི་རྣལ་འབྱོར་དང་བཅས་པའི་བདག་བསྐྱེད་སྔོན་དུ་བཏང་ནས་རིལ་བུ་རྣམས། ཨ་མྲི་ཏས་བསངས། སྭ་བྷཱ་ཝས་བར་སྦྱངས། སྟོང་པའི་ངང་ལས་རིལ་བུ་རྣམས་སྣ་ཚོགས་པདྨ་དང་ཟླ་བའི་གདན་ལ་ཧྲཱིཿ ལས་རྒྱལ་བ་ཀུན་གྱི་ངོ་བོ་ཐུབ་དབང་རྡོ་རྗེ་འཆང་བློ་བཟང་གྲགས་པ་ཞེས་པ་ནས་བདག་གཞན་དགེ་རྣམས་བྱང་ཆུབ་ཆེན་པོར་བསྔོ། །ཞེས་པའི་བར་ཚོགས་ཞིང་སྐབས་ལྟར་བཏང་ནས། སྐྱབས་གནས་ཀུན་འདུས་བློ་བཟང་གྲགས་པ་ལ། །གདུང་ཤུགས་དྲག་པས་ཐུགས་རྗེའི་རྒྱུད་བསྐུལ་ན། །དམ་རྫས་རིལ་བུ་འདི་ལ་བྱིན་བརླབས་ལ། །འགྲོ་རྣམས་སྨིན་ཅིང་སྒྲོལ་བར་མཛད་དུ་གསོལ། །རྩེ་གཅིག་གསོལ་བ་བཏབ་པའི་བྱེད་པོ་ཡིས། །འཇམ་མགོན་ཐུགས་ཀའི་ཧྲཱིཿ ལས་འོད་འཕྲོས་ནས། །རྒྱལ་བ་སྲས་བཅས་ཉན་རང་ལ་སོགས་པ། །སྐྱབས་གནས་ཀུན་གྱི་བྱིན་རླབས་ནུས་མཐུའི་ཚོགས། །འོད་དང་འོད་ཟེར་བདུད་རྩིའི་ཆུ་རྒྱུན་དང་། །འཇམ་མགོན་བླ་མའི་སྐུ་ཡི་རྣམ་པར་བསྡུས། །རིལ་བུ་འཇམ་མགོན་བླ་མའི་རྣམ་པ་ལ། །ཆུ་ལ་ཆུ་བཞག་བཞིན་དུ་རོ་གཅིག་གྱུར། །རིལ་བུ་རྗེ་བླ་མར་གསལ་བའི་ཐུགས་ཀ་ནས་འོད་ཟེར་འཕྲོས་ཕྱོགས་བཅུའི་སངས་རྒྱས་བྱང་སེམས་ཉན་རང་བ་སྲུང་མ་རྣམས་ཀྱི་ཐུགས་ཀར་ཕོག་དེ་རྣམས་ཀྱི་བྱིན་རླབས་དང་ནུས་མཐུ་ཐམས་ཅད་འོད་ཟེར་གྱི་རྣམ་པར་སྤྱན་དྲངས། རིལ་བུ་རྗེ་བླ་མར་གསལ་བ་ལ་ཐིམ་པར་གྱུར། དམིགས་བརྩེ་མ་བཟླས་རྗེས

སྐར་ཡང་། རྗེ་བཙུན་བླ་མ་བློ་བཟང་གྲགས་པའི་དཔལ། །མོས་གུས་གདུང་བའི་ཡིད་ཀྱིས་གསོལ་འདེབས་ན། །ཁྱེད་ཀྱི་ཐུགས་རྗེའི་མཐུ་དཔུང་རབ་བསྐྱེད་ལ། །འདོད་པའི་དངོས་གྲུབ་སྐྱོལ་བར་མཛད་དུ་གསོལ། །ཞེས་གསོལ་བ་བཏབ་པས་རིལ་བུ་རྗེ་བླ་མར་གསལ་བ་འོད་དུ་ཞུ་ནས་རིལ་བུའི་རྣམ་པར་གྱུར། ཞེས་རིལ་བུ་རེ་རེ་ལ་དེ་དམིགས་བརྩེ་མ་རབ་བརྒྱ་རྩ། འབྲིང་ཉེར་གཅིག །ཐ་མ་བདུན་བདུན་བཟླས་ལ་ཕུ་བཏབ་ནས་བུམ་པའི་ནང་དུ་བརྒྱ་རྩ་བརྒྱད་རེ་བླུག་གླུ་ལ་ཡོངས་སྦྱོད་ཀྱི་ཚོགས་དཔག་ཏུ་མེད་པ་འབྱུང་བའི་ཡིད་བཞིན་གྱི་ནོར་བུ་ལྟ་བུར་བསྒོམས། བུམ་པའི་ཁ་གྲོ་ཕྱིས་བཅད་ནས་ནང་དུ་ཆུ་མི་འཚོར་བར་བྱ་ཞིང་དེའི་སྟེང་དུ་དར་དམར་པོས་བསྡམས། འགྲོ་བའི་ཚེ་བུམ་པ་དང་རྗེའི་སྐུ་གཟུགས་མི་རྐང་གི་གླིང་བུ་ལ་སོགས་པ་འཁྱེར་ནས་རང་གི་སྒྲུབ་ཁང་གི་ཕྱིར་ཐོན་ནས་ཡུལ་ལྷ་གཞི་བདག་ལ་གཏོར་མ་བསྔོ་ཞིང་ལམ་པར་གྱི་ཆུ་མིག་གང་ཡོད་སར་གླུ་སྨན་རིལ་བུ་འདེབས། སྔ་བ་གཞན་བཅད་ནསདམིགས་བརྩེ་མ་ཚིག་རྐང་དང་པོ་སྤྱན་རས་གཟིགས། གཉིས་པ་འཇམ་དབྱངས། གསུམ་པ་གསང་བདག བཞི་བ་རྗེ་བླ་མར་བསམས་ནས་འདོན་བཞིན་འགྲོ། ཆུ་མིག་གི་རྩར་སླེབས་ནས་རང་ཉིད་རྗེ་བླ་མའི་ང་རྒྱལ་ལ་གནས་བཞིན་པས། གླུ་ལ་བཀའ་བསྒོའི་ཚེ་རྐང་དུང་ཆར་གསུམ་པ་འབུད། དེ་ནས། ཨོཾ་གླུའི་རྒྱལ་པོ་དགའ་བོ་དང་ཉེར་དགའ་བོ་དང་། འཇོག་པོ་དང་། པདྨ་དང་། པདྨ་ཆེན་དང་། སྟོབས་ཀྱི་རྒྱུ་དང་། མཐའ་ཡས་དང་། རིགས་ལྡན་དང་། དུང་སྐྱོང་དང་། ནག་པོ་ཆེན་པོ་དང་། ཀོ་ཙུ་ཏ་ཀ་དང་། འཛིན་པ་ལག་མང་དང་། རྒྱ་མཚོ་དང་། རྒྱ་མཚོ་ཆེན་པོ་དང་། སོག་མ་མེད་དང་། མ་དྲོས་པ་དང་། ནནྡ་ཨུ་པ་ནནྡ་དང་། ཤ་ར་ཊ་དང་། གཞན་ཡང་གླུ་རྒྱལ་རིགས་དང་། བྲམ་ཟེའི་རིགས་དང་། རྗེ་རིགས་དང་། དམངས་རིགས་དང་། གདོལ་བའི་རིགས་དང་། གཞན་ཡང་གླུ་ཕྲ་མོ་ཇི་སྙེད་པ་ཐམས་ཅད་འདིར་ཚོགས་ཤིག །འདིར་འདུས་ཤིག །ཅེས་མི་རྐང་ལན་གསུམ་འབུད། དེར་གླུ་ཐམས་ཅད་སྤྲིན་འཁྲིག་པ་བཞིན་དུ་འདུས་པ་དང་། རྒྱ་མཚོ་ཆེན་པོ་བཞི་དང་། ཆུ་བོ་ཆེན་པོ་བཞི་ལ་སོགས་པ་ཡང་དེ་རྣམས་ཀྱི་ལུས་ལ་འཁྲིལ་ནས་འདུས་པ་བར་བསམ་ཤིང་། རང་གི་ཐུགས་ཀ་ནས་འཕྲོས་པའི་འོད་ཟེར་གྱིས་མཐའ་བསྐོར་ནས་གང་དུའང་འགྲོ་དབང་མེད་པར་བསམས་ལ། འདི་སྐད་ཅེས་བརྗོད་དོ། འདིར་ཚོགས་པའི་གླུའི་རྒྱལ་པོ་ཆེན་པོ་ནས་བཟུང་ཕྲ་མོར་གནས་པ་ཙམ་ཆད་ཉོན་ཅིག །ཁྱེད་རྣམས་ལ་ཡ་བོ་བཟུང་དུ་འོང་བ་མ་ཡིན། ནོ་བསྒོ་བ་མ་ཡིན། འཁོན་ཚོལ་དུ་འོང་པ་མ་ཡིན། གཏད་བྱེད་དུ་འོང་བ་མ་ཡིན་གྱི། འཛམ་བུའི་གླིང་གི་ཡུལ་ཕྱོགས་སྤྱི་དང་ཁྱད་པར་དུ་སཕྱོགས་འདིར་ཐན་པའི་འཇིགས་པ་ཆེན་པོ་ལས་འགྲོ་བ་རྣམས་སྐྱབས་པའི་ཕྱིར་དུ་ཆར་སློང་དུ

འོངས་པ་ཡིན་པས་འཛམ་བུའི་གླིང་འདིར་ཆར་ཆེན་པོ་དྲག་ཏུ་ཕབ་ཅིག་ཁྱད་པར་དུས་ཕྱོགས་འདིར་མྱུར་དུ་ཕབ་ཅིག །འདི་ནི་ཐུབ་དབང་རྡོ་རྗེ་འཆང་བློ་བཟང་གྲགས་པའི་དཔལ་གྱི་བཀའ་ཡིན་པས་འདི་ལས་འགལ་ན་མགོ་བོ་ཨརྫ་ཀའི་དོག་པ་བཞིན་དུ་འགས་པར་འགྱུར་རོ། །གལ་ཏེ་ཚུལ་བཞིན་དུ་བསྒྲུབས་ན་ཡོངས་སྐྱོང་གྱི་དཔལ་ཕུན་སུམ་ཚོགས་པ་རྟག་ཏུ་འཛད་པ་མེད་པར་འགྱུར་རོ། །ཇི་སྲིད་ཆར་མ་བབས་ཀྱི་བར་དུ་ཕྱོགས་གཞན་དུ་མ་འགྲོ་ཞིག ཅེས་བརྗོད་ལ་ཕྱོགས་བཞིར་མཐོ་བཞི་བརྩིགས། ཤར་གྱི་མཐོའི་འགྲམ་དུ་ཕྱིན་ལ། དམིགས་མེད་བརྩེ་བའི་གཏེར་ཆེན་སྤྱན་རས་གཟིགས། །ཞེས་བརྗོད་པས་མཐོ་དེ་ཚིག་རྐང་དེ་ལས་རྣམ་པར་སྣང་མཛད་ཀྱི་ངོ་བོ་ཁྱུང་དཀར་པོ། ལྷོའི་མཐོའི་འགྲམ་དུ་ཕྱིན་ཏེ། དྲི་མེད་མཁྱེན་པའི་དབང་པོ་འཇམ་དཔལ་དབྱངས། །ཞེས་བརྗོད་པས་མཐོ་དེ་ཚིག་རྐང་དེ་ལས་རིན་ཆེན་འབྱུང་ལྡན་གྱི་ངོ་བོ་ཁྱུང་སེར་པོ། ནུབ་ཀྱི་མཐོའི་འགྲམ་དུ་ཕྱིན་ཏེ། གངས་ཅན་མཁས་པའི་གཙུག་རྒྱན་ཙོང་ཁ་པ། །ཞེས་བརྗོད་པས་མཐོ་དེ་ཚིག་རྐང་དེ་ལས་འོད་དཔག་མེད་ཀྱི་ངོ་བོ་ཁྱུང་དམར་པོ། བྱང་གི་མཐོའི་འགྲམ་དུ་ཕྱིན་ཏེ། བློ་བཟང་གྲགས་པའི་ཞབས་ལ་གསོལ་བ་འདེབས། །ཞེས་བརྗོད་པས་མཐོ་དེ་ཚིག་རྐང་དེ་ལས་དོན་གྲུབ་ཀྱི་ངོ་བོ་ཁྱུང་ནག་པོ་རྣམས་སུ་གྱུར་པ་བསྒོམས། མཐོ་དེ་རྣམས་ལ་རང་རང་གི་སྐུ་མདོག་དང་མཚུངས་པའི་ཆོན་གཏོང་བ་དང་། དར་ལྕོག་འཛུགས་པ་སོགས་བྱས་ཀྱང་ལེགས། དར་ལྕོག་སྔོན་པོ་ལ་དབུས་སུ་དམིགས་བརྩེ་མ་ཡོངས་རྫོགས། སྟེང་དུ་ཀླུ་དབང་རྒྱལ་པོའི་གཟུངས། གཡས་སུ་ཨ་ར་པ་ཙ། གཡོན་དུ་མ་ཏི་དང་བཛྲ་པཱ་ཎི། འོག་ཏུ་ཆར་འབེབས་ཀྱི་སྔགས་རྣམས་གསེར་དངུལ་ཚལ་སོགས་ལ་ཀླུ་སྨན་དྲི་བཟང་སྦྱར་བས་དབུ་ཅན་བྲིས་པ་ཆུ་མགོར་འཛུགས། དེ་ནས་བུམ་པ་ཆུ་ནང་དུ་སྦེད་ནུབ་ཚོད་དུ་བཞག་དེ་དང་ཉེ་བའི་འདབས་སུ་གུར་དཀར་པོ་སོགས་ཕུབ་སྟེ་དེའི་ནང་དུ་རྗེ་བདག་ཉིད་ཆེན་པོའི་སྐུའི་མདུན་དུ་མཆོད་པ་སྣ་ལྔ་དང་གཏོར་མ་ལ་སོགས་པ་ལེགས་པར་བཤམས། ཡུལ་དེའི་གཞི་བདག་ལ་བསངས་དང་མཆོད་པ་འབུལ། ཆར་འབེབས་པའི་གྲོགས་དན་བཅོལ། སྐྱབས་འགྲོ་ནས་བཟུང་སྟེ་དམིགས་བརྩེ་མ་བཟླ་བའི་བར་སྔར་བཞིན་བྱས་ལ་དམིགས་པ་ནི། རང་ཉིད་རྗེ་བླ་མར་གསལ་བའི་ཐུགས་ཀ་ནས་འོད་ཟེར་ཀླུའི་ཚོགས་ཀྱི་གྲངས་དང་མཉམ་པ་སྤྲོས། འོད་ཟེར་རེ་རེའི་རྩེ་ལ་རྗེ་བདག་ཉིད་ཆེན་པོའི་སྐུ་རེ་རེ་སྤྲོས། ཀླུ་རེ་རེའི་སྤྱི་བོར་བཞུགས། སྐུའི་ཆ་ལས་བདུད་རྩི་སྣ་ལྔ་འོད་ཟེར་དང་བཅས་པའི་རྒྱུན་བབས། ཀླུ་རྣམས་ཀྱི་ལུས་ལ་ཞུགས་པས་སྡིག་སྒྲིབ་དང་། ཞེ་སྡང་དང་། བྱེ་ཚན་དང་མཁའ་ལྡིང་ལ་སོགས་པའི་འཇིགས་པ་ཐམས་ཅད་དག ལུས་སེམས་བདེ་བས་གང་། རྗེ་བླ་མ་ལ་ལུས་ཀྱི་སྒོ་ནས་ཕྱག་དང་ཐལ་མོ་སྦྱོར་བ། ངག་གི་སྒོ་ནས་གསོལ་འདེབས། ཡིད་ཀྱི་སྒོ་ནས་སྐྱབས་འགྲོ་བྱེད་པར་བསམས་ལ་དམིགས་བརྩེ་མ་བརྒྱ་རྩ་བཟླ། ཡང་རྗེ་རིན་པོ་ཆེ་རྣམས་ཀྱི་ཐུགས་ཀ་དང་རང་གི་ཐུགས་ཀ་ནས་འོད་ཟེར་གྱི་ཚོགས་དཔག་ཏུ་མེད་པ་སྤྲོས། འཇིག

རྟེན་གྱི་ཁམས་ཐམས་ཅད་ཁྱབ་སེམས་ཅན་ཐམས་ཅད་ལ་འཕོག་པས་དེ་རྣམས་ཀྱི་ལུས་ངག་ཡིད་གསུམ་གྱི། སྡིག་སྒྲིབ་སྤྱི་དང་ཁྱད་པར་དུ་སྨུ་གེ་ལ་ལོངས་སྤྱོད་འགྱུར་གྱི་སྡིག་སྒྲིབ་ཐམས་ཅད་བྱང་ཞིང་དག བདེ་སྐྱིད་དང་ལྡན་པར་བསམ་ལ་དམིགས་བརྩེ་མ་བརྒྱ་རྩ་བཟླ། ཡང་འོད་ཟེར་ཀླུ་རྣམས་ལ་ཕོག་པས་དེ་རྣམས་དགའ་བ་དང་སྤྲོ་བ་དང་བཅས་ཏེ་རང་རང་གི་རྫུ་འཕྲུལ་སྣ་ཚོགས་པ་དང་བཅས་ནམ་མཁའ་ལ་འཕགས་ཤིང་ལུས་སྤྲིན་སྣ་ཚོགས་པ་སྤྲོ། གནོད་པ་མེད་པའི་འབྲུག་སྒྲ་དང་བཅས་ཏེ་ཆར་གྱི་རྒྱུན་ལྷུ་བརྒྱ་འཇིག་རྟེན་གྱི་ཁམས་རྣམས་སུ་བབས་པས་ལོ་ཏོག་རྒྱས་པར་བསམས་ལ་དམིགས་བརྩེ་མ་བརྒྱ་རྩ་སོགས་བཟླ། མཇུག་ཏུ་རྗེ་བླ་མའི་བདག་བསྐྱེད་ལ་གནས་བཞིན་པས་ཀླུ་གཏོར་རེ་བཏང་ཀྱང་ལགས། གོང་གི་སྨོན་ལམ་ཤིས་བརྗོད་བྱས་ནས་ཐུན་བསྡུ། ཐུན་རྗེས་མ་རྣམས་ལའང་སྔར་བཞིན་བྱ། དེ་ནས་ཞག་བདུན་རྒྱུན་ཆད་ལ་ངེས་པར་འབེབས་པར་འགྱུར་ཞིང་། གལ་ཏེ་མ་བབས་ན་བུམ་པ་ཆུ་མིག་ནས་ཕྱུངས་ཏེ་རིལ་བུ་རྣམས་ཆུ་མིག་ཏུ་བླུག་པས་ཀླུ་རྣམས་ལོངས་སྤྱོད་དང་ལྡན་པར་བསམས། དེ་ནས་དེ་མ་ཐག་ཏུ་བུམ་པར་རིལ་བུ་སྔར་བཞིན་བླུག་ལ་ཆུ་མིག་ཏུ་བཅུག་ནས་སྔར་བཞིན་སྒྲུབ་པ་བྱ། ཆར་བབས་དུས་རིལ་བུ་རྣམས་ཆུ་ནང་དུ་བླུག་གཏང་རག་གི་ཚུལ་དུ་ཀླུ་གཏོར་དང་ཀླུ་ལ་ཆོས་བཤད་དང་དེའི་སྡིག་བཤགས་གཟུངས་འདོན། ཕྱོགས་བཞིའི་ཁྱུང་རྣམས་ནམ་མཁར་གཤེགས་སུ་གསོལ་ལ་མདོ་རྣམས་བསྒྲིལ། ཀླུ་རྣམས་དར་རྒྱས་སུ་འགྱུར་བའི་སྨོན་ལམ་བཏབ་བུམ་པ་ཆུས་བཀང་ཏེ་འཁྱིར་ནས་ཕྱི་མིག་མི་བལྟ་བར་ནང་དུ་འོང་བུཾ་པ་ལ་སོགས་པའི་ཡོ་བྱད་རྣམས་གཙང་སར་བཞག་གོ །

༈ཀླུང་གནོན་ནི་ཤོག་བུ་ལ་ཀླུང་ཛྷ་ཛོ་སྦྲ་ཤ་བ་ལ་གནོན་པ། ལག་ན་བ་དན་ཐོགས་པ་གཉིད་སྦྲ་བ་བ་དན་བསྒལ་བ་ཞིག་བྲི། དེའི་སྙིང་ཁར་ཡི་གེ་ཡཾ་བྲི། མཐའ་བསྐོར་དུ་ཀླུང་ཛྷ་ཁེག་ནན་ཞེས་པས་བསྐོར་བ་བྲི། གཟུངས་མཐར། ཨོཾ་ཨ་ཧི་ཨེ་ཧཾ་ཧཱ་ཡུ་སྭཾ་ཧཱ་ནན། ཞེས་ཀླུང་གནོན་གྱི་ཐུགས་ཀྱི་བསྐོར་བའི་བཤམ་དུ་གནོད་སྦྱིན་ལག་པ་སྦྲུན་པོ་ཅན་ཁེག་ནན་ཞེས་པས་བསྐོར་བ་བྲི། དོང་གྲུ་གསུམ་པ་གཅིག་བྲུས་ལ་ནང་དུ་གན་རྐྱལ་དུ་བཞག་ལ་གསལ་གདབ་པ་ནི། རང་ཉིད་རྗེ་བླ་མར་གསལ་བ་སྐད་ཅིག་གིས་རྡོ་རྗེ་འཇིགས་བྱེད་དུ་གྱུར། ཨོཾ་སྭ་བྷཱ་ཝས་སྦྱངས། སྟོང་པའི་ངང་ལས་མདུན་དུ་ཡཾ་ལས་ཀླུང་ཛྷ་ཛོ་སྦྲ་ཤ་བ་ལ་ཞོན་པ་ལག་ན་བ་དན་ཐོགས་པའི་སྙིང་ཁར་ཡཾ་གྱིས་མཚན་པར་གྱུར། རང་ཉིད་ཡི་དཾ་དུ་གསལ་བའི་ཐུགས་ཀའི་འོད་ཟེར་གྱི་ཀླུང་ཛྷ་མཆེད་བདུན་འཁོར་དང་བཅས་པ་བཀུག་པར་གྱུར། ཛཿ ཧཱུྃ་བཾ་ཧོཿ མདུན་གྱི་གཟུགས་དང་དབྱེར་མེད་དུ་གྱུར་དེའི་རྩ་བར་གཏོར་ཆུང་ཞིག་བཤམས་ལ། ཨོཾ་བཛྲ་ཨ་མྲི་ཏ་ས་བསངས། སྭ་བྷཱ་ཝས་སྦྱངས། སྟོང་པའི་ངང་ལས་ཨོཾ་ཨཱཿ ཧཱུྃ་ཞུ་བ་ལས་བྱུང་བའི་བདུད་རྩིའི་རྒྱ་མཚོ་ཆེན་པོར་གྱུར། ཨོཾ་ཨཱཿ ཧཱུྃ་ལན་གསུམ། ཨ་ཀཱ་རོ་ལན་གསུམ་གྱིས་བརྡོས་ལ། ཀླུང་ཛྷ་མཆེད་བདུན་འཁོར་དང་བཅས་པ་ཁྱེད་རྣམས་ཀྱིས་དམ་རྫས་ཀྱི་གཏོར་མ་འདི་བཞེས་ལ་བདག་གི་འཕྲིན་ལས་སྒྲུབས་ཤིག འཛམ་བུའི་གླིང་གི་

ཀླུང་གནོན་ཅིག ཐོན་ཕྱུག་ན་རྡོ་རྗེའི་སྤྱན་སྔར་ཁས་བླངས་དམ་བཅས་པ་ལས་མ་འདའ་ཞིག གལ་ཏེ་འདས་ན་ལུས་ངག་ཡིད་གསུམ་རྡུལ་དུ་རློག་པར་འགྱུར་རོ། །ཞེས་དམ་བསྒྲགས། འཇིག་རྟེན་ཁམས་ཀྱི་ཀླུང་ཐམས་ཅད་དེར་འདུས་པར་བསམ། ཨོཾ་ཨཱ་ཏི་ཨེ་ཧཾ་ཧྲ་ཡུ་སྭཱ་ཧྲ་ནན། ཞེས་བརྒྱ་རྩ་བརྒྱད་བཟླས། རྫ་གསར་པ་ཡོངས་མ་སྦྱད་པ་ལ་རི་རབ་བྲིས་ནས་བསྐྱེད་པ་ཁ་སྦུབ་ལ་ཀླུང་མི་འཚོར་བར་བྱས་ཏེ་གནོན། སྟེང་ནས་རྡོ་རྗེ་རྒྱ་གྲམ་བྲིས་པའི་རྡོ་ལེབ་ཀྱིས་མནན། དེའི་སྟེང་དུ་ས་རྩྭའམ་མཆོད་རྟེན་རབ་གནས་ཅན་གྱིས་མནན། རྡོ་རྗེ་རྒྱ་གྲམ་གྱི་ལྟེ་བ་ལ་ཀླུང་གནོན་གྱི་ཐུགས་བྲིས། འདི་ཀླུང་ལྷའི་རྒྱུད་ནས་གསུངས་པས་ཀླུང་གི་ལས་གྲུབ་ཛྷཱི། ཆར་མནན་པ་ནི། བག་ཟན་ལ་ཀླུ་སྨན་བསྲེས་པ་རིལ་བུར་བྱས་པའི་ནང་དུ་ཐུགས་འདི་བྲིས་ལ་གཞུག། ཨེ་ཧྲི་ཧི་ཆར་ཐོག་ནཱ་ག་ས་ར་ཆར་ཐོབ། ནཱ་ག་སི་རི་སི་རི་ཆར་ཐོབ། ནཱ་ག་སུ་རུ་སུ་རུ་ཆར་ཐོབ། ནཱ་ག་སེ་རེ་སེ་རེ། ཆར་ཐོབ། ཅེས་རིལ་བུ་གཏོར་མ་དང་བཅས་པ་ཡུལ་གྱི་ཆུ་མིག་ཀུན་ཏུ་བཀྲམ་མོ། །སྤྲིན་སྡུད་པའི་ཐུགས་ནི། ཨོཾ་ནཱ་ག་ཨུ་ཏི་ལི། ཨུ་ཏི་ལི་ཡཾ་སྭཱཧཱ། ཤིན་ཏུ་ཟབ་པོ། ནཱ་ག་སུ་རུ་ཤིག ཅེས་བཟླས་ཤིང་ཆུ་འཕྱུར་རོ། །ཀླུང་གནོན་ལ། ཨོཾ་པ་ཡུ་ར་སི་ཧྲི་ར་ཤ་ཡ་ཧཱུྃ། ཞག་གཉིས་ནམ་ཕེབས་ན་སྤྱོགས་པའི་ཚིག་ནི། ཨོཾ་ནཱ་ག་ར་དམ་མཏྲ་ཏ་འགུ་ལིང་། ཞེས་བཟླས་སོ། །ཀླུང་གིས་བར་བཅད་ན་རང་གི་ཐུས་འོག་ཏུ་དོང་བྲུས་ལ་དེའི་ནང་དུ་རྫ་གསར་པའི་ནང་དུ་བག་ཟན་ལ་ཀླུང་ལྷ་ཤ་བ་ལ་ཞོན་པ་ལག་ན་བ་དན་སེར་པོ་ཐོགས་པ་ཞིག་བྱས་ལ་བཞག་གོ །ནུབ་བྱང་མཚམས་སུ་དེ་འདྲ་ཅིག་བཀུག་ནས་གཉིས་མེད་དུ་བསྟིམ། དེ་ནས་ཀླུང་གནོན་པའི་ཐུགས་སྐབས་སུ་བཟླས་སོ། །ངེས་པར་འབེབས་བར་འགྱུར་རོ། །ཡང་ཀླུང་གནོན་ཐབས་ལ། རང་བཅོམ་ལྡན་འདས་རི་རབ་ཀྱི་ཁ་ལ་བཞུགས་པར་བསྒོམ། ཨོཾ་ཏི་ཏི་ཏི་ལ་ནན། ཆར་ཡ་ཆུར་ཡ་ནན། བ་ཡུ་སྭཱ་ཧྲ་ནན། རྫ་སའི་བུམ་པ་གཅིག་བྱས་ལ་དེ་ལག་ཏུ་ཐོགས་ལ། བུམ་པ་རི་རབ་ཏུ་བསམ་ལ་ཀླུང་བུམ་པའི་ནང་དུ་ཚུད་པར་བསམ། ཆར་འོང་བའི་བའི་རྟགས་ནི་ས་འབྲུག་འོང་། ཆུ་མིག་ཆེར་འགྲོ། སྤྲུལ་པ་གཅིག་ཆུ་མིག་ནང་ནས་འོང་། བྱང་ཤར་མཚམས་ནས་སྤྲིན་དམར་པོར་ལྷགས་ཙམ་ཅིག་ལངས་འོང་། སྤྲིན་སྡུད་ན་ཡང་རང་ལྷག་པའི་བསམ་པས་ལྷར་བསྐྱེད་ལག་གི་རྡོ་རྗེ་ལས་འོད་ཟེར་འཕྲོས་ཏེ། མཁའ་ལ་རྡོ་རྗེའི་སྤྲིན་ཆགས། སྤྲིན་དུམ་དུ་ཀླུ་མགོ་ལྔ་པ་དང་། མགོ་བདུན་པ་དང་། རིགས་ལྔའི་ཁ་དོག་དང་འཚམས་པ་དཔག་ཏུ་མེད་པ་བསམ་ཨོཾ་བཛྲ་ཏི་མི་ལི་ལ་སྭཱཧཱ། ཞེས་བརྗོད་སྤྲིན་འདུ་ཞིང་ཆར་འབབ་བར་མི་འདོད་ན་བགེགས་ཡིན་པས། ཨོཾ་སུ་ཏ་སུ་ཏ་མཏྲ་ཀྲྀ་ཧྲ་ཧཱུྃ། པི་ཏི་པི་ཏི་པོ་ཏ་ཡ་ཧཱུྃ་ཕཊ་སྭཱཧཱ། བ་ཏ་ཡ་བ་ཏ་ཡ། ཧྲ་རི་ཤ་ཡ་ཧྲ་རི་ཤ་ཡ་ཕཊ་སྭཱཧཱ། ཧྲ་རི་ཤ་ཡ་སྭཱ་ཧྲ་ཡ་ཨུ་ཙ་ཏ་ཡ་ཕཊ། ཅེས་ཟབ་པོ། །དེ་ཡིས་འབབས་པར་ཐེ་ཚོམ་མེད་དོ། །ཀླུ་ལ་མནའ་བསྐྱག་པའི་ཐབས་ནི། ཆུ་མིག་ནས་ཆུ་སྲོག་ཆགས་དང་བཅས

པ་ཕོར་པ་གང་བླངས་ལ། ཨོཾ་ཙ་ཏ་ཙ་ཏ། ཙི་ཏ་ཙི་ཏ་ནཱ་ག་ར་ཛ་ས་མ་ཡ་ཧཱུྃ་ཕཊ། ཅེས་མང་དུ་བཟླས་ལ་ཆུ་མིག་གམ་དེ་རང་དུ་བླུག་ལ། ཀླུས་ཆར་མི་འབེབ་ན་བདག་གི་མགོ་འགས་ཞེས་མནའ་བསྐྱལ་བར་བསམ་ཕྲི། ཐུན་མཚམས་སུ་རང་ཉིད་གཡུ་འབྲུག་སྔོན་པོ་འབྲུག་སྐད་ནམ་མཁའ་འགེང་བ་ཞིག་ཏུ་བསམ་ལ། ཨོཾ་ཏྲ་ཞི་ཞིམ་གྱི་ཆེ་བ་ར་ན་ཡོ་ཧྨི་ཤ་ཕ་ཚ་ཕ་ཚ་ཧཱུྃ་ཕཊ། ཅེས་བཟླས་ལ་འབྲུག་བསྒྲུལ། རང་རྗེ་བླ་མར་གསལ་བའི་ཞལ་གྱི་རླངས་པས་ནམ་མཁའི་ཁམས་གང་བ་སྤྲིན་དུ་གྱུར་པར་བསམ་ལ། ཧཱུྃ་སབ་སབ་ཧཱུྃཿ ཧཱུྃ་སོབ་སོབ། ཅེས་བཟླས་ལ་སྤྲིན་སྡུད། ཡང་ན་རང་རྗེ་བླ་མར་གསལ་བས། ཨ་ཧཱུ་ག་རེ་ཕཾ་ག་རེ། ཨུ་ཧཱུ་ག་རེ། ཙཎྜ་ལི། གླི་ཏུ་ཧྣ་ལི་ཧྣེ་ཏུ་སིདྡྷི་ཨ་ཀྲ་སིདྡྷི་མནྟྲ་སིདྡྷི་ཧཱུྃ་ཧཱུྃ། ཞེས་བཟླས་པས་ཀླུ་རྣམས་ཀྱིས་སྤྲིན་བསྡུས་ཏེ་ཆར་འབེབས་པར་བསམ། ཡང་ན། ཨོཾ་ན་མོ་ཧྣ་ག་ཕ་ཏེ་ཤཱཀྱ་ནྡ་ཛ་ཡ། ཏ་ཐཱ་ག་ཏཱ་ཡ། ཨ་རྷ་ཏེ་ས་མྱ་ཀ་སཾ་བུད་དྷཱ་ཡ། ཏདྱ་ཐཱ། ཨོཾ་ཙ་ར་ཙ་ར། ཆིཊྚ་ཆིཊྚ། བཛྲ་ཤེ་ལ། ཏིང་ཡ་སྭཱཧཱ། ཞེས་སྤྲིན་བསྡུད་པའི་སྔགས་དང་། ཨོཾ་བཛྲ་ཏུ་ཧྣེ་མི་ལི་མི་ལི་སྭཱཧཱ། ཞེས་སྤྲིན་འཛིན་པའི་སྔགས་བཟླ། ཡང་རྗེ་བླ་མའི་མཚན་སྔགས་མཐར། ཨོཾ་ནཱ་ག་ག་ལ་ཧཱུྃ། ནཱ་ག་ལེ་ལེ་ཧཱུྃ་བ་ལེ་ལེ། ནཱ་ག་རཱ་ཛ་ཧཱུྃ་ཕཊ། ཧྣ་རི་ཤ་ཡ་པ་ཏ་ཡ་དྲག་ཏུ་ཕོབ། ནཱ་ག་རཱ་ཛ་ཕྲོཾ་ཕྲོཾ་ ཧྲིལ་ཧྲིལ་ཤར་ཤར་ཕོབ་ཕོབ་དྲག་ཏུ་ཕོབ་མྱུར་དུ་ཕོབ། ཅེས་པ་སྟོང་ཕྲག་ལ་སོགས་པའམ། ཡང་ན་མཚན་སྔགས་མཐར། ཨོཾ་ནཱ་ག་རཱ་ཛ་ས་མ་ཡ་ཛཿ ཛཿ ཕྲོཾ་ ཕྲོཾ། ཕོབ་ཕོབ། ནཱ་ག་རཱ་ཛ་ཆར་ཕོབ་ཕོབ། ནཱ་ག་རཱ་ཛ་ཐད་ཐད། ཆར་ལ་ཐད། ནཱ་ག་རཱ་ཛ་ཐུད་ཐུད། ཆར་ལ་ཐུད། ནཱ་ག་རཱ་ཛ་བསྐུལ་བསྐུལ། ཆར་ལ་བསྐུལ། ཧྣ་རི་ཤ་ཡ། པ་ཏ་ཡ། མྱུར་དུ་ཕོབ། ནཱ་ག་རཱ་ཛ་ཕྲོཾ་ཕྲོཾ། ཧྲིལ་ཧྲིལ། ཤར་ཤར། ཕོབ་ཕོབ། ཅེས་སྒྲུབ་བཅད་དེ་དྲག་ཏུ་བཟླ། ཆར་གཅོད་པར་འདོད་པས། ཀྱཻ་ཡི་ཆུ་གཅོད་ཆེན་མོ་ཞེས་བྱ་བ་མེ་གླང་ལོ་པ་ཞིག་གིས་ར་སྒོག་ཕྱིར་བསྒྱུར་ལ་ཀློན། སོག་མའི་ཕྲུག་སྒྲོན་གྱིས་གོམ་པ་བསྒྲད་པའི་བར། ཕར་ཤུད་ཚུར་ཤུད་བྱས་ལ་ཕྱིར་སྐྱུར། ཡང་ཆར་གཅོད་ན་དོ་ཐུབ་ནས་རྟེན་འབྲེལ་འདི་བྱའོ། །ཡང་ལུགས་གཅིག་ལ་གླ་རྩི་དང་སྤྱལ་ཤ་གཉིས་ཀྱི་དུད་པ་བཏང་བས་ཆོད་དོ། གལ་ཏེ་མ་ཆོད་ན། ཨོཾ་ཙཀྲ་ཐད་ཐད་དུམ་དུམ་ཆལ་ཆལ་ཧཱུྃ་ཧཱུྃ་ཕཊ་ཕཊ་སྭཱཧཱ། ཞེས་གང་མང་བཟླས་ལ་རྩྭ་དང་ཕྱེ་བསྲེས་ལ་རང་གི་ཁ་ལ་འགམས་ཏེ་ཆར་གང་བྱུང་གི་ཕྱོགས་སུ་ཕུ་བཏབ་པའོ། །རྟེན་འབྲེལ་ཐ་མ་གཉིས་སྔོན་དུ་བཏང་ནས་ཕྱི་མ་འདི་བྱས་ན་ནུས་པ་ཤིན་ཏུ་ཆེ་བས་མན་ངག་ཐ་ཕྱི་གཉིས་བསྒྲིལ་ནས་བྱ་དགོས་སོ། །རྩྭ་དང་ཕྱེ་བསྲེས་པའི་མར་སྦྱོར་ནས་དུད་པ་རྒྱུན་མི་ཆད་གཏོང་ངོ་། །ཆར་གཅོད། ཕྲཱིཿ། ཀྱཻ་ལྷ་ཆེན་དགེ་བསྙེན་ཐུགས་མ་ཡེངས། །བསྙེན་པའི་དུས་ན་སྙིང་མ་རིང་། །རྣལ་འབྱོར་

བདག་གི་ཡིད་མ་བཅད། །མི་ངོ་ལྷ་ངོ་འཕྲོད་བཞིན་དུ། །བཏང་རག་གཡེལ་ན་རྒྱལ་འགྱུར་ཞན། །བསྟེན་མཐུ་ཆུང་ན་ལྷ་ཆེན་མིན། །བདག་གི་བཙོལ་ལས་མྱུར་སྒྲུབ་མཛོད། །ཅེས་ཆར་འབེབས་ལེ་ཚན་དང་བཅས་པ་འདི་ཡང་རང་གཞན་ལ་ཕན་ཕྱིར་དད་པ་མཁན་པོ་ཐུགས་རྗེའི་མཚན་ཅན་གྱིས་མཛད་པ་ལ་ཁྲི་ཟུར་བྱང་ཆུབ་ཀྱི་འདོན་ཆོག་རྣམས་གཞན་ནས་ཁ་བཀང་སྟེ་ནག་འགྲོས་སུ་བཀོད་པའོ། །

༄༅། །ཛཾ་ཧྣི་ཧེ་རུ་ཀའི་གདམས་པར་གྲགས་པའི་ཆར་འབེབས་བཞུགས་སོ།

༄། །ཡང་ཛཾ་ཧྣི་ཧེ་རུ་ཀའི་གདམས་པར་གྲགས་པའི་ཆར་འབེབས་བྱ་བར་འདོད་ན། སྤྲ་ཚིལ་ལམ་བག་ཟན་གྱིས་སྤྲུལ་པའི་གཟུགས་རྒྱབ་ནག་ལ་ཁ་མིག་དམར་ཧུ་རེ་བ་བྱས། དེའི་སྙིང་ཁར་ནཱ་ག་ཧྲཱུཿ ཞེས་པ་ཤིང་བྱང་ངམ་ཤོག་བུར་བྲིས་ལ་བཙུག ཀླུ་གནས་པའི་ཆུ་མིག་གི་མཐོར་རྫིང་བུ་སྐྱིལ་བའམ། ཡང་ན་རང་གི་ཁང་པའི་ནང་དུ་རྫའམ་ཟངས་ཀྱི་སྣོད་ཆུ་མིག་དགུ་ཡན་གྱི་ཆུ་སྣ་བླུག་པ་གང་ཡིན་ཀྱང་རུང་བས། དེའི་ནང་དུ་སྤྲུལ་གཟུགས་གན་རྐྱལ་དུ་བཞག་པའི་སྙིང་ཁར་སེང་ལྡེང་དམ་སྐྱུར་པའི་ཕུར་པ་སོར་བཞི་པ་གཅིག་གི་དཔལ་ལ། གྲི་ཁྲག་བཙན་དུག སྣ་རྩེ་གསུམ་བསྐུས་ལ་སོར་ཕྱེད་ཙམ་སྤྲུལ་པའི་སྙིང་ཁར་བཙུག་ལ་བཞག དེའི་སྟེང་དུ་གཡམ་པ་ལོངས་མ་སྤྱད་པ་གཅིག་ལ་རྡོ་རྗེ་རྒྱ་གྲམ་བྲིས་པའི་ལྟེ་བར་བུག་པ་བརྟོག་པ་བཀབ། བུག་པའི་ནང་ནས་ཕུར་པའི་མགོ་ཞུག་གི་ཐོན་པ་བྱས་ནས། དེ་ལ་ཚོན་སྐུད་སྣ་ལྔའི་གཟུངས་ཐག་བཏགས་ལ་སྔགས་བཟླ་བའི་དུས་སུ་གཟུང་ཚོག་པ་བྱ། དེ་ནས་རང་ཉིད་རྟ་ཕྱག་ཁྱུང་གསུམ་གང་ཡང་རུང་བའི་སྒྲུབ་ཐབས་བསྒོམ། བཅའ་གཞི་བསང་སྦྱངས། སྟོང་པའི་ངང་ལས་མདུན་གྱི་རྫིང་བུ་རྒྱ་མཚོ་ཆེན་པོའི་དབུས་སུ། སྤྲུལ་གཟུགས་ཆར་བདག་ཀླུའི་རྒྱལ་པོའི་ངོ་བོར་གྱུར། རང་གི་ཐུགས་ཀ་ནས་འོད་ཟེར་འཕྲོས་རྒྱ་མཚོ་ཆེན་པོ་ལ་སོགས་པ་ནས་ཆར་འབེབས་པ་ལ་མཆོག་ཏུ་དབང་པའི་ཀླུའི་རྒྱལ་པོ་རྣམས་དང་གཞན་ཡང་འཇིག་རྟེན་ཁམས་ཀྱི་ཀླུ་རིགས་གྲངས་མེད་པ་བཟླ་བའི་གདན་ལ་རླུང་གི་བསྐྱོད་པའི་འུར་སྒྲ་དང་བཅས་བཀུག་པར་གྱུར། ཀླུ་འགུགས་པའི་ཕྱག་རྒྱ་དང་བཅས། ཨོཾ་བ་ཏ་ལི་མ་ཧཱ་བ་ཏ་ལི་ཧཱུྃ་ཧཱུྃ་ཛཿ ཛཿ དཀོན་མཆོག་གསུམ་གྱི་བདེན་པ་དང་། །ཕྱག་ན་རྡོ་རྗེའི་མཐུ་སྟོབས་དང་། །རྟ་མགྲིན་དབང་གི་བྱིན་རླབས་ཀྱིས། །གཙོ་བོ་ཀླུ་ཆེན་བརྒྱད་པོ་དང་། །རྒྱལ་རིགས་རྗེ་རིགས

བྲམ་ཟེའི་རིགས། །དམངས་རིགས་གདོལ་པ་ལ་སོགས་པ། །རི་རབ་རྩེ་དང་རྒྱ་མཚོའི་གཏིང་། །ཕྱོགས་བཞི་མཚམས་བརྒྱད་གནས་པའི་ཀླུ། །ཆར་གྱི་བདག་པོ་ཧེ་སྙེད་ཀུན། །ཐོགས་པ་མེད་པར་འདིར་གཤེགས་ཅིག །ཛཿ ཧཱུྃ་བཾ་ཧོཿ ཀླུའི་རྒྱལ་པོ་རྣམས་གཟུགས་ལ་ཐིམ། ཀླུ་ཕྲན་རྣམས་ཀྱིས་མཐའ་བསྐོར་ནས་བདག་གི་བཀའ་ཉན་པར་བསམ། ཕུར་པ་བསངས་སྦྱངས། སྟོང་པའི་ངང་ལས་ཕུར་པ་སྔོད་ཁྲོ་བོའི་རྣམ་པ་ལ་སྣང་མདུང་རྩེ་གཅིག་པའི་དབྱིབས་ཅན་བཟོད་པར་དཀའ་བའི་གཟི་བརྗིད་དྲག་ཤུལ་ཅན་དུ་གྱུར། གཟུངས་ཐག་ལག་ཏུ་བཟུང་། རང་གི་ཐུགས་ཀ་ནས་སྔགས་ཀྱི་འོད་ཟེར་ཚ་ཞིང་རྩུབ་པ་འཕྲོས་གཟུངས་ཐག་ལ་འཁྲིལ་ནས་སོང་སྟེ་ཀླུ་རྣམས་ཀྱི་སྙིང་ཁར་ཐོག་བབས་གནད་ནས་བསྐུལ། སྙིང་གི་ཕུར་པ་གཟས་པའི་ཚེམས་ཧམས་ཀྱི་ཀླུ་ཐམས་ཅད་འཛིགས་ཤིང་སྐྲག་སྟེ། ཆུང་བདག་གིས་ཆུང་མནན། སྦྲིན་བདག་གིས་སྦྲིན་བསྡུས། འབྲུག་བདག་གིས་འབྲུག་སྐད་སྒྲགས། གློག་བདག་གིས་གློག་འོད་ཕྱུང་། ཆར་བདག་གིས་ཆར་འབེབས་པའི་ལས་བྱེད་པར་གྱུར་པར་བསམ་ལ། ཡི་དམ་གྱི་ཐུགས་ལ། ཆར་ཆར་ཀླ་ཀླ་ཐིབ་ཐིབ་ཟིལ་ཟིལ་ཧུར་ཐུམ་ཕྲོ། ཤར་ཤར་ཕོང་ཕོང་། ཅེས་པར་ཟློ། ལས་ཅུང་ཟད་བྱུལ་བ་འདྲ་ན་ཐུན་གྱིས་བྲབས། ཕུར་པ་བསྣུན། འབོད་གཅིག་གིས་དྲག་ཆར། གཉིས་ཀྱིས་སེར་བ། གསུམ་ཙམ་བསྣུན་པས་ཐོག་འབབ་པོ། ཆར་ཕབ་གྲུབ་ནས་ཕུར་པ་བཏོན། བ་དམར་རམ་ར་དཀར་འོ་མར་ཀླུ་སྨན་བཏབ་པར། ཨོཾ་ནཱ་ག་ཏེ་ཥ་སྭཱཧཱ། ཞེས་པ་ཁྲི་སོགས་བཏབ། སྤྱན་མའི་ཐུགས་བཟླ་བཞིན་ཆུ་མིག་གི་ནང་ཐམས་ཅད་དང་ཕུར་པ་བཏོན་ཤུལ་དུ་བླུག། ཆབ་གཏོར་མང་དུ་བཏང་། བཟོད་གསོལ་བྱས་ལ། སྦྲུལ་གཟུགས་ལ་ཀླུ་བསྐྱེད་བསྟིམ་རྣམས་གཤེགས་སུ་གསོལ། གཟུགས་བརྙན་ཆུ་མགོར་མནན་ནོ། །གདམས་པ་འདི་མང་ཡུལ་བརྒྱལ་བ་རྩལ་ཁྲིམས་ཀྱིས་བལ་པོ་ནས་རྙེད། ཀུན་མཁྱེན་ཤེས་རབ་འོད་ཟེར་ལ་བཀའ་རྒྱ་དང་བཅས་གནང་། དེ་ནས་རིམ་པར་བརྒྱུད་པས་མཆོག་ཏུ་ཟབ་པོ། །དེ་ལྟར་གོང་དུ་བཤད་པ་ལྟར་གྱི་ཆར་འབེབས་སོགས་བྱེད་པའི་ཚེ་ཀླུ་ཐེབས་མེད་པ་དང་མི་གཟའ་དང་མི་སྐར་སོ་གསལ་ལས་སྒྲུབ་ན་འབྲས་བུ་ཆེར་མི་འབྱུང་བས་གཟའ་སྐར་ཚེས་གྲངས་ཕུན་སུམ་ཚོགས་པ་གལ་ཆེ་ཞིང་། དེ་ཡང་རབ་ཆུ་གཟའ་དང་ཆུ་སྐར་ཕྲད་པ་དང་། དེ་མིན་ས་ཆུ་ཕྲད་པའམ་ས་ནང་ཕྲད་པ་སོགས་ལ་ཀླུ་ཐེབས་དང་བསྟུན་ནས་དམ་པ་གོང་མའི་ཕྱག་ལེན་མཐོང་བརྒྱུད་ལྟར་བྱས་ན་གོང་དུ་ཇི་ལྟར་གཤད་པའི་ལས་རྣམས་འགྲུབ་པ་གདོན་མི་ཟ་བས་འདི་ལྟ་བུའི་ལས་ཚོགས་སྒྲུབ་པ་ལ་འབད་པར་རིགས་སོ། །རིགས་མེད་འགྲོ་རྣམས་ཕན་བདེའི་གྲུ་ཆར་གྱིས། །ཆོས་བྱེད་ཧེ་བཙུན་བླ་མའི་གསུང་གསང་འདི། །འཇམ་མགོན་རྒྱལ་བ་གཉིས

པའི་གསེར་གྱི་ཁྲིར། །དབང་བསྒྱུར་ཁྲི་ཆེན་བྱང་ཆུབ་མཚན་ཅན་ནས། །གཞན་ལ་སྨན་པའི་ཐུགས་བསྐྱེད་བཟང་པོ་ཡིས། །བར་དུ་བསྒྲུབ་པའི་རྣམ་དཀར་ཕུང་པོའི་མཐུས། །ཟབ་རྒྱས་བདུད་རྩིའི་ཆར་གྱིས་འགྲོ་བ་ཀུན། །གདན་བདེའི་འབྲས་བཟང་མྱུར་དུ་ཐོབ་གྱུར་ཅིག །ཅེས་ཆར་འབེབས་དང་སད་བསྲུང་པའི་འཁོར་ལོ་སྒྲུབ་ཚུལ་སེར་སྨད་མཁན་ཟུར་རིན་པོ་ཆེ་བློ་བཟང་ཐུགས་རྗེའི་གསུང་འབུམ་དུ་བཞུགས་པ་འདི་བཞིན་རྒྱས་བསྡུས་མཚམས་ཞིང་བླ་མའི་མན་ངག་གིས་རྒྱན་པ་སོགས་གཞན་ལས་ཁྱད་པར་དུ་འཕགས་པ་བཅས། ད་དུང་འདོན་ཆོག་རྣམས་གཞན་ནས་ཁ་བཀང་སྟེ་ཕྱོགས་བསྒྲིགས་ཞིག་པར་དུ་འཁོད་པ་བྱེད་དགོས་ཞེས་སྐྱངས་ལུང་བླ་མ་རིན་པོ་ཆེ་རྗེ་ངག་དབང་ཆོས་འཛིན་དཔལ་བཟང་པོས་བཀའ་སྩལ་བ་བཞིན། བླ་མའི་དགོངས་པ་བསྐང་ཕྱིར་ཡོངས་འཛིན་ཁྲི་ཟུར་རིན་པོ་ཆེ་ནས་འདོན་ཆོག་རྣམས་གཞན་ནས་ཁ་བཀང་སྟེ་བར་བགྱི་མཐུན་རྐྱེན་གང་དགོས་སྩལ་བའི་ཐོགས། རྗེ་བླ་མ་སྐྱངས་ལུང་རྡོ་རྗེ་འཆང་དེ་ཉིད་ཀྱི་དགོངས་རྫོགས་སྒྲུབ་པའི་འཕྲོས་དངུལ་ཕྲན་བུ་ཡོད་པ་རྣམས་ཀྱང་མཐུན་བརྐྱེན་དུ་འགྲོ་བར་བྱས་ནས་པར་དུ་སྒྲུབ་སྟེ་ར་ཆེའི་རྒྱུད་ཁང་སྟེང་དུ་བཞུགས་པ་ལྟར་བཀོད་པའོ།། །།སརྦ་མངྒ་ལཾ།། །།

༄༅། །སྨད་བརྒྱུད་ལུགས་ཀྱི་དཀའ་ལྡན་འཕོ་ཁྲིད་ཀྱི་བརྗེད་བྱང་མི་ལམ་བླ་མའི་ཞལ་ལུང་ཞེས་བྱ་བ་བཞུགས་སོ།

༄། །ན་མོ་གུ་རུ་ཨཱཪྻ་མཻ་ཏྲི་ སུནྡྷི་ཀཱིརྟི་ཡེ། འདིར་སྨད་རྒྱུད་ལུགས་ཀྱི་དགའ་ལྡན་འཕོ་ཁྲིད་ཐུན་མོང་མ་ཡིན་པ་དམིགས་བརྩེ་མ་འབུམ་གྱི་བཀའ་རྒྱ་ཅན་གྱི་ཁྲིད་སྔ་ཕྱིར་ལན་བཞི་ཙམ་མཉན་པའི་སྐབས་ཀྱི་བརྗེད་བྱང་ཐོ་ཙམ་བྲི་བར་བྱའོ། །དེའང་འདིའི་ཁྲིད་ཀུན་མཁྱེན་འཇམ་དབྱངས་བཞད་པའི་རྡོ་རྗེ་ཡན་ཆད་ཡི་གེ་མེད་པའི་སྙན་རྒྱུད་དུ་བཞུགས་པ་ལས་ཐུགས་སྲས་འཇམ་དབྱངས་བདེ་བའི་རྡོ་རྗེས་གསན་ཏེ་ཟིན་བྲིས་ཚིག་ལྷུག་དང་། དཔལ་འཁོར་ཆོས་སྡེའི་མཁན་ཆེན་བློ་འབུམ་དགེ་འདུན་རྒྱ་མཚོས་བསྐུལ་ནས་ཁྲིད་ཡིག་ཚིགས་བཅད་མ་ཞིག་དང་གཉིས་མཛད་པའི་སྔ་མའི་ལུང་དང་། ཕྱི་མའི་ཁྲིད་ལུང་ཡོད་པས་དགའ་ལྡན་ལྷ་བརྒྱ་མའི་ཁྲིད་ཐོབ་ནས་དམིགས་བརྩེ་མ་སུམ་འབུམ་མམ་འབུམ་སོང་བའམ། མིན་ཀྱང་འབུམ་འདོན་པའི་དམ་བཅའ་བྱས་ནས་ཉན་དགོས་པ་ཕོ་རང་གི་བཀའ་རྒྱ་ཡིན། སྦྱོང་པའི་སྔོན་དུ་དམིགས་བརྩེ་མ་འབུམ་ཐེར་གསུམ་མམ་གཅིག་མ་མཐའ་གཏོང་། དེའང་གྲུབ་ཆེན་ནམ་མཁའ་རྒྱལ་མཚན་ལ་གསང་བདག་གིས་བྱམས་མགོན་ཉིད་ལ་བསྙེན་བཀུར་ཞུས་ཤིག་གསུངས་པའི་ཕྱི་ཉིན་རྗེ་བདག་ཉིད་ཆེན་པོ་སྔོ་བྲག་ཏུ་བྱོན། གྲུབ་ཆེན་གྱིས་བྱམས་མགོན་དངོས་སུ་གཟིགས་པས་རྗེ་བླ་མ་དང་བྱམས་མགོན་ཐུགས་རྒྱུད་གཅིག་པ་དང་། རྗེ་བཙུན་འཇམ་དབྱངས་སོགས་དང་ཐུགས་རྒྱུད་གཅིག་པའང་ཆོས་སྐུ་དབྱེར་མེད་ཀྱི་ཀློང་ནས་གཟུགས་སྐུར་སྟོན་ཚུལ་མི་འདྲ་བའི་ཁྱད་པར་རེད། ཐུན་མོང་གི་དབང་དུ་བྱས་ན་རྗེ་བླ་མ་སྐུ་ཚེ་རྗེས་མ་ལ་དགའ་ལྡན་དུ་ཕེབས་པར་འཇམ་དབྱངས་དང་། གསང་བདག་གིས་གསུངས་པ་རྗེ་རང་གིས་ཀྱང་ཞལ་གྱིས་བཞེས་པས་ད་ལྟ་བྱམས་མགོན་གྱི་འཁོར་དུ་མཉམ་མེད་ཇོ་བོ་ཆེན་པོ་ལྷའི་བུ་ནམ་མཁའ་དྲི་མེད་དང་། རྗེ་བླ་མ་རྒྱལ་སྲས་འཇམ་དཔལ་སྙིང་པོའི་སྐུའི་རྣམ་པས་བཞུགས་པ།

དགའ་ལྡན་གནས་ན་ནམ་མཁའི་དྲི་མ་མེད། །ཅེས་དང་། དགའ་ལྡན་གནས་སུ་འཇམ་དཔལ་སྙིང་པོར་གྲགས། །ཞེས་གསུངས་པ་ལྟར། རང་རེ་ཇོ་བོ་དང་རྗེ་བླ་མའི་རྗེས་འཇུག་རྣམས་དགའ་ལྡན་དུ་སྨོན་ལམ་བཏབ་ན་སྐྱེ་སླ་བའི་རྟེན་འབྲེལ་གྱི་གནད་ཆེན་པོ་ཡོད། རྒྱུ་མཚན་དེས་རྗེ་ཡབ་སྲས་གསུམ་བྱམས་མགོན་གྱི་ཐུགས་ཀ་ནས་སྤྲིན་དཀར་པོའི་སྟེང་སྤྱན་དྲངས། རྗེ་བླ་མ་སྙིང་གར་སྤྱན་དྲངས་དུས་སྤྲིན་གྱི་སྣེ་མོ་རང་གི་སྤྱི་གཙུག་ཏུ་ཟུག་སྟེ་བྱམས་མགོན་གྱི་ཐུགས་ཀའི་བར་དུ་སྤྲིན་གྱི་ཐག་པ་བར་མ་ཆད་པ་དང་། རྟེན་དང་བརྟེན་པར་བཅས་པའི་ཞིང་གི་བཀོད་པ་དུས་རྒྱུན་དུ་ཡིད་ལ་བཀྲམ་ན་འཕོ་བའི་གནད་ཁྱད་པར་ཅན་ཡོད་ཅེས་པཎ་ཆེན་དཔལ་ལྡན་ཡེ་ཤེས་གསུངས་ཞེས་པཎ་ཆེན་ཡོངས་འཛིན་འཁྲུང་རྗེ་ཞལ་སྔ་ནས་བློ་བཟང་ཚུལ་ཁྲིམས་ཀྱིས་གཅེས་ནོར་དུ་སྩལ་བ་ཡིན་གསུངས། འཆི་བའི་དུས་ལ་བབས་པ་ན་སྤྲིན་དེ་ཉིད་འོད་ཟེར་དུ་གྱུར་ནས་སྣེ་མོ་ལྕགས་ཀྱུ་ལྟ་བུས་རང་སེམས་རྗེ་བླ་མར་གསལ་བའི་ཐུགས་ཀར་བཏབ། འོད་ཟེར་གྱི་ལྕགས་ཀྱུ་དང་འོད་ཀྱི་ཐག་པ་འབྲེལ་མ་དེས་ཡར་འཐེན་ནས་བྱམས་མགོན་གྱི་ཐུགས་ཀར་ཐིམ་པས། ཐུགས་དང་དབྱེར་མེད་འདྲེས་སོང་སྙམ་པའི་མོས་པ་ཤུགས་དྲག་པོས་གསོལ་འདེབས་བྱས་ན་གཞན་མང་པོ་འདོན་མ་ནུས་ཀྱང་འཕོ་བའི་གོ་ཡང་དེས་ཆོད་ཅིང་། སྙིང་པོ་དོན་གསུམ་གྱི་འཆི་ཀའི་གདམས་པ་དང་གནད་གཅིག་ཏུ་འབབ། རྗེ་བཙུན་གྱིས་བསྟན་པ་འདིའི་རྗེས་མི་རིང་བར་ཆོས་སྟོན་བཞེད་ཀྱིས་བྱམས་ཆོས་ལྔ་འཛམ་བུ་གླིང་པར་སྐྱེས་སུ་བསྐྱུར་བས་བྱམས་ཆོས་ལ་བག་ཆགས་ཐེབ་ངེས་བྱས་ན་དགའ་ལྡན་དུ་སྐྱེ་སླ་བར་དམ་པ་གོང་མ་རྣམས་མཁྱེན་གཅིག་ཏུ་གསུངས་པས་བསླབ་བ་ག་ལ་སྲིད། དེས་ན་སེམས་ཅན་ཐམས་ཅད་ཀྱི་དོན་དུ་རྫོགས་པའི་སངས་རྒྱས་ཀྱི་གོ་འཕང་རིན་པོ་ཆེ་ཐོབ་པར་བྱ། དེའི་ཆེད་སྐྱེ་བ་འདིའི་འོག་རོལ་ཏུ་རྒྱལ་བ་བྱམས་པ་མགོན་པོ་རྗེ་ཡབ་སྲས་དང་བཅས་པའི་ཞལ་མཐོང་ཞིང་གསུང་གི་བདུད་རྩིའི་དགའ་སྟོན་ལ་སྤྱོད་དེ་སེམས་ཅན་མཐའ་ཡས་པ་སྨིན་གྲོལ་གྱི་ལམ་ལ་འགོད་པར་བྱའོ་སྙམ་པའི་ཀུན་སློང་རྒྱ་གང་ཆེ་གསལ་བཏབ། སྐུ་གསུང་ཐུགས་ཀྱི་རྟེན་དང་མཆོད་པ་གཡོ་མེད་པར་ཤམས། སྟན་བདེ་བ་ལ་ལུས་གནད་དང་ལྡན་པས་འཁོད་ལ། སྐྱབས་འགྲོའི་ཚོགས་ཞིང་དགའ་ལྡན་ལྷ་བརྒྱ་མ་དང་ཐལ་ཆེར་འདྲ་ཡང་དེ་ལ་པད་སྡོང་གི་རྩེ་མོར་པདྨ་འདབ་བཞིའི་ལྟེ་བར་རྗེ་བླ་མ་ལས་བྱམས་མགོན་གསལ་འདེབས་དགོས་པའི་ངེས་པ་

མེད། འདིར་ལྟེ་བར་རང་གི་རྩ་བའི་བླ་མ་དང་དབྱེར་མེད་པའི་བྱམས་མགོན་ལ་རྗེ་ཡབ་སྲས་སོགས་བརྒྱུད་པའི་བླ་མ་རྣམས་ཀྱིས་བསྐོར་བར་མདུན་གྱི་འདབ་མར་བདེ་གསང་འཇིགས་གསུམ་དུས་འཁོར་ཀྱི་རྡོར་འཁོར་ཆེན་སོགས་ཡི་དམ་རྒྱུད་སྡེ་བཞིའི་ལྷ་ཚོགས། གཡས་ཀྱི་འདབ་མ་ནང་རིམ་ལ་རྒྱལ་བ་རིགས་ལྔ་སོགས་ལོངས་སྐུའི་རྣམ་ཅན་དང་། ཕྱི་རིམ་སངས་རྒྱས་སྟོང་སོགས་སྤྲུལ་སྐུའི་རྣམ་ཅན་གྱི་ཕྱོགས་བཅུའི་སངས་རྒྱས། རྒྱབ་ཀྱི་འདབ་མར་ལུང་རྟོགས་ཀྱི་ཆོས་འགོག་ལམ་གྱི་བདེན་པ་འཕགས་པ་རྣམས་ཀྱི་ཐུགས་རྒྱུད་ལ་ཅི་ལྟར་མངའ་བ་པོ་ཏིའི་རྣམ་པར་ཤར་བ་བྲག་རི་ལྟར་བརྩེགས་པ། གཡོན་གྱི་འདབ་མ་ནང་རིམ་ལ་ཉེ་སྲས་བརྒྱད། ཕྱི་རིམ་ཉན་རང་སོགས་ཐེག་པ་གསུམ་གྱི་འཕགས་པའི་དགེ་འདུན། དེའི་མཐའ་སྐོར་དུ་ཆོས་སྲུང་ཡེ་ཤེས་པའི་ཚོགས་དང་། གཞན་ཡང་བླ་མ་ཡི་དམ་སངས་རྒྱས་བྱང་སེམས་དཔའ་བོ་མཁའ་འགྲོ་ཆོས་སྲུང་ཡེ་ཤེས་པའི་ཚོགས་སྤྲིན་འཁྲིགས་པ་ལྟར་བཞུགས་པ་གསལ་བཏབ། རང་གི་མཐའ་སྐོར་དུ་རིགས་དྲུག་གི་སེམས་ཅན་སའི་དྲེགས་པ་ལྟར་འཁོད་པ་དེ་ཐམས་ཅད་སྲིད་འཁོར་བ་དང་། ཁྱད་པར་ངན་སོང་གི་སྡུག་བསྔལ་མཐའ་དག་ལ་འཇིགས་སྐྲག་དང་། དཀོན་མཆོག་ལ་དེ་ལས་སྐྱོབས་པའི་ནུས་པ་ཡོད་པར་ཡིད་ཆེས་པའི་སྒོ་ནས་བློ་ཐིངས་བསྒྱུར་གྱི་དད་པ་ཤུགས་དྲག་པོས། ཕྱོགས་བཅུ་དུས་གསུམ་གྱི། ཞེས་སོགས་སམ། བླམ་ལ་སྐྱབས་སུ་མཆིའོ་སོགས་བཞི་བསྐོར་རམ། དྲུག་སྐོར་གང་རུང་། རེ་རེ་བཞིན་ནམ། མཉམ་དུ་བདུད་རྩི་འབེབས་སྦྱོངས་དང་། སངས་རྒྱས་རྣམས་ཀྱིས་སྲིད་འཁོར་བ་དང་ཁྱད་པར་ངན་སོང་ངན་འགྲོའི་གཡང་ས་ལས་སྐྱབས་ནས་དགའ་ལྡན་ཆོས་ཀྱི་ཕོ་བྲང་དུ་འཁྲིད་པའི་སྐྱབས་སྟོན་པ་པོ་བདག་གིས་བྱེད་དང་། དགེ་འདུན་རྣམས་ཀྱིས་དགའ་ལྡན་དུ་འཁྲིད་པའི་ལམ་མཁན་དང་ཟླ་གྲོགས་བདག་གིས་བྱེད། ཅེས་དང་། དཔའ་བོ་མཁའ་འགྲོ་ཆོས་སྲུང་རྣམས་ཀྱིས་ལམ་གྱི་བར་ཆད་སེལ་བའི་གྲོགས་བདག་གིས་མཛད་དེ་ཅེས་གསུངས་ལྷང་ལྷང་འགྲོན་བཞིན་གཉིས་པ་རེ་ཆད་ནས་ཐིམ་པས་སྐྱབས་འོག་ཏུ་ཚུད་པའི་མོས་པ་དང་། བདག་གིསམ་སེམས་ཅན་ཐམས་ཅད་སྲིད་ཞིའི་སྡུག་བསྔལ་ཕྲ་རགས་ལས་བསྒྲལ་བའི་ཕྱིར་སངས་རྒྱས་ཀྱི་གོ་འཕང་ཐོབ་དགོས། དེ་ལ་ཐོབ་བྱེད་ཀྱི་ལམ་ཆ་ཚང་དགོས། དེའང་ལམ་མ་ནོར་བར་སྟོན་པའི་བཤེས་གཉེན། ཚུལ་བཞིན་ཉམས་སུ་ལེན་པའི་གྲོགས། གང་དུ་ཉམས་སུ་ལེན་

པའི་གནས། ཉམས་སུ་བླང་བྱའི་ཆོས་ལེགས་པར་འཛོམས་པའི་གནས་དགའ་ལྡན་ཡིད་དགའ་ཆོས་འཛིན་ཡིན། དེ་ན་རྗེ་བཙུན་བྱམས་མགོན་ཇོ་འབྲོམ་རྗེ་ཡབ་སྲས་སོགས་རང་གི་དངོས་བརྒྱུད་ཀྱི་བླ་མ་ཐམས་ཅད་ཀྱང་བཞུགས་པས་འདི་ནས་འཕོས་མ་ཐག་ཞིང་དེར་སྐྱེས་ཏེ་བྱམས་མགོན་སྲས་དང་བཅས་པའི་གསུང་གི་བདུད་རྩི་ལ་ལོངས་སྤྱོད་ནས་ཟུང་འཇུག་གི་གོ་འཕང་མྱུར་དུ་ཐོབ་པར་བྱ། དེའི་ཆེད་དུ་ཟབ་ལམ་འཕོ་བའི་གདམས་པ་ཉམས་སུ་ལེན་སྐབས་སུ། སངས་རྒྱས་ཆོས་ཚོགས་མ་ལྟ་བུས་སེམས་བསྐྱེད་དང་ཚད་མེད་བཞི་བསྒོམ་པ་རྒྱུད་དང་འདྲེས་ངེས་བྱས་ལ་སྐྱབས་ཡུལ་རྣམས་འུབ་ཀྱིས་འདུས་ཏེ་རང་གི་སྨིན་མཚམས་ནས་ཐིམ་པས་རྒྱུད་སྟོད་ཙང་དུ་བྱིན་གྱིས་བརླབས་པར་བསམ། དངོས་གཞི་ལ། སྔར་ལྟར་སྟན་བདེ་བར་ལུས་རྣམ་སྣང་གི་ཆོས་བདུན་ལྡན་དུ་འཁོད། རང་གི་སྤྱི་གཙུག་ནས་ལྟེ་འོག་སོར་བཞིའི་བར་དུ་རྩ་རོ་རྐྱང་དབུ་མ་མཛུབ་མོ་སུམ་གཤིབ་ཀྱི་ཚུལ་དུ་གནས་པའི་དབུ་མའི་ཡར་སྣེ་སྤྱི་བོ་ནས་མར་གུག་སྟེ་སྨིན་མཚམས་དང་། རོ་རྐྱང་གཉིས་སྣ་བུག་ལ་ཟུག རོ་རྐྱང་གི་མར་སྣེ་དབུ་མ་ལས་ཅུང་ཟད་རིང་བར་གནས་པའི་རྐྱང་མའི་མར་སྣ་རོ་མར་བཙུག གྲིབ་ལག་གིས་སྣ་བུག་གཡས་པ་བཀག་སྟེ་གཡོན་ནས་རྔུབ་ཅིང་གཡས་ནས་འབུད་པ་གསུམ། རོ་མའི་མར་སྣ་རྐྱང་མར་བཙུག་ལ་སྣ་བུག་གཡོན་པ་བཀག། གཡས་ནས་རྔུབ་ཅིང་གཡོན་ནས་འབུད་པ་གསུམ། རོ་རྐྱང་གཉིས་ཀྱི་མར་སྣ་དབུ་མར་བཙུག་ལ་སྣ་བུག་གཉིས་ཀ་ནས་རྔུབ་ཅིང་རོ་རྐྱང་གི་རླུང་དབུ་མར་ཞུགས་པའི་མོས་པས་གཉིས་ཀ་ནས་འབུད་པ་གསུམ་སྟེ་རླུང་རོ་དགུ་ཤུག་ཏུ་བསལ་ནས་མི་དགེ་བའི་རྟོག་པ་བག་ཆགས་དང་བཅས་པ་སྦྱངས་པའི་རྐྱེན་གྱིས་རང་ལུས་ཤ་ཁྲག་གདོས་བཅས་མ་ཡིན་པར་གྲུམ་ཕུས་བཏབ་པའམ་ཤེལ་བུམ་དུ་མར་མེ་སྦར་བ་ལྟར་ཕྱི་བལྟས་ནང་གསལ། ནང་བལྟས་ཕྱི་གསལ་བའི་དྭངས་གསལ་འོད་དང་འོད་ཟེར་གྱི་རང་བཞིན་ཅན་དུ་མོས་པ་ལ་ལུས་ཀྱི་སྟོང་ར་ཟེར་ཏེ་ལྟ་བསྒོམ་པ་དང་། ཁྲིད་པར་འཕོ་བའི་སྐབས་གལ་ཆེ། མིའི་རྒྱལ་ཚོགས་ནང་དུ་ཅུང་ཟད་འགྱུར་ཡོད་པས་རྒྱབ་ལ་ཉེ་བར་གསུངས་པ་ལས་ལུས་ཀྱི་དབུས་དྭང་པོར་རྩ་སྦྱར་དང་མི་འདྲ་བར་དབུ་མ་གཅིག་བུ་ཁྱད་ཆོས་བཞི་ལྡན་སྦོམ་ཕྲ་སྙ་ལྷུགས་ཙམ་རག་དུང་འགོ་མཇུག་བསྒྱུར་པ་ལྟ་བུའི་ཡར་སྣ་ཁ་ཤག་གི་ཕྱི་བ་ཚངས་བུག་དང་ཁད་ཆད་དང་། མར་སྣ་ལྟེ་འོག་སོར་བཞིའི་ཐད་དུ་གནས་པའི་ཞབས་འོད་ཟེར་དཀར་ཁྱིལ་ལེ་ཞིག

གིས་དམ་པར་བཀག་པ་ཡང་ཡང་གསལ་འདེབས་བ་ལ་རྩའི་སྟོང་ར་ཟེར། གཞུང་དུ་འདི་ལྟར་འབྱུང་ཡང་རྩ་དབུ་མ་སྦོམ་ཕྲ་མེད་པ་སྦྲ་ལྩུགས་སམ་མདའ་སྨྱུག་ལྟ་བུ་བསམ་ཀྱང་ཆོག་གསུངས་གསུང་། གཞན་ཕྱོགས་པ་དག་རྣམ་སྣང་ཆོས་བདུན། ལུས་དང་རྩེའི་སྟོང་ར་རེ་རེའང་ཞག་གྲངས་མང་པོར་འབད་པས་སྦྱོང་བའི་ཕྱག་ལེན་ཡོད་པས་དེ་འདྲ་བྱས་པས་སེམས་དུལ་བ་ལ་ཕན་དགའ་ཡང་ལུས་ཀྱི་ཚུགས་ཐོན་ཡོང་། རྗེའི་རང་ལུགས་ལ་དེ་དག་མེད་པ་མིན་ཀྱང་མན་ངག་གནད་འདྲིལ་ཞིང་ཞལ་གསལ་བས་ཚུང་ཟད་རེའི་ཐོགས་ཐོན་སླ་བ་ཡོད། རང་གི་ནུ་མ་གཉིས་ཀྱི་དབུས་ཀྱི་ཐད་ཀྱི་སྙིང་གར་རྒྱུན་པར་དགའ་ལྡན་ལྷ་བརྒྱ་མ་འདོན་པའི་ཚེ། རྗེ་བླ་མ་སྙིང་གར་སྤྱན་དྲངས་ནས་རང་གི་ཤིན་ཏུ་ཕྲ་བའི་རླུང་སེམས་དང་ངོ་བོ་དབྱེར་མེད་དུ་བསྐྱེད་བསྒོམས་ཡང་ཡང་བྱས་ནས་ཡོད་པ་དེ་འཕོ་བ་པོ་ཡིན་པས་འཕོ་བའི་དུས་སྟབས་ཀྱི་དགྲིས་གྲོལ་ཏེ་བུམ་སྐུ་ཁ་ཕྱེ་བར་བསམ། དེ་ལྟར་ལུས། རྩ། རང་སེམས་རྗེ་བླ་མ་དབྱེར་མེད་གསུམ་ཡིད་ལ་གོམས་སུ་གཞུག། དེ་ནས་འཕོ་བའི་ཞིང་གསལ་འདེབས་པ་ནི། རང་གི་སྤྱིན་མཚམས་ཀྱི་ཐད་དྲང་གི་ནམ་མཁའི་གནས་སུ་སེང྄་བརྒྱད་ཀྱིས་བཏེག་པའི་རིན་པོ་ཆེའི་ཁྲིའི་སྟེང་དུ་སྣ་ཚོགས་པད་ཟླའི་གདན་ལ་རྩ་བའི་བླ་མ་དང་ཆོས་ཀྱི་རྒྱལ་པོ་ཙོང་ཁ་པ་ཆེན་པོ་དབྱེར་མེད་པའི་རྗེ་བཙུན་བྱམས་མགོན་གསེར་གྱི་ལྷུན་པོ་ལ་ཉི་མ་འབུམ་གྱིས་འཁྱུད་པ་ལྟ་བུ། བཟང་པོའི་བཞུགས་སྟངས་ཅན། ཞལ་གཅིག་ཕྱག་གཉིས་ཆོས་འཁོར་གྱི་ཕྱག་རྒྱ་སྟེང་འོག་ཏུ་མཛད་པས་ཀླུ་ཤིང་གི་མེ་ཏོག་སྡོང་བུ་དང་བཅས་པ་འཁོར་ལོ་དང་། རིལ་བ་སྤྱི་བླུག་གིས་མཚན་པ་འཛིན་པ། མཆོག་གི་སྤྲུལ་སྐུའི་ཆ་བྱད་ཅན། སྐུ་ལ་ཆོས་གོས་ངུར་སྨྲིག་གསུམ་མཛེས་པར་གསོལ་བ། མཚན་བཟང་པོ་སུམ་ཅུ་རྩ་གཉིས་དང་། དཔེ་བྱད་བཟང་པོ་བརྒྱད་ཅུས་སྤྲས་པ། གཟི་བྱིན་ཉི་མ་འབུམ་ལས་ལྷག་པ། དགྱེས་པའི་འཛུམ་དཀར་དང་ལྡན་པའི་སྤྱན་གྱིས་གཟིགས་པ། སྐུའི་རི་མོ་ཐམས་ཅད་བཀྲ་ཤིས་པའི་མཚན་མར་ཡོད་པ་ལས། དཔལ་གྱི་བེའུ་དང་བཀྲ་ཤིས་ནི། སངས་རྒྱས་དཔེ་བྱད་བཟང་པོར་བཞེད། །ཅེས་པ་ལྟར་ཐུགས་ཀ་དཔལ་གྱི་བེའུའི་མོ་ཁྲ་སང་ངེ་བའི་ནང་ཤེལ་སྒོའི་ལྷ་སྐུ་ལྟར་རྗེ་ཡབ་སྲས་གསུམ་བཞུགས་པའི་གནས་གསུམ་དུ་ཡི་གེ་གསུམ་གྱིས་མཚན་པ། དགའ་ལྡན་དུའང་དེ་ལྟར་བཞུགས་པའི་རྟེན་དང་བརྟེན་པར་བཅས། །སྤྱན་གྱི་དཀར་ནག་ཚུན་ཆད། རང་གི་མིག་གིས་མངོན་སུམ་དུ་མཐོང་ཞིང་གསུང་

ལྡང་ལྡང་བ་ཟླ་བས་ཕྱོས་བཞིན་པ་བསམ་ལ། དགའ་ལྡན་ལྷ་བརྒྱའི། ཞེས་སོགས་དང་། གནས་མཆོག་དགའ་ལྡན་མཁའ་སྤྱོད་ཞིང་ཁམས་ནས། །ཞེས་སོགས་བརྗོད་པས་ཐུགས་ཀའི་ཧཱུྃ་ལས་འོད་ཟེར་འཕྲོས། ཕྱོགས་བཅུའི་རྒྱལ་བ་སྲས་དང་བཅས་པ་ཐམས་ཅད་དང་དགའ་ལྡན་གྱི་བྱམས་མགོན། ཐུགས་ཀའི་རྗེ་ཡབ་སྲས་གསུམ་སོགས་ལས་རང་འདྲ་མར་མེ་གཅིག་ལས་གཉིས་ཆད་ཀྱི་ཚུལ་དུ་བྱོན་ནས། ཛཿ ཧཱུྃ་བཾ་ཧོཿ ས་མདུན་གྱི་དམ་ཚིག་པ་དང་གཉིས་སུ་མེད་པར་ཐིམ་པས་སྐྱབས་གནས་ཀུན་འདུས་སུ་མོས། མདུན་གྱི་ནམ་མཁར་སེང་ཁྲི་པད་ཟླའི་སྟེང་། བྱམས་མགོན་རྗེ་བཙུན་བླ་མ་ཡབ་སྲས་བཅས། །བདག་ཅག་བསོད་ནམས་ཞིང་གི་དམ་པ་རུ། །འཁོར་བ་མ་སྟོང་བར་དུ་བཞུགས་སུ་གསོལ། །ཤེས་བྱའི་ཁྱོན་ཀུན། ནས། གསལ་བྱེད་ཤོག། ཅེས་པའི་བར་དོན་དྲན་བཞིན་བརྗོད་དེ་ཡན་ལག་བདུན་པ་ཕུལ། །དེ་ནས་སྨོན། འཕོ་བའི་འགལ་རྐྱེན་སེལ་ཞིང་མཐུན་རྐྱེན་འགྲུབ་པ་དང་། ཁྱད་པར་ད་ལྟ་ཉིད་དུ་དགའ་ལྡན་ཆོས་ཀྱི་ཕོ་བྲང་དུ་ཐོགས་པ་མེད་པར་དྲངས་ནས་བྱམས་མགོན་རྒྱལ་སྲས་རྒྱ་མཚོའི་ཚོགས་དང་བཅས་པའི་ཞལ་མཐོང་། གསུང་གི་བདུད་རྩིར་སྤྱོད་པའི་སྨོན་འདུན་ཤུགས་དྲག་པོས་དམིགས་བརྩེ་མ་སོགས་གང་མོས་ཀྱིས་གསོལ་བ་བཏབ། སྐུ་ལས་བདུད་རྩི་འབེབས་སྦྱུང་གིས་ངན་སོང་དུ་སྐྱེ་འགྱུར་གྱི་ལས་ངན་སྡིག་སྒྲིབ་དང་། དགེ་བ་ཡིན་ཀྱང་དག་ཞིང་དུ་སྐྱེ་བ་ལ་གེགས་བྱེད་མཐའ་དག་ལྷག་མེད་དུ་སྦྱངས། སླར་ཡང་བདུད་རྩིའི་རྒྱུན་གྱིས་དེར་སྐྱེ་བའི་མཐུན་རྐྱེན་མ་ཚང་བ་མེད་པའི་རྟོགས་པ་ཕུན་སུམ་ཚོགས་པ་ཐོབ་པར་བསམ། དེ་ནས་རང་གཞན་སེམས་ཅན་ཐམས་ཅད་སྤྱིར་འཁོར་བ་དང་། ཁྱད་པར་ངན་སོང་གསུམ། མདོར་ན་རིགས་དྲུག་གི་གནས་གང་དུ་སྐྱེས་ཀྱང་སྡུག་བསྔལ་ལས་མ་འདས་པས་དེ་ལས་ཐར་འདོད་ཀྱི་བློ་ཤུགས་དྲག་དང་། ཞིང་མཆོག་ཡིད་དགའ་ཆོས་འཛིན་དུ་སྐྱེས་ནས་བྱམས་མགོན་སྲས་ཀྱི་ཐུ་བོ་གཉིས་དང་བཅས་པའི་ཞལ་མཇལ། ཟབ་རྒྱས་གསུང་གི་བདུད་རྩིར་སྤྱོད་ནས་མྱུར་དུ་འཚང་རྒྱ་ཐུབ་ན་མ་ནམ་མཁའ་དང་མཉམ་པའི་སེམས་ཅན་ཀུན་ཀྱང་སངས་རྒྱས་ཀྱི་ས་ལ་འགོད་ནུས་པར་འདུག དེས་ན་ཞིང་དེར་འགྲོ་འདོད་ཀྱི་འདུན་པ་དང་། གདམས་པ་འདི་གར་ཡིད་ཆེས་ཀྱི་དད་པ། འཁོར་བའི་ལུས་ལོངས་སྤྱོད་གང་ལའང་ཆགས་ཞེན་མེད་པའི་བསམ་པ་དང་བཅས་སྙིང་སྡུག་ལེགས་ཉེས་ཅི་ལྟར་གྱུར་ཀྱང་རྒྱལ་ཚབ་མི་ཕམ་མགོན་པོ་སྲས་

དང་བཅས་པ་མ་གཏོགས་སྐྱབས་གཞན་མེད་པས་ད་ལྟ་ཉིད་དུ་ཞིང་དེར་ཐོགས་པ་མེད་པར་དྲང་དུ་གསོལ་སྙམ་དུ་གདུང་ཤུགས་དྲག་པོས། ཡོན་ཏན་རིན་ཆེན་མང་པོའི་གཏེར་གྱུར་ཅིང་། །ཞེས་སོགས་སམ། སྙིང་དགའ་ལྡན་ལྷ་བརྒྱའི་མགོན་པོ་མཆོག །ཅེས་སོགས་བྱམས་མགོན་རྗེ་ཡབ་སྲས་དང་བཅས་པའི་སྐུ་གསལ་བཏབ་སྟེ་ཚར་གཅིག་གསོལ་འདེབས་ཀྱི་ཚུལ་དུ་བརྗོད་པ་སྒྲིབ་པ་མེད་པའི་སྙན་གྱིས་གསན་ནས་དེ་ལྟར་བྱིན་གྱིས་བརླབས་པར་བྱའོ་ཞེས་དགྱེས་པའི་གསུང་ལྷང་ལྷང་ཐོན་པར་བསམ། ཚར་གཉིས་པའི་ཚེ་བྱམས་མགོན་གྱི་ཐུགས་ཀའི་རྗེ་ཡབ་སྲས་ཀྱི་འོད་ཟེར་དཀར་པོའི་སྦུ་གུ་གཅིག་འདྲིས་ཀྱི་རྣམ་པ་ཅན་སྦྲ་ལྦུགས་ཙམ་བྱུང་བ་རང་གི་སྤྱི་བོའི་ཚངས་བུག་ནས་ཞུགས་ཏེ་སྙིང་གའི་རྗེའི་ཐུགས་ཀར་ཐིམ། །གསུམ་པའི་ཚེ་སྦུ་གུ་དེའི་ནང་ནས་འོད་ཟེར་ལྕགས་ཀྱུ་ལྟ་བུ་སྒྲོག་ཞགས་འཁྱུག་པ་བཞིན་བྱུང་སྟེ་རང་སེམས་རྗེ་བླ་མའི་ཐུགས་ཀར་རེག་པ་ཙམ་གྱིས་རྡོ་ཁབ་ལེན་གྱིས་ལྕགས་འདྲེན་པ་ལྟར་དྲངས་བར་མོས་ལ། ཀུ་བཞི་སྒྲིམ་ནས་འོག་རླུང་འཕེན་པའི་རླུང་གིས་བཏེག འོད་དེ་ལ་ལམ་གྱི་འདུ་ཤེས། རང་ཉིད་ལམ་དེར་འགྲོ་བའི་འདུ་ཤེས། རྗེ་བླ་མའི་ཐུགས་ཀར་འཕོ་བའི་འདུ་ཤེས་གསུམ་དང་ལྡན་པས་ཧི་ཀ་ལན་གཅིག་བརྗོད་པས་མགྲིན་པ། གཉིས་པས་ཚངས་བུག་ལ་རེག་ཙམ་བྱས་ལ་ཅུང་ཟད་མཉམ་པར་བཞག ཕྱིར་མི་འདོན་པར་སྒྲིམ་པ་གློད་དེ་ཀ་ཞེས་སྟོམ་གྱི་བ་ཐག་གློད་པ་ལྟར་མར་ཕབ། ཧིག་གཅིག་བྱས་ཀྱང་ཆོག སྔར་ཡང་མདུན་གྱི་བྱམས་མགོན་རྗེ་དང་བཅས་པ། ལུས་ཀྱི་རྩ་རང་སེམས་རྗེ་བླ་མ་འོད་ཀྱི་སྦུ་གུ་དང་བཅས་པ་གསལ་བཏབ་ནས་ཡན་ལག་བདུན་པ་གསོལ་འདེབས་དང་བཅས་པ། ཧིག་གཉིས་བརྗོད་ད་ཡར་སྦྱར་བ་དང་། ཀ་ཞེས་མར་དལ་བུས་འབེབས་པ་ཐུན་རེ་ལ་གསུམ། ལྔ། བདུན། ཉེར་གཅིག་བརྒྱ་ལྟ་བུ་གང་མོས་བྱེད། ཧི་རླུང་གི་སྒྲ་དང་། ཀ་ཡར་རེག་པའི་ཐག་སྒྲ་ལྟ་བུ་གསུངས། ཐུན་མཚམས་བྱེད་ན་ཧིག་གམ། ཕཊ་དྲག་པས་རང་སེམས་རྗེ་བླ་མར་གསལ་བ་ཚངས་བུག་ནས་ཐོན་ཏེ་བྱམས་མགོན་གྱི་ཐུགས་ཀའི་རྗེ་བླ་མ་ལ་ཐིམ་པས་རང་སེམས་ཐུགས་བདེ་སྟོང་ཆོས་ཀྱི་སྐུ་དང་དབྱེར་མེད་དུ་འདྲེས་པར་མོས་ནས་ཅུང་ཟད་མཉམ་པར་བཞག ཀ་ཞེས་སྙིང་རླུང་མནན་པ་ལན་གསུམ་མམ་གཅིག་བྱ། དེའི་ཚེ་རང་སེམས་རྗེ་བླ་མར་གསལ་བ་སྙིང་གར་བཞུགས། པདྨ་ཁ་ཟུམ་གྱིས་འདུས། ཐུགས་ཀྱིས་དགེ་བ་སོགས་དཀྱུས་ལྟར་དང་།

དེ་ནས་མདུན་གྱི་ཚོགས་ཞིང་རྣམས་འོད་དང་བདུད་རྩི་གསེ་ཞུན་མའི་རྣམ་པར་ཞུ་ནས་ཚངས་བུག་མེར་གྱིས་བཀག་པ་འདིའི་ལུགས་ཀྱི་ཚེ་སྒྲུབ་ཡིན། ཚངས་བུག་རྡོ་རྗེའི་རང་བཞིན་གྱི་འོད་སྡོན་པོས་བཀག་པའང་ཡོད། ཡང་ན་ཀ་ཞེས་མར་ཕབ་རྗེས། དཔལ་ལྡན་རྩ་བའི་བླ་མ་རིན་པོ་ཆེ། བདག་གི་སྙིང་གར་པད་ཟླའི་སྟེང་བཞུགས་ལ། །ཞེས་སོགས་བརྗོད་དེ་བྱམས་མགོན་རྗེ་ཡབ་སྲས་དང་བཅས་པ་འོད་དུ་ཞུ་ནས་ཆ་གཅིག་སྙིང་གའི་རྗེ་བླ་མ་ལ་ཐིམ། ཆ་གཅིག་གིས་ཚངས་བུག་བཀག་ཀྱང་ཆོག མཇུག་ཏུ་དེང་བརྩམས་མ། བྱམས་པའི་དམ་བཅའི་གཟུངས། བྱམས་སྨོན་སོགས་བསྔོ་སྨོན་དག་པས་རྒྱས་གདབ། དེ་ལྟར་སྦྱངས་པས་སྤྱི་གཙུག་ཟ་ཞིང་འཕྲིག་པ། སྐྲངས་པ། རལ་བ། ཆུ་སེར་ཐོན་པ། འཇག་མ་དང་ཀུ་ཤ་ཚུགས་པ་སོགས་ཡོངས་གྲགས་ཀྱི་རྟགས་ལ་ཡོད་ཀྱང་ངེས་པ་ཅི་ཡོད། དམིགས་རྣམ་སོགས་གཞན་གང་ཡང་མེད་པར་ཧིག་ཕོ་ན་བྱས་ནའང་སྤྱི་བོ་སྐྲངས་པ་འབྱུང་ཞེས་ཁྲི་བསོད་ནམས་དབང་རྒྱལ་གསུངས། དམིགས་པའི་གནད་དམ་བརྒྱུད་པའི་ཁྱད་ཀྱིས་འཇག་མ་ཚུགས་པ་སོགས་འོད་ཀྱང་ངེས་པ་མེད་ཅེས་འདི་ཉིད་ལས་གསུངས། ཡིན་ཀྱང་ཐུགས་རྗེའི་ལྕགས་ཀྱུས་འཛིན་པའི་ལྟས་སུ་གོ་ནས་གསོལ་འདེབས་ལ་འབད། རླུང་སྟོབས་ཀྱིས་ནུས་པ་ཐོན་ན་བརྟེན་ཞིང་ཤུགས་ཆེ། དེ་མེད་ཀྱང་འཕོ་འདོད་ཀྱི་འདུན་པ་ཡང་ཡང་སྦྱོང་པ་ལ་འདུན་སྟོབས་ཀྱིས་སྦྱོང་བ་ཟེར་བས། རྗེ་བཙུན་གྱི་དྲུང་དུ་སྐྱེ་བ་གཞན་གྱིས་བར་མཆོད་པར་འཕོ་འདོད། འཁོར་བའི་སྡུག་བསྔལ་བསམ་ནས་ཆགས་ཞེན་དེར། དགེ་རྩ་ཐམས་ཅད་བྱམས་མགོན་དང་རྗེ་ཡབ་སྲས་ཀྱིས་ཚེ་རབས་ཀུན་ཏུ་རྗེས་སུ་འཛིན་པའི་རྒྱུར་བསམ་པ་དག་པས་ཡང་ཡང་བསྔོས་ན་དགེ་རྩས་ཉེར་ལེན། བྱམས་མགོན་སྲས་བཅས་ཀྱི་ཐུགས་རྗེ་བྱིན་རླབས་ཀྱིས་ལྷན་ཅིག་བྱེད་རྐྱེན་བྱས་ནས་དག་ཞིང་དུ་སྐྱེ་ནུས། སྤྱི་དང་། ཁྱད་པར་འཕོ་བ་སྦྱོང་བ་ལ་ཚེ་འདིར་ཆགས་ཞེན་འགོག་པ་འདི་ཤིན་ཏུ་གལ་ཆེ། གསེར་སྲང་སྟོང་དང་དོང་རྩེ་ཁྲིན་གཅིག་ཆགས་ཞེན་གྱི་རྒྱུར་འདྲ་ཞེས་གུང་ཐང་འཇམ་པའི་དབྱངས་གསུངས། རྒྱུན་ཞུགས་དང་ཕྱིར་འོང་ལའང་འདའ་ཁར་ལུས་ལ་ཆགས་ཞེན་འབྱུང་ཡང་དང་དུ་མི་ལེན་པར་གསུངས་བས་དེ་དུས་ལུས་ལ་ཆགས་ཞེན་མི་འབྱུང་བ་དཀའ་ཡང་ད་ལྟ་ནས་བསམ་པ་སྦྱངས་ན་དང་དུ་ལེན་མི་ལེན་ལ་ཁྱད་པར་ཆེ། ཆགས་ཞེན་ཞེས་པ་ཚིག་གཅིག་ཡིན་ཀྱང་ཟས་གོས་གནས་མལ་གཉེན་ཉེ་དུ་འཁོར་མཛའ་

བཤེས་ལུས་ལོངས་སྤྱོད་ལ་ཆགས་པའི་རིགས་མང་བས་སྟར་ཀ་ན་གཞོན་བར་མ་ཆེ་ཕྱི་མར་སོང་བ་ཕལ་ཆེར་གྱིས་ཚེ་འདིའི་བྱ་བ་སྣ་ཚོགས་སྒྲུབ་ཀྱང་ཐམས་ཅད་རྗེས་མེད་ལ་སོང་བས་རང་ཡང་དེ་ལས་མ་འདས། འཆི་བའི་བར་ཐུང་པོ་འདི་འབད་པ་ཐམས་ཅད་ཀྱིས་གསོས་ཀྱང་དེ་འང་འདོར་ན་གཞན་གྱིས་ཅི་བྱ། ཤི་ནས་རྗེས་ཆུད་ཐོས་ལ་འགྲོ་སླམ་པ་ཆགས་ཞེན་གྱི་དབང་ཡིན། ཡོད་ན་མ་ཤི་གོང་ཞིང་ཁྱད་པར་ཅན་ལ་བསྔོས་ན་ལུས་རྟེན་འདིའི་སྟེང་ནས་བསགས་པའི་དགེ་རྩ་རེད། ཤི་བའི་ནོར་རྗེས་བར་དོ་བའི་ཡིན་པར་ཁས་ལེན་མི་ནུས། སངས་རྒྱས་མྱ་ངན་ལས་འདས་རྗེས་དེའི་རྗེས་དགེ་སློང་གིས་བཀུས་ན་ཉེས་པ་མེད་ཚུལ་འདུལ་བ་དང་དབུ་མའི་བདག་འགོག་ཏུ་གསུངས་ན་གཞན་ལ་ལྟ་ཅི་སྨོས། འདས་པའི་དུས་ཀྱི་མི་ཞིག་གི་རྗེས་ཀྱིས་མི་དེའི་བར་དོ་བ་ལ་ཕན་ཐོགས་པ་དཀོན་མཆོག་གི་ཐུགས་རྗེ་ལས་དཀའ། གྲྭ་རྐྱང་ཞིག་ལ་འཁྱེར་པ་ཅི་ཙམ་ཆ་ཡང་སྲུང་སྐྱོང་ཕྲག་འགའ་ལས་མི་ཡོང་། དེས་རྒྱལ་པོ་ང་ལས་ནུའི་ལྷམ་གྱི་དོ་ཟླ་མི་ཕེར། དེའི་རྒྱལ་སྲིད་སྣ་བདུན་དང་ལྷ་མིའི་དཔལ་འབྱོར་ཀྱང་རྩ་རྩེའི་ཟིལ་པ་ལྟར་སོང་ན་གཞན་སྨོས་ཅི་དགོས་ཞེས་ཆགས་ཞེན་སྒོ་སྣ་ཚོགས་ནས་བཀག་སྟེ་ལོང་མེད་དང་དགོས་མེད་ཀྱི་བློ་སྐྱིད་པ་ལ་ཆེག་དྲིལ་ད་ལྟ་ནས་ཡང་ཡང་བྱེད། ལས་སྦྱོར་གྱི་ཞལ་ཤེས་ཀྱང་འཆི་ལྟས་བྱུང་ན་བཟློག་ཐབས་མ་བྱུས་པར་བཙན་ཐབས་ཀྱིས་འཕོས་ན་ལུས་ལ་དམ་པ་རིགས་བརྒྱ་གནས་པས་ལྷ་བསད་པའི་ཉེས་པ་འབྱུང་བར་གསུང་རྒྱུན་ལས་བྱུང་། ཚེ་འདིར་ཆགས་ཞེན་ཆེ་ན་འཕོ་རྟགས་ཐོན་ཀྱང་དག་ཞིང་དུ་འཕོ་དཀའ་བ་བྱ་ནམ་མཁར་འཕུར་བའི་གཤོག་པ་ལ་རྡོ་བཏགས་པ་ལྟ་བུ་ཡིན་པས་ཡོ་བྱད་གང་ཡོད་སྤྱོད་ཐག་ལ་བཏང་སྟེ་ཆགས་ཞེན་བྱ་ས་ཅི་ཡང་མེད་པར་བྱས། ལུས་ཟུང་མ་ཟད་པའི་གོང་དགེ་སྦྱོར་དང་འཕོ་བ་ལ་ཆེག་དྲིལ་བྱས། ད་ལྟ་ཉིད་དུ་འཕོ་འདོད་ཤུགས་དྲག་པོས་གསོལ་འདེབས་དང་སྦྲགས་ནས་ཀ་ཞེས་མར་བབ་རྒྱུ་མེད་པར་ཧིག་གཅིག་གིས་རང་སེམས་རྗེ་བླ་མར་གསལ་བ་དེ་མདུན་གྱི་རྗེའི་ཐུགས་ཀར་ཐིམ་པ་ཁོ་ན་བསམ་ལ་དེ་དང་ངོ་བོ་དབྱེར་མེད་པར་ཅི་ནུས་སུ་མཉམ་པར་འཇོག་པ་ཡང་ཡང་སྦྱངས་ན་རྗེས་སུ་འཛིན་པའི་ཐབས་མཁས་ཁྱད་པར་ཅན་དུ་འགྱུར་ཞིང་། རྒྱུན་པར་ཡང་གཞན་ལ་ཤིན་ཏུ་གསང་ནས་དགའ་ལྡན་ལྷ་བརྒྱ་མའི་མཇུག་ཏུ་དམིགས་ཁྲིད་ཚར་རེ་ཐུབ་ན་ལེགས་ཀྱང་ཆེ་ལ་མི་གནོད་པའི་ཐབས་སུ་ཚེ་སྒྲུབ་སོགས་བྱེད་མི་བྱེད་སྐབས་དང་བསྟུན། ལུང་ཐོབ་ན་ཀུང་ཐང་རིན་པོ་ཆེས

མཛད་པའི་བྲིད་ཡིག་མདོར་བསྡུས་སྙིང་ནས་བསྐྱངས་ཀྱང་ཚིག་གསུངས། རྗེ་ཡབ་སྲས་ཀྱི་དུས་ན་དམིགས་བརྩེ་མའི་ལས་ཚོགས་བརྒྱ་རྩ་སོགས་ཡོད་ཀྱང་དེ་མ་ཐག་རྒྱུན་ཉམས་ནས་ད་ལྟ་མདུང་རྩེ་རས་པའི་ལས་ཚོགས་ཙམ་ལས་མེད་ལ། འཕོ་བྲིད་འདི་ཡང་དེའི་ནང་ཚན་ཡིན་པ་འཇམ་དབྱངས་བདེ་པའི་རྡོ་རྗེའི་སྨོན་ལམ་ལས་ཤེས། འདིའི་བྲིད་སྲིད་རྒྱུད་མ་གཏོགས་པ་དབེན་ས་སོགས་ལ་ཡང་མེད་པའི་སྐན་རྒྱུད་ཡིན་པས། དབུགས་བྲལ་ཏེ་རོའི་འོག་གི་གསེར་རམ་ས་འོག་གི་གསེར་ལྟར་སྣོད་མིན་ལ་གསང་ནས་ཉམས་སུ་བླངས་ན་འདོད་དོན་འགྲུབ་པར་ཐེ་ཚོམ་མེད་པ་དམ་པ་གོང་མའི་སྙིང་གྲུབ་ཡིན་པས་བརྒྱུད་ཐག་ཉེ་ཞིང་བྱིན་རླབས་ཀྱི་ཚན་ཀ་ཆེ། འདིའི་བྲིད་ཡིག་མཛད་པ་པོ་འཇམ་དབྱངས་བདེ་བའི་རྡོ་རྗེ་ནི་འབྲས་སྤུངས་དར་འབག་ནས་སྐུ་འཁྲུངས། ཆུང་དུའི་དུས་དགེ་འཕེལ་རི་རྩེ་ཡང་ཡང་མཇུབ་སྟོན་བྱེད་ཅིང་ངག་གྲོལ་ནས་དེར་འགྲོ་གསུངས་པས་དེ་དུས་ནས་རི་རྩེར་འདུས་པའི་རྟེན་དང་བརྟེན་པའི་དཀྱིལ་འཁོར་གཟིགས་ཤིང་། ཀུན་མཁྱེན་བླ་མར་གསང་འདུས་ཀྱི་དབང་གསན་པས་བརྒྱུད་འདེབས་སུ། གཞོན་ནུའི་དུས་ནས་ལྷ་དང་བླ་མ་ཡིས། །བྱིན་གྱིས་བརླབས་པའི་སྣང་བ་རབ་རྒྱས་པ། །གསུངས་པའི་རྒྱུ་མཚན་དེ་ཡིན་ཞེས་བླ་མས་གསུངས་གསུང་། རང་ལོ་བཅུ་པའི་དུས་དགེ་འཕེལ་དུ་ཀུན་མཁྱེན་འཇམ་དབྱངས་བཞད་པ་མཇལ་ཏེ་འདུས་པ་འཕགས་ལུགས་ཀྱི་དབང་དཔལ་ལྡན་སྲིད་རྒྱུད་པའི་མཁས་པ་རྣམས་ཀྱི་གསུང་རྒྱུན་ཟབ་མོའི་གཟབ་བཤད་དང་བཅས་ཉིན་བཞིར་བྱས་ཏེ་གནང་བས་སྟོན་ལམ་གྱི་བག་ཆགས་སད་དེ་ཞལ་གྱི་དཀྱིལ་འཁོར་མཇལ་ཙམ་ནས་སངས་རྒྱས་དངོས་སུ་མཐོང་བ་ལས་ཐ་མལ་གྱི་སྣང་བ་སྐད་ཅིག་ཀྱང་མི་འཆར་བ་ཞིག་རང་བབས་སུ་བྱུང་བས་བླ་མའི་བྱིན་རླབས་སེམས་ལ་ཞུགས་པའི་ཉམས་ཆེན་པོ་ཤར། དེ་ལ་བརྟེན་ནས་བླ་མ་དང་ཆོས་འདི་ལ་ཚང་མས་དྲངས་པའི་དད་པ་དང་དང་བ་མཚན་ཙམ་ཐོས་པ་ལའང་ནར་མར་ཡོང་བ་ཞིག་བྱུང་བ་ནི་དངོས་གྲུབ་ཀྱི་རྩ་བར་དག་དོད་གོ་ཞེས་རྗེ་དེ་ཉིད་ཀྱི་གསན་ཡིག་ལས་གསུངས། དེ་དུས་གསང་མཚན་འཇམ་དབྱངས་བདེ་པའི་རྡོ་རྗེ་དང་། ཕ་བོང་ཁ་པ་འཇམ་དབྱངས་གྲགས་པ་ལས་བསྙེན་པར་རྫོགས་པའི་མཚན་བློ་བཟང་འཇམ་དཔལ་རྒྱ་མཚོ་ཞེས་ཡོད་པར་འཁྲུལ་ནས་འགའ་ཞིག་གིས་རྗེ་འདིས་མཛད་པའི་དམིགས་བརྩེ་མའི་བྲིད་ཡིག་ལས་རྒྱལ་བ་འཇམ་དཔལ་རྒྱ་མཚོས་མཛད་པ་ཞེས་ཐོ་ཡིག་བྲིས་པ་མཐོང་

གསུངས། མཁར་རྡོ་བཟོད་པ་རྒྱ་མཚོ། རྒྱུད་ཆེན་ཏ་མགྲིན་ཕུན་ཚོགས། རྗེ་བསྟན་པ་ལྷུན་གྲུབ། ཡེར་བ་ཕུན་ཚོགས་རྒྱ་མཚོ། ཚ་བར་དགེ་འདུན་བཀྲ་ཤིས། གོང་དཀར་བ་ཀུན་དགའ་མང་ཐོས་རྒྱ་མཚོ། སེང་ར་དྷ་དཔོན་པཎྜི་ཏ་བློ་བཟང་སྦྱིན་པ། ཁྲི་ཙོ་ནེ་པ་བློ་བཟང་དར་རྒྱས། རྫོང་ཆེན་ཀུན་དགའ་ལྷུན་གྲུབ། སྐུ་འབུམ་ཆོས་རྒྱ་མཚོ་སོགས་ས་དགེའི་མཁས་པ་བརྒྱ་ཕྲག་གི་ཞབས་ལ་གཏུགས། སྒོ་མང་བླམ་བློ་བཟང་ཤེས་རབ་ལས་མི་ཏྲ་དང་། བཀའ་འགྱུར་བ་བློ་བཟང་ཚུལ་ཁྲིམས་ལས་རྡོར་ཕྲེང་གསན་ནས་ཁྲི་ངག་དབང་མཆོག་ལྡན་དང་། མཁན་ཆེན་དགེ་འདུན་རྒྱ་མཚོ་སོགས་ལ་གནང་བའི་རྒྱུན་རྒྱལ་དབང་བསྐལ་བཟང་རྒྱ་མཚོ་དང་། པཎ་ཆེན་དཔལ་ལྡན་ཡེ་ཤེས་ཀྱིས་སྤེལ་བས་དུས་ཕྱིས་བར་མདོ་དབུས་ཀུན་ཏུ་ཁྱབ་ཆེ། ཀུན་མཁྱེན་འཇམ་དབྱངས་བཞད་པ་དང་། ཐང་སག་པ་དངོས་གྲུབ་རྒྱ་མཚོ་རྣམ་གཉིས་ལས་དཔལ་ལྡན་སྲིད་རྒྱུད་ཀྱི་གདམས་པ་རྫོགས་པར་མནོས་ནས་གསུང་རྒྱུན་མི་ཉམས་པའི་ཕྱིར་བཀའ་རྩོམ་ཡང་པོ་ཧི་ཆེན་གཅིག་ཡོད། རྒྱལ་བ་བསྐལ་བཟང་རྒྱ་མཚོས་སྤར་འགྲེལ་བ་བཞི་སྦྲགས་གནང་སྐབས་དཀའ་གནད་ཀྱི་དྲི་བའི་ལན་རྒྱུད་པ་མཁན་པོ་བརྒྱུད་དེ་ཐོགས་མེད་དུ་ཕུལ་བ་དང་། ཅུང་གར་དུས་གཞུང་ས་ནས་རིམ་གྲོ་གནང་བར་ནང་དུ་བུད་མེད་གོས་དམར་པོ་གྱོན་པ་ཞིག་འགྲོ་བའི་ཕྱི་བཞིན་སོང་བར་སུ་ཡང་མི་འདུག །ས་གཞི་རི་དང་བཅས་པ་ལྡེམ་ལྡེམ་གཡོས་པས་རྩར་གཙོད་མ་ནུས་པར་བཞག་ཅེས་བསོད་གྲགས་རྡོ་རྗེ་འཆང་གིས་གསུངས། བུད་མེད་དེ་ཡི་དམ་གྱི་རྣམ་འཕྲུལ་དུ་གསུངས། སླང་རའི་ཉི་སྡིངས་སུ་སྒྲུབ་གནས་མཛད་དེ་བཞུགས་པས་ཉི་སྡིངས་དཔོན་སློབ་ཅེས་གྲགས་ཤིང་། ངོ་མཚར་བའི་སྐྱེས་རབས་ཀྱི་བཀའ་རྩོམ་སོགས་མཁས་པ་དང་གྲུབ་པའི་རྣམ་ཐར་མང་ཞིང་བསྟན་པ་ལ་བཀའ་དྲིན་ཆེ་བས་རྣམ་ཐར་ཐོར་བུ་སུ་ཕྱིར་བླ་མའི་ཞལ་ནས་ཐོས་པ་འདིར་ཞར་བྱུང་དུ་བཀོད་པ་ལགས་སོ། །

གདམས་པ་འདི་རྗེ་ཤེས་རབ་སེངྒེ་སོགས་དཔལ་ལྡན་སྲིད་རྒྱུད་པ་ལས་རིམ་པར་བརྒྱུད་དེ། འཇམ་དབྱངས་བདེ་བའི་རྡོ་རྗེ། མཁན་ཆེན་དགེ་འདུན་རྒྱ་མཚོ། ཀུན་མཁྱེན་འཇིགས་མེད་དབང་པོ། འཇམ་པའི་དབྱངས་དཀོན་མཆོག་བསྟན་པའི་སྒྲོན་མེ། དེ་ལས་བདག་དགེ་སློང་ཤེས་རབ་རྒྱ་མཚོས་རྗེ་རང་ཉིད་ཀྱིས་མཛད་པའི་ཡི་གེའི་སྟེང་ནས་ལན་གཅིག་ཐོབ་པ་དང་། ཡང་མཁན་ཆེན་དགེ་འདུན་རྒྱ་མཚོ། ཁྲི་ཆེན་བསོད་ནམས་དབང་རྒྱལ། བཀའ་དྲིན་

མཚུངས་མེད་རྡོ་རྗེ་འཆང་དཀོན་མཆོག་རྒྱལ་མཚན། དེ་ལས་འཇམ་དབྱངས་བདེ་བའི་རྡོ་རྗེའི་ཁྲིད་ཡིག་སྙིང་ནས་ཚར་ཁ་ཤས་ཐོབ་པོ། །ཅེས་དགའ་ལྡན་འཕོ་ཁྲིད་ཀྱི་རྗེད་བྱང་མི་ཕམ་བླ་མའི་ཞལ་ལུང་ཞེས་བྱ་བ་འདི་ཡང་དགེ་སློང་ཤེས་རབ་རྒྱ་མཚོས་གར་འདུག་ལུང་རིགས་དགའ་ཚལ་དུ་བྲིས་པའོ།། །།མངྒ་ལཾ། །

༄༅། །སྲིད་རྒྱུད་ལུགས་ཀྱི་འཕོ་བ་གདམས་པའི་དག་འདོན་ཁྲིགས་ཆགས་སུ་བསྡེབས་པ་བཞུགས་སོ།

༄༅། །ན་མོ་གུ་རུ་སི་དྡྷ་ཡེ། འདིར་སྲིད་རྒྱུད་ལུགས་ཀྱི་འཕོ་ཁྲིད་ཟབ་མོ་ཉམས་སུ་ལེན་པར་འདོད་པས། སྟན་བདེ་བ་ལ་ལུས་གནད་བཅས་ཏེ་རླུང་གི་སྒྲོན་བསལ་ཞིང་དགེ་སེམས་ཁྱད་པར་ཅན་གྱི་ངང་ནས་འདི་ལྟར། རང་གི་ཐུགས་ཀ་ནས་འོད་ཟེར་འཕྲོས། ཚོགས་ཞིང་ནམ་མཁའི་ཁམས་གང་བ་སྤྱན་དྲངས། མདུན་གྱི་ནམ་མཁར་བཞུགས་པར་གྱུར། བདག་དང་འགྲོ་བ་ནམ་མཁའི་མཐའ་དང་མཉམ་པའི་སེམས་ཅན་ཐམས་ཅད་དུས་རྟག་པར་བླ་མ་ལ་སྐྱབས་སུ་མཆིའོ། །སངས་རྒྱས་ལ་རྒྱབས་སུ་མཆིའོ། །ཆོས་ལ་སྐྱབས་སུ་མཆིའོ། །དགེ་འདུན་ལ་སྐྱབས་སུ་མཆིའོ། །ལན་གསུམ། བདག་གིས་སེམས་ཅན་ཐམས་ཅད་ཀུ་མཐའ་མེད་པའི་འཁོར་བ་སྡུག་བསྔལ་གྱི་རྒྱ་མཚོ་ཆེན་པོ་འདི་ལས་བསྒྲལ་ཏེ་བླ་ན་མེད་པའི་བྱང་ཆུབ་ཀྱི་སྙིང་པོ་ལ་འགོད་པར་བགྱི། དེའི་ཕྱིར་དུ་ཟབ་ལམ་འཕོ་བའི་གདམས་པ་ཉམས་སུ་བླངས་པར་བགྱིའོ། །མདུན་གྱི་ནམ་མཁར་སེང་ཁྲི་པད་ཟླའི་སྟེང་། །བཟང་པོའི་བཞུགས་སྟངས་མཛད་པའི་མ་ཕམ་མགོན། །གསེར་རི་ལྟར་བརྗིད་ཆོས་འཁོར་ཕྱག་རྒྱ་ཅན། །དེ་ཡི་ཐུགས་ཀ་དཔལ་གྱི་བེའུའི་ནང་། །རྒྱལ་བའི་དབང་པོ་རྗེ་བཙུན་བཙོང་ཁ་པ། །ཆོས་འཆད་ཕྱག་རྒྱས་གླེགས་བམ་རལ་གྲི་བསྣམས། །སྲས་ཀྱི་མཐུ་བོ་གཉིས་དང་བཅས་པ་ཡི། །གནས་གསུམ་ཡི་གེ་གསུམ་གྱིས་མཚན་པ་ལས། །འོད་འཕྲོས་དགའ་ལྡན་གནས་ནས་བྱམས་མགོན་དང་། །རྗེ་བཙུན་བླ་མ་ཡབ་སྲས་རྣམ་པ་གསུམ། །སྤྱན་དྲངས་དམ་ཚིག་པ་དང་དབྱེར་མེད་དུ། །འདྲེས་ཤིང་སྲིད་མཐའི་བར་དུ་བཞུགས་སུ་གསོལ། །ཤེས་བྱའི་ཁྱོན་ཀུན་འཇལ་བའི་བློ་གྲོས་ཐུགས། །སྐལ་བཟང་རྣ་བའི་རྒྱན་གྱུར་ལེགས་བཤད་གསུང་། །གྲགས་པའི་དཔལ་གྱིས་ལྷམ་མེར་མཛེས་པའི་སྐུ། །མཐོང་ཐོས་དྲན་པས་དོན་ལྡན་ལ་ཕྱག་འཚལ། །ཡིད་འོང་མཆོད་ཡོན་སྣ་ཚོགས་

མེ་ཏོག་དང་། །དྲི་ཞིམ་བདུག་སྤོས་སྣང་གསལ་དྲི་ཆབ་སོགས། །དངོས་བཤམས་ཡིད་སྤྲུལ་མཆོད་སྤྲིན་རྒྱ་མཚོ་འདི། །བསོད་ནམས་ཞིང་མཆོག་ཁྱེད་ལ་མཆོད་པར་འབུལ། །གང་ཞིག་ཐོག་མེད་དུས་ནས་བསགས་པ་ཡི། །ལུས་ངག་ཡིད་ཀྱི་མི་དགེ་ཅི་བགྱིས་དང་། །ཁྱད་པར་སྡོམ་པ་གསུམ་གྱི་མི་མཐུན་ཕྱོགས། །སྙིང་ནས་འགྱོད་པ་དྲག་པོས་སོ་སོར་བཤགས། །སྙིགས་མའི་དུས་འདིར་མང་ཐོས་སྒྲུབ་ལ་བརྩོན། །ཆོས་བརྒྱད་སྤངས་པས་དལ་འབྱོར་དོན་ཡོད་བྱེད། །མགོན་པོ་ཁྱོད་ཀྱི་རླབས་ཆེན་མཛད་པ་ལ། །བདག་ཅག་བསམ་པ་ཐག་པས་ཡི་རང་ངོ་། །རྗེ་བཙུན་བླ་མ་དམ་པ་ཁྱེད་རྣམས་ཀྱི། །ཆོས་སྐུའི་མཁའ་ལ་མཁྱེན་བརྩེའི་ཆུ་འཛིན་འཁྲིགས། །ཇི་ལྟར་འཚམ་པའི་གདུལ་བྱའི་འཛིན་མ་ལ། །ལྷུན་འགྲུབ་ཆོས་ཀྱི་ཆར་བ་དབབ་ཏུ་གསོལ། །བདག་གིས་ཇི་སྙེད་བསགས་པའི་དགེ་བ་འདིས། །བསྟན་དང་འགྲོ་བ་ཀུན་ལ་གང་ཕན་དང་། །ཁྱད་པར་རྗེ་བཙུན་བློ་བཟང་གྲགས་པ་ཡི། །བསྟན་པའི་སྙིང་པོ་རིང་དུ་གསལ་བྱེད་ཤོག །རང་ལུས་ཞལ་གྱི་བུམ་པ་ལྟར་གསལ་བའི། །ཚངས་བུག་ནས་བཟུང་ལྟེ་འོག་སོར་བཞིའི་བར། །དབུ་མ་སྣད་ཕྲ་སྟོང་ཡངས་ཟངས་ཐལ་དབུས། །རང་སེམས་ངོ་བོ་རྗེ་བཙུན་རྣམ་པར་བསམ། ཀྱི་མ་གནག་དཀའ་སྤྱོད་པའི་རྒྱ་མཚོ་ལས། །བརྒྱལ་ཏེ་དགའ་ལྡན་ཆོས་ཀྱི་ཞིང་ཁམས་དེར། །མ་ཕམ་འཇམ་དཔལ་སྙིང་པོ་སྲས་བཅས་ཀྱི། །འཇམ་ཞལ་མངོན་དུ་གྱུར་ན་ཅི་མ་རུང་། །སྟེང་དགའ་ལྡན་ལྷ་བརྒྱའི་མགོན་པོ་མཆོག །རྗེ་མ་ཕམ་ཆོས་ཀྱི་བླ་མ་དང་། །དབྱེར་མེད་པ་འདྲེན་མཆོག་ཐམས་ཅད་མཁྱེན། །ཕ་བློ་བཟང་གྲགས་པ་ཡབ་སྲས་ལ། །ཡིད་རྩེ་གཅིག་གུས་པས་གསོལ་བ་འདེབས། །ལམ་ཟབ་མོ་འཕོ་བའི་རྣལ་འབྱོར་གྱིས། །ཞིང་དགའ་ལྡན་མཁའ་སྤྱོད་གནས་མཆོག་དེར། །དུས་ད་ལྟ་ཉིད་དུ་བགྲོད་པ་དང་། །རྗེ་བླ་མ་ཡབ་སྲས་ཞལ་མཐོང་ཞིང་། །གསུང་བདུད་རྩིའི་དགའ་སྟོན་སྤྱོང་བ་ལས། །ལམ་ཟབ་མོའི་རྟོགས་པ་མཐར་ཕྱིན་ནས། །མཆོག་མྱུར་དུ་ཐོབ་པར་བྱིན་གྱིས་རློབས། །ཕ་ཁྱེད་ཀྱིས་ཐུགས་རྗེ་ལྕགས་ཀྱུ་ཡིས། །འོད་སྤུ་གུའི་ལམ་ནས་སྐད་ཅིག་ལ། །རྗེ་མ་ཕམ་ཆོས་ཀྱི་མདུན་ས་དེར། །དུས་ད་ལྟ་ཉིད་དུ་དྲང་དུ་གསོལ། །ལམ་འཕོ་བ་འབྱོངས་པར་བྱིན་གྱིས་རློབས། །དེ་ལྟར་གདུང་ཤུགས་དྲག་པོས་གསོལ་བཏབ་མཐུས། །བྱམས་མགོན་ཐུགས་ཀའི་རྗེ་བཙུན་ཡབ་སྲས་ཀྱི། །ཐུགས་ཀ་ནས་བྱུང་འོད་ཟེར་དཀར་པོ་

ཡི། །སྦུ་གུ་སྣ་ལྕགས་ཙམ་ཞིག་ནར་གྱིས་བྱུང་། །རང་གི་སྤྱི་བོ་ཚངས་པའི་བུ་གར་ཐུག །
དེ་ནས་སླར་ཡང་ཐུགས་ཀའི་ས་བོན་ལས། །ལྕགས་ཀྱུ་ལྟ་བུའི་འོད་ཟེར་དཀར་པོ་ཞིག །
རྒྱངས་ཏེ་བྱུང་ནས་འོད་ཀྱི་སྦུ་གུ་ཡི། །ལམ་དུ་ཞུགས་ནས་ཧཱུ་ཧྲིའི་ནང་བཀྲུད་དེ། །སྙིང་
དབུས་རང་སེམས་དབྱེར་མེད་རྗེ་བླ་མའི། །ཐུགས་ཀར་བཏབ་སྟེ་འདྲེན་པར་མཛོད་ཕྱོགས་
ཆོ། །འོག་རླུང་དྲག་ཏུ་འཐེན་པའི་གཞུ་མོ་ལ། །ཧིག་གི་མདའ་སྦྱར་མགྲིན་པའི་བར་དུ་
སློབ། །ཧིག སླར་ཡང་སྙིང་རླུང་མནན་ཏེ་རང་གི་གནས། །སྙིང་གའི་ཐད་ཀྱི་ཧཱུ་ཧྲིའི་
དབུས་སུ་ཕབ། །ཀ དེ་བཞིན་དུ་སྤྱི་བོའི་བར་དུ་ཕར་ནས་སླར་རང་གནས་སུ་འབེབས་པ་
སོགས་རེས་མོས་ཀྱི་ཚུལ་དུ་ཧིག་དང་ཀ་སྒྲིལ་བ་ཉེར་གཅིག་སོགས་ཇི་ལྟར་འདོད་པ་སྦྱངས་ལ།
མཐར་ཕཊ་ཅེས་བརྗོད་པས་བྱམས་མགོན་གྱི་ཐུགས་ཀའི་རྗེ་བླ་མའི་ཐུགས་ཀར་བསྟིམ་ནས།
དེའི་ཐུགས་དང་དབྱེར་མེད་དུ་འདྲེས་པར་མོས་པའི་ངང་ལ་དར་ཅིག་མཉམ་པར་བཞག
སླར་ཡང་དམིགས་རྟེན་རང་གནས་སུ་ཕབ་པའི་མོས་པ་དང་བཅས། ཀ་ཞེས་བརྗོད། དེ་
ནས། མདུན་གྱི་ནམ་མཁའི་དབྱིངས་བཞུགས་འཕོ་ཡུལ་རྣམས། །གསེར་ཞུན་ལྟ་བུའི་འོད་
དུ་ཐིམ་ཞུ་ནས། །ཚངས་པའི་བུ་ག་འཁྱིལ་གྱིས་རབ་བཀག་སྟེ། །རང་གི་སྒོ་གསུམ་བྱིན་གྱིས་
བརླབས་པར་གྱུར། །འདིར་འབད་ལས་བྱུང་དགེ་ཚོགས་རྒྱ་མཚོའི་མཐུས། །བདག་དང་
མཁའ་མཉམ་འགྲོ་བ་མ་ལུས་པ། །ནམ་ཞིག་ཚེ་འདིའི་སྣང་བ་འགག་མ་ཐག །ཡིད་དགའ་
ཆོས་འཛིན་གནས་དེར་སྐྱེ་བར་ཤོག །དེ་ཚེ་འཇམ་མགོན་བླ་མ་ཡབ་སྲས་ཀྱིས། །དབུགས་
དབྱུང་གསུང་གི་བདུད་རྩིའི་བཙུད་མྱུང་སྟེ། །རྒྱལ་སྲས་སྤྱོད་པ་རྒྱ་མཚོའི་རླབས་གར་གྱིས། །
མཐའ་ཡས་འགྲོ་བ་སྲིད་ལས་སྒྲོལ་བར་ཤོག །ཁྱད་པར་འཇམ་མགོན་བླ་མ་ཡབ་སྲས་
ཀྱིས། །ཚེ་རབས་ཀུན་ཏུ་དགེ་བའི་བཤེས་མཛད་ནས། །རྒྱལ་བས་བསྔགས་པའི་ལམ་
བཟང་དེ་ཉིད་ལས། །སྐད་ཅིག་ཙམ་ཡང་ལྡོག་པར་མ་གྱུར་ཅིག། ། །ཅེས་སྲིད་རྒྱུད་ལུགས་ཀྱི་
འཕོ་བའི་གདམས་པ་ཉམས་སུ་ལེན་ཚུལ་ནག་འགྲོས་སུ་བཀོད་པ་འདི་ནི། དད་བརྩོན་བློ་དང་ལྡན་པ་དགེ་
འདུན་རབ་རྒྱས་དང་འཇིགས་མེད་དགེ་འདུན་གཉིས་ཀྱིས་བསྐུལ་ངོར་༧བཙུན་པ་དཀོན་མཆོག་བསྟན་པའི་
སྒྲོན་མེས་ཆོས་གྲྭ་ཆེན་པོ་བཀྲ་ཤིས་འཁྱིལ་དུ་བྲིས་པའོ། ། །།

༄༅། །དགའ་ལྡན་ལྷ་བརྒྱ་མ་དང་འབྲེལ་བའི་འཕོ་བ་ཐུན་མོང་མ་ཡིན་པ་བཞུགས་སོ།

༄། །ན་མོ་གུ་རུ་མཉྫུ་གྷོ་ཥ་ཡ། །འདིར་དགའ་ལྡན་ལྷ་བརྒྱ་མ་དང་འབྲེལ་བའི་འཕོ་བ་མཐུན་མོང་མ་ཡིན་པ་ནི། ཚོགས་ཞིང་བསྐྱེས་ཏེ། རང་གི་ལུས་ཀྱི་དབུས་སུ་རྩ་དབུ་མ་སྨྱུ་གུ་ཙམ་མར་སྣ་ལྟེ་འོག་དང་ཡར་སྣ་ཚངས་བུག་ཏུ་སླེབས་པ་ཕྱི་དཀར་ལ་ནང་དམར་བ། སྙིང་ག་མན་ཆད་གང་བ་དང་ཡན་ཆད་སྟོང་པའི་རྣམ་པ་ཅན་གྱི་མཚམས་སུ། པདྨ་དམར་པོ་དང་ཟླ་བའི་གདན་ལ་རང་སེམས་རྗེ་བཙུན་བླ་མར་གསལ་བཏབ་ལ་ངེས་ཡར་བལྟས་པས། སྟེང་གི་ནམ་མཁར་དགའ་ལྡན་ཡིད་དགའ་ཆོས་འཛིན་གྱི་བྱམས་པའི་ཐུགས་ཀ་ནས་སྤྲིན་དཀར་སྤུབས་ཅན་ཕུ་ཐུང་ལྟ་བུ་ཞིག་བརྐྱངས་པའི་མར་སྣེ་དང་། རང་གི་དབུ་མའི་ཡར་སྣེའི་ཚངས་བུག་འབྲེལ་བའི་སྤུབས་ནས་བྱམས་མགོན་གྱི་ཐུགས་ཀ་གསེར་གྱི་མཆོད་ཕྱིས་པ་ལྟ་བུ་མཐོང་བས། སྤྲིན་སྤུབས་ལ་ལམ་གྱི་འདུ་ཤེས་དང་། ལམ་དེ་ལ་རང་ཉིད་འགྲོ་བའི་འདུ་ཤེས་དང་། སོང་ནས་བྱམས་མགོན་གྱི་ཐུགས་དང་རང་སེམས་དབྱེར་མེད་དུ་བསྲེ་བའི་འདུ་ཤེས་དང་ལྡན་པས། རྒྱལ་བའི་རྒྱལ་ཚབ་མི་ཕམ་ཆོས་ཀྱི་རྗེའི། །ཐུགས་རྗེའི་ལྕགས་ཀྱུས་བདག་ཉིད་ཉེར་དྲངས་ཏེ། །བདེ་ཆེན་འོད་གསལ་ཐུགས་དང་བདག་གི་སེམས། །དབྱེར་མེད་གཅིག་ཏུ་འདྲེས་པར་བྱིན་གྱིས་རློབས། །ཞེས་ལན་གསུམ་གསོལ་བ་བཏབ་པས། རྗེ་བཙུན་གྱི་ཐུགས་ཀ་ནས་འོད་ཟེར་དམར་པོ་ལྕགས་ཀྱུ་ལྟ་བུ་ཞིག་བྱུང་བ་རང་ཉིད་རྗེ་བླ་མར་གསལ་བའི་སྙིང་གར་བཏབ་སྟེ་དྲངས་པར་བསམ་ལ། འོག་རླུང་དྲག་ཏུ་འཐེན་པ་དང་མཉམ་དུ་ཧིག་བརྗོད་དེ་སྤྱི་བོར་ཐོན་ཙམ་བྱས་ལ། ཀ་བརྗོད་དེ་རང་གནས་སུ་འབེབས་པ་ལན་ཉེར་གཅིག་པ་ཚན་པ་གསུམ་སོགས་ཀྱིས་སྦྱངས་རྗེས་སྤྲིན་སྣེ་ཐུགས་ཀ་ནས་ཆད་པ་བདུད་རྩིར་གྱུར་པས་དབུ་མའི་ནང་ཁེངས་པར་བསམ་རྗེས་པད་འདབ་ཟུམ་པ་སྟུགས་འཕྲེང་གིས་བཅིངས་ལ།

སྨོན་ལམ་གྱི། སློ་གྲོས་མགོན་པོ་འཇམ་དབྱངས་དང་མཚུངས་ཤོག །ཅེས་པའི་མཇུག་ཏུ། འདི་སྐད་འགག་ཚེ་འདའ་ཀའི་རྣལ་འབྱོར་གྱིས། །དགའ་ལྡན་མཁའ་སྤྱོད་གནས་སུ་བགྲོད་ནས་ནི། །སློ་བཟང་རྒྱལ་བ་ཡབ་སྲས་ཞལ་མཐོང་ཞིང་། །གསུང་གི་བདུད་རྩིའི་དགའ་སྟོན་སྤྱོད་པར་ཤོག །བྱང་ཤར་ངོ་མཚར་རྨད་བྱུང་བཀོད་པའི་ཞིང་། །ཞེས་སོགས་དགུས་ལ་འཇུག་ཅིང་། ལས་སྦྱོར་དངོས་ཀྱི་ཚེ། རང་སེམས་རྗེ་བླ་མར་གསལ་བ་སྐར་མདའ་འཕངས་པ་བཞིན་དུ་རྗེ་བཙུན་གྱི་ཐུགས་བདེ་སྟོང་དང་རོ་གཅིག་ཏུ་འདྲེས་པ་ལ་དར་གཅིག་མཉམ་པར་བཞག་རྗེས་ཐུགས་ཀ་ནས་ཧཱུྃ༔ ཡིག་གི་རྣམ་པར་ཐོན་ཏེ། མདུན་དེར་པདྨའི་སྦུབས་སུ་ལྷའི་བུ་རྣམ་དཔྱོད་ལྡན་སུམ་ཚོགས་པ་ཞིག་ཏུ་སྐྱེ་ནས་རྗེ་བཙུན་གྱི་ཞལ་མཇལ་ཞིང་གསུང་གི་བདུད་རྩི་ལ་ལོངས་སྤྱོད་པའོ། །ཞེས་པ་འདི་ཡང་དགེ་སློང་རྣམ་རྒྱ་དྲུས་བླ་མའི་གསུང་བཞིན་ཟིན་བྲིས་སུ་བཀྲིས་པའོ།། །།

༄༅། །སྨོན་ལམ་སྟོབས་བཅུ་མངའ་བ་བཞུགས་སོ།

༄༅། །སྟོབས་བཅུ་མངའ་བ་སྲས་དང་བཅས། །བརྩེ་བས་བདག་ལ་དགོངས་སུ་གསོལ། །བདག་གིས་སྦྱིན་དང་ཚུལ་ཁྲིམས་དང་། །སྨོན་པ་བགྱིས་དང་བགྱིད་སྐལ་བ། །རྗེས་སུ་ཡི་རང་གང་བགྱིས་པ། །འགྲོ་བའི་བསོད་ནམས་ཕུང་པོ་རྣམས། །གཅིག་ཏུ་བསྡོམས་པ་འདི་ཡི་མཐུས། །མར་གྱུར་དྲིན་ཅན་མགོན་མེད་རྣམས། །སྡུག་བསྔལ་ཆེ་ལས་བསྒྲལ་དོན་དུ། །སྟོབས་བཅུ་མངའ་བ་འཐོབ་པར་ཤོག །ཇི་སྲིད་དེ་མ་ཐོབ་ཀྱི་བར། །མི་ཁོམ་གནས་རྣམས་སྤོང་བར་ཤོག །ཀུན་ཏུ་དལ་འབྱོར་ལྡན་པ་ཡི། །རབ་ཏུ་བྱུང་བ་ཐོབ་པར་ཤོག །དེར་ཡང་བརྟུལ་ཞུགས་མི་ཉམས་ཤིང་། །ཉེས་པས་གོས་པ་མེད་པར་ཤོག །མང་ཐོས་སློབ་ལ་གཞོལ་བ་ཡིས། །བཤེས་གཉེན་རྟག་ཏུ་མཉེས་བྱེད་ཤོག །རྒྱལ་བའི་གསུང་རབ་རྒྱ་མཚོ་ལ། །མང་དུ་ཐོས་པ་བྱེད་པར་ཤོག །དེ་དོན་བསམ་དང་སྒོམ་པ་ཡིས། །དལ་འབྱོར་དོན་ལྡན་བྱེད་པར་ཤོག །རྒྱུན་དུ་འཆི་བ་དྲན་གྱུར་ནས། །སྒྲུབ་ལ་གཡེལ་བ་མེད་པར་ཤོག །འཁོར་བའི་ཉེས་དམིགས་བརྒྱ་རིག་ནས། །མཐར་པ་དོན་གཉེར་སྐྱེ་བར་ཤོག །འགྲོ་བའི་སྡུག་བསྔལ་ཁུར་ཁྱེར་བ། །སྙིང་རྗེ་བཅོས་མིན་སྐྱེ་བར་ཤོག །ཐེག་ཆེན་ལམ་དུ་འཇུག་པའི་སྒོ། །བྱང་ཆུབ་སེམས་མཆོག་སྐྱེ་བར་ཤོག །རྒྱལ་སྲས་སྨོན་པ་ལེགས་བཟུང་ནས། །བསླབ་ལས་འདའ་བར་མི་བྱེད་ཤོག །ལུས་དང་ལོངས་སྤྱོད་དགེ་རྩ་རྣམས། །འགྲོ་ལ་ཆགས་མེད་གཏོང་བར་ཤོག །སྲོག་གི་ཕྱིར་ཡང་མི་གཏོང་བར། །ཚུལ་ཁྲིམས་དྲི་མེད་བསྲུང་བར་ཤོག །ཁོང་ཁྲོའི་དགྲ་བོ་འཇོམས་བྱེད་པའི། །བཟོད་པ་ནན་ཏན་བྱེད་པར་ཤོག །ཡོན་ཏན་ཆེ་དང་སྤེལ་བའི་གཞི། །བརྩོན་འགྲུས་རྒྱུན་དུ་བརྩམས་པར་ཤོག །རྣམ་གཡེང་འཇོམས་པར་བྱེད་པ་ཡི། །རྩེ་གཅིག་བསམ་གཏན་སྒོམ་བར་ཤོག །སྲིད་བྱའི་ས་བོན་འཇོམས་བྱེད་པའི། །ལྷག་མཐོང་ཤེས་རབ་སྒོམ་པར་ཤོག །བདེན་མེད་

སྒྲུབ་ལྷ་བུ་ཡི། །ལས་འབྲས་གཅེས་པར་འཛིན་པར་ཤོག །བསྟུ་བའི་དངོས་པོ་རྣམ་བཞི་ཡིས། །འགྲོ་བའི་རེ་བ་སྐོང་བར་ཤོག །ཐུན་མོང་ལམ་གྱིས་རྒྱུད་སྦྱངས་ནས། །རྡོ་རྗེའི་ཐེག་ལ་འཇུག་པར་ཤོག །དམ་ཚིག་སྡོམ་པ་གཅེས་བསྲུང་ནས། །ཐུན་བཞིའི་རྣལ་འབྱོར་སྒོམ་པར་ཤོག །དེ་ལྟར་སྒྲུབ་ལ་བགེགས་མེད་ཅིང་། །མཐུན་པའི་རྐྱེན་རྣམས་ཚང་བར་ཤོག །ཁྱད་པར་འདི་ནས་ཤི་འཕོས་ནས། །བདེ་བ་ཅན་དུ་སྐྱེ་བར་ཤོག །འོད་དཔག་མེད་སོགས་རྒྱལ་བ་རྣམས། །མཆོད་སྤྲིན་རྒྱ་མཚོས་མཉེས་བྱེད་ཤོག །སླར་ཡང་མ་དག་ཞིང་རྣམས་སུ། །སྤྲུལ་པ་རྒྱ་མཚོ་འགྱེད་པར་ཤོག །སྲས་བཅས་རྒྱལ་བའི་བྱིན་རླབས་དང་། །རྟེན་འབྲེལ་བསླུ་བ་མེད་པ་ཡིས། །བདག་གི་ལྷག་བསམ་དག་པའི་མཐུས། །སྨོན་ལམ་འདི་དག་མྱུར་འགྲུབ་ཤོག །ཅེས་པ་འདི་ནི་སྨད་ཀྱི་བྱང་སེམས་ཤེས་རབ་བཟང་པོས་སྦྱར་བའོ། །

#༄༅། །དམིགས་བརྩེ་མའི་ཆོས་སྐོར་ལས། རྒྱལ་མཚན་འཛུགས་ཆོག དམིགས་བརྩེ་མའི་སྒོ་ནས་གདོན་བགེགས་ཞི་ཚུལ། དེ་ཁྲུས་བྱ་ཚུལ་རྣམས་དོན་གྲུབ་རྒྱལ་མཚན་གྱིས་བྲིས་པ། དགེ་ལྡན་བསྟན་པ་རྒྱས་པའི་སྨོན་ལམ་གྲུབ་ཐབ་རིན་པོ་ཆེས་མཛད་པ་བཅས་བཞུགས་སོ།

༄༅། །དམིགས་བརྩེ་མའི་རྒྱལ་མཚན་འཛུགས་ཚུལ་རྟུལ་དམར་ཕྱོགས་ལས་རྒྱལ་བའི་རྒྱལ་མཚན། ཞེས་བྱ་བ་བཞུགས་སོ། །ན་མོ་གུ་རུ་སུ་མ་ཏི་ཀཱིརྟི་ཡ། བདག་གི་བླ་མ་གྲུབ་ཐབ་འཇམ་དབྱངས་ཀྱི་ཞལ་ནས། དེང་དུས་རྗེ་བླ་མའི་བསྟན་པ་འདི་ནི་ཟུངས་ཟད་ཀྱི་ནད་པ་སྨན་པས་བོར་བ་བཞིན་དུ་བདག་ཏུ་འཛིན་པ་འགའ་ཡང་མི་སྣང་བས། ཚུང་ཟད་རེ་བསྲིང་ཐུབ་ན་ཅི་མ་རུང་སྙམ་དུ་སྨོན་པའི་ཡིད་ཀྱིས། ཞེས་དགེ་ལྡན་བསྟན་པ་རྒྱས་པའི་སྨོན་ལམ་བརྩམས་པའི་རྗེས་སུ་འབྲངས་ནས། ད་ལྟར་ཡང་སྤྱི་མོ་ནས་ཉམས་པའི་ཐོག་ཏུ་རྟུལ་དམར་གྱི་རླུང་ཕྱོགས་ཐལ་ཆེར་ལྡང་འདུག་པས། དཀར་པོའི་ཆོས་ནི་རྟེན་འབྲེལ་ལ་རག་ལས། དེ་ཡང་སེམས་བཟང་པོ་ཞིག་ལ་ཐུག གཅིག་གིས་དུ་མ་ཁྱེགས་པའི་ཆོས་ཉིད་ཀྱིས་གཅིག་འཕེལ་ན་དུ་མ་ཡང་དར་སྙམ་ནས་ཕྱོགས་ལས་རྣམ་ཐར་རྒྱལ་བའི་རྒྱན་སེར་པོ་འཛུགས་ན། རྗེ་རིན་པོ་ཆེའི་བསྟན་པ་ཡང་མི་གཡོ་ཞིང་དེ་ལ་བརྟེན་ནས་དར་འོངས་བའི་རྟེན་འབྲེལ་དུ་ཀུན་ནས་སླངས་ཏེ། རྒྱན་འཛུགས་པའི་ཆོ་ག་བྲི་བར་བྱ། དེ་ཡང་རྗེ་བོ་རྗེས་བརྩམས་པའི་ལམ་སྒྲོན་འཕགས་ཡུལ་དུ་བཟུང་ས་པ་རྒྱན་གྱི་རྩེ་མོར་མཆོད་པར་དཔེ་སླངས་ཏེ། རྗེ་བླ་མའི་ལེགས་བཤད་བླ་མའི་རྣལ་འབྱོར་དང་འབྲེལ་བའི་དམིགས་བརྩེ་མ་རྒྱན་གྱི་རྩེ་མོར་མཆོད་པ་བརྗོད་པར་བྱ་བའི་གནས་སོ། ཤོག་གུ་སེར་པོའམ་དྲི་བཟང་བྱུགས་པ་ལ་དགའ་ལྡན་ལྷ་བརྒྱ་མ་བརྒྱ་རྩ་བརྒྱད་དམིགས་བརྩེ་མ་འབུམ་ཕྲག་བཞི། ཕྱག་འཚལ་ཉེར་གཅིག་བརྒྱ། དམིགས་བརྩེ་མ་དང་འབྲེལ་བར། ཨོཾ་ཧཱུ་རེ་ཏུ་ཧཱུ་

རེ་ཏུ་རེ་སུ་མ་ཏི་ཀཱིརྟི་ཤ་ས་ན་ཨརྠ་སིདྡྷ། ཞེས་སྤྱིལ་ཆོག་སྦྱར་བ་འབུམ་ཕྲག་ཅིག། རྒྱན་མཚན་རྩེ་མོའི་དཔུང་རྒྱན་བརྒྱ། དགེ་ལྡན་བསྟན་པ་རྒྱས་པའི་སྨོན་ལམ་བརྒྱ་རྣམས་པར་བཀོས་ནས་བཏབ། རྒྱན་གྱི་སྲོག་ཤིང་དུ་དམིགས་བརྩེ་མ་སྤྱིལ་ཆོག་ཅན་བྲིས། ཡི་གེའི་མགོ་ཕྱིར་བསྟན་ཏེ་མཇུག་ནས་འགྲིལ། ནང་དུ་རྒྱ་མཚན་རྩེ་མོའི་དཔུང་རྒྱན། དེའི་ཕྱི་རོལ་ཏུ་དམིགས་བརྩེ་མ། དེའི་ཕྱི་རོལ་སྒྲོལ་མ་སྟེ་སྤྱིལ་མར་འགྲིལ། དེའི་ཕྱི་རོལ་དགའ་ལྡན་ལྷ་བརྒྱ་མ། དེའི་ཕྱི་རོལ་དམིགས་བརྩེ་མ་སྤྱིལ་ཆོག་ཅན། ཕྱི་རོལ་ཏུ་དགེ་ལྡན་བསྟན་པ་རྒྱས་པའི་སྨོན་ལམ་འགྲིལ། བར་བར་དུ་དྲི་བཟང་གི་ཕྱེ་མ་བཏབ། དེའི་ཕྱི་རོལ་ཏུ་ཆར་བས་མི་གནོད་པ་གསེར་ཟངས་ཀྱི་རྒྱལ་མཚན་མི་ཚད་ལས་མི་ཐུང་བའམ་ཤིང་གིས་བཟོས་ན་གོས་སེར་པོའི་ཁེབས་བྱ། དུས་བཟང་གཟའ་སྐར་བཟང་པོ་ལ། ཐོག་མར་གཙུག་ལག་ཁང་གི་དབུས་སུ་སྣོད་གཙང་མར་འབྲུས་བཀང་། དེ་ལ་རྒྱལ་མཚན་བཙུགས། གྲྭ་བ་གང་ཡོད་ཚང་མའམ་དགེ་སློང་བརྒྱ་རྩ་བརྒྱད་ལས་མི་ཉུང་བ། ཐེག་ཆེན་གསོ་སྦྱོང་བཀྲ་ཤིས་གསོ་སྦྱོང་གིས་མགོ་དྲངས་ཏེ་མཚམས་ཏ་ཅང་དམ་པོ་མི་བྱེད་པར་ཐམས་ཅད་ཐུགས་མཐུན་པའི་སྒོ་ནས་དགའ་ལྡན་ལྷ་བརྒྱ་མས་མདུན་བསྐྱེད་རྗེ་བླ་མ་ཡོངས་གྲགས་ལྟར་བསྐྱེད་ཅིང་གནས་གསུམ་བྱིན་རླབས་དང་མཆོད་བསྟོད་བྱ། དམིགས་བརྩེ་མ་མཐའ་འབུམ་ཕྲག་བཞི་བསྒྲུབ། ཐུན་རེའི་མཇུག་ཏུ་དགེ་ལྡན་སྨོན་ལམ་རེ། ཚོགས་གྲོལ་བར་དུ་དགེ་སློང་བཞི་རེས་མོས་སྒྲ་མ་ཆད་པར་བཟླ། མཇུག་ཏུ། རབ་གནས་བྱེད་དགོས་པས། རྗེའི་ཐུགས་ཀའི་ཧཱུྃ་ལས་འོད་སྣ་ལྔ་འཕྲོས། ཕྱོགས་བཅུ་ནས་གསང་བདེ་འཇིགས་གསུམ་དུས་འཁོར་སོགས་རྒྱུད་སྡེ་བཞིའི་ཡི་དམ་ཐམས་ཅད་དང་། བསྐལ་བཟང་སངས་རྒྱས་སྟོང་། ཉེ་བའི་སྲས་ཆེན་སོགས་བྱང་ཆུབ་སེམས་དཔའ་རྣམས་དང་། ཉན་རང་དཔའ་བོ་དཔའ་མོ་ཆོས་སྐྱོང་སྲུང་མའི་ཚོགས་དཔག་ཏུ་མེད་པ་ཆར་བབ་པ་བཞིན་དུ་ཐིམ་པར་མོས་ཏེ་ཚིགས་བཅད་རེ་རེ་གང་རུང་བརྗོད། ཚོགས་འཁོར་བྱ། རྒྱ་མཚན་དེ་ཡང་གཟའ་སྐར་བཟང་པོར་གཙུག་ལག་ཁང་གི་ཐོག་ཏུ་བཙུགས་ནས་བཀྲ་ཤིས་རྒྱས་པ་བྱ། འབྱོར་པ་ཆེ་ན་རྒྱལ་མཚན་ལྔའི་བཞི་སྟབས་གཅིག་ཏུ་བསྒྲུབས། རྒྱ་ཁང་ལྟ་བུ་ཡིན་ན་གཟི་རའི་ནང་དུ་གཟུངས་གཞུག་ཏུ་གསོལ། ཡང་ན་གཟི་རའི་གཡས་གཡོན་དུ་རེ་རེ་འཛུགས་ནའང་ཆོག་པས། དེ་ལྟར་རྗེ་རིན་པོའི་བསྟན་པ་དྲི་མ་མེད་པ་འདི་ཡང་ཡར་འཕེལ་

བའི་རྟེན་འབྲེལ་སྒོ་དུ་མ་ནས་འབད་པར་འཚལ་ལོ། །ཞེས་པ་འདི་ནི་བཙུན་པ་ཡེ་ཤེས་དོན་གྲུབ་བསྟན་པའི་རྒྱ་མཚོ་གྱིས་ལྷ་སའི་ལྷོ་ཐོག་ཏུ་སྦྱར་བ་བརྩམས་པ་པོ་རྒྱ་མཚོ། ཆོས་ནི་རྒྱ་མཚོ། འཛུགས་གཞི་རྒྱ་མཚོ་ཏེ་རྟེན་འབྲེལ་འདི་ལ་བརྟེན་ནས་དགེ་ལྡན་བསྟན་པའི་རྒྱ་མཚོ་རྒྱས་པར་གྱུར་ཅིག། །།

དམིགས་བརྩེ་མའི་སྒོ་ནས་གདོན་བགེགས་ཞི་བར་བྱེད་པའི་མན་ངག་བཞུགས་སོ།། ༈ །ན་མོ་གུ་རུ་སུ་མ་ཏི་ཀཱིརྟི་ཤྲཱི་ཡ། འཇམ་དབྱངས་ཆོས་སྐོར་ལས། ཞི་རྒྱས་དབང་ལ་སོགས་པ་ཡི། །འདོད་པའི་དོན་རྣམས་བསྒྲུབ་བྱ་སྟེ། །ཞེས་གསུངས་པའི་རྗེས་སུ་འབྲངས་ནས། དྲིན་ཅན་བླ་མ་རྗེ་བཙུན་བློ་བཟང་བསྟན་པའི་རྒྱ་མཚོ་གྱིས་ཐུན་མོང་མ་ཡིན་པའི་ཞལ་ཤེས་བཀའ་དྲིན་དུ་བསྩལ་བ་ལས་འཕྲོས་ཏེ་གདོན་བགེགས་ཞི་བར་བྱེད་པའི་མན་ངག་འཆད་པར་བྱེད་པ་ལ། དགའ་ལྡན་ལྷ་བརྒྱ་མ་འདོན་བཞིན་དུ་ཡིད་དགའ་ཆོས་འཛིན་གྱི་ཀུན་དགའ་ར་བར་རྗེ་བཙུན་མི་ཕམ་མགོན་པོའི་ཐུགས་ཀ་ནས་རྗེ་ཡབ་སྲས་གསུམ་མདུན་གྱི་ནམ་མཁར་སྤྱན་དྲངས་ཏེ། ཚིག་རིས་དང་མཐུན་པར་མཆོད་བསྟོད་བྱ། རྗེ་བླ་མའི་ཐུགས་ཀར་པདྨ་དཀར་པོ་ཙུང་ཟད་དམར་བའི་མདངས་ཅན་དང་། ཟླ་བའི་དཀྱིལ་འཁོར་ཆུ་ཤེལ་གྱི་མཉལ་ཁ་སྦུབ་ཀྱི་སྙིང་དུ་ཧྲཱིཿ ཡིག་གསེར་གྱི་མདོག་ཅན་མཐར་གཡས་བསྐོར་དུ་དམིགས་བརྩེ་མའི་ཡི་གེ་དུང་དཀར་གྱི་མདོག་ཅན་འཕྲེང་དུ་སྒྲིལ་བ་ལས་བདུད་རྩིའི་རང་བཞིན་གྱི་ཟླ་བའི་བསིལ་ཟེར་ལྟ་བུའི་འོད་ཟེར་རྣམ་པར་དཀར་བ་ཕྱོགས་བཅུར་འཕྲོས་པས། ཡུལ་ཕྱོགས་ཉེ་འཁོར་དང་བཅས་པ་ལ་དབང་བའི་མི་མ་ཡིན་པའི་རྒྱལ་པོ་དང་བཙན། ཀླུ་དང་གཞི་བདག་གི་རིགས་ཐམས་ཅད་ལ་སོགས་པས། དེ་རྣམས་ཀྱི་ཚེ་རབས་ཐོག་མ་མེད་པ་ནས་བསགས་པའི་སྒོ་གསུམ་གྱི་སྡིག་སྒྲིབ་ཐམས་ཅད་དག ལུས་ཀྱི་ནད་རིགས་དང་། ཡིད་ཀྱི་ཉོན་མོངས་པ་ཞེ་སྡང་ཁོང་ཁྲོ་སོགས་རྣམ་པར་དག་ཅིང་། བདུད་རྩི་ཟླ་ཟེར་དཀར་པོས་སྐུ་གང་སྟེ་ཐུགས་རྒྱུད་ལ་བསམ་གྱིས་མི་ཁྱབ་པའི་བདེ་དགའ་སྐྱེས་ཤིང་རྣམ་པར་ཞི་བའི་སེམས་སྐྱེ་བར་མོས་ནས། དམིགས་རིམ་དང་བཅས་པ་དམིགས་བརྩེ་མ་ཉིན་རེ་བཞིན་མ་མཐའ་བརྒྱའམ་སྟོང་ཕྲག་རེ། དམིགས་བརྩེ་མའི་བསྙེན་པ་ལྟ་བུའི་མཇུག་ཏུ་བྱེད་ནའང་ཆོག་ལ། དགེ་སློང་མང་པོ་ནས་གྲངས་བསྙེན་བསྒྲུབས་ནའང་ཆོག་པས། སྐབས་དང་མཐུན་པར་འགྲུབ། རྗེས་སུ་མདུན་བསྐྱེད་ལས་ཟླ་བའི་འོད་

དཀར་འཕྲོས། མི་དང་མི་མ་ཡིན་པ་ཐམས་ཅད་ཀྱི་རྒྱུད་ལ་དགའ་བ་ཆེན་པོ་སྐྱེ། རང་གི་མཐར་སྐོར་རིམ་པགས་པའི་ནང་མཚམས་སུ་རྡོ་རྗེའི་གོ་ཁྲབ་ཀྱི་བསྲུང་འཁོར་གྱིས་ཁྱབ་པར་བསམ་སྙེ་རྗེ་རིན་པོ་ཆེ་རང་ལ་ཐིམ། སྒོ་བུར་དུ་སྟོང་བྱུང་ན་གང་སྣང་པ་ཐམས་ཅད་སྒྱུ་མ་དང་མི་ལྷོང་ནང་གི་གཟུགས་བརྙན་ལྟར་བསམས་ཤིང་བདུད་རྩིའི་འབེབ་སྦྱངས་བྱའོ། །ཞེས་པ་འདི་ནི་ཡུལ་ཕྱོགས་ཁ་ཤས་ལ་ཕན་འདོགས་པའི་བསམ་པས། ཤཱཀྱའི་དགེ་སློང་དོན་གྲུབ་རྒྱ་མཚན་གྱིས་ལྷ་ས་འཕྲུལ་སྣང་ཙོ་བྲང་གི་ཐོག་ཀར་བྲིས་པ་དགེ་ལེགས་འཕེལ། །

༄༅། །དམིགས་བརྩེ་མའི་སྐོར་ཇས་རི་ཁྲུས་ཀྱི་ཆོ་ག་བཞུགས་སོ།

༄༅། །རྒྱལ་ཀུན་རྡོ་རྗེ་གསུམ་གྱི་རོལ་བའི་གར། །གཅིག་ཏུ་འདྲིལ་བའི་བླ་མ་ལ་བཏུད་ནས། །ལྷ་ཀླུ་ལ་སོགས་བརྟན་གཡོའི་ཚོགས་རྣམས་ལ། །མི་གཙང་འཕྲུད་བྱེད་ཁྲུས་ཀྱི་ཆོ་ག་བྲི། །དེ་ལ་འདིར་རི་ཀླུང་གནས་ཁང་སོགས་ལ་ཉམས་གྲིབ་སེལ་ཕྱིར་ཁྲུས་ཀྱི་ཆོ་ག་བྱེད་པར་འདོད་པས། མེ་ལོང་དང་ཁྲུས་གཞོང་། བུམ་པ་དྲི་བཟང་གི་ཆུས་བཀང་བ་སོགས་ཁྲུས་ཀྱི་ཡོ་བྱད་ཚོགས་པར་བྱས་ལ། བུམ་པའི་དབུས་སུ་ཟླ་བའི་དཀྱིལ་འཁོར་གྱི་སྟེང་དུ་ཧྲཱིཿཡིག་གུར་གུམ་མདོག་ཅན་གྱི་མཐར་གཡས་བསྐོར་དུ་དམིགས་བརྩེ་མས་བསྐོར་བ་ལས་བདུད་རྩིའི་ཆུ་རྒྱུན་བབས་པས་བུམ་པ་གང་བར་གྱུར། ཞེས་རིགས་གསུམ་གྱི་ཐུགས་ཅི་མང་བཟླས་ཏེ། ལྷ་ཡི་ཡེ་ཤེས་ཀྱི་རང་བཞིན་བུམ་པའི་ཆུའི་རྣམ་པར་ཤར་པར་མོས་ནས། དང་པོར་མཆོག་ཁྲུས་རྒྱལ་བསྟུས་གང་འོས་སྐབས་སྦྱར་དང་། དེ་ནས་རི་དང་གནས་ཁང་སོགས་ལ་མེ་ལོང་བསྟན་ནས། གོང་གི་ཁྲུས་ཆུས་ཁྲུས་གསོལ་ཞིང་། མཐར་གོང་གི་ཐུགས་དང་། དེ་མཐར། སྤྲིན་པའི་བདག་པོ་རྣམས་བསྡུང་ཞིང་སྐྱོབ་པའི་ལྷ་ཀླུ་དཀར་ཕྱོགས་སྐྱོང་བ་རྣམས་དང་། ཕྱོགས་འདིའི་རི་ཀླུང་གནས་ཁང་ཡོ་བྱད་སོགས་བརྟན་གཡོའི་ཚོགས་ལ་གནས་ཤིང་འགོ་བའི་ལྷ་ཀླུ་འབྱུང་པོའི་ཚོགས་རྣམས་ཀྱི་ལས་ཉོན་སྡིག་སྒྲིབ་སྡུག་བསྔལ་ཉམས་གྲིབ་ཡོག་པ་སོགས་སངས་ཀྱིས་དག་ཅིང་། བསམ་ངན་སྦྱོར་རྩུབ་སོགས་ཞི་ནས། དགའ་བ་རྒྱ་ཆེན་པོས་འཚོ་བར་གྱུར་ཅིག །རི་བྲག་ཆུ་ཀླུང་ནགས་ཚལ་སྤང་གི་སྟོངས། །ཁང་ཞིང་ཟས་ནོར་ཡོ་བྱད་བསྡུང་བ་དང་། །སྐྱོང་ཤིང་སྤེལ་བའི་ལྷ་ཀླུའི་ཚོགས་རྣམས་ལ། །གཙང་མ་ཆབ་ཀྱི་ཁྲུས་འདི་འབུལ་ལོ་བཞེས། །ཐུགས་མཐར་སྤེལ་ཚིག་བཟླ། སྣང་ཞིང་སྲིད་པའི་ལྷ་ཀླུ་འབྱུང་ཚོགས་ལ། །དག་བྱེད་ཡེ་ཤེས་ཁྲུས་ཆབ་འདི་ཕུལ་བས། །ཁྱོད་རྣམས་ཀུན་གྱི་ལས་ཉོན་སྡིག་སྒྲིབ་དང་། །སྡུག་བསྔལ་ཉམས་གྲིབ་ལ་སོགས་དག་གྱུར་ཅིག། ཐུགས་མཐར་སྤེལ་ཚིག་བཟླ། ལྷ་ཀླུ་ཀུན་ལ་ཁྲུས་ཆབ་འདི་གསོལ་བས། །གཞན་ལ་གནོད་པའི་ནད་གདོན་གཏོང་བ་

སོགས། །བསམ་ངན་སྦྱོར་རྩུབ་མ་ལུས་ཞི་གྱུར་ཏེ། །ཕན་པའི་སེམས་དང་ལྡན་པས་འཚོ་གྱུར་ཅིག །ཐུགས་སོགས། རི་གླིང་གནས་ཁང་སོགས་ལ་དམིགས་ནས། རྒྱལ་བ་ལྔ་ཡི་སྒྲུ་འཕྲུལ་བདུད་རྩིའི་རྒྱུས། །ཉོན་མོངས་ལྔ་ཡིས་བསྐྱེད་པའི་རྒུད་པའི་ཚོགས། །འབྱུང་བ་ལྔ་ལས་གྱུར་རྣམས་ལེགས་བཀྲུས་ནས། །ཡེ་ཤེས་ལྔ་ཡི་ངོ་བོར་དག་གྱུར་ཅིག །ཐུགས་མཐར་སྤྲེལ་ཚིག་ནི། ཕྱོགས་འདིའི་བདག་ཏུ་བཟུང་བའི་རི་གླིང་ཁང་ཞིང་སོགས་མཁོ་དགུའི་ཡོ་བྱད་བརྟན་གཡོའི་ཚོགས་ཇི་སྙེད་མཆིས་པར། ཕ་རོལ་པོའི་བྱད་སྟེམས་ཕོག་པ། ཉམས་གྲིབ་སོགས་མི་གཙང་ཉེས་པའི་ཚོགས་ཀྱིས་གོས་པ་ཐམས་ཅད་སངས་ཀྱིས་དག་ནས། འདོད་དགུ་ཡིད་བཞིན་དུ་འཛོ་བའི་ནུས་པ་དང་ལྡན་པར་གྱུར་ཅིག །སྦྱིན་པའི་བདག་པོའི་གནས་ཁང་ས་ཞིང་དང་། །ཕྱི་ནང་ནོར་རྫས་ཇི་སྙེད་མཆིས་པ་ལ། །བྱད་སྟེམས་ཉམས་གྲིབ་ཕོག་སོགས་ཉེས་པའི་ཚོགས། །བདུད་རྩིའི་ཆབ་འདིས་ཡོངས་སུ་དག་གྱུར་ཅིག །ཐུགས་སོགས། ཕུན་ཚོགས་གཡང་གིས་ཕྱུག་པའི་ནོར་འཛིན་གཞིར། །ཆུ་གླིང་ལྗོན་ཤིང་རྩི་བཅུད་ལོ་ཏོག་སོགས། །འཕེལ་ཞིང་རྒྱས་པར་གནོད་པའི་བགེགས་ཚོགས་རྣམས། །ཁྲུས་འདིས་སྦྱངས་པས་འདོད་པ་འཛོ་གྱུར་ཅིག །ཐུགས་སོགས། མཇུག་ཏུ་འདོད་གསོལ་སྨོན་ཚིག་ནི། འཛིག་རྟེན་བདེ་ཞིང་× གླུ་རྒྱལ་དགའ × ལྷས་ཀྱང་དུས་སུ་ཆར × སྨན་རྣམས་མཐུ་དང་ × སྦྱིན་བདག་འཁོར་དང་ × དཀར་ཕྱོགས་ལྷ་ཀླུ་དར་བའི་མཐུས། མི་ཤིས་མཚན་མ་མི་འབྱུང་ཞིང་། །འདོད་དགུ་ཡིད་བཞིན་འཛོ་བ་ཡིས། །ཡུལ་འདི་བདེ་ཞིང་སྐྱིད་གྱུར་ཅིག །ལེགས་བྱས་འདབ་བརྒྱ་བཞད་པ་ལ། །ཚེ་བསོད་གེ་སར་རྟག་བཀྲ་ཞིང་། །བདེ་སྐྱིད་དགའ་སྨྲ་བུང་བའི་དབྱངས། །དར་དིར་སྒྲོགས་པས་འཚོ་གྱུར་ཅིག །གནས་འདིར་བཀྲ་ཤིས་གཡང་དུ་ཆགས་པ་ཡི། །མངའ་ཐང་ལོངས་སྤྱོད་རིགས་རྒྱུད་འཕེལ་བ་དང་། །ཚེ་རིང་ནད་མེད་བདེ་ཞིང་སྐྱིད་པ་ཡིས། །རྟག་ཏུ་འཚོ་བའི་དགེ་མཚན་འབར་གྱུར་ཅིག །བདེ་སྐྱིད་དགའ་བ་འཛོམས་པའི་ཡུལ་ལྗོངས་འདིར། །འབྱུང་ལྔའི་བཅུད་ཀྱི་ཐིག་ལེ་ཆེས་སྨིན་པས། །ཕུན་ཚོགས་སྤུ་གཡང་ཁྱུག་པའི་ངོ་མཚར་དཔྱིད། །ཤིས་པའི་དགའ་སྟོན་ཡུན་དུ་རྒྱས་གྱུར་ཅིག །གཞན་ཡང་སྨོན་ས་འདིར × སོགས་རྒྱས་བསྡུས་སྐབས་སུ་གང་བབས་བྱའོ། །

ཞེས་པ་འདི་ནི་ལྟུགས་ར་པཎྜི་ཏ་ངག་དབང་འཕྲིན་ལས་བཟང་པོས། གཞན་ལྷ་གང་ལ་སྦྱར་ཀྱང་ཆོག་པས་དེའི་ལུགས་ཀྱི་སྟགས་བཟླ་བ་སོགས་ལས་ཤེས་པར་བྱའོ། །ཞེས་པ་ལྟར། རྗེ་བླ་མ་ལ་བརྟེན་ནས་དམིགས་བརྩེ་མའི་སྔོ་ནས་རི་ཁྲུས་བྱེད་ཚུལ་དུ་བསྒྱུར་ཏེ། ལྷའི་བཙུན་པ་ཡེ་ཤེས་དོན་གྲུབ་བསྟན་པའི་རྒྱ་མཚན་གྱིས་ཁ་གཡར་སྦྱོར་པའོ། །

༄༅། །དགེ་ལྡན་བསྟན་པ་རྒྱས་པའི་སྨོན་ལམ་བཞུགས་སོ།

༄༅། །རྒྱལ་བ་མ་ལུས་སྐྱེད་པའི་ཡབ་གྱུར་ཀྱང་། །རྒྱལ་སྲས་ཚུལ་གྱིས་ཞིང་ཁམས་རབ་འབྱམས་སུ། །རྒྱལ་བའི་ཆོས་འཛིན་ཐུགས་བསྐྱེད་བདེན་པའི་མཐུས། །བློ་བཟང་རྒྱལ་བའི་བསྟན་པ་རྒྱས་གྱུར་ཅིག །སྔོན་ཚེ་དབང་པོའི་ཏོག་གི་སྤྱན་སྔ་རུ། །དམ་བཅས་ཚེ་ན་སྙིང་སྟོབས་ཆེན་པོ་ཞེས། །སྲས་བཅས་རྒྱལ་བས་བསྔགས་བརྗོད་བདེན་པའི་མཐུས། །བློ་བཟང་ × ལྷ་སྤྱོད་གཙང་མའི་བརྒྱུད་པ་སྤེལ་བའི་ཕྱིར། །ཐུབ་པའི་དྲུང་དུ་ཤེལ་དཀར་ཕྲེང་བ་ཕུལ། །ཆོས་དུང་གནང་ཞིང་ལུང་བསྟན་བདེན་པའི་མཐུས། །བློ་བཟང་ × ལྟ་བ་རྣམ་དག་རྟག་ཆད་མཐའ་ལས་གྲོལ། །སྒོམ་པ་རྣམ་དག་བྱིང་རྒྱུགས་མུན་པ་སངས། །སྤྱོད་པ་རྣམ་དག་རྒྱལ་པའི་བཀའ་བཞིན་བསྒྲུབས། །བློ་བཟང་ × མང་དུ་ཐོས་པ་རྒྱ་ཆེར་བཙལ་བས་མཁས། །ཐོས་དོན་ཇི་བཞིན་རྒྱུད་ལ་སྦྱར་བས་བཙུན། །ཀུན་ཀྱང་བསྟན་འགྲོའི་དོན་དུ་བསྔོ་བས་བཟང་། །བློ་བཟང་ × དྲང་ངེས་གསུང་རབ་མ་ལུས་འགལ་མེད་དུ། །གང་ཟག་གཅིག་གི་ཉམས་ལེན་གདམས་པ་རུ། །ངེས་པ་སྐྱེད་པས་ཉེས་སྤྱོད་མཐའ་དག་འགགས། །བློ་བཟང་ × ལུང་ཆོས་སྡེ་སྣོད་གསུམ་གྱི་འཆད་ཉན་དང་། །རྟོགས་པའི་བསྟན་པ་བསླབ་གསུམ་ཉམས་ལེན་ཏེ། །མཁས་ཤིང་གྲུབ་པའི་རྣམ་ཐར་རྨད་དུ་བྱུང་། །བློ་བཟང་ × ཕྱི་རུ་ཉན་ཐོས་སྤྱོད་པས་ཞི་ཞིང་དུལ། །ནང་དུ་རིམ་གཉིས་རྣལ་འབྱོར་གདེང་དང་ལྡན། །མདོ་སྔགས་ལམ་བཟང་འགལ་མེད་གྲོགས་སུ་འཁྱེར། །བློ་བཟང་ × རྒྱུ་ཡི་ཐེག་པར་བཤད་པའི་སྟོང་པ་ཉིད། །འབྲས་བུའི་ཐབས་ཀྱིས་བསྒྲུབ་པའི་བདེ་ཆེན་དང་། །མཉམ་སྦྱོར་ཆོས་ཕུང་བརྒྱད་ཁྲིའི་སྙིང་པོའི་བཅུད། །བློ་བཟང་ × སྐྱེས་བུ་གསུམ་གྱི་ལམ་གྱི་བསྒྲུང་མའི་གཙོ། །སྒྱུར་མཛད་མགོན་དང་རྣམ་སྲས་ལས་གཞིན་སོགས། །བསྟན་བསྲུང་དམ་ཅན་རྒྱ་མཚོའི་མཐུ་སྟོབས་ཀྱིས། །བློ་བཟང་ × མདོར་ན་དཔལ་ལྡན་བླ་མའི་སྐུ་ཚེ་

བརྟན། །མཁས་བཙུན་བསྟན་འཛིན་དམ་པས་ས་སྟེང་གང་། །བསྟན་པའི་སྦྱིན་བདག་མངའ་ཐང་དར་བ་ཡིས། །བློ་བཟང་རྒྱལ་བའི་བསྟན་པ་རྒྱས་གྱུར་ཅིག །ཅེས་པ་འདི་ནི་ལྷག་བསམ་རྣམ་དཔྱོད་ཡངས་པ་རབ་འབྱམས་པ་བློ་བཟང་བསྟན་པས་བསྐུལ་ཞིང་། སྤྱིར་དེང་དུས་རྗེ་བླ་མའི་བསྟན་པ་འདི་ནི་ཟུངས་ཟད་ཀྱི་ནད་པ་སྨན་པས་བོར་བ་བཞིན་དུ་བདག་ཁུ་འཛིན་པ་འགའ་ཡང་མི་སྣང་བས་ཅུང་ཟད་རེ་བསྒྲིངས་ཐུབ་ནའང་ཅི་མ་རུང་སྙམ་དུ་སྨོན་པའི་ཡིད་ཀྱིས། ༈བཙུན་པ་དཀོན་མཆོག་བསྟན་པའི་སྒྲོན་མེས་བྲིས་པའོ།། །།

༄༅། །དགའ་ལྡན་ལྷ་བརྒྱ་མའི་རྣལ་འབྱོར་ལ་བརྟེན་ནས་ལམ་གྱི་གཙོ་བོ་རྣམ་གསུམ་རྩ་ཚིག་གི་སྟེང་ནས་གཞུང་བསྒྲངས་ཏེ་ཉམས་ལེན་སྙིང་པོར་བྱེད་ཚུལ་དམ་པའི་གསུང་རྒྱུན་ལེགས་བཤད་སྒྲོན་མེ་ཞེས་བྱ་བ་བཞུགས་སོ།

དམར་སེར་རང་འོད་ཏུར་སྒྲིག་གོས་ཀྱིས་བསྐུབས། །ཐྲག་ཆ་བཞིན་དུ་རང་སྒྲས་རང་ལ་འདོམས། །སྤྲུ་འཕྲུལ་མཐའ་ཡས་འགྲོ་བའི་མགོན་མཛད་པ། །འཇམ་དབྱངས་བླ་མ་དེ་ཡིས་རྟག་སྐྱོངས་ཤིག །མཁས་བཙུན་བློ་གྲོས་བཟང་པོའི་སྤྱོད་མཚོ་ལས། །ཡོངས་པའི་ལེགས་བཤད་བསམ་འཕེལ་དབང་གི་རྒྱལ། །གྲགས་སྙན་གདུགས་དཀར་ཏོག་མཛེས་སྲིད་རྩེའི་བར། །བསྒྲེངས་མཁས་རྒྱལ་བ་གཉིས་པར་སྙིང་ནས་འདུད། །གང་གི་འཕྲིན་ལས་བྱིན་རླབས་གནའི་རྒྱུན། །ཐེལ་སྐད་དད་གུས་སྐལ་ལྡན་ཤིང་རྟ་ཡིས། །བསྟན་པའི་སྦྱོར་བ་ལ་སྤོས་རྟེན་འབྲེལ་མཐུ། །མཆོད་པའི་ཚོག་འདིར་ཐེལ་ཉམས་སུ་ལོངས། །འདིར་བདག་ཅག་རྣམས་ཀྱི་འདྲེན་པ་བླ་ན་མ་མཆིས་པ་ཐུབ་དབང་རྡོ་རྗེ་འཆང་བློ་བཟང་གྲགས་པ་ཞེས་སྙན་པའི་བ་དན་སྲིད་པ་གསུམ་ན་ཆེན་ཆེར་གཡོ་བ་ཉིད་སྐབས་གནས་ཀུན་འདུས་ཀྱི་ངོ་བོར་མོས་ནས་མཆོད་ཅིང་གསོལ་བ་འདེབས་པའི་ཐབས་མཁས་གྲུབ་རྣམས་ཀྱིས་དུ་མར་གསུངས་པ་ལས། འདིར་སྲིད་བརྒྱུད་པའི་དམ་པ་གོང་མ་རྣམས་ཀྱི་ཞལ་ཤེས་སྙན་བརྒྱུད་དུ་བཞུགས་པ་སྤྲུལ་པའི་གླེགས་བམ་དུ་གྲགས་པའི་གདམས་པ་ཁྲིད་པར་ཅན་དགའ་ལྡན་ལྷ་བརྒྱ་མ་ལ་བརྟེན་ནས་ཉམས་སུ་ལེན་པ་ལ། སྔོན་འགྲོ། དངོས་གཞི། རྗེས་ཀྱི་བྱ་བ་གསུམ། དང་པོ་ནི། དེའང་ལམ་གྱི་གཙོ་བོ་རྣམ་གསུམ་རྩ་ཚིག་གི་སྟེང་ནས་གཞུང་བསྒྲངས་ཏེ་ཉམས་ལེན་སྙིང་པོར་བྱེད་པར་འདོད་པའི་གང་ཟག་གིས། རྗེ་བླ་མ་གཙོ་བོར་གྱུར་པའི་སྐྱབས་ཡུལ་གསལ་བཏབ་སྟེ་

སྐྱབས་འགྲོ་སེམས་བསྐྱེད་རྒྱུད་དང་འདྲེད་ངེས་བྱེད་པ་སོགས་སྔོན་འགྲོ་སྦྱོར་བའི་ཆོས་དྲུག་གིས་རྨང་གཞི་ཟིན་པ་ཞིག་ངེས་པར་བྱེད་དགོས་ཏེ། ཡོན་ཏན་རིན་པོ་ཆེ་སྡུད་པ་ལས། །རྒྱུ་རྣམ་གཞི་ཡིས་བྱང་ཆུབ་སེམས་དཔའ་མཁས་སྟོབས་ལྡན། བདུད་བཞིས་ཐུབ་པར་དཀའ་ཞིང་བསྐྱོད་པར་མི་ནུས་ཏེ། །སྟོང་པར་གནས་དང་སེམས་ཅན་ཡོངས་སུ་མི་གཏོང་དང་། །ཇི་སྐད་སྨྲས་བཞིན་བྱེད་དང་བདེ་གཤེགས་བྱིན་རླབས་ཅན། །ཞེས་ཟློགས་པའི་བྱང་ཆུབ་སྒྲུབ་པའི་རྒྱུའི་གཙོ་བོ་བཞི་གསུངས་པས་དངོས་གཞི་ནི། སྟོང་པར་གནས་ཞེས་པས་དོན་དམ་བྱང་ཆུབ་ཀྱི་སེམས་དང་། སེམས་ཅན་ཡོངས་སུ་མི་གཏོང་ཞེས་པས་ཀུན་རྫོབ་བྱང་ཆུབ་ཀྱི་སེམས་གཉིས་ཟུང་དུ་འཇུག་པའི་སྐྱེས་བུ་ཆེན་པོའི་ལམ་རྣམས་བསྟན། ཇི་སྐད་སྨྲས་བཞིན་བྱེད་ཅེས་པས་ལམ་གྱི་རྩ་བ་བཤེས་གཉེན་ཚུལ་བཞིན་དུ་བསྟེན་ནས་ཇི་སྐད་གསུངས་བཞིན་དུ་རིམ་གྱིས་སློབ་ཚུལ་དང་། བདེ་གཤེགས་བྱིན་རླབས་ཅན་ཞེས་པས་ཞིང་ཁྱད་པར་ཅན་ལ་བརྟེན་ནས་ཚོགས་བསགས་སྒྲིབ་སྦྱོང་སོགས་བྱས་ཏེ་ལམ་གྱི་རྟོགས་པ་སྐྱེ་བའི་སྣོད་རུང་དུ་སྒྲུབ་པའི་སྔོན་འགྲོ་སྦྱོར་བའི་ཆོས་དྲུག་འདི་ལྟར་ཉམས་སུ་ལེན་ཚུལ་དང་། བཤེས་གཉེན་བསྟེན་ཚུལ་གྱི་རིམ་པ་སྦྱོར་བའི་ཆོས་ཀྱི་ཡོངས་སུ་བསྡུས་ཏེ་ཉམས་སུ་ལེན་ཚུལ་ཀུན་གཟིགས་ལྷ་པ་ཆེན་པོས་འཇམ་དཔལ་ཞལ་ལུང་དུ་གསལ་བར་མཛད་པ་གཉིས་ཀ་རྗེ་བླ་མའི་དགོངས་པ་ཡིན་པས་རྗེས་འཇུག་སོ་སོས་རང་རང་མོས་པ་བཞིན་ལག་ཏུ་བླང་ཚོག་ལ། འདིར་འཇུག་པ་བདེ་བའི་ཕྱིར་དུ་མ་ཟད་རྟོགས་པ་མྱུར་དུ་སྐྱེ་བའི་ཁྱད་ཆོས་བླ་ན་མེད་པ་ཡོད་ཅེས་རྗེ་བཙུན་བཀའ་འགྱུར་བ་ཆེན་པོའི་གསུང་རྒྱུན་ལས་བྱུང་བ་བཞིན་འཇམ་དཔལ་ཞལ་ལུང་ལྟར་དཀྲུས་གཅིག་ཏུ་དྲིལ་ནས་ལག་ཏུ་ལེན་ཚུལ་ནི། མཛེས་ཆོས་ཙམ་མ་ཡིན་པར་ཚོགས་ཞིང་རྣམས་སྤྱན་འདྲེན་རྒྱུར་བཀུར་སྟིའི་བསམ་པ་དང་། རང་གཞན་གྱི་སྒྲིབ་པ་སྦྱོང་ཞིང་རྒྱལ་སྲས་ཀྱི་སྤྱོད་པའི་སྨོན་ཆེན་པོ་ཛོགས་སླེན་སྤྱངས་གསུམ་གྱི་ཡ་གྱལ་སངས་རྒྱས་ཀྱི་ཞིང་སྦྱོང་བའི་དམིགས་པ་སོགས་ཀུན་སློང་ཇི་ཙམ་རྒྱ་ཆེ་བ་བཞིན་ཕྲུགས་མ་རེ་རེ་བརྒྱབ་པ་ལའང་ཕན་ཡོན་ཚད་མེད་པ་འབྱུང་སྟེ། རྟག་ཏུ་དུས་ཆོས་འཕགས་ལ་བཀུར་སྟི་བྱ་བའི་ཕྱིར་ས་རྡུལ་གནོད་བྱེད་ལ་རང་གི་ལུས་ཀྱི་རྩ་དོ་ཆེ་རྣམས་གཏར་ནས་ཁྲག་གིས་ཆག་ཆག་བཏབ་པ་དང་། ལམ་ཆུང་བས་རྡུལ་སྤྲང་དོ།

དྲི་མ་རྣལ་སྤང་ངོ་། ཞེས་པའི་ཚིག་གཉིས་བརྗོད་བཞིན་དུ་ཕྱུགས་བདར་བྱས་པས་བདེན་པ་མཐོང་བ་འདུལ་བ་ལུང་ལས་གསུངས་པ་དང་། གཞན་ཡང་ཕྱུག་བདར་བྱེད་པའི་ཕན་ཡོན་ལྔ་གསུངས་པ་རྣམས་ཡིད་ལ་བཞག་ནས། ཆུ་གཙང་གིས་ཆག་ཆག་བཏབ་ཅིང་ངག་ཏུའང་རྣལ་སྤང་ངོ་། །དྲི་མ་སྤང་ངོ་། །ཞེས་བརྗོད་བཞིན་པར་གནས་ཁང་བྱི་དོར་བྱས་ལ། རྒྱུ་བཟང་ངན་གསར་རྙིང་སོགས་ལ་བཟང་ངན་མི་བྱེད་པར་རྗེ་བླ་མའི་སྐུ་བྲིས་འབུར་ཅི་རིགས་དབུས་སུ་བཀོད་ན་རྟེན་འབྲེལ་གྱི་གནད་ཤིན་ཏུ་ཆེ་བར་དགའ་ཚེན་ཡེ་ཤེས་རྒྱལ་མཚན་གྱི་འཁྲིད་རྒྱུན་དུ་གསུངས་པ་བཞིན་འདི་ཀའི་གཞུང་དུའང་། རྗེ་བླ་མ་གཙོ་བོར་གྱུར་པའི་སྐྱབས་ཡུལ་གསལ་བཏབ་ཅེས་པའི་དགོངས་དོན་ལྟར་སྐུ་གསུང་ཐུགས་ཀྱི་རྟེན་རྣམས་ལེགས་པར་དགྲམ། མཆོད་པའི་ཀུན་སློང་ཐར་པ་དང་ཐམས་ཅད་མཁྱེན་པའི་རྒྱུར་དམིགས་པ་དང་། མཆོད་པའི་དངོས་པོ་ཐུད་ཀྱི་རྫོས་དང་ལོ་མའི་སེར་ས་ལྷ་བུ་ནས་མ་ཡིན་པར་རང་ལ་གང་ཡོད་ཀྱི་གཟབས་ནས་འབུལ་དགོས། དེ་ལྟར་མིན་པར་རྗེ་ཐམས་ཅད་མཁྱེན་པའི་གསུང་ལས། ཡོད་བཞིན་དུ་གཏོང་མི་ནུས་པར། བདག་ནི་བསོད་ནམས་མི་ལྡན་བཀྲེན་ཆེན་ཏེ། །མཆོད་པའི་ནོར་གཞན་བདག་ལ་ཅང་མ་མཆིས། །ཞེས་ཟེར་བ་ནི། པོ་ཧོ་བའི་ཞལ་ནས། དུང་ཕོར་དྲི་མ་ཅན་ཞིག་ཏུ་སྤང་སྤོས་རེ་བཏབ་ནས། ཙན་དན་གབུར་སྤོས་ཀྱི་ཆུ། །ཞེས་དམུས་ལོང་གིས་མིག་ལྡན་ལ་མགོ་སྐོར་བྱེད་གསུང་བ་དང་འདྲའོ། །གསུངས་པ་ལྟར་འགྱུར་བས། ཆུ་གཉིས་ཉེར་སྤྱོད་རོལ་མོ་དང་བཅས་པ། འདོད་ཡོན་ལྔ། བཀྲ་ཤིས་རྟགས་བརྒྱད། རྒྱལ་སྲིད་སྣ་བདུན། གདུགས། རྒྱལ་མཚན། བ་དན། བླ་བྲེ། མཎྜལ་དང་བཅས་པ་སོགས་རི་མོར་བྲིས་པ་ཚུན་ཆད་འགྱུར་གྱི་མཆོད་པ་གང་ལེགས་སྣ་ཚོགས་སུ་མ་སོང་བར་ཚུལ་བཞིན་དུ་བཤམས། བདེ་བའི་སྟན་ཡུན་རིང་པོར་ཐྲན་སོགས་ཀྱིས་མི་གནོད་ཕྱིར་ཀླུང་རྒྱུ་ཚུལ་ཡོད་པའི་ཁྲི་དྲ་བ་ཅན། འོག་ཏུ་ས་དཀར་གྱིས་གཡུང་དྲུང་གཡས་སྐོར་དུ་བྲིས། སྟེང་དུ་རྩྭ་དུར་བ་རྩེ་མོ་དབུས་དང་རྩ་བ་ཕྱིར་བསྟན་ནས་དགྲམ །ཞུང་ན་རྩེ་མོ་མདུན་དང་རྩ་བ་རྒྱབ་ཏུ་བསྟན་པས་ཆོག་ཅིང་། དེའི་སྟེང་དུ་འབོལ་གདན་ལྷ་བུ་ནང་ཚངས་ཅན་མདུན་དམའ་ལ་རྒྱབ་ཅུང་ཟད་མཐོ་བར་རྐང་པ་རྡོ་རྗེའི་སྐྱིལ་ཀྲུང་ངམ། ཕྱེད་སྐྱིལ་བྱེད་ཚུལ་རྐང་པ་གཡོན་པ་ནང་

གཡས་པ་ཕྱིར་བྱས་ཤིང་རྐང་མགོ་གཅིག་འོག་ཏུ་གཅིག་མ་ཤོར་བ་གསང་གནས་ཀྱི་ཚད་དུ་སླེབ་པ། ལག་པ་ལྟེ་འོག་སོར་བཞིའི་ཙམ་ན་གཡས་པ་སྟེང་གཡོན་པ་འོག་ཏུ་བྱས་ཏེ་མཐེ་བོང་གཉིས་ཀྱི་རྩེ་ཙུང་ཟད་སྦྱར་བ་མཉམ་བཞག་གི་ཕྱག་རྒྱ་དང་། རྐེད་པ་དྲང་པོར་སྐལ་ཚིགས་ཀྱི་འབུལ་པོ་ཕྱིར་མི་མངོན་པར་ལེགས་པར་བསྲངས་ཤིང་མགྲིན་པ་ཙུང་ཟད་བཀུག སོ་དང་མཆུ་རང་བབས་སུ་བཞག་ཅིང་ལྕེའི་རྩེ་རྐན་ལ་ཙུང་ཟད་སྦྱར། མགོ་མ་ཡོ་བར་ཐད་ཀར་བཟུང་། མིག་ཧ་ཅང་མི་དབྱེ་ཧ་ཅང་མི་ཟུམ་པ་སྣ་རྩེ་དང་ལྟེ་བའི་བར་གྱི་ནམ་མཁའ་ལ་གཏད། ཕྲག་པ་གཉིས་མཐོ་མན་མེད་པར་བྱ། འདི་བདུན་དང་འོག་ནས་འབྱུང་བའི་རླུང་ཆམ་ལ་འབེབས་པ་སྟེ་རྣམ་སྣང་གི་ཆོས་བརྒྱད་དང་ལྡན་པར་བྱ་དགོས། དེའང་ལུས་ཀྱི་སྤྱོད་ལམ་ཚུལ་མཐུན་བྱུང་ན་རྩ་རྣམས་དྲང་པོར་གནས། དེ་ལས་རླུང་དྲང་པོར་རྒྱུ་བའི་སྟོབས་ཀྱིས་སེམས་གསལ་ཞིང་བརྟན་པ་འབྱུང་ངོ་། །སྒྲ་བསྒྱུར་མར་པ་ལོ་ཙྪ་བས། བོད་ཀྱི་མན་ངག་ཟབ་ཟབ་ཐམས་ཅད་བསྡོམས་ཀྱང་ངའི་སྡོད་ཚུལ་གཅིག་པུར་མི་དོ་གསུངས་པའི་རྒྱུ་མཚན་ཡང་དེ་ཡིན་ལ། དེ་ནས་སྣ་ཁ་ནང་དུ་བསྐོར་ལ་ཀུན་སློང་འཚོས་པ་གལ་ཆེ་སྟེ། མཉམ་མེད་རྗེ་བོ་ཆེན་པོས། རྩ་བ་སྨན་ཡིན་ན་ཡལ་ག་དང་ལོ་མའང་སྨན་ཡིན། རྩ་བ་དུག་ཡིན་ན་ཡལ་ག་དང་ལོ་མའང་དུག་ཡིན། ཞེས་གསུངས་པ་བཞིན་འོག་གི་དགེ་སྦྱོར་མཐའ་དག་གནད་དུ་འགྲོ་མི་འགྲོ་ཐོག་མའི་ཀུན་སློང་འཚོས་ཚུལ་གྱི་ལེགས་ཉེས་འདི་ཁོ་ན་ལ་ལྟོས་པས། ཆོས་ཀྱི་དབུའི་རྒྱ་གར་སྐད་བཞིན་དུ་སྒོམ་གྱི་ཐོག་མའི་མགོ་འཛུགས་འདི་ནས་རྟེན་འབྲེལ་མ་འཛུགས་པ་ཞིག་དགོས་ཏེ། རྒྱ་གར་སྐད་མཚུངས་རང་རྒྱུད་ལ། ལེགས་པར་བརྟགས་པ་ཡིན་ནོ་ཞེས། །བླ་མེད་བླ་མ་མཆོག་དེས་བཞིན། །ཅེས་པཎ་ཆེན་ཆོས་ཀྱི་རྒྱལ་པོས་གསུངས་པ་ལྟར་རོ། །དེས་ན་རང་རྒྱུད་ལ་བརྟགས་པས་ཚེ་འདིའི་བདེ་སྐྱིད་སྙན་གྲགས་སོགས་དོན་དུ་གཉེར་བའི་བསམ་པ་མངོན་དུ་གྱུར་ན་ཀུན་སློང་མ་དག་པ་ཡིན། ཕྱི་མ་བདེ་འགྲོ་ལྷ་མིའི་མངོན་མཐོ་ཙམ་ཞིག་དང་། རང་ཁོ་ནའི་ཆེད་དུ་དམན་པའི་མྱང་འདས་དོན་དུ་གཉེར་བའི་བསམ་པ་ཡོད་ན་དེའང་ཀུན་སློང་མ་དག་པ་ཡིན་པས། རླུང་འགྲོ་འཛོལ་བསྟེན་ནས་ཀུན་སློང་མ་དག་པ་དེ་སྦྱོང་བར་བྱའོ་སྙམ་དུ་འཕེན་པ་ཤུགས་དྲག་པོ་བྱ་དགོས། དེའི་ཚུལ་ནི་སྣ་བུག་ན་རླུང་ཕྱིར་བཏང་བའི་ཚེ་

ཀུན་སློང་གི་རྟོག་པ་ངན་པ་མཐའ་དག་དུ་བ་ནག་པོའི་རྣམ་པར་ཕྱིར་ཐོན་ནས་ནམ་མཁའི་དབྱིངས་སུ་ཡལ་སོང་སྙམ་དུ་བསམ། ནང་དུ་རྔུབ་པའི་ཚེ་བླ་མ་སངས་རྒྱས་སྲས་དང་བཅས་པའི་མཁྱེན་བརྩེ་ནུས་གསུམ་གྱི་ཡོན་ཏན་ཐམས་ཅད་འོད་དཀར་པོའི་རྣམ་པར་རང་གི་སྣ་བུག་ནས་ཞུགས་ཏེ་སྙིང་གར་ཐིམ་པས་དགེ་སེམས་ཁྱད་པར་ཅན་མངོན་དུ་གྱུར་པའི་མོས་པ་བྱ། དེའང་རླུང་སྣ་བུག་གཡས་ནས་དལ་བུས་རྔུབ་སྟེ་གཡོན་ནས་དལ་བུས་ཕྱིར་འབུད་པ་ལན་གསུམ། གཡོན་ནས་རྔུབ་སྟེ་གཡས་སུ་འབད་པ་ལན་གསུམ། གཉིས་ཀ་ནས་རྔུབ་སྟེ་གཉིས་གནས་ཕྱིར་འབུད་པ་ལན་གསུམ་བྱ། འདི་ལ་རླུང་རོ་དགུ་སྦྲུགས་སུ་བསལ་བ་ཟེར་གསུང་། དེ་ནས་སྣ་བུག་གཉིས་ཀ་ནས་རླུང་ནང་དུ་རྔུབ་པ་དང་ཕྱིར་གཏོང་བའི་ཁྲུག་པ་ཉེར་གཅིག་བགྲང་། སླར་ཡང་མཇུབ་མོ་སྣ་རྩེར་གཏད་དེ། ག་རེ་བདག་གིས་དལ་འབྱོར་གྱི་རྟེན་རིན་པོ་ཆེ་ཡིད་བཞིན་གྱི་ནོར་བུ་ལས་ཀྱང་རྙེད་པར་དཀའ་བ་འདི་ཉིད་རྙེད་པའི་དུས་འདིར་དོན་མེད་ཚེ་འདི་པའི་ཐབས་ཁོ་ནས་མི་ཚེ་ཟད་ནས་མཐར་ཤི་བའི་འོག་ཏུ་བདག་གིས་སྤྱོད་ཚུལ་འདིས་ངན་སོང་མུ་མཐའ་མེད་པར་སྐྱེས་ནས་ཡུན་རིང་དུ་གནས་དགོས་པ་འདུག་པས། དེ་འདྲའི་སྡུག་བསྔལ་ག་ལ་བཟོད་ནུས་སྙམ་ནས་ཀུན་སློང་ངན་པ་རྣམས་དོར་ཏེ། བདག་གིས་ཆོས་རྣམ་དག་ཅིག་བསྒྲུབ་དགོས་པ་འདུག སྒྲུབ་ཚུལ་ཡང་འཕགས་པ་ཀླུས། སྡུག་བསྔལ་རྒྱ་མཚོ་འདི་ལ་མཐའ། །རྣམ་པ་ཀུན་ཏུ་ཡོད་མིན་ན། །བྱིས་ཁྱོད་འདིར་ནི་བྱིང་བ་ལས། །འཇིགས་པ་ཅིས་ནི་སྐྱེ་མི་འགྱུར། །ཞེས་གསུངས་པ་བཞིན་འཁོར་བའི་རྒྱ་མཚོ་གཏིང་དང་མཐའ་མེད་པ་འདིར་ཐོག་མ་མེད་པ་ཞིག་ནས་ཡུན་རིང་ལ་ཤུགས་དྲག་པོའི་སྡུག་བསྔལ་སྣ་ཚོགས་པས་མནར་ཞིང་། ད་དུང་ཡང་ཇི་ཙམ་ཞིག་མྱོང་དགོས་པའི་མཐའ་མི་ཟིན་ཏེ། ཟག་བཅས་ཀྱི་ལུས་འདི་བླངས་ཕྱིན་ཆད་མྱུར་དུ་སྡུག་བསྔལ་གྱི་ཕུང་སྣ་འདྲེན་ཞིང་ཚེར་མའི་མལ་དུ་ཉལ་བ་བཞིན་སོ་གསོད་པའི་བདེ་སྐབས་ཙུང་ཟད་ཀྱང་མེད་པས་ན། སྡུག་བསྔལ་གྱི་རྒྱ་མཚོ་འཁོར་བ་འདི་ལས་སྒྲོལ་བའི་རྟེན་བཟང་པོ་ཐོབ་པའི་སྐབས་འདིར་རང་གིས་རང་ཉིད་ཆུད་ཟོས་སུ་མ་སོང་བར་འདི་ཕྱི་ཀུན་ཏུ་ཕན་ངེས་པའི་ཆོས་ཞིག་སང་བྱ་གནང་བྱའི་ངང་དུ་མ་ལུས་པར་དེ་རིང་རང་ནས་བྱ་དགོས་པ་འདུག དེའང་རྗེ་བཙུན་ཙོང་ཁ་པ་ཆེན་པོ་རིགས་གསུམ་གྱི་བདག་

ཉིད་དུ་གསོལ་བ་འདེབས་པའི་རྣལ་འབྱོར་འདི་ཉིད་ལམ་ཀུན་གྱི་རྩ་བར་འདུག་པས་ཉམས་སུ་ལེན་པ་ལ་འབད་པར་བྱའོ། །དེས་ན་བདག་དང་མར་གྱུར་སེམས་ཅན་ཐམས་ཅད་འཁོར་བ་དང་ངན་སོང་གི་སྡུག་བསྔལ་གྱིས་ཉམ་ཐག་པའི་ཚུལ་ཤུགས་དྲག་ཏུ་བསམས་པ་དང་། དེ་ལས་སྐྱོབ་པའི་ནུས་པ་དཀོན་མཆོག་ལ་ཡོད་པར་ཡིད་ཆེས་པ་སྟེ་སྐྱབས་འགྲོའི་རྒྱུ་གཉིས་དང་ལྡན་པས། སངས་རྒྱས་ལ་སྐྱབས་སྟོན་པ་པོ། ཆོས་ལ་སྐྱབས་དངོས། དགེ་འདུན་ལ་སྐྱབས་སྒྲུབ་པའི་གྲོགས་ཞུ་བར་བྱའོ་སྙམ་དུ་བསམས་ནས། མདུན་གྱི་ནམ་མཁར་པདྨའི་སྡོང་པོ་ཡལ་ག་ལོ་འདབ་རབ་ཏུ་རྒྱས་པའི་ལྟེ་བར་སེང་ཁྲི་པད་ཟླའི་སྟེང་དུ་རྗེ་བོ་རང་གི་དྲིན་ཅན་རྩ་བའི་བླ་མ་ཡིན་པ་ལ་རྣམ་པ་རྒྱལ་བ་ཙོང་ཁ་པ་ཆེན་པོ། གཡས་གཡོན་དུ་སྲས་ཀྱི་ཐུ་བོ་གཉིས། མཐའ་སྐོར་དུ་དངོས་བརྒྱུད་ཀྱི་བླ་མ་ཡི་དམ་སངས་རྒྱས་བྱང་སེམས་དཔའ་བོ་མཁའ་འགྲོ་བསྟན་བསྲུང་ཡེ་ཤེས་པའི་ཚོགས་དང་བཅས་པ་མངོན་སུམ་དུ་གསལ་བཏབ་ལ། སྐྱབས་ཡུལ་དེ་རྣམས་ཀྱི་ཡོན་ཏན་དྲན་བཞིན་པའི་ངང་ནས། མཚམས་འདིར་རྗེ་གསེར་ཁང་རིན་པོ་ཆེའི་ཕྱག་ལེན་བཞིན་ཡར་བཞེངས་ཏེ་གུས་པ་དང་བཅས་པས། མཆོད་ཏིང་རྣམས་ལེགས་པར་ཕྱིས་པ་བརྩེགས་སྟེང་དུ་ཚུ་ཙུང་ཟད་བླུག་ལ། ཨོཾ་ཨཱཿཧཱུཾ། ཞེས་བརྗོད་པས་དྲི་ཟའི་གྲོང་ཁྱེར་མི་ཆགས་པ་སོགས་དང་། མཆོད་པ་གནད་དུ་འགྲོ་བའི་དགོས་ཁྱད་ཡོད། བྱིན་གྱིས་བརླབས་པའི་ཆུ་ཏིང་འོག་མ་འོག་མར་བླུག་གི་མཆོད་ཏིང་ནང་དུ་མཛུབ་རྗེས་སོགས་མ་ཤོར་བར་རིམ་བཞིན་ཡ་ཡོ་མེད་ཅིང་མ་ཐུག་པར་བསྒྲིགས་ཏེ། གུར་གུམ་སོགས་དྲི་བཟང་པོ་བསྙོས་པའི་ཆུ་གཙང་མ་ཐོག་མཐའ་ཕྲ་ལ་བར་དུ་སྦོམ་པ་ཁ་མཐོ་དམའ་རན་པ་འབུལ། ཕྱིར་འབོ་ན་ཚུལ་ཁྲིམས་འཆལ་བ། མ་གང་ན་ལོངས་སྤྱོད་དབུལ་གཏིང་ཡ་ཡོ་བོར་སོང་ན་ལམ་ལོག་པར་ཀོལ་བ་སོགས་ཉེས་དམིགས་ཆེ་བས་བག་ཡོད་པར་བྱེད་མཁན་ཆེན་བསྟན་པ་ཆོས་བཟང་བས་གསུངས་པ་ལྟར་བྱ་དགོས་ཏེ། བསམ་པ་དགེ་ཡང་སྦྱོར་བ་ལོག་པས་འབྲས་བུ་ཡིད་མི་འོང་འབྱིན་པར་གསུངས་པས་སོ། །དེས་ན་ཚུལ་དང་མཐུན་པར་བཀོད་པས་མཛེས་པར་བཤམས་བཞིན་པ་དང་མཉམ་དུ་སྐྱབས་འགྲོའི་ཚིག་འདི་ལྟར་བརྗོད་ལ། བདག་དང་འགྲོ་བ་ནམ་མཁའི་མཐའ་དང་མཉམ་པའི་སེམས་ཅན་ཐམས་ཅད་དུས་འདི་ནས་བཟུང་སྟེ་སྲིད་བྱང་ཆུབ

སྙིང་པོ་ལ་མཆིས་ཀྱི་བར་དུ་ཕྱོགས་བཅུ་དུས་གསུམ་གྱི་དེ་བཞིན་གཤེགས་པ་ཞེས་པ་ནས་དཔལ་ལྡན་བླ་མ་དམ་པ་རྣམས་ལ་སྐྱབས་སུ་མཆིའོ། །བླ་མ་ལ་སྐྱབས་སུ་མཆིའོ། །སངས་རྒྱས་ལ་སྐྱབས་སུ་མཆིའོ། ཆོས་ལ་སྐྱབས་སུ་མཆིའོ། །དགེ་འདུན་ལ་སྐྱབས་སུ་མཆིའོ། །ཁམས་གསུམ་ཆོས་ཀྱི་རྒྱལ་པོ་ཤར་ཙོང་ཁ་པ་ཆེན་པོའི་ལྷ་ཚོགས་འཁོར་དང་བཅས་པ་རྣམས་ལ་སྐྱབས་སུ་མཆིའོ། །དཔལ་མགོན་དམ་པ་ཆོས་སྐྱོང་བའི་སྲུང་མ་ཡེ་ཤེས་ཀྱི་སྤྱན་དང་ལྡན་པ་རྣམས་ལ་སྐྱབས་སུ་མཆིའོ། །ཞེས་གང་མང་བརྗོད། དེ་ནས་བདག་གིས་ཐོག་མ་མེད་པ་ནས་ད་ལྟ་ཕན་འཁོར་བ་འདིར་སྐྱེ་བ་གྲངས་ལས་འདས་པ་ཞིག་བླངས་པས་སེམས་ཅན་འདི་དག་ཐམས་ཅད་བདག་གི་མ་མ་བྱས་པ་གཅིག་ཀྱང་མེད། མ་ནམ་བྱས་ཀྱི་ཚེ་ཚེ་འདིའི་མས་དྲིན་གྱིས་བསྐྱངས་པ་བཞིན་དུ་ཕན་པ་ཚད་མེད་པས་བསྐྱངས་ཏེ། བདག་གི་དོན་དུ་སྡིག་དོར་བ་ཡང་གྲངས་མེད་པ་བྱས་པས་དྲིན་དྲན་པ་དང་དྲིན་གཟོ་བའི་བློ་སྟོན་དུ་བཏང་ནས། དེ་རྣམས་སྤྱིར་འཁོར་བ་དང་བྱེ་བྲག་ངན་སོང་གི་སྡུག་བསྔལ་གྱིས་མནར་ཚུལ་ལ་མི་བཟོད་པའི་སྙིང་རྗེ་དྲག་པོས་སྡུག་བསྔལ་སེལ་བ་དང་བདེ་བ་སྒྲུབ་པའི་ཁུར་རང་ཉིད་གཅིག་པུ་ལ་བབ་མོས་ཀྱང་། ད་ལྟ་བདག་ལ་སེམས་ཅན་གཅིག་ཙམ་སྐྱོབ་པའི་ནུས་པའང་མི་འདུག དེ་གང་ལ་ཡོད་ན་ཡང་དག་པར་རྫོགས་པའི་སངས་རྒྱས་བོ་ན་ལ་ཡོད་པས། བདག་གིས་ཅི་ནས་ཀྱང་སངས་ཀྱི་གོ་འཕང་མྱུར་བ་ཉིད་དུ་ཐོབ་པར་བྱས་ལ་སེམས་ཅན་དེ་དག་སྲིད་མཚོ་ལས་བསྒྲལ་བར་བྱའོ་སྙམ་དུ་བསམས་ལ། སངས་རྒྱས་ཆོས་ཚོགས་མ་ལན་གསུམ་གྱིས་བྱང་ཆུབ་ཀྱི་སེམས་བཟུང་། དཀོན་མཆོག་གསུམ་ལ་སོགས་ཀྱིས་བྱང་སྡོམ་འཛིན་པ་ཚད་མེད་བཞི་བསྒོམ་པ་ཐམས་ཅད་ལ་མེད་དུ་མི་རུང་བར་ཉམས་སུ་ལེན་དགོས། དེ་མན་ཆད་ཀྱི་ཚིགས་བཅད་རྣམས་རང་རང་གི་འདོན་ལུགས་མི་འདྲ་བ་མང་པོ་དགོས་དབང་གིས་བསྐྱན་པས་ན་བབ་དང་བསྟུན། མཐར་ཚོགས་ཞིང་རྣམས་རང་ལ་བསྟིམ་པད་སྟོང་ཕྱིན་ལྟར་ཡལ་བར་བསམས། དེ་ནས་མཆོད་པ་རྣམས་བཤམས་ཚར་བ་དང་ཆུ་གཙང་གི་ཆབ་བྲན། སྔན་ལ་འཁོད་དེ། ཨོཾ་ན་མོ་བྷ་ག་ཝ་ཏེ། བཛྲ་སཱ་ར་པྲ་མརྡ་ནེ། ཏ་ཐཱ་ག་ཏ་ཡ། ཨ་ར་ཧ་ཏེ་སམྱཀྶཾ་བུདྡྷཱ་ཡ། ཏདྱ་ཐཱ། ཨོཾ་བཛྲེ་བཛྲེ། མཧཱ་བཛྲེ། མཧཱ་ཏེ་ཛ་བཛྲེ། མ་ཧཱ་བིདྱཱ་བཛྲེ། མ་ཧཱ་བོ་དྷི་ཙིཏྟ་བཛྲེ། མཧཱ་བོདྷི་མཎྜོ་པ།

སཾ་ཀྲ་མ་ཧ་བཛྲེ། སརྦ་ཀ་རྨ་ཨ་ཝ་ར་ཎ། བི་ཤོ་དྷ་བཛྲེ་སྭཱ་ཧཱ། ཞེས་མཆོད་པའི་སྤྲིན་གྱི་གཟུངས་ལན་བདུན་བརྗོད། དཀོན་མཆོག་གསུམ་གྱི་བདེན་པ་དང་། སངས་རྒྱས་དང་བྱང་ཆུབ་སེམས་དཔའ་ཐམས་ཅད་ཀྱི་བྱིན་གྱིས་བརླབས་དང་། ཚོགས་གཉིས་ཡོངས་སུ་རྫོགས་པའི་མངའ་ཐང་ཆེན་པོ་དང་། ཆོས་ཀྱི་དབྱིངས་རྣམ་པར་དག་པའི་སྟོབས་ཀྱིས་ཁམས་གསུམ་ཆོས་ཀྱི་རྒྱལ་པོ་ཙོང་ཁ་པ་ཆེན་པོའི་ལྷ་ཚོགས་རྣམས་དང་། ཕྱོགས་བཅུ་དུས་གསུམ་ན་བཞུགས་པའི་སངས་རྒྱས་དང་བྱང་ཆུབ་སེམས་དཔའ་ཐམས་ཅད་ཀྱི་སྤྱན་སྔར་བྱང་ཆུབ་སེམས་དཔའ་ཀུན་ཏུ་བཟང་པོ་དང་། འཇམ་དཔལ་དབྱངས་ལ་སོགས་པའི་རྣམ་པར་ཐར་པ་ལས་བྱུང་བའི་མཆོད་པའི་སྤྲིན་གྱི་ཕུང་པོ་བསམ་གྱིས་མི་ཁྱབ་པ་ཟད་མི་ཤེས་པ་ནམ་མཁའ་དང་མཉམ་པ་འབྱུང་བར་གྱུར་ཅིག ཅེས་བརྗོད་པར་གྱུར་ཅིག གཞན་ཡང་ལྷ་དང་མིའི་ཡུལ་ན་ཡོད་པའི་འདོད་པའི་ཡོན་ཏན་ལྔ་དང་བདེ་བའི་ཡོ་བྱད་མཁོ་དགུ་ཕུན་གསུམ་ཚོགས་པ་མ་ཚང་བ་མེད་པ་ཇི་སྙེད་ཅིག་མཆིས་པ་ཐམས་ཅད་འབྱུང་བར་གྱུར་ཅིག ཅེས་བརྗོད་གཉིས་པ་དངོས་གཞི་ལ་སྲིད་བརྒྱུད་ལུགས་ཀྱི་ཟབ་ལམ་བླ་མའི་རྣལ་འབྱོར་གྱི་བརྒྱུད་རིམ་གསོལ་འདེབས་བྱ་བ་དང་ཚོགས་ཞིང་སྤྱན་འདྲེན་པ། དེ་ལ་ཡན་ལག་བདུན་པ་མཇལ་དང་བཅས་པ་འབུལ་བ། གསོལ་བ་བཏབ་སྟེ་དངོས་གྲུབ་ཞུ་བ་གསུམ། དང་པོ་ལ་བརྒྱུད་འདེབས་ནི། རྒྱལ་ཀུན་ཡབ་གཅིག་ཁྱབ་བདག་འཇམ་པའི་དབྱངས། །སྲིད་གསུམ་འདྲེན་མཆོག་བློ་བཟང་གྲགས་པའི་དཔལ། །ཤེས་རབ་སེནྡྷེ་རྡོ་རྗེ་འཛིན་པའི་གཙོ། །གསོལ་བ་འདེབས་སོ་བདག་རྒྱུད་བྱིན་གྱིས་རློབས། འདུལ་བ་རྒྱ་མཚོའི་མཛོད་འཛིན་དཔལ་ལྡན་བཟང་། །འཇམ་པའི་དབྱངས་ཀྱིས་བྱིན་རླབས་དགེ་འདུན་འཕེལ། །མདོ་རྒྱུད་གསང་བ་ཀུན་མཁྱེན་བཀྲ་ཤིས་འཕགས། །གསོལ་བ་ × གནས་ལྔ་མཐར་སོན་བསམ་གྲུབ་རྒྱ་མཚོ་དང་། །ངེས་པར་དོན་གྱི་མཁས་མཆོག་བརྩོན་འགྲུས་འཕགས། །མཐུ་སྟོབས་དབང་ཕྱུག་རྡོ་རྗེ་བཟང་པོ་ལ། །གསོལ་བ་ × སྐྱུ་མའི་སྐུ་བརྙེས་སངས་རྒྱས་རྒྱ་མཚོ་དང་། །མི་ལམ་མངའ་བརྙེས་དཀོན་མཆོག་རྒྱ་མཚོའི་ཞབས། །ཟུང་འཇུག་མཛོད་འཛིན་དཀོན་མཆོག་ཡར་འཕེལ་ལ། །གསོལ་བ་ × ལམ་འདིའི་བཀའ་བབས་ངག་དབང་བློ་གྲོས་ཞབས། །མཁས་པའི་གཙུག་རྒྱན་འཇམ་

དབྱངས་བཞད་པའི་སྐྱེ། སྐལ་ལྡན་དུས་འདྲེན་མཆོག་དངོས་གྲུབ་རྒྱ་མཚོ་ལ། གསོལ × གཞོན་ནུ་ཉིད་ནས་འཇམ་དབྱངས་བླ་མ་ཡིས། །བྱིན་གྱིས་བརླབས་པའི་སྣང་བ་རབ་རྒྱས་ལ། །འཇམ་དཔལ་རྒྱ་མཚོ་གྲུབ་པའི་དབང་ཕྱུག་ལ། །གསོལ་བ་ × མཁས་གྲུབ་ཆེན་པོ་ངག་དབང་མཆོག་ལྡན་དང་། །ཀུན་མཁྱེན་བློ་བཟང་བསྐལ་བཟང་རྒྱ་མཚོའི་ཞབས། །སྣང་བ་མཐའ་ཡས་དཔལ་ལྡན་ཡེ་ཤེས་ལ། །གསོལ་བ་ × ཕྱག་ན་པདྨོ་འཇམ་དཔལ་རྒྱ་མཚོའི་སྐྱེ། །ཀུན་གཟིགས་དཔལ་ལྡན་བསྟན་པའི་ཉི་མའི་མགོན། །སྐལ་བརྒྱུད་མཛོད་འཛིན་དོན་གྲུབ་རྒྱལ་མཚན་ལ། །གསོལ་བ་ × ཁྱབ་བདག་བློ་བཟང་ཆོས་འཕེལ་བསྟན་འཛིན་རྗེ། །སླར་ཡང་པཎ་ཆེན་བསྟན་པའི་ཉི་མའི་ཞབས། །ཁྲི་ཆེན་བློ་བཟང་མཁྱེན་རབ་དབང་ཕྱུག་ལ། །གསོལ་བ་ × གཞན་ཡང་འཇམ་དབྱངས་བདེ་བའི་རྡོ་རྗེ་དང་། མཁན་ཆེན་དགེ་འདུན་རྒྱ་མཚོ་གཙུག་རྒྱན་མཆོག། བསྟན་པའི་མངའ་བདག་འཇིགས་མེད་དབང་པོའི་ཞབས། །གསོལ་བ་ × འཇམ་དབྱངས་དཀོན་མཆོག་བསྟན་པའི་སྒྲོན་མེ་དང་། མཁས་མཆོག་བློ་བཟང་འཇིགས་མེད་རྒྱ་མཚོའི་སྐྱེ། །མདོ་རྒྱུད་གསང་མཛོད་ཤེས་རབ་རྒྱ་མཚོ་ལ། །གསོལ་བ་ × བློ་གྲོས་མཚུངས་མེད་བསྟན་པའི་འཁོར་ལོ་ཡི། ཞལ་ལུང་རྒྱུ་འབྲས་བསྟན་པ་ཆོས་བཟང་པོ། །འཛིན་སྐྱོང་སྤེལ་བ་བསྟན་པ་ཆོས་འཕེལ་བར། །གསོལ་བ་འདེབས་སོ་བདག་རྒྱུད་བྱིན་གྱིས་རློབས། །དེ་ལྟར་རྩ་བརྒྱུད་བླ་མའི་ཚོགས་རྣམས་ལ། །ཤུགས་དྲག་རྩེ་གཅིག་གུས་པས་གསོལ་བཏབ་པས། །ཟབ་གསང་བླ་མའི་ལམ་འདི་ས་སྐད་ཅིག་ལ། །མི་ཤེས་རྫོངས་པའི་དྲི་མ་དྭངས་འབྱིན་ཤོག། ཚོགས་ཞིང་སྤྱན་དྲངས་པ་ནི། དགའ་ལྡན་ལྷ་བརྒྱའི་མགོན་གྱི་ཐུགས་ཀ་ནས། །རབ་དཀར་ཞོ་གསར་སྤུངས་འདྲའི་ཆུ་འཛིན་རྩེར། །ཆོས་ཀྱི་རྒྱལ་པོ་ཀུན་མཁྱེན་བློ་བཟང་གྲགས། །སྲས་དང་བཅས་པ་གནས་འདིར་གཤེགས་སུ་གསོལ། །

དམིགས་པ་ནི། རང་ཉིད་གནས་པའི་འཛམ་གླིང་གི་བྱང་ཕྱོགས་སུ་རི་རབ་ཀྱི་རྩེ་མོར་སུམ་ཅུ་རྩ་གསུམ་དེའི་སྟེང་གི་ནམ་མཁར་འཐབ་བྲལ། དེའི་སྟེང་དགའ་ལྡན་གྱི་གནས་གྲོང་ཁྱེར་ལྷ་ཁྲུ་ལ། དེ་ལས་ཡོགས་སུ་དགོན་པའི་ཚུལ་དུ་རྗེ་བཙུན་གྱི་ཕོ་བྲང་རྒྱལ་མཚན་མཐོན་པོ་དང་། དེའི་མདུན་དུ་ཀུན་དགའ་ར་བ་ཡིད་དགའ་ཆོས་འཛིན། དེའི་དབུས་སུ་སེང་ཁྲི་བརྟེག་པའི་

རིན་ཆེན་པོ་ཆེའི་ཁྲིའི་སྟེང་དུ་རྗེ་བཙུན་བྱམས་པ་མགོན་པོ་སྐུ་མདོག་གསེར་གཙོ་མ་ལྟ་བུ། ཉི་མ་འབུམ་གྱི་འོད་ཟེར་ཅན་རིན་པོ་ཆེའི་རྒྱན་དང་དར་གྱི་ན་བཟའ་གསོལ་བ། མྱུར་བར་འཛམ་གླིང་དུ་འབྱོན་པའི་རྟེན་འབྲེལ་དུ་བཟང་པོའི་བཞུགས་སྟངས་ཀྱིས་ཞལ་རང་ལ་ཕྱོགས་པར་བཞུགས་པའི་གཡས་སུ་ལྷའི་བུ་ནམ་མཁའ་དྲི་མ་མེད་པ་དང་། གཡོན་དུ་ལྷའི་བུ་འཇམ་དཔལ་སྙིང་པོ་སོགས་དག་པའི་འཁོར་ཚོགས་གྲངས་མེད་པས་བསྐོར་བ་ལ་ཤེར་ཕྱིན་གྱི་སྒྲ་ལྡང་ལྡང་སྒྲོགས་པར་གསལ་བཏབ་ནས། རང་ཡང་གནས་དེར་སླེབ་ནས་མངོན་སུམ་དུ་མཐོང་བ་དང་། ཆོས་ཀྱི་སྒྲ་ལྷག་ཆད་མེད་པར་ཐོས་པའི་སེམས་པ་ཤུགས་དྲག་པོ་བྱ། དེས་དག་པའི་ཞིང་སྐྱོང་དུ་འགྲོ་བ་དང་ཕྱི་མ་དེར་སྐྱེ་བའི་དགོས་པ་ཤིན་ཏུ་ཆེ། རྗེ་བཙུན་གྱི་ཐུགས་ཀ་དཔལ་གྱི་བེའུ་རི་མོ་དྲ་མིག་ལྟ་བུ་ཁྲ་སེང་བའི་ནང་། རྗེ་ཡབ་སྲས་གསུམ་མི་ལོང་ལ་གཟུགས་བརྙན་གསལ་བ་ལྟར་བཞུགས་པ། སྤྱན་གྱི་གཟིགས་སྟངས་ཚུན་ཆད་རང་གིས་མངོན་སུམ་དུ་མཐོང་བཞིན་པར་བསམས་ལ། དགའ་ལྡན་ལྷ་བརྒྱ་སོགས་སྤྱན་འདྲེན་གྱི་ཚིག་བརྗོད་པ་འཁོར་དང་བཅས་པས་ལྷའི་སྐད་ཀྱིས་གསན། བརྩེ་བའི་སྤྱན་གྱིས་རང་ལ་གཟིགས་ནས་མྱུར་དུ་འདོང་ལ་སྐལ་ལྡན་འདི་སྨིན་གྲོལ་ལ་འགོད་པར་བྱའོ་ཞེས་དགྱེས་པའི་གསུང་གླེང་དང་བཅས་སྐད་ཅིག་ཉིད་ལ་བྱམས་མགོན་གྱི་ཐུགས་ཀ་ནས་སྤྲིན་དཀར་པོ་དར་དཀར་བརྐྱངས་པ་འདྲ་བའི་སྟེ་ཚོ་གསར་སྤུངས་པ་ལྟ་བུའི་སྤྲིན་ཕུང་འབུར་པོ་གསུམ་དུ་དོད་པའི་དབུས་ཚུང་ཟད་མཐོ་བའི་སྟེང་རྗེ་བླ་མ་སྐུ་མདོག་དཀར་ལ་དམར་བའི་མདངས་ཆགས་པ། ཕྱག་གཉིས་ཆོས་འཁོར་གྱི་ཕྱག་རྒྱས་པདྨའི་ཡུ་བ་བཟུང་བའི་འདབ་མ་སྙན་གྱི་ཐད་དུ་ཁ་བྱེ་བའི་སྟེང་ན་རལ་གྲི་དང་གླེགས་བམ་བསྣམས་པ། གཡས་སུ་རྒྱལ་ཚབ་དར་མ་རིན་ཆེན་དབུ་ཚུང་ཟད་འདུད་པའི་རྣམ་པ་དང་། གཡོན་དུ་མཁས་གྲུབ་ཐམས་ཅད་མཁྱེན་པ་སྐུ་ཚུང་ཟད་འགྱིང་བའི་རྣམ་པ། གཉིས་ཀའང་ཕྱག་གཡས་ཆོས་འཆད་དང་གཡོན་མཉམ་བཞག་གི་སྟེང་ན་རང་ཉིད་གང་ལ་ཐོས་བསམ་སྒོམ་པ་གཙོ་བོར་བྱེད་པའི་གླེགས་བམ་བསྣམས་པ། ཡབ་སྲས་གསུམ་གའང་པཎ་ཞྭ་གསེར་མདོག་དང་ཆོས་གོས་རྣམ་གསུམ་གསོལ་ཞིང་། ཞབས་རྡོ་རྗེའི་སྐྱིལ་ཀྲུང་གིས་བཞུགས་པར་བསམ། ཡབ་སྲས་གསུམ་སྐྱབས་གནས་ཀུན་འདུས་ཀྱི་ངོ་བོར་སེམས་པའི་ཀུན་འདུས་ངོར་

བུའི་ལུགས་སུ་གསལ་གདབ་པ་དང་། སླར་ཡང་། བཀའ་དྲིན་གསུམ་ལྡན་འཇམ་དབྱངས་བླ་མ་ལ། །ཕྱིན་ཆུབས་ཉེ་བརྒྱུད་རྣམས་དང་མཐའ་སྐོར་དུ། །བླ་མ་ཡི་དམ་རྒྱལ་བ་སྲས་བཅས་ཀྱིས། །བསྐོར་བའི་རབ་འབྱམས་སྐྱབས་ཡུལ་བཞུགས་པར་གྱུར། །ཅེས་རྩ་བའི་བླ་མ་ནས་འཇམ་དབྱངས་ཉིད་ཀྱི་བར་ཕྱིན་ཆུབས་ཉེ་བརྒྱུད་ཀྱི་བླ་མ་རྣམས་མཐོ་བརྩེགས་སུ་བཞུགས་པ་ཐམས་ཅད་འཇམ་དབྱངས་དམར་སེར་གྱི་རྣམ་པ་ཅན། སྟེང་དུ་རྡོ་རྗེ་འཆང་། གཡས་གཡོན་དུ་རྒྱ་ཆེན་སྤྱོད་བརྒྱུད། ཟབ་མོ་ལྟ་བརྒྱུད་སོགས་ཀྱི་བླ་མ། གཞན་ཡང་བརྒྱུད་སྡེ་བཞིའི་ཡི་དམ། སངས་རྒྱས་བྱང་སེམས་ཉན་རང་ཆོས་སྲུང་དང་བཅས་པའི་སྐྱབས་ཡུལ་མ་ཚང་བ་མེད་པ་ཚོགས་ཀྱི་ཞིང་དུ་གསལ་བཏབ། མཚམས་འདིར་ཁྲུས་གསོལ་ལ་འབད་ན་དོན་ཆེ་བས། དེའང་སྤྱིར་ཐོག་མེད་ནས་བསགས་པའི་སྡིག་ལྟུང་ཚན་ཆེ། ལྷག་པར་དཀོར་གྲིབ་སོགས་ཀྱིས་ནོན་པའི་དབང་གིས་ཐོས་བསམ་སྒོམ་སྒྲུབ་ལ་ཞུགས་པའི་ཚེ་ནག་འཐོམས་ཀྱིས་སོང་ནས་སེམས་མི་གསལ་བ་ལ་ཁྲུས་གསོལ་བྱས་ན་ཕན་ཤིན་ཏུ་ཆེ་གསུངས། དེའི་བྱེད་ཚུལ་དམིགས་བརྩེ་མ་སོགས་ཀྱིས་སྒྲུབ་པའི་ཆུས་སུམ་ཉིས་བཀང་བའི་བུམ་པ། ཁྲུས་གདོང་། མེ་ལོང་། གོས་དར་སོགས་འདུ་བྱས། དེ་ནས། སྐུ་འཁྲུས་གསོལ་བར་ཞུ། གང་དེར་ཞེས་སོགས་ཀྱིས་ཁྲུས་ཀྱི་སྣན་གསན་ཐུལ། ཚོགས་ཞིང་རྣམས་རང་རང་གི་ན་བཟའ་བསལ་ཏེ། ཁྲུས་ཁང་གི་མཐའ་སྐོར་གྱི་ལྡོན་ཤིང་གི་ཡལ་ག་སོགས་ལ་བཀལ་བ་མཚོན་ཕྱིར་སྟེང་ཁེབས་དང་ཁ་དར་སྣམ་པ་དཔུང་པ་གཡོན་པར་གཟར་ཁྲུས་གདོང་དང་མེ་ལོང་ཁྲུས་ཁང་གི་དོད་ཡིན་ལ། །ནང་དུ་བུམ་ཆུ་ཙུང་ཟད་བླུགས་པའི་ཕྱག་ལེན་དང་། བུམ་པའི་ཁ་རྒྱན་གྱིས་མེ་ལོང་གི་ངོས་སུ་དབུས་ཀྱི་ཆ་ལ་གཡས་གཡོན་དུ་ཁྲུས་ཆུས་རི་མོ་རེ་འཕྲེད་ལའང་རི་མོ་གཉིས་བྲིས་པས་རི་མིག་ལྔ་འབྱུང་། དེའི་དབུས་དང་ཕྱོགས་བཞི་བཅས་ལ་བུམ་ཆུས་ཐིག་ལེ་རེ་མཛད་པའི་ལུགས་བཞིན་སྔོ་མང་གྲྭ་ཁང་དུ་དཔལ་ལྡན་སླད་རྒྱུད་ཚོགས་ཡོངས་རབ་གནས་སྐབས་གནས་ཚང་ཆོས་རྒྱལ་ཆེན་པོས་ཀྱང་མེ་ལོང་ལ་རི་མིག་དེ་ལྟར་མཛད་པ་ལྟར་བྱས་ཏེ། ཁྲུས་ཀྱི་ཁང་པ་ཤིན་ཏུ་དྲི་ཞིམ་པ། །ཞེས་སོགས་བརྗོད་བཞིན་པར་རང་དང་ཚོགས་ཞིང་གི་མདུན་དུ་ཁྲུས་ཁང་རིན་ཆེན་སྣ་ཚོགས་ལས་གྲུབ་པའི་གྲུ་བཞི། ཕྱི་ལྟས་ནང་གསལ་ཞིང་ནང་ལྟས་ཕྱི་གསལ་

བ། གསེར་དངུལ་བཻཌཱུཪྻ་སོགས་རིན་པོ་ཆེའི་འོད་འབར་བའི་ཀ་བ། སྟེང་དུ་མུ་ཏིག་འོད་ཆགས་པའི་ན྄་བྲེ་དང་། དྲ་བ་དྲ་ཕྱེད་འཕན་གདུགས་རྒྱལ་མཚན་སོགས་ཀྱིས་བརྒྱན་པའི་རྒྱ་ཕིབས་རིམ་པ་གསུམ་ནེའུ་གསིང་མེ་ཏོག་སྣ་ཚོགས་པ་དང་། རིན་པོ་ཆེའི་སྦྱིན་ཤིང་གིས་ཕྱོགས་ཀུན་མཛེས་ཤིང་ཁང་པའི་ཕྱོགས་བཞིའི་སྒོ་རེའི་མདུན་དུ་ཁྲུས་ཀྱི་རྫིང་བུ་གྲུ་བཞི་པ། དྲི་ཞིམ་པའི་མེ་ཏོག་སྣ་ཚོགས་པས་བརྒྱན་པའི་འོག་གཞིར་གསེར་གྱི་བྱེ་མ་དགྲམ་བུར་བཏལ་བ། ཕྱོགས་བཞི་ནས་ནང་དུ་རིན་པོ་ཆེའི་ཐེམ་སྐས་བཞི་བཙུགས་པའི་ནང་དུ་དྲི་ཞིམ་པོའི་ངད་ལྡང་བའི་ཆུས་ཡོངས་སུ་གང་བ་རེ་རེ་ཡོད་པ། ཁང་པའི་དབུས་སུ་སེང་ཁྲི་སྟན་ཚོགས་ཞིང་ལྟར་གསལ་བཏབ་ལ། མུ་ཏིག་འོད་ཆགས་ན྄་བྲེ་བྲིས་པ་དེར། །ཞེས་པ་དང་ཚོགས་ཞིང་རྣམས་ན་བཟའ་མེད་པར་རྟུག་གིས་ཁྲུས་ཁང་ནང་དུ་ཁྲི་རྣམས་ལ་བཞུགས་པར་བསམས། རང་གི་ཐུགས་ཀ་ནས་ལྷ་མོ་བུམ་པ་ཐོགས་པ་དཔག་མེད་སྤྲོས་པའམ། ཡང་ན་རང་ལུས་ལྷ་གྲངས་མཉམ་པར་སྤྲུལ་ནས་ཐམས་ཅད་ཀྱིས་ལག་པར་བུམ་པ་ཐོགས་ཏེ། ཁྲུས་རྫིང་རྣམས་ལས་ཆུ་བླངས་ནས་རྒྱལ་བ་རྣམས་ཀྱི་སྐུའི་རྣམ་པ་གསལ་བར་ཤར་བ་མཚོན་ཕྱིར་སྐྱིང་གའི་ཐད་དུ་འཛིན་པའི་མེ་ལོང་ལ་ཁྲུས་གསོལ་བས། མེ་ལོང་གི་གཟུགས་བརྙན་སྟེང་གི་དྲི་མ་དག་པ་ལྟར་འགྲོ་བའི་སྣང་ངོར་དྲི་མ་ཐམས་ཅད་དག་ཅིང་ཐུགས་རྒྱུད་ལ་བདེ་སྟོང་གི་ཡེ་ཤེས་ཁྱད་པར་ཅན་བསྐྱུན་པར་བསམ་སྟེ། ངག་ནས། ཇི་ལྟར་བལྟམས་པ་སོགས་བརྗོད་ནས། སྟོན་པ་སྐུ་བལྟམས་པའི་ཚེ་ཚངས་དབང་འཇིག་རྟེན་སྐྱོང་བ་བཞིས་སྐུ་ཁྲུས་ཕུལ་བའི་རྣམ་ཐར་བཞིན་ཆུ་ཕལ་བ་ཙམ་མ་ཡིན་པར་གོང་དུ་གཟུགས་ཕྱག་གིས་སྨྲུབ་པ་ལྟར་ལ། ལྷ་ལ་དྲངས་ངེས་གཉིས་ལས་ངེས་དོན་གྱི་ལྷ་བདེ་སྟོང་དབྱེར་མེད་པའི་ཡེ་ཤེས་སྒྲིབ་གཉིས་ཀྱི་དྲི་མས་མ་གོས་པས་དག་པ་སྟེ་ཟག་མེད་ཀྱི་བདུད་རྩིའི་རྣམ་པར་ཤར་བ། དྲང་དོན་ལྷའི་ཡུལ་གྱི་བདུད་རྩི་དང་ཆ་མཚུངས་པས་བཅོམ་ལྡན་འདས་ལ་ཁྲུས་གསོལ་བར་བགྱིའོ་ཞེས་དང་། ཨོཾ་སརྦ་ཞེས་སོགས་ཀྱི་དོན་ནི། དེ་བཞིན་གཤེགས་པ་ཐམས་ཅད་ལ་མངོན་པར་དབང་བསྐུར་བའི་དམ་ཚིག་གི་དཔལ་གྱིས་འབུལ་བར་བགྱིའོ་ཞེས་པ་སྟེ་མདོ་ལུགས་ལྟར་བྱེད་ན་སྔགས་བརྗོད་མི་དགོས། སྐབས་སུ་བབ་པའི་ཚིགས་བཅད་རྒྱས་བསྡུས་ཅི་རིགས་པས་ཁྲུས་གསོལ་ཞིང་། བླ་མ་རྒྱལ་བ་

སྲུས་བཅས་ལ་ཉེས་པའི་སྐྱོན་མེད་ཀྱང་ལས་ངན་གྱི་སྣང་བ་སྣ་ཚོགས་འཆར་བ་དཔེར་ན་འཕགས་པ་ཐོགས་མེད་ཀྱིས་རྗེ་བཙུན་བྱམས་པ་ཁྱི་མོར་གཟིགས་པ་སོགས་སྔོན་གྱི་ལོ་རྒྱུས་དུ་མར་འབྱུང་བར་མ་ཟད། དུས་ཕྱིས་ཀྱང་ཨ་རིག་སྟོད་པ་ཟེར་བ་མི་ཧ་མང་པོ་གསད་མྱོང་བ་ཞིག་གིས། རྗེ་བོ་འཇལ་བར་སོང་སྐབས་རྗེ་བོའི་ཞལ་འཇལ་བ་ལྟ་ཅོག་མཆོད་མེ་ཙམ་ཡང་མེད་པར་མུན་ནག་ཞིག་ལས་མ་མཐོང་བས་ཡིད་འཁྲུད་དེ། རྒྱལ་སྲས་རིན་པོ་ཆེར་ཐབས་ཞུས་པར་རྗེ་ཁང་དུ་སྟོང་མཆོད་ཚད་ལྡན་དགེ་འདུན་བརྒྱ་ཕྲག་གིས་ལྷུང་བཤགས་འགྲོ་ཆ་སྒྲུབས་གསུངས་པ་བཞིན་བྱས་ནས། སླར་ཡང་འཇལ་པར་སོང་སྐབས་མཆོད་མེ་བཞུགས་ཁྲི་རྒྱལ་ཡོལ་བླ་བྲེ་སོགས་འཇལ་ཡང་རྗེ་བོའི་སྐུ་དངོས་འཇལ་མ་ཐུབ་ཅེས་ཡོངས་ཀྱི་དགེ་བའི་བཤེས་གཉེན་རྗེ་བཙུན་བཀའ་འགྱུར་བ་ཆེན་པོ་བྱམས་པ་ཆོས་འཕེལ་དཔལ་བཟང་པོས་དེའི་སྟོང་མཆོད་འབུལ་བར་ཕེབས་སྐབས་དངོས་སུ་གཟིགས་ཚུལ་ཕྲན་ལ་གསུངས་པ་དང་། སྣང་ཚུལ་གཞན་ཡང་རྒྱུད་སྟོད་མི་ཉག་དགེ་སློང་འཇམ་དབྱངས་ཉི་མས། ཐོག་མར་རྗེ་བོའི་སྐུ་གཡོན་ཁྲི་སྟེང་ཤུག་པ་མཛེས་ཤིང་སྒོ་ངའི་དབྱིབས་ལྟ་བུ་མིའི་ཚད་ཙམ་ཞིག་ཡོད་པ་བཅས་འཇལ་ཞིང་། སངས་ཉིན་ཡང་བསྐྱར་འཇལ་སྐབས་མ་མཐོང་བ་ཅི་ཡིན་སྙམ་ཐེ་ཚོམ་དུ་གྱུར། ཕྱིས་དར་མདོར་ཡོང་སྐབས་གནས་ཚང་གི་མེ་ཏོག་ར་བར་ཤུག་པ་ཡོད་པ་འདི་བཞིན་སྔོད་དང་བཅས་མཐོང་བས། དེང་སྐབས་འདིར་ཨ་མཆད་བྱེད་རྒྱུའི་ལུང་བསྟན་ཡིན་པ་འདྲ་ཞེས་ཁོ་བོ་ཅག་དེར་ཡོད་སྐབས་གསུངས་པ་ལྟ་བུ་རྗེ་བོ་འཇལ་ཚུལ་སྣ་ཚོགས་ཡོད་པར་གསུངས་རྒྱུན་ལས་འབྱུང་བས་མཚོན་ནས། མདོར་ན་རང་གཞན་སེམས་ཅན་ཐམས་ཅད་ཀྱི་མ་དག་པའི་སྣང་ཆ་གང་ཡོད་རྣམས་ལྷག་མེད་དུ་དག་ནས་ཤེལ་གོང་གཡའ་དག་པ་ལྟར་གྱུར་ཏེ་སངས་རྒྱས་དངོས་སུ་མཐོང་བྱུང་སྙམ་པ་མོས། འདི་ལ་སེམས་ཙམ་པ་ལྟར་ན་ཆོས་ཐམས་ཅད་ནང་སེམས་ཀྱི་བདག་ཉིད་དང་། རང་རྒྱུད་པ་ལྟར་ན་བློ་གནོད་མེད་ལ་སྣང་བའི་དབང་གིས་བཞག་ཙམ་དང་། ཐལ་འགྱུར་པ་ལྟར་ན་མིང་བརྡས་བཞག་ཙམ་སོགས་ཀྱི་སྟེང་ནས་རྒྱ་ཆེར་བཏང་ནས་བསྐྱངས་རྒྱུ་ཡོད་གསུངས། ཡུལ་མཆོག་དམན་གང་ཡང་མི་སོང་ལ་གཟུགས་བརྙན་འཆར་བཙུག་སྟེ་ཁྲུས་གསོལ་ན་གཟུགས་བརྙན་ཕན་ཚུན་བརྟེན་པའི་རྟེན་འབྲེལ་མི་བསླུ་བའི་སྟོབས་

གྱིས་དྲི་མ་དག་པར་མོས་ན་གནང་ཆེ། རབ་གནས་སྐབས་ཁྲུས་དར་ལ་པདྨ་འདབ་བཞི་དབུས་དང་ཕྱོགས་བཞིར་རིགས་ལྔའི་ས་བོན་ཧཱུྃ ཧྲཱིཿ ཨོཾ ཧཱུྃ ཨྰ་འདི་ལྟར་བཀོད་ཀྱང་སྐུ་དབྱེ་བའི་ཚེ་དེའི་རིམ་པ་དང་བསྟུན་པ་མ་ཡིན་པར་དབུ་དང་ཐུགས་ཀ་ལྟེ་བ་ཕྲག་པ་གཡས་གཡོན་རྣམས་རིམ་པས་ཕྱི་གསུངས་པ་ཕྱི་མ་དང་མཐུན་པ་ལྟར་དམིགས་པ། ཕྱག་ལེན་ནི། དེ་དག་སྐུ་ལ་སོགས་ཀྱི་སྐབས་ཁྲུས་དར་གྱིས་སྐུ་སྤྱིའི་ཆབ་དང་པོར་གཡས་སྐོར་གྱིས་ཕྱིས་ཏེ། ཚོགས་ཞིང་རྣམས་ཀྱི་གནས་ལྔའི་ས་བོན་ཧཱུྃ ཨོཾ ཨཱཿ ཧཱུྃ ཧྲཱིཿ ཞེས་འབྲུ་གསུམ་གནས་གསུམ་ཐད་ཀར་ཕྲག་གཡས་གཡོན་དུ་ཧཱུྃ་དང་ཧྲཱིཿ འགོད་བཞེད་ཚུལ་དང་། ཧྲཱི ཨོཾ ཧཱུྃ སྭཱཧཱ ཨཿ ཞེས་སྤྱི་བར་ཨོཾ། ཐུགས་ཀར་ཧཱུྃ། ལྟེ་བར་ཧཱུྃ། ཕྲག་གཡས་སུ་ཧྲཱིཿ གཡོན་དུ་ཨྰཿ བཀོད་པའི་ཡི་གེ་རྣམས་ལས་འོད་ཟེར་འཕྲོས། སྐུ་སྟོད་ཀྱི་ཆབ་ཐམས་ཅད་སྤྱི་བོར་བསྡུས་ཏེ་ཕྱིས། སྐུ་རྐེད་ཀྱི་ཆབ་ཐམས་ཅད་ཐུགས་ཀར་བསྡུས་ཏེ་ཕྱིས། སྐུ་སྨད་ཀྱི་ཆབ་ཐམས་ཅད་ལྟེ་བར་བསྡུས་ཏེ་ཕྱིས། ཕྱག་གཡས་ཀྱི་ཆབ་ཐམས་ཅད་ཕྲག་པ་གཡས་པར་བསྡུས་ཏེ་ཕྱིས། ཕྱག་གཡོན་གྱི་ཆབ་ཐམས་ཅད་དཔུང་པ་གཡོན་པར་བསྡུས་ཏེ་ཕྱིས་པའི་ཚུལ་གྱིས་གནས་ལྔར་གཏུག་ནས་མཐར། ཀཱ་ཡ་བི་ཤོ་དྷ་ཞེས་སྐུ་ཡོངས་རྫོགས་གཡོན་སྐོར་གྱིས་ཕྱིས་པའི་སྟངས་ཀ་བྱ་བའི་ས་བོན་བཀོད་ཚུལ་ཕྱི་མ་ཀུན་མཁྱེན་འཇམ་དབྱངས་བཞད་པའི་གསུང་རྒྱུན་ཡིན། དེ་ལྟར་ཁྲུས་གསོལ་བ་དང་སྐུ་དབྱི་བ་སྤེལ་མར་བྱེད། སྟོང་གསུམ་ཀུན་ཏུ་ཞེས་སོགས་ཀྱིས་དྲི་བཟང་སྣ་ཚོགས་ཀྱི་ཕྱེ་མ་སྙམ་པོས་དྲིལ་ཕྱིས་དང་། འབྲུ་མར་སོགས་སྨུམ་དང་དྲི་ཞིམ་པོའི་ལྡེ་གུས་བྱུགས་པ་རབ་གནས་སྐབས་ལྟར་བྱ་བའམ། རྒྱུན་ཁྱེར་སྐབས་བུམ་པའི་ཁ་རྒྱན་གྱིས་མེ་ལོང་ངོས་ལ་དྲི་བཟང་བྱུགས་ཚུལ་བྱེད་པའི་ཕྱག་བཞེས་ཀྱང་ཡོད། དེ་ནས་དེ་ལ་ཞེས་སོགས་ཀྱི་སྐབས་སྟེང་ཁེབས་དང་ཁ་དར་སྤྲགས་པའམ། དར་གྱི་སྣེ་གཉིས་མཐེབ་འཛུབ་ཀྱིས་བཟུང་ནས་རབ་བྱུང་གི་རྣམ་ཅན་ལ་ཆོས་གོས་རྣམ་གསུམ་སོགས་ཙུང་མཐུན་གྱི་གོས། ཡོངས་སྐུའི་རྣམ་ཅན་ལ་ལྷ་རྫས་སྟོད་གཡོགས་སྨད་གཡོགས་སྨྱུང་ཞབས་སྟག་ཤམ་ཁྲི་བོའི་ཆས་སོགས་ན་བཟའ་གང་འོས་ཕུལ་བས། འགྲོ་བ་རྣམས་ཁོང་ཁྲོའི་

མཚོན་གྱིས་མི་བཤིག་པའི་བཟོད་པ་དམ་པའི་གོས་དང་རྒྱལ་བའི་སྐུ་ཐོབ་པར་ཤོག་ཅེས་སྨོན་པ་དང་། རྒྱལ་བ་མཚན་དཔེའི་སོགས་ཀྱིས། མཆོག་སྤྲུལ་དང་རབ་བྱུང་གི་ཆ་བྱད་ཅན་རྣམས་ལ་ལྷུང་བཟེད་མཁར་བསིལ། ལོངས་སྐུའི་རྣམ་ཅན་དང་ཉེ་སྲས་སོགས་ལ་དབུ་རྒྱན་དར་དཔྱངས་རིན་པོ་ཆེའི་རྒྱན་བརྒྱད། ཁྲོ་བོ་རྣམས་ལ་རུས་པའི་རྒྱན་དྲུག། རྡོ་རྗེ་གྲི་གུག་ལ་སོགས་པའི་ཕྱག་མཚན་དང་རྒྱན་གྱི་རིགས་ཚང་ཞིང་ཡིད་དུ་འོང་བ་ཕུལ་བས། འགྲོ་བ་རྣམས་མཚན་དཔེས་སྤྲས་པའི་སྐུ་མཆོག་མྱུར་དུ་ཐོབ་པར་ཤོག་ཅིག་ཅེས་སྨོན་ཞིང་། ན་བཟའ་སྙིང་པ་རྣམས་འོད་ཟེར་སེར་པོའི་རྣམ་པར་རང་གི་སྙིན་མཚམས་སུ་བསྡུས་བའམ། ཡང་ན་ལྷ་དང་མིའི་མཆོད་ཡུལ་དུ་སྤྱན་དྲངས་པར་མོས་ཀྱང་ཆོག་པར་རྗེ་དག་དབང་བྱམས་པ་རིན་པོ་ཆེའི་གསུང་རྒྱུན་ཡིན། རྩེ་བའི་ཁོར་ཡུག་སོགས་ཀྱིས། རང་རྒྱུད་ཀྱི་བརྩེ་བ་སྙིང་རྗེ་ཆེན་པོ་ཁྲུས་རྫིང་ཁོར་ཡུག་ཡོལ་བའམ། རྩིག་པའི་གཟུགས་སུ་ཤར་བར་མོས་ཏེ་སྙིང་ཁེབས་ཡོལ་བའི་ཚུལ་དུ་འཛིན། སྙན་པའི་གྲགས་པ་བ་དན་གྱི་རྣམ་པར་ཤར་བར་མོས་ལ་སྙིང་ཁེབས་བ་དན་གྱི་ཚུལ་དུ་གཡས་ཀྱི་སོར་མོས་བསྐོར། ཏིང་ངེ་འཛིན་ཁྲུས་ཁང་གི་བླ་བྲེར་ཤར་བར་བསམས་ཤིང་སྙིང་ཁེབས་སོར་མོར་གྲུ་བཞིར་བཏེག་ཅིང་བླ་བྲེའི་དབྱིབས་སུ་བྱས་ཏེ། ཚིག་སོ་སོའི་ཕྱག་ལེན་ཐམས་ཅད་ཉམས་ལེན་གྱི་ཆེད་ཡིན་པས་མ་ཉམས་པར་བྱེད་དགོས། སྤོབས་པ་ཕུན་ཚོགས་གསལ་ཞིང་འཚེར་བ་སྣེ་དྲངས་ཤིང་འོད་ཟེར་འབར་བའི་རྣམ་པར་ཤར་བར་མོས། ཀྱེན་མཆོག་ཏུ་འོས་པའི་ཉེར་མཁོའི་ཁྲུས་ཀྱི་ཡོ་བྱད་འདི་དག་ཕུལ་བའི་དགེ་བས། སྐྱེ་བོ་རྣམས་ལེགས་པར་སྦྱངས་པ། སྐྱར་མི་ལྡོག་པར་སྦྱངས་པ། མ་ལུས་པར་སྦྱངས་པའི་སྦྱངས་པ་བདེ་གཤེགས་གསུམ་ལྡན་དང་། དེ་ཡོན་ཉིད་མཁྱེན་པ། མཁྱེན་པ་བརྟན་པ། མ་ལུས་པའི་ཁྱད་པར་མཁྱེན་རྟོགས་པ་ཁྱད་པར་གསུམ་ལྡན་ནས། སྒྲིབ་བྲལ་གྱི་རྣམ་པ་ཐམས་ཅད་མཁྱེན་པའི་ཡེ་ཤེས་ཐོབ་པར་ཤོག་ཅེས་སྨོན་ལམ་གདབ། རིན་ཆེན་མཛེས་པའི་ཞེས་སོགས་སྐབས་ལྷ་རྫས་དང་བཅས་པས་བུམ་པ་བཏེག་སྟེ། ལས་དང་ཞེས་པ་དང་བུམ་ཆུ་ཁྲུས་གཞོང་དུ་སྦྲེང་བའི་ཚུལ་གྱིས་འབུལ། སྨོན་དོན་ལ་རྒྱལ་བའི་ཐུགས་གཉིས་སུ་མེད་པའི་ཡེ་ཤེས་རིན་པོ་ཆེས་མཛེས་པའི་བཀྲ་ཤིས་ཀྱི་བུམ་པ་བྱང་ཆུབ་ཀྱི་སེམས་ཀྱི་བདུད་རྩིས་གང་བ་ཕུལ་བས།

འགྲོ་བ་ཀུན་བྱང་ཆུབ་ཀྱི་སེམས་གཉིས་ཀྱིས་རྒྱུད་རབ་ཏུ་བརླན་པས་སེམས་ཀྱི་ཆོས་ཉིད་དྲི་མའི་སྒྲིབ་གཡོགས་དང་བྲལ་ཏེ་དག་པ་གཉིས་ལྡན་གྱི་སྐུ་མྱུར་དུ་ཐོབ་པར་ཤོག་ཅེས་སྨོན་ལམ་གདབ། ཕུན་ཚོགས་གསེར་འོད་ཅེས་སོགས་ཀྱིས། ཡོངས་སྤྲུལ་སོགས་ལྷ་ཐམས་ཅད་ཕུན་ཚོགས་གསེར་འོད་ཕྱོགས་བརྒྱར་རབ་ཏུ་འབར་བའི་བཀྲ་ཤིས་ཀྱི་དཔལ་ཀུན་མཛེས་པའི་རིན་ཆེན་ས་ལེ་སྦྲམ་གྱི་དབུ་རྒྱན་ཕུལ་བས། རྗེའི་ཐུགས་བསྐྱེད་ལྟར་བསྟན་པ་ཡུན་རིང་གནས་པའི་རྟེན་འབྲེལ་གྱིས་བསྟན་འཛིན་འགྲོ་བའི་བདེ་སྐྱིད་འཕེལ་བའི་སྨོན་ལམ་ཤུགས་དྲག་ཏུ་གདབ། བདག་དང་འགྲོ་ལ་ཞེས་བརྗོད་པ་དང་། ཁྲུས་གཞོང་ནས་མེ་ལོང་མགོ་མཇུག་མ་ལོག་པར་ལྷ་རྫས་དང་བཅས་པས་བཏེག་ནས་མེ་ལོང་རྟེན་ཕྱོགས་སུ་འཕུར་བ་དང་མཉམ་དུ། ཚོགས་ཞིང་རྣམས་བྱ་བྲེ་འཕུར་བའི་བཞིན་ཅུར་དེར་གྱི་ཕྱོན་པས་སྟར་གྱི་རང་རང་གི་ཁྲི་ལ་བཞུགས་ཤིང་ཁྲུས་ཁང་མི་དམིགས་པར་བསམ། ཡང་ན་རྗེ་འཇམ་དབྱངས་བཞད་པ་འཇིགས་མེད་དབང་པོས་རང་དང་སེམས་ཅན་ཐམས་ཅད་ལྷ་མིའི་རྣམ་ཅན་གྱིས་གདུགས་རྒྱལ་མཚན་བ་དན་སོགས་མཆོད་རྫས་སྣ་ཚོགས་ཐོགས་ནས་གསེར་སྐྱེང་ཚུལ་གྱིས་སྤྱན་དྲངས་པས། ཁྲུས་ཁང་གི་ལྷ་ཚོགས་བྱ་བྲེ་འཕུར་པ་ལྟར་རང་རང་གི་ཁྲི་ལ་བཞུགས་ཁྲུས་ཁང་མི་དམིགས་པར་བསམ། ཚོགས་ཞིང་ལ་ཕུལ་མ་ཕུལ་གང་ཡིན་ཀྱང་མི་དམིགས་པས་ཆུས་བཏབ་ཆོག་པར་གསུང་རྒྱུན་ལྟར་བྱ། དེ་ལྟར་ཁྲུས་གསོལ་འདི་ཉིད་ཉམས་སུ་བླང་ན་བླ་མའི་རྣལ་འབྱོར་སྤྱིའི་མན་ངག་དང་། ལྷག་པར་རྒྱལ་དབང་ལྔ་པ་ཆེན་པོས་འཇམ་དཔལ་ཞལ་ལུང་དུ་ཕྱག་མཆོད་ཁྲུས་གསོལ་སོགས་བཤེས་གཉེན་བསྟེན་ཚུལ་གྱི་ཡོང་སུ་བསྡུས་པའང་ཉམས་ལེན་གྱི་གནད་རྫོགས་པའི་གདམས་ངག་ངོ་མཚར་ཆད་དུ་བྱུང་བ་ཡིན་པས། བདག་ལེགས་སུ་འདོད་པ་རྣམས་ཀྱིས་ཐུགས་དམ་གྱི་མཐིལ་དུ་མཛོད། གཉིས་པ་བསགས་སྦྱོང་གི་གནད་བསྡུས་པ་ཡན་ལག་བདུན་པ་མཎྜལ་དང་བཅས་པ་འབུལ་བ་ལ། བཞུགས་སུ་གསོལ་བ་ནི། མདུན་གྱི་ནམ་མཁར་སེང་ཁྲི་པད་ཟླའི་སྟེང་། །རྗེ་བཙུན་བླ་མ་དགྱེས་པའི་འཛུམ་དཀར་ཅན། །བདག་བློ་དད་པའི་བསོད་ནམས་ཞིང་མཆོག་ཏུ། །བསྟན་པ་རྒྱས་ཕྱིར་བསྐལ་བརྒྱར་བཞུགས་སུ་གསོལ། །དམིགས་པ་ནི། རང་གི་སྨིན་མཚམས་ཀྱི་ཐད་མདུན་གྱི་ནམ་མཁར་རྗེ་བཙུན་བླ་མ་དམ་པ་

ཐུགས་དགྱེས་པའི་ཉམས་ཅན། སྐུ་མདོག་དཀར་ལ་དམར་བའི་མདངས་ཆགས་པ། སྐུ་ལུས་འོད་ཟེར་དཔག་མེད་འཁྲོ་བཞིན་བཞུགས་པ་ལ། བདག་དང་བདག་འདྲའི་འགྲོ་བ་རྣམས་ཀྱིས་བླ་མ་ཡབ་སྲས་རྣམས་ལ་དམིགས་པའི་དད་པ་གསུམ་གྱི་སྒོ་ནས། བསོད་ནམས་ཀྱི་ཞིང་མཆོག་ཏུ་ཡུན་ཐུང་དུ་ཙམ་མ་ཡིན་པར་བསྐལ་པ་བརྒྱར་དགོས་པ་ཆུད་དུ་ཙམ་མ་ཡིན་པར་རང་རྒྱུད་ལ་འཕྲུལ་བྲལ་ལུང་རྟོགས་ཀྱི་བསྟན་པའི་སྙིང་པོ་རྒྱས་ཕྱིར་བཞུགས་སུ་གསོལ། ཞེས་ཡབ་སྲས་གསུམ་ལ་སེང་ཁྲི་པད་ཟླའི་གདན་རེ་ཕུལ་བས་ཁྲི་ལ་བཞུགས་ནས་ཇི་ལྟར་གསོལ་བ་བཏབ་པ་ལྟར་ནམ་ཡང་མྱ་ངན་ལས་མི་འདའ་བར་ཞལ་གྱིས་བཞེས་པར་བསམས། ཕྱག་འཚལ་བ་ནི། ཤེས་བྱའི་ཁྱོན་ཀུན་འཇལ་བའི་བློ་གྲོས་ཐུགས། །སྐལ་བཟང་རྣ་བའི་རྒྱན་གྱུར་ལེགས་བཤད་གསུང་། །གྲགས་པའི་དཔལ་གྱིས་ལྷམ་མེར་མཛེས་པའི་སྐུ། །མཐོང་ཐོས་དྲན་པས་དོན་ལྡན་ལ་ཕྱག་འཚལ། །དམིགས་པ་ནི། ཤེས་བྱའི་ཁྱོན་ནམ་མཁའ་མཐའ་མེད་པ་དང་འདྲ། འཇལ་བའི་ཡུལ་ཅན་གྱིས་ཡུལ་གཞལ་བ་ལ་འཇོག་པས། སངས་རྒྱས་ཀྱི་མཁྱེན་པ་དང་ཤེས་བྱའི་མཐའ་མཉམ་པས་ཆོས་ཐམས་ཅད་རེས་འཇོག་མེད་པར་གཅིག་ཆར་དུ་མཁྱེན་པའི་ཐུགས་དང་། གསུང་གི་བརྗོད་པ་གཅིག་ལའང་སྐལ་ལྡན་གྱི་གདུལ་བྱ་རྣམས་ཀྱིས་རང་རང་གི་རྣ་བའི་རྒྱན་དུ་སྐད་དང་དབང་པོར་འཚམ་པའི་ཆོས་སུ་གོ་བར་བྱེད་པའི་གསུང་དང་། གྲགས་པའི་དཔལ་ནི་མཚན་དཔེ་སོགས་མཐོང་ན་མི་མཐུན་པ་མེད་ཅིང་བལྟ་བས་མི་ངོམས་པའི་སྐུ་དང་། མཐོང་ཐོས་དྲན་རེག་གི་འགྲོ་བའི་རེ་བ་སྐོང་བ་འཕྲིན་ལས་ཀྱི་ཡོན་ཏན་ཏེ། ཡོན་ཏན་དེ་དང་ལྡན་པའི་རྗེ་ཡབ་སྲས་གསུམ་ལ་ལུས་རྡུལ་གྱི་གྲངས་སྙེད་དུ་སྤྲུལ་ནས་ཕྱག་འཚལ་བའོ། །མཚམས་འདིར་ཕྱག་གྲངས་གསོག་བྱེད་ན། ཐོག་མར། ཨོཾ་ན་མོ་མཉྫུ་ཤྲཱི་ཡེ། ན་མཿ སུ་ཤྲཱི་ཡེ། ན་མ་ཨུཏྟ་མ་ཤྲཱི་སྭཱཧཱ། ཞེས་ཕྱག་སྟོང་འགྱུར་གྱི་སྔགས་འདིའང་ལན་གསུམ་གྱིས་སྔ་དྲངས། ཤེས་བྱའི་ཁྱོན་ཀུན་ཞེས་པའི་ཚིགས་བཅད་རེ་དང་ཕྱག་རེ་སྦྲགས་པས་འབུམ་ཐེར་སོགས་ལ་འབད་ན། འདིར་ཐུགས་ལ་ཐོག་མར་བསྟོད་པའི་མན་ངག་ལྟར་གནད་ཤིན་ཏུ་ཆེ། དེའི་ཚུལ་ནི། མཁན་ཆེན་འདུལ་བ་འཛིན་པ་ཆེན་པོ་བསྟན་པ་ཆོས་བཟང་དཔལ་བཟང་པོས། བརྒྱང་ཕྱག་ཅེས་པ་ཤིང་སྡོང་རྩ་བ་བཅད་པ་དེ་མ་ཐག་འགྱེལ་བ་ལྟར་ལུས་

ཐམས་ཅད་ས་ལ་ཕབ་པའི་ཕྱག་དང༌། ཡང་ན་བསྐུམ་ཕྱག་ཅེས་གྲགས་པ་པུས་མོའི་ལྷ་ང་གཉིས། ལག་མཐིལ་གཉིས། དཔྲལ་བ་སྟེ་ཡན་ལག་ལྔ་ས་ལ་རེག་པའི་ཕྱག་བྱ། དེའང་རྐང་པ་གཉིས་བཞིབས། ལག་པ་གཉིས་བརྐྱངས་པའི་ཐད་ཀྱི་གཟན་མཐེབ་བར་དུ་བཟུང་སྟེ། སོར་མོ་རྣམས་ནོར་བུ་འཛིན་པའི་ཚུལ་གྱིས་མཐེ་བོ་གཉིས་ནང་དུ་བཀུག ལག་མཐིལ་མ་སྦྱར་བར་བརྡུབ་སྟེ་རྣམས་པདྨ་ཕུངས་སྐུ་ཁ་བསྡུས་པ་ལྟ་བུས། སྐུའི་ཡོན་ཏན་དྲན་བཞིན་དུ་སྤྱི་བོར་ཐལ་མོ་སྦྱར་བས་ཕན་ཡོན་སྤྱི་གཙུག་ལྟར་མི་མངོན་པའི་སྐུ་རྡོ་རྗེ་འགྲུབ། གསུང་གི་ཡོན་ཏན་དྲན་བཞིན་དུ་མགྲིན་པར་ཐལ་མོ་སྦྱར་བས་ཕན་ཡོན་གསུང་དབྱངས་ཡན་ལག་དྲུག་ཅུ་འགྲུབ། ཐུགས་ཀྱི་ཡོན་ཏན་དྲན་བཞིན་དུ་སྙིང་གར་ཐལ་མོ་སྦྱར་བས་ཕན་ཡོན་ཀླུང་ཐམས་ཅད་སྙིང་གར་འདུས་ཏེ་ཐུགས་རྡོ་རྗེ་མྱུར་དུ་འགྲུབ་ཅིང༌། ཐལ་མོ་སྦྱར་ཚུལ་དང་ཕྱག་འཚལ་ཚུལ་དེ་ལྟར་གྲྭ་ཚང་རིན་པོ་ཆེའི་ཕྱག་ལེན་དང་གསུང་རྒྱུན་ཡིན་ཞེས་ལམ་རིམ་ཆེན་མོའི་བཤད་ལུང་གནང་སྐབས་སུ་གསུངས། ཀུན་མཁྱེན་བླ་མ་ཡབ་སྲས་དང་བཀའ་ཆེན་ཡེ་ཤེས་རྒྱལ་མཚན་གྱི་ཕྱག་ལེན་ཀྱང་ཐང་འཛམ་པའི་དབྱངས་བཀྲ་ཤིས་འཁྱིལ་དུ་ཕེབས་ནས་སྲོལ་བཙུགས་པ་ཉམས་པ་ཡིན་ཞེས་ཐུའུ་རིན་པོ་ཆེའི་ཡོངས་འཛིན་བསྟན་པ་རྒྱ་མཚོས་གསུངས། ཕྲན་ཀྱང་བླ་བྲང་གི་གསོ་སྦྱོང་དུ་སོང་བར་ཚོགས་མང་གིས་གང་ཚེ་རྐང་གཉིས་ཞེས་སོགས་ལ། བླ་གོས་ལག་པའི་མཐེབ་མཛུབ་གཉིས་ཀྱིས་བཟུང་ནས་གནས་གསུམ་དུ་ཐལ་མོ་སྦྱར་ཏེ་སྔ་ཕྱི་མེད་པར་མི་གཅིག་གིས་འཚལ་བ་ལྟར་མཛད་ཀྱིན་འདུག ཚུལ་དེ་ལྟ་མ་ཡིན་པར་འགོ་བོ་ས་ལ་མ་ཐུག་པར་ལུས་སྒྲུར་ཙམ་བྱས་ན། དམྱལ་བ་མགོ་འཕྱངས་སུ་སྐྱེ་བ་དང་ཐར་ནས་ཀྱང་ལུས་སྒྲུར་སྐྱོན་ཅན་དུ་འགྱུར་བ་དང༌། མྱུར་དུ་མི་ལངས་པར་ཉལ་བ་ལྟར་བྱས་ན་ཆུ་སྲིན་དུ་སྐྱེ་བ་དང་ཐར་ནས་ལུས་མི་མཛེས་ཤིང་བློ་རྟུལ་པོར་འགྱུར་བ་དང༌། ལྷོད་བའི་སྐབས་སོགས་སུ་ལག་གཉིས་རྒྱབ་ཏུ་བརྐྱངས་ན་ཡུལ་མཐའ་འཁོབ་དང་ཀླ་ཀློར་སོགས་སུ་སྐྱེ་བར་འགྱུར་བ་དང༌། ཐལ་མོ་ཅར་ཅར་པོར་སྦྱར་བ་མུ་སྟེགས་ཀྱི་ལུགས་ཡིན་པ་དང་སངས་རྒྱས་མི་བཞུགས་པའི་ཞིང་དུ་སྐྱེ་བར་གསུངས་པ་རྣམས་དྲན་པར་བྱས་ནས། ལུས་ཐམས་ཅད་ས་ལ་ཕབ་པའམ་ཡན་ལག་ལྔ་ས་ལ་ཕབ་ནས་ཕྱག་འཚལ་དགོས། དེ་ལ་སྒོ་གསུམ་གྱི་ཕྱག་འཚལ་ཀྱང་ཚང་སྟེ་ཡན་ལག་ལྔ་

ས་ལ་རེག་པ་སོགས་ལུས་ཀྱི་ཕྱག ངག་ནས་ཚིགས་ཞིང་རྣམས་ཀྱི་སྐུ་གསུང་ཐུགས་ཀྱི་ཡོན་ཏན་བརྗོད་པ་ངག་གི་ཕྱག ཡོན་ཏན་དེ་དག་ལ་དད་པ་གསུམ་བསྒོམ་པ་ཡིད་ཀྱི་ཕྱག་ཡིན་ལ། དེ་ལྟ་བུའི་ཚུལ་གྱིས་ཕྱག་གཅིག་འཚལ་ནའང་ལུས་ཇི་ཙམ་མནོན་པའི་རྡུལ་གྱི་གྲངས་དང་མཉམ་པའི་འཁོར་བསྒྱུར་དུ་སྐྱེ་བ་སོགས་ཕན་ཡོན་མཐའ་ཡས་པ་འབྱུང་བར་གསུངས། དེས་ན་དེང་སང་རྗེ་ཁང་སོགས་ལ་ཕྱག་འཚལ་མཁན་ཤིན་ཏུ་མང་བས་འཁོར་བསྒྱུར་གྲངས་ལས་འདས་པར་འགྱུར་ཞེ་ན། བླ་མའི་མན་ངག་མེད་པར་གཡམ་རྒྱུག་ལྟ་བུས་ཕྱག་འཚལ་བ་དང་ལག་པས་བྲིས་གི་བྲིས་གི་རྐང་པས་བསུབ་གི་བསུབ་གི་ཞེས་པའི་དཔེ་ལྟར་ཁོང་ཁྲོས་དགེ་རྩ་འཇོམས་པ་དང་རྣམ་སྨིན་ཐག་བསྲིངས་པར་བྱེད་པ་ལེན་པས། བག་ཡོད་པས་སྣ་ཚོས་སུ་མ་སོང་བར་ཚུལ་དང་མཐུན་པར་བྱེད་དགོས་ཞེས་ཁྲི་ཆེན་རྡོ་རྗེ་འཆང་བློ་བཟང་མཁྱེན་རབ་དབང་ཕྱུག་དཔལ་བཟང་པོས་ཟབ་ལམ་བླ་མའི་རྣལ་འབྱོར་འདི་ཉིད་ཀྱི་ཁྲིད་གནང་སྐབས་སུ་གསུངས།

མཆོད་པ་ནི། ཡིད་འོང་མཆོད་ཡོན་སྣ་ཚོགས་མེ་ཏོག་དང་། །དྲི་ཞིམ་བདུག་སྤོས་སྣང་གསལ་དྲི་ཆབ་སོགས། །དངོས་བཤམས་ཡིད་སྤྲུལ་མཆོད་སྤྲིན་རྒྱ་མཚོ་འདི། །བསོད་ནམས་ཞིང་མཆོག་ཁྱེད་ལ་མཆོད་པར་འབུལ། །དམིགས་པ་ནི། ཡིད་དུ་འོང་བའི་ལྷ་མོ་རྣམས་ཀྱིས་ཕྱག་ཏུ་མཆོད་ཡོན་སྣ་ཚོགས་ཐོགས་པ་ནས་རོལ་མོ་སྣ་ཚོགས་ཐོགས་པའི་བར་གྱིས་མཆོད། སྣ་ཚོགས་པའི་དོན་ནི། མེ་ཏོག་ཕལ་ཆེར་མེ་ཏོག་བླ་བྲེ་དང་། ཞེས་སོགས་ལྟར་མེ་ཏོག་ལྟ་བུ་རེ་རེ་ལའང་གདུགས། རྒྱལ་མཚན། བ་དན། བླ་བྲེ་སོགས་རིགས་མི་འདྲ་བའི་དོན་ཡིན། དེའང་རང་གིས་དངོས་སུ་བཤམས་པ་དང་། ཡིད་ཀྱིས་སྤྲུལ་པའི་མཆོད་པ་བླ་ན་མེད་པ་ཀུན་ཏུ་བཟང་པོའི་མཆོད་པ་བསམ་གྱིས་མི་ཁྱབ་པ་དབུལ་བར་མོས། སྐབས་གཞན་དུ་མཆོད་པས་ཐུགས་མཉེས་ཤིང་ཚིམ་ནས་ཅི་འདོད་སྟོལ་བའི་ཉམས་ཀྱིས་བཞུགས་པར་བསམ་པ་དང་། འདིར་ཕྱི་ནང་གསང་བའི་མཆོད་པ་སོགས་ཀྱང་ཐུལ་ཆོག་པ་ཡིན་ལ། དེ་དག་གི་སྐབས་སུ་ཟག་མེད་ཀྱི་བདེ་བ་ཁྱད་པར་ཅན་འཁྲུངས་པའི་མོས་པ་ནན་ཏན་བྱ། བཤགས་པ་ནི། གང་ཞིག་ཐོག་མེད་དུས་ནས་བསགས་པ་ཡི། །ལུས་ངག་ཡིད་ཀྱིས་མི་དགེ་ཅི་བགྱིས་དང་། །ཁྱད་པར་སྡོམ་པ་གསུམ་གྱི་མི་མཐུན་ཕྱོགས། །སྙིང་ནས་འགྱོད་པ་དྲག་པོས་སོ་སོར་བཤགས། །

དམིགས་པ་ནི། གང་ཞིག་ཅེས་པ་སྐྱེ་སྒྲ་སྟེ་ཚེ་འདིར་བསགས་པའི་སྡིག་པ་རེ་རེ་ཙམ་མ་ཡིན་པར་ཐོག་མེད་ནས་བསགས་པའི་སྡིག་པ་གང་བགྱིས་ཐམས་ཅད་དང་། ཁྱད་པར་སོ་ཐར་གྱི་ཕམ་ལྷག་ལྟུང་བྱེད་སོར་བཤགས་ཉེས་བྱས་ཕྱོགས་མཐུན་དང་བཅས་པ་དང་། བྱང་སེམས་ཀྱི་རྩ་ལྟུང་ཉེས་བྱས་ཕྱོགས་མཐུན་དང་བཅས་པ་དང་། སྔགས་ཀྱི་རྩ་ལྟུང་སྦོམ་པོ་རྣམས་སོ་སོར་ཡིད་ལ་དྲན་པར་བྱས་ན་དག་སྟོབས་ཆེ། བཤགས་ཚུལ་སྟོབས་བཞི་ཚང་ན་ངེས་པར་བདག འགྱོད་པ་མེད་ན་སྡོམ་སེམས་མི་སྐྱེ། འགྱོད་སྡོམ་མེད་པར་ཁ་ཙམ་གྱི་བཤགས་པས་བདག་ཚབས་ཆུང་བས་འདིར་ཚིག་ལ་ཐོན་པ་གནད་ཟབ་གསུངས། བློའི་གཏིང་ནས་སྡོང་ཐུབ་སྙམ་པ་མེད་ཀྱང་སྐབས་དེར་བློ་བཅོས་ནས་སྡོང་ཐུབ་སྙམ་པ་ཙམ་བྱས་ནའང་ལྟུང་ཐུན་བྱིན་རླབས་བྱས་པས་ལས་ལ་མི་སླུ་བ་ལྟར་སྡིག་པ་དག་པ་ཕན་ཆེ་བས། ཐབས་མ་བྱུང་ན་འདི་ཙམ་རེ་ཡིན་ཀྱང་བྱ་དགོས་ཞེས་ཀུན་མཁྱེན་བླ་མ་ཡབ་སྲས་ཀྱི་གསུངས་རྒྱུན་ཡིན། སྡིག་ལྟུང་ངོ་ཤེས་པར་བྱས་ནས་འཕྲལ་དུ་སྡོང་ཐུབ་པ་རྣམས་དེ་མ་ཐག་སྡོང་སྡོམ་ཚུལ་བཞིན་དུ་བྱ་ལ། འཕྲལ་དུ་སྡོང་མི་ཐུབ་པ་རྣམས་ཀྱང་ཇེ་མི་སྙམ་པར་མི་འཛོག་པར་ལོ་འདི་དང་ཟླ་བ་འདིའི་བར་རམ་ཐ་ནའང་ཞག་རེའི་བར་དུ་མི་བྱེད་སྙམ་པའི་སྡོམས་སེམས་དང་། བདག་གིས་མྱུར་དུ་དེ་ལྟར་ནུས་པར་ཤོག་ཅིག་སྙམ་པ་དང་། དེ་ལྟར་སྡོང་ནུས་པར་བླ་མ་ལྷས་བྱིན་གྱིས་བརླབ་ཏུ་གསོལ་ཞེས་གསོལ་བ་འདེབས་པ་སོགས་བྱས་ནས་རིམ་གྱིས་གོམས་པར་བྱ་དགོས་ཞེས་མཁན་ཆེན་འདུལ་བ་འཛིན་པ་བསྟན་པ་ཆོས་བཟང་བས་གསུངས། བཤགས་པའི་སྐབས་རྗེ་ཡབ་སྲས་རྣམས་ཀྱི་སྐུ་ལས་འོད་ཟེར་འཕྲོས། རང་གི་ལུས་ལ་ཐིམ་པས་སྒོ་གསུམ་གྱི་སྡིག་སྒྲིབ་ཉེས་ལྟུང་ཐམས་ཅད་བྱང་ཞིང་དག་ནས་ལུས་ཤེལ་གོང་གཡའ་དག་པ་ལྟ་བུར་གྱུར་པའི་མོས་པ་བྱ། བཤགས་པའི་འཁོར་གསུམ་རང་བཞིན་གྱིས་གྲུབ་པས་སྟོང་པ་ལ་མཉམ་པར་བཞག་པས་བདག་ཚབས་ཆེ་གསུངས། རྗེས་སུ་ཡི་རང་སྟེ། སྙིགས་མའི་དུས་འདིར་མང་ཐོས་སྒྲུབ་ལ་བརྩོན། །ཆོས་བརྒྱད་སྤངས་པས་དལ་འབྱོར་དོན་ཡོད་བྱེད། །མགོན་པོ་ཁྱོད་ཀྱིས་རླབས་ཆེན་མཛད་པ་ལ། །བདག་ཅག་བསམ་པ་ཐག་པས་ཡི་རང་ངོ་། །དམིགས་པ་ནི། རྗེ་བདག་ཉིད་ཆེན་པོའི་ཐུན་མོང་མ་ཡིན་པའི་གསང་བ་ཕྱོགས་བཅུའི་སངས་རྒྱས་རྣམས་ཀྱིས

བརྗོད་མི་དགོས་པར་གསུངས་པས། རྗེས་སུ་ཡི་རང་བའི་ཡུལ་མང་འདིར་ཐུན་མོང་བ་ལྟ་བ། ཉོན་མོངས། སེམས་ཅན། ཚེ། དུས་སྙིགས་མ་སྟེ་སྙིགས་མ་ལྔ་བདོ་བའི་དུས་འདིར་ཕྱིན་ནས། དང་པོར་རྒྱ་ཆེན་ཐོས་པ་མང་དུ་བཙལ། ཞེས་སོགས་ལྟར་མདོ་སྔགས་ཕྱོགས་མེད་ལ་ཐོས་བསམ་དང་། ཐོས་དོན་སེམས་རྒྱུད་ལ་སྦྱར་བའི་ཉམས་ལེན་ཟུང་འབྲེལ་གྱིས་ཆོས་བརྒྱད་དཀར་ཁྲ་གསུམ་ཟིལ་གྱིས་མནན་ནས་ལམ་བསླབ་པ་གསུམ་ལ་སྦྱོང་པ་སྙིང་པོར་མཛད་པའི་རྣམ་པར་ཐར་པ་མཐའ་དག་དང་། རྗེས་མཇུག་བུ་སློབ་རྣམས་ཀྱི་བཤད་སྒྲུབ་ཟུང་འབྲེལ་གྱི་རྣམ་ཐར་ད་ལྟའང་མང་ཐོས་སྒྲུབ་བརྩོན་གྱིས་ཆོས་བརྒྱད་སྤངས་བས་དལ་འབྱོར་དོན་ལྡན་བྱེད་མཁན་ཡོད་པ། རྗེ་ཡབ་སྲས་ཀྱི་བཀའ་དྲིན་ཁྱད་ཆོས་བསམ་གྱིས་མི་ཁྱབ་པ་ རླབས་པོ་ཆེའི་མཛད་པ་ལ་བདག་ཅག་རྣམས་ཤིན་ཏུ་དགའ་བའི་བསམ་པ་ཐག་པས་ཡི་རང་ནས་བསྔོམ་ན་དགེ་རྩ་བསམ་གྱིས་མི་ཁྱབ་པ་སྤུད་ཚུལ། འགྲེལ་པ་དོན་གསལ་ལས། རྗེས་སུ་ཡི་རང་བ་ཡིད་ལ་བྱེད་པས་ནི་རང་བཞིན་གྱི་དགེ་བའི་རྩ་བ་མཉམ་པ་ཉིད་ཐོབ་པོ་ཞེས་གསུངས་པ་ལྟར་རོ། །ཆོས་འཁོར་བསྐོར་བར་བསྐུལ་བ་ནི། རྗེ་བཙུན་བླ་མ་དམ་པ་ཁྱེད་རྣམས་ཀྱིས། །ཆོས་སྐུའི་མཁའ་ལ་མཁྱེན་བརྩེའི་ཆུ་འཛིན་འཁྲིགས། །ཇི་ལྟར་འཚམ་པའི་གདུལ་བྱའི་འཛིན་མ་ལ། །ཟབ་རྒྱས་ཆོས་ཀྱི་ཆར་པ་དབབ་ཏུ་གསོལ། །དམིགས་ནི། རྗེ་བླ་མའི་ཐུགས་དམ་པ་གཉིས་ལྡན་གྱི་ཆོས་སྐུའི་ནམ་མཁའ་ལ་མཁྱེན་པ་དང་། བརྩེ་བའི་ཆུ་འཛིན་ཏེ་སྤྲིན་འཁྲིགས་པ་ལས། ཟབ་པ་དང་རྒྱ་ཆེ་བའི་དམ་པའི་ཆོས་ཀྱི་ཆར་པ་བདག་ཅག་གདུལ་བྱ་རྣམས་ཀྱི་བློ་གྲོས་ཀྱི་འཛིན་མར་འབབ་རྩོལ་དང་བྲལ་བས་ལྷུན་གྲུབ་རྒྱུན་མི་ཆད་དུ་དབབ་ཏུ་གསོལ། ཞེས་གསོལ་བ་བཏབ་པ་ལྟར་ཞལ་གྱིས་བཞེས་པར་བསམ། འདིར་མཁྱེན་བརྩེ་གཉིས་སྨོས་པ་ནི་རང་གིས་བརྗོད་བྱ་མ་ནོར་བར་རྟོགས་པ་དང་། དེ་ཉིད་གཞན་ལ་ཅི་མ་ལོག་པར་སྟོན་པའི་བསམ་པའི་དབང་དུ་བྱས་སོ། །བསྔོ་བ་ནི། བདག་གིས་ཇི་སྙེད་བསགས་པའི་དགེ་བ་འདིས། །བསྟན་དང་འགྲོ་བ་ཀུན་ལ་གང་ཕན་དང་། ཁྱད་པར་རྗེ་བཙུན་བློ་བཟང་གྲགས་པ་ཡི། །བསྟན་པའི་སྙིང་པོ་རིང་དུ་གསལ་བྱེད་ཤོག། དམིགས་པ་ནི། བདག་གིས་ལམ་ཟབ་མོ་བླ་མའི་རྣལ་འབྱོར་བསྒོམས་པ་འདིས་མཚོན་དུས་གསུམ་དུ་བསགས་པའི་དགེ་རྩ་

ཇི་སྙེད་ཡོད་པ་མཐའ་དག་མཁའ་ཁྱབ་ཀྱི་བསྟན་འགྲོར་གང་ལ་གང་ཕན་དང་། བསྟན་པ་གཞན་ཀུན་ཡོངས་སུ་རྫོགས་པ་མགོ་བོར་ཤེས་གཉེན་བསྟེན་ཚུལ་ནས་མཇུག་མི་སློབ་པའི་ཟུང་འཇུག་གི་བར་གྱི་ལམ་གྱི་རིམ་པ་ཆ་ཚང་བ་གདན་ཐོག་གཅིག་ཏུ་ཉམས་སུ་བླངས་པའི་ཐོག་རྗེའི་རིང་ལུགས་དྲི་མ་མེད་པ་རིང་དུ་གསལ་བྱེད་ཤོག་ཅེས་སྨོན། བསྟན་པའི་སྙིང་པོ་མཐར་ཐུག་པ་ནི། སྐུ་དག་པ་སྒྱུ་མའི་སྐུ་དང་ཐུགས་དག་པ་དོན་གྱི་འོད་གསལ་གཉིས་ལ་གོ་དགོས་སོ། །དེ་ལྟར་རྗེ་ཡབ་སྲས་ཀྱིས་བསྔོ་བའི་དབང་པོ་མཛད་ནས་སྨོན་ལམ་འགྲུབ་པར་བྱིན་གྱིས་བརླབས་པར་བསམས། དེའང་མྱ་ངན་ལས་མི་འདའ་བར་གསོལ་བས་ཚེ་སྒྲུབ་ཀྱི་མཆོག་ཏུ་འགྱུར་བ་དང་བླ་མའི་ཐུགས་དགྱེས་པ་སོགས་ཀྱི་གཉེན་པོར་འགྲོ། འདི་ཐོག་མར་འབྱུང་བའང་ཚོགས་གསོག་པའི་ཞིང་འཕྲན་བླ་མེད་པ་ནི་བླ་མ་ཡིན་ལ། དེ་ལ་ཚོགས་གསོག་པ་ལ་ཚོགས་ཀྱིས་ཞིང་དུ་བརྟན་པར་བཞུགས་པ་ཞིག་དགོས་པས་ཐོག་མར་བརྟན་བཞུགས་ཀྱི་གསོལ་བ་གདབ་པ་ཡིན་གསུངས། ཕྱག་གིས་ང་རྒྱལ་གྱི་གཉེན་པོ། མཆོད་པས་སེར་སྣའི་གཉེན་པོ། བཤགས་པས་དུག་གསུམ་གྱི་གཉེན་པོ། རྗེས་སུ་ཡི་རང་ཕྲག་དོག་གི་གཉེན་པོར་འགྲོ། ཆོས་འཁོར་བསྐོར་བར་བསྐུལ་བས་ཚེ་རབས་ཐམས་ཅད་དུ་ཆོས་དང་འཇལ་བ་དང་ཆོས་སྤོང་གི་གཉེན་པོར་འགྲོ། ཚོགས་གསོག་སྒྲིབ་སྦྱོང་གི་མཆོག་ཀྱང་འདི་ཉིད་ཡིན་ཏེ། ཕྱག་དང་མཆོད་པ་ཆོས་འཁོར་བསྐོར་བར་བསྐུལ་བ་མྱ་ངན་ལས་མི་འདའ་བར་གསོལ་བ་རྗེས་སུ་ཡི་རང་གི་ཕྱོགས་གཅིག་རྣམས་ཀྱིས་ཚོགས་བསགས། བཤགས་པས་སྒྲིབ་པ་སྦྱང་། ཡི་རང་གི་ཕྱོགས་གཅིག་རང་གི་དགེ་བ་ལ་རློམ་སེམས་མེད་པར་དགའ་བ་བསྒོམས་པས་གོང་དུ་སྤེལ། བསྔོ་བས་དགེ་རྩ་རྣམས་ཆུད་མི་ཟ་བར་བྱེད་པ་ཡིན་པས་ཡན་ལག་བདུན་པོ་འདི་རྣམས་མདོ་སྔགས་གང་ལའང་གལ་ཤིན་ཏུ་ཆེ་ལ་དགོས་པ་སྒྲུབ་ཚུལ་འདི་ལས་ལྷག་པའང་མེད། འདིས་སྡིག་སྒྲིབ་བདག་སྟེ་སྤང་བྱའི་གཉེན་པོ་བསྐྱེད་ན་སྤང་བྱ་འཇོམས་པའི་ཕྱིར་ཚོགས་རྫོགས་ཏེ། ཁྲིས་པའི་སེམས་སོགས་ཀྱིས་སངས་རྒྱས་བྱང་སེམས་ལ་བལྟས་ཀྱང་ཕན་ཡོན་འཐོབ་ན་དེ་བས་ཕྱག་མཆོད་སོགས་ལ་སྨོས་ཅི་དགོས་པས་ཐམས་ཅད་ཀྱིས་ནན་ཏན་སྙིང་པོར་བྱ་དགོས་ལ། དེ་ལྟར་ཡན་ལག་བདུན་པོ་འདི་རྒྱལ་སྲས་ཀྱི་སྤྱོད་པའི་སྨོམ་ཆེ་ཤོས་ཡིན་པས་ས་མཐོན་པོའི་བྱང་སེམས

རྣམས་ཀྱང་སངས་རྒྱས་སོ་སོའི་དྲུང་དུ་བྱོན་པའི་ཚེ་འདི་ཁོ་ན་མཛད་པས། རྒྱལ་སྲས་ཀྱི་སྤྱོད་པ་རྣམས་ཡན་ལག་བདུན་པོ་འདིར་མ་འདུས་པ་མེད་པར་རྗེ་ངག་དབང་བྱམས་པའི་གསུང་རྒྱུན་ལས་བྱུང་། མཇལ་འབུལ་ཏེ་གསོལ་བ་འདེབས་པ་ལ་དེ་ཇི་ལྟར་འབུལ་ཚུལ་སྟོན་པའི་ཁུངསམཐར་ཐུག་པ་ནི། འདུས་པའི་རྩ་རྒྱུད་ལེའུ་བརྒྱད་པ་ལས། ཞིང་འདི་རིན་ཆེན་སྣ་བདུན་གྱིས། །མཁས་པ་དག་གིས་ཡོངས་བཀང་ལ། །དངོས་གྲུབ་འདོད་པས་སྦྱིན་པའི་ཕྱིར། །ཉིན་རེར་ཤེས་རབ་ཅན་གྱིས་དབུལ། །ཞེས་ཚོགས་གཉིས་གསོག་པ་ལ་མཁས་པའི་སྒྲུབ་པ་པོ་ཤེས་རབ་ཅན་དག་གིས། མི་འཇེད་འཇིག་རྟེན་གྱི་ཞིང་ཁམས་འདི་པདྨ་རཱ་ག་ལ་སོགས་པའི་རིན་ཆེན་སྣ་བདུན་དང་། རྒྱལ་སྲིད་རིན་པོ་ཆེ་སྣ་བདུན་གྱིས་ཡོངས་སུ་བཀང་ལ་ཚོགས་ཀྱི་ཞིང་དུ་སངས་རྒྱས་ཀུན་དང་མཉམ་པའི་བླ་མ་ལ་ཐུན་མོང་མ་ཡིན་པའི་དབུལ་བར་བྱེད་དགོས་ཏེ། དཔེར་ན་རྒྱལ་པོ་སྤྱན་དྲངས་ཚེ་འཁོར་དང་བཅས་པ་ཡོན་དང་འཚོ་བ་སྟོབ་དགོས་ཀྱང་གཙོ་བོ་རྒྱལ་པོ་ཉིད་ལ་བྱེད་དགོས་པ་བཞིན་ཡིན་ལ། སྒྲོན་གསལ་ལས་ཀྱང་། ལྷ་རྣམས་དང་བླ་མའི་ཐུན་མོང་གི་མཆོད་པ་དང་། བླ་མ་ཁྱད་པར་ཅན་གྱི་རྗེས་དབུལ་པར་བྱ་བའི་དོན་དུ་ཚད་ཡོངས་སུ་ཆད་པ་མེད་པར་བསྟན་པར་བྱ་བའི་ཕྱིར་ཞེས་སོགས་ལྟར་བཀའ་དྲིན་གསུམ་ལྡན་གྱི་བླ་མ་མཉེས་པར་བྱེད་པའི་སློས་མཆོད་པ་དབུལ་བ་དངོས་གྲུབ་འགྲུབ་པའི་ཕྱིར་ཡིན་ལ། དེའང་དངོས་གྲུབ་འདོད་པ་ཙམ་གྱི་མི་ཚོག་པར། ཡེ་ཤེས་གྲུབ་པར། ཡོན་ཏན་ཐམས་ཅད་རབ་རྫོགས་ཀྱང་། བླ་མ་མེད་ན་སྲིད་ཐར་མིན། །ཞེས་དང་། དུས་འཁོར་རྩ་རྒྱུད་ལས། ཡོན་ཏན་རྒྱ་མཚོ་བླ་མ་ལ། །དང་བའི་ཡིད་ཀྱིས་མཉེས་བྱས་ན། །མཆོག་དང་ཐུན་མོང་དངོས་གྲུབ་ཀུན། །ཚེ་འདིར་ཉིད་ལ་ངེས་པར་ཐོབ། །ཅེས་དང་། བླ་མ་ལྔ་བཅུ་པར། དངོས་གྲུབ་སློབ་དཔོན་རྗེས་འབྲང་ཞེས། །རྡོ་རྗེ་འཛིན་པ་ཉིད་གསུང་པ། །ཤེས་ནས་དངོས་པོ་ཐམས་ཅད་ཀྱིས། །བླ་མ་ཡོངས་སུ་མཉེས་པར་བྱ། །ཞེས་དང་། རྗེ་བདག་ཉིད་ཆེན་པོས་ཀྱང་། སློབ་མའི་རྒྱུད་ལ་ཡོན་ཏན་སྣ་གཅིག་སྐྱེ་བ་དང་སྐྱོན་སྣ་གཅིག་འགྲིབ་པ་ཡན་ཆད་བདེ་ལེགས་ཐམས་ཅད་ཀྱི་རྩ་བ་དམ་པའི་བཤེས་ཡིན་པས། ཞེས་གསུངས་པ་ལྟར། དངོས་གྲུབ་འབྱུང་མི་འབྱུང་བླ་མ་བསྟེན་ཚུལ་ལེགས་ཉེས་ཀྱི་རྗེས་སུ་འགྲོ་ཤོག་མི་

འཕྲུལ་བ་དང་། ཁྱད་པར་ཟུང་འཇུག་ཕྱག་རྒྱ་ཆེན་པོའི་དངོས་གྲུབ་འགྲུབ་པ་ལ་བླ་མ་ཁོ་ན་ལ་ལྟོས་ཤིང་། དེ་ལ་ཕུལ་ནས་སངས་རྒྱས་ཐམས་ཅད་ལ་ཕུལ་བའི་ཕན་ཡོན་འགྲུབ་པའི་ཐམས་མཁས་ཀྱི་སྒོ་ཆེན་པོར་རྒྱུད་སྡེ་དུ་མ་ལས་གསུང་ཚུལ། ཀུན་གཟིགས་ལྔ་པ་ཆེན་པོས། གང་གི་སྐུ་ལ་ཕྱོགས་བཅུའི་རྒྱལ་བ་རྣམས། །ཞུགས་ནས་བླ་ན་མེད་པའི་བསོད་ནམས་ཀྱི། །ཞིང་མཆོག་དམ་པ་བསྟན་ཞེས་རྒྱུད་སྡེ་ལས། ལན་ཅིག་མིན་པར་གསུངས་པ་དོན་དང་ལྡན། །ཞེས་གསུངས་པ་ལྟར་ཤེས་པར་བྱ་ལ། འབུལ་ཡུལ་ལ་སྦྱར་ན་ཇི་ལྟ་བ་རྟོགས་པའི་ཤེས་རབ་ཀྱིས་བླ་མ་ཆོས་སྐུའི་རང་བཞིན་དུ་མཐོང་། ཇི་སྙེད་པ་རྟོགས་པའི་ཤེས་རབ་ཀྱིས་བླ་མ་སྲིད་ཞིའི་ཁྱད་པ་མཐའ་དག་སྐྱོབ་པའི་སྐྱབས་གནས་གཅིག་པུར་མཐོང་། མཆོད་པ་ལ་སྦྱར་ན་ཇི་ལྟ་བ་རྟོགས་པའི་ཤེས་རབ་ཀྱིས་མཆོད་པའི་འཁོར་གསུམ་བདེན་མེད་དུ་རྟོགས། ཇི་སྙེད་པ་མཆོད་པའི་ཕན་ཡོན་དང་མཐའ་ཡས་པར་སྤྲོ་ཚུལ་སོགས་ཤེས་པའི་ཤེས་རབ་ཁྱད་པར་ཅན་གྱིས་མཎྜལ་དེ་ལྟར་འབུལ་བ་ཉི་མ་རེ་ལ་ཙམ་མ་ཡིན་པར་ཉིན་མཚན་དུས་དྲུག་ཏུ་མ་ཆག་པར་བྱེད་དགོས་ཏེ། བླ་མ་ལྔ་བཅུ་པ་ལས། མཆོག་ཏུ་དད་པས་དུས་གསུམ་དུ། །དཀྱིལ་འཁོར་མེ་ཏོག་བཅས་ཐལ་མོས། །སྟོན་པ་བླ་མ་བསྙེན་བཀུར་ཞིང་། །ཞབས་ལ་སྤྱི་བོས་ཕྱག་འཚལ་བྱའོ། །ཞེས་པ་ལྟར་གོ་བའི་ཆེད་དུ་དེ་ལྟར་གསུངས་པ་འདོད་ཀྱི་སྙིང་པོ་ནི། དཔེར་ན་ཡུལ་གྱི་རྒྱལ་པོ་སོགས་ལ་ཞུ་དོན་ཧམས་ཆེན་བྱེད་པའི་ཚེ་སྔོན་དུ་གསོལ་སྟོན་སོགས་དྲངས་ཟིན་པའི་རྗེས་སུ་རང་གི་སྙིང་ནོར་ཁྱད་འཕགས་གཅེས་པ་ཞིག་ཕུལ་ནས་ཞུ་དོན་ངོ་མ་བྱེད་པ་བཞིན་དུ། འདིར་ཡང་སྔོན་དུ་ཡན་ལག་བདུན་པའི་སྒོ་ནས་བསགས་སྦྱང་བྱས་ནས་རྗེས་སུ་གསོལ་བ་འདེབས་པའི་ཐོག་མར་མཎྜལ་འབུལ་བ་ལ། རྒྱུ་དབྱིབས་ཁ་དོག་ཚད་དབྱེ་བ་ཕན་ཡོན་སོགས་གསུང་བཤད་ཞིབ་རྒྱས་གནང་ཡང་དངོས་སུ་དོགས་ནས་སྙིང་པོ་བསྡུས་ན། མཎྜལ་ཕུལ་ཚེ་ལག་པ་གཡོན་པས་འབྲུ་ཅུང་ཟད་བཅས་མཎྜལ་བཏེག གཡས་པ་འབྲུ་དང་བཅས་པའི་ལག་ངར་གྱིས་ཕྱིར་ལན་གསུམ་ཕྱིས་པས་སྒོ་གསུམ་གྱི་མི་མཐུན་ཕྱོགས་སྦྱངས། ནང་དུ་ལན་གསུམ་ཕྱིས་པས་སྐྱབས་ཡུལ་གྱི་བྱིན་རླབས་མ་ལུས་པ་རང་ལ་ཞུགས་པར་མོས། དེ་མ་ཐག་སྟོང་པར་མི་འཇོག་པར་ལག་པ་གཡས་ཀྱི་འབྲུ་དབུས་སུ་བཀོད་པས་མཐའ་འཁོབ་ཏུ་སྐྱེ་བ་འགོག་ཆེད་

མཚོན། ཚོམ་བུའི་གྲངས་བཞེད་ཚུལ་འགྲོ་མགོན་ཆོས་རྒྱལ་འཕགས་པས་སྣེག་མ་སོགས་ལྷ་མོ་རྣམས་བསྟན་པ་སོ་བདུན་མ་སོགས་མང་ཡང་། རང་ཅག་རྗེ་བླ་མའི་ཕྱག་ལེན་དཔལ་ལྡན་རྒྱུད་གྲྭའི་འཆད་ཉན་སྐབས་བཞིན་ཚོམ་བུ་ཉེར་གསུམ་མ་གཙོ་བོར་མཛད་ན་ཕྱིན་ཆླབས་མྱུར་དུ་འཇུག་པའི་རྟེན་འབྲེལ་གྱི་གནད་ཆེ། ཚོམ་བུ་འགོད་ཚུལ་ལ་ཤར་ལུས་འཕགས་པོ་ཕར་ངོས་འབུལ་ཡུལ་ཕྱོགས་སུ་འགོད་པ་དང་ཚུར་ངོས་རང་ཕྱོགས་སུ་འགོད་པ་གཉིས་གང་བྱེད་ཀྱང་ཁྱད་པར་མེད་ལ། གླིང་རྣམས་རི་རབ་ལ་རྒྱབ་བརྟེན་པས་རང་རང་ལ་ལྟོས་ན་རི་རབ་ཀྱི་མདུན་དུ་ཡོད་པའི་གནས་ཀྱིས་གླིང་ཕྲན་རྣམས་མཐར་ཆགས་སུ་མི་འགོད་པ་ཡིན་ཞིང་ཚོམ་བུ་གཞན་རྣམས་ཡོངས་གྲགས་རང་རང་གི་ཚིག་ཟིན་ལྟར་དུ་བཀོད། སོ་བདུན་མའི་བྱང་དུ་རིན་པོ་ཆེའི་གདུགས། ཕྱོགས་ལས་རྣམས་པར་རྒྱལ་བའི་རྒྱལ་མཚན་ལྷོར་བཀོད་ཚུལ་དགོས་པའི་ཁྱད་ཆོས་རྒྱལ་མཆོག་བསྐལ་བཟང་རྒྱ་མཚོའི་ཕྱག་བཞེས་བཞིན་གསེར་ཁང་རྡོ་རྗེ་འཆང་ནས་རྒྱུན་དུ་ཉམས་སུ་བཞེས་དང་ཁྲིད་རྒྱུན་དེ་ལྟར་མཛད་ཅིང་། སྤྱིར་མཛམ་བུ་གླིང་པ་ལས་ཀྱིས་པ་དང་སྔགས་སྤྱོད་པའི་རྟེན་ཁྱད་པར་ཅན་གྱི་མི་མཐུན་པའི་ཕྱོགས་ཐམས་ཅད་ལས་རྒྱལ་བའི་རྟེན་འབྲེལ་གྱི་གནད་ཤིན་ཏུ་ཆེ་ཞེས་གྲུབ་པའི་དབང་ཕྱུག་ཆེན་པོ་ཐུབ་བསྟན་སྙིང་རྗེས་གསུངས། དེ་ལྟར་བཀོད་པའི་རྣམ་པ་ཚོམ་བུ་ཡིན་ཀྱང་ངོ་བོ་རི་རབ་གླིང་བཞི་སོགས་དངོས་ཡིན་སྙམ་པ་དང་དེའང་དག་པའི་ཞིང་ཁམས་བདེ་བ་ཅན་ལྟར་མོས་ནས་ཕུལ་ན་སངས་རྒྱས་ཀྱི་ཞིང་ཁྱད་པར་ཅན་འགྲུབ་པའི་ནུས་པ་འཇོག དབུས་ཀྱི་ཚོམ་བུའི་སྟེང་དུ་བྱང་སེམས་ཀུན་བཟང་སྐུ་མདོག་ལྗང་ཁུ་གཉིས་ཐུགས་ཀར་ཐལ་མོ་སྦྱར་བའི་བར་ན་ཡིད་བཞིན་གྱི་ནོར་བུ་བསྣམས་པ་ལས་འོད་ཟེར་འཕྲོས་པའི་སྣེ་མོར་དེ་འདྲའི་ཀུན་བཟང་དཔག་མེད་སྤྲོས་ཏེ། ནམ་མཁའི་ཁྱོན་བཀང་པར་མོས་པའི་ཀུན་བཟང་མཆོད་སྤྲིན་ལེགས་པར་ཕུལ་ན་དེའི་ཚོད་ཀྱི་བསོད་ནམས་རྫོགས་ཚབས་ཆེ། ཕྱི་ནང་གསང་བ་དེ་ཁོ་ན་ཉིད་ཀྱི་མཎྜལ་ཚང་བར་བྱས་ན་ཤིན་ཏུ་ལེགས་སོ་གསུངས། བསགས་སྦྱང་འདི་དག་གལ་ཆེ་བར་གཟིགས་ནས་ཀུན་མཁྱེན་ཙོང་ཁ་པ་ཆེན་པོས་འོལ་ཁ་ཆོས་ལུང་དུ་རྡོ་ལེབ་ཆེ་བ་ཞིག་གི་སྟེང་དུ་ཕྱག་ངར་དང་སོར་མོ་རྣམས་སེར་ཀར་སོང་སོང་བར་མཎྜལ་འབུལ་བ་དང་། ཐུན་རེར་ལྷུང་བཤགས་སོ་ལྔ་རེ་དང་

འབྲེལ་བའི་བརྐྱངས་ཕྱག་སོགས་བསགས་སྦྱོང་ལ་འབད་པས། ད་གཟོད་དབུ་མའི་ལྟ་བ་ཉིད་པ་སོགས་ཀྱི་ཚུལ་བསྟན་པ་འདི་ཡང་རང་ཅག་རྗེས་འཇུག་རྣམས་ལ་དགོངས་པས་ཀུན་གྱིས་འདི་ལ་འབད་པར་འཚལ་གསུངས། དེ་ནས། དཔལ་ལྡན་ས་གསུམ་ནས་མཆོག་གི་དངོས་གྲུབ་བརྙེས་ལ་གསོལ་བ་འདེབས། །ཞེས་པའི་བར་བཏོན་ཏེ། ས་གསུམ་གྱི་འགྲོ་བ་ལ་ཐར་པ་དང་ཐམས་ཅད་མཁྱེན་པའི་ལམ་སྟོན་པའི་མིག་གཅིག་པུ་དང་། ཐར་པར་འཁྲིད་པའི་དེད་དཔོན་སངས་རྒྱས་གྲངས་མེད་བྱོན་ཀྱང་འདུལ་བར་མ་ནུས་པའི་འགྲོ་བ་ལ་དགེ་བའི་བཤེས་གཉེན་གྱི་རྣམ་པར་སྤྲུལ་ནས། རྒྱལ་བའི་དགོངས་པ་ཡོངས་སུ་རྫོགས་པར་བསྟན་པས་རྒྱལ་བ་ཀུན་ལས་ལྷག་པའི་ཐུགས་རྗེ་དང་ལྡན་པ། གངས་ཅན་མཁས་པ་ཐམས་ཅད་ཀྱིས་འགྲན་ཟླ་མེད་པའི་རྗེ་བླ་མ་མཆོག་གི་སྐུའི་ཆ་དམའ་ཤོས་ཞབས་ཀྱི་པདྨོ་ལ་བདག་གི་སྤྱི་བོས་བཏུད་དེ་གསོལ་བ་འདེབས་སོ་བདག་ཀྱང་ཁྱེད་རང་ལྟ་བུར་མཁས་པའི་ཡོན་ཏན་ཐུལ་དུ་ཕྱིན་པ་ཐོབ་པར་བྱིན་གྱིས་བརླབ་ཏུ་གསོལ། ཞེས་སོགས་ཚིག་རིས་ལྟར་གྱི་དོན་དྲན་པས་རྗེའི་བཀའ་དྲིན་དང་འཕྲིན་ལས་ཀྱི་འཇུག་པ་ཡོད་ཚུལ་བསམ་གྱིས་མི་ཁྱབ་པ་གནད་ཀྱིས། ཁྲི་ནམ་མཁའ་བཟང་དང་གྲུབ་པའི་དབང་ཕྱུག་ཆེན་པོ་རྗེ་ངག་དབང་བྱམས་པས་ས་གསུམ་འདི་ལ་ཐུགས་གཙིགས་ཆེ་བའི་རྣམ་ཐར་ལྟར་ཉམས་ལེན་སྐྱོང་བར་མཛད། འདིའི་ཚིག་དོན་ཞིབ་ཏུ་ཤེས་པར་འདོད་ན་པཎ་ཆེན་ཆོས་རྒྱལ་གྱི་ཏིཀྐ་སོགས་ལ་གཟིགས། གསུམ་པ་མཚན་སྔགས་ཀྱི་སྒོ་ནས་གསོལ་བ་བཏབ་ནས་འདོད་དོན་དངོས་གྲུབ་ཞུ་བ་ནི། དམིགས་བརྩེ་མ་ཅི་འགྲུབ་ཀྱི་སྒོ་ནས་གསོལ་བ་གདབ་པར་བྱ་བ་ཡིན་ལ། འདིའི་དོན་ལ་ཕྱི་མཚུངས་པ་གསལ་བྱེད་ནང་ཡོན་ཏན་དེ་ལྡན་གསང་བ་ལྷག་པའི་ལྷ་དང་དབྱེར་མེད་དུ་གསོལ་བ་འདེབས་ཚུལ་དང་། ཁྱད་པར་རྗེ་བཙུན་ཤེས་རབ་སེངྒེ་ནས་བརྒྱུད་པའི་ཤེས་རབ་བློ་འཕེལ་གྱི་མན་ངག་གཉིས། དང་པོ་གསུམ་ལས་ཕྱི་མཚུངས་པ་གསལ་བྱེད་ནི། རྗེ་རིན་པོ་ཆེ་འཇམ་དབྱངས་དང་སྤྱན་རས་གཟིགས་དང་མཚུངས་ཏེ། དམིགས་བརྩེ་མ་ལས་གསལ་བར་བྱེད་ཅེས་གསུངས་པ་སྙིང་རྗེའི་ཡོན་ཏན་ལ་བྱང་སེམས་ཐམས་ཅད་ལས་སྤྱན་རས་གཟིགས་འགྲན་པའི་ཟླ་དང་བྲལ། ཤེས་རབ་ཀྱི་ཡོན་ཏན་ལ་འཇམ་དབྱངས་འགྲན་ཟླ་དང་བྲལ། དེ་གཉིས་ཐབས་ཤེས་ཀྱི་ཡོན་ཏན་

འགྲན་ཟླ་མེད་པ་དཔེར་བྱས་ནས་གངས་ཅན་མཁས་པ་ཐམས་ཅད་ཀྱི་ཁྲིད་ན་རྗེ་བདག་ཉིད་ཆེན་པོ་འགྲན་ཟླ་མེད་པར་གཙུག་གི་རྒྱན་དུ་གྱུར་ཚུལ། ཉམས་མགུར་ལས། དང་པོར་རྒྱ་ཆེན་ཐོས་པ་མང་དུ་བཙལ། །ཞེས་གསུངས་པ་ལྟར་མང་དུ་ཐོས་པ་ལུང་གི་ཡོན་ཏན་འཆད་རྩོད་རྩོམ་གསུམ་མཁས་བཙུན་བཟང་གསུམ་སོགས་ཡོན་ཏན་གྱི་ཆ་ཤས་ཕྲ་མོ་རེ་རེ་ལའང་དུས་གསུམ་རྒྱལ་བས་ཀྱང་འགྲན་པར་མི་ནུས་ཏེ། ཐམས་ཅད་མཁྱེན་པ་ལྔ་པ་ཆེན་པོས། རྣམ་འདྲེན་ཀུན་གྱི་མཁྱེན་པའི་ཕུང་པོ་གང་། །གཅིག་གྱུར་འཇམ་མགོན་མི་ཡི་སྲིད་པའི་གར། །བསམ་བཞིན་རྣམ་པར་རོལ་པའི་མཛད་པ་ལ། །བསྐལ་བཟང་རྒྱལ་བ་སྟོང་གིས་བསྔུན་དུ་མེད། །ཅེས་དང་། དབུ་མ་ལུང་རིགས་གཏེར་མཛོད་ལས། མཁྱེན་བརྩེ་མཐུ་ནུས་ཡོན་ཏན་ཀུན་དང་ཁྱད་པར་དུ། །མཐའ་བྲལ་ཟབ་མོ་འདོམས་ལ་དུས་གསུམ་རྒྱལ་རྣམས་ཀྱང་། །གཅིག་བསྡུས་དུར་སྨིག་འཛིན་ན་ཁྱོད་ཀྱི་ཟླར་འོས་པའི། །འཇམ་མགོན་རྒྱལ་བ་གཉིས་པ་ལ་འདུད། །ཅེས་དང་། དྲང་ངེས་བཻཌཱུར་ཡ་དཀར་པོའི་གན་མཛོད་ལས། ཕྲ་ཞིབ་བརྒྱལ་བརྟགས་མཛད་ཚེ་རྒྱལ་བ་རྣམས། །གཅིག་བྱས་ཕྱོགས་སུ་མཛད་ཀྱང་འགོག་ནུས་པའི། །འཇམ་དཔལ་སྙིང་པོ། ཞེས་དང་། ཡང་རྒྱལ་བ་ལྔ་པ་ཆེན་པོའི་གསུང་ལས། སྲིད་ཞིའི་ཁམས་ན་འཆད་རྩོད་རྩོམ་པ་ཡི། །དཔེ་ཟླར་འོས་པའི་ཚོལ་ཕྱིར་ཉིད་ཟླ་ཟུང་། །དལ་མེད་མཁའ་ལ་རྒྱུ་ཡང་མ་རྙེད་པས། །ངལ་ཏེ་ཐུབ་མཚམས་སྣེག་མོའི་ཕང་པར་ཉལ། །ཞེས་གསུང་པ་ལྟར་ངོ་མཚར་རྨད་དུ་བྱུང་བའི་ཡོན་ཏན་དྲན་པའི་སྒོ་ནས་གསོལ་བ་འདེབས་པ་རྗེ་བླ་མའི་ཕྱི་སྒྲུབ་དང་། གཉིས་པ་ནང་ཡོན་ཏན་དེ་ལྟར་ན། མཁྱེན་བརྩེ་འཇམ་དབྱངས་སྤྱན་རས་གཟིགས་དང་འདྲ་བ་ཙམ་དུ་མ་ཟད་གཉིས་ཀྱི་ཐུགས་རྒྱུད་ཐབས་ཤེས་ཀྱི་ཡོན་ཏན་ཅི་ཙམ་མངའ་བ་དེ་ལྟ་བུ་རྗེ་བདག་ཉིད་ཆེན་པོ་ལ་མངའ་བར་ཐག་བཅད་དེ། ཉམས་མགུར་ལས། བར་དུ་གཞུང་ལུགས་ཐམས་ཅད་གདམས་པར་ཤར། ཐ་མར་ཉིན་མཚན་ཀུན་ཏུ་ཉམས་སུ་བླངས། ཞེས་གསུངས་པ་ལྟར་ཚུལ་བཞིན་སྒྲུབ་པ་ནང་གི་རྟོགས་པའི་ཡོན་ཏན་ཐབས་ཤེས་དང་སྲིད་ཞིའི་མཐའ་ལ་མི་གནས་པའི་ཡོན་ཏན་དྲན་པའི་སྒོ་ནས་གསོལ་བ་འདེབས་པ་རྗེ་བླ་མའི་ནང་སྒྲུབ་དང་། དམིགས་མེད་བརྩེ་བའི་གཏེར་ཆེན་སྤྱན་རས་གཟིགས། །དྲི་མེད་

མཁྱེན་པའི་དབང་པོ་འཇམ་པའི་དབྱངས། །གངས་ཅན་མཁས་པའི་གཙུག་རྒྱན་ཙོང་ཁ་པ། །བློ་བཟང་གྲགས་པའི་ཞབས་ལ་གསོལ་བ་འདེབས། །ཞེས་དམིགས་བརྩེ་མ་ཡོངས་གྲགས་འདིའི་དོན་ལ་འཇམ་དབྱངས་སྤྱན་རས་གཟིགས་རྗེ་དང་གསུམ་སྐོར་བྱས་ནས་ཕྱི་ནང་གཉིས་ཀའི་གདམས་པ་ཡོད་ཚུལ་བཤད་མ་ཐག་པ་ལྟར་དང་། མཁྱེན་བརྩེ་ནུས་གསུམ་རིགས་གསུམ་དང་འདྲ་ཚུལ་སྦྱར་བ་ཕྱི་སྒྲུབ། རིགས་གསུམ་གྱི་མཁྱེན་བརྩེ་ནུས་གསུམ་ཅི་ཙམ་པ་དེ་ཙམ་རྗེ་བླ་མའི་ཐུགས་རྒྱུད་ལ་མངའ་བ་ནང་སྒྲུབ་ཅེས་ཀྱང་གསུངས། གསུམ་པ་གསང་བ་ལྷག་པའི་ལྷ་དང་ངོ་བོ་དབྱེར་མེད་དུ་གསོལ་བ་ནི། རྒྱལ་བ་ཀུན་གྱི་མཁྱེན་བརྩེ་ནུས་པའི་ངོ་བོ་ངོས་བཟུང་ཞིང་རྣམ་པ་གསལ་བཏབ་ནས་གསོལ་བ་འདེབས་པ་ཡིན་ལ། དེའང་བརྩེ་བའི་ངོ་བོ་ནི། དཔེར་མཚོན་བུ་གཅིག་པའི་མ་དེས་རང་གི་བུ་སྡུག་བསྔལ་དང་བྲལ་ནས་བདེ་བ་དང་ལྡན་པར་བྱའོ་སྙམ་པ་རྒྱུན་དུ་བསམ་བཞིན་ཡོད་པ་ལ་བློ་བུར་དུ་བུ་མེ་དོང་དུ་ལྷུང་ཞིང་སྡུག་བསྔལ་དྲག་པོ་མྱོང་བ་མཐོང་བའི་ཚེ་མས་རང་ལུས་ཚིག་པ་སོགས་ལ་ལྟོས་པ་མེད་པར་བུ་མེ་ལས་ཕྱུང་ངོ་སྙམ་པའི་ལྷག་པར་བརྩེ་བ་དེ་བཞིན་དུ་རྒྱལ་བ་རྣམས་ཀྱིས་སེམས་ཅན་ཐམས་ཅད་སྡུག་བསྔལ་གྱིས་མནར་བ་ལ་མི་བཟོད་པའི་ཐུགས་རྗེ་ཆེན་པོ་རྒྱུན་དུ་མངའ་བའི་ཚུལ་ནི། སངས་རྒྱས་ལ་ངོས་གཅིག་ནས་སྤ་གྲིས་བཞེག་པ་ལྟ་བུ་གནོད་པའི་སེམས་ཅན་དང་། ངོས་གཅིག་ནས་ཙན་དན་གྱི་བསིལ་ཆུས་བྱུགས་པ་ལྟ་བུས་མཆོད་པ་འབུལ་མཁན་གྱི་སེམས་ཅན་གཉིས་ལ་འདིས་ང་ལ་མཆོད་པ་དང་ང་ལ་གནོད་པ་བྱས་སོ་སྙམ་ནས་ཆགས་སྡང་གི་ཕྱོགས་རིས་མེད་པར་མ་ཟད་ལྷག་ཏུ་གནོད་བྱེད་སེམས་ཅན་ལ་དེ་བཞིན་གཤེགས་པའི་སྐུ་ལ་གནོད་པ་བྱས་པས་ངན་སོང་དུ་ལྟུང་ནས་སྡུག་བསྔལ་དྲག་པོ་མྱོང་བར་གཟིགས་ཏེ། ཤིན་ཏུ་བརྩེ་བའི་ཐུགས་རྗེས་ལྷག་པར་དགོས་པར་མཛད་པ་ནི་རྒྱལ་བ་རྣམས་ཀྱི་སྙིང་རྗེའི་རང་བཞིན་ཡིན་ལ། ཐུགས་རྗེ་དེ་ཉིད་གཟུགས་སྐུའི་རྣམ་པར་ཤར་བ་ནི་འཕགས་པ་སྤྱན་རས་གཟིགས་ཡིན་པས། སྤྱན་རས་གཟིགས་ཀྱི་རྣམ་པ་གསལ་བཏབ་ལ། འཕགས་པ་སྤྱན་རས་གཟིགས་དང་བདག་གི་མདུན་གྱི་རྗེ་བླ་མ་ཡབ་སྲས་གསུམ་གྱི་ཐུགས་རྗེ་གཉིས་ཁྱད་པར་ཙུང་ཟད་ཀྱང་མེད་སྙམ་པའི་ཡིད་རྩེ་གཅིག་ཏུ་བཟུང་ནས། དམིགས་མེད་བརྩེ་བའི་གཏེར་ཆེན་སྤྱན་རས་གཟིགས། །ཞེས་བརྩེ་

བའི་ཡོན་ཏན་གྱི་ངོ་བོ་ལྟར་ཤར་བའི་སྒོ་ནས་བསྟོད། མཁྱེན་པའི་ཡོན་ཏན་གྱི་ངོ་བོ་ནི། དཔེར་ན་ལག་མཐིལ་དུ་སྐྱུ་རུ་ར་སྔོན་པ་བཞག་པ་ན་ཕྱོགས་གང་ནས་བལྟས་ཀྱང་ལག་པའི་རི་མོ་མཐའ་དག་སྐྱུ་རུ་ར་དང་བཅས་འགགས་མེད་གསལ་བར་སྣང་བ་བཞིན་དུ། ཐམས་ཅད་མཁྱེན་པའི་ཡེ་ཤེས་ཀྱིས་ཀྱང་ཤེས་བྱ་ཇི་ལྟར་ཇི་སྙེད་ཐམས་ཅད་མངོན་ལྐོག་མང་ཉུང་ཉེ་རིང་སོགས་ལ་ལྟོས་པ་མེད་ཅིང་མ་འདྲེས་པར་སོ་སོར་དུས་གཅིག་ཆར་མངོན་སུམ་དུ་མཁྱེན་པ་ཡིན་ལ། སྐྱུ་རུ་ར་སྔོན་པ་དཔེར་བརྗོད་པ་ནི། སྐྱུ་རུ་ར་སྔོན་པ་ནི་ནང་ཆུའི་རང་བཞིན་ཡིན་པས་ཕྱི་ནང་དུ་ཀུན་གསལ་བ་འདི་དཔེ་ཡིན་པ་མཁས་གྲུབ་ཐམས་ཅད་མཁྱེན་པའི་གསུང་རྒྱུན་ཡིན་ཞེས་འཇམ་མགོན་ཁྲི་རིན་པོ་ཆེ་ཡབ་སྲས་དག་གསུང་ངོ་། །ཞེས་མཐའ་དཔྱོད་དུ་གསལ་བ་ལྟར་རོ། །དེ་ལྟ་བུའི་མཁྱེན་པའི་ཡེ་ཤེས་གཟུགས་སྐུའི་རྣམ་པར་ཤར་བ་ནི་རྗེ་བཙུན་འཇམ་པའི་དབྱངས་ཡིན་པས། འཇམ་པའི་དབྱངས་ཀྱི་རྣམ་པ་ཡིད་ངོར་གསལ་བཏབ་ལ། རྗེ་བཙུན་འཇམ་པའི་དབྱངས་དང་བདག་གི་མདུན་གྱི་རྗེ་བླ་མ་ཡབ་སྲས་གསུམ་གྱི་མཁྱེན་པ་གཉིས་ཁྱད་པར་ཅུང་ཟད་ཙམ་ཡང་མེད་སྙམ་པའི་ཡིད་ཆེས་གཅིག་ཏུ་བཟུང་ནས། དྲི་མེད་མཁྱེན་པའི་དབང་པོ་འཇམ་པའི་དབྱངས། །ཞེས་མཁྱེན་པའི་ཡོན་ཏན་གྱི་ངོ་བོ་ལྟར་ཤར་བའི་སྒོ་ནས་བསྟོད། མཐུ་སྟོབས་ནུས་པའི་ཡོན་ཏན་གྱི་ངོ་བོ་མཚོན་ན་མནར་མེད་ཀྱི་སེམས་ཅན་རྣམས་དམྱལ་བའི་མེ་རབ་ཏུ་འབར་བའི་ནང་དུ་སྐད་འབྱིན་པ་ཙམ་མ་གཏོགས་སེམས་ཅན་ཡིན་པར་མི་ཤེས་པའི་ཚོད་དུ་འདུག་པའི་སྐབས་སུ། དེ་དག་ལ་ཆོས་བསྟན་ཀྱང་ཕན་མི་ཐོགས་པས་ཐམས་ཅད་མཁྱེན་པའི་ཡེ་ཤེས་ཀྱིས་དུས་རྒྱུན་དུ་སེམས་ཅན་དེ་དག་གི་ཁམས་དང་བསམ་པ་དང་བག་ལ་ཉལ་སྔོན་གྱི་ལས་ཀྱི་སྐལ་བ་ཇི་ལྟ་བ་སོ་སོར་གཟིགས་ནས། བརྒྱ་ལ་གལ་ཏེ་སེམས་ཅན་དེ་དག་གི་སྔོན་གྱི་དགེ་བའི་ལས་ཀྱིས་དེའི་ཐད་དུ་དམྱལ་བའི་མེ་རབ་ཏུ་འབར་བ་ཞི་བ་དང་རླུང་བསིལ་བ་གཡོ་བ་ལྟ་བུའི་གོ་སྐབས་ཅུང་ཟད་བྱུང་བ་ན་དེ་མ་ཐག་དེའི་དྲུང་དུ་གཤེགས་པ་ནི། དཔེར་ན་ལྷ་རྣམས་དགའ་བའི་ཚལ་དུ་འགྲོ་བ་དང་ངང་པ་རྣམས་པད་མཚོར་འགྲོ་བ་ལ་དགའ་བཞིན་དུ་རྒྱུ་བ་ལྟར་དགྱེས་ཤིང་སྤྲོ་བའི་སྒོ་ནས་བཞུད་དེ། དམྱལ་བར་གནས་པའི་སེམས་ཅན་རྣམས་གློ་བུར་དུ་སྡུག་བསྔལ་དང་བྲལ་བ་ན། ཅིའི་ཕྱིར་དམྱལ་བའི་

གནས་འདིར་ནི་བདག་ལ་གནོད་པ་བྱེད་པའི་གཤིན་རྗེའི་མི་དང་ཁྱི་དང་བྱ་རྒོད་སོགས་མི་བཟད་པའི་སེམས་ཅན་རྣམས་སྐྲག་པར་བྱེད་ཅིང་། ཀུན་ནས་མུན་པ་ཐམས་ཅད་བསལ་ནས་ལུས་བདེ་བ་དང་ཡིད་དགའ་བ་བསྐྱེད་པའི་མཐུ་བཟང་པོ་འདི་ཀོ་སུའི་ཡིན་སྙམ་སྟེ། ནམ་མཁའ་ལ་གྱེན་དུ་བལྟས་པས་ནམ་མཁའི་དཀྱིལ་ན་ཕྱག་ན་རྡོ་རྗེ་གཟི་བརྗིད་བར་ཏུ་བར་བཞུགས་པ་མཐོང་ནས། མགོན་པོ་དེ་ལ་སྐྱབས་སུ་སོང་སྟེ་རབ་ཏུ་དགའ་བའི་ཤུགས་ཀྱིས་སྔོན་བསགས་པའི་སྡིག་པ་དང་བྲལ་ནས་དེ་དང་ལྷན་ཅིག་འགྲོགས་ཏེ། ལས་དང་སྐལ་བ་ཇི་ལྟར་བཞིན་དུ་ཚེ་འཕྲུལ་དང་ཆོས་སྟོན་པ་སོགས་ཐབས་སྣ་ཚོགས་ཀྱི་སྒོ་ནས་རིམ་གྱིས་མངོན་མཐོ་དང་ངེས་ལེགས་ཀྱི་གོ་འཕང་ལ་འགོད་པའི་ནུས་པ་ལྟ་བུ་ནི། སངས་རྒྱས་རྣམས་ཀྱི་མཐུ་སྟོབས་ཀྱི་ཡོན་ཏན་ཡིན་ལ། དེ་ལྟ་བུའི་མཐུ་སྟོབས་ནུས་པའི་ཡོན་ཏན་ཉིད་གཟུགས་སྐུའི་རྣམ་པར་ཤར་བ་ནི་ཕྱག་ན་རྡོ་རྗེ་ཡིན་པས། དཔལ་ཕྱག་ན་རྡོ་རྗེའི་རྣམ་པ་བློ་ངོར་གསལ་བཏབ་ལ། ཕྱག་ན་རྡོ་རྗེའི་མཐུ་སྟོབས་དང་བདག་གི་མདུན་གྱི་རྗེ་བླ་མ་ཡབ་སྲས་གསུམ་གྱི་མཐུ་སྟོབས་གཉིས་ཁྱད་པར་ཅུང་ཟད་ཙམ་ཡང་མེད་སྙམ་ནས་ཡིད་འཁྲུལ་ངེས་རྩེ་གཅིག་པའི་ངང་ནས། བདུད་དཔུང་མ་ལུས་འཇོམས་མཛད་གསང་བའི་བདག ཅེས་མཐུ་སྟོབས་ནུས་པའི་ཡོན་ཏན་གྱི་ངོ་བོ་ལྟར་ཤར་བའི་སྒོ་ནས་བསྟོད། དེ་ལྟར་རིགས་གསུམ་མགོན་པོ་གཅིག་ཏུ་འདུས་པའི་ངོ་བོ་ཡིན་པའང་། བཀའ་གདམས་གླེགས་བམ་ལས། དེ་ཡང་རིགས་གསུམ་མགོན་པོ་ལས། །ཐ་དད་ཉིད་དུ་ག་ལ་འགྱུར་ནས་དེ་གསུམ་རིགས་གསུམ་མགོན་པོ་ཉིད། །ཕྱོགས་སུ་མ་ཟད་དངོས་ཡིན་ནོ། །ཞེས་དང་། ལྷག་ཏུ་རྗེ་བཙུན་འཇམ་པའི་དབྱངས་ཡིན་པ་ནི། འཇམ་དཔལ་རྩ་རྒྱུད་སོགས་ལས་གསུངས་ཤིང་། རྗེ་བཙུན་རང་ཉིད་ཀྱིས་ཀྱང་། བདག་གི་སྤྲུལ་པ་དམ་པ་གཅིག རེས་འགའ་དགེ་སློང་ཉིད་དུ་སྤྲུལ། ཞེས་དང་། རང་ཅག་རྣམས་ཀྱི་རྣམ་འདྲེན་གཅིག་པུ་སྐྱབས་མགོན་ཐམས་ཅད་མཁྱེན་པ་ངག་དབང་བློ་བཟང་ཐུབ་བསྟན་རྒྱ་མཚོ་དཔལ་བཟང་པོས་ཀྱང་། རབ་འབྱམས་རྒྱལ་ཀུན་བསྐྱེད་པའི་ཡབ་གྱུར་རྗེ་བཙུན་ཟུར་ཕུད་ལྔ་པ་བདག་ཅག་འགྲོ་བ་ཉམ་ཐག་པ་རྣམས་ཀྱི་མགོན་ཏུ་མཐོན་མཐིང་ལན་བུའི་ཟུར་ཕུད་ཇོར་ཏེ། བཀའ་དྲིན་གསུམ་ལྡན་ཏུར་སྒྲིག་གར་རོལ་བླ་མ་ལྷ་མཆོག་འཇམ་མགོན་རྒྱལ་བ་

གཉིས་པ། ཞེས་གསལ་བར་བཀའ་སྩལ་པ་ལྟར་རོ། །དེ་ལྟར་རྒྱལ་བ་ཐམས་ཅད་ཀྱི་མཁྱེན་བརྩེ་ནུས་པའི་རང་གཟུགས་རིགས་གསུམ་གྱི་ངོ་བོ་ཉིད་དགེ་བའི་བཤེས་གཉེན་གྱི་རྣམ་པར་རོལ་པ་རྗེ་ཙོང་ཁ་པ་ཆེན་པོ་བློ་བཟང་གྲགས་པའི་སྐུའི་ཆ་དམའ་ཤོས་ཞབས་ཀྱི་པདྨོར་མགོ་བོས་བཏུད་དེ་གསོལ་བ་འདེབས་སོ་བདག་ཀྱང་ཁྱེད་རང་ལྟ་བུར་ལྷག་པའི་ལྷ་རིགས་གསུམ་མགོན་པོ་མཁྱེན་བརྩེ་ནུས་གསུམ་གྱི་ཡོན་ཏན་ཐམས་ཅད་ཐོབ་པར་བྱིན་གྱིས་བརླབ་ཏུ་གསོལ་སྙམ་པས། གངས་ཅན་མཁས་པའི་གཙུག་རྒྱན་ཙོང་ཁ་པ། །བློ་བཟང་གྲགས་པའི་ཞབས་ལ་གསོལ་བ་འདེབས། །ཞེས་གསང་བ་ལྷག་པའི་ལྷ་དང་ངོ་བོ་དབྱེར་མེད་དུ་གསོལ་བ་འདེབས་པ་སྟེ་རྗེ་བླ་མའི་གསང་སྒྲུབ་ཡིན། དེ་ལ་སྐུ་ནོར་བུ་འཛོད་འཛིན། གསུང་ཉི་མ་སྣང་བྱེད། ཐུགས་གསང་བ་མཛོད་འཛིན་གསུམ། དེ་རེ་རེ་ལའང་ནང་གསེབ་ཀྱིས་ཕྱི་ནང་གསང་བ་གསུམ་རེ་ཕྱོགས་ཕྱི་ནས་གསོལ་བ་འདེབས་ཚུལ་གནས་གསུམ་དགུ་སྐོར་དང་། རྗེའི་ཐུགས་ཀར་འཇམ་དབྱངས། རྒྱལ་ཚབ་རྗེའི་ཐུགས་ཀར་སྤྱན་རས་གཟིགས། མཁས་གྲུབ་རྗེའི་ཐུགས་ཀར་གསང་བདག་གསུམ་སྟར་ལྟར་བཀོད་པའི་དགུ་སྐོར་དང་། གཞན་ཡང་རིགས་གསུམ་དབྱེར་མེད་དུ་སྒྲུབ་ཚུལ་གྱི་ལུང་རིགས་ངོ་མཚར་བའི་གསུང་རྒྱུན་རྣམས་ཁྲིད་ཡིག་རྣམས་དང་བཤེས་གཉེན་དམ་པའི་ཞལ་ལས་ཤེས་པར་བྱའོ། །ཡང་ཐུན་མོང་མ་ཡིན་པའི་དམིགས་སྐོར་ཞལ་ཤེས་ནི། དམིགས་མེད་བརྩེ་བའི་ཞེས་པས། རྒྱལ་བ་ཐམས་ཅད་ཀྱི་བརྩེ་བའི་ངོ་བོ་ལྟར་ཤར་བ་སྤྱན་རས་གཟིགས་ཡིན་ལ། རྗེ་བདག་ཉིད་ཆེན་པོའང་དེ་དང་ངོ་བོ་གཅིག་ཡིན་པས་རྒྱལ་བ་ཐམས་ཅད་ཀྱི་སྙིང་རྗེའི་བདག་ཉིད་ཡིན་པའི་སྒོ་ནས་བསྟོད་པ་དང་། དྲི་མེད་མཁྱེན་པའི་ཞེས་པས། རྒྱལ་བ་ཐམས་ཅད་ཀྱི་མཁྱེན་རབ་གཅིག་བསྡུས་ཀྱི་ངོ་བོ་ནི་རྗེ་བཙུན་འཇམ་པའི་དབྱངས་ཡིན། རྗེ་འདི་རྗེ་བཙུན་དབྱངས་ཉིད་མིའི་རྣམ་པར་བསྟན་པ་ཡིན་པས་རྒྱལ་བ་ཐམས་ཅད་ཀྱི་འཁྱེན་པའི་ངོ་བོའི་སྒོ་ནས་བསྟོད། གངས་ཅན་མཁས་པའི་གཙུག་རྒྱན་ཙོང་ཁ་པ། །ཞེས་ཕྱག་རྡོར་གྱི་མཚན་དངོས་སུ་མ་སྨོས་པར་རྗེ་བླ་མའི་མཚན་བརྗོད་པ་ནི་རང་ཅག་དགེ་ལུགས་པར་རྗེ་ཙོང་ཁ་པ་དང་ཕྱག་རྡོར་གཉིས་མཚན་གྱི་རྣམ་གྲངས་སུ་གྲགས་པས། ངེད་ཅག་རྣམས་ལ་བྱིན་རླབས་མཆོག་ཏུ་ཆེ་བ་ཡིན་ཞིང་དོན་ལ་ཕྱག་རྡོར་གྱི་

མཐུ་སྟོབས་ནུས་པའི་ཡོན་ཏན་གྱི་སྒོ་ནས་བསྟོད་པ་ཡིན་ལ། བློ་བཟང་གྲགས་པའི་ཞབས་ལ་ཞེས་འདོན་པའི་ཚེ་དམིགས་པ་ནི། དེ་ལྟར་རིགས་གསུམ་གྱི་ངོ་བོ་མདུན་གྱི་རྗེ་བླ་མ་ཙོང་ཁ་པ་བློ་བཟང་གྲགས་པ་ཡབ་སྲས་གསུམ་གྱི་རྣམ་པ་གསལ་བར་ཤར་བ་འདུག་ན་དེ་ཀའི་རང་ལ་ཡིད་གཞན་དུ་མི་གཡེང་བར་འཛོག ནམ་སེམས་གཡོས་པའི་ཚེ་རྗེའི་རྣམ་པ་ཅན་དེ་ཉིད་འཇམ་དབྱངས་དམར་སེར་གྱི་རྣམ་པར་བསྒྱུར་ནས་དེ་ལ་སེམས་འཛོག དེ་ལས་སེམས་གཡོ་བར་རྩོམ་པ་ན་འཇམ་དབྱངས་ཀྱི་རྣམ་པ་དེ་ཉིད་རང་གི་རྩ་བའི་བླ་མའི་རྣམ་པར་བསྒྱུར་ཏེ་དེ་ལ་སེམས་བཟུང་དེ་ལས་ཀྱང་སེམས་གཡོ་བ་ན་སླར་ཡང་རྗེ་ཡབ་སྲས་གསུམ་གྱི་རྣམ་པར་བསྒྱུར་ནས་ཞབས་ཀྱི་པདྨོར་མགོ་བོས་བཏུད་དེ་སེམས་རྩེ་གཅིག་ཏུ་བསྒྲིམས་ཏེ་བསྒོམ་པར་བྱ་བ་གནད་ཤིན་ཏུ་ཆེའོ། །དེ་ནས། གསོལ་ཞེས་འདོད་དོན་ཞུ་བའི་ཚེ། བདག་གིས་འཁོར་བ་ཐོག་མ་མེད་པ་ནས་དུག་གསུམ་གྱི་དབང་གིས་ལུས་ངག་ཡིད་གསུམ་གྱི་སྒོ་ནས་བསགས་པའི་སྡིག་སྒྲིབ་ཐམས་ཅད་བྱང་ཞིང་དག་པར་མཛད་དུ་གསོལ་ཞེས་ཞུ་བར་བསམ་མོ། །འདེབས་ཞེས་པ་ནི། དགོས་པ་ཁྱད་པར་ཅན་ཤེས་རབ་བསྒྲུབ་བ་ལ་བཀའ་བབས་ཆེ་བས་རྗེའི་ཐུགས་ཀར་འཇམ་དབྱངས་གསལ་བཏབ་པའམ་རྗེ་ཡབ་སྲས་གསུམ་གྱི་ཐུགས་ཀར་འཇམ་དབྱངས་གསལ་འདེབས་པ་དང་། ཡབ་སྲས་གསུམ་འཇམ་དབྱངས་སུ་བསྒྱུར་བའམ། འཇམ་དབྱངས་དང་དབྱེར་མེད་པའི་སྐྱབས་གནས་ཀུན་འདུས་རྗེ་བདག་ཉིད་ཆེན་པོ་གནས་གསུམ་དུ་རྡོ་རྗེ་གསུམ་གྱི་ངོ་བོ་ཨོཾ་ཨཱཿཧཱུྃ་གིས་མཚན་པ་ཐུགས་བརྩེ་བཞིན་དུ་གནང་བ་ལ་དགྱེས་པའི་ཉམས་ཀྱིས། ཕྱག་གཡས་ཀྱི་རལ་གྲིའི་ཡུ་བ་ཐུགས་ཀར་རྩེ་མོ་རང་གི་སྤྱི་བོའི་ཚངས་པའི་བུ་གར་གཏད་པ་དང་བྱང་ཆུབ་ཀྱི་སེམས་ཀྱི་ངོ་བོར་གྱུར་པའི་བདུད་རྩི་དམར་སེར་འོད་ཟེར་དང་བཅས་པའི་རྒྱུན་མར་བབས། སྤྱི་བོའི་ཚངས་བུག་ནས་ཞུགས་རྐང་མཐིལ་གྱི་བར་མེར་གྱིས་གང་བས། འཁོར་བ་ཐོག་མེད་ནས་བསགས་པའི་སྡིག་སྒྲིབ་ཐམས་ཅད་དབང་པོའི་སྒོ་དང་བ་སྤུའི་བུ་ག་ཐམས་ནས་དུད་ཁུ་དང་སོལ་ཁུ་ཁྲག་དང་ཆུ་སེར་སོགས་མི་གཙང་མི་སྡུག་པའི་གཟུགས་ཀྱི་རྣམ་པར་ཕྱིར་ཐོན། ལུས་ཤེལ་གོང་གཡའ་དག་པ་ལྟར་དྭངས་གསལ་འོད་ཀྱི་རང་བཞིན་དུ་གྱུར་ཏེ་རྒྱུད་སྟོད་ཙང་དུ་གྱུར་པར་བསམས། དེ་ནས། དམིགས་བཅོ་མ་གཉིས་པ་

འདོན་པའི་ཚེ། ཞབས་ལ་ཞེས་པའི་བར་སྔར་ལྟར་ལ། ཁྱད་པར་ནི་གསོལ་ཞེས་པ་དང་བདག་གིས་ཐོག་མེད་ནས་བསགས་པའི་སྡིག་སྒྲིབ་སྤྱི་དང་ཁྱད་པར་ལུས་ཀྱི་སྒོ་ནས་བསགས་པའི་ལས་རྣམ་པ་གསུམ་གྱི་སྡིག་སྒྲིབ་ཐམས་ཅད་བྱང་ཞིང་དག སྐུ་རྡོ་རྗེའི་བྱིན་རླབས་བདག་ལ་གནང་བར་མཛད་དུ་གསོལ་ཞེས་འདོད་དོན་ཞུ། འདིབས་ཞེས་པའི་ཚེ། རྗེ་བདག་ཉིད་ཆེན་པོ་ཐུགས་བརྩེ་བཞིན་དུ་གནང་བ་ལ་དགྱེས་པའི་རྣམ་པ་བསྟན་མ་ཐག་སྤྱི་བོའི་ཨོཾ་དཀར་པོ་ལས་འོད་ཟེར་འཕྲོས། རང་གི་དཔྲལ་བར་ཐོག ལུས་ཀྱི་ནང་ཐམས་ཅད་འོད་ཟེར་དཀར་པོ་བདུད་རྩི་དང་བཅས་པས་མེར་ཏེ་གང་། ཐོག་མེད་ནས་བསགས་པའི་སྡིག་སྒྲིབ་སྤྱི་དང་ཁྱད་པར་ལུས་ཀྱི་སྒོ་ནས་བསགས་པའི་སྡིག་སྒྲིབ་བག་ཆགས་དང་བཅས་པ་སྔར་བཞིན་ཕྱིར་ཐོན་ནས་བྱང་ཞིང་དག སྐུ་རྡོ་རྗེའི་བྱིན་རླབས་ལུས་ལ་ཞུགས། སྐུ་རྡོ་རྗེའི་འགྲུབ་པའི་ནུས་པ་བཞག་བྱུང་སྙམ་དུ་མོས། ཡང་དམིགས་བརྩེ་མ་གསུམ་པ་འདྲེན། གསོལ་ཞེས་པའི་ཚེ་བདག་གི་སྡིག་སྒྲིབ་སྤྱི་དང་ཁྱད་པར་ངག་གི་སྒོ་ནས་བསགས་པའི་སྡིག་སྒྲིབ་ཐམས་ཅད་བྱང་ཞིང་དག་ནས། གསུང་རྡོ་རྗེའི་བྱིན་རླབས་བདག་ལ་གནང་བར་མཛད་དུ་གསོལ་ཞེས་ཞུ་བར་བསམ། འདིབས་ཞེས་པ་དང་རྗེ་བླ་མ་ཐུགས་བརྩེ་བཞིན་དུ་གནང་བ་ལ་དགྱེས་པའི་ཚུལ་བསྟན་མ་ཐག་མགྲིན་པའི་ཨཱཿ དམར་པོ་ལས་འོད་ཟེར་དམར་པོ་འཕྲོས་ཏེ་རང་གི་མགྲིན་པར་ཐོག་པས། ལུས་ཀྱི་ནང་ཐམས་ཅད་འོད་ཟེར་དམར་པོ་བདུད་རྩི་དང་བཅས་པའི་མེར་གྱིས་གང་། སྡིག་སྒྲིབ་སྤྱི་དང་ཁྱད་པར་དུ་ངག་གི་སྒོ་ནས་བསགས་པའི་སྡིག་སྒྲིབ་བག་ཆགས་དང་བཅས་པ་བྱང་ཞིང་དག གསུང་རྡོ་རྗེའི་བྱིན་རླབས་ངག་ལ་ཞུགས། གསུང་རྡོ་རྗེའི་འགྲུབ་པའི་ནུས་པ་བཞག་པར་མོས། དམིགས་བརྩེ་མ་བཞི་པའི་ཞབས་ལ་ཞེས་པའི་བར་སྔར་ལྟར་ལ། གསོལ་ཞེས་པའི་ཚེ། ཐོག་མེད་ནས་བསགས་པའི་སྡིག་སྒྲིབ་སྤྱི་དང་ཁྱད་པར་ཡིད་ཀྱི་སྒོ་ནས་བསགས་པའི་ལས་རྣམ་པ་གསུམ་གྱི་སྡིག་སྒྲིབ་ཐམས་ཅད་བྱང་ཞིང་དག་ནས། ཐུགས་རྡོ་རྗེའི་བྱིན་རླབས་བདག་ལ་གནང་བར་མཛད་དུ་གསོལ་ཞེས་གསོལ་བར་བསམ། འདིབས་ཞེས་བརྗོད་པས། རྗེ་བླ་མ་དེ་ཉིད་ཀྱིས་ཐུགས་བརྩེ་བཞིན་དུ་གནང་བ་ལ་དགྱེས་པའི་རྣམ་པ་བསྟན་མ་ཐག་ཐུགས་ཀའི་ཧཱུྃ་སྔོན་པོ་ལས་འོད་ཟེར་སྔོན་པོ་འཕྲོས་ཤིང་རང་གི་ནུ་མ་གཉིས་ཀྱི་བར་གྱི་

སྙིང་གར་ཐོག་པས། ལུས་ཀྱི་ནང་ཐམས་ཅད་འོད་ཟེར་སྔོན་པོ་བདུད་རྩི་དང་བཅས་པས་གང་། ཐོག་མེད་ནས་བསགས་པའི་སྡིག་སྒྲིབ་སྤྱི་དང་ཁྱད་པར་ཡིད་ཀྱི་སྒོ་ནས་བསགས་པའི་སྡིག་སྒྲིབ་བག་ཆགས་དང་བཅས་པ་སྦར་ལྷར་སྦྱངས། ཐུགས་རྡོ་རྗེའི་བྱིན་རླབས་ཡིད་ལ་ཞུགས། ཐུགས་རྡོ་རྗེ་འགྲུབ་པའི་ནུས་པ་ཐོབ་བྱུང་སྙམ་དུ་བསམ། དམིགས་བརྩེ་མ་ལྟ་བ་བསྐྱར་ནས་འདོན་པའི་དམིགས་པ་ཕལ་ཆེར་སྔར་དང་འདྲ་ལ། ཁྱད་པར་ནི་དམིགས་མེད་བརྩེ་བའི་གཏེར་ཆེན་སྤྱན་རས་གཟིགས། །ཞེས་བརྗོད་པའི་ཚེ། ངོ་བོ་སངས་རྒྱས་ཐམས་ཅད་ཀྱི་ཐུགས་རྗེའམ་སྐུ་རྡོ་རྗེ་འམ་འཕགས་པ་སྤྱན་རས་གཟིགས་ཡིན་པ་ལ་རྣམ་པ་བདག་གི་མདུན་གྱི་རྗེ་བླ་མ་ཡབ་སྲས་གསུམ་གྱི་སྤྱི་བོའི་ཨོཾ་དཀར་པོའི་རྣམ་པར་ཤར་བ། དེ་ལས་ཨོཾ་དཀར་པོ་གཉིས་པ་ཞིག་མར་མེ་གཅིག་ལས་གཉིས་ཆད་ཀྱི་ཚུལ་དུ་བྱུང་ནས་སྔར་གྱི་འོད་དཀར་པོ་ནས་བརྒྱུད་དེ་དཔྲལ་བའི་ཐད་དུ་སླེབས་མ་ཐག་ཞལ་ཕྱིར་འགྱུར་ཏེ་དཔྲལ་བར་འབྱར་བའི་རྣམ་པ་ཅན་དུ་གནས་པར་བསམ། དྲི་མེད་མཁྱེན་པའི་དབང་པོ་འཇམ་དཔལ་དབྱངས། །ཞེས་བསྟོད་པའི་ཚེ། ངོ་བོ་སངས་རྒྱས་ཐམས་ཅད་ཀྱི་མཁྱེན་རབ་བླ་མ་གསུང་རྡོ་རྗེའམ་རྗེ་བཙུན་འཇམ་པའི་དབྱངས་ཡིན་པ་ལ་རྣམ་པ་བདག་གི་མདུན་གྱི་རྗེ་བླ་མ་ཡབ་སྲས་གསུམ་གྱི་མགྲིན་པའི་ཨཱཿདམར་པོའི་རྣམ་པར་ཤར་བ། དེ་ལས་ཨཱཿདམར་པོ་གཉིས་པ་ཞིག་ཆད་དེ་སྔར་གྱི་འོད་དམར་པོ་ནས་བརྒྱུད་དེ་རང་གི་མགྲིན་པའི་ཐད་དུ་སླེབས་པ་ན་ཞལ་ཕྱིར་འགྱུར་ཏེ་འཁྲིན་པར་འབྱར་བའི་ཚུལ་དུ་བསམ། གངས་ཅན་མཁས་པའི་གཙུག་རྒྱན་ཙོང་ཁ་པ། །ཞེས་བསྟོད་པའི་ཚེ། ངོ་བོ་སངས་རྒྱས་ཐམས་ཅད་ཀྱི་མཐུ་སྟོབས་སམ་ཐུགས་རྡོ་རྗེའམ་གསང་བདག་ཕྱག་ན་རྡོ་རྗེ་ཡིན་པ་ལ་རྣམ་པ་བདག་གི་མདུན་གྱི་རྗེ་བླ་མ་ཡབ་སྲས་གསུམ་གྱི་ཐུགས་ཀའི་ཧཱུྃ་སྔོན་པོའི་རྣམ་པར་ཤར་བ། དེ་ལས་ཧཱུྃ་སྔོན་པོ་གཉིས་པ་ཞིག་ཆད་དེ་སྔར་གྱི་འོད་སྔོན་པོ་ནས་བརྒྱུད་དེ་རང་གི་སྙིང་གའི་ཐད་དུ་སླེབས་པ་ན་ཞལ་ཕྱིར་འགྱུར་ཏེ་སྙིང་གར་འབྱར་ཞིང་ཡི་གེ་བྲིས་པའི་རྣམ་པ་ཅན་དུ་འཁོད་པར་བསམ། བློ་བཟང་གྲགས་པའི་ཞབས་ལ་ཞེས་པའི་དམིགས་པ་སྔར་ལྟར་བསམ། གསོལ་བ་ཞེས་པའི་ཚེ། བདག་གིས་ཐོག་མེད་ནས་བསགས་པའི་སྡིག་སྒྲིབ་སྤྱི་དང་ཁྱད་པར་ལུས་ངག་ཡིད་གསུམ་གྱིས་ལྷན་ཅིག་ཏུ་བསགས་པའི་སྡིག་སྒྲིབ

བག་ཆགས་བཅས་པ་ཅན་བྱུང་ཞིང་དག་ནས། སྐུ་གསུང་ཐུགས་དབྱེར་མེད་དུ་གྱུར་པའི་རྡོ་རྗེའི་བྱིན་རླབས་བདག་ལ་གནང་བར་མཛོད་དུ་གསོལ་ཞེས་འདོད་དོན་ཞུ་བར་བསམ། འདེབས་ཞེས་པའི་ཚེ། རྗེ་བླ་མ་དེ་ཉིད་ཀྱིས་ཐུགས་བརྩེ་བཞིན་དུ་གནང་བ་ལ་དགྱེས་པའི་རྣམ་པ་བསྟན་མ་ཐག་རང་གི་དཔྲལ་བ་མགྲིན་པ་སྙིང་གའི་ཕྱིའི་ཡི་གེ་གསུམ་རང་གི་གནས་གསུམ་དུ་གཅིག་ཆར་ཐིམ་ཞིང་། རང་གི་སྤྱི་བོ་ནས་རྐང་མཐིལ་གྱི་བར་འོད་ཟེར་དཀར་དམར་མཐིང་གསུམ་མམ་ཡི་གེ་གསུམ་བདུད་རྩི་དང་བཅས་པས་གང་། ཐོག་མེད་ནས་བསགས་པའི་སྡིག་སྒྲིབ་སྤྱི་དང་ཁྱད་པར་ལུས་ངག་ཡིད་གསུམ་གྱིས་ལྷན་ཅིག་ཏུ་བསགས་པའི་སྡིག་སྒྲིབ་བག་ཆགས་དང་བཅས་པ་ཐམས་ཅད་དུད་ཁུ་དང་སོལ་ཁུ་ཁྲག་དང་ཆུ་སེར་སོགས་མི་གཙང་བ་དང་མི་སྡུག་པའི་གཟུགས་ཀྱི་རྣམ་པར་ཕྱིར་ཐོན་པས་བྱང་ཞིང་དག སྐུ་གསུང་ཐུགས་དབྱེར་མེད་པའི་རྡོ་རྗེའི་བྱིན་རླབས་ཞུགས། ལུས་ངག་ཡིད་གསུམ་དབྱེར་མེད་དུ་གྱུར་པའི་དངོས་གྲུབ་འགྲུབ་པའི་ནུས་པ་ཁྱད་པར་ཅན་བཞག་བྱུང་སྙམ་དུ་དགའ་ཞིང་གུས་པའི་སྒོ་ནས་བསམ་པར་བྱ། དེ་ནས་ཐུན་གྱི་ནང་དུ་ཇི་ཙམ་བཟླ་ཡང་ལྔ་པའི་དམིགས་པ་འདི་བཞིན་བྱ། སྦྱོར་བསྙེན་པའི་གྲངས་ཚད་ནི་ལྔ་པའི་དམིགས་པ་འདི་བཞིན་འབུམ་བཟླས་ན་རྗེ་བདག་ཉིད་ཆེན་པོས་ཞལ་མངོན་སུམ་དུ་བསྟན་ནས་བྱིན་གྱིས་བརླབས་པ་ལ་ཐེ་ཚོམ་མེད་པའི་ཁག་ངས་ཐེག་པ་ཡིན། ཁྱེད་རྣམས་ནས་ལྷག་པོར་ཇི་ཙམ་འདོན་པར་རང་གི་ལོང་སྐབས་ལས་ཤེས། མམཐའ་ཉི་མ་རེ་ལ་དམིགས་པ་འདི་བཞིན་བདུན་རེ་འདོན་པར་ཁྱེད་རྣམས་ལ་ངེད་སློང་རྒྱུ་ཡིན་ཞེས་ཀུན་མཁྱེན་བླ་མ་འཇམ་དབྱངས་བཞད་པ་རྡོ་རྗེའི་གསུང་རྒྱུད་ལས་བྱུང་བའི་གསང་སྒྲུབ་ཀྱི་མན་ངག་བླ་ན་མེད་པ་ཡིན་པས་ཉམས་ལེན་གྱི་མཐིལ་དུ་མཛོད། ལྔ་སྐོར་ཐུན་མོང་མ་ཡིན་པ་གྲ་སྒོམ་མཆོག་སྤྲུལ་བློ་གྲོས་དཔལ་ལྡན་འོད་ཟེར་གྱི་དག་སྣང་རྗེ་ཚེ་འཛིན་མའི་སྒྲུབ་ཐབས་འཆི་མེད་རིག་འཛིན་སྨྱུར་འགྲུབ་ལས། དམིགས་མེད་བརྩེ་བའི་གཏེར་ཆེན་སྤྱན་རས་གཟིགས། །དྲི་མེད་མཁྱེན་པའི་དབང་པོ་འཇམ་པའི་དབྱངས། །དུས་མིན་འཆི་བ་འཇོམས་མཛད་ཚེ་དཔག་མེད། །གངས་ཅན་མཁས་པའི་གཙུག་རྒྱན་ཙོང་ཁ་པ། །བློ་བཟང་གྲགས་པའི་ཞབས་ལ་གསོལ་བ་འདེབས། །ཞེས་ཚིག་རྐང་ལྔའི་སྒོ་ནས་རིགས་གསུམ་ཚེ་དཔག་མེད་

ཀྱི་ཡོན་ཏན་དང་མཚུངས་པར་མ་ཟད་ཡོན་ཏན་དེ་དག་ལྡན་ཅིང་དེ་རྣམས་ལྷ་སྐུའི་རྣམ་པར་ཤར་བའི་རྗེ་ཚེ་འཛིན་མ་ལ་གསོལ་བ་འདེབས་པའི་གནད་ལྡེ་ཚང་ཚུལ། དུག་གསུམ་གཉེན་གྱུར་ཆོས་སྒོ་བརྒྱད་ཁྲི་ཡི། །སྙིང་པོ་གཅིག་བསྡུས་བསྟོད་པའི་རྒྱལ་པོ་མཆོག ཐུབ་ཞིང་བརླས་བརྗོད་རྣམ་པར་བསྔོན་པའི་མཐུས། །ལྷག་པའི་ལྷ་དང་མཚུངས་པའི་དཔལ་ཐོབ་ཤོག འགྲོ་ལ་རྣམ་པར་བརྩེ་བའི་སྙིང་རྗེ་དང་། །ཆོས་ཀུན་མངོན་པར་གཟིགས་པའི་མཁྱེན་རབ་དཔལ། །ཡིད་སྤྲུལ་ཀུན་བཙོམ་མཐུ་སྟོབས་ནུས་པའི་རྩལ། འཆི་བདག་གཤེད་གྱུར་ཡོན་ཏན་དང་མཚུངས་ཤོག། རིགས་གསུམ་མགོན་དང་རྒྱལ་བ་ཚེ་དཔག་མེད། ལ་སོགས་སྐྱབས་གནས་ཀུན་འདུས་བླ་མ་མཆོག དབྱེར་མེད་ཡིད་ཆེས་དད་པས་གསོལ་བཏབ་བས། །ལྷག་པའི་ལྷ་དང་ངོ་བོ་དབྱེར་མེད་ཤོག ཅེས་གསུངས་པ་ལྟར་རོ། །གཉིས་པ་ཤེས་རབ་བློ་འཕེལ་གྱི་གདམས་པ་ཉམས་སུ་ལེན་ཚུལ་ལ། སྦྱོར་བ་དང་དངོས་གཞི་གཉིས་ལས། དང་པོ་ནི། འཇམ་དབྱངས་ཆོས་སྐོར་ལས། མ་དག་འཁྲུད་ཅིང་མི་ཤེས་བསལ། ཞེས་པའི་མི་ཤེས་པ་བསལ་སྦྱོར་བའི་ཕོངས་སུ་བསྡུས་པ་དང་། དངོས་གཞིའི་དམིགས་སྐོར་བདུན་གྱི་དབྱེ་གཞིར་གསུངས་པ་གཉིས་གང་ལྟར་སྟོན་དུ་འགྲོ་བ་མ་དག་པ་འཁྲུད་ཚུལ་སྤྱིར་བཤད་པ་ནི། དམིགས་བཅས་མ་མང་ཉུང་ཅི་རིགས་བགྲངས་ནས་གསོལ་བ་རྩེ་གཅིག་ཏུ་བཏབ་པས་མདུན་གྱི་རྗེ་བླ་མ་ཡབ་སྲས་གསུམ་གྱི་ཐུགས་ཀ་ནས་འོད་ཟེར་དཀར་པོ་སྦུ་གུ་གསུམ་ཕུ་དུང་ལྟ་བུ་སྐྱུ་ནར་གྱིས་བྱུང་བ་རང་གི་སྤྱི་གཙུག་ནས་ཞུགས་པའི་སོར་བཞིའི་འཚམས་སུ་སྦུ་གུ་གསུམ་གཅིག་ཏུ་འགྲིལ་བའི་ནང་བརྒྱུད་དེ། ངོ་བོ་རྗེ་ཡབ་སྲས་གསུམ་གྱི་མཁྱེན་བརྩེ་ནུས་གསུམ་གྱི་རང་བཞིན་ཡིན་པ་ལ་རྣམ་པ་བདུད་རྩི་དཀར་པོ་འོ་མའི་རྒྱུན་ལྟ་བུ་དཔག་ཏུ་མེད་པ་སྐྱ་ཤོར་ཤོར་བྱུང་། རང་གི་སྤྱི་བོ་ནས་ཞུགས་རྐང་སེན་གྱི་བར་གྱི་མ་ལ་ཆུ་སེབ་ཀྱིས་ཐིམ་པ་ལྟར་སྐྱ་མེར་གྱིས་གང་། ཐོག་མེད་ནས་བསགས་པའི་སྡིག་སྒྲིབ་དང་མི་ཤེས་པ་ཐམས་ཅད་དུད་ཁུ་དང་སོལ་ཁུའི་རྣམ་པ་དང་། ནད་ཐམས་ཅད་རྣག་ཁྲག་ཆུ་སེར་ལྷན་ལྷེན། གདོན་ཐམས་ཅད་སྡོམ་དང་སྡིག་པ་སྦལ་ལྡོང་ལ་སོགས་པའི་རྣམ་པར་ཕུ་ཆུ་ཆེན་པོས་རྩ་སྦུར་ལ་སོགས་པ་དེད་པ་བཞིན་དུ་རྐང་ལག་གི་སོར་མོ་བཅུ་རྣམས་དང་དབང་པོའི་སྒོ་དང་བ་སྤུའི་བུ་ག་ཐམས་ཅད་ནས་ཕྱིར་ཐོན།

རང་གཞན་གྱི་སྡིག་ལ་ཧམ་པའི་འཆི་བདག་གཤིན་རྗེ་གླང་པོ་ཆེ་དམར་པོའི་རྣམ་པ་ཅན་གྱི་ཁར་སོང་ངོམས་ཤིང་ཚེམ་པས་གནོད་འཚེའི་བསམ་སྦྱོར་ཞི་ནས་བྱང་ཆུབ་ཀྱི་སེམས་ཁྱད་པར་ཅན་སྐྱེས། བདག་ཉིད་ལ་མགོ་བདུད་པའི་རྣམ་པ་ཅན་དུ་གྱུར་པར་བསམ་པ་ནི་རང་གི་ཚེ་སྒྲུབ་ཀྱི་མཆོག་ཏུ་འགྱུར། ལུས་ཤེལ་གོང་གཡའ་དག་པ་ལྟར་གྱུར་པར་བསམས་ལ། འཇམ་མགོན་ཡབ་སྲས་གསུམ་གྱི་ཐུགས་ཀ་ནས། །ཐོན་པའི་འོད་ཀྱི་སྦུ་གུའི་ལམ་བརྒྱུད་དེ། །བདུད་རྩིའི་རྒྱུན་བབས་སྤྱི་བོ་ནས་ཞུགས་པས། །མི་ཤེས་རྨོངས་པའི་དྲི་མ་སྦྱངས་པར་གྱུར། །ཅེས་བརྗོད། ཚུལ་འདི་ཉིད་ལ་གཙོ་བོར་འབད་དགོས་ཏེ། ལྷག་པར་ལས་སྒྲིབ་སྦྱོང་གནད་ཆེ་བས། ཞེས་གསུངས་པ་དང་། དགོངས་པའི་མཐིལ་ནི་ལས་དང་པོ་པས་ལས་སྒྲིབ་སྦྱོང་བ་ཉིད་ཐོག་མར་གལ་ཤིན་ཏུ་ཆེ་བས་མ་དག་པ་བཀྲུས་ཏེ་ཕྱིར་འདོན་པའི་དམིགས་པ་གཙོ་བོ་དང་། རྟོགས་པ་གོང་མར་གཞོལ་བ་རྣམས་སྒྲོན་མེས་མུན་པ་གསལ་བཞིན་རང་སར་དག་པ་དངོས་གཙོ་བོར་བྱ་ལ། ལོག་རྟོག་གི་དྲ་བ་སྐྲ་ཤད་ལྟ་བུ་རྣམས་ཕྱི་མར་འཐག་སྟེ་མ་རིག་གཅོད་པ་ཞེས་གསུམ་དུ་མཛད་ཅེས་གསུངས་པ་ལྟར་ཡིན་པས་རང་གི་ཚོད་དང་བསྟུན་པའི་ཉམས་ལེན་གང་ལ་གཙོ་བོར་བྱེད་དགོས་པ་རྣམས་ལེགས་པར་ཤེས་པར་བྱའོ། །གཉིས་པ་དངོས་གཞི་མི་ཤེས་པ་བསལ་བའི་དམིགས་སྐོར་སོ་སོར་བཤད་པ་ལ། སྐུ་ཡིས་ཆེ་ཞིང་གསུང་གིས་གསལ། །ས་བོན་སྨུར་བ་ཕྱག་མཚན་ཟབ། གླེགས་བམ་རལ་གྲི་གླེགས་རལ་གྱིས། འཆད་དང་རྩོད་དང་རྩོམ་པའོ། ཞེས་པ་ལྟར་སྐུའི་སྒོ་ནས་ཤེས་རབ་ཆེ་བ་སྒྲུབ་པ། གསུང་གི་སྒོ་ནས་ཤེས་རབ་གསལ་བ་སྒྲུབ་པ། ཐུགས་ས་བོན་གྱི་སྒོ་ནས་ཤེས་རབ་སྨུར་བ་སྒྲུབ་པ། ཕྱག་མཚན་གྱི་སྒོ་ནས་ཟབ་པའི་ཤེས་རབ་སྒྲུབ་པ། །གླེགས་བམ་གྱི་སྒོ་ནས་འཆད་པའི་ཤེས་རབ་སྒྲུབ་པ། རལ་གྲིའི་མཚོན་པོའི་སྒོ་ནས་རྩོད་པའི་ཤེས་རབ་སྒྲུབ་པ། གླེགས་རལ་གཉིས་ཀའི་སྒོ་ནས་རྩོམ་པའི་ཤེས་རབ་སྒྲུབ་པ་དང་བདུན། དང་པོ་ནི། མ་དག་པ་འཁྲུད་པའི་དམིགས་པ་གོང་ལྟར་ལ། ཁྱད་པར་རྒྱལ་བའི་གསུང་རབ་ཀྱི་དགོངས་དོན་དང་བླང་དོར་གྱི་གནད་རྣམས་རང་སྟོབས་ཀྱིས་འབྱེད་པ་ལ་རྨོངས་པའི་མུན་པ་ཐམས་ཅད་འོད་དང་འོད་ཟེར་འབར་བས་བསལ་ཞིང་ལུས་དྭངས་གསལ་འོད་ཀྱི་རང་བཞིན་དུ་གྱུར་པར་བསམ་ལ། འཇམ་མགོན་ཡབ་སྲས་

གསུམ་གྱི་ཐུགས་ཀ་ནས། །ཐོན་པའི་འོད་ཀྱི་སྦྲུ་གའི་ལམ་བརྒྱུད་དེ། །བདུད་རྩིའི་རྒྱུན་བབས་སྤྱི་བོ་ནས་ཞུགས་པས། །མི་ཤེས་རྨོངས་པའི་དྲི་མ་སྦྱངས་པར་གྱུར། །ཅེས་བརྗོད་ཅིང་། སྔར་ཡང་དམིགས་བཅས་མས་གསོལ་བ་བཏབ་པས་འོད་ཀྱི་སྦྲུ་གུ་ལས་བདུད་རྩི་འོད་ཟེར་དམར་སེར་གྱི་རྒྱུན་རྒྱ་མཚོ་ལ་ཆར་བབས་པས་མི་ངོམས་པ་ལྟར་སྐྲ་སེན་ཚུལ་ཆད་གཏམས་པས་བདུད་རྩི་དེ་ལ་དམིགས་པ་ཅུང་ཟད་གཏད་ནས། བདུད་རྩིའི་རྡུལ་ཕྲ་རབ་རེ་རེ་ནས་རྗེ་བཙུན་འཇམ་པའི་དབྱངས་ཞི་ཁྲོ་དང་རྗེ་བླ་མའི་སྐུའི་རྣམ་པར་འོད་ཟེར་དང་བཅས་པས་ལུས་ཐམས་ཅད་གང་། དེ་རྣམས་ལས་འོད་ཟེར་འཕྲོས་པས་ཕྱོག་བཅུའི་ཞིང་ཁམས་ཐམས་ཅད་ཁྱབ། འོད་ཟེར་གྱི་རྩེ་ལ་མཆོད་པའི་ལྷ་མོ་མཆོད་རྫས་སྣ་ཚོགས་པ་ཐོགས་པ་དཔག་མེད་སྤྲོས་ནས་རྒྱལ་བ་སྲས་བཅས་ཐམས་ཅད་མཆོད་པས་མཉེས་པར་བྱས། དེ་དང་མཉམ་དུ་རྗེ་ཡབ་སྲས་གསུམ་གྱི་ཐུགས་ཀ་ནས་ཀྱང་འོད་ཟེར་དཔག་མེད་འཕྲོས་པས་རྒྱལ་བ་སྲས་བཅས་ཀྱི་ཐུགས་རྒྱུད་བསྐུལ་ཏེ། མཁྱེན་པའི་ཡེ་ཤེས་ཐམས་ཅད་ཐར་བཞིན་སྐུ་ཆེ་བར་རི་རབ་ཆུང་བ་རྡུལ་ཕྲན་ཙམ་དཔག་ཏུ་མེད་པ་སྤྱན་དྲངས། རྒྱ་མཚོ་ལ་ཆར་བབས་པ་བཞིན་དུ་སྤྱི་བོ་དང་བ་སྤུའི་བུ་ག་ཐམས་ཅད་ནས་ཞུགས་པས་ལུས་ཀྱི་ནང་གི་སྐྱ་རེ་རེ་ལའང་སྤྱན་དྲངས་པའི་ལྷ་སྐུ་ཡོངས་རྫོགས་རེ་ཐིམ་པས་ཤེས་བྱ་ཐམས་ཅད་ལ་བློ་གྲོས་ཀྱི་སྣང་བ་ཐོགས་མེད་སུ་རྒྱས། ཁྱད་པར་རབ་འབྱམས་གསུང་རབ་ཀྱི་ཚིག་དོན་དང་བླང་དོར་གྱི་གནད་ལ་གཞན་དྲིང་མི་འཇོག་པར་རང་སྟོབས་ཀྱིས་འབྱེད་ནུས་པའི་ཤེས་རབ་ཆེ་བ་ཐོབ་བྱུང་སྙམ་པའི་དམིགས་པ་ཤུགས་དྲག་པོ་བྱེད་ཅིང་། འཇམ་མགོན་ཡབ་སྲས་གསུམ་གྱི་ཐུགས་ཀ་ནས། །ཐོན་པའི་འོད་ཀྱི་སྦྲུ་གུའི་ལམ་བརྒྱུད་དེ། །བདུད་རྩིའི་རྒྱུན་བབས་སྤྱི་བོར་ནས་ཞུགས་པས། །བདུད་རྩིའི་རྡུལ་རྣམས་འཇམ་དཔལ་ཞི་ཁྲོ་ཡི། །སྐུ་ཡི་རྣམ་པར་གནས་པས་ལུས་གང་སྟེ། །རབ་འབྱམས་གཞུང་དོན་འབྱེད་ལ་ཐོགས་མེད་པའི། །ནྲབས་ཆེན་ཤེས་རབ་ཐོབ་པར་བྱིན་གྱིས་རློབས། །ཞེས་བརྗོད་ལ། མཐར་རང་ཉིད་རྗེ་བཙུན་འཇམ་པའི་དབྱངས་ཀྱི་སྐུར་གྱུར་པར་བསམས། གཉིས་པ་གསུང་གི་སྒོ་ནས་ཤེས་རབ་གསལ་བ་སྒྲུབ་པ་ནི། དམིགས་བཅས་མས་གསོལ་བ་འདེབས་ཤིང་མ་དག་པ་འབྲུད་ཚུལ་སྔར་ལྟར་ལ། ཁྱད་པར་ཀུན་བྱང་གི་ཆོས་རྣམས

ཀྱི་ཆ་ཤས་ཕྲ་ཞིང་ཕྲ་བ་རྣམས་འབྱེད་པ་ལ་རྨོངས་པའི་མུན་པ་ཐམས་ཅད་བསལ་བས་ལུས་དྭངས་གསལ་འོད་ཀྱི་རང་བཞིན་དུ་གྱུར་པར་བསམས་ལ། འཇམ་མགོན་ནས་དྲི་མ་སྦྱངས་པར་གྱུར། ཅེས་བརྗོད་ཅིང་སྐབས་ཡང་དམིགས་བཅས་མ་བརྗོད་ཅིང་གསོལ་བ་བཏབ་པས་འོད་ཀྱི་སྦུ་གུ་ནས་བདུད་རྩི་དམར་སེར་གྱི་རྒྱུན་བབས་པས་ལུས་གང་བས་བདུད་རྩི་ལ་དམིགས་པ་གཏད། བདུད་རྩིའི་རྡུལ་ཕྲ་རབ་རྣམས་དམིགས་བཅས་མ་དང་འཇམ་དཔལ་ཞི་ཁྲོའི་སྔགས་ཨཱ་ལི་ཀཱ་ལི་གསེར་མདོག་གི་རྣམ་པར་ལུས་ཡོངས་སུ་གང་། དེ་རྣམས་ལས་འོད་ཟེར་འཕྲོས་པས་ཕྱོགས་བཅུའི་ཞིང་ཁམས་ཐམས་ཅད་ཁྱབ། འོད་ཟེར་གྱི་རྩེ་ལ་མཆོད་རྫས་སྣ་ཚོགས་པ་ཐོགས་པ་དཔག་མེད་སྤྲོས་ནས་རྒྱལ་བ་སྲས་བཅས་ཐམས་ཅད་མཆོད་པས་མཉེས་པར་བྱས། དེ་དང་མཉམ་དུ་རྗེ་ཡབ་སྲས་གསུམ་གྱི་ཐུགས་ཀ་ནས་འོད་ཟེར་དཔག་མེད་འཕྲོས་པས་རྒྱལ་བ་སྲས་བཅས་ཀྱི་གསལ་བའི་ཤེས་རབ་ཐམས་ཅད་སྔགས་འཕྲེང་གི་རྣམ་པར་སྤྱན་དྲངས། མཁྱེན་པ་དང་བ་སྤུའི་བུ་ག་ཐམས་ཅད་ནས་ཞུགས་པས་ལུས་ཀྱི་ནང་གི་ཡིག་འབྲུ་རེ་རེ་ལའང་སྤྱན་དྲངས་པའི་ཡིག་འབྲུ་ཡོངས་རྫོགས་རེ་ཐིམ་པས་ཤེས་བྱ་ཐམས་ཅད་ལ་བློ་གྲོས་ཀྱི་སྣང་བ་ཐོགས་མེད་དུ་རྒྱས། ཁྱད་པར་ཀུན་བྱང་གི་ཆ་ཤས་ཕྲ་ཞིང་ཕྲ་བ་རྣམས་ཀྱང་ཀུ་ཤའི་རྩེ་ལྟར་མ་འདྲེས་པར་རྗེ་ལྟར་བཞིན་འབྱེད་ནུས་པའི་ཤེས་རབ་གསལ་བ་ཐོབ་བྱུང་སྙམ་པའི་དམིགས་པ་ཤུགས་དྲག་པོའི་སྒོ་ནས། འཇམ་མགོན་ཡབ་སྲས་གསུམ་གྱི་ཐུགས་ཀ་ནས། ཐོན་པའི་འོད་ཀྱི་སྦུ་གུའི་ལམ་བརྒྱུད་དེ། །བདུད་རྩིའི་རྒྱུན་བབས་སྤྱི་བོ་ནས་ཞུགས་པས། བདུད་རྩིའི་རྡུལ་རྣམས་འཇམ་དཔའི་ཞི་ཁྲོ་ཡི། །སྔགས་ཀྱི་རྣམ་པར་གནས་པས་ལུས་གང་སྟེ། །དཀའ་གནད་ཕྲ་ཞིབ་མ་འདྲེས་འབྱེད་པ་ཡི། །ཤེས་རབ་གསལ་བ་ཐོབ་པར་བྱིན་གྱིས་རློབས། །ཞེས་བརྗོད། གསུམ་པ་ཐུགས་ས་བོན་གྱི་སྒོ་ནས་ཤེས་རབ་མྱུར་བ་སྒྲུབ་པ་ནི། གསོལ་བ་འདེབས་པ་དང་མ་དག་པ་འཁྲུད་པ་སྔར་བཞིན་ལ། །ཁྱད་པར་དུ་མ་རྟོགས་པ་དང་ཕྱིན་ཅི་ལོག་ཏུ་རྟོག་པ་དང་ཐེ་ཚོམ་གྱི་འཆིང་བ་སྐྱེས་མ་ཐག་འཕྲལ་དུ་གཅོད་པ་ལ་གེགས་བྱེད་ཀྱི་དྲི་མ་སྦྱངས། ལུས་དྭངས་གསལ་འོད་ཀྱི་རང་བཞིན་དུ་ཅན་དུ་གྱུར་པར་བསམས་ལ། འཇམ་མགོན་ནས་དྲི་མ་སྦྱངས་པར་གྱུར། ཅེས་བརྗོད་ཅིང་། སྐབས་ཡང་གསོལ་བ་འདེབས་པ་སོགས་གཞན་སྔར་

བཞིན་ལ། བདུད་རྩིའི་རྡུལ་ཕྲ་རབ་རྣམས་འཇམ་དཔལ་ཞི་ཁྲོ་ཡབ་ཡུམ་གྱི་ས་བོན་དྷཱིཿ དྷཱི་དྷཱུྃ་སོགས་རང་སྔགས་ཀ་ལ་པིང་ཀ་སོགས་གང་འོས་ཀྱི་གདངས་སྙན་པར་སྒྲོགས་བཞིན་དང་། དེ་དང་རྗེ་ཡབ་སྲས་གསུམ་གྱི་འོད་ཟེར་གྱིས་རྒྱལ་བ་སྲས་བཅས་ཀྱི་མྱུར་བའི་ཤེས་རབ་ཐམས་ཅད་ས་བོན་རང་སྔགས་སྒྲོགས་བཞིན་པའི་རྣམ་པར་སྤྱན་དྲངས། རང་གི་སྙིང་ག་དང་བ་སྤུའི་བུ་ག་ཐམས་ཅད་ནས་ཞུགས་ལུས་ཀྱི་ནང་གི་དེ་རྣམས་ལ་སྟར་བཞིན་ཐིམ་པས། མ་རྟོགས་པ་དང་ལོག་པར་རྟོག་པ་ཐེ་ཚོམ་གྱི་བསམ་པ་སྐྱེས་མ་ཐག་མ་ལུས་པར་འགོག་ནུས་པའི་ཤེས་རབ་མྱུར་བ་ཐོབ་པར་བསམས་ལ། འཇམ་མགོན་ཡབ་སྲས་གསུམ་གྱི་ཐུགས་ཀ་ནས། །ཐོན་པའི་འོད་ཀྱི་སྦུ་གུའི་ལམ་བརྒྱུད་དེ། །བདུད་རྩིའི་རྒྱུན་བབས་སྤྱི་བོ་ནས་ཞུགས་པས། །བདུད་རྩིའི་རྡུལ་རྣམས་འཇམ་དཔལ་ཞི་ཁྲོ་ཡི། །ས་བོན་རྣམ་པར་གནས་པར་ལུས་གང་སྟེ། །ཐེ་ཚོམ་འཆིང་བ་འཕྲུལ་དུ་གཅོད་པ་ཡི། །ཤེས་རབ་མྱུར་བ་ཐོབ་པར་བྱིན་གྱིས་རློབས། །ཞེས་བརྗོད། བཞི་པ་ཕྱག་འཚན་གྱི་སྒོ་ནས་ཟབ་པའི་ཤེས་རབ་སྒྲུབ་པ་ནི། དམིགས་བརྟེ་མ་འགྲང་བ་དང་མ་དག་པ་འཁྲུད་པ་གོང་ལྟར་ལ། ཁྱད་པར་ནི་གཏིང་ཟབ་ཆོས་ཀྱི་དེ་ཉིད་འབྱེད་པའི་གསུང་རབ་ཀྱི་ཚིག་དོན་གང་ལའང་ཐོགས་གཏུགས་མེད་ཅིང་རིགས་པ་མཐའ་ཡས་པས་རྣམ་པར་འབྱེད་པ་འཇུག་པ་ལ་རྨོངས་པའི་མི་ཤེས་པའི་དྲི་མ་སྦྱངས་པའི་དམིགས་པ་དང་བཅས། འཇམ་མགོན་ནས་དྲི་མ་སྦྱངས་པར་གྱུར། ཅེས་བརྗོད་ཅིང་། །སྔར་ཡང་། གསོལ་བ་འདེབས་པ་སོགས་སྟར་བཞིན་ལ། བདུད་རྩིའི་རྡུལ་ཕྲ་རབ་རྣམས་འཇམ་དབྱངས་ཞི་ཁྲོ་ཡབ་ཡུམ་གྱི་ཕྱག་མཚན་གླེགས་རལ་གྲི་ཐོད་པ་ཕང་ལ་སོགས་པའི་རྣམ་པ་དང་། དེ་དང་རྗེ་ཡབ་སྲས་ཀྱི་འོད་ཟེར་གྱིས་རྒྱལ་བ་སྲས་བཅས་ཀྱི་ཟབ་པའི་ཤེས་རབ་ཕྱག་མཚན་དེ་དག་གི་རྣམ་པར་སྤྱན་དྲངས། སྙིང་ག་སོགས་ནས་ལུས་ཀྱི་ནང་གི་ཕྱག་མཚན་རྣམས་ལ་སྟར་ལྟར་ཐིམ་པས། གཞན་གྱིས་ཚད་བཟུང་མི་ནུས་པའི་གསུང་རབ་ཀྱི་ཚིག་དོན་ལ་རིགས་པ་བརྒྱ་ཕྲག་གིས་འཇུག་པ་ལ་གཏུགས་པ་མེད་པའི་ཤེས་རབ་ཟབ་པ་འཇམ་པའི་དབྱངས་ལྟ་བུ་ཐོབ་བྱུང་སྙམ་དུ་བསམས་ལ། འཇམ་མགོན་ཡབ་སྲས་གསུམ་གྱི་ཐུགས་ཀ་ནས། །ཐོན་པའི་འོད་ཀྱི་སྦུ་གུའི་ལམ་བརྒྱུད་དེ། །བདུད་རྩིའི་རྒྱུན་བབས་སྤྱི་བོ་ནས་ཞུགས་པས། །བདུད་རྩིའི་རྡུལ་རྣམས་

འཇམ་དཔལ་ཞི་ཁྲོ་ཡི། །ཕྱག་མཚན་རྣམ་པར་གནས་པས་ལུས་གང་སྐྱེ། །ཟབ་མོའི་དོན་ལ་གཏིང་མཐའ་དཔོག་པ་ཡི། །ཤེས་རབ་ཟབ་མོ་ཐོབ་པར་བྱིན་གྱིས་རློབས། །ཞེས་བརྗོད། འདིར་ཕྱག་མཚན་ཟབ་ཅེས་པའི་ཟབ་པའི་ཤེས་རབ་དབྱེ་གཞི་དང་། འཆད་རྩོད་རྩོམ་པའི་ཤེས་རབ་དབྱེ་བར་བྱས་ནས་དམིགས་སྐོར་དྲུག་གི་ཁྱད་རྒྱུན་གསུངས་བའང་ཡོད། ལྷ་པ་གློགས་བམ་གྱི་སྒོ་ནས་འཆད་པའི་ཤེས་རབ་སྒྲུབ་པ་ནི། གཞན་སྔར་བཞིན་མ་དག་པ་འཕྲུད་པའི་སྐབས་གསུང་རབ་ཀྱི་ཚིག་དོན་ལ་རྨོངས་བའི་མི་ཤེས་པ་སྦྱངས་བར་བསམས་ལ། འཇམ་མགོན་ནས་དྲི་མ་སྦྱངས་པར་གྱུར། །ཅེས་བརྗོད་ཅིང་། སྔར་ཡང་གསོལ་བ་འདེབས་པ་སོགས་སྔར་བཞིན་ལ། ཁྱད་པར་ནི་བདུད་རྩིའི་རྟུལ་ཕྲ་རབ་ཐམས་ཅད་གང་འཆད་རྒྱུའི་གློགས་བམ་རང་སྒྲ་སྒྲོགས་བཞིན་པ་དང་། དེ་དང་རྗེ་ཡབ་སྲས་ཀྱི་འོད་ཟེར་གྱིས་རྒྱལ་བ་སྲས་བཅས་སྤྱི་དང་བྱེ་བྲག་ཀླུ་སྒྲུབ་དང་ཐོགས་མེད་སྐུ་མཆེད་སོགས་འཆད་པ་ལ་ཐོགས་མེད་པའི་མཁས་པ་པཎྜི་ཏ་ལ་སོགས་པའི་འཆད་པའི་ཤེས་རབ་ཐམས་ཅད་སྔར་ལྟ་བུའི་གློགས་བམ་གྱི་རྣམ་པར་སྤྱན་དྲངས། སྙིང་ག་སོགས་ནས་ལུས་ཀྱི་ནང་གི་གློགས་བམ་རྣམས་ལ་སྔར་ལྟར་ཐིམ་བས། ཚིག་དོན་མཐའ་དག་ཇི་ལྟ་བ་བཞིན་ཁོང་དུ་ཆུད་ནས་བློ་རབ་འབྲིང་ཐ་གསུམ་གང་ལ་གང་འཚམ་བའི་ཚིག་དོན་ཀུན་ལ་ངེས་བ་མཚོག་སྐྱེར་བར་བྱེད་བའི་འཆད་པའི་ཤེས་རབ་ཐོབ་པར་བསམས་ལ། འཇམ་མགོན་ཡབ་སྲས་གསུམ་གྱི་ཐུགས་ཀ་ནས། །ཐོན་པའི་འོད་ཀྱི་སྤྲུ་གུའི་ལམ་བརྒྱུད་དེ། །བདུད་རྩིའི་རྒྱུན་བབས་སྤྱི་བོ་ནས་ཞུགས་པས། །བདུད་རྩིའི་རྟུལ་རྣམས་གང་ཞིག་བཤད་བྱ་ཡི། །གློགས་བམ་རྣམ་པར་གནས་པས་ལུས་གང་སྐྱེ། །ཚིག་དོན་ཀུན་ལ་ངེས་པ་མཆོག་སྐྱེར་བ། །འཆད་པའི་ཤེས་རབ་ཐོབ་པར་བྱིན་གྱིས་རློབས། །ཞེས་བརྗོད། དྲུག་པ་རལ་གྲིའི་སྒོ་ནས་རྩོད་པའི་ཤེས་རབ་སྒྲུབ་པ་ནི། གསོལ་བ་འདེབས་ཤིང་མ་དག་པ་འཕྲུད་པའི་སྐབས་ཕས་རྒོལ་གྱི་ལོག་རྟོག་འཇོམས་པ་ལ་རྨོངས་པ་སྦྱངས་བར་བསམས་ལ། འཇམ་མགོན་ནས་དྲི་མ་སྦྱངས་པར་གྱུར། །ཅེས་བརྗོད་ཅིང་། སྔར་ཡང་། དམིགས་བརྩེ་མས་གསོལ་བ་འདེབས་པ་སོགས་གཞན་ཐམས་ཅད་སྔར་བཞིན་ལ། བདུད་རྩིའི་རྟུལ་ཕྲ་རབ་རྣམས་རལ་གྲིའི་འཁོར་ལོ་ལྟེ་བར་རལ་གྲི་སོ་གཉིས་མ་གྱིན་འགྲེང་གི་ཡུ་བ་གཡེར་ཁའི་ཁ་

ལྟ་བུ་ནས་ཐོན་པའི་རལ་གྲིའི་རྩིབས་དྲུག དབུས་ཀྱི་རལ་གྲིའི་ཡུ་བའི་འཚམས་སུ་ཟླ་གདན་ལ་ཧྲཱིཿ དམར་སེར་ཕྱི་ནང་གཉིས་ཀར་གསལ་བ་དང་། རྩིབས་དྲུག་གི་སྟེང་དུ་མ་རེག་ཙམ་གྱི་ཟླ་གདན་ལ་ཨོཾ་ཨ་ར་པ་ཙ་ན་ཞེས་པའི་ཡི་གེ་རེ་རེའམ་དམིགས་བཙེ་མ། མཚམས་རྣམས་སུ་ཧྲཱིཿ དམར་སེར་རེ་དང་བཅས་པའི་འཁོར་ལོའི་རྣམ་པ་དང་། དེ་དང་རྗེ་ཡབ་སྲས་ཀྱི་འོད་ཟེར་གྱིས་རྒྱལ་བ་སྲས་བཅས་དང་ཕྱོགས་སྐྱོང་ཆོས་གྲགས་སོགས་ཀྱི་རྩོད་པའི་ཡོན་ཏན་ཐམས་ཅད་དེ་ལྟ་བུའི་འཁོར་ལོའི་རྣམ་པར་སྤྱན་དྲངས། སྙིང་ག་སོགས་ནས་ལུས་ཀྱི་ནང་གི་འཁོར་ལོ་རྣམས་ལ་སྔར་ལྟར་ཐིམ། འཁོར་ལོ་གཡས་སྐོར་དུ་མྱུར་བུར་འཁོར་བས་ཕས་རྒོལ་གྱི་ལོག་རྟོག་ཐམས་ཅད་འཛོམས་པ་ལ་སྦྱོངས་པའི་དྲ་བ་ཐམས་ཅད་བཅད། རྩོད་པ་ལ་ཐོགས་པ་མེད་ཅིང་སྨྲ་བ་ངན་པའི་ཚོགས་མ་ལུས་པའི་སྤོབས་པ་འཕྲོག་པར་བྱེད་ནུས་པའི་ཤེས་རབ་ཁྱད་པར་ཅན་ཐོབ་བྱུང་སྙམ་པས། འཇམ་མགོན་ཡབ་སྲས་གསུམ་གྱི་ཐུགས་ཀ་ནས། །ཐོན་པའི་འོད་ཀྱི་སྦུ་གུའི་ལམ་བརྒྱུད་དེ། །བདུད་རྩིའི་རྒྱུན་བབས་སྤྱི་བོ་ནས་ཞུགས་པས། །བདུད་རྩིའི་རྡུལ་རྣམས་ཤེས་རབ་རལ་གྲི་ཡི། །འཁོར་ལོའི་རྣམ་པར་གནས་པས་ལུས་གང་སྟེ། །སྨྲ་ངན་ཚོགས་ཀྱི་སྤོབས་པ་འཕྲོག་པ་ཡི། །རྩོད་པའི་ཤེས་རབ་ཐོབ་པར་བྱིན་གྱིས་རློབས། །ཞེས་བརྗོད། བདུན་པ་གླེགས་རལ་གཉིས་ཀའི་སྒོ་ནས་རྩོམ་པའི་ཤེས་རབ་སྒྲུབ་པ་ནི། གཞན་སྔར་བཞིན་མ་དག་འཁྲུད་པའི་སྐབས་གང་རྩོམ་པ་ལ་སྦྱོངས་པའི་མི་ཤེས་པ་ཐམས་ཅད་སྦྱངས་པར་བསམས་ལ། འཇམ་མགོན་ནས་དྲི་མ་སྦྱངས་པར་གྱུར། །ཅེས་བརྗོད་ཅིང་། སླར་ཡང་། དམིགས་བཙེམ་བཀྲང་ནས་གསོལ་བ་བཏབ་པས་བདུད་རྩི་དམར་སེར་གྱིས་ལུས་གང་བའི་རྡུལ་ཕྲ་རབ་རྣམས་གང་རྩོམ་རྒྱུའི་གླེགས་བམ་རང་སྒྲ་སྒྲོགས་བཞིན་པ་དང་རལ་གྲིའི་འཁོར་ལོ་སྔར་ལྟ་བུའི་རྣམ་པ་དང་། དེ་དང་རྗེ་ཡབ་སྲས་ཀྱི་འོད་ཟེར་གྱིས་རྒྱལ་བ་སྲས་བཅས་རྣམས་དང་སློབ་དཔོན་དཔའ་བོ་དང་ཙནྡྲ་གོ་མི་སོགས་ཀྱི་རྩོམ་པའི་མཁྱེན་རབ་ཐམས་ཅད་དེ་འདྲའི་གླེགས་རལ་གྱི་རྣམ་པར་སྤྱན་དྲངས། སྙིང་ག་དང་ལུས་ཀྱི་ཆ་ཐམས་ཅད་ནས་ལུས་ཀྱི་ནང་གི་གླེགས་རལ་རྣམས་ལ་སྔར་ལྟར་ཐིམ་པས་རྩོམ་པ་ལ་སྦྱོངས་པའི་མི་ཤེས་པ་ཐམས་ཅད་རལ་གྲིའི་འཁོར་ལོས་བཅད། སྒྲ་དོན་ཕུན་སུམ་ཚོགས་ཤིང་བློ་གསལ་རྣམས་དགའ་བ་སྐྱེད་

པའི་རྩོམ་པ་ལ་ཐོགས་པ་མེད་པའི་ཤེས་རབ་ཁྱད་པར་ཅན་ཐོབ་ཐུང་སླམ་པ་བྱེད་ལ། འཇམ་མགོན་ཡབ་སྲས་གསུམ་གྱི་ཐུགས་ཀ་ནས། །ཐོན་པའི་འོད་ཀྱི་སྨུ་གུའི་ལམ་བརྒྱུད་དེ། །བདུད་རྩིའི་རྒྱུན་བབས་སྤྱི་བོ་ནས་ཞུགས་པས། །བདུད་རྩིའི་རྟུལ་རྣམས་གཞུང་གི་གློགས་པམ་དང་། །རལ་གྲིའི་རྣམ་པར་གནས་པས་ལུས་གང་སྟེ། །སྒྲ་དོན་ཕུན་ཚོགས་བློ་གསལ་དགའ་སྐྱེད་པའི། །རྩོམ་པའི་ཤེས་རབ་ཐོབ་པར་བྱིན་གྱིས་རློབས། །ཞེས་བརྗོད། དེ་ལ་དམིགས་སྐོར་བདུན་པོ་རེ་རེའི་འཚམས་སུ་དམིགས་བརྩེ་མ་གྲངས་ཇི་ལྟར་བཅས་པ་རེ་རེ་བཟླས་ཏེ་ཡང་མ་དག་པ་འཁྲུད་པའི་དམིགས་པ་དང་སྦྲགས་ནས་རྗེས་མ་རྗེས་མ་བྱེད་པའི་ཚུལ་གསལ་བར་བཀོད་ལ། སྔར་དག་ཟིན་པས་ད་འདི་འདྲ་མི་ཉུང་སླམ་པ་མི་བྱེད་པར་ཡང་ཡང་སྦྱངས་པས་སེམས་ཀྱི་ཤུགས་རྗོགས་དགོས་པ་ཡིན་གསུངས། ཡང་ན་མ་དག་པ་འཁྲུད་པ་ཆར་གཅིག་གི་མཇུག་ཏུ་དམིགས་སྐོར་བདུན་གྱི་ཚིགས་བཅད་རྣམས་དཀྱུས་གཅིག་ལ་བརྗོད་དེ་དམིགས་བརྩེ་མ་བཟླ་བར་བྱ། དམིགས་སྐོར་བདུན་པོ་སྐབས་ཐོབས་ཐོབ་ཀྱིས་རེ་རེ་གཙོ་བོར་བྱས་པས་ཆོག་པས་ཐམས་ཅད་མཐར་ཆགས་སུ་བྱེད་དགོས་པའི་ངེས་པ་མེད་དོ། །སྔར་བཀོད་པ་དེ་དག་དང་བཅས་པ་ལ་ད་དུང་རྒྱུད་དོན་མན་ངག་ཏུ་ཤར་བའི་བླ་མ་དམ་པའི་ཞལ་ལས་ཤེས་དགོས་པའི་གནད་ཀྱི་དོན་ཀྱང་མང་དུ་ཡོད་པར་སྣང་ངོ་། །ཞེས་པ་དང་། ཞལ་ཤེས་ཁྱད་པར་ཅན་འགའ་ཞིག་ཡོད་ཅེས་པ་ནི། འཆད་པ་ལ་བདུད་རྩིའི་རྟུལ་ཕྲ་རབ་ཐམས་ཅད་ན་ཚོགས་རྡོ་རྗེ་དང་། རང་གི་ལྟེ་སྙིང་དུའང་ན་ཚོགས་རྡོ་རྗེ་བཀོད། སློབ་མའི་ལུས་ཀྱང་སྔ་ཚོགས་རྡོ་རྗེས་གང་བ་སོགས་བསྒོམ་བས་བཤད་བྱའི་ཆོས་ཀྱིས་ཕན་ཐོགས་པ་དང་། རྩོད་པ་ལ་ལུས་ཀྱི་རལ་གྲིའི་འཁོར་ལོ་དང་ལྟེ་སྙིང་དུའང་རལ་གྲིའི་འཁོར་ལོ་དེ་ལྟར་བསྒོམས་ཤིང་འཁོར་ལོ་གཡས་སྐོར་དུ་མྱུར་བར་བསྐོར་བས་རང་གཞན་གྱི་ལོག་རྟོག་གཅོད་པ་ལ་སྦྱངས་པ་ཐམས་ཅད་ཐད་ཐད་བཅད་པར་བསམ། གྲུབ་མཐའ་སོགས་ལ་རྩོད་པའི་སྐབས་མ་གཏོགས་དམ་བུར་བཅད་པ་སོགས་གང་ཐུང་དུ་མི་བྱ་ཞིང་། རྩོད་པ་ཕྲན་ཚོགས་ལ་ལག་པའི་མཐོ་བོང་འདི་རལ་གྲིར་བསྒོམ་པའི་འོད་ཟེར་གྱིས་རང་གཞན་གྱི་ལོག་རྟོག་བཅད་པ་དང་། ཕྱིར་རྒོལ་གྱི་རྩོད་པའི་ཤེས་རབ་ཚུར་དྲངས་ཏེ་རང་གི་རྩོད་པའི་གྲོགས་སུ་གྱུར་བ་དང་། རྩོམ་པ་ལ་

གཞུང་དུ་གསལ་བའི་དམིགས་པའི་སྟེང་དུ་གང་རྫོམ་རྒྱུའི་བརྗོད་བྱའི་དོན་དང་ལྡན་ཞིང་། ཚིག་སྙན་ངག་དང་སྡེབ་སྦྱོར་ལེགས་པ་དབྱངས་ཅན་མའི་པི་ཝང་ལྟར་སྙན་པ་མཁས་པའི་ཡིད་འཕྲོག་པར་ནུས་པའི་གླེགས་བམ་གྱི་རྣམ་པ་རང་སྒྲ་སྒྲོགས་བཞིན་པར་གསལ་འདེབས་པ། སྤྱི་བོར་བླ་མ་སྙིང་གར་འཛུམ་པའི་དབྱངས། ལྕེ་ལ་དབྱངས་ཅན་བཀོད་པའི་ལེགས་བཤད་གྱིས། །ཞེས་གསུངས་པའི་དོན་ལྟར་རོ། །རྩོམ་པ་ལ་འཆད་རྩོད་གཉིས་ཀའི་བྱེད་ལས་ཚང་བས་གླེགས་རལ་འབྲིལ་མར་བསྒོམ་པ་ཡིན་གསུངས་སོ། །དེ་ནས་རྒྱལ་བའི་གསུང་རབ་ཀུན་གྱི་སྙིང་པོ་ལམ་གྱི་གཙོ་བོ་རྣམ་གསུམ་གདམས་པའི་མཐིལ་དུ་བཟུང་ནས་ཉམས་ལེན་སྙིང་པོར་བྱེད་ཚུལ་ནི། དམིགས་བརྩེ་མ་ལ་གསོལ་བ་འདེབས་པ་དང་། སྔར་ཡང་། བདག་སོགས་སྲིད་པའི་བཙོན་ར་ལས་ཐར་ཏེ། །ཡང་དག་ལམ་བཟང་བདེ་བླག་བགྲོད་པའི་ཕྱིར། །ཕྱིན་ཅི་ལོག་གི་རྟོག་པའི་འཆིང་བ་ཀུན། །ཟབ་རྒྱས་གདམས་པའི་རལ་གྲིས་བཅད་དུ་གསོལ། །ཞེས་གསོལ་བ་ལན་གསུམ་བཏབ་པ་ན་ཚོགས་ཞིང་ཐམས་ཅད་དང་གཙོ་བོ་རྩ་བའི་བླ་མ་འཛམ་པའི་དབྱངས་ཀུན་མཁྱེན་ཙོང་ཁ་པ་ཆེན་པོ་དེ་ཉིད་ཞལ་འཛུམ་པ་དང་བཅས་གསུང་ཚངས་པའི་དབྱངས་ཀྱིས། རྗེ་བཙུན་བླ་མ་རྣམས་ལ་ཕྱག་འཚལ་ལོ། །རྒྱལ་བའི་གསུང་རབ་ཀུན་གྱི་སྙིང་པོའི་དོན། །རྒྱལ་སྲས་དམ་པ་རྣམས་ཀྱིས་བསྔགས་པའི་ལམ། །སྐལ་བཟང་ཐར་འདོད་རྣམས་ཀྱི་འཇུག་ངོགས་དེ། །ཇི་ལྟར་ནུས་བཞིན་བདག་གིས་བཤད་པར་བྱ། །གང་དག་སྲིད་པའི་བདེ་ལ་མ་ཆགས་ཤིང་། །དལ་འབྱོར་དོན་ཡོད་བྱ་ཕྱིར་བརྩོན་པ་ཡིས། །རྒྱལ་བ་དགྱེས་པའི་ལམ་ལ་ཡིད་རྟོན་པའི། །སྐལ་བཟང་དེ་དག་དང་བའི་ཡིད་ཀྱིས་ཉོན། །ཞེས་མཆོད་པ་དང་སྟོན་པར་ཞལ་གྱིས་བཞེས་ཤིང་མཉན་པར་བསྐུལ་བྱུང་སྙམ་པ་བྱས་ལ་རྗེས་སུ་ཟློས་པའི་ཚུལ་གྱིས་རང་གིས་འདོན། དེ་ནས་ཐོག་མར་སྲིད་པའི་འཆིང་བ་ཇི་ལྟར་གཅོད་ཅེས་དམིགས་བརྩེ་མ་བགྲངས་ཤིང་གསོལ་བ་བརྩེ་གཅིག་ཏུ་བཏབ་ནས་ཞུས་པ་ལ། སྲིད་པ་འདིར་གཞན་ཞིག་གིས་དབང་མེད་དུ་བཅིང་བ་མིན། རང་སྲིད་པའི་ཕུན་ཚོགས་ལ་ཞེན་པ་འདིས་བསླུས་ཏེ། དཔེར་ན་ཕྱེ་མ་ལེབ་ཀྱིས་མར་མེའི་ནང་ན་བདེ་བ་ཞིག་ཡོད་སྙམ་ནས་གཞན་གྱིས་བཀག་ཀྱང་མི་ཁེགས་པར་དེར་མཆོངས་ཏེ་སྡུག་བསྔལ་བ་དང་འགྲོ་བས་ངེས་འབྱུང་སྐྱེད་

དགོས་སོ་ཞེས་གདམས་པར་མོས་ལ། རྣམ་དག་ངེས་འབྱུང་མེད་པར་སྲིད་འཚོ་ཡི། །བདེ་འབྲས་དོན་གཉེར་ཞི་བའི་ཐབས་མེད་ལ། །སྲིད་ལ་བརྐམ་པ་ཡིད་ཀྱང་ལུས་ཅན་རྣམས། །ཀུན་ནས་འཆིང་ཕྱིར་ཐོག་མར་ངེས་འབྱུང་བཙལ། །ཞེས་རྗེས་སུ་ཟློས་པའི་ཚུལ་གྱིས་རང་གིས་འདོན། འོ་ན་ངེས་འབྱུང་སྐྱེད་ལུགས་གང་ཡིན་ཞེས་དམིགས་བརྩེ་མས་གསོལ་བ་འདེབས་བཞིན་ཞུས་པ་ལ། དལ་འབྱོར་དང་མི་རྟག་པ་སྒྲིལ་ནས་ཚེ་འདིའི་སྣང་ཞེན་བཟློག །ལས་འབྲས་ནམ་ཡང་མི་བསླུ་བ་དང་འཁོར་བ་མཐའ་ངན་ཚུལ་སྒྲུགས་ཏེ་ཕྱི་མའི་སྣང་ཞེན་བཟློག་ནས་འཁོར་བའི་ཕུན་ཚོགས་གང་ལའང་མ་ཆགས་པའི་ངེས་འབྱུང་སྐྱེད་དགོས་ལ། དེའང་ལན་རེ་སྐྱེ་སྐྱེ་འདྲ་བས་མི་ཚོག་གི ཡུན་དུ་སེམས་ལ་གོམས་ནས་རྒྱི་ལམ་ཚུན་ཆད་དུ་དྲན་པ་ཞིག་དགོས་སོ་ཞེས་གདམས་པར་མོས་ཤིང་། དལ་འབྱོར་རྙེད་དཀའ་ཚེ་ལ་ལོང་མེད་པ། ཡང་ཡང་གོམས་པས་ཚེ་འདིའི་སྣང་ཞེན་བཟློག །ལས་འབྲས་མི་བསླུ་འཁོར་བའི་སྡུག་བསྔལ་རྣམས། །ཡང་ཡང་གོམས་པས་ཕྱི་མའི་སྣང་ཞེན་བཟློག །དེ་ལྟར་གོམས་པས་འཁོར་བའི་ཕུན་ཚོགས་ལ། །ཡིད་སྨོན་སྐད་ཅིག་ཙམ་ཡང་མི་སྐྱེ་ཞིང་། །ཉིན་མཚན་ཀུན་ཏུ་ཐར་པ་དོན་གཉེར་བློ། །བྱུང་ན་དེ་ཚེ་ངེས་འབྱུང་སྐྱེས་པ་ལགས། །ཞེས་ངེས་འབྱུང་སྐྱེད་པའི་ཚུལ་དང་དེ་སྐྱེས་པའི་ཚད་གསུངས་པ་ལ་རྗེས་སུ་ཟློས་པའི་ཚུལ་གྱིས་རང་གིས་འདོན་པ་དང་། སླར་ཡང་། དམིགས་བརྩེ་མ་གང་མང་གཏོན་ནས་དེ་ལྟ་བུའི་རྟོགས་པ་ཁྱད་པར་ཅན་རང་གཞན་སེམས་ཅན་ཐམས་ཅད་ཀྱི་རྒྱུད་ལ་སྐྱེ་བར་བྱིན་གྱིས་བརླབ་ཏུ་གསོལ། ཞེས་གདུང་ཤུགས་དྲག་པོས་གསོལ་བ་རྩེ་གཅིག་ཏུ་བཏབ་པས། རྗེ་ཡབ་སྲས་རྣམས་ཀྱི་སྐུའི་ཆ་ལས་བདུད་རྩི་སྣ་ལྔ་འོད་ཟེར་དང་བཅས་པའི་རྒྱུན་བབས། རང་གཞན་སེམས་ཅན་ཐམས་ཅད་ཀྱི་ལུས་སེམས་ལ་ཞུགས་པས་ཐོག་མེད་ནས་བསགས་པའི་སྡིག་སྒྲིབ་ཐམས་ཅད་དང་། ཁྱད་པར་སྲིད་པའི་འབྱོར་བ་བདེ་བའི་རང་བཞིན་དུ་ཞེན་པའི་དྲི་མ་མཐའ་དག་སྦྱངས། འཁོར་བ་མཐའ་དག་ལ་མི་འབར་བའི་འོབ་ལྟར་མཐོང་ཞིང་དེ་ལས་ཐར་འདོད་ཀྱི་བློ་ཤུགས་དྲག་པོ་རང་གཞན་སེམས་ཅན་ཐམས་ཅད་ཀྱི་རྒྱུད་ལ་སྐྱེས་པར་བསམ། ངེས་འབྱུང་དེ་ཙམ་གཙོ་བོར་བསྒོམ་པས་ཆོག་གམ་ཞེས་དམིགས་བརྩེ་མ་བཀྲངས་ཤིང་གསོལ་བ་འདེབས་བཞིན་ཞུས་པ་ལ། ངེས་

འབྱུང་དེ་ཡང་རྣམ་དག་སེམས་བསྐྱེད་ཀྱིས། །ཟིན་པ་མེད་ན་བླ་མེད་བྱང་ཆུབ་ཀྱི། །ཕུན་ཚོགས་བདེ་བའི་རྒྱུ་རུ་མི་འགྱུར་བས། །བློ་ལྡན་རྣམས་ཀྱིས་བྱང་ཆུབ་སེམས་མཆོག་སྐྱེད། །ཅེས་སེམས་བསྐྱེད་དགོས་པར་གདམས་བྱུང་སྐམ་པ་བྱེད་ལ་རྗེས་སུ་བློས་བའི་ཚུལ་གྱིས་རང་གིས་འདོན། བླ་མེད་བྱང་ཆུབ་འཐོབ་བྱེད་སེམས་བསྐྱེད་དགོས་ན་དེ་ཇི་ལྟར་སྐྱེད་ཅེས་དམིགས་བརྩེ་མས་གསོལ་བ་འདེབས་བཞིན་ཞུས་པ་ལ། སངས་རྒྱས་ཐོབ་འདོད་ཙམ་གྱིས་མི་ཆོག །གཙོ་བོ་སེམས་ཅན་ལ་སྙིང་རྗེ་བསྒོམ་ན་དེའི་ཡན་ལག་ཏུ་སངས་རྒྱས་ཐོབ་འདོད་དེ་སྙིང་རྗེའི་རང་སྟོབས་ཀྱིས་དྲངས་འོང་དུས་སེམས་བསྐྱེད་སྐྱེས་པ་ཡིན་ཞེས་བསྟན་བྱུང་སྐམ་པ་དང་བཅས། ཤུགས་དྲག་ཆུ་བོ་བཞི་ཡི་རྒྱུན་གྱིས་ཁྱེར། །བཟློག་དཀའ་ལས་ཀྱི་འཆིང་བ་དམ་པོས་བསྡམས། །བདག་འཛིན་ལྕགས་ཀྱི་དྲ་བའི་སྦུབས་སུ་ཚུད། །མ་རིག་མུན་པའི་སྨག་ཆེན་ཀུན་ནས་འཐིབས། །མུ་མེད་སྲིད་པར་སྐྱེ་ཞིང་སྐྱེ་བ་རུ། །སྡུག་བསྔལ་གསུམ་གྱིས་རྒྱུན་ཆད་མེད་པར་མནར། །གནས་སྐབས་འདི་འདྲར་གྱུར་བའི་མ་རྣམས་ཀྱི། །དང་ཚུལ་བསམས་ནས་སེམས་མཆོག་སྐྱེད་པར་མཛོད། །ཅེས་བྱང་ཆུབ་ཀྱི་སེམས་སྐྱེད་ཚུལ་དངོས་གདམས་པ་ལ་རྗེས་སུ་བློས་པའི་ཚུལ་གྱིས་རང་གིས་འདོན་པ་དང་། སླར་ཡང་། དམིགས་བརྩེ་མ་གང་མང་གཏོན་ནས་དེ་ལྟ་བུའི་རྟོགས་པ་ཁྱད་པར་ཅན་རང་གཞན་སེམས་ཅན་ཐམས་ཅད་ཀྱི་རྒྱུད་ལ་སྐྱེ་བར་བྱིན་གྱིས་བརླབ་ཏུ་གསོལ། ཞེས་གདུང་ཤུགས་དྲག་པོས་གསོལ་བ་རྩེ་གཅིག་ཏུ་བཏབ་པས། རྗེ་ཡབ་སྲས་རྣམས་ཀྱི་སྐུའི་ཆ་ལས་བདུད་རྩི་སྣ་ལྔ་འོད་ཟེར་དང་བཅས་པའི་རྒྱུན་བབས། རང་གཞན་སེམས་ཅན་ཐམས་ཅད་ཀྱི་ལུས་སེམས་ལ་ཞུགས་པས་ཐོག་མེད་ནས་བསགས་པའི་སྡིག་སྒྲིབ་ཐམས་ཅད་དང་། ཁྱད་པར་མ་རྣམས་ཡལ་བར་བོར་བ་དང་རང་ཉིད་གཅེས་པར་འཛིན་པའི་དྲི་མ་མཐའ་དག་སྦྱངས། བྱམས་སྙིང་རྗེའི་རྩ་བ་ཅན་གྱི་བྱང་ཆུབ་ཀྱི་སེམས་ཀྱི་རྟོགས་པ་ཁྱད་པར་ཅན་རང་གཞན་སེམས་ཅན་ཐམས་ཅད་ཀྱི་རྒྱུད་ལ་སྐྱེས་པར་བསམ། དེ་གཉིས་ཀྱི་སྟེང་དུ་ལམ་གྱི་སྟོན་པ་གཞན་ཅི་འདྲ་དགོས་ཚུལ་དམིགས་བརྩེ་མ་བགྲངས་ཤིང་གསོལ་བ་འདེབས་བཞིན་ཞུས་པ་ལ། གནས་ལུགས་རྟོགས་པའི་ཤེས་རབ་མི་ལྡན་ན། །ངེས་འབྱུང་བྱང་ཆུབ་སེམས་ལ་གོམས་བྱས་ཀྱང་། །སྲིད་པའི་རྩ་བ་གཅོད་པར་མི་

ནུས་པས། །དེ་ཕྱིར་རྟེན་འབྲེལ་རྟོགས་པའི་ཐབས་ལ་འབད། །ཅེས་ཡང་དག་པའི་ལྟ་བ་དགོས་ཚུལ་གདམས་པ་ལ་རྗེས་སུ་བློས་པའི་ཚུལ་གྱིས་རང་གིས་འདོན། ལྟ་བ་དེ་ཇི་ལྟར་སྐྱོང་ཚུལ་དམིགས་བརྩེ་མས་གསོལ་བ་འདེབས་བཞིན་ཞུས་པ་ལས། སྣང་སྟོང་གཉིས་ཉེ་རིང་མི་བྱ་བར་འགལ་མེད་ཟུང་དུ་འཇུག་ཚུལ་ལ་ངེས་པ་གཏིང་ནས་ཚུགས་པ་ཞིག་དགོས། དེ་བྱུང་ན་རྒྱལ་བ་དགྱེས་པའི་ལམ་བཟང་རྙེད་པ་ཡིན་ནོ་ཞེས་དབུགས་དབྱུང་བར་བསམ་ཞིང་། གང་ཞིག་འཁོར་འདས་ཆོས་རྣམས་ཐམས་ཅད་ཀྱི། །རྒྱུ་འབྲས་ནམ་ཡང་བསླུ་བ་མེད་མཐོང་ཞིང་། །དམིགས་པའི་གཏད་སོ་གང་ཡིན་ཀུན་ཞིག་པ། །དེ་ནི་སངས་རྒྱས་དགྱེས་པའི་ལམ་ལ་ཞུགས། །སྣང་བ་རྟེན་འབྲེལ་བསླུ་བ་མེད་པ་དང་། །སྟོང་པ་ཁས་ལེན་བྲལ་བའི་གོ་བ་གཉིས། །ཇི་སྲིད་སོ་སོར་སྣང་བ་དེ་སྲིད་དུ། །ད་དུང་ཐུབ་པའི་དགོངས་པ་རྟོགས་པ་མེད། །ནམ་ཞིག་རེས་འཇོག་མེད་པར་གཅིག་ཅར་དུ། །རྟེན་འབྲེལ་མི་བསླུ་མཐོང་བ་ཙམ་ཉིད་ནས། །ངེས་ཤེས་ཡུལ་གྱི་འཛིན་སྟངས་ཀུན་འཇིག་ན། །དེ་ཚེ་ལྟ་བའི་དཔྱད་པ་རྫོགས་པ་ལགས། །གཞན་ཡང་སྣང་བས་ཡོད་མཐའ་སེལ་བ་དང་། སྟོང་པས་མེད་མཐའ་སེལ་ཞིང་སྟོང་པ་ཉིད། རྒྱུ་དང་འབྲས་བུ་འཆར་བའི་ཚུལ་ཤེས་ན། མཐར་འཛིན་ལྟ་བས་འཕྲོག་པར་མི་འགྱུར་རོ། ཞེས་ཡང་དག་པའི་ལྟ་བ་སྐྱིད་ཚུལ་དངོས་དང་སྣང་སྟོང་སོ་སོར་སྣང་བ་དེ་སྲིད་དུ་ཐུབ་པའི་དགོངས་པ་མཐུར་ཐུག་མ་རྟོགས་པའི་ཚུལ། ལྟ་བའི་དཔྱད་པ་རྫོགས་པའི་ཚད། ཐལ་འགྱུར་བའི་ཁྱད་ཆོས་དང་བཅས་ཤོ་ལོ་ཀ་རེ་རེས་སོ་སོར་གསལ་བར་གསུངས་པ་ལ་རྗེས་སུ་བློས་པའི་ཚུལ་གྱིས་རང་གིས་འདོན་པ་དང་། སླར་ཡང་། དམིགས་བརྩེ་མ་གང་མང་གཏོན་ནས་དེ་ལྟ་བུའི་རྟོགས་པ་ཁྱད་པར་ཅན་རང་གཞན་སེམས་ཅན་ཐམས་ཅད་ཀྱི་རྒྱུད་ལ་སྐྱེ་བར་བྱིན་གྱིས་བརླབ་ཏུ་གསོལ། ཞེས་གདུང་ཤུགས་དྲག་པོས་གསོལ་བ་རྩེ་གཅིག་ཏུ་བཏབ་པས། རྗེ་ཡབ་སྲས་རྣམས་ཀྱི་སྐུའི་ཆ་ལས་བདུད་རྩི་སྣ་ལྔ་འོད་ཟེར་དང་བཅས་པའི་རྒྱུན་བབས་རང་གཞན་སེམས་ཅན་ཐམས་ཅད་ཀྱི་ལུས་སེམས་ལ་ཞུགས་པས་ཐོག་མེད་ནས་བསགས་པའི་སྡིག་སྒྲིབ་ཐམས་ཅད་དང་། ཁྱད་པར་བདག་གཉིས་སུ་འཛིན་པའི་ཕྱིན་ཅི་ལོག་གི་དྲི་མ་མཐའ་དག་སྦྱངས། རྟེན་ཅིང་འབྲེལ་བར་འབྱུང་བའི་དོན་སྟོང་པ་ཉིད་རྟོགས་པའི་

ཡང་དག་པའི་ལྟ་བ་ཁྱད་པར་ཅན་རང་གཞན་སེམས་ཅན་ཐམས་ཅད་ཀྱི་རྒྱུད་ལ་སྐྱེས་བར་བསམ་མོ། །དེ་ལྟར་ཡང་དག་པའི་ལམ་ལ་ངེས་པ་ཁྱད་པར་ཅན་རྙེད་པ་ལ་དགའ་བ་དང་། དེ་བླ་མའི་བཀའ་དྲིན་དུ་ཤེས་པའི་དད་པ་དང་། སྣན་ཆད་ཀྱང་ལམ་འདི་ལ་ཉམས་ལེན་སྙིང་པོར་བྱའོ་སྙམ་པའི་སྤྲོ་བ་རྣམས་ཕན་ཚུན་འགྲན་པ་བཞིན་དུ་འཕེལ་བ་ན། རྗེ་བླ་མས་ཀྱང་། དེ་ལྟར་ལམ་གྱི་གཙོ་བོ་རྣམ་གསུམ་གྱི། །གནད་རྣམས་རང་གིས་ཇི་བཞིན་རྟོགས་པའི་ཚེ། །དབེན་པ་བརྟེན་ནས་བརྩོན་འགྲུས་སྟོབས་བསྐྱེད་དེ། །གཏན་གྱི་འདུན་མ་མྱུར་དུ་སྒྲུབས་ཤིག་བུ། །ཞེས་ཤིན་ཏུ་དགྱེས་པའི་ཉམས་དང་བཅས་སྒྲུབ་པ་ལ་བསྐུལ་བར་མོས་ཤིང་། སླར་ཡང་། དམིགས་བརྗེ་མའི་གསོལ་འདེབས་གདུང་ཤུགས་དྲག་པོ་དང་བཅས་རྗེ་བླ་མའི་ཞབས་ལ་འདུས་ཏེ་བླ་མ་ཐུགས་རྗེ་ཅན་ཁྱེད་ཀྱི་བཀའ་བཞིན་དུ་བསྒྲུབ་པར་བགྱིའོ། །བདག་གི་དུས་གསུམ་གྱི་དགེ་ཚོགས་ཐམས་ཅད་ཀྱང་ཁྱོད་ཀྱིས་བཀའ་སྩལ་བ་འདི་བཞིན་དུ་འགྲུབ་པའི་རྒྱུར་གྱུར་ཅིག །ནམ་ཡང་འབྲལ་བ་མེད་པར་རྗེས་སུ་བཟུང་སྟེ་སྒྲུབ་པ་མཐར་ཕྱིན་པར་བྱིན་གྱིས་བརླབ་ཏུ་གསོལ་ཞེས་གསོལ་བ་དྲག་ཏུ་བཏབ་པ་ན། རྗེ་བླ་མས་ཞལ་གྱིས་བཞེས་ཤིང་ཐུགས་ཀ་ནས་འོད་ཟེར་འཕྲོས་ཚོགས་ཞིང་རྣམས་ལ་ཕོག་པས། མཐའ་ནས་རིམ་བཞིན་བསྡུས་ཏེ་རྩ་བའི་བླ་མ་དང་དབྱེར་མེད་པའི་རྗེ་བླ་མ་ཡབ་སྲས་གསུམ་ལ་ཐིམ་པས། ཀུན་འདུས་ནོར་བུའི་ལུགས་སུ་གསལ་ལེགས་པར་བཏབ་པ་དང་། སྐབས་འདི་དང་གཞན་དུའང་རུང་སྟེ་རྗེ་བླ་མའི་ཕྱག་གཡོན་གྱི་ཕྱག་མཚན་གླེགས་བམ་སྙོམ་ཚུལ་ལ་རང་གང་ལ་ཕོས་བསམ་དང་ཉམས་ལེན་གཙོ་བོར་བྱེད་པའི་གཞུང་དེའི་གླེགས་བམ་གསལ་བཏབ་ན་ཁྱད་ཆེ་བར་གསུངས་པ་ལྟར། བློ་གསལ་བ་རྣམས་སློབ་གཉེར་འཕེལ་བའི་སླད་དུ་ལྷག་པའི་བསླབ་པ་གསུམ་ལས། ལྷག་པ་ཚུལ་ཁྲིམས་ཀྱི་བསླབ་པ་གཏན་ལ་དབབ་པའི་འདུལ་བ། ལྷག་པ་ཏིང་ངེ་འཛིན་གྱི་བསླབ་པ་ཐེག་པ་ཆེན་པོའི་ཟབ་པ་དང་རྒྱ་ཆེ་བའི་ཏིང་ངེ་འཛིན་གྱི་རོལ་པ་མཐའ་ཡས་པ་རྒྱ་ཆེར་སྟོན་པའི་ཕར་ཕྱིན། ལྷག་པ་ཤེས་རབ་ཀྱི་བསླབ་པ་གཙོ་བོར་སྟོན་པའི་མདོན་པ་ལ་གཉིས་ལས། ལུང་གི་མངོན་པ་རབ་ཏུ་བྱེད་པ་སོགས་སྡེ་བདུན་དང་བྱེ་བྲག་བཤད་མཚོ་ཆེན་མོ་མཛོད་རྩ་འགྲེལ་སོགས་དང་། ཐེག་པ་ཆེ་ཆུང་གཉིས་ཀའི་དགོངས་པ་འགྲེལ་བ་མངོན་

པ་ཀུན་བཏུས་སོགས་དང་། རིགས་པའི་མངོན་པ་ཇི་སྙེད་བ་བདེན་བཞིའི་སྣང་དོར་རྒྱས་པར་
གཏན་ལ་དབབ་པ་ཚད་མ་མདོ་སྡེ་བདུན་དང་། ཇི་ལྟ་བ་ཆོས་རྣམས་ཀྱི་གནས་ལུགས་མཐར་
ཐུག་རིགས་པའི་ཚོགས་དཔག་ཏུ་མེད་པས་གཏན་ལ་དབབ་པ་ཀླུ་སྒྲུབ་ཡབ་སྲས་ཀྱི་དབུ་མའི་
གཞུང་རྣམས་གསལ་བཏབ་ནས་བདུད་རྩི་འབེབས་སྐྱོང་བྱེད་བས་ཞིང་གི་མཐུས་བློ་གྲོས་ཀྱི་
པདྨོ་རྒྱས་བར་འགྱུར་བའི་ཕྱིར། སྔོན་དུ་དམིགས་བརྩེ་མས་གསོལ་བ་ཤུགས་དྲག་ཏུ་བཏབ་
ནས་དམ་པའི་གསུང་བྱིན་རླབས་ཅན་གྱི་གསོལ་འདེབས་དལ་བུ་དལ་བུས་ཚིག་དོན་དྲན་
བཞིན་པས་འདི་ལྟར་འདོན་པར་བྱའོ། །དེ་ལྟར་མཁའ་དབྱིངས་ཆུ་འཛིན་དཀར་པོའི་
དབུས། །འཇམ་མགོན་བླ་མ་ཡབ་སྲས་ལེགས་བསྙོམས་ནས། །ཤུགས་དྲག་གདུང་བའི་
ཡིད་ཀྱིས་གསོལ་བཏབ་མཐུས། །རྨོངས་པའི་མུན་པ་དྲུང་ནས་འབྱིན་པར་ཤོག །ཅེས་
པའི་སྐབས་མ་དག་པ་འཁྲུད་པ་སྔར་ལྟར་དང་། གསུང་རབ་ཀུན་ལ་གཏུགས་པ་མེད་འཇུག་
ཅིང་། །དཀའ་བའི་གནད་ཀུན་འབྱེད་ལ་ཟླ་དང་བྲལ། །མ་རྟོགས་ལོག་རྟོག་ཐེ་ཚོམ་མྱུར་
གཅོད་པའི། །ཟབ་གསལ་མྱུར་བའི་ཤེས་རབ་བདག་ལ་སྩོལ། །ཞེས་མི་ཤེས་པ་བསལ་ཞིང་
ཟབ་གསལ་མྱུར་བའི་ཤེས་རབ་ཐོབ་ཚུལ་དང་། གང་ཞིག་བརྟག་ཅིང་དཔྱད་པའི་ཆོས་རྣམས་
ཀུན། །མི་བརྗེད་བསྐལ་བའི་བར་དུ་འཛིན་ནུས་པའི། །ཚིག་དང་དོན་གྱི་གཟུངས་མཆོག་
ཟླ་མེད་པ། །བདག་གི་ཡིད་ལ་དེ་རིང་འགྲུབ་པར་མཛོད། །ཅེས་མི་བརྗེད་པའི་གཟུངས་
ཁྱད་པར་ཅན་འགྲུབ་པར་བྱིན་གྱིས་བརླབས་པ་དང་། རྒྱལ་བའི་ཡུམ་ཆེན་མངོན་རྟོགས་རྒྱན་
ལ་སོགས། །ཤེས་རབ་ཕ་རོལ་ཕྱིན་གཞུང་རྒྱ་མཚོ་ཡི། །དགོངས་དོན་ཇི་བཞིན་སྨྲ་ལ་
འཕགས་སེང་ལྟར། །ཟླ་བྲལ་མཁས་པའི་གོ་འཕང་ཐོབ་པར་ཤོག །ཅེས་ཡུམ་རྒྱས་འབྲིང་
བསྡུས་པ་རྒྱན་རྩ་འགྲེལ་སོགས་ཕར་ཕྱིན་དང་། ཤིང་རྟ་ཆེན་པོ་ཀླུ་སྒྲུབ་ཡབ་སྲས་ཀྱི། །དྲི་
མེད་གསུང་རབ་རྩ་འཇུག་བཞི་གསུམ་སོགས། །དབུ་མའི་གཞུང་ལ་ཡིད་དཔྱོད་ཙམ་མིན་
པར། །ཚད་མའི་སྟོབས་ཀྱིས་ངེས་པ་རྙེད་པར་ཤོག །ཅེས་རིགས་ཚོགས་དང་ཁྱད་པར་རྩ་
ཤེས་འཇུག་པ་བཞི་བརྒྱ་བ་རྩ་འགྲེལ་སོགས་དབུ་མ་དང་། གཞི་ལྟའི་རང་སྤྱིའི་མཚན་ཉིད་
ཀུན་སྟོན་པའི། །ཐོགས་མེད་སྐུ་མཆེད་ཞབས་ཀྱི་གཞུང་ལུགས་ལ། །ངེས་པ་གཏིང་ནས

རྙེད་པའི་ལུང་རིགས་ཀྱིས། །ཆོས་མངོན་རྒྱ་མཚོའི་ཕ་རོལ་སོན་པར་ཤོག །ཅེས་མངོན་པ་མཛོད་སོགས་དང་། བསྟན་པ་ཡོ་ན་ཐར་འདོད་འཇུག་ངོགས་སུ། །སྒྲུབ་བྱེད་ཚད་མ་སྡེ་བདུན་མདོ་དང་བཅས། །ཇི་བཞིན་ཡོང་དུ་ཆུད་ནས་རྒོལ་བ་ཀུན། །གནོམ་ལ་སྨྲ་བའི་ཁྱུ་མཆོག་ཐོབ་པར་ཤོག །ཅེས་ཚད་མ་རྣམ་འགྲེལ་སོགས་དང་། ཐར་པའི་གྲོང་དུ་བགྲོད་པའི་འཇུག་ངོགས་མཆོག །བསྟན་པའི་རྩ་བ་འདུལ་བ་འབུམ་སྡེའི་གཞུང་། །ཐུབ་གསུང་དགོངས་འགྲེལ་བཅས་ཀུན་རྟོགས་གྱུར་ནས། །བག་ཡོད་སྤྱོད་པས་རྟག་ཏུ་འཚོ་བར་ཤོག །ཅེས་འདུལ་བ་ལུང་སྡེ་བཞི་མདོ་རྩ་རྣམས་ཏེ་གཞུང་ཆེན་ལྔ་སོགས་རབ་འབྱམས་གསུང་རབ་ཀུན་གྱི་དགོངས་དོན་ཇི་ལྟ་བ་བཞིན་རང་སྟོབས་ཀྱིས་འབྱེད་ནུས་པའི་ཤེས་རབ་ལྷབས་ཆེ་བ་ཐོབ་པའི་དམིགས་པ་སྔར་ལྟར་སྦྱངས་པས། རང་ཉིད་ཤེས་རབ་ཆེ་བ་གསལ་བ་མྱུར་བ་ཟབ་པ་བདེ་བླག་ཏུ་རྙེད་ནས་གཞུང་དོན་འབྱེད་པ་ལ་འགྲན་པའི་ཟླ་དང་བྲལ་བར་གྱུར་བར་བསམ། ཡིག་སྨྲ་ཚར་གཅོད་སྒྲ་དང་ཚད་མ་དང་། །སྐལ་ལྡན་རྗེས་འཛིན་བཟོ་གསོ་སྔན་ངག་སོགས། །མ་ལུས་མཁས་པའི་དགའ་སྟོན་རིག་གནས་ཀུན། །ཇི་བཞིན་སྨྲ་ལ་འཇམ་དབྱངས་ལྟ་བུར་ཤོག །ཅེས་གསོལ་བ་ཤུགས་དྲག་ཏུ་བཏབ་པས་མ་དག་པ་འབྲུད་པ་སོགས་སྔར་ལྟར་སྦྱངས་པས། རང་དོན་གཙོ་བོར་འཛིན་པའི་ཡིད་བྱེད་དང་། རྒྱལ་སྲས་ཀྱི་སྤྱོད་པ་རླབས་ཆེ་བ་ལ་སྙིང་ལུག་ཅིང་ཞུམ་པའི་བསམ་པ་ཐམས་ཅད་བཀག་ནས། གཞན་དོན་ལྷུར་ལེན་པའི་སྙིང་སྟོབས་མཆོག་གི་ཐབས་མཁས་པའི་སྒོ་ནས་སྐལ་ལྡན་རྗེས་སུ་འཛིན་པ་དང་། ཡིག་སྨྲ་ཚར་གཅོད་པ་དང་། མཁས་པ་མགུ་བ་བསྐྱེད་པའི་ཡན་ལག་རྒྱལ་བའི་གསུང་རབ་མཐའ་དག་ལ་དམིགས་པའི་འཆད་པ་དང་རྩོད་པ་དང་རྩོམ་པ་དང་། དེའི་ཡང་ཡན་ལག་སྒྲ་ཚད་བཟོ་གསོ་སྔན་ངག་སོགས་རིག་གནས་མ་ལུས་པ་ལ་མཁས་པའི་ཕ་རོལ་ཏུ་ཕྱིན་པ་རྗེ་བཙུན་འཇམ་པའི་དབྱངས་ལྟ་བུར་གྱུར་པའི་དམིགས་པ་སྔར་ལྟར་བྱ། མདོར་ན་ཐུབ་པའི་གསུང་རབ་ཐམས་ཅད་དང་། །ཤིང་རྟ་ཆེན་པོ་རྒྱན་དྲུག་མཆོག་གཉིས་ཀྱི། །རབ་འབྱམས་གཞུང་ལ་བློ་གྲོས་བྱང་གྱུར་ནས། །བཤད་སྒྲུབ་བསྟན་པའི་རྒྱལ་མཚན་འཛིན་པར་ཤོག །ཅེས་བའི་སྐབས། དེ་ཉིད་ཕྱིར་ན་མི་ཕམ་ཆོས་རྗེ་དང་། །འཛམ་གླིང་རྒྱན་དྲུག་མཆོག་གཉིས་

ཞེས་གྲགས་པའི། །གཞུང་ལ་ཕྱོགས་རི་བ་དང་རགས་པ་རིས། །ཚོམ་པར་མ་བྱས་ཀུན་ལ་ཞིབ་ཏུ་སྦྱངས། །ཞེས་པའི་རྣམ་ཐར་ལྟར། མདོ་སྔགས་ཀྱིས་བསྡུས་པའི་ཐུབ་པའི་གསུང་རབ་ཐམས་ཅད་དང་། དེའི་དགོངས་པ་ཇི་ལྟ་བ་བཞིན་འགྲེལ་བར་རྒྱལ་བ་ཉིད་ཀྱིས་ལུང་བསྟན་པའི་ཤིང་རྟ་ཆེན་པོ་འཛམ་གླིང་རྒྱན་དྲུག་མཆོག་གཉིས་ཀྱི་གཞུང་ལ་ཕྱོགས་རིས་སུ་མ་སོང་བར་བློ་གྲོས་ཞིབ་ཏུ་སྦྱངས་པས་ནང་ཐོན་ཚུད་པར་གྱུར་ནས། བཤད་པ་དང་སྒྲུབ་པའི་སྒོ་ནས་དྲི་མ་མེད་པའི་བསྟན་པའི་རྒྱལ་མཚན་འཛིན་པ་ལ་རྗེ་བདག་ཉིད་ཆེན་པོ་ཁྱེད་རང་ལྟ་བུར་བྱིན་གྱིས་བརླབ་ཏུ་གསོལ་ཞེས་གསོལ་བ་ཤུགས་དྲག་ཏུ་བཏབ་པ་ལྟར་བྱིན་གྱིས་བརླབས་པར་བསམ། འདི་ནི་རྗེ་བདག་ཉིད་ཆེན་པོའི་གསུང་ལྟར་སློབ་གཉེར་བ་རྣམས་ཉམས་ལེན་མཛད་ཕྱིར་བཀོད་པའོ། །བདག་གིས་བྱང་ཆུབ་སྒྲུབ་ལ་བར་གཅོད་པའི། །འགལ་རྐྱེན་ནད་རིམས་གདོན་བགེགས་ཐམས་ཅད་དང་། །ཁྱད་པར་སྙིང་ཁམས་དཀྲུགས་པའི་ནད་རིམས་སོགས། །ཁྱོད་ཞབས་དྲན་པས་མྱུར་དུ་ཞི་བར་མཛོད། །ཅེས་པའི་སྐབས། བླ་ན་མེད་པའི་བྱང་ཆུབ་གཞུང་ཆེན་མོ་ལ་ཐོས་སོགས་ཀྱིས་སྒྲུབ་པའི་འགལ་རྐྱེན་ནད་རིམས་སོགས་སྤྱི་དང་། ཁྱད་པར་སྙིང་ཁམས་དཀྲུགས་པའི་ནད་རིམས་སོགས་ཁྱོད་ཞབས་ཡིད་ལ་དྲན་བ་ཙམ་གྱིས་འཕྲལ་དུ་ཞི་བར་མཛད་དུ་གསོལ་ཞེས་གསོལ་བ་བཏབ་པ་བཞིན་ཞལ་གྱིས་བཞེས་པར་བསམ། འདིའི་ཐུན་མོང་མ་ཡིན་པའི་དམིགས་སྐོར་ནི་འཆད་པར་འགྱུར་རོ། །ཚེ་ཡི་འདུ་བྱེད་གཏོང་ཚེ་གནད་གཅོད་དང་། །བར་དོ་གཤིན་རྗེའི་འཇིགས་སྐྲག་ཀུན་ཞི་ནས། །དགའ་ལྡན་མཁའ་སྤྱོད་ཆོས་ཀྱི་ཕོ་བྲང་དུ། །སྐྱེས་ནས་འཇམ་མགོན་ཡབ་སྲས་ཞལ་མཐོང་ཤོག མགོན་ཁྱོད་ཆད་བྱུང་བཀོད་པར་སངས་རྒྱས་ཆེ། །འཁོར་གྱི་ཐོག་མར་གྱུར་ཏེ་རྒྱལ་སྲས་ཀྱི། །ཐབས་མཁས་སྤྱོད་པ་མ་ལུས་མཐར་ཕྱིན་ནས། །རྒྱལ་བ་སེང་གེ་ང་རོ་ལྟར་གྱུར་ཅིག །ཤོ་ལོ་ཀ་འདི་གཉིས་སོ་སོའི་དམིགས་སྐོར་སྔར་གྱི་རིགས་འདྲ་དང་ཚིག་ཟིན་ལྟར་ཉམས་ལེན་མཛོད། མདུན་གྱི་འཆི་མེད་ལྷ་ལམ་མཁའ་དབྱིངས་སུ། །ཡབ་རྗེ་བླ་མ་སྲས་བཅས་ལེགས་བསྐྲུམས་ཤིང་། །ཕྱག་འཚལ་མཆོད་སོགས་བགྱིས་པའི་རྣམ་དཀར་གྱིས། །བྱིན་རླབས་འཇུག་པའི་འགལ་རྐྱེན་ཀུན་ཞི་ཤོག །དེ་ནས་བྱིན་རླབས་ཟབ་མོའི་བསྟོད་ཚིག

གིས། །གསོལ་བ་བཏབ་པས་རྗེ་བཙུན་ཡབ་སྲས་ཀྱི། །ཐུགས་ཀ་ནས་བྱུང་འོ་མའི་མདོག་ཅན་གྱི། །བདུད་རྩིས་མ་དག་དྲི་མ་ཀུན་འཁྲུད་ཤོག །སླར་ཡང་གསོལ་བ་བཏབ་པས་དམར་སེར་གྱི། །བདུད་རྩི་འོད་ཟེར་བཅས་པས་ལུས་གང་བས། །མི་ཤེས་རྨོངས་པའི་དྲི་མ་ཀུན་བསལ་ནས། །ཤེས་རབ་སྣང་བའི་འོད་ཀྱིས་ཁྱབ་པར་ཤོག །དེ་ལས་ཤེས་རབ་ཆེ་གསལ་མྱུར་བ་དང་། །ཟབ་དང་འཆད་རྩོད་རྩོམ་པའི་བློ་གྲོས་ཀྱིས། །འགྲོ་བའི་ཡིད་ཀྱི་མུན་པ་སེལ་བ་ལ། །རྗེ་བཙུན་མཁྱེན་པའི་གཏེར་དང་མཚུངས་པར་ཤོག །མཁའ་དབྱིངས་བཞུགས་པའི་རྗེ་བཙུན་བླ་མ་མཆོག །སྤྱི་བོ་ནས་བརྒྱུད་སྙིང་དབུས་རྒྱ་ཏིའི་དབུས། །ལེགས་བྱོན་རང་སེམས་བླ་མ་དབྱེར་མེད་དུ། །འདྲེས་ནས་སྒོ་གསུམ་བྱིན་རླབས་འཇུག་པར་ཤོག །ནམ་ཞིག་སྐྱབས་མགོན་ཡབ་རྗེ་བླ་མ་མཆོག །ཙོང་མཚར་ཟླད་བྱུང་བཀོད་མཛེས་འཛིག་རྟེན་དུ། །རྒྱལ་བའི་མཛད་པ་ཉེ་བར་སྟོན་པའི་ཚེ། །འཁོར་གྱི་ཐོག་མ་ཉིད་དུ་འགྱུར་བར་ཤོག །དེ་ཚེ་རྒྱལ་བ་དེ་ཡི་ཕྱག་དབུས་ཀྱི། །མཆོད་སྡོང་མཐོང་བའི་མོད་ལ་ཐེག་མཆོག་གི །ལམ་བཟང་མངོན་དུ་བྱེད་པའི་དབང་རྣོན་གྱི། །གདུལ་བྱའི་མཆོག་ཏུ་བདག་ནི་འགྱུར་བར་ཤོག །དེར་མ་སོན་པའི་ཚེ་རབས་ཀུན་ཏུ་ཡང་། །རྒྱལ་བ་ཡབ་སྲས་རྣམས་ཀྱིས་རྗེས་བཟུང་ཞིང་། །བསྟན་དང་འཇལ་ནས་ལེགས་བཤད་གསུང་རབ་ལ། །ངོམས་པ་མེད་པའི་ཐོས་པ་བྱེད་པར་ཤོག །ཅེས་བརྗོད་གསུམ་པ་འཇུག་གི་བྱ་བ་ནི། དཔལ་ལྡན་ཙ་བའི་ཞེས་སོགས་ཀྱིས་གསོལ་བ་བཏབ་པས། འོད་ཀྱི་སྦུ་གུ་རང་ལ་ཐིམ་ཞིང་སྲས་གཉིས་རྗེ་བླ་མའི་སྐུ་དཔུང་གཡས་གཡོན་ཐད་ནས་ཐིམ་པས། རྗེའི་སྐུ་དཔུང་གཡས་གཡོན་གྱི་པད་སྟོང་ལ་སྤྱན་རས་གཟིགས་དང་ཕྱག་རྡོར་གསལ་ལ། སྲས་གཉིས་ཀྱི་སེང་ཁྲི་འང་གཙོ་བོའི་སེང་ཁྲི་ལ་ཐིམ་པར་བསམ། དེ་ལྟར་ཐིམ་ཚུལ་དང་བསྒོམ་ཚུལ་ནི་རྗེ་འཇམ་དབྱངས་དང་། རྒྱལ་ཚབ་སྤྱན་རས་གཟིགས། མཁས་གྲུབ་གསང་བདག་གི་ངོ་བོར་མོས་ནས་དམིགས་བརྩེ་མས་གསོལ་བ་འདེབས་པའི་འཁྲིད་ཚུལ་ཡོད་པར་གསུངས་པ་དང་། རྗེ་རིགས་གསུམ་ཞེས་པད་སྡོང་གཉིས་ཀྱི་སྟེང་སྐུ་ཡོད་པ་ཞིག་སྟེ་གསུངས་པའི་ཞལ་ཤེས་སུ་གོ་བར་བྱ། ཡང་། དཔལ་ལྡན་ཙ་བའི་སོགས་ཀྱིས་གསོལ་བ་བཏབ་པས། རྗེ་སེང་ཁྲི་དང་བཅས་སྤྱི་བོར་བྱོན་ནས་ལྟ་ཕྱོགས

མཐུན་པར་བཞུགས་པར་བསམས་ལ་གསོལ་བ་གདབ་ཅིང་བདུད་རྩི་འབེབས་སྦྱོང་བྱ། རང་གི་ལུས་ཀྱི་དབུས་དྲང་ཐད་དུ་རྩ་དབུ་མ་དཀྱུས་ལྟར་གསལ་བཏབ་པའི་ཡར་སྣེ་ཚངས་བུག་ཏུ་ཁ་གདངས་ངེར་ཡོད་པའི་ནང་བརྒྱུད་རྗེའི་སེང་ཁྲི་སྙིང་ལ་ཐིམ་པས། དབུ་མའི་ནང་གི་སྙིང་གའི་ཐད་དུ་རང་གི་སྙིང་རྩེ་མོ་གཡོན་དུ་ཕྱོགས་པ་ གློས་གྱིན་དུ་བླང་སྟེ་ཉི་ཟེར་བཀྱེ་བ་ལྟར་ཚལ་པ་བརྒྱད་དུ་གྱེས་པ་པདྨ་འདབ་བརྒྱད་ཀྱི་རྣམ་པར་གྱུར་པ་དང་། པདྨ་དང་ཟླ་བའི་གདན་ཡང་སྔར་བཞིན་བྱུང་ནས་སྙིང་གའི་ཁམས་དཀར་དམར་ལ་ཐིམ་པས་པད་ཟླའི་གདན་དུ་གྱུར་པས་གདན་རྫོགས་པར་བསམ་ལ། སླར་ཡང་། དཔལ་ལྡན་རྩ་བའི་སོགས་ཀྱིས་གསོལ་བ་བཏབ་པས། རྗེ་བླ་མ་སྤྱི་གཙུག་ནས་དབུ་མའི་ནང་བརྒྱུད་དེ་སྙིང་གའི་པདྨའི་དབུས་སུ་ཕྱིན་རང་གི་ཤིན་ཏུ་ཕྲ་བའི་རླུང་སེམས་ལ་ཐིམ་ནས་དབྱེར་མེད་དུ་འདྲེས་པ་ལས་རྗེ་བླ་མའི་སྐུ་མཐེབ་སོར་གྱི་ཚད་ཙམ་དུ་འོད་ཟེར་འབར་བཞིན་བཞུགས་པས། ལུས་སེམས་ཐམས་ཅད་བདེ་ཆམ་ཆམ་དུ་སོང་ཞིང་། སྙིང་པདྨ་འདབ་བརྒྱད་སྤུངས་སྐུ་ཁ་བསྡུས་པའི་ལྟར་འདུས་པའི་ནང་འོད་ཟེར་ཞལ་ཞལ་བྱས་པ་ལྟ་བུ། སྙིང་གི་རྩེ་མོར་རྡོ་རྗེ་སློབ་དཔོན་རྩེ་ལྔ་པ་བྱེད་པས་མཚོན་པ་དང་། དམིགས་བརྩེ་མ་དང་ཨོཾ་ཨ་ར་པ་ཙ་ན་ཧླཱི ༔ སུ་མ་ཏི་ཀཱིརྟེ་ཤྲཱི་བྷ་དྲ་ཨ་ཧེཏྲ་ན་ཨ་ཧེཏྲི་ཏེ་ཀུ་རུ་ཞེས་པའི་སྔགས་ཀྱིས་བར་མཚམས་མེད་པར་རྡོ་རྗེ་དང་པདྨ་སྤུངས་སྐུ་དབུ་མའི་ཕྱི་ལའང་སྤྱི་བོའི་བར་དུ་གྲུ་གུ་ལྟར་མི་འགུལ་བར་དཀྲིས་པ་ནི། ཁྱད་པར་སྙིང་ཁམས་དཀྲུགས་པའི་ནད་རིམས་སོགས། །ཁྱོད་ཞབས་དྲན་པས་མྱུར་དུ་ཞི་བར་མཛོད། ཅེས་པའི་ཞལ་ཤེས་མན་ངག་ཁྱད་པར་ཅན་ཡིན་གསུངས། དེ་ལྟར་ལན་གསུམ་བརྗོད་པའི་ཚེ་དང་པོ་གཉིས་ལ་བདག་གི་སྤྱི་བོར་ཞེས་དང་། ཐ་མ་ལ་སྙིང་གར་ཞེས་སྒྱུར་ཞིང་། དཔལ་ལྡན་རྩ་བའི་བླ་མ་རིན་པོ་ཆེ། །བདག་གི་སྙིང་གར་པད་ཟླའི་སྟེང་བཞུགས་ལ། །བཀའ་དྲིན་ཆེན་པོའི་སྒོ་ནས་རྗེས་བཟུང་སྟེ། །སྐུ་གསུང་ཐུགས་ཀྱི་དངོས་གྲུབ་སྩལ་དུ་གསོལ། །ཞེས་ལན་གཅིག་ལས་མི་བྱེད་པའང་ཡོད་པས་གང་བདེ་བྱ། དེ་གཉིས་གང་ལྟར་ཡང་དམིགས་པ་ཚང་བར་བྱེད་ཅིང་རྗེ་བླ་མའི་སྐུའི་འོད་ཟེར་ལུས་ཀྱི་ཕྱི་རོལ་དུའང་བར་འཚམས་མེད་པར་ཁྱབ་པར་འཕྲོས་པས། དཀར་ཕྱོགས་པ་ལ་འཇའ་འོད་དང་ནགས་ཕྱོགས་པ་རྣམས་ཀྱིས་བལྟ་བར་མི་བཟོད་པའི་མེའི་གུར་ཁང་

གདོན་བགེགས་ཐམས་ཅད་བྱ་རྒྱ་མེར་བསྒྲིགས་པ་ལྟ་བུར་མོས་ནས། ཚོགས་ཆོས་གྲྭ་འགྲིམ་སྐབས་སུའང་ངེས་པར་དེ་ལྟར་བསམ་ན་སློབ་གཉེར་མཐར་ཕྱིན་པའི་གནད་ཡོད་དམ་པ་གོང་མའི་གསུང་རྒྱུན་བཞིན་འཆད་ཉན་ཐོས་བསམ་གྱིས་གཏན་ལ་ཕབ་པའི་གནད་མ་ལུས་པ་སྒོམ་པའི་ཚུལ། སྙིང་གར་རང་གི་ཤིན་ཏུ་ཕྲ་བའི་རླུང་སེམས་བླ་མ་ཡི་དམ་ངོ་བོ་དབྱེར་མེད་ལ་གསོལ་བ་འདེབས་ཤིང་། མོས་གུས་གདུང་སེམས་ཀྱི་མཐུ་ལས་ཆོས་གྲྭའི་ཉམས་བཞེས་མདོ་སྔགས་ཡོངས་རྫོགས་ཀྱི་གནད་གདན་ཐོག་གཅིག་ཏུ་དྲིལ་ནས་སྒོམ་པས་བདུད་རྩི་མྱང་པ་བཞིན་ངོམས་ཤིང་བདེ་ཆམ་གྱིས་འགྲོ་བ་དེའི་ངང་ལས། དེང་ནས་བཟུམས་ཏེ་ཇི་སྲིད་བྱང་ཆུབ་སྙིང་པོའི་བར་ཚེ་རབས་ཀུན་ཏུ་བདག་གི་རྗེ་བླ་མ་ཁྱེད་ཀྱི་མཚན་དཔེས་སྤྲས་པའི་སྐུའི་དཀྱིལ་འཁོར་གསལ་བར་མཐོང་བཞིན་ཞབས་ཀྱི་པདྨོ་ལ་གུས་པས་བསྙེན་ཅིང་མཆོད་པ་དང་། འགྲོ་བའི་རེ་འདོད་གནས་སྐབས་དང་མཐར་ཐུག་གི་བདེ་ལེགས་སྟེར་བར་མཛད་པའི་གསུང་ཉན་ཅིང་ཐོས་པ་འཛིན་པའི་ཤེས་རབ་ཀྱིས་གང་གསུངས་པའི་མདོ་སྔགས་ཀྱི་ཚིག་དོན་མ་ལུས་པ་བདེ་བླག་ཏུ་བཟུང་པ་དང་། ཤེས་བྱ་ཐམས་ཅད་རེས་འཛོག་མ་ཡིན་པར་སྐད་ཅིག་གཅིག་ལ་དུས་གཅིག་ཆར་དུ་མངོན་སུམ་དུ་གཟིགས་པའི་རྣམ་པ་ཐམས་ཅད་མཁྱེན་པའི་ཐུགས་ཀྱི་ཡོན་ཏན་དྲན་པའི་སྟོབས་ཀྱིས་སྒོ་གསུམ་གྱི་བྱ་བ་ཀུན་ཁྱོད་ཉིད་མཉེས་པའི་ཐབས་འབའ་ཞིག་བཀའ་བཞིན་སྒྲུབ་པའི་མཆོད་པས་དགྱེས་བཞིན་རྗེས་སུ་འཛིན་པར་བྱིན་གྱིས་བརླབ་ཏུ་གསོལ་སྙམ་དུ། དེང་ནས་བཟུམས་ཏེ་ཚེ་རབས་ཀུན་ཏུ་བདག །ཁྱོད་ཞབས་པདྨོ་གུས་པས་མཆོད་པ་དང་། །ཁྱོད་གསུང་ཉན་ཅིང་སྒོ་གསུམ་བྱ་བ་ཀུན། །ཁྱོད་མཉེས་འབའ་ཞིག་སྒྲུབ་པར་བྱིན་གྱིས་རློབས། །ཞེས་གསོལ་བ་ཤུགས་དྲག་ཏུ་བཏབ་པས་བྱིན་གྱིས་བརླབས་པར་བསམ། རང་རེས་ཆོས་བྱ་སྙམ་པ་ཕལ་ཆེར་ཚེ་འདིའི་སྙེན་བཀུར་སོགས་དོན་དུ་གཉེར་བས་ངན་འགྲོའི་རྒྱུ་བསྒྲུབ་པ་ལས་མེད། ཕྱི་མ་ལྷ་མིའི་གོ་འཕང་ཞིག་ཐོབ་ཏུ་རེ་བའང་ཕྱི་མའི་སྣང་ཤས་ཀྱི་དབང་དུ་སོང་བས་སྲིད་མཚོར་འཁོར་བའི་རྒྱུ་བསྒྲུབ་པའི་ཁོ་ན་ལས་མེད། བཞི་བརྒྱ་པ་ལས། གང་ལ་འདིར་སྐྱོ་ཡོད་མིན་པ། །དེ་ལ་ཞི་གུས་ག་ལ་ཡོད། །ཅེས་གསུངས་པ་ལྟར། འཁོར་བའི་ཉེས་དམིགས་མ་མཐོང་བར་དེ་ལས་ངེས་པར་འབྱུང་སྙད་བྱས་ཀྱང་ཚིག་ཙམ་དུ་འགྱུར།

དེས་ན་འཁོར་བ་སྤྱི་བྱེ་བྲག་གི་ཉེས་དམིགས་ལེགས་པར་བསམས་ནས་འཁོར་བའི་ཕུན་ཚོགས་ལ་ཞེན་པ་ལྡོག་དགོས། དེའང་རགས་རིམ་ནས་མ་སྦྱངས་ན་སྐྱེ་ཚུལ་མེད་པས་ཐོག་མར་དལ་འབྱོར་རྙེད་དཀའ། འཆི་བ་མི་རྟག་པ། ངན་སོང་གི་སྡུག་བསྔལ། ལས་འབྲས་ཀྱི་རྣམ་དབྱེ་ཡང་ཡང་བསམས་པས་ཚེ་འདིའི་སྣང་ཞེན་ལྡོག་པར་འགྱུར་ལ། ཕྱི་མ་ལྷ་མིའི་མངོན་མཐོ་ཞིག་ཐོབ་ཀྱང་བསྔལ་གསུམ་པོ་ཅི་རིགས་པས་མནར་བ་ལས་མ་འདས་པས། སྡུག་བསྔལ་འཁོར་བ་ཅན་ཕུང་པོ། །ཞེས་གསུངས་པ་ཡིན་ལ། དེས་ན་ལས་ཉོན་གྱིས་སྐྱེ་བ་ཞིག་བླངས་ཕྱིན་ཆད་མི་དོང་ཐལ་བས་གཡོག་པ་ལྟར་རེ་ཞིག་སྡུག་བསྔལ་མངོན་གྱུར་དུ་མེད་ཀྱང་། རྐྱེན་གང་ཕྲད་ན་མངོན་དུ་འགྱུར་ཆོག་ཆོག་ཡོད་པས་ཁྱབ་པ་འདུ་བྱེད་ཀྱི་སྡུག་བསྔལ་གྱིས་མནར་ཚུལ་དུ་ལུང་དང་རིགས་པ་དུ་མས་དཔྱད་ཀྱིན་བསྒོམས་པས་ཕྱི་མའི་སྣང་ཞེན་ལྡོག་སྟེ་ཐར་པ་དོན་གཉེར་གྱི་བློ་རྒྱུད་ལ་སྐྱེས་པར་འགྱུར་ལ། དེ་ལྟ་བུའི་ངེས་འབྱུང་བཅོས་མ་མ་ཡིན་པ་ཡོད་ཀྱང་བྱམས་སྙིང་རྗེའི་རྩ་བ་ཅན་གྱི་སེམས་བསྐྱེད་མེད་ན་རང་བཞིན་གྱི་དོན་ཆེན་པོ་སྒྲུབ་མི་ནུས་ལ། བསམ་པ་དེ་རྣམ་དག་སེམས་བསྐྱེད་ཀྱིས་ཟིན་ན་བླ་མེད་བྱང་ཆུབ་སྒྲུབ་བྱེད་ཀྱི་ལམ་དུ་འགྲོ། བསམ་པ་དེ་གཉིས་སྐྱེད་ཐབས་ཡང་བྱང་ས་ལས་བཤད་པའི་སྡུག་བསྔལ་བརྒྱ་རྩ་བརྒྱད་སོགས་རང་སྟེང་དུ་བསམས་པས་ངེས་འབྱུང་གཞན་སྟེང་དུ་བསམས་པས་སེམས་བསྐྱེད་དུ་འགྲོ་ཞིང་། དེ་གཉིས་ཟུང་དུ་འབྲེལ་ན་ངེས་འབྱུང་དེ་དང་ཉན་རང་དང་ཐུན་མོང་མ་ཡིན་པའི་ངེས་འབྱུང་དུ་འགྲོ་སྟེ། ཉན་རང་རྣམས་སྲིད་ཞི་གཉིས་ཀའི་མཐར་ལྷུང་བས་སྲིད་པའི་རྒྱུད་པ་ལས་གྲོལ་བའི་བདེ་བ་ཙམ་ལས་སྒྲུབ་པར་མི་ནུས་པས་སོ། །དེས་ན་རང་དོན་དུ་འཁོར་བའི་སྡུག་བསྔལ་བཀག་པའི་བདེ་བ་ཙམ་ཞིག་ཐོབ་འདོད་ལྷུར་ལེན་པའི་ཞི་བའི་སེམས་སྤངས་ནས། འགྲོ་བ་སེམས་ཅན་ཐམས་ཅད་སྲིད་ཞིའི་རྒྱུད་པ་མ་ལུས་པ་ལས་སྒྲོལ་བའི་དོན་སྒྲུབ་པ་ལ་རྐྱེན་བཟང་ངན་ཅི་ཞིག་ཐོག་ཏུ་བབས་ཀྱང་བཟོད་པར་བྱས་ཏེ། གཞན་དོན་ཁུར་དུ་འཁྱེར་བའི་ལྷག་པའི་བསམ་པས་དྭངས་པའི་སེམས་བསྐྱེད་དགོས། དེ་ལའང་རྒྱུ་འབྲས་མན་ངག་བདུན་གྱི་སྒོ་ནས་སེམས་བསྐྱེད་པ་དང་། བདག་གཞན་མཉམ་བརྗེའི་སྒོ་ནས་སེམས་བསྐྱེད་པ་གཉིས་ཡོད་པ་ལས། ཕྱི་མ་འདི་ལའང་སེམས་བསྐྱེད་ཚུལ་ཙམ་མ་གཏོགས་སྔ་མ་ཕལ་ཆེར་ཚང་དགོས་ལ།

བློ་སྦྱོང་རྩ་བར། གསང་བའི་དམ་པར་སྤྱད་པར་བྱ། ཞེས་གསུངས་པ་ལྟར། བཀའ་གདམས་གོང་མ་དག་གི་ཤིན་ཏུ་ཟབ་པའི་སྦས་ཆོས་འགྲོ་བའི་སྡིག་སྒྲིབ་དང་སྡུག་བསྔལ་མ་ལུས་པ་རླུང་ལ་བསྐྱོན་ནས་རང་ལ་ལེན་པ་དང་། བདག་གི་བདེ་དགེ་མ་ལུས་པ་རླུང་ལ་བསྐྱོན་ནས་སེམས་ཅན་ལ་གཏོང་བའི་འཕྲུལ་འདེགས་ཀྱིས་བྱམས་སྙིང་རྗེ་བྱང་ཆུབ་ཀྱི་སེམས་མཆོག་རིན་པོ་ཆེ་ལེགས་པར་འབྱོང་བ་དང་ནམ་ཡང་བྲལ་བ་མེད་ཅིང་། ཕན་ཡོན་དྲན་ནས་དུས་དྲུག་ཏུ་སེམས་བསྐྱེད་པ་དང་། ནག་ཆོས་བཞི་སྤང་། དཀར་ཆོས་བཞིའི་འབད་པ་དུ་མས་ཚུལ་བཞིན་བསྟེན་པས་བྱང་ཆུབ་ཀྱི་སེམས་དེ་མི་ཉམས་ཤིང་གོང་ནས་གོང་དུ་འཕེལ་བར་བྱིན་གྱིས་བརླབ་ཏུ་གསོལ་སྙམ་དུ། རྙེད་བཀུར་དོན་གཉེར་ཚེ་འདིའི་སྣང་བ་དང་། །རང་བདེ་འདོད་པའི་ཞི་བའི་སེམས་སྤངས་ནས། །འགྲོ་བའི་དོན་སེམས་བྱང་ཆུབ་སེམས་མཆོག་དང་། །ནམ་ཡང་འབྲལ་བ་མེད་པར་བྱིན་གྱིས་རློབས། །ཞེས་གསོལ་བ་ཤུགས་དྲག་ཏུ་བཏབ་པས་བྱིན་གྱིས་བརླབས་པར་བསམ། དེ་ལྟར་སེམས་བསྐྱེད་པ་ཙམ་གྱིས་མི་ཆོག་པར་བྱ་ནམ་མཁའ་ལ་འཕུར་བ་ལ་གཤོག་པ་གཉིས་ལྡན་དགོས་པ་ལྟར། བླ་མེད་བྱང་ཆུབ་སྒྲུབ་པ་ལ་ངེས་པར་ཕ་རོལ་ཏུ་ཕྱིན་པ་དྲུག་གམ་ཀུན་རྫོབ་དང་དོན་དམ་པའི་བྱང་ཆུབ་ཀྱིས་སེམས་ཀྱིས་བསྡུས་པའི་ཐབས་ཤེས་ཀྱི་ཆ་ཚང་དགོས་ཏེ། དཔལ་མགོན་འཕགས་པ་ཀླུ་སྒྲུབ་ཀྱིས། དགེ་བ་འདི་ཡིས་སྐྱེ་བོ་ཀུན། བསོད་ནམས་ཡེ་ཤེས་ཚོགས་རྫོགས་ཤིང་། བསོད་ནམས་ཡེ་ཤེས་ལས་བྱུང་བ། །དམ་པ་གཉིས་ནི་ཐོབ་པར་ཤོག ཅེས་གཞིའི་སྐབས་སུ་ཆོས་གཉིད་མིང་གི་བཏགས་ཡོད་ཙམ་ལས་མེད་པའི་དོན་དམ་བདེན་པ་དང་། མིང་གིས་ཕར་བཏགས་ཙམ་འདི་ཀ་མ་གཏོགས་ཡུལ་འཁོར་རང་གི་ངོས་ནས་རྡུལ་ཙམ་ཡང་མ་གྲུབ་ཀྱང་མིང་གི་བཏགས་ཙམ་ལ་ཤེས་བྱ་མཐའ་དག་ཡོད་པའི་ཀུན་རྫོབ་བདེན་པའི་འཇོག་ཚུལ་ལེགས་པར་ཤེས་ནས། ལམ་གྱི་སྐབས་སུ་ཐབས་ཤེས་གཉིས་ཕྱོགས་རེས་སུ་མ་སོང་བར་ཚོགས་གཉིས་ཟུང་འབྲེལ་དུ་ཉམས་སུ་བླངས་པས། འབྲས་བུའི་སྐབས་སུ་ཆོས་གཟུགས་ཀྱི་སྐུ་གཉིས་ཐོབ་འོང་པར་གསུངས་པས་སོ། །བསོད་ནམས་ཀྱི་ཚོགས་ཀྱིས་གཞན་དོན་གཟུགས་སྐུ་དང་། ཡེ་ཤེས་ཀྱིས་རང་དོན་ཆོས་སྐུའི་རྒྱུ་བྱེད་ཀྱང་གཉིས་ཀ་ལའང་ཚོགས་རེ་རེ་ཙམ་མ་ཡིན་པར་གཉིས་ལྡན་བྱེད་དགོས

པས་ཕ་རོལ་ཏུ་ཕྱིན་པ་རེ་རེའང་ཕར་ཕྱིན་དྲུག་ལྡན་དུ་གྱུར། ཕྱི་རོལ་པ་དང་ཉན་རང་ལ་སྦྱིན་པ་ཡོད་ཀྱང་སེམས་བསྐྱེད་པ་དང་བསོད་ནམས་དང་ཡེ་ཤེས་གཉིས་ལྡན་དུ་མ་སོང་བས་ཕར་ཕྱིན་དང་ཚོགས་ཀྱི་གྲངས་སུ་མ་སོང་། དེས་ན་ཐབས་ཤེས་ཡ་བྲལ་དུ་མ་སོང་བར་འཇིག་རྟེན་དང་འཇིག་རྟེན་ལས་འདས་པའི་ཡོན་ཏན་མཐའ་དག་ཤེས་རབ་ལ་བརྟེན་ནས་འབྱུང་བའི་ཕྱིར་ན་འདི་ཉིད་དོན་དུ་གཉེར་དགོས། གཉེར་བྱའི་ཤེས་རབ་བདེ་ལ་རིགས་མང་དུ་ཡོད་པའི་ནང་ནས་ཉོན་མོངས་པ་ཕྲ་རགས་མཐའ་དག་ཞི་བར་བྱེད་པའི་དེ་ཁོ་ན་ཉིད་ཀྱི་དོན་འཇལ་བ་དོན་དམ་རྟོགས་པའི་ཤེས་རབ་ཉིད་གལ་ཆེ་བས། སྐྱབས་མགོན་རྒྱལ་བའི་དབང་པོའི་གསུང་ལས། རྒྱལ་བའི་གསུང་རབ་དགོངས་དོན་ཇི་ལྟ་བར། །ལུང་རིགས་དྲི་མ་མེད་པས་མཚམས་སྦྱར་ཏེ། །ཡང་དག་དོན་གྱི་སྙིང་པོ་སྟོང་པ་ཉིད། །གཏན་འབེབས་ཀླུ་སྒྲུབ་ལྟ་བ་རྟོགས་པར་ཤོག ཅེས་གསུངས་པ་ལྟར། ཕྲ་ཞིང་མཛངས་ལ་ཞིབ་པའི་བློ་གྲོས་ཀྱིས་ལུང་དང་རིགས་པ་དྲི་མ་མེད་པའི་རྗེས་སུ་འབྲང་ནས་རྒྱལ་བའི་གསུང་རབ་ཀུན་གྱི་སྙིང་པོ་རྟེན་ཅིང་འབྲེལ་བར་འབྱུང་བའི་དོན། རྒྱལ་པའི་དགོངས་པ་ཇི་ལྟ་བ་བཞིན་གཏན་ལ་འབེབས་ནས་ཤིང་རྟ་ཆེན་པོ་ཀླུ་སྒྲུབ་ཀྱི་ལྟ་བ་མཐར་ཐུག་ཡང་དག་པའི་དོན་གྱི་སྙིང་པོ་སྟོང་པ་ཉིད་རྟོགས་པའི་ཤེས་རབ་ཀྱིས་བདེན་པར་འཛིན་པའི་འཛིན་སྟངས་འཇིག་དགོས་ལ། རིགས་པའང་རྣམ་ལྔ་རྣམ་བདུན་སོགས་མང་ཡང་རིགས་པའི་རྒྱལ་པོ་ནི། མྱུ་གུ་ཆོས་ཅན། བདེན་པར་མེད་དེ། རྟེན་འབྲེལ་ཡིན་པའི་ཕྱིར། ཞེས་པའི་གཏན་ཚིགས་ལྟ་བུ་སྟེ། འདིའི་སྒོ་ནས་དཔྱད་ན་མཐའ་གཞན་དུ་ལྷུང་བའི་དོགས་པ་ཆུང་བའི་ཆ་ནས་རིགས་པའི་རྒྱལ་པོར་བཤད་ལ། རིགས་པ་གཞན་གྱིས་དཔྱད་མཐར་འདི་དང་མཐུན་མི་མཐུན་དཔྱད་ནས་མཐུན་ན་ལྟ་བའི་གོ་བ་གནད་དུ་སོང་བ་དང་། མ་མཐུན་ན་མ་སོང་བས་རིག་པ་དེ་ཐམས་ཅད་ཀྱང་རྩ་བ་འདིར་ཐུག་ཚུལ་དུ་དབུ་མ་འཇུག་པ་ལས་གསུངས་པ་ལྟར་དང་། གཏན་ཚིགས་འདི་རྒྱལ་པོ་ལྟ་བུ་དང་། གཞན་རྣམས་བློན་པོ་ལྟ་བུ་སྟེ། དེས་ཐག་བཅད་པ་ལམ་དུ་སོང་མ་སོང་རྒྱལ་པོ་ལ་རག་ལས་པ་དང་། རྟེན་འབྲེལ་ལ་འགྲིག་ན་རྒྱལ་བློན་ངོ་འཕྲོད་པ་ལྟ་བུ་ཡིན་ཞིང་། དེ་ཕྱིར་རྟེན་འབྱུང་རིགས་པ་འདི་ཡིས་ནི། །ལྟ་ངན་དྲྭ་བ་མཐའ་དག་གཅོད་པར་བྱེད། །ཅེས་པ་

ལྟར་རྟག་ཆད་ཀྱི་མཐའ་ཐམས་ཅད་འགོག་པ་ལ་རྟེན་འབྲེལ་ལས་ལྷག་པ་མེད་པས་རིགས་པའི་རྒྱལ་པོ་ཟེར། དེའང་རྟེན་ཅེས་པས་རྟག་མཐའ་དང་འབྲེལ་ཞེས་པའི་ཚིག་ལ་ཆད་མཐའ་སེལ་བའི་ནུས་པ་ཡོད་པ་དང་། ཆོས་ཀྱི་བྱེད་པས་རྟག་མཐའ་དང་རྟགས་ཀྱི་བྱེད་པས་ཆད་མཐའ་སེལ་ཚུལ་སོགས་གཞན་ལས་ཤེས་དགོས། དེ་ལྟར་བདེན་པར་གྲུབ་པའམ་རང་བཞིན་གྱིས་གྲུབ་པའི་རྟག་མཐའ་དང་གཏན་ནས་མེད་པའམ་ལྟོས་གྲུབ་ཙམ་ཡང་མ་ཡིན་པའི་ཆད་མཐའ་ཉིད་ཀ་ཁེགས་དགོས་པས། རྟེན་འབྲེལ་དང་སྟོང་པའི་གོ་བ་འགལ་བར་འཛིན་པ་དེའི་ཚོད་དུང་ལྟ་བ་མ་རྙེད་ཅིང་། རྟེན་འབྲེལ་མི་བསླུ་བས་མཐོང་ཙམ་གྱིས་བློ་ངོར་བདེན་གྲུབ་ཡིན་གཞིར་བཞག་གི་འཛིན་སྟངས་དེ་ཞིག་ན་རྟེན་འབྲེལ་ལས་ཟུར་དུ་སྟོང་པའི་གོ་བ་མེད། སྟོང་པ་དང་རྟེན་འབྱུང་གཅིག་གྲོགས་སུ་གཅིག་འགྲོ་བ་བྱུང་ན་གནད་དུ་སོང་བ་བཞིན་རྟེན་འབྲེལ་གྱི་མིང་ལ་སྟོང་པ་ཞེས་བརྗོད་པའང་དགག་ཕྱོགས་སྒྲུབ་ཕྱོགས་ཀྱི་ཁྱད་ཙམ་དུ་གོ་ན་ལྟ་བ་རྣམ་དག་རྙེད་པ་ཡིན། དེའང་ཐོག་མར་དགག་བྱ་ངོས་འཛིན་དགོས་པས། དེའི་ཚུལ་ནི། དཔེར་ན་རྨི་ལམ་དུ་རྟ་དང་གླང་པོ་དོན་ལ་མ་གྲུབ་བཞིན་དུ་བློའི་སྣང་བ་ཙམ་ཡིན་པའི་སྣང་བ་མི་འཆར་བར་རྟ་དང་གླང་པོ་དང་པོ་ནས་གོ་ས་མནན་ནས་ཡོད་ཡོད་པ་ཞིག་རང་གི་བློ་ལ་ཚུལ་སྣང་བྱུང་བའི་ཉམས་སྣང་འཆར་བ་བཞིན་དུ། སད་དུས་སུའང་ཆོས་ཅི་འདྲ་ཞིག་བློ་ལ་འཆར་ཡང་ཐ་མལ་པའི་གཉིད་ཀྱིས་མ་བསླད་ཅིང་གཉིད་སངས་པའི་སྐབས་ཡིན་ཡང་། ཐོག་མ་མེད་པ་ནས་རྗེས་སུ་བཞུགས་པའི་མ་རིག་པའི་གཉིད་ལོག་བཞིན་པའི་སྐབས་ཡིན་པས། བློའི་སྣང་བ་ཙམ་ཡིན་པའི་སྣང་བ་མི་འཆར་བར་དང་པོ་ནས་དོན་གྱི་སྟེང་ན་ཡོད་ཡོད་པ་འདྲ་བ་ཞིག་བློ་ལ་འཆར་བ་ནི། དགག་བྱའི་འཆར་ཚུལ་ཡིན་ཞིང་། བློའི་ངོར་སྣང་ཙམ་མ་ཡིན་པར་དོན་གྱི་སྟེང་ནས་གྲུབ་པ་ཞིག་བྱུང་ན་དགག་བྱའི་ཚད་ཀྱང་དེ་ཡིན་ནོ། །དེ་ལྟར་ངོས་བཟུང་བའི་དགག་བྱ་དེ་གཅིག་དུ་བྲལ་དང་རྟེན་འབྲེལ་གྱི་རིགས་པ་ལ་བརྟེན་ནས་འགོག་པ་ལ། གཅིག་དང་དུ་བྲལ་ནི་རིགས་པའི་གནད་ཚང་ལ་གསལ་བ་མདོ་བསྟན་བཙོས་དུ་མ་ལས་བཤད་ཅིང་། བཀའ་བབས་ཀྱང་ཤིན་ཏུ་ཆེ་ཞིང་། ཐལ་རང་དབུ་སེམས་ཀྱི་ལྟ་བ་སྐྱོང་བར་མཁོ་བས། རྗེ་བོའི་བཀའ་བབས་ལྟར་ལམ་རིམ་གཉིས་དང་ལྟ་ཁྲིད་ལ་འདི་མང་ཞེས་མཐའ་ཕྱོགས་དུ་

གསུངས་པ་ལྟར་གནད་ཤིན་ཏུ་ཆེ་བས། དེ་ལ་ཕྱིར་བུམ་པ་ལྟ་བུའི་བློ་ཡུལ་དུ་འཆར་བ་ན་གཅིག་དང་དུ་མ་གང་དུ་འཆར་བའི་ངེས་པ་མེད་ཀྱང་། བུམ་པ་ལྟ་བུ་བློ་ཡུལ་དུ་ཤར་བའི་རྗེས་སུ་ཟླ་བོ་ཡོད་དམ་མེད་སྙམ་དུ་དཔྱད་པའི་ཚེ། ཟླ་བཅས་བློ་ངོར་གྲུབ་ན་ཟླ་མེད་བློ་ངོར་ཁེགས་དགོས་པར་མ་ཟད་དེ་གཉིས་པོ་གཅིག་བློ་ངོར་ཁེགས་ན་གཅིག་ཤོས་བློ་ངོར་གྲུབ་དགོས་པས། དོན་དང་བློ་ངོ་གང་ལ་སྟོས་ཀྱང་ཡོད་ན་གཅིག་དང་དུ་མ་གང་རུང་ཡིན་པས་ཁྱབ་ལ། དེ་ཁྱབ་ན། བདེན་པར་གྲུབ་ན་བདེན་གྲུབ་ཀྱི་གཅིག་དང་དུ་མ་གང་རུང་ཡིན་པས་ཁྱབ་དགོས་པས། ངའམ་གང་ཟག་ལྟ་བུ་གདགས་གཞི་ཕུང་པོ་ལྔའམ། ཁམས་དྲུག་ལྟ་བུའི་སྟེང་དུ་བདེན་པར་གྲུབ་ན། གདགས་གཞི་ཚན་པ་གཉིས་པོ་དེ་དང་། ཡང་ན་བདེན་གྲུབ་ཀྱི་ཐ་དད་གང་རུང་ལས་མི་འདའ་ལ། ཚན་པ་གཉིས་པོ་དེ་དང་བདེན་གྲུབ་ཀྱི་གཅིག་ཡིན་ན། ཕུང་པོ་ལྔ་དང་། ཁམས་དྲུག་ངའམ་བདག་ཡིན་དགོས། དེ་ཡིན་ན། ཕུང་པོ་ལྔ་ཡོད་པ་བཞིན་དུ་བདག་ལྔ་དང་། ཁམས་དྲུག་ཡོད་པ་བཞིན་དུ་བདག་ཀྱང་དྲུག་ཡོད་པར་འགྱུར་བ་སོགས་དང་། བདེན་གྲུབ་ཀྱི་ཐ་དད་ཡིན་ན། དཔེར་ན་བྱམས་པ་དང་ཉེར་སྦས་ཐ་དད་པ་ཡིན་པས་ལོགས་སུ་ཉེར་སྦས་བློས་བཟུང་དུ་ཡོད་པ་བཞིན་དུ། ཕུང་པོ་ལྔ་དང་། ཁམས་དྲུག་སོ་སོར་བསལ་བའི་རྗེས་སུའང་། ངའམ་གང་ཟག་བློས་གཟུང་དུ་ཡོད་པར་འགྱུར་དགོས་པ་ལས། དེ་ལྟར་བློས་བཟུང་དུ་མི་འདུག་པས། ངའམ་བདག་ཅེས་པ་གདགས་གཞི་ཕུང་པོ་ལྔ་དང་། ཁམས་དྲུག་སོགས་ཀྱི་སྟེང་དུ་རྟོག་པའམ་བློས་བཏགས་པ་ཁོ་ན་ཡིན་གྱི། ཡུལ་གྱི་སྟེང་ནས་གྲུབ་པ་ཅུང་ཟད་ཀྱང་མེད་དོ། །སྙམ་དུ་བསམ་མོ། །དེ་ལྟར་གང་ཟག་ཕུང་པོ་དང་ཁམས་ཚོགས་ཙམ་ལ་བཏགས་པ་བཞིན་དུ། ཕུང་པོ་དང་ཁམས་དེ་རྣམས་ཀྱང་རང་རང་གི་ཆ་ཤས་ཚོགས་ཙམ་ལ་བཏགས། ཆ་ཤས་དེ་རྣམས་ཀྱང་རང་རང་གི་ཆ་ཤས་ཚོགས་ཙམ་ལ་བཏགས་པ་ཡིན་པས། རང་རང་གི་ཆ་ཤས་དེ་རྣམས་ཀྱི་སྟེང་དུ་བདེན་པར་གྲུབ་ན། དེ་རྣམས་དང་བདེན་གྲུབ་ཀྱི་གཅིག་དང་ཐ་དད་གང་རུང་ལས་མི་འདའ། དེ་གཉིས་གང་ཡིན་ཡང་སྔར་བཤད་པ་ལྟར་གྱི་སྐྱོན་དུ་འགྱུར་བའི་རིགས་པས་ཁེངས་པའི་ཕྱིར་རོ། །རྟེན་འབྲེལ་གྱི་རིགས་པ་ལ་རྟེན་ནས་འགོག་ཚུལ་ནི། ད་ལྟ་འཇིག་རྟེན་ན་རྟ་སྣང་གི་བུ་ནི་དང་པོ་ནས་རྟ་སྣང་དུ་གྲུབ་ཀྱི།

ཕྱིས་རྒྱུ་རྐྱེན་གཞན་ལ་བརྟེན་ནས་ཧ་སླང་དུ་སྣང་བ་མིན་པས། དེའི་སྟེང་དུ་ཧ་སླང་ངོ་བོ་ཉིད་གྱིས་གྲུབ། སྐྱུ་མའི་ཧ་སླང་སོགས་ནི་སྔགས་དང་རྫས་ལ་སོགས་པའི་རྐྱེན་གཞན་ལ་བརྟེན་ནས་སྣང་བ་ཙམ་ཡིན་པས་སྐྱུ་མའི་ཧ་སླང་ངོ་བོ་ཉིད་མ་གྲུབ་ཅེས་འདོད་པའི་གཞན་གྲགས་ཀྱི་དཔེ་ལ་བརྟེན་ནས་ངོ་བོ་ཉིད་ཀྱིས་གྲུབ་ན། རྒྱུ་རྐྱེན་གཞན་ལ་ལྟོས་པ་མི་འཐད་ཅེས་ཁྱབ་པ་ངེས་པ་བྱས་ཏེ། ཕྱོགས་ཆོས་ཕྱི་ནང་གི་དངོས་པོ་རྒྱུ་རྐྱེན་གཞན་ལ་བརྟེན་ནས་སྐྱེས་པ་ལྟ་བུར་ཡོད་པ་དྲན་པར་བྱས་ཏེ། ཚུལ་གསུམ་ཅིག་ཆར་དྲན་པའི་ཤུས་པ་ལ་བརྟེན་ནས། ཕྱི་ནང་གི་དངོས་པོ་རྣམས་ནི་རྟེན་ལས་གྱི་ཡུལ་ལྟར་བློ་ལ་སྣང་བ་ཙམ་པོ་ན་ཡིན་གྱི། ཡུལ་སྟེང་ནས་གྲུབ་པ་རྡུལ་ཟད་བྱ་བ་མེད་སྙམས་སུ་དྲན་པའི་དོན་སྒོམ་ཚུལ་ལ་དཔྱད་པ་བྱེ་བཟང་བྱེ་བཟང་དུ་སོང་སྟེ་ཇི་ལྟ་ཇི་སྙེད་ཀྱི་རྣམས་པ་མ་ལུས་པ་ཕོང་དུ་ཆུད་པར་གྱུར་ནས། འགྲོ་བའི་ཡིད་ཀྱི་ཟབ་མོའི་དོན་ལ་རྨོངས་པའི་མུན་ཆེན་སེལ་ཞིང་ཤིན་ཏུ་རྟོགས་པར་དཀའ་བའི་གནས་ལུགས་བདེ་བླག་ཏུ་འཇལ་བའི་ཤེས་རབ་ཐོབ་པར་བྱིན་གྱིས་བརླབ་ཏུ་གསོལ་སྙམ་དུ། ཕྲ་ཞིང་མཛངས་ལ་ཞིབ་པའི་བློ་གྲོས་ཀྱིས། །རིགས་པའི་རྗེས་འབྲང་རྒྱལ་བའི་གསུང་རབ་དོན། །མ་ལུས་ཕོང་དུ་ཆུད་ནས་འགྲོ་བ་ཡི། །རྨོངས་པའི་མུན་ཆེན་སེལ་བར་བྱིན་གྱིས་རློབས། །ཞེས་གསོལ་བར་ཤུགས་དྲག་ཏུ་བཏབ་པས་བྱིན་གྱིས་བརློབ་པར་བསམ། །དེ་ནས་དངོས་གྲུབ་གཉིས་ཀྱི་གཏེར་མཛོད་འབྲས་བུ་རྡོ་རྗེ་ཐེག་པ་ཉེ་ལམ་ལ་ཞུགས་དགོས་ཀྱང་། རང་དགར་མ་ཡིན་པར་རྡོ་རྗེ་སློབ་དཔོན་མཚན་ཉིད་དང་ལྡན་པའི་དྲུང་ནས་སྨིན་བྱེད་དབང་། སྒྲོལ་བྱེད་ཁྲིད། རྒྱབ་རྟེན་ལུང་། རྩ་བཤད་སྦྱར་བའི་མན་ངག་ལེགས་པར་ཐོབ་དེ་རྒྱུད་སྡེ་སྤྱི་དང་ཁྱད་པར་མཐའ་དྲུག་ཚུལ་བཞིས་རྒྱས་བཏབ་པའི་རྒྱས་ཀྱི་རྒྱལ་པོ་རྣམས་ཀྱི་དགོངས་པ་ལེགས་པར་ཁྲོལ་ནས། རྣམ་མང་བརྒྱུད་སྡེའི་དོན་ལ་ཐེ་ཚོམ་དང་བྲལ་བའི་ངེས་པ་རྣམ་དག་རྙེད་པར་བྱས་ཏེ་སྙིགས་དུས་ཀྱི་ཚེ་ཐུང་གཅིག་ལ་འཚང་རྒྱ་བའི་ཉེ་ལམ་བཟང་པོ་མཐར་ཐུག་པ་རིམ་གཉིས་ཟབ་མོའི་གནད་ཡོངས་སུ་རྫོགས་པ་ལ། ཕྱི་རོལ་གྱི་སེམས་བཅས་སེམས་མེད་ཀྱི་གནོད་པ་དང་རང་རྒྱུད་ཀྱི་ཐམལ་གྱི་རྣམ་པར་རྟོག་པའི་འགལ་རྐྱེན་ཀུན་གྱིས་གཡོ་བ་མེད་པར་རྩེ་གཅིག་ཏུ་ཉམས་སུ་ལེན་པར་བྱིན་གྱིས་བརླབ་ཏུ་གསོལ་སྙམ་དུ། རྣམ་མང་རྒྱུད་སྡེའི་དོན་ལ་ངེས་རྙེད་

ནས། །ལམ་བཟང་མཐར་ཐུག་རིམ་གཉིས་ཟབ་མོའི་གནད། །ཕྱི་ནང་འགལ་རྐྱེན་ཀུན་གྱིས་གཡོ་མེད་པར། །རྩེ་གཅིག་ཉམས་སུ་ལེན་པར་བྱིན་གྱིས་རློབས། །ཞེས་གསོལ་བ་ཤུགས་ཏུ་བཏབ་པས་བྱིན་གྱིས་བརླབས་པར་བསམ། མདོར་ན་ཡང་དག་པར་རྫོགས་པའི་སངས་རྒྱས་ནི་སྐྱོན་ཀུན་ཟད་ཡོན་ཏན་ཀུན་རྫོགས་ཡིན་ལ། དེ་སྒྲུབ་པའི་ཐབས་ལའང་སྤྱངས་བྱའི་གཉེན་པོ་ཟག་མེད་ཡེ་ཤེས་སྡེ་ཚན་ཉེར་གཅིག་གི་རིགས་མཐའ་དག་ཚང་བ་ཞིག་དགོས་སོ། །དེས་ན། ཕྱི་དང་གསང་བ་ཐེག་པ་གསུམ། །དམ་ཆོས་སོ་སོར་བཟུང་བར་བགྱི། ཞེས་གསུངས་པ་ལྟར། ཕ་རོལ་ཏུ་ཕྱིན་པའི་སྡེ་སྣོད་གསུམ་དང་གསང་སྔགས་རྒྱུད་སྡེ་བཞིས་བསྡུས་པའི་རྒྱལ་བས་གསུངས་པའི་དམ་ཆོས་མཐའ་དག་དང་། ཁྱད་པར་དུ་ཡང་གསུང་རབ་ཀུན་གྱི་ཡང་རྩེ་བླ་མེད་རྡོ་རྗེ་ཐེག་པ་ཐོས་སོགས་ཀྱིས་རྒྱལ་བའི་དགོངས་པ་ཇི་ལྟ་བ་བཞིན་འཛིན་པ་ནི། རྒྱལ་སྲས་སྤྱོད་པ་མཐའ་ཡས་པའི་ནང་ནས་མཆོག་རབ་ཕུལ་དུ་བྱུང་བ་དང་། དུས་གསུམ་གྱི་རྒྱལ་བ་མ་ལུས་པའི་བགྲོད་པ་གཅིག་གསང་བའི་ལམ་ཆེན་ཡིན་ཏེ། ཇི་སྐད་དུ། ཀུན་མཁྱེན་བླ་མའི་གྲུབ་མཐའི་རྩ་བ་རིན་ཆེན་སྒྲོན་མེ་ལས། སྐལ་ལྡན་གྲུབ་དབང་བྱེ་བས་རྗེར་གཤེགས་ཤུལ། །དུས་གསུམ་རྒྱལ་བའི་གསང་ལམ་མཆོག་ཏུ་གྲུབ། །ཅེས་དང་། དེའི་རང་འགྲེལ་ཀུན་བཟང་ཞིང་གི་ཉི་མ་ལས། མཆོག་ཏུ་རྨད་བྱུང་གསང་ལམ་ཆེས་གསང་ཐེག ཉོན་མོངས་ལམ་བྱེད་མྱུར་དུ་ཀུན་འོས་སར། །འཇུག་བྱེད་གསང་སྔགས་སྤྱི་དང་བླ་མེད་ལ། །རྣམ་དག་ཡིད་ཆེས་དེ་ཡང་རྒྱལ་ཀུན་ཡབ། །ཅེས་སོགས་ལེགས་བཤད་རྒྱ་མཚོ་དག་ལས་གྲུབ་པོ། །དེ་ལྟར་དེ་དག་བཤད་སྒྲུབ་དྲི་མ་མེད་པས་ལེགས་པར་བཟུང་ནས་འགྲོ་བའི་འདྲེན་པ་བགྱིད་པར་བྱིན་གྱིས་བརླབ་ཏུ་གསོལ་སྙམ་དུ། མདོར་ན་རྒྱལ་བའི་དམ་ཆོས་མཐའ་དག་དང་། །ཁྱད་པར་དུ་ཡང་བླ་མེད་རྡོ་རྗེ་ཐེག རྒྱལ་བའི་དགོངས་པ་ཇི་བཞིན་ལེགས་བཟུང་ནས། །འགྲོ་བའི་འདྲེན་པར་བགྱིད་པར་བྱིན་གྱིས་རློབས། །ཞེས་གསོལ་བ་ཤུགས་དྲག་ཏུ་བཏབ་པས་བྱིན་གྱིས་བརླབས་པར་བསམ། གནས་དེ་ལྟ་བུ་དངོས་སུ་སྤྱོད་པའི་ནུས་པ་མེད་པ་དག་ཀྱང་ནམ་དེ་ལྟ་བུ་ཡོངས་སྙམ་པའི་འདུན་པ་ཤུགས་དྲག་པོས་སྦྱངས་པ་དང་། བླ་མ་དང་ལྷག་པའི་ལྷ་ལ་གསོལ་བ་རྩེ་གཅིག་ཏུ་གདབ་པ་དང་། ཚོགས་གསོག་པ་དང་སྒྲིབ་པ་

སྤྱོང་བའི་སྒོ་ནས་མ་ནུས་འབད་པ་དང་། བསགས་པའི་དགེ་བ་རྣམས་འདུན་པ་དྲག་པོ་དང་སྨོན་ལམ་རྣམ་པར་དག་པས་ཁ་བསྒྱུར་བ་སོགས་ལ་བརྩོན་པ་ནི། རྒྱུད་དུ་བྱུང་བའི་ཉམས་ལེན་ཟབ་ཟབ་མོར་གྲགས་པ་བཞིན་དག་གིས་བསྒྲུབ་དུ་མེད་པར་རྗེ་ཡབ་སྲས་རྣམས་ཀྱིས་ལན་དུ་མར་གསུངས་པ་ལྟར། བདག་གི་ཡིད་ལ་ཤིན་ཏུ་བརྣག་ཅིང་སྨོན་པ་ཡིན་པས། དོན་དེ་ཡིད་བཞིན་དུ་འགྲུབ་པར་བྱིན་གྱིས་བརླབ་ཏུ་གསོལ་སྙམ་དུ། དགེ་བ་འདི་ཡིས་སྐྱེ་བ་ཐམས་ཅད་དུ། །འདྲེན་མཆོག་བླ་མ་ཁྱོད་དང་མི་འབྲལ་ཞིང་། །མགོན་པོ་ཁྱོད་ཀྱི་ཐུགས་ཀྱི་བཅུད་བྱུང་བ། །ལེགས་བཤད་བདུད་རྩིའི་རོ་ཡིས་འཚོ་བར་ཤོག གཞན་ཡང་བདག་གིས་བགྱིས་དང་འགྱིད་འགྱུར་བའི། །ལེགས་པར་སྤྱད་པ་ཇི་སྙེད་མཆིས་པ་ཀུན། །ཁྱོད་ཀྱིས་དགྱེས་བཞིན་རྗེས་སུ་འཛིན་པ་དང་། བཀའ་བཞིན་སྒྲུབ་པ་པོ་ནའི་རྒྱུར་གྱུར་ཅིག། སྐྱེ་ཞིང་སྐྱེ་བ་དག་ནི་ཐམས་ཅད་དུ། །རིགས་བཟང་བློ་གསལ་ང་རྒྱལ་མེད་པ་དང་། །སྙིང་རྗེ་ཆེ་ཞིང་བླ་མ་ལ་གུས་ལྡན། །དཔལ་ལྡན་བླ་མའི་དམ་ཚིག་ལ་གནས་ཤོག དཔལ་ལྡན་བླ་མ་ཁྱེད་སྐུ་ཅི་འདྲ་དང་། འཁོར་དང་སྐུ་ཚེའི་ཚད་དང་ཞིང་ཁམས་དང་། ཁྱོད་ཀྱི་མཚན་མཆོག་བཟང་པོ་ཅི་འདྲ་བ། དེ་འདྲ་ཁོ་ནར་བདག་སོགས་འགྱུར་བར་ཤོག ཁྱེད་ལ་བསྟོད་ཅིང་གསོལ་བ་བཏབ་པའི་མཐུས། །བདག་སོགས་གང་དུ་གནས་པའི་ས་ཕྱོགས་དེར། །ནད་གདོན་དབུལ་ཕོངས་འཐབ་རྩོད་ཞི་བ་དང་། །ཆོས་དང་བཀྲ་ཤིས་འཕེལ་བར་མཛད་དུ་གསོལ། །ཚེ་རབས་ཀུན་ཏུ་རྒྱལ་བ་ཙོང་ཁ་པས། །ཐེག་མཆོག་བཤེས་གཉེན་དངོས་སུ་མཛད་པའི་མཐུས། །རྒྱལ་བས་སྔགས་པའི་ལམ་བཟང་དེ་ཉིད་ལས། །སྐད་ཅིག་ཙམ་ཡང་ལྡོག་པར་མ་གྱུར་ཅིག ཅེས་དོན་དྲན་བཞིན་པས་གསོལ་བ་འདེབ་ཅིང་འདུན་པ་དྲག་པོས་སྨོན་པ་དང་། འཁོར་ལོ་གསུམ་དང་ལྡན་པ་འདུས་པའི་ཚོགས། །ཕན་ཚུན་ཐུགས་མཐུན་བདེ་བར་ཆོས་སྤྱོད་པས། །ས་སྟེང་མ་ལུས་ཡོངས་སུ་གང་བ་དང་། །དགེ་ལྡན་བསྟན་པ་ཕྱོགས་བཅུར་འཕེལ་བར་ཤོག ཅེས་རྗེ་བཙུན་ཤེས་རབ་སེང་གེས་མཛད་པའི་སྨོན་ལམ་དང་། གཞན་ཡང་སྐྱབས་མགོན་ཐམས་ཅད་མཁྱེན་པས་གསུངས་པའི་རྗེའི་བསྟན་པ་དང་མི་འབྲལ་བའི་སྨོན་ལམ་མཁྱེན་བརྩེའི་འདྲེན་ལྡན་སོགས་བསྔོ་སྨོན་རྣམ་པར་དག་པས་མཐའ་བརྒྱན་པར་བྱ། སྙིང་

གའི་རྗེའི་སྐུའི་བཀོད་པའི་ཇི་སྲིད་འཚོ་བའི་བར་དུ་མི་བསྒྱུ་བར་འཛོག་པས། ཐུན་རྗེས་མ་རྣམས་སུ་དང་སྨན་འདྲེན་པ་སོགས་ཚང་བར་བྱས་པའི་མཇུག་ཏུ་སྙིང་གའི་ཐུགས་ཕྲེང་གི་ཐག་པ་དཀྲོལ་ནས་པད་འདབ་ཟུང་ཟད་ཁ་ཕྱེ་བའི་མཚམས་ནས་མར་ཕེབས་ཏེ་ཐོར་གྱི་རྗེ་བླ་མ་ལ་བསྟིམ་པའི་དམིགས་པ་བྱས་ལ། ཡང་ཐུགས་ཕྲེང་གིས་བསྒྲམས་པ་སོགས་བྱས་པས་བྱིན་རླབས་བརྟན་པ་དང་བསྲུང་བ་ཆེན་པོར་འགྱུར་བ་སོགས་དགོས་པ་ཆེའོ། །རྒྱུན་དུ་སྙིང་གའི་རང་སེམས་རྗེ་བླ་མའི་ངོ་བོར་གསལ་བ་ཡང་ཡང་དྲན་ནས་གསོལ་བ་གདབ་པ་དང་། སྒོ་གསུམ་གྱི་བྱ་བ་གང་བྱེད་ཀྱང་དེ་ཉིད་དཔང་པོའི་ཚུལ་དུ་བཞུགས་པས་བསམས་པའི་ཉེས་སྤྱོད་ལས་ལྡོག་ཅིང་དགེ་ཚོགས་འཕེལ་བ་དང་ལྷ་རྗེས་སུ་དྲན་པའི་རྣལ་འབྱོར་མཆོག་ཏུ་འགྱུར་ལ། ཚེ་རབས་ཀུན་ཏུ་རྗེ་བླ་མ་དང་མི་འབྲལ་ཞིང་གསང་སྔགས་ཟབ་མོའི་སྨིན་བྱེད་དུ་འགྱུར་བའི་གནད་ཁྱབ་པར་ཅན་དུ་ཡོད་ཅིང་། ཁྲུས་དང་ཟས་གོས་ལུས་གསོ་བ་དང་མཛེས་ཆེད་ཙམ་མ་ཡིན་པར་ཁྲུས་ཀྱི་ཚེ། ཇི་ལྟར་བལྟམ་པ་ཙམ་གྱིས་ནི། །སོགས་ཚིག་ཟིན་ལྟར་སྙིང་གའི་རྗེ་བླ་མ་ལ་སྐུ་ཁྲུས་གསོལ་བ་དང་སྐུ་དཔྱི་བ་སོགས་དམིགས་པ་ སྔར་ལྟར་བྱེད། ཟས་ཟ་བའི་ཚེ་གདན་ལ་འདུག་ནས་བཟའ་བཏུང་ནང་མཆོད་ལྟར་རམ། ཨོཾ་ཨཱཿཧཱུྃ་གིས་བདུད་རྩིར་བྱིན་གྱིས་བརླབས་ལ། ཁ་ཐབ་འཁྲུང་དང་། ལག་པ་གཉིས་དགང་བླུགས་སུ་མོས་ནས་ཨོཾ་གྱི་འོད་ཟེར་གྱིས་ཟས་རྣམས་དྲངས་ཏེ། ལྗེ་ཧཱུྃ་ལས་བྱུང་བའི་རྡོ་རྗེ་རྩེ་ལྔ་པར་བསྒོམས་པའི་རྣ་དབུས་མའི་སྦུ་གུ་ནས་བཞུགས་ཏེ། འདྲེན་པ་མཉམ་མེད་མ་ལྟར་སྐྱབས་གནས་ཀུན་གྱི་ངོ་བོ་སྙིང་གའི་རྗེ་བླ་མ་ལ་འབུལ་བ་ནི་ནང་གི་སྦྱིན་སྲེག་གི་ཚུལ་དུ་ལོངས་སྤྱོད། ལས་དང་པོ་རྣམས་གོམས་པའི་ཕྱིར་མིད་ཐེབ་རེ་མཇུབ་མོ་ལྟ་བུར་བགྲང་ནས་བཅུ་ཚང་བ་ལྟ་བུས་སྙིང་གའི་རྗེ་བླ་མ་ལ་ཕུལ་ནས་དགའ་བ་སྒོམ། དེ་དག་ནི་རང་ལུས་ལྷ་སྐུའི་ངོ་བོ་ཉིད། ཅེས་སོགས་ཀྱི་དོན་ལྟར་ཡིན་ལ། དམ་ཚིག་རྡོ་རྗེ་རིགས་ལྔའི་ནང་ནས་མཆོག་ཏུ་གྱུར་པའི་རྡོ་རྗེ་ཅན་མི་བསྐྱོད་པའི་རྣལ་འབྱོར་པས། རང་གི་ལྗེ་ཧཱུྃ་ལས་རྡོ་རྗེ་རྩེ་ལྔ་པར་བསྒོམ་སྟེ། བཟའ་བཏུང་རྣམས་བདུད་རྩི་ལྔར་བསྐྱེད་པས་ཐོས་ན་རྡོ་རྗེ་གསུམ་སྟེ་ལུས་ངག་ཡིད་གསུམ་ཤིན་ཏུ་སྦྱངས་པ་ཐོབ་པར་འགྱུར་བ་འདི་ནི་རྡོ་རྗེའི་རིགས་ཐམས་ཅད་ཀྱི་བཟའ་བཏུང་ལ་ལོངས་སྤྱོད་པའི་ཚུལ་

མཚོན་ཏེ། དེ་བཞིན་དུ་རིགས་གཞན་རྣམས་ཀྱི་རྣལ་འབྱོར་བས་བཟའ་བཏུང་ལོངས་སྤྱོད་ཚུལ་ཡང་ཤེས་པར་བྱ་སྟེ། འདུས་པའི་རྩ་རྒྱུད་ལེའུ་བཅུ་གཉིས་པ་ལས། ལྔེ་ཡི་དམ་ཚིག་རྡོ་རྗེ་མཆོག རྡོ་རྗེ་ཅན་གྱིས་རྩྭ་བསྒོམས་ཏེ། །བདུད་རྩི་ལྔ་ཡི་སྦྱོར་བ་ཡིས། །ཟོས་ན་རྡོ་རྗེ་གསུམ་ཐོབ་འགྱུར། །ཨཱཿདང་ཨོཾ་གྱིས་དམ་ཚིག་ཅན། །འདི་ནི་རྡོ་རྗེའི་ཚུལ་མཆོག་སྟེ། །ཞེས་གསུངས་པ་ལྟར་རོ། །དེ་ལྟར་སྤྱད་ན་སྔགས་ཀྱི་ཟ་བའི་དམ་ཚིག་མ་བསྟེན་པའི་ཉེས་པ་ཁེགས་ཤིང་དད་ཟས་གཤིན་ཟས་དགེ་འདུན་གྱི་དཀོར་སྒྲིབ་ཀྱིས་མི་ཚུགས་པའི་ཐབས་ཟབ་མོར་འགྱུར་བར་མ་ཟད་མཆོད་པ་ཕུལ་བའི་བསོད་ནམས་ཀྱི་ཚོགས་རླབས་ཆེ་བས་བསགས་པར་འགྱུར་ཞིང་། ཡང་ལེའུ་དེ་ཉིད་ལས། དེ་ལྟ་བུ་ཡི་སྦྱོར་བ་ཡིས། །རྡོ་རྗེ་མི་ཕྱེད་འདྲ་བར་འགྱུར། །ཞེས་པ་ལྟར་རྡོ་རྗེ་གསུམ་དབྱེར་མི་ཕྱེད་པའི་རྡོ་རྗེ་འཆང་འདྲ་བར་འགྱུར་བ་སོགས་ཕན་ཡོན་ཆེ་བས་དེ་ལྟ་བུའི་ཚུལ་གྱིས་ལོངས་སྤྱོད་དེ། མཇུག་ཏུ་དེ་ལས་བྱུང་བའི་དགེ་བ་བསྔོ་བར་བྱེད་པའང་གནད་ཆེ། རང་གི་གོས་སྐྱོན་པའི་ཚེའང་འབྲུ་གསུམ་བརྗོད་དེ་གོས་ལྷ་རྫས་ཀྱི་གོས་སུ་བྱིན་གྱིས་བརླབས་ནས་སྙིང་གའི་རྗེ་བླ་མ་ལ་འབུལ་བའི་མོས་པ་བྱེད། གཞན་ཡང་ཅིར་སྣང་ཐམས་ཅད་བླ་མའི་གསང་གསུམ་གྱི་ངོ་བོར་སྒོམས་ནས་གསོལ་བ་འདེབས་དེ་ཐམས་ཅད་ཀྱང་རང་གི་བློས་ཕར་བཏགས་པ་ཙམ་མ་གཏོགས་ཡུལ་གྱི་ངོས་ནས་གྲུབ་པ་རྡུལ་ཙམ་ཡང་མེད་པའི་ལྟ་བས་རྒྱས་བཏབ་སྟེ་རྨི་ལམ་དང་སྒྱུ་མ་ལྟ་བུར་ཤར་བའི་ངང་ནས་དགེ་སྦྱོར་ཐམས་ཅད་ཀྱི་མཆོག་བླ་མའི་རྣལ་འབྱོར་ལ་འབད་པར་བྱའོ། །བློ་བཟང་རྒྱལ་ཀུན་མཁྱེན་རབ་གཅིག་བསྡུས་མགོན། །དབང་ཕྱུག་བརྒྱད་ལྡན་དམ་པའི་བཀའ་དྲིན་ལས། དགེ་ལྡན་གསེར་ཆོས་འདི་ཡི་ཟབ་ཁྱིད་ཐོབ། ཐུགས་བཅུད་གདམས་པའི་དགོངས་དོན་སྐལ་བརྒྱུད་ལས། རང་རང་གང་འདོད་སྨྱུ་གུའི་ཕྱེ་བཞིན་དུ། མཁས་མཁས་ཞལ་ལུང་ལེགས་བཤད་སྒྲོན་མེ་ཞེས། །ཨ་ཨ་ཟབ་ཟབ་ངེས་ངེས་ཉིང་ཁུ་བཀོད། །བཀོད་འདིར་རང་བློའི་ནོངས་པའི་ཚོགས་ཀུན་བཤགས། །འདིས་མཚོན་དགེ་བས་གངས་ཅན་མགོན་པོ་ཡི། །ཞབས་པད་བརྟན་ཅིང་མཛད་འཕྲིན་འོད་སྣང་གིས། །རྒྱུད་ལྡིའི་འགྲོ་བློའི་མུན་སྨུག་ཀུན་བསལ་ནས། །ཕན་བདེའི་སྣང་བ་མཆོག་ལ་རྟག་སྤྱོད་ཤོག ཅེས་དགའ་ལྡན་བརྒྱ་མའི་བླ

མའི་རྣལ་འབྱོར་ལ་བརྟེན་ནས་ལམ་གྱི་གཙོ་བོ་རྣམ་གསུམ་རྩ་ཚིག་གི་སྟེང་ནས་གཞུང་བསྲངས་ཏེ་ཉམས་ལེན་སྙིང་པོར་བྱེད་ཚུལ་དམ་པའི་གསུང་རྒྱུད་ལེགས་བཤད་སྒྲོན་མེ་ཞེས་བྱ་བ་འདི་ནི། དད་འདུན་ལྷག་བསམ་གྱིས་སྨྲུག་པ་ཆོས་མཛད་དགེ་འདུན་ལྷུན་གྲུབ་བསྐུལ་ཞིང་། རབ་འབྱམས་པ་དཀོན་མཆོག་ཀུན་དགོས་ཀྱང་གསལ་ལ་རྒྱས་པ་འདི་ལྟ་བུ་ཞིག་དགོས་ཞེས་རྣ་སུན་དུ་མས་རྐྱེན་བྱས། དོན་གྱི་སྐད་དུ་མཚན་ནས་སྨོས་ཏེ་བདག་གི་མཁན་ཆེན་བཀའ་དྲིན་གསུམ་ལྡན་ཡོངས་རྫོགས་བསྟན་པའི་མངའ་བདག་ཁྱབ་བདག་ཁྲི་ཆེན་རྡོ་རྗེ་འཆང་ཡོངས་འཛིན་བློ་བཟང་མཁྱེན་རབ་དབང་ཕྱུག་དཔལ་བཟང་པོའི་ཞལ་སྔ་ནས་རྒྱལ་དབང་བདུན་པ་ཆེན་པོའི་གསུང་ཁྲིད་ཡིག་དངོས་གྲུབ་ཀུན་འབྱུང་སྟེང་ནས་ཞལ་ཤེས་ཟབ་ཁྲིད་གནང་བ་བློ་ལ་གང་ངེས་གཞི་བྱས་མཁས་པའི་གསུང་རྒྱུན་མན་ངག་དུ་མས་བརྒྱན་ཏེ། སྨྲ་སྒྲོབ་དཔོན་ཁྲི་འཛིན་མཁྱེན་རབ་བསྟན་པ་ཆོས་འཕེལ་ནས་བླ་བྲང་ཐུབ་བསྟན་ཆོས་ཀྱི་གཏེར་མཛོད་གླིང་དུ་སྦྱར་བའི་ཡི་གེ་པ་ནི་བསྐུལ་བ་པོ་དཀོན་མཆོག་ཀུན་དགའོ། །

༄༅། །ནས་ཀྱི་རྣལ་འབྱོར་འཆིར་བདེ་བ་བཞུགས་སོ།

༄། །ཨོཾ་ཨཱཿཧཱུྃ་གིས་བདུད་རྩིར་བྱིན་རླབས་པའི། །བཟའ་བ་ཁམ་རེ་བཏུང་བ་ཧུབ་རེ་བཞིན། །སྙིང་དབུས་རྗེ་བཙུན་བློ་བཟང་གྲགས་པ་ལ། །ཕུལ་བས་ཟག་མེད་བདེ་བས་དགྱེས་པར་གྱུར། །ཅེས་པ་འདིའང་རྗེ་གཅིག་ཏུ་སྐྱབ་པ་ལ་བརྩོན་པ་དགེ་འཕེལ་དགེ་སློང་ངག་དབང་བསྟན་འཕེལ་གྱི་ཐུགས་བཞེད་ལྟར་སློ་མཁན་མིང་མཁྱེན་རབ་བསྟན་པ་ཆོས་འཕེལ་ནས་བཀོད་པའོ། ། །།

༄༅། །མཎྜལ་འབུལ་ཚུལ་སྙིང་པོ་བསྡུས་པ་བཞུགས་སོ།

༄། །ན་མོ་གུ་རུ་སུ་མ་ཏི་ཀཱིརྟི་ཡེ། །ཀུན་མཁྱེན་ཙོང་ཁ་པ་ཆེན་པོའི་ཕྱག་བཞེས་མཎྜལ་ཉེར་གསུམ་མའམ་ཉེར་ལྔ་མ་ནི། རི་གླིང་སོགས་རེ་རེའི་སྟེང་པད་སྟོང་ཉེར་ལྔ་པ་རེ། དེ་རེ་རེའི་སྟེང་ཀུན་བཟང་ཐལ་མོ་སྦྱར་བས་ནོར་བུ་འཛིན་པ་རེ། དེ་རྣམས་ལྔ་བ་ནས་པད་སྟོང་ཉེར་ལྔ་པ་རེ། དེའང་ཀུན་བཟང་སོགས་ནམ་མཁའ་གང་བར་སྤྲོས་པའི་སྟེང་རང་གཞན་གི་དགེ་རྩ་མ་ལུས་པ་སྤུངས་ཏེ་འབུལ་བར་བསམ་ལ། ཨོཾ་བཛྲ་བྷཱུ་མི་ཨཱཿཧཱུྃ། དབང་ཆེན་གསེར་གྱི་ས་གཞི། ཨོཾ་བཛྲ་རེ་ཁེ་ཨཱཿཧཱུྃ། ཕྱི་ལྕགས་རི་ཁོར་ཡུག་གིས་བསྐོར་བའི་དབུས་སུ་རིའི་རྒྱལ་པོ་རི་རབ། ཤར་ལུས་འཕགས་པོ། ལྷོ་འཛམ་བུ་གླིང་། ནུབ་བ་གླང་སྤྱོད། བྱང་སྒྲ་མི་སྙན། ལུས་དང་ལུས་འཕགས། རྔ་ཡབ་དང་རྔ་ཡབ་གཞན། གཡོ་ལྡན་དང་ལམ་མཆོག་འགྲོ། སྒྲ་མི་སྙན་དང་སྒྲ་མི་སྙན་གྱི་ཟླ། ཤར་དུ་གླང་པོ་རིན་པོ་ཆེ། ལྷོར་ཁྱིམ་བདག་རིན་པོ་ཆེ། ནུབ་ཏུ་རྟ་རིན་པོ་ཆེ། བྱང་དུ་བཙུན་མོ་རིན་པོ་ཆེ། ཤར་ལྷོར་དམག་དཔོན་རིན་པོ་ཆེ། ལྷོ་ནུབ་ཏུ་འཁོར་ལོ་རིན་པོ་ཆེ། ནུབ་བྱང་དུ་ནོར་བུ་རིན་པོ་ཆེ། བྱང་ཤར་དུ་གཏེར་ཆེན་པོའི་བུམ་པ། ནང་གི་ཤར་དུ་ཉི་མ། ནུབ་ཏུ་ཟླ་བ། བདག་གཞན་ལུས་ངག་ཡིད་གསུམ་ལོངས་སྤྱོད་དུས་གསུམ་དགེ་ཚོགས་བཅས། རིན་ཆེན་མཎྜལ་བཟང་པོ་ཀུན་བཟང་མཆོད་སྤྲིན་ཚོགས་བཅས་པ། །བློ་ཡིས་བླངས་ནས་བླ་མ་ཡི་དམ་དཀོན་མཆོག་གསུམ་ལ་འབུལ། །ཐུགས་རྗེའི་དབང་གིས་བཞེས་ནས་བདག་ལ་བྱིན་གྱིས་བརླབ་ཏུ་གསོལ། །ཨི་དཾ་གུ་རུ་རཏྣ་མཎྜ་ལ་ཀཾ་ནི་རྱཱ་ཏ་ཡ་མི། །ཞེས་བརྗོད། འདི་བུམ་དབང་དང་འབྲེལ་བའི་ཕྱིའི་མཎྜལ་ལོ། །རང་གི་ཕུང་ཁམས་ཕྲ་རགས་ཐམས་ཅད་རི་རབ་སོགས་སུ་བསྒྱུར་ནས་འབུལ་བར་བསམ་ལ། འབྱུང་བ་བཞི་འདུས་ལུས་ཀྱི་ས་གཞིའི་སྟེང་། །རྣམ་པར་ཤེས་པའི་ས

འཛིན་དབང་པོ་ལ། །ཕུང་ཁམས་གསེར་རི་རོལ་མཚོ་འདུན་གྱིས་བསྐོར། །སྐྱེ་མཆེད་བཅུ་གཉིས་གླིང་ཕྲན་བརྒྱད། །རོ་རྐྱང་ནམ་མཁའི་ཉོར་བུ་མཚན་མོའི་མགོན། །དབང་པོ་ལྔ་ཡི་གཏེར་ཆེན་བུམ་པ་སོགས། །དཀྱིལ་འཁོར་གཙོ་བོ་དཔལ་ལྡན་བླ་མར་འབུལ། །ཟག་མེད་བདེ་བ་ཆེ་ལ་སྤྱོད་པར་ཤོག། ཅེས་བརྗོད། འདི་གསང་དབང་དང་འབྲེལ་བའི་ནང་གི་མཉམ་ལོ། །དབང་གསུམ་པའི་རྟོགས་པ་བདེ་དབྱེར་མེད་ཀྱི་ཡི་ཤེས་རྩ་ཡིག་ཏུ་བསྒྱུར། དེ་རི་རབ་སོགས་སུ་བསྒྱུར་ནས་འཕུལ་བར་བསམ་ལ། །རྡོ་རྗེའི་ལུས་ཀྱི་གསེར་ལྡན་ལྟེ་བ་ན། །མཉམ་སྦྱོར་རྡོ་རྗེ་པདྨའི་ལྷུན་པོ་མཆོག བཅུ་དྲུག་དགའ་བའི་རིམ་མཆོ་གླིང་བཞིས་བསྐོར། །དབུ་མ་བཅུ་གཉིས་ཁྱིམ་གྱི་རྒྱུ་ལམ་དུ། །རོ་རྐྱང་རླུང་གི་ཉི་ཟླའི་དཀྱིལ་འཁོར་འཆར། །སྒྱུ་མའི་ལུས་སུ་ལྡང་བའི་རིན་ཆེན་བདུན། །ཟུང་འཇུག་བུམ་བཟང་ཡོད་འདུས་བརྟེ་ལ་སོགས། དཀྱིལ་འཁོར་མགོན་པོ་དཔལ་ལྡན་བླ་མར་འབུལ། །ཞེས་བརྗོད། འདི་ཤེར་དབང་དང་འབྲེལ་བའི་མཉམ་ལོ། །དབང་བཞི་པའི་རྟོགས་པ་བདེན་གཉིས་དབྱེར་མེད་ཟུང་འཇུག་གི་རྟོགས་པ་རྩ་ཡིག་བསྒྱུར། དེ་ཞིང་ཁམས་རབ་འབྱམས་དང་དེ་རྣམས་ཀྱི་རྟུལ་རེ་རེ་ལའང་དུས་གསུམ་གྱི་ཞིང་ཁམས་མ་ལུས་པར་བསྒྱུར་ནས་འབུལ་བར་བསམ་ལ། དྲི་བྲལ་རང་སེམས་དག་པའི་ས་གཞི་ལ། །རང་བཞིན་གདོད་ནས་སྟོང་པའི་ས་འཛིན་ཆེ། །མེད་ཀྱང་རྫུན་པར་སྣང་བའི་གླིང་བཞི་སོགས། །རྨི་ལམ་ཡུལ་གྱི་རོལ་པའི་ཇི་བཞིན་འབུལ། །ཞེས་བརྗོད། འདི་ཚིག་དབང་དང་འབྲེལ་བའི་དེ་ཁོ་ན་ཉིད་ཀྱི་མཉམ་སྟེ་ཕྱི་མ་གསུམ་འབུལ་བའི་ཚིག་བཅད་དེ་དག་ནི་ཀུན་གཟིགས་ལྔ་པ་ཆེན་པོའི་གསུང་ངོ་། །ཡང་ན་རྒྱལ་དབང་འདུན་པ་ཆེན་པོའི་གསུང་། བདག་ལུས་ངག་ཡིད་ཕུང་ཁམས་སྐྱེ་མཆེད་རྣམས། །ཡོངས་སུ་གྱུར་ལས་གྲངས་མེད་འཇིག་རྟེན་སྟོད། །འདོད་དགུའི་ཕུན་ཚོགས་གཏེར་གྱིས་གང་བ་འདི། །བླ་མ་ལྷ་ཡི་ཚོགས་ལ་གུས་པས་འབུལ། །ཞེས་ནང་དང་། ཐབས་མཆོག་བདེ་ཆེན་རྡོ་རྗེའི་རོལ་རྩེད་ཀྱིས། །སྟོང་ཕྱོགས་ཤེས་རབ་པདྨར་རོལ་པ་ལས། །ཟག་མེད་ལྷན་སྐྱེས་དགའ་བའི་རང་བཞིན་གྱི། །སྟོད་བཅུད་དཀྱིལ་འཁོར་བཀོད་པས་མཉེས་གྱུར་ཅིག །ཅེས་གསང་བ་དང་། བདེ་ཆེན་ཀུན་ཏུ་བཟང་པོའི་རྣམ་རོལ་གྱི། །མཆོད་སྤྲིན་ཅིར་ཡང་སྣང་

བའི་སྒྱུ་མ་རྣམས། །གདོད་ནས་རང་བཞིན་སྟོང་པར་ངེས་རྙེད་པའི། །ཟུང་འཇུག་བླ་མེད་མཆོད་པས་མཉེས་གྱུར་ཅིག །ཅེས་དེ་ཕོན་ཉིད་ཀྱི་མཇལ་འཕྲུལ། མཛལ་ཕྱི་མ་གཉིས་རང་བཞིན་བདེ་སྟོང་གི་ཡེ་ཤེས་ཡིན་པ་ལ་རྣམ་པ་རི་གླིང་སོགས་སུ་ཤར་བར་འདྲ་བས་ཁྱད་མེད་དུ་འགྱུར་རོ་སྙམ་ན། སྐྱོན་མེད་དེ། རྩ་ཤེས་ལས། གང་ལ་སྟོང་བའི་ཉིད་རུང་བ། །དེ་ལ་ཐམས་ཅད་རུང་བར་འགྱུར། །གསུངས་པ་བཞིན། །རང་བཞིན་གྱིས་སྟོང་པ་ལ་བྱ་བྱེད་ཐམས་ཅད་འགྲུབ་རུང་ཡང་། །ཡུལ་དེ་རང་བཞིན་མེད་ཙམ་རང་། །དེ་ལྟར་རྟོག་པ་ཙམ་གྱིས་བྱ་བྱེད་ཐམས་ཅད་སྒྲུབ་མི་ནུས་པ་དེ་བཞིན་དུ་སྤྱོད་བསྡུས་སུ་རྒྱུད་དྲང་པ་ལས། གང་དུ་བདེ་ཆེན་ཞེས་བྱ་གཅིག་པུ་ཉིད། གཅིག་པུའི་ཉམས་ཀྱིས་དུ་མའི་གར་མཛད་དོ། །གསུངས་པ་བཞིན་དག་པའི་བརྟན་གཡོ་མཐའ་དག་བདེ་སྟོང་ཡེ་ཤེས་ཀྱི་རྣམ་འཕྲུལ་ཡིན་ཀྱང་དབང་གསུམ་པའི་རྟོགས་པ་དཔེ་དོན་གྱི་འོད་གསལ་འགྲུབ་པ་ཙམ་གྱིས་བརྟན་གཡོ་རབ་འབྱམས་གང་འདོད་དུ་སྤྲུལ་སྒྱུར་བྱེད་མི་ནུས། མཐར་ཐུག་ཟུང་འཇུག་གི་གོ་འཕང་ཐོབ་པ་ན་གང་འདོད་པ་བཞིན་བྱེད་ནུས་པས། །དེ་དང་བསྟུན་པའི་མཆོད་པ་ལའང་རྒྱ་ཆེ་ཆུང་གི་ཁྱད་ཆེན་པོ་འབྱུང་། རིམ་པ་བཞི་པ་མན་ཆད་དུ་ཀུན་རྫོབ་སྒྱུ་མའི་སྐུ་དང་དོན་དམ་འོད་གསལ་གྱི་ཡེ་ཤེས་གཉིས་རེས་འཇོག་ལས་མི་འབྱུང་བས་བདེན་གཉིས་ཡ་བྲལ་དུ་སོང་ལ། །ཟུང་འཇུག་གི་ཚེ་དེ་གཉིས་སྟོབས་མཚུངས་སུ་འབྱུང་བས་ཡ་བྲལ་དུ་མ་སོང་བ་ཟུང་དུ་འཇུག་ཚུལ་ཕྱི་མ་ལས་ཆེས་ལྷག་ཚུལ། འདུས་པའི་རྒྱུད་ལེའུ་བརྒྱད་པ་ལས། ན་ཆུང་གཞོན་ནུ་མིག་ཡངས་པ། །གཟུགས་བཟང་གཞོན་བས་བརྒྱན་པ་ནི། །ལོ་གྲངས་ཉི་ཤུ་ལྔ་ལོན་རྙེད། །སྦྱིལ་སོང་ལས་ཀུང་རབ་ཏུ་བརྟག །ཅེས་གསུངས་པ་ལྟར། མདོར་ན་སྒྱུ་འོད་གཉིས་སམ་སྐུ་ཐུགས་ཟུང་དུ་འཇུག་པ་ཡིན་ལ། ཞིབ་ཏུ་ཕྱེན་ཕུང་པོ་ལྔ། ཁམས་ལྔ། དབང་པོ་ལྔ། ཡུལ་ལྔ། ཡེ་ཤེས་ལྔ་སྟེ་ཉེར་ལྔ་པོ་ཐམས་ཅད་ཟུང་དུ་འཇུག་པ་ཡིན་ནོ། །དེའང་ལྷན་ཅིག་ཏུ་ཚོགས་པར་གཅིག་གིས་གཅིག་རྗེས་ཟིན་པ་ཙམ་ལ་མི་བྱ་ཡི། ཕྲ་མའི་རྫས་རྒྱུན་དང་ཕྱོག་ཆ་ཙམ་སོ་སོར་བཞག་བ་མ་གཏོགས། དེ་ཐམས་ཅད་ངོ་བོ་དང་ནུས་པ་དང་བྱེད་ལས་གང་གི་ཆ་ནས་མི་འདྲ་བའི་དབྱེ་བ་འབྱེད་རྒྱུ་མེད་པ་ཡིན་ཏེ། འདུས་པའི་རྩ་རྒྱུད་ལེའུ་གཉིས་པ་ལས། ཁྱོད་ཀྱི་སེམས་ལུས་

ལྷ་བུ་དང་། ལུས་སེམས་ཚིག་ཏུ་བརྗོད་པ་ལྷ་བུར་སྐྱེད་ཅིག ཅེས་ལམ་གྱི་བགྲོད་པ་མཐར་ཐུག་པའི་ཚེ་ཡེ་ཤེས་ཀྱང་གང་འདོད་ཀྱི་གཟུགས་སུ་ཤར་ནས་གཟུགས་ཀྱི་བྱ་བ་བྱེད། གཟུགས་ཀྱིཆ་ཤས་ཐམས་ཅད་ཀྱིས་ཀྱང་ཇི་ལྟ་ཇི་སྙེད་མ་ལུས་རྟོགས་པ་སོགས་ཡེ་ཤེས་ཀྱི་བྱ་བ་བྱེད། དེའང་ཡུལ་དུ་དུས་ཕྱོགས་རེ་བ་ཙམ་མ་ཡིན་པར་ཡིད་ལ་གང་འདོད་དང་ཚིག་ཏུ་གང་བརྗོད་ལྟར་འགྲུབ་ནུས་པ་ཡིན་པར་གསུངས་པས་ཞིབ་པར་བླ་མའི་ཞལ་ལས་ཤེས་པར་བྱའོ། མདོ་ཕྱོགས་ནས་འདི་འདྲ་དངོས་ཤིག་མི་འདོད་ཀྱང་ཡེ་ཤེས་ཀྱི་རང་གདངས་གཟུགས་སྐུར་ཤར་བར་འདོད་དེ། གསང་བ་བསམ་གྱིས་མི་ཁྱབ་པའི་མདོ་ལས། །དེ་བཞིན་གཤེགས་པའི་གཙུག་ཏོར་གྱིས་གཟིགས་སོ། །དེ་བཞིན་དུ་མཛོད་སྤུས་ཀྱང་གཟིགས་སོ། །དེ་ལྟར་མཚན་རེ་རེས་ཀྱང་གཅིག་ཅར་ཕྱོགས་བཅུ་རྣམས་སུ་འཇིག་རྟེན་གྱི་ཁམས་རབ་འབྱམས་ཐམས་ཅད་གཟིགས་སོ། །ཞེས་སངས་རྒྱས་ཀྱི་གཙུག་ཏོར་མཛོད་སྤུ་སོགས་ཀྱིས་ཀྱང་ཆོས་ཐམས་ཅད་མཁྱེན་པར་བཤད་པར་ལྟར་ཁས་ཀྱང་ལེན་དགོས་ལ། །ཡེ་ཤེས་དེ་ཉིད་གཟུགས་སྐུར་ཤར་བ་མ་ཡིན་ན་དེ་ལྟར་མཁྱེན་པ་མི་སྲིད་དོ། །དེ་ལྟ་བུའི་རྒྱུད་དོན་མཐར་ཐུག་ཀུན་མཁྱེན་ཅོང་ཁ་པ་ཆེན་པོའི་དགོངས་པ་བཞིན་རང་ཅག་རྣམས་ཀྱི་ཉམས་ལེན་ཆེད་དུ། རྒྱལ་དབང་མཆོག་གིས་དེ་ལྟར་གསལ་བར་གསུངས་པ་ནི་ངོ་མཚར་བའི་ལེགས་བཤད་སྨད་དུ་བྱུང་བ་སོགས་སྔོ་སྔ་ཚོགས་ནས་ཞྭ་སེར་ཅོད་པན་འཆང་བའི་རིང་ལུགས་འཕེལ་བར་བྱེད་པའི་ཐབས་འབའ་ཞིག་མཛད་པའི་ཚུལ་ནི། །སྨྲས་བསམ་བརྗོད་ལས་འདས་ཤིང་སྙིང་ནས་དད་ཅིང་གུས་པར་བྱ་བའི་གནས་སོན་ཡིན་པས་ན། ཀུན་མཁྱེན་བླ་མའི་དབུ་མའི་མཆོད་བརྗོད་དུ། པད་དཀར་འཛིན་པས་བསྟན་འདི་བསྐྱངས་ཚུལ་ལ། །ཡང་ཡང་བསམས་ན་སྙིང་ནས་བ་སྤུ་ལྡང་། །ཞེས་གསུངས་སོ། །ཞེས་པ་འདིའིཾ་རབ་འབྱམས་པ་དཀོན་མཆོག་ཀུན་དགའི་འདོད་མོད་བཞིན་སྔོ་སློབ་དཔོན་ཁྲི་འཛིན་མཁྱེན་རབ་བསྟན་པ་ཆོས་འཕེལ་ནས་བླ་བྲང་ཐུབ་བསྟན་ཆོས་ཀྱི་གཏེར་མཛོད་སྒྲིང་དུ་སྦྱར་ཡི་གེ་པ་ནི་བསྐལ་བ་པོ་ཉིད་དོ། །། །དགེ་ལེགས་འཕེལ། །

༄༅། །ཆོས་ཀྱི་གནས་ལུགས་མཐར་ཐུག་གཏན་ལ་དབབ་པ་བློ་སྦྱོང་ཡན་ལག་སུམ་ཀྱི་དབུ་མའི་གཞུང་ལ་སློབ་གཉེར་འཕེལ་སྐད་དུ་དབུ་མ་ཆེན་མོའི་མཆོད་བརྗོད་གསོལ་འདེབས་བྱིན་རླབས་ཅན་གྱིས་དགོངས་འགྲེལ་དམ་པའི་ཕྱག་ལེན་བློ་གྲོས་པདྨོ་རྒྱས་བྱེད་ཞེས་བྱ་བ་བཞུགས་སོ།

༄༅། །ན་མོ་གུ་རུ་མཉྫུ་གྷོ་ཥཱ། ན་མཿ ཤྲཱ་ར་ས་ཧྲི། བླ་མ་དང་མགོན་པོ་འཇམ་དཔལ་དབྱངས་དང་དབྱེར་མེད་ཆོས་ཀྱི་རྒྱལ་པོ་ཙོང་ཁ་པ་ཡབ་སྲས་ཀྱི་ཞབས་ལ་གུས་པ་ཆེན་པོས་འཚལ་ཞིང་སྐྱབས་སུ་མཆིའོ། །སྐྱེ་བ་ཀུན་ཏུ་རྗེས་སུ་བཟུང་དུ་གསོལ། ཆོས་ཀྱི་གནས་ལུགས་མཐར་ཐུག་གཏན་ལ་དབབ་པ་བློ་སྦྱོང་ཡན་ལག་སུམ་ཀྱི་དབུ་མའི་གཞུང་ལ་བློ་གསལ་བ་རྣམས་ཀྱི་སློབ་གཉེར་འཕེལ་བའི་སླད་དུ་ཞིང་གི་མཐུ་ལ་བརྟེན་ནས་བློ་གྲོས་ཀྱི་པདྨོ་རྒྱས་བྱེར་སྟོན་དུ་དགའ་ལྡན་ལྷ་བརྒྱ་མ་དང་འབྲེལ་བའི་དམིགས་བརྩེ་མས་གསོལ་བ་ཤུགས་དྲག་ཏུ་བཏབ་པས་ཕྱོགས་ཀ་ནས་སྤྲོས་པའི་འོད་ཟེར་གྱི་རྩེ་མོར་སྟེང་གི་དབུས་སུ་སྟོན་པ་ཤཱཀྱའི་རྒྱལ་པོ། གཡས་གཡོན་དུ་བློ་སྦྱོང་ཡབ་སྲས། །རྗེ་ཡི་ཕྱོགས་ཀར་འཇམ་དབྱངས། མཁྱེན་པར་དབྱངས་ཅན་མ། མདུན་དུ་ཀུན་མཁྱེན་བླ་མ་མཐའ་བསྐོར་དུ་རྒྱལ་བ་ལྔ་པ་སོགས་ཡོངས་འཛིན་ཐུབ་དབང་ཞལ་སྐྱིན་རྣམས་གཡས་ཆོས་འཆད་དང་། གཡོན་མཉམ་བཞག་དབུ་མའི་གླེགས་བམ་རང་སྒྲ་སྒྲོགས་བཞིན་པ་བཅས་གསལ་བཏབ་ནས་གསུང་བྱིན་རླབས་ཅན་གྱི་གསོལ་འདེབས་དལ་བུས་ཚིག་དོན་དྲན་བཞིན་པའི་སྒོ་ནས། མང་མང་རྒྱལ་སྲས་ལྷར་བཅས་དབུས་

ན་ཉི་མ་སྟོང་བཞིན་འབར་བའི་སྐུ། །སྙན་སྙན་ཚིག་གིས་ཟབ་དང་རྒྱ་ཆེ་རྟེན་འབྱུང་ཆོས་སྒོ་བརྒྱ་འགྱེད་གསུང་། །གསལ་གསལ་མཁྱེན་པས་ཀུན་ལ་ཁྱབ་ཀྱང་འཁྲུལ་བྲལ་གཉིས་མེད་མཉམ་བཞག་ཐུགས། །ཡང་ཡང་རྒྱལ་བ་རྒྱ་མཚོས་པད་དཀར་ལྟར་བསྔགས་ཉི་མའི་གཉེན་ལ་འདུད། །ཅེས་གསོལ་བ་ཤུགས་དྲག་ཏུ་བཏབ་པས་བདུད་རྩི་འབེབས་སྦྱངས་མ་དག་པ་འབྲུད་པ་དང་། མི་ཤེས་གསལ་ནས་རང་འདྲ་གཉིས་པ་ཞིག་ཐིམ་པར་བྱིན་གྱིས་བརླབས་པར་བསམ། གང་ཞིག་དྲན་པའི་ཉི་ཟེར་ཞུགས་ཙམ་གྱིས། །རྨོངས་པའི་མུན་སངས་བློ་གྲོས་པད་ཚལ་འབུམ། །བཞད་པའི་ལེགས་བྱས་རི་མོ་བརྒྱ་བགྲ་བའི། །ངོ་མཚར་མཆོག་སྙེར་འཇམ་མགོན་གཉིས་ཀྱིས་སྐྱོངས། །ཞེས་བས་མ་དག་པ་འབྲུད་པ། མི་ཤེས་པ་གསལ་ཞིང་། འཇམ་དབྱངས་གཉིས་པ་ཞིག་རང་གི་སྙིང་ཁར་ཐིམ་པས་བློ་གྲོས་ཀྱི་པདྨོ་རྒྱས་ཏེ་དབུ་མའི་གཞུང་དོན་ལ་ཡིད་དཔྱོད་ཙམ་མིན་པར་ཚད་མས་ངེས་ཤེས་བརྟན་པོ་སྐྱེད་པར་བྱིན་གྱིས་བརླབས་པར་བསམ། སྲིད་ཞིའི་མཛེས་སྡུག་མ་ལུས་ཡོངས་འཁྱིལ་མཚོར། །ཐུགས་རྗེས་འདབ་བརྒྱ་བཞད་པར་རྒྱལ་ཀུན་གྱི། །གསུང་གསང་དྲི་ཟའི་རྒྱུད་དུ་འགུག་མཁས་ཡུམ། །དབྱངས་ཅན་མགྲིན་བརྒྱར་སྒྲོན་ལ་ངག་མཆོག་སྩོལ། །ཞེས་པས་མ་དག་པ་འབྲུད་པ་སོགས་སྔར་ལྟར་དང་། དབྱངས་ཅན་མ་རང་འདྲ་གཉིས་པ་ཞིག་རང་གི་མགྲིན་པར་ཐིམ་པས་ངག་གི་དངོས་གྲུབ་མཆོག་སྩོལ་ཞིང་བྱིན་གྱིས་བརླབ་པར་བསམ། རྒྱུ་སྐར་དབུས་ན་ཟླ་བ་དང་། །རྐང་འཐུང་དབུས་ན་ཡོངས་འདུ་བཞིན། །མཁས་དབུས་བརྟེན་འབྱུང་འདོམས་པ་ལ། །ཟླ་གྲགས་ཀླུ་སྒྲུབ་ཡབ་སྲས་རྒྱལ། །ཞེས་པའི་སྐབས་སྔར་ལྟར་རང་འདྲ་ཐིམ་པས་རྩ་འཇུག་བཞི་སོགས་ཀྱི་དགོངས་དོན་ལེགས་པར་རྟོགས་པ་བྱིན་གྱིས་བརླབས་པར་མོས། མཁྱེན་བརྩེ་མཐུ་ནུས་མཛད་འཕྲིན་ཀུན་དང་ཁྱད་པར་དུ། །མཐའ་བྲལ་ཟབ་མོ་འདོམས་ལ་དུས་གསུམ་རྒྱལ་རྣམས་ཀྱང་། །གཅིག་བསྡུས་ངུར་སྨྲིག་འཛིན་ན་ཁྱེད་ཀྱི་བླར་འོས་པའི། །འཇམ་མགོན་རྒྱལ་བ་གཉིས་པ་ལ་འདུད་དུས་ཀུན་སྤྱི་བོར་བཞུགས། །ཞེས་པའི་དོན་སྔར་ལྟར་གསོལ་བ་བཏབ་པས་བདུད་རྩི་སོགས་སྔར་ལྟར་ནས་བྱེད་པ། རང་གི་གནས་གསུམ་དུ་འབྲུ་གསུམ་ཐིམ་པས་བྱིན་གྱིས་བརླབས་ཚུལ་ཞལ་ཤེས་ལྟར་བྱ། ཁྱོད་བསྟན་མདོ་སྔགས་ཟབ་

རྒྱས་གསེར་འཁོར་གྱིས། །ཐུབ་བསྟན་སྙིང་བཞི་ཡོངས་ལ་དབང་བསྒྱུར་པའི། །ཆོས་ཀྱི་རྒྱལ་པོ་ཀུན་མཁྱེན་དགེ་ལེགས་དཔལ། དུས་གསུམ་མཁས་པ་ཡོངས་ཀྱི་གཙུག་ན་མཛེས། །ཞེས་པས་སྟར་བཞིན་ཐེམ་པས་ཕྱིན་གྱིས་རླབས་པར་བསམ། སྲིད་ཞིའི་ཁམས་ན་དཔེ་ཟླ་རང་ཉིད་ལས། རྙེད་མིན་རྒྱལ་བ་རྒྱ་མཚོ་འབྱུང་བའི་གནས། པད་དཀར་འཛིན་པས་བསྟན་འདི་བསྐྱངས་ཚུལ་ལ། །ཡང་ཡང་བསམ་ན་སྙིང་ནས་བ་སྤུ་ལྡང་། །ཅེས་རྒྱལ་བའི་དབང་པོའི་སྐུ་ལས་བདུད་རྩི་དང་རང་འདྲ་སྟར་ལྟར། མཁྱེན་དཔྱོད་མཁྱེན་པའི་གཏེར་ལ་འགྲན་པར་ནུས། །བཟོད་པས་ཐུགས་རྗེའི་ལྟ་དང་ཞི་དུལ་གྱིས། །ཨུ་དྲ་ལིར་འགྲན་བདག་གིས་བཤེས་གཉེན་ཚོགས། །ཐུབ་དབང་ཞལ་སྐྱིན་རྣམས་ལ་གུས་པས་འདུད། །ཅེས་པས་སྟར་ལྟར་བྱ། དེ་ལྟར་གསོལ་བ་རྩེ་གཅིག་ཏུ་བཏབ་པས་ཚོགས་ཞིང་རྣམས་དང་། །ལྷག་པར་ཀུན་མཁྱེན་བླ་མའི་ཐུགས་དགྱེས་པས་ཞལ་འཛུམ་ཞིང་། གསུང་ཚངས་པའི་དབྱངས་ཀྱིས་དབུ་མའི་ལམ་ཟབ་རྒྱས་མ་ལུས་སྟོད་པར་ཞལ་གྱིས་བཞེས་ཤིང་སྨྲ་བ་དང་བཅས་པས་སྐྱན་པར་བསྐུལ་བྱུང་སྐམ་པ་བྱས་ལ་རྗེས་སློས་ཚུལ་དུ། སློ་མཆོག་རྣམས་ལ་དགའ་སྐྱེད་དམན་འབྲིང་གི། རབ་རིམ་ཐེ་ཚོམ་བསལ་ཏེ་ཟབ་རྒྱས་ལམ། །རིན་ཆེན་སྒྲོན་མེ་བཞིན་དུ་གསལ་བྱེད་པའི། །ལུང་རིགས་བྱེ་བའི་འོད་སྟོང་འབྱེད་ལ་སྒྲོ། །དེ་ནས་རང་གི་ལྷག་པར་དགའ་སྒྲོ་བྲིད་པར་ཅན་སྐྱེད་དེ་ཚིགས་བཅད་འདོན་ཞིང་དོན་དྲན་བཞིན་པར་ཡིག་ཆ་བློར་འཛིན་པ་སོགས་ཐོས་བསམ་གྱི་སྒྲོ་འདོགས་ལེགས་པར་བཅད་དེ་ཐོས་དོན་རྒྱུད་ལ་སྦྱར་ཏེ་ཅི་ནུས་པའི་འཇུག་ཏུ། སྲིད་ཞིའི་མཛེས་སྡུག་སོགས་སྨོན་ལམ་དང་། བསྔུ་ན། ཤིང་རྟ་ཆེན་པོ་སོགས་དང་། སྐར་དམིགས་བརྩེ་མས་གསོལ་འདེབས་གང་མང་མཐར་དཔལ་ལྡན་རྩ་བའི་ཞེས་པའི་སྐབས་སྐྱབས་ཡུལ་རྣམས་རྗེ་བླ་མ་ལ་བསྡུ་ཞིང་། སྙིང་ཁར་རྗེ་བླ་མ་རང་སེམས་དབྱེར་མེད་དུ་བཞུགས་པ་སོགས་ལེགས་བཤད་སྒྲོན་མེར་གསལ་བ་ལྟར་བྱའོ། །ཞེས་པ་འདི་ནི་ཆོས་མཛད་དགེ་འདུན་ལྷུན་གྲུབ་སོགས་བློ་གསལ་རྣམས་ལ་ཕན་ཕྱིར་དམ་པའི་ཕྱག་ལེན་བཞིན་སློ་སློབ་དཔོན་བསྟན་ཆོས་ནས་ཕྲིས། སྨྲས་པ། སྟོན་ཕྱིན་དམ་པའི་ལེགས་བཤད་ཡོངས་འཁྲིལ་མཆོར། །སྟོན་བསགས་ཅི་དགར་མནངག་བཅུད་སྤྱོང་མཐུས། །སྟོན་རབས་དམ་པའི་མཛད་བཟང་མཐར་

ཕྱིན་ཏེ། །སྨོན་ཚེ་དབང་པོ་རྟོག་ལ་དམ་བཅས་བཞིན། །སྨོན་བཞིན་བློ་བཟང་གྲགས་བསྟན་རྒྱས་པའི་སྐད། །མཐུ་ནུ་རྡོས་འཕྲིན་ལས་གཡེལ་མེད་ཤོག། །། །ཨོཾ་ཡེ་དྷ་རྨཱ་ཧེ་ཏུ་པྲ་བྷཱ་ཝཱ་ཧེ་ཏུ་ནྟེ་ཥཱན་ཏ་ཐཱ་ག་ཏོ་ཧྱ་བ་ད་ཏ། ཏེ་ཥཱཉྩ་ཡོ་ནི་རོ་དྷ་ཨེ་ཝཾ་བཱ་དཱི་མ་ཧཱ་ཤྲ་མ་ཎཿ ཡེ་སྭཱཧཱ། །

༄༅། །འཕགས་པ་སྤྱན་རས་གཟིགས་ཀྱི་སྒོ་ནས་ཡིག་གི་ཉེས་སྐྱོན་སེལ་བའི་གདམས་པ་ཟུག་རྔུ་ཆ་གཅུད་སེལ་བའི་ཟླ་ཟེར་ཞེས་བྱ་བ་བཞུགས་སོ།

༄༅། །རྒྱལ་ཀུན་སྙིང་རྗེའི་རང་གཟུགས་ལྷག་པའི་ལྷ། །སྤྱན་རས་གཟིགས་དབང་ཞབས་ལ་གུས་བཏུད་ནས། །དབང་པོའི་དངས་མ་མིག་གི་ཟུག་རྔུ་ཀུན། །སེལ་བྱེད་གདམས་པའི་སྙིང་པོ་འདི་ན་བྲི། །དེ་ལ་ཐོག་མར་རང་ཉིད་བདེ་བའི་སྟན་ལ་འཁོད་དེ། ཁྲུས་དང་གཙང་སྦྲ་སྔོན་དུ་འགྲོ་བས། སྐྱབས་འགྲོ་སེམས་བསྐྱེད་ཚད་མེད་བཞི་བསྒོམ་པ་སྤྱི་ལྟར་བྱ། དེ་ནས་འདི་ལྟར་གསལ་བཏབ་པར་བྱའོ། །བདག་ལུས་ཐ་མལ་གནས་པའི་སྤྱི་བོ་རུ། །པཾ་ལས་པདྨ་ཨ་ལས་ཟླ་དཀྱིལ་སྟེང་། །ཧྲཱིཿཡིག་དཀར་པོ་འོད་ཟེར་འཕྲོས་པ་ལས། །ཇོ་བོ་དྲིན་ཅན་རྩ་བའི་བླ་མ་དང་། །དབྱེར་མེད་འཕགས་མཆོག་སྤྱན་རས་གཟིགས་དབང་ཕྱུག །ཞལ་དཀར་ཞུན་མའི་མདངས་ཅན་ཞི་འཛུམ་ཉམས། །ཕྱག་གཡས་མཆོག་སྦྱིན་གཡོན་པས་པད་དཀར་འཛིན། །རི་དྭགས་ལྤགས་པའི་ག་ཤལ་རིན་ཆེན་བརྒྱན། །དར་གྱི་སྨད་གཡོགས་ཞབས་གཉིས་མཉམ་སྟབས་བཞེངས། །སྐུ་ལས་སྐྱེས་པའི་འོད་ཕུང་དབུས་ན་བཞུགས། །དེ་ཡི་གནས་གསུམ་ཡིག་འབྲུ་གསུམ་མཚན་པའི། །ཐུགས་ཀའི་ས་བོན་ལས་འཕྲོས་འོད་ཟེར་གྱིས། །ཡེ་ཤེས་སེམས་དཔའ་དབང་གི་ལྷ་དང་བཅས། །སྤྱན་དྲངས་དམ་ཡེ་དབྱེར་མེད་དབང་གི་ལྷས། །དབང་བསྐུར་འོད་དཔག་མེད་ཀྱིས་དབུ་བརྒྱན་གྱུར། ཨོཾ་གུ་རུ་ཨཪྻ་ཨ་ཝ་ལོ་ཀི་ཤྭ་ར་ཨརྒྷཾ་ནས་ཤབྡའི་བར་གྱིས་མཆོད། སྐྱོན་གྱིས་མ་གོས་ཞེས་སོགས་ཀྱིས་བསྟོད། འཕགས་པའི་ཐུགས་ཀར་ཟླ་བའི་དཀྱིལ་འཁོར་དབུས། །ཧྲཱིཿཡིག་འབྲུ་དྲུག་སྔགས་ཀྱིས་བསྐོར་བ་ལས། །འོད་ཟེར་དཀར་གསལ་བདུད་རྩིའི་རང་བཞིན་འཕྲོས། །རང་གི་མིག་ལ་ཐིམ་པས་ཉེས་སྐྱོན་ཀུན། །སངས་ཏེ་དག་ནས་འཕགས་པའི་ཡེ་ཤེས་ཀྱི། །སྤྱན་དང་མཚུངས་པའི་འདྲེན་བྱེད་ཐོབ་པར་ཤོག །ཞེས་བརྗོད་ཅིང་བསམ་ལ། ཡིག་དྲུག་སྟོང་ཕྲག་བཟླས་མཐར། ཨོཾ་མ་ཎི་པདྨེ་ཧཱུྃ། ཨོཾ་གསལ་

ཨོཾ་ལི་གསལ་ལི་མྲུན་གསལ་ལི་ཀུན་ཧྲིག་སྭཱཧཱ། ཞེས་པ་གསུམ་བརྒྱ་རེ་མ་མཐའ་བྱས་ནས་བཟླ། དེ་ནས། སྐྱབས་གསུམ་ཀུན་འདུས་བླ་མ་སྤྱན་རས་གཟིགས། །གདུང་ཤུགས་དྲག་པོས་སྙིང་ནས་གསོལ་བ་འདེབས། །བདག་གི་སྔོན་གྱི་ལས་དང་འཕྲལ་རྐྱེན་དུ། །གྱུར་པའི་མིག་གི་ཉེས་སྐྱོན་མ་ལུས་པ། །བྱང་ཞིང་དག་ནས་འཕགས་པའི་ཡེ་ཤེས་ཀྱི། །སྤྱན་དང་མཚུངས་པ་ཐོབ་པར་བྱིན་གྱིས་རློབས། །ཞེས་ལན་བདུན་ལ་སོགས་པ་དད་གུས་ཤུགས་དྲག་པོའི་སྒོ་ནས་བརྗོད་པས། འཕགས་པའི་རང་གི་མིག་ཏུ་ཐིམ་གས་མཆིལ་བཏབ་པས། མིག་གི་ཉེས་སྐྱོན་ཐམས་ཅད་མཁའ་ལ་ཆུ་འཛིན་དྭངས་པ་བཞིན་དུ་སོང་བར་བསམ་ལ། སྤྲིན་ལག་གཡོན་པར་མཆིལ་མ་བཏབ་ལ་རང་གི་མིག་ཏུ་བྱུག། མཇུག་ཏུ། བླ་མ་སྤྱན་རས་གཟིགས་རང་གི་སྤྱི་བོར་ཐིམ་པར་བསམ་ཞིང་། བསྔོ་སྨོན་གྱིས་རྒྱས་གདབ་བོ། །དེ་ལྟ་བུའི་ཚུལ་གྱིས་ནང་རེ་བཞིན་གཞན་དང་ངག་མ་འདྲེས་པའི་གོང་དུ་ཆག་མེད་དུ་ཉམས་སུ་བླངས་ན། མིག་གི་ཉེས་སྐྱོན་ལས་གྲོལ་བ་ལ་ཐེ་ཚོམ་མེད་དོ། །ཅེས་འཕགས་པ་སྤྱན་རས་གཟིགས་ཀྱི་སྒོ་ནས་མིག་གི་ཉེས་སྐྱོན་སེལ་བའི་གདམས་པ་ཟུག་རྔུ་ཚ་གདུང་སེལ་བའི་ཟླ་ཟེར་ཞེས་བྱ་བ་འདི་ཡང་། དད་ལྡན་ཨ་མཆོད་སྒྲོལ་མ་འབུམ་ནས་མིག་གི་ཟུག་རྔུར་དམིགས་པའི་ཁ་འདོན་རྒྱུ་ཞིག་ཅི་ནས་ཀྱང་དགོས་ཞེས་བསྐུལ་མ་བྱུང་བའི་ངོར། །༧ཤཱཀྱའི་དགེ་སློང་བློ་བཟང་ཆོས་ཀྱི་དབང་ཕྱུག་གིས་རང་གི་བསམ་གཏན་གྱི་ཁང་བུར་སྦྱར་བ་འདིས་ཀྱང་འགྲོ་ཀུན་སྒྲིབ་བྲལ་ཡེ་ཤེས་ཀྱི་སྤྱན་ཐོབ་པའི་རྒྱུར་གྱུར་ཅིག །དངོས་གྲུབ་གཏེར་མཛོད་ཀུན་མཁྱེན་ཅོང་ཁ་པའི། །དངོས་གྲུབ་འབྱུང་གནས་གསོལ་འདེབས་དམིགས་རྩེ་མས། །དངོས་གྲུབ་འགྲུབ་པའི་ལས་ཚོགས་བརྒྱ་རྩ་སོགས། །དངོས་གྲུབ་སྒོ་འཕང་འབྱེད་ཕྱིར་མཁས་མང་གསུང་། །རྣམ་དག་བསམ་པས་ཀུན་གྱི་སྤྱི་ནོར་དུ། །རྣམ་མང་ཕྱོགས་བསྒྲིགས་པར་གསར་བསྐྲུན་པའི་ཚེ། །རྣམ་འདྲེན་ཐུབ་དབང་བླ་སྐྲུན་ཐོགས་མེད་སོགས། །རྣམ་པ་སྐྱ་ཡང་མགྲོན་གྱི་ཚུལ་དུ་བཀོད། །བཀོད་པའི་བསོད་ནམས་དངོས་པོ་གང་ཐོབ་དེ། །དེ་ཡིས་གངས་ཅན་མཁས་གྲུབ་ཆུ་གཏེར་ལས། །ལས་ཚོགས་མན་ངག་དབང་གི་རྒྱལ་པོའི་མཛོད། །མཛོད་བརྒྱ་འབྱེད་མཁས་ཆོས་ཀྱི་འཁོར་ལོས་བསྒྱུར། །བསྒྱུར་མཛད་དམ་པས་ས་སྟེང་ཀུན་ཁྱབ་ཤོག ། །། ༈ ཅེས་པ་འདི་ནི་དད་སྟོབས་བསོད་ནམས་ཀྱིས་ཕྱུག་པ་དགེ་སློང་བློ་བཟང་ཆོས་འཕེལ་ནས་ཐོ་ཡོན་བླ་མ་ཡབ་སྲས་ཀྱིས་ཕྱོགས་བསྒྲིགས་དམིགས་བརྩེ་མའི་བེ་བུམ་དོན་གཉེར་ཀུན་གྱི་སྤྱི་ནོར་གཟིགས་བདེའི་སྐད་དུ་པར་གསར་བཞེངས་སྐབས་པར་བྱང་སྨོན་ཚིག་ཞིག་དགོས་ཞེས་བསྐུལ་ངོར་སྒོ་སློབ་དཔོན་ཁྲི་འཛིན་ནས་སྦྱར་བའོ། ། །།

༄༅། །རྗེ་བླ་མ་ཙོང་ཁ་པ་ཆེན་པོ་ལ་སྟོད་མཆོད་འབུལ་བའི་ཆོ་ག་ཀུན་བཟང་འཁྲི་ཤིང་ཞེས་བྱ་བ་བཞུགས་སོ།

༄༅། །བློ་གྲོས་བཟང་པོའི་དཀྱིལ་འཁོར་མཆོག་ཏུ་རྒྱས། །སྣན་གྲགས་ཀུན་ཁྱབ་ཐུགས་བསྐྱེད་འོད་སྟོང་གིས། །ཐུབ་བསྟན་པདྨོའི་ཚལ་ཀུན་རྒྱས་མཛད་པ། །བློ་བཟང་གྲགས་པའི་དཔལ་ལ་སྙིང་ནས་འདུད། །རིགས་གསུམ་ཀུན་འདུས་རྒྱལ་བ་ཙོང་ཁ་པར། །རིགས་ཏུས་སྟོབས་འབྱོར་ལྡན་པའི་སྦྱིན་བདག་གིས། །དམ་པའི་མན་ངག་སྟོང་མཆོད་འབུལ་བའི་ཚུལ། །དམ་པའི་གསུང་ལ་གཞི་བྱས་གསལ་བར་འགོད། །དེ་ཡང་འཇམ་མགོན་བླ་མ་ཆོས་ཀྱི་རྒྱལ་པོ་ཙོང་ཁ་པ་ཆེན་པོ་ལ་མཆོད་ཅིང་གསོལ་བ་གདབ་ཚུལ་ཆུ་བཟང་བ་བློ་བཟང་བསྟན་པའི་རྒྱལ་མཚན་གྱི་གསུང་ངག་ཇི་ལྟ་བ་བཞིན་སྟོང་མཆོད་ཀྱི་ཆོ་ག་མདོར་བསྡུས་བྱ་ཚུལ་ལ་སྦྱོན་འགྲོ། དངོས་གཞི། རྗེས་ཀྱི་ཆོ་ག་དང་གསུམ་ལས། དང་པོ་ནི། གནས་ཁང་ཕྱི་དོར་བྱས་ལ་སྐུ་གསུང་ཐུགས་ཀྱི་རྟེན་སྒྲི་དང་། ཁྱད་པར་གང་དུ་བྱེད་པའི་དབུས་ཀྱི་ཆར་མཆོད་སྣེགས་གྲུ་བཞི་བའི་སྟེང་དུ་བུག་རྡོལ་སོགས་ཀྱི་སྐྱོན་དང་བྲལ་བའི་རྣམ་བུམ་ཆུ་གཙང་མས་སུམ་ཉིས་ཙམ་བཀང་བ་ལ་བྱ་རྒྱུད་བུམ་རྫས་གཞུག་ཅིང་དར་དཀར་པོའི་མགུལ་ཆིངས་དང་། འཐས་བུ་ཅན་གྱི་ཤིང་གི་ཡལ་འདབ་ཀྱིས་ཁ་བརྒྱན། དེའི་སྟེང་དུ་བྱང་ཆུབ་མཆོད་རྟེན་བུམ་ནང་དུ་རྗེ་བླ་མའི་སྐུ་ཡོད་པ་སོགས་བཀོད། བུམ་པའི་སྟེང་དུ་བཞུགས་པ་མ་བདེ་ཚེ་རྒྱབ་ཏུ་སྣེགས་མཐོ་བ་ཞིག་ལ་བཞུགས་སུ་གསོལ་བས་རུང་། མཆོད་པ་བཤམས་ཚུལ་ནི། ཆུ་གཉིས་ཉེར་སྤྱོད་རྣམས་རྟེན་གྱི་མཐར་གཡས་བསྐོར་གྱི་རིམ་པས་བསྒྲིགས་པའམ། མདུན་དུ་རྟེན་གྱི་གཡས་ནས་མགོ་བཙམས་ཏེ་ཕྲེང་བསྒྲིགས་སུ་བྱས་ཀྱང་ཆོག །མཐའ་བསྐོར་ཀུན་ཏུ་གདུགས་རྒྱལ་མཚན་བ་དན་ལྕ་ལྷི་རྣམས་དངོས་སམ། མ་འབྱོར་ན་རི་མོར་བྲིས་པས་བརྒྱན་པར་བྱ། ཡང་དཀར་གསུམ་དང་མངར་གསུམ་དང་མར་ཁྲུས་སྦགས་པའི་གཏོར་མ་ཆ་བཞི་རྟེན་གྱི་མདུན་དུ་བཤམས། སྐུ་ཁྲུས་གསོལ་བའི་ཡོ་བྱད། མཎྜལ། འཐོར་འབྲུ། ཏིང་ཤག རྡོ་རྗེ་ཆུང་། སིལ་སྙན། དུང་དཀར་སོགས་འཁོ་བའི་ཡོ་བྱད་རྣམས་ཀྱང་ཚགས་སུ་ཚུད་པར་བྱའོ། །ཐེག་ཆེན་གསོ་སྦྱོང་བླང་ན་ཕྱིན་སུམ་ཚོགས་པའི་ཡན་ལག་ཏུ་འགྱུར་བས། དེའི་ཚུལ་ནི་ཐོ་རངས་ལག་རིས་མཐོང་ཙམ་གྱི་དུས

དེ་ར་བྲིས་ལེགས་པར་བྱས། སྐྱབས་སེམས་ཚད་མེད་སྔོན་དུ་འགྲོ་བས་བླ་མའམ་རྟེན་གྱི་དྲུང་དུ་ཕྱག་གསུམ་བཙལ་ནས། མཎྜལ་ཕུལ་རྗེས། ཕྱོགས་བཅུ་ན་བཞུགས་པའི་སངས་རྒྱས་དང་བྱང་ཆུབ་སེམས་དཔའ་ཐམས་ཅད་བདག་ལ་དགོངས་སུ་གསོལ། ཇི་ལྟར་སྔོན་གྱི་དེ་བཞིན་གཤེགས་པ་དགྲ་བཅོམ་པ་ཡང་དག་པར་རྫོགས་པའི་སངས་རྒྱས་རྟ་ཅང་ཤེས་ལྟ་བུ། གླང་པོ་ཆེན་པོ། བྱ་བ་བྱས་ཤིང་། བྱེད་པ་བྱས་པ། ཁུར་བོར་བ། རང་གི་དོན་རྗེས་སུ་ཐོབ་པ། སྲིད་པར་ཀུན་ཏུ་སྦྱོར་བ་ཡོངས་སུ་ཟད་པ། ཡང་དག་པའི་བཀའ། ལེགས་པར་རྣམ་པར་གྲོལ་བའི་ཐུགས། ལེགས་པར་རྣམ་པར་གྲོལ་བའི་ཤེས་རབ་ཅན་དེ་དག་གིས་སེམས་ཅན་ཐམས་ཅད་ཀྱི་དོན་གྱི་ཕྱིར་དང་། ཕན་པར་བྱ་བའི་ཕྱིར་དང་། གྲོལ་བར་བྱ་བའི་ཕྱིར་དང་། མུ་གེ་མེད་པར་བྱ་བའི་ཕྱིར་དང་། ནད་མེད་པར་བྱ་བའི་ཕྱིར་དང་། བྱང་ཆུབ་ཀྱི་ཕྱོགས་ཀྱི་ཆོས་རྣམས་ཡོངས་སུ་རྫོགས་པར་བྱ་བའི་ཕྱིར་དང་། བླ་ན་མེད་པ་ཡང་དག་པར་རྫོགས་པའི་བྱང་ཆུབ་ངེས་པར་རྟོགས་པར་བྱ་བའི་ཕྱིར་གསོ་སྦྱོང་ཡང་དག་པར་མཛད་པ་དེ་བཞིན་དུ་བདག་མིང་འདི་ཞེས་བགྱི་བས་ཀྱང་དུས་འདི་ནས་བཟུང་སྟེ་ཇི་སྲིད་སང་ཉི་མ་མ་ཤར་གྱི་བར་དུ་གསོ་སྦྱོང་ཡང་དག་པར་བླང་བར་བགྱིའོ། །ཞེས་ལན་གསུམ་བརྗོད། བསྲུང་བྱ་རྣམས་ལེགས་པར་བསྲུང་བར་བྱའོ་སྙམ་པས། དེང་ནས་སྲོག་གཅོད་མི་བྱ་ཞིང་། །གཞན་གྱི་ནོར་ཡང་བླང་མི་བྱ། །འཁྲིག་པའི་ཆོས་ཀྱང་མི་སྤྱད་ཅིང་། །རྫུན་གྱི་ཚིག་ཀྱང་མི་སྨྲའོ། །སྐྱོན་ནི་མང་པོ་ཉེར་བརྟེན་པའི། །ཆང་ནི་ཡོངས་སུ་སྤང་བར་བྱ། །ཁྲི་སྟན་ཆེ་མཐོ་མི་བྱ་ཞིང་། །དེ་བཞིན་དུས་མ་ཡིན་པའི་ཟས། །དྲི་དང་ཕྲེང་བ་རྒྱན་དང་ནི། །གར་དང་གླུ་སོགས་སྤང་བར་བྱ། །ཇི་ལྟར་དགྲ་བཅོམ་རྟག་ཏུ་ནི། །སྲོག་གཅོད་ལ་སོགས་མི་བྱེད་ལྟར། །དེ་བཞིན་སྲོག་གཅོད་ལ་སོགས་སྤང་། །བླ་མེད་བྱང་ཆུབ་མྱུར་ཐོབ་ཤོག །སྡུག་བསྔལ་མང་འཁྲུགས་འཇིག་རྟེན་འདི། །སྲིད་པའི་མཚོ་ལས་སྒྲོལ་བར་ཤོག །ཅེས་ལན་གཅིག་བྱ། ཨོཾ་ཨ་མོ་གྷ་ཤཱི་ལ་སཾ་བྷ་ར། བྷ་ར་བྷ་ར། མ་ཧཱ་ཤུདྡྷ་ས་ཏྭ་པདྨ་བི་བྷཱུ་ཥི་ཏ་བྷུ་ཛ། དྷ་ར་དྷ་ར། ས་མནྟ་ཨ་ཝ་ལོ་ཀི་ཏེ་ཧཱུྃ་ཕཊ་སྭཱཧཱ། ཞེས་པ་ལན་ཉེར་གཅིག་བཟླས་རྗེས། ཁྲིམས་ཀྱི་ཚུལ་ཁྲིམས་སྐྱོན་མེད་ཅིང་། །ཞེས་སོགས་སྨོན་ལམ་གདབ་བ་ཅིང་། ཐེག་པ་ཐུན་མོང་བ་མ་ཡིན་པ་ཐེག་ཆེན་གསོ་སྦྱོང་མ་བླང་ཀྱང་ཆོག་གོ །དེས་སྔོན་འགྲོའི་རིམ་པ་སོང་། གཉིས་པ་དངོས་གཞི་ནི། བདག་དང་འགྲོ་བ་ནམ་མཁའ་དང་མཉམ་པའི་སེམས་ཅན་ཐམས་ཅད་

དུས་འདི་ནས་བཟུང་སྟེ་ཇི་སྲིད་བྱང་ཆུབ་སྙིང་པོ་ལ་མཆིས་ཀྱི་བར་དུ་དཔལ་ལྡན་བླ་མ་དམ་པ་རྣམས་ལ་སྐྱབས་སུ་མཆིའོ། །རྫོགས་པའི་སངས་རྒྱས་བཅོམ་ལྡན་འདས་རྣམས་ལ་སྐྱབས་སུ་མཆིའོ། །དམ་པའི་ཆོས་རྣམས་ལ× འཕགས་པའི་དགེ་འདུན་རྣམས་ལ× ཁམས་གསུམ་ཆོས་ཀྱི་རྒྱལ་པོ་ཙོང་ཁ་པ་ཆེན་པོའི་ལྷ་ཚོགས་འཁོར་དང་བཅས་པ་རྣམས་ལ་སྐྱབས་སུ་མཆིའོ། །ཞེས་ལན་གསུམ་མམ་བདུན་གྱིས་མཐར། བླ་མ་དང་སྐྱབས་གསུམ་ཀུན་འདུས་ཀྱི་ངོ་བོ་ཁམས་གསུམ་ཆོས་ཀྱི་རྒྱལ་པོ་ཤར་ཙོང་ཁ་པ་བློ་བཟང་གྲགས་པ་རྒྱལ་སྲས་རྒྱ་མཚོའི་ཚོགས་དང་བཅས་པ་རྣམས་ལ་ཕྱག་འཚལ་ཞིང་སྐྱབས་སུ་མཆིའོ། །ཁྱེད་རྣམས་ཀྱིས་བདག་གི་རྒྱུད་བྱིན་གྱིས་བརླབ་ཏུ་གསོལ། ཞེས་ལན་གཅིག་བརྗོད། སེམས་བསྐྱེད་པ་ནི། སེམས་ཅན་ཐམས་ཅད་ཀྱི་དོན་དུ་རྫོགས་པའི་སངས་རྒྱས་ཀྱི་གོ་འཕང་ཐོབ་པར་བྱ། དེའི་ཆེད་དུ་ཁམས་གསུམ་ཆོས་ཀྱི་རྒྱལ་པོ་ཤར་ཙོང་ཁ་པ་བློ་བཟང་གྲགས་པ་རྒྱལ་སྲས་རྒྱ་མཚོའི་ཚོགས་དང་བཅས་པ་རྣམས་ལ་ཕྱག་མཆོད་ཐུགས་དམ་བསྐུལ་བ་ལ་སོགས་པའི་ལམ་གྱི་རིམ་པ་ལ་གནས་པར་བགྱིའོ། །ལན་གསུམ་བརྗོད། བདག་དང་སྣང་བ་ཐམས་ཅད་ཅེས་སོགས་ལན་གསུམ་གྱིས་ཚད་མེད་བཞི་བསྒོམ། དེ་ནས་གནས་སོགས་བྱིན་གྱིས་བརླབ་པ་ནི། དཀོན་མཆོག་གསུམ་གྱི་བདེན་པ་དང་སངས་རྒྱས་དང་བྱང་ཆུབ་སེམས་དཔའ་ཐམས་ཅད་ཀྱི་བྱིན་གྱིས་བརླབ་དང་ཚོགས་གཉིས་ཡོངས་སུ་རྫོགས་པའི་མངའ་ཐང་ཆེན་པོ་དང་། ཆོས་ཀྱི་དབྱིངས་རྣམ་པར་དག་ཅིང་བསམ་གྱིས་མི་ཁྱབ་པའི་སྟོབས་ཀྱིས་ས་གཞི་རིན་པོ་ཆེ་སྣ་ཚོགས་ཀྱི་རང་བཞིན་ལག་མཐིལ་ལྟར་མཉམ་པ། ཐ་གྲུ་ཆེ་བ། ཡངས་པ། རེག་ན་འཇམ་ཞིང་བདེ་བ་དྲི་མ་མེད་ཅིང་འོད་གསལ་བ། ཙནྡན་སྦྲུལ་གྱི་སྙིང་པོའི་དྲི་བསུང་ངད་དང་ལྡན་པའི་ལྷའི་མེ་ཏོག་སྣ་ཚོགས་ཀྱི་གཅལ་བཀྲམ་པ། མཐའ་རིན་པོ་ཆེའི་ཕ་གུས་བརྩིགས་པ། གསེར་དང་། དངུལ་དང་མུ་ཏིག་གི་ཕྱེ་མ་གྲམ་བུར་བརྡལ་བ། ཨུཏྤ་ལ་དང་ཀུ་མུ་ད་དང་པདྨ་འཁྱིལ་ཞིང་ལྡེམ་པས་ཁེབས་པར་གྱུར་ཅིང་། ཆུ་བྱ་སྣ་ཚོགས་སྐད་སྙན་པར་སྒྲོག་པ། དགའ་ཞིང་འཕྱོ་ལ་ལྡིང་བས་བརྒྱན་པའི་ཡན་ལག་བརྒྱད་དང་ལྡན་པའི་མཚོ་དང་རྫིང་དང་ལྟེང་ཀ་དག་གིས་མཛེས་པར་བྱས་པ། རིན་པོ་ཆེའི་དཔག་བསམ་གྱི་ཤིང་ལྗོན་པ་ལྷའི་ནོར་བུ་དང་མུ་ཏིག་གི་རྒྱན་ཕྲེང་དང་རིན་པོ་ཆེ་དཔྱངས་པ། མེ་ཏོག་གི་མགོ་སྙོགས་དང་འབྲས་བུ་མཛེས་པར་ཆགས་པས་གཡུར་ཟ་ཞིང་ལྡེམ་པ། གསེར་གྱི་དྲིལ་བུ་གཡེར་

ཁ་འཁྲིལ་བ་ལས་དམ་པའི་ཆོས་ཀྱི་སྒྲ་འབྱུང་བ་དང་ལྡན་བ་ཚར་དུ་བསྒྲིངས་པས་ལེགས་པར་བརྒྱན་པའི་ས་གཞི་ཕུན་སུམ་ཚོགས་པ་འབྱུང་བར་གྱུར་ཅིག །དེའི་དབུས་སུ་རིན་པོ་ཆེའི་པདྨའི་རྒྱལ་པོ་ཡོན་ཏན་མཐའ་ཡས་པས་བརྒྱན་པའི་བཀོད་པ་ལམ་རྟེན་པའི་རིན་པོ་ཆེའི་མཆོད་རྟེན་མཚན་ཉིད་ཐམས་ཅད་ཡོངས་སུ་རྫོགས་ཤིང་། ཚད་དང་དབྱིབས་ཕུན་སུམ་ཚོགས་པ་དང་ལྡན་པ། འཇིག་རྟེན་གྱི་ཁམས་དཔག་ཏུ་མེད་པ་རྒྱས་པར་འགེངས་པའི་འོད་ཟེར་ཆེན་པོ་རབ་ཏུ་འབྱུང་བ་ངོ་མཚར་རྨད་དུ་བྱུང་བའི་ཞིང་གི་གཞལ་མེད་ཁང་དང་འདྲ་བ་འབྱུང་བར་གྱུར་ཅིག །བུམ་པའི་ནང་དུ་གཞལ་ཡས་ཁང་ཡངས་ཤིང་རྒྱ་ཆེ་བའི་རྣམ་པ་ཅན་གྱི་དབུས་སུ་པདྨའི་གདན་རིན་པོ་ཆེའི་སེང་གེའི་ཁྲི་སྟན་ལ་དུས་གསུམ་རྒྱལ་བ་ཐམས་ཅད་ཀྱི་མཁྱེན་བརྩེ་ནུས་པའི་བདག་ཉིད་འཕགས་པ་རིགས་གསུམ་གྱི་མགོན་པོ་དང་དབྱེར་མ་མཆིས་པའི་ཆོས་ཀྱི་རྒྱལ་པོ་ཙོང་ཁ་པ་ཆེན་པོ་ལ་བླ་མ་རྒྱལ་བ་སྲས་དང་སློབ་མར་བཅས་པའི་འཕགས་པའི་ཚོགས་བསམ་གྱིས་མི་ཁྱབ་པས་བསྐོར་བས་ཡོངས་སུ་གང་བ་ལ་སོགས་པའི་བཀོད་པ་རྨད་དུ་བྱུང་བ་ཆོས་ཀྱི་རྒྱལ་པོ་ཙོང་ཁ་པ་ཆེན་པོའི་སྨོན་ལམ་ཁྱད་པར་ཅན་དང་མངའ་ཐང་དང་འཚམ་པར་གྲུབ་པ་མཛེས་པ་ཤ་སྟག་འབྱུང་བར་གྱུར་ཅིག །ཕྱི་ནང་ཀུན་ཏུ་ཡང་ཚ་རིགས་དང་འཚམ་པར་ཡང་ལྷ་དང་མིའི་ཡོ་བྱད་དམ་པ་ཞལ་ཟས་དང་ན་བཟའ་དང་རྒྱན་དང་རོལ་མོ་ལ་སོགས་པ་ཕུལ་དུ་ཕྱིན་པ་སྣ་ཚོགས་ཕུང་པོ་གསུམ་པའི་མདོ་དང་། བཟང་པོ་སྤྱོད་པའི་སྨོན་ལམ་ལས་བྱུང་བའི་མཆོད་པའི་སྤྲིན་རྒྱ་མཚོ་ཐམས་ཅད་ཀྱིས་རྒྱས་པར་གང་ཞིང་རྒྱན་གླུབས་པ་དང་ལྡན་པར་གྱུར་ཅིག །འཕགས་པ་ཐམས་ཅད་ཀྱང་གདན་འཛོམ་ནས་དེ་བཞིན་དུ་བྱིན་གྱིས་བརླབས་ཤིང་བཞེས་ཏེ་ལོངས་སྤྱོད་པར་གྱུར་ཅིག །ཅེས་པ་འདི་ལན་གསུམ་བརྗོད། མཆོད་པའི་སྤྲིན་གྱི་གཟུངས། ཨོཾ་ན་མོ་རཏྣ་ག་ཡ་ཏེ་བཛྲ་ས་ར་པྲ་མརྡ་ནི། ཏ་ཐཱ་ག་ཏཱ་ཡ་ཨརྷ་ཏེ་སམྱ་ཀྶཾ་བུདྡྷཱ་ཡ། ཏདྱ་ཐཱ། ཨོཾ་བཛྲེ་བཛྲེ་མཧཱ་བཛྲེ། མཧཱ་ཏེ་ཛ་བཛྲེ། མཧཱ་བིདྱཱ་བཛྲེ། མཧཱ་བོདྷི་ཙིཏྟ་བཛྲེ། མཧཱ་བོ་དྷི་མཎྜོ་པ་སཾ་ཀྲ་མ་ཎ་བཛྲེ་སརྦ་ཀརྨ་ཨཱ་ཝ་ར་ཎ་བི་ཤོ་དྷ་ན་བཛྲེ་སྭཱཧཱ། ཞེས་པ་ཕན་ཡོན་ཆེ་བར་མདོ་ལས་གསུངས་པས། ལན་གསུམ་མམ་བདུན་ཅི་རིགས་བརྗོད། དཀོན་མཆོག་གསུམ་གྱི་བདེན་པ་དང་། །སངས་རྒྱས་དང་བྱང་ཆུབ་སེམས་དཔའ་ཐམས་ཅད་ཀྱི་བྱིན་གྱིས་བརླབ་དང་ཚོགས་གཉིས་ཡོངས་སུ་རྫོགས་པའི་མངའ་ཐང་ཆེན་པོ་དང་། ཆོས་ཀྱི་དབྱིངས་

རྣམ་པར་དག་ཅིང་བསམ་གྱིས་མི་ཁྱབ་པའི་སྟོབས་ཀྱིས་དེ་བཞིན་ཉིད་དུ་གྱུར་ཅིག །ཅེས་ལན་གསུམ་བརྗོད། མེ་ཏོག་གམ་སྤོས་དང་བཅས་པས་ཐལ་མོ་སྦྱར་ཏེ། བསྐལ་པ་དཔག་ཏུ་མེད་པའི་ཕ་རོལ་ནས་གྲངས་མེད་པའི་འགྲོ་བ་རྣམས་འདྲེན་པའི་ཐུགས་བསྐྱེད་པ་ཆོས་ཀྱི་རྒྱལ་པོ་ཙོང་ཁ་པ་ཆེན་པོ་འཁོར་བླ་མ་རྒྱལ་བ་སྲས་དང་སློབ་མར་བཅས་པའི་འཕགས་པའི་ཚོགས་དང་ལྷན་ཅིག་ཏུ་བདག་ཅག་ལ་སོགས་པ་འགྲོ་བ་མང་པོ་བསྐྱབ་པའི་སླད་དུ་མགོན་སྐྱབས་དང་དཔུང་གཉེན་དུ་སྤྱན་འདྲེན་ཞིང་ མཆིས་ན་ མཆོད་པའི་ ཚོགས་ སྦྱར་ བའི་ ཕོ་བྲང་ གི་ དཀྱིལ་འཁོར་ འདིར་གཤེགས་ཤིང་གདན་འཛོམ་པ་ཆེན་པོ་མཛད་དེ་བྱིན་གྱིས་བརླབ་པར་ཅི་གནང་། ཞེས་བརྗོད་དེ་སྔན་གསན་དབབ། སྤྱན་འདྲེན་ནི། ཆོས་རྣམས་རང་བཞིན་འགྲོ་འོང་ཀུན་བྲལ་ཡང་། །སྣ་ཚོགས་གདུལ་བྱའི་བསམ་པ་ཇི་བཞིན་དུ། །ཅིར་ཡང་འཆར་བའི་མཁྱེན་བརྩེའི་འཕྲིན་ལས་ཅན། །སྐྱབས་མགོན་དམ་པ་འཁོར་བཅས་གཤེགས་སུ་གསོལ། །ངོ་མཚར་རྨད་བྱུང་བཀོད་པའི་འཛིག་རྟེན་ནས། །བདེ་གཤེགས་སེང་གེའི་ང་རོ་སྒྲོལ་པའི་སྐུ། །ཆོས་ཀྱི་རྒྱལ་པོ་ཀུན་མཁྱེན་བློ་བཟང་གྲགས། །སྙིགས་དུས་འགྲོ་བ་འདྲེན་ཕྱིར་གཤེགས་སུ་གསོལ། །མ་ལུས་སེམས་ཅན × བཅོམ་ལྡན་བསྐལ་པ × དེ་ཕྱིར་ཆོས་དབྱིངས × ཆོས་རྣམས་ཀུན་གྱི × ཞི་ཞིང་ཐུགས་རྗེ་ཆེ་ལྡན་པ། ། × ཚུར་སྤྱོན་ཚུར་སྤྱོན × འདིར་ནི་གཟུགས་དང་ × བཅོམ་ལྡན་འདིར་ནི × བདེ་བར་གཤེགས་སོ་བཅོམ་ལྡན་འདས། ། × བདག་དང་འགྲོ་ལ × དེ་སྲིད་བཅོམ་ལྡན་བཞུགས་སུ་གསོལ། །ཕུན་ཚོགས་བདེ་ལེགས་འབྱུང་གནས་དུས་གསུམ་གྱི། །རྩ་བརྒྱུད་བླ་མ་ཡི་དམ་དཀོན་མཆོག་གསུམ། །དཔའ་བོ་མཁའ་འགྲོ་ཆོས་སྐྱོང་སྲུང་ཚོགས་བཅས། །ཐུགས་རྗེའི་དབང་གིས་འདིར་གཤེགས་བརྟན་པར་བཞུགས། །གང་འདིར་ནས་གསོལ་བར་བགྱིའོ། །ཁྲུས་ཀྱི་ཁང་པ་ནས་བྲིས་པ་དེར། །ཇི་ལྟར་བལྟམས་པ × ཨོཾ་སརྦ × དུས་གསུམ་ཕྱོགས་བཅུའི་རྒྱལ་བ་ཐམས་ཅད་ལས། །གང་གི་བ་སྤུའི་བུ་གཅིག་ཙམ་ཡང་། །བདག་ཅག་བསོད་ནམས་ཞིང་དུ་ལེགས་བསྟགས་པའི། །སྐྱབས་མགོན་ཐུགས་རྗེ་ཅན་ལ་སྐུ་ཁྲུས་གསོལ། །ཨོཾ་སརྦ × གངས་ཅན་ཤིང་རྟའི་སྲོལ་འབྱེད × ཨོཾ་སརྦ × དེ་བཞིན་གཤེགས་དང་དེ་ཡི་སྲས་རྣམས་ལ། །ཨོཾ་སརྦ × བླ་མའི་སྐུ་གསུང་ཐུགས་ལ་ཉོན་མོངས་མི་མངའ་ཡང་། །སེམས་ཅན × བླ་མའི་སྐུ་གསུང་ཐུགས་ལ × སྒྲིབ་པ་དག་གྱུར་ཅིག ཨོཾ་སརྦ × ཁྱེད་སྐུ × ཨོཾ་སརྦ

× དེ་དག་སྐུ་ལ × འདི་ནི་སྦྱིན་པའི × འདི་ནི་ཚུལ་ཁྲིམས × འདི་ནི་བཟོད་པའི × ཨོཾ་སརྦ × འདི་ནི་བརྩོན་འགྲུས × འདི་ནི་བསམ་གཏན × འདི་ནི་ཤེས་རབ × ཨོཾ་སརྦ × འདི་ནི་ཁྲུས་མཆོག་དཔལ་དང་ལྡན། × ཨོཾ་སརྦ × དེ་དག་སྐུ་ལ × སྣ་ཚོགས་དབང་པོའི་གཞུ་ལྟར × རྒྱལ་བ་མཚན་དཔེའི × བརྩེ་བའི་འཁོར་ཡུག × རིན་ཆེན་མཛེས་པའི་བཀྲ་ཤིས་བུམ་པ་འདི། ། × སྤུན་ཚོགས་གཟི་འོད × དབུ་རྒྱན་འདི། ། བླ་མ་ལྷ་ཡི་དབུ་ལ་ཕུལ་བ་ཡིས། ། × སྟོབས་བཅུ་མངའ་བའི་གོ་འཕང་ཐོབ་པར་ཤོག ། རྒྱལ་བ་རྒྱ་མཚོའི་མཆོད་རྫས་ལས་གྲུབ་པའི། ། ཞིང་ཁམས་རྒྱ་མཚོའི་མཆོད་ཡོན་ཞབས་བསིལ་དང་། ། མེ་ཏོག་བདུག་སྤོས་སྣང་གསལ་དྲི་ཆབ་དང་། ། ཞལ་ཟས་རོལ་མོ་འདོད་ཡོན་རྣམ་པ་ལྔ། ། རྒྱལ་སྲིད་སྣ་བདུན་བཀྲ་ཤིས་རྫས་རྟགས་བརྒྱད། ། གདུགས་དང་རྒྱལ་མཚན་བ་དན་ལྡ་ལྡི་སོགས། ། མཆོད་པའི་བྱེ་བྲག་རྗེ་སླེད་མཆིས་པ་རྣམས། ། ཡོན་ཏན་རྒྱ་མཚོའི་རྒྱལ་བ་འཁོར་བཅས་ལ། ། དད་པ་རྒྱ་མཆོས་འབུལ་ལོ་བཞེས་སུ་གསོལ། ། དེ་ལས་གཞན་ཡང་མཆོད་པའི་ཚོགས། ། ནམ། ངེས་པར་ཀུན་ཏུ་འབྱུང་གྱུར་ཅིག ། ཞིང་ཁམས་འབུལ་བར་ཞུ། ཨོཾ་བཛྲ་བྷུ་མི་ཨཱཿཧཱུྃ། ཞེས་སོགས་ནས། ཞིང་ཁམས་རྣམ་པར་དག་པ་འདི་ཉིད་སྐྱབས་གསུམ་ཀུན་འདུས་ཀྱི་ངོ་བོ་ཁམས་གསུམ་ཆོས་ཀྱི་རྒྱལ་པོ་ཙོང་ཁ་པ་ཆེན་པོའི་ལྷ་ཚོགས་འཁོར་དང་བཅས་པ་རྣམས་ལ་འབུལ་བར་བགྱིའོ། ། ཐུགས་རྗེས་འགྲོ་བའི་དོན་དུ་བཞེས་སུ་གསོལ། བཞེས་ནས་བདག་སོགས་སེམས་ཅན་ཐམས་ཅད་ཀྱི་རྒྱུད་ལ་ཟབ་པ་དང་རྒྱ་ཆེ་བའི་ལམ་བཟང་མཐའ་དག་གེགས་མེད་དུ་སྐྱེས་ཏེ་འབྲས་བུ་སྐུ་བཞིའི་གོ་འཕང་ཐོབ་པར་བྱིན་གྱིས་བརླབ་ཏུ་གསོལ། བདག་གཞན་ལུས་ངག × ཚེ་རབས་ཀུན་ཏུ་འཇམ་མགོན་བླ་མ་ཡིས། ། ཐེག་མཆོག་བཤེས་གཉེན་དངོས་སུ་མཛད་པའི་མཐུས། ། ནམ། ཕྱོག་པར་མ་གྱུར་ཅིག ། ཨི་དཾ་གུ་རུ × ཞེས་སོགས་ཀྱིས་མཎྜལ་རྒྱས་པ་ཕུལ། དེ་ནས། སྐྱབས་གསུམ་ཀུན་འདུས་ཀྱི་ངོ་བོ་ཆོས་ཀྱི་རྒྱལ་པོ་ཙོང་ཁ་པ་ཆེན་པོ་བློ་བཟང་གྲགས་པའི་དཔལ་ལ་ཕྱག་འཚལ་ལོ། ། མཆོད་དོ་སྐྱབས་སུ་མཆིའོ། ། བྱིན་གྱིས་བརླབ་ཏུ་གསོལ། ཞེས་ལན་བདུན་བརྗོད། བློ་གྲོས་ཁང་བཟང་མའི་མཇུག་ཏུ། རྗེ་སླེད་སུ་དག་ནས་ཕྱིར་བསྡོའོ། ། དེང་རྒྱལ་བ་སྲས་དང་བཅས་པའི་ཚོགས་གཏན་འཛོམ་པའི་སྤྱན་སྔར་ཆོས་ཀྱི་རྒྱལ་པོ་ཙོང་ཁ་པ་ཆེན་པོའི་མཚན་ཐོས་ཏེ་ཡིད་ལ་དྲན་ཞིང་ལན་བདུན་བརྗོད་པ་དང་། ཕྱག་འཚལ་བ་དང་མཆོད་

ཅིང་གསོལ་བ་བཏབ་པའི་མཐུས། ཆོས་ཀྱི་རྒྱལ་པོ་ཙོང་ཁ་པ་ཆེན་པོའི་ཐུགས་བསྐྱེད་སྨོན་ལམ་ཁྱད་པར་ཅན་དང་མཐུན་པར་བདག་ཅག་ལ་སོགས་པ་སེམས་ཅན་གང་དག་ནད་སྣ་ཚོགས་ཀྱིས་ལུས་ཡོངས་སུ་གཟིར་ཏེ་རིམས་དང་གཉེད་བྱེད་དང་། བྱད་དང་རོ་ལངས་དང་འཇིགས་པ་སྣ་ཚོགས་ཀྱིས་གཙེས་པ་དེ་དག་ཐམས་ཅད་ཀྱི་གནོད་པ་དང་ནད་ཐམས་ཅད་འཕྲལ་དུ་ཞི་བར་གྱུར་ཅིག །བྱང་ཆུབ་ཀྱི་མཐར་ཐུག་གི་བར་དུ་རིམས་དང་སྡིག་པ་ཅན་གྱི་གདོན་དང་ནད་ཐམས་ཅད་མེད་པར་གྱུར་ཅིག །རབ་ཏུ་ཞི་བར་གྱུར་ཅིག །བདག་ཅག་ལ་སོགས་པ་སེམས་ཅན་གང་དག་ལོང་བ་དང་འོན་པ་དང་སྨྱོན་པ་དང་ཤ་བཀྲ་དང་ནད་ཚབས་ཆེན་པོས་བཏབ་པར་གྱུར་པ་དེ་དག་བྱང་ཆུབ་ཀྱི་མཐར་ཐུག་གི་བར་དུ་དབང་པོ་ཐམས་ཅད་ཡོངས་སུ་ཚང་བར་གྱུར་ཅིག །སྡུག་བསྔལ་དང་ནད་ཐམས་ཅད་རྒྱུན་ཆད་པར་གྱུར་ཅིག །བདག་ཅག་ལ་སོགས་པ་སེམས་ཅན་གང་དག་འདོད་ཆགས་དང་ཞེ་སྡང་དང་གཏི་མུག་གིས་བསྒྲིབས་པ་མཚམས་མེད་པ་ལྔ་བྱེད་པ་བྱ་བ་མ་ཡིན་པའི་སྤྱོད་པ་མང་བ་དམ་པའི་ཆོས་སྤོང་བ་སྡིག་པ་མི་དགེ་བའི་ལས་སྣ་ཚོགས་བྱེད་པ། ངན་སོང་གསུམ་དང་སེམས་ཅན་དམྱལ་བར་འགྲོ་བ་དེ་དག་སེམས་ཅན་དམྱལ་བ་ཆེན་པོར་སྐྱེས་ནས་སྡུག་བསྔལ་གྱི་ཚོར་བ་མྱོང་བ་དེ་དག་ཐམས་ཅད་ཀྱི་མཚམས་མེད་པ་ལྔ་ལ་སོགས་པ་ལས་ཀྱི་སྒྲིབ་པ་ཐམས་ཅད་ཡོངས་སུ་བྱང་ཞིང་ཟད་པར་གྱུར་ཅིག །བླ་ན་མེད་པ་ཡང་དག་པར་རྫོགས་པའི་བྱང་ཆུབ་མངོན་པར་སངས་རྒྱས་པའི་བར་དུ་སུ་ཡང་སེམས་ཅན་དམྱལ་བ་དང་ངན་འགྲོར་འགྲོ་བར་མ་གྱུར་ཅིག །ལྷ་ཡུལ་བའི་ལྷའི་བདེ་བ་དང་མིའི་བདེ་བ་མྱོང་བར་གྱུར་ཅིག །བདག་ཅག་ལ་སོགས་པ་སེམས་ཅན་གང་དག་དབུལ་པོར་གྱུར་ཏེ་ཟས་དང་སྐོམ་དང་གོས་དང་ནོར་དང་འབྲུ་དང་མལ་ཆ་དང་སྤོས་དང་ཕྲེང་བ་དང་ཡོ་བྱད་མི་བདོག་པ་དེ་དག་བྱང་ཆུབ་ཀྱི་མཐར་ཐུག་གི་བར་དུ་དབྱིག་དང་གོས་དང་ནོར་དང་འབྲུ་དང་མལ་ཆ་དང་སྤོས་དང་ཕྲེང་བ་དང་ཡོ་བྱད་འཕེལ་བར་གྱུར་ཅིག །བདག་ཅག་ལ་སོགས་པ་སེམས་ཅན་གང་དག་བཅིང་བ་དང་བརྡེག་པ་དང་གོ་རར་གཞུག་པ་དང་མཚོན་ཆའི་ཚོགས་རྣམ་པ་སྣ་ཚོགས་ཀྱིས་ལུས་ཡོངས་སུ་གཟིར་བ་དེ་དག་བྱང་ཆུབ་ཀྱི་མཐར་ཐུག་གི་བར་དུ་བཅིང་བ་དང་བརྡེག་པ་ཐམས་ཅད་ལས་ཡོངས་སུ་ཐར་བར་གྱུར་ཅིག །ལུས་ཀྱི་གདུང་བ་ཐམས་ཅད་རྒྱུན་ཆད་པར་གྱུར་ཅིག །བདག་ཅག་ལ་སོགས་པ་སེམས་ཅན་གང་

དགམགོན་མེད་པར་གྱུར་པ་ལུས་ལ་གདུང་བའི་མེ་འབར་བ་དང༌། སེང་གེ་དང་སྟག་དང་དོམ་དང་དྲེད་དང་སྦྲུལ་གདུག་པའི་ནང་དུ་ཆུད་དེ་སྲོག་ལ་བབ་ཅིང་ཉམ་ཐག་པ་དེ་དག་བྱང་ཆུབ་ཀྱི་མཐར་ཐུག་གི་བར་དུ་ལུས་ལ་གདུང་བའི་མེ་ཐམས་ཅད་རབ་ཏུ་ཞི་བར་གྱུར་ཅིག །སེང་གེ་དང་སྟག་དང་དོམ་དང་དྲེད་དང་སྦྲུལ་གདུག་པ་དེ་དག་ཀྱང་བྱམས་པ་ལ་གནས་པར་གྱུར་ཅིག །འཇིགས་པ་མེད་པ་དང་ཞི་བའི་གནས་ལ་གནས་པར་གྱུར་ཅིག །བདག་ཅག་ལ་སོགས་པ་སེམས་ཅན་གང་དག་ཕན་ཚུན་འཐབ་པ་དང་རྩོད་ཅིང་འགྱེད་པར་གྱུར་ཏེ་འཁྲུངས་ཤིང་འཇིགས་སྐྲག་ནས་དངངས་པ་དེ་དག་བྱང་ཆུབ་ཀྱི་མཐར་ཐུག་གི་བར་དུ་འཐབ་པ་དང་རྩོད་པ་དང་འགྱེད་པ་ཐམས་ཅད་རབ་ཏུ་ཞི་བར་གྱུར་ཅིག །ཕན་ཚུན་བྱམས་པ་ལ་གནས་པར་གྱུར་ཅིག །བདག་ཅག་ལ་སོགས་པ་སེམས་ཅན་གང་དག་ཆུའི་ནང་དུ་སོན་པ་གྲུར་ཞུགས་པ་གླིང་མེད་པར་ཕྱིན་པ་སྲོག་འདོད་པ་ཆུ་ཀླུང་དང་རྒྱ་མཚོའི་ནང་དུ་སོན་ཏེ་སྨྲེ་སྔགས་སྣ་ཚོགས་འདོན་པ་དེ་དག་བྱང་ཆུབ་ཀྱི་མཐར་ཐུག་གི་བར་དུ་ཆུ་ཀླུང་ཆེན་པོ་དེ་ལས་དབུགས་འབྱིན་པ་སྐྱིན་པར་གྱུར་ཅིག །འཇིགས་པ་མེད་པར་བརྒལ་བར་གྱུར་ཅིག །བདག་ཅག་ལ་སོགས་པ་སེམས་ཅན་གང་དག་རྟག་ཏུ་དཀོན་མཆོག་གསུམ་དང་མི་འབྲལ་བ་དང༌། དཀོན་མཆོག་མཆོད་པ་དང༌། དཀོན་མཆོག་གི་འཕྲིན་ལས་འཛུག་པ་དང་མི་འབྲལ་བར་གྱུར་ཅིག །དགོན་གནས་འདིས་མཚོན་པའི་ཕྱོགས་ཐམས་ཅད་དུ་འཕགས་ནོར་བདུན་གྱིས་ཕྱུག་པའི་དགེ་འདུན་གྱི་ཚོགས་ཆེས་ཆེར་འཕེལ་ཞིང༌། མི་མཐུན་པ་དང་གནོད་པ་མ་ལུས་པ་མེད་པ་དང༌། འཚོ་བའི་ཡོ་བྱད་འཕེལ་བ་དང༌། ཆོས་ཀྱི་རྒྱལ་པོ་ཙོང་ཁ་པ་ཆེན་པོ་སོགས་རྒྱལ་བ་སྲས་དང་བཅས་པས་ལེགས་པར་གསུངས་པའི་དམ་པའི་ཆོས་མཐའ་དག་དར་ཞིང་རྒྱས་པར་གྱུར་ཅིག །གླེགས་བམ་དུ་བྲིས་ཏེ་འཆང་བ་དང༌། མཆོད་པ་དང༌། བཀུར་སྟི་བགྱིད་པ་དང༌། འཆད་པ་དང༌། ཉན་ཅིང་འཛིན་པ་དང༌། ཀློག་པ་དང༌། ཁ་ཏོན་བགྱིད་པ་དང༌། གཞན་དག་ལ་ཡང་རྒྱ་ཆེར་སྟོན་པ་དང༌། བསམ་པ་དང༌། སྒོམ་པ་མངོན་དུ་བྱེད་པ་རྣམས་འཕེལ་བར་གྱུར་ཅིག །བླ་མ་དམ་པ་རྣམས་དང་ཐེག་པ་གསུམ་གྱི་ཆོས་འཛིན་པ་ཐམས་ཅད་ཀྱི་སྐུ་ཚེ་དང་མཛད་པ་འཕྲིན་ལས་རྒྱས་པར་གྱུར་ཅིག །འཇིག་རྟེན་ཐམས་ཅད་དུ་དཔལ་དང་བཀྲ་ཤིས་དང་གཟི་བརྗིད་ཕུན་སུམ་ཚོགས་པ་འབྱུང་བ་དང་བསམ་

པའི་དོན་ཁ་ན་མ་ཐོ་བ་མེད་པ་གསུམ་གྱི་ཆོས་འཛིན་པ་ཐམས་ཅད་ཀྱི་སྐུ་ཚེ་དང་མཛད་པ་འཕྲིན་ལས་རྒྱས་པར་གྱུར་ཅིག །འཇིག་རྟེན་ཐམས་ཅད་དུ་དཔལ་དང་བཀྲ་ཤིས་དང་གཟི་བརྗིད་ཕུན་སུམ་ཚོགས་པ་འབྱུང་བ་དང་བསམ་པའི་དོན་ཁ་ན་མ་ཐོ་བ་མེད་པ་ཐམས་ཅད་འགྲུབ་པར་གྱུར་ཅིག །བདག་དང་སེམས་ཅན་ཐམས་ཅད་རིག་པའི་གནས་ལྔ་ལ་མཁས་པ་དང་བསླབ་པ་གསུམ་གྱིས་རྒྱུད་མཛེས་ཤིང་། ཉོན་མོངས་པ་ཐམས་ཅད་ཞི་བར་གྱུར་ཅིག །ཚེ་རབས་ཐམས་ཅད་དུ་མངོན་པར་མཐོ་བའི་རྟེན་བཟང་པོ་ཐོབ་ཅིང་། ཆོས་ཀྱི་རྒྱལ་པོ་ཙོང་ཁ་པ་ཆེན་པོ་སོགས་རྒྱལ་བ་སྲས་དང་བཅས་པས་རྗེས་སུ་བཟུང་སྟེ། ངེས་འབྱུང་དང་བྱང་ཆུབ་ཀྱི་སེམས་དང་ཡང་དག་པའི་ལྟ་བ་རྣམ་པར་དག་པ་ཡིད་དུ་ཆུད་ནས་དོན་གཉིས་ལྷུན་གྱིས་གྲུབ་པའི་མཐུ་དང་ལྡན་པར་གྱུར་ཅིག །དགའ་བའི་དཔལ་ལྡན་སྐུ་འབུམ་བྱམས་གླིང་འདིར། །ཐར་འདོད་བློ་གསལ་མཁས་མང་འདུ་བ་དང་། །བཤད་སྒྲུབ་དཔལ་འབྱོར་ལེགས་ཚོགས་ཡོན་ཏན་ཀུན། །རྟག་ཏུ་ཆེས་ཆེར་འཕེལ་བར་བྱིན་གྱིས་རློབས། །སྟོང་མཆོད་དངོས་ལ་སྤྱོས་དང་མར་མེ་སོགས་རིམ་གྱིས་སྤར་ཏེ་སླར་ཡང་བྱིན་གྱིས་བརླབ་དགོས་པས། དཀོན་མཆོག་གསུམ་གྱི་བདེན་པ་དང་། སངས་རྒྱས་དང་བྱང་ཆུབ་སེམས་དཔའ་ཐམས་ཅད་ཀྱི་བྱིན་གྱིས་བརླབ་དང་། ཚོགས་གཉིས་ཡོངས་སུ་རྫོགས་པའི་མངའ་ཐང་ཆེན་པོ་དང་ཆོས་ཀྱི་དབྱིངས་རྣམ་པར་དག་ཅིང་བསམ་གྱིས་མི་ཁྱབ་པའི་སྟོབས་ཀྱིས་དེ་བཞིན་ཉིད་དུ་གྱུར་ཅིག །རོལ་མོ་འབུད་དཀྲོལ་སོགས་བྱས་ཏེ་བྱིན་གྱིས་བརླབས། དེ་ནས། རྒྱལ་བའི་དབང་པོ་བློ་བཟང་གྲགས་པ་ལ། །སླར་ཡང་གདུང་ཤུགས་དྲག་པོས་གསོལ་འདེབས་ན། །བྱིན་རླབས་ཐུགས་རྗེ་མཐུ་དཔུང་ཆེར་བསྐྱེད་ནས། །སྨོན་པའི་དོན་རྣམས་འགྲུབ་པར་མཛད་དུ་གསོལ། །དམིགས་མེད་བརྩེ་པའི་ × དྲི་མེད་ × བདུད་དཔུང་མ་ལུས་ × གངས་ཅན་ × བློ་བཟང་གྲགས་པའི་ཞབས་ལ་གསོལ་བ་འདེབས། །ཨོཾ་ཨཱཿ གུ་རུ་བཛྲ་དྷ་ར་སུ་མ་ཏི་ཀཱིརྟི་སིདྡྷི་ཧཱུཾ་ཧཱུཾ། ཞེས་ལན་བདུན་བཟླས་རྗེས། དེ་ལྟར་གསོལ་བ་བཏབ་པ་དང་། ཐུགས་བཟླས་པའི་རྐྱེན་གྱིས་སྐུབས་ཡུལ་རྣམས་ཀྱི་སྐུའི་ཆ་ལས་བདུད་རྩི་སྣ་ལྔ་འོད་ཟེར་དང་བཅས་པའི་རྒྱུན་བབས། རང་གཞན་སེམས་ཅན་ཐམས་ཅད་ཀྱི་ལུས་སེམས་ལ་ཞུགས་པས་ཐོག་མེད་ནས་བསགས་པའི་ནད་གདོན་སྡིག་སྒྲིབ་ཐམས་ཅད་བྱང་ཞིང་དག་ཚེ་བསོད་དཔལ་འབྱོར་ལུང་རྟོགས་ཀྱི་ཡོན་ཏན་ཐམས

ཅན་འཕེལ་ཞིང་རྒྱས། ཁྱད་པར་སྐུའི་ཚ་ལས་བདུད་རྩི་རྒྱུན་བབས་བུམ་པའི་ཆུ་ལ་ཐིམ་པས་བྱིན་གྱིས་བརླབས་པར་གྱུར། ཕྱག་མཆོད་དང་ཐུགས་དམ་བསྐུལ་བ་ནི། སྐྱབས་གསུམ་ཀུན་འདུས་ཀྱི་ངོ་བོ་ཆོས་ཀྱི་རྒྱལ་པོ་ཙོང་ཁ་པ་ཆེན་པོ་བློ་བཟང་གྲགས་པའི་དཔལ་ལ་ཕྱག་འཚལ་ལོ། །མཆོད་དོ་སྐྱབས་སུ་མཆིའོ། །བྱིན་གྱིས་བརླབ་ཏུ་གསོལ། ཞེས་ལན་གསུམ་བརྗོད། སྐྱབས་གནས་ཀུན་འདུས་ཀྱི་ངོ་བོ་ཆོས་ཀྱི་རྒྱལ་པོ་ཙོང་ཁ་པ་ཆེན་པོ་ཡབ་སྲས་རྣམས་དང་། འཕགས་པའི་ཚོགས་དེ་དག་ཐམས་ཅད་ལ་མཆོད་ཡོན་དང་ཞབས་བསིལ། མེ་ཏོག་དང་བདུག་སྤོས། མར་མེ་དང་ཞལ་ཟས། རོལ་མོ་དང་སིལ་སྙན། གདུགས་དང་བ་དན་ལ་སོགས་པ་དངོས་སུ་འབྱོར་བ་འདི་དག་དང་། ཕྱོགས་བཅུ་ན་བདག་པོས་ཡོངས་སུ་མ་བཟུང་བའི་ལྷ་དང་མིའི་རྫས་དམ་པ་བདེ་བའི་ཡོ་བྱད་ཕུན་སུམ་ཚོགས་པ་ཐམས་ཅད་དང་། གཟུངས་དང་རིག་པའི་མཐུ་དང་མོས་པའི་སྟོབས་ཀྱིས་བསྐྱེད་པའི་མཆོད་པའི་སྤྲིན་བཟང་པོ་སྤྱོད་པའི་སྨོན་ལམ་ལས་བྱུང་བ་རྒྱ་མཚོ་ཐམས་ཅད་ཀྱིས་ནམ་མཁའི་ཁམས་མཐའ་ཀླས་པ་ཐམས་ཅད་རྒྱས་པར་བཀང་སྟེ་འབུལ་ལོ་མཆོད་དོ། །འཇམ་མགོན་བླ་མའི་མཚན་བརྗོད་ཕྱག་མཆོད་མཐུས། །བདག་ཅག་ལ་སོགས་སེམས་ཅན་གང་དང་གང་། །ནད་རིམས་གཉིད་བྱད་སྡིག་ཅན་གདོན་ལས་ཐར། །དབང་པོ་ཀུན་ཚང་སྡུག་བསྔལ་སྡིག་རྒྱུན་ཆད། །ངན་འགྲོར་མི་ལྟུང་ལྷ་མིའི་བདེ་བ་མྱོང་། །བཀྲེས་སྐོམ་དབུལ་ཕོངས་ཞི་ཞིང་འབྱོར་གྱུར་ཅིག །བཙིང་དང་བརྡེག་སོགས་ལུས་ཀྱི་གདུང་བ་མེད། །སྡུག་སེང་སྦྲུལ་གྱི་འཚེ་བྲལ་འཐབ་རྩོད་ཞི། །བྱམས་པའི་སེམས་ལྡན་ཆུ་ཡིས་སྐྲག་རྣམས་ཀྱང་། །དབུགས་འབྱིན་འཇིགས་མེད་བདེ་བར་རྒལ་གྱུར་ཅིག །འདི་ནས་ཤི་འཕོས་ཡིད་དགའ་ཆོས་འཛིན་གྱི། །ཞིང་དེར་པདྨོ་ལས་སྐྱེས་ཡོན་ཏན་རྫོགས། །བྱམས་མགོན་འཇམ་དཔལ་སྙིང་པོ་ཡབ་སྲས་ཀྱི། །བཀའ་ལུང་ཉིད་ཅིང་མཉེས་པར་བྱེད་གྱུར་ཅིག །འདོད་གསོལ་ནི། དགོན་པ་སྤྱིའི་མཆོད་འབུལ་གྱི་ཚེ། ཁྱད་པར་སྐུ་འབུམ་དགའ་ལྡན་བྱམས་གླིང་འདིར། །ཐར་འདོད་བློ་གསལ་མཁས་མང་འདུ་བ་དང་། །བཤད་སྒྲུབ་དཔལ་འབྱོར་ལེགས་ཚོགས་ཡོན་ཏན་ཀུན། །རྟག་ཏུ་ཆེས་ཆེར་འཕེལ་བར་བྱིན་གྱིས་རློབས། །རྒྱལ་དབང་ཡབ་སྲས་སོགས་ཀྱི་ཞབས་བརྟན་དུ་དམིགས་ཚེ། བསིལ་ལྡན་ལྗོངས་འདིའི་ཕན་བདེ་མ་ལུས་པ། །གང་ལས་འབྱུང་བ་བསམ་འཕེལ་ཡིད་བཞིན་ནོར། །རྒྱལ་དབང་

པ་ཊ་ཆེན་ཡབ་ཡུམ་རྣམ་གཉིས་ཀྱི། །སྐུ་ཚེ་བརྟན་ཅིང་འཕྲིན་ལས་རྒྱས་གྱུར་ཅིག །བླ་མ་གཞན་ལ། རྗེ་བཙུན་བླ་མའི་སྐུ་ཚེ་རབ་བརྟན་ཅིང་། །ཞེས་སོགས་དང་། སྦྱིན་བདག་གི་རིམ་གྲོ་ཡིན་ཆེ། ཁྱད་པར་དམིགས་ཡུལ་སྦྱིན་བདག་སྐོར་བཅས་ཀྱི། །ནད་གདོན་བར་ཆད་ཀུན་ཞི་ཚེ་གསོད་རྒྱས། །བསམ་པའི་དོན་འགྲུབ་ཚེ་རབས་ཀུན་ཏུ་ཡང་། །འཇམ་མགོན་བླ་མས་དགྱེས་བཞིན་རྗེས་འཛིན་ཤོག །དེ་ཡང་། རྒྱལ་བའི་དབང་པོ་ཞེས་སོགས་དང་། །དམིགས་བརྩེ་མ་དང་མཚན་སྔགས་བཟླས་པས་རྐྱེན་གྱིས་བདུད་རྩི་འབེབས་སྦྱང་དང་ཕྱག་དང་མཆོད་པ་ཐུགས་དམ་བསྐུལ་བ། འདོད་གསོལ་རྣམས། རྣལ་འབྱོར་པ་བཙུ་ཡོད་ན་དེ་འདྲ་བ་བཅུ་ཚན་བཅུ་བཏོན་པས་སྟོང་འགྲོ་ཞིང་། དེ་བསམ་མང་བའམ་ཉུང་ན་དེའི་གྲངས་ཀྱིས་བསྒྱིས་ལ་སྟོང་འགྲོ་ངེས་བྱའོ། །གསུམ་པ་རྗེས་སུ་ཇི་ལྟར་བྱ་བ་ནི། དཀོན་མཆོག་གསུམ་གྱི་བདེན་པ་དང་། སངས་རྒྱས་དང་བྱང་ཆུབ་སེམས་དཔའ་ཐམས་ཅད་ཀྱི་བྱིན་གྱིས་བརླབ་དང་། ཚོགས་གཉིས་ཡོངས་སུ་རྫོགས་པའི་མངའ་ཐང་ཆེན་པོ་དང་། ཆོས་ཀྱི་དབྱིངས་རྣམ་པར་དག་ཅིང་བསམ་གྱིས་མི་ཁྱབ་པའི་སྟོབས་ཀྱིས། མཆོད་གཏོར་རྣམས་འདོད་པའི་ཡོན་ཏན་ལྔ་དང་ལྡན་པའི་མཆོད་པ་དང་ཞལ་ཟས་དམ་པ་དྭངས་ཤིང་ཐོགས་པ་མེད་པ་ནམ་མཁའ་དང་མཉམ་པ། མགྲོན་ཐམས་ཅད་ལ་ཟག་པ་མེད་པའི་བདེ་བ་ཁྱད་པར་ཅན་བསྐྱེད་པར་གྱུར་ཅིག །ཅེས་བདེན་སྟོབས་ཀྱིས་མཆོད་གཏོར་རྣམས་བྱིན་གྱིས་བརླབས་ནས། སྐྱབས་གནས་ཀུན་འདུས་ཀྱི་ངོ་བོ་ཁམས་གསུམ་ཆོས་ཀྱི་རྒྱལ་པོ་ཙོང་ཁ་པ་ཆེན་པོ་རྒྱལ་སྲས་རྒྱ་མཚོའི་ཚོགས་དང་བཅས་པའི་ལྷུགས་འོད་ཟེར་གྱི་སྦུ་གུས་བདུད་རྩི་གསོལ་བས་ཐུགས་རྒྱུད་ལ་ཟག་མེད་ཀྱི་བདེ་བ་ཁྱད་པར་ཅན་སྐྱེས་པར་གྱུར་བར་བསམ་ལ། ན་མཿ སརྦ་ཏ་ཐཱ་ག་ཏ་ཨ་བ་ལོ་ཀི་ཏེ་ཨོཾ་སཾ་བྷ་ར་སཾ་བྷ་ར་ཧཱུྃ། ཞེས་བ་བདུན་གྱིས་བསྔོ་ཞིང་། མཆོད་ཡོན་ཞབས་བསིལ་མེ་ཏོག་བདུག་སྤོས་དང་། །སྣང་གསལ་དྲི་ཆབ་ཞལ་ཟས་རོལ་མོ་སོགས། །དངོས་བཤམས་ཡིད་སྤྲུལ་མཆོད་སྤྲིན་རྒྱ་མཚོ་འདི། །བླ་མ་མཆོག་གསུམ་རྣམས་ལ་མཆོད་པར་འབུལ། །འདོད་ཡོན་ལྔ་ལྡན་བདུད་རྩིའི་ཞལ་ཟས་འདི། །འཇམ་མགོན་བླ་མ་འཁོར་བཅས་མཉེས་ཕྱིར་འབུལ། །བཞེས་ནས་བདག་དང་མཁའ་མཉམ་འགྲོ་ཀུན་ལ། །མཆོག་དང་ཐུན་མོང་དངོས་གྲུབ་བསྩལ་དུ་གསོལ། །གཏོར་མ་གཉིས་པ་ཆོས་སྐྱོང་རྣམས་ལ་སཾ་བྷ་ར་བདུན་གྱིས་བསྔོ་ཞིང་། མཆོད་ཡོན་ཞབས་བསིལ་མེ་ཏོག་བདུག་སྤོས་དང་། །སྣང་གསལ་དྲི་ཆབ་ཞལ་ཟས་རོལ་མོ་སོགས། །དངོས་བཤམས་ཡིད་སྤྲུལ་མཆོག་སྤྲིན་རྒྱ་མཚོ་འདི། །ཆོས་སྐྱོང་སྲུང་མའི་ཚོགས་

རྣམས་མཉེས་ཕྱིར་འབུལ། །འདོད་ཡོན་ལྷ་ལྔ་བདུད་རྩིའི་ཞལ་ཟས་འདི། །ཕྱུག་དྲུག་ལས་གཞིན་རྣམ་མང་ཐོས་སྲས་སོགས། །དམ་ཅན་སྲུང་མའི་ཚོགས་རྣམས་མཉེས་ཕྱིར་འབུལ། །བཞེས་ནས་རྒྱལ་བའི་བསྟན་དང་བསྟན་འཛིན་ལ། །འགལ་རྐྱེན་སེལ་ཞིང་མཐུན་རྐྱེན་སྒྲུབ་པར་མཛོད། །གཏོར་མ་གསུམ་པ་རིགས་དྲུག་སེམས་ཅན་ལ་སཾ་ཧཱ་ར་བདུན་གྱིས་བསྔོ་ཞིང་། དེ་བཞིན་གཤེགས་པ་བཞིའི་མཚན་བརྗོད། འདོད་ཡོན་ལྷ་ལྔ་བདུད་རྩིའི་གཏོར་མ་འདི། ཕ་མ་རིགས་དྲུག་སེམས་ཅན་ཡོངས་ལ་བསྔོ། རང་རང་ཇི་ལྟར་འདོད་པས་ཚིམ་གྱུར་ནས། རིགས་དྲུག་སོ་སོའི་སྡུག་བསྔལ་ལས་གྲོལ་ཏེ། མྱུར་སངས་རྒྱས་གོ་འཕང་ཐོབ་གྱུར་ཅིག གཏོར་མ་བཞི་པ་གཞི་བདག་རྣམས་ལ་སཾ་ཧཱ་ར་བདུན་གྱིས་བསྔོ་ཞིང་། དེ་བཞིན་གཤེགས་པ་བཞིའི་མཚན་བརྗོད། འདོད་ཡོན་ལྷ་ལྔ་བདུད་རྩིའི་གཏོར་མ་འདི། །ས་ཡི་ལྷ་མོ་བརྟན་མས་གཙོ་བྱས་པའི། །ཡུལ་ལྷ་གཞི་བདག་འཁོར་དང་བཅས་ལ་འབུལ། །བཞེས་ནས་རྒྱལ་བའི་བསྟན་ལ་ཞུགས་རྣམས་ལ། །མཐུན་རྐྱེན་སྟོང་གྲོགས་ཡིད་བཞིན་སྒྲུབ་པར་མཛོད། །བདག་གི་བསམ་པའི་སྟོབས་དང་ནི། །ཞེས་སོགས་བརྗོད། རྗེས་ཆོག་ནི། མཆོད་པ་གསར་དུ་བཤམས་པའམ། ཁ་གསོས་ལ། བདེན་སྟོབས་ཀྱིས་བྱིན་གྱིས་བརླབས་ལ། རྒྱལ་བ་རྒྱ་མཚོའི་མཆོད་རྫས་ལས་གྲུབ་པའི། །ཞིང་ཁམས་རྒྱ་མཚོའི་མཆོད་ཡོན་ཞབས་བསིལ་དང་། །མེ་ཏོག་བདུག་སྤོས་སྣང་གསལ་དྲི་ཆབ་དང་། །ཞལ་ཟས་རོལ་མོ་འདོད་ཡོན་རྣམ་པ་ལྔ། །རྒྱལ་སྲིད་སྣ་བདུན་བཀྲ་ཤིས་རྫས་རྟགས་བརྒྱད། །གདུགས་དང་རྒྱལ་མཚན་བ་དན་ལྷ་ལྡི་སོགས། །མཆོད་པའི་བྱེ་བྲག་ཇི་སྙེད་མཆིས་པ་རྣམས། །ཡོན་ཏན་རྒྱ་མཚོའི་རྒྱལ་བ་འཁོར་བཅས་ལ། །དད་པ་རྒྱ་མཚོས་འབུལ་ལོ་བཞེས་སུ་གསོལ། །འཇམ་མགོན་བླ་མ་ཡབ་སྲས་རྣམས་དང་འཕགས་པའི་ཚོགས་དེ་དག་ཐམས་ཅད་ལ × འབུལ་ལོ་ཚོད་དོ། །བསྟོད་པ་ནི། མི་འགྱུར་མཆོག་ཏུ་ཡངས་པའི་བདེ་བ་ཆེ། །བླ་མེད་ཡེ་ཤེས་བདུད་རྩིའི་སྙིང་པོ་ཅན། །སྐུ་གསུམ་གསང་བ་རྒྱན་གྱི་འཁོར་ལོའི་མཛོད། །སྟོབས་བཅུའི་དཔལ་མངའ་རྒྱལ་བ་གཉིས་པར་འདུད། །དག་པའི་ཞིང་གི་བཀོད་པ་རྒྱ་མཚོའི་རྡུལ། །ཡེ་ཤེས་རང་སྣང་ལས་གྲུབ་འོག་མིན་གྱི། །ངོ་མཚར་སྒྱུ་མའི་རོལ་རྩེད་ཐེམ་སྐས་ལས། །རྒྱལ་སྲས་དམ་པའི་རྣམ་པར་བདེ་བར་བྱོན། །རྣམ་འདྲེན་ཀུན་གྱི་མཁྱེན་པའི་ཕུང་པོ་གང་། །གཅིག་གྱུར་འཇམ་མགོན་མི་ཡི་སྲིད་པའི་གར། །

བསམས་བཞིན་རྣམ་པར་རོལ་བའི་མཛད་པ་ལ། །བསྐལ་བཟང་རྒྱལ་བ་སྟོང་གིས་བསྔུན་དུ་མེད། །བློ་གྲོས་ལང་ཚོ་དར་བའི་མིག་སྟོང་ཅན། །མཁས་བཙུན་བཟང་པོའི་ས་སྒྲུང་ལ་ཞོན་ཏེ། །འཆད་རྩོད་རྩོམ་པའི་རྡོ་རྗེ་རྩེ་བརྒྱ་པས། །རྒོལ་ངན་ས་འཛིན་བཅོམ་པའི་གྲགས་པ་འབར། །མངལ་རྒྱའི་བྲང་འགྲོའི་མདུད་གྲོལ་དྲི་བྲལ་སྐུའི། །མ་ལ་ཡར་སྐྱེས་ལྷུག་ཕྲན་གཞོན་ནུ་དག །ན་ཚོད་ཕྲ་ཡང་ཕན་བདེའི་དྲི་བསུང་ནི། །ནམ་ཡང་ཟད་མི་ཤེས་པའི་གཏེར་ཆེན་པོ། །སྲིད་འཁྱེར་གློག་གི་བུ་མོའི་གར་མཁན་མ། །སྡུག་བསྔལ་མུན་པར་མལ་འཆའི་མཚང་རིག་སྟེ། །འཁོར་བ་མཚན་མོའི་མཐའ་ལས་ངེས་འབྱུང་བའི། །ཚངས་སྤྱོད་དཔལ་གྱི་སྐྲ་རིངས་དང་པོ་ཤར། །གཞོན་ནུའི་ལུས་ཅན་ཀན་པོའི་བློ་འཆང་བའི། །རྒྱལ་བསྟན་གྱེན་དུ་འདེགས་པའི་སྙིང་སྟོབས་ཀྱིས། །ཐོས་བསམ་སྒོམ་པའི་ས་ཆེན་དབུས་གཙང་གི །སྤོངས་སུ་བདེ་བར་གཤེགས་པ་འདི་རྨད་བྱུང་། །མང་ཐོས་དགྱེས་དགུར་སྤྱོད་ལ་ཆེས་སྲིད་པས། །ཤེས་བྱའི་ལུས་ཕྲར་སྤྱུད་དེ་བཅལ་ཟིན་པ། །སླར་ཡང་ཐོས་བསྟེན་མི་བྱེད་མཛའ་གཙུགས་ཀྱིས། །འཕྲུད་པའི་སྐལ་བཟང་འདི་ཀོས་དམ་དུ་བཅིངས། །ནང་དོན་རིག་པའི་འོ་མཚོ་རབ་འཁྲིལ་བར། །རྣམ་འབྱེད་ཤེས་རབ་ལག་ལྡན་ཉེར་ཞུགས་པས། །ཐ་སྙད་རིག་པའི་མེ་ཏོག་ཚོགས་ཀྱི་རྩེར། །བློ་གྲོས་སོར་མོས་རེག་མིན་གང་དུ་མཆིས། །འཛམ་མགོན་མཁྱེན་པར་ཆགས་པའི་རྣམ་དཔྱོད་ཀྱིས། །གཞུང་ལུགས་རྒྱ་མཚོ་རྟོགས་ལ་མཚར་དུ་ཅི། །ཁམས་གསུམ་ལས་རྒྱལ་ལུས་མེད་མདའ་ལྔ་ཡིས། །ཆེས་སྲབ་བློ་གོས་འདུགས་པར་ནུས་མིན་མཚར། །སྡེ་སྣོད་ཀུན་སྦྲུངས་ཡང་དག་གྲུབ་པའི་འབྲས། །དཀའ་ཆེན་དུ་མར་འབྱམས་གླས་བཤག་པས་ཅི། །རིང་མོ་ཉིད་ནས་ཇི་ལྟ་ཇི་སྙེད་ཀྱི། །ཆོས་ཀུན་ཐུགས་སུ་ཆུད་ཟིན་མ་ཡིན་ནམ། །བདེ་སྟོང་རང་བཞིན་རྒྱས་པའི་དབང་པོའི་གཞུ། །ཟུང་འཇུག་གུར་ཁྱིམ་རྣམ་པར་བཀྲ་བ་ནས། །གསང་ཆེན་ཆོས་ཀྱི་རྒྱུད་མང་བསྒྲགས་པའི་ཚེ། །ས་ར་ཧ་དེ་མཁའ་སྤྱོད་གནས་སུ་བྲོས། །ཁེངས་ལྡན་གནས་ལྔ་རིག་པའི་ལུས་ཕྲ་མ། །རྣམ་དཔྱོད་ཟུར་མིག་ལྕགས་ཀྱུས་ཉེར་བཏབ་ཚེ། །འཕྲུད་མིན་མཛའ་བས་མགུལ་བར་དམ་བཅིངས་ཏེ། །གོས་པ་མེད་པར་མཁྱེན་པའི་ཀློང་དུ་སིམ། །རང་བཞིན་དག་པའི་ཐུགས་ཀྱི་ཞལ་དཀར་དུ། །ཆོས་ཀུན་སྒྱུ་མར་སྣང་བའི་རྣམ་རོལ་གཟུགས། །རྒྱུ་དང་འབྲས་བུར་ངེས་པའི་

གཟིགས་མོ་ལ། །དུས་གསུམ་རྒྱལ་བ་ཕལ་ཆེར་ཡིངས་སམ་སྙམ། །སྒྱུ་ལུས་སིནྡྷུ་ཕྲ་རའི་འདབ་མའི་སྒོ། །མཁས་རློམ་ཉི་ཟླའི་འོད་ཀྱིས་ཕྱེད་མིན་པ། །ལེགས་གསུང་རྐེད་མེད་ཁ་ཡི་ཟེགས་མའི་ཚང་། །འཕོར་ཚེ་འདབ་བརྒྱ་པ་དེར་རང་དབང་ཅི། །འཇམ་དབྱངས་བཤེས་གཉེན་རོལ་བར་ངེས་རྙེད་ནས། །ཁྱོད་བློའི་རི་དགྲས་དཀའ་གནད་སྒྲོག་གི་རྒྱར། །བཅིངས་རྣམས་ཟུར་ཕུད་ལྷུ་པའི་གསུང་མཆོན་གྱིས། །བཅད་ལ་མཚར་དུ་འཛིན་པ་བྱིས་པའི་བློ། །རྣམ་འདྲེན་སྲས་བཅས་གྲངས་མེད་ཚོགས་རྣམས་དང་། །ལྷན་ཅིག་གསང་གསུམ་བཀོད་པས་དུས་མདའ་ན། །འཕགས་མཆོག་པཎ་གྲུབ་འགའ་ཟུང་གཟིགས་ཞེས་པའི། །བསྟོད་བསྔགས་མགོན་དེའི་ཆེ་བའི་འོས་སུ་མིན། །རིགས་ཀུན་ཁྱབ་བདག་དབང་པོར་མངོན་གྲུབ་པའི། །དཀྱིལ་འཁོར་རྒྱ་མཚོའི་སྒྲོ་བསྐུར་མངའ་འགྱུར་ན། །ལྷག་པའི་ལྷ་འགས་ཕྱིན་གྱིས་བརླབས་སོ་ཞེས། །བསྔགས་བརྗོད་དར་དེར་སྒྲོག་ལ་རེ་བ་བསྐྱུངས། །མཁས་གྲུབ་ཆེར་རློམ་ཕལ་གྱིས་ཁྱུག་མིན་པའི། །མཐའ་བྲལ་ལྟ་དང་རིམ་གཉིས་དཀའ་གནས་གཞུ། །ལེགས་བཤད་རྒྱུད་ཀྱིས་བཀུག་འདི་ཐུན་མོང་གི །གདུལ་བྱའི་སྣང་ངོར་བསྟན་བའི་མཛད་པའི་དཔྱིད། །ངེས་པའི་དོན་དུ་སྤྱངས་རྟོགས་ཕུན་ཚོགས་ཀྱི། །ཡོན་ཏན་རྫོགས་པའི་དཔལ་སྟུག་གདོང་ལྔའི་དབང་། །འཁྲུལ་བའི་གཙན་གཟན་དྲེགས་པའི་ང་རོ་ལ། །དགྲ་ཟླར་མི་སེམས་རང་གི་ངང་ཚུལ་ཡིན། །རྒྱ་ཆེན་མཁྱེན་པའི་སྤྲང་ལ་ཤེས་བྱ་ཡི། །གནས་ལུགས་མཐའ་དག་བཅལ་ཚེ་རྟུལ་སྲབ་ལྟར། །གྱུར་པས་སྐྱེངས་ཏེ་ཆོས་ཀུན་འཆི་མེད་གཙོ། །སྟོང་ཉིད་བཤོལ་མེད་མངལ་དུ་ཡུད་ཀྱིས་ཐྲིམ། །བརྩེ་ཆེན་ལྷག་པའི་བསམ་པའི་ལྷིད་ཀྱི་ཁུར། །ནོར་འཛིན་བུ་མོས་མ་བཟོད་རྟུལ་བའི་ཚུ། །ཆེས་ཆེར་བབས་ལ་ཁྱབ་འཇུག་ཞབས་བསིལ་དུ། །སྐལ་ལྡན་ཤིང་རྟས་ཕབ་ཅེས་སྒྲོས་སུ་གླེང་། །དུས་དགྲའི་ནུས་མཐུར་གྲུབ་པའི་ཐོག་མདའ་ཡིས། །ནག་ཕྱོགས་བྲག་རི་བཅོམ་དང་ལྷན་ཅིག་ཏུ། །འདོད་ལྷའི་ལུས་བྱང་ཚོག་པར་མགྲིན་སྔོན་གྱིས། །མིག་མེས་བསྲེགས་ཞེས་རིག་བྱེད་གཏམ་དུ་མཆེས། །གང་གིས་ཐར་པར་དྲངས་མིན་སྐྱེས་བུ་ནི། །མེད་ཕྱིར་རྒྱལ་རྣམས་རང་གི་གདུལ་བྱ་དག །མ་རྙེད་ཞི་བའི་དབྱིངས་སུ་མནལ་བ་ལ། །གདུལ་དཀའི་སྙིགས་མ་ལྷུ་བདོར་སྒྲོ་ཡིས་བཏགས། །སྲིད་ཞིའི་ཁམས་ན་འཆད་རྩོད་རྩོམ་པ་ཡི། །དཔེ་ཟླར་འོས་པ

ཚོལ་ཕྱིར་ཉི་ཟླ་ཟུང་། །དལ་མེད་མཁའ་ལ་རྒྱུ་ཡང་མ་རྙེད་པས། །ངལ་ཧ་ཐུབ་མཚམས་སྐྱིག་མོའི་ཕང་པར་ཉལ། །ཚུལ་ཁྲིམས་ཏིང་འཛིན་ཤེས་རབ་བསླབ་པའི་གཞིར། །མཐའ་ཡས་ལུས་ཅན་མ་ལུས་ངེས་སྦྱོར་བའི། །མཛད་པ་མཆོག་འདིས་ཁྱོད་དང་ཟས་གཙང་སྲས། །ཐ་དད་དབྱེ་བའི་གོ་སྐབས་རྟོགས་ནུས་མིན། །བསྐལ་བརྒྱར་བསྒྲུབ་བྱ་སྐྱིགས་དུས་ཚེ་གཅིག་ལ། །ཟུང་འཇུག་སྐུ་བཞིའི་ལམ་དུ་འགྲོ་བ་ཀུན། །འཁྲིད་ལ་ཁྱོད་དང་ཁྱབ་བདག་རྡོ་རྗེ་འཆང་། །སྤྲུལ་ལོངས་རྣམས་ཀྱིས་མ་འདྲེས་ངེས་པ་རྙེད། །ཐབས་ཤེས་རིན་ཆེན་སྣ་བདུན་ལ་བརྟེན་ནས། །ལུང་རྟོགས་བསྟན་པའི་གླིང་བཞིར་དབང་སྒྱུར་བའི། །དམ་པའི་ཆོས་ཀྱི་འཁོར་ལོས་སྒྱུར་བ་ཅན། །ཀུན་མཁྱེན་ཙོང་ཁ་པ་ལ་གསོལ་བ་འདེབས། །དེང་ནས་ཚེ་རབས་ལྷ་ཡི་ལམ་ཡངས་པར། །མི་ཁོམ་སྐྱོན་གྱི་རྒྱ་འཛིན་དང་བྲལ་བའི། །དལ་བརྒྱད་འབྱོར་བཅུའི་བསིལ་ཟེར་རབ་སྤྲོས་པས། །གདན་བདེའི་ག་བུར་ཐིགས་པར་ལོངས་སྤྱོད་ཤོག །འཁྲུལ་པའི་ཁྱེང་བུར་ལོག་སྨྲའི་ལྕེ་རྐྱོང་བའི། །ལྟར་སྣང་བཤེས་གཉེན་སྤྲུལ་གྱིས་མི་གཙེ་ཞིང་། །ཡང་དག་ལམ་སྟོན་ཡོངས་འཛིན་ཀླུ་དབང་གི །གཙུག་རྒྱན་ཡིད་བཞིན་ནོར་བུ་ཐོབ་པར་ཤོག །ཆད་བྱུང་རྣམ་ཐར་གཙང་མའི་ཁྲིམས་དང་ལྡན། །རླབས་ཆེན་རྒྱལ་སྲས་སྤྱོད་པའི་སྙིང་སྟོབས་ཆེ། །བདེ་སྟོང་མཆོག་གི་རིམ་གཉིས་རྣལ་འབྱོར་སྤྱོད། །བློ་བཟང་རྒྱལ་བའི་བསྟན་དང་མཇལ་བར་ཤོག །གང་གི་ལེགས་བཤད་འཆི་མེད་བདུད་རྩིའི་ཚོགས། །འཐུང་ལ་ནམ་ཡང་ངོམས་པ་མ་མཆིས་ཤིང་། །དེ་དོན་འཆད་དང་སྤེལ་བའི་རྒྱུད་མང་སྒྲ། །སྲིད་རྩེའི་བར་དུ་སྒྲོག་པའི་དཔལ་ཐོབ་ཤོག །སྐྱེ་མང་ཉེར་བརྒྱུད་མུན་པ་སྟུག་པའི་ནང་། །འདིར་སྣང་བདེ་བ་གློག་འོད་སྐད་ཅིག་མར། །རྟོགས་ནས་མངོན་མཐོའི་སྒྲོན་མེ་ཉེར་འདེགས་པའི། །དགེ་བའི་རྩེ་བཅུད་གྲུབ་པར་བྱིན་གྱིས་རློབས། །སྲིད་པའི་བདེ་བ་དཔྱར་གྱི་ཆུ་གཏེར་ཆེ། །སྡུག་བསྔལ་མྱུ་ངམ་ཐང་དུ་འགྱུར་ཤེས་ནས། །ལྷོག་མེད་ཐེག་གསུམ་འཕགས་པའི་གོ་འཕང་གི །མི་ཟད་རྒྱ་མཚོ་ཆེ་ལ་འཇུག་པར་ཤོག །ཞི་བདེའི་མུན་པར་མར་གྱུར་འགྲོ་བའི་གཟུགས། །མ་མཐོང་རྣམ་པར་གྲོལ་བའི་ཚུལ་ཤེས་ཏེ། །ཕྱིན་དྲུག་སྤྱོད་པའི་འོད་སྟོང་རབ་སྤྲོས་ནས། །ཀུན་མཁྱེན་ཡེ་ཤེས་སྣང་བ་རྒྱས་པར་ཤོག །གྲངས་མེད་བསྐལ་གསུམ་ཀུན་གསལ་རྫོགས་དཀའི་ཚོགས། །རྟ་ལྗང་རླུང་ཤུགས་རིམ་གཉིས་འབྲུལ་

འཁོར་གྱིས། །སྙིགས་དུས་ཚེ་ཐུང་ཆུ་ཚོད་དྲུག་ཅུ་ལ། །ལྷུན་གྲུབ་འབད་མེད་བསྒྲོད་པར་བྱིན་གྱིས་རློབས། །ཁྱད་པར་མགོན་ཁྱེད་བསྟན་པ་ཡིད་བཞིན་ནོར། །ཐོས་བསམ་སྒོམ་པའི་རྒྱལ་མཚན་རྩེར་བཀོད་ནས། །རིང་ལུགས་དཔལ་འབྱོར་སྐལ་བཟང་འགྲོ་ཀུན་གྱིས། །མི་ཟད་དགའ་སྟོན་སྤྱོད་ལ་ནུས་ལྡན་ཤོག །འཁོར་བའི་སྐྱེ་སྲིད་འདབ་ཆགས་བསྒྲོད་པའི་འགྲོས། །སྣ་ཚོགས་མཐོ་དམན་བར་མར་རྒྱུ་བའི་ཚེ། །འཇམ་དཔལ་སྙིང་པོས་རྗེས་སུ་ཉེར་བཟུང་བའི། །ཁྲི་ལམ་གཉིས་པས་རྗེས་སུ་འབྲང་བར་ཤོག །ཆོས་ཕུང་སྲིན་གྱི་ལུས་ཕྲའི་ཕང་པ་ནས། །རྒྱལ་བ་གཉིས་པའི་བསྟན་པ་འབྲུག་གི་སྒྲ། །བཟང་པོའི་བསྐལ་པ་དབྱར་དུས་ཟེ་སྲིད་དུ། །མི་འགྱུར་རྡོ་རྗེའི་དཔལ་དུ་འགྲུབ་གྱུར་ཅིག །ཀུན་གཟིགས་ལྔ་པ་ཆེན་པོས་མཛད་པའི་བསྟོད་པ་འདི་ནི་ཚིག་སྦྱོར་སླན་ཞིང་བྱིན་རླབས་ཆེ་བས་བཏོན་ན་ཕུན་སུམ་ཚོགས་པར་འགྱུར་རོ། །ཉིན་མང་པོར་མཆོད་འབུལ་བྱེད་ཚེ་དཔལ་ལྡན་ས་གསུམ་མ། རྣམ་དག་གངས་རི་མ་རྣམས་རེ་མོས་བྱེད། བཟོད་གསོལ་ནི། མ་འབྱོར་བ་དང་× དུས་ངན་སེམས་ཅན་བསོད་ནམས་དམན། །× སེར་སྣའི་དབང་གྱུར་མི་མཁས་པས། །× བག་མེད་སྤྱོད་པ་མ་དག་པས། །× ལྷག་པ་དང་ནི་ཆད་པ་དང་། །× དེ་ཡང་བཟོད་པར་མཛད་དུ་གསོལ། །ཞེས་བཟོད་པར་གསོལ། དེ་ནས། ཆོས་ཀྱི་རྒྱལ་པོ་ཙོང་ཁ་པ་ཆེན་པོ་ལ་སོགས་པའི་ཕྱོགས་བཅུ་ན་བཞུགས་པའི་རྒྱལ་བ་སྲས་དང་བཅས་པ་ཐམས་ཅད་བདག་ལ་དགོངས་སུ་གསོལ། ཇི་སྲིད་ནམ་མཁའི་མཐའ་དང་མཉམ་པའི་སེམས་ཅན་གྱི་ཁམས་རྣམས་མི་གནས་པའི་མྱ་ངན་ལས་འདས་པའི་ས་ལ་མ་བཞག་གི་བར་དེ་སྲིད་དུ་བརྟན་པར་བཞུགས་སུ་གསོལ། བྱེ་བྲག་ཏུ་རྟེན་འདི་ཉིད་ལ་འབྱུང་བ་བཞིའི་གནོད་པས་མ་ཞིག་གི་བར་དེ་སྲིད་དུ་བརྟན་པར་བཞུགས་ནས་རྟེན་འདི་ཉིད་མཐོང་བ་དང་། ཐོས་པ་དང་། དྲན་པ་དང་རེག་པར་འགྱུར་བ་ལ་སོགས་པའི་འགྲོ་བ་ཐམས་ཅད་ཀྱི་སྡིག་སྒྲིབ་དང་སྡུག་བསྔལ་དང་། གནོད་པ་ཐམས་ཅད་བྱང་ཞིང་དག་པ་དང་། ཚོགས་གཉིས་རླབས་པོ་ཆེ་བདེ་བླག་ཏུ་རྫོགས་ནས་མྱུར་དུ་མངོན་པར་རྫོགས་པར་སངས་རྒྱས་པར་བྱིན་གྱིས་བརླབ་ཏུ་གསོལ། འདིར་ནི་གཟུགས་དང་ལྡན་ཅིག་ཏུ། །ནས། ཨོཾ་སུ་པྲ་ཏི་ཥྛ་བཛྲ་ཡེ་སྭཱཧཱ། ཞེས་བརྗོད་ཅིང་མེ་ཏོག་འཐོར་རོ། །སྨོན་ལམ་ནི། མི་མཛད་ཞིང་གི་མགོན་པོ་ཐུགས་རྗེ་ཅན། །སྟོན་པ་མཉམ་མེད་ཤཱཀྱའི་རྒྱལ་པོ་དང་། །དབྱེར་མེད་འཇམ་མགོན་བླ་མ

ཡབ་སྲས་ཀྱིས། །བདག་གི་སྨོན་པའི་དོན་ཀུན་འགྲུབ་པར་མཛོད། །དུས་གསུམ་དང་
འབྲེལ་དགེ་བ་ཅི་ཡོད་དང་། །ཁྱད་པར་འཇམ་མགོན་བླ་མ་ཡབ་སྲས་ལ། །གུས་པས་མཆོད་
བསྟོད་གསོལ་བ་བཏབ་པས་མཐུས། །རང་གཞན་དོན་གཉིས་ལྷུན་གྱིས་འགྲུབ་གྱུར་ཅིག །
བཤེས་གཉེན་དམ་པ་ཚུལ་བཞིན་བསྟེན་པ་དང་། །ངེས་འབྱུང་བྱང་སེམས་ཡང་དག་ལྟ་བ་
སོགས། །རྒྱལ་སྲས་སྤྱོད་པ་རྒྱ་མཚོའི་མཐར་ཕྱིན་ནས། །སྟོབས་བཅུ་མངའ་བའི་གོ་འཕང་
ཐོབ་གྱུར་ཅིག །ཁམས་གསུམ་ཆོས་ཀྱི་རྒྱལ་པོའི་ཐུགས་བསྐྱེད་མཐུས། །ནམ་མཁའི་མཐས་
གཏུགས་འཇིག་རྟེན་ཐམས་ཅད་དུ། །འགྲོ་བའི་སྡུག་བསྔལ་མ་ལུས་ཞི་བ་དང་། །ཕན་
བདེའི་འབྱུང་གནས་རྒྱལ་བསྟན་འཕེལ་གྱུར་ཅིག །དམྱལ་བ་ཡི་དྭགས་དུད་འགྲོའི་གནས་
རྣམས་སུ། །ལྷུང་བའི་འགྲོ་བ་ཉམ་ཐག་ཐམས་ཅད་ཀྱང་། །འཇམ་མགོན་ཚོང་ཁ་པ་ཡི་སྐུ་
མཐོང་སྟེ། །ངན་སོང་གནས་ལས་མྱུར་དུ་ཐར་གྱུར་ཅིག །མི་ཁོམ་མྱུན་པར་འཁྱམས་པའི་
འགྲོ་རྣམས་ཀྱང་། །འཇམ་དཔལ་སྙིང་པོའི་མཚན་དཔེའི་སྐུ་མཐོང་ཞིང་། །གསུང་
དབྱངས་རྣ་བའི་ལམ་དུ་ཐོས་གྱུར་ཏེ། །རྒྱལ་བ་དགྱེས་པའི་ལམ་ལ་འཇུག་གྱུར་ཅིག །
བདག་ཉིད་མཐོང་ཐོས་དྲན་རེག་མ་ལུས་དང་། །མིང་ཙམ་འཛིན་པར་བྱེད་པ་ཐམས་ཅད་
ཀྱང་། །དེ་ཡི་མོད་ལ་མི་འདོད་ཀུན་ཞི་ཞིང་། །བསམ་དོན་ཐམས་ཅད་འབད་མེད་འགྲུབ་
པར་ཤོག །བདག་ལ་སྙིང་ནས་དད་པར་བྱེད་པའམ། །ཁྲོ་བའི་སེམས་ཀྱིས་མི་སྙན་བརྗོད་
ཀྱང་རུང་། །བཟང་ངན་འབྲེལ་བ་ཐོགས་པ་མ་ལུས་པ། །ཐམས་ཅད་བྱང་ཆུབ་ལམ་ལ་
འགོད་པར་ཤོག །ནམ་མཁའི་མཐས་གཏུགས་གྱུར་པའི་སེམས་ཅན་ཀུན། །སྲིད་དང་ཞི་
བའི་མཐའ་ལས་གྲོལ་བ་ལ། །མཁྱེན་བརྩེ་ནུས་མཐུ་ཐོགས་པ་མི་མངའ་བ། །འཇམ་མགོན་
བླ་མ་མཆོག་དང་མཚུངས་པར་ཤོག །མགོན་ཁྱོད་རྨད་བྱུང་བཀོད་པར་སངས་རྒྱས་ཚེ། །
འཁོར་གྱི་ཐོག་མར་གྱུར་ཏེ་རྒྱལ་སྲས་ཀྱི། །ཐབས་མཁས་སྤྱོད་པ་མ་ལུས་མཐར་ཕྱིན་ནས། །
རྒྱལ་བ་སེང་གེའི་ང་རོ་ལྟར་གྱུར་ཅིག །རྨད་བྱུང་སྲས་བཅས་རྒྱལ་པའི་བྱིན་རླབས་དང་། །
ཞེས་སོགས་བྱའོ། །ཤིས་བརྗོད་ནི། རབ་ཡངས་ནམ་མཁའ་ཏིལ་གྱི་གང་བུ་བཞིན། །ཡོངས་སུ་
གང་བའི་འཇམ་མགོན་ལྷ་ཚོགས་རྣམས། །ཁ་ཅིག་མེ་ཏོག་སྣ་ཚོགས་ཆར་འབེབས་ཤིང་། །
ལ་ལ་བཀྲ་ཤིས་གདངས་སྙན་གླུ་རུ་ལེན། །གཞན་དག་བགེགས་དཔུང་འཇོམས་པའི་འཕྲིན་

ལས་ཀྱིས། །ཁྱེད་ལ་རྟག་ཏུ་དཔལ་གནས་མཛད་པ་འདི། །ཤེས་པར་གྱིས་ལ་ཡིད་བདེ་བསྐྱེད་ཅིག་དང་། །ཤིས་བརྗོད་ཕྲེང་བ་བདག་གིས་བསྒྲག་པར་བྱ། །རྨད་བྱུང་མཚན་དཔེའི་དཔལ་འབར་ལོངས་སྤྱོད་རྫོགས། །ཁ་སྦྱོར་བདེ་སྟོང་རོ་ལ་རྟག་རོལ་ཅིང་། །དམིགས་མེད་ཐུགས་རྗེས་ཞི་བའི་མཐའ་སྤངས་བ། །བློ་བཟང་ཡན་ལག་བདུན་ལྡན་ལ་ཕྱག་འཚལ། །གསང་བ་ཀུན་གྱི་བདག་པོ་དགེ་ལེགས་དཔལ། །ཆོས་ཀྱི་རྒྱལ་མཚན་ཆོས་ཀྱི་རྡོ་རྗེ་དང་། །བློ་བཟང་དོན་གྲུབ་པཎ་ཆེན་ཆོས་རྒྱན་སོགས། །རྩ་བ་བརྒྱུད་པའི་བླ་མ་མཆོག་རྣམས་ལ། །དགེ་མཚན་ཇི་སྙེད་མཆིས་པའི་བཀྲ་ཤིས་དེས། །ཁྱེད་རྣམས་ཇི་བཞིན་ལམ་མཆོག་འདི་ཉིད་ལས། །བློ་བཟང་རྡོ་རྗེ་འཆང་དབང་མྱུར་ཐོབ་ནས། །འགྲོ་ཀུན་ཚུལ་དེར་འགོད་པའི་བཀྲ་ཤིས་ཤོག །ཆོས་ཀྱི་ཕུང་པོ་བརྒྱད་ཁྲི་བཞི་སྟོང་གི །སྙིང་པོ་གཅིག་ཏུ་བསྡུས་པའི་བསྟོད་པའི་རྒྱལ། །གང་གི་ཉམས་ལེན་རིམ་པ་ཐམས་ཅད་ཀྱིས། །བཀྲ་ཤིས་དགེ་མཚན་རྒྱ་མཚོས་ཁྱབ་གྱུར་ཅིག །ཚུལ་དེར་སྤྱོད་པའི་འཕགས་པའི་གང་ཟག་དང་། །ལམ་ལ་ཞུགས་དང་སོ་སོ་སྐྱེ་བོ་ཡི། །དགེ་འདུན་དཀོན་མཆོག་ཇི་སྙེད་མཆིས་པ་ཡིས། །བཀྲ་ཤིས་བྱེ་བ་ཆར་དུ་ཕབ་ཏུ་གསོལ། །གཞན་ཡང་སྔོངས་འདིར་ནད་མཆོན་མུ་གེ་སོགས། །མི་མཐུན་རྐྱེན་པའི་མིང་ཡང་མི་གྲགས་ཤིང་། །བློ་བཟང་གྲགས་བསྟན་ཕྱོགས་བཅུར་རྒྱས་པ་དང་། །འགྲོ་ཀུན་བདེ་སྐྱིད་ལྡན་པའི་བཀྲ་ཤིས་ཤོག། །སྨྲས་པ། ལུས་ཅན་ཕན་བདེའི་བསོད་ནམས་སྤེལ་བའི་སླད། །འཇམ་མགོན་ཆོས་ཀྱི་རྒྱལ་པོ་ཡབ་སྲས་རྣམས། །དགྱེས་པ་སྐྱེད་བྱེད་མཆོད་སྤྲིན་འབུམ་སྤྲོ་བའི། །མཆོད་ཆོག་ཀུན་བཟང་འཁྲི་ཤིང་འདི་བྱས་སོ། །དེ་ལས་འོངས་པའི་རབ་དཀར་དགེ་བ་དེས། འཇམ་མགོན་རིང་ལུགས་དྲི་མེད་དར་ཞིང་རྒྱས། །དེ་འཛིན་ཞབས་བརྟན་ཁྲིམས་ལྡན་འདུས་ཚོགས་རྒྱས། །འགྲོ་ཀུན་འཇམ་མགོན་བླ་མས་རྗེས་འཛིན་ཤོག །ཡུལ་ཕྱོགས་འདིས་མཚོན་ཡངས་པའི་རྒྱལ་ཁམས་སུ། །ནད་རིམས་འཁྲུག་རྩོད་དུས་ཀྱི་རྐྱེན་ཚོགས་ཞི། །དགེ་ལེགས་མཚན་མའི་ཆུ་ཀླུང་འབུམ་ཕྲག་གིས། །བཀྲ་ཤིས་རྒྱ་མཚོ་རྟག་ཏུ་རྒྱས་གྱུར་ཅིག །ཅེས་རྒྱལ་བ་ཀུན་གྱི་མཁྱེན་བརྩེ་ནུས་གསུམ་གཅིག་ཏུ་བསྡུས་པའི་ངོ་བོ་ཁམས་གསུམ་ཆོས་ཀྱི་རྒྱལ་བ་ཙོང་ཁ་པ་ཆེན་པོ་ལ་མདོ་ཆོག་གི་ལུགས་བཞིན་སྟོང་མཆོད་ཇི་ལྟར་འབུལ་ཚུལ་གྱི་ཆོ་ག་འདི་ནི་སོག་ཡུལ་དུ་འདུག་སྐབས། ངེད་ཀྱི་གམ་དུ་འཁོད་བའི་དཔོན་པོ་མཛོད་པ

ངག་དབང་ནོར་བུ། མཛོད་པ་བསོད་ནམས་དབང་རྒྱལ། ཉེ་གནས་དགེ་སློང་དགེ་འདུན་ཆོས་འཕེལ་དང་། དགེ་སློང་བསྟན་འཛིན་རིན་ཆེན། དགེ་སློང་སྐལ་ལྡན་ཆོས་འཕེལ། དབུ་མཛད་བློ་བཟང་དཀོན་མཆོག ། དགེ་སློང་བསྟན་པ་དར་རྒྱས། དགེ་སློང་འཇམ་དབྱངས་སྟོབས་ལྡན། གསོལ་དཔོན་དགེ་ཚུལ་འཇམ་དབྱངས་མཁས་བཙུན་སོགས་རང་གི་ཞབས་གྲས་པ་རྣམས་ཀྱིས་འདི་ལྟ་བུ་ཞིག་དགོས་ཞེས་ཡང་ཡང་རྣ་བ་གཙེར་བས་རྐྱེན་བྱས། རང་གཞན་གྱིས་མཆོད་འབུལ་སོགས་ཀྱི་སྐབས་སུའང་ཉེ་བར་འཁོ་བར་བསམ་ནས། ཚུ་བཟང་རིན་པོ་ཆེ་བློ་བཟང་བསྟན་པའི་རྒྱལ་མཚན་གྱིས་མཛད་པའི་མཆོད་བརྗེན་མཆོད་ཆོག་ལ་གཞི་བྱས། གཞན་དམ་པ་རྣམས་ཀྱི་གསུང་ལས་ལེགས་ཆ་བླངས་ཏེ། ༄ཤཱཀྱའི་བཙུན་གཟུགས་ཆེ་ཤོས་སྤྲུལ་མིང་འཛིན་པ་ངག་དབང་བཤད་སྒྲུབ་བསྟན་པའི་ཉི་མས་རང་ཤག་ཕུན་ཚོགས་འདོད་འཇོར་སྒྲུར་བའི་ཡི་གེ་པ་ནི་ཉེ་གནས་དགེ་སློང་འཇམ་དབྱངས་སྐལ་གྲགས་སོ། །འདིས་ཀྱང་འཇམ་མགོན་བླ་མ་མཆོག་གིས་རྗེས་སུ་འཛིན་པའི་རྒྱུར་གྱུར་ཅིག ། །།

༄༅། །བླ་མ་ཡི་དམ་ལ་གསོལ་བ་འདེབས་པའི་རབ་ཏུ་བྱེད་པ་ཅན་གི་ཤོད་སྐྲན་འདོན་པའི་སྨྱུག་སྨན་ཞེས་བྱ་བཞུགས་སོ།

༄། །ན་མོ་གུ་རུ་མཉྫུ་ཤྲཱི་ཛྙཱ་ཡ། འཇིག་རྟེན་དབང་ཕྱུག་བཤེས་གཉེན་ཚུལ་བཟུང་ནས། །གངས་རིའི་ཁྲོད་འདིར་བསྟན་པ་རྒྱས་མཛད་པ། །བཀའ་དྲིན་མཉམ་མེད་རྗེ་བཙུན་ཐམས་ཅད་མཁྱེན། །འགྲོ་བའི་མགོན་པོ་བླ་མའི་ཞབས་ལ་འདུད། །རྗེས་འཇུག་དྲིད་པོ་རྣམས་ལ་ཐུགས་རྗེས་གཟིགས། །བློ་ཁ་ཆོས་ལ་ཕྱོགས་པར་བྱིན་གྱིས་རློབས། །སྟོན་ཆད་བྱས་པའི་རང་གི་སྤྱོད་ཚུལ་ལ། །མཛུབ་མོ་ནང་དུ་བཀུག་ནས་བསམས་པའི་ཚེ། །སེང་ལྤགས་གྱོན་པའི་ཕ་སྐྱེས་ཇི་བཞིན་དུ། །ཆོས་པར་བརྫུས་ནས་ཆོས་མིན་བྱས་པས་འཁྱོད། །ཆོས་པའི་གཟུགས་བརྙན་བདག་ལ་ཐུགས་རྗེས་གཟིགས། །ཕྱིན་ཆད་ཆོས་བཞིན་སྒྲུབ་པར་བྱིན་གྱིས་རློབས། །མཁས་གྲུབ་དུ་མའི་ཞབས་ལ་གཏུགས་ལགས་ཀྱང་། །སངས་རྒྱས་དངོས་ཀྱི་འདུ་ཤེས་མ་སྐྱེས་པས། །གསེར་དངུལ་ཁྲོད་དུ་སློག་རྫུལ་བྲུད་པ་བཞིན། །ཡོན་ཏན་པོར་ནས་སྐྱོན་འདོགས་བྱས་པས་འཁྱོད། །སྐལ་ཆད་ལོག་ལྟ་མཁན་ལ་ཐུགས་རྗེས་གཟིགས། །དད་གུས་རྩོལ་མེད་སྐྱེ་བར་བྱིན་གྱིས་རློབས། །དལ་བརྒྱད་འབྱོར་བཅུའི་རྟེན་བཟང་ཐོབ་ལགས་ཀྱང་། །སྙིང་དཀའ་དོན་ཆེ་སྙིང་ནས་མ་དྲན་པས། །རིན་ཆེན་གླིང་ནས་ཟོང་ཟད་སླར་ལོག་བཞིན། །དོན་མེད་ངང་ལ་མི་ཚེ་ཟད་པས་འཁྱོད། །དལ་འབྱོར་སྟོང་ལོག་མཁན་ལ་ཐུགས་རྗེས་གཟིགས། །ཚེ་ལྷག་དོན་ལྡན་བྱེད་པར་བྱིན་གྱིས་རློབས། །སྐྱེས་མཐའ་འཆི་བར་གསུངས་པ་གོ་ལགས་ཀྱང་། །ནམ་འཆི་ཆ་མེད་སྙིང་ནས་མ་དྲན་པས། །རང་དབང་ཐོབ་པའི་གདེངས་ཤིག་ཡོད་པ་བཞིན། །རྣམ་གཡེང་གཉིད་ཀྱིས་ཉིན་མཚན་

འདས་པས་འགྱོད། །རྟག་འཛིན་ཕྱི་བཏོལ་མཁན་ལ་ཐུགས་རྗེས་གཟིགས། །ཡོང་མེད་བརྩོན་འགྲུས་རྩོམ་པར་བྱིན་གྱིས་རློབས། །ལས་འབྲས་རྣམ་དབྱེ་ཙུང་ཟད་ཤེས་ལགས་ཀྱང་། །ཡིད་ཆེས་དད་པ་གཏིང་ནས་མ་སྐྱེས་པས། །མིག་ཅན་གཡང་ལ་མཆོང་པ་ཇི་བཞིན་དུ། །ཤེས་བཞིན་ལས་འབྲས་ཁྱད་དུ་བསད་པས་འགྱོད། །ངོ་ཚ་ཁྲེལ་མེད་བདག་ལ་ཐུགས་རྗེས་གཟིགས། །སྡིག་སྤོང་དགེ་བ་སྒྲུབ་པར་བྱིན་གྱིས་རློབས། །སྐྱེས་བུ་ཆུང་ངུའི་སྐབས་ཏེ་དང་པོའོ། །ཐོག་མེད་དུས་ནས་སྲིད་པའི་འདམ་དུ་བྱིང་། །ལས་ཉོན་སྡུག་བསྔལ་དུ་མས་མནར་ལགས་ཀྱང་། །མི་གཙང་ཁྲིད་ལ་དགའ་བའི་སྦྲང་བུ་བཞིན། །ད་དུང་སྙིང་ནས་ཐར་འདོད་མེད་པས་འགྱོད། །འཁོར་བར་གཏན་འཁྱམས་བདག་ལ་ཐུགས་རྗེས་གཟིགས། །ཐར་པའི་ལམ་སྣ་ཟིན་པར་བྱིན་གྱིས་རློབས། །སྒྲ་བྲིགས་གོས་བསྒྱུར་རབ་བྱུང་བྱས་ལགས་ཀྱང་། །འཁོར་འདས་སྐྱོན་ཡོན་སྙིང་ནས་མ་བསམས་པས། །སེར་གོས་གྱོན་པའི་ཞིང་པ་ཇི་བཞིན་དུ། །ད་དུང་ཁྱིམ་པའི་སེམས་མ་སྤངས་པས་འགྱོད། །རབ་བྱུང་གཟུགས་བརྙན་བདག་ལ་ཐུགས་རྗེས་གཟིགས། །ངེས་འབྱུང་རྣམ་དག་སྐྱེ་བར་བྱིན་གྱིས་རློབས། །མཁན་སློབ་སྤྱན་སྔར་བསླབ་སྡོམ་བླངས་ལགས་ཀྱང་། །དྲན་དང་ཤེས་བཞིན་བག་ཡོད་མ་བསྟེན་པས། །ལྕགས་ཀྱུ་མེད་པའི་གླང་ཆེན་སྨྱོན་པ་བཞིན། །ཉེས་ལྟུང་དུ་མའི་འདམ་དུ་བྱིང་བས་འགྱོད། །བཙུན་པའི་གཟུགས་བརྙན་བདག་ལ་ཐུགས་རྗེས་གཟིགས། །ཉོན་མོངས་གཉེན་པོ་དྲན་པར་བྱིན་གྱིས་རློབས། །བཀའ་དང་བསྟན་བཅོས་མན་ངག་ཉན་ལགས་ཀྱང་། །དོན་གོ་སེམས་ཀྱི་ཐོག་ཏུ་མ་ཁེལ་བས། །རི་མོར་བྲིས་པའི་ཆོས་ཉན་ཇི་བཞིན་དུ། །སེམས་ལ་ཡར་སྐྱེད་ཙུང་ཟད་མེད་པས་འགྱོད། །ཉམས་ལེན་འདྲེས་ཁྱེར་བདག་ལ་ཐུགས་རྗེས་གཟིགས། །གང་ཤེས་རྒྱུད་ལ་སྦྱོར་བར་བྱིན་གྱིས་རློབས། །གཞན་གྱི་མིག་སྔར་ཕྱི་ཚུལ་བཅོས་ལགས་ཀྱང་། །ནང་གི་གཡོ་སྒྱུ་ཁྲམ་སོགས་མ་སྤངས་པས། །ཆུ་སྐྱར་བྱི་ལའི་སྤྱོད་པ་ཇི་བཞིན་དུ། །ཟོག་གིས་རང་བཞིན་གཉིས་ཀ་བསླུས་པས་འགྱོད། །ཕྱི་ཚུལ་ཚུལ་འཆོས་མཁན་ལ་ཐུགས་རྗེས་གཟིགས། །ནང་གི་ཁོང་སྐྲན་ཐོན་པར་བྱིན་གྱིས་རློབས། །ཕྱིར་བཅོས་དག་ལ་འབད་པོ་བྱས་ལགས་ཀྱང་། །འགྱོད་ཅིང་སྡོམ་སེམས་སྙིང་ནས་མ་སྐྱེས

པས། །ཉི་མས་གདུངས་པའི་སླང་ཆེན་འཁྲུས་བཞིན་དུ། །ཉེས་ལྟུང་དུ་མས་ཡང་ཡང་གོས་པས་འགྲོད། །ངན་འགྲོའི་རྒྱུ་སོགས་བདག་ལ་ཐུགས་རྗེས་གཟིགས། །སྟོབས་བཞིའི་བཤགས་པ་བྱེད་པར་བྱིན་གྱིས་རློབས། །སྐྱེས་བུ་འབྲིང་གི་སྐབས་ཏེ་གཉིས་པའོ། །ཐེག་ཆེན་ཆོས་སྒོར་ཞུགས་ལོ་བྱས་ལགས་ཀྱང་། །འགྲོ་དྲུག་ཕ་མར་སྙིང་ནས་མ་དྲན་པས། །རང་དོན་འབའ་ཞིག་སྒྲུབ་པའི་ཉན་རང་བཞིན། །དྲིན་ཅན་མ་རྣམས་ཡལ་བར་དོར་བས་འགྲོད། །བྱང་སེམས་གཟུགས་བརྙན་བདག་ལ་ཐུགས་རྗེས་གཟིགས། །བདག་པས་གཞན་གཅེས་འབྱོངས་པར་བྱིན་གྱིས་རློབས། །ཟབ་དོན་ལྟ་ཁྲིད་བསྒོམ་ལོ་བྱས་ལགས་ཀྱང་། །དངོས་འཛིན་འཁྲུལ་པའི་བག་ཆགས་ཚན་ཆེས་པས། །མཚོ་འཁྲུགས་ཐོག་ཏུ་ཆུ་རྒྱུན་བཀྲམ་པ་བཞིན། །བདག་ཏུ་འཛིན་པ་སྦོམ་པོར་ལུས་པས་འགྲོད། །ལྟ་བ་ཁ་བཤད་མཁན་ལ་ཐུགས་རྗེས་གཟིགས། །བདག་མེད་གནས་ལུགས་རྟོགས་པར་བྱིན་གྱིས་རློབས། །སྐྱེས་བུ་ཆེན་པོའི་སྐབས་ཏེ་གསུམ་པའོ། །གསང་སྔགས་ཆོས་སྒོར་ཞུགས་ལོ་བྱས་ལགས་ཀྱང་། །དམ་ཚིག་སྡོམ་དང་བསྡོམས་ཏེ་མ་བསྲུངས་པས། །འགྲམ་ཆ་ཟད་པའི་ཁང་ཧྲུལ་ཇི་བཞིན་དུ། །དངོས་གྲུབ་ཀུན་གྱི་སྒྲུབ་གཞི་སྟོར་བས་འགྲོད། །དམྱལ་བའི་བུད་ཤིང་བདག་ལ་ཐུགས་རྗེས་གཟིགས། །དམ་ཚིག་ཚུལ་བཞིན་སྲུང་བར་བྱིན་གྱིས་རློབས། །བསྐྱེད་རྫོགས་ཟབ་མོ་སྒོམ་ལོ་བྱས་ལགས་ཀྱང་། །མཉམ་གཞག་སེམས་ལ་བརྟན་པ་མ་ཐོབ་པས། །སྒྲ་མཁན་ནེ་ཙོའི་འདོན་པ་ཇི་བཞིན་དུ། །དགེ་སྦྱོར་ཕལ་ཆེར་སྒྲ་སྦྱོར་སོང་བས་འགྲོད། །སྔགས་པའི་གཟུགས་བརྙན་བདག་ལ་ཐུགས་རྗེས་གཟིགས། །ཉམས་ལེན་གནད་ལ་མཁས་པར་བྱིན་གྱིས་རློབས། །གསང་སྔགས་ལ་འཇུག་པའི་སྐབས་ཏེ་བཞི་པའོ། །གཞན་ལ་ཟབ་ཆོས་འཆད་ལོ་བྱས་ལགས་ཀྱང་། །རང་གི་རྒྱུད་ལ་ཉམས་མྱོང་མ་མཆིས་པས། །སླུ་མཁན་བྲོ་བའི་ཆོས་བཤད་ཇི་བཞིན་དུ། །གཞན་ལ་ཕན་ཐོགས་ཙུང་ཟད་མེད་པས་འགྲོད། །དྲེད་པོ་ཆོས་རྒྱུས་མཁན་ལ་ཐུགས་རྗེས་གཟིགས། །ཐོག་མར་རང་རྒྱུད་འདུལ་བར་བྱིན་གྱིས་རློབས། །གཞན་གྱི་ཡར་འདྲེན་བྱེད་ལོ་བྱས་ལགས་ཀྱང་། །རང་གི་སེམས་ལ་རང་དབང་མ་ཐོབ་པས། །ལོང་བས་ལོང་བ་འཁྲིད་པ་ཇི་བཞིན་དུ། །རང་གཞན་གཉིས་ཀ་ཕུང་ལ་གཏད་

པས་འགྲོད། །འཕོས་མེད་བཟང་བརྫུ་མཁན་ལ་ཐུགས་རྗེས་གཟིགས། །བསླུ་མེད་ལམ་སྣ་ཟིན་པར་བྱིན་གྱིས་རློབས། །གཞན་ཕན་འགྲོ་དོན་གྱི་སྐབས་ཏེ་ལྔ་པའོ། །ཆོས་སྐོར་ཞུགས་ནས་ཡུན་རིང་ལོན་ལགས་ཀྱང་། །ཚེ་འདིའི་ཕོང་སྐྲན་ནང་ནས་མ་ཐོན་པས། །མར་གྱི་ཁོགས་དང་ཆུ་རྡོ་ཇི་བཞིན་དུ། །ད་དུང་རང་རྒྱུད་རྗེན་པར་ལུས་པས་འགྲོད། །སེམས་དང་ཆོས་མ་འདྲེས་ལ་ཐུགས་རྗེས་གཟིགས། །ཚེ་འདི་བློ་ཡིས་ཐོངས་པར་བྱིན་གྱིས་རློབས། །ཤིན་ཏུ་འཇུ་དཀའི་དད་ཟས་གཤིན་ཟས་སོགས། །གདེངས་མེས་བཞིན་དུ་འཇོམ་མེད་སྤྱོད་ལགས་ཀྱང་། །འཇལ་རྒྱུ་མེད་པའི་དབུལ་པོའི་བུ་ལོན་བཞིན། །ལན་ཆགས་བུ་ལོན་ཁུར་གྱིས་ནོན་པས་འགྲོད། །དཀོར་གྱི་ཕུང་པོ་བདག་ལ་ཐུགས་རྗེས་གཟིགས། །དཀོར་སྦྱོངས་ཚུལ་བཞིན་བྱེད་པར་བྱིན་གྱིས་རློབས། །མཐོ་མཉམ་དམན་པའི་གྲོགས་དང་འགྲོགས་ལགས་ཀྱང་། །དག་པའི་སྣང་བ་སྐད་ཅིག་མ་འབྱོངས་པས། །ཕན་ཚུན་གཡུལ་དུ་ཞུགས་པའི་དགྲ་བོ་བཞིན། །ཕྲག་དོག་འགྲན་སེམས་ང་རྒྱལ་བྱས་པས་འགྲོད། །རྒྱུད་ངན་རེངས་པ་བདག་ལ་ཐུགས་རྗེས་གཟིགས། །ཀུན་ལ་དག་སྣང་འབྱོངས་པར་བྱིན་གྱིས་རློབས། །ལས་ངན་དབང་གིས་སྙིགས་མའི་དུས་འདིར་སྐྱེས། །ཀུན་དང་བསྟུན་ན་དམ་པའི་ཆོས་དང་འགལ། །ཆོས་དང་བསྟུན་ན་སྐྱེ་བོ་ཀུན་དང་འགལ། །ཇི་ལྟར་བྱས་ཀྱང་སྐྱོན་དུ་གྱུར་པས་འགྲོད། །འདི་ཕྱི་གཉིས་མེད་བདག་ལ་ཐུགས་རྗེས་གཟིགས། །ཅི་བྱས་ཆོས་སུ་འགྲོ་བར་བྱིན་གྱིས་རློབས། །སྔོན་ཆད་བསགས་པ་སྡིག་པའི་ལས་ལས་མེད། །ཕྱི་མའི་འགྲོ་ས་ངན་སོང་ཁོ་ནར་ངེས། །དེ་ཕྱིར་ཁ་ཙམ་ཆོག་ཙམ་མ་ཡིན་པའི། །སྙིང་ཁོང་རུས་པའི་གཏིང་ནས་གནོང་ཞིང་འགྲོད། །ཐ་ཆད་སྙིང་རེ་རྗེ་ལ་ཐུགས་རྗེས་གཟིགས། །ངན་འགྲོའི་སྐྱེ་སྒོ་ཁེགས་པར་བྱིན་གྱིས་རློབས། །སྣང་ཚུལ་འདི་འདྲ་གཞན་ལའང་ཡོད་སྲིད་ན། །དོན་སྙིང་ནང་ནས་རུལ་བར་ཐེ་ཚོམ་མེད། །འཆི་ཁར་མི་འགྲོད་ཙམ་རེ་མ་བྱུང་ན། །རང་གིས་རང་ཉིད་བསླུས་པར་གདོན་མི་ཟ། །བདག་དང་བདག་འདྲའི་འགྲོ་ལ་ཐུགས་རྗེས་གཟིགས། །རང་གཞན་སྨིན་ཅིང་གྲོལ་བར་བྱིན་གྱིས། །སྔོན་ཆད་སྙིང་དུ་གཅེས་པར་བཟུང་བ་རྣམས། །ཕྱུན་པར་སོང་བ་ད་གཟོད་ཆང་ཟད་ཤེས། །ད་ནི་ཚེ་འདིའི་མདུན་མ་ཧྲུང་ལ་བསྐུར། །ཉེན་

མཚན་དཔལ་མེད་ཆོས་ལ་འབད་པར་སྨོན། །ཐུགས་རྗེས་གཟིགས་ཤིག་བླ་མ་ཡི་དམ་ལྷ། །གསོལ་བཏབ་དོན་རྣམས་འགྲུབ་པར་བྱིན་གྱིས་རློབས། །སླར་ཡང་སྐྱོན་གྱི་ཕོང་ནད་ལྷག་མ་རྣམས་ཕྱིར་ཕྱུང་ནས། གཉེན་པོའི་ལུས་བྲུངས་གསོ་བའི་སྐབས་ཏེ་དྲུག་པའོ། །ཞེས་བླ་མ་ཡི་དམ་ལ་གསོལ་བ་འདེབས་པའི་རབ་ཏུ་བྱེད་པ། ནང་གི་ཕོང་སྤྲན་འདོན་པའི་སྨུག་སྨན་ཞེས་བྱ་བ་འདི་ནི། བཙུན་པ་བློ་བཟང་ཆོས་ཀྱི་རྒྱལ་མཚན་གྱིས་ཆོས་གྲྭ་ཆེན་པོ་ལྷུན་གྲུབ་བདེ་ཆེན་གྱི་གཟིམས་ཁྲུང་འོག་མིན་ཆོས་ཀྱི་ཕོ་བྲང་དུ་སྦྱར་བའོ།། །།

༄༅། །འཇམ་མགོན་རྒྱལ་བ་གཉིས་པ་ལ་བསྟན་པའི་སྙིང་པོ་གསལ་བར་མཛད་པའི་ཚུལ་ལས་བརྩམས་ཏེ་བསྟོད་པ་དོན་དང་ལྡན་པ་བཞུགས་སོ།

༄། །གང་ཞིག་བཤད་དང་སྒྲུབ་པ་ཡིས། །རྒྱལ་བའི་དགོངས་པ་བླ་ན་མེད། །སྒྲ་དང་གཟིགས་པའི་མཆོག་གྱུར་པ། །རྟེན་འབྱུང་གསལ་མཛད་དེ་ལ་འདུད། །༈བརྒྱད་ཁྲི་བཞི་སྟོང་ཆོས་ཀྱི་སྒོ། །ཇི་སྙེད་རྒྱལ་བས་གསུངས་པ་ཀུན། །གང་དུ་གཞོལ་ཞིང་འབབ་པའི་གནས། །རྟེན་ཅིང་འབྲེལ་འབྱུང་འདི་ཡིན། །ཅི་ཕྱིར་ཞེ་ན་འགྲོ་ཀུན་གྱི། །རྒྱུད་པའི་སྐྱོན་མང་དྭངས་འབྱིན་པའི། །སྨན་དང་རིག་སྔགས་རྒྱལ་པོ་ཡང་། །ཆོས་ཚུལ་འདི་ལས་གཞན་ན་གང་། །༈དེ་ཕྱིར་རྒྱལ་བ་སྟོན་པ་ཡི། །བསྟན་ལ་འོད་བྱེད་ཉི་མ་དང་། །འགྲོ་བའི་དབུགས་འབྱིན་ཟླ་བ་ཡང་། མཚུངས་པ་མེད་པ་ཁྱོད་དུ་ངེས། །༈ཞི་ལམ་དེ་བཞིན་ཉིད་སྟོན་པའི། །ས་མཁན་རང་བཞིན་བརྗོད་པ་ནི། །ཆོས་ཀྱི་རྗེས་འགྲོ་དད་པའི་སྒོ། །མི་མཉམ་ཆེ་བའི་གཏེར་དུ་ངེས། །༈འཕགས་ཡུལ་མཁས་རྣམས་གཟུར་གནས་པས། །རང་བློའི་སྟོབས་བཞིན་གྲུབ་མཐའ་འཛིན། །འདི་ན་ཐམས་ཅད་དབུ་མའི་གྲལ། །བསླེགས་ཀྱང་བློ་ཡིས་མ་ལྕིགས་པས། །སྐྱེ་ན་མཐའ་བཞིར་ངེས་ཀྱང་དེ། །ཁེགས་ཕྱིར་སྐྱེ་བ་ཡོད་མིན་ལ། །ཐ་སྙད་བློ་ཡི་སྣང་བ་ནི། །འཁྲུལ་ཕྱིར་དོན་དུ་མི་འགྱུར་ཞེས། །རང་བཞིན་མེད་ལ་བདེན་བཞི་དང་། །སྐྱབས་གསུམ་ལས་འབྲས་ལ་སོགས་པ། །མེད་པར་ཐལ་བ་དངོས་སྨྲའི་གཏམ། །དང་དུ་ལེན་བཞིན་དབུ་མར་སྨྲ། །དངོས་སྨྲ་རིགས་པའི་ལུགས་འཛིན་པས། །བདེན་སྟོང་རིགས་པས་བཀག་ནས་དོར། །འདི་ན་རིགས་པས་འགོག་བཞིན་དུ། །འཐད་པར་སྒྲུབ་པ་ཀྱེ་མ་ཧོ། །༈ཁ་གཅིག་ཆད་པར་དོགས་པ་ཡིས། །མ་སྐྱེས་མི་འགྱུར་སྤྲོས་མེད་བདག །བཀག་ཙམ་དབུ་མར་འཁྲུལ་པ་ཡིས། །གྲུབ་མཐའ་རྣམ་བཞི་གཅིག་ཏུ་འགྱུར། །

༈ ཡ་ལ་དགག་བྱའི་མཚམས་ཀྱི་འབེན། །གཏད་མེད་ཕྱོགས་ཆར་གཅོད་པ་ཡིས། །སྟོང་པར་འཁྲུལ་ཡང་འཆར་སླ་ལ། །རྟེན་འབྲེལ་བཤིག་པ་སྨྲད་པའི་གནས། །༈ རྟག་ཆད་གཉིས་ཀའི་གཡང་ས་ལ། །འཇིགས་ཕྱིར་དབུ་མར་འཇུག་དཀའ་ཡི། །དགག་པའི་ཕྱོགས་གཅིག་ཙམ་ཉིད་ན། །དེ་ནི་གང་ལས་དབུ་མར་བརྗོད། །དེ་ཕྱིར་མཁྱེན་པའི་གཏེར་གྱིས་ཀྱང་། །སྣང་སྟོང་ཉེ་རིང་མི་བྱ་ཞེས། །ཡོད་དང་མེད་པའི་མཐའ་གཉིས་ལས། །ཁྱོད་ཀྱི་ཐུགས་ནི་ཡོངས་སུ་བཟུང་། །༈ ཕྱག་རྫོགས་གསལ་སྟོང་འཛིན་མེད་ཅེས། །འགྲོ་འོང་གཟུགས་ཅན་ལྟར་མེད་དང་། །འབྱུང་འཇིག་རགས་པའི་མི་རྟག་ཚུལ། །མཐོང་བྱ་མ་མཐོང་བརྒྱལ་འདྲའམ། །གཟུགས་སུ་མ་གྲུབ་གསལ་རིག་ཙམ། །སྒྲིང་ལ་བདེན་མཐོང་སྙོམ་འཆང་ཞིང་། །ཕྱོགས་སྣང་གྲགས་པ་སོགས་ཀྱིས་ཀྱང་། །དེ་ཉིད་མ་མཐོང་སྐྱབ་མཆར། །ཁ་ཅིག་མ་བཅལ་སྐྱོང་བར་སྙོམ། །ལ་ལ་བཅལ་ཡང་སྐྱོང་ཚེ་སྟོར། །བཟུང་ཡང་དཔྱོད་མེད་འཇོག་སྒོམ་ཙམ། །ལྟ་ལ་མཁས་པ་མིན་པར་གསུངས། །༈ ཉམས་མྱོང་བརྡ་ཡི་ཚིག་ཐང་དེ། །པན་འགའ་སྲིད་ཀྱང་གོལ་བ་མང་། །དགག་སྒྲུབ་སྦྱོར་བ་ཀུན་ཚང་བ། །ཁྱོད་གསུང་ཐར་འདོད་ཡོངས་ཀྱི་གསོས། །ཡོད་དང་མེད་པའི་ཕྱོགས་འཛིག་པ། །བདག་ཉིད་ཆེན་པོ་ཁྱེད་དག་ནི། །སྟོང་དང་རྟེན་འབྱུང་དོན་གཅིག་པར། །གསུངས་མཆོག་མཚུངས་པ་མེད་པར་བཞེད། །སྟོན་པ་མཆོག་དེར་བསྟོད་པའི་སྒོ། །ཀུན་གྱི་བླ་མར་གྱུར་པ་ཡང་། །རྟེན་ཅིང་འབྲེལ་འབྱུང་གསུངས་པ་ཏུ། །ཀླུ་སྒྲུབ་ཞབས་དང་ཁྱོད་ཀྱིས་གཟིགས། །༈ ཤས་ཆེར་སྟོང་ལ་མེས་སློ་ཡིས། །རྟེན་ཅིང་འབྲེལ་འབྱུང་འགོག་བྱེད་པ། །སྣང་བས་སྲིབ་པ་དེ་དག་གི །བློ་མུན་སྟུག་པོ་གང་གིས་སེལ། །ལྟ་བས་རང་བཞིན་བཅལ་བའི་ཕྱིར། །མ་རྙེད་པ་ཡིས་ཁེགས་འགྱུར་ལ། །མ་རྙེད་གདགས་གཞི་འགོག་མིན་པས། །རྗེས་ཀྱི་མིང་ཙམ་ལྷག་མར་མཐོང་། །མིང་ཙམ་དེར་ཡང་བྱ་བྱེད་ཀུན། །བསྐྱོན་མེད་འགྲོང་བས་གྲུབ་པ་ཡིས། །རྗེས་འགྲོ་སྐྱོན་ཡོན་བླང་དོར་ཀུན། །བརྩོན་པས་སྤྱོད་པ་རྣམ་པར་དག །སྣང་སྟོང་རིམ་པས་ཆད་རྟག་མཐའ། །སེལ་བ་གྲུབ་མཐའ་ཀུན་འདོད་ཀྱང་། །བཟློག་སྟེ་སྒྲུབ་འདི་ཕོ་ནས། །བརྒྱུད་མའི་ཀླན་ཀ་མཐའ་དག་བསལ། །༈ བདག་བསྟན་རྒྱུ་འབྲས་རྟོགས་པའི་ཕྱིར། །གསུང་རབ་མ་ལུས་གདམས་པར་ཤར། །འགར་ཡང་མི་བདེ་མ་མཆིས་པས། །ལྟ་བའི་སྤྱོད་

པ་ཡོངས་སུ་རྫོགས། །༈ དཔྱད་བཟོད་ཤེས་པ་མ་གྲུབ་ཅིང་། །ཕྱི་དོན་སྣང་བ་བསྙོན་མེད་པས། །ཀུན་གཞི་རང་རིག་ཡོད་མིན་ལ། །དོན་དང་ཞིག་པ་དངོས་པོར་སྒྲུབས། །མདོར་ན་ངོ་བོས་སྟོང་པ་དང་། །ཕན་ཚུན་བརྟེན་ནས་བཏགས་པ་གཉིས། །འགལ་མེད་གྲོགས་སུ་ཤར་བ་ཡིས། །རྣམ་གཞག་ཐམས་ཅད་འཐད་པར་གཟིགས། །༈ ཉོན་མོངས་འཆིང་གཅོད་ཀླུ་སྒྲུབ་ཀྱི། །ལྟ་བའི་རལ་གྲི་འཛིན་བྱེད་པ། །སྒོམ་པའི་དཔུང་པ་བརྟན་པོའི་ཐབས། །མཐའ་ཡས་ས་སྡེ་བཞིན་དུ་གསུངས། །བོད་སྒོམ་གཞུང་དུ་མི་འཚོལ་བར། །མེད་སར་འབད་པས་འཚོལ་ཞིང་སྐྱོང་། །ཏྲོད་ཧྟགས་ཕྲ་མོས་སྒོམ་རྣམས་ཀྱི། །སྒོམ་པའི་མན་ངག་དཔེ་ཟླ་མེད། །༈ མདོར་ན་ལྟ་སྒོམ་སྤྱོད་པའམ། །རྣམ་དག་ལྷག་པའི་བསླབ་གསུམ་སྲོལ། །གཞན་ལས་ཆེས་ཆེར་འཕགས་པ་ཡིས། །རྒྱ་ཡི་ཐེག་པ་ཉིན་མོར་བྱས། །༈ གསང་ཆེན་རྒྱུད་སྡེ་རབ་འབྱམས་ཀྱི། །དབང་དང་དམ་ཚིག་ལམ་དང་འབྲས། །ཀུན་ལ་གོལ་བའི་མཐའ་བཀག་སྟེ། །གསང་བའི་གནད་ཀུན་རྫོགས་པར་བཀྲལ། །༈ བདེན་མེད་སྣང་སྟོང་ལྷ་སྐུ་སོགས། །ཕ་རོལ་ཕྱིན་དང་འོག་མར་ཡང་། །གྲགས་པ་ཙམ་ལས་འདུས་པའི་གནད། །བདག་བྱིན་རླབས་སོགས་རིམ་པ་ཡི། །སྤྲས་དོན་སྣང་མེད་གྱུར་པ་ན། །རྒྱུད་དོན་འཕགས་པ་ཡབ་སྲས་ཀྱི། །དགོངས་པ་ཇི་བཞིན་གསལ་མཛད་དེ། །ཕ་རྒྱུད་ཀུན་གྱི་སྲོག་རྩ་བཟུང་། །༈ ཕྱི་ནང་ཕྱག་རྒྱའི་སྦྱོར་བ་ལས། །གང་གིས་རྒྱས་བཏབ་དེ་ཉིད་དོན། །མ་མཐོང་རྣམས་ཀྱང་མིག་ཕྱེ་སྟེ། །མ་རྒྱུད་གནད་ལ་ཤེད་ཟན་བཏང་། །བདེ་སྟོང་ཟུང་འཇུག་སྒྲུབ་ན། །དེ་ཉིད་ཡ་གྱལ་གཅིག་གྱུར་པའི། །བདེན་གཉིས་དབྱེར་མེད་གནས་འདི་ཡང་། །ཁྱོད་ཀྱིས་འཇིག་རྟེན་གསུམ་དུ་བསྒྲགས། །༈ གསང་སྔགས་འཇིག་རྟེན་སྤྱོད་པ་དང་། །ལྟ་བ་ཡིད་བྱེད་བཀག་ཙམ་དུ། །གྱུར་ཚེ་དབང་པོའི་རྟོག་གི་དྲུང་། །དམ་བཅས་བཞིན་དུ་ཁྱོད་ཀྱིས་གསོས། །སངས་རྒྱས་མཛད་པ་བྱེད་པ་རུ། །ལུང་བསྟན་པ་ཡང་མཆོག་འདི་སྟེ། །གང་ལས་ཁྱོད་ནི་རྗེས་དྲན་པའི། །ཡོན་ཏན་ཟླ་དང་བྲལ་བའང་འདི། །ཐུབ་དབང་ཆོས་ཀྱི་ཉི་མ་དེ། །ཞི་བའི་དབྱིངས་སུ་གཤེགས་གྱུར་ནས། །རིང་ཞིག་འདས་ཏེ་ཆོས་ཀྱི་སྲས། །རྒྱལ་བའི་གདུང་འཚོབ་ཁྱོད་ཉིད་འབྱུངས། །བག་ཡོད་བརྟུལ་ཞུགས་ལྷག་བསམ་སྤྱོད། །བདེ་སྟོང་ཏིང་འཛིན་མཐའ་བྲལ་ལྟ། །ཐུབ་བསྟན་མཐའ་དག་གདན་གཅིག་

ཏུ། །རྫོགས་པའི་སྲོལ་འདི་ཁྱོད་ཀྱིས་ཕྱེས། ། ༔དེང་དུས་ཡབ་རྗེའི་སྲོལ་བཟང་ཡང་། །སྙིགས་མ་མཐུན་པའི་རྟེལ་གྱིས་ཁེབས། །ལྷར་སྣང་བཤེས་གཉེན་དུ་མ་ཡིས། །སྐྱེ་བོ་ཉམ་ངའི་གཡང་དུ་འཁྲིད། །ཀྱེ་ཏུད་དགའ་ལྡན་བསྟན་པ་འདི། །དཔལ་དང་འབྱོར་པས་རབ་རྒྱས་ཀྱང་། །བཤད་དང་སྒྲུབ་པས་ཆེས་ཕྲ་བ། །བསམ་གྱིན་སྙིང་ནས་ཤེས་པ་འཚྭ། །ཟབ་རྒྱས་ཆོས་ཀྱི་དེ་ཉིད་དོན། །ཇི་བཞིན་འདོམས་པ་ཆེས་དཀོན་ཡང་། །འཁྲུལ་བྲལ་ཁྱོད་གསུང་གླེགས་བམ་རྣམས། །གདུང་སེལ་དབུགས་དབྱུང་མཆོག་སྦྱིན་འགྱེད། །རྒྱལ་ཀུན་དགོངས་པ་མཐར་ཐུག་དང་། །དབྱེར་མེད་གྱུར་པ་ཁྱོད་ཀྱི་བསྟན། །གོང་དུ་ཇི་བཞིན་གནས་པ་དེར། །རྟག་ཏུ་སྐྱེ་བ་འཛིན་པར་ཤོག །ཕྱོགས་རེར་མ་གྱུར་ཐོས་པའི་ཆོས། །བསམ་དང་སྒོམ་པས་ཉམས་བླངས་ནས། །རྒྱལ་བ་དགྱེས་པའི་ལམ་བཟང་པོ། །ཚང་ལ་མ་ནོར་རྟེན་འབྱེད་གྱུར་ཅིག །རྟག་ཏུ་འཇམ་དབྱངས་བླ་མ་ཡིས། །རྗེས་བཟུང་ལྷ་བས་རྒྱས་བཏབ་པ། །རྡོ་རྗེ་ཐེག་པའི་མྱུར་ལམ་གྱིས། །བྱང་ཆུབ་བདེ་བླག་ཐོབ་གྱུར་ཅིག །ཅེས་འཇམ་མགོན་རྒྱལ་བ་གཉིས་པ་ལ་བསྟན་པའི་སྙིང་པོ་གསལ་བར་མཛད་པའི་ཚུལ་ལས་བརྩམས་ཏེ་བསྟོད་པ་དོན་དང་ལྡན་པ་ཞེས་བྱ་བ་འདི་ནི་གཞུང་བརྒྱ་སྨྲ་བའི་དབང་ཕྱུག་ཨི་ལ་གོག་སན་ཨེར་ཏེ་ནི་ཤྲཱི་རེ་གེ་ཐུ་རྗོ་རམ་པ་ངག་དབང་ཡོན་ཏན་གྱིས་བསྐུལ་བའི་ངོར། བཙུན་པ་དཀོན་མཆོག་བསྟན་པའི་སྒྲོན་མེས་བཤད་སྒྲུབ་བསྟན་པའི་འབྱུང་གནས་དཔལ་ལྡན་བཀྲ་ཤིས་འཁྱིལ་དུ་སྦྱར་བའི་ཡི་གེ་པ་ནི་དགེ་སློང་དཀོན་མཆོག་ཀུན་དགའོ། ། །། སརྦ་མངྒ་ལཾ། །

༄༅། །དཀའ་ལྡན་ལྷ་བརྒྱ་མའི་འཆད་ཉན་བྱ་ཚུལ་བཞུགས་སོ།

༄༅། །ལྷག་ཆད་ཁ་བསྐང་རྡོ་རྗེ་སེམས་དཔའ་ལ་ཕྱག་འཚལ་ལོ། །སྐལ་བཟང་རྣ་བའི་རྒྱན་གྱུར་ལེགས་བཤད་གསུང་། །ཞེས་པ་སྨོན་བསགས་དགེ་བའི་ལས་ཀྱི་འབྲེལ་བ་དང་ལྡན་པ་རང་གི་ཆེད་དུ་བྱ་བའི་གདུལ་བྱ་སྐྱེས་བུ་ཆུང་འབྲིང་ཆེ་གསུམ་མཐའ་དག་ལ་རེ་བའི་དོན་ཇི་ལྟར་བསམ་པ་དང་མི་འགྲུལ་ཞིང་དད་པ་མི་ལྡོག་པར་ཡིད་དང་རྣ་བའི་རྒྱན་དུ་གྱུར་བ་དེ་ཉིས་བཤད་ལས་ལྡོག་པ་ལེགས་པར་བཤད་པའི་གསུང་ངོ་། །དེ་ཡང་གདུལ་བྱ་ལ་སྐལ་བ་དང་ལྡན་མི་ལྡན་གཉིས། ཡིད་དང་རྣ་བའི་རྒྱན་དུ་གྱུར་མ་གྱུར་གཉིས། །ཉེས་བཤད་ལེགས་བཤད་གཉིས་ཡོད་པ་ལས། ཉེས་བཤད་འདོར་ལ་ལེགས་བཤད་ལེན་དགོས་པའི་དོན་ནོ། །འཆད་ཉན་ལ་ཡང་ཁྱད་ཡོད་དེ། ཐེག་ཆེན་གྱི་འཆད་ཉན་ལས་ཐེག་དམན་གྱི་དེ་དམན། དེ་ལས་ལམ་མ་ཞུགས་ཀྱི་དེ་དམན། དེ་ལས་སྐྱེས་བུ་ཆུང་ངུའི་དེ་དམན། དེ་ལ་ཆེ་འབྲིང་ཆུང་གསུམ་གྱི་རིམ་བས་དམན་པ་ཡིན་པའི་ཕྱིར། ཁྱབ་སྟེ། གདོན་གྱིས་སྨྱོས་པ། ཆང་གིས་མྱོས་པ། ཉོན་མོངས་པས་མྱོས་པ་ལྟར་སྣང་དམན་མཆོག །གོང་མའི་འཆད་ཉན་འོག་མའི་ཡུལ་མ་ཡིན་པའི་ཕྱིར། རང་རང་གི་ཚོད་ཡིན། སྤྲུན་ལྕས་རིམ་བ་བཞིན་མཐོང་བ་ལྟར་ཡིན་པའི་ཕྱིར། སྐྱེས་བུ་ཆུང་ངུའི་འཆད་ཉན་ཡོད་དེ། གཞི་ཆོས་སམ་ཆོས་ལྟར་སྣང་ལ། བསམ་པ་རྙེད་བཀུར་སྙན་གྲགས་འཁོར་བསྡུའི་བསམ་པ་ཐུགས་སུ་བཅུག་ཅིང་ཕྱིའི་རྣམ་འགྱུར་ཆོས་བཞིན་འདུལ་བ་བཞིན་དང་། སྦྱོར་བ་ཚིག་གམ་དོན་ཚང་མ་ཚང་གི་སྒོ་ནས། མཐར་ཐུག་རང་ཞན་བསླུས་པའམ་རྫུས་པ་རྫོགས་པའོ། །འབྲིང་ལ། རང་དོན་ཁོ་ན་སྒྲུར་ཞིང་། སྐྱེས་བུ་ཆེན་པོའི་དེ་ཡོད་དེ། གཞི་དམ་ཆོས་རྣམ་དག །བསམ་པ་བསྟན་འགྲོའི་དོན་དུ་རྙེད་བཀུར་གཙོ་བོར་དོན་དུ་མི་གཉེར་བ། ཕྱི་ནང་མ་ངེས། སྦྱོར་བ་ཚིག་དོན་བཟང་པོའི་སྒོ་ནས

འཆད་ཉན་བྱེད་པ་ཡིན་པའི་ཕྱིར། འགའ་རེས་བླ་མས་ལྷ་བརྒྱ་མའི་ཚིག་རྐང་གཅིག་མ་བློག་པ་སློབ་མས་ཆ་ཚང་མ་བསླབས་ན་ཐོབ་བའི་གོ་ཆོད་ཟེར་ན་བསྟན་པ་ནུབ་པར་མི་འགྱུར་ཏེ། རྒྱུན་འཆད་པར་མི་འགྱུར་བའི་ཕྱིར། རྒྱུ་མེད་པ་ལས་འབྲས་བུ་སྐྱེ་བར་འགྱུར་བའི་ཕྱིར། གཅིག་བཀག་པས་དུ་མ་མི་ཁེགས་པའི་ཕྱིར། དེ་ལྟར་ན་ལུང་མ་ཐོབ་པའི་ཆོས་ཀྱི་ལུང་གཏོང་ཆོག་པའི་ཕྱིར། གལ་ཏེ་འབུམ་གྱི་ཕྱི་སྟོང་པ་ཉིད་དང་། སོགས་དང་། བརྒྱད་སྟོང་པའི་བྱང་ཆུབ་སེམས་དཔའ་སེམས་དཔའ་ཆེན་པོ། ཤེས་རབ་ཀྱི་ཕ་རོལ་ཏུ་ཕྱིན་པ་སོགས་འཇོག་ན། འབུམ་དང་བརྒྱད་སྟོང་པའི་ཚིག་གྲངས་ཚང་བར་མི་འགྱུར་རོ། །བཟུན་སླུས་པའི་ཚིག་གཞན་གྱིས་བཟུན་པར་ཤེས་བཞིན་དུ་གཞན་ལ་སླུས་ན་བཟུན་སླུའི་ཉེས་པ་འབྱུང་བ་དང་། བླམས་ཕྱེད་ཀ་བསླབས་པ་དེ་སློབ་མས་ཤེས་བཞིན་དུ་གཞན་ལ་ཚང་མ་བློག་ན་ལུང་བཟུན་མ་གཏོང་པའི་ཉེས་པ་འབྱུང་བླ་མས་ཕྱེད་ཀ་བསླབས་པ་སློབ་མས་གོ་ན་ལུང་མི་ཐོབ་པར་གྱུར་དགོསན་ཐུགས་སྲས་རྣམས་ཀྱང་ལུང་མ་ཐོབ་པར་གྱུར་པ་དང་། སློབ་མས་གོ་ན་ཡང་ལུང་ཐོབ་པའི་གོ་ཆོད་སྣ་ཚོགས་བཤད་དུ་གསུང་ཆོག་པ་ཡིན་ནོ། །ཆོས་སྦྱིན་བཏང་བས་སློབ་མ་དགེ་བ་གསོག་ཅིང་བླམས་མི་དགེ་བ་གསོག་མི་རུང་། གཞི་ཆོས་སྦྱིན། བསམ་པ་འཆད་སྦྲོ་བ། སྦྱོར་བ་ཚིག་བགྲང་། མཐར་ཐུག་ཐོབ་བློ་ཡིན་པས། དེ་བཞི་ཀ་ཚང་དགོས། དེའི་གཅིག་མ་ཚང་ན་གཅིག་ཏུ་དཀར་བའི་དགེ་པར་མི་འགྲོ། གཅིག་ཏུ་དཀར་བའི་དགེ་བ་མིན་ན་ཐར་པའི་རྒྱུར་མི་འགྲོ། བཀའ་ཁྲིད་དུ་བསད་ན་དམ་ཆོས་སྤོང་བར་འགྲོ་སྟེ་དམ་ཆོས་ཀྱི་ཚིག་ཁ་ཤས་སྤྱངས་བའི་ཕྱིར། ཆོས་ལྟར་སྣང་དུ་སོང་ན་བཤེས་གཉེན་ཡང་དག་ཏུ་འགྲོ་བའི་ཐབས་མི་འདུག་སྟེ། རྣལ་འབྱོར་པ་ཆེན་པོས། ཆོས་ཉན་ཚད་བླ་མ་མིན། ཞེས་པ་དང་། པོ་ཏོ་བས། དགེ་བ་བཅུ་སྟོན་པ་དགེ་བའི་བཤེས་གཉེན་གྱི་མཚན་ཉིད། མི་དགེ་བ་བཅུ་སྟོན་པ་མི་དགེ་བའི་བཤེས་གཉེན་གྱི་མཚན་ཉིད་ཡིན། ཞེས་གསུངས། བསྟན་པའི་ཚིག་འགའ་རེ་ནུབ་ཏུ་བཅུག་ཕྱིན་ཐར་ལམ་ཕྱིན་ཅི་མ་ལོག་པར་སྟོན་པ་ལ་མི་འགྲོ་བའི་ཕྱིར། ཁོ་ན་རེ། ལུང་དག་ཚོམ་བསླབས་པར་ཕྱེད་ཀ་བསླབས་ཀྱང་སློབ་མས་ཐོབ་བློ་བསྐྱེད་ན་ལུང་ཐོབ་པའི་གོ་ཆོད་དེ། བླ་མ་ཚུལ་ཁྲིམས་འཆལ་བ་སོགས་སྤྱོད་པ་ཅི་འདྲ་ཡང་སློབ་མས་དག་སྣང་བསྐྱེད་པར་གསུང་པའི་ཕྱིར། དཀོན་མཆོག་སྤྲིན་ལས། མཁན་པོའི་སློབ་དཔོན་མང་དུ་ཐོས་པའི་ཉུང་ཡང་

ཏུང་། ཚུལ་ཁྲིམས་དང་ལྡན་པའི་འཆལ་ཡང་ཏུང་། སྟོན་པའི་འདུ་ཤེས་བསྐྱེད་པར་བྱའོ། །ཞེས་པའི་ཕྱིར། གསུངས། འོ་ན་ཚུལ་ཁྲིམས་འཆལ་བའི་མཁན་པོ་ཆོས་ཅན། ཁྱོད་ལ་སྟོན་པའི་འདུ་ཤེས་བསྐྱེད་ན་སྟོན་པའི་བྱིན་རླབས་འཇུག་པ་ཡིན་པར་ཐལ། མཁན་སློབ་སྤྱོད་པ་ཅི་ཡང་ཏུང་སྟོན་པའི་འདུ་ཤེས་བསྐྱེད་པར་གསུང་བའི་རི། ཁྱབ་པ་ཁས། འདོད་ན། ཕྱེད་སློགས་ཆོས་ཅན། ལུང་ཐོབ་པའི་གོ་ཆོད་པར་ཐལ། ལུང་ངག་གི་ལས་ཡིན་པ་གང་ཞིག །ལུས་ལ་དག་སྣང་གིས་ཆོག་པའི་ཕྱིར། འདོད་ན། ཡིད་མ་དག་པའི་བཤེས་གཉེན་ཆོས་ཅན། ཁྱོད་ལ་སྟོན་པའི་འདུ་ཤེས་བསྐྱེད་ན་སྟོན་པའི་བྱིན་རླབས་འཇུག་པར་ཐལ། ལུས་དང་ངག་གི་བྱ་བ་ལ་དག་སྣང་གིས་ཆོག་པ་གང་ཞིག །དེ་ཡིད་ཀྱི་བྱ་བ་ཡིན་པའི་ཕྱིར། འདོད་ན། རྒྱང་ཕན་པ་ཆོས་ཅན། དེར་ཐལ། དེའི་ཕྱིར། འདོད་ན། ལྷས་སྦྱིན་ཆོས་ཅན། དེར་ཐལ། དེའི་ཕྱིར། དེར་ཐལ། ལྷས་སྦྱིན་སངས་རྒྱས་པ་ཡིན་པར་བྱས་ནས་འཁོར་ལྔ་བརྒྱས་ཁོང་ལས་སངས་རྒྱས་ཀྱི་འདུ་ཤེས་བསྐྱེད་པ་དགེ་འདུན་དབྱེན་གྱི་གླེང་གཞི་ཡོད་པའི་ཕྱིར། འདོད་མི་ནུས་ཏེ། ཡིད་མ་དག་པ་ལ་སངས་རྒྱས་ཀྱི་འདུ་ཤེས་བསྐྱེད་ཀྱང་བྱིན་རླབས་མི་འཇུག་པའི་ཕྱིར། སེམས་བཟང་པོ་བསྐྱེད་པ་བསྟན་པའི་ཁྱད་པར་ཡིན་པའི་ཕྱིར། སངས་རྒྱས་ཀྱི་བསྟན་པ་ཐོག་མཐའ་བར་གསུམ་དུ་དགེ་བ་ཡིན་པའི་ཕྱིར། བྱ་ཡུལ་བ་དཔེ་རྗེ་མཚན་ཅན་གྱི་གསུང་ཤཱཀྱ་ཤྲཱི་རའི་ཟིན་བྲིས་བསྟན་རིམ་ལས། སྤྱན་སྔ་བས། སྟོད་ལུང་བའི་ཕྱག་ཏུ་སོལ་བ་ཅིག་བསྣམས་ནས། ཇོ་བོ་སྟོན་པ་འདི་ལ་བསྐལ་པ་ནས་བསྐལ་པའི་བར་དུ་གསེར་དུ་བསྒོམ་པ་ཡང་གསེར་དུ་འགྱུར་དུ་མི་བཏུབ། དེ་བཞིན་དུ་བླ་མ་དམ་ཚིག་ཉམས་པ་དང་ཚུལ་ཁྲིམས་འཆལ་བ། ཚེ་འདི་པ་རྣམས་བསྐལ་པ་ནས་བསྐལ་བའི་བར་དུ་སངས་རྒྱས་ཀྱི་འདུ་ཤེས་བཞག་ཀྱང་སངས་རྒྱས་སུ་འགྱུར་དུ་མི་བཏུབ་གསུངས། དེ་བཞིན་དུ་ངག་མ་དག་པ་ལ་དག་སྣང་བསྐྱེད་ཀྱང་ལུང་ཐོབ་པའི་གོ་མི་ཆོད་པར་ལ། ལུས་ཀྱི་སྤྱོད་པ་ལ་དག་སྣང་གིས་དགེ་བ་གསོག་ཀྱང་། ལུང་གི་རྒྱུན་ལ་རྒྱུན་གྱི་སྒོ་ནས་ཐོབ་དགོས་པའི་ཕྱིར། དེར་ལ། ན་ལེནྡྲའི་མཁས་པ་རྣམས་སློབ་དཔོན་གྱི་ངག་དག་པ་དང་། དྭགས་པོ་ནམ་མཁའ་གྲགས་ཀྱི་རྫོགས་རིམ་ལས། དེ་ནས་བརྩམས་ཏེ་དམ་པའི་ཆོས་ཇི་སྲིད་དུ་གནས་པ་དེ་སྲིད་དུ་བླ་མའི་ཁ་ནས་བླ་མའི་ཁར་བརྒྱུད་པ་ཡིན་ནོ། །ཞེས་པ་ནས། ད་ལྟའི་བར་དུ་གདམས་པ་

བར་མ་ཆད་དུ་འབྱུང་བར་བསྟན་ཏོ། །ཞེས་གསུངས་པའི་ཕྱིར། བླ་མས་ལུང་གནང་སྐབས་ཐིག་ཕྲེང་ཁ་ཤས་བཞག་ནས་མ་བསླགས་ཀྱང་སློབ་མས་མ་གོ་ན་ལུང་ཐོབ་པ་ཡིན་པར་ཐལ། དེ་ལྟར་ཐོབ་བློ་སྐྱེས་ན་ལུང་ཐོབ་པའི་ཕྱིར། དེར་ཐལ། ཆོས་ཀྱི་སྟོན་འགྲོ་སེམས་གཙོ་ཆེ་བའི་ཕྱིར། དེར་ཐལ། དེ་འདྲའི་གླེང་གཞི་ཡོད་པའི་ཕྱིར། མ་བསད་པའི་དགེ་སློང་གིས་མཐའ་འཁོབ་ཏུ་ཕྱིན་ནས་གདུལ་བྱ་འགའ་རེ་བསྙེན་རྫོགས་བསྒྲུབས་པས་སློབ་མ་དགྲ་བཅོམ་པ་ཐོབ་པར་གསུངས་པ་ཡོད་པའི་ཕྱིར། ན་མ་ཁྱབ། དེ་ལུང་མ་དག་པོ་བསླགས་པ་ལ་ལུང་ཐོབ་གོ་ཆོད་པའི་འགྲུབ་བྱེད་མ་ཡིན་པའི་ཕྱིར། དེར་ཐལ། ལུང་དེས་ཕམ་པ་བྱུང་བའི་དགེ་སློང་གིས་མཁན་པོ་བྱས་ཀྱང་བསྒྲུབ་བྱས་རྣམ་དག་ཏུ་ཡིད་ཆེས་ན་སྡོམ་པ་སྐྱེ་བའི་ཤེས་བྱེད་ཡིན་པ་གང་ཞིག །སྡོམ་པ་སྐྱེ་བ་མཁན་པོ་ལ་མི་ལྟོས་དགེ་འདུན་ལ་ལྟོས་པའི་ཕྱིར། ཁོ་ན་རེ། ལུང་མེད་པ་ལ་མཚན་བཏབ་ན་ལུང་གཏོང་མི་ཆོག་པར་ལ། སྔར་ནས་ལུང་མ་ཐོས་པའི་ཕྱིར་ན་མ་ཁྱབ། དེ་སྔ་བཙམས་ཕྱི་བཙམས་སུ་གནས་འགྱུར་པའི་ཕྱིར། ཁོ་ན་རེ། དེ་འདྲ་ཡོད་པར་ཐལ། བསྟན་བཅོས་རྩོམ་པ་ལ། ལུང་མེད་པའི་བཀའ་བསྟན་བཅོས་ཀྱི་ལུང་རིལ་པོ་དྲངས་ནས་ལུང་གཏོང་ཆོག་པའི་ཕྱིར། དེར་ཐལ། བྱམས་པས་ཞུས་པའི་མདོའི་ནང་དུ་བྱམས་པའི་སྨོན་ལམ་དྲངས་ནས་ལུང་གཏང་བ་ཡོད་པའི་ཕྱིར་ན་མ་ཁྱབ། བྱམས་པས་བཏབ་པའི་སྨོན་ལམ་བསྟན་བཅོས། མདོའི་ནང་གི་དེ་བཀའ་ཡིན་པས་དེ་གཉིས་ཀྱི་གཞི་མཐུན་མེད་པའི་ཕྱིར། ཁྱོད་ལ་དཔའ་ཤུར་མ་ལུང་ཐོབ་པའི་གོ་ཆོད་བར་ཐལ། ཁྱོད་ལུགས་དེ་ཡིན་པའི་ཕྱིར། དེར་ཐལ། དཔའ་བཤུར་མ་དཀྱིལ་རེ་འདོན་པ་དང་། ལྷུགས་རི་མས་སྟེང་འོག་ཙམ་འདོན་རྒྱུ་ཡིན་པ་གང་ཞིག ཁྱོད་ལུགས་དེ་དང་ཕྱོགས་མཐུན་པའི་ཕྱིར། འདོད་ན། ཤོག་བཅུ་ལ་ཤོག་རེ་སྐྱིགས་པའི་འཐོར་སྐྱིགས་མ་ཆོས་ཅན། དེར་ཐལ། དེའི་ཕྱིར། འདོད་ན། ཤོག་ཐོག་མཐའ་བར་མ་ཆོས་ཅན། དེར་ཐལ། དེའི་ཕྱིར། འདོད་མི་ནུས་ཏེ། རྒྱལ་བ་ལྔ་པས་དེ་ཐམས་ཅད་ཆེས་ཆེར་བཀག་པ་ཡོད་པའི་ཕྱིར། འོ་ན་ཕྱེད་ཀ་སྐྱིགས་པའི་བཤེས་གཉེན་ཆོས་ཅན། དག་པའི་བཤེས་གཉེན་ཡིན་པར་ཐལ། དམ་པའི་ཆོས་ཀྱི་ཚིག་ཕྱེད་ཀ་སྟོན་པའི་ཕྱིར། འདོད་ན། ཐར་པའི་ལམ་ཕྱིན་ཅི་མ་ལོག་པར་སྟོན་པར་ཐལ། དགེ་བའི་བཤེས་གཉེན་ཡིན་པའི་ཕྱིར། འདོད་མི་ནུས་ཏེ། ཐར་པའི་ལམ་ཕྱིན་ཅི་ལོག་ཏུ་སྟོན་པའི་ཕྱིར། དེར་ཐལ།

དེ་མི་དགེ་བའི་བཤེས་གཉེན་ཡིན་པའི་ཕྱིར། ཁྱབ་སྟེ། རང་ཤེས་བཞིན་དུ་ཚིག་འགའ་རེ་མ་བསླུགས་ཀྱང་བསླུགས་པར་སྟོན་པ་བརྫུན་པ་གང་ཞིག མི་དགེ་གསོག་པའི་དགེ་བཤེས་མེད་པའི་ཕྱིར། དེར་ཐལ། གཞི་བསམ་སྦྱོར་བ་གསུམ་མ་ཚང་བའི་ཕྱིར། དེར་ཐལ། ཆོས་སྦྱིན་གྱིས་སྡིག་པ་གསོག་པའི་ཕྱིར། དེར་ཐལ། དམ་ཆོས་འཛིན་པ་མ་ཡིན་པའི་ཕྱིར། དེར་ཐལ། དེ་དམ་ཆོས་ཁྱད་དུ་བསད་པའི་ཕྱིར། དེར་ཐལ། དམ་ཆོས་སྤངས་པ་ཡིན་པའི་ཕྱིར། དེར་ཐལ། དེ་དམ་ཆོས་ནུབ་ཏུ་བཙུག་པའི་ཕྱིར། དེར་ཐལ། དམ་ཆོས་ཀྱི་ཚིག་འགའ་རེ་རྒྱུན་ཆད་པར་བཙུག་པའི་ཕྱིར། བརྒྱད་སྟོང་པ་ལས། ཡི་གེ་གཅིག་ཀྱང་མི་ནུབ་པར་ཁྱོད་ལ་གཏོད། ཞེས་གསུང་པའི་ཕྱིར། རང་བརྫུན་པ་བཤད་ན་རང་མི་དགེ་གསོག། རང་མི་དགེ་བསགས་ན་མི་དགེ་བའི་ཆོས་ཡིན་པས་ཁྱབ། མི་དགེ་བའི་ཆོས་བསྟན་ན་དགེ་བའི་བཤེས་གཉེན་དུ་མི་འགྱུར་ཞིང་མི་དགེ་བའི་བཤེས་གཉེན་དུ་འགྱུར་རོ། །གཞན་ཡང་། འདོགས་པ་པོའི་ངག་ཏུ་གང་འདོན་པའི་ལུང་དེ་ལ་ལྟོས་སམ། མི་ལྟོས། ལྟོས་དགོས་ན། བརྒྱད་སྟོང་པའི་ཐིག་ཕྲེང་གཅིག་ཆད་པ་ཆོས་ཅན། ལུང་ཐོབ་བར་ཐལ། ཚིག་འགའ་རེ་ཆད་པ་ལ་དེའི་ཕྱིར། འདོད་ན། ཐིག་གཉིས་ཆད་པ་འཕེན། ཤོག་གཅིག་ཆད་པ་ཆོས་ཅན། དེར་ཐལ། ཐིག་ཕྲེང་ལ་དེ་ཡིན་པའི་ཕྱིར། འདོད་ན། བརྒྱད་སྟོང་པའི་ལེའུ་གཅིག་ཆད་པ་ཆོས་ཅན། དེར་ཐལ། དེའི་ཕྱིར། ཁྱབ་སྟེ། ཕལ་ཆེར་ཐོབ་པའི་ཕྱིར། འདོད་ན། ལེའུ་གཉིས་ཆད་པ་དང་གསུམ་ཆད་པ་འཕེན། གཞན་ཡང་། ཟ་ཤེའི་ལུང་ཞུ་བ་པོ་པོད་པ་ལ་བླ་མས་རྒྱ་སྐད་ཀྱིས་རྩོད་བཟློག་གི་ལུང་བསླུགས་པ་ཆོས་ཅན། ཟ་ཤེའི་ལུང་ཐོ་བར་ཐལ། ཉན་པ་པོས་ཟ་ཤེའི་ལུང་ཉན་པའི་འདུ་ཤེས་བསྐྱེད་པའི་ཕྱིར། དེར་ཐལ། ཐོབ་བློ་བསྐྱེད་པའི་ཕྱིར། དེར་ཐལ། ཐོབ་བློས་ལུང་ཐོབ་པར་འཇོག་པའི་ཕྱིར། འདོད་མི་ནུས་ཏེ། དེ་རྩོད་བཟློག་གི་ལུང་ཐོབ་བའི་ཕྱིར། དེར་ཐལ། གང་ཀློག་པའི་བསྟན་བཅོས་དེའི་ལུང་ཐོབ་དགོས་པའི་ཕྱིར། དེར་ཐལ། དེའི་ངོ་བོ་ལ་ལྟོས་དགོས་པའི་ཕྱིར། དེར་ཐལ། རྒྱུ་དེ་ལས་འབྲས་བུ་རིགས་མཐུན་དེ་སྐྱེ་བའི་ཕྱིར། རྣལ་འགྲེལ་ལས། དེ་ལྟར་རྒྱུ་དང་འབྲས་བུ་དག། ཕན་ཚུན་རང་གཞན་ངེས་པ་ཉིད། །ཅེས་དང་། རྟེན་ལྡན་སྟེང་སྐོར་གང་ཞིག་ཞེས་...

གསུངས་པའི་ཕྱིར། ཆོས་གང་བསླགས་པ་ཆོས་ཅན། ཐོབ་བློ་མེད་ཀྱང་ལུང་ཐོབ་པར་ཐལ། རྫོད་བཟློག་བསླགས་པ་འདུ་ཤེས་མེད་ཀྱང་ཐོབ་པ་བཞིན་ཡིན་པའི་ཕྱིར། གང་མ་བསླགས་པ་ཆོས་ཅན། ཐོབ་བློ་བསྐྱེད་ཀྱང་ལུང་མ་ཐོབ་པར་ཐལ། རྩ་ཤེས་ཉན་པའི་འདུ་ཤེས་བསྐྱེད་ཀྱང་མ་བསླགས་པས་ལུང་མ་ཐོབ་པ་བཞིན་ཡིན་པའི་ཕྱིར། ཉེ་མ་ཆོས་ཅན། ཁྱོད་ལས་མུན་པ་འབྱུང་བར་ཐལ། ཐམས་ཅད་ལས་ཐམས་ཅད་འབྱུང་བའི་ཕྱིར། དེར་ཐལ། མུན་པ་ལས་སྣང་བ་འབྱུང་པའི་ཕྱིར། དེར་ཐལ། རྒྱུ་མེད་པ་ལས་འབྲས་བུ་འབྱུང་བའི་ཕྱིར། དེར་ཐལ། ཕྱིད་མ་བསླགས་པ་ལས་ཚད་མའི་ལུང་ཐོབ་པའི་ཕྱིར། དེར་ཐལ། ཁྱོད་ཀྱིས་མ་བསླགས་པ་སློབ་མས་ཀློག་ཚོག་པའི་ཕྱིར། གསེར་སྐར་མ་ཆད་ན་གསེར་སྲང་གང་གི་གོ་ཆོད་པར་ཐལ། ཕྲེང་རྡོག་གཅིག་ཆད་ནའང་འཕྲེང་བ་བརྒྱའི་གོ་ཆོད་པའི་ཕྱིར། དེར་ཐལ། བརྒྱད་སྟོང་པའི་ལེའུ་གཅིག་ཆད་ནའང་ཆད་པའི་གོ་མི་ཆོད་པའི་ཕྱིར། དེར་ཐལ། ཤོག་རེ་ལ་དེའི་ཕྱིར། དེར་ཐལ། ཚིག་རེ་ལ་དེ་ཡིན་པའི་ཕྱིར། ཁྱབ་སྟེ། གཅིག་བཀག་ན་དུ་མ་མི་ཁེགས་པའི་ཕྱིར། བུམ་པ་གང་བའི་བདུད་རྩི་ཡུངས་འབྲུ་ཙམ་རྐྱག་པ་ བླུག་ན་གཙང་མའི་གོ་ཆོད་པར་ཐལ་ལོ། །སྦྱོར་བ་ནག་པོའི་ལས་ཆོས་ཅན སྤང་བྱ་མ་ཡིན་པར་ཐལ། བླང་བྱ་ཡིན་པའི་ཕྱིར། དེར་ཐལ། དགེ་བ་ལ་གཞི་སོགས་བཞི་ཚང་མི་དགོས་པའི་ཕྱིར། དེར་ཐལ། ཆོས་སྦྱིན་ལ་སྦྱོར་བ་ཚང་མི་དགོས་པའི་ཕྱིར། དེར་ཐལ། ཆོས་ལ་བརྟེན་པའི་བརྗོད་སྦྱོར་ཆོག་པའི་ཕྱིར། དེར་ཐལ། ལུང་ཁ་ཤས་མ་ཀློགས་ནའང་ཆོག་པའི་ཕྱིར། རང་ལུགས་ནི། རྒྱ་གར་དུ་བླ་མས་གང་བསླགས་པ་སློབ་མས་དེ་མ་ཐག་བློ་ལ་འཛིན་པ་ཡིན། དེ་ལ་མུ་བཞི་ཡོད་དེ། ཆ་ཚང་ཀླགས་ཤིང་ཐོབ་པའི་འདུ་ཤེས་བསྐྱེད་པ་ས་སྐྱ་ལྷ་བུ། མ་ཀློགས་ཤིང་འདུ་ཤེས་མ་བསྐྱེད་པ་དཔེ་མཛོད་ཀྱི་ཕྲུག་དཔེ། ཀླགས་ཀྱང་ལུང་མ་ཐོབ་པ་ཨ་མཆོད་ཀྱི་ཆོས་ཀློགས། ཐོབ་བློ་བསྐྱེད་ཀྱང་ལུང་མ་ཐོབ་པ། བཀའ་བརྒྱུད་ཀྱི་ཕྲུག་ལེན་ལྟ་བུ་ཡོད། གཞི་བསམ་སྦྱོར་མཐའ་ཚང་བའི་ལུང་། ཡང་དག་པའི་ལུང་། དམ་ཆོས་འཛིན་པའི་ལུང་། ཐོག་མཐའ་བར་དུ་དགེ་བའི་ལུང་། ལུང་རྒྱུན་གོ་ཆོད་པའི་ལུང་། རྒྱུན་སྤེལ་བའི་ལུང་། གསོར་རུང་བའི་ལུང་། ཚིག་དག་པའི་ལུང་དོན་གཅིག། གཞི་བསམ་སྦྱོར་མཐའ་མ་ཚང་བའི་ལུང་། བརྫུན་པའི་ལུང་། དམ་ཆོས་ནུབ་ཏུ་འཇུག་པའི་ལུང་། ཐོག་མཐའ་བར་གང་རུང་དུ་མི་དགེ་བ

གསོག་པའི་ལུང་། ལུང་རྒྱུན་གོ་མི་ཆོད་པའི་ལུང་། རྒྱུན་ཆད་པའི་ལུང་། གསོར་དུ་མི་རུང་བའི་ལུང་། ཚིག་མ་དག་པའི་ལུང་། ཕྱེད་ཀློག་གི་ལུང་། ཡིག་བརྒྱུས་ཁ་བསྐོང་བའི་ལུང་དོན་གཅིག། སྐྱེས་རབས་སུ། བྲམ་ཟེའི་སློབ་དཔོན་གྱིས་སློབ་མ་ལ་བཀླུ་བ་ཚོས་སུ་གདམས་པ་དང་། སློབ་མས་སློབ་དཔོན་ལ་ཞུས་པ་དང་འདྲ་མོད། ད་དུང་སྐྱོན་གཅིག་ཡོད་དེ། གང་མ་བསླགས་པར་ལུང་ཆད་པ་དེ་སྐད་གསོ་མི་རུང་བའི་ཕྱིར་དེའི་ངོ་བོར་གྱུར་པའི་བསྟན་པ་ནུབ་ཟིན་པའི་ཕྱིར་ཏེ། འཕགས་ཡུལ་དུ་བསྟན་པ་ནུབ་ཚར་བ་ལྟར་བོད་དུའང་བསྟན་པ་ནུབ་ཚོག་པའི་ཕྱིར། ཇོ་བོ་རྗེས་ལས་འབྲས་ཙུང་ཟད་གཡེལ་བ་གཟིགས་ན། ལས་འབྲས་གཟབ། ལས་འབྲས་ཕྲ། སྙིང་ཁམས་ཆེར་མི་རུང་། ཚེ་ཕྱི་མ་ཇི་ལྟར་གྱུར་ཞེས་སྨྱུན་ཆབ་བྲུལ་ལོ། །མ་བསད་པའི་དགེ་སློང་ཚེ་ཕྱི་མ་གར་སོང་ལགས། སྤྱིར་གསུང་བཏག་ལ་བཀའ་འགྱུར་དག་མོ་ཀློགས་གསུངས་པ་མང་སྟེ་ལུང་ལ་ལྟ་ཅི་སྨོས། འཇམ་དཔལ་ཞིང་བཀོད་ཀྱི་མདོ་ལས། སྟོང་གསུམ་གྱི་སྟོང་ཆེན་པོའི་འཇིག་རྟེན་གྱི་ཁམས་ཀྱི་སེམས་ཅན་ཐམས་ཅད་དགྲ་བཅོམ་པར་བཀོད་དེ། དེ་དག་ཐམས་ཅད་བསད་པ་བས། ཚིགས་སུ་བཅད་པ་གཅིག་མ་དག་པར་སྟོན་ན་ཉེས་དམིགས་དེ་བས་ཆེ་བར་གསུངས་ཏེ། ཤིན་ཏུ་འཇིགས་ཤིང་སུན་ཡང་འབྱིན། དེའི་དོན་ནི་ཡི་གེ་གཅིག་གི་རྒྱུན་ཆད་ན་ཡི་གེ་གཅིག་གི་བསྟན་པ་ནུབ་ཏུ་འཇུག་པ་ཡིན་པའི་ཕྱིར་རོ། །ལུང་གི་བསྟན་པས་ཕྱོགས་གང་དུ་གནས་པའི་ཚོད་ཡོད་དེ། བཀའི་ལུང་རྒྱུན་ཡི་གེ་གཅིག་མ་ཆད་པར་གང་ཟག་གི་རྒྱུད་ལ་གནས་པ་དེ་ཡིན་པའི་ཕྱིར། ལུང་གི་བསྟན་པ་ཉམས་པའི་ཚོད་ཡོད་དེ། བཀའི་ལུང་རྒྱུན་ཡི་གེ་གཅིག་ཆད་ཟིན་པ་དེ་ཡིན་པའི་ཕྱིར། བརྒྱད་སྟོང་པ་ལས། ཀུན་དགའ་བོ་ཤེར་ཕྱིན་འདི་ཡི་གེ་གཅིག་ཀྱང་མི་ནུབ་པར་ཕྱོད་ལ་གཏད་དོ། །ཞེས་དང་། བྱང་ས་ལས། ཚིག་དང་ཡི་གེ་གོ་རིམ་བཞིན་དུ་སྟོན་ཅིང་། ཚིག་དང་ཡི་གེ་གོ་རིམ་བཞིན་དུ་དོན་རྣམ་པར་འབྱེད་དོ། །ཞེས་དང་། ཉན་ས་ལས། ཇི་ལྟར་ན་ཚིག་གི་བྱ་བ་དང་ལྡན་ཞེ་ན། རྣམ་ཐར་གསལ་བ་དང་། མི་མཐུན་པ་མེད་པ་སོགས་བརྒྱད་གསུངས་ཤིང་། དེ་ཉིད་ལས། དེ་བཞིན་གཤེགས་པའམ་དེའི་ཉན་ཐོས་རྣམས་ལས་ཇི་ལྟར་མཐོས་པ་དེ་བཞིན་དུ་ངེས་ཚད་ལྷག་མེད་པར་བྱས་ཤིང་གཞན་ལ་འདོམས་པར་བྱེད་པ་སྟེ། དེ་ནི་ལུང་གི་གདམས་ངག་ཅེས་བྱའོ། །ཞེས་དང་རྣམ་བཤད་རིག་པ་ལས། སྨྲ་བོའི་ཡོན་ཏན་རྣམ

པ་གཉིས་ནི། ངག་ཡོངས་སུ་དག་པ་དང་སེམས་ཡོངས་སུ་དག་པའོ། །ངག་ཡོངས་སུ་དག་པ་གང་ཞེ་ན། ཡོངས་སུ་རྫོགས་པ་དང་། མ་ནོར་བ་དང་། ཚད་མ་དང་མི་འགལ་བ་དང་། གསལ་བའི་ཚིག་བརྗོད་པ་ཉིད་ཀྱིས་སོ། །ཞེས་དང་། ཡོངས་སུ་ཉམས་པ་རྣམ་པ་གཉིས་སུ་གྱུར་ཏེ། ཚིག་དང་དོན་གཉིས་ཀྱིས་ལུང་ཡོངས་སུ་ཉམས་པ་དང་། དོན་ཡོངས་སུ་ཉམས་པའོ། །ཞེས་དང་། སྡོམ་པ་ཉི་ཤུ་པ་ལས། དམ་ཆོས་ལྟར་སྣང་སྟོན་པའོ། །ཞེས་གསུངས་སོ། །ནཱ་ལེནྡྲ་པའི་ལུགས་ལ། སློབ་དཔོན་གྱི་ངག་དག་པ་དང་། མདོ་རྩ་བ་ལས། ལུང་འདོགས་པ་དང་མཉོས་པ་ནི། ཤིན་ཏུ་ལེགས་པར་བསླགས་པ་དང་ལེགས་པར་བྱུང་བ་དང་ཐེ་ཚོམ་མེད་པར་བྱས་ཏེའོ། །ཞེས་དང་། མདོ་ལས་ཀྱང་། ཚིག་འབྲུ་བཟང་པོ། ཞེས་དང་། མདོ་སྡེ་རྒྱན་གྱི་འགྲེལ་བ་ལས། ངག་དྲི་མ་མེད་པ་ནི་གྲོང་ཁྱེར་བ་སོགས་སོ། །ཚིག་དྲི་མ་མེད་པ་ནི་ཚིག་དང་ཡི་གེ་རིགས་པ་དང་འབྲེལ་བ་ཞེས་རྒྱས་པར་བྱུང་སྟེ། ངག་དང་ཚིག་དང་ཡི་གེ་དག་པ་མེད་པར་སྟོན་མི་ནུས་སོ། །ཞེས་གསུངས་སོ། །རང་གིས་ཆོས་མང་པོ་ཞུས་པའི་བླ་མའི་གསུང་ཆོས་ལ། རང་ལ་ཆོས་འབྲེལ་ཡོད་ཕྱིན་ཕྱིན་མི་ཚིག་ཙམ་ཁང་ཆུང་གིས་དྲི་བསྒྲགས་འོང་ངོ་ཙོག་བཀག་སྟེ། སྐྱེས་བུ་དམ་པའི་རྣམ་ཐར་རྨད་བྱུང་ངོ་མཚར་བ་ཡིན་ཏེ། ལམ་གྱི་རྩ་བ་བཤེས་གཉེན་བསྟེན་ཚུལ་འདི་འདྲ་བ་ཡ་མཚན་ནོ། །ལམ་རིམ་ཆེན་མོར་མདོ་དྲངས་པ་ལས། བྱང་ཆུབ་སེམས་དཔའ་རྣམས་ཐ་ན་དུད་འགྲོ་ལ་ཟན་ཁམ་གཅིག་བྱིན་པའི་དགེ་བ་ལ་བར་ཆད་བྱེད་ན་སྡིག་པ་ཤིན་ཏུ་ཆེ་བར་གསུངས་སོ། །རང་གི་བླ་མ་ནི་བྱང་ཆུབ་སེམས་དཔའ་ལས་ཀྱང་ལྷག་གོ །དེས་ན་སྐྱེ་ཞིང་སྐྱེ་བར་དམ་ཆོས་རྣམ་དག་དང་མཇལ་བའི་རྒྱུ་འགྲུབ་དགོས་ཀྱི་ཆོས་དང་མི་མཇལ་བའི་རྟེན་འབྲེལ་འགྲིག་མི་དགོས་ཤིང་། སྐྱེ་བ་ཀུན་ཏུ་དམ་ཆོས་འཛིན་པའི་རྒྱུ་འགྲུབ་དགོས་པ་ཡིན་གྱི་དམ་ཆོས་སྤོང་བ་ནི་གནས་མ་ཡིན་ནོ། །བེ་རྫོན་ལས། རིན་ཆེན་བླ་མའི་གསུང་ལ་གཞི་བྱས། །རང་གི་བླ་མར་ཐེ་ཚོམ་བཅད་ནས། །སངས་རྒྱས་འོད་དང་བཅས་པ་བྱོན་ཡང་། །གཞན་དུ་སྟོན་པ་ཉན་པར་མི་བྱ། །ཞེས་གསུངས་སོ། །ཇི་ལྟར་འཚམ་པས་གདུལ་བྱའི་འཛིན་མ་ལ། །ཞེས་པའི་གདུལ་བྱ་ནི་མཆོག་ལ་འདོད་ཀྱི་དམན་ལ་མིན། བཟང་བ་ལ་འདོད་ཀྱི་རེན་པ་ལ་མིན། བླ་མ་དགེ་བ་གསོག་པ་ལ་འདོད་ཀྱི་མི་དགེ་བ་གསོག་པ་ལ་མིན། ཆ་ཚང་བ་ལ་འདོད་ཀྱི་མ་ཚང་བ་ལ་འདོད་པ་མ་

ཡིན་ཞིང་། ལྷུན་གྲུབ་ནི་འབད་རྩོལ་མེད་པར་རང་གི་ངང་གིས་ཕུན་སུམ་ཚོགས་པའམ་ཡོངས་སུ་རྫོགས་པ། དམ་པའི་ཆོས་ཀྱི་ཚར་པ་བཟང་པོ་སྟེ་དགེ་བ་འཛོམས་པའི་སད་སེར་མ་ཡིན་པ་དབབ་ཏུ་གསོལ་ཞེས་པའོ། །འདི་ཡང་སྐྱིགས་མ་ལྔ་བདོ་ཞིང་བསྟན་པའི་ཐ་མར་རྒྱུ་རྐྱེན་སྣ་ཚོགས་བྱུང་བ་ལ་བརྟེན་ནས། ཐེག་པ་ཆེན་པོའི་ཆོས་སྨྲ་བའི་བཙུན་པ་གཞུང་ལུགས་མཐའ་དག་ལ་མི་ཞུམ་པའི་སྤོབས་པ་དགེ་བ་ཅན་དོན་གྲུབ་རྒྱལ་མཚན་གྱིས་སྦྱར་བའོ། །

༄༅། །དམིགས་བརྩེ་མའི་བེའུ་བུམ་གསར་བསྒྲིགས་ཀྱི་ བརྒྱུད་ཐོ་བཞུགས་སོ།

༄༅། །དམིགས་བརྩེ་མའི་ཆོས་སྐོར་གྱི་ལུང་གི་བརྒྱུད་ཐོ་ལ། །དགའ་ལྡན་ལྷ་བརྒྱ་མ་ནི། རྗེ་རིན་པོ་ཆེ། རྗེ་ཤེས་རབ་སེངྒེ། འདུལ་ནག་པ་དཔལ་ལྡན་བཟང་པོ། དེ་དཔོན་འཇམ་དབྱངས་དགེ་འདུན་འཕེལ། རྒྱུད་ཆེན་བཀྲ་ཤིས་འཕགས། རྒྱུད་ཆེན་བསམ་འགྲུབ་རྒྱ་མཚོ། རྒྱུད་ཆེན་དཀོན་མཆོག་རྒྱ་མཚོ། རྒྱུན་ཆེད་བརྩོན་འགྲུས་འཕགས། མཁས་གྲུབ་རྡོ་རྗེ་བཟང་པོ། རྒྱུད་ཆེན་སངས་རྒྱས་རྒྱ་མཚོ། རྒྱུད་ཆེན་དཀོན་མཆོག་རྒྱ་མཚོ་རྒྱུད་ཆེན་དཀོན་མཆོག་ཡར་འཕེལ། མི་ཉན་ངག་དབང་བློ་གྲོས། རྗེ་འཇམ་དབྱངས་བཞད་པ། ཐང་སག་པ་དངོས་གྲུབ་རྒྱ་མཚོ། འཇམ་དབྱངས་བདེ་བའི་རྡོ་རྗེ། ཁྲི་ཆེན་ངག་དབང་མཆོག་ལྡན། །རྒྱལ་བ་བསྐལ་བཟང་རྒྱ་མཚོ། པཎ་ཆེན་དཔལ་ལྡན་ཡེ་ཤེས། རྒྱལ་བ་འཇམ་དཔལ་རྒྱ་མཚོ། ཀུན་གཟིགས་པཎ་ཆེན་དཔལ་ལྡན་བསྟན་པའི་ཉི་མ། ཐོ་ཡོན་དོན་གྲུབ་རྒྱལ་མཚན། ཁྱབ་བདག་བཀའ་འགྱུར་པ་རྗེ་བློ་བཟང་ཆོས་འཕེལ་བསྟན་འཛིན་དཔལ་བཟང་པོའི་ཞལ་སྔ་ནས། དེས་བདག་ལའོ། །རྣམ་དག་འོད་གསལ་ནི། མཛད་པ་པོ་བླ་མ་ངག་དབང་བྱམས་པ། འཕགས་པ་ལྷ་ཡེ་ཤེས་བསྟན་པའི་མགོན་པོ། ཞི་བ་ལྷ་དགེ་ལེགས་རྒྱལ་མཚན། འཕགས་པ་ལྷ་འཇིགས་མེད་བསྟན་པའི་ཉི་མ། ཐོ་ཡོན་དོན་འགྲུབ་རྒྱལ་མཚན། ཧོར་སྤྲུལ་ཆོས་འཕེལ་བསྟན་འཛིན་དེས་བདག་ལའོ། །ལས་ཚོགས་དངོས་གྲུབ་འབྱུང་གནས་ནི། མཛད་པ་པོ་ལྷུགས་ར་ངག་དབང་འཕྲིན་ལས། སེ་ར་བྱམས་པ་བསྟན་འཛིན། མཚན་སྒྲོགས་འཇམ་དཔལ་བསྟན་པ་རབ་རྒྱས། ཆོས་རྗེ་འཇམ་དབྱངས་བློ་གསལ། ཐོ་ཡོན་དོན་གྲུབ་རྒྱལ་མཚན། ཧོར་སྤྲུལ་ཆོས་འཕེལ་བསྟན་འཛིན། དེས་བདག་ལའོ། །ལས་ཚོགས་བཅུ་གཅིག་མདུང་རྩེ་རས་པས་མཛད་པ་ནི། རྗེ་རིན་པོ་ཆེ། མདུང་རྩེ་རས་པ། ཐོན་པ་ཡོན་

ཏན་རྒྱ་མཚོ། རྒྱལ་བ་དགེ་འདུན་རྒྱ་མཚོ། པཎ་ཆེན་བསོད་ནམས་གྲགས་པ། ཁྲི་ཆེན་དཔལ་འབྱོར་རྒྱ་མཚོ། ཁྲི་ཆེན་དཀོན་མཆོག་ཆོས་འཕེལ། རྗེ་བྱམས་པ་རིན་ཆེན། ཆོས་ལུང་པ་བློ་བཟང་རྒྱལ་མཚན། ཕ་བོང་ཁ་པ་བློ་བཟང་ཆོས་འཛིན། གདོང་ཀོང་ཕུན་ཚོགས་རྒྱ་མཚོ། དཀའ་ཆེན་ཐབས་མཁས་རྒྱ་མཚོ། ཉི་ཟུར་ངག་དབང་དོན་གྲུབ། དམར་སྟོན་ཁྲབ་བདག་རྡོ་རྗེ། ཁྲི་ཆེན་ངག་དབང་ཆོས་འཕེལ། རྗེ་གུང་རུ་ངག་དབང་ཆོས་འཕེལ། ཐོ་ཡོན་དོན་གྲུབ་རྒྱལ་མཚན། ཏོར་སྤྲུལ་ཆོས་འཕེལ་བསྟན་འཛིན། དེས་བདག་ལའོ། སྨན་ཁང་པའི་དག་སྣང་ལས་དམིགས་རྩེ་མའི་ལས་ཚོགས་འཁོར་ལོ་ནི་རྗེ་རིན་པོ་ཆེ། སྨན་ཁང་ངག་དབང་ཆོས་འཕེལ། །མངའ་རིས་ཡོན་ཏན་རྒྱ་མཚོ། གདོང་ཀོང་རིན་ཆེན་ཕུན་ཚོགས། དཀའ་ཆེན་ཐབས་མཁས་རྒྱ་མཚོ། ཉི་ཟུར་ངག་དབང་དོན་གྲུབ། ལྕགས་ར་སྤྲུལ་སྐུ་ངག་དབང་འཕྲིན་ལས། ཁྲི་ཆེན་ངག་དབང་ཆོས་འཕེལ། གུང་རུ་ངག་དབང་ཆོས་འཕེལ། ཐོ་ཡོན་རིན་པོ་ཆེ། ཏོར་སྤྲུལ་ཆོས་འཕེལ་བསྟན་འཛིན། དེས་བདག་ལའོ། མཆོན་བསྒྲུང་ལས་ཚོགས་ནི། མཛད་པ་པོ་དབེན་ས་པ་བློ་བཟང་དོན་གྲུབ། མཁས་གྲུབ་སངས་རྒྱས་ཡེ་ཤེས། པཎ་ཆེན་བློ་བཟང་ཆོས་ཀྱི་རྒྱལ་མཚན། ལྷ་པ་བློ་བཟང་བསྟན་པ་རབ་འབྱམས། ཤར་འོད་པ་བློ་བཟང་བྱམས་པ། ཀླུ་འབུམ་ཆོས་རྒྱ་མཚོ། མངའ་རིས་བློ་བཟང་སྦྱིན་པ། ཁྲི་ཆེན་ངག་དབང་མཆོག་ལྡན། བླ་མ་བྱམས་པ། ཀླུ་འབུམ་བློ་བཟང་དོན་གྲུབ། ཐག་དཀར་ངག་དབང་གྲགས་པ། ཏོར་ཚང་འཇིགས་མེད་རིགས་པའི་སེངྒེ། རྗེ་ཁྲི་ཆ་དཀོན་མཆོག་བསོད་ནམས། ཐོ་ཡོན་དོན་གྲུབ་རྒྱལ་མཚན། ཏོར་སྤྲུལ་རིན་པོ་ཆེ། དེས་བདག་ལའོ། །བརྒྱུད་འདེབས། ཁྲིད་ཡིག་ཙཱཀྐ་མ་ཧཱའི་འཕྲེང་བ། འཕོ་བ་ཚོགས་སུ་བཅད་ལྷུག་བཅས་ནི། མཛད་པ་པོ་འཇམ་དབྱངས་བདེ་བའི་རྡོ་རྗེ། སྟག་ཕུ་བློ་བཟང་བསྟན་པའི་རྒྱལ་མཚན། ཐུའུ་ཀྭན་བློ་བཟང་ཆོས་ཀྱི་ཉི་མ། ཞང་ཀྲཱ་བསྐལ་བཟང་ཡེ་ཤེས་དར་རྒྱས། ཆོས་རྗེ་སློབ་གསུམ་དར་རྒྱས། ཐོ་ཡོན་དོན་གྲུབ་རྒྱལ་མཚན། ཏོར་སྤྲུལ་རིན་པོ་ཆེ། དེས་བདག་ལའོ། །རིལ་སྒྲུབ་ནི། མཛད་པ་པོ་ཞིགས་དོན་ཡོད་མཁས་གྲུབ། སྐུ་ཚ་བློ་བཟང་སྨོན་ལམ། སངས་རྒྱས་ཆོས་འཕེལ། བློ་བཟང་སྙིང་པོ། བྱེས་ཟུར་བྱམས་པ་ཡོན་ཏན། དཔལ་འབྱོར་བཟང་པོ། རྗེ་བྱམས་པ་ཚུལ་ཁྲིམས། ཐོ་ཡོན་དོན་གྲུབ་རྒྱལ་མཚན། ཏོར་སྤྲུལ་རིན་པོ་ཆེ།

དེས་བདག་ལའོ། །དམར་ཁྲིད་ཞལ་ཤེས་དང་བཅས་པ་ནི། མཛད་པ་པོ་འཇམ་དབྱངས་བཞད་པའི་རྡོ་རྗེ། ཁྲི་ཆེན་ངག་དབང་བཀྲ་ཤིས། གསེར་ཁང་པ་བསོད་ནམས་རྒྱ་མཚོ། བྲག་དཀར་ངག་དབང་གྲགས་པ། དཔལ་མང་དཀོན་མཆོག་རྒྱལ་མཚན། རྗེ་བཙུན་དཀོན་མཆོག་བསྟན་འཛིན། ཐོ་ཡོན་དོན་གྲུབ་རྒྱལ་མཚན། ཧོར་སྤྲུལ་རིན་པོ་ཆེ། དེས་བདག་ལའོ། །ལས་ཚོགས་དངོས་གྲུབ་ཀུན་འབྱུང་ནི། མཛད་པ་པོ་ཁྲི་ཆེན་ངག་དབང་མཆོག་ལྡན། ཁྲི་ཆེན་ངག་དབང་ཆོས་གྲགས། །བྲག་རི་བློ་བཟང་སྙན་གྲགས། ཀློང་རྡོལ་བླ་མ། ཁྱབ་བདག་རྡོ་རྗེ། དཔལ་མང་དཀོན་མཆོག་རྒྱལ་མཚན། ཐོ་ཡོན་དོན་གྲུབ་རྒྱལ་མཚན། ཧོར་སྤྲུལ་རིན་པོ་ཆེ། དེས་བདག་ལའོ། །ཁྲིད་ཡིག་དངོས་གྲུབ་ཀུན་འབྱུང་ནི། མཛད་པ་པོ་རྒྱལ་བ་སྐལ་བཟང་རྒྱ་མཚོ། ཀློང་རྡོལ་བླ་མ། སྨོ་པ་བློ་བཟང་ཚུལ་ཁྲིམས། མི་ཉག་སྐལ་བཟང་ཕུན་ཚོགས། བྱ་བྲལ་དབང་པོ་ཚུལ་ཁྲིམས་རྣམས་རྒྱལ། ཐོ་ཡོན་དོན་གྲུབ་རྒྱལ་མཚན། ཧོར་སྤྲུལ་རིན་པོ་ཆེ། དེས་བདག་ལའོ། །ལས་ཚོགས་བཅུ་གཅིག་གི་ནག་འགྲོས་དང་། དོན་བཤད་གཉིས་ནི། མཛད་པ་པོ་པཎ་ཆེན་དཔལ་ལྡན་ཡེ་ཤེས། པཎྜི་ཏ་བློ་བཟང་དོན་གྲུབ། ལྷ་བཙུན་བློ་བཟང་སྟོབས་ལྡན། ཐོ་ཡོན་དོན་གྲུབ་རྒྱལ་མཚན། ཧོར་སྤྲུལ་རིན་པོ་ཆེ། དེས་བདག་ལའོ། །ས་བཅུད་བུམ་སྒྲུབ་ནི། པཎ་ཆེན་དཔལ་ལྡན་ཡེ་ཤེས། པད་དཀར་བསྟན་པ་རིན་པོ་ཆེ། ཁྲི་ངག་དབང་ཆོས་འཕེལ། རྒྱུད་སྨད་བློ་བཟང་ཚུལ་ཁྲིམས། རྗེ་ཡེ་ཤེས་ཐུབ་བསྟན་རྒྱ་མཚོ། ཐོ་ཡོན་དོན་གྲུབ་རྒྱལ་མཚན། ཧོར་སྤྲུལ་རིན་པོ་ཆེ། དེས་བདག་ལའོ། །སྙིང་ཡིག་ནི། པཎ་ཆེན། ཡོངས་འཛིན་བློ་བཟང་ཆོས་འཕེལ། རྒྱལ་སྲས་སྐལ་བཟང་ཐུབ་བསྟན། ཉི་ཟླ་ར། ཁྱབ་བདག ཧོར་ཁྲི་ཆེན། རྒྱུད་སྨད་བློ་བཟང་ཚུལ་ཁྲིམས། ཐ་སྤྲུལ་རིན་པོ་ཆེ། ཐོ་ཡོན་དོན་གྲུབ་རྒྱལ་མཚན། ཧོར་སྤྲུལ་ཆོས་འཕེལ་བསྟན་འཛིན། དེས་བདག་ལའོ། །ཉེར་མཁོ་ཁ་ཚར་ནི། པཎ་ཆེན། ཡོངས་འཛིན། རྒྱལ་སྲས། ཉི་ཟླ་ར། ཁྱབ་བདག། རྩིས་ཟུར་ངག་དབང་ཤེས་རབ། ཐོ་ཡོན་རིན་པོ་ཆེ། ཧོར་སྤྲུལ་བློ་བཟང་ཆོས་འཕེལ་བསྟན་འཛིན། དེས་བདག་ལའོ། །རིལ་སྒྲུབ་དོན་གཉིས་ཐེམ་སྐས་ནི། ཞྭ་ལུགས་ར་སྤྲུལ་སྐུ། དཔོན་སློབ་བྱམས་པ་ཡེ་ཤེས། ཞྭ་ལུགས་ར་སྤྲུལ་སྐུ་དཔལ་ལྡན་རྒྱལ་མཚན། ཐོ་ཡོན་དོན་གྲུབ་རྒྱལ་མཚན། ཧོར་སྤྲུལ་བློ་བཟང་ཆོས་འཕེལ་བསྟན་འཛིན། དེས་བདག་ལའོ། །

ས་བཅུད་བུམ་སྒྲུབ་ནི། ཕྱུགས་ར་སྤྲུལ་སྐུ། བྱམས་པ་བསྟན་འཛིན། ཏལ་ཏ་དམ་ཚིག་རྡོ་རྗེ། ཕྱུགས་ར་དཔལ་ལྡན་རྒྱལ་མཚན། ཐོ་ཡོན་དོན་གྲུབ་རྒྱལ་མཚན། ཏོར་སྤྲུལ་བློ་བཟང་ཆོས་འཕེལ་བསྟན་འཛིན། དེས་བདག་ལའོ། །བླ་མའི་རྣལ་འབྱོར་གྱི་ཟིན་བྲིས་དང་། དགེ་ལྡན་བསྟན་པ་རྒྱས་པའི་སྨོན་ལམ་གཉིས་ནི། མཛད་པ་པོ་གུང་ཐང་རིན་པོ་ཆེ་དཀོན་མཆོག་བསྟན་པའི་སྒྲོན་མེ། ཐུགས་རམ་པ་དཀོན་མཆོག་ཀུན་དགའ། ཐོ་ཡོན་རིན་པོ་ཆེ། ཏོར་སྤྲུལ་ཆོས་འཕེལ་བསྟན་འཛིན། དེས་བདག་ལའོ། །མེ་ཏོག་འཐོར་ཚུལ་ནི། རྗེ་བཙུན་ཏ་ཚག་པ་ངག་དབང་བློ་བཟང་བསྟན་པའི་རྒྱལ་མཚན། ཐོ་ཡོན་དོན་གྲུབ་རྒྱལ་མཚན། བཀའ་འགྱུར་བ་ བློ་བཟང་ ཆོས་ འཕེལ་ བསྟན་ འཛིན། དེས་ བདག་ ལའོ། །ཆར་ འབེབས་ ནི། མཛད་པ་པོ་ཁྲི་ཆེན་བྱང་ཆུབ་ཆོས་འཕེལ། རྗེ་གྲགས་པ་ཟླ་སྒྲུབ། ཀུན་སྤངས་ཚུལ་ཁྲིམས་རྣམ་རྒྱལ། ཐོ་ཡོན་དོན་གྲུབ་རྒྱལ་མཚན། ཏོར་སྤྲུལ་རིན་པོ་ཆེ། དེས་བདག་ལའོ། །བླ་བརྒྱུད་རྣམ་ཐར། རྒྱལ་མཚན་འཛུགས་ཚིག །དམིགས་བརྩེ་མའི་སྔོ་ནས་གདོན་བགེགས་ཞི་ཚུལ་རི་ཁྲུས་བྱ་ཚུལ་རྣམ་ནི། མཛད་པ་པོ་ཐོ་ཡོན་དོན་གྲུབ་རྒྱལ་མཚན། རྗེ་བཀའ་འགྱུར་བ་བློ་བཟང་ཆོས་འཕེལ། དེས་བདག་ལའོ།། །

༈ལྷ་མོ་རིག་བྱེད་མའི་སྒྲུབ་ཐབས་དངོས་གྲུབ་ཀུན་འབྱུང་ནི། རྗེ་བཙུན་བསོད་ནམས་གྲགས་པ་ནས་རྗེ་མང་ཐོས་ཀྱི་མཆོས་གསན་རྒྱུན་ལྷར་བདེ་བའི་རྡོ་རྗེ། བསྐྱབས་སྟན་བཞད་པ་རྡོ་རྗེ། ཀུན་མཁྱེན་འཇིགས་མེད་དབང་པོ། རྗེ་དཀོན་མཆོག་ཆོས་འཕེལ། རྗེ་དོན་གྲུབ་བསྟན་པའི་རྒྱལ་མཚན། རྗེ་ བཀའ་ འགྱུར་ བ་ ཏོར་ སྤྲུལ་ སྐུ་ བློ་ བཟང་ ཆོས་ འཕེལ་ བསྟན་ འཛིན་ དཔལ་བཟང་པོ། དེས་མཁྱེན་རབ་བསྟོན་པ་ཆོས་འཕེལ་ལའོ། །༈སྨད་ཆའི་བརྒྱུད་རིམ་དམིགས་བརྩེ་མའི་ཏེཀྐ་ཚིག་དོན་རབ་གསལ་ནི། མཛད་པ་པོ་རྒྱལ་བ་ལྔ་པ་ཆེན་པོ། ཕྱུང་སྐྱ་ངག་དབང་ཆོས་ལྡན། ཐུ་ཀྭན་ངག་དབང་ཆོས་ཀྱི་རྒྱ་མཚོ། ཕྱུང་སྐྱ་རོལ་བའི་རྡོ་རྗེ། རྒྱལ་སྲས་སྐལ་བཟང་ཐུབ་བསྟན། ར་སྒྲེང་བློ་བཟང་ཡེ་ཤེས་བསྟན་པ་རབ་རྒྱས། སེར་བྱེས་བསོད་ནམས་གྲགས་པ། ཁྲི་ཆེན་བྱང་ཆུབ་ཆོས་འཕེལ། ཐེ་པོ་སྤྲུལ་སྐུ། རྗེ་བློ་བཟང་རབ་བརྟན། རྗེ་འཇམ་དབྱངས་འཕྲིན་ལས། རྗེ་བཀའ་འགྱུར་བ་ཏོར་སྤྲུལ་རིན་པོ་ཆེ་ངག་དབང་མཁྱེན་རབ་བསྟན་པའི་དབང་ཕྱུག་དཔལ་བཟང་པོ་དེས་མཁྱེན་རབ་བསྟན་པ་ཆོས་འཕེལ་ལའོ། །འདོད་

ལྷ་འགའ་ཞིག་གི་ཐུགས་རྗེ་བསྐུལ་བའི་ཚིག་བསམ་དོན་ལྷུན་གྲུབ། སྤྱན་རས་གཟིགས་ཀྱི་སྒོ་ནས་མིག་གི་ཉེས་སྐྱོན་སེལ་བའི་གདམས་པ་ཟུག་རྔུ་ཚ་གདུང་སེལ་བའི་ཟླ་ཟེར་རྣམས་ནི། མཛད་པ་པོ་སྟག་ཕུ་གར་གྱི་དབང་ཕྱུག་དཔལ་བཟང་པོ། དེ་ནས་རྗེ་བཀའ་འགྱུར་བ་ལྷ་སྤྲུལ་རིན་པོ་ཆེས་གསན་རྒྱུན་ལྟར་དེ་ཡི་དྲུང་ནས་བདག་གིས་ཐོས། རྗེ་ཡི་སྟོང་མཆོད་ནི། མཛད་པ་པོ་མཚན་སྨྲོགས་ནོ་མི་ཧན་འཇམ་དཔལ་བསྟན་པ་རབ་རྒྱས། ཆོས་རྗེ་བློ་བཟང་ལེགས་བཤད་དར་རྒྱས། རྗེ་འཇམ་དབྱངས་འཕྲིན་ལས། རྒྱལ་བའི་ཡོངས་འཛིན་གླིང་ཁྲི་སྤྲུལ་རིན་པོ་ཆེ་བློ་བཟང་ལུང་རྟོགས་བསྟན་འཛིན་འཕྲིན་ལས་དེས་བདག་ལའོ། །རྗེ་བཙུན་ཙོང་ཁ་པ་ཆེན་པོའི་སྒོ་ནས་ཚེ་སྒྲུབ་བྱ་ཚུལ་བདུད་རྩིའི་ཆུ་རྒྱུན་ནི། མཛད་པ་པོ་རྗེ་རིང་སྤྲུལ་སྐུ་བློ་བཟང་བསྟན་པའི་རྒྱལ་མཚན། ཆབ་མདོ་འཕྲིན་ལས་མཐར་ཕྱིན། རྗེ་དོན་གྲུབ་བསྟན་པའི་རྒྱལ་མཚན། རྗེ་འཇམ་དབྱངས་འཕྲིན་ལས། རྗེ་བཀའ་འགྱུར་བ་ངག་དབང་མཁྱེན་རབ་བསྟན་པའི་དབང་ཕྱུག་དེས་བདག་ལའོ། །དམིགས་བརྩེ་མའི་འབྲུ་འགྲེལ་ཆ་དགུ་ཙན་གྱི་སྤྱི་གཙུག་གི་ཡིད་བཞིན་ནོར་བུ། དམིགས་བརྩེ་མའི་རྩ་འགྲེལ་སུམ་བརྩེགས་རིན་ཆེན་གསུམ་གྱི་ཕྲེང་བ། དམིགས་བརྩེ་མའི་སྒྲུབ་སྐོར་བདུན་གྱི་རྣམ་བཤད་དགེ་ལྡན་རྒྱལ་སྲིད་ནོར་བུ་རྣམ་བདུན། དམིགས་བརྩེ་མའི་བསྙེན་ཡིག་ཟུར་འདེབས། དམིགས་བརྩེ་མའི་ལས་ཚོགས་བརྒྱ་དང་བརྒྱད་པ་མུ་ཏིག་ཕྲེང་བ། དམིགས་བརྩེ་མའི་འཕོ་འཁྲིད་བྱམས་མགོན་ཞལ་བཟང་ལྟ་བའི་གསེར་ཐག ཕྱུགས་ནོར་བཅུ་ཡི་བསླབ་བྱའི་འགྲེལ་པ་དོན་སྦྱོར་གསུམ་ལྡན། འཇམ་མགོན་བླ་མ་རིགས་གསུམ་མགོན་པོ་དང་འབྲེལ་བའི་སྒོ་ནས་རྣམ་སྲས་ཀྱི་ནོར་བུམ་སྒྲུབ་ཚུལ་འདོད་རྒུ་རེ་སྐོང་བཅས་མཛད་པ་པོ་རྗེ་ཐོ་ཡོན་བླ་མ་ཡེ་ཤེས་དོན་གྲུབ་བསྟན་པའི་རྒྱལ་མཚན་དཔལ་བཟང་པོ། །རྗེ་འཇམ་དབྱངས་འཕྲིན་ལས། རྗེ་བཀའ་འགྱུར་བ་ལྷ་སྤྲུལ་རིན་པོ་ཆེ་ངག་དབང་མཁྱེན་རབ་བསྟན་པའི་དབང་ཕྱུག་དཔལ་བཟང་པོ་དེས་བདག་ལའོ། །རྗེ་བླ་མ་ལ་བརྟེན་པའི་ཡུལ་ཁྲུས་བྱ་ཚུལ་བདུད་རྩིའི་ཆུ་རྒྱུན་ནི། རྗེ་འདུལ་འཛིན་ཆེན་པོ་རྒྱལ་བའི་ཡོངས་འཛིན་ཕུར་ལྕོགས་པ་བློ་བཟང་ཚུལ་ཁྲིམས་བྱམས་པ་རྒྱ་མཚོ་དཔལ་བཟང་པོ་དེའི་ཐུགས་སྲས་བྲག་རི་བཀའ་འགྱུར་བ་རྗེ་བཙུན་བློ་བཟང་ཐུབ་བསྟན་རྣམ་རྒྱལ་དཔལ་བཟང་པོ་དེས་བདག་ལའོ། །དམིགས་བརྩེ་མའི་སྒོ་ནས་རྒྱལ་མཚན་འཛུག་པའི་ཚིག་མི་མཐུན་ཕྱོགས་ལས་རྒྱལ་

པའི་རྒྱལ་མཚན་ནི། རྗེ་གྲུབ་དབང་འཇམ་དབྱངས་འཕྲིན་ལས་དཔལ་བཟང་པོ། རྗེ་བཀའ་འགྱུར་བ་སྔོ་སྦྱོལ་རིན་པོ་ཆེ་དེས་བདག་ལའོ། །སློབ་ལམ་སྟོབས་བཅུ་མངའ་བ་ནི། མཛད་པ་པོ་བྱང་སེམས་ཤེས་རབ་བཟང་པོ་ནས། ཞི་བ་ལྷ་འཕགས་པ་དགེ་ལེགས་རྒྱལ་མཚན་པར་དེ་ཡི་གསན་ཡིག་ལྟར། དེ་ནས་ཚེ་ཆུ་གྲགས་པ་རྒྱ་མཚོ། གླིང་སྨད་འཕགས་པ་མཆོག་དགའ། རྗེ་དོན་གྲུབ་རྒྱལ་མཚན། རྗེ་འཇམ་དབྱངས་འཕྲིན་ལས། རྗེ་བཀའ་འགྱུར་བ་ཆེན་པོ་ངག་དབང་མཁྱེན་རབ་བསྟན་པའི་དབང་ཕྱུག་དཔལ་བཟང་པོ་དེས་མཁྱེན་རབ་བསྟན་པ་ཆོས་འཕེལ་ལའོ།། །།

༄༅། །དགེ་ལྡན་བསྟན་པ་རྒྱས་པའི་སྨོན་ལམ་གྲུབ་པའི་བདེན་ཚིག་གི་འགྲེལ་བ་བཞུགས་སོ།

༄། །རྒྱལ་སྲས་སྨོན་ལམ་སྣང་བརྒྱ་འཁྱིལ་བའི་བཅུད། །རྒྱལ་བསྟན་སྙིང་པོ་སྤེལ་བའི་སྨོན་པའི་འབྲས། །ཇི་བཞིན་འགྲུབ་ཕྱིར་བླ་མ་མཆོག་གསུམ་ལ། །འདུད་དོ་བསླུ་མེད་བདེན་ཚིག་ཤེས་པས་སྐྱོངས། །དེའང་དགེ་ལྡན་ལུགས་བཟང་སྤེལ་བའི་སྨོན་ཚིག་འདི་ཉིད་ཀྱི་དོན་མདོ་ཙམ་འཆད་པ་ལ་རྒྱུ་ཕུན་སུམ་ཚོགས་པའི་བདེན་ཚིག་བརྗོད་པ། ངོ་བོ་ཕུན་སུམ་ཚོགས་པའི་བདེན་ཚིག་བརྗོད་པ། གྲོགས་ཕུན་སུམ་ཚོགས་པའི་བདེན་ཚིག་བརྗོད་པ་གསུམ། དང་པོ་ལའང་གསུམ་ལས། རྒྱལ་བ་མ་ལུས་སྐྱེད་པའི་ཡབ་གྱུར་ཀྱང་། །རྒྱལ་སྲས་ཚུལ་གྱིས་ཞིང་ཁམས་རབ་འབྱམས་སུ། །རྒྱལ་བའི་ཆོས་འཛིན་ཐུགས་བསྐྱེད་བདེན་པའི་མཐུས། །བློ་བཟང་རྒྱལ་བའི་བསྟན་པ་རྒྱས་གྱུར་ཅིག །དུས་གསུམ་གྱི་རྒྱལ་བ་ཐམས་ཅད་སློབ་པའི་གནས་སྐབས་སུ་མགོན་པོ་འཇམ་དབྱངས་ཀྱིས་བཤེས་གཉེན་མཛད་དེ་སངས་རྒྱས་ཚུལ་མདོ་སྡེ་དུམ་དང་། འཇུག་པ་རང་འགྲེལ་སོགས་སུ་གསུངས་ལ། བཅོམ་ལྡན་འདས་མངོན་པར་འཚང་རྒྱ་བའི་ཚེ་བདུད་བཏུལ་བའང་འདིའི་མཐུ་ཡིན་པར་དམར་ནག་གི་རྒྱུད་གཉིས་ག་ལས་གསུངས། མདོར་ན་ཐབས་བདེ་ཆེན་གྱི་རོལ་པས་ཚུལ་དེ་ལྟར་སྟོན་པའི་ཡབ་དང་། ཤེས་རབ་ཀྱི་ཕ་རོལ་ཏུ་ཕྱིན་པའི་རང་བཞིན་དུ་གྱུར་པས་རྒྱལ་བའི་ཡུམ་དང་། ཞིང་རབ་འབྱམས་སུ་ཟབ་མོའི་ལྟ་བ་གཙོར་གྱུར་གྱི་གསུང་གི་མཛོད་འཛིན་པས་སྲས་སུ་གྱུར་པ་སློབ་དཔོན་ཞི་བ་ཡེ་ཤེས་ཀྱིས་གསུངས་པ་ལྟར་ཡིན་པས། ཕྱོགས་བཅུ་དུས་གསུམ་ཀུན་ཏུ་ལྷུན་གྱིས་གྲུབ་པའི་ཐུགས་བསྐྱེད་འཕྲིན་ལས་ཀྱི་བདེན་པ་དེས་ཞིང་འདིར་ཡང་བསྟན་པའི་སྙིང་པོ་རྒྱས་པར་སྨོན་པའོ། །འདི་ནི་ངེས་དོན་ཐུན་མོང་མ་ཡིན་པ་ཡིན་ཞིང་། དྲང་དོན་ཚུལ་བསྟན་གྱི་རིམ་པར་

ཡང་གདུལ་བྱའི་བློ་ཚོད་ཀྱིས་ཐུན་མོང་མ་ཡིན་པ་དང་ཐུན་མོང་པ་གཉིས་སུ་ཡོད་པའི་ཐུ་མ་ནི།
སྟོན་ཆེ་དབང་པོའི་ཏོག་གི་སྤྱན་ཐུ་རུ། །དམ་བཅས་ཆེ་ན་སྙིང་སྟོབས་ཆེན་པོ་ཞེས། །ཕྲས་
བཅས་རྒྱལ་བས་བསྔགས་བརྗོད་བདེན་པའི་མཐུས། །བློ་བཟང་རྒྱལ་བའི་བསྟན་པ་རྒྱས་གྱུར་
ཅིག །ཀླུ་སྒྲུབ་ཀྱིས་མདོ་ཀུན་བཏུས་སུ་གསུངས་པ་བཞིན་རྒྱལ་བ་དབང་པོའི་ཏོག་བསྐལ་པ་
དཔག་མེད་ཀྱི་སྔོན་ནས་བྱུང་བ་ཡིན་ལ། དེའི་འཁོར་དུ་རྗེ་བཙུན་འཇམ་དབྱངས་དང་རྗེ་བླ་
མས་བྱང་སེམས་འཇམ་དབྱངས་ཀྱི་སློབ་མར་གྱུར་བ་ཞིག་གི་ཚུལ་ཡང་བཟུང་སྟེ་ཐུགས་དང་
དབུམའི་ལྟ་བ་ཟུང་དུ་འབྲེལ་བའི་བསྟན་པའི་སྙིང་པོ་སྤེལ་བར་དམ་བཅས་པ་ན་རྒྱལ་བ་ཕྲས་
བཅས་ཀྱིས་ཆེད་དུ་བསྔགས་པ་མདོ་དང་རྒྱུད་ཀྱི་བསྟོད་བཀུར་བསྔགས་གསུམ་ལྟ་བུ་མཛད་
པའི་བདེན་ཚིག་གི་སྟོབས་ཀྱིས་བསྟན་པ་རྒྱས་པར་སྨོན་པའོ། །གསུམ་པ་དྲང་དོན་ཐུན་མོང་
པ་ནི། ལྟ་སྤྱོད་གཙང་མའི་བརྒྱུད་པ་སྤེལ་བའི་ཕྱིར། །ཐུབ་པའི་དྲུང་དུ་ཤེལ་དཀར་འཕྲེང་
བ་ཕུལ། །ཆོས་དུང་གནང་ཞིང་ལུང་བསྟན་བདེན་པའི་མཐུས། །བློ་བཟང་རྒྱལ་བའི་
བསྟན་པ་རྒྱས་གྱུར་ཅིག །བཀའ་གདམས་ལྷ་ཆོས་བདུན་ལྡན་ཕྱི་གཙང་ནང་གཙང་པདྨའི་
ཕྱུབས་ལྟ་བུའི་སྲོལ་དབྱེ་བའི་རྟེན་འབྲེལ་དུ་སྟོན་པའི་དུས་བྲམ་ཟེ་ཁྱེའུར་གྱུར་པས་ཤེལ་དཀར་
གྱི་ཕྲེང་བ་བརྒྱ་རྩ་གཅིག་ཕུལ། དེ་ཕྱིས་བསྙེན་པར་རྫོགས་པ་དགེ་སློང་པདྨའི་ངང་ལྡང་ལ་མ་
ཧྲས་པས་ཕུལ་བའི་ཆོས་དུང་གནང་ཞིང་འགོག་པ་རིར་གཏེར་དུ་སྦས་ན་དགའ་ལྡན་གྱི་ཚོགས་
དུང་དུ་འགྱུར་བར་ལུང་བསྟན་ཚུལ་ལང་གཤེགས་རྒྱ་ནག་གི་འགྱུར་ལས་གསུངས། འཇམ་
དཔལ་རྩ་བརྒྱུད་དུའང་རྗེའི་མཚན་དང་མཛད་པ། དེ་ཆེ་དགོན་ཆེན་རབ་དགའ་བ། །ཞེས་
སོགས་ཀྱིས་དགོན་གནས་གྲུབ་མཐའ་དང་བཅས་པ་ལུང་བསྟན་ཏེ་གསུང་གིས་བྱིན་གྱིས་
བརླབས་ཤིང་ཐུགས་ཀྱི་དགོངས་པ་གཏད་པའི་བདེན་པས་བསྟན་པ་རྒྱས་པར་སྨོན་པའོ། །
གཉིས་པ་ཇོ་བོ་ཕུན་སུམ་ཚོགས་པའི་བདེན་ཚིག་ལ་གསུམ་ཚན་གཉིས། བཞི་ཚན་གཅིག
གཉིས་ཚན་གསུམ་སྟེ་དྲུག་ལས་དང་པོ་ལྟ་སྒོམ་སྤྱོད་གསུམ་ལ་སྦྱར་བ་ནི། ལྟ་བ་རྣམ་དག་རྟག་
ཆད་མཐའ་ལས་གྲོལ། །སྒོམ་པ་རྣམ་དག་བྱིང་རྒོད་སྐྱོན་པ་སངས། །སྤྱོད་པ་རྣམ་དག་རྒྱལ་
བའི་བཀའ་བཞིན་བསྒྲུབས། །བློ་བཟང་རྒྱལ་བའི་བསྟན་པ་རྒྱས་གྱུར་ཅིག །འདི་ནི་བརྟ

སྦྱོར་ཚུལ་ཙམ་ལས་དོན་ནི་ཤེས་རབ། ཏིང་ངེ་འཛིན་ཚུལ་ཁྲིམས་ཀྱི་བསླབ་པ་གསུམ་ཡིན་དགག་བྱ་ཁྱད་པར་གསུམ་ལྡན་ལྟ་བུ་ཁྱབ་ཆུང་བ་མ་ཡིན་པས་རྟག་མཐའ་ལས་གྲོལ། གཞན་ངོ་ཙམ་དུ་བསྐྱལ་ཏེ་དོན་ལ་ཅི་ཡང་མེད་པར་འཛིན་པའི་དགག་བྱ་ཁྱབ་ཆེ་བ་ལྟ་བུ་མ་ཡིན་པས་ཆད་མཐའ་ལས་གྲོལ་ཏེ། མཐའ་བྲལ་དབུ་མའི་ལྟ་བ་ཀླུ་སྒྲུབ་ཀྱི་དགོངས་པ་ཇི་ལྟ་བ་དང་། སྒོམ་ཡང་བྱིང་རྒྱུག་སོགས་ཇི་བཞིན་མ་ཕྱེད་པས་སླང་རབ་ལ་སྒོམ་རབ་ཅེས་བྱིང་བ་བསགས་པ་ལྟ་བུ་མ་ཡིན་པར་ཏིང་ངེ་འཛིན་སྐྱོན་མེད་སྒྲུབ་ཚུལ་དབུས་མཐའ་དང་ས་སྡེ་ཇི་ལྟ་བ་དང་། དགག་སྒྲུབ་གནང་བའི་མཚམས་རྒྱལ་བ་རང་ཉིད་ཀྱིས་གང་གསུངས་པ་ལྟར་བྱེད་ཀྱི་གོ་སོགས་སུ་མི་བྱ་བ་སྡོམ་གསུམ་རབ་དབྱེར་གསུངས་པ་ལྟ་བུ་ཡིན་པས་བསླབ་པ་གསུམ་གྱིས་བསྡུས་པའི་རྫོགས་པའི་བསྟན་པའི་སྙིང་པོ་དེ་ཉིད་རྒྱས་པར་སྨོན་པའོ། །གཉིས་པ་མཁས་བཙུན་བཟང་གསུམ་ལ་སྦྱར་བ་ནི། མང་དུ་ཐོས་པ་རྒྱ་ཆེར་བཙལ་བས་མཁས། །ཐོས་དོན་ཇི་བཞིན་རྒྱུད་ལ་སྦྱར་བས་བཙུན། །ཀུན་ཀྱང་བསྟན་འགྲོའི་དོན་དུ་བསྔོ་བས་བཟང་། །བློ་བཟང་རྒྱལ་བའི་བསྟན་པ་རྒྱས་གྱུར་ཅིག །སྡེ་སྣོད་གསུམ། རྒྱུད་སྡེ་བཞི། རིག་པའི་གནས་ལྔ་མཐའ་དག་ལ་ཞིབ་ཏུ་སྦྱངས་པས་མཁས་པ། གང་ཤེས་རྒྱུད་ལ་སྦྱར་ཏེ་བསླབ་པ་གསུམ་གྱི་སྒོ་ནས་དུལ་ཞིང་ཞལ་ཉེ་བར་ཞི་བས་བཙུན་པ། ཆོས་བརྒྱད་དཀར་ནག་ཁྲ་གསུམ་གང་གིས་ཀྱང་མ་བསླད་པར་མཁའ་ཁྱབ་ཀྱི་བརྟན་འགྲོའི་དོན་དུ་བསྒྱུར་ཚུལ་གསུང་ཐོར་བུར་འབྱུང་བ་ལྟར་ཡིན་པས་བཟང་བ་སྟེ། དེ་ལྟ་བུའི་རྣམ་པར་ཐར་པ་རྗེ་བླ་མ་རང་ཉིད་དང་། དེའི་སྲོལ་རྗེས་འཇུག་བུ་སློབ་རྣམས་ཀྱིས་བསྐྱངས་པའི་བདེན་པའི་མཐུས་བསྟན་པ་རྒྱས་པར་སྨོན་པའོ། །གསུམ་པ་ཆེ་བ་བཞི་དང་སྦྱར་བ་ནི། དྲང་ངེས་གསུང་རབ་མ་ལུས་འགལ་མེད་དུ། །གང་ཟག་གཅིག་གི་ཉམས་ལེན་གདམས་པ་རུ། །ངེས་པ་རྙེད་པས་ཉེས་སྤྱོད་མཐའ་དག་འགགས། །བློ་བཟང་རྒྱལ་བའི་བསྟན་པ་རྒྱས་གྱུར་ཅིག །དྲང་ངེས་ཀྱི་གསུང་རབ་སྒྲིས་ཟིན་མི་མཐུན་ཡང་གདུལ་བྱའི་དབང་གིས་ཡིན་པས་དོན་འགལ་བ་མེད་པ་དང་། དེ་ཐམས་ཅད་གང་ཟག་གཅིག་ལའང་སྤྱི་ཕྱིར་ཉམས་ལེན་དུ་འཁྱུར་དགོས་པས་གདམས་པར་འཆར་བ་དང་། ཐབས་སྣ་ཚོགས་ཀྱིས་འབྲས་བུ་མཐར་ཐུག་ཏུ་བཀྲི་བས་དགོངས་རྙེད་པ་དང་། དེའི་

མཐུས་ཐེག་པ་གསུམ། མདོ་སྔགས་གཉིས་སོགས་རིས་སུ་བཅད་པའི་ཆོས་སྒྲོང་གི་ལས་རྣམ་པར་འཐག་པ་ཐམས་ཅད་བསྟུས་པར་གསུངས་པ་ལྟ་བུའི་ཉེས་སྤྱོད་ཆེན་པོ་འགག་པ་སྟེ། ཆེ་བ་བཞི་ནི་བྱང་ཆུབ་ལམ་རིམ་ལ་དངོས་སུ་གསུངས་ཤིང་། དོན་ལ་ནང་བྱན་ཚུང་བ་ཞིག་གིས་བློ་མིག་ཡངས་པར་ཕྱེ་སྟེ་བལྟས་ན་རྗེའི་གསུང་ཐམས་ཅད་ལ་ཚང་བས་བསྟན་པ་ཁྱད་པར་དུ་འཕགས་པ་དེ་ལྟ་བུ་རྒྱས་པར་སྨོན་པའོ། །བཞི་པ་བཤད་སྒྲུབ་གཉིས་སམ་མཁས་གྲུབ་ཀྱི་ཡོན་ཏན་གཉིས་ལ་སྦྱར་བ་ནི། ལུང་ཆོས་སྡེ་སྣོད་གསུམ་གྱི་འཆད་ཉན་དང་། །རྟོགས་པའི་བསྟན་པ་བསླབ་གསུམ་ཉམས་ལེན་ཏེ། །མཁས་ཤིང་གྲུབ་པའི་རྣམ་ཐར་རྨད་དུ་བྱུང་། །བློ་བཟང་རྒྱལ་བའི་བསྟན་པ་རྒྱས་གྱུར་ཅིག །རྣམ་པར་བཤད་པའི་སྒོ་བསྟུ་བ་དང་། །རྣམ་བཤད་རིག་པར་གསུངས་པ་ལྟ་བུ་བསྟན་པའི་གཞུང་གཞིར་འགྱུར་ངེས་པའི་འཆད་ཉན་གྱི་སྒོ་ནས་ལུང་གི་བསྟན་པ་འཛིན་པ་དང་། ལུང་སྡེ་སྣོད་གསུམ་གྱི་བརྗོད་དོན་ལམ་བསླབ་པ་གསུམ་པོ་ཉམས་སུ་བླངས་ཏེ་ཚུལ་བཞིན་སྒྲུབ་པའི་སྒོ་ནས་རྟོགས་པའི་བསྟན་པ་འཛིན་པ་སྟེ་རྒྱལ་བའི་བསྟན་པ་འཛིན་པའི་ཚུལ་དེ་གཉིས་སུ་ངེས་པར་མཛོད་ལས་གསུངས་པ་ཇི་ལྟ་བ་བཞིན་ཕྱུག་ལེན་དུ་ཐབས་པས་མཁས་གྲུབ་གཉིས་འཛོམ་གྱི་རྣམ་ཐར་དང་བསྟན་པའི་བྱ་བ་དེ་ཉིད་དར་ཞིང་རྒྱས་པར་སྨོན་པའོ། །ལྔ་པ་མདོ་སྔགས་གཉིས་ལ་སྦྱར་བ་ནི། ཕྱི་རུ་ཉན་ཐོས་སྤྱོད་པས་ཞི་ཞིང་དུལ། །ནང་དུ་རིམ་གཉིས་རྣལ་འབྱོར་གདེང་དང་ལྡན། །མདོ་སྔགས་ལམ་བཟང་འགལ་མེད་གྲོགས་སུ་འཁྱེར། །བློ་བཟང་རྒྱལ་བའི་བསྟན་པ་རྒྱས་གྱུར་ཅིག །བཤད་རྒྱུད་རྡོ་རྗེ་ཕྲེང་བའི་རེ་བཞི་པ་དང་། མཁའ་འགྲོ་མ་རྡོ་རྗེ་གུར་གྱི་བརྒྱད་པར་གསུངས་པ་བཞིན་ཕྱི་འདུལ་བའི་སྤྱོད་པ་ལ་གནས་པས་བསྟན་པ་སྤྱིའི་སྲོལ་ག་སྐྱོང་ཞིང་། ནང་གསང་སྔགས་ཀྱི་ཉམས་ལེན་ཟབ་མོས་ས་ལམ་གྱི་བགྲོད་པ་མྱུར་བ་སྟེ་རང་གཞན་མཐའ་དག་གི་དོན་དུ་འགྱུར་བས་བསྟན་པ་ཡོངས་རྫོགས་ཀྱི་སྲོལ་བཟང་རྒྱས་པར་སྨོན་པའོ། །དྲུག་པ་བདེ་སྟོང་གཉིས་ལ་སྦྱར་བ་ནི། རྒྱུ་ཡི་ཐེག་པར་བཤད་པའི་སྟོང་པ་ཉིད། །འབྲས་བུའི་ཐབས་ཀྱིས་སྒྲུབ་པའི་བདེ་ཆེན་དང་། །མཉམ་སྦྱོར་ཆོས་ཕུང་བརྒྱད་ཁྲིའི་སྙིང་པོའི་བཅུད། །བློ་བཟང་རྒྱལ་བའི་བསྟན་པ་རྒྱས་གྱུར་ཅིག །དབང་མདོར་བསྟན་དང་། དྲི་མེད་འོད། སྙིམ་ཏོག

སོགས་སུ་གསུངས་པ་བཞིན་ཡུལ་མཐའ་བྲལ་གྱི་ལྟ་བ་དང་། ཐུགས་བླ་མེད་ཀྱི་ཕྱི་ནང་གི་ཐབས་མཁས་ལ་བརྟེན་པའི་བདེ་བ་ཆེན་པོ་དབྱེར་མེད་དུ་སྦྱོར་བ་ཆོས་ཕུང་བརྒྱད་ཁྲི་བཞི་སྟོང་གི་སྙིང་པོ་སྐུ་གསུམ་ལག་བཅངས་སུ་གཏོད་པའི་མན་ངག་གི་མཐར་ཐུག་འདི་དག་རྒྱས་པར་སྨོན་པའོ། །གསུམ་པ་གྲོགས་ཕུན་སུམ་ཚོགས་པའི་བདེན་ཚིག་ལ་གཉིས་ལས། དང་པོ་སྟོངས་གྲོགས་མཛད་པའི་ཆོས་སྐྱོང་ཁྱད་པར་ཅན་ལ་སྦྱར་བ་ནི། སྐྱེས་བུ་གསུམ་གྱི་ལམ་གྱི་བསྲུང་མའི་གཙོ། །མྱུར་མཛད་མགོན་དང་རྣམ་སྲས་ལས་གཤིན་སོགས། །བསྟན་སྲུང་དམ་ཅན་རྒྱ་མཚོའི་མཐུ་སྟོབས་ཀྱིས། །བློ་བཟང་རྒྱལ་བའི་བསྟན་པ་རྒྱས་གྱུར་ཅིག །སྐྱེས་བུ་ཆེན་པོའི་ལམ་གྱི་ཕྱོག་ཐོག་མཐའ་བར་གསུམ་དུ་གལ་ཆེ་བ་སྙིང་རྗེ་ཆེན་པོའི་རང་མདངས་མྱུར་མཛད་ཡེ་ཤེས་ཀྱི་མགོན་པོ། འབྲིང་གི་ལམ་གྱི་གཞི་རྟེན་ཚུལ་ཁྲིམས་ཀྱི་བསླབ་པ་དང་འདུལ་བའི་སྡེ་སྣོད་ཀྱི་སྲུང་མར་བཀས་བསྟགས་པ་རྣམ་སྲས། ཆུང་ངུའི་ལམ་གྱི་གཙོ་བོ་ལས་འབྲས་ཀྱི་ཤན་འབྱེད་ཆོས་རྒྱལ་ཏེ་གསུམ་གྱིས་གྲོགས་མཛད་པས་བསྟན་པ་ཡོངས་རྫོགས་ཀྱི་སྡོམས་ཆེན་པོ་སྐྱེས་བུ་གསུམ་གྱི་ལམ་ཚང་ལ་མ་ནོར་བ་འདི་རྒྱས་པར་སྨོན་པའོ། །གཉིས་པ་བླ་སློབ་སྦྱིན་བདག་སོགས་སྒོ་ཐམས་ཅད་ནས་ཕུན་སུམ་ཚོགས་པར་སྨོན་པ་ནི། མདོར་ན་དཔལ་ལྡན་བླ་མའི་སྐུ་ཚེ་བརྟན། །མཁས་བཙུན་བསྟན་འཛིན་དམ་པས་ས་སྟེང་གང་། །བསྟན་པའི་སྦྱིན་བདག་མངའ་ཐང་དར་བ་ཡིས། །བློ་བཟང་རྒྱལ་བའི་བསྟན་པ་རྒྱས་གྱུར་ཅིག །ཅེས་པ་ཡིན་ལ་སྦྱར་བྱང་ནི། ཅེས་པ་འདི་ནི་ལྷག་བསམ་རྣམ་དཔྱོད་ཡངས་པ་རབ་འབྱམས་པ་བློ་བཟང་བསྟན་པས་བསྐུལ་ཞིང་། ཕྱིར་དེང་དུས་རྗེ་བླ་མའི་བསྟན་པ་འདི་ནི་ཟུངས་ཟད་ཀྱི་ནད་པ་སྨན་པས་ཐོར་བ་བཞིན་དུ་བདག་ཏུ་འཛིན་པ་འགའང་མི་སྣང་བས་ཅུང་ཟད་རེ་བསྲིང་ཐབ་ནའང་ཅི་མ་རུང་སྙམ་དུ་སྨོན་པའི་ཡིད་ཀྱིས་༧བཙུན་པ་དཀོན་མཆོག་བསྟན་པའི་སྒྲོན་མེས་བྲིས་པའོ། །ཞེས་པ་སྟེ་གོ་སླའོ། །མཆོག་གསུམ་ཐུགས་རྗེས་མི་བསླུ་ཞིང་། །ལྷག་བསམ་ཆུད་མི་ཟ་བ་ཡི། །བདེན་པ་ཆེན་པོའི་བདེན་ཚིག་འདིས། །བདེན་དོན་མངོན་དུ་འགྱུར་བར་ཤོག །ཅེས་པ་འདི་ནི་ཐུ་སོར་གདན་ས་ཆེན་པོ་སྐུ་འབུམ་ནས་མང་ཐོས་སྒྲུབ་པའི་རྒྱལ་མཚན་འཛིན་པ་དཀོན་མཆོག་སྨོན་ལམ་སོགས་སྦྱོང་བ་པ་འགའ་ཞིག་དང་། མི་ཉག་རྡུང་

ཡིག་ཚུལ་ཁྲིམས་བསྟན་འཛིན། ༸འཇམ་དབྱངས་གོང་མའི་བཀས་ཕྱོགས་དུ་མར་དགེ་ལྡན་ལུགས་བཟང་སྤེལ་བ་ཡི་ཤིའི་མཁན་རིན་པོ་ཆེ་ལྷ་རམ་པ་ངག་དབང་བཟང་པོ་སོགས་ཀྱིས་བསྐུལ་ཞིང་ཉེ་ཆར་བསྟན་པའི་གསལ་བྱེད་གུར་ཡག་སྤྲུལ་པའི་སྐུ་ངག་དབང་བསྟན་འཛིན་ཆོས་འཕེལ་གྱིས་ནན་ཏན་དུ་བསྐུལ་བར་བརྟེན་༸བཙུན་པ་དཀོན་མཆོག་བསྟན་པའི་སྒྲོན་མེས་བསྟན་པའི་ཁྱད་ཆོས་གཞན་དང་མི་འདྲ་བའི་ཚུལ་མཐའ་ཚོད་པར་ཤེས་འདོད་པ་རྣམས་རྗེའི་བསྟོད་འགྲེལ་ལ་ཞིབ་ཏུ་བལྟས་ན་དེས་འཐུས་པར་ཡོད་པས། འདིར་དོན་གྱི་ངོ་བོ་མདོར་བསྡུས་པའི་ས་བོན་ཙམ་ཞིག་བཀོད་པ་ཡིན་ནོ། །

༄༅། །ཐུགས་རྗེར་བཅུའི་བསླབ་བྱ་བཞུགས་སོ།

༄། །༈ བྱང་ཆུབ་ལམ་བཟང་སྒྲུབ་པའི་སྡོད་མཆོག་ཏུ། །རྒྱལ་བས་བསྔགས་པའི་དལ་འབྱོར་ཚང་བའི་རྟེན། །ཉིན་མཚན་ཆོས་ཀྱིས་དོན་ལྡན་བྱ་འདོད་གང་། །ཐུགས་རྗེར་འདི་རྣམས་སྙིང་གི་དཀྱིལ་དུ་ཆོངས། །ངེས་པར་འཆི་ལ་ནམ་འཆི་ངེས་མེད་ཅིང་། །འཆི་ཚེ་དམ་པའི་ཆོས་ལས་འདི་སྣང་གི ཕུན་ཚོགས་གང་ཡིན་ཕན་འདོགས་གཏན་མེད་སྙམ། །དེ་ལྟའི་བློ་ཐུགས་ཆོས་ལ་གཏོད་པར་མཛོད། །ཆོས་ཀྱི་མཐུན་རྐྱེན་ཟས་གོས་ཕོངས་དོགས་ན། །སྒྲུབ་འདུན་ཆོས་ཀྱང་ལམ་འཁྱེར་ཆེས་དཀའ་བས། །ནམ་དགོས་བསོད་སྙོམས་སློང་བས་འཚོའོ་སྙམ། །ཆོས་ཐུགས་སྒྲང་ལ་གཏོད་པའི་ཞེ་དམ་མཛོད། །གཞན་སྒྲང་པོ་ནས་མི་ཚེ་ཕྱིད་དཀའ་བས། །ཀ་ཅའི་གསོག་ཉུམ་ཉུང་ཞིག་དགོས་སྙམ་ན། །ཆོས་ཕྱིར་འཁྲུགས་སམ་སྡིག་གྱིར་འཆེར་བཟོད་པའི། །སྒྲང་ཐུགས་ཤི་ལ་གཏོད་པའི་ཞེ་དམ་མཛོད། །རང་དབང་གནས་མལ་ཡོ་བྱད་གཏན་མེད་ཚེ། །ན་རྐྱས་འཆི་དུས་འཁོར་མཁན་དཀོན་སྙམ་ན། །ནོར་སྲུངས་རྒན་པོ་འཆི་བ་ཇི་བཞིན་དུ། །ཤི་ཐུགས་གྲོག་པོ་རྨམ་པོར་གཏོད་པར་མཛོད། །རང་གཞུ་བཀང་ནས་རང་མདའ་བརྡེག་དགོས་ལྟར། །རང་ནོར་བསགས་པས་དགེ་ཆོས་སྒྲུབ་དགོས་ཞེས། །གཞན་ཟེར་ཚིག་ལ་མི་རྟོན་ཟས་གོས་ཀྱི། །ཐབས་མེད་རྡོ་རྗེ་རྫོན་དུ་གཏོང་བར་མཛོད། །ཆོས་ཕྱིར་ཚེ་འདིའི་ཆེ་ཐབས་བློས་བཏང་ནས། །ཟས་མེད་གོས་མེད་སྒྲང་འཁྲུམས་བྱེད་པའི་ཚེ། །གཞན་གྱིས་འཕྱ་སྨད་འབྲུག་གི་སྒྲ་བསྒྲགས་ཀྱང་། །ཁྲེལ་མེད་རྡོ་རྗེ་རྗེས་ལ་བཞག་པར་མཛོད །མཐོ་མཐོ་ཀླུང་བསྐུར་དམའ་དམའ་ཆུར་བསྐྱུར་ནས། །འོག་ནས་འགྲོ་བ་ཆུ་ལས་གཞན་མེད་པའི། །དམའ་ས་གཟུང་ནས་ཆོས་ལ་ངེས་སེམས་ཀྱི། །ཡེ་ཤེས་རྡོ་རྗེ་རང་དང་འགྲོགས་པར་མཛོད། །རང་ཉིད་མིས་མཐོང་ཆ་འཛོག་མི་བྱེད་ཕྱིར། །ཚེ་འདིའི་དོན་གཉེར་མཐོ་དམན་སུ་དང་ཡང་། །སྒོ་གསུམ་མི་བསྟུན་སྐྱོན་

པའི་སྤྱོད་པ་ལྟར། །འདི་པའི་མི་ཡི་གྲལ་ནས་ཅི་ཕྱུད་མཛོད། །གཞན་གྱིས་བྱས་པ་ཆུང་ངུའང་དྲིན་བཟོ་ཕྱིར། །བརྗེད་འཚོག་བྱེད་ཀྱང་ལུས་སྲོག་གཏོང་བཟོད་ཅིང་། །འཕྲུལ་འགྲངས་ཙམ་ལས་ཕྱུགས་ཀྱི་གསོག་འཛོག་གི། །རང་དོན་མདོ་མེད་ཁྱི་ཡི་གྲལ་སྐགས་མཛོད། །སྟོན་བྱོན་སྟོན་པ་མཆོག་ནས་བླ་མའི་བར། །དམ་པ་ཡོངས་ཀྱི་ཐུགས་བཞེད་མཛད་སྤྱོད་ལྟར། །ཆོས་ཕྱིར་སྲོག་གཏོང་དཀའ་སྤྱད་སྙིང་སྟོབས་ཀྱིས། །ལྷ་མིའི་བཀུར་འོས་ལྷ་གྲལ་ཐོབ་པར་མཛོད། །དེ་ལྟར་གསེར་སོགས་ཕྱུགས་ཀྱི་ནོར་བདོག་པའི། །མི་འགའ་འཕྲལ་དུ་འཚོ་བ་ཆད་གྱུར་ཀྱང་། །ཅི་ཡང་མི་སྨྲམ་བློ་བདེར་ལས་བྱེད་པ། །དེ་བཞིན་ཕྱུགས་ནོར་མཆོད་དོན་མཐུན་པར་མཛོད། །དེ་ལྟར་ཕྱུགས་ནོར་འདི་བཙུ་བློར་བཞག་ན། །ཉོན་མོངས་རྫོང་འགྲོལ་ལས་ངན་གྱུ་བོ་འཇིག །གཉེན་པོ་བདེ་བའི་ཐང་ལ་སློབ་པོ་ཞེས། །དམ་པ་གོང་མའི་གསུང་ལ་ཡིད་ཆེས་མཛོད། །ཅེས་ཕྱུགས་ནོར་བཙུའི་བསླབ་བྱ་འདི་ནི། སྤྱོང་བ་པ་དགེ་སློང་ཚུལ་ཁྲིམས་རྣམ་རྒྱལ་གྱིས་རྒྱ་སོག་འཛམ་མགོན་བླ་མའི་སྤྲུལ་ཕྱག་ཏུ་ཕྱགས་གླང་ལོར་བྲིས་པ་དགེ་བར་གྱུར་ཅིག། །།

༄༅། །རྗེ་བདག་ཉིད་ཆེན་པོ་སོགས་ཀྱི་སྐུ་བརྙན་འགའ་ཞིག་གི་ལོ་རྒྱུས་ཅུང་ཟད་བརྗོད་པ་མཉན་པར་འོས་པའི་གཏམ་གྱི་ཕྲེང་བ་བཞུགས་སོ།

༄། །ན་མོ་སུ་མ་ཏི་ཀཱིརྟི་ཡེ། ཟུང་འཇུག་སྒྱུ་མའི་སྐུ་ལ་དབང་འབྱོར་བས། །སྐུ་གསུང་ཐུགས་རྟེན་བརྟན་གཡོ་རབ་འབྱམས་སུ། །མོས་པའི་མཐའ་བཞིན་འགོག་མེད་རྟག་འཆར་བ། །འཇམ་དཔལ་སྙིང་པོས་བྱང་ཆུབ་བར་དུ་སྐྱོངས། །འདིར་རང་གིས་མཐོང་ཐོས་སུ་གྱུར་བའི་སྐུ་བརྙན་བྱིན་ཅན་འགའ་ཞིག་གི་ལོ་རྒྱུས་མདོ་ཙམ་འགོད་པ་ལ། དེ་ཡང་ཁམས་གསུམ་ཆོས་ཀྱི་རྒྱལ་པོ་འཇམ་མགོན་བླ་མ་ཙོང་ཁ་པ་ཆེན་པོ་དགུང་ལོ་ང་དགུ་བཞེས་པའི་ཤིང་ལུག་ལ་མི་དབང་གྲགས་པ་རྒྱལ་མཚན་པས་སྤྱན་དྲངས་ཏེ་འདུལ་འཛིན་གྲགས་པ་རྒྱལ་མཚན་སོགས་འཁོར་སྡེ་སྣོད་འཛིན་པ་ཉིས་བརྒྱ་ལྷག་ཙམ་དང་བཅས་འོན་གྱི་བཀྲ་ཤིས་དོ་ཁར་བྱོན་ནས་དབྱར་གནས་མཛད། ཡིད་བཟང་རྩེ་བ་མགོས་ལོ་གཞོན་ནུ་དཔལ། པཎ་ཆེན་བྱམས་པ་གླིང་པ་བསོད་ནམས་རྣམ་རྒྱལ། ཆོས་རྗེ་ཀུན་སྤང་བ་མཛེས་པ་དཔལ། ཆོས་རྗེ་མི་ཉག་རིན་རྒྱལ་བ། རྒོད་ཕྲུག་གྲགས་པ་འབྱུང་གནས་སོགས་མི་ཆེན་དང་། སྟོན་ཆེན་བསམ་གྱིས་མི་ཁྱབ་པ་འདུས། ཉེར་གཉིས་རིན་པོ་ཆེ་སྤྱན་སྔ་བསོད་ནམས་རྒྱལ་མཚན་གྱིས་ན་རོ་ཆོས་དྲུག་གི་ཁྲིད་ཞུས་ཏེ་ཐབས་ལམ་ཚོགས་བཅད་མའི་སྙིང་ནས་གནང་བ་ལ་ཡིད་བཟང་རྩེ་བས་ཟིན་བྲིས་མཛད། རྗེ་དགེ་འདུན་གྲུབ་ཀྱང་འདི་དུས་མཇལ་ཏེ་ཚད་མའི་དཀའ་གནས་གསུང་བ་ལ་ཟིན་བྲིས་ཡོད། བྱམས་པ་གླིང་པས་ཆོས་ཁྲིའི་ལོགས་ལ་རྗེའི་སྐུ་འདྲ་ལམ་རིམ་བརྒྱུད་པས་བསྐོར་ཞུག་བྲིས་མཛད། བཀྲ་ཤིས་དོ་ཁར་གྲགས་པའི་སྐུ་བརྙན་བྱིན་ཅན་ཡང་དེ་དུས་བྱུང་ཞེས་རྣམ་ཐར་ལས་འབྱུང་། ངག་རྒྱུན་ལ་དེ་དུས་རྗེ་རིན་པོ་ཆེས་ཉིན་གཅིག་ལ་དབུ་སྐྲ་སོར་ཕྱེད་དོ་པ་བརྒྱད་བྲེགས་པའི་ཚུལ་མཛད་པ་ལ། སྲས་ཀྱི་ཐུ་བོ་རྫུ་འཕྲུལ་ལ་དབང་

འཁྱེར་བ་ཞིག་གིས་སྐུ་བརྙན་བརྒྱད་བཞེངས་པའི་གཟུགས་གཞུག་ལ་རྗེའི་དབུ་སྐྲ་བུབས་ཚང་རེ་བཞུགས་པར་གླེང་། དེ་ཡང་སྤྲུལ་པའི་བཟོ་བོས་བཞེངས་པ་དང་། འགའ་ཞིག་གིས་མཁས་གྲུབ་རིན་པོ་ཆེས་བཞེངས་ཟེར། མཁས་གྲུབ་རྗེ་ནི་དགུང་ལོ་ལྔ་བཅུ་པ་མེ་ཕྱིའི་ལོར་སེ་ར་ཆོས་སྡིངས་སུ་མཇལ་བས་འདི་དུས་འཁོར་དུ་བཞུགས་ཡོད་མེད་དཔྱད། པཎ་ཆེན་བློ་བཟང་ཆོས་རྒྱན་གྱིས་བཀྲ་ཤིས་ལྷུན་པོའི་ཕྱིའི་མཆོད་རྟེན་གྱི་དཀར་ཆག་ཏུ། བཀྲ་ཤིས་དོ་ཁ་མར་གྲགས་ཆོས་ཀྱི་རྗེ། །བྱམས་པ་གླིང་བའི་ཕྱག་བཟོ་ལས་བྱུང་བ། །རྗེ་བཙུན་བླ་མའི་སྐུ་འདྲ་བྱིན་རླབས་ཅན། །ཞེས་གསུངས་པ་དང་། ཁྲི་སྟག་ལུང་བྲག་པ་བློ་གྲོས་རྒྱ་མཚོས་གྲུབ་ཆེན་ཆོས་པ་རིན་པོ་ཆེར་གནང་བའི་རྗེའི་སྐུ་པཎ་ཆེན་བྱམས་པ་གླིང་པའི་ཕྱག་བཟོ། རྗེའི་དབུ་སྐྲ་བུབས་གཅིག་གཟུངས་སུ་བཞུགས་པ་ལ་རྗེ་རང་གི་ཕྱག་གིས་མེ་ཏོག་འཐོར་བ་ཡོད་ཅེས་རྗེ་སྐལ་ལྡན་རྒྱ་མཚོའི་རྣམ་ཐར་ལས་འབྱུང་བ་ལྟར་ན་པཎ་ཆེན་བྱམས་པ་གླིང་བའི་ཕྱག་བཟོ་ཡིན་པ་འདྲ། གང་ལྟར་རྗེ་ཙོང་ཁ་པའི་སྐུ་བརྙན་བཀྲ་ཤིས་གདོང་ཁ་མའམ་ཟུར་ཆག་པས་བཀྲ་ཤིས་དོ་ཁ་མ་བརྒྱད་ཀྱི་ནང་ཚན་རྒྱ་བ་དགེ་འདུན་རྒྱ་མཚོའི་ཐུགས་དམ་རྟེན་སྟེ་པ་ལྷ་རྒྱ་རི་པ་ནས་རིམ་པར་བརྒྱུད་དེ་འོང་བའི་ལོ་རྒྱུས་ཁ་བྱང་ཞབས་སུ་བྲིས་ཡོད་པ་ཞིག་སྟེར་བཀྲ་ཤིས་འཁྱིལ་རིགས་གྲྭའི་རྟེན་མཇལ་ཁྲས་སུ་བཞུགས་ཀྱང་ཕྱིས་བླང་བ་གཅིག །གཞན་པོ་ཏ་ལའི་བླམ་ལྷ་ཁང་གི་རྟེན་གཙོར་བཀྲ་ཤིས་དོ་ཁ་མ་གཅིག །རྒྱལ་དབང་སྐལ་བཟང་རྒྱ་མཚོའི་སྐུ་གདུང་མཆོད་རྟེན་གྱི་བུམ་པའི་གཟུངས་གཞུག་ཏུ་རྒྱལ་བ་ན་རིམ་གྱི་ཐུགས་དམ་རྟེན་རྗེ་བཀྲ་ཤིས་དོ་ཁ་མ་བྱིན་རླབས་ཀྱི་གཟི་འོད་འབར་བ་གཅིག །དེའི་ཕྱིས་སུ་པཎ་ཆེན་དཔལ་ལྡན་ཡེ་ཤེས་ཀྱིས་རྒྱལ་དབང་འཇམ་དཔལ་རྒྱ་མཚོར་ལམ་རིམ་ཆེན་མོའི་བཤད་ལུང་ཕུལ་བའི་མཇུག་སེམས་བསྐྱེད་མཆོད་པའི་སྐབས་ཀྱང་རྒྱལ་བའི་ཐུགས་དམ་རྟེན་བཀྲ་ཤིས་དོ་ཁ་མ་སྤྱན་དྲངས་པར་གསུངས། དགའ་ལྡན་བྱང་རྩེའི་གཟིམས་ཁང་དུ་གཅིག །བྱ་ཁྱུང་དགོན་པར་ཁྲི་ངག་དབང་སྙན་གྲགས་པས་བཞེངས་པའི་སྐུའི་གཟུངས་གཞུག་ཏུ་རྗེ་དེ་ཉིད་ཀྱི་ཁུ་བོ་ཁྲི་ངག་དབང་ཆོས་གྲགས་པའི་ཐུགས་དམ་བརྟེན་བཀྲ་ཤིས་དོ་ཁ་མ་གཅིག་གསེར་ཐོག་བཙན་པོའི་བླ་བྲང་གི་རྟེན་ཁྲིད་དུ་རྗེ་བཀྲ་ཤིས་དོ་ཁ་མ་གཅིག ཕྲ་སྟི་སྒྲོལ་མ་གསུང་བྱོན་མའི་ལྷ་ཁང་དུའང་རྗེ་བཀྲ་ཤིས་དོ་ཁ་མ་སོགས་རྟེན་སྣ་སྟོང་བཞུགས་ཞེས་ཐོས། ༈ །རྗེ་ང་འདྲ་མ་ནི་རྒྱལ་བ་ཙོང་ཁ་པ་ཆེན་པོ་

ཞལ་བཞུགས་པའི་དུས་སུ་འདྲ་སྐུ་བདུན་བཞེངས་པ་ལ་བྱིན་རླབས་ཀྱི་མེ་ཏོག་རྗེ་རང་ཉིད་ནས་འཐོར་ཏེ་ང་དང་འདྲ་ཞེས་གསུངས་པས་ང་འདྲ་མར་གྲགས། དེའི་ནང་ཚན་གཅིག་དགའ་ལྡན་ཁྲར་གདོང་གི་རྟེན་གཙོར་བཞུགས་པ་ཧྲུན་ཕྱང་ངག་དབང་དར་རྒྱས་ཀྱིས་གཞུང་ལ་ཞུས་ནས་གནང་བ་འདུ་ཁང་སྟེང་གི་ཤར་གྱི་མཆོད་ཁང་དང་པོ་བཀའ་གདམས་ལྷ་ཁང་དུ་བཞུགས་པ་འདི་ཡིན། སླར་ཡང་སྐུ་ཚབ་བཞེངས་པའི་ཐབས་སུ་དངུལ་ཧ་རྫིག་མ་དྲུག་ཕུལ་ཟེར། སྐུ་དངོས་ལ་རྩེ་ཁྲུ་གང་དང་། པདྨ་ཉིས་རིམ་ལ་མཐྲུད་གང་ཙམ། རྒྱུ་སྨན་འདམ་ལས་གྲུབ་པ། གོང་བ་མཐུ་བཀློག །དབུ་པཎ་དང་པད་སྟོང་མེད། ཕྱག་གཉིས་ཐུགས་ཀར་ཆོས་འཁོར་མཛད་ཅིང་། ཞབས་ཕྱེད་སྐྱིལ་གྱིས་བཞུགས་པ་ཞིག་ཡོད། གཞན་དགའ་ལྡན་ཡངས་པ་ཅན་གྱི་གཙང་ཁང་དུ་རྗེ་ང་འདྲ་མ་གཅིག འོལ་ཁ་ཆོས་བཟང་ན་རྗེའི་དབུ་སྐྲ་བུབས་གཟུངས་སུ་བཞུགས་པའི་ང་འདྲ་མ་གཅིག འོལ་ཁ་ཆོས་ལུང་གི་རྟེན་གཙོ་རྗེ་དགེ་ལེགས་རྒྱ་མཚོའི་ཕྱག་བཟོ་ཡིན་ཟེར་བའི་རྗེའི་སྐུ་ང་འདྲ་མ་གཅིག ལྷ་སའི་ཇོ་བོའི་མཐའ་སྐོར་གྱི་མཆོད་ཁང་ལྷོ་པར་རྗེ་ང་འདྲ་མ་གཅིག གཞན་འོལ་ཁ་བསམ་གཏན་གླིང་གི་སྟེང་ངོས་རྗེའི་སྒྲུབ་ཁང་དུ་རྗེ་ཞལ་བཞུགས་དུས་མཁས་གྲུབ་རྗེའི་ཕྱག་བཟོ་མཛད་པར་གྲགས་པའི་རྗེ་ང་འདྲ་མ་ཡབ་སྲས་གསུམ། འོལ་ཁ་མ་གར་ཕུག་ཏུ་བྱམས་པ་གླིང་པའི་ཕྱག་བཟོ་རྗེ་ང་འདྲ་མ་ཁྲུ་དོ་བ། འོལ་ཁ་རྫིང་ཕྱིའི་འདུ་ཁང་འོག་མའི་རྟེན་གཙོ་ཀྱང་རིས་ལ་རྗེ་རང་གི་སྐུ་དུས་སུ་བཞེངས་པའི་ང་འདྲ་མ་ཕྱོགས་གང་ནས་མཇལ་ཀྱང་དེར་གཟིགས་ཡོད་པ་ལྟ་བུ་སོགས་ཡོད་ཅེས་ཐོས་སོ། ཅེས་ཐོས་སོ། ངག་རྒྱུན་ལ་བཀྲ་ཤིས་ངོ་ཁམ་བརྒྱད་དང་ང་འདྲ་མ་བདུན་ཟེར་ཡང་མང་པོ་སྣང་ངོ་།༔། རྗེ་གཞན་ཕན་མ་ནི་བར་དེར་བཞེངས་ནས་རྗེ་རིན་པོ་ཆེར་སྤྱན་འབེབས་ཞུས་པས་འདི་ང་དང་མི་འདྲ་ཡང་གཞན་ལ་ཕན་གསུང་བས་མཚན་དེ་ལྟར་ཆགས་ཟེར།༔།རྗེ་བཞད་འཕར་མ་ནི། སྐུ་བརྙན་དེ་བཞད་ཅིང་ནམ་མཁའ་ལ་འཕར་བ་ཡིན་ཟེར་བ་དང་། འགའ་ཞིག་གཞན་ཕན་མ་དང་གཅིག་ཟེར་ཡང་རྒྱལ་དབང་སྐལ་བཟང་རྒྱ་མཚོའི་སྐུ་གདུང་མཆོད་རྟེན་གཟུངས་སུ་རྗེ་གཞན་ཕན་མ་གཉིས་དང་། རྗེ་བཞད་འཕར་མར་གྲགས་པ་བྱིན་ཅན་གཉིས་བཞུགས་ཅེས་མི་འདྲ་བར་བཤད་དོ། །འདུ་ཁང་གི་ངོ་མཚར་ལྷ་ཁང་དུ་གཅིག་ལ་རྗེ་བཞད་འཕེལ་མ་དང་། གཅིག་ལ་བཞད་འཕར་མ་ཞེས་ཁ་བྱང་ཅན་གྱི་པར་སྐུ་གཉིས་བཞུགས་པ་རྒྱུ་སྨན་འདམ། ཆེ་

ཆུང་མཐོ་གང་ལྷག མདུན་དུ་པད་འདབ་ཉིས་རིམ། རྒྱབ་ཏུ་མེད། སྐུ་འགག་གི་གོང་བ་བཀློག གཡོན་གྱི་པད་སྟོང་གི་གླེགས་བམ་གྱི་སྟེང་ནོར་བུ་སུམ་ཚུགས་ལྟ་བུ་ཞིག་ཡོད། གཉིས་ཀ་ཕལ་ཆེར་འདྲ།༔ །ཡང་རྗེ་བཞད་དཔལ་མ་ཆེ་བ་དང་། བཞད་དཔལ་མ་ཆུང་བ་ཞེས་ཁྱུང་བཏབ་ཡོད་པའི་པར་སྐུ་ཆེ་ཆུང་གཉིས་དངོས་སུ་མཇལ་བའི་ཆེ་བ་ཁྲུ་གང་མ་ལོང་ཙམ། པད་གདན་གྱི་སྟེང་ཐུབ་པ་རྡོར་གདན་མ་ལྟར་རྡོ་རྗེ་འབྱུར་དོད་དུ་ཡོད། མདུན་དུ་ཡར་མར་པད་རིས་ཉིས་བརྩེགས། རྒྱབ་ཏུ་མར་པད་རིས་རིམ་པ་གཅིག་ཡོད། བཞད་དཔལ་མ་ཆུང་བ་མཐོ་གང་ལྷག གདན་ལ་རྡོ་རྗེ་མེད། མདུན་དུ་པད་རིས་ཉིས་བརྩེགས། གཉིས་ཀར་དབུ་པཎ་མེད། ཞབས་སྐྱིལ་ཀྲུང་། ཕྱག་གཉིས་ཐུགས་ཀར་ཆོས་འཁོར་གྱི་ཕྱག་རྒྱས་གླེགས་རལ་འཛིན་ཅིང་། སྐུའི་ལྟོ་བ་ལྷིར་བ་སོགས་བབས་ཡོངས་སུ་གྲགས་དང་འདྲ་སྟེ། འདི་གཉིས་ཁྱུང་གི་ཡི་གེའི་བྲུར་ཉམས་པ་ལས། དོན་ལ་གོང་གི་གཞན་ཕན་མ་དང་། བཞད་འཕར་མ་དེ་རང་ཡིན་ནམ་སེམས།༔ །རྗེ་རིགས་གསུམ་མ་ཞེས་པད་སྟོང་གཉིས་ཀྱི་སྟེང་སྐུ་ཡོད་པ་ཞིག་སྟེ། གསེར་ཐོག་བཙན་པོའི་བླ་བྲང་ན་རྗེ་རིགས་གསུམ་མའི་སྐུ་པར་རྗེ་རང་གིས་རབ་གནས་མཛད་པ་བཞུགས་ཞེས་ཐོས། རྗེས་ཚང་སྨྱུང་གནས་པ་བློ་བཟང་བཀྲ་ཤིས་ཀྱིས་བཞེངས་པའི་རྗེའི་སྐུ་པར་དེ་འདིའི་འདྲ་ཅིག་ཡིན་ནམ་སྙམ།༔ །རྗེ་གླིང་འཕྱུར་མ་ནི་པར་དེ་བཞེངས་མ་ཐག་འགྲོ་བའི་དོན་ལ་གནས་གཞན་དུ་འཕྱུར་བས་མཚན་དེ་ལྟར་གསོལ་བ་དང་། འགའ་ཞིག་རྡོ་རྗེ་གླིང་འཕྱུར་མ་ཞེས་བཞུགས་གནས་ནས་རྡོ་རྗེ་གླིང་ཞེས་པར་འཕྱུར་བ་ཡིན་ཡང་ཟེར། གང་ལྟར་བར་སྐུའི་སྣན་གྱི་སྣེ་ལྷུམ་པོ་ཞིག་ཡོད་གསུངས། བདག་གིས་རྗེ་གླིང་འཕྱུར་མ་ཞེས་ཁྱུང་ཡོད་པའི་པར་སྐུ་དབུས་གཙང་ནས་གདན་དྲངས་པ་གསུམ་མཇལ་བར་ཆེ་ཆུང་མཁྲིད་གང་ཙམ། ཕྱག་གཉིས་ཆོས་འཁོར་མཛད་པའི་པད་སྟོང་གི་གླེགས་རལ་གྱི་འོག་ངོས་སྐུ་ཆུང་ངུ་གཉིས་ཡོད། དབུ་པཎ་མེད། ཞབས་སྐྱིལ་ཀྲུང་། གདན་གྱི་མདུན་དུ་པད་རིས་ཉིས་བརྩེགས་འདུག བྱ་ཁྱུང་དགོན་པར་རྗེ་གླིང་འཕྱུར་མའི་སྐུ་པར་ཞིག་ཡོད་ཟེར། མཛོ་མོ་མཁར་ནས་ལེ་བར་དྲུག་ཅུ་ན་ཁ་ཐི་ཁའི་དགོན་པར་རྗེ་བླ་མའི་ཤངས་མཚལ་ལས་བཞེངས་པའི་རྗེའི་སྐུ་གཡས་གཡོན་དུ་རྒྱལ་ཚབ་འདུལ་འཛིན་བཅས་བཞུགས་པ་རྩ་ཐང་གཞན་ཕན་ཆེན་མོ་ཞེས་པའི་ཁྱུང་ཅན་རྗེ་རང་གིས་མ་ཡུམ་ལ་གནང་བ་ཡིན་ཟེར་བ་དང་། རྗེ་གླིང་

འཕྲུར་མའི་པར་སྙིང་པ྅་ཆེན་བློ་བཟང་ཡེ་ཤེས་ཀྱིས་ཕྱག་ནས་བརྒྱ་རྩ་སོང་བའི་ཁ་བྱང་ཅན་ཡོད་ཅེས་ཐོས་སོ། ༔ །རྗེ་ཞབས་སྨྱུང་མ་ཞེས་ཙ་རིར་ཕེབས་པའི་སྐབས་སྐུའི་ཞབས་སྨྱུང་བའི་དུས་སུ་བཞེངས་པ་ཡིན་ཟེར། དབུས་ནས་ཕེབས་པའི་རྗེ་ཞབས་སྨྱུང་མའི་པར་སྐུ་གཉིས་མཇལ་བར། གུང་མཐོ་གང་ཙམ། དབུ་པ྅་ཡོད། ཕྱག་གཡས་ས་གནོན། གཡོན་མཉམ་བཞག ཞབས་གཡས་སྟེང་མ་བྱས་པའི་ཕྱེད་སྐྱིལ་དུ་བཞུགས། ངོ་མཚར་ལྷ་ཁང་དུ་རྗེ་ཞབས་སྨྱུང་མ་ཞེས་ཁ་བྱང་ཡོད་པའི་འདྲ་སྐུ་ལི་མ་ཆེ་ཆུང་ཚོན་ཕྱེད་དང་བརྒྱད་པ་གཉིས་འདུག་པར་དབུ་པ྅་མེད། སྐུའི་བབས་གཞན་ཐམས་ཅད་ཡོངས་གྲགས་དང་འདྲ། ཞབས་གཡས་རྡོར་དཀྱིལ་སོར་བཞག་ལ། གཡོན་འོག་ཏུ་སོར་མོ་ཞབས་གཡས་ཀྱི་བྱིན་པའི་འོག་ནས་ཕྱིར་མངོན་པ་ཕྱེད་སྐྱིལ་གྱི་ཚུལ་དུ་ཡོད། ཡང་རྗེའི་སྐུ་བོད་ལི་རྙིང་པ་དབུ་པ྅་ཅན། གོང་བ་མཐུ་བཟློག་བྱས་པ་ཞིག་ཀྱང་འདུག་པའི་ཞབས་ཀྱི་བཞུགས་སྟངས་བཀའ་གདམས་ལྷ་ཁང་གི་ང་འདྲ་མ་དང་ལྡོ་ག་མཐུན་ནོ། ༔ །རྗེ་སླེའུ་ཆུང་མ་ནི། རྗེ་རིན་པོ་ཆེའི་སྐུ་དུས་སུ་སླེའུ་ཞེས་པའི་གྲོང་དུ་ལྷ་བཟོ་མཁས་ཞིག་བྱུང་བ་དེས་རྒྱུ་གསེར་ཟངས་ལས་བཞེངས་པ་ལ་ཆེ་ཆུང་སྣ་ཚོགས་དང་རྗེ་རང་གི་ཕྱག་ནས་མའང་ཡོད། གཞན་འཇིགས་བྱེད་སླེའུ་ཆུང་མ། རྗེ་དགེ་འདུན་གྲུབ་ཀྱི་སྐུ་སླེའུ་ཆུང་མ། སྒྲོལ་མ་སླེའུ་ཆུང་མ་སོགས་སྐུ་སླེའུ་ཆུང་མ། སྒྲོལ་མ་སླེའུ་ཆུང་མ་སོགས་སྐུའི་རིགས་མང་། ༔ །རྗེ་པདྨ་མཁར་བ་ཡང་དེ་དང་འདྲ་བར་བཟོ་བོ་ལས་མིང་བཏགས་པ་སྟེ་འདི་ལའང་རྗེའི་ཕྱག་ནས་མ་ཟེར་བའང་ཡོད་ལ། སངས་རྒྱས་བྱང་སེམས་ཀྱི་སྐུ་གཞན་ཡང་མང་པོ་འདུག ༔ །རྗེ་སྣེ་དཔལ་མའམ་སླེའུ་དཔར་མ་ཞེས་པའི་ཁ་བྱང་བཏགས་ཡོད་པའི་བར་སྐུ་དབུས་ནས་ཕེབས་པ་ཞིག་དངོས་སུ་མཇལ་བར་ཆེ་ཆུང་དཀྱིལ་མཐོ་གང་ཙམ། སྐུའི་བབས་ཡོངས་གྲགས་ལ། དབུ་པ྅་མེད། མདུན་དུ་པད་རིས་ཉིས་བརྩེགས། རྒྱབ་ཏུ་མེད། ཕྱག་གཉིས་ཆོས་འཁོར་མཛད་པའི་གཡས་ཀྱི་ཕྱག་སོར་གསུམ་ལས་མི་མཐོང་། ཞབས་སྐྱིལ་ཀྲུང་། གདན་ལ་རྡོ་རྗེ་མེད། གླིགས་རལ་གྱི་གདན་པད་གདན་སྟེང་འོག་ཉིས་རིམ་གྱི་ཚུལ་ཅན། ༔ །རྗེ་འོད་ཟེར་མ་ནི། སྐུ་པར་ལས་འོད་ཟེར་འཕྲོས་པ་དང་། ཁ་ཅིག་ལྷ་བཟོའི་མིང་ཟེར། བཀའ་གདམས་ལྷ་ཁང་དུ་རྗེ་འོད་ཟེར་མ་ཞེས་དེབ་ཡིག་ཏུ་འཁོད་པའི་སྨན་འདམ་གྱི་པར་སྐུ་པད་སྤྲུགས་ཀྱི་དཔང་སོར་བཅུ། དབུ་པ྅་མེད་གོང་མ་མཐུབ་བཟློག །མདུན་གྱི་ན་བཟའི་རི་མོས་བད་འདབ་ཙུང་ཟད་

ཁེབས་པ། སྐུའི་བབས་གཞན་ཡོངས་གྲགས་དང་འདྲ་བ་ཞིག་བཞུགས། འདིའི་སྐུ་པར་འོལ་ཁ་སྣེ་རིན་ཡོད་ཟེར། གཞན་འོལ་ཁ་ཆོས་ལུང་གི་གཟིམས་ཁང་དུ་རྗེ་བླ་མ་ཞལ་བཞུགས་པའི་དུས་ལྷ་བཟོ་ཞིག་གིས་གྱང་གི་གཡས་ངོས་ལ་རྗེའི་སྐུ་ཞིག་གི་སྐྱ་ཐིག་བཏབ་པས། རྗེའི་སྐུ་ལས་འོད་ཟེར་འཕྲོས་ནས་གྱང་རིས་ལ་ཐིམ། དེ་ལས་འོད་ཟེར་འཕྲོས་ནས་གཡོན་ངོས་ཀྱི་གྱང་རིས་ལ་ཐོག་པ་དེར་ཡང་རྗེའི་སྐུ་ང་འདྲ་མ་ཞིག་བཞུགས། ད་ལྟ་དེ་གཉིས་ཀྱི་བར་དུ་འོད་ཟེར་ཏ་ཊ་ཙམ་རྒྱུན་མ་ཆད་པ་ཡོད་པ་རེད་ཟེར་བ་ཐོས། རྗེ་ཞལ་བཞུགས་དུས་དགེ་ལྡན་སྐོར་ལམ་གྱི་རིགས་གསུམ་མགོན་པོ་རང་བྱོན་ལས་ཁྲི་ཐོག་ཁང་གི་རྗེའི་གཟིམས་ཆུང་འོད་གསལ་ཕུག་ལ་ཏག་པར་འོད་ཟེར་འཕྲོ་བ་ཡོད། དེར་ལྷེབ་རིས་ལ་རྗེའི་སྐུ་འོད་ཟེར་མ་བཞུགས་ཞེས་བཤད་དེ། ལྷ་སའི་འོད་ཟེར་འཕྲོ་བའི་ལྷ་བརྒྱད་ལྟ་བུ་འདི་འདྲའི་ལོ་རྒྱུས་ཅན་གཞན་ཡང་མང་ངོ་།། ༈

ཡང་རྗེ་འོད་ཟེར་པའམ་མཆོད་འཛིན་མ་ཞེས་མཁས་གྲུབ་རིན་པོ་ཆེས་པར་དུ་བཞེངས་ཏེ་དགའ་ལྡན་ཁྲི་པའི་རྩེས་སྤྲོད་ལ་བཞུགས་པ་ཁྲི་སྐོར་མཚམས་པར་ཁ་ཤས་རེ་འདེབས་པ་མཁྱུད་གང་ཙམ། མདུན་པར་ལས་སྐུ་རྒྱབ་ལེབ་མོར་ཡོད་པ་ཁྲི་བྱང་ཆུབ་ཆོས་འཕེལ་པས་གནང་བ་བདག་གི་བླ་མ་རྣམ་གཉིས་ཀྱི་རྟེན་ཁྲིད་དུ་བཞུགས་པ་དངོས་སུ་མཇལ། འདིའི་སྐུ་པར་གཞན་ལ་དད་ལྡན་འགའ་ཞིག་གིས་མཆོད་མེ་ཆུང་ངུ་ཕུལ་བ་ཡུན་རིང་བཟུང་ཞེས་ཀྱང་ཐོས་སོ། ། མཆོད་མེ་བཟུང་བའི་ལོ་རྒྱུས་ཅན་གྱི་རྟེན་གཞན་ཤིན་ཏུ་མང་ངོ་།། ༈ །རྗེ་ས་སྐྱ་མ་ཟེར་བ་དེར་ཕེབས་དུས་ཞིག་ལ་བཞེངས་སམ་བརྟག་གསུངས། གང་ལྟར་བདག་གིས་དབུས་ནས་ཕེབས་པའི་བར་སྐུ་ཁ་བྱང་ཅན་ཞིག་མཇལ་བར་སྐུ་ཚད་གྱང་མཐོ་གང་ཙམ། ཕྱག་གཡས་ས་གནོན་དང་། གཡོན་མཉམ་བཞག་ཅན། པད་སྟོང་དང་གླིགས་རལ་མེད། དབུ་ཞྭའི་རྩེ་ས་ཞུ་ལྟར་ཙུང་ཟད་ཟླུམ་པ། སྐུ་བེར་གྱི་རྒྱབ་ཇོ་རྗེའི་གོང་ཁྱོན་ལྟ་བུའི་པ་ཏྲ་རིས་ཡོད་པ་ཞབས་སྐུ་བེར་གྱིས་སྒྲིབ་པས་མི་མངོན། གདན་གྱི་མདུན་དུ་པད་རིས། རྒྱབ་ཏུ་མེད། སྐུ་འགག་གི་གོང་བ་བརྙོག་པ་ཞིག་འདུག་གོ །

༈ རྗེ་ཇམ་གདན་མའམ་ཇམ་སྐུ་མ་ཞེས་ཇམ་ལས་བཏེག་པ་ཞིག་ཡོད་ཅེས་ཟེར། བདག་གིས་ཀྱང་རྗེ་ཧམ་སྒྲུབ་མ་ཞེས་ཁ་བྱང་བྲིས་ཡོད་པའི་པར་སྐུ་གཉིས་མཇལ་བར། སྐུ་ཚད་མཐོ་གང་ལྷག་ཙམ། པཎ་ཞྭ་མེད། ཕྱག་གཉིས་ཆོས་འཁོར་གླིགས་རལ་ཅན། ཞབས་སྐྱིལ་ཀྲུང་། གོང་བ་མཐུ་རྙོག་མ། སེང་ཁྲི་ཕྱོགས་བཞིར་སྒོ་འབུར་ཅན།

མདུན་རྒྱབ་ཏུ་སེནྡྷེ་བཞི། གཡས་གཡོན་སེནྡྷེ་མེད། མདུན་གྱི་གློ་འབུར་གྱི་ངོས་གཡས་སུ་ཛམ་སེར་དང་། གཡོན་དུ་ཛམ་ནག་གི་སྐུ་ཡོད་པའི་ཤིན་ཏུ་རྟགས་ཅན་ཞིག་བཞུགས། ༈ །ཇོ་མཐུ་ཟློག་མ་ནི། གཞན་གྱི་བྱད་ཕུར་སོགས་བཟློག་ཕྱིར་སྐུ་འགག་གི་གོང་བ་གཡས་ནས་གཡོན་དུ་གོ་བཟློག་སྟེ་མནབ་པ་ལས་སྐུའི་བབས་ཡོངས་གྲགས་དང་འདྲ། །ཇོ་ས་སྐྱུ་མ་དང་། ཛམ་སྐུ་མ་གཉིས་ཀྱང་སྐུ་འགག་དེ་ལྟར་ཡོད་ལ། སྔོན་གྱི་དཔེ་པར་རྙིང་མང་པོའི་མཆོག་ལྷ་ནའང་དེ་འདྲ་མང་། བླ་སྐུ་གཞན་ལ་ཡང་དེ་འདྲ་མཐོང་། ༈ །ཇོ་འབུམ་ཐེར་མ་ཞེས་ཇོ་རང་གིས་རབ་གནས་འབུམ་གནང་བ་ཞིག་ཡོད་ཅེས་ཐོས། ༈ །ཇོ་ཕྱག་ནས་བརྒྱ་རྩ་མ་ཞེས་གཙང་པ་བདུན་བརྒྱུད་ཀྱི་ནང་ཚན་བློ་གྲོས་ཆོས་སྐྱོང་གིས་འཕྲུལ་གསོལ་ཞིབ་ལས་བཞེངས་པ་ཡོད་ཟེར་ཏེ། ཁྲི་ངག་དབང་མཆོག་ལྡན་གྱིས་ཐུབ་དབང་དང་། ཇོ་རིན་པོ་ཆེའི་སྐུ་པར་བཞེངས་པ་ལ་རྒྱལ་དབང་སྐལ་བཟང་རྒྱ་མཚོས་རབ་གནས་བརྒྱ་རྩ་མཛད་པ་སོགས་དམ་པ་གཞན་གྱི་ཕྱག་ནས་བརྒྱ་རྩ་མའང་མང་། ༈ །གཙང་པ་དགེ་ལེགས་མ་ཞེས་ད་ལྟ་དཔལ་འཁོར་ཆོས་སྡེ་ཡོད་ས་དེའི་རྫོང་དཔོན་ཞིག་གིས་བཞེངས། ཇོ་རིན་པོ་ཆེར་རབ་གནས་ཞུས་པས་འདི་དགེ་ཞིང་ལེགས་ཞེས་གསུངས་པས་མཚན་དེ་ལྟར་ཆགས། ཕྱིས་མདུན་དཔར་པཎ་ཆེན་བློ་བཟང་ཡེ་ཤེས་དུས་ཐུན་གར་གྱིས་ཁྱེར་ནས་ལམ་བར་འབྲི་ཆུར་ཤོར། ཚོང་དཔོན་ཞིག་དེར་བབས་པས་ཆུ་ལ་འཇའ་ཚོན་གྱི་ག་བ་ཟུག་པ་མཐོང་། དེར་བལྟས་པས་སྐུ་པར་རྙེད་ནས་པཎ་ཆེན་དཔལ་ལྡན་ཡེ་ཤེས་ལ་ཕུལ། རྒྱབ་དང་ར་གསར་དུ་བཟོས་ཏེ་ཁྲི་ཙམ་པར་དུ་བཏབ། ཕྱིས་སྐུ་པར་པཎ་ཆེན་དེ་ཉིད་ཀྱི་སྐུ་གདུང་མཆོད་རྟེན་གྱི་གཟུངས་སུ་ཕུལ་ཡང་ཟེར། ཡང་ཚོང་དཔོན་དགེ་ལེགས་མ་ཞེས་ཇོའི་དུས་ཚོང་དཔོན་དགེ་ལེགས་ཟེར་བས་བཞེངས་པ་གྲུ་གང་མ་ལོང་ཙམ། དབུ་ཞྭ་མེད་པའི་སྐུའི་བབས་ཡོངས་གྲགས་དང་འདྲ་བ་འདི་མང་པོ་མཐོང་། ཡང་མེ་ཏུའི་ཇོ་ཟེར་བའི་སྐུ་པར་ཞིག་གི་མདུན་པར་པཎ་ཆེན་རིན་པོ་ཆེའི་ཕྱག་ཏུ་ཡོད་ཅེས་ཟེར་ཡང་ངོ་མ་ཏ་ལ་སྣང་དུ་ཡོད། དེའི་རྒྱབ་དཔར་ལ་ངོས་དཔར་གསར་བ་ཞིག་བཞེངས་པ་འདི་འང་སྔ་མ་དང་གཅིག་མི་གཅིག་སྣ་ཚོགས་ཟེར་བ་ཐོས་སོ། ༈ །ཇོ་མཛེ་གྲིབ་མ་ཞེས་ཡུལ་ཞིག་ལ་མཛེ་ནད་དྲག་པོ་བྱུང་བ་བཞེས་པས་ནད་དེ་རྒྱུན་ཆད་པ་ཞིག་ཡོད་ཟེར། ༈ །ཇོ་དབུ་ཡོན་མ་ཞེས་སྔོ་བྲག་མན་གྱི་ཀརྨའི་དགོན་རྙིང་ཞིག་ནས་སྔོན་བླམ་རྒྱལ་མཚན་སེནྡྷེ་ཟེར་བས་ཇོ་རིན་པོ་ཆེ་མཇལ་ཏེ་རྟེན་ཞིག་ཞུས་

པས་ཡོང་གསུངས་ཏེ་དབུ་གཡོན་དུ་ཙུང་ཟད་ཡོ་ནས་ཏིང་ངེ་འཛིན་ལ་བཞུགས་སོང་བས་རྟེན་ཞལ་བཞེས་གནང་བ་འདི་ཡིན་པ་འདྲ་སྙམ་ནས་དེ་ལྟར་བྲིས་ཐང་བཞེངས་ཟེར་བ་ཐོས། བདག་གི་བླ་མ་རྡོ་རྗེ་འཆང་དཔལ་མང་རིན་པོ་ཆེའི་ཐུགས་དམ་རྟེན་དུ་རྗེ་དབུ་ཡོན་མ་ཞེས་པའི་ཞལ་ཐང་སྐུ་འགག་གི་གོང་བ་བཀློག་པ། ཀུན་མཁྱེན་འཇམ་དབྱངས་བཞད་པའི་ཕྱག་བྲིས་ཡིན་ཟེར་བ་ཞིག་བཞུགས་པ་དངོས་སུ་མཇལ།། ༈ །རྗེ་ནམ་གཟིགས་མ་ནི། བྱམས་མགོན་གྱི་ཞལ་གཟིགས་པའི་དུས་བཞེངས་པ་འབྲས་སྤུང་དགེ་འཕེལ་འདུ་ཁང་གི་གྲལ་དབུར་སྐུ་ཁྲུ་གང་བ་ཞིག་བཞུགས་ཞེས་ཐོས། ༈ །ཡར་ལུང་རྣམ་རྒྱལ་དུ་སྙིང་གནས་རས་ཆེན་པ་ལ་རྗེའི་ཞལ་གཟིགས་ནས་སྐུ་ལ་ཐིམ་པས་རྗེ་ཞལ་གཟིགས་མའམ་རྗེ་གསུང་བྱོན་མ་ཡོད་ཟེར་གཞན་ཡང་རྗེ་ནམ་ཕུར་མ་དང་། རྗེ་ནས་སྤུངས་མ། རྗེ་རྣམ་དག་ཞིང་མཆོག་མ་ཟེར་བ་སོགས་ཡོད།། ༈ །ཡང་རྗེ་རིན་པོ་ཆེ་སྐུ་མ་བལྟམས་གོང་དང་། ཞལ་བཞུགས་པའི་དུས་དང་མྱ་ངན་ལས་འདས་པའི་ཕྱི་མ་ནས་ཀྱང་ལན་བདུན་གྱི་བར་དུ་ཆུ་བོ་གཙྭའི་ནང་ནས་རང་བྱུང་དུ་བྱོན་པའི་རྗེ་རིན་པོ་ཆེའི་སྐུ་འདྲ། རྒྱུ་རྒྱ་གར་གྱི་ལི་རིགས་འདྲ་བའི་ངོ་མཚར་ཤིན་ཏུ་ཆེ་བ་ཡོད། དེ་ལས་རིང་བསྲེལ་ཅན་ཞིག་ལྷུང་སྐྱུ་རོལ་བའི་རྡོ་རྗེའི་ཐུགས་དམ་རྟེན་ཁྲིད་དུ་ཡོད་ཅེས་པཎ་ཆེན་དཔལ་ལྡན་ཡེ་ཤེས་ཀྱིས་གསུངས། རྗེ་རིན་པོ་ཆེའི་སྐུ་པར་བྱིན་ཅན་གྱི་རིགས་བགྲང་ན་པར་ཆེན་བཅོ་བརྒྱད་ཟེར་མཁན་ཡང་འདུག ༈ །ཙོང་ཁ་པ་བརྒྱད་ཅུའི་ཞལ་ཐང་གི་གཙོ་སྐུ་ལ་རྗེའི་སྐུ་འདིའི་རིགས་ཕལ་ཆེར་གྱི་འདྲ་སྐུ་ཡོད་ཅེས་ཁ་ཅིག་ཟེར། དགའ་ལྡན་ཡངས་པ་ཅན་དུ་རྗེ་ཡབ་སྲས་ཀྱི་སྐུ་རིང་བསྲེལ་ཅན་དང་། ཐང་རིང་གི་ཉེ་འཁོར་སྤང་སྟོངས་དགོན་དུ་རྗེའི་ཚེམས་རིང་བསྲེལ་ཅན་དང་། རྗེའི་སྐུ་ཚེངས། གྲོ་ཚང་རྡོ་རྗེ་འཆང་གི་མདུན་ཐད་ཀྱི་གྲོང་བའི་ནང་ན་རྗེ་རིན་པོ་ཆེའི་གཏྲི་དང་། མགོ་མོག་དགོན་གྱི་ཉེ་འཁོར་ཁྱིམ་ཞིག་ན་རྗེའི་དབུ་ཞྭ་ལྟག་པར་ཞྭ་སྒྲོ་ཆུང་དུ་ཡོད་པ་ཞིག། སྐུ་འབུམ་ཆེང་ཏུ་ཤང་བླ་བྲང་གི་རྟེན་ཁྲིད་དུ་རྗེའི་པཎ་ཞྭ་གཅིག རེབ་ཙ་བཀའ་འགྱུར་བ་བློ་བཟང་ཉི་མ་དབུས་སུ་ཐེབས་སྐབས་དགའ་ལྡན་གྱི་ཉེ་འཁོར་གནས་ཚང་ཞིག་ཏུ་བཞུགས་པ་སྟོན་རྗེ་རིན་པོ་ཆེའི་སྦྱིན་བདག་ཅིག་ཡིན་པས། རྗེའི་དབུ་སྐྲ་བུབ་གཟུངས་གཞུག་ཏུ་བཞུགས་པའི་རྗེའི་སྐུ་ཞིག་ཡོད་པ་ཁོང་ལ་དང་དེ་ཕུལ་བ་ད་ལྟ་རེབ་ཙའི་རྒྱལ་མོ་དགོན་དུ་བཞུགས་པ་ཞར་བྱུང་དུ་སྨྲས་སོ།། ༈ །ཡང་དབུས་ནས་ཕེབས་པའི་

འཇམ་དབྱངས་ཆོས་རྗེ་བཀྲ་ཤིས་གཏེར་བུམ་མ་ཞེས་ཁ་བྱང་ཅན་གྱི་བར་སྐུ་ཆེ་ཆུང་མཐོ་གང་ཙམ། ཕྱག་གཡས་ཐུགས་ཀར་ཆོས་འཆད། གཡོན་མཉམ་བཞག་སྟེང་བུམ་པ་བསྣམས་པ། པཎ་ཞྭ་སྣེ་རིང་གསོལ་བ་ཞིག་དང་། ཡང་འཕན་པོའི་འཇམ་དབྱངས་ཞེས་ཁ་བྱང་བཏབ་ཡོད་པའི་འཇམ་དབྱངས་དམར་སེར་གྱི་སྐུ་དབུས་གཙང་ནས་གདན་དྲངས་པ་ཞིག་དངོས་སུ་མཇལ་བར། མཐའ་ཐྲུམ་པོར་ཡོད་པའི་ལེབ་མོ་མཁྱུད་གང་ཙམ་པ་སྐུའི་གཡས་སུ་ལྷུས་ཨ་ར་པ་གསུམ། གཡོན་དུ་ཙ་ན་ཧྲཱིཿ གསུམ་བརྩེགས་ཏེ་འབུར་མ། མཐའ་སྐོར་དུ་བོད་ཡིག་གི་ཡེ་ཧྲསྭ་ཡོད་པ་ཞིག་འདུག་གོ ། ཀུན་མཁྱེན་འཇམ་དབྱངས་བཞད་པའི་རྣམ་ཐར་དུ། བརྩེ་བཞག་སྒྲོར་ལམ་ལ་སླེབས་པའི་སྐབས་འཇམ་དབྱངས་བསྟོད་བསྒྲུབ་མཛད་པའི་སྐུ་དེ་འོད་སྟོན་པོའི་གུར་ཁྱིམ་གྱི་དབུས་སུ་བཞུགས་པའི་འཇམ་དབྱངས་དངོས་སུ་གྱུར་ཏེ་ཞལ་གཟིགས་པར་གསུངས་པའི་སྐུ་མགོན་ཁང་གི་འཇིགས་བྱེད་ཀྱི་ཐུགས་ཀར་ཡེ་ཤེས་སེམས་དཔའི་ཚུལ་དུ་བཞུགས་ཤིང་། ད་ལྟ་དགོན་འདིར་འཇམ་དབྱངས་དམར་སེར་གྱི་པར་སྐུ་མཐོ་གང་ཙམ་ཞིག་ཡོད་པ་འདི་ཐུགས་དམ་གྱི་སྐུ་དེའི་བར་ཚ་ཡིན་པར་གྲགས། འགའ་ཞིག་འདི་ལ་ཕན་པོའི་འཇམ་དབྱངས་ཟེར་ཀྱང་སྔ་མའི་ཁ་བྱང་ལྟར་ན་མིན་ནམ་བརྟག ། ཡང་རྗེ་རིན་པོ་ཆེའི་ཕྱག་དཔར་གནས་པོའི་འཇམ་དབྱངས་ཟེར་བའི་བར་སྐུ་ཆུང་དུ་གྲུ་བཞི་འཇམ་དབྱངས་དམར་སེར་གྱི་སྐུའི་གཡས་གཡོན་དུ་འཇམ་དབྱངས་དམ་བཅའི་གཟུགས་ཡོད་པ་བྱིན་ཅན་དང་། རྗེ་རིན་པོ་ཆེའི་ཕྱག་ཚ་སླེའུ་འོད་དཔག་མེད་ཨ་དམ་མ་ཞེས་སོར་དོ་ལྟག པད་འདབ་ཉིས་རིམ། རྒྱབ་ཡོལ་གྱི་རི་མོ་ཅན། སྐུ་རྒྱབ་ཏུ་མཐེ་བོང་གི་རྗེས་དང་། ཨོཾ་ཨཱཿ ཧཱུྃ་བརྩེགས་ནས་པར་ཡོད་པ་མང་པོ་མཇལ།༔ །ཀླུ་འཇིམ་མ་ནི། མགོན་པོ་ཀླུ་སྒྲུབ་ཀྱིས་ཀླུ་ཡུལ་ནས་འཇིམ་པ་བསྣམས་ཏེ་ཕེབས་པ་ལས་བཞེངས་པ་ངོ་མཚར་ལྷ་ཁང་གི་ཐུབ་པ་ཀླུ་འཇིམ་མ་དང་བཀའ་གདམས་ལྷ་ཁང་གི་ཏ་ཤང་ཀླུ་འཇིམ་མ་ལྟ་བུ་མང་།༔ །གླང་དར་ཁྲིམས་ཐོག་མ་ནི། དེས་བསྟན་པ་བསྣུབ་སྐབས་སྐུ་གཟུགས་བཤིག་པའི་ཚེ་ཨ་ཚ་ཞེས་གསུང་བྱོན་པ་དང་། ཁྲག་ཐོན་པ་སོགས་ཆོ་འཕྲུལ་བསྟན་པའི་རིགས་ཡིན་ཟེར་ཏེ་སྨན་བླ་ཕྱག་གཡོན་པའི་མཛུབ་མོ་བཅད་པ་དང་། སྒྲོལ་མའི་སྐུ་ཕྱག་གཡས་ཀྱི་མཁྲིག་མ་ནས་བཅད་པ་དང་། དུས་འཁོར་གྱི་བྱིན་པ་ནས་བཅད་པ་སོགས་འགའ་ཞིག་དངོས་སུ་མཐོང་།༔ །རྫི་ཀླིཾ་མ་ནི། རྒྱ་རིན་པོ་ཆེ་སྣ་ཚོགས་འདུས་པ་ལས་གྲུབ་པ་སྟེ། རྫི་ཀླིཾ

འབྲུལ་མེད་ལ་ཙན་དུག་གི་ཆུས་བྱུགས་ན་འོད་ཟེར་སྣ་ལྔ་འཆར་བར་གྲགས། ས་འོག་ནས་རང་བྱུང་དུ་ཐོན་པའི་ཟངས་ལའང་རྡོ་རྗེ་ཡོད་ལ། གསེར་དངུལ་ཟངས་ལྕགས་དཀར་རྫ་ཤེལ་ཞ་ཉེ་དཀར་ནག་དངུལ་ཆུ་དང་བརྒྱད་པོ་བཞུག་བཏུལ་བྱས་པ་བཅོས་མའི་རྡོ་རྗེ་ཡིན་པར་ཡང་བཤད་དོ། ༈ །ཐུབ་དབང་རྡོར་གདན་མ་ནི། གདན་གྱི་སྟེང་དུ་རྡོ་རྗེ་ཡོད་པ་ཆེ་ཆུང་སྣ་ཚོགས་འདུག་པ་ཡུལ་དབུས་རྡོ་རྗེ་གདན་གྱི་ལི་མ་ཤས་ཆེའམ་སྙམ། རྒྱ་གར་དབུས་ལི་ལྷའི་བཟོ་རྒྱུན་ཡིན་པས་མཛེས་ཤིང་ལེགས། རྒྱ་གར་ཤར་ལི་གནོད་སྦྱིན་གྱི་བཟོ་རྒྱུན་ཡིན་པས་སྐུ་བསྟོད་བརྗིད། རྒྱ་གར་ནུབ་ལི་ཀླུའི་བཟོ་རྒྱུན་ཡིན་པས་སྐུ་སྨད་ཕྲ། རྒྱ་གར་ཤར་ལིས་རིང་བསྲེལ་འབྲུལ་མེད་འཛིན་པས་ཤར་ལི་དང་རིང་བསྲེལ་ཕན་ཚུན་རྟོགས་བྱེད་དུ་འགྱུར་ཟེར། ཡང་རྟེན་བྱིན་ཅན་གཞན་གྱིས་ཀྱང་རིང་བསྲེལ་འཛིན་པ་ཡོད་འདུག རྒྱ་གར་དབུས་ལི་སྐུ་ཤ་ལི་སེར། ན་བཟའ་ལི་དམར་ལས་བྱས་པའི་ཐུབ་པ་ལ་ཐུབ་དབང་ཟངས་ཐང་མ་ཟེར། གཞན་ཡང་ཐུབ་པ་ཚུལ་ཁྲིམས་མ། ཐུབ་པ་ཆོས་འཁོར་མ། ཐུབ་པ་གསེར་གླིང་མ། ཐུབ་པ་སྣ་ཟུར་མ། ཐུབ་དབང་གྲོང་ཁྱེར་མ་སོགས་མང་། སྤྱིར་སྐུ་རྒྱུ་གསེར་དངུལ་ཟངས་གསུམ། ཙན་དན་དཀར་དམར། སྨན་འདམ། སྤོན་དམར། ཀཱ་མ་རུ་ག ཀླུ་འཛིམ། རྡོ་རྗེ་སོགས་ལས་ལི་ནི་སངས་རྒྱས་འོད་སྲུང་གིས་བྱིན་གྱིས་བརླབས་པས་རྒྱུའི་ཆ་ནས་ཀྱང་རྟེན་དུ་འོས་གསུངས། རྒྱ་གར་དབུས་ལི། ཤར་ལི། ནུབ་ལི། བོད་ཀྱི་ཆོས་རྒྱལ་གོང་མ་དག་གི་དུས་སུ་བཞེངས་པའི་ཆོས་ལི་གསར་རྙིང་། སྟོད་ཧོར་ལི་མ། རྒྱ་ནག་ཧྭ་མིང་མ། འདོད་དཔལ་ལི་མ་སོགས་འབྱུང་ཁུངས་ལས་མིང་བཏགས་སོ། ༈ །གནས་བརྟན་མི་ཐུབ་མ་དང་། རྡོར་ཕྲེང་དཀྱིལ་ཐང་མི་ཐུབ་མ་ཟེར་བ་སོགས་མེས་གནོད་པས་མ་ཚིག་པ་དང་། ཐོག་ཐུབ་མ་ལ་ཁྲོ་ཕུ་ཐོག་ཐུབ་མ་ནི་ཁྲོ་ཕུ་ལོ་ཙཱ་བ་བྱམས་པའི་དཔལ་གྱི་ཡབ་རྗེ་ཕན་ནམ་གཉུབས་ཀྱི་ཐུགས་འཆང་ནག་པོ་རེ་ཟན་ཟེར་བ་གཤིན་རྗེ་ལ་ནུས་པ་ཐོན་པ་དེས་དགྲ་མང་པོ་མཐུས་བསད་པས་ཞེ་ནས་དགྱེལ་བར་སྐྱིས། དེའི་སྒྲིབ་སྦྱོང་དུ་ཁྲོ་ཕུ་ལོ་ཙཱ་བས་ཡབ་ཀྱི་རུས་པ་ཞུགས་ལ་སྦྱངས་ནས་རུས་ཚིག་མཛད་དེའི་འཛིམ་པ་དང་བསྲེས་ནས་སངས་རྒྱས་ཀྱི་སྐུ་མང་པོ་བར་དུ་བཏབ་སྟེ་ཁྲོ་ཕུའི་མཆོད་རྟེན་གྱི་གུང་འདབ་ཏུ་སྦྱར་ནས་ཡོད་པ་ལས་འབྱུར་བ་ཡིན་འདུག །དེ་ཡང་སངས་རྒྱས་ཀྱི་སྐུ་མཇུབ་གང་མ་ལོང་ཙམ། སྒོ་ཏིའི་ཕྱག་ཚ་ཆེ་བ་དང་སྐུ་ཚུགས་འདྲ་བ་པདྨའི་རྒྱབ་ཏུ་ཕརྟ་ལའི་ཆུ་ནི་ཕྲེང་

གཅིག་ཡོད་པ་ཞིག་ཡིན་ཞེས་པཎ་ཆེན་དཔལ་ལྡན་ཡེ་ཤེས་གསུངས། ཁྲི་སྲོང་ལྡེ་ཙྪ་བ་འདི་གནུབས་ནམ་མཁའི་སྙིང་པོའི་གདུང་བརྒྱུད། ཕག་གྲུའི་སློབ་མ་རིན་པོ་ཆེ་རྒྱལ་ཚ་དང་། ཀུན་ལྡན་རས་པ་གཉིས་ཀྱི་དཔོན་པོ་སྟེ། དེ་གཉིས་ལས་དགེ་ཚུལ་དང་བསྙེན་རྫོགས་མཛད། བུདྡྷ་ཤྲཱི། མི་ཏྲ། ཁ་ཆེ་པཎ་ཆེན་གསུམ་ག་བོད་དུ་སྤྱན་དྲངས། བྱམས་ཆེན་ཁྲུ་བརྒྱད་ཙུ་ཡོད་པ་བཞེངས་རིགས་སྲས་ཁྲི་སྲུ་སེམས་དཔའ་ཆེན་པོ་བསོད་ནམས་སེངྒེའོ།། །།རྫོ་ནང་ཐོག་ཐུབ་མ་རྫོ་ནང་འབུམ་པ་ཆེན་པོའི་ནང་དུ་ཡོད་ཟེར། ཐུབ་དབང་མཛུབ་གང་མ་ལོང་ཙམ་དབུའི་དཔྲལ་བ་ལ་དར་དཀྲུངས་དང་སྣན་གོང་དུ་མེ་ཏོག་བཅིངས་པ། མདུན་དུ་པད་གདན་ཉིས་རིམ། རྒྱབ་ཀྱི་གདན་ལ་ཐེལ་བཏབ་པ་ལྷ་བུའི་ཡི་གེ་ཞིག་འདུག་པ་དངོས་སུ་མཇལ་ཡང་ཡི་གེ་ཅི་ཡིན་མི་མཐོང་འདུག། ཕུར་བུ་ལྕོག་ཐོག་ཐུབ་མ་ནི་སྐུའི་དབྱིབས་སྦོམ་དང་འདྲ་ཞིང་། དེ་ལས་ཅུང་ཟད་ཆུང་། མདུན་དུ་པདྨ་ཉིས་རིམ་ཡོད། རྒྱབ་ཀྱི་ཐེལ་ལྷ་བུ་དེ་མེད། གཉིས་ཀ་སྐུ་རྒྱུ་ཁྲོ་མོག་ལྷ་བུ་སྲྲ་སང་ངེ་འབྱུང་བ་ཡོད།། །།སྣར་ཐང་ཐོག་ཐུབ་མ་ནི། སྣར་ཐང་གི་བླ་མ་གཏུམ་སྟོན་དང་། གྲོ་སྟོན་སོགས་ཀྱིས་སྐུ་དེ་གང་གིས་འཆང་ཡང་ཐོག་གིས་མི་ཚུགས་པ་ཡིན་ཟེར།། །།ཡང་བླ་མ་ཞང་། ཕག་གྲུ། གྲུབ་ཐོབ་ཐང་སྟོང་གི་སྐུ་རྣམས་ལ་ནོར་བུ་རྣམ་གསུམ་ཞེས་ནང་དུ་བཞུགས་ན་ལོངས་སྤྱོད་རྒྱས་ཟེར་བ་ལ་སྒོ་མང་བླ་མ་བསྟན་པ་ཐར་པ་སོགས་ཀྱིས་རྗེ་རིན་པོ་ཆེའི་སྐུས་མི་ཚོག་པ་མེད་ཅེས་ཚོགས་གཏམ་མཛད་པར་གྲགས། ཡང་ཞང་འགྲོ་བའི་མགོན་པོ་གཡུ་བྲག་པ་བཙོན་འགྲུས་གྲགས་པའི་སྐུ་བརྙན་སེན་གང་མར་གྲགས་པ་བྱིན་ཅན་ཞིག་དང་། ཕག་མོ་གྲུ་པ་རྡོ་རྗེ་རྒྱལ་པོ་སྐུ་འདས་རྗེས་འཇིག་སྤྱིལ་དུ་སྨན་དང་རིན་པོ་ཆེ་གདུང་ཐལ་བསྲེས་པའི་འདྲ་སྐུ་བཞེངས་པ་བྱིན་ཅན་གསུང་ལན་མང་དུ་བྱོན་པ་ལ་བྱི་བས་གདན་གྱི་ཟུར་ནས་ས་བྲུས་བ་དཀོན་གཉེར་ལ་གསུང་བྱོན་ནས་སྣར་ཡང་བཅོས། ས་དེ་རྣམས་གཞིར་བྱས་ནས་འདྲ་སྐུ་མང་དུ་བཞེངས་པ་ལ་ཕག་གྲུ་བྲ་ཟ་མའམ། བྱིས་མ་ཟེར། སྐུ་བཟོ་བའི་ཚེ་ཆ་ཤས་ལྷག་པ་རྣམས་དྲས་པ་གཞིར་བྱས་ནས་བཞེངས་པའི་འདྲ་སྐུ་རྣམས་ལ་ཕག་གྲུ་དྲས་སམ་ཟེར། དྲས་སམ་འི་ཁ་བྱང་ཅན་གྱི་སྐུ་གཡས་ས་གནོན། གཡོན་མཉམ་བཞག་སྙིང་ནོར་བུ་བསྣམས་པ་དབུ་རེག གོང་བ་མཐུ་བཟློག ཞབས་སྐྱིལ་ཀྲུང་མཁྱེན་པར་གཉེར་མ་དང་། འཕོལ་གདན་ཅན་མཐོ་གང་ཙམ་པ་ཞིག་དང་། ཡང་ཕག་གྲུའི་སྐུ་དེ་ལས་ཆེ་ཞིང་ཉམས་འོད

པ། ཞལ་དབྱིབས་དང་སྐུའི་བབས་སྤུ་མ་དང་འདྲ་ཞིང་། ཚོས་པོས་ཀྱི་རི་མོ་འབུར་དོད་ཅན། གཡོན་མཉམ་བཞག་སྙིང་ནོར་བུ་མེད་པ་ཞིག་བདག་གིས་མཐོང་ལ། རྒྱལ་དབང་བསོད་ནམས་རྒྱ་མཚོའི་རྣམ་ཐར་དུ་ཕག་གྲུ་དྲུས་སམ་དང་། ཕྱི་སམ་རྩོད་མེད་ལྷོ་ཕྱུག་ཏུ་འགྱུར་ཞེས་ཡོད་དོ། ༈ །ཡང་བུ་སྟོན་ལྕགས་སྐྱག་མ་ཞེས་བུ་སྟོན་རིན་ཆེན་གྲུབ་ཀྱི་ལྕག་སྐྱག་གི་དུམ་བུ་སྤྲོག་ཤིང་གི་ཚུལ་དུ་བཞུགས་པའི་འདྲ་སྐུ་གོང་མཐོ་གང་ཙམ་དངོས་སུ་མཇལ་ཞིང་། བུ་སྟོན་ང་འདྲ་མ་ནི་ཞ་ལུ་རི་ཕུག་གི་རྟེན་དུ་བཞུགས་པའི་དྲུང་ནས་ཀུན་མཁྱེན་འཇིགས་མེད་དབང་པོས་གསོལ་འདེབས་བཀའ་རྩོམ་མཛད་པ་དེ་དུས་བུ་སྟོན་དུ་སྐྱེས་པ་དྲན་པའི་ཚུལ་མཛད་ཅེས་རྒྱལ་མཁན་ཆེན་གྲགས་པ་རྒྱལ་མཚན་པའི་ཞལ་ནས་གསུང་བ་ཐོས་སོ། ༈ །སྔོན་རྒྱུད་སྨད་པ་མཐར་རྒྱས་གཞི་ག་ནས་ཀོ་གྲུ་བུབས་སྐབས་རྒྱུད་སྨད་པའི་སློབ་དཔོན་གྱིས་ཁྱོད་ཀྱང་ཚུལ་གཟིགས་ཞེས་ལྷ་མོའི་ཐང་ག་རྩང་པོར་བསྐུར་བ་གྱེན་དུ་ཁུར་ནས། རྗེ་རིན་པོ་ཆེའི་སྦྱིན་བདག་གནང་བ་སྐྱེ་ཁ་པའི་ཁྱིམ་དུ་རྗེའི་ཚེམས་གཅིག་ཡོད་པས་རྩད་པོར་བྲུབ་ནས་ཁང་པའི་འགྲམ་ལ་སློབ་ཀྱང་ཆུས་གནོད་མི་སྲིད། འོན་ཀྱང་བལྟས་པས་ཉེ་འཁོར་ཆུ་གཡས་སྐོར་ཅིག་ན་ཐང་ག་སྣན་ཤལ་ཅན་ཞིག་འོང་བ་མཐོང་ནས་ཏོག་ར་ཁང་ཚན་གྱི་དཔལ་ཤུལ་བློ་བཟང་ངམ། སྙེ་པ་མཛོ་མོ་ཟེར་བ་ལ་ལབ་པས། ཁོས་ཤ་ཟུང་ཞིག་གཏད་ནས་ཡོངས་ལ་ཁྱེར་ཤོག་དང་མ་དང་སྐྱེ་ལམ་ལེགས་པོ་ཞིག་བྱུང་ཟེར། བླང་ནས་ལྷ་མོའི་བསྐང་འདོན་པ་ཆོས་བསྒུས་ནས་ནང་དུ་གདན་དྲངས། ཕྱི་ཉིན་བྱང་རྩེ་བརྟན་བཞུགས་འབུལ་བར་གདན་དྲངས་པས་ཐང་ག་མི་འདུག ། བཙལ་བས་བྱང་རྩེའི་ལྷ་མོའི་ཁང་དུ་ཐང་ག་རྙིང་པ་ཞིག་བཀྲམ་འདུག་པ་དཀོན་གཉེར་གྱིས་མཐོང་ནས་བྱང་རྩེའི་མཁན་པོ་རྗེ་ར་གསེར་རི་ལ་ཞུས། མཁན་པོ་ཕེབས་པར། །ཁོ་མོ་འདིར་སྡོད་ཅེས་གསུང་ལན་གཉིས་བྱོན། དེའི་རྐྱེན་གྱིས་རྒྱུད་སྨད་པའི་ལྷ་མོའི་ཞལ་ཐང་དེ་ལྷ་བྱང་རྩེའི་མགོན་ཁང་དུ་བཞུགས། བལ་པོའི་འབྲུགས་པའི་དུས་བྱང་རྩེའི་རྗེ་བཙལ་དུ་མདའ་ཞིག་དང་། དྲེའུའི་རྗེས། མགོན་ཁང་མཐིལ་དུའང་རྗེས་བབས་ཟེར་བ་ཐོས་སོ། ༈ །སྒྲི་ཏིའི་ཕྱག་ཚ་བྱང་ངམ་རིང་། ཏ་ནག་རྒྱང་མཁར་ཕྱུག་པོ། ཤངས་ཆུམས་ཀྱི་ཡུལ་ནས་འོང་བ་ཐུབ་དབང་ཆེ་བ་མཁྱུད་གང་པ་ཎྜའི་རྒྱབ་ཏུ་རྒྱ་གར་གྱི་ཡི་གེ་ཕྲེང་གསུམ་ཡོད་པ་ཞིག་དང་། འབྲིང་པོ་ཐུབ་དབང་དང་། སྒྲོལ་མ་སོར་གསུམ་ལྷག་ཙམ་པ་ཎྜའི་རྒྱབ་ཀྱི་སྔགས་བོད་ཡིག་ཏུ་ཡོད་པ།

ཐུབ་དབང་ཆུང་བ་ཚུན་གང་བ། རྒྱབ་ཏུ་ཨོཾ་ཨཱཿཧཱུྃ་གསུམ་བོད་ཡིག་ཏུ་ཡོད་པ་དང་། ཡང་ཐུབ་དབང་གི་སྐུ་མཐུད་གང་ལས་ཆེ་ཙམ་གཅིག། ཐུབ་དབང་དང་སྒྲོལ་མ་མཐུད་གང་བ་རྣམས་ཡོད་འདུག་པས་རྒྱ་གར་ནས་བསྣམས་པའི་པར་རྣམས་བགྲེས་སྨྲོན་གྱིས་བོད་དུ་པར་གསར་དུ་བཞེངས་པ་དང་། ཁམས་སུ་ཡང་སྨྲི་ཏིའི་ཕྱག་ཚ་མང་པོ་ཡོད་པ་འདྲ་ཞེས་པཎ་ཆེན་དཔལ་ལྡན་ཡེ་ཤེས་ཀྱིས་གསུངས། བཀའ་གདམས་ལྷ་ཁང་དུའང་སྨྲི་ཏིའི་ཕྱག་ཚ་ཐུབ་དབང་གི་སྐུ་པར་མ་སོར་གསུམ་ལྷག་ཙམ་གཉིས་བཞུགས། ངག་རྒྱུན་ལ་སྨྲི་ཏིའི་མ་བོད་ཀྱི་ཁྱིམ་ཚང་ཞིག་གི་ཐབ་ཁའི་ནང་གི་འབུ་ཞིག་ཏུ་སྐྱེས་པས་ཁོང་ཁྱིམ་དེར་ཕེབས་ནས་གཡོག་བྱས། ཐབ་ཀྱིས་བླང་སཚྭ་དང་སྐུ་བར་བཏབ། ཕྱུག་འཚོ་བའི་ཚེ་ཐུར་མའི་རྩེ་ལ་བཙུགས་ནས་བཞག་པས་ཞབས་ན་ཤིང་ཐུར་གྱི་ཤུལ་ཡོད་པ་དེའི་རྟགས་ཡིན་ཟེར་བ་ཐོས། ལོ་རྒྱུས་གཞན་དུ་བལ་པོ་པཎྜ་ཏུ་ཙི་བྲ་བའི་ལོཙྪ་བ་མཁས་པ་ཞིག་གིས་པཎྜི་ཏ་ཕྲ་ལ་རིང་བ་དང་། སྨྲི་ཏི་གཉིས་གདན་དྲངས་ཏེ་ཕེབས་པླ་ལམ་པར་དུ་ལོ་ཙྪ་བ་སྐུ་འདས། པཎྜི་ཏ་ཕྲ་ལ་རིང་པ་བོད་དུ་ཕྱིན་འཇུག་མཛད་པ་རོང་ཟོམ་ཆོས་བཟང་ཡིན་པར་བཤད། ཁ་ཅིག་གིས་སྨྲི་ཏི་ཁམས་སུ་སྐུ་འདས་ཏེ་གཙང་སྨད་རོང་དུ་སྐུ་འཁྲུངས་པ་རོང་ཟོམ་ཆོས་བཟང་ཡིན་ཟེར་ཀྱང་བཀའ་འགྱུར་གྱི་ལུང་གི་རྒྱུད་ཡིག་ཏུ་རོང་ཟོམ་གྱིས་སྨྲི་ཏི་ལ་ཆོས་གསན་པར་བཤད་པས་ལོ་རྒྱུས་དེ་མ་དག་པ་འདྲའོ། །གང་ལྟར་སྨྲི་ཏིས་བོད་སྐད་མ་མཁྱེན་པར་རེ་ཞིག་གཙང་རྟ་ནག་ཏུ་ཁྱིམ་ཚང་ཞིག་གི་ར་ལུག་གི་རྫི་བོ་བྱས། བོད་དུ་ཕེབས་ནས་ངུ་བྲོ་བ་གསུམ་དང་། རྒོད་བྲོ་བ་གསུམ་བྱུང་། དང་པོ་ནི་ཉིན་གཅིག་འདམ་རྫབ་ཏུ་ཁྱིམ་དེའི་བུད་མེད་ཀྱི་བཞོན་སྟེགས་ལ་བཞུགས་དགོས་བྱུང་བས། ངེད་རྒྱ་གར་དུ་མཁས་དགུའི་གཙུག་ཏུ་བཀུར་བ་ལས། ད་ལྟ་བུད་མེད་ཀྱི་སྟེགས་སུ་འདུག་དགོས་བྱུང་ཞེས་ངུ་བྲོ། ར་ལུག་འཚོ་བའི་ཚེ་ཁོང་རྣལ་འབྱོར་པ་རྟེན་འབྲེལ་ལ་མངའ་བརྙེས་པ་ཡིན་པས་རྡེའུ་འགའ་ར་ལུག་གཡས་སུ་སོང་ཚེ་གཡོན་དུ་བཀྲམ། གཡོན་དུ་སོང་ཚེ་གཡས་སུ་བཀྲམ་ཞིང་ཕྱོགས་གཅིག་ཏུ་བསྡུས་པས་ཆོག་ལ། ནང་དུ་རྡེའུ་ནག་པོ་རེ་བྱུང་ན་སྤྱང་ཀི་འོང་བའི་རྟགས་ཡིན་པས། དེ་ཉིད་སོར་མོས་མནན་ན་སྤྱང་ཀི་འོང་མི་ནུས། མཚན་མོ་ཁྱིམ་དེའི་ཡོས་འཐག་དགོས་པས་ལན་གཅིག་གཉིད་དུ་སོང་སྟེ་མཆིག་གི་སྟེང་དུ་དབུ་རྒྱབ་པས་བུད་མེད་དེས། ཡོས་མ་ཐོགའམ་ཟེར། ཁོང་གིས་ང་རང་གི་མགོ་དང་ཡོས་གཉིས་ཀྱི་

གལ་ཆེ་བ་ཡོས་རེད་གསུངས་ནས་ངུ་བྲོ། ཉིན་གཅིག་བྱ་ཁྲུང་ཁྲུང་ཞིག་སྨྲག་གིས་བསད་ནས་བྱའི་རོ་ཁོང་གི་པང་དུ་ལྷུང་བས་ཕྱིད་ཀྱང་ས་མཐའི་བྱ། ང་ཡང་ས་མཐའི་མི་གསུངས་ནས་ངུ་བྲོ་བ་བྱུང་། རྒོད་བྲོ་བ་གསུམ་ནི། ཉིན་གཅིག་མི་ཕུང་གཅིག་བསྐྱིལ་ནས་བཞུགས་པར་རི་བོང་གཅིག་ཀྱང་ཁོང་ལ་མི་འཛེམ་པར་མེ་ལ་བསྲོས་ཏེ་བསྡད་པས་དར་ཅིག་གཉིད་ནས་མགོ་མེ་ནང་དུ་ཉུག་བྱས་པས་གདོང་གི་སྤུ་ཚིག་ནས་ཕྱོགས་ཕྱོགས་སུ་བརྒྱུག་པས་རྒོད་བྲོ། ལན་གཅིག་མཚོ་ཁ་ཞིག་ཏུ་བཞུགས་པས་མཚོ་དེར་གནས་པའི་ཀླུས་ཁོང་མཁས་པ་ཆེན་པོར་ཤེས་ནས་བུད་མེད་ཅིག་ཏུ་སྤྲུལ་ཏེ། སྣན་གྱི་ར་ཅོ་ཞིག་ཏུ་འོ་མ་བླུག་པ་ས་ལ་བཞག་ནས་ཕྱག་འཚལ་བའི་བར་ལ་ར་ཅོ་འདྲིལ་ཏེ་འོ་མ་ཐང་དུ་ཕོ་སོང་བས་ཁོ་ངོ་ཚ་སྟེ། ཕྱིར་བཀྱེད་ནས་སྤྲུལ་པ་ཡང་མ་བསྡུས་པར་མཚོ་ནང་དུ་ལྷུང་བས་རྒོད་བྲོ། ཉིན་གཅིག་རྒྱ་གར་ན་བཞུགས་དུས་ཀྱི་ཡོན་ཏན་རྣམས་བར་སྐབས་སུ་བརྗེད་ཡོད་ལས་ཆེ་སྐམ་དུ་དཔྱོད་པ་ལ་ཞུགས་པས་གཅིག་ཀྱང་མ་བརྗེད་པར་ཐུགས་ལ་གསལ་བས་རྒོད་བྲོ་བ་བྱུང་། ཁོང་གིས་ཁྱིམ་དེའི་ཕྱི་སྒོའི་ཡ་ཐེམ་ལ། རི་བོང་འཛིན་པ་རྒྱུ་སྐར་ཕྲེང་བ་ཅན། །མཚན་མོ་མཁའ་ལ་རྒྱུ་བ་མ་མཐོང་ནས། །དྭངས་བའི་མཚོ་ནང་འདི་ན་ཟླ་བ་ཞེས། །གཟུགས་བརྙན་ཟླ་བར་འཛིན་པ་ཤིན་ཏུ་འཁྲུལ། །ཞེས་བྲིས་ཡོད་པ་སྔོན་རྒྱ་གར་དུ་ནཱ་རོ་བ་དང་། སྨྲི་ཏི་ཛྙ་མར་བརྟེན་པའི་ལོ་ཙཱ་བ་དཔལ་སེ་ཙ་བསོད་ནམས་རྒྱལ་མཚན་ནམ། འབྱུང་གནས་རྒྱལ་མཚན་བྱ་བས་མཐོང་སྟེ་བླ་མའི་ཕྱག་བྲིས་སུ་ངོ་ཤེས་ནས་འདི་སུས་བྲིས་དྲིས་པར། ངེད་ཀྱི་ཨ་བོ་ཐང་རྗེད་ཀྱིས་བྲིས་ཟེར། ད་ལྟ་ག་ན་ཡོད་དྲིས་པས། ར་རྫི་ལ་སོང་ཟེར། དེར་ལོ་ཙཱ་བས་མཇལ་ཁྱིམ་དེར་གསེར་ཕྱིན་ནས་བླུས། རང་ཡུལ་དུ་སྤྱན་དྲངས་ཏེ་འཕྲིན་ལས་རྒྱས། བཞུགས་པར་ཞུས་ཀྱང་མ་གནང་བར་ཁམས་སུ་ཕེབས། གཞུང་མང་པོ་རང་འགྱུར་མཛད། མཚན་བརྗོད་འགྲེལ་བ་སྔགས་དོན་རྣམ་གཟིགས་དང་། མངོན་པ་མཛོད་སོགས་སྡེ་སྣོད་དུ་མའི་བཤད་ཉན་དང་། ཕྱིས་བོད་སྐད་ལ་བྱང་སྟེ། བྱང་ཆུབ་སེམས་འགྲེལ་གྱི་རྣམ་བཤད་དང་། སྨྲ་སྒོ་མཚོན་ཆ་སོགས་བརྩམས་པར་གྲགས། དབང་མོའི་ཚིགས་གསུམ་གསལ་བར་སྨྲ་སྒོ་ནི་བོད་ཀྱིས་བྲིས་པའི་ཁ་གཡར་ལས་རྒྱ་གར་གྱི་པཎྜི་ཏས་མཛད་པ་མིན་པའི་ཤེས་བྱེད་མང་དུ་བཀོད་འདུག །འབྲོམ་སྟོན་པ་ཁམས་སུ་བླ་མ་སེ་བཙུན་གྱི་དྲུང་ན་བཞུགས་དུས་པཎྜི་ཏ་སྨྲིའི་ཚེར་མ་ཅན་ཞེས་པ་དྲན་པ་ཡེ་ཤེས་གྲགས་པ་ལས་སྒྲ་བསླབ་ཅིས

པའང་པཎྜི་ཏ་འདི་ཉིད་ཡིན། ཕྱིས་ཁམས་སུ་སྐྱུ་འདས་པས་ཡང་འདུལ་གྱི་ལྷ་ཁང་བཞིའི་ནང་ཚན་ལྡན་གྱི་གློང་ཐང་སྒྲོལ་མའི་ཉེ་འཁོར་དྲུན་ཐང་དགོན་དུ་པཎྜི་ཏ་སྨྲི་ཏིའི་གདུང་འབུམ་མཆོད་རྟེན་ཆེན་མོ་ན་བཟའི་དུམ་བུ་ཚུན་ཆད་ལ་ཚུལ་ཁྲིམས་ཀྱི་དྲི་ངད་ལྡང་ཞིང་། གདོན་བགེགས་ཀྱི་ཉེར་འཚེ་ལས་སྐྱོབ་པའི་བྱིན་ཅན་བཞུགས་ཞེས་ཐོས་བྱིང་། རྒྱལ་དབང་བསོད་ནམས་རྒྱ་མཚོ་བྱང་ཕྱོགས་སུ་ཕེབས་པའི་ལམ་བར་ནས་སྨྲི་ཏིའི་མཆོད་རྟེན་མཇལ་ཚུལ་རྣམ་ཐར་དུ་འདུག་གོ ། ད་དུང་ལོ་རྒྱུས་གཞན་དག་ཀྱང་སྦྱོ་བར་སྤྱོབས་མེད་ཀྱི་རེ་ཞིག་དེ་ཙམ་དྲན་ཐོར་བྱས་སོ། །སྨྲས་པ། རྒྱལ་བའི་འཕྲིན་ལས་གཟུགས་ཅན་དུ། །ཤར་བའི་སྐུ་བརྙན་བྱིན་ཅན་འགའི། །ངོ་མཚར་ཡིད་ཀྱི་མེ་ལོང་དུ། །བཀྲ་བ་ཡི་གེའི་རིས་སུ་འཕོས། །དད་འདུན་མོས་གུས་ཀྱིས་བསྐུལ་ཏེ། །མཆོག་གསུམ་སྐུ་གསུང་ཐུགས་རྟེན་ལ། །ལྷག་པར་བྱ་བ་བྱེད་བརྩོན་པའི། །གཟུར་གནས་བློ་ལྡན་དེ་བསྡུགས་འོས། །ཐུབ་པའི་རས་བྲིས་མཐོང་བ་དང་། །མཚན་ཙམ་ཐོས་པས་དོན་ལྡན་པ། །སྒྲ་སྒྲོགས་སྐྱེ་བོའི་ཚོགས་བཞིན་དུ། །རྟུལ་བྲལ་ཆོས་མིག་མྱུར་ཐོར་ཤོག ། ཅེས་ཇོ་བདག་ཉིད་ཆེན་པོ་སོགས་ཀྱི་སྐུ་བརྙན་བྱིན་ཅན་འགའ་ཞིག་གི་ལོ་རྒྱུས་ཙུང་ཟད་བརྗོད་པ་མཉན་པར་འོས་པའི་གཏམ་གྱི་ཕྲེང་བ་ཞེས་བྱ་བ་འདི་ཡང་། བཙུན་གཟུགས་ཤེས་རབ་རྒྱ་མཚོས་ཆོས་རྗེ་ཆེན་པོ་བཀྲ་ཤིས་འཁྱིལ་གྱི་རང་སྤྱིལ་ནས་བྲིས་བ་ལ་ངག་སྒྲོས་མ་དག་པའང་ཡོད་སྲིད་པས་ཐུགས་ཁྲེལ་མི་མཛད་པར་ཞུ་ལགས། །

༄༅། །བླ་མ་མཆོད་པའི་ཚོགས་མཆོད་བཞུགས་སོ།

༄༅། །ཨོཾ་ཨཱཿཧཱུྃ། ལན་གསུམ། ངོ་བོ་ཡེ་ཤེས་ལ་རྣམ་པ་ནང་མཆོད་དང་མཆོད་རྫས་སོ་སོའི་རྣམ་པ་བྱེད་ལས་དབང་པོ་དྲུག་གི་སྤྱོད་ཡུལ་དུ་བདེ་སྟོང་གི་ཡེ་ཤེས་ཁྱད་པར་ཅན་བསྐྱེད་པས་ས་དང་པར་སྣང་ནམ་མཁའི་ཁྱོན་ཐམས་ཅད་ཡོངས་སུ་ཁྱབ་པའི་ཕྱི་ནང་གསང་བའི་མཆོད་སྤྲིན་དམ་རྫས་སྤྱན་གཟིགས་བསམ་གྱིས་མི་ཁྱབ་པས་གང་བར་གྱུར། རང་ལྷའི་རྣལ་འབྱོར་དང་ལྡན་པའི་སྒོ་ནས། ཨེ་མ་ཧོ་ཡེ་ཤེས་རོལ་པ་ཆེ། །ཞིང་ཁམས་ཐམས་ཅད་རྡོ་རྗེའི་ཞིང་། གནས་རྣམ་རྡོ་རྗེའི་ཕོ་བྲང་ཆེ། ཀུན་བཟང་མཆོད་སྤྲིན་རྒྱ་མཚོ་འབར། ལོངས་སྤྱོད་འདོད་དགུའི་དཔལ་དང་ལྡན། བཅུད་རྣམས་དཔའ་བོ་དཔའ་མོ་དངོས། མ་དག་འཁྲུལ་བའི་མིང་ཡང་མེད། དག་པར་རབ་འབྱམས་འབའ་ཞིག་གོ །ཧཱུྃ། སྤྲོས་ཀུན་ཉེར་ཆོས་སྐུའི་ངང་། རླུང་མེ་གཡོ་ཞིང་འབར་བའི་སྟེང་། །མི་མགོ་སྒྱིད་བུ་གསུམ་གྱི་ཁར། །ཨཱཿམཚན་ལྡན་ཐོད་པ་ཀཱ་པ་ལར། ཨོཾ་རྫས་རྣམས་སོ་སོར་ཕྱར་བར་གྱུར། དེ་དག་སྟེང་གནས་ཨོཾ་ཨཱཿཧཱུྃ། ཁ་དོག་གཟི་བརྗིད་སོ་སོར་འབར། །རླུང་གཡོས་མེ་འབར་རྫས་རྣམས་ཞུ། ཁོལ་བས་རླངས་པ་ཆེར་གཡོས་པས། ཡི་གེ་གསུམ་ལས་འོད་ཟེར་ཚོགས། ཕྱོགས་བཅུར་འཕྲོས་པས་རྡོ་རྗེ་གསུམ། བདུད་རྩིར་བཅས་རྣམས་སྤྱན་དྲངས་ནས། སོ་སོའི་ཡི་གེ་གསུམ་ཐིམ་པས། བདུད་རྩིར་ཞུས་ནས་བཅུད་དང་འདྲེས། །སྦྱངས་རྟོགས་སྦར་བྱས་ཨེ་མ་ཧོ། འདོད་དགུའི་དཔལ་འབར་རྒྱ་མཚོར་འགྱུར། ཨོཾ་ཨཱཿཧཱུྃ། ལན་གསུམ། ཐུགས་རྗེའི་བདག་ཉིད་རྩ་བརྒྱུད་བླ་མ་དང་། ཡི་དམ་ལྷ་ཚོགས་སྐྱབས་གནས་དཀོན་མཆོག་གསུམ། དཔའ་བོ་མཁའ་འགྲོ་ཆོས་སྐྱོང་སྲུང་མའི་ཚོགས། །སྤྱན་འདྲེན་མཆོད་པའི་གནས་འདིར་གཤེགས་སུ་གསོལ། ཕྱི་ནང་གསང་བའི་མཆོད་སྤྲིན་རྒྱ་མཚོའི་དབུས། །རིན་ཆེན་ལས་གྲུབ་མཛེས་པའི་གདན་ཁྲི་ལ། ཞབས་སེན་འོད་ཆགས་བརྟན་པར་བཞུགས་ནས་ཀྱང་། གྲུབ་མཆོག་བདག་ལ་

འདོད་དགུའི་དངོས་གྲུབ་སྩོལ། །དེ་ནས་ཚོགས་མཆོད་འབུལ་བ་ནི། ལས་ཀྱི་རྡོ་རྗེས་ཕུད་རྣམས་བསྡུས་ཏེ་སྣོད་དུ་བསགས་ནས་མཆེ་སོགས་ཀྱི་སྟེང་དུ་བཞག་སྟེ། ཕྱག་གསུམ་བཅལ་ནས། དཔའ་བོ་ཆེན་པོ་ཚོགས་དང་པོ་བྱིན་གྱིས་བརླབ་ཏུ་གསོལ། །དེ་བཞིན་དུ་ལྷག་མའི་བར་རེ་རེ་ལ་དེ་ལྟར་བྱའོ། སློབ་དཔོན་གྱིས་གཙོ་མཛད་རིག་འཛིན་པ་རྣམས་ཀྱིས་མགྲིན་གཅིག་ཏུ། ཧོ་ཏིང་འཛིན་སྔགས་དང་ཕྱག་རྒྱས་བྱིན་རླབས་པའི། ཟག་མེད་བདུད་རྩིའི་ཚོགས་མཆོད་རྒྱ་མཚོ་འདི། རྩ་རྒྱུད་བླ་མའི་ཚོགས་རྣམ་མཉེས་ཕྱིར་འབུལ། ཨོཾ་ཨཱཿཧཱུྃ། འདོད་དགུའི་དཔལ་ལ་རོལ་པས་ཆོམ་མཛད་ནས། ཨེ་མ་ཧོ་བྱིན་བརླབས་ཆར་ཆེན་དབབ་ཏུ་གསོལ།༔ །ཧོ་ཏིང་འཛིན་སྔགས་དང་ཕྱག་རྒྱས་བྱིན་རླབས་པའི། །ཟག་མེད་བདུད་རྩིའི་×ཡི་དམ་ལྷ་ཚོགས་འཁོར་བཅས་མཉེས་ཕྱིར་འབུལ། །ཨོཾ་ཨཱཿཧཱུྃ། །འདོད་དགུའི་×ཨེ་མ་ཧོ་དངོས་གྲུབ་ཆར་ཆེན་དབབ་ཏུ་གསོལ།༔ །ཧོ་ཏིང་འཛིན་×ཟག་མེད་བདུད་རྩིའི་×དཀོན་མཆོག་རིན་ཆེན་ཚོགས་རྣམས་མཉེས་ཕྱིར་འབུལ། །ཨོཾ་ཨཱཿཧཱུྃ། འདོད་དགུའི་×ཨེ་མ་ཧོ་དམ་ཆོས་ཆར་ཆེན་དབབ་ཏུ་གསོལ།༔ །ཧོ་ཏིང་འཛིན་×ཟག་མེད་བདུད་རྩིའི་×མཁའ་འགྲོ་ཆོས་སྐྱོང་ཚོགས་རྣམས་མཉེས་ཕྱིར་འབུལ། །ཨོཾ་ཨཱཿཧཱུྃ། འདོད་དགུའི་×ཨེ་མ་ཧོ། འཕྲིན་ལས་ཆར་ཆེན་འབབ་ཏུ་གསོལ།༔ །ཧོ་ཏིང་འཛིན་×ཟག་མེད་བདུད་རྩིའི་×མར་གྱུར་སེམས་ཅན་ཚོགས་རྣམས་མཉེས་ཕྱིར་འབུལ། །ཨོཾ་ཨཱཿཧཱུྃ། འདོད་དགུའི་×ཨེ་མ་ཧོ་འཁྲུལ་སྣང་སྡུག་བསྔལ་ཞི་གྱུར་ཅིག །དེ་ནས་གནམ་ཕུད་བཅད་དེ་གཏོར། དེ་ནས་ལས་ཀྱི་རྡོ་རྗེས་སློབ་དཔོན་ལ་འབུལ་བ་ནི།༔ཨེ་མ་ཧོ་ཚོགས་ཀྱི་འཁོར་ལོ་ཆེ། །དུས་གསུམ་བདེ་གཤེགས་གཤེགས་ཤུལ་ཏེ། །དངོས་གྲུབ་མ་ལུས་འབྱུང་བའི་གནས། དེ་ལྟར་ཤེས་ནས་དཔའ་བོ་ཆེ། །རྣམ་པར་རྟོག་པའི་སེམས་པོར་ནས། །ཚོགས་ཀྱིས་འཁོར་ལོ་རྒྱུན་དུ་རོལ། ཨ་ལ་ལ་ཧོ། སློབ་དཔོན་ལ་འཕུལ་ནས་སློབ་དཔོན་གྱིས། ༔ཨོཾ་རྡོ་རྗེ་གསུམ་དབྱེར་མེད་པའི་བདག །རང་ཉིད་བླ་མ་ལྷར་གསལ་ནས། །ཨཱཿཟག་མེད་ཡེ་ཤེས་བདུད་རྩི་འདི། ཧཱུྃ་བྱང་ཆུབ་སེམས་ལས་གཡོ་མེད་པར། ལུས་གནས་ལྷ་རྣམས་ཚིམ་ཕྱིར་རོལ། །ཨ་ཧོ་མ་ཧཱ་སུ་ཁ། དེ་ནས་ལྷག་གཏོར་རྣམས། ཧཱུྃ་མ་དག་འཁྲུལ་སྣང་དབྱིངས་སུ་དག །ཨཱཿཡེ་ཤེས་ལས་གྲུབ་བདུད་རྩི་ཆེ། ཨོཾ་འདོད་དགུའི་རྒྱ་མཚོ་ཆེན་པོར་གྱུར། ཨོཾ་ཨཱཿཧཱུྃ། ལན་གསུམ། ༔ ཧོ་

ཏིང་འཛིན་སྟོབས་དང་ཕྱག་རྒྱས་བྱིན་རླབས་པའི། །ཟག་མེད་བདུད་རྩི་ཚོགས་ལྷག་རྒྱ་མཚོ་འདི། །དམ་ཅན་ཞིང་སྐྱོང་ཚོགས་རྣམས་མཉེས་ཕྱིར་འབུལ། །ཨོཾ་ཨཱཿཧཱུྃ། འདོད་དགུའི་དཔལ་ལ་རོལ་པས་ཚིམ་མཛད་ནས། །ཨེ་མ་ཧོ་རྣལ་འབྱོར་འཕྲིན་ལས་ཚུལ་བཞིན་སྒྲུབས། །ཧོ་ལྷག་མའི་མགྲོན་རྣམས་འཁོར་བཅས་ཀྱིས། །ཚོགས་ལྷག་རྒྱ་མཚོ་འདི་བཞེས་ལ། །བསྟན་པ་རིན་ཆེན་རྒྱས་པ་དང་། །བསྟན་འཛིན་ཡོན་མཆོད་འཁོར་བཅས་དང་། །ཁྱད་པར་རྣལ་འབྱོར་བདག་ཅག་ལ། །ནད་མེད་ཚེ་དང་དབང་ཕྱུག་དང་། །ཞིས་པ་ནས། ཡིད་ལ་འདོད་པ་ཀུན་འགྲུབ་ཤོག །ཅེས་བརྗོད། མཁས་གྲུབ་སངས་རྒྱས་ཡེ་ཤེས་ཀྱིས་མཛད་པའོ། །བཀྲ་ཤིས། །

༄༅། །བཅོམ་ལྡན་འདས་རིག་བྱེད་མའི་སྒྲུབ་ཐབས་དངོས་གྲུབ་ཀུན་གྱི་འབྱུང་གནས་ཞེས་བྱ་བ་བཞུགས་སོ།

༄༅། །ན་མོ་གུ་རུ་ཀུལླེ་ཡེ། བཅོམ་ལྡན་འདས་རིག་བྱེད་མ་སྒྲུབ་པའི་ཐབས་ཉམས་སུ་ལེན་པ་ལ། སྔོན་འགྲོ་རྣམས་སྤྱི་ལྟར་བྱས་ཏེ། དངོས་གཞི་འདི་ལྟར། སྭབྷཱ་ཤས་སྟོང་པར་སྦྱངས། སྟོང་པའི་ངང་ལས་བདེ་ཆེན་རྒྱས་པའི་ཆོས་འབྱུང་གི་དབུས་སུ་པཾ་ལས་པདྨ་དང་རཾ་ལས་ཉི་མའི་དཀྱིལ་འཁོར་གྱི་སྟེང་དུ་རང་གི་སེམས་ཉིད་ཧྲཱིཿདམར། དེ་ལས་འོད་འཕྲོས། སེམས་ཅན་ཐམས་ཅད་ཀྱི་དབུལ་འཕོངས་དང་མ་དད་པའི་ཉེས་པ་ཐམས་ཅད་བསལ། ཚུར་འདུས་ཡོངས་སུ་གྱུར་པ་ལས། རང་ཉིད་རྗེ་བཙུན་མ་ཀུ་རུ་ཀུལླེ་སྐུ་མདོག་དམར་མོ་ཞལ་གཅིག་ཕྱག་བཞི་མ། ཕྱག་དང་པོ་གཉིས་ཀྱིས་རིན་པོ་ཆེའི་མདའ་དང་གཞུ་སྦྱར་ཏེ་རྔ་བའི་དྲང་དུ་འགེངས་པ། གཡས་ཀྱི་གཉིས་པ་ན་རིན་པོ་ཆེའི་ལྕགས་ཀྱུ་དང་། གཡོན་གྱི་གཉིས་པ་ན་རིན་པོ་ཆེའི་ཨུཏྤ་ལ་དམར་པོའི་ཞགས་པ་བསྣམས་པ། སྤྱན་གསུམ་འབར་བ། ལྷུགས་འདྲིལ་ཞིང་མཆེ་བ་གཙིགས་པ་འཛུམ་ཁྲོའི་ཚུལ་ཅན། སྨིན་མ་དང་སྨ་ར་དམར་སེར་འབར་བ། དབུ་སྐྲ་ཁམས་སེར་གྱེན་དུ་བརྫེས་ཤིང་། ཕྱག་རྒྱ་ལྔས་བརྒྱན་པ། ཞབས་གཡས་བསྐུམས་ཤིང་གཡོན་བརྐྱངས་པའི་གར་སྟབས་ཀྱིས་ཡེ་ཤེས་ཀྱི་མེ་རབ་ཏུ་འབར་བའི་དབུས་ན་བཞུགས་པ། དེའི་སྤྱི་བོར་ཨོཾ། མགྲིན་པར་ཨཱཿ ཐུགས་ཀར་ཧཱུྃ། ཐུ་ཐྲག་ཏུ་ཧྲཱིཿ ཧྲཱིཿ ལས་འོད་འཕྲོས་ལྷོ་ཕྱོགས་ཀུ་རུ་ཀུལླེའི་རི་ནས་རྗེ་བཙུན་མ་ཡེ་ཤེས་པ་སྤྱན་དྲངས། ཛཿ ཧཱུྃ་བཾ་ཧོཿ རང་ལ་ཐིམ་པས་གཉིས་སུ་མེད་པར་གྱུར། སླར་ཡང་ཧྲཱིཿ ལས་འོད་འཕྲོས། རིགས་ལྔ་འཁོར་བཅས་སྤྱན་དྲངས། ཁྱེད་རྣམས་ཀྱིས་བདག་ལ་མངོན་པར་དབང་བསྐུར་དུ་གསོལ། ཞེས་གསོལ་བ་བཏབ་པས། ཨོཾ་བཛྲ་ཏ་ཐཱ་ག་ཏ་ཨབྷི་ཥི་ཀ་ཏ་ས་མ་ཡ་ཤྲཱི་ཡེ་ཧཱུྃ། ཞེས་དབང་བསྐུར། ལུས་གང་། དྲི་མ་དག ཆུའི་ལྷག་མ་སྤྱི་གཙུག་ཏུ་འཁྱིལ་བ་ལས་འོད་དཔག་མེད་ཀྱིས་དབུ་བརྒྱན་

པར་གྱུར། མཆོད་པ་བྱིན་གྱིས་རླབས། ཨོཾ་ཀུ་རུ་ཀུལླེ་ས་པ་རི་ཝཱ་ར་ཨརྒྷཾ་པྲ་ཏཱིཙྪ་ཧཱུཾ་སྭཱཧཱ།
ཞེས་པ་ནས། ཤབྡའི་བར་གྱིས་མཆོད། ཧྲཱིཿ ལས་བྱུང་བའི་ལྷ་མོ་ནི། །ཁ་དོག་དམར་ཞིང་
ཕྱག་བཞི་མ། །མདའ་དང་གཞུ་ཡི་འགེང་པ་མ། །ཨུཏྤལ་ལྕགས་ཀྱུ་བསྣམས་ལ་འདུད། །
ཁྱོད་ནི་དབྱིངས་ལས་མ་གཡོས་ཤིང་། །འགྲོ་བ་དགའ་བའི་གཟུགས་འཛིན་མ། །ཟག་མེད་
བདེ་སྟེར་ལྷ་མོ་མཆོག །འགུགས་མཛད་ཁྱོད་ལ་ཕྱག་འཚལ་ལོ། །དེ་ནས་བསྙེན་པ་ནི།
རང་གི་ཐུགས་ཀར་ཟླ་བའི་དཀྱིལ་འཁོར་གྱི་སྟེང་དུ་ཧྲཱིཿ ཡིག་གི་མཐར་བཟླ་བྱའི་སྔགས་ཀྱིས་
བསྐོར་བ་ལས་འོད་ཟེར་དམར་པོ་ལྕགས་ཀྱུ་ལྟ་བུ་ཁམས་གསུམ་ཐམས་ཅད་ཁྱབ་པར་འཕྲོས།
སེམས་ཅན་ཐམས་ཅད་བདག་གི་དབང་དུ་བསྡུས། དགོས་འདོད་ཐམས་ཅད་ཆར་བཞིན་དུ་
འབབ་པར་བསམས་ལ། ཡིད་མ་གཡེང་བར། ཨོཾ་ཀུ་རུ་ཀུལླེ་ཧྲཱིཿ སྭཱཧཱ། ཞེས་བཟླའོ། །
ཐུན་གྱི་མཐར་གཏོར་མ་འབུལ་ན། གཏོར་མ་དཀར་གསུམ་མངར་གསུམ་བཤམས་ཆབ་བྲན།
ཨོཾ་ཨཱཿ ཧཱུཾ་གིས་བྱིན་གྱིས་རླབས། མདུན་དུ་རྗེ་བཙུན་མ་སྔར་བཞིན་བསྐྱེད། ལྗགས་རྡོ་རྗེའི་
སྦུ་གུ་ཅན་གྱིས་གཏོར་མའི་བཅུད་ཐམས་ཅད་དྲངས་ཏེ་གསོལ་བར་བསམས་ལ། སྔགས་ཀྱི་
མཐར། བ་ལིཾ་ཏ་བཏགས་ལ་ལན་གསུམ་གྱིས་འབུལ། ཨརྒྷཾ་སོགས་ཀྱིས་མཆོད། དེ་ནས།
བདེ་ཆེན་རྒྱས་པའི་ཆོས་འབྱུང་དབུས་སུ། །པཾ་ལས་པདྨ་ཉིན་བྱེད་སྟེང་དུ། ཧྲཱིཿ ལས་
འཁྲུངས་པའི་དབང་གི་ལྷ་མོ། །བཅོམ་ལྡན་སྒྲོལ་མ་ཁྱོད་ལ་བསྟོད་དོ། །སྐུ་མདོག་དམར་མོ་
ཞལ་གཅིག་ཕྱག་བཞི། །འབར་བའི་སྤྱན་གསུམ་དབུ་སྐྲ་གྱེན་བརྫེས། །གཡས་བསྐུམ་གཡོན་
བརྐྱང་ཞབས་གཉིས་གར་སྟབས། །མཛེས་སྡུག་ལྷ་མོའི་སྐུ་ལ་ཕྱག་འཚལ། །རབ་བརྗིད་
ཧྲཱིཿ ཡི་སྒྲ་ཆེན་བསྒྲགས་ཚེ། །འཇིག་རྟེན་གསུམ་གྱི་ལེགས་ཚོགས་མ་ལུས། །སྐད་ཅིག་
གཅིག་གིས་དབང་དུ་སྡུད་མཛད། །མཛེས་སྡུག་ལྷ་མོའི་གསུང་ལ་ཕྱག་འཚལ། །ཤེས་དང་
ཤེས་བྱའི་སྒྲིབ་ཀུན་བྲལ་ཡང་། །ཇི་ལྟ་ཇི་སྙེད་ཤེས་བྱ་ཀུན་ལ། །གང་གི་མཁྱེན་པས་མངོན་
སུམ་ཁྱབ་མཛད། །སྒྲིབ་བྲལ་ལྷ་མོའི་ཐུགས་ལ་ཕྱག་འཚལ། །དབང་གི་ལྷ་མོ་རྗེ་བཙུན་སྒྲོལ་
མ། །མཆོད་བསྟོད་རྒྱུན་དུ་བསྟེན་པའི་མཐུ་ཡིས། །ཕན་བདེའི་འབྱུང་གནས་བསྟན་པ་
རྒྱས་ཤིང་། །ལུས་ཅན་ཀུན་ལ་རོལ་ལྡན་མཛོད་ཅིག །དེང་ནས་བཟུང་སྟེ་ཚེ་རབས་ཀུན་
ཏུ། །ལྷག་པའི་ལྷ་མོ་ཁྱོད་དང་མི་འབྲལ། །མང་ཐོས་དུར་སྒྲིག་འཛིན་པའི་རྟེན་གྱིས། །

ཐུབ་བསྟན་འཛིན་པའི་མཆོག་ཏུ་མཛོད་ཅིག །ཅེས་བསྟོད་པ་དང་། འདོད་དོན་ཞུ་བ་སྨོན་ལམ་བཏབ་པ་སོགས་མཇུག་སྤྱི་ལྟར་བྱ། སྤྱོད་ལམ་ཀུན་ཏུ་བཅོམ་ལྡན་འདས་མའི་ང་རྒྱལ་དང་མ་འབྲལ་བར་དགེ་བ་ལ་འབད་པར་བྱའོ། །ཞེས་པ་འདི་ནི་ལྷག་པའི་ལྷ་མོ་འདི་ཉིད་ལ་མི་ཕྱེད་པའི་དད་པ་ཐོབ་དང་ཤཱཀྱའི་བཙུན་པ་བསོད་ནམས་གྲགས་པའི་དཔལ་གྱིས་སྦྱར་བ་དགེ་བར་གྱུར་ཅིག། ། །།

༄༅། །ལྷ་གཅིག་རྡོ་རྗེ་འཆང་ཡེ་ཤེས་དོན་གྲུབ་བསྟན་པའི་རྒྱལ་མཚན་དཔལ་བཟང་པོའི་རང་གི་སྤྱོད་ཚུལ་གྱི་རྣམ་བཤད་ཚེ་འདིའི་སྣང་གཉིད་སདས་བྱེད་ཡིད་བཞིན་ནོར་བུ་ཞེས་བྱ་བ་བཞུགས་སོ།

༄༅། །ན་མོ་གུ་རུ་མཉྫུ་ཤྲཱི་བཛྲ་ཡེ། རང་གི་གདུལ་བྱ་ཡེ་ཤེས་ཀྱིས་གཟིགས་ཤིང་། །དོན་གཉིས་མཐར་ཕྱིན་གྲུབ་ཐོབ་ཚུལ་བསྟན་ཏེ། །རྗེས་འཇུག་རྣམས་ལ་སླར་ཡང་བཀའ་གདམས་པའི། །སྲོལ་བཟང་པོ་ཡི་རྒྱལ་མཚན་ཚུགས་ལ་འདུད། །འདིར་སྟོན་ཕྱིན་དམ་པའི་རྣམ་ཐར་རྗེས་འཇུག་གདུལ་བྱའི་ཉམས་ལེན་དུ་གསུངས་པས་མཁས་བཙུན་བཟང་གསུམ་གྱི་སྒོ་ནས་འགྲན་ཟླ་དང་བྲལ་བ་ལྷའི་བཙུན་པ་ཡེ་ཤེས་དོན་གྲུབ་བསྟན་པའི་རྒྱལ་མཚན་ཞེས་མཚན་གྱི་བ་དན་ས་གསུམ་དུ་གྲགས་པ་གང་དེའི་གསུང་རྩོམ་རང་གི་སྤྱོད་ཚུལ་མདོར་བསྡུས་འདིར་འཆད་པར་བྱ་བའི་ཆོས་སོ། །དེ་ཡང་ཇི་སྐད་དུ། སྔོན་གྱི་ལས་ཀྱིས་འཁོར་བར་འཁོར། །འདོད་ཡོན་ལྷ་ལ་བག་མེད་སྤྱོད། །བླ་མའི་དྲིན་གྱིས་སུན་ཕྱུང་བ། །ཁྱིམ་པར་འཁྱམས་པའི་སྤྱོད་ཚུལ་ཡིན། །ཞེས་བྱུང་། དོན་ནི། སྔོན་གྱི་སྨོན་ལམ་དང་ལས་བཟང་པོ་བོད་དང་ཧོར་གྱི་ཡུལ་དུ་སྨིན་པའི་དུས་ལ་བབས་པར་གཟིགས་ནས་འཁོར་བ་སྡུག་བསྔལ་གྱི་རང་བཞིན་དུ་མཐོང་ཡང་བཟོད་དུ་མེད་པའི་སྙིང་རྗེའི་དབང་གིས་འཁོར་བའི་གནས་ནས་མན་ཤོག་གི་རྒྱ་སག་དོ་རས་དར་ཧན་ཧུན་ཞང་ཧོར་ཆིང་གིར་རྒྱལ་པོའི་རིགས་བརྒྱུད་ཡབ་དཔལ་མཆོག ཡུམ་དཔལ་མོ་གཉིས་ཀྱི་སྲས་གཉིས་པར་ཕྱི་བ་ལོར་སྐུ་འཁྲུངས་ཤིང་། ཡབ་ཡུམ་གཉིས་ཀྱིས་འཇམ་དཔལ་རྡོ་རྗེ་ཞེས་མཚན་གསོལ་ནས་གཅེས་པར་བསྐྱང་སྟེ། དགུང་ལོ་བདུན་ནས་རིམ་གྱིས་སོག་ཡིག་མན་ཇུ་ཡི་གེ་རྒྱ་ཡིག་སོགས་ལ་བསྐྱང་ཞིང་མཁས་པར་གྱུར། དགུང་ལོ་བཅུ་དྲུག་ཐོག་མི་རྗེ་བདག་པོའི་ཞབས་ཕྱིར་མོ་རིན་ཨབ་ལ་ཕེབས་ཤིང་ཞབས་

ཕྱིས་ལེགས་པར་ཞུས་པ་ལ་གོང་མ་ཆེན་པོ་བསྟུགས་སྨོན་རྒྱལ་པོས་རྨ་བྱའི་མདངས་དང་། ཀོ་ཆག་ཨམ་བན་གནང་ཞིང་ནང་བློན་བྱས། དགུང་ལོ་བཅུ་དགུའི་ཐོག་ཡབ་ཡུམ་གཉིས་ཀྱིས་ཧར་ཆེན་ཞང་གི་བུ་མོ་བཙུན་མོར་ཞུས་ཏེ། ཁབ་ཏུ་བཞེས་ཤིང་རིགས་ཀྱི་སྲས་གཉིས་མངའ། དགུང་ལོ་ཉི་ཤུ་རྩ་གསུམ་ཐོག་རྩིས་ཐང་མཁན་པོ་ངག་དབང་ཤེས་རབ་ཀྱི་ཞབས་དྲུང་དུ་བྱང་ཆུབ་ལམ་གྱི་རིམ་པའི་ཁྲིད་ཞུས་པས་ཡིད་འགྱུར་གྱི་སྐྱོང་བ་ཐོན་ཞིང་ཐུགས་སུན་ཕྱུང་སྟེ། རྒྱ་ཆེར་རོལ་བ་ལས། འདོད་པའི་ཡོན་ཏན་སྐད་ཅིག་ཡ་མ་བརླ། །སྒྱུ་མ་སྨིག་རྒྱུ་འདྲ་ཞིང་བརྫུན་པ་ཅན། །ཆུ་བུར་དབུ་བ་ལྟ་བུར་ཡང་དག་མིན། །ཡོངས་སུ་བརྟག་ལས་བྱུང་བར་མཁས་པས་རྟོགས། །ཅེས་པས་སྤྱར་འདོད་ཡོན་ལྷ་ལ་བག་མེད་སྤྱོད་པ་ལ་སྐྱོ་བ་སྐྱེས་ཏེ། སྐྱེས་རབས་ལས། བདག་ནི་ཁྱིམ་ལ་ཆགས་བཞིན་དུ། །འཆི་བའི་དགྲ་ཡིས་སྐྲེའུ་རེ་བསད། །དེ་བས་ཕན་པའི་ལམ་བཟང་པོས། །བདག་ནི་རབ་ཏུ་འབྱུང་བར་འདོད། །ཅེས་པས་རབ་ཏུ་བྱུང་བར་འདོད་ཀྱང་གནས་སྐབས་ཁྱིམ་དོར་མི་ཐུབ་པར་འཁྲམས་ཏེ། སྤྱོད་ཚུལ་ནི། རང་ས་བཅུ་པའི་བྱང་ཆུབ་སེམས་དཔའ་ཡིན་པས་ཁྱིམ་པར་འཁྲམས་མི་དགོས་ཀྱང་སེམས་ཅན་གྱི་དོན་དུ་དེ་ལྟ་བུའི་ཚུལ་བསྟན་པར་གསུངས་ཏེ། འོག་མ་རྣམས་ལའང་སྤྱིར་ཤེས་པར་བྱའོ། །སྟོན་པའི་ནམ་ཐར་རྗེས་བློས་ནས། །ངེས་འབྱུང་བཅོས་མའི་བཅོས་མ་ཡིས། །ཐུབ་པའི་བསྟན་ལ་རིམ་ཞུགས་ནས། །རབ་ཏུ་བྱུང་བའི་སྤྱོད་ཚུལ་ཡིན། །དེ་ཡང་སྐྱེས་རབས་ལས། གལ་ཏེ་ཆོས་སྤྱོད་ཁྱིམ་གྱི་སོ་ནམ་འཚོར། །ཁྱིམ་ལ་ཕྱོགས་ན་ཆོས་ཀྱང་ག་ལ་གྲུབ། །ཆོས་ཀྱི་ལམ་ནི་རབ་ཏུ་ཞི་བ་ཡིན། །ཁྱིམ་གྱི་དོན་ནི་དྲག་ཤུལ་ཅན་གྱིས་འགྲུབ། །དེ་བས་ཆོས་དང་འགལ་བའི་སྐྱོན་ཡོད་ཕྱིར། །བདག་ལ་ཕན་འདོད་སུ་ཞིག་ཁྱིམ་ན་གནས། །ཆོས་ནི་བདེ་ལ་ཆགས་པ་སྤོང་བ་ཡིན། །བདེ་བ་གྲུབ་པའང་ངེས་པ་ཡོད་མ་ཡིན། །གདོན་མི་ཟ་བར་གྲགས་པ་མེད་པར་འགྱུར། །ཡིད་ལ་གདུང་བ་སྐྱེ་ཞིང་ངན་འགྲོར་ལྟུང་། །དེ་བས་ཆོས་དང་འགལ་བའི་བདེ་བའི་ཐབས། །ཚུལ་ལ་མཁས་པ་རྣམས་ཀྱིས་མི་སྨྲབ་བོ། །ཞེས་པས་དགུང་ལོ་ཉི་ཤུ་ལྔའི་ཐོག་ངེས་འབྱུང་གི་བསམ་པ་ཤུགས་དྲག་པོ་སྐྱེས་ཀྱང་རང་གི་ཁེངས་བསྐྱུང་བའི་ཕྱིར་བཅོས་མའི་བཅོས་མར་གསུངས་ཏེ། སྟོན་པ་ཐུབ་པའི་དབང་པོས་དང་པོར་ཁྱིམ་པའི་མཛད་པ་མཛད་ཅིང་། དེ་ནས་རབ་ཏུ་བྱུང་བའི་རྗེས་སུ་བློས

ནས་སྟོབས་འབྱོར་མངའ་ཐང་ཕུན་སུམ་ཚོགས་པ་ཡིན་ཀྱང་དེ་ཐམས་ཅད་མཆིལ་མའི་ཐལ་བ་བཞིན་དུ་དོར་ནས་རྗེས་ཐང་མཁན་ཆེན་གྱི་ཞབས་དྲུང་དུ་དབུ་སྐྲ་ཕུལ་ཞིང་ཐུབ་པའི་བསྟན་པར་ཐོག་མར་ཞུགས་ནས་རབ་ཏུ་བྱུང་ངོ་། །སྙིང་ནས་དད་པའི་བག་ཆགས་ཀྱིས། །བཤེས་གཉེན་དྲུང་ནས་བཤེས་དྲུང་ཕྱིན། །གཙུག་ནོར་བརྒྱ་དང་ལྔ་བཅུ་ལྷག །བཤེས་གཉེན་བསྟེན་པའི་སྤྱོད་ཚུལ་ཡིན། །དེ་ཡང་བྱང་ཆུབ་སེམས་དཔའི་སྡེ་སྣོད་ལས། །མདོར་ན་བྱང་ཆུབ་སེམས་དཔའི་སྤྱོད་པ་ཐམས་ཅད་འཐོབ་ཅིང་ཡོངས་སུ་རྫོགས་པ་དང་། དེ་བཞིན་དུ་ཕ་རོལ་ཏུ་ཕྱིན་པ་དང་། ས་དང་། བཟོད་པ་དང་ཏིང་ངེ་འཛིན་དང་། མངོན་པར་ཤེས་པ་དང་། གཟུངས་དང་། སྤོབས་པ་དང་། བསྔོ་བ་དང་། སྨོན་ལམ་དང་། སངས་རྒྱས་ཀྱི་ཆོས་ཐམས་ཅད་ཐོབ་ཅིང་ཡོངས་སུ་རྫོགས་པ་ནི་བླ་མ་ལ་རག་ལས། བླ་མ་རྩ་བར་གྱུར། བླ་མ་ལས་བྱུང་། བླ་མ་སྐྱེ་གནས་དང་སྐྱེ་མཆེད་དུ་གྱུར། བླ་མས་བསྐྱེད། བླ་མས་སྤེལ། བླ་མ་ལ་བསྟེན། བླ་མ་རྒྱུར་གྱུར་པ་དག་གོ། ཞེས་པས་བསྐལ་པ་དཔག་མེད་ཀྱི་ཕ་རོལ་ནས་ཆོས་ཀྱི་ཕྱིར་དུ་སྙིང་ཐག་པ་ནས་དད་པས་དགེ་བའི་བཤེས་གཉེན་བསྟེན་པའི་བག་ཆགས་སད་པའི་མཐུས་གཞོན་ནུ་ནོར་བཟང་ལྟ་བུ། གྲུབ་པའི་དབང་ཕྱུག་བློ་བཟང་ཚེ་འཕེལ་དང་། སྒོ་མང་མཁན་པོ་མཐུ་སྟོབས་ཉི་མ་ལ་སོགས་པ་བཤེས་གཉེན་གཅིག་གི་དྲུང་ནས་གཅིག་གི་དྲུང་དུ་ཕྱིན་ལ། སྤྱི་གཙུག་གི་ནོར་བུ་ལྟ་བུར་གྱུར་པའི་དགེ་བའི་བཤེས་གཉེན་གྱི་ཞབས་ཀྱི་པདྨོ་ལ་སྤྱི་བོས་གཏུག་ཅིང་། །བསྙེན་བཀུར་རྒྱ་ཆེན་པོ་ཞུས་པའི་སྒོ་ནས་བསྟེན་པ་ཡིན་ཞེས་པའོ། །བཀའ་འགྱུར་བསྟན་འགྱུར་ནས་བཟུང་སྟེ། །ལུང་རྒྱུན་པོ་ཏི་སུམ་བརྒྱ་དང་། །ཁྲིད་བརྒྱ་དབང་བརྒྱ་རྗེས་གནང་བརྒྱ། །ཐོས་པ་བཙལ་བའི་སྤྱོད་ཚུལ་ཡིན། །མགོན་པོ་ཀླུ་སྒྲུབ་ཀྱིས། སྐྲ་དཀར་གཉེར་མ་ལྷགས་དུས་སུ། །ཐོས་པ་བསགས་པར་བྱ་བ་སྟེ། །གང་དུ་ཐོས་མང་འགྲོ་གྱུར་པ། །དེ་ནི་ཕུང་པོ་འགྲོ་མི་འགྱུར། །ཞེས་པས་རྗེ་དཀོན་མཆོག་བསྟན་འཛིན་གྱི་ཞབས་དྲུང་ནས་བཀའ་འགྱུར་གྱི་ལུང་པོ་ཏི་དགུ་བཅུ། ཐེ་བོ་སྤྲུལ་སྐུ་ཡེ་ཤེས་ཐུབ་བསྟན་རྒྱ་མཚོ་ནས་བསྟན་འགྱུར་གྱི་ལུང་པོ་ཏི་བཅོ་ལྔ། སེ་དགེ་ངག་དབང་བཟང་པོ་ནས་ས་སྐྱ་བཀའ་འབུམ་པོ་ཏི་བཅོ་ལྔ། རྗེ་ཀུན་དགའ་དབང་ཕྱུག་ནས་བུ་སྟོན་གསུང་འབུམ་པོ་ཏི་བཅོ་ལྔ། ཐུགས་སྲས་གསུང་འབུམ་པོ་ཏི་གཉིས། སྐུ་འབུམ་སྨན་ཟུར་གྲུ་ཅ་བསྟན་འཛིན་རྒྱ་མཚོ་ནས་རྗེ་རིན་པོ་

ཆེའི་གསུང་འབུམ་པོ་ཏི་བཅོ་བརྒྱད། ཞི་བ་ལྷ་དོན་གྲུབ་རྒྱ་མཚོ་ནས་རྒྱལ་ཚབ་རྗེའི་གསུང་འབུམ་པོ་ཏི་གསུམ། མཁས་གྲུབ་རྗེའི་གསུང་འབུམ་པོ་ཏི་ལྔ། རྒྱལ་རོང་བློ་བཟང་ཤེས་རབ་ནས་པཎ་ཆེན་དགེ་འདུན་གྲུབ་པའི་གསུང་འབུམ་པོ་ཏི་ལྔ། ཐེ་བོ་སྤྲུལ་སྐུ་ནས་རྒྱལ་བ་དགེ་འདུན་རྒྱ་མཚོའི་གསུང་འབུམ་པོ་ཏི་གསུམ། རྒྱལ་བ་ལྔ་པའི་གསུང་འབུམ་པོ་ཏི་གསུམ། པཎ་ཆེན་དཔལ་ལྡན་ཡེ་ཤེས་ཀྱི་གསུང་འབུམ་པོ་ཏི་བརྒྱད། ཡོངས་འཛིན་ཡེ་ཤེས་རྒྱལ་མཚན་གྱི་གསུང་འབུམ་པོ་ཏི་བཅོ་བརྒྱད། དགེ་བཤེས་ཚུལ་ཁྲིམས་རྣམ་རྒྱལ་ནས་རྒྱལ་བ་བསྐལ་བཟང་རྒྱ་མཚོའི་གསུང་འབུམ་པོ་ཏི་བདུན། བཀྲ་འཁྱིལ་དཀོན་མཆོག་བསོད་ནམས་ནས་དཔེན་ས་བཀའ་འབུམ་པོ་ཏི་གཅིག བསོད་གྲགས་ཚང་དཀོན་མཆོག་རྒྱ་མཚོ་ནས་མཁས་གྲུབ་སངས་རྒྱས་ཡེ་ཤེས་ཀྱི་བཀའ་འབུམ་པོ་ཏི་གཅིག། རྒྱུད་སྨད་ཟུར་ཤེས་རབ་གྲགས་པ་ནས་པཎ་ཆེན་ཆོས་རྒྱན་གསུང་འབུམ་པོ་ཏི་ལྔ། བཀྲ་ལྷུན་ཤར་རྩེ་དཀའ་ཆེན་རྣམ་རྒྱལ་རྒྱལ་མཚན་ནས་པཎ་ཆེན་བློ་བཟང་ཡེ་ཤེས་ཀྱི་གསུང་འབུམ་པོ་ཏི་གསུམ། དཔལ་འབྱོར་ལྷུན་པོ་དཀའ་ཆེན་དགེ་ལེགས་རྒྱལ་མཚན་ནས་པཎ་ཆེན་བསྟན་པའི་ཉི་མའི་གསུང་འབུམ་པོ་ཏི་གསུམ། སེང་ཆེན་སྤྲུལ་སྐུ་བློ་བཟང་བསྟན་འཛིན་དཔལ་འབྱོར་ནས་སྐྱིད་ཤོད་ངག་དབང་བསྟན་འཛིན་འཕྲིན་ལས་ཀྱི་བཀའ་འབུམ་པོ་ཏི་གཅིག །ཆུ་བཟང་བླ་མ་ཡེ་ཤེས་རྒྱ་མཚོ་ནས་རྒྱལ་སྲས་རྡོ་རྗེ་འཆང་སྐལ་བཟང་ཐུབ་བསྟན་འཇིགས་མེད་བསྟན་པའི་རྒྱལ་མཚན་གྱི་གསུང་འབུམ་པོ་ཏི་གསུམ། ར་སྒྲེང་རྡོ་རྗེ་འཆང་བློ་བཟང་ཡེ་ཤེས་བསྟན་པ་རབ་རྒྱས་ཀྱི་གསུང་འབུམ་པོ་ཏི་གཉིས། རྗེ་ཨ་མ་མཆོག་རོང་བ་དཀོན་མཆོག་དཔལ་འཛིན་ནས་ལྷོ་བྲག་གྲུབ་ཆེན་ནམ་མཁའ་རྒྱལ་མཚན་གྱི་བཀའ་འབུམ་པོ་ཏི་གཅིག རྗེ་དཀོན་མཆོག་བསྟན་འཛིན་ནས་འཇམ་དབྱངས་བཞད་པ་ངག་དབང་བརྩོན་འགྲུས་ཀྱི་གསུང་འབུམ་པོ་ཏི་ལྔ། དཀོན་མཆོག་དཔལ་འཛིན་ནས་འཇམ་བཞད་སྤྲུལ་སྐུ་དཀོན་མཆོག་འཇིགས་མེད་དབང་པོའི་གསུང་འབུམ་པོ་ཏི་དགུ། རྗེ་བློ་བཟང་དོན་གྲུབ་ནས་ཐུ་ཀྭན་ཆོས་ཀྱི་ཉི་མའི་གསུང་འབུམ་པོ་ཏི་བཅུ་གཉིས། བྲང་ཡིག་དཀོན་མཆོག་ཀུན་དགའ་ནས་གུང་ཐང་དཀོན་མཆོག་བསྟན་པའི་སྒྲོན་མེའི་གསུང་འབུམ་པོ་ཏི་བཅུ་གཅིག། རྗེ་དཀོན་མཆོག་བསྟན་འཛིན་ནས་ལྕང་སྐྱ་རོལ་པའི་རྡོ་རྗེའི་གསུང་འབུམ་པོ་ཏི་བརྒྱད། ཞིགས་ཟུར་བྱམས་པ་ཚུལ་ཁྲིམས་ནས་ཞིགས་དོན་ཡོད་མཁས་གྲུབ་ཀྱི་གསུང་འབུམ་

པོ་ཏི་གཅིག ཚུ་བཟང་བློ་མ་ནས་སྣག་ཕུ་བློ་བཟང་ཆོས་ཀྱི་དབང་ཕྱུག་གི་གསུང་འབུམ་པོ་ཏི་དྲུག ཁྲི་ཆེན་ངག་དབང་ཆོས་འཕེལ་ནས་ཇ་ཚག་ཡེ་ཤེས་བསྟན་པའི་མགོན་པོའི་གསུང་འབུམ་པོ་ཏི་གཉིས། རྒྱལ་དབང་ཆོས་རྗེ་ངག་དབང་འཕྲིན་ལས་རྣམ་རྒྱལ་ནས་མི་ལའི་མགུར་རྣམ་ཐར་པོ་ཏི་གཅིག ཆ་མདོ་ལྷགས་ར་སྤྲུལ་སྐུ་ངག་དབང་དཔལ་ལྡན་རྒྱ་མཚོ་ནས་འདུལ་འཛིན་གྲགས་པ་རྒྱལ་མཚན་གྱི་གསུང་འབུམ་པོ་ཏི་གཉིས། རོང་པོ་ཚང་བློ་བཟང་མཁྱེན་རབ་དཔལ་ལྡན་ནས་འཇིག་རྟེན་ཆོས་བརྒྱད་ཀྱི་རྣལ་གྱིས་མ་གོས་པ་རོང་པོ་སྐལ་ལྡན་རྒྱ་མཚོའི་གསུང་འབུམ་པོ་ཏི་ལྔ། བྲག་སྒོམ་དཀོན་མཆོག་བསྟན་པ་རབ་རྒྱས་ནས་ཀུན་སྤང་པ་བྲུ་དགེ་བློ་གྲོས་རྒྱ་མཚོའི་གསུང་འབུམ་པོ་ཏི་གཅིག སྤང་ལུང་ངག་དབང་ཆོས་འཛིན་ནས་རྭ་བོད་དཔལ་བོད་པོ་ཏི་གཉིས། ཨ་བག་ཞབས་དྲུང་བློ་བཟང་ཨེ་ཕཾ་ནས་ནཱ་རོ་མཁའ་སྤྱོད་བེའུ་བུམ་པོ་ཏི་གཉིས། ཀུ་རུ་ཀུལླེ། ཚོགས་བདག འདོད་རྒྱལ་གསུམ་གྱི་བེའུ་བུམ་པོ་ཏི་གསུམ། མགོན་པོ་ཕྱག་དྲུག་པའི་བེའུ་བུམ་པོ་ཏི་གཅིག་རྣམས་ཀྱི་ལུང་གསན། བདག་གིས་ལུང་ཞུ་སའི་བློ་མ་ངེས་པ་ནི་འདི་ཡིན་ལ། དུས་ཀྱི་དབང་གིས་ལྷ་གཅིག་གི་གསན་ཡིག་འཁོར་བ་ཡིན་པས་བདག་གིས་ཞུས་མ་ངེས་ཀྱང་ལུང་གསན་ཐག་བཅད་ཡོད་པ་ནི། སྨྱུན་སྦྱ་བློ་གྲོས་རྒྱལ་མཚན་གྱི་གསུང་འབུམ་པོ་ཏི་གཅིག ཞྭང་སྐྱ་ངག་དབང་ཆོས་ལྡན་གྱི་གསུང་འབུམ་པོ་ཏི་ལྔ། བློ་མ་ངག་དབང་བྱམས་པའི་གསུང་འབུམ་པོ་ཏི་གསུམ། ཀློང་རྡོལ་བློ་མ་ངག་དབང་བློ་བཟང་གི་གསུང་འབུམ་པོ་ཏི་གཉིས། འཇམ་དབྱངས་བདེ་བའི་རྡོ་རྗེའི་གསུང་འབུམ་པོ་ཏི་གཅིག བཀྲ་ཤིས་ལྷུན་པོ་ཆོག་པོ་ཏི་གཉིས། གུར་མགོན་བེའུ་བུམ་པོ་ཏི་དྲུག ཞལ་བཞིའི་བེའུ་བུམ་པོ་ཏི་གཉིས། ལམ་རིམ་མཆན་བཞི་མ་པོ་ཏི་གཉིས། སྨན་གྱི་རྒྱུད་བཞི། དར་མོའི་མན་ངག་བཀའ་རྒྱ་མ། བཀའ་གདམས་ཆོས་འབྱུང་ལ་སོགས་པའི་ལུང་གསན་པ་རྣམས་འདིར་བརྗོད་པས་མི་ལང་སྟེ། པོ་ཏི་སུམ་བརྒྱའི་ལུང་རྒྱུན་ཞེས་པ་ནི་དགེ་ལེགས་པ་ལ་སྤྱ་མོ་ནས་སྤེལ་ཡོད་པའི་ལུང་ལ་གསུངས་པ་ཡིན་གྱི། ཐམས་ཅད་ལ་གསུངས་པ་ནི་མ་ཡིན་ནོ། །ལྷ་བཙུན་མཐུ་སྟོབས་ཉི་མ་ནས་བློ་སྦྱོང་དོན་བདུན་མའི་ཁྲིད། སེ་ཁྲི་འཇམ་དབྱངས་ཐུབ་བསྟན་ཉི་མ་ནས་བློ་སྦྱོང་ཚིག་རྐང་བརྒྱད་མ། སློབ་དཔོན་ཡེ་ཤེས་བསྟན་འཛིན་ནས་ལམ་རིམ་ཉམས་མགུར་གྱི་བཤད་ལུང་། ཀུན་ཐང་བསྟན་པའི་སྒྲོན་མེ་ནས་ལམ་གྱི་གཙོ་བོ་རྣམ་གསུམ། བདེ་ལམ་གྱི་

ཁྲིད། བླ་མ་མཆོད་པའི་ཁྲིད། དཀོན་མཆོག་དགྱེས་པའི་བློ་གྲོས་ནས་མཁས་གྲུབ་ཆིག་རྒྱུད་ཀྱི་བླ་མའི་རྣལ་འབྱོར་གྱི་ཁྲིད། གྲུབ་དབང་བློ་བཟང་ཚེ་འཕེལ་ནས་རྟེན་འབྲེལ་བསྟོད་པའི་བཤད་ལུང་། དབུ་མའི་ལྟ་ཁྲིད། ལི་ཐང་རྗེ་རིང་སྤྲུལ་སྐུ་བློ་བཟང་བསྟན་པའི་རྒྱལ་མཚན་ནས་དགའ་ལྡན་ལྷ་བརྒྱ་མ་ཐུན་མོང་དང་ཐུན་མོང་མ་ཡིན་པའི་ཁྲིད། ཁྲི་ཆེན་ངག་དབང་སྣན་གྲགས་ནས་ཕྱིན་རླབས་དཔུང་ཞུས་ཀྱི་ཁྲིད། གྲུབ་དབང་བློ་བཟང་དོན་གྲུབ་ནས་བྱང་ས་དང་མདོ་སྡེ་རྒྱན་སྦྱར་བའི་བཤད་ལུང་། རྒྱུད་སྨད་ཆོས་ལྡན་ཤེས་རབ་ནས་སྦྱོར་ལམ་གྱི་ཁྲིད། འདུལ་འཛིན་བློ་བཟང་བསོད་ནམས་ནས་འདུལ་བ་མདོ་རྩ་བའི་ལུང་བཤད། རྗེ་བློ་བཟང་ཤེས་རབ་ནས་ལེགས་བཤད་སྙིང་པོའི་བཤད་ལུང་། ཧ་ཚག་ངག་དབང་བློ་བཟང་བསྟན་པའི་རྒྱལ་མཚན་ནས་འཇམ་དབྱངས་བཞད་པའི་གྲུབ་མཐའ་ཆེན་པོ་རྩ་འགྲེལ་གྱི་བཤད་ལུང་། དཔལ་མང་དཀོན་མཆོག་རྒྱལ་མཚན་ནས་དགེ་ལེགས་པའི་ཁྲིད་ཆེན་བརྒྱད། སྨིན་སྨྲིག་གི་ཁྲིད། ནི་གུ་ཆོས་དྲུག་གི་ཁྲིད་རྣམས་གསན། གཞན་སྙིང་པོ་དོན་གསུམ། ཚེམ་བུ་དམར་ཁྲིད། མཁའ་སྤྱོད་མའི་ཚང་མ་བཞི་སྣན་རྒྱུད་གསུམ་ལྡན་གྱི་ཁྲིད། ན་རོ་ཆོས་དྲུག་ལ་སོགས་པ་ཁྲིད་མང་པོ་ཐོབ་ཅིང་། ཁྲིད་བརྒྱ་རྩ་བསྡོམས་ཀྱང་གདུལ་བྱ་ལས་དམན་པའི་དབང་གིས་གནང་མ་ཐུབ། སྤང་ལུང་ངག་དབང་ཆོས་འཛིན་ནས་མི་འཁྲུགས་པའི་དབང་ལ་སོགས་པ་རྒྱུན་ཟུར་དུ་བཞུགས་པའི་དབང་བརྒྱ་ཐོབ། སྡེ་ཁྲི་རིན་པོ་ཆེ་ནས་འཇིགས་བྱེད་ཞལ་ཕྱག་ཡོངས་རྫོགས་ཡུམ་བཅས་ཀྱི་རྗེས་གནང་། རྒྱལ་མཁན་པོ་གྲགས་པ་རྒྱལ་མཚན་ནས་གནོད་སྦྱིན་ཀླུ་ཧ་པ྄་ལའི་རྗེས་གནང་ལ་སོགས་པ་རྗེས་གནང་ཟུར་ཁ་བརྒྱ་ཐོབ་པ་སོགས་ཐོས་པ་བཙལ་བ་སྟེ། མདོ་ཀུན་བཏུས་སུ་ཆོས་ཡང་དག་པར་སྡུད་པའི་མདོ་ལས། དམ་པའི་ཆོས་ཡོངས་སུ་འཛིན་པ་ནི། འདི་ལྟ་སྟེ། དེ་བཞིན་གཤེགས་པས་གསུངས་པའི་མདོ་སྡེ་ཟབ་མོ་རྣམས་ཀྱི་ལུང་ནོད་པ་དང་། འཛིན་པ་དང་། ཁ་བཏོན་བྱེད་པ་དང་། སེམས་པའོ། །ཞེས་པས་ཐོག་མར་ལུང་ནོད་ཅིང་། བློ་ལ་འཛིན་ལ། ཁ་བཏོན་བྱེད་ནས་དོན་སེམས་ན་སངས་རྒྱས་ཀྱི་བསྟན་པ་འཛིན་པ་དེ་ཡིན་ཏེ། ག་ཡ་གཽ་རིའི་མདོ་ལས། དམ་ཆོས་འཛིན་པའི་ཕན་ཡོན་ནི། །སངས་རྒྱས་ཀུན་གྱིས་ནན་ཏན་དུ། །བསྐལ་པ་བྱེ་བར་བརྗོད་མཛད་ཀྱང་། །ཐ་མར་ཕྱིན་པ་འགྱུར་མ་ལགས། །ཞེས་སོ། །བཤད་པས་ཡིད་འཕྲོག་གཟུང་ཐང་པ། །སྐྱབ་ལོ་ང་

དགུ་དངུལ་རི་པ། །སུམ་ཅུ་འབུམ་བསགས་གསེར་ཁང་པ། །ངོ་མཚར་མཇལ་བའི་སྤྱོད་ཚུལ་ཡིན། །མདོ་སྔགས་གང་གི་ཐད་ནས་དྲི་བ་ཞུས་ཀྱང་དེ་མ་ཐག་དོགས་པ་ཐམས་ཅད་སེལ་བའི་ལུང་རིགས་གཉིས་ཀྱི་གསུང་བཤད་གནང་བས་ཡིད་འཕྲོག་པ་གུང་ཐང་དཀོན་མཆོག་བསྟན་པའི་སྒྲོན་མེར་མཇལ་ཏེ་ཇོ་བོ་ལུགས་སྐྲོལ་མ་ཉེར་གཅིག་གི་རྗེས་གནང་ལ་སོགས་པ་ཞུས། དགུང་ལོ་ཉེར་གཅིག་ནས་སློ་ཕྱིར་མ་འཐོན་པར་སྒྲུབ་པ་ཉམས་ལེན་ལོ་ང་དགུ་མཛད་པ་དངུལ་ཆུ་བླ་མ་དབང་ཕྱུག་ཆོས་བཟང་དང་མཇལ་ཞིང་མཆིམས་ནམ་མཁའ་གྲགས་ཀྱི་བློ་སྦྱོང་ཐུན་གཅིག་མ་སོགས་ཀྱི་ལུང་ཞུས། ཕྱག་དང་ཡིག་བརྒྱ་དམིགས་བརྩེ་མ་རེ་རེ་ནས་འབུམ་ཕྲག་སུམ་ཅུ་རེ་བསགས་པ་དང་མཆོད་པ་ཕུལ་བ་སོགས་བསགས་སྦྱངས་གཙོ་བོ་མཛད་པའི་གསེར་ཁང་རིན་པོ་ཆེ་བློ་བཟང་བསྟན་འཛིན་དང་མཇལ་ཏེ་ལམ་གྱི་གཙོ་བོ་རྣམ་གསུམ་གྱི་ལུང་ཞུས་པ་ལ་ཐུགས་ཐོག་ནས་གནང་ངོ་། །སྤྱི་གཙུག་གི་ནོར་བུ་ལྷ་བུ་དགེ་བའི་བཤེས་གཉེན་བརྒྱ་དང་ལྔ་བཅུ་ལྷག་བསྟེན་པའི་ནང་ནས་གསུམ་ཙམ་ལ་ངོ་མཚར་དང་མཇལ་བར་བསྔགས་པ་མཛད་པ་ནི། བཟང་ངན་ཡོད་པ་ནས་མ་ཡིན་ཏེ། དེང་སང་གོ་ས་ཆེ་བ་སྙན་གྲགས་ཅན་གྱི་རྗེས་སུ་འབྲངས་ནས་ཚེ་གཅིག་ལ་དཀོར་ཟ་ཞིང་སྐྱེ་བ་ཕྱི་མ་ཆུད་ཟོས་པ་དང་། འགའ་ཞིག་མངོན་ཤེས་ལ་སོགས་པ་གྲུབ་རྟགས་ཅུང་ཟད་ཡོད་པའི་རྗེས་སུ་འབྲངས་ཏེ་ཚང་འཐུང་ཞིང་གྲྭ་པ་ལོག་པ་སོགས་ཀྱིས་འདི་ཕྱི་གཉིས་ག་ཆུད་ཟོས་པ་ཡོད་པས་སྙིང་ནས་ཐར་པ་འདོད་པ་རྣམས་ཀྱིས་མཁས་པའི་དབང་དུ་བྱས་ན་གུང་ཐང་རིན་པོ་ཆེ་ལྟ་བུ། བཙུན་པའི་དབང་དུ་བྱས་ན་དངུལ་ཆུ་བླ་མ་ལྟ་བུ། བཟང་པོའི་དབང་དུ་བྱས་ན་གསེར་ཁང་རིན་པོ་ཆེ་ལྟ་བུའི་རྗེས་སུ་འབྲངས་ཏེ་རྣམ་གྲོལ་སྒྲུབ་པར་བྱའོ་ཞེས་རྗེས་འཇུག་རྣམས་ལ་གདམས་སོ། །སློ་མང་ཆོས་གྲྭར་ལོ་གཅིག་སྦྱངས། །ཕར་ཕྱིན་ལྔ་བཅུ་ལྷག་ཙམ་བསྐྱིག །ཡི་གེ་ཕྲ་མོས་མཆན་བཏབ་པ། །ལག་རྗེས་མ་དག་སྤྱོད་ཚུལ་ཡིན། །རབ་ཏུ་བྱུང་བའི་ལོ་དེར་མཁན་ཆེན་ངག་དབང་ཤེས་རབ་ཀྱིས་འགོད་པ་གནང་སྟེ་བླ་བ་གསུམ་པ་ལ་རང་གི་ཕྱུན་ཕྱུན་བླ་ཐམས་ཅད་བཞག་ཅིང་སླེའུ་ཚོན་བརྒྱུད་ནས་དབུས་གཙང་ལ་ཐེབས་ཤིང་། ལྷ་རྩེ་པ་ཡེ་ཤེས་བསྟན་འཛིན་གྱི་ཞབས་དྲུང་དུ་དགེ་ཚུལ་གྱི་སྡོམ་པ་བཞེས་པ་ལ་མཚན་ཡེ་ཤེས་དོན་གྲུབ་བསྟན་པའི་རྒྱལ་མཚན་དུ་གནང་། དེ་ནས་འབྲས་སྤུངས་སློ་མང་གྲྭ་ཚང་དུ་ཞུགས་ནས་སློབ་གཉེར་ལ་ལོ་གཅིག་སྦྱངས་ཏེ། ཀུན་

མཁྱེན་ཆོས་འབྱུང་གི་ཕར་ཕྱིན། ཁྲི་རྒྱ་ནག་པའི་ཕར་ཕྱིན་ལ་སོགས་པ་ཕར་ཕྱིན་ཡིག་ཆ་ལྔ་བཅུ་ལྷག་ཙམ་ནས་འཇམ་དབྱངས་བཞད་པའི་ཕར་ཕྱིན་མཐའ་དཔྱོད་ལ་མཆན་འགྲེལ་མཛད་ནས་པར་བརྐོས་སྡེ་རྒྱ་ནག་ཕོ་བྲང་དུ་བཞག་པ་དེ་ནི་ལུང་གི་ཆ་ནས་དཀའ་རབ་བྱུང་ཡང་རིག་པའི་ཆ་ནས་ཁྱབ་པ་མེད་པ་ཙུང་ཟད་བྱུང་བས་ལག་རྗེས་མ་དག་པ་ལ་ཕྱིས་སུ་ཕར་ཕྱིན་མཆན་གྱི་པར་ཡིག་སྐྱོན་སེལ་སོགས་སུ་ཤོག་གུ་གཉིས་ཙམ་མཛད་པ་ཡོད་དོ། །མདོ་ཁམས་དབུས་གཙང་སྐོར་སྐྱུལ་ནས། །དགེ་ལྡན་ས་སྐྱ་བཀའ་བརྒྱུད་ལ། །ཆོས་རྒྱུན་དཀོན་པོས་མི་ཉམས་པ། །མང་དུ་ཐོས་པའི་སྤྱོད་ཚུལ་ཡིན། །རིམ་ལྔ་ལས། རི་དབང་རྩེ་ནས་གང་ཞིག་ལྷུང་གྱུར་ན། །ལྷུང་བར་མི་བྱ་སྙམ་ཡང་ལྷུང་བར་འགྱུར། །བླ་མའི་དྲིན་གྱིས་ཕན་པའི་ལུང་ཐོབ་ན། །གྲོལ་བར་མི་འགྱུར་སྙམ་ཡང་གྲོལ་བར་འགྱུར། །ཞེས་པས་ཨ་མདོ་བཀྲ་ཤིས་འཁྱིལ་ལ་དཔལ་མང་ཚང་ནས་ཤེར་འབྱུང་བློ་གྲོས་ཀྱི་དུག་འཇོམས་པའི་མན་ངག་དང་། ཁམས་ཆབ་མདོ་ཡེ་ཤེས་མཐར་ཕྱིན་ནས་དྭངས་པོའི་ལམ་རིམ་ཐར་རྒྱན། དབུས་སུ་སྙེད་ཚང་གནས་བླ་མ་རྣམ་རྒྱལ་བཀྲ་ཤིས་ནས་སེམས་ཡུར་དགུ་མ། གཙང་བཀྲ་ཤིས་ལྷུན་པོའི་སྔགས་ཟུར་བློ་བཟང་བསྟན་འཛིན་དཔལ་འབྱོར་ནས་རྗེར་འཛིན་དཀོན་མཆོག་རྒྱལ་མཚན་གྱི་བློ་སྦྱོང་དོན་བདུན་མའི་འགྲེལ་པ་དང་སྡུག་བསྔལ་དང་ལེན། སྟོ་བྲག་བླ་མ་དཔལ་ལྡན་གྲགས་པ་ནས་ཁྲོ་ཕུ་ལོ་ཙྪ་བའི་མན་ངག་བརྒྱ་རྩ། རྗེ་བློ་གྲོས་རྒྱ་མཚོ་ནས་ཚར་ཆེན་གྱི་གསུང་ནི་གུའི་ཟིན་བྲིས་གསང་ཆེན་རྒྱུད་ཀྱི་སྙིང་པོ་མཁྱེན་བརྩེས་མཛད་པ། རྗེ་འཇམ་དབྱངས་བློ་གསལ་ནས་འཇམ་དབྱངས་དགའ་བློའི་དབུ་མའི་ལྟ་ཁྲིད་རྣམ་གསུམ། ལྷ་བཙུན་བློ་བཟང་བསྟན་པ་རབ་རྒྱས་ནས་མདོ་སྨད་བྲག་དཀར་སྔགས་རམ་པ་བློ་བཟང་བསྟན་པ་དར་རྒྱས་ཀྱི་ངག་ཕྲིན་ཐབས། རྒྱུད་སྟོད་མཁན་པོ་བསྟན་པ་རབ་རྒྱས་ནས་ཁྲི་ཡང་སྙིང་བའི་མགོན་པོའི་གཏོར་སྒྲུབ། རྗེ་གསུང་རབ་རྒྱ་མཚོ་ནས་ཁྲི་ཆེན་ངག་དབང་མཆོག་ལྡན་གྱི་མགོན་པོའི་གཏོར་སྒྲུབ་དང་། བྱང་རྩེ་དགེ་ལེགས་བཟང་པོ་ནས་རྭ་ཆེན་སྨོན་རའི་གསོལ་མཆོད་འཕྲིན་ལས་མྱུར་འགྲུབ་ལ་སོགས་པ་ཆོས་རྒྱུན་དཀོན་པ་མི་ཉམས་པར་བཙལ་ཏེ་ལུང་ཐོབ་པ་འདིར་བརྗོད་ཀྱིས་མི་ལང་སྟེ། ཕ་དམ་པའི་འཇམ་དབྱངས་སྨྲ་བའི་སེང་གེའི་ལས་ཚོགས་ལ་སོགས་པ་ཡི་དམ་ལྷའི་ལས་ཚོགས་ཁོ་ན་པོ་ཏི་གཅིག་བསྒྲིགས་པ་མན་ངག་བེའུ་བུམ་དུ་གྲགས་པ་དང་། ཀློང་རྡོལ་གསན་ཡིག་ཏུ་མ་

བཞུགས་པའི་རྒྱ་གར་མཁས་པའི་རྒྱ་གཞུང་ཁོ་ན་པོ་ཏི་གཅིག་བསྒྲིགས་པ་བསྟན་འགྱུར་འཐོར་བུ་སྟེ། དེང་སང་ཤར་རྩེ་ཆོས་རྗེ་ངག་དབང་ཚུལ་ཁྲིམས་ལ་སོགས་པས་གཉིས་ཀའི་ལུང་གནང་ཡོད་དེ། །ཡང་ཆོར་ཉིན་རེ་བརྒྱུད་ཕྱག་དང་། །མཇལ་བཅས་པ་ཉིས་བརྒྱ་རེ། །ཅི་ནུས་པས་ནི་འབད་སྒྲུབ་པ། །བསགས་སྦྱངས་བྱས་པའི་སྤྱོད་ཚུལ་ཡིན། །འཆད་ཁ་པས། སྟོ་རྒྱབ་གཉིས་ལ་གྱོང་བསྐྱུར་ནས། །རི་དྭགས་རྨས་པའི་བརྟུལ་ཞུགས་སྤྱོད། །རང་གི་འདོད་པ་ཁྱད་བསད་ནས། །བླ་མའི་བཀའ་སྒྲུལ་གཞུང་བཞིན་སྒྲུབ། །ད་ནི་ཤི་ཡང་མི་འགྱོད་དོ། །ཞེས་པས་བླ་མ་ལས་དབང་ལུང་མན་ངག་ཞུས་ནས་བཀའ་བཞིན་སྒྲུབ་པ་ལ་ཆོས་བྱ་དགོས། ཆོས་རྒྱུད་ལ་སྐྱེ་བ་ལ་ཐབས་ཁྱད་པར་ཅན་ནི་བསགས་སྦྱངས་ཡིན་པས་སྐུ་ན་ཕྲ་བའི་དུས་རི་ཁྲིད་དབེན་པའི་གནས་སུ་བཞུགས་ཤིང་བསགས་སྦྱངས་གཙོ་བོར་ཕྱག་ལེན་གནང་བ་ཡིན་ནོ། །མཐོ་བའི་གོ་ས་ཐོད་མ་བཏལ། །མིང་བཏགས་ཁྲི་པར་འཚང་མ་རྒྱབ། །སྒྲོ་འདོགས་སྐྱེས་རབས་རྗེས་མ་དྲན། །ཏོག་གདོངས་བཏགས་པའི་སྤྱོད་ཚུལ་ཡིན། །དེང་དུས་དཔོན་པོའི་ཕྲུ་གུ་དང་། བླ་མའི་སྤྲུལ་སྐུ་རྣམས་ཀྱིས་གྲྭ་སར་སླེབ་ནས་གསར་ཞུགས་ཡིན་ཀྱང་ཆོས་མཛད་བྱས་ནས་དགེ་སློང་རྒན་པའི་ལྷག་གྲལ་མགོར་བཞུགས་ཏེ། པོ་ཏོ་བས་སྣེའུ་ཟུར་པ་ལ་བསྐུར་པའི་འབྲུམ་ཡིག་ལས། དགེ་སློང་རྒན་ལ་དགེ་ཚུལ་བརྟེན་པ་དང་། །གནས་པས་གནས་ལ་བསྙེན་བཀུར་བྱེད་པ་རྣམས། །དེང་སང་དུས་ན་ལོག་ནས་བྱེད་པར་འགྱུར། །ཞེས་སོ། དེ་ལྟར་ཆོས་མཛད་བཏང་བའི་དབང་གིས་སློབ་གཉེར་ཡོད་མེད་ལ་མི་ལྟོས་པར་མིང་བཏགས་མགྱོགས་པོ་སླེབ་ཅིང་། དེ་བཏང་ནས་གྲྭ་སའི་མཁན་པོའམ་བླ་མ་དབུ་མཛད་བརྒྱུད་ནས་དཀའ་ལྡན་ཁྲི་ལ་འཚང་ཞིང་། དེ་ཐོབ་ནས་འཕྲུངས་རབས་མཛད་ཅིང་མགོན་པོ་ཀླུ་སྒྲུབ་ཏེ་ལོ་ཎ་རི་སོགས་ཀྱི་སྤྲུལ་པར་གྲགས་ཏེ། འཇིག་རྟེན་པ་རྣམས་ལ་གོ་ས་བྱུང་བ་ལ་གཞན་ལས་ལྷག་པའི་ཁྱད་པར་བྱུ་རུའི་ཏོག་རྩ་བྱའི་མདོངས་བཏགས་པ་ལྟར། ཁྱད་པར་དེ་གསུམ་བྱུང་བ་ལ་རང་ལ་ཡོད་པའི་ཆོས་མཛད་སོགས་ཀྱི་ཏོག་དང་གདོངས་བཏགས་སུ་བྱས་ཀྱང་། སྲིད་པས་མི་ངོམས་སྡུག་བསྔལ་ཀུན་གྱི་སྒོ། །ཡིད་བརྟན་མི་རུང་སྲིད་པའི་ཕུན་ཚོགས་ལ། །ཞེས་པས་ལྷ་གཅིག་རིན་པོ་ཆེ་ནི་ནུས་མན་ཤོག་གི་རྒྱལ་པོའི་སྲས་ཡིན་པ་དང་། རྒྱ་ནག་རྒྱལ་པོའི་བློན་པོ་བྱས་ཀྱང་། གྲ་སར་སླེབས་ནས་གསར་ཞུགས་དང་མཐུན་པར་གྲལ་ཞུགས་ནས་ཞུགས་པས་

མཐོ་བོའི་གོ་སར་ཐོད་བརྒལ་དུ་མ་སོང་། དེ་མ་བྱས་ཀྱང་རྗེ་རྨམས་པའི་མིང་བཏགས་བྱས་ནས་བླ་མ་དབུ་མཛད་སོགས་ལ་འཚང་ན་འཚང་ཐུབ་པ་དང་། ཁྱད་པར་དུ་མཆི་ཨམ་ཕན་ཐོག་ལ་བོད་ཀྱི་རྒྱལ་པོ་བྱས་ནའང་བྱེད་ཐུབ་པ་ཡོད་ཅེས་ཐམས་ཅད་མཐུན་པར་གླེང་ཡོད་དེ། འོན་ཀྱང་མིང་བཏགས་ཁྲི་པར་འཚང་ཁམ་རྒྱབ་སྟེ། ཆེ་གླེང་ཡོངས་འཛིན་གྱིས་དགའ་ལྡན་ཁྲི་པའི་བཞུགས་ཁྲི་ལ་བཞུགས་ནས་བཀའ་ཆོས་གནང་བ་ལ་ཁོ་རང་གི་བཞུགས་ཁྲི་མིན། བཀའ་ཆོས་གནང་བ་ཙམ་ལ་དེར་བཞུགས་ནས་གནང་བ་དགོས་པ་མེད་གསུང་ནས་མ་དགའ། མེས་དཔོན་རྒྱལ་པོས་བླ་མ་ངག་དབང་བྱམས་པ་ལ་དགའ་ལྡན་ཁྲི་ལ་ཕེབས་ནས་བཀའ་ཆོས་གནང་བར་ཞུས་པ་ལ་དེ་མ་བཞེས་པར་བསྟགས་པ་མཛད། དགའ་ལྡན་ཁྲི་པ་གོ་ས་ཏ་ཅང་མཐོ་པོ། ལས་ཀ་མི་འདུག་ཅེས་དགའ་ལྡན་ཁྲི་བའི་གོ་ས་ལ་མ་དགའ། བསྟན་པ་ལ་ཕན་པར་འདོད་ན་གྲྭ་ཚང་མཁན་པོ་དགའ་གསུང་སྟེ། ཁྲི་ཆེན་བློ་བཟང་བསྟན་དར་གྱིས་དགའ་ལྡན་ཁྲི་པ་བྱས་པ་ལས་སེ་ར་ཚོགས་ཆེན་གྱི་དགེ་བསྐོས་བྱས་པ་བསྟན་པ་ལ་ཕན་པ་བྱུང་གསུང་། བླ་མ་སྤྲུལ་སྐུ་ཡོད་ཚད་ཀྱི་འཁྲུངས་རབས་ལ་མགོན་པོ་ཀླུ་སྒྲུབ་ལ་སོགས་པ་མ་གཏོགས་སྔར་མ་ཐོས་པའི་སྐྱེས་རབས་མེད་པས་སྒྲོ་འདོགས་ཀྱི་སྐྱེས་རབས་རྫེ་མ་དྲན་ཏེ། དེ་གསུམ་པོ་མ་བྱས་པ་དེ་ཉིད་ང་རང་གི་ཧོག་དང་མངོངས་བཏགས་ཡིན་ཞེས་པ་སྟེ། ཞལ་ནས། སྤྲུལ་པའི་སྐུ་རྣམས་ཀྱིས་མི་ནས་མི་བོ་ནར་སྐྱེ་དགོས་པས་ངན་སོང་གི་སྡུག་བསྔལ་ལ་ཞེ་མི་དགོས། དེ་ལ་མ་འཛིགས་པས་སྐྱབས་འགྲོའི་རྒྱུ་མེད། དེ་མེད་པས་སྐྱབས་འགྲོ་མེད། སྐྱེ་བ་ནས་སྐྱེ་བ་ཐམས་ཅད་དུ་ཁང་པ་གཅིག་གི་ནང་དུ་སྐྱིད་པོ་སྡོད་དེ་སེམས་ཅན་གྱི་སྡུག་བསྔལ་མ་མཐོང་བས་འཁོར་བ་ལས་ངེས་འབྱུང་གི་བསམ་པ་སྐྱེ་བར་དཀའ། སྟོན་པ་ཤཱཀྱ་ཐུབ་པ་དང་། རྗེ་རིན་པོ་ཆེ་སོགས་སྔ་མའི་བླ་མའི་མཚན་ཐུང་ངུ་ཐུང་ངུ། ཡོན་ཏན་རིང་པོ་རིང་པོ། དེང་དུས་ཀྱི་བླ་མ་སྤྲུལ་པའི་སྐུའི་མཚན་རིང་པོ་རིང་པོ། ཡོན་ཏན་ཐུང་ངུ་ཐུང་ངུ་ཡིན། སྔོན་གྱི་བླ་མའི་སྐུ་འདྲའི་ཕྱག་མཚན་ལ་རལ་གྲི་གླེགས་བམ་སོགས་ཡོད། དེང་དུས་ཀྱི་བླ་མའི་སྐུ་འདྲའི་ཕྱག་མཚན་ལ་རྒྱ་ཕྱི་དང་སྣ་དམ་ཡག་པོ་གཅིག་མ་གཏོགས་དབྱུང་ཤེས་མི་འདུག་གསུངས་སོ། །འཇམ་མགོན་བླ་མའི་རྣམ་ཐར་ནི། །སུམ་ཅུ་ལྷག་ཙམ་མཇལ་བ་ཡང་། །དད་པའི་འཇུག་ངོགས་ཕྲ་བརྒྱན་པ། །ཡིད་ནོར་བསགས་པའི་སྤྱོད་ཚུལ་ཡིན། །འཇིག་རྟེན་པ་རྣམས་ཀྱིས་རང་གི་ཕ་གཞིས་བདག

པོ་བྱེད་དགོས་པ་ལྟར། གདན་ས་མཐིལ་ཆོས་སྒྲ་བ་ལ་སོགས་པས་མཛད་པའི་རྗེ་བཙུན་ཙོང་ཁ་པ་ཆེན་པོའི་རྣམ་ཐར་སུམ་ཅུ་ལྷག་ཙམ་ལས་མཁས་གྲུབ་རྗེས་མཛད་པའི་རྗེ་ཐམས་ཅད་མཁྱེན་པའི་རྣམ་ཐར་དད་པའི་འཇུག་ངོགས་ཡིག་ཆུང་མཆན་གྱིས་བརྒྱན་ཅིང་ཐོས་བསམ་བསྒོམ་གསུམ། འཆད་རྩོད་རྩོམ་གསུམ། མཁས་བཙུན་བཟང་གསུམ་གྱིས་གཞན་དོན་བྱེད་པ་ལ་འགྲན་ཟླ་དང་བྲལ་བའི་སྒོ་ནས་ཡིད་ཀྱི་ནོར་དུ་གྱུར་པའི་རྣམ་ཐར་བསགས་པ་སྟེ་དེར་བསྟུས་པ་ཡིན་ཞེས་པའོ། །བཀའ་གདམས་གོང་མའི་ལེགས་བཤད་གཞུང་། །ངོམས་མི་ཤེས་པར་བརྒྱ་ལྷག་མཐོང་། །གཅེས་པའི་གསུང་རྣམས་ཉེར་བཏུས་པ། །སྲང་རྩེ་སྒྲོང་བའི་སྒྲོད་ཚུལ་ཡིན། །ཇོ་བོ་ཨ་ཏི་ཤ་དང་ཁུ་རྔོག་འབྲོམ་ལ་སོགས་པ་བཀའ་གདམས་གོང་མའི་ལམ་རིམ་ཟླ་སྒྲོང་ངོམས་མི་ཤེས་པར་ཕྱོགས་ཕྱོགས་ནས་འཚོལ་སྟེ། གསུང་རྟོན་པོ་རྣམས་གླེགས་བམ་གཅིག་ཏུ་བཏུས་ནས་ནོར་བུའི་བང་མཛོད་ཅེས་མཚན་གསོལ་ཞིང་སེམས་ལ་ཕན་ཆེན་པོ་ནི་ཟླ་སྒྲོང་ལས་ལྷག་པ་མེད་པས་སྲང་རྩེ་སྒྲོང་ཞེས་པའོ། །དེ་ཡང་བཀའ་གདམས་གླེགས་བམ་ལས། གཞུང་དང་མན་ངག་ཕུན་ཚོགས་པའི། །ང་ཡི་རྗེས་འབྲང་རིན་ཆེན་རྣམས། །གནས་དང་གང་ཟག་འགྲོ་བའི་དཔལ། །ང་ཡི་བཀའ་གདམས་ཐུན་མོང་བར། །གང་དང་གང་གིས་ཡི་གེར་འདེབས། །སྐྱེར་སྒང་པ་དང་མཁའ་རུ་པ། །གང་ཟག་ཁྱད་འཕགས་སྟོབས་པ་རྣམས། །བཀའ་གདམས་ཐོར་བུ་མཛད་པ་ཅན། །གཞན་ཡང་བཀའ་གདམས་དོན་གཉེར་པ། །མཛད་པ་ཅན་རྣམས་ཡི་གེ་འབྱུང་། །འདིར་བཤད་མི་འཚོལ་ཤེས་པར་མཛོད། །ཇོ་བོས་དབང་མཛོད་གྲགས་པོ་རྣམས། །དེ་རིང་ཡོད་ངེས་དམ་པ་རྣམས། །གང་ནས་ཟིན་ཟིན་ཐོར་བུར་བསྒྲགས། །དེ་ལ་ཉེས་གང་མཐོལ་ལོ་བཤགས། །ལ་ལ་ཆད་དང་ལྷག་སྲིད་ན། །དགོས་པའི་དབང་ཡིན་ནོངས་པ་མེད། །དངོས་སུ་བསྟན་དང་ཤུགས་ལས་འབྱུང་། །ལ་ལ་སྲེས་པ་ཉིད་དུ་བསྟན། །དེ་ཡང་དགོས་པའི་དབང་ཉིད་ཡིན། །དགོས་ལྡན་བཤད་པ་གང་ཡིན་པས། །བཀའ་གདམས་ཕྱོགས་མཐར་རྒྱས་པར་ཤོག །ཅེས་ལུང་གིས་ཟིན་ཏེ། ཚོགས་བཅད་ཐོག་མ་གཉིས་ཀྱིས་སྐྱེར་སྒོམ་པ་དང་ཁ་རུ་པའི་བཀའ་གདམས་གསུང་བགྲོས་འཐོར་བུ་བྱུང་བ་ལུང་བསྟན་ནས། དེ་ནས་བཀའ་གདམས་དོན་དུ་གཉེར་མཁན་ཐོ་ཡོན་རིན་པོ་ཆེ་ཡིན་ལ། དེས་གང་ཟིན་ཟིན་བསྟུས་པ་ཡིན་པས་བླ་མ་རྣམས་ཀྱི་

གསུང་ལྷུབ་པ་མང་པོ་ཡོད་པ་ལ། དགེ་བཤེས་གྲགས་པ་ཀླུ་སྒྲུབ་ཀྱིས་གསུང་འདྲ་བ་རྣམས་གསུབ་དགོས་ཞུ་བ་ལྟར་ལྷུབ་པ་རྣམས་གསུབ་པ་ཡིན་པས་ལ་ལ་ཆད་པ་དང་། ད་ལྟའི་དབུས་པར་འདི་ནི་ཕོ་ཡོན་རིན་པོ་ཆེ་མུ་ལེར་ཕེབས་པའི་འོག་ཏུ་བླ་བྲང་ཕྱག་མཛོད་རིག་འཛིན་གྱིས་པར་བསྐོ་བར་ཞལ་བཞེས་གནང་ནས་རྒྱུད་པ་དགེ་བཤེས་ཡེ་ཤེས་གོང་འཕེལ་གྱི་དཔེ་ཆའི་ཕོག་ནས་བྲིས་པའི་བར་ཡིག་ནས་པར་བསྐོ་བ་ཡིན་པས་གསུང་འདྲ་བ་འགའ་ཆེན་ལུས། བློ་སྦྱོང་འདི་དང་པོར་བསྒྲིགས་ཚར་ནས། ཕྱིས་སུ་འོན་ཆོས་སྡིང་ནས་བཀའ་གདམས་གོང་མའི་གསུང་ལེའུ་ཚན་ཉི་ཤུ་ཙམ་རྙེད་པ་བསྡུས་ནས་སྐད་ཆར་བསྒྲིགས་པ་ལྷག་སྲིད་པ་དང་། བླ་བྲང་ཕྱག་མཛོད་ཀྱི་གོང་དུ་ཙུག་བྱ་ཆོང་དཔོན་གྱིས་པར་བསྐོ་སྦྱིན་བདག་བྱས་པར་ཞུ་བ་ལ་སྐད་ཆ་དེ་དཀྱུས་སུ་ཐད་ཀ་ཐད་ཀར་བསྲེས་པས་ལ་ལ་སྲེས་པ་ཉིད་དུ་བསྟན་པའོ། །པར་བསྐོ་སྦྱིན་བདག་གཉིས་བྱུང་ཡང་ཆོང་དཔོན་གྱི་དེ་ཁས་བླངས་ཙམ་དུ་བཞག །བླ་བྲང་ཕྱག་མཛོད་ཀྱི་དེ་རྒྱུང་རིང་དུ་སོང་བར་བརྟེན་ཏེ། ཁམས་མུ་ལི་ནས་ལོག་ཕེབས་ནས་དཀྱིལ་ཆོག་ནོར་ཕྲེང་གི་པར་བསྐོ་བའི་རྗེས་སུ་གོང་གི་རྣམ་ཐར་དང་འདི་གཉིས་ལ་ཏཾ་རྡོ་བཅུ་གཉིས་ཀྱི་ཡོན་སྦྱར་ཏེ་པར་བསྐོ་བ་སློ་མང་པར་ཁང་ལ་ཡོད་དོ། །བར་དང་བར་དུ་གང་ཕོམ་དུས། །རྒྱུད་སྡེ་བཞི་ཡི་བསྙེན་མང་བྱས། །འགའ་རེ་ཚར་ལྔ་ལོ་རེར་བཟླས། །ནེ་ཙོའི་བཟླས་པའི་སྤྱོད་ཚུལ་ཡིན། །ངན་སོང་གི་སྡུག་བསྔལ་ལ་ཞེ་ནས་ཀུན་རིག་གི་བསྙེན་པ་ཚར་ལྔ། སྐྱེ་བ་མང་པོར་བསགས་པའི་སྡིག་པ་ལ་ཞེ་ནས་མི་འཁྲུགས་པའི་བསྙེན་པ་ལོ་གཅིག་སོང་སྟེ། ནེའུ་ཙོའི་བཟླས་པ་ནི་སེམས་གཡེང་བའི་བཟླས་པ་རྒྱུད་ལས་འབྲས་བུ་མི་འབྱིན་པར་གསུངས་པས་འབྲས་བུ་མ་འཐོབ་ཡང་བཟླས་པ་བྱས་ན་བར་ཆད་སེལ་པ་དང་། སྡིག་པ་དག་པ་ནི་ངེས་ཅན་ཡིན་ཞེས་པ་ལྟར། མདོ་ལས། བྱིས་པག་འདས་བཞིན་མཆོད་རྟེན་ལ་བསྐོར་བ་བདུན་བྱས་པས་མིའི་རྟེན་འཐོབ་པར་གསུངས་སོ། །མང་ཡུར་གུང་ཐུ་ནམ་མཁའ་མཛོད། །བཀྲ་ཤིས་འཁྱིལ་ཡུར་རྒྱལ་མཁན་པོ། །ཨ་མཆོག་སྤྲུལ་སྐུ་ཨེ་ཕྲིཾ་སོགས། །ཆོས་རྒྱུན་སྤེལ་བའི་སྤྱོད་ཚུལ་ཡིན། །གུང་ཐུ་རྒྱུད་སྟོད་མཁན་ཟུར་ངག་དབང་བློ་བཟང་ལ་སྟག་ཕུ་སྒྲོལ་མའི་ལས་ཚོགས་ཀྱི་ལུང་གནང་སྟེ། བཀའ་ཆོས་གནང་པའི་ཐོག་མ་འདི་ཡིན། མཁན་ཆེན་གྱི་ཞལ་ནས། ང་དགའ་ལྡན་ཁྲི་ལ་འགྲོ་མི་ཐུབ། ཁྱོད་བོད་ལ་ཡང་བསྐྱུར་དབྱུང་ཞེས་ལུང་བསྟན་གནང་།

དགེ་བཤེས་ནམ་མཛོད་པ་གྲགས་པ་སྐུ་སྐྱབས་ལ། ལམ་རིམ་བསྟན་ཐོག་མ་དང་། བདེ་མཆོག་ལུས་དཀྱིལ་གྱི་བསྐྱེད་རྫོགས་ཀྱི་ཁྲིད། བསྙོད་པ་བརྒྱད་ཅུ་བ་དང་། ཚ་མདོ་བློ་བཟང་དབང་ཕྱུག་གི་བདེ་མཆོག་མཁའ་འགྲོ་སྙན་རྒྱུད་བསྐྱེད་རིམ་གྱི་ལུང་གནང་། བཀྲ་འཁྱིལ་རྒྱལ་མཁན་པོ་གྲགས་རྒྱན་ལ། སྨྱོན་ཧཱ་གསུང་འབུམ། བརྒྱད་སྟོང་པའི་བཤད་ལུང་གནང་། ཨ་མཆོག་སྤྲུལ་སྐུ་དཀོན་མཆོག་དཔལ་འཛིན་དང་ས་ཏན་ཚང་གཉིས་ལ། ཞལ་རྣམ་འགྱུར་བཅུ་གསུམ་གྱི་རྗེས་གནང་གནང་། ཨ་པག་ཞབས་དྲུང་བློ་བཟང་ཨེ་ཝཾ་ལ། ཤར་བའི་ལམ་རིམ། རྡོ་རྗེ་སྙིང་འགྲེལ། བདེ་མཆོག་སྟོང་འགྲེལ། སྔགས་རིམ་དང་པོ་བར་ཐ་གསུམ་གྱི་ལུང་གནང་། སོགས་ཀྱི་སྦྲས་དཀའ་ཆེན་ནོ་མིན་ཧན་ལ། འཇམ་དབྱངས་བདེ་བའི་རྡོ་རྗེ། ཞོགས་དོན་ཡོད་མཁས་གྲུབ། གུང་ཐང་རིན་པོ་ཆེ་རྣམས་ཀྱི་གསུང་འབུམ་གྱི་ལུང་གནང་། དཀའ་ཆེན་སྲིད་རྡོར་ལ། མི་ཏྲ་བརྒྱ་རྩ། སྟག་ཕུའི་དག་སྣང་། ཀླུ་ཏྲ་པླ་ལ་རྣམས་ཀྱི་རྗེས་གནང་། བ་སོ་ལྷ་ཁྲིད། བཀའ་གདམས་ལྷ་བཞིའི་ཁྲིད། མགོན་པོ་སྙིང་ཞུགས་ཀྱི་ཁྲིད། འབའ་ར་ཚེ་ཁྲིད། མི་ཏྲ་བཀའ་འབུམ། སྨོན་ལམ་མཐའ་ཡས་ཀྱི་གཙོད། ཆོས་རྒྱལ་དུག་རི་ནག་པོའི་བེའུ་བུམ་གྱི་ལུང་རྣམས་གནང་། ཏལ་ཏ་ཨེར་ཏི་ནི་སྤྲུལ་སྐུ་ལ། མགོན་པོ་ཞལ་རྣམ་འགྱུར་བཅུ་བདུན་གྱི་རྗེས་གནང་། སྟག་ཕུ་གོང་མའི་མཁའ་སྤྱོད་སྒྲུབ་ཐབས། སྟག་ཕུ་རིན་པོ་ཆེའི་གསུང་འབུམ་གྱི་ལུང་སོགས་གནང་། ཏ་ལ་ཏ་རབ་འབྱམས་པ་ལྷུན་གྲུབ་ལ། མི་འཁྲུགས་པ་ལྷ་དགུའི་དབང་ལ་སོགས་པ་དབང་ཆེན་བཅུ་བདུན། བཀའ་གདམས་ལྷ་བཞིའི་རྗེས་གནང་། འདུལ་འཛིན་དང་། ཐུ་ཀྭན་གཉིས་ཀྱི་གསུང་འབུམ། བློ་སྦྱོང་བརྒྱ་རྩ། བསྟན་འགྱུར་འཐོར་བུའི་ལུང་རྣམས་གནང་། སྦྱོར་ར་ཡོངས་འཛིན་བྱམས་པ་ཀུན་ཁྱབ་ལ། མི་འཁྲུགས་པ་ལྷ་བཅུ་གསུམ་སོགས་ཀྱི་དབང་ཆེན་བཞི། ཉོ་བྲག་སྙན་རྒྱུད་ཀྱི་རྗེས་གནང་། ཁྲིད་ཆེན་བརྒྱད། གསང་འདུས་འཇིགས་བྱེད་ཀྱི་བསྐྱེད་རྫོགས། ནེ་གུ་ཆོས་དྲུག། ནཱ་རོ་མཁའ་སྤྱོད། འཇམ་དབྱངས་ཞི་ཁྲོ་སྦྲགས་སྒྲུབ། བླ་མ་མཆོད་པའི་ཁྲིད། མན་ངག་བེའུ་བུམ་གྱི་ལུང་རྣམས་གནང་། ཚེ་སྨོན་གླིང་དབུ་མཛད་སོགས་གྲྭ་མང་ལ། འཇིགས་བྱེད་དཔའ་གཅིག་གི་དབང་། གསེར་ཆོས་བཅུ་གསུམ། འཇམ་དབྱངས་ཆོས་སྐོར་གྱི་རྗེས་གནང་གནང་། དགེ་བཤེས་རྣམ་རྒྱལ་ཟླ་བ་སོགས་ལ། ཛོ་ནང་ཁྲིད་བརྒྱ། བ་གྲྭ་ཚང་གཅོད་གནང་། རྒྱ་ཡག་དགེ་

བཤེས་གྲགས་པ་རྒྱ་མཚོ་སོགས་སུམ་ཅུ་སྐོར་ལ་ལམ་རིམ་ཆེན་མོའི་བཤད་ལུང་གནང་། དགེ་བཤེས་བསྟན་འཕེལ་སོགས་ལ། རང་གིས་རྩོམ་གནང་བའི་རྗེའི་རྣམ་ཐར། བཀའ་གདམས་བློ་སྦྱོང་གཉིས་ཀྱི་ལུང་གནང་བ་སོགས་འདིར་བརྗོད་པས་མི་ལང་སྟེ། སངས་རྒྱས་ཀྱི་ལུང་གི་བསྟན་པ་ཕྱོགས་བཅུར་འཕེལ་ན་སྙམ་པའི་ཐུགས་ཀྱིས་ཆོས་རྒྱུན་སྤེལ་བའོ། །དགེ་རྒྱན་བསོད་ནམས་སྟག་ཕུ་པ། །ཚུལ་རྒྱལ་དངུལ་རི་ཧོར་བླ་ཆ། །ཁྲི་ཆེན་ལྷུན་གྲུབ་གླིང་སྤྲུལ་སོགས། །ཆོས་ཀྱིས་མཆོད་པའི་སྤྱོད་ཚུལ་ཡིན། །རང་གི་དགེ་རྒྱན་ལྷ་རམས་པ་བསོད་ནམས་ལ། རྡོར་འཛིན་དཀོན་མཆོག་རྒྱལ་མཚན་གྱི་བདེ་ལམ། རྒྱལ་བ་བསྐལ་བཟང་རྒྱ་མཚོའི་བཀའ་རྒྱ་མ་སོགས་ཀྱི་ལུང་གནང་། སྟག་ཕུ་ཡོངས་འཛིན་ཡེ་ཤེས་རྒྱ་མཚོ་ལ། ཁ་ཆེ་པཎྜི་ཏའི་སྙིང་གཏམ་བཅུ་གསུམ་ལ་སོགས་པའི་ལུང་དང་། རྗེས་གནང་མི་ཁྲུང་ཙམ་གནང་བ་ཚ་བཟང་བླ་མའི་གསན་ཡིག་ཏུ་གསལ། དགེ་བཤེས་ཚུལ་ཁྲིམས་རྣམ་རྒྱལ་ལ། སྨྱུན་སྡ་གསུང་འབུམ། འཇམ་དབྱངས་དགའ་བློའི་ལྷ་ཁྲིད་རྣམ་གསུམ། འཕོན་སྟོན་སྐྱབས་ཁྲིད་སོགས་ཀྱི་ལུང་གནང་། དངུལ་ཆུ་བླ་མར་བློ་སྦྱོང་སྙན་བརྒྱུད་ཆེན་པོ། ལེགས་བཤད་ཀུན་བཏུས་སོགས་ཀྱི་ལུང་གནང་། ཧོར་བླ་མ་ཆེ་བ་བློ་བཟང་བསྟན་འཛིན་རྒྱལ་མཚན་སོགས་ལ་ལམ་རིམ་ཆེན་པོའི་བཤད་ལུང་གནང་། བྱང་རྩེ་ཆོས་རྗེ་བློ་བཟང་ལྷུན་གྲུབ་ལ། ཆོས་རྒྱལ་ཡང་གསང་དུག་རི་ནག་པོའི་རྗེས་གནང་། འཇམ་ལུགས་ཚེ་དབང་སོགས་གནང་། ཁྲི་ཆེན་གླིང་སྤྲུལ་སྐུ་ལ་རྣམ་སྲས་བཀའ་བཅོ་ལྔའི་རྗེས་གནང་གནང་། དེ་དག་ནི་རང་གི་དགེ་བའི་བཤེས་གཉེན་དུ་གྱུར་པས་ཆོས་ཀྱིས་མཆོད་པའོ། །རྟ་ཚག་རྒྱལ་སྲས་སེང་སྐྱོ་འབི། །རྗེ་དྲུང་སྟག་ལུང་ཐར་རྩེ་བཟང་། །ས་དགེ་བཀའ་སྙིང་ཕྱོགས་མེད་ལ། །མཉེས་པར་བྱ་བའི་སྤྱོད་ཚུལ་ཡིན། །ཞྭ་སེར་རྩོད་པན་འཆང་བ་རྟ་ཚག་རིན་པོ་ཆེ་ངག་དབང་བློ་བཟང་བསྟན་པའི་རྒྱལ་མཚན་ལ། ཁྲིད་ཆེན་བརྒྱད་ཀྱི་ཁྲིད། རང་གི་གསུང་རྩོམ་དམིགས་བརྩེ་མའི་ལས་ཚོགས་སོགས་ཀྱི་ལུང་གནང་། ལས་ཚོགས་དེའི་མཆོད་བརྗོད་ལ། འཇམ་མགོན་བླ་མ་པཎ་ཞྭ་སྟེ་རིང་གསོལ། །ཆོས་འཁོར་ཕྱག་རྒྱས་རལ་གྲི་གླེགས་བམ་འཛིན། །གསེར་མདོག་མ་ཡིན་གསེར་གྱི་མདོག་སྣང་ཞིང་། །འདམ་བག་མ་ཡིན་འདམ་བག་ཚུལ་དུ་ཤར། །ཞེས་སོགས་ཡོད་པས་རང་གི་འབྲལ་སྐྱངས་རྗེ་རིན་པོ་ཆེའི་སྐུ་མཐེབ་སོར་གཉིས་ཙམ་ཡོད་པ་དེ་གསུང་བྱུང་

ནས་རྫོགས་པར་སྣང་། འོན་རྒྱལ་སྲས་རྡོ་རྗེ་འཆང་ངག་དབང་ཐོགས་མེད་བསྟན་འཛིན་རྒྱ་མཚོ་དང་ཡོངས་འཛིན་བཅས་ལ། ལམ་རིམ་སྟོན་ཐོག་མའི་ཁྲིད། ཆོམ་བུ་དམར་ཁྲིད། རྗེའི་གསུང་འབུམ་གྱི་ལུང་གནང་། བཀྲ་ལྷུན་སྔགས་ཟུར་སེང་ཆེན་སྤྲུལ་སྐུ་ལ། འཇམ་དབྱངས་བཞད་པ་དང་། གུང་ཐང་གསུང་གྲས་ཁ་ཤས་གནང་། སྔོ་པ་ཡོངས་འཛིན་སྤྲུལ་སྐུ་བློ་བཟང་བསྟན་འཛིན་ཆོས་འཕེལ་ལ། སྟག་ཕུ་སྒྲོལ་མའི་དབང་གཉིས་དང་། ཁྲིད་ལུང་འགའ་ཞིག་གནང་། འབི་ལུང་སྤྲུལ་སྐུ་དཔལ་ལྡན་གྲགས་པ་ལ། འདུལ་བ་རྒྱ་མཚོའི་བཤད་ལུང་ལ་སོགས་པ་ལུང་དང་རྗེས་གནང་འགའ་ཆེན་གནང་། གསང་སྔགས་རྙིང་མའི་ཆོས་ལུགས་འཛིན་པ་སློ་ལུང་རྗེ་དྲུང་སྤྲུལ་སྐུ་ངག་དབང་བསྟན་འཛིན་འཕྲིན་ལས་རྒྱ་མཚོ་དང་། ཀོང་པོ་སྤྲུལ་སྐུ་སོགས་སུམ་ཅུ་སྐོར་ལ། བདེ་མཆོག་ཝང་ཞལ་ཅན་སོགས་དབང་ཆེན་དྲུག་གནང་། བྱང་སྟག་ལུང་དུ་བཀའ་རྒྱུད་ཆོས་ལུགས་འཛིན་པ་མ་སྤྲུལ་སྐུ་ངག་དབང་བསྟན་པའི་ཉི་མ། ཆེ་ཚང་། ཆུང་ཚང་། ཞབས་དྲུང་སོགས་ལ་གྲུབ་རྒྱལ་ལུགས་ཚེ་དཔག་མེད་ཞི་བ་ལྷ་མང་། ཁྲོ་བོ་ལྷ་མང་། ཚེ་དཔག་མེད་འཆི་མེད་ར་སྒྲའི་དབང་སོགས་གནང་། །ས་སྐྱ་ཆོས་ལུགས་འཛིན་པ་ཐར་རྩེ་སྤྲུལ་སྐུ་འཇམ་དབྱངས་མཁྱེན་བརྩེ་དབང་པོ་ལ། ཁྲོ་ཕུ་བརྒྱ་རྩ། དབང་དང་རྗེས་གནང་གཉིས་བཞི་བཅུ་སྐོར་གནང་། སེ་དགེ་བླ་མ་ངག་དབང་བཟང་པོ་ལ། ཐག་སེའི་སྒྲོལ་མ་ཉེར་གཅིག་གི་རྗེས་གནང་། གསང་བདེ་གཉིས་ཀྱི་སྔགས་བཏུས་རྗེས་གནང་། བླ་མ་དམ་པའི་མཐུལ་བཞི་བའི་ཚོ་གའི་ལུང་གནང་སྟེ། ས་རྙིང་སོགས་ཀྱི་ཕྱོགས་རེ་མེད་པར་ཆོས་ཀྱིས་མཉེས་པར་བྱ་བའོ། །དོར་ལམ་ལྟ་སྟོན་མ་དགུག །ལས་འབྲས་ཅི་ནུས་པས་ཁས་བླངས། །ཚུལ་ཁྲིམས་རྩ་གཞི་མི་དྲལ་ཙམ། །ཚེ་འདིའི་བྱ་བའི་སྤྱོད་ཚུལ་ཡིན། །སོ་ལྟ་བ་མེད། ལྷ་སའི་མི་དྲག་སྐུ་དྲག་དང་ཁྱད་པར་དུ་སོ་མི་ཐམས་ཅད་འཁོར་མ་བཙུག་པས་དོར་ལམ་བལྟ། སློང་རྫོལ་བླ་མས། སྐུ་མདུན་ལ་བུད་མེད་མི་མ་བཏང་བར་བསྔགས་པ་མཛད། མིས་དཀྱུར་བཟོ་བྱས་ནས་སྐུ་ཞབས་ཟེར་བ་དང་། བླ་མ་ཟེར་བ་ལ་མ་དགའ། བཀའ་ཆོས་ཞུས་དུས་མ་གཏོགས་པ་ཕྱག་འཚལ་ཞིང་ཕྱག་དབང་ཞུས་པ་ལ་མ་དགའ། ཁྱད་པར་དུ་ཁྲིམ་པ་མི་མང་པོའི་དཀྱིལ་ལ་ཕྱག་དབང་ཞུས་པ་ལ་ངོ་ཚ་ནས་སྤྱོང་འགྲོ་བ་ཡོད། མི་ལ་ཨ་པའི་མགོ་ཟེར་བ་དང་། སྤྲང་པོ་ཟེར་བ་སོགས་ཀྱི་ཁ་དྲག་པ་གཅིག་ཀྱང་མ་ལབ། གཟིམ་ཤག་ཁྲིམ་

གཟིགས་ཁང་ལ་བཅས་ནས་དཀར་ཞུང་ནས་ཁྲིམ་ལ་གཟིགས་བཞུགས་ཤིང་། བར་སྐབས་གཅིག་ལ་གཟིགས་བཞིན་དུ་བྱམས་པའི་སྨོན་ལམ་སོགས་སྨོན་ལམ་འདོན་ནས་བཞུགས་པའང་མཐོང་། ཉི་མ་རེ་རེ་བཞིན་ཁྲིམ་བསྐོར་ལ་གཉིས་རེ་གསུམ་རེ་བཞི་རེ་སོགས་ཕེབས་ཤིང་། མཚམས་གཡས་སུ་བསྐོར། མཚམས་གཡོན་དུ་བསྐོར། མཚམས་ཁྲིམ་པའི་མི་བརྒྱ་མ་མཐོང་བ་འདྲ་པར་འགྲོ། མཚམས་ཚུར་གཅིག་བལྟ། ཕར་གཅིག་ལྟ་ནས་འགྲོ། མཚམས་སྣམ་བུ་ཐེར་མ་ཚོང་མཁན་མི་མང་པོའི་དཀྱིལ་ལ་འཛུལ་ཅིང་དོན་དག་མེད་པ་ཕར་ཕར་བསྐོར། ཚུར་ཚུར་བསྐོར། སྐུ་གཟུགས་རིང་པོ་མེད་ཀྱང་མི་མང་པོ་ལས་དཔུང་པ་ཡན་ཆད་འཐོན་ནས་འགྲོ་སྟེ། ཉིད་ཀྱི་སྐུ་གཟུགས་མཐོང་བ་ཐམས་ཅད་ངན་སོང་དུ་མི་འགྲོ་ཞིང་ཐར་བའི་ས་བོན་འཛོག་པའི་དགོས་པ་ཡོད་དམ་སྙམ་མོ། །སྤྱོད་ལམ་དེ་ལྟ་བུས་ཆོས་ཉམས་དང་དྲག་ཉམས་ཙུང་ཟད་ཀྱང་མ་འཐོན་པས་སྣན་གྲགས་མ་དགུག སྙེར་བ་དང་ལེན་པ་སོགས་ལ་མི་སྐྱོན་མ་བཏང་བ་གཙོར་བྱས་པའི་སྒོ་ནས་ལས་འབྲས་བླང་དོར་ལ་ཇི་ལྟར་ནུས་པས་ཕྱག་ལེན་གནང་། ཁེ་སྐྱོང་གང་བྱུང་ཡང་རང་གི་འདོད་པ་ནང་བཞིན་བྱས་པ་མ་གཏོགས། མིའི་ཡིན་མིན་གྱི་ཁ་ལ་ཉན་རྒྱུ་མེད་དེ། རང་གཅེས་འཛིན་མེད་པ་དང་། ལས་འབྲས་ལ་ཡིད་ཆེས་པའི་རྟགས་ཡིན། ཞལ་ནས། མགོན་པོ་སྙིང་ཞུགས་ལས་ལས་འབྲས་སྙིང་ཞུགས་དགའ་གསུངས་ཏེ། ལས་འབྲས་འཚོལ་ན་ཟབ་ཆོས་གསང་བ་འདུས་པ་ཉམས་སུ་བླངས་ཀྱང་ལས་ཀྱི་འབྲས་བུ་སྡུག་བསྔལ་སྤྱོད་དགོས་པས་ཆོས་ཀྱི་གཞི་མ་ལས་འབྲས་བསྒོམ་པ་གཙོ་ཆེ་སྟེ། སྲིད་པ་ཐ་མ་བ་ལིགས་འོང་སྡུག་བསྔལ་ཇི་ལྟར་སྤྱོང་བ་སྟོས། རྗེ་བཙུན་བློ་བཟང་རབ་བརྟན་གྱིས། གྲོང་ཚོག་དང་མིའི་གྲུང་ཚིགས་ལ་འགྲོ་ན་རང་གི་སྟོ་ཚོད་ལས་ལྷག་པོ་ཛ་དང་ཐུག་པ་མ་འཐུང་། སྐྱེ་བསྔོ་མར་དེའི་རྒྱུ་ཟ་བའི་ལས་བསགས་པ་ཡིན། ལས་དེ་འཁྱོག་པོ་ཚར་འགྲོ་དབྱུང་གསུང་། ཡང་སྐྱེ་བ་མང་པོར་མ་ཐྲིན་པར་ལེན་པ་སྤྱང་པའི་མིའི་གོས་ཡུན་རིང་པོ་ཆོད་དབྱུང་། འཁྱོག་པོ་ཚར་མི་དབྱུང་གསུང་། ཚུལ་ཁྲིམས་རྩ་བཞི་མ་དྲལ་ཙམ་ཞེས་པ་ནི་ភ្លុང་མཐོ་བའི་དབང་གིས་དགོངས་གཅད་ལ་སོགས་པ་བཅོས་རྐྱང་གི་འདུལ་བ་མ་སྲུང་ཀྱང་ཉེས་བྱས་ལ་སོགས་པ་ཆ་ཕྲ་བ་ནས་སྲུང་ཡོད་པ་མངོན་སུམ་དུ་མཐོང་སྟེ། དེ་གསུམ་ནི་ང་རང་གི་ཚེ་འདིའི་ཉམས་ལེན་བྱ་བ་འདི་ཡིན་ཞེས་པའོ། །སྤྱི་ཕྱིར་ཐོས་པ་རྗེས་གནང་བརྒྱ། །ཟུར་ཀ་གང་ཡིན་འཐོར་

ཪྻོགས་ནས། །ཕྱོགས་གཅིག་བསྡུས་པ་ཚར་ལྔ་གྲངས། །ཕྲེང་བ་སྤེལ་བའི་སྦྱོད་ཚུལ་ཡིན། །ཀུན་གཟིགས་ལྔ་པས། དཔེ་འབྲུམས་ལག་ཏུ་སོན་པའི་རྒྱུན་མེད་ཆོས། །སྨོད་སྟོང་གཅིག་ནས་གཅིག་འཕྱོའི་རྣམ་པར་ཐར། །མ་ཡིན་ཡོངས་འཛིན་ཞལ་ལུང་ལས་འོང་པའི། །མཁའ་འགྲོའི་ཁ་ཆྱངས་ཐུལ་བའི་གདམས་པ་ཡིན། །ཞེས་པས་རྗེས་གནང་རྒྱུན་ཟུར་དུ་བཞུགས་པ་བརྒྱ་ལྷག་ཐོབ་ཀྱང་བླ་མ་གོང་མ་གོང་མ་རྣམས་ཀྱི་གསན་ཡིག་ཏུ་མི་གསལ་བ་རྣམས་བཏང་སྙོམས་སུ་བཞག་ནས། རྒྱ་གར་མཁས་པའི་གཞུང་དང་བོད་ཀྱི་བླ་མའི་བཀའ་རྩོམ་དུ་ཡོད་ཅིང་ཁུངས་དག་པ་རྣམས་ཕྱོགས་གཅིག་ཏུ་བསྒྲིགས་ནས་ཟུར་ཁ་རྗེས་གནང་བརྒྱ་རྩ་དངོས་གྲུབ་འབྱུང་གནས་ཞེས་ཁ་བྱང་གནང་སྟེ། ཏ་ཚག་རིན་པོ་ཆེ་དང་། སྔ་པ་ཡོངས་འཛིན་སོགས་ལ་ཟུར་ཁ་བརྒྱ་རྩ་དང་། ཀླུ་ཏྲ་པླ་ལའི་རྗེས་གནང་། ལྷ་ལྡན་དུ་སྨྲ་བར་ཡོངས་འཛིན་སོགས་ལ་ཚེ་དཔག་མེད་ཞི་བ་དང་། ཁྲོ་བོའི་དབང་། ཟུར་ཀ་བརྒྱ་རྩ། དགེ་བཤེས་བསྟན་འཕེལ་སོགས་ལ་ཟུར་ཁ་བརྒྱ་རྩ། དགོན་པ་གསར་སྤྲུལ་སྐུ། སོ་སྤྱང་སྤྲུལ་སྐུ། དགེ་བཤེས་ངག་དབང་འོད་ཟེར་སོགས་ལ་ཟུར་ཁ་བརྒྱ་རྩ་གནང་སྟེ། འདི་ཡན་ཆད་ཀྱི་ཚར་བཞི་ལ་སེང་གདོང་མ་གཙོ་འཁོར་གསུམ་གནང་ཡོད་ཀྱང་སྔ་དགེ་སྤྲུལ་སྐུ་འཇམ་དབྱངས་མཁྱེན་བརྩེས་སེང་གདོང་གཙོ་འཁོར་གསུམ་སྔོན་གྱི་ཡིག་ཆ་རྣམས་སུ་མ་མཐོང་བས་ཁུངས་མ་དག་ཅེས་ཞུས་པས་དེ་འཐེན་ནས་འཇིགས་བྱེད་དཔའ་བོ་གཅིག་ཞལ་ཕྱག་ཡོངས་རྫོགས་ཀྱི་རྗེས་གནང་བསྒྲིགས་ཏེ། ཕྱིན་ཆད་དེ་གནང་པའོ། །དགེ་བཤེས་དཔལ་གྱི་ཉི་མ་སོགས་ལ་ཟུར་ཀ་བརྒྱ་རྩ་གནང་སྟེ། སངས་རྒྱས་ཀྱི་བསྟན་པ་ཡུན་རིང་དུ་གནས་པའི་ཆེད་དུ་རྒྱུད་སྡེའི་རིམ་པར་བསྒྲིགས་པའི་བརྒྱ་རྩའི་ཕྲེང་བ་སྤེལ་བ་ཡིན་ཞེས་པའོ། །རྗེས་གནང་བརྒྱ་རྩ་སྔར་བླ་མ་གོང་མའི་ཡིག་ཆ་ཁ་རང་རང་བསྒྲིགས་ཀྱང་ཕྱིས་སུ་ཚིག་འདྲ་བ་མང་བ་ལ་ཐོགས་ནས་རང་གིས་དེའི་ཐོག་ནས་གསར་རྩོམ་གནང་སྟེ། མ་དཔེ་ལི་ཐང་སྒོ་སྤྱང་སྤྲུལ་སྐུ་ལ་བསྐུར་ཞིང་སྟེར་བ་ལ་སྤྲུལ་བའི་སྐུས་པར་བཀོ་ནས་ལྷ་སར་བསྐུར་ཡོད་དེ། བླ་མའི་ཆོས་ལ་གཅེས་སྤྲས་སུ་བྱས་ནས་པར་གྲུབ་པ་ནི་བསྟན་པ་སྤྱི་ལ་བཀའ་དྲིན་ཆེན་པོ་བྱུང་། ཞལ་ནས། སྔར་ནས་དབང་རྗེས་གནང་། ཁྲིད་བཤད་ལུང་། ལུང་རྣམས་ཀྱི་རྒྱུན་ཡོད་མེད་བླ་མ་གོང་མའི་རྣམ་ཐར་གསན་ཡིག་ལ་བལྟ་ན་མེ་ལོང་ལ་བལྟ་བ་ལྟར་གསལ་གསུང་སྟེ། ལྷ་གཅིག་གིས་མཇལ་བའི་གསན་

ཡིག་ནི། འགྲོ་མགོན་འཕགས་པ། བུ་སྟོན་རིན་པོ་ཆེ། རྗེ་རིན་པོ་ཆེ། མཁས་གྲུབ་རྗེ། འཇམ་དབྱངས་ཆོས་རྗེ། ངོར་པ་ཀུན་བཟང་། རྫོ་ནང་ཀུན་དགའ་གྲོལ་མཆོག། དབུས་སྨྱོན་ཧེ་རུ་ཀ། སྟག་ལུང་བཀྲ་ཤིས་དཔལ་གྲུབ། གཙུག་ལག་ཕྲེང་བ། མཁྱེན་བརྩེ་དབང་ཕྱུག། ཞྭ་ལུ་རིན་ཆེན་བསོད་ནམས་མཆོག་གྲུབ། ས་སྐྱ་ཀུན་དགའ་བློ་གྲོས། པཎ་ཆེན་ཆོས་རྒྱན། བློ་བཟང་ཡེ་ཤེས། དཔལ་ལྡན་ཡེ་ཤེས། རྒྱལ་བ་ལྔ་པ། བསྐལ་བཟང་རྒྱ་མཚོ། ཛ་ཡ་པཎྜི་ཏ། སྨིད་ཤོད་སྤྲུལ་སྐུ། དུས་འཁོར་བ་ཡོན་ཏན་དར་རྒྱས། འཇམ་དབྱངས་བཞད་པའི་རྡོ་རྗེ། འཇིགས་མེད་དབང་པོ། འཇམ་དབྱངས་བདེ་པའི་རྡོ་རྗེ། རྒྱལ་སྲས་བློ་བཟང་བསྟན་འཛིན་རྒྱ་མཚོ། བྲག་རི་བློ་བཟང་སྙན་གྲགས། ཞུ་དཔོན་ཚུལ་ཁྲིམས་རིན་ཆེན། སློང་རྫོལ་བླ་མ། ཡོངས་འཛིན་ཡེ་ཤེས་རྒྱལ་མཚན། ཞི་བ་ལྷ་དགེ་ལེགས་རྒྱལ་མཚན། ལྕགས་ར་གོང་མ། བྲག་རི་ཁྲབ་བདག རྒྱལ་མཁན་པོ་སྐལ་བཟང་རབ་རྒྱས། རྒྱལ་སྲས་གོང་མ། ཏ་ཚག་གོང་མ། དཔལ་མང་ཚང་། གུ་གེ་ཡོངས་འཛིན། སྟག་ཕུ་ཡོངས་འཛིན། ཞྭ་ལུ་རི་སྤུག་སྤྲུལ་སྐུ། སེ་དགེ་ངག་དབང་བཟང་པོ། ས་སྐྱ་རྡོ་རྗེ་རིན་ཆེན། གཟིམ་འོག་བསྟན་འཛིན་སྙན་གྲགས། ལྕང་ལུང་པཎྜི་ཏ། བཀྲ་ལྷུན་ཤར་རྩེ་བློ་བཟང་ཡོན་ཏན་རྣམས་ཀྱི་གསན་ཡིག་དང་མཇལ་ཞིང་གཟིགས་པར་གསུངས། མཁན་ཆེན་བློ་བཟང་དར་རྒྱས་ཀྱིས་དེང་དུས་དངུལ་ཐོབ་པའི་ཐོབ་ཡིག་མ་གཏོགས་ཆོས་ཐོབ་པའི་ཡིག་ཡོད་པ་ནི་དཀོན་པར་སྣང་གསུང་ངོ་། །སྔོན་ལས་བཤེས་གཉེན་བྱིན་རླབས་དང་། །བཟླས་སྒོམ་ཆོས་ཐོས་སྤྱོལ་བའི་མཐུས། །ངོ་མཚར་རྨི་ལམ་བཅུ་ཙམ་བྱུང་། །མིག་ཆུ་ཤོར་བའི་སྨྱོར་ཚུལ་ཡིན། །འཁོར་བའི་གནས་སུ་གནས་ནའང་སྔོན་ལས་སོགས་ཀྱི་མཐུས་འགྲོ་དོན་འཕེལ་བའི་རྨི་ལམ་བཅུ་བྱུང་བའོ་མཚར་རོ་སྙམ་པ་སྟེ། དཀྱིལ་ཆོག་ནོར་བུའི་ཕྲེང་བ་པོ་ཏི་གཉིས་པ་ལས། རྨི་ལམ་དང་པོ་ནི། མཚན་དཔེས་སྤྲས་པ་གསེར་མདོག་གཟི་བརྗིད་འབར། །མི་ཕམ་མགོན་པོ་ཆོས་འཁོར་ཕྱག་རྒྱ་ཅན། །མཐོང་བའི་མོད་ལ་བྱང་ཆུབ་སེམས་བསྐྱེད་པ། །བཟང་སྟབས་ཕུས་མོ་གཡོན་ནས་ཕྱག་འཚལ་ལོ། །ཞེས་པས་དང་པོ་དབུས་སུ་སླེབ་ནས་སློབ་གཉེར་བྱས་ཤིང་། དབང་ལུང་མང་པོ་ཞུས་ཏེ། པཎ་ཆེན་བསྟན་པའི་ཉི་མའི་ཞབས་དྲུང་དུ་བསྙེན་རྫོགས་སྒྲུབ་ནས་ཕ་ཡུལ་དུ་ལོག་ཕེབས་ཏེ། མཚམས་བསྙེན་སྒྲུབ་ལ་ལོ་འགའ་ཞིག་འབད་པའི་མཇུག་ཏུ།

རྒྱ་ནག་རི་བོ་རྩེ་ལྔར་ཕེབས་ཤིང་འཇིགས་བྱེད་ཀྱི་བསྙེན་པ་བཏང་བའི་སྐབས་རྨི་ལམ་ལ་རྗེ་བཙུན་བྱམས་པ་སྤྱན་པ་ལ་མདུན་དུ་བྱང་ཆུབ་ཀྱི་སེམས་བསྐྱེད་ཅིང་ཕྱུས་མོ་གཡོན་ནས་ཕྱག་འཚལ་བས་བྱམས་པ་མགོན་པོ་རྗེ་བཙུན་ཙོང་ཁ་པ་ཆེན་པོར་གྱུར་ནས་ཕྱག་ལྷ་གཅིག་གི་སྤྱི་བོར་བཞག་ཏེ། བོད་ཀྱི་བསྟན་པ་ལ་གསང་སྔགས་ཀྱི་ཆོས་ཀྱི་འཁོར་ལོ་བསྐོར་བར་གྱིས་ཤིག །རང་སངས་རྒྱས་པའི་ཞིང་དུ་རྡོ་རྗེ་ཐེག་པའི་ཆོས་ཀྱི་འཁོར་ལོ་བསྐོར་བའི་རྟེན་འབྲེལ་བསྒྲིགས་གསུངས་ནས་ལྷ་གཅིག་ཁོ་རང་ལ་ཐིམ། གཉིད་སད་མ་ཐག་དགའ་བདེ་ཚད་མེད་པ་སྐྱེ། དེ་ནས་ཨ་མདོ་བཀྲ་ཤིས་འཁྱིལ་ཆོས་ཚོམས་བུ་ཡོད་པས་དེར་འགྲོ་ནས་བཀའ་ཆོས་མང་པོ་ཞུས་ཤིང་ཡང་བསྐྱར་ཕོག་ནས་བསྟན་པ་ལ་ཕན་པ་བྱེད་དམ་དགོངས་ནས་དེར་ཕེབས་ཏེ། དབལ་མང་ཚང་ལ་སོགས་པའི་བཤེས་གཉེན་མང་པོའི་ཞབས་བསྟེན་ཅིང་ལུང་ཁྲིད་མང་པོ་ཞུས་ཤིང་བཞུགས་པའི་དུས། རྨི་ལམ་གཉིས་པ་ནི། མཛེས་སྡུག་ཡིད་དཔེན་པཉྩ་ལི་ཀའི་མདོག འཛམ་གཉེན་སྤྲུ་རིང་ལྷབ་ལྷུབ་གཡོ་བ་ཡི། །འཇིགས་བྲལ་འཕྲོག་བྱེད་བདེ་བར་ཞོན་གྱུར་ཅིང་། །སྨྲ་དབང་གནས་སུ་བགྲོད་ན་ཅི་མ་རུང་། །ཞེས་པས་རྗེ་བཙུན་སྒྲོལ་མ་སེངྒེ་ཞོན་ནས་བྱོན་ཏེ། དབུས་གཙང་གནས་སུ་འགྲོ་ཞིང་འཕྲིན་ལས་ཐམས་ཅད་ངེད་ཀྱིས་སྐྱབ་བོ་ཞེས་ལུང་བསྟན་པའི་རྨི་སྣང་བྱུང་། རྒྱལ་མཁན་པོ་གྲགས་པ་རྒྱལ་མཚན་གྱིས་ཀྱང་། ཁྱོད་སློན་ལམ་ཅན་གྱི་གང་ཟག་ཡིན། འདིར་སྡོད་པ་ལ་དོན་དག་མེད། དབུས་གཙང་དུ་འགྲོ་ཞེས་ལུང་བསྟན། འོན་ཀྱང་བླང་འགྲོ་བ་ལ་ལམ་ཀ་ཁག་པ་མཐུན་རྐྱེན་མེད་པར་ཐོགས་ནས་འགྲོ་འདོད་མ་བྱུང་བ་ལ། ཁ་རག་བསྒོམ་ཆུང་གིས། རྐྱེན་ངན་དགེ་བའི་བཤེས་གཉེན་ཡིན། །བར་ཆད་དགེ་སྦྱོར་བསྐུལ་མ་ཡིན། །སྡུག་བསྔལ་སྡིག་པའི་འཕྱག་ཤིང་ཡིན། །མི་དགའ་བྱར་དུ་མ་བལྟ་ཨང་། །ཞེས་པས་རྐྱེན་ངན་པའང་ཐུག་ནས་ཡུལ་དགོན་དེར་སྡོད་མི་ཆོག་པའང་བྱུང་བས་རྗེའི་འབྲུངས་ས་སྐུ་འབུམ་དུ་སླེབ་པ་ལ། རྨི་ལམ་གསུམ་པ་ནི། འཛམ་མགོན་འབྲུངས་ས་སྐུ་འབུམ་ཙཱནྡན་འདབ། །དབུས་ཕྱོགས་བགྲོད་པར་དགའ་བས་དོགས་ཟ་བར། །ཞྭ་ནག་གོས་སྔོན་རྒྱ་མིས་འདི་སྐད་ཞེས། །ལྷ་མོའི་ཤོ་མོ་གསུམ་བཏབ་དགུ་རེ་བྱུང་། །ཞེས་པའི་རྨི་སྣང་བྱུང་། སང་ཉིན་ལྷ་མོའི་མོ་དཔེ་ཤོ་མིག་དགུ་པ་བལྟ་བས་མོ་བཟང་། དེའི་སྔོན་ལའང་སེའུ་ལིང་ཨམ་བན་མཐུན་རྐྱེན་སྦྱར་བའི་རྨི་ལམ་བྱུང་བ་ལྟར་སེའུ་

ཞིང་ཨམ་བན་ཏ་རྨིག་མ་བཞི་སྟེར་བྱུང་བ་ལ་དེས་མཐུན་རྐྱེན་བྱས་ཏེ། དབུས་གཙང་དུ་འགྲུར་ནས་ས་སྐྱ་གོང་། ངོར་དགོན་པ། ཞ་ལུ། གོང་དཀར། སྣོད་ལུང་གནས་ནང་། འཕེན་པོ་ནཱ་ལེནྡྲ། བྱང་སྟག་ལུང་རྣམས་སུ་རིམ་གྱིས་ཕེབས་ནས་ས་སྐྱ། བུ་ལུགས། བཀའ་རྒྱུད་ཀྱི་དབང་རྗེས་གནང་ཁྲིད་ཕལ་ཆེར་ཞུས་ནས། ཡོང་པ་ལྷ་རི་སྙིང་པོར་ཕེབས་ཅིང་སྤྱན་རས་གཟིགས་འཇིག་རྟེན་དབང་ཕྱུག་གི་བསྙེན་པ་བཏང་བ་ལ། རྨི་ལམ་བཞི་པ་ནི། རང་བསྐྱོད་ཁང་ནས་ཆུ་མིག་ཞིག་བརྡོལ་ཅིང་། །ཆུ་ཀླུང་དྭངས་མ་ཆེན་པོར་གྱུར་ནས་ནི། །མཆོག་ཏུ་བདེ་བའི་དཔའ་རླབས་རབ་གསལ་བ། །ཞུར་སྲྲ་དང་བཅས་རིང་དུ་གཞོལ་ཞིང་འབབས། །ཞེས་པས་ཆུའི་ཞུར་སྲྲ་རྒྱུད་སྡེ་བཞིའི་སྲྲ་དང་བཅས་པ་ཐག་རིང་དུ་བབས་པ་རྨི། དེ་ནི་ནོར་བུ་ཕྲེང་བའི་སྲོལ་ཚུགས་དགོས་པར་དགོངས་ནས་མཚམས་གྲོལ་མ་ཐག་ལྷ་སར་ཕེབས་ཅིང་། ཡི་གེ་པ་དགེ་བཤེས་བློ་རིན་སྐལ་བཟང་ཆོས་འཕེལ་དང་། མུ་ལི་ཚུལ་ཁྲིམས་ཆོས་འཕེལ་གཉིས་ཀྱིས་བྱས་ཏེ། དཀྱིལ་ཆོག་ནོར་བུ་ཕྲེང་བའི་ཆོག་བསྒྲིགས་ཚར་བའི་སྐབས་སུ། རྨི་ལམ་ལྔ་པ་ནི། ཁ་དོག་དབྱིབས་ལེགས་ཆ་དགུ་མེ་འབར་གྱི། །མིག་ཐོས་ཕྲ་མོ་བདུན་གྱིས་ཉེར་འཁྱུད་པ། །ཡན་ལག་མཆོག་ཏུ་བརྒྱན་པའི་སྔོ་འགྲོའི་མཛུག །བསྐུམ་བྱེད་གཡོན་དུ་བཟུས་ནས་རྩེད་མོ་རྩེ། །ཞེས་པས་ཁ་དོག་དང་དབྱིབས་བཟང་པོའི་ནོར་བུ་ཆ་དགུ་ལ་མེ་འབར་གྱི་མིག་ཐོས་ཏེ་སྤྲུལ་མགོའི་གདེངས་ཀ་བདུན་གྱིས་ཉེར་འཁྱུད་པ། ཡན་ལག་མཆོག་ཏུ་བརྒྱན་པའི་སྔོ་འགྲོ་སྟེ། སྤྲུལ་གྱི་མཛུག་མ་གཡོན་དུ་བཟུས་ནས་རྩེད་མོ་རྩེ་བ་རྨིས་པ་སྟེ། རྗེའི་རྣམ་ཐར་སྨྲས་བཤད་ལས། ཡན་ལག་མཆོག་ཏུ་ཡིད་བཞིན་ནོར་བུ་ནི། །ཆ་དགུ་དང་ལྡན་བྲང་འགྲོ་བདུན་འགེངས་ཅན། །འགྲོ་བའི་རིགས་སང་རྣམ་ཐར་བསལ་ཆར་འདིས། །མ་ལུས་འགྲོ་བ་ངོ་མཚར་བཀོད་པའི་རྒྱུ་ཞེས་སོ། །འདི་ཙམ་གྱི་མན་ངག་རྙེད་པས་ཕ་ཡུལ་དུ་ཕེབས་འདོད་དགོངས་པ་ལ། རྨི་ལམ་དྲུག་པ་ནི། སྟ་མར་སྐྱེས་པའི་ཁང་པ་སྣོ་ཤང་བལ། །དཀར་ཁྱུང་ཞིང་ག་བ་འཛོ་ལུང་པ་བཙོང་། །སྐྱོ་དང་དགའ་བ་ཡ་མཚན་སྐམ་པ་ཊུ། །མེ་ལོང་ངོས་ལ་སྣག་ཚས་རི་མོ་བྲིས། །ཞེས་པས་སྐྱེ་བ་སྟ་མའི་བཞུགས་ས་རྨི་ལམ་དུ་མཐོང་ནས་མཚམས་སྐྱོ་མཚམས་དགའ་སྟེ། མེ་ལོང་ནང་གི་གཟུགས་བརྙན་ལྟ་བུར་གཟིགས་པས་ཡ་མཚན་སྐམ་པ་སྟེ། ད་ནི་བོད་ལ་ཡིན་ཞེས་རང་གིས་གསུངས། དེས་སྐྱེ་བ་སྟ་མའི་སྐྱོན་ལམ་གྱི་

འབྲས་བུ་བོད་འདིར་འབྱུང་བར་དགོངས་ནས་ཕ་ཡུལ་དུ་ཕེབས་རྒྱུ་ཕྱིས་བསྐོལ་བྱས་ཏེ། རྗེའི་རྣམ་ཐར་ལས། སྔོན་གྱི་ལོངས་སྤྱོད་འདི་ན་སྟོང་ཕྲག་འཕེལ། །ཕ་མའི་ཆོས་སྤྱོད་འདི་རུ་སྟོང་ཕྲག་ཉམས། །བསྟན་པའི་བྱ་བ་བརྒྱ་ཕྲག་གོང་འཕེལ་བ། །ཨེ་མ་རྨི་ལམ་རྒྱུ་འབྲས་སྒྱུ་མ་བཞིན། །ཞེས་སོ། །དེ་ལྟར་ཡིན་ཀྱང་དུས་སྙིགས་མའི་མི་ཕལ་ཆེར་གོ་ས་ཡོད་པ་ལ་དགའ་ཞིང་། གོ་ས་མེད་པ་ལ་མིར་ཡང་མི་རྩི་བས་གོ་ས་དགོས་སམ་སྙམ་དུ་དགོངས་པ་ལ། རྨི་ལམ་བདུན་པ་ནི། ཚེ་འདིར་མིང་བཏགས་གོ་ས་མི་བྱུང་ཞིང་། །ཚེ་ཕྱི་མར་ཡང་གཏན་ནས་མི་འབྱུང་སྟེ། །ཅི་ཕྱིར་ཞེན་སྣང་འཛིག་མི་རྟག་དང་། །སྙིང་པོ་མེད་པས་ཚོགས་སུ་བཅད་ཟུང་སྨྲས། །ཞེས་པས་སྟག་ལོ་ཟླ་བ་དང་པོའི་ཚེས་གཅིག་གི་ནམ་མ་ལངས་ཙམ་ལ་སླར་ཡང་མཁན་པོ་མཐུ་སྟོབས་ཉི་མ་ཕེབས་ཏེ། ཚེ་འདི་སྣང་གྲགས་ཆེ་ས་བཀུར་སྟི་དང་། །ལོངས་སྤྱོད་མངའ་ཐང་འཛིག་རྟེན་བདེ་སྐྱིད་ལ། །ཆུ་ཡི་ཆུ་བུར་རྨི་ལམ་འདྲར་མཐོང་ནས། །ཚེ་འདི་བློ་ཡིས་ཐོངས་པར་གྱིས་ཤིག་བུ། །རང་བྱས་ལས་ཀྱིས་ཚེ་རབས་ཕྱི་མ་རུ། །ལྷ་མི་དམྱལ་བ་ཇི་ཙམ་སྐྱེ་འགྱུར་ཀྱང་། །མི་རྟག་ཡང་འཆི་སྒྱུ་མ་ལྟར་རིག་ནས། །ཚེ་ཕྱི་བློ་ཡིས་ཐོང་པར་གྱིས་ཤིག་བུ། །ཞེས་པའི་ཚིགས་བཅད་གཉིས་གསུངས་པར་རྨིས་པ་ལ་གྲྭ་རྒྱང་གིས་བསྟན་འགྲོའི་དོན་བྱེད་པས་ཕྱི་མའི་རྗེས་འཇུག་རྣམས་ལ་ཕན་པ་ཆེན་པོ་བྱུང་བར་དགོངས་ཏེ། ཞལ་ནས། ང་རྗེ་རམས་པའི་མིང་བཏགས་བྱས་ནས་སློ་མང་མཁན་པོ་བྱེད་དགོས་བསམ་སྟེ། བཀྲ་ལྡན་སྐྱབས་མཆོག་དཔལ་བཟང་པོས། རང་ཅག་དགེ་ལྡན་པའི་གསེར་ཞྭ་སྔོན་མཁན་བླམ་དམྱལ་བ་ལ་འདུག་གསུང་པས་གསེར་ཞྭ་སྔོན་ནས་དམྱལ་བར་འགྲོ་ན་དེ་ལས་ངོ་ཚ་བ་མེད་པས་མ་བྱས་པ་ཡིན་གསུང་། རྨི་ལམ་བརྒྱད་པ་ནི། ནམ་མཁར་ཐུག་པ་ཤིན་ཏུ་མཐོ་བ་ཡི། །བྲག་གི་རྩེ་མོར་བདེ་བར་བསྡད་པ་ཡིས། །འོག་ཏུ་བལྟ་བར་རྩུང་ཟད་མགོ་འཁོར་ཚེ། །ཁ་བལྟ་ཤར་ནས་ནམ་ནོར་གསལ་བར་ཤར། །ཞེས་པས་ནམ་ནོར་ནི་ཉི་མ་སྟེ། ཡུལ་གྱི་རྒྱལ་པོ་མཆོན་པས་ཁམས་མུལ་སྤྲུལ་སྐུ་དབང་ཆེན་གྱི་པར་བཀོ་བ་ལ་ཕན་པ་རྨིས་ཏེ། ཞལ་ནས། ང་ལ་ཕན་ན་རྒྱལ་པོ་གཅིག་གིས་ཕན། དེ་མིན་པ་སུ་གང་ཡང་ཕན་ཐོགས་མི་དབྱུང་གསུངས། རྨི་ལམ་དགུ་པ་ནི། ནོར་བུའི་ཕྲེང་བ་ཐོག་མར་སྤེལ་བའི་སྐབས། །རྣལ་འབྱོར་རྒྱུད་ཀྱི་བདག་འཛུག་ཡོངས་རྫོགས་པ། ཤིན་ཏུ་གསལ་བར་སྣང་ས་པ

སྐལ་བ་བཟང་། །ཤིན་ཏུ་སྤྲ་བར་ནམ་ལངས་སྐྱ་རེངས་ཤར། །ཞེས་པས་ནོར་ཕྲེང་དང་པོ་གནང་དུས་རྒྱལ་འབྱོར་རྒྱུད་ཆོས་དབྱིངས་གསུང་དབང་གི་བདག་འཇུག་སྣང་ངས་ཏེ། དར་སྟོན་གྱི་ཡིག་ཆར་མ་གྲགས་པ་འཇམ་དཔལ་མཚན་བརྗོད་ཀྱི་ལུང་བསྒྲིག་པ་ཡོད་པ་ནི་རང་གི་རྨི་ལམ་གྱི་བདག་འཇུག་དང་བསྲེ་བ་ཡིན། ཤིན་ཏུ་སྤྲ་བར་ནམ་ལངས་པ་ན། དུས་ལ་མ་བབས་གོང་དུ་ནོར་ཕྲེང་གནང་པའི་རྟེན་འབྲེལ་གྱིས་ད་ལྟ་བར་དུ་དར་སོ་ཆེན་པོ་མ་བྱུང་བ་དེ་ཡིན། རྨི་ལམ་བཅུ་པ་ནི། དཀར་ལ་དམར་མདངས་སྟོན་སྐྱེས་སྐྲ་དཀར་གྱིས། །ལག་པར་ཤེད་ལྡན་བུསྐྲ་སྤྲིག་རྩ་བཅས། །ཀྲོ་མ་ཀ་ཡང་འགྲུལ་བཞིན་འཁྱེར་བ་ཏྲ། །ཁྲི་རིའི་གཏོར་འབུལ་ནང་ཕྲེང་འདི་གཏད་དོ། །ཞེས་པས་སྟོན་སྐྱེས་ཏེ་མགོན་པོ་བྲམ་ཟེ་གཟུགས་ཅན་གྱིས་ལག་པར་ཤེད་ལྡན་གྱི་སྙིང་སྤྲིག་རྩ་དང་བཅས་པ་སྤྲིག་རྩའང་འགྲུལ་ཡོད་པ་འཁྱེར་ཏེ། འདི་ཁྱོད་རང་ལ་མཐུ་བྱེད་མཁན་གྱི་སྙིང་ཡིན་ཞེས་སྟེར་བ་ལ། ཕར་ཁྲི་ཏེ་ཞེས་པས་གཏོར་མར་འབུལ་བས་ཚུང་ཟད་ཀྱང་མ་ལུས་པར་སེབ་ཀྱིས་དྲངས་ནས་གསོལ་བ་ལ། ནོར་བུའི་ཕྲེང་བ་འདི་བདག་པོ་བྱས་ཤིང་སྲུང་མ་མཛད་དུ་གསོལ། ཞེས་ལས་བཙོལ་བ་རྨིས་སོ། །ངོ་མཚར་རྨི་ལམ་བཅུ་ཚམ་གསུངས་པ་ནི། དཀྱིལ་ཆོག་ནོར་བུའི་ཕྲེང་བ་བསྒྲིགས་ཅིང་སྤེལ་དགོས་པའི་རྨི་ལམ་ལ་གསུངས་ཏེ། ནོར་བུ་ཕྲེང་བའི་སྨྲས་བཤད་ལས། ངོ་མཚར་ཕྱོགས་གྲངས་ཅིར་ཡང་གཡོ་བ་ལས། །དྲངས་པའི་འཕྲུལ་འཁོར་བརྒྱ་ཕྲག་སྣང་བ་དང་། །ལྷན་ཅིག་ཐུབ་བསྟན་རྗེས་བཟུང་དགེ་བ་ཡིས། །སྐྱེ་ཞིང་སྐྱེ་བར་ནོར་ཕྲེང་སྤེལ་བར་ཤོག །ཅེས་པའི་ཕྱོགས་གྲངས་ནི། བཅུ་ཐམ་པའི་གྲངས་ཀྱི་རྨི་ལམ་གྱིས་དྲངས་པ་ལས་སྤྲུལ་པའི་དཀྱིལ་ཆོག་བརྒྱ་ཕྲག་སྣང་ཞེས་པའོ། །གཞན་ཡང་འབྲས་སྤུངས་མཚམས་མདོ་ཁང་དུ་བཞུགས་སྐབས་སུ་རྨི་ལམ་ལ་རྗེ་བོ་ཨ་ཏི་ཤ་ཕེབས་ནས་ལམ་སྒྲོན་གསུངས་པ་སོགས་མང་པོ་ཡོད་ཀྱང་ཡོན་ཏན་བཀའ་སོང་བས་ཤེས་མ་ཐུབ་བོ། །བར་སྐབས་བར་སྐབས་སུ་རྗེ་བཙུན་སྒྲོལ་མ་དངོས་སུ་མཇལ་བའང་ཡོད་དོ། ནོར་བུ་ཕྲེང་བའི་མཛད་བྱང་ལས། བདག་ཅག་གི་སྟོན་པས་ཡི་དམ་གྱི་ལྷ་དུ་མའི་སྐུར་བཞེངས་ནས་སྨིན་གྲོལ་གྱི་ལམ་རྫོགས་པར་བསྟན་པ་བསིལ་ལྡན་ལྗོངས་སུ་ཇི་སྙེད་ཅིག་བཞུགས་པ་རྣམས། སྟོན་གྱི་བག་ཆགས་ཀྱིས་ཡོངས་སུ་ཚོལ་བ་ལ་དད་སྤྲོའི་བརྩོན་འགྲུས་ཀྱི་གཡུང་དྲུང་མི་དམན་ཞིང་། བཅོམ་ལྡན་འདས་མ་འཕགས་མ་སྒྲོལ་མའི་གསུང་གི་རྗེས་སུ

འབྲང་བ་ཆོས་སྨྲ་བའི་བཙུན་པ་ཡེ་ཤེས་དོན་གྲུབ་བསྟན་པའི་རྒྱལ་མཚན། ཞེས་བྱུང་ངོ་། །ཟུར་ཀ་དབང་ཆེན་གང་ཐོབ་པ། །ཕྱག་ལེན་མ་ཉམས་ཕྱོགས་གཅིག་སྤེལ། །ཁྲི་ཆེན་སོགས་ལ་ལེགས་སྤེལ་བ། །ནོར་ཕྲེང་གཏད་པའི་སྤྲོད་ཚུལ་ཡིན། །རབ་བྱུང་བཅུ་བཞི་པའི་ས་བྱ་ལོར་འབྲས་སྤུངས་དགའ་ལྡན་ཕོ་བྲང་དུ་ཟླ་བ་དྲུག་པར་དགེ་འདུན་བརྒྱ་ཙམ་ལ། གསེར་ཆོས་བཅུ་གསུམ། མགོན་པོ་བཀའ་བཅུ་གསུམ་གྱི་རྗེས་གནང་། ཕྱག་རིམ་ཆེན་པོའི་བཤད་ལུང་། རྗེའི་གསུང་འབུམ་དང་། པཎ་ཆེན་བསོད་གྲགས་ཀྱི་པར་ཕྱིན་སྤྱི་དོན་གྱི་ལུང་སོགས་གནང་། སློ་ལུང་སྤྲུལ་སྐུ་སོགས་ལ། སྒྲུབ་ཐབས་རྒྱ་མཚོ། སྒྲུབ་ཐབས་བརྒྱ་རྩ་སྣར་ཐང་བརྒྱ་རྩ་སོགས་ཀྱི་རྗེས་གནང་གནང་། ཟླ་བ་བཅུ་གཅིག་པར་ཨུ་ཐུ་ཁུ་ཆེན་སྤྲུལ་སྐུས་ཞུས་ངོར། ཞྭ་སེར་བསྟན་པའི་གཙུག་རྒྱན་དགའ་ལྡན་ཁྲི་ཐོག་པ་ཡོངས་འཛིན་གླིང་སྤྲུལ་སྐུ་ངག་དབང་ལུང་རྟོགས་རྒྱ་མཚོ། མཁས་གྲུབ་དམ་པ་སེ་ར་འབྲུག་ལ་མཁན་ཆེན་བྱང་ཆུབ་བསྟན་པའི་རྒྱལ་མཚན། སྔོ་མང་ཨུ་ཐུ་ཁུ་ཆེན་སྤྲུལ་སྐུ་ཡེ་ཤེས་བསྟན་འཛིན་བཟང་པོ། སེར་སྨད་ལི་ཐང་སྔོ་སྤུང་སྤྲུལ་སྐུ་ངག་དབང་དཔལ་ལྡན། སེར་སྨད་དགེ་བཤེས་ཐེ་བོ་ཆོས་ལྡན། ཀོང་པོ་དགེ་བཤེས་ངག་དབང་ཚུལ་ཁྲིམས། སུ་ལི་དགེ་བཤེས་སྦྱིན་པ་མཐུ་སྟོབས་སོགས་དུར་ཁྲིག་འཛིན་པ་བཅུ་དགུ་ཙམ་ལ་དབང་ཆེན་ནོར་བུའི་ཕྲེང་བ་དང་པོར་སྤེལ་ཏེ། ཐོག་མའི་སྟོན་འགྲོའི་ཆོས་བཤད་ལ། རྗེ་བཙུན་བྱམས་པ་ལ་སོགས་པའི་བསྟན་པ་ལ་གསང་སྔགས་ཐེག་པའི་ཆོས་ཀྱི་འཁོར་ལོ་བསྐོར་བ་མེད་པར་གསུངས་ཀྱང་བདག་ཅག་གི་སྟོན་པ་ཤཱཀྱ་ཐུབ་པའི་བསྟན་པ་ལ་འདི་འདྲ་བའི་བྱ་བ་བྱས་པ་ནི་རང་སངས་རྒྱས་པའི་ཞིང་དུ་རྡོ་རྗེ་ཐེག་པའི་ཆོས་ཀྱི་འཁོར་ལོ་བསྐོར་བའི་རྒྱུ་སྒྲུབ་པ་ཡིན་ཞེས་མི་འཇིགས་སེང་གེའི་ང་རོས་གསུངས་ཏེ་དོན་གྱིས་ང་རྗེ་བཙུན་བྱམས་པ་ཡིན། འཛམ་བུ་གླིང་དུ་ཆོས་འཁོར་བསྐོར་བའི་ཚེ་སྔགས་ཀྱི་ཐེག་པའི་ཆོས་འཁོར་བསྐོར་བའི་རྒྱུ་ས་བོན་ང་ད་ལྟ་བྱ་བ་འདི་བྱས་པས་སྒྲུབ་པ་ཡིན་ཞེས་ཞལ་གྱིས་བཞེས། ནོར་བུ་ཕྲེང་བའི་སྨྲས་བཤད་ལས། ལྷ་ཡི་རྒྱལ་པོ་ཆར་བབས་ཀྱང་། །ས་བོན་མི་རུང་མི་འཁྲུངས་ལྟར། །སངས་རྒྱས་རྣམས་ནི་བྱོན་གྱུར་ཀྱང་། །སྐལ་པ་མེད་པས་བཟང་མི་མྱོང་། །ཞེས་བྱུང་བ་མངོན་རྟོགས་རྒྱན་གྱི་ཚིག་ཡིན་ཏེ། གངས་ཅན་ཞིང་འདིར་སངས་རྒྱས་དངོས་ཀྱི་སྐྱེས་བུ་དམ་པ་གནམ་གྱིས་ས་བཀབ་པ་ལྟ་བུ་བྱོན་པར་གྱུར་ཀྱང་བྱ་བ་འདི་མ་བྱས་པ་ནི། ངད་ཀྱི་

སྐལ་བར་བཞག ང་རྗེ་བཙུན་བྱམས་པ་ཡིན། ང་ཡིས་བྱ་བ་འདི་བྱས་སོ། །ཞེས་དོན་གྱིས་ཁས་བླངས་ཏེ། ས་སྐྱའི་མཁས་པའི་དབང་པོ་འཇམ་དབྱངས་མཁྱེན་བརྩེ་དབང་པོས། ཁམས་སྡེ་དགེ་ནས་རང་གི་སློབ་མ་ལྷ་སར་འགྲོ་མཁན་ལ། ཁྲིམ་གཟིགས་ཁང་དུ་ཐོ་ཡོན་བླ་མ་བཞུགས་ཡོད། དེ་ལ་ཆོས་འབྲེལ་ཞུས། དེ་རྗེ་བཙུན་བྱམས་པ་དངོས་ཡིན། དེ་ལ་ཆོས་འབྲེལ་ཞུས་ན་སྐྱེ་བ་ཕྱི་མ་དགའ་ལྡན་ལ་སྐྱེ་དབྱུང་ཞེས་བསྐུགས་ནས་བཏང་བ་ཡོད་པས་དབང་ཆེན་འདི་ཐོབ་ཟིན་པ་དང་། ཐོབ་པ་དང་། འཐོབ་པར་འགྱུར་བ་ཐམས་ཅད་མ་འོངས་པར་རྗེ་བཙུན་བྱམས་པའི་ཆོས་བསྐོར་ལ་ཆུད་ཅིང་འབྲས་བུ་འཐོབ་པ་ནི་ངེས་ཅན་ཡིན། དེ་ལྟར་མ་བྱུང་ན་ད་ལྟའི་ཆོས་ཐོས་བསམ་སྒོམ་གསུམ་ཕྲུ་གུའི་རྩེད་མོ་འདྲ་བར་ཐལ། འདི་འདྲ་བའི་བྱ་བ་བྱས་པ་ལ་སྐྱེས་བུ་དམ་པར་མ་བཞག་ན་འཇིག་རྟེན་ན་སྐྱེས་བུ་དམ་པ་མེད་པར་ཐལ་བས་བཀའ་གདམས་གླེགས་བམ་ལས། གྲགས་པ་ཅན་གྱི་དགེ་སློང་ནི། །བསྟན་གནས་པར་དུ་ཡང་ཡང་འོངས། །ཞེས་པས་རང་གི་གདུལ་བྱ་སྨིན་པའི་ཆེད་དུ་འཇིག་རྟེན་ན་སྐྱེས་བུ་དམ་པ་བྱོན་པ་ཡོད། དེའང་སངས་རྒྱ་བ་ཡོད། སངས་རྒྱས་ཕྱིན་ཆད་ཆོས་ཀྱི་ཕུང་པོ་བརྒྱད་ཁྲི་བཞི་སྟོང་གི་འཁོར་ལོ་བསྐོར་དགོས། ཆོས་འཁོར་དུ་ཆུད་པའང་རིམ་གྱིས་འབྲས་བུ་འཐོབ་ངེས་ཡིན་པས། རང་དང་འབྲེལ་བ་ཡོད་པ་ལ་སོགས་པ་ཐམས་ཅད་རང་གི་ཆོས་འཁོར་ལ་ཆུད་པའི་ཕྱིར་དུ་སྟོན་པ་ཐུབ་པའི་དབང་པོའི་བསྟན་པ་ལ་ནོར་བུའི་ཕྲེང་བ་གནང་སྟེ། བདག་པོ་ལ་གཏད་པ་ཡིན་ཞེས་པའོ། །སྟོན་པའི་སྐྱེས་རབས་སྟོད་ལྡན་དང་། །འཇམ་དབྱངས་སྐྱེས་རབས་ཤན་སྦྱར་མ། །མ་འོངས་རང་སྐྱེ་སྨོན་ཚིག་བཅས། །སྐྱེ་བ་དྲན་པའི་སྤྱོད་ཚུལ་ཡིན། །སློ་གྲོས་རབ་ནས་ཀྱིས་ཞུས་པའི་མདོ་ལས། ཆོས་རྣམས་ཐམས་ཅད་བཀའ་དང་བསྟན་བཅོས་གཉིས་སུ་འདུས། །ལེགས་པར་བཤད་དང་དེ་ཡི་དགོངས་འགྲེལ་པ། །དེ་ཡི་དབང་གིས་ཤཱཀྱའི་བསྟན་པ་ནི། །འཇིག་རྟེན་ཁམས་འདིར་យུན་རིང་གནས་པར་འགྱུར། །ཞེས་པས་ལེགས་བཤད་སྟོན་པ་བཅོམ་ལྡན་འདས་ཀྱི་སྐྱེས་རབས་སྟོང་སེམས་བསྐྱེད་པ་ནས་བཟུང་སྟེ། བསྐལ་ཆེན་གྲངས་མེད་གསུམ་དུ་ཚོགས་བསགས་པའི་མ་བཅད་ཀྱིས་བཅིང་ནས་སྐྱེས་རབས་རེ་རེ་ལ་ཚིགས་བཅད་རེ་རེ་སྐན་ངག་དང་སྦྱར་ནས་རྩོམ་པ་ཆོས་ཀྱི་གཉེ་ཏ། འཇམ་དབྱངས་སྐྱེས་རབས་རྒྱ་སྐད་དང་བོད་སྐད་གཉིས་ཤན་སྦྱར་མ། ཞན་གསུང་རྩོམ་

བྱམས་པའི་སྐྱེས་རབས་སྐད་གཉིས་ཤན་སྦྱར་མ། མདོ་སྡེ་རྒྱན་དང་བྱང་ས་གཉིས་སྦྱར་བའི་རྣམ་བཤད། སྤྱོད་འཇུག་གི་འགྲེལ་བ། ལེགས་བཤད་སྙིང་པོ་མཆན་བྲང་ངེས་བཞི་དྲིལ། རི་ཆོས་ངོས་འབྱུང་སྐྱོ་ཤས་བསྐྱེད་བྱང་ཁུ་བྱུག་གི་གཏམ། དཔག་བསམ་འཁྲི་ཤིང་གི་དོན་བསྡུས་སོགས་མཁས་པ་མགུ་བར་བྱེད་པའི་གསུང་རྩོམ་མང་ཡང་། ཤིང་ཡོས་ལོའི་ཟླ་༡༢ཚེས་༢ལ་གཞན་དོན་དགོངས་པའི་རྗེས་སུ་ནུས་མན་ཤོག་གི་གྲྭ་པ་སེང་གེ། རྟེན་འབྲེལ་ལ་སོགས་པས་ནད་ཚོགས་ལ་འཁྲུགས་ཅིང་། ཐོར་རྐོད་ཡེ་ཤེས། དེ་ཤིག་ཐེད་ཀུན་མཁྱེན་ཉི་མ་གཉིས་ཀྱི་ཏར་གཏོང་ཁ་མཚན་དགེ་རྒན་ཐོག་ལ་ཁམ་ཚན་ལ་ཐུག་པས་ཁམ་ཚན་ནས་དཔེ་ཆ་སྐམ་དང་བཅས་པ་ལེན་ནས་བདག་པོ་བྱས་ཀྱང་། ཕྱིས་སུ་ཐོ་ཡོན་བླ་མའི་འཕྲིན་ལས་སྤེལ་བའི་ཆེད་དུ། བདག་གིས་ཁམ་ཚན་ནས་དཔེ་ཆ་གཡར་དུས་རྗེས་གནང་བརྒྱ་རྩ་ནི་གཞུང་ནས་ཤོག་གྲུ་ཉི་ཤུ་ཙམ་ཡོད། གཞན་ཐམས་ཅད་མེད། མན་ངག་བེའུ་བུམ་ནི་དབྱུ་གྲུ་སྒྲུན་གསུམ་གྱི་ཆོས་སྐོར་ནི་ཡོད། གཞན་ཐམས་ཅད་མ་མཐོང་། བྱམས་པའི་སྐྱེས་རབས་ནི་དང་པོ་གཡར་དུས་ཡོད་པ་ལ། ཕྱིས་མ་གཡར་དུས་མི་འདུག སྟོན་པའི་སྐྱེས་རབས། བྱང་ས་རྒྱན་སྦྱར་བཤད། འཁྲི་ཤིང་དོན་བསྡུས་སོགས་ནི་ཤུལ་ཙམ་ཡང་མེད། ད་ལྟ་ཡོད་པའི་དཔེ་ཆ་ནི་རྩིག་རའི་དཔེ་ཆ་དང་འདྲ། ཁམས་ཚན་ཚོགས་བསྡུས་པ་ནི་བདག་པོ་བྱས་པ་ཡོད་དོན་དུ་བྱས་ཀྱང་ནོར་བུ་ངོར་ནས། ཆེང་བུ་བདག་པོ་བྱས་པ་དང་འདྲ། མ་འོངས་རང་སྐྱེས་སྨོན་ཚིག་ནི། བྱམས་པའི་སྐྱེས་རབས་ལས། ཁྱེད་ལ་རྟག་དད་གུས་པ་ཡིས། །རྨི་ལམ་བཟང་པོར་རྗེས་བཟུང་ཞིང་། །ཁྱོད་ཀྱི་སྤྱན་སྔར་སེམས་བསྐྱེད་དེ། །ཆོས་ཀྱི་འཁོར་ལོ་མཇལ་བར་ཤོག །རས་བལ་འདབ་མ་ལྟར་འཇམ་ཞིང་། །ཤེལ་ལྟར་གསལ་བ་པདྨ་རུ། །བདེ་དཔལ་སྐྱེ་བ་དང་མཉམ་དུ། །ཁྱེད་ཀྱི་རྡོ་རྗེའི་ཕྱག་གིས་ཕྱི། །སྣང་ཆེན་སྣ་ལྟར་རིང་བ་ཡི། །ཕྱག་གཡོན་བདག་གི་སྤྱི་བོར་འཇོག །བདག་གི་ཐལ་མོ་སྙིང་སྦྱར་བཅས། །བྱང་ཆུབ་མཆོག་ཏུ་ལུང་བསྟན་འགྱུར། །དབུས་འགྱུར་འགྲེལ་བ་ཉེར་གཅིག་དང་། །གངས་ཅན་འགྲེལ་བརྒྱའི་ཚིག་དང་དོན། །མི་གསལ་མངོན་པར་རྟོགས་པའི་རྒྱན། །སྣར་ནི་ཏོག་གི་སྙོར་ཡང་ཐོས། །སྐུ་མཐོང་གསུང་ཐོས་མི་ངོམས་པ། །རྨི་ལམ་མི་ཕྱེད་རྟེན་འབྲེལ་གྱིས། །འཆི་བ་ལ་ཡང་མངོན་གྱུར་ཏེ། །ཁྱེད་ཞལ་བཟང་པོ་མཐོང་བར་ཤོག །ཡིད་དགའ་ཆོས་འཛིན་ཀུན་དགའ་

གྲྭར། །ཆོས་ཀྱི་དགའ་སྟོན་ལ་སྤྱོང་ཞིང་། །རྣམ་འདྲེན་ལྔ་པའི་ཆོས་འཁོར་གཙོར། །རྒྱུན་ཆོས་བདུད་རྩི་སྤྱོད་པར་ཤོག །ཅེས་པས་རང་བྱམས་པའི་ཆོས་འཁོར་ལ་ཆུད་ཅིང་གཞན་ཐམས་ཅད་དར་རྗེས་སུ་འཛིན་པར་སྨོན་ལམ་གནང་བ་སྟེ། མིའི་བསྒོ་རྟེན་ཐམས་ཅད་ལ་བྱམས་པའི་སྨོན་ལམ་འདོན། སྟག་ལུང་མ་སྤྲུལ་སྐུས་ཚེ་འདས་ཀྱི་བསྔོ་བ་ལ་མི་འཁྲུགས་པའི་བདག་འཇུག་བླངས་ཤིང་། དེའི་སྒོ་ནས་སྤྱོང་བ་གནང་བར་བསྔགས་པ་མཛད། བཀའ་ཆོས་ཀྱི་མཇུག་ཏུའང་བྱམས་པའི་སྨོན་ལམ་དང་དགེ་ལྡན་བསྟན་འབར་མ་འདོན་ཏེ། རང་གི་རྗེས་འཇུག་དང་ལྷ་རྗེའི་བསྟན་པ་ལ་རྒྱུད་སྨིན་ཅིང་། མ་འོངས་པར་བྱམས་པའི་ཆོས་འཁོར་ལ་གྲོལ་བ་ཐོབ་པར་སྨོན་ལམ་བཏབ་པར་མཛོན། ཞལ་ནས། དགེ་བཤེས་ཚུལ་ཁྲིམས་རྣམ་རྒྱལ་གྱིས། ལས་དང་པོ་རྣམས་ཀྱིས་ཚེ་བདིར་འབྲས་བུ་འཐོབ་རྒྱུ་དང་ཡང་མེད་གསུངས་པས། རང་ཅག་རྗེ་བཙུན་བྱམས་པའི་དུས་སུ་རེ་བ་བྱུང་ན་དེ་དུས་སུ་འབྲས་བུ་འཐོབ། དེ་དུས་རེ་བ་མ་བྱུང་ཕྱིན་ཆད་ད་རེ་བ་མེད་གསུངས་པས། རྗེ་བཙུན་བྱམས་པ་ནི་འཛམ་བུ་གླིང་དུ་ཕེབས་འགྲོ་ཡོད་ཅིང་། ཐར་པའི་ས་བོན་བཞག་པ་ཙམ་ནི་སྲིན་བུ་ཡན་ཆད་ལ་ཡོད་པས་བྱམས་མགོན་ཆོས་འཁོར་དུ་ཆུད་པའི་ཕྱིར་དུ་ད་ལྟ་ནས་འབད་པ་མགྱོགས་པོ་བྱེད་དགོས་ཞལ་ནས། ལས་མ་དག་པའི་སོ་སོ་སྐྱེ་བོས་བདེ་བ་ཅན་དུ་སྐྱེ་བ་དཀའ། སྨོན་ལམ་རྣམ་དག་གདབ་ན་དགའ་ལྡན་དུ་ལས་དག་མ་དག་ཀུན་གྱིས་སྐྱེ་ཆོག་གསུངས། མ་འོངས་པར་བྱམས་པ་མགོན་པོ་རྒྱ་གར་རྡོ་རྗེ་གདན་དུ་ཆོས་འཁོར་བསྐོར་བའི་དུས་སུ་རང་སྐྱེ་བའི་སྐྱེ་བ་དེར་སྟོན་གྱི་སྐྱེ་བ་དྲན་ཏེ། རྗེས་འཇུག་རྣམས་དང་ལྷན་ཅིག་ཏུ་ཆོས་འཁོར་དུ་ཆུང་བའི་སྨོན་ལམ་སྒྲུབ་པའི་ཕྱིར་སྟོན་པ། བྱམས་འཛམ་དབྱངས་ཀྱི་སྐྱེས་རབས་སྐད་གཉིས་ཤན་སྦྱར་མ་རྫོམ་པ་ཡིན་ཞེས་པའི་དགོངས་པར་གནས་ཏེ། དེ་དག་གི་ལུང་གནང་བའི་སྐབས་སུའང་སངས་རྒྱས་ཐམས་ཅད་སོ་སྐྲི་ཏའི་སྐད་ཀྱིས་ཆོས་ཀྱི་འཁོར་ལོ་བསྐོར་བ་ཡིན། དེའི་ཕྱིར་སྐད་ལ་བག་ཆགས་འཇོག་པ་དོགས་གསུངས་ནས་སྐད་གཉིས་ཆར་གྱི་ལུང་གནང་བའོ། །དམིགས་བརྩེ་མ་དང་སྒྲོལ་མ་དང་། །སྤྱན་རས་གཟིགས་དང་ཚེ་དཔག་མེད། །གསང་བ་འདུས་པའི་བེའུ་བུམ་བསྒྲིགས། །ལུང་གིས་རྒྱན་པའི་སྤྱོད་ཚུལ་ཡིན། །མཁས་གྲུབ་རྗེས། སྐྱེ་དགུའི་བདེ་སྐྱིད་བསྟན་ལ་རག་ལས་ཤིང་། །དེ་ཡང་ལུང་རྟོགས་དམ་ཆོས་རྒྱས་པ་ལ། །རག་ལས་དེ་ཡི་སླད་དུ་ཁྱོད་ཀྱིས་ནི། །

རྟག་ཏུ་སྟོད་པ་མེད་པའི་བློ་གྲོས་མཛོད། །ཅེས་བས་ལུང་ཞུས་ཤིང་ལུང་གི་དོན་ཉམས་བླང་པ་ལ་ལས་སླ་བར་དགོངས་ནས་སྟོན་གྱི་ཡིག་ཆ་རྙིང་པ་ལུང་བཀོན་པ་རྣམས་གཙོར་བྱས་ཏེ། སོ་སོའི་རྩ་བ་འགྲེལ་བ་ལ་སོགས་པའི་སྐོར་ཕྱོགས་གཅིག་ཏུ་བསྡུས་ནས་བེའུ་བུམ་བསྒྲིགས་སོ། །གསང་འདུས་བེའུ་བུམ་ནི། དེང་སང་དུས་ཀྱི་ཆླུང་གིས་འཕྲོར་རོ། །ཐུན་མོང་སྤྱི་བཤད་འདུལ་མཛོད་དང་། །ཚད་མ་དབུ་ཕར་ཆོས་ཆུང་དང་། །བཀའ་གདམས་དཔེ་སྤྱུར་སྐྱན་རྒྱུད་དགུས། །ལམ་རིམ་བཤད་པའི་སྤྱོད་ཚུལ་ཡིན། །ཕྱི་ལོར་ལྷ་སར་མཁའ་སྤྱོད་དང་། དམར་ཆེན་སྐོར་གསུམ་གྱི་པེའུ་བུམ་སོགས་ཀྱི་ལུང་གནང་། མཁའ་སྤྱོད་བེའུ་བུམ་གྱི་ལུང་ཚར་ནས་འགྲོ་མཁན་ཡོད་ན་འགྲོ་ཤིག་ཅེས་གསུང་པ་ལ་ཨ་མདོ་དགེ་བཤེས་རྒྱུད་པ་གཅིག་ལངས་ནས་འགྲོ་བ་བྱུང་སྟེ། གཞན་སེམས་ཤེས་པའི་འདོན་ཤེས་ཡོད་པར་སྣང་ངོ་། །འབྲས་སྤུངས་ཕོ་བྲང་དུ་ཉིན་དང་པོར་བྱང་ཆུབ་ལམ་གྱི་རིམ་པའི་ས་བཅད་ལྷར་མདོ་དང་བསྟན་བཅོས་གཉིས་ཀ་ནས་གཞུང་དྲངས་ཏེ་ལམ་རིམ་གྱི་བཤད་པ་གནང་། དེ་བཞིན་དུ་ཉིན་གཉིས་པར་འདུལ་བ་མདོ་རྩ་བ་དང་། སུམ་བརྒྱ་པ་སོགས་འདུལ་བའི་གཞུང་ཕོ་ན་ནས་གཞུང་དྲངས་ཏེ་ལམ་རིམ་བཤད་ཉིན་གསུམ་པར་མཛོད་རྩ་འགྲེལ་སོགས་མཛོད་ཀྱི་གཞུང་ཕོ་ན་ནས་དང་ཉིན་བཞི་པར་ཚད་མའི་མདོ། རྣམ་འགྲེལ་སོགས་ཚད་མའི་གཞུང་ཕོ་ན་ནས་དང་། ཉིན་ལྔ་པར་རྩ་ཤེས། རིན་ཆེན་ཕྲེང་བ། འགྲེལ་བ་བུདྡྷ་པཱ་ལི་ཏ། འཇུག་པ་སོགས་དབུ་མའི་གཞུང་ཕོ་ན་ནས་དང་། ཉིན་དྲུག་པར་མངོན་རྟོགས་རྒྱན། རྒྱན་སྣང་། ཉི་སྣང་སོགས་ཕར་ཕྱིན་གྱི་གཞུང་ཕོ་ན་ནས་དང་། ཉིན་བདུན་པར་ཛོ་བོའི་ཆོས་འབྱུང་བརྒྱ་རྩ་ཕོ་ན་ནས་དང་། ཉིན་བརྒྱད་པར་འཁྲིམ་སྟོན་པ་སོགས་བཀའ་གདམས་གོང་མའི་གསུང་ཕོ་ན་དྲངས་ཏེ་ལམ་རིམ་བཤད། ཉིན་དགུ་པར་དཔེ་ཕོ་ན་དང་སྤྱུར་ནས་ལམ་རིམ་བཤད། བཀའ་གདམས་ཐིག་ལེ་བཅུ་དྲུག་གི་དབང་དང་། རང་གི་སྤྱོད་ཚུལ་འདིའི་ངག་དང་། གཞན་དབྱངས་ཨ་ཡིས་རྫོམ་པ་གནང་བའི་ལམ་རིམ་ཡང་གནང་སྟེ། བྱ་བར་དཀའ་བ་སྐྱན་ངག་ལྷུམ་གསལ་བྱ་བ། །རྒྱལ་དབང་སངས་རྒྱས་ཤཱཀྱ་དབང་། །རྒྱལ་ཚབ་མི་ཕམ་བྱམས་པ་དང་། །རྒྱལ་སྲས་དམ་པ་འཇམ་དཔལ་དབྱངས། །རྒྱལ་བ་སྲས་བཅས་ལ་ཕྱག་འཚལ། །རབ་དཀར་གཞན་ཕན་རྩ་བ་བརྟན། །རབ་འབྱམས་བཟང་སྤྱོད་ཡལ་འདབ་དར། །རབ་ཐང་མཛད་བཟང་འབྲས་

མདར་ཆགས། །རབ་རྒྱས་དཔག་བསམ་ཟས་གཙང་སྲུས། །ཐར་ལམ་ལམ་བཟང་རབ་
བསྟན་པ། །འཆད་མཁས་མཁས་དབང་བླ་མ་ལ། །དད་སྣང་སྣང་དག་མཚམས་སྦྱར་
ནས། །ཁྱབ་བདག་བདག་ཅག་རངས་པར་འབད། །ཡང་ཡང་གདམས་ངག་མང་བཙལ་
བས། །བཟང་བཟང་བཀའ་དང་ཚད་མ་རྣམས། །གསལ་གསལ་བཀའ་སྩལ་དག་ཉན་
ནས། །རང་རང་བསམ་པར་རྒྱལ་བས་བསྩགས། །དལ་བ་བརྒྱད་དང་ལྡན་པ་གང་། །
གང་དག་བསྟན་དང་ཕྲད་པར་དཀའ། །དཀའ་ནའང་བདག་ཅག་ཆ་ཚང་བས། །བསམ་
མཐར་བྱ་བཏང་འམས་བདས་བྱ། །རྟག་པ་མ་ལགས་བརྟན་མ་ལགས། །གནས་པ་མ་
ལགས་ཆམ་ལགས། །དམ་པས་མ་ལགས་མཛའ་མ་ལགས། །བསྟན་པས་མ་ལགས་ཕན་མ་
ལགས། །རང་བྱུས་རང་ལ་རག་ལས་པས། །རང་ཡང་ཚོ་གྲང་དམྱལ་བར་འཁྱམས། །
རང་གཞན་བརླག་པས་ཉམ་ཐག་ནས། །རང་ཡང་བསྐལ་བས་ལྷག་པར་མནར། །དཔག་
ཡས་གཡང་ས་ལས་བསྒྲག་ནས། །མཐའ་ཡས་ཆགས་བྲལ་སངས་རྒྱས་དང་། །བསམ་ཡས་
མན་ངག་འཕགས་རྣམས་བཅས། །གཞལ་ཡས་སྐྱབས་གནས་བཙལ་པར་མཚལ། །རྣམ་
པར་ལས་འབྲས་ཟབ་དང་ཕྲ། །རྣམ་གསལ་མ་བྱུས་མ་ཕྲད་བར། །རྣམ་དཔྱད་བསམ་པས་
ནག་ལས་སྤྲངས། །རྣམ་དཀར་ལས་ལམ་བླངས་པར་བྱ། །ལྷ་དང་ཚངས་པ་ལྷ་དབང་
དག །གནས་སྐབས་དགའ་འདྲར་གནས་ན་ཡང་། བྱ་རྒྱས་བཏབ་བ་བྱ་རྣམས་ལྟར། །
ཐར་བ་མ་ལགས་ཐར་པ་བཙལ། །ཕན་བཏགས་མཁའ་མཉམ་ཕ་མ་ལ། །ཕན་པ་བྱས་པ་
དྲན་པར་བྱ། །ཕན་བསམ་བྱམས་པ་ལྷག་བསམ་ནས། །ཕན་སླད་དང་ཡང་འཚོང་གྱུར་
སྦྱངས། །མངའ་ཐང་གང་གང་འབྲས་དང་བཅས། །མ་རྒན་གཞན་གཞན་པར་བཏང་
བས། །མཁའ་ལས་ལྟང་ལྟང་ཆར་འབབ་ལྟར། །སྐལ་ལྡན་མང་མང་བསམ་པ་བསྐང་། །
གང་ཟག་རྒྱལ་སྲས་དམ་པ་ལས། །གང་བླངས་བསླབ་བྱ་བཅས་མཚམས་ལ། །གང་ལའང་
མ་དྲལ་མ་ཉམས་པར། །གང་གཙང་ཟླ་བྲལ་རྒྱུན་ནས་བརྒྱུན། །ཐམས་ཅད་རང་ལ་དགྲར་
ལངསཡང་། །ཡང་ཕར་ལན་བཏབ་མ་ལགས་ལྟར། །ལྟར་སྣང་དགྲ་ལས་རྒྱལ་སྲས་དག
དག་པ་དགའ་བས་དང་བླངས་བྱ། །བཀལ་དཀས་ཐ་ཆླབས་ཆླབས་བརྒྱ་དང་། །དལ་
འབར་འདྲ་བར་བར་མ་ཆགས། །བརྒྱ་ཕྲག་བྱ་དགའ་དཀའ་བཟྣམས་ཀྱང་། །མང་ལ་ལྷག

བསམ་བསམ་བས་འབད། །བསམ་གཏན་ཡན་ལག་ཉམས་པ་རྣམས། །བསམ་གཏན་གསལ་སྣང་མ་གནས་པས། །གསམ་གཏན་དཔྱད་གནས་མ་འབྲལ་བར། །བསམ་གཏན་དང་ལ་མཉམ་བར་བཞག །མ་གསལ་བདག་བདག་བྱ་བ་གང་། །ཡང་གསལ་རྟག་ཆད་མཐའ་བྲལ་བ། །རབ་གསལ་ཡང་དག་ལྷུས་བལྟ་བས། །སྣང་གསལ་མཁའ་དང་བརྟན་འདྲ་འཆར། ། །།

ཡང་དག་མཐའ་དང་ཐབས་མཁས་པས། །ཡང་ཡང་ཟག་བཅས་བག་ཆགས་སྤང་། །ཡང་གསལ་ས་ལམ་མཐར་བགྲལ་ནས། །ཡང་དག་སངས་རྒྱས་ས་ལ་གནས། །རབ་སྙན་སྙན་དངགས་མཚམས་སྦྱར་ནས། །དབྱངས་སྙན་སྙན་རྒྱན་བྱ་དགའ་བས། །གཏམ་སྙན་སྙན་བཤད་གདམས་པ་ཡང་། །སྨྲ་སྙན་སྙན་རྒྱན་བཏབ་པར་བྱས། །ཞེས་པ་འདི་ཡང་དོན་གྲུབ་རྒྱལ་མཚན་གྱིས་སྦྱར་པའོ། །ཞེས་སོ། གསེར་ཁང་སྟོན་སྟོང་བཞེངས་པ་བཞིན། །རྟེལ་ཆོན་བརྒྱ་དང་ཉི་ཤུ་དང་། །སྒྲུབ་གནས་བརྒྱད་ཅུའི་ས་རྫོ་བཅས། །སངས་རྒྱས་སྟོང་སྒྲུབས་སྤྱོད་ཚུལ་ཡིན། །སྟོན་པ་ཐུབ་པའི་དབང་པོའི་སྐུ་ངོ་མཚར་བརྒྱ་ལྡན་གྱི་རྒྱུ་ཆ་རིན་པོ་ཆེའི་བཞུགས་ཁྲིའི་ས། སྐུ་འབུམ་ཙཱནྡན་ལོ་མ། ཤར་འབུམ་པའི་རྫོ་རང་བྱུང་ཉེར་བརྒྱད། ཞྭ་ལུ་པིར་བ་པའི་བུམ་ཆུ། སྟོད་ལུང་དུ་རྗེའི་ཕྱག་རྗེས་བྱུང་བའི་རྫོ། དགའ་ལྡན། རྒྱུད་སྟོད་སྨད། བཀྲ་ཤིས་ལྷུན་པོ། ཞ་ལུ། གོང་དཀར་སོགས་ཀྱི་དཀྱིལ་འཁོར་སྒྲུབ་མཆོད་ཀྱི་རྟེལ་ཆེན་བརྒྱ་དང་ཉི་ཤུ། རི་བོ་རྩེ་ལྔའི་མེ་ཏོག། རྩ་མཆོག་གྲོང་། ནཻ་རཉྫ་ན། གངས་ཏི་སེ། མཚོ་མ་ཕམ་གྱི་ཆུ་མ། པླང་རི། ཀོ་མ་སླ་ལ་གནྡྷ། བྱ་རུང་ཁ་ཤོར། སྟག་མོ་ལུས་སྦྱིན། སྐྱིད་རོང་བསམ་གླིང་སོགས་སྒྲུབ་གནས་བརྒྱད་ཅུའི་ས་སྣ་རྫོ་སྣ་བཅས་ཏེ། རྫོ་བོ་རྗེས་སྒོམ་ཤུལ་གཟིགས་ནས་ཕྱག་མཛད་ཅིང་མ་འོངས་པ་གང་ལ་བསྒོམ་པ་འོངས་གསུངས་པ་ལྟར་བྱིན་རླབས་ཞུགས་སླམ་སྟེ། ཐུབ་སྐུ་སེན་མོ་ཙམ་དགེ་སློང་དོན་གྲུབ་རྒྱལ་མཚན་གྱིས་བར་བཏབ་པའོ། །ཞེས་སོ། །བསྙེན་པ་མ་བྱས་དབང་མ་བསྐུར། །ཡི་གེ་གཅིག་ལུས་ལུང་མ་བཟླག །ཀུན་གྱི་འོག་སྡོད་ཀུན་ལ་ཕྱག །མངོན་མཐོ་སྒྲུབ་པའི་སྤྱོད་ཚུལ་ཡིན། །ཐམས་ཅད་ལྷ་མིའི་མངོན་མཐོ་འདོད་ཀྱང་འགའ་ཞིག་གིས་རྙེད་བཀུར་གྱི་ཕྱིར་དུ་དབང་མ་ཐོབ་པ་དང་། ཐོབ་ཀྱང་བསྙེན་པ་མ་བྱས་པར་དབང་བསྐུར་ཏེ། རྗེའི་ཞལ་ནས། རྙེད་བཀུར་ཕྱིར་དུ་གཞན་ངོར་ཆོག་རྒྱུད་

ཙམ་ཞིག་འཛིན། །འཁོར་ལ་སྲིད་ནས་མྱུར་བར་སློབ་མའི་ཚོགས་མང་སྡུད། །ཡིད་བརྟན་མེད་པར་ཁ་ཚོན་བཅད་དེ་ངན་རྟོགས་འདོམས། །དེ་དག་མཐོང་ཚེ་བློ་བཟང་གྲགས་པ་ཤིན་ཏུ་སྐྱོ། །ཞེས་སོ། །འགའ་ཞིག་གིས་ལུང་མ་ཐོབ་བཞིན་དུ་ཐོབ་པ་ཡིན་བྱས་ནས་ལུང་གནང་བ་དང་། དགེ་བཤེས་སེང་གེས་བླ་མ་དགེ་ལེགས་དཔལ་བཟང་སོགས་ལ་རྗེའི་གསུང་འབུམ་གྱི་ལུང་འཐོར་སྐྱོག་གནང་བར་འོར་ཧྲུ་སུ་རྒྱུད་པ་ཆོས་འཕེལ་གསུངས། འགའ་ཞིག་ནི་ལུང་ལ་གཉིད་ལོག་ནས་ཐོབ་པའི་ལུང་གནང་བ་དེ་ལུང་གི་གོ་མི་ཆོད་དེ། བུ་སྟོན་གསན་ཡིག་བཀའ་དྲིན་རྗེས་དྲན་ལས། བྱིས་པར་སོང་ཞིང་འདུན་བ་ཞན་པའི་སྟོབས་ཀྱིས་འགའ་རེ་ལ་མགོ་མཇུག་ནས་གཉིད་དུ་སོང་ནས་མ་ཐོབ་པ་བག་རེ་ཡོད་པ་སྙམ་དུ་དགོས་སོ། །ཞེས་སོ། །འགའ་ཞིག་གིས་མི་ཐམས་ཅད་ཀྱི་གྲལ་མགོར་འཚང་ཞིང་གོས་སྤྲུབ་པ་སོགས་བྱས་ཏེ། ཐོ་ཡོན་རྡོ་རྗེ་འཆང་ནི་སྙིང་པོ་མདོར་བསགས་ལས། ལྷ་ནི་མཉེས་པར་མ་བྱས་ན། །བདག་ཉིད་རྣམ་པར་སུན་འབྱིན་ཡིན། །ཞེས་པས་བསྙེན་པ་མ་བྱས་པར་དབང་མ་བསྐུར། གོང་དུ་སོང་བ་ལྷ་བུའི་རྒྱུ་རྐྱེན་འགའ་ཞིག་ལ་ཐུག་ཏེ། ལུང་སློག་ཚུལ་གྱི་ལུང་རིགས་ཀྱི་དགག་སྒྲུབ་དགའ་ལྡན་ལྷ་བརྒྱ་མའི་འཆད་ཉན་བྱ་ཚུལ་མཛད། དེ་ནས་ཕྱོགས་སྔ་མ་ངོས་འཛིན་ནས་ཡོངས་འཛིན་བླ་མའི་ཞལ་ལུང་མཛད། དེ་ནས་ཆོས་འཁོར་ཟུར་རྒྱན་མི་འཛིགས་སེང་གེའི་ང་རོ་མཛད་དེ། འདིའི་མཛད་བྱང་ལ། གནས་ཆུང་ཆོས་སྐྱོང་གིས་རྒྱུད་བྱིན་གྱིས་རླབས་པ་ལྷ་བཙུན་ཡེ་ཤེས་དོན་གྲུབ་རྒྱལ་མཚན་གྱིས་སྦྱར་བའོ། །ཞེས་བྱུང་བས་གནས་ཆུང་ཆོས་སྐྱོང་གིས་བསྐུལ་ནས་རྩོམ་པར་སྣང་། དེང་དུས་དགག་སྒྲུབ་དེ་དག་མཐོང་ནས་དགེ་བཤེས་ཁ་ཅིག་གིས། དྲང་པོ་བསླབ་པ་ལ་མ་དགའ་བའི་དབང་གིས་སོག་པོ་ཐོ་ཡོན་ཞབས་འདྲེན་ཟེར་ནས་ཁ་བཤད་བཏང་ཞིང་ཕྱོགས་རེའི་དབང་གིས་དེ་ལས་ཀྱང་ལྷར་སྣང་བཤེས་གཉེན་གྱི་ཕྱོགས་བཟུང་ནས་སངས་རྒྱས་ཀྱི་བསྟན་པ་ཉམས་པར་བྱེད་དེ། རྗེ་ཐམས་ཅད་མཁྱེན་པས། ཡང་དག་ལྟ་བ་འོད་སྟོང་ལྡན་པ་ནུབ། །གནས་ལུགས་འདོམས་པའི་མཁས་རྣམས་ཕལ་ཆེར་གཤེགས། །ལོག་པའི་ལམ་སྟོན་རྫོང་ས་པ་ཀུན་གྱིས་བཀུར། །ཀྱེ་མའོ་ཐུབ་བསྟན་སུ་ཡིས་གནས་པར་ནུས། །ཡིན་ཚུལ་བཤད་ན་མཁས་འདོད་ཅན་དུ་མཐོང་། །ལོག་པར་བསྟན་ན་ལྟ་ངན་ཆོས་ཆེར་འཕེལ། །མི་སྨྲའི་བརྟུལ་ཞུགས་བཟུང་ན་དོན་མི་འགྲུབ། །ཀྱེ་མའོ་ཐུབ་

བསྟན་ཇི་ལྟར་བཟུང་བར་བྱ། །ཞེས་སོ། །དེ་ལྟར་དགག་སྒྲུབ་ཚར་གསུམ་མཛད་ནས་ཡི་གེ་གཅིག་ཀྱང་མ་ལུས་པར་ལུང་ཕྱོགས་པར་མཛད། རྒྱལ་སྲས་ཐོགས་མེད་བཟང་པོས། འགྲོ་ཀུན་སྐྱེ་བོས་བཀུར་ན་མཐོན་པོའི་མཐར་ཐུག་ཡིན། །ཞེས་པས་མི་མང་པོའི་དཀྱིལ་ལ་འགྲོ་ཕྱིན་ཆད་ཀུན་གྱི་འོག་ཏུ་བཞུགས་པ་ཚར་འགའ་ཞིག་མཐོང་། མདོ་ལས། སེམས་ཅན་ཐམས་ཅད་ལ་སྟོན་པའི་འདུ་ཤེས་བསྐྱེད་པར་བྱའོ། །ཞེས་པས་ཀུན་ལ་ཕྱག་ཅེས་ཀྱང་བླ་མའི་མིང་ཡོད་ཙམ་ཡན་ཆད་གྲྭ་པ་མི་སྐྱ་ཁྱད་མེད་པར་ཕྱག་འཚལ་ཞིང་ཕྱག་དབང་ཞུས་ཡོད་པ་ཚར་མེད་པོ་མཐོང་། ཕྲུ་གུ་རྩེད་མོ་རྩེད་ནས་དམིགས་བརྩེ་མ་འདོན་པ་ཡན་ཆད་ཀྱི་དགེ་བའི་བྱ་བ་བྱས་པ་ལ་དགའ་བ་གནང་སྟེ། རྗེས་སུ་ཡི་རངས་ཞེས་པ་དེ་ལ་ཟེར། རང་ཡང་ཕྱག་ལེན་དེ་ལྟར་གནང་ཞིང་། རྗེས་འཇུག་རྣམས་ལའང་མདོན་མཐོའི་རྒྱུ་སྒྲུབ་པ་ལ་དེ་དགོས་ཞེས་གདམས་སོ། །ཐོག་གདུགས་མ་གཏོགས་དབུ་གདུགས་མེད །འབོལ་གདན་མ་གཏོགས་འཕོངས་ཁྲི་ཐལ། །ཏུས་པ་མ་གཏོགས་མཚན་འདོགས་མེད། །མེད་པ་གསུམ་གྱི་སྤྱོད་ཚུལ་ཡིན། །ཆོས་ཆེན་པོ་བྱུང་ས་ནི་བོད་ལྷ་ལྡན་ཞིང་ཁམས་ཡིན་པས་ཆོས་ཀྱི་དོན་དུ་བོད་འདིར་ཕེབས་པའི་ཁམས་སོག་གི་རབ་བྱུང་ཕལ་ཆེ་བས་དང་པོར་གྲྭ་སར་ཞུགས་ཤིང་སློབ་གཉེར་བྱུང་དུས་མིང་བཏགས་རེ་བ་བྱས་ནས་ལྷ་རམས་དཀྱུག དེ་བྱས་ནས་རྒྱུད་ལ་ཞུགས་ཏེ། བླ་མ་དབུ་མཛད། གྲྭ་སའི་མཁན་པོ་གང་རུང་དཀྱུག་ཅིང་བྱས། བླ་མ་དབུ་མཛད་ཐོབ་ནས་དགའ་ལྡན་ཁྲི་པ་དཀྱུག། དེར་སློབ་ནས་དབུ་གདུགས་སེར་པོ་བསྐོར་ཏེ། ཆོས་ཀྱི་དོན་དུ་བོད་འདིར་ཕེབས་པ་ལ་ཆོས་བྱུང་བའི་རྟགས་སུ་དེ་གསུམ་ཡོད་པའི་རྣམ་ཐར་དུ་བྱས་ཀྱང་། ཨང་ཡིག་བདུན་ཅུ་པ་ལས། སྙན་གྲགས་བདུད་ཀྱི་ཕྱི་འཐོར་ཡིན། །བསྙེན་བཀུར་འཆིང་བའི་ཞགས་པ་ཡིན། །བསོད་ནམས་དགེ་སྦྱོར་བར་ཆད་ཡིན། །ཏུག་ལ་སྨན་དུ་མ་བལྟ་ཨང་། །ཞེས་པས་ཐོ་ཡོན་རིན་པོ་ཆེ་ནི་ཏར་རྒྱལ་པོའི་རིགས་རྒྱུད་ཡིན་པས་ཏུས་པའི་མིང་ཐོ་ཡོན་མ་གཏོགས་ལྷ་རམས་པ་དང་། མཁན་པོ་སོགས་ཀྱི་མིང་བཏགས་མེད། འབོལ་གདན་མ་གཏོགས་མཁན་པོའི་འཕོངས་འོག་གི་སེང་ཁྲི་མེད། །ཉི་མ་དགག་པའི་ཐོག་གདུགས་མ་གཏོགས་དབུ་གདུགས་མེད་དེ། ང་རང་གི་ཆས་ཀྱི་དོན་དུ་བོད་འདིར་ཕེབས་པ་ལ་དེ་གསུམ་མེད་པའི་རྣམ་ཐར་ཡིན་ཞེས་པ་སྟེ། འགྲོ་དོན་བྱུང་བ་ཙམ་ནི་ལྷ་རམས་པ་དང་། མཁན་པོ། ཁྲི་པ་བྱུང་མ་

བྱུང་ཐམས་ཅད་ལ་ཆེ་ཆུང་སྣ་ཚོགས་ཡོད་ཀྱང་ཁྲི་པ་བྱུང་བ་ལ་སྟོན་གྱི་སྐྱེས་བུ་དམ་པ་སེར་ར་ཀུན་མཁྱེན་ལ་སོགས་པ་ཕར་བཞག །ཕྱིས་ཀྱི་སློང་རྡོལ་བླ་མ་ཙམ་འགྲོ་དོན་བྱུང་དེང་ཚུན་གྱི་ཁྲི་པ་གཅིག་ཀྱང་མ་མཐོང་། དབུ་གདུགས་སེར་པོས་བསྟན་པའི་བདག་པོར་གྱུར་ན་བཀའ་གདམས་གོང་མ་དང་། རྗེ་བཙུན་མི་ལ། རྒོད་ཚང་པ་ལ་སོགས་པ་བསྟན་པའི་བདག་པོ་མ་ཡིན་པར་གྱུར་པ་ཧ་ཅང་ཐལ་བས་དོན་མེད་པ་ལ་མི་ཆེ་རངས་པོར་སྨྲུན་པ་འཕྱུར་བར་མ་མཛད་ཅེས་རྗེས་འཇུག་རྣམས་ལ་གདམས་སོ། །ཐོག་མར་ནོར་དགུས་བླ་མ་མཆོད། །སྨོན་ལམ་སེར་འབྲས་ཛ་འགྱེད་བཏང་། །ཚེ་འདིར་དབུལ་པོའི་མཐོང་ཚོས་མཐོང་། །ནོར་ལས་སྙིང་བླངས་སྤྱོད་ཚུལ་ཡིན། །མཁན་ཆེན་ངག་དབང་ཤེས་རབ་ནས་འཛིགས་བྱེད་ལྷ་བཅུ་གསུམམ་གཅིག་བུའི་དབང་ཞུས་པ་ལ་ཧ་རྨིག་མ་ལྔ། ཧ་ཞི་ཤུ་རྩ་གཅིག། གོས་དར་དང་བཅས་པ་ཕུལ་བ་ཡིན་གསུངས་དེ་ལ་སོགས་པ་ནོར་དགུས་བླ་མ་མཆོད། དབུས་གཙང་དུ་དང་པོར་ཐེབས་པའི་རྗེས་སུ་རང་གི་ཕུ་བོ་ནས་མན་ཕང་ཨ་ཕ་ཧྲུ་ཧི་སྐྱབས་ཀྱིས་བསྐུར་མ་བསྐུར་བས་ལྷ་ལྡན་སྨོན་ལམ་དུ་མང་ཇ་གཉིས་དང་། ཀུན་འགྱེད་ཏཾ་རེ་རེ་ཕུལ། དེ་བཞིན་དུ་སེ་ར་དང་འབྲས་སྤུངས་ལའང་བཏང་། སྐུ་ཚེ་འདིར་རྒྱུ་གང་བྱུང་བ་ཐམས་ཅད་ཐད་ཀ་རང་དུ་པར་བཀོ་བ་ལ་སོགས་པ་དགེ་བའི་ཕྱོགས་སུ་བཏང་བས་དབུལ་པོའི་མཐོང་ཚོས་མཐོང་ཡང་ནོར་ཡས་སྙིང་པོ་བླངས་པ་ཡིན། ཞེས་པའོ། །རྒྱ་གསེར་བྱ་རུས་ལུས་མ་བརྒྱན། །རིན་ཆེན་རྒྱན་ཆའི་ཧ་མ་ཞོན། །ཁ་ཟས་ཞིམ་མངར་འབད་མ་སྒྲུབ། །ཡོངས་སུ་སྤྱོད་པའི་སྤྱོད་ཚུལ་ཡིན། །རིགས་དང་རྒྱ་ནག་གོས་ཡོད་པས་རིན་ཆེན་རྒྱན་ཆའི་ཧ་ཞོན་ཀྱང་ཚོག་པ་ལ་མ་ཞོན། གཟིམ་ཤག་ནང་སྣམ་གཉིས་དང་། གདན་གྲུལ་པ་ཁ་ཤས། མདུན་དུ་དཔེ་ཆ་དང་དཀར་ཡོལ་བཞག་ས་སྣམ་གཅིག། སྤྱངས་ལེབ་ཐོག་ལ་དཔེ་ཆ་པོ་ཏི་བཅོ་ལྔ་ཙམ་མ་གཏོགས་པ། ལྷོག་རྩེ་དང་བཞུགས་གདན་འདྲ་ཆགས་པོ་ལ་སོགས་པའི་རྩེ་ལགས་ལོ་བདུན་དུ་འགྲོགས་པ་ལ་མཐོང་རེ་སྐན། བོད་ཀྱི་བླ་མའི་ཆབ་རྡོག་མ་གཏོགས་པ་ཙ་ལག་གཞན་ཐམས་ཅད་དངུལ་ཡིན་གསུང་སྟེ། ལྕང་སྐྱ་རོལ་པའི་རྡོ་རྗེས་སྤྱན་མ་གཟིགས་པས། ཐུ་ཀྭན་རིན་པོ་ཆེ་གོས་ཆེན་གོན་པ་ཕྱག་གིས་བཟུང་ནས་མཁྱེན་ཏེ། སྐྱེ་བ་མང་པོར་ལོངས་སྤྱོད་པའི་བསོད་ནམས་སྐྱེ་བ་གཅིག་ལ་ལོངས་སྤྱོད་ཚར་ནས་སྐྱེ་བ་ཕྱི་མ་ལ་ག་རེ་ལོངས་སྤྱོད་གསུང་བ་འདི་རྒྱུན་

དུ་གསུངས། ཆེ་འདིར་ཕར་ཞིག་ཆེ་ཕྱི་མ་ལའང་། །མིང་བཏགས་གོ་ས་མི་རེ་ཞིང་། །འཚང་རྒྱ་བར་དུ་མི་མཐོང་སྨོན། །ཞིང་དག་སྦྱོར་བའི་སྦྱོད་ཚུལ་ཡིན། །སྨོན་ལམ་ནི། ཕྱོགས་བཅུ་རྒྱལ་བའི་བྱིན་རླབས་དང་། །བདག་གི་དགེ་བའི་མཐུས་བདག་གི་སྨོན་ལམ་འགྲུབ་པར་གྱུར་ཅིག །ས་སྐྱེ་ཐམ་ལ་པར་གྱུར་པའི་ཧཱ་ཁཱཾ་ཤྲཱི་ཀྵན་ཤྲཱི། ཙ་མོན་ཏན། པཎྜི་ཏ། ཏོ་ཐོག་ཐུ། ཁྲི་པ། ཡོངས་འཛིན། སྤྲུལ་པའི་སྐུ། མཁན་པོ། ལྷ་རམས་པ། རྗེ་རམས་པ། གླིང་བསྲེས་སྐུ་མདུན། ཧཱ་བླ་མ། དཀའ་བཅུ། རབ་འབྱམས་པ། ཆོས་རྗེ། ཁཱཾ་ཤྲཱི་ཟེར་བའི་མིང་བཏགས་གོས་ཅན་མིག་གིས་མཐོང་བར་མ་གྱུར་ཅིག །རྣ་བས་ཐོས་པར་མ་གྱུར་ཅིག །སྐྱེ་ཞིང་སྐྱེ་བ་ཐམས་ཅད་དུ་དེ་དག་ལན་གཅིག་ཙམ་ཡང་མཐོང་བར་མ་གྱུར་ཅིག །ཐོས་པར་མ་གྱུར་ཅིག །སྐྱེ་བ་འདི་ནས་བཟུང་སྟེ་བྱང་ཆུབ་བར་དུ་མིང་བཏགས་གོས་དེ་དག་བདག་ལ་གཏན་ནས་མི་འོང་བར་གྱུར་ཅིག །དེ་རྣམས་ཡོད་པའི་འཛིག་རྟེན་དུ་སྐྱེ་བར་མ་གྱུར་ཅིག །ཚེ་རབས་ཐམས་ཅད་དུ་ཞུགས་གནས་བཞི་དང་བྱང་ཆུབ་སེམས་དཔའ་མང་པོ་མཐོང་ཐོས་དང་མི་འབྲལ་བར་གྱུར་ཅིག །བདག་གིས་ནམ་འཚོང་རྒྱ་བའི་ཞིང་ཁམས་བྱེ་བ་ཕྲག་བརྒྱ་ཐེར་འབུམ་དུ་མིང་བཏགས་གོ་ས་གཏན་ནས་མི་འབྱུང་བར་གྱུར་ཅིག །བདག་གིས་སངས་རྒྱས་བའི་སངས་རྒྱས་ཀྱི་བསྟན་པ་ནམ་གནས་ཀྱི་བར་དུ་དེ་དག་མི་འབྱུང་བར་གྱུར་ཅིག། ཅེས་པ་འདི་ནི་དགེ་སློང་དོན་གྲུབ་རྒྱལ་མཚན་གྱིས་ཁ་ཙམ་མ་ཡིན་པར་སྙིང་ཁོང་རུས་པའི་རྟིང་ནས་སྨོན་ལམ་བཏབ་པའོ། །པོ་ཏོ་བས། རྐོད་པོ་ནམ་མཁར་ལྡིང་ཡང་བཟའ་མ་ས་ལ་འཚོལ། །ཞེས་པས་གོས་སྣན་གྲགས་ནམ་མཁར་ཐུག་ཀྱང་ཟ་རྒྱུ་ཉམ་ཆུང་མིའི་ལག་པ་ནས་འཚོལ་དགོས་པས་རང་སངས་རྒྱས་པའི་ཞིང་དུ་མཐོ་དམན་མེད་པ་ཞིང་དག་སྦྱོར་བའི་སྦྱོད་ཚུལ་ཡིན་ཞེས་པའོ། །ཅེས་པ་རང་གི་སྦྱོད་ཚུལ་མདོར་བསྡུས་འདི་ནི། ཆོས་སྨྲ་བའི་བཙུན་པ་དོན་གྲུབ་རྒྱལ་མཚན་གྱིས་དཔལ་ལྡན་འབྲས་སྤུངས་སུ་ལོ་གསུམ་གྱི་ཆོས་མཚམས་ཆེན་མོར་དགེ་བའི་བཤེས་གཉེན་མང་པོར་དབང་རྗེས་གནང་ལུང་སོགས་ཡང་ཡང་ཕུལ་བའི་མཚམས་ཤིག་ཏུ་སློབ་མ་རྣམས་ཀྱི་དད་པའི་རྒྱུར་འགྱུར་སྙམ་སྟེ་བྲིས་པ་དགེ་ལེགས་འཕེལ། ཕག་ལོ་ཟླ་བ་བཞི་པར་འཛིགས་བྱེད་དུག་དབང་། བེའུ་བུམ་སྔོན་པོ། ཟླ་བ་དྲུག་པར་འབྲས་སྤུངས་དྭ་དཔོན་ཁམ་ཆེན་དུ་ལམ་རིམ་ཆེ་ཆུང་། ལེགས་བཤད་སྙིང་པོའི་བཤད་ལུང་།

དགའ་ལྡན་ལྷ་བརྒྱ་མའི་ཁྲིད་གནང་། ཟླ་བ་དགུ་པར་སྡེ་དགེ་བླ་མ་མཁྱེན་བརྩེ་དབང་པོ་ནས། རང་གིས་རྒྱུད་སྡེ་ལྔ། མི་གཡོ་བ་བླ་མེད། གཙུག་དགུའི་དབང་ཞུས། སྡོ་བྲག་གྲུབ་ཆེན་གྱིས། ད་ལྟ་ལུང་གི་དུས་ཡིན་ཏེ། བཀའ་དང་བསྟན་བཅོས་རྒྱུད་མན་ངག །ལ་སོགས་ལུང་རྣམས་ཉན་པ་ཡིས། །མཐོང་ལམ་ཐོབ་དུས་རང་ཉིད་ཀྱིས། །ནོར་གྱི་བཅོལ་མ་ལེན་དང་མཚུངས། །དེས་ན་ལུང་ལ་འདུན་པ་གྱིས། །ཞེས་པས་དཀྱིལ་ཁང་དགའ་ཆེན་ནས། །རང་གིས་ལེགས་བཤད་གསེར་ཕྲེང་གི་ལུང་ཞུས་ཏེ། ང་ཡིས་གསེར་ཕྲེང་གི་ལུང་ཚར་ལྔ་ཞུས་པ་ཡིན་གསུངས། ཕྱི་བ་ལོར་གསེར་ཁང་དང་། ཚ་བླ་མས་བསྐུལ་ངོར་ལྷ་ལྡན་དུ། རྒྱུད་སྨད་མཁན་ཟུར་བློ་གླིང་འཇམ་དབྱངས་དམ་ཆོས། བློ་གླིང་ཀོང་པོ་སྤྲུལ་སྐུ་བློ་བཟང་བསྟན་པའི་སྒྲོན་མེ། རེ་སྟོད་ཁྲི་ཆུང་སྤྲུལ་སྐུ་བློ་བཟང་ངག་དབང་ཆོས་གྲགས། ཆ་མདོ་བྱམས་ཚ་སྤྲུལ་སྐུ་སྐལ་བཟང་བསྟན་པ་རྒྱ་མཚོ། སྒོ་མང་རྩིས་ཐང་སྤྲུལ་སྐུ་ངག་དབང་ཚུལ་ཁྲིམས། རྒྱལ་རྩེ་གསེང་ཁང་འོག་བླ་མ་བློ་བཟང་ཉི་མ། ཚ་བ་བླ་མ་བསོད་ནམས་གྲགས་པ། བྱ་ཡུལ་བླ་མ་སྐལ་བཟང་དོན་ཡོད། བློ་གླིང་རྒྱལ་རོང་དགེ་བཤེས་བློ་བཟང་དར་རྒྱས། སྒོ་མང་དགེ་བཤེས་ངག་དབང་འོད་ཟེར། ར་སྟོད་དགེ་བཤེས་བློ་བཟང་བཟོད་པ། རྒྱུད་སྨད་དྭགས་པོ་མངའ་རིས་དགེ་བཤེས་ཉི་ཤུ་སོགས་དུར་སྦྱིག་འཛིན་པ་བརྒྱད་ཅུ་སྐོར་ལ་དབང་ཆེན་ནོར་བུའི་ཕྲེང་བ་ཚར་གཉིས་པར་སྩལ། ཟུར་ཁ་བརྒྱ་རྩའང་གནང་། རྟ་ཚག་རིན་པོ་ཆེ་སོགས་ལ་ཚེ་དབང་བཅོ་ལྔ་གནང་། དབང་མང་པོ་གནང་ཡང་རྫའུའི་བུམ་པ་མ་གཏོགས་གསེར་དངུལ་གྱི་བུམ་པ་ཕྱག་ཏུ་མ་བཞེས་ཏེ། ཞལ་ནས། བོད་ཀྱི་བླ་མས་གསེར་དངུལ་གི་བུམ་པས་དབང་བསྐུར་པ་ལ་བྱིན་རླབས་ནི་གང་ཡང་ཆེ་རྒྱུ་མེད། རྒྱ་གར་གྲུབ་ཆེན་གྱིས་བྲག་ཁུང་ནང་དུ་རྫའུའི་བུམ་པས་དབང་བསྐུར་བས་སློབ་མ་གདན་དེའི་སྟེང་དུ་བྱིན་གྱིས་རླབས་པ་ཡོད་གསུང་། གླང་ལོར་སྡོ་བྲག་སྟན་རྒྱུད་རྗེས་གནང་ཚར་གཉིས། དུས་ཀྱི་འཁོར་ལོའི་དབང་ཚར་གཉིས་གནང་། ཟླ་བ་གསུམ་པར་མུ་ལིར་ཕེབས་ཤིང་། ཤར་སྡོ་མུ་ལིའི་སྡོང་ས་སུ་དགེ་ལྡན་བསྟན་པའི་གསལ་བྱེད་འཇམ་དབྱངས་སྤྲུལ་སྐུ་ངག་དབང་ཐུབ་བསྟན་རྒྱལ་མཚན་སོགས་ནོར་བུའི་ཕྲེང་བ་ཚར་གསུམ་པར་སྩལ་ཏེ། ཞལ་ནས། རྒྱལ་བ་ཐུབ་དབང་རྡོ་རྗེ་འཆང་གི་བསྟན་པ་དྲི་མ་མེད་པ་འཛམ་གླིང་འདི་ན་རྒྱུན་མི་ཆད་པར་ཡུན་རིང་དུ་གནས་ན་ཅི་མ་རུང་སྙམ་པས་ཀུན་

ནས་བླངས་ཏེ་གསང་ཆེན་བསྟན་པ་ཅི་ནུས་སུ་འཛིན་སྐྱོང་སྤེལ་བར་བྱས་པ་ཡིན་ནོ་གསུངས། དེ་ནས་ཕ་ཡུལ་དུ་ཕེབས་ཕྱིར་དར་ཚོན་མདོར་འགྲོན་ཀྱང་རྒྱ་ནག་དམག་འཁྲུགས་པའི་དབང་གིས་ལམ་ཁ་མི་ཐར་རམ་སྐམ་དུ་དོགས་ནས་ཕྱིར་ལོག་ཏེ། ལི་ཐང་དགོན་ཆེན། བླ་ཆོས་སྡེ། ཆབ་མདོ། བྲག་གཡབ་སོགས་ལ་དབང་ཁྲིད་ལུང་སོགས་གནང་ཞིང་། སྟག་ལོ་ཟླ་བ་བདུན་པར་ལྷ་སར་འབྱོར་ཏེ། དཀྱིལ་ཆོག་ནོར་བུ་ཕྲེང་བའི་པར་བསྐོ་བ་མགོ་ཚུགས། ཟླ་བ་དགུ་པར་གསེར་ཁང་བླམ་དང་། ཆ་མདོ་བླམ་འཇམ་དབྱངས་སོགས་ལ་རྒྱུད་སྡེ་ལྔའི་དབང་། ནེ་གུ་ཆོས་དྲུག་གི་ཁྲིད་སོགས་གནང་། དགའ་ལྡན་ཐེ་བོ་སྤྲུལ་སྐུ་ཏལ་ཁ་ཡོངས་འཛིན་ལ་ཕེབས་ཤིང་། ཚུར་ལོག་པའི་ལམ་དུ་དགོངས་པ་རྫོགས་པ་ལ། ཐེ་བོ་སྤྲུལ་སྐུ་མ་ཤི་གོང་དུ་ལུག་འབུམ་ཕྲག་བསད་བཅུག་སྟེ་ཟ་ནས་ཤི་གསུང་སྟེ། གོ་ས་བྱུང་བའི་བདེ་བ་གང་ཡང་མ་སྨྱོང་གོང་དུ་གོ་སའི་དབང་གིས་ལུག་བསད་དུ་བཅུག་པའི་སྡུག་བསྔལ་སྨྱོང་ཞེས་པའོ། །ཡོས་ལོ་དགུང་ལོ་རེ་བཞི་པར་འབྲས་སྤུངས་ལྷ་དབང་གླིང་དུ་བཀྲ་ལྷུན་སྔགས་ཚོགས་ཡོངས་རྫོགས་ཀྱི་ལུང་སོགས་གནང་། ཧ་དོན་ཁམ་ཚན་དུ་དགེ་འདུན་སུམ་བརྒྱ་ཙམ་ལ་ཟུར་ཁ་བརྒྱ་རྩ། སྤྱི་ཀ་བརྒྱ་རྩ་རྣམ་གསུམ་གྱི་རྗེས་གནང་སོགས་གནང་། དགུན་ཁ་དཀྱིལ་ཆོག་གི་པར་ཚར་ནས་ཞུས་དག་གནང་སྟེ། ཁམ་སྟུ་ལིར་འགྲོ་ནས་གསེར་གྱི་བྱེ་མ་བསྡམས་བྱུང་བ་དཀྱིལ་ཆོག་གི་པར་ལ་སྒྲིགས་བཟུང་གསུང་། དེའི་པར་བྱང་སྨོན་ཚིག་ལ། རྣམ་འདྲེན་ལྔ་པས་འཛམ་བུ་གླིང་དུ་བྱོན་ཞིང་ཆོས་ཀྱི་འཁོར་ལོ་བསྐོར་བའི་ཚེ་གསེར་གྱི་མེ་ཏོག་འཐོར་ཞིང་སུ་ཕ་རྟའི་ཆར་འབེབས་པར་ཤོག་ཅིག །ཅེས་བྱུང་། དྲང་ངེས་བཞི་དྲིལ། བྱམས་པའི་སྐྱེས་རབས་ཀྱི་བར་ཡིག་བྲིས་ནས་ཡོད་དོ། །སླས་པ། ས་བཀའ་དགེ་གསུམ་བསྟན་པར་ཆོས་ཀྱི་རྒྱུན། །དཀའ་སྤྱད་དུ་མས་འཚོལ་ནས་ཕྱོགས་གཅིག་ཏུ། །བསྒྲིགས་ནས་ཐུབ་པའི་བསྟན་པ་དེང་དུས་སུ། །འཛིན་སྐྱོང་སྤྲོལ་མཛད་གངས་ཅན་ལྗོངས་འདིར་སུ། །དྲང་པོ་སློབ་པར་དགའ་མཁན་ཉུང་ན་ཡང་། །ཉན་མཁན་གཅིག་ལ་ཕན་པར་ངེས་ཅན་ཡིན། །ཕན་པའི་བཀའ་ཆོས་མི་ལ་ཕོག་དོགས་ནས། །མ་སླས་མི་རིགས་རྣམ་ཐར་དྲང་པོ་བཤད། །དེ་ཕྱིར་ཚེ་འདིར་ཞེན་རྣམས་མ་དགའ་བ། །ཐུགས་ལ་མ་བཞག་བཏང་སྙོམས་འཇོག་པར་མཛོད། །ཆེ་བའི་ཆེ་བ་གོ་ས་ཅན་ལ་འདི་འདྲའི་རྣམ་ཐར་བྱུང་བ་དཀའ། །འདྲ་ཆགས་ལ་དགའི་ངོ་ལ་ཐུག

ཀྱང་སྤྱོང་བ་པོ་ཡི་སྙིང་ནོར་ཡིན། །མཛེས་ཆོས་ལ་དགའི་མིག་ལ་ཐུག་ཀྱང་བྱ་བཏང་མཁན་གྱི་སྙིང་ནོར་ཡིན། །སྨན་གྲགས་ལ་དགའི་རྣ་ལ་ཐུག་ཀྱང་ཚེ་བློས་བཏང་བའི་སྙིང་ནོར་ཡིན། །དེའི་ཕྱིར་ཚེ་འདིའི་ཞེན་བྲལ་ཆོས་ཀྱི་དོན་ལ་མཁས་རྣམས་དགྱེས་དགྱེས་མཛོད། །འདི་བྲིས་དགེ་བས་མ་གྱུར་འགྲོ་ཀུན་བྱམས་མགོན་ཆོས་འཁོར་མཇལ་བར་ཤོག །ཅེས་ལྷ་གཅིག་རྡོ་རྗེ་འཆང་ཡེ་ཤེས་དོན་གྲུབ་བསྟན་པའི་རྒྱལ་མཚན་དཔལ་བཟང་པོའི་རང་གི་སྤྱོད་ཚུལ་ཉི་ཤུ་རྩ་བརྒྱད་ཀྱི་རྣམ་བཤད་ཚེ་འདིའི་སྣང་གཉིད་སངས་བྱེད་ཡིད་བཞིན་ནོར་བུ་ཞེས་བྱ་བ་འདི་ནི། ཞལ་ནས་ཐོས་པ་དང་། སྨུ་ལི་ཚུལ་ཁྲིམས་ཆོས་འཕེལ་ནས་ཐོས་པ་རྣམས་ཀྱིས་ཁ་བཀང་ནས་གཞུང་གི་དོན་གསལ་ཏེ། འཇམ་དབྱངས་འཕྲིན་ལས་ཀྱིས་ལྷུགས་ལུག་ཡོར་དབེན་གནས་བྲག་རི་རི་ཁྲོད་དུ་བྲིས་པ་དགེ་ལེགས་འཕེལ། །འདིའི་དགེ་བས་བདག་སོགས་འགྲོ་བ་ཐམས་ཅད་སྐྱེ་ཞིང་སྐྱེ་བ་ཐམས་ཅད་དུ་ཁྱེད་ཀྱི་རྣམ་ཐར་སྐྱོང་བར་གྱུར་ཅིག། །།

༄༅། །ལྷ་མོ་འོད་ཟེར་ཅན་མའི་སྒྲུབ་ཐབས་དང་འཁོར་ལོའི་ལས་ཚོགས་ཐུན་མོངས་མ་ཡིན་པ་བཞུགས་སོ།

༄༅། །ན་མོ་ཨཱརྻ་མ་རཱི་ཙྱཻ་ཧྲཱིཿ འདིར་ལྷ་མོ་འོད་ཟེར་ཅན་གྱི་སྒོ་ནས་རང་གཞན་གྱི་ནད་གདོན་བར་ཆད་དགྲ་དང་ཚོམ་རྐུན་གྱི་འཇིགས་པ་དང་། མི་ནོར་ཕྱུགས་གསུམ་གོད་ཁ་ཞི་བར་འདོད་པས། སྐྱབས་འགྲོ་སེམས་བསྐྱེད་ཚད་མེད་བཞི་བསྒོམ་པ་སྔོན་དུ་བཏང་། དེ་ནས་བསང་སྦྱང་ནི། རང་ཉིད་སྐད་ཅིག་གིས་ཁྲོ་བོ་བདུད་རྩི་འཁྱིལ་བ་སྐུ་མདོག་ལྗང་སྔོན་ཞལ་གཅིག་ཕྱག་གཉིས་ཀྱིས་རྡོ་རྗེ་དང་དྲིལ་བུ་འཛིན་པར་གྱུར་པའི་ཐུགས་ཀའི་ས་བོན་ལས་འོད་ཟེར་འཕྲོས། ཕྱོགས་བཅུའི་རྒྱལ་བ་སྲས་བཅས་ཐམས་ཅད་ཀྱི་བྱིན་རླབས་ནུས་མཐུ་ཐམས་ཅད་ཐུགས་འོད་ཟེར་དང་བཅས་པའི་རྣམ་པར་སྤྱན་དྲངས་ཏེ་བསངས་ཆུ་ལ་ཐིམ་པར་གྱུར། ཨོཾ་བཛྲ་ཨ་མྲི་ཏ་ཀུཎྜ་ལི་ཧ་ན་ཧ་ན་ཧཱུྃ་ཕཊ་སྭཱཧཱ། ཞེས་བརླས་ཏེ་བསངས་ཆུ་གྲུབ། རང་གི་སྙིང་ཁར་པཾ་ལས་པདྨ་དང་རཾ་ལས་ཉི་མའི་དཀྱིལ་འཁོར་གྱི་སྟེང་དུ་ཨོཾ་དཀར་པོ། དེའི་འོད་ཀྱིས་རང་གི་ལུས་སྦྱངས་ནས་འོད་ཀྱི་ཕུང་པོར་གྱུར་པ་ལས། རང་ཉིད་བཅོམ་ལྡན་འདས་རྡོ་རྗེ་སྣང་མཛད་སྐུ་མདོག་དཀར་པོ་སྤྲུལ་སྐུའི་ཆ་བྱད་ཅན་ཆོས་གོས་དམར་པོ་གསོལ་པ། བྱང་ཆུབ་མཆོག་གི་ཕྱག་རྒྱ་མཛད་པ་སེང་གེའི་ཁྲིའི་སྟེང་དུ་པད་ཉིའི་གདན་ལ་དཀྱིལ་ཀྲུང་གིས་ཞུགས་ཤིང་མྱ་ངན་མེད་པའི་ཤིང་གི་སྡོང་བུ་ལ་སྐུ་རྒྱབ་བརྟེན་པ། དེའི་འོད་ཀྱིས་རང་གནས་པའི་ས་ཕྱོགས་སྟེང་འོག་བར་གསུམ་ཐམས་ཅད་ཁྱབ་པར་མཆོད་རྟེན་གྱི་དབྱིབས་ལྟ་བུ་རྡོ་རྗེ་རང་བཞིན་གྱི་བསྲུང་བའི་འཁོར་ལོར་གྱུར། སྒྲུབ་བྱ་གང་ཡིན་པ་རྡོ་རྗེ་རྭའི་ནང་གི་མདུན་རྒྱབ་གཡས་གཡོན་རྣམས་སུ་བསམ། རང་གི་སྙིང་ཁར་པད་ཉིའི་སྟེང་དུ་མཾ་ཡིག་སེར་པོ་ལས་ཤིང་མྱ་ངན་མེད་པའི་ཡལ་ག་མཾ་གྱིས་མཚན་པ། དེ་ཡོངས་སུ་གྱུར་པ་ལས་ལྷ་མོ་འོད་ཟེར་ཅན་སྐུ་མདོག་སེར་མོ་སྐྱ་ཤ་སྐེམས་ཤིང་ཅིག་པུར་འདུག་པ་ཕྱག་གཡས་ན་ཁབ། གཡོན་ན་སྐུད་པ་བསྣམས་པ། སྣ་བུག་གཡས་ནས་རླུང་ཕྱིར་རྒྱུ་བ

དང་འགྲོགས་ཏེ་བྱུང་ནས། མདུན་དུ་རང་ལ་ཕྱོགས་ཏེ་འདུག་པར་བཀའ་བསྒོས་པས། མདུན་གྱི་ལྷ་མོ་དེ་ལས་ལྕགས་ཀྱུ་ཞགས་པ་ཐོགས་པ་དུ་མ་སྤྲོས་ནས་གནོད་བྱེད་ཐམས་ཅད་མདུན་དུ་བཀུག་པ། སྤྲུལ་པའི་ལྷ་མོ་རྣམས་ཀྱིས་ཁབ་སྐུད་སྒྲིལ་པ་དེ་དག་གི་ཁ་མིག་ཐུབ་ཏེ་ནའི་ཕྱི་རོལ་དུ་དོར་ནས་སྤྲུལ་པ་རྣམས་སྤྲུལ་གཞི་ལ་ཐིམ་པར་གྱུར། ཨོཾ་མ་རཱི་ཙྱེ་པདྨ་ལི་བ་ཏ་ལི་བ་ཏ་ལི་བ་ར་ཏ་ས་ཧ་སརྦ་དུཥྚ་ན་པྲ་དུཥྚ་ན་ཙཀྵུ་མུ་ཁེ་བནྡྷ་བནྡྷ་སྭཱཧཱ། ཞེས་ཉེར་གཅིག་བཟླ། དེ་ནས་མདུན་གྱི་ལྷ་མོ་སྣ་ཐུག་གཡོན་ནས་ལྷུང་རྒྱུ་བ་དང་འགྲོགས་ཏེ་རང་གི་སྙིང་ཁར་ཞུགས་པ་ལས་རང་ཉིད་ལྷ་མོ་འོད་ཟེར་ཅན་མ་སྐུ་མདོག་སེར་པོ་ཕྱག་གཡས་མཆོག་སྦྱིན་གཡོན་མྱ་ངན་མེད་པའི་ཤིང་གི་ཡལ་ག་བསྣམས་པ། རིན་པོ་ཆེའི་རྒྱན་ཐམས་ཅད་ཀྱིས་བརྒྱན་ཅིང་། སྐུ་ལ་དར་དཀར་པོའི་ན་བཟའ་གསོལ་པ། ཕག་སེར་པོ་བདུན་གྱིས་བཏེག་པའི་ཁྲིའི་སྟེང་ན་པད་ཉིའི་གདན་ལ་ཞབས་སྐྱིལ་ཏེ་ཙོག་པར་ཞུགས་པ། དེའི་སྤྱི་བོར་ཨོཾ་དཀར་པོ། མགྲིན་པར་ཨཱཿདམར་པོ། ཐུགས་ཀར་ཧཱུཾ་སྔོན་པོ། ཐུགས་ཀའི་ཧཱུཾ་ལས་འོད་ཟེར་འཕྲོས་པས་རང་བཞིན་གྱི་གནས་ནས་བསྒོམས་པ་དང་འདྲ་བའི་ཡེ་ཤེས་པ་སྤྱན་དྲངས། ཛཿཧཱུཾ་བཾ་ཧོཿ སླར་ཡང་ཐུགས་ཀའི་ཧཱུཾ་ལས་འོད་ཟེར་འཕྲོས། དབང་གི་ལྷ་རྣམས་སྤྱན་དྲངས། ཁྱེད་རྣམས་ཀྱིས་བདག་ལ་མངོན་པར་དབང་བསྐུར་དུ་གསོལ། ཞེས་གསོལ་བ་བཏབ་པས། ཨོཾ་སརྦ × ཐཱ་ཡེ་ཧཱུཾ། ཞེས་པས་དབང་བསྐུར་བས། ལུས་གང་། དྲི་མ་དག། ཆུའི་ལྷག་མ་སྤྱི་གཙུག་ཏུ་འཁྱིལ་བ་ལས་རྣམ་པར་སྣང་མཛད་ཀྱིས་དབུ་རྒྱན་པར་གྱུར། མཆོད་པ་རྣམས་ཨ་ཪྻ་ཏ་ས་བསངས། སྭ་བྷཱ་ཝས་སྟོང་པར་སྦྱངས། སྟོང་པའི་ངང་ལས་ཨོཾ་ལས་རིན་པོ་ཆེའི་སྣོད་ཅེས་པ་ནས། ནམ་མཁའ་དང་མཉམ་པར་གྱུར། ཨོཾ་ཨརྒྷཾ་ནས་ཤབྡ་འི་བར་བྱིན་གྱིས་རླབས། ཨོཾ་མ་རཱི་ཙྱེ་ཨརྒྷཾ་ནས། ཤབྡའི་བར་གྱིས་མཆོད། གང་གི་མཚན་ཙམ་འཛིན་དང་དྲན་པས་ཀྱང་། །བར་དུ་གཅོད་པ་ཀུན་ལས་སྒྲོལ་མཛད་ཅིང་། །དྲི་མེད་བདེ་བ་ཆེན་པོ་སྩོལ་མཛད་ལྷ། །བཅོམ་ལྡན་འོད་ཟེར་ཅན་ལ་ཕྱག་འཚལ་ལོ། །ཞེས་བསྟོད། དེ་ནས། ཁྲིའི་ཕག་རྣམས་ལས་སྤྲུལ་བའི་ཕག་མང་པོ་བྱུང་ནས་ར་བའི་ཕྱི་རོལ་གྱི་གནོད་བྱེད་ཐམས་ཅད་ཐོས་ཤིང་འདམ་རྫབ་ལྟར་བརྫིས་ནས་ཚུར་འདུས་པར་བསམ། ཨོཾ་མ་རཱི་ཙྱེ་མཾ་སྭཱཧཱ། ཞེས་སྙིང་པོ་ཅི་མང་བཟླའོ། །དེ་ནས་ཡི་གེ་བརྒྱ་པ་བཟླས་ལ། མཆོད་བསྟོད་བྱ། དེ་ནི་བདག་བསྐྱེད་བསྒོམ་པའོ། །གཞན་བྲིས་པའི་འཁོར་ལོ་སྒྲུབ་པར་

འདོད་ན། ཨ་ཤྲཱི་ཏ་ས་བསངས་སྦྱངས། སྟོང་པའི་ངང་ལས་བསྲུང་བའི་འཁོར་ལོ་ཡངས་ཤིང་རྒྱ་ཆེ་བའི་དབུས་སུ་པད་ཉིའི་སྟེང་དུ་མྱ་ངན་མེད་པའི་ཤིང་སྟཾ་གྱི་མཚན་པ་དེ་ཡོངས་སུ་གྱུར་པ་ལས་ལྷ་མོ་འོད་ཟེར་ཅན་མ་སྐུ་མདོག་སེར་པོ་ཕྱག་གཡས་མཆོག་སྦྱིན་ཞེས་པ་ནས་སྣང་མཛད་ཀྱི་དབུ་བརྒྱན་པར་གྱུར། ཞེས་པའི་བར་དང་། མཆོད་པ་སྔར་ལྟར་བྱིན་གྱི་བརླབས་ལ་འབུལ། གང་གི་མཚན་ཙམ་ཅེས་སོགས་བསྟོད། མདུན་བསྐྱེད་ཀྱི་ཐུགས་ཀར་ཉི་མའི་དཀྱིལ་འཁོར་གྱི་དབུས་སུ་མཾ་ཡིག་སེར་པོའི་མཐར་སྔགས་ཕྲེང་གིས་བསྐོར་བ་ལས་འོད་ཟེར་འཕྲོས། འཕགས་པ་མཆོད་སེམས་ཅན་གྱི་དོན་བྱས། སངས་རྒྱས་བྱང་སེམས་ཉན་རང་ཆོས་སྐྱོང་རྣམས་ཀྱི་བྱིན་རླབས་ཐམས་ཅད་འོད་ཟེར་གྱི་རྣམ་པར་སྤྱན་དྲངས་ཏེ་འཁོར་ལོ་ལ་ཐིམ་པས་བྱིན་གྱིས་བརླབ་པར་གྱུར། ཨོཾ་མ་རཱི་ཙྱེ་པདྨ་ལི་བ་ཏ་ལི་བ་ར་ཏ་ཀྲུ་ཊེ་སརྦ་དུཥྚ་སརྦ་དུཥྚ་ན་པྲ་དུཥྚ་ན་ཙཀྵུ་མུ་ཁེ་བནྡྷ་བནྡྷ་སྭཱ་ཧཱ། ཨོཾ་མ་རཱི་ཙྱེ་མཾ་སྭཱ་ཧཱ། ཞེས་པ་གང་རུང་འབུམ་ཕྲག་དྲུག་གམ་ཐ་མ་གཅིག་བཟླ་བཏུང་ཚིག་གཞན་གྱི་བར་མ་ཆོད་པར་སྒྲུབ། ཡིག་བརྒྱས་ཁ་བསྐང་ནས་མཆོད་བསྟོད་བསྡུས་པ་བྱའོ། །གཏོར་མ་འབུལ་འདོད་ན། གཏོར་མ་བསངས་སྦྱངས། སྟོང་པའི་ངང་ལས་བྷྲཱུཾ་ལས་རིན་པོ་ཆེའི་སྣོད་ཡངས་ཤིང་རྒྱ་ཆེ་བའི་ནང་དུ་ཨོཾ་འོད་དུ་ཞུ་བ་ལས་བྱུང་བའི་གཏོར་མ་ཟག་པ་མེད་པའི་ཡེ་ཤེས་ཀྱི་བདུད་རྩིའི་རྒྱ་མཚོ་ཆེན་པོར་གྱུར། ཨོཾ་ཨཱཿཧཱུཾ་ལན་གསུམ་གྱིས་བརླབ་ལ། མདུན་གྱི་ལྷའི་ལྗགས་འོད་ཟེར་གྱི་སྦུ་གུས་དྲངས་ཏེ་གསོལ་བར་གྱུར། ཨོཾ་མ་རཱི་ཙྱེ་མཾ་སྭཱ་ཧཱ། ཨོཾ་ཨ་ཀཱ་རོ་ཅེས་པ་ནས་ཕཊ་སྭཱ་ཧཱ། ཞེས་ལན་བདུན་གྱིས་གཏོར་མ་འབུལ། ཨོཾ་མ་རཱི་ཙྱེ་ཨརྒྷཾ་ནས་ཤབྡའི་བར་གྱིས་མཆོད། གང་གི་མཚན་ཙམ་གྱིས་བསྟོད། ཡིག་བརྒྱས་ལྷག་ཆད་བསྐང་། ནོངས་པ་བཟོད་པར་གསོལ། འདོད་དོན་ལ་གསོལ་བ་བཏབ། མདུན་བསྐྱེད་ཀྱི་ལྷ་འོད་དུ་ཞུ་ནས་བསྲུང་འཁོར་གྱི་རྣམ་པར་གྱུར། མཐར་བཀྲ་ཤིས་བྱའོ། །མཚན་མོ་ཡིན་ན་ལྷ་མོ་སྐུ་མདོག་དཀར་པོ་དང་། ཉི་མའི་འོད་ལ་ཟླ་བ་བསྒོམ་པ་སོགས་མན་ངག་ལྟར་ཡིན་ནོ། །ལྷ་མོ་འོད་ཟེར་ཅན་མའི་སྒོ་ནས་ནོར་ཕྱུགས་ལ་ཆོམ་རྐུན་དང་ཅེ་སྤྱང་སོགས་ཀྱི་གནོད་པ་བསྲུང་བའི་ཕྱིར། ལྷ་མོ་འོད་ཟེར་ཅན་གྱི་བསྲུང་འཁོར་བྲི་ཚུལ་ནི། ནང་ནས་རིམ་བཞིན་རྩིབས་བཞི་དང་། བརྒྱད་དང་བཅུ་དྲུག་དང་ལྡན་པའི་འཁོར་ལོ་བྲི་བར་བྱ། འཁོར་ལོའི་ལྟེ་བར་སྟཾ་ཡིག་མཐར་སྙིང་པོའི་མཇུག་ཏུ་གང་འདོད་ཀྱི་སྒྲུབ་ཚིག་སྦྱར། དེའི་ཕྱི་རིམ་རྩིབས་བཞི་ལ་མདུན་ནས་བཅམ་སྟེ་གཡས་བསྐོར་དུ་ཨོཾ་ལཾ་པཾ་སྟཾ་བྲིས། དེའི་ཕྱི་རོལ་ཏུ་རྩིབས་བརྒྱད་ལ་ཙ་ཡིག་རེ་བྲིས། དེའི་ཕྱི་རོལ་ཏུ་རྩིབས་བཅུ་དྲུག་ལ་སྟཾ་ཡིག་རེ་བྲིས། དེའི་ཕྱི་རོལ་ཏུ་མུ་ཁྱུད་ལ་གཟུངས་རིང་གི་མཐར་གང་འདོད་ཀྱི་སྒྲུབ་ཚིག་སྦྱར།

དེའི་ཕྱི་རོལ་ཏུ་ཕག་སེར་པོ་བདུན་གྱི་གཡས་སུ་བསྐོར་བ་བྲིས། ལྟེ་བའི་སྔོ་ཡིག་གི་ཀླད་ཀོར་ནང་དུ་བསྒྲུབ་བྱའི་མིང་ཡིག་དང་པོ་བྲིས། ཨོཾ་ཨ་ལྡི་ད྄་ལོ་ཀ་ལོ་སཙྪལ་སྭཱཧཱ་མུ་ཙཀྲ་རི་མི་ནོར་ཕྱུགས་ཀུན་ཏུ་རཀྵ་རཀྵ་མཾ་སྭཱཧཱ། ལྟེ་བར་སྔོ་ཡིག་མཐར་མདུན་ནས་གཡས་བསྐོར་མགོ་ཕྱིར་བསྟན་པ་བྲིས། དེའི་ཕྱི་རིམ་སུ་ཁྱུད་ལ་དཔེ་རིས་ལྟར་ཕྱོགས་བཞིར་སྔགས་བཀོད། དེའི་ཕྱིའི་སུ་ཁྱུད་ལ་ཨོཾ་མཱ་རཱི་ཙྱེ་པདྨ་ལི་བ་ཏ་ལི་བ་ཏ་ལི་བ་ར་ས་མུ་ཁ་སརྦ་དུཥྚ་ནཾ་པྲ་དུཥྚ་ནེ་ཁྱིམ་གཞི་འདི་ལ་གནོད་པར་བྱེད་པའི་གཟའ་དང་རྒྱ་སྐར་རྒྱལ་པོ་དང་གནོད་སྦྱིན་འབྱུང་པོ་དང་ཤ་ཟ་ཀླུ་དང་ས་བདག་གོང་ཁ་དང་སྡེ་བརྒྱད་དང་། ཚོམ་རྐུན་གཅན་གཟན་སོགས་ཙཀླུ་མུ་ཊི་བཛྲ་བཛྲ་སྭཱཧཱ། དེའི་ཕྱི་རིམ་སུ་འཁྱུད་ལ། ཨོཾ་མཱ་རཱི་ཙྱེ་ཨཱུཾ་སྭཱཧཱ། ཁྱིམ་གཞི་འདི་ལ་གནོད་ཅིང་འཚེ་བར་བྱེད་པའི་མཐུ་དང་ངན་སྔགས་གཟའ་དང་རྒྱ་སྐར་རྒྱལ་པོ་གནོད་སྦྱིན་འབྱུང་པོ་དང་ཤ་ཟ་ཀླུ་དང་ས་བདག་ཆེ་སྲི་ཆུང་སྲི་དར་སྲི་དང་རྒྱལ་པོའི་ཆད་པ་དང་དགྲ་དང་ཚོམ་རྐུན་གཅན་གཟན་གོད་ཁ་སོགས་ཀྱི་འཇིགས་པ་ནད་གདོན་མི་དང་མི་མ་ཡིན་པའི་གནོད་པ་སརྦ་རཀྵ་རཀྵ་ཡེ་སྭཱཧཱ། ཟས་ནི་ཕག་ཁྲག་སྙི་ཧང་ཕྱུགས་ནས་གཡས་བསྐོར་རོ། །བསྟན་པའི་མངའ་བདག་པཎ་ཆེན་ཆོས་ཀྱི་རྒྱལ་མཚན་དཔལ་བཟང་པོ་དང་། ཁྱབ་བདག་རྡོ་རྗེ་འཛིན་པ་དཀོན་མཆོག་རྒྱལ་མཚན་དཔལ་བཟང་པོ་རྣམས་ཀྱི་བཀའ་དྲིན་གྱི་འཚོ་བའི་ཤཱཀྱའི་བཙུན་པ་ངག་དབང་བསྟན་འཛིན་འཕྲིན་ལས་ཀྱིས་གསར་བྲིས་བགྱིས་པའི་ཡི་གེ་བ་ནི་དགེ་སློང་དོན་གྲུབ་པོ། །འདི་སྐྱིད་བཀའ་འབུམ་གྲལ་དུ་མ་བཞུགས་པའི་རྒྱུ་ཅན་དཔེ་དཀོན་པའི་པར་གསར་དུ་བསྒྲུན་པའི་འགྲོ་ཀུན་ཉེར་འཚེའི་གཡུལ་ལས་རྒྱལ་གྱུར་ཅིག །

༄༅། །དུས་གསུམ་སངས་རྒྱས་ཐམས་ཅད་ཀྱི་ངོ་བོ་རྒྱལ་བ་བློ་བཟང་གྲགས་པ་ལ་གསོལ་བ་འདེབས་པའི་སྨོན་ཚིག་བསམ་པ་ལྷུན་གྱིས་འགྲུབ་པ་ཞེས་བྱ་བ་བཞུགས་སོ།

༄། །ཨོཾ་ཨཱཿ གུ་རུ་སུ་མ་ཏི་ཀཱིརྟི་མ་མ་སརྦ་སིདྡྷི་ཧཱུཾ། རྒྱལ་ཀུན་ཡེ་ཤེས་ཆོས་སྐུ་འཛམ་པའི་དབྱངས། །ངེས་པ་ལྷུ་ལྷུན་ལོངས་སྐུ་ཀུན་ཏུ་གཟིགས། །སེང་གེའི་ང་རོ་མཆོག་གི་སྤྲུལ་པའི་སྐུ། །སྐུ་གསུམ་ལྷུན་གྲུབ་དྲུག་པ་རྡོ་རྗེ་འཆང་། །རྒྱལ་བ་བློ་བཟང་གྲགས་པ་ལ་གསོལ་བ་འདེབས། །བསམ་པ་ལྷུན་གྱིས་འགྲུབ་པར་བྱིན་གྱིས་རློབས། །ལྷུམས་སུ་ཞུགས་དུས་ཡབ་ཀྱི་གཟིགས་སྣང་ལ། །ལྷུང་ལོ་ཅན་ནས་གསང་བའི་བདག་པོ་ཡིས། །གསེར་གྱི་རྡོ་རྗེ་འཕངས་པ་ཡུམ་ལ་ཐིམ། །མཁའ་འགྲོའི་ཚོགས་ཀྱིས་ཁྲུས་གསོལ་བྱེད་པ་གཟིགས། །གསང་བདག་རྡོ་རྗེ་འཛིན་དང་དབྱེར་མེད་པའི། །རྒྱལ་བ་བློ་བཟང་གྲགས་པ་ལ་ × ། །བསམ་པ་ལྷུན་གྱིས་འགྲུབ་པར་ × ། ཡབ་ཀྱིས་སྨྲར་ཡང་རི་བོ་རྩེ་ལྔ་ནས། །གླིགས་བམ་ཁྱེར་བའི་དགེ་སློང་སྨུགས་ཆོས་ཅན། །མེ་ཏོག་ཏུ་མ་སྤེལ་བའི་ཆོས་གོས་དང་། །ལྷ་ཡི་གོས་དར་སེར་པོའི་ཤམ་ཐབས་ཅན། །གནས་ཚང་དགོས་ཞེས་ཁང་པར་བཞུགས་པ་མཐོང་། །རྗེ་བཙུན་འཇམ་པའི་དབྱངས་དང་དབྱེར་མེད་པའི། །རྒྱལ་བ་བློ་བཟང་ × བསམ་པ་ལྷུན་ × ཡུམ་གྱི་སྣང་བར་ནམ་མཁའི་སྤྲིན་གསེབ་ནས། །སྤྱན་རས་གཟིགས་དབང་རི་བོ་ལྷ་བུ་ཞིག །ལྷ་ཡི་འཁོར་གྱིས་བསྐོར་བ་སྤྱི་བོ་ནས། །ཐུགས་ཀར་ཤེལ་གྱི་ཁང་པར་བཞུགས་པ་ལ། །བལྟམས་ཚེ་ལྷ་ཡིས་ཤེལ་སྒོ་འབྱེད་པ་གཟིགས། །མགོན་པོ་སྤྱན་རས་གཟིགས་དང་དབྱེར་མེད་པའི། །རྒྱལ་བ་བློ་བཟང་ × བསམ་པ་ལྷུན་ × ཆོས་ཀྱི་རྒྱལ་པོ་དོན་གྲུབ་རིན་ཆེན་གྱི། །འོད་གསལ་རྨི་ལམ་སྣང་བར་འཇིགས་བྱེད་ཀྱིས། །བྱ་ལོར་ལུང་པ་འདི་རུ་དངོས་སུ

འོངས། །དེ་བར་རིམ་གཉིས་རྣལ་འབྱོར་ལྷུར་བཞེས་གསུངས། །བཅོམ་ལྡན་གཤིན་རྗེའི་
གཤེད་དང་དབྱེར་མེད་པའི། །རྒྱལ་བ་ × བསམ་པ་ × ཆོས་རྗེ་དོན་གྲུབ་རྒྱལ་བ་གཙྨ་
པས། །བསྟན་པའི་སྒོར་བཙུག་སྨན་བླ་བདེ་གཤེགས་བརྒྱད། །ཨ་ཧི་ཤ་ཡི་གཟིགས་སྣང་
ནར་མར་བྱུང་། །དཔལ་ལྡན་མར་མེ་མཛད་དང་དབྱེར་མེད་པའི། །རྒྱལ་བ་ × བསམ་པ་
× དབུས་སུ་བྱོན་ནས་ཐོག་མར་འབྲི་ཁུང་དུ། །སྤྱན་སྔ་ཆོས་ཀྱི་རྒྱལ་པོར་སེམས་བསྐྱེད་
དང་། །ཕྱག་ཆེན་ལྔ་ལྡན་ཆོས་ཀྱི་གདམས་པ་ཞུས། །ཞག་རེར་གཏུམ་མོའི་རླུང་སྦྱོར་བརྒྱད་
བརྒྱ་བཟུང་། །བཀའ་བརྒྱུད་བླ་མ་རྣམས་དང་དབྱེར་མེད་པའི། །རྒྱལ་བ་ × བསམ་པ་ ×
གྲོགས་ཀྱིས་བསྐུལ་བས་ཚལ་གྱི་གུང་ཐང་དུ། །སྨན་བླའི་སྤྲུལ་པ་ལྷ་རྗེ་རཏྣ་ལས། །སྨན་
དཔྱད་ཡན་ལག་བརྒྱད་པའི་སྙིང་ཁྲིད་དང་། །གསོ་རིག་རྒྱུད་བཞིའི་གཞུང་ལ་སྦྱངས་ཚུལ་
མཛད། །བཅོམ་ལྡན་སྨན་གྱི་བླ་དང་དབྱེར་མེད་པའི། །རྒྱལ་བ་ × བསམ་པ་ × ས་སྐྱའི་
པཎ་ཆེན་རྗེ་བཙུན་རེད་འདའ་བ། །མཁས་གྲུབ་ཆེན་པོ་ཁྱུང་པོ་ལྷས་པའི་ཞབས། །གྲུབ་
པའི་དབང་ཕྱུག་དཔའ་བོ་རྡོ་རྗེ་ལས། །མདོ་རྒྱུད་མན་ངག་གསན་པས་རྒྱན་དྲུག་སོགས། །
རྒྱ་བོད་པཎ་གྲུབ་ཀུན་དང་དབྱེར་མེད་པའི། །རྒྱལ་པ་ × བསམ་པ་ × ཆོས་འཆད་ཕྱག་རྒྱ་
མཛད་པའི་བྱམས་མགོན་གྱིས། །ཁ་བ་ཅན་འདིར་རིགས་ཀྱི་བུ་ཕྱོད་ཀྱིས། །སྟོབས་བཅུ་
མངའ་བ་སྔར་ཡང་བྱོན་པ་བཞིན། །སངས་རྒྱས་མཛད་པ་སྟོན་པར་ལུང་བསྟན་པ། །
བཅོམ་ལྡན་ཤཱཀྱའི་རྒྱལ་པོར་དབྱེར་མེད་པའི། །རྒྱལ་བ་ × བསམ་པ་ × དུས་འཁོར་དཔའ་
གཅིག་གསེར་གྱི་མདོག་ཅན་གྱིས། །དུས་ཀྱི་འཁོར་ལོའི་རྒྱུད་འདི་སྟོན་པ་ལ། །ཆོས་རྒྱལ་ཟླ་
བཟང་འདྲ་བར་ལུང་བསྟན་ཅིང་། །རྒྱུད་འགྲེལ་དྲི་མེད་འོད་ཆེན་ཐུགས་འཛིན་མཛད། །
ཆོས་རྒྱལ་རིགས་ལྡན་རྣམས་དང་དབྱེར་མེད་པའི། །རྒྱལ་བ་ × བསམ་པ་ × ལྷོ་བྲག་གྲུབ་
ཆེན་ལས་ཀྱི་རྡོ་རྗེ་ཡིས། །བྱམས་མགོན་ཉིད་དུ་གཟིགས་པའི་ཕྲག་པ་ན། །འཛམ་པའི་
དབྱངས་དང་ལྷ་མོ་དབྱངས་ཅན་མ། །བཞུགས་པའི་ཞལ་ནས་བསླབ་བཏུས་གསུང་བ་
གཟིགས། །བྱམས་མགོན་རྒྱལ་བའི་ལྷ་དང་དབྱེར་མེད་པའི། །རྒྱལ་བ་ × བསམ་པ་ ×
རྒྱལ་པོས་མཛད་པའི་བཀའ་ཆེམས་བཀའ་ཐོལ་མ། །བློན་པོས་གསུངས་པའི་ཟླ་བ་འདོད་
འཇོ་དང་། །བཙུན་མོའི་དཀར་ཆགས་དར་དཀར་གསལ་བ་ན། །ལྷ་སའི་ཞིག་གསོ་མཛད་

པར་ལུང་བསྟན་པས། །སྲོང་བཙན་གདུང་བརྒྱུད་རྣམས་དང་དབྱེར་མེད་པའི། །རྒྱལ་བ་×བསམ་པ་×འཇམ་པའི་དབྱངས་ཀྱི་སྤྲུལ་པའི་གླེགས་བམ་དུ། །མར་མེ་མཛད་དཔལ་སྒྲོལ་མའི་སྤྲུལ་སྐོང་བཅས། །ཀ་བ་ཤིང་ལོ་ཅན་གྱི་ལྷ་ཁང་ལ། །ཞིག་གསོས་བསྙེན་བཀུར་བགྱིས་པས་ལོ་སྟོང་དུ། །སངས་རྒྱས་བསྟན་པ་འཕེལ་བར་ལུང་བསྟན་པས། །ཆོས་སྐུ་སྣང་མཐའ་ཡས་དང་དབྱེར་མེད་པའི། །རྒྱལ་བ་×བསམ་པ་×ཕྱོགས་མཚམས་སྟེང་འོག་ནམ་མཁའི་ཁམས་ཐམས་ཅད། །སྲས་བཅས་རྒྱལ་བ་ཞི་ཁྲོས་གང་བ་ལ། ཕྱི་ནང་གསང་བ་བདེ་སྟོང་དབྱེར་མེད་ཀྱི། །ཡེ་ཤེས་བླ་མེད་མཆོད་པས་མཉེས་བྱས་པས། །ཕྱོགས་བཅུའི་སངས་རྒྱས་ཀུན་དང་དབྱེར་མེད་པའི། །རྒྱལ་བ་×བསམ་པ་×གསང་འདུས་འཇམ་པའི་རྡོ་རྗེའི་དཀྱིལ་འཁོར་བས། །མདོ་སྔགས་ཟབ་རྒྱས་བདུད་རྩིས་ཡོངས་བཀང་བའི། །རིན་ཆེན་བུམ་བཟང་གནང་ནས་དབང་བསྐུར་བས། །གྲངས་མེད་རྒྱུད་སྡེ་སྒྲོ་ཞིང་སྤྱུད་པ་པོ། །ཁྱབ་བདག་རྡོ་རྗེ་འཆང་དང་དབྱེར་མེད་བའི། །རྒྱལ་བ་×བསམ་པ་×ནད་དང་གདོན་སོགས་ཕྱི་ནང་ཉེར་འཚེ་ཡི། །རྣམ་པ་དུ་མས་ཤིན་ཏུ་མནར་བའི་ཚེ། །མགོན་པོ་ཁྱོད་ལ་གུས་པས་སྐྱབས་བཅོལ་ན། །རྐྱེན་ངན་བར་ཆད་སེལ་བའི་བྱིན་རླབས་ཅན། །རྒྱལ་བ་×བསམ་པ་×ནམ་ཞིག་ཚེ་ཡི་འཕེལ་རྐྱེན་ཟད་གྱུར་ཏེ། །མི་འདོད་འཆི་ལྟས་དུ་མ་ཤར་བའི་ཚེ། །ལོ་མང་བསྐལ་པར་གནས་པར་གསོལ་བཏབ་ན། །འཆི་མེད་རིག་འཛིན་སྒྲུལ་བའི་ཚེ་དཔག་མེད། །རྒྱལ་བ་×བསམ་པ་×གོང་ཚེ་གནས་ལུགས་དོན་ལ་སྒོམས་པ་ཡི། །གཏི་མུག་མུན་པས་བློ་མིག་སྒྲིབ་པའི་ཚེ། །ཡེ་ཤེས་སྣང་བ་བསྐྱེད་པར་གསོལ་བཏབ་ན། །ཤེས་རབ་མིག་སྒྲིན་མཛད་པའི་འཇམ་པའི་དབྱངས། །རྒྱལ་བ་×བསམ་པ་×དངོས་སམ་རྨི་ལམ་དུས་སུ་ཚབ་ཆེན་གདོན། །ཤིན་ཏུ་དབྲལ་དཀས་བཏབ་པའི་ལྟས་བྱུང་ཚེ། །མགོན་ཁྱོད་བསྒོམ་ཏེ་གཟུངས་སྔགས་བགྲང་གྱུར་ན། །འཇིགས་པའི་གདོན་ལས་སྒྲོལ་མཛད་མཐུ་སྟོབས་ཅན། །རྒྱལ་བ×བསམ་པ×ཡི་དམ་རྡོ་རྗེ་འཇིགས་བྱེད་རང་ཉིད་ཀྱིས། །ཆོས་ཀྱི་རྒྱལ་པོ་ཕྱི་ནང་གསང་གསུམ་ཀྱི། །བཀའ་གཏད་རྗེས་གནང་མཛད་ནས་བཀའ་བསྒོས་པས། །ལས་བཞིའི་འཕྲིན་ལས་གཡེལ་མེད་སྒྲུབ་མཛད་པའི། །དམ་ཅན་ཆོས་སྐྱོང་རྣམས་དང་དབྱེར་མེད་པ། །རྒྱལ་བ×བསམ་པ×རྒྱལ་ཆེན་རྣམ་སྲས་འཁོར་དང་བཅས་པ་ལ། །འཛིན་གཏོར་

ཕྱུལ་ནས་འཕྲིན་ལས་བཅོལ་མ་ཐག །གང་དགོས་ཡོ་བྱེད་ནམ་མཁའི་མཛོད་བཞིན་དུ། །
འབད་པ་མེད་པར་ཤུགས་ཀྱིས་འབྱུང་འགྱུར་བས། །ནོར་ལྷ་གཏེར་བདག་རྣམས་དང་དབྱེར་
མེད་པ། །རྒྱལ་བ × བསམ་པ × བོད་ཡུལ་སྟོད་ཀྱི་མངའ་རིས་བསྐོར་གསུམ་དང་། །བར་
གྱི་དབུས་གཙང་རུ་བཞིའི་མཐའ་དག་དང་། །སྨད་ཀྱི་མདོ་ཁམས་སྒང་གསུམ་ཡུལ་གྲུ་
ཀུན། །ཞྭ་སེར་བསྟན་པས་ཁྱབ་པའི་འཕྲིན་ལས་ཅན། །རྒྱལ་བ་ × བསམ་པ × སངས་
རྒྱས་བསྟན་པ་མཐའ་ནས་མ་སྟོང་བར། །ཁྱོད་ཀྱི་བསླབ་གསུམ་ལུང་རྟོགས་བསྟན་པ་
དང་། །དེ་ཉིད་འཛིན་སྐྱོང་སྤེལ་བའི་དགེ་འདུན་སྡེ། །དེ་ལ་བསྙེན་བཀུར་བྱེད་པའི་སྦྱིན་
བདག་རྣམས། །དབྱར་གྱི་ཆུ་གཏེར་བཞིན་དུ་འཕེལ་འགྱུར་བ། །རྒྱལ་བ × བསམ་པ ×
གྲུབ་པའི་དབང་ཕྱུག་མཚོ་སྐྱེས་རྡོ་རྗེ་དང་། །རྒྱལ་བའི་ཡུམ་མཆོག་ལབ་ཀྱི་སྒྲོལ་མ་ཡིས། །
མ་འོངས་རྒྱལ་སྲིད་ཆོས་སྲིད་འཆོལ་བའི་དུས། །གྲགས་པའི་མཚན་འཆང་སྐྱེས་བུ་དམ་པ་
ཡིས། །སྐྱེ་དགུ་བདེ་ལ་འགོད་པར་ལུང་བསྟན་པ། །རྒྱལ་བ × བསམ་པ × བྱེས་སུ་འགྲོ་ཚེ་
དགྲ་ཇག་ཆོམ་རྐུན་དང་། །གཅན་གཟན་མི་ཆུ་ཆེས་གྲངས་གཟའ་སྐར་གྱི། །མི་འཕྲོད་སྐྱོན་
བྲལ་བསམ་སར་སླེབས་པ་དང་། །ཆོས་དང་སྲིད་ཀྱི་འདོད་དོན་མ་ལུས་པ། །གང་བསམ་
འབད་མེད་འགྲུབ་པའི་བྱིན་རླབས་མཆོག །རྒྱལ་བ × བསམ་པ × འགྲོ་བའི་ཚེ་འདིའི་བདེ་
སྐྱིད་ཀུན་འཛོམས་ཤིང་། །ཕྱི་མར་ངན་སོང་སྡུག་བསྔལ་སྤྱོང་བའི་ལས། །དུས་ཀྱི་འཁྲུགས་
པ་ནམ་ཡང་མི་འབྱུང་ཞིང་། །ཆར་ཆུ་དུས་འབབས་འབྲུ་རྣམས་སྨིན་པ་རུ། །རྒྱལ་བ ×
བསམ་པ × རྒྱལ་བློན་འབངས་རྣམས་དགེ་བཅུའི་ལམ་ལ་གནས། །མཐོ་ལ་བཀུར་སྟི་མཉམ་
ལ་མཛའ་ཞིང་མཐུན། །དམན་པའི་འགྲོ་རྣམས་བྱམས་བརྩེས་སྐྱོངས་པ་ཡི། །ཡ་རབས་སྐྱེ་
བོའི་ལུགས་བཟང་དར་བ་རུ། །རྒྱལ་བ × བསམ་པ × ནམ་ཞིག་འཆི་འཕོའི་ཚེ་ན་གནད་
གཅོད་དང་། །བར་དོའི་གཤིན་རྗེའི་འཇིགས་སྐྲག་ཀུན་ཞི་ནས། །དགའ་ལྡན་མཁའ་སྤྱོད་
བདེ་བ་ཅན་སོགས་སུ། །སྐྱེས་ནས་བདེ་གཤེགས་ཀུན་གྱི་ཞལ་མཐོང་བར། །རྒྱལ་བ ×
བསམ་པ × མི་ཕམ་ཆོས་ཀྱི་བླ་མའི་གདན་ས་རུ། །རྒྱལ་སྲས་ཐུ་བོ་འཇམ་དཔལ་སྙིང་པོ་
ཡིས། །རིས་མེད་འགྲོ་བ་རིགས་དྲུག་མ་ལུས་པ། དགའ་ལྡན་ལྷ་ཡུལ་ཆོས་ཀྱི་ཕོ་བྲང་དུ། །
འདྲེན་པར་གསང་བའི་བདག་པོས་ལུང་བསྟན་པ། །རྒྱལ་བ × བསམ་པ × གངས་རིའི་ར་

བས་བསྐོར་བའི་ཞིང་ཁམས་འདིའི། །ཕན་བདེའི་རྩ་བ་མགོན་པོ་ཁྱོད་ཀྱི་བསྟན། །བཤད་སྒྲུབ་གཉིས་དང་འཁོར་ལོ་གསུམ་གྱི་སྒོས། །སྲིད་མཐའི་བར་དུ་འཕེལ་ཞིང་རྒྱས་པ་རུ། །རྒྱལ་བ × བསམ་པ × དེ་ལྟར་གདུང་ཤུགས་དྲག་པོས་རྩེ་གཅིག་ཏུ། །གསོལ་བཏབ་བདེན་ཚིག་མགོན་ཁྱོད་བྱིན་རླབས་མཐུས། །གནས་སྐབས་མཐར་ཐུག་བསམ་དོན་མ་ལུས་པ། །འབད་མེད་མྱུར་དུ་འགྲུབ་པའི་དངོས་གྲུབ་མཆོག །རྒྱལ་བ་བློ་བཟང་གྲགས་པ་ལ་གསོལ་བ་འདེབས། །བསམ་པ་ལྷུན་གྱིས་འགྲུབ་པར་བྱིན་གྱིས་རློབས། །རྨད་བྱུང་སྲས་བཅས་རྒྱལ་བའི་བྱིན་རླབས་དང་། །རྟེན་འབྲེལ་བསླུ་བ་མེད་པའི་བདེན་པ་དང་། །བདག་གི་ལྷག་བསམ་དག་པའི་མཐུ་སྟོབས་ཀྱིས། །རྣམ་དག་སྨོན་པའི་གནས་ཀུན་མྱུར་འགྲུབ་ཤོག །ཅེས

དུས་གསུམ་སངས་རྒྱས་ཐམས་ཅད་ཀྱི་ངོ་བོ་རྒྱལ་བ་༸བློ་བཟང་གྲགས་པ་ལ་གསོལ་བ་འདེབས་པའི་སྨོན་ཚིག་བསམ་པ་ལྷུན་གྱིས་འགྲུབ་པ་ཞེས་བྱ་བ་འདི་ནི། གསོ་བ་རིག་པའི་སྒོ་ནས་གཞན་ལ་ཕན་པའི་འཕྲིན་ལས་རྒྱ་ཆེ་ཞིང་དང་བརྩོན་དད་ཤེས་རབ་ཕུལ་དུ་བྱུང་བའི་སྨན་པ་དཀོན་མཆོག་དར་རྒྱས་ཀྱིས་ནན་ཏན་ཆེན་པོས་ཡང་དང་ཡང་དུ་བསྐུལ་ངོར། ༸རྒྱལ་མཁན་པོ་གྲགས་པ་རྒྱལ་མཚན་གྱིས་སྦྱར་བའི་ཡི་གེ་པ་ནི་དགེ་སློང་བློ་བཟང་ཆོས་འཕེལ་ལོ། ། །།

༄༅། །དམིགས་བརྩེ་མའི་བེའུ་བུམ་ཁ་སྐོང་གསར་བསྒྲིགས་ཀྱི་བརྒྱུད་ཐོ་སྐལ་བཟང་སྙིང་ནོར་བཞུགས་སོ།

༄༅། །ཐུལ་བྱུང་མཁྱེན་བརྩེ་ནུས་པའི་ཉི་འོད་ཀྱིས། །ངན་འབྲུལ་མུན་བརྒྱ་དབྱིངས་སུ་བསྐྲད་པ་དང་། །ལྷན་ཅིག་མདོ་རྒྱུད་པདྨོ་བཞད་པའི་གཉེན། །ཀུན་མཁྱེན་ཙོང་ཁ་པ་ཡིས་དགེ་ལེགས་སྩོལ། །རིགས་གསུམ་སྒྱུ་འཕྲུལ་ཐབས་མཁས་རྨད་བྱུང་ཚོས། །བསིལ་ལྡན་སྟོངས་འདི་སྟུག་པོ་བཀོད་ཞིང་ལྟར། །མདོ་སྔགས་རིན་ཆེན་ཡོངས་སུ་གཏམས་མཛད་རྗེ། །འདྲེན་མཆོག་གངས་ཅན་ལྷ་གཅིག་གཙུག་ན་རྒྱལ། །རྒྱལ་ཀུན་འདུས་ཞལ་ཐུབ་བསྟན་ནོར་བུའི་མཛོད། །བསྐལ་པ་རྒྱ་མཚོར་ཤིང་རྟས་ཉེར་དྲངས་ཏེ། །སྐལ་ལྡན་བསོད་ནམས་ཡེ་ཤེས་དཔལ་ཡོན་དུ། །རྟག་རོལ་ཟླ་མེད་བསྐལ་བརྒྱར་ཞབས་པད་མཚོད། །ཉིད་དཀའ་དལ་འབྱོར་རྣམ་དག་གྲུ་བོ་ཆེ། །སྟོན་པོམས་བག་མེད་རླུང་གིས་སྤྲིད་སློང་ཆེར། །ཕྱིར་བར་ཕྱོགས་ཚེ་ཟླ་མེད་བླ་མ་ཡིས། །ཐབས་མཁས་རླུང་ཡོར་བཟང་པོས་ཁ་བསྒྲན་ཏེ། །སྟུག་པའི་བུ་ལ་བརྩེ་ལྡན་མ་བཞིན་དུ། །ཟབ་རྒྱས་དམ་ཆོས་འོ་མ་ཆད་མེད་ བླུད། །ཐར་བའི་སྲོག་ཅྱིན་བཀའ་དྲིན་གསོ་ཕྱིར་དུ། །བེའུ་བུམ་བརྒྱུད་རིམ་སྐལ་བཟང་སྙིང་ནོར་བསྒྲུན། །དེའང་པོད་གཉིས་པར། དཀའ་ལྡན་གསེར་ཁྲི་རིམ་བྱོན་རྣམས་ཀྱི་གསོལ་འདེབས་མཆོག་ཐུན་དངོས་གྲུབ་ཀུན་གྱི་འབྱུང་གནས་ནི། མཛད་པ་པོ་རྣ་བསྒྲེང་རྟོགས་ཐུ་ངག་དབང་ཡེ་ཤེས་ཚུལ་ཁྲིམས་རྒྱལ་མཚན་དཔལ་བཟང་པོ། འབའ་ཆོས་སྡེའི་མཁན་ཟུར་རྒྱུད་སྨད་བྱུང་རྗེ་ལྷ་རམས་པ་ལེགས་བཤད་ཚེ་བརྟན་དཔལ་བཟང་པོ། དེས་བདག་ལའོ། །བླ་མའི་རྣལ་འབྱོར་ཟབ་ཁྱད་ཅན་ཆོས་ཀྱི་རྒྱལ་པོ་ཙོང་ཁ་པ་ཆེན་པོས་མཁས་གྲུབ་ཐམས་ཅད་མཁྱེན་པ་ལ་གཅིག་བརྒྱུད་ཀྱི་ཚུལ་དུ་གནང་བ་ནི། འཇམ་མགོན་བླ་མ་ཀུན་མཁྱེན་ཙོང་ཁ་པ་ཆེན་པོ། སྲས་ཀྱི་ཐུ་བོ་མཁས་གྲུབ་སྐྱ་བའི་ཉི་མ་དགེ་ལེགས་དཔལ་བཟང་། དེ་

ནས་རིམ་པར་བརྒྱུད་དེ། པཎ་ཆེན་བློ་བཟང་ཡེ་ཤེས། དགེ་སློང་བསམ་གཏན་རྒྱ་མཚོ། ཡོངས་འཛིན་བློ་བཟང་བཟོད་པ། དགེ་སློང་ཡེ་ཤེས་མཐའ་ཡས། ཐབས་མཁས་རྒྱ་མཚོ། ཀླུ་སྒྲུབ་རྒྱ་མཚོ། གྲུབ་དབང་ཀློང་རྫོང་བླ་མ་རིན་པོ་ཆེ་ངག་དབང་བློ་བཟང་། ཡོངས་འཛིན་ངག་དབང་ཆོས་འབྱོར། རྭ་བསྒྲེང་རྡོ་རྗེ་འཆང་བློ་བཟང་ཡེ་ཤེས་བསྟན་པ་རབ་རྒྱས། རྗེ་སྐལ་བཟང་མཁས་གྲུབ། ཡོངས་འཛིན་ཡེ་ཤེས་རྒྱ་མཚོ། བཤེས་གཉེན་ཆེན་པོ་བློ་བཟང་རྣམ་རྒྱལ། ཡོངས་འཛིན་དགེ་འདུན་རྒྱ་མཚོ། རྡོ་རྗེ་འཆང་ཕྲེ་པ་སྤྲུལ་སྐུ་ངག་དབང་མཁྱེན་རབ་བསྟན་པའི་དབང་ཕྱུག། དེས་བདག་ལའོ། །དགའ་ལྡན་ལྷ་བརྒྱ་མའི་བླ་བརྒྱུད་གསོལ་འདེབས་དང་། བསྡུས་དོན་བློ་གྲོས་མིག་འབྱེད་བཅས་ནི། མཛད་པ་པོ་ཡོངས་འཛིན་པཎྜི་ཏ་ཡེ་ཤེས་རྒྱལ་མཚན། གྲུབ་པའི་དབང་ཕྱུག་ཀོང་པོ་བླ་མ་བསྐལ་བཟང་བསྟན་འཛིན། ཉི་ཟུར་ངག་དབང་དོན་གྲུབ། བྲག་རི་ཁྲབ་བདག་བདེ་བའི་རྡོ་རྗེ། གྲུབ་དབང་སྐལ་བཟང་མཁས་གྲུབ། ཡོངས་འཛིན་ཡེ་ཤེས་རྒྱ་མཚོ། མཚུངས་མེད་ཡེ་ཤེས་ཉི་མ། ཤར་ཆེན་ངག་དབང་ཚུལ་ཁྲིམས། ཡོངས་འཛིན་བཀའ་འགྱུར་བ་ངག་དབང་མཁྱེན་རབ་བསྟན་པའི་དབང་ཕྱུག་དཔལ་བཟང་པོ། དེས་བདག་ལའོ། ཉམས་མགུར་ཤར་གངས་རི་མ་དང་། ཐར་པ་དང་ཐམས་ཅད་མཁྱེན་པར་བསྐྱལ་བའི་ཉམས་མགུར་གཉིས་ནི། མཛད་པ་པོ་རྗེ་ཐམས་ཅད་མཁྱེན་པ་དགེ་འདུན་གྲུབ་པ་དཔལ་བཟང་པོ། འདུལ་འཛིན་བློ་གྲོས་སྦས་པ། པཎ་ཆེན་ཡེ་ཤེས་རྩེ་མོ། རབ་འབྱམས་པ་ངག་དབང་རྒྱལ་མཚན། དཀའ་ཆེན་ཆོས་དཔལ་བ། ཚོགས་གསོགས་པ་ཚུལ་ཁྲིམས་རྒྱ་མཚོ། སྤྲུལ་སྐུ་དགེ་ལེགས་རྒྱ་མཚོ། རབ་འབྱམས་པ་བསོད་ནམས་ཉི་མ། སློབ་དཔོན་སངས་རྒྱས་དཔལ་བཟང་། ཁྲི་ཆེན་སྦྱིན་པ་རྒྱ་མཚོ། མཁས་གྲུབ་བློ་བཟང་བསྟན་འཛིན་དཀའ་ཆེན་ཡེ་ཤེས་ཡར་འཕེལ། དགེ་སློང་ཡེ་ཤེས་མཐའ་ཡས། མཁས་བཙུན་བློ་བཟང་བསམ་གཏན། འབྲོང་རྩེ་བློ་བཟང་ཚུལ་ཁྲིམས། སེང་ཆེན་སྤྲུལ་སྐུ་བློ་བཟང་བསྟན་འཛིན་དཔལ་འབྱོར། མཁན་ཆེན་ནོ་མིན་ཧན་བློ་བཟང་ཚེ་དབང་སྐྱབས་མཆོག །ཡོངས་འཛིན་བློ་བཟང་ཡོན་ཏན་མགོན་པོ། གནས་བརྟན་དོན་གྲུབ་བཟང་པོ། ཨེར་ཏེ་ནི་སྤྲུལ་སྐུ་ངག་དབང་བློ་བཟང་དོན་གྲུབ། སློབ་དཔོན་རབ་འབྱམས་པ་སངས་རྒྱས་སྐྱབས། རྗེ་ཉི་མ་རྒྱལ་མཚན། རྗེ་བཀའ་འགྱུར་པ་ངག་དབང་མཁྱེན་རབ་བསྟན་པའི་དབང་ཕྱུག། སྟག་

བུ་ཡོངས་འཛིན་ཤག་སྐོར་སློབ་དཔོན་བློ་བཟང་སྨོན་ལམ་དཔལ་བཟང་པོ། དེས་བདག་ལའོ། །ཞྭ་སེར་བསྟན་པའི་གནས་ཚད་བསྟན་པ། གཏེར་དུང་ལོ་རྒྱུས་བཅས་རྒྱལ་བ་དབེན་ས་པ་ཆེན་པོས་མཛད་པ། ༈རྗེ་རིགས་གསུམ་སྤྱི་སྒྲུབ་ཀྱི་དབང་བཞི་སྤྱུངས་ཞུས་ཀྱི་ཟུར་འདེབས་ལོ་རྒྱུས་དང་། རྗེ་རིགས་གསུམ་སྤྱི་སྒྲུབ་ལ་བརྟེན《འདི་དང་པོར་དཀར་ཆག་གི་ནང་དུ་ཐེབས་ཡོད་ཀྱང་རྗེས་སོར་དཔེ་མ་རྙེད་པའི་དབང་གི་དོན་ལྷ་བུར་ཁོ་བོས་བྲིས་པ་ཞིག་འོག་ཏུ་གསལ།》པའི་བླ་མའི་རྣལ་འབྱོར་ཟབ་མོ་སློབ་མ་རྗེས་སུ་འཛིན་པའི་ཆོ་ག་དྲིན་ཅན་རྩ་བའི་བླ་མའི་ཞལ་ཤེས་ལྟར་བཀོད་པ་གཉིས་ནི། རྗེ་སྙན་བརྒྱུད་མཛོད་འཛིན་དཔའ་ཤོད་བླ་མ་བྱམས་པ་དགེ་ལེགས། རྟ་ཚག་རྗེ་དྲུང་ཧོ་ཐོག་ཐུ་ཡོངས་འཛིན་ངག་དབང་བློ་བཟང་བསྟན་པའི་རྒྱལ་མཚན། ཕྲི་ཆེན་སླིང་སྤྲུལ་ངག་དབང་ལུང་རྟོགས་ཡོན་ཏན་རྒྱ་མཚོ། ཡོངས་འཛིན་དགེ་འདུན་རྒྱ་མཚོ། རྒྱལ་བའི་རྒྱལ་ཚབ་རྟ་ཚག་ཐོང་ཤན་ཧོ་ཐོག་ཐུ་རྗེ་བཙུན་ངག་དབང་དཔལ་ལྡན་ཆོས་ཀྱི་རྒྱལ་མཚན་དཔལ་བཟང་པོ། དེས་བདག་ལ་བསླབ་སྟོན་དང་བཅས་པའི་སྐལ་བཟང་ཐོབ། །རྗེས་བླ་མ་རིགས་གསུམ་སྤྱི་སྒྲུབ་ཀྱི་སྒྲུབ་ཐབ་དང་བྱིན་རླབས་བྱ་ཚུལ་དོན་ཡོད་འཕྲུལ་གྱི་ལྕགས་ཀྱུ་ནི། མཛད་པ་པོ་མདོ་སྔགས་བསྟན་པའི་མངའ་བདག་རྗེ་བཀའ་འགྱུར་བ་ཤར་ཆེན་ངག་དབང་ཚུལ་ཁྲིམས། རྗེ་བཙུན་བཀའ་འགྱུར་བ་ཆེན་པོ་ལྷོ་སྤྲུལ་རིན་པོ་ཆེ་ངག་དབང་མཁྱེན་རབ་བསྟན་པའི་དབང་ཕྱུག་དཔལ་བཟང་པོ། དེས་བདག་ཆོས་འཕེལ་ལའོ། །རྒྱལ་བ་བློ་བཟང་གྲགས་པའི་བླ་མའི་རྣལ་འབྱོར་རིམ་པར་བསྒྲིལ་བ་དངོས་གྲུབ་ཀུན་འབྱུང་ནི། དབེན་ས་པ་བློ་བཟང་དོན་གྲུབ། མཁས་གྲུབ་སངས་རྒྱས་ཡེ་ཤེས། པཎ་ཆེན་ཆོས་རྒྱན། རྡོ་རྗེ་འཛིན་པ་དཀོན་མཆོག་རྒྱལ་མཚན། པཎ་ཆེན་བློ་བཟང་ཡེ་ཤེས། ཕྲི་ཆེན་ནམ་མཁའ་བཟང་། བྲག་རྒྱབ་སློབ་དཔོན་བློ་བཟང་ཆོས་འཕེལ། ཕྲི་ཆེན་ངག་དབང་སྙན་གྲགས། ཡང་ཆུང་ལྷ་རམས་པ་ངག་དབང་གྲགས་པ། རྗེ་བློ་བཟང་ལུང་རིགས་རྒྱ་མཚོ། རྗེ་སྙན་གྲགས་རྒྱ་མཚོ། ཚེ་ཤོད་སྤྲུལ་སྐུ་རིན་པོ་ཆེ་བློ་བཟང་བྱང་ཆུབ་བསྟན་པའི་སྒྲོན་མེ་དཔལ་བཟང་པོ། དེས་བདག་ལའོ། །རྒྱལ་བ་བློ་བཟང་གྲགས་པའི་སྒྲུབ་ཐབས་རིམ་པར་ཕྱེ་བ་དངོས་གྲུབ་ཀུན་འབྱུང་ལས། དུས་གསུམ་སངས་རྒྱས། བླ་མ་ལྷག་པའི་ལྷ། ཁྱབ་བདག་རྡོ་རྗེ་འཆང་ཞེས་པའི་ཚིག་ཐོག་མ་ཅན་གྱི་ལེ་ཚན་གསུམ་ནི། དབེན་ས་པ་བློ་བཟང་དོན་གྲུབ་

དཔལ་བཟང་པོ། མཁས་གྲུབ་སངས་རྒྱས་ཡེ་ཤེས། པཎ་ཆེན་བློ་བཟང་ཆོས་རྒྱན། ཞབས་དྲུང་བསྟན་པ་དར་རྒྱས། རྗེ་བློ་བཟང་བྱམས་པ། རྗེ་ཆོས་རྒྱ་མཚོ། དཀའ་ཆེན་བློ་བཟང་ཚེ་རིང་། དགེ་སློང་ཚེ་དབང་། དགེ་སློང་བློ་བཟང་མཁས་གྲུབ། རྗེ་བློ་བཟང་ཤེས་རབ། ཡོངས་འཛིན་བློ་བཟང་བཟོད་པ། མང་ཐོས་བློ་བཟང་བསམ་གཏན། ཡོངས་འཛིན་བློ་བཟང་ཚུལ་ཁྲིམས། ཤར་རྩེ་ཡེ་ཤེས་བཀྲ་ཤིས། ཤར་རྩེ་བློ་བཟང་ཡོན་ཏན། རྗེ་དགེ་འདུན་དར་རྒྱས། རྗེ་སྐལ་བཟང་མཁས་གྲུབ། ཡོངས་འཛིན་ཡེ་ཤེས་རྒྱ་མཚོ། བཤེས་གཉེན་ཡེ་ཤེས་ཉི་མ། ཤར་ཆེན་ངག་དབང་ཚུལ་ཁྲིམས། རྗེ་བཙུན་བཀའ་འགྱུར་བ་ལྷ་སྤྲུལ་རིན་པོ་ཆེ་ངག་དབང་མཁྱེན་རབ་བསྟན་པའི་དབང་ཕྱུག་དཔལ་བཟང་པོ། དེས་བདག་ལའོ། །རྒྱལ་བ་བློ་བཟང་གྲགས་པ་ལ་བརྟེན་པའི་ཕྱི་ནང་གསང་གསུམ་གྱི་སྒྲུབ་ཐབས་དང་། བླ་མའི་རྣལ་འབྱོར་གྱི་སྙིང་པོ་གཉིས་ནི། མཛད་པ་པོ་མཁས་གྲུབ་སངས་རྒྱས་ཡེ་ཤེས། པཎ་ཆེན་བློ་བཟང་ཆོས་ཀྱི་རྒྱལ་མཚན། མཁས་གྲུབ་བསྟན་པ་དར་རྒྱས། དཀའ་ཆེན་བསྟན་པའི་རྒྱལ་མཚན། ཡོངས་འཛིན་བསོད་ནམས་གྲགས་པ། སློབ་དཔོན་བློ་བཟང་རིག་གྲོལ། སློབ་དཔོན་བློ་བཟང་ཉི་མ། སློབ་དཔོན་ཡེ་ཤེས་རྒྱ་མཚོ། དཀའ་ཆེན་བློ་བཟང་རིན་ཆེན། ཡོངས་འཛིན་བློ་བཟང་བཟོད་པ། རྗེ་མཐའ་ཡས་རྒྱ་མཚོ། དགེ་སློང་ཡེ་ཤེས་མཐའ་ཡས། རྗེ་སྐལ་ལྡན་བསྟན་འཛིན། གུ་གེ་ཡོངས་འཛིན་བློ་བཟང་བསྟན་འཛིན། ཐུགས་སྲས་བློ་བཟང་བསྟན་འཛིན་དཔལ་འབྱོར། བཀའ་ཆེན་བློ་བཟང་དོན་གྲུབ། མང་ཐོས་བློ་བཟང་ཉི་མ། རྗེ་འཇམ་དབྱངས་འཕྲིན་ལས། བཀའ་དྲིན་ཟླ་མེད་རྗེ་བཀའ་འགྱུར་བ་ངག་དབང་མཁྱེན་རབ་བསྟན་པའི་དབང་ཕྱུག་དཔལ་བཟང་པོ། དེས་བདག་ལའོ། །རྗེ་བཙུན་བླ་མའི་རྣལ་འབྱོར་ཚིགས་བཅད་དུ་བསྒྲིགས་པ་ནི། མཛད་པ་པོ་པཎ་ཆེན་བློ་བཟང་ཆོས་ཀྱི་རྒྱལ་མཚན་དཔལ་བཟང་པོ། ཐུགས་ཆེན་དཀོན་མཆོག་རྒྱལ་མཚན། སྙིད་ཤོད་ངག་དབང་བསྟན་འཛིན་འཕྲིན་ལས། ཨ་མདོ་བླ་མ་བློ་བཟང་ཆོས་སྐྱོང་། ཏ་ནག་པ་ཚེ་རིང་རྒྱལ་མཚན། ཁོད་ཚང་སློབ་དཔོན་རབ་རྒྱས། སློབ་དཔོན་རིན་ཆེན་ཆོས་གྲུབ། བྱེས་ཟུར་ངག་དབང་དོན་གྲུབ། ཉི་ཟུར་ངག་དབང་དོན་གྲུབ། རྗེ་བློ་བཟང་ཐུགས་རྗེ། རྗེ་སྐལ་བཟང་མཁས་གྲུབ། ཡོངས་འཛིན་ཡེ་ཤེས་རྒྱ་མཚོ། གསོལ་དཔོན་དགེ་སློང་བློ་བཟང་བསམ་གཏན། རྗེ་བཀའ་

འགྱུར་བ་དམ་ཆོས་བློ་བཟང་དཔལ་བཟང་པོ། དེས་བདག་ལའོ། །དམིགས་བརྩེ་མ་དང་འབྲེལ་བའི་རིགས་གསུམ་སྤྱི་སྒྲུབ་ཀྱི་བླ་མའི་རྣལ་འབྱོར་མཁས་པའི་དབང་པོ་སྟག་ལུང་བྲག་པའི་གསུང་རྒྱུན་ནི། མཛད་པ་པོ་འཇམ་མགོན་བསྟན་པའི་གཙུག་རྒྱན་རྒྱལ་བའི་དབང་པོ་རྗེ་བཙུན་ངག་དབང་བློ་བཟང་རྒྱ་མཚོ་དཔལ་བཟང་པོ། ཉེ་བར་འཁོར་གཉིས་པ་རིག་འཛིན་འཇམ་དབྱངས་གྲགས་པ། རྒྱལ་མཁན་པོ་ངག་དབང་དཔལ་མགོན། དགེ་སློང་རྡོ་རྗེ་འཛིན་པ་པདྨ་དབང་འདུས། འདུལ་འཛིན་འཕྲིན་ལས་རྣམ་རྒྱལ། རྗེ་བློ་བཟང་སྐལ་ལྡན། རྗེ་སྐལ་བཟང་དབང་ཕྱུག་གམ་མཚན་གཞན་རྡོ་རྗེ་ཐོགས་མེད་རྩལ། གྲུབ་དབང་པདྨ་བཤེས་གཉེན། ཀོང་པོ་རྩེ་ལེ་སྣོད་ཚང་སྤྲུལ་སྐུ་འཇིགས་མེད་བསྟན་པའི་རྒྱལ་མཚན། ཤ་གཟུགས་པ་རྗེ་ངག་དབང་རྒྱ་མཚོ་རྣམ་རྒྱལ། ཤ་གཟུགས་པ་རྗེ་བསྟན་འཛིན་དཔལ་འབར། སྨིན་གླིང་རྗེ་བཙུན་བསྟན་འཛིན་ཆོས་སྒྲོན། གསུང་འབུམ་གྱི་བཀའ་བབས་གདམས་ངག་སྒོ་སྐྱེལ་མཛད་པ་སྨིན་གླིང་རྒྱན་མཚམས་པ་རྗེ་འགྱུར་མེད་ཨོ་རྒྱན་ཕུན་ཚོགས་དཔལ་བཟང་པོ། དེས་བདག་ལའོ། །རྗེ་བླ་མ་ལ་བརྟེན་པའི་སེམས་དཔའ་གསུམ་བརྩེགས་ཀྱི་རྣལ་འབྱོར་ནི། སྐྱིད་ཤོད་སྤྲུལ་སྐུ་ངག་དབང་བསྟན་འཛིན་འཕྲིན་ལས། མཁན་ཆེན་བློ་བཟང་ཕུན་ཚོགས། དྲུང་རམས་པ་བློ་བཟང་མཐུ་སྟོབས། སྐྱིད་ཤོད་ཞབས་དྲུང་ངག་དབང་བློ་བཟང་རྒྱ་མཚོ། རྒྱུད་སྨད་སྔགས་རམས་པ་ལྷུན་གྲུབ་དཔལ་འབར། བཀའ་འགྱུར་བ་བློ་བཟང་ཐབས་མཁས་རྒྱ་མཚོ། ལྕགས་ར་སྤྲུལ་སྐུ་ངག་དབང་བསྟན་འཛིན་འཕྲིན་ལས་དཔལ་བཟང་པོ། བྲག་རི་མར་བཙུན་ཁྲབ་བདག་རྡོ་རྗེ། དེ་མོ་ནོ་མིན་ཧན་བློ་བཟང་ཐུབ་བསྟན་འཇིགས་མེད་རྒྱ་མཚོ། ཁྲི་ཆེན་བློ་བཟང་ལྷུན་གྲུབ། བྱང་རྩེ་གསེར་ཁང་འོག་བླ་ཟུར་འཚོ་བྱེད་བློ་བཟང་ཉི་མ། གྲུབ་མཆོག་འཇམ་དབྱངས་འཕྲིན་ལས། བཀའ་དྲིན་མཉམ་མེད་རྗེ་བཙུན་ངག་དབང་མཁྱེན་རབ་བསྟན་པའི་དབང་ཕྱུག་དཔལ་བཟང་པོ། དེས་བདག་ལའོ། །བླ་མའི་རྣལ་འབྱོར་ཙིནྟཱ་མ་ཎིའི་འཕྲེང་མཛེས་ནི། ཀུན་མཁྱེན་བླ་མ་རྗེ་འཇམ་དབྱངས་བཞད་པའི་རྡོ་རྗེ་ངག་དབང་བརྩོན་འགྲུས་དཔལ་བཟང་པོ། སྒོ་མང་མཁན་ཆེན་ཙུན་གར་བློ་བཟང་ཕུན་ཚོགས། དཔལ་ཆོས་མཁན་པོ་དགེ་འདུན་རྒྱ་མཚོ། རྗེ་བཞད་སྤྲུལ་དཀོན་མཆོག་འཇིགས་མེད་དབང་པོ། རྭ་ཚང་བསོད་ནམས་དབང་རྒྱལ། དཔལ་མང་དཀོན་མཆོག་རྒྱལ་མཚན། བྲག་སྒོམ་ཞབས་

བྱང་དཀོན་མཆོག་བསྟན་པ་རབ་རྒྱས། དགའ་ལྡན་ཐེ་བོ་སྤྲུལ་སྐུ་ཡེ་ཤེས་ཐུབ་བསྟན་རྒྱ་མཚོ།
ཤར་ཆེན་ངག་དབང་ཚུལ་ཁྲིམས། ཀུན་གླིང་ཡོངས་འཛིན་དགེ་འདུན་རྒྱ་མཚོ། རྒྱུད་སྨད་
འབྲས་གུང་རུའི་དགེ་བའི་བཤེས་གཉེན་ཆེན་པོ་བློ་བཟང་རབ་བརྟན་དཔལ་བཟང་པོ། དེས་
བདག་ལའོ། །དམིགས་བརྩེ་མ་ལ་བརྟེན་པའི་བླ་མའི་རྣལ་འབྱོར་ནི། མཛད་པ་པོ་རྗེ་ལྕང་
སྐྱ་ངག་དབང་བློ་བཟང་ཆོས་ལྡན་དཔལ་བཟང་པོ། ཨར་རྩེ་བློ་བཟང་ཆོས་འཛིན། ལྕང་སྐྱ་
རོལ་པའི་རྡོ་རྗེ། ཐོ་མཁན་ཆེན་བློ་འབུམ་དགེ་འདུན་བདེ་ཆེན། ཉི་ཟུར་ངག་དབང་དོན་
གྲུབ། བྲག་རི་རྒྱ་མཚོ་མཐའ་ཡས། སྤང་ལུང་ངག་དབང་ཆོས་འཛིན། རྗེ་སྐལ་བཟང་
མཁས་གྲུབ། རྗེ་ཡོངས་འཛིན་ཡེ་ཤེས་རྒྱ་མཚོ། བྲག་རི་དགེ་བཤེས་དངོས་གྲུབ་ཐབས་མཁས།
ཡོངས་འཛིན་དགེ་འདུན་རྒྱ་མཚོ། གུང་རུ་མཁན་སྤྲུལ་རིན་པོ་ཆེ་མཁྱེན་རབ་དཔལ་ལྡན་
བསྟན་པའི་ཉི་མ། རྗེ་བཙུན་བཀའ་འགྱུར་བ་བྲག་རི་རྡོ་རྗེ་འཆང་བློ་བཟང་ཐུབ་བསྟན་རྣམ་
རྒྱལ་དཔལ་བཟང་པ། དེས་བདག་ལ་བཀའ་དྲིན་དུ་སྩལ་བའི་སྐལ་བཟང་ཐོབ། །རྗེ་བླ་མ་
དང་འཇམ་དབྱངས་དབྱེར་མེད་ཀྱི་རྣལ་འབྱོར་ཉམས་སུ་ལེན་ཚུལ་ནི། རྗེ་གྲུབ་པའི་དབང་
ཕྱུག་རོང་པོ་སྐལ་ལྡན་རྒྱ་མཚོ་དཔལ་བཟང་པོ། མ་ཏི་པ་ཤེས་རབ་བཀྲ་ཤིས། བྲག་དཀར་
སློབ་དཔོན་བསྟན་པ་རབ་རྒྱས། འཇའ་མོ་སློབ་དཔོན་ངག་དབང་གྲགས་པ། སློབ་དཔོན་
ཤེས་རབ་བསྟན་འཛིན། མཁན་ཆེན་དགེ་འདུན་རྒྱ་མཚོ། བྱང་ཡིག་བློ་བཟང་རྒྱ་མཚོ།
དཔོན་བསོད་ནམས་རྒྱ་མཚོ། བཤེས་གཉེན་འཇམ་དབྱངས་བསྟན་འཛིན། ཁྲི་དགེ་འདུན་
འཇིགས་མེད་རྣམ་རྒྱལ། རོང་པོ་སྤྲུལ་སྐུ་བློ་བཟང་མཁྱེན་རབ་དཔལ་ལྡན། རྗེ་བློ་བཟང་
ལུང་རིགས་རྒྱ་མཚོ། མཁན་ཆེན་སྤྲུལ་སྐུ་བློ་བཟང་དཔལ་ལྡན་རྒྱ་མཚོ། ངེས་པ་དོན་གྱི་
བཤེས་གཉེན་རྩེ་ཞུལ་སྤྲུལ་སྐུ་རྗེ་འཇམ་དབྱངས་ཚུལ་ཁྲིམས་དཔལ་བཟང་པོ། །དེས་བདག་
ལའོ། །འཕགས་པ་རིགས་གསུམ་མགོན་པོ་དང་དབྱེར་མེད་ཀྱི་རྣལ་འབྱོར་དང་། རྒྱལ་བ་
གཉིས་པ་བློ་བཟང་གྲགས་པའི་དཔལ་གྱི་སྐུ་གསུང་ཐུགས་ཀྱི་ཡོན་ཏན་བརྗོད་པ་དམིགས་བརྩེ་
མའི་ཕན་ཡོན་བཅས། མཛད་པ་པོ་གངས་ཅན་འགྲོ་བའི་མགོན་པོ་བསྟན་པའི་མངའ་བདག་
རྒྱལ་བའི་དབང་པོ་རྗེ་བཙུན་བློ་བཟང་སྐལ་བཟང་རྒྱ་མཚོ་དཔལ་བཟང་པོ། གྲུབ་དབང་ཀློང་
རྡོལ་བླ་མ་ངག་དབང་བློ་བཟང་། ལྷ་པ་བློ་བཟང་ཚུལ་ཁྲིམས། སེམས་དཔའ་ཡོངས་འཛིན་

སྐལ་བཟང་ཕུན་ཚོགས། མཁས་གྲུབ་ཆེན་པོ་ཚུལ་ཁྲིམས་རྣམ་རྒྱལ། ཤར་ཆེན་ངག་དབང་ཚུལ་ཁྲིམས། རྗེ་ཞྭོ་སྤྲུལ་རིན་པོ་ཆེ་ངག་དབང་མཁྱེན་རབ་བསྟན་པའི་དབང་ཕྱུག་དཔལ་བཟང་པོ། དེས་བདག་ལ་དགྱེས་བཞིན་དུ་སྩལ་བའི་སྐལ་བཟང་ཐོབ། བླ་མའི་རྣལ་འབྱོར་ཉམས་སུ་ལེན་ཚུལ་ཟུང་འཇུག་བང་མཛོད་ནི། མཛད་པ་པོ་པཎ་ཆེན་དཔལ་ལྡན་ཡེ་ཤེས་དཔལ་བཟང་པོ། ཕྱག་མཛོད་མཁན་པོ་བློ་བཟང་མཁས་མཆོག། མང་ཐོས་བློ་བཟང་ཚུལ་ཁྲིམས། ཁྱབ་བདག་བདེ་བའི་རྡོ་རྗེ། ཁྲི་ཆེན་ངག་དབང་ཆོས་འཕེལ། མཁན་ཟུར་བློ་བཟང་ཚུལ་ཁྲིམས། ཡོངས་འཛིན་ཡེ་ཤེས་རྒྱ་མཚོ། རྗེ་སྐལ་བཟང་མཁས་གྲུབ། ཤར་ཆེན་ངག་དབང་ཚུལ་ཁྲིམས། རྗེ་ཞྭོ་སྤྲུལ་བཀའ་འགྱུར་བ་ཆེན་པོ་ངག་དབང་མཁྱེན་རབ་བསྟན་པའི་དབང་ཕྱུག་དཔལ་བཟང་པོ། དེས་བདག་ལའོ། །དམིགས་བརྩེ་མ་ལ་བརྟེན་པའི་བླ་མའི་རྣལ་འབྱོར་དངོས་གྲུབ་ཀུན་འབྱུང་། དམིགས་བརྩེ་མ་ལ་བརྟེན་པའི་བླ་མའི་རྣལ་འབྱོར་མདོར་བསྡུས་བཅས་མཛད་པ་པོ་ཁྲི་རྒྱ་ནག་པའི་སྤྲུལ་སྐུ་བློ་བཟང་བསྟན་པའི་ཉི་མ་དཔལ་བཟང་པོ་ནས། མཁན་སྤྲུལ་ངག་དབང་ཐུབ་བསྟན་རྒྱ་མཚོའི་བར་དེའི་གསན་རྒྱུན་ལྟར་ལ། དེ་ནས་བཀྲ་ཤིས་འཁྱིལ་སྔན་གྲགས་ལུང་རྟོགས་རྒྱ་མཚོ་དཔལ་བཟང་པོ། དེས་བདག་ལའོ། རྗེ་བདག་ཉིད་ཆེན་པོ་ལ་བརྟེན་པའི་བླ་མའི་རྣལ་འབྱོར་དངོས་གྲུབ་ཀུན་འབྱུང་ནི། ལྕང་སྐྱ་ཐམས་ཅད་མཁྱེན་པ་ཡེ་ཤེས་བསྟན་པའི་སྒྲོན་མེ་དཔལ་བཟང་པོ། ཐོར་རྒོད་ངག་དབང་ཆོས་འཕེལ། རྗེ་འཇམ་དབྱངས་ལྷུན་གྲུབ། ཀོ་ཤྲི་བློ་བཟང་བཀྲ་ཤིས། རྒྱལ་མཁན་པོ་གྲགས་པ་རྒྱལ་མཚན། སེ་ཁྲི་འཇམ་དབྱངས་ཐུབ་བསྟན་ཉི་མ། བཀའ་འགྱུར་བ་དཀོན་མཆོག་བསྟན་འཛིན། ལྷ་བཙུན་ཡེ་ཤེས་དོན་གྲུབ་རྒྱལ་མཚན། ཡོངས་འཛིན་ཡེ་ཤེས་རྒྱ་མཚོ། བ་རི་པ་ཆེན་པོ་དགེ་བཤེས་དངོས་གྲུབ་ཐབས་མཁས། གྲུབ་དབང་ཟུང་ཆུ་བཟོད་པ་རྒྱ་མཚོ། རྗེ་བཙུན་བཀའ་འགྱུར་བ་ཧོར་སྤྲུལ་རིན་པོ་ཆེའི་ཞལ་སྔ་ནས། དེས་བདག་ལའོ། །བླ་མའི་རྣལ་འབྱོར་བྱིན་རླབས་མྱུར་འཇུག་ནི། ལྕང་སྐྱ་རོལ་པའི་རྡོ་རྗེ། ཡེར་པ་མཁན་པོ་ཕུན་ཚོགས་རྒྱ་མཚོ། ཧྲ་གུ་ཤྲི་ངག་དབང་བསྟན་འཕེལ། ཉང་ཚ་རུ་ཐོག་ཐུ་བློ་གྲོས་ཀུན་དགའ་བསྟན་འཛིན། ལྕང་ལུང་པཎྜི་ཏ་ངག་དབང་བློ་བཟང་བསྟན་པའི་རྒྱལ་མཚན། རྒྱལ་མཁན་པོ་མན་གོང་དང་འདྲ། རྗེ་རིགས་གསུམ་སྤྱི་སྒྲུབ་ཀྱི་རྣལ་འབྱོར་ཤིན་ཏུ་བསྡུས་པ་དང་། རྗེ་རིན་པོ་

ཆེས་མཁས་གྲུབ་རིན་པོ་ཆེ་ལ་གདམས་པ་ཚིག་བརྒྱད་ཀྱི་ཚུལ་དུ་གནང་བའི་བླ་མའི་རྣལ་འབྱོར་ཉམས་སུ་ལེན་ཚུལ། རྗེ་རིགས་གསུམ་སྤྱི་སྒྲུབ་ཀྱི་བླ་མའི་རྣལ་འབྱོར་དགོས་འདོད་ཀུན་འབྱུང་། ལྷ་དང་བླ་མ་ལ་གསོལ་བ་འདེབས་ཚུལ་ཤིན་ཏུ་བསྡུས་པ་བཅས་མཛད་པ་པོ་བསྟན་པའི་མངའ་བདག་གྲུབ་པའི་དབང་ཕྱུག་ཆེན་པོ་ཕུར་ལྕོག་པ་ངག་དབང་བྱམས་པ་དཔལ་བཟང་པོ། སེ་ར་རྗེ་དགེ་བཤེས་ཐོགས་མེད། རྗེ་ངག་དབང་དོན་གྲུབ། བྲག་རི་ཁྲབ་བདག་བདེ་བའི་རྡོ་རྗེ། ཁྲི་ཆེན་ངག་དབང་ཆོས་འཕེལ། རྗེ་བློ་བཟང་རྒྱ་མཚོ། ཡོངས་འཛིན་ཡེ་ཤེས་རྒྱ་མཚོ། ཤར་ཆེན་ངག་དབང་ཚུལ་ཁྲིམས་རྗེ་བཀའ་འགྱུར་བ་ལྷ་སྤྲུལ་རིན་པོ་ཆེ། ཤག་སྐོར་སློབ་དཔོན་བློ་བཟང་སྨོན་ལམ་དཔལ་བཟང་པོ། དེས་བདག་ལའོ། །སྲིད་རྒྱུད་ལུགས་ཀྱི་དགའ་ལྡན་ལྷ་བརྒྱ་མའི་ཉམས་ལེན་དམར་ཁྲིད་སྙན་བརྒྱུད་གདམས་པའི་གཏེར་མཛོད་བདུད་རྩིའི་ཆར་རྒྱུན་ནི། རྒྱལ་སྲས་བསྐལ་བཟང་ཐུབ་བསྟན་འཇིགས་མེད་རྒྱ་མཚོ། སྤང་ལུང་ངག་དབང་ཆོས་འཛིན། ཡོངས་འཛིན་བཀའ་འགྱུར་བ་ཡེ་ཤེས་རྒྱ་མཚོ། ཤར་ཆེན་བཀའ་འགྱུར་བ་ངག་དབང་ཚུལ་ཁྲིམས། རྗེ་བཀའ་འགྱུར་པ་ལྷ་སྤྲུལ་རིན་པོ་ཆེ་ངག་དབང་མཁྱེན་རབ་བསྟན་པའི་དབང་ཕྱུག། རྗེ་བཀའ་འགྱུར་བ་བྲག་རི་རྡོ་རྗེ་འཆང་བློ་བཟང་ཐུབ་བསྟན་རྣམ་རྒྱལ་དཔལ་བཟང་པོ། དེས་བདག་ལའོ། །དམིགས་བརྩེ་མ་དངོས་གྲུབ་ཀུན་འབྱུང་རྗེ་བཙུན་སྒྲོལ་མ་ཞེས་པ་ནི། གྲུབ་དབང་ཀློང་རྡོལ་བླ་མ་རིན་པོ་ཆེ་ངག་དབང་བློ་བཟང་། བར་འདིའི་བླ་མ་འགའ་ཞིག་སྣར་འཚོལ་དགོས། ཁྲི་ཆེན་ངག་དབང་ནོར་བུ། ཡོངས་འཛིན་དགེ་འདུན་རྒྱ་མཚོ། ལྷ་སྤྲུལ་རིན་པོ་ཆེ་ངག་དབང་མཁྱེན་རབ་བསྟན་པའི་དབང་ཕྱུག་དཔལ་བཟང་པོ། དེས་བདག་ལའོ། །དམིགས་བརྩེ་མ་ཚིག་རྐང་བརྒྱད་མ་མཛད་པ་པོ་ཁྲི་གུང་ཐང་འཇམ་པའི་དབྱངས་དཀོན་མཆོག་བསྟན་པའི་སྒྲོན་མེ། དྲུང་ཡིག་དཀོན་མཆོག་ཀུན་དགའ། དཀོན་མཆོག་དབང་ཕྱུག། རྗེ་བཀའ་འགྱུར་པ་དཀོན་མཆོག་དཔལ་འཛིན། རྗེ་ཤེས་རབ་རྒྱ་མཚོ། ཡོངས་འཛིན་བསྟན་པ་རྒྱ་མཚོ། དེས་བདག་ལའོ། དགའ་ལྡན་ལྷ་བརྒྱ་མའི་རྣལ་འབྱོར་གྱི་སྒོ་ནས་མདོ་སྔགས་ཀྱི་ལམ་ལ་བག་ཆགས་འཇོག་ཚུལ་དངོས་གྲུབ་ཀུན་འབྱུང་ནི། ཡོངས་འཛིན་ཡེ་ཤེས་རྒྱལ་མཚན། གོང་པོ་བླ་མ་བསྐལ་བཟང་བསྟན་འཛིན། ཉི་ཟུར་ངག་དབང་དོན་གྲུབ། བྲག་རི་ཁྲབ་བདག་བདེ་བའི་རྡོ་རྗེ། གྲུབ་དབང་སྐལ་བ་ ་ལྷ་གནང་བའི་རྗེ་

དཀོན་མཆོག་དཔལ་འཛིན། རྗེ་ཤེས་རབ་རྒྱ་མཚོ་མན་འདྲ། བླ་མའི་རྣལ་འབྱོར་འདོན་ཐབས་རྒྱུན་གྱི་ཉམས་ལེན་མགོ་མཇུག་ཏུ་ཀུན་སློང་འཚོས་ཚུལ་སོགས་ཚང་ཞིང་ཁྱེར་བདེ་བ་ནི། ཁྲི་གུང་ཐང་འཇམ་པའི་དབྱངས། དྲུང་ཡིག་དཀོན་མཆོག་ཀུན་དགའ། རྗེ་བློ་བཟང་ཉི་མ། རྗེ་བཀའ་འགྱུར་བ་དཀོན་མཆོག་དཔལ་འཛིན། རྗེ་བཀའ་འགྱུར་བ་ཤེས་རབ་རྒྱ་མཚོ་མན་འདྲའོ། །དགའ་ལྡན་ལྷ་བརྒྱ་མ་དང་སྦྱོར་བའི་ཆོས་དྲུག་དཀྱུས་གཅིག་ཏུ་ཉམས་སུ་ལེན་ཚུལ་ལམ་བཟང་སྒོ་འབྱེད། དགའ་ལྡན་ལྷ་བརྒྱ་མ་དང་འབྲེལ་བར་རིགས་གསུམ་མགོན་པོའི་བཟླས་བརྗོད་བྱེད་ཚུལ་བྱིན་རླབས་གཏེར་ཆེན་དང་། བུམ་ཆོག་བཅས་མཛད་པ་པོ་ཁྲི་སྤྲུལ་གུང་ཐང་འཇམ་བའི་དབྱངས་དཀོན་མཆོག་བསྟན་པའི་སྒྲོན་མེ་དཔལ་བཟང་བ། རྗེ་བཙུན་ཤེས་རབ་རྒྱ་མཚོ། ཐུའུ་ཀྭན་ཡོངས་འཛིན་བསྟན་པ་རྒྱ་མཚོ་དཔལ་བཟང་པོ། དེས་བདག་ལའོ། དམིགས་བརྩེ་མའི་བསྙེན་པ་བྱ་ཚུལ་ནི། མཛད་པ་པོ་ཁྲི་གུང་ཐང་འཇམ་པའི་དབྱངས། དྲུང་ཡིག་དཀོན་མཆོག་ཀུན་དགའ། དཀོན་མཆོག་དབང་ཕྱུག། རྗེ་བཀའ་འགྱུར་བ་དཀོན་མཆོག་དཔལ་འཛིན། རྗེ་ཤེས་རབ་རྒྱ་མཚོ་མན་འདྲ། རྣམ་རྒྱལ་བུམ་པ་ཚད་ལྡན་བྱ་ཚུལ་ནི། ཁྲི་གུང་ཐང་འཇམ་པའི་དབྱངས། དྲུང་ཡིག་དཀོན་མཆོག་ཀུན་དགའ། དཔའ་རི་ཀོ་རྩྭ་ཞབས་དྲུང་བསྐལ་བཟང་མཆོག་གྲུབ། དཀོན་མཆོག་དབང་ཕྱུག་མན་གོང་འདྲ། རྗེ་ཡབ་སྲས་ཀྱི་བླ་མའི་རྣལ་འབྱོར་ཟབ་གནད་ཁྱད་པར་ཅན་དགའ་ལྡན་ལྷ་བརྒྱ་མར་གྲགས་པ་ཉམས་སུ་ལེན་ཚུལ་ནི། རྗེ་གྲུབ་པའི་དབང་ཕྱུག་དངུལ་ཆུ་རྣམ་ཧྲ་དྲ་དཔལ་བཟང་པོ། གྲུ་འཛིན་བླ་མ་དཀའ་ཆེན་བློ་བཟང་ཚེ་རིང་། གངས་རྒྱ་བླ་མ་བྱང་ཆུབ་སློན་ལམ། སྦྱོར་དཀར་སྤྲུལ་སྐུ་ངག་དབང་ཚུལ་ཁྲིམས་རྣམ་རྒྱལ། རྗེ་བཙུན་བཀའ་འགྱུར་བ་ངག་དབང་མཁྱེན་རབ་བསྟན་པའི་དབང་ཕྱུག་དཔལ་བཟང་པོ། དེས་བདག་ལའོ། །ཆོས་ཀྱི་རྒྱལ་པོ་ཙོང་ཁ་པ་ཆེན་པོའི་བསྒོམ་བཟླས་བྱ་ཚུལ་དངོས་གྲུབ་ཆར་དུ་བསྙིལ་བའི་སྤྲིན་ཕུང་ནི། རྗེ་གྲུབ་པའི་དབང་ཕྱུག་འཇམ་དབྱངས་རྡོ་རྗེའམ་དབྱངས་ཅན་གྲུབ་པའི་རྡོ་རྗེ། མཆོག་སྤྲུལ་འཇིགས་མེད་བློ་གྲོས་རྒྱ་མཚོ། རྗེ་བཙུན་དཀའ་འགྱུར་བ་རིན་པོ་ཆེ་ངག་དབང་མཁྱེན་རབ་བསྟན་པའི་དབང་ཕྱུག་དཔལ་བཟང་པོ། ཐུགས་སྲས་རྗེ་བཙུན་བཀའ་འགྱུར་བ་བྲག་རི་རྡོ་རྗེ་འཆང་བློ་བཟང་ཐུབ་བསྟན་རྣམ་རྒྱལ་དཔལ་བཟང་པོ། རྣམ་གཉིས་ཀྱི་ཞལ་སྔ་ནས་ལུང་གི་

སྐལ་བཟང་བདག་གིས་ཐོབ། ཇེ་བླ་མ་རིགས་གསུམ་མགོན་པོ་དབྱེར་མེད་སྐྱབས་ཚུལ་བྱིན་རླབས་སྨིན་འཇུག་ནི། སྔོ་མང་མཁན་ཆེན་དགེ་འདུན་སྦྱིན་པ་དཔལ་བཟང་པོ། མཚན་ཞབས་མཁན་པོ་ངག་དབང་བློ་བཟང་དཔལ་བཟང་པོ། དེས་བདག་ལའོ། །ཇེ་ཙོང་ཁ་པ་ལ་བརྟེན་པའི་ཤེས་རབ་བློ་འཕེལ་སྐྱབས་ཚུལ་མན་ངག་ལུགས་བློ་གྲོས་འདབ་བརྒྱ་བཞད་པའི་ཉིན་བྱེད་གཞོན་ནུ་ནི། མཛད་པ་པོ་ལུང་ཆོས་རྒྱ་མཚོའི་མངའ་བདག་བཀའ་དྲིན་གསུམ་ལྡན་ཇེ་བཙུན་བཀའ་འགྱུར་བ་ཆེན་པོ་ངག་དབང་མཁྱེན་རབ་བསྟན་པའི་དབང་ཕྱུག་དཔལ་བཟང་པོའི་ཞལ་སྔ་ནས་ཉམ་ཆུང་བདག་ལ་དགྱེས་བཞིན་གནང་བའི་སྐལ་བཟང་ཐོབ། ཇེ་བདག་ཉིད་ཆེན་པོའི་སྲས་ཀྱི་ཐུ་བོ་མཁས་གྲུབ་སྐྲ་བའི་ཉི་མ་ལ་ཆིག་བརྒྱུད་དུ་སྩལ་བའི་བླ་མའི་རྣལ་འབྱོར་གྱི་བརྗེད་བྱང་གྲུབ་གཉིས་དགའ་སྟོན་ནི། མཛད་པ་པོ་ལུང་རྟོགས་བསྟན་པའི་མཛོད་འཛིན་འཇམ་དབྱངས་བླ་མ་ཤེས་རབ་རྒྱ་མཚོའི་ཞལ་སྔ་ནས། མང་ཐོས་བཤེས་གཉེན་ཆེན་པོ་སྡེ་ཁྲི་ཡོངས་འཛིན་རྗེ་ཤུལ་འཇམ་དབྱངས་ཚུལ་ཁྲིམས་དཔལ་བཟང་པོ་དང་། བཀའ་དྲིན་མཚུངས་མེད་ཐུའུ་ཀྭན་ཡོངས་འཛིན་བསྟན་པ་རྒྱ་མཚོ་རྣམ་གཉིས་ཀྱིས་གསན། དེ་གཉིས་ཀྱི་དྲུང་ནས་བདག་གིས་ཐོབ། དགའ་ལྡན་ལྷ་བརྒྱ་མའི་བླ་མའི་རྣལ་འབྱོར་ཉམས་སུ་ལེན་ཚུལ་གྱི་ཁྲིད་ཡིག་གནྡྷའི་ཆུ་རྒྱུན་ནི། མཛད་པ་པོ་སྔན་བརྒྱུད་གདམས་པའི་མངའ་བདག་ཇེ་འདུལ་འཛིན་པ་ཆེན་པོ་ཡོངས་འཛིན་ཕུར་ལྕོག་པ་བློ་བཟང་ཚུལ་ཁྲིམས་བྱམས་པ་རྒྱ་མཚོ་དཔལ་བཟང་པོ། སྲས་ཀྱི་ཐུ་བོ་བྲག་རི་རྡོ་རྗེ་འཆང་བཀའ་འགྱུར་བ་ཆེན་པོ་བློ་བཟང་ཐུབ་བསྟན་རྣམ་རྒྱལ་དཔལ་བཟང་པོས་དགྱེས་བཞིན་དུ་གནང་བའི་སྐལ་བཟང་བདག་གིས་ཐོབ། དགའ་ལྡན་ལྷ་བརྒྱ་མའི་ཁྲིད་ཡིག་སྙན་བརྒྱུད་གཏེར་གྱི་ཁ་བྱང་ནི། མཛད་པ་པོ་ཡོངས་འཛིན་པཎྜི་ཏ་ཡེ་ཤེས་རྒྱལ་མཚན། གྲུབ་དབང་ཀོང་པོ་བླ་མ་བསྐལ་བཟང་བསྟན་འཛིན། ཉི་ཟུར་ངག་དབང་དོན་གྲུབ། བྲག་རི་ཁྱབ་བདག་བདེ་བའི་རྡོ་རྗེ། གྲུབ་དབང་སྐལ་བཟང་མཁས་གྲུབ། ཡོངས་འཛིན་ཡེ་ཤེས་རྒྱ་མཚོ། མཚུངས་མེད་ཡེ་ཤེས་ཉི་མ། ཤར་ཆེན་ངག་དབང་ཚུལ་ཁྲིམས། ཡོངས་འཛིན་བཀའ་འགྱུར་བ་ངག་དབང་མཁྱེན་རབ་བསྟན་པའི་དབང་ཕྱུག་དཔལ་བཟང་པོ། དེས་བདག་ལའོ། །དགའ་ལྡན་ལྷ་བརྒྱ་མར་གྲགས་པའི་བླ་མའི་རྣལ་འབྱོར་གྱི་ཁྲིད་ཡིག་དངོས་གྲུབ་ཀུན་འབྱུང་ནི། ཇེ་བློ་བཟང་ཐུགས་རྗེ། ཇེ་ངག་དབང་ཆོས་

འཛིན། ཡོངས་འཛིན་བཀའ་འགྱུར་བ་ཡེ་ཤེས་རྒྱ་མཚོ། རྗེ་བཀའ་འགྱུར་བ་དམ་ཆོས་བློ་བཟང་། རྗེ་བཀའ་འགྱུར་བ་ཧོར་སྤྲུལ་རིན་པོ་ཆེ་བློ་བཟང་ཆོས་འཕེལ་བསྟན་འཛིན་དཔལ་བཟང་པོ། དེས་བདག་ལ་དགྱེས་བཞིན་སྩལ་བའི་སྐལ་བཟང་ཐོབ། ཡང་ན། ཡོངས་འཛིན་ཡེ་ཤེས་རྒྱ་མཚོ། ཤར་ཆེན་ངག་དབང་ཚུལ་ཁྲིམས། རྗེ་བློ་བཟང་དར་རྒྱས། རྗེ་འཇམ་དབྱངས་འཕྲིན་ལས། རྗེ་བཙུན་བཀའ་འགྱུར་བ་ལྷོ་སྤྲུལ་རིན་པོ་ཆེ་ངག་དབང་མཁྱེན་རབ་བསྟན་པའི་དབང་ཕྱུག་དཔལ་བཟང་པོ། དེས་བདག་ལའོ། །དགའ་ལྡན་ལྷ་བརྒྱ་མའི་ཟབ་གནད་ཡོངས་སུ་རྫོགས་པ་ཐོ་ཙམ་དུ་བཀོད་པ། མཛད་པ་པོ་ཁྲི་སྤྲུལ་གུང་ཐང་འཇམ་པའི་དབྱངས། རྗེ་བཙུན་ཤེས་རབ་རྒྱ་མཚོ། ཡོངས་འཛིན་བསྟན་པ་རྒྱ་མཚོ། དེས་བདག་ལའོ། །དགའ་ལྡན་ལྷ་བརྒྱ་མའི་ཁྲིད་ཡིག་བྱིན་རླབས་མྱུར་འཇུག་དང་། དགའ་ལྡན་ལྷ་བརྒྱ་མའི་ཁྲིད་ཡིག་ལས་ཚོགས་དང་བཅས་པ་དངོས་གྲུབ་ཀུན་འབྱུང་དང་བཅས་པ་ནི། རྒྱལ་མཁན་པོ་གྲགས་པ་རྒྱལ་མཚན། རྗེ་བཙུན་ཤེས་རབ་རྒྱ་མཚོ། ཡོངས་འཛིན་ཨ་ཁྱུ་གྲགས་པ་ཆོས་འཕེལ་དཔལ་བཟང་པོ། དེས་བདག་ལའོ། །དགེ་ལྡན་སྙན་བརྒྱུད་མན་ངག་སྲིད་བརྒྱུད་ལུགས་ཀྱི་བླ་མའི་རྣལ་འབྱོར་དགའ་ལྡན་ལྷ་བརྒྱ་མའི་ཁྲིད་ཡིག་ནི། སྙན་བརྒྱུད་མཛོད་འཛིན་རྗེ་དཔལ་མང་དཀོན་མཆོག་རྒྱལ་མཚན། རྗེ་བཙུན་ཤེས་རབ་རྒྱ་མཚོ། གསུང་འབུམ་བཀའ་བབས་རྗེ་ཡོངས་འཛིན་འཇམ་དབྱངས་ཚུལ་ཁྲིམས་དཔལ་བཟང་པོ། དེས་བདག་ལའོ། །སྲིད་རྒྱུད་ལུགས་ཀྱི་བླ་མའི་རྣལ་འབྱོར་དགའ་ལྡན་ལྷ་བརྒྱ་མར་གྲགས་པའི་ཁྲིད་ཀྱི་ཟིན་བྲིས་དངོས་གྲུབ་ནོར་བུའི་སྒོ་མ། སྲིད་རྒྱུད་ལུགས་ཀྱི་བླ་མའི་རྣལ་འབྱོར་དགའ་ལྡན་ལྷ་བརྒྱ་མའི་དམིགས་རིམ་བརྗེད་བྱང་དུ་བཀོད་པ་ཟབ་ལམ་ནོར་བུའི་གན་མཛོད་བཅས་པ་མཛད་པ་པོ་འཇམ་དབྱངས་བླ་མ་ཤེས་རབ་རྒྱ་མཚོ། དེ་ལ་དམེ་ཤུལ་མཆོག་སྤྲུལ་འཇམ་དབྱངས་ཚུལ་ཁྲིམས་དང་། ཡོངས་འཛིན་བསྟན་པ་རྒྱ་མཚོ་གཉིས་ཀྱིས་གསན། དེ་གཉིས་ཀའི་དྲུང་ནས་བདག་གིས་ཐོབ། བླ་མའི་རྣལ་འབྱོར་དགའ་ལྡན་ལྷ་བརྒྱ་མའི་ཁྲིད་ཡིག་འཇམ་དཔལ་སྙིང་པོའི་བྱིན་རླབས་མྱུར་འཇུག་མན་ངག་ནོར་བུའི་གཏེར་མཛོད་ནི། མཛད་པ་པོ་མདོ་སྔགས་བསྟན་པའི་མངའ་བདག་ཁྲི་ཆེན་རྡོ་རྗེ་འཆང་ངག་དབང་ནོར་བུ་དཔལ་བཟང་པོ། མཚན་ཞབས་མཁན་ཆེན་བཤེས་གཉེན་ཆེན་པོ་ངག་དབང་བློ་བཟང་དཔལ་བཟང་པོ། དེས་

བདག་ལའོ། །དགའ་ལྡན་ལྷ་བརྒྱ་མའི་བླ་མའི་རྣལ་འབྱོར་ལ་བརྟེན་ནས་ལམ་གྱི་གཙོ་བོ་རྣམ་གསུམ་རྩ་ཚིག་གི་སྟེང་ནས་གཞུང་བསྲུངས་ཏེ་ཉམས་ལེན་སྙིང་པོར་བྱེད་ཚུལ་དམ་པའི་གསུང་རྒྱུན་ལེགས་བཤད་སྒྲོན་མེ། དཀར་ཆག་བཅས་པོའུ་བུམ་ཁ་སྐོང་ཕྱོགས་བསྒྲིགས་བྱེད་པ་པོ་མཁྱེན་རབ་བསྟན་པ་ཆོས་འཕེལ་གྱིས་སྤེལ་པ་བཅས་དང་།། །།

༈པོད་གསུམ་པར། དཀར་ཆག་དབུའི་ལེགས་སྦྱར་སྐད་ཀྱི་དམིགས་བརྩེ་མ་ནི། མཛད་པ་པོ་རྗེ་བཙུན་ངག་དབང་བློ་བཟང་རྒྱ་མཚོ་དཔལ་བཟང་པོ། རིག་འཛིན་འཇམ་དབྱངས་གྲགས་པ། རྒྱལ་མཁན་པོ་ངག་དབང་དཔལ་མགོན། དགེ་སློང་རྡོ་རྗེ་འཛིན་པ་པདྨ་དབང་འདུས། འདུལ་འཛིན་འཕྲིན་ལས་རྣམ་རྒྱལ། རྗེ་བློ་བཟང་སྐལ་ལྡན། རྗེ་སྐལ་བཟང་དབང་ཕྱུག་གམ་མཚན་གཞན་རྡོ་རྗེ་ཐོགས་མེད་རྩལ། གྲུབ་དབང་པདྨ་བཤེས་གཉེན། ཀོང་པོ་རྒོད་ཚང་སྤྲུལ་སྐུ་འཇིགས་མེད་བསྟན་པའི་རྒྱལ་མཚན། ཞ་གཟུགས་པ་རྗེ་ངག་དབང་རྒྱ་མཚོ་རྣམ་རྒྱལ། ཞ་གཟུགས་པ་རྗེ་བསྟན་འཛིན་དཔལ་འབར། སྨིན་གླིང་རྗེ་བཙུན་བསྟན་འཛིན་ཆོས་སྒྲོན། སྨིན་གླིང་རྒྱུན་མཚམས་པ་འགྱུར་མེད་ཨོ་རྒྱན་ཕུན་ཚོགས་དཔལ་བཟང་པོ། དེས་བདག་ལའོ། །འཇམ་མགོན་ཆོས་ཀྱི་རྒྱལ་པོ་ཙོང་ཁ་པ་ཆེན་པོ་ལ་བླ་མའི་རྣལ་འབྱོར་དང་འབྲེལ་བའི་སྟོང་མཆོད་འབུལ་བའི་ཚོ་ག་དངོས་གྲུབ་ཡོངས་འདུའི་སྐེ་མ་ནི། ལྷ་མིའི་འགྲོ་བ་ཡོངས་ཀྱི་གཙུག་རྒྱན་སྐྱབས་མགོན་རྒྱལ་བའི་དབང་པོ་རྗེ་བཙུན་ངག་དབང་བློ་བཟང་ཐུབ་བསྟན་རྒྱ་མཚོ་འཇིགས་བྲལ་དབང་ཕྱུག་ཕྱོགས་ལས་རྣམ་པར་རྒྱལ་བའི་སྡེ་དཔལ་བཟང་པོའི་ཞལ་སྔ་ནས་ཕྲན་སློབ་བུའི་ཐ་ཤལ་བ་ལ་བཀའ་དྲིན་དུ་སྩལ་བའི་བཀའ་དྲིན་བྱང་ཆུབ་བར་དུ་གཞལ་བར་དཀའ་བའི་སྐལ་བཟང་མཁྱེན་རབ་བསྟན་པ་ཆོས་འཕེལ་བདག་གིས་ཐོབ། རྗེ་ཚེ་འཛིན་མ་ལ་བརྟེན་པའི་བརྟན་བཞུགས་འབུལ་ཚུལ་འཆི་མེད་བདུད་རྩིའི་བུམ་བཟང་དང་། ཚེ་སྒྲུབ་ནད་བརྒྱ་འཇོམས་པའི་སྨན་གཅིག་བཅས་མཛད་པ་པོ་རྒྱུད་སྡེ་རྒྱ་མཚོའི་མངའ་བདག་ཡོངས་འཛིན་ཤར་བ་ཆོས་རྗེ་གླིང་མཆོག་སྤྲུལ་རིན་པོ་ཆེ་བློ་བཟང་ལུང་རྟོགས་བསྟན་འཛིན་འཕྲིན་ལས་དཔལ་བཟང་པོ། དེས་བདག་ལའོ། །ཁམས་གསུམ་ཆོས་ཀྱི་རྒྱལ་པོ་ཙོང་ཁ་བ་ཆེན་པོ་དང་། བཅོམ་ལྡན་འདས་ཚེ་དཔག་མེད་དབྱེར་མ་མཆིས་པ་ལ་བརྟེན་པའི་ཚེ་སྒྲུབ་འཆི་མེད་བདུད་རྩིས་གང་བའི་བུམ་བཟང་ནི། མཛད་པ་པོ་ཡོངས་འཛིན་ཁྲ་ཚག་རྗེ་དྲུང་ཧོ་ཐོག་ཐུ་རྗེ

བཙུན་ངག་དབང་བློ་བཟང་བསྟན་པའི་རྒྱལ་མཚན་དཔལ་བཟང་པོ། འདུལ་འཛིན་ཆེན་པོ་ལྷ་རམས་པ་སྐུ་མཆེད་ངག་དབང་རིན་ཆེན། དགེ་སློང་འཕྲིན་ལས་མཐར་ཕྱིན་གཉིས་ཀྱིས་གསན། དེ་གཉིས་ཀྱི་དྲུང་ནས་རྗེ་བཙུན་ལྷ་བཙུནཡེ་ཤེས་དོན་གྲུབ་བསྟན་པའི་རྒྱལ་མཚན་དཔལ་བཟང་པོས་གསན། རབ་འབྱམས་པ་སྐལ་བཟང་ཆོས་འཕེལ། རབ་འབྱམས་པ་འོད་ཟེར་རྒྱ་མཚོ། རབ་འབྱམས་པ་བློ་བཟང་ཤེས་རབ། རྒྱ་ཡག་སྤྲུལ་སྐུ་སྐལ་བཟང་ཚུལ་ཁྲིམས་བསྟན་པའི་ཉི་མ། ཆེ་ཤོས་སྤྲུལ་སྐུ་བློ་བཟང་བྱང་ཆུབ་བསྟན་པའི་སྒྲོན་མེ་དཔལ་བཟང་པོའི་ཞལ་སྔ་ནས་བདག་གིས་བསྐལ་བཟང་ཐོབ། རྗེ་ཚེ་འཛིན་མའི་སྒྲུབ་ཐབས་འཆི་མེད་རིག་འཛིན་མྱུར་འགྲུབ་ནི། གྲྭ་སྒོམ་མཆོག་སྤྲུལ་བློ་གྲོས་དཔལ་ལྡན་འོད་ཟེར་དཔལ་བཟང་པོ། རྗེ་གྲུབ་དབང་ཕུན་ཚོགས་ཆོས་འཁོར། གྲུབ་དབང་མདོ་མཁན་ཟུར་བྱམས་པ་དཔལ་བཟང་ཞལ་སྔ་ནས་བདག་གིས་ཐོབ། རྗེ་བཙུན་ཙོང་ཁ་པ་ཆེན་པོ་ཚེ་འཛིན་མའི་སྒོ་ནས་ཚེ་དབང་བྱ་ཚུལ་འཆི་བདག་གཡུལ་ལས་རྒྱལ་བའི་གོ་ཁྲབ་ནི། རྗེ་གྲུབ་པའི་དབང་ཕྱུག་བཤེས་གཉེན་ཆེན་པོ་མདོ་མཁན་ཟུར་ཕུན་ཚོགས་ཆོས་འཁོར་དཔལ་བཟང་པོའི་ཞལ་སྔ་ནས་བདག་གིས་བསྐལ་བཟང་སྤྱོད། རྗེ་ཙོང་ཁ་པ་ཆེན་པོ་ཚེ་འཛིན་མའི་སྒྲུབ་ཐབས་དང་ཚེ་དབང་བྱ་ཚུལ་གྱི་ལྷན་ཐབས་འཆི་མེད་དཔལ་སྟེར་ཁོ་བོ་བསྟན་པ་ཆོས་འཕེལ་གྱིས་བྲིས། འཇམ་མགོན་ཆོས་ཀྱི་རྒྱལ་པོ་ཙོང་ཁ་པ་ཆེན་པོའི་བླ་མའི་རྣལ་འབྱོར་དང་འབྲེལ་བའི་དམིགས་བརྩེ་མའི་བསྙེན་ཡིག་དང་སྦྱིན་སྲེག་བྱ་ཚུལ་དངོས་གྲུབ་ནོར་བུའི་གཏེར་མཛོད་ནི། སྒོམ་མང་མཁན་སྤྲུལ་བྲ་ཉི་ངག་དབང་ཐུབ་བསྟན་རྒྱ་མཚོ་དཔལ་བཟང་པོ་རྗེ་བློ་བཟང་དགེ་འདུན། རྒྱ་ཡག་སྤྲུལ་སྐུ་སྐལ་བཟང་ཚུལ་ཁྲིམས་བསྟན་པའི་ཉི་མ་དཔལ་བཟང་པོ། དེས་བདག་ལའོ། །དམིགས་བརྩེ་མའི་འཁོར་ལོ་འདྲི་ཚུལ་དགེ་ལེགས་འབྱུང་བའི་སྒོ་མ་ནི། རྒྱལ་མཁན་པོ་གྲགས་པ་རྒྱལ་མཚན། རྗེ་བཙུན་ཤེས་རབ་རྒྱ་མཚོ། ཡོངས་འཛིན་ཨ་ཁུ་གྲགས་པ་ཆོས་འཕེལ་དཔལ་བཟང་པོ། དེས་བདག་ལའོ། །དམིགས་བརྩེ་མའི་ཆོས་སྐོར་ལས་དགེ་འདུན་འདུ་བའི་འཁོར་ལོ་སྒྲུབ་ཚུལ་ཞྭ་སེར་བསྟན་པའི་སྲོག་ཤིང་ཁོ་བོས་བྲིས་པ་ལགས། དམིགས་བརྩེ་མའི་ལས་ཚོགས་དངོས་གྲུབ་ཆར་འབེབས་རྗེ་འཇམ་དབྱངས་དགའ་བའི་བློ་གྲོས་ཀྱིས་མཛད་པར་གྲགས་པ་ལ་མཆན་བུ་སྤྲ་བཏབ་པ་ནི། རྗེ་དོན་གྲུབ་བསྟན་པའི་རྒྱལ་མཚན་དཔལ་བཟང་པོ། རྗེ་འཇམ་དབྱངས

འཕྲིན་ལས། རྗེ་བཀའ་འགྱུར་བ་ངག་དབང་མཁྱེན་རབ་བསྟན་པའི་དབང་ཕྱུག་དཔལ་བཟང་པོ། དེས་བདག་ལའོ། །རྗེ་བླ་མ་བརྟེན་པའི་ཆར་འབེབས་ཀྱི་ཚོ་ག་མན་ངག་སྟན་བརྒྱུད་ཁྲིར་བདེ་ནི། མཛད་པ་པོ་ལྷུང་སྐྱ་ངག་དབང་བློ་བཟང་ཆོས་ལྡན་དཔལ་བཟང་པོ། ཨ་ར་རྩེ་བློ་བཟང་ཆོས་འཛིན། ལྷུང་སྐྱ་རོལ་པའི་རྡོ་རྗེ། སྒོ་མང་མཁན་སྤྲུ་འབུམ་དགེ་འདུན་བདེ་ཆེན། ཉི་ཟུར་ངག་དབང་དོན་གྲུབ། བྲག་རི་རྒྱ་མཚོ་མཐའ་ཡས། སྤང་ལུང་ངག་དབང་ཆོས་འཛིན། རྗེ་སྐལ་བཟང་མཁས་གྲུབ། ཡོངས་འཛིན་ཡེ་ཤེས་རྒྱ་མཚོ། བྲག་རི་དངོས་གྲུབ་མཐའ་ཡས། ཡོངས་འཛིན་དགེ་འདུན་རྒྱ་མཚོ། གུང་ཐུ་མཁན་སྤྲུལ་མཁྱེན་རབ་བསྟན་པའི་ཉི་མ། རྗེ་བཙུན་བཀའ་འགྱུར་བ་བྲག་རི་རྡོ་རྗེ་འཆང་བློ་བཟང་ཐུབ་བསྟན་རྣམ་རྒྱལ་དཔལ་བཟང་པོ། དེས་བདག་ལའོ། །དམིགས་བརྩེ་མ་ལ་བརྟེན་པའི་ཆར་འབེབས་བྱ་ཚུལ་གྱི་ལྷན་ཐབས་ནི། མཛད་པ་པོ་ཀུན་མཁྱེན་འཇིགས་མེད་དབང་པོ། བཀའ་འགྱུར་བ་འཇིགས་མེད་རབ་རྒྱས། ཁྲི་སྤྲུལ་འཇིགས་མེད་རིགས་པའི་སེང་གེ། གནས་བརྟན་དཀོན་མཆོག་དགེ་འདུན། རྗེ་ཤེས་རབ་རྒྱ་མཚོ། སྒོ་མཁན་སྤྲུལ་བློ་བཟང་ཚུལ་ཁྲིམས་རྒྱ་མཚོ་དཔལ་བཟང་པོ། དེས་བདག་ལའོ། །དམིགས་བརྩེ་མའི་སྒོ་ནས་ཆར་འབེབས་བྱེད་ཚུལ་གྱི་ཚོ་ག་དངོས་གྲུབ་གྱུ་ཆར་གཡོ་བའི་སྤྲིན་ཕུང་ནི། མཛད་པ་པོ་ཐུའུ་ཀྭན་རྣམ་བཟླ་རམ་བློ་བཟང་ཆོས་ཀྱི་ཉི་མ། རྗེ་བློ་བཟང་དོན་གྲུབ། ལྷ་བཙུན་ཡེ་ཤེས་དོན་གྲུབ་བསྟན་པའི་རྒྱལ་མཚན། ཤར་རྩེ་ངག་དབང་ཚུལ་ཁྲིམས། ཡོངས་འཛིན་དགེ་འདུན་རྒྱ་མཚོ། ༀ་སྤྲུལ་ངག་དབང་མཁྱེན་རབ་བསྟན་པའི་དབང་ཕྱུག བྲག་རི་རྡོ་རྗེ་འཆང་བློ་བཟང་ཐུབ་བསྟན་རྣམ་རྒྱལ་དཔལ་བཟང་པོ། དེས་བདག་ལའོ། བརྒྱུད་རིམ་འདི་སྔར་ཕྱག་ཁྲིས་དངོས་བརྙེད་ཆེ་བོ་བསྒྱུར་བྱེད་དགོས་སོ། །རིགས་གསུམ་སྒྲི་སྒྲུབ་ཀྱི་བླ་མའི་རྣལ་འབྱོར་ལ་བརྟེན་ནས་ཆར་འབེབས་ཀྱི་ཚོ་ག་ལག་ལེན་གསལ་བྱེད་རྫོགས་ལྡན་སྤྲིན་གྱི་སྒྲ་དབྱངས་ནི། དགེ་ལྡན་སྟན་བརྒྱུད་མན་ངག་གི་གཏེར་ཆེན་མཛད་པ་པོ་ཡེ་ཤེས་རྒྱལ་མཚན། ཐུགས་སྲས་རྗེ་བློ་བཟང་ཆོས་འབྱུང་། བྱ་བཏང་བློ་བཟང་དོན་གྲུབ། བྲག་རི་ཁྱབ་བདག་བདེ་བའི་རྡོ་རྗེ། རྗེ་སྐལ་བཟང་མཁས་གྲུབ། ཡོངས་འཛིན་ཡེ་ཤེས་རྒྱ་མཚོ། རྗེ་ཡེ་ཤེས་ཉི་མ། ཤར་ཆེན་ངག་དབང་ཚུལ་ཁྲིམས། ༀ་སྤྲུལ་ངག་དབང་མཁྱེན་རབ་བསྟན་པའི་དབང་ཕྱུག། བྲག་རི་རྡོ་རྗེ་འཆང་བློ་

བཟང་ཐུབ་བསྟན་རྣམ་རྒྱལ་དཔལ་བཟང་པོ། དེས་བདག་ལའོ། །རྗེ་བླ་མ་ལ་བརྟེན་པའི་རིལ་སྒྲུབ་བསམ་འཕེལ་དབང་གི་རྒྱལ་པོ་ནི། མངོན་པ་པོ་ཁྲི་རྒྱ་ནག་པའི་སྤྲུལ་སྐུ་བློ་བཟང་བསྟན་པའི་ཉི་མ་དཔལ་བཟང་པོ། དེ་ནས་མཁན་སྤྲུལ་ངག་དབང་ཐུབ་བསྟན་རྒྱ་མཚོའི་གསན་རྒྱུན་ལྟར་ལ། དེ་ནས་བཀྲ་ཤིས་འཁྱིལ་སྔགས་གྲགས་ལུང་རྟོགས་རྒྱ་མཚོ་དཔལ་བཟང་པོ། དེས་བདག་ལའོ། །དགེ་ལྡན་རིལ་སྒྲུབ་བྱ་ཚུལ་ལག་ཏུ་བླངས་བདེ་བར་བཀོད་པ་བྱིན་རླབས་ཆར་འབེབས་ནི། མངོན་པ་པོ་ཀུན་མཁྱེན་འཇིགས་མེད་དབང་པོ། བཀའ་འགྱུར་བ་འཇིགས་མེད་རབ་རྒྱས། ཁྲི་སྤྲུལ་འཇིགས་མེད་རིགས་པའི་སེངྒེ། གནས་བརྟན་དཀོན་མཆོག་དགེ་འདུན། རྗེ་ཤེས་རབ་རྒྱ་མཚོ། སྨོ་མཁན་སྤྲུལ་བློ་བཟང་ཚུལ་ཁྲིམས་རྒྱ་མཚོ། དེས་བདག་ལའོ། །རྗེ་བླ་མ་ལ་བརྟེན་པའི་བླ་མའི་རྣལ་འབྱོར་གྱི་སྒོ་ནས་བྱིན་རླབས་རིལ་སྒྲུབ་བྱ་ཚུལ་དངོས་གྲུབ་ཀུན་འབྱུང་ནི། ཡོངས་འཛིན་ཡེ་ཤེས་རྒྱལ་མཚན། ཆོས་མངོན་དགེ་ལེགས་རྒྱལ་མཚན། བྱ་བཏང་བ་བློ་བཟང་དོན་གྲུབ། ཁྱབ་བདག་བདེ་བའི་རྡོ་རྗེ། མན་གོང་བཞིན་ནོ། དགེ་ལྡན་རིལ་སྒྲུབ་འདོན་ཆ་ཟུར་དུ་བཀོད་པ་ནི། མངོན་པ་པོ་ཁྲི་གུང་ཐང་འཇམ་དཔལ་དབྱངས། བྲུང་ཡིག་དཀོན་མཆོག་ཀུན་དགའ། དཀོན་མཆོག་དབང་ཕྱུག རྗེ་བཀའ་འགྱུར་བ་དཀོན་མཆོག་དཔལ་འཛིན་མན་གོང་དང་འདྲ། ཁམས་གསུམ་ཆོས་ཀྱི་རྒྱལ་པོ་ཙོང་ཁ་པ་ཆེན་པོ་རིགས་གསུམ་སྤྱི་སྒྲུབ་ལ་བརྟེན་པའི་ས་བཅུད་བུམ་སྒྲུབ་ཀྱི་ཆོ་ག་དགོས་འདོད་བདུད་རྩིའི་ཆར་འབེབས་ནི། རྒྱལ་བའི་ཡོངས་འཛིན་ཕུར་ལྕོག་པ་བློ་བཟང་ཚུལ་ཁྲིམས་བྱམས་པ་རྒྱ་མཚོ་དཔལ་བཟང་པོ། བྲག་རི་བློ་བཟང་ཐུབ་བསྟན་རྣམ་རྒྱལ་དཔལ་བཟང་པོ། དེས་བདག་ལའོ། །རྗེ་བླ་མ་རིགས་གསུམ་སྤྱི་སྒྲུབ་ལ་བརྟེན་ནས་ས་བཅུད་གསོ་བའི་ལྷ་ཀླུའི་བུམ་པ་གཅིག་འཕྲུས་སུ་སྒྲུབ་པའི་བཅའ་སྒྲིག་སྒྲུབ་ སྦས་ཀྱི་ཆོ་གའི་འཁྲིགས་སྤེལ་བྱིན་རླབས་འོད་སྟོང་འདྲེན་པའི་སྐྱ་རེངས་གསར་བ་ནི། མངོན་པ་པོ་ཤར་ཆེན་ངག་དབང་ཚུལ་ཁྲིམས། རྗེ་བཙུན་བཀའ་འགྱུར་བ་ལྷ་སྤྲུལ་རིན་པོ་ཆེ་ངག་དབང་མཁྱེན་རབ་བསྟན་པའི་དབང་ཕྱུག་དཔལ་བཟང་པོ། དེས་བདག་ལའོ། །ཀླུའི་བུམ་གཏེར་གྱི་གདམས་པའི་གསལ་བྱེད་རིན་ཆེན་བུམ་བཟང་མན་ངག་མཛོད་འཛིན་ནི། འཇམ་དབྱངས་བླ་མ་ཤེས་རབ་རྒྱ་མཚོར། ཞི་ཤུལ་མཆོག་སྤྲུལ་འཇམ་དབྱངས་ཚུལ་ཁྲིམས་དང་། ཡོངས་འཛིན་བསྟན་པ་རྒྱ་

མཆོ་གཉིས་ཀྱིས་གསན། དེ་གཉིས་ཀྱི་དྲུང་ནས་བདག་གིས་ཐོབ། དམིགས་བརྩེ་མའི་སྒོ་ནས་བཀྲུ་བྱབས་བསྲུང་བ་བྱ་ཚུལ་གདུང་སེལ་བདུད་རྩིའི་ཆུ་རྒྱུན་ནི། མཛད་པ་པོ་དཔལ་མང་དཀོན་མཆོག་རྒྱལ་མཚན། རྗེ་ཤེས་རབ་རྒྱ་མཚོ། ཡོངས་འཛིན་འཇམ་དབྱངས་ཚུལ་ཁྲིམས་དཔལ་བཟང་པོ། དེས་བདག་ལའོ། །སྲིད་རྒྱུད་ལུགས་ཀྱི་དགའ་ལྡན་འཕོ་ཁྲིད་མི་ཕམ་བླ་མའི་ཞལ་ལུང་ནི། འཇམ་དབྱངས་བླ་མ་ཤེས་རབ་རྒྱ་མཚོ། རྗེ་ཤུལ་མཆོག་སྤྲུལ་འཇམ་དབྱངས་ཚུལ་ཁྲིམས་དང་། ཡོངས་འཛིན་བསྟན་པ་རྒྱ་མཚོ་གཉིས་ཀྱིས་གསན། དེ་གཉིས་ཀའི་དྲུང་ནས་བདག་གིས་ཐོབ། སྲིད་རྒྱུད་ལུགས་ཀྱི་འཕོ་བའི་གདམས་པའི་ངག་འདོན་ཁྲིགས་ཆགས་སུ་བསྡེབས་པ་ནི། ཁྲི་གྱང་ཐང་འཇམ་པའི་དབྱངས། རྗེ་བཙུན་ཤེས་རབ་རྒྱ་མཚོ། ཡོངས་འཛིན་བསྟན་པ་རྒྱ་མཚོ། དེས་བདག་ལའོ། །དགའ་ལྡན་ལྷ་བརྒྱ་མ་དང་འབྲེལ་བའི་འཕོ་བ་ཐུན་མོང་མ་ཡིན་པ་ནི། རྗེ་དངུལ་ཆུ་དྷརྨ་བྷ་དྲ་དཔལ་བཟང་པོ། དབྱངས་ཅན་གྲུབ་པའི་རྡོ་རྗེ། གངས་རྒྱ་བླ་མ་བྱང་ཆུབ་སྨོན་ལམ། སྟོབས་དཀར་སྤྲུལ་སྐུ་ངག་དབང་ཚུལ་ཁྲིམས་རྣམ་རྒྱལ། སྟག་སྤྲུལ་ངག་དབང་མཁྱེན་རབ་བསྟན་པའི་དབང་ཕྱུག དེས་བདག་ལའོ། །རྗེ་བླ་མ་ཙོང་ཁ་པ་ཆེན་པོ་ལ་སྟོང་མཆོད་འབུལ་བའི་ཆོ་ག་ཀུན་བཟང་འཁྲི་ཤིང་ནི། སྐུ་འབུམ་ཆེ་ཤོས་སྤྲུལ་སྐུ་ངག་དབང་བཤད་སྒྲུབ་བསྟན་པའི་ཉི་མ། ཨོར་དུ་སུ་ཐོ་ཡོན་བློ་བཟང་སྦྱིན་པ། སྐུ་འབུམ་རྒྱ་ཡག་སྤྲུལ་སྐུ་བསྐལ་བཟང་ཚུལ་ཁྲིམས་བསྟན་པའི་ཉི་མ། ཆེ་ཤོས་སྤྲུལ་སྐུ་བློ་བཟང་བྱང་ཆུབ་བསྟན་པའི་སྒྲོན་མེ། དེས་བདག་ལའོ། །བླ་མ་ཡི་དམ་ལ་གསོལ་བ་འདེབས་པའི་རབ་ཏུ་བྱེད་པ་ནང་གི་ཁོང་སྐྲན་འདོན་པའི་སྨྱུག་སྨན་ནི། མཛད་པ་པོ་པཎ་ཆེན་བློ་བཟང་ཆོས་རྒྱན། ཐུགས་ཆེན་དཀོན་མཆོག་རྒྱལ་མཚན། སྐྱིད་ཤོད་ངག་དབང་བསྟན་འཛིན་འཕྲིན་ལས། ཨ་མདོ་བློ་བཟང་ཆོས་སྐྱོང་། ཏ་ནག་པ་ཚེ་རིང་རྒྱལ་མཚན། རྟོད་ཚང་སློབ་དཔོན་རབ་རྒྱས། སློབ་དཔོན་རིན་ཆེན་ཆོས་དོན་གྲུབ། བྱེས་ཟུར་ངག་དབང་དོན་གྲུབ། ཉི་ཟུར་ངག་དབང་དོན་གྲུབ་རྗེ་བློ་བཟང་ཐུགས་རྗེ། རྗེ་བསྐལ་བཟང་མཁས་གྲུབ། ཡོངས་འཛིན་ཡེ་ཤེས་རྒྱ་མཚོ། གསོལ་དཔོན་དགེ་སློང་བློ་བཟང་བསམ་གཏན། རྗེ་བཀའ་འགྱུར་བ་དམ་ཆོས་བློ་བཟང་། དེས་བདག་ལའོ། །འཇམ་མགོན་རྒྱལ་བ་གཉིས་པ་ལ་བསྟན་པའི་སྙིང་པོ་གསལ་བར་མཛད་པའི་ཚུལ་ལས་བརྩམས་ཏེ་བསྟོད་པ་དོན་དང་ལྡན་པ་

ནི། ཁྲི་གུང་ཐང་འཇམ་པའི་དབྱངས་དྷི་པཾ་མཚན་ཅན། རྗེ་དཔལ་མང་དཀོན་མཆོག་རྒྱལ་མཚན། འཇམ་དབྱངས་བླ་མ་ཤེས་རབ་རྒྱ་མཚོ། ཡོངས་འཛིན་བསྟན་པ་རྒྱ་མཚོ། དེས་བདག་ལའོ། །བླ་མ་མཆོད་པའི་ཚོགས་མཆོད་ནི། མཁས་གྲུབ་སངས་རྒྱས་ཡེ་ཤེས། པཎ་ཆེན་བློ་བཟང་ཆོས་རྒྱན། མཁས་གྲུབ་བསྟན་པ་དར་རྒྱས། དཀའ་ཆེན་བསྟན་པའི་རྒྱལ་མཚན། ཡོངས་འཛིན་བསོད་ནམས་གྲགས་པ། སློབ་དཔོན་བློ་བཟང་རིག་གྲོལ། སློབ་དཔོན་བློ་བཟང་ཉི་མ། སློབ་དཔོན་ཡེ་ཤེས་རྒྱ་མཚོ། དཀའ་ཆེན་བློ་བཟང་རིན་ཆེན། ཡོངས་འཛིན་བློ་བཟང་བཟོད་པ། རྗེ་མཐའ་ཡས་རྒྱ་མཚོ། དགེ་སློང་ཡེ་ཤེས་མཐའ་ཡས། རྗེ་སྐལ་ལྡན་བསྟན་འཛིན། གུ་གེ་ཡོངས་འཛིན་བློ་བཟང་བསྟན་འཛིན། ཐུགས་སྲས་བློ་བཟང་བསྟན་འཛིན་དཔལ་འབྱོར། དཀའ་ཆེན་བློ་བཟང་དོན་གྲུབ། མང་ཐོས་བློ་བཟང་ཉི་མ། རྗེ་འཇམ་དབྱངས་འཕྲིན་ལས། བཀའ་འགྱུར་བ་ངག་དབང་མཁྱེན་རབ་བསྟན་པའི་དབང་ཕྱུག་དཔལ་བཟང་པོ། དེས་བདག་ལའོ། །དགེ་ལྡན་བསྟན་པ་རྒྱས་པའི་སྨོན་ལམ་གྲུབ་པའི་བདེ་ཚིག་གི་འགྲེལ་བ་ནི། ཁྲི་སྤྲུལ་གུང་ཐང་བསྟན་པའི་སྒྲོན་མེ། དཀོན་མཆོག་དབང་ཕྱུག རྗེ་དཀོན་མཆོག་དཔལ་འཛིན། རྗེ་ཤེས་རབ་རྒྱ་མཚོ། ཡོངས་འཛིན་བསྟན་པ་རྒྱ་མཚོ། དེས་བདག་ལའོ། །རྗེ་བདག་ཉིད་ཆེན་པོ་སོགས་ཀྱི་སྐུ་བརྙན་འགའ་ཞིག་གི་ལོ་རྒྱུས་ཚུང་ཟད་བརྗོད་པ་ཉན་པར་འོས་པའི་གཏན་གྱི་ཕྲེང་བ་ནི། འཇམ་དབྱངས་བླ་མ་ཤེས་རབ་རྒྱ་མཚོར། རྨེ་ཤུལ་མཆོག་སྤྲུལ་འཇམ་དབྱངས་ཚུལ་ཁྲིམས་དང་། ཐུའུ་ཀྭན་ཡོངས་འཛིན་བསྟན་པ་རྒྱ་མཚོ་གཉིས་ནས་བདག་གིས་སོ། །ལྷ་གཅིག་རྡོ་རྗེ་འཆང་དོན་གྲུབ་བསྟན་པའི་རྒྱལ་མཚན་གྱི་རྣམ་ཐར་ཚིགས་བཅད་མ་ནི། རྗེ་དོན་གྲུབ་བསྟན་པའི་རྒྱལ་མཚན། རྗེ་འཇམ་དབྱངས་འཕྲིན་ལས། ཀྵོ་སྤྲུལ་རིན་པོ་ཆེ་ངག་དབང་མཁྱེན་རབ་བསྟན་པའི་དབང་ཕྱུག་དཔལ་བཟང་པོའི་ཞལ་སྔ་ནས་བདག་གིས་སྐལ་བཟང་ཐོབ། དེའི་རྣམ་བཤད་ཚེ་འདིའི་སྣང་གཉིད་སངས་བྱེད་ཡིད་བཞིན་ནོར་བུ་ནི། རྗེ་འཇམ་དབྱངས་འཕྲིན་ལས། སྟག་ཕུ་ཡོངས་འཛིན་ཤག་སྐོར་སློབ་དཔོན་བློ་བཟང་སྨོན་ལམ་དཔལ་བཟང་པོ། དེས་བདག་ལའོ། །ལྷ་མོ་འོད་ཟེར་ཅན་མའི་སྒྲུབ་ཐབས་དང་འཁོར་ལོའི་ལས་ཚོགས་ཐུན་མོང་མ་ཡིན་པ་རྒྱ་ཅན་ནི། སྨིན་ཤོད་ངག་དབང་བསྟན་འཛིན་འཕྲིན་ལས་དཔལ་བཟང་པོ་ནས་རིམ་བཞིན་

སྣན་བརྒྱུད་མཛོད་འཛིན་རྗེ་འཇིགས་མེད་བསམ་གཏན་རྒྱ་མཚོའི་གསན་ཡིག་ལྟར། དེའི་དྲུང་ནས་ཆེ་ཤོས་མཆོག་སྤྲུལ་རིན་པོ་ཆེ་བློ་བཟང་བྱང་ཆུབ་བསྟན་པའི་སྒྲོན་མེ་དཔལ་བཟང་པོས་གདམས་ངག་སྨོ་སྐྱེལ་གྱི་ཚུལ་གྱིས་ཕྱག་དཔེ་དང་བཅས་ཏེ་གནང་བའི་སྐལ་བཟང་བདག་གིས་ཐོབ། དུས་གསུམ་སངས་རྒྱས་ཐམས་ཅད་ཀྱི་ངོ་བོ་རྒྱལ་བ་བློ་བཟང་གྲགས་པ་ལ་གསོལ་བ་འདེབས་པའི་སྨོན་ཚིག་བསམ་པ་ལྷུན་གྱིས་གྲུབ་པ་ནི། རྒྱལ་མཁན་པོ་གྲགས་པ་རྒྱལ་མཚན། རྗེ་བཙུན་ཤེས་རབ་རྒྱ་མཚོ། ཡོངས་འཛིན་གྲགས་པ་ཆོས་འཕེལ་དཔལ་བཟང་པོ། དེས་བདག་ལའོ། །དམིགས་བརྩེ་མའི་བེའུ་བུམ་ཁ་སྐོང་གསར་བསྒྲིགས་ཀྱི་བརྒྱུད་ཐོ་སྐལ་བཟང་སྙིང་ནོར་ཁོ་བོ་བསྟན་ཆོས་ཀྱིས་བྲིས་པ་ལགས། པོ་ཏི་ལྔའི་སྨོན་ལམ་ནི། ཀུན་མཁྱེན་འཇིགས་མེད་དབང་པོ། ཁྲི་གུང་ཐང་དཀོན་མཆོག་བསྟན་པའི་སྒྲོན་མེ་དཔལ་བཟང་པོ། དེ་གཉིས་ཀ་ལས་རྒྱལ་མཁན་པོ་གྲགས་པ་རྒྱལ་མཚན། རྗེ་ཤེས་རབ་རྒྱ་མཚོ། མཁན་སྤྲུལ་རིན་པོ་ཆེ་བློ་བཟང་ཚུལ་ཁྲིམས་རྒྱ་མཚོ་དཔལ་བཟང་པོ། དེས་བདག་ལའོ། །རྗེ་བླ་མའི་བསྟན་པ་དང་ཚེ་རབས་ཀུན་ཏུ་མི་འབྲལ་བའི་སྨོན་ཚིག་ནི། པཎ་ཆེན་དཔལ་ལྡན་ཡེ་ཤེས་དཔལ་བཟང་པོ། ཕྱག་མཛོད་མཁན་པོ་བློ་བཟང་མཁས་མཆོག མང་ཐོས་བློ་བཟང་ཚུལ་ཁྲིམས། ཁྱབ་བདག་བདེ་བའི་རྡོ་རྗེ། ཁྲི་ཆེན་ངག་དབང་ཆོས་འཕེལ། མཁན་ཟུར་བློ་བཟང་ཚུལ་ཁྲིམས། ཡོངས་འཛིན་ཡེ་ཤེས་རྒྱ་མཚོ། རྗེ་བསྐལ་བཟང་མཁས་གྲུབ། ཤར་ཆེན་ངག་དབང་ཚུལ་ཁྲིམས། རྗེ་བཙུན་ངག་དབང་མཁྱེན་རབ་བསྟན་པའི་དབང་ཕྱུག དེས་བདག་ལའོ། །དམ་པའི་བཀའ་དྲིན་དྲན་པའི་སྨོན་ཚིག་ལེགས་ཚོགས་ལྷུན་གྲུབ་ནི་མཛད་པ་པོ་སྐྱོ་སྤྲུལ་རིན་པོ་ཆེ་ངག་དབང་མཁྱེན་རབ་བསྟན་པའི་དབང་ཕྱུག་དཔལ་བཟང་པོ། དེས་བདག་ལའོ། །རྗེ་རིན་པོ་ཆེའི་བསྟན་པ་དང་མཇལ་བའི་སྨོན་ལམ་མདོར་བསྡུས་མཁྱེན་བརྩེའི་འདྲེན་ལྡན་ནི། སྐྱབས་མགོན་ཐམས་ཅད་མཁྱེན་པ་རྗེ་བཙུན་ངག་དབང་བློ་བཟང་ཐུབ་བསྟན་རྒྱ་མཚོ་དཔལ་བཟང་པོ། དེས་བདག་ལའོ། །རྗེ་བླ་མའི་བསྟན་པ་དང་མཇལ་བའི་སྨོན་ཚིག་ནི། དཔལ་མང་དཀོན་མཆོག་རྒྱལ་མཚན། ཡོངས་འཛིན་བསྟན་པ་རྒྱ་མཚོ་དཔལ་བཟང་པོ། དེས་བདག་ལའོ། །སྤར་བྱང་སྨོན་ཚིག་ཁོ་བོ་བསྟན་པ་ཆོས་འཕེལ་ནས་སྦྱེལ་བ་ལགས། དམིགས་བརྩེ་མའི་བེའུ་བུམ་སྔད་ཆ་གསར་བསྒྲིགས་སྐབས་སྤར་མ་འཁོད་པ་ཕྱིས་སུ

སྤྱར་གསར་བཀོས་བྱས་གྲུས་པོད་ཕྱི་མ་གཉིས་ཀྱི་དཀར་ཆག་ཏུ་མི་གསལ་པ་ནི། བ་སོ་བ་ལ་ཚོགས་བརྒྱུད་དུ་གནང་བའི་བླ་མའི་རྣལ་འབྱོར་ནི། རྗེ་རིན་པོ་ཆེ་ནས་བ་སོ་ཆོས་རྗེ། བར་ནས་མ་ཉེད། དེ་ནས་པཎ་ཆེན་བློ་བཟང་ཡེ་ཤེས། པད་དཀར་འཛིན་པ་ངག་དབང་ཡེ་ཤེས་རྒྱ་མཚོ། ཡོངས་འཛིན་བློ་བཟང་བཟོད་པ། དགེ་སློང་ཡེ་ཤེས་མཐའ་ཡས། ཐབས་མཁས་རྒྱ་མཚོ། ཀླུ་སྒྲུབ་རྒྱ་མཚོ། གྲུབ་དབང་སློང་རྡོལ་བླ་མ་ངག་དབང་བློ་བཟང་། དེ་ནས་ཡོངས་འཛིན་ངག་དབང་ཆོས་འབྱོར། རྭ་སྒྲེང་རྡོ་རྗེ་འཆང་བློ་བཟང་ཡེ་ཤེས་བསྟན་པ་རབ་རྒྱས། རྗེ་སྐལ་བཟང་མཁས་གྲུབ། ཡོངས་འཛིན་ཡེ་ཤེས་རྒྱ་མཚོ་བཤེས་གཉེན་ཆེན་པོ་བློ་བཟང་རྣམ་རྒྱལ། ཡོངས་འཛིན་དགེ་འདུན་བརྒྱ་མཚོ། རྡོ་རྗེ་འཆང་ཕྱོ་བ་སྤྲུལ་སྐུ་ངག་དབང་མཁྱེན་རབ་བསྟན་པའི་དབང་ཕྱུག་དཔལ་བཟང་པོའི་ཞལ་སྔ་ནས་བདག་གིས་སྐལ་བཟང་ཐོབ། རྒྱལ་བ་བློ་བཟང་གྲགས་པ་ལ་གསོལ་བ་འདེབས་པའི་གདམས་པ་རྒྱ་མཚོ་ལྷ་བུའི་སྙིང་པོ་བསྡུས་པའི་བླ་མའི་རྣལ་འབྱོར་ཉམས་སུ་ལེན་ཚུལ་ཞེས་བྱ་བ་རྒྱལ་བ་དབེན་ས་པ་བློ་བཟང་དོན་གྲུབ། མཁས་གྲུབ་སངས་རྒྱས་ཡེ་ཤེས། པཎ་ཆེན་བློ་བཟང་ཆོས་རྒྱན། ཞབས་དྲུང་བསྟན་པ་དར་རྒྱས། རྗེ་བློ་བཟང་བྱམས་པ། རྗེ་ཆོས་རྒྱ་མཚོ། དཀའ་ཆེན་བློ་བཟང་ཚེ་རིང་། དགེ་སློང་ཚེ་དབང་། དགེ་སློང་བློ་བཟང་མཁས་གྲུབ། རྗེ་བློ་བཟང་ཤེས་རབ། ཡོངས་འཛིན་བློ་བཟང་བཟོད་པ། མང་ཐོས་བློ་བཟང་བསམ་གཏན། ཡོངས་འཛིན་བློ་བཟང་ཚུལ་ཁྲིམས། ཤར་རྩེ་ཡེ་ཤེས་བཀྲ་ཤིས། ཤར་རྩེ་བློ་བཟང་ཡོན་ཏན། རྗེ་དགེ་འདུན་དར་རྒྱས། རྗེ་སྐལ་བཟང་མཁས་གྲུབ། ཡོངས་འཛིན་ཡེ་ཤེས་རྒྱ་མཚོ། བཤེས་གཉེན་ཡེ་ཤེས་ཉི་མ། ཤར་ཆེན་ངག་དབང་ཚུལ་ཁྲིམས། ཕྱོ་སྤྲུལ་རིན་པོ་ཆེ་ངག་དབང་མཁྱེན་རབ་བསྟན་པའི་དབང་ཕྱུག་དཔལ་བཟང་པོ། དེས་བདག་ལའོ། །དབེན་ས་པ་ཆེན་པོས་མཛད་པའི་གཏེར་དུང་ལོ་རྒྱུས་ཞེས་གསལ་བ་འདིའི་དཔེ་མ་ཉེད་པའི་དོད་ལྷ་བུར་ཆོས་དུང་ཡིད་བཞིན་ནོར་བུའི་ལོ་རྒྱུས་ཆོས་ཀྱི་སྒྲ་དབྱངས་ཞེས་བྱ་བ་དང་། རྒྱལ་བའི་དབང་པོ་ཐམས་ཅད་མཁྱེན་ཅིང་གཟིགས་པ་ཆེན་པོ་བླ་མའི་རྣལ་འབྱོར་བྱིན་རླབས་མྱུར་འཇུག་ཅེས་བྱ་བ་དང་། ཟབ་ཀྱི་རྣལ་འབྱོར་འཁྱེར་བདེ་བ། མཉྫལ་འབུལ་ཚུལ་སྙིང་པོ་བསྡུས་པ། དབང་བསྡུས་འཁོར་ལོ་སྒྲུབ་ཚུལ་བཅས་ཁོ་པོ་བསྟན་ཆོས་ནས་བྲིས། རིགས་གསུམ་སྤྱི་སྒྲུབ་ཀྱི་བླ་མའི་རྣལ་འབྱོར་འཇམ་མགོན་ཐུགས་

རྗེའི་ཆར་རྒྱུན་བསྐུལ་བྱེད་སྤྲིན་གྱི་སྒྲ་དབྱངས་ནི། ཡོངས་འཛིན་ཡེ་ཤེས་རྒྱལ་མཚན། དབུ་མཛད་བློ་བཟང་ཆོས་འཕྲོར། ཧོ་བླ་མ་བློ་བཟང་བསྟན་པའི་དངོས་གྲུབ། སྤྲུལ་སྐུ་བློ་བཟང་ཚུལ་ཁྲིམས་རྒྱ་མཚོ། སྤྲུལ་སྐུ་ཐུབ་བསྟན་རྒྱ་མཚོ། གྲྭ་སྒོམ་དཀོན་མཆོག་བསྟན་པ་རབ་རྒྱས། ཡོངས་འཛིན་ཡེ་ཤེས་རྒྱ་མཚོ། ཕུར་ལྕོག་ཡོངས་འཛིན་བློ་བཟང་ཚུལ་ཁྲིམས་བྱམས་པ་རྒྱ་མཚོ། བཤེས་གཉེན་ཡེ་ཤེས་ཉི་མ། ཤར་ཆེན་ངག་དབང་ཚུལ་ཁྲིམས། རྗེ་ལྷོ་སྤྲུལ་ངག་དབང་མཁྱེན་རབ་བསྟན་པའི་དབང་ཕྱུག བྲག་རི་རྡོ་རྗེ་འཆང་བློ་བཟང་ཐུབ་བསྟན་རྣམ་རྒྱལ་དཔལ་བཟང་པོའི་ཞལ་སྔ་ནས་བདག་ལ་བཀའ་དྲིན་དུ་སྩལ་བའི་སྐལ་བཟང་ཐོབ། བླ་མའི་རྣལ་འབྱོར་ལ་བརྟེན་པའི་ཆར་འབེབས་དང་། ཐོག་སེར་བསྲུང་བ་ཀླུང་གི་འཛིགས་པ་སད་དང་ཕྱུགས་ཀྱི་ནད་ཡམས་སོགས་ཞི་བའི་གསོལ་འདེབས་འགྲོ་ཀུན་བདེ་སྐྱིད་རབ་རྒྱས་ནི། བཞི་སྡེ་སྐྱུང་གནས་བླ་མ་རིན་པོ་ཆེ་སློབ་དཔོན་ཡེ་ཤེས་བཟང་པོ། དེས་བཀའ་འགྱུར་བ་ངག་དབང་མཁྱེན་རབ་བསྟན་པའི་དབང་ཕྱུག ཡོངས་འཛིན་ཤག་སྐོར་སློབ་དཔོན་བློ་བཟང་སྨོན་ལམ་དཔལ་བཟང་པོ། དེས་བདག་ལའོ། །ཟབ་ལམ་བླ་མའི་རྣལ་འབྱོར་ལ་བརྟེན་པའི་ཤྭ་འོད་ཆུ་བསྒྱུར་ནག་འགྲོས་སུ་བཀོད་པ་གསེར་གྱི་ལྷུན་པོ། ཆོས་ཀྱི་གནས་ལུགས་མཐར་ཐུག་གཏན་ལ་དབབ་པ་ཀླུ་སྒྲུབ་ཡབ་སྲས་གཞུང་ལ་སློབ་གཉེར་འཕེལ་སླད་དུ་དབུ་མ་ཆེན་མོའི་མཆོད་བརྗོད་གསོལ་འདེབས་བྱིན་རླབས་ཅན་གྱི་དགོངས་འགྲེལ་དམ་པའི་ཕྱག་ལེན་བློ་གྲོས་པདྨ་རྒྱས་བྱེད་དང་། དཀར་ཆག་བཅས་ཕྱོགས་བསྒྲིགས་བྱེད་པ་པོ་སྒོ་སློབ་དཔོན་བསྟན་ཆོས་ནས་སྤེལ་བ་བཅས་བཞུགས་སོ། །ཤྭ་སེར་བསྟན་པའི་སྙན་བརྒྱུད་ཡོངས་སྤེལ་དགོས། །ཤྭ་སེར་བསྟན་འཛིན་གཙུག་རྒྱན་ཐམས་ཅད་མཁྱེན། །ཤྭ་སེར་བསྟན་པའི་མགོན་དུ་ཞབས་པད་བརྟན། །ཤྭ་སེར་བསྟན་པས་ས་སྟེང་ཁྱབ་གྱུར་ཅིག། །།འདིར་དོགས་སེལ་གྱི་མཆན་བུ་དགོད་པ་ནི། ཐོ་ཡོན་བླ་མ་རིན་པོ་ཆེ་ཡབ་སྲས་ཀྱིས་ཕྱོགས་བསྒྲིགས་མཛད་པའི་དམིགས་བརྩེ་མའི་ལེའུ་བུམ་དུ་མ་ཆུད་པའི་ཆོས་ཚན་དུ་མ་ཞིག་ཡོད་པར་བརྟེན། རྗེ་བླ་མ་སྙིགས་དུས་ཀྱི་བསྟན་པའི་སྲོག་ཤིང་མཁན་ཆེན་རྡོ་རྗེ་འཆང་རྗེ་བཙུན་བཀའ་འགྱུར་བ་ཆེན་པོ་མཁྱེན་རབ་བསྟན་པ་ཆོས་འཕེལ་དཔལ་བཟང་པོས་ཁ་སྐོང་གསར་བསྒྲིགས་མཛད་པ་འདི་ལ་ལུང་རྒྱུན་རྣམ་དག་དང་ལྡན་པའི་ཆོས་ཚན་ཅི་རྙེད་རིམ་ཟུར་དུ་སྤར་དུ་བསྐྲུན་པ་སོང་གཤིས་གོ་རིམ་ངེས་

ངེས་མེད་པ་ལ་སྣང་བ་རིམ་ངེས་ཅན་ཞིག་དང་། དེ་མཐུན་གྱི་བརྒྱུད་རིམ་རྒྱས་པ་ཞིག་སྤེལ་བའི་ཐུགས་འདུན་མཛད་ཀྱང་སྙིགས་མའི་སྐྱེ་བོའི་ལེགས་བྱས་ཀྱི་མཐུ་ཆེ་ཆེར་དམན་པར་བརྟེན། རྗེ་བླ་མ་འདི་ཉིད་རིང་མིན་ཆོས་དབྱིངས་སུ་གཤེགས་པའི་དབང་གིས་གསན་ཡིག་རྙིང་བའི་མ་ཕྱིར་གང་ཡོད་དྲིས་པ་ཡིན་ལ། བརྒྱུད་རིམ་འགའ་ཞིག་ལ་ཚུང་ཟད་ཐེ་ཚོམ་པ་སོ་སོའི་ཐད་དུ་མཆན་བུར་གསལ་བ་ལྟར་དང་། ཁྲི་རྒྱ་ནག་པའི་སྤྲུལ་སྐུ་བློ་བཟང་བསྟན་པའི་ཉི་མའི་གསུང་ལེ་ཚན་གསུམ་ལྟ་བུ་གསན་རྒྱུན་རྣམ་དག་ཡིན་ཀྱང་གསན་ཡུལ་སོ་སོའི་བརྒྱུད་ཐོ་ཕྱོགས་འདིར་མ་བསྟམས་པའི་དབང་གིས་བར་གྱི་བརྒྱུད་རིམ་རྣམས་འདྲི་རྒྱུ་མ་རྙེད་པའང་ཡོད་ལ། སྐྱབས་རྗེ་མཁན་ཆེན་རིན་པོ་ཆེའི་གསུང་རྩོམ་གང་ཡོད་སོ་སོའི་ཐད་དུ་ཞལ་གསལ་འཁོད་པ་རྣམས་ནི། རྗེ་བླ་མའི་དྲུང་ནས་བདག་ཅག་རྣམས་ཀྱིས་དངོས་སུ་ནོས་པ་ལགས་སོ། ། ། ། སརྦ་མཾ་ག་ལཾ། ཐུབ་བསྟན་གསེར་གྱི་ཤིང་རྟ་འོད་འབར་བ། །གང་གི་བཤད་སྒྲུབ་དཔུང་པས་བདེ་བླག་ཏུ། །མི་ཉམས་འདེགས་པར་བཟོད་པའི་ས་སྲུང་བུ། །འགྲོ་བའི་བླ་མ་གཙུག་ན་རྒྱལ་སྲུར་ཅིག །སྒྲ་དབྱངས་སྒྲོགས་པའི་སྲས་དང་ནོར་བཟང་གིས། །དཀའ་བ་དུམས་དམ་ཆོས་བཙལ་བ་བཞིན། །རྗེ་བཙུན་འདིས་ཀྱང་ཤར་ཕྱོགས་མཐའ་ཡི་བར། །བརྟན་པ་དྲག་པོས་ཆོས་ཀྱི་བདུད་རྩི་བཞེས། །ཁྱད་པར་རྒྱལ་བ་གཉིས་པ་ཙོང་ཁ་པ། །རིགས་གསུམ་གཅིག་བསྡུས་ངོ་བོར་གསོལ་འདེབས་པའི། །གདམས་པ་རིན་ཆེན་དབང་གི་རྒྱལ་པོ་ནི། །ཚོལ་བས་ངོམས་པ་མེད་པའི་བརྟུལ་ཞུགས་བརྟན། །སྟུག་པའི་བུ་ལ་མ་ཡིས་ཇི་ལྟར་བར། །བརྩེ་བའི་ཐུགས་ཀྱིས་བདག་སོགས་ལྷ་བདོའི་འགྲོར། །བྱིན་རླབས་གྲུབ་གཉིས་གཏེར་མཛོད་འདི་བཟུང་ཞེས། །གདམས་ནས་ཡིད་དགའ་ཆོས་འཛིན་ཞིང་དུ་གཤེགས། །དེ་ཚེ་དགའ་སྐྱོ་སྤེལ་མའི་ཐང་ཆེན་དཀྲུགས། །བློ་གྲོས་གོམ་གྱིས་གཞལ་བས་རབ་ངལ་ནས། །སྒྲུད་པའི་ཚུལ་ལ་ཡིད་ཀྱི་རི་མོ་རྣམས། །ཅི་བྱ་གཏོལ་མེད་ངང་དུ་རིང་ཞིག་ལུས། །འོན་ཀྱང་མགོན་དེའི་ཐུགས་རྗེས་ལེགས་བྱས་ཤེས། །བདག་ཅག་རྣམས་ལ་བགོ་སྐལ་སྟོལ་བ་གང་། །འདི་ནི་ལེགས་ཚོགས་ཀུན་གྱི་རྒྱུ་གཅིག་པུར། །རིག་ནས་ཆ་ཤས་རྫོགས་པར་དེང་འདིར་གྲུབ། །འདི་ཉིད་མི་ནུབ་རིང་དུ་གནས་པ་དང་། །དགོས་པ་གཞན་ཡང་གཟིགས་ཏེ་སྐྱབས་ཀྱི་མཆོག །ངག་དབང་གསུང་རབ་མཐུ་ཐོབ་བསྟན་རྒྱན་ཞེས། །དེས་ཚིག་ལྷན་དེས

བསྐུལ་ནས་སྤར་དུ་བསྒྲུན། །འདི་ཡི་དགེ་བས་མཁའ་མཉམ་འགྲོ་བ་ཀུན། །བློ་བཟང་རྒྱལ་བའི་བསྟན་དང་མི་འབྲལ་ཞིང་། །མདོ་སྔགས་ལམ་བཟང་མཆོག་གིས་སྐུ་བཞིའི་སར། །མྱུར་བ་མྱུར་བར་བགྲོད་པའི་མཐུ་ཐོབ་ཤོག །ཡངས་པའི་རྒྱལ་ཁམས་སྤྱི་དང་གངས་ལྗོངས་འདིར། །མི་ཤེས་མཚན་ངན་མིང་ཡང་མི་གྲགས་ཤིང་། །སྡེ་བཞིའི་དཔལ་འབྱོར་མཐའ་དག་དབྱར་མཚོ་ལྟར། །གོང་ནས་གོང་དུ་འཕེལ་བ་ཉིད་གྱུར་ཅིག །ཁྱད་པར་ཐུབ་བསྟན་ཡོངས་སུ་རྫོགས་པའི་གནད། །ཚང་ལ་མ་ནོར་སུ་རྙིས་བཞེད་པའི་སྲོལ། །མཆིས་སོ་འཚོལ་དང་གདམས་མཆོག་རིན་ཆེན་འདི། །ཕྱོགས་དུས་ཀུན་ཏུ་དར་ཞིང་རྒྱས་གྱུར་ཅིག །ཅེས་བདག་ཅག་གི་དཔལ་ལྡན་བླ་མ་དམ་པ་ཡོངས་རྫོགས་བསྟན་པའི་མངའ་བདག་མཁན་ཆེན་རྡོ་རྗེ་འཆང་མཁྱེན་རབ་བསྟན་པ་ཆོས་འཕེལ་དཔལ་བཟང་པོས། ཐོ་ཡོན་བླ་མ་ཡབ་སྲས་ཀྱིས་ཕྱོགས་བསྒྲིགས་མཛད་པའི་དམིགས་བརྩེ་མའི་བེའུ་བུམ་གྱི་ཁ་སྐོང་པོད་གཉིས་གསར་བསྒྲིགས་མཛད་པ་བཅས་ཕྱོན་བསྒྲིལ་པོད་གསུམ་ཆོས་མཛད་དགེ་འདུན་ལྷུན་གྲུབ་ཤག་ཚང་ནས་ཐལ་ཆེར་སྤར་དུ་བསྒྲུབས་ཟིན་ཀྱང་ཁ་སྐོང་གསར་བསྒྲིགས་ཀྱི་བརྒྱུད་ཐོ་འདི་ཉིད་རྐྱེན་འགའ་ཞིག་ལ་བརྟེན་ནས་རིམ་ལུས་སུ་སོང་བ་གཙོ་ཆེར་བླ་མའི་ཐུགས་དགོངས་རྫོགས་པ་དང་། །གདམས་པ་རིན་པོ་ཆེ་འདི་ཉིད་ཆུ་འགོ་གངས་ལ་ཐུག་པ་ལྟར་དམ་པ་བར་མ་ཆད་པའི་བརྒྱུད་པ་རྣམ་དག་དང་ལྡན་པར་ཡིད་རྟོན་པའི་གནས་སུ་གྱུར་ཕྱིར་སྤར་དུ་བསྒྲུབས་པ་ཞིག་བྱུང་ན་ལེགས་ཞེས་འཆད་རྩོད་རྩོམ་གསུམ་གྱི་སྒོ་ནས་རྒྱལ་བའི་བསྟན་པ་འཛིན་པ་ལ་གཞན་དང་མི་མཉམ་པའི་མཁྱེན་རབ་ཅན་སྟག་བྲག་མཆོག་སྤྲུལ་ངག་དབང་གསུང་རབ་མཐུ་ཐོབ་བསྟན་པའི་རྒྱལ་མཚན་དཔལ་བཟང་པོའི་བཀས་བསྐུལ་ནས་སྦྱོ་རེད་ཐུ་ཤོག་བཀའ་འགྱུར་བླ་མའི་ཕྱག་མཛོད་དཀའ་བཅུ་བསྐལ་བཟང་རྒྱལ་མཚན་དང་། ཁལ་ཁ་ཆེ་ཆེང་ཧང་ཤོག་གསོ་རིག་འཛིན་པ་རབ་འབྱམས་པ་བློ་བཟང་བསྟན་འཕེལ་གཉིས་ནས་སྤར་དུ་བསྒྲུབས་སྐབས་བདག་ལའང་ཁྱེད་རང་ནས་རྒྱུས་ཡོད་ཀྱིས་གསལ་ཡིག་འདིར་ཞུ་དག་དང་། མཇུག་དགེ་བའི་མཐའ་རྒྱན་དང་བཅས་པ་ཞིག་གྱིས་ཤིག་ཅེས་པའི་བཀའ་ལུང་སྤྱི་བོར་ཕེབས་པ་བཞིན་བླ་མ་ཡབ་སྲས་ཀྱི་ཞབས་པད་ཡང་ཡང་བསྟེན་པའི་བཀའ་དྲིན་གྱིས་འཚོ་བ་བསྟན་པའི་རྒྱལ་མཚན་དུ་འབོད་པས་སུག་བྲིས་སུ་བགྱིས་པ་འདིས་ཀྱང་གདམས་པ་རིན་པོ་ཆེ་འདི་ཉིད་སྒོ་ཀུན་ནས་དར་ཞིང་

རྒྱས་པར་གྱུར་ཅིག། །། ཨོཾ་ཡེ་དྷརྨཱ་ཧེ་ཏུ་པྲ་བྷ་ཝཱ་ཧེ་ཏུནྟེ་ཥཱན་ཏ་ཐཱ་ག་ཏོ་ཧྱ་ཝ་དཏ། ཏེ་ཥཱཉྩ་ཡོ་ནི་རོ་དྷ་ཨེ་ཝཾ་བཱ་དཱི་མ་ཧཱ་ཤྲ་མ་ཎཿ་ཡེ་སྭཱཧཱ། །

ཚད་བྱུང་རྣམ་ཐར་གཙང་མའི་ཁྲིམས་བརྟེན་ལྡན། །ལྷབས་ཆེན་རྒྱལ་སྲས་སྤྱོད་པའི་སྙིང་སྟོབས་ཆེ། །བདེ་སྟོང་མཆོག་གི་རིམ་གཉིས་རྣལ་འབྱོར་སྤྱོད། །བློ་བཟང་རྒྱལ་བའི་བསྟན་དང་འཛལ་བར་ཤོག། །མངྒ་ལཾ།། །།

༄༅། །དགའ་ལྡན་ལྷ་བརྒྱ་མའི་མཇུག་ཏུ་འདོན་རྒྱུའི་འདོད་གསོལ་སྨོན་ལམ་བཞུགས་སོ།

༄། །དེ་ལྟར་མཁའ་དབྱིངས་ཆུ་འཛིན་དཀར་པོའི་དབུས། །རྗེ་བཙུན་བླ་མ་ཡབ་སྲས་ལེགས་བསྙམས་ནས། །ཤུགས་དྲག་གདུང་བའི་ཡིད་ཀྱིས་གསོལ་བཏབ་མཐུས། །སྙིང་སྙིང་ནས་པའི་མུན་པ་དྭངས་ནས་འབྱིན་པར་ཤོག །གསུང་རབ་ཀུན་ལ་གཏུགས་པ་མེད་འཇུག་ཅིང་། །དཀའ་བའི་གནད་ཀུན་འབྱེད་ལ་བློ་དང་བྲལ། །མ་རྟོགས་ལོག་རྟོག་ཐེ་ཚོམ་སྒྲུར་གཅོད་པའི། །ཟབ་གསལ་སྨྲ་བའི་ཤེས་རབ་བདག་ལ་སྩོལ། །གང་ཞིག་བརྟག་ཅིང་དཔྱད་པའི་ཆོས་རྣམས་ཀུན། །མི་བརྗེད་བསྐལ་བའི་བར་དུ་འཛིན་ནུས་པའི། །ཚིག་དང་དོན་གྱི་གཟུངས་མཆོག་བླ་མེད་པ། །བདག་གི་ཡིད་ལ་དེ་རིང་འགྲུབ་པར་མཛོད། །རྒྱལ་བའི་ཡུམ་ཆེན་མདོན་རྟོགས་རྒྱན་ལ་སོགས། །ཤེས་རབ་ཕ་རོལ་ཕྱིན་གཞུང་རྒྱ་མཚོ་ཡི། །དགོངས་དོན་ཇི་བཞིན་སྨྲ་ལ་འཕགས་སེང་ལྟར། །བློ་བྲལ་མཁས་པའི་གོ་འཕང་ཐོབ་པར་ཤོག །ཤིང་རྟ་ཆེན་པོ་ཀླུ་སྒྲུབ་ཡབ་སྲས་ཀྱི། །དྲི་མེད་གསུང་རབ་རྩ་འཇུག་བཞི་གསུམ་སོགས། །དབུ་མའི་གཞུང་ལ་ཡིད་དཔྱོད་ཙམ་མིན་པར། །ཚད་མའི་སྟོབས་ཀྱིས་ངེས་པ་རྙེད་པར་ཤོག །གཞི་ལྡའི་རང་སྤྱིའི་མཚན་ཉིད་ཀུན་སྟོན་པའི། །ཐོགས་མེད་སྐྱུ་མཆེད་ཞབས་ཀྱི་གཞུང་ལུགས་ལ། །ངེས་པ་གཏིང་ནས་རྙེད་པའི་ལུང་རིགས་ཀྱིས། །ཆོས་མངོན་རྒྱ་མཚོའི་ཕ་རོལ་སོན་པར་ཤོག །བསྟན་པ་ཕོན་ཐར་འདོད་འཇུག་ངོགས་སུ། །སྒྲུབ་བྱེད་ཚད་མ་སྡེ་བདུན་མདོ་དང་བཅས། །ཇི་བཞིན་ཁོང་དུ་ཆུད་ནས་རྒོལ་བ་ཀུན། །གཞོམ་ལ་སྨྲ་བའི་ཁྱུ་མཆོག་ཐོབ་པར་ཤོག །ཐར་བའི་གྲོང་དུ་བགྲོད་པའི་འཇུག་ངོགས་མཆོག །བསྟན་པའི་རྩ་བ་འདུལ་བ་འབུམ་སྡེའི་གཞུང་། །ཐུབ་གསུང་དགོངས་འགྲེལ་བཅས་ཀུན་རྟོགས་གྱུར་ནས། །བག་ཡོད་སྤྱོད་པས་རྟག་ཏུ་འཚོ་བར་ཤོག །ལོག་སྨྲ་ཚར་གཅོད་སྒྲ་དང་ཚད་མ་

དང་། །སྐལ་ལྡན་རྗེས་འཛིན་བཟོ་གསོ་སྨན་དངགས་སོགས། །མ་ལུས་མཁས་པའི་དགའ་སྟོན་རིག་གནས་ཀུན། །ཇི་བཞིན་སྒྲུབ་འཇམ་དབྱངས་ལྷ་བུར་ཤོག །མདོར་ན་ཐུབ་པའི་གསུང་རབ་ཐམས་ཅད་དང་། །ཤིང་རྟ་ཆེན་པོ་རྒྱན་དྲུག་མཆོག་གཉིས་ཀྱི། །རབ་འབྱམས་གཞུང་ལ་བློ་གྲོས་བྱང་གྱུར་ནས། །བཤད་སྒྲུབ་བསྟན་པའི་རྒྱལ་མཚན་འཛིན་པར་ཤོག། བདག་གིས་བྱང་ཆུབ་སྒྲུབ་ལ་བར་གཅོད་པའི། །འགལ་རྐྱེན་ནད་རིམས་གདོན་བགེགས་ཐམས་ཅད་དང་། །ཁྱད་པར་སྙིང་ཁམས་དཀྲུགས་པའི་ནད་རིགས་སོགས། །ཁྱོད་ཞབས་དྲན་པར་མྱུར་དུ་ཞི་བར་མཛོད། །ཚེ་ཡི་འདུ་བྱེད་གཏོང་ཚེ་གནད་གཅོད་དང་། །བར་དོ་གཤིན་རྗེའི་འཇིགས་སྐྲག་ཀུན་ཞི་ནས། །དགའ་ལྡན་མཁའ་སྤྱོད་ཆོས་ཀྱི་ཕོ་བྲང་དུ། །སྐྱེས་ནས་འཇམ་མགོན་ཡབ་སྲས་ཞལ་མཐོང་ཤོག །མགོན་ཁྱོད་ཟད་བྱུང་བཀོད་པར་སངས་རྒྱས་ཚེ། །འཁོར་གྱི་ཐོག་མར་གྱུར་ཏེ་རྒྱལ་སྲས་ཀྱི། །ཐབས་མཁས་སྤྱོད་པ་མ་ལུས་མཐར་ཕྱིན་ནས། །རྒྱལ་བ་སེང་གེའི་ང་རོ་ལྟར་གྱུར་ཅིག །ཅེས་དགའ་ལྡན་ལྷ་བརྒྱ་མའི་མཇུག་ཏུ་འདོན་རྒྱུའི་འདོད་གསོལ་སྨོན་ལམ་འདི་ལྟ་བུ་ཞིག་དགོས་ཞེས་དཀའ་བཅུ་སྒྲ་བློ་བཟང་རིན་ཆེན་དང་། ཆོས་མཛད་པ་འཇམ་དབྱངས་དབང་ཕྱུག་དང་། སྐྱོར་དཔོན་རབ་འབྱམས་པ་བློ་བཟང་སྦྱིན་པ། དྲུང་ཡིག་པ་དགེ་སློང་བསོད་ནམས་ལྷུན་ཚོགས། དགེ་ཚུལ་ནམ་མཁའ་དོན་གྲུབ་རྣམས་ཀྱིས་ནན་ཏན་ཆེན་པོས་གསོལ་བ་བཏབ་པའི་ངོར་ཤཱཀྱའི་དགེ་སློང་ཞྭ་སེར་ཅན་པན་འཛིན་པ་དཀོན་མཆོག་འཇིགས་མེད་དབང་པོ་ཡེ་ཤེས་བརྩོན་འགྲུས་གྲགས་པའི་སྡེས་ཆོས་གྲྭ་ཆེན་པོ་བཀྲ་ཤིས་འཁྱིལ་དུ་སྦྱར་བའི་ཡི་གེ་པ་ནི་བསྐུལ་བ་པོ་དྲུང་ཡིག་དགེ་སློང་བསོད་ནམས་ལྷུན་ཚོགས་སོ། །མངྒ་ལཾ། །༈།།

༄༅། །རྗེ་བླ་མའི་བསྟན་པ་དང་ཚེ་རབས་ཀུན་ཏུ་མི་འབྲལ་བའི་སྨོན་ཚིག་བཞུགས་སོ།

༄༅། །ཨོཾ་སྭ་སྟི། རྒྱལ་བ་སྲས་བཅས་ཀུན་གྱི་མཁྱེན་དང་བརྩེ། །གཅིག་ཏུ་བསྡུས་པའི་དམར་སེར་ཟུར་ཕུད་ཅན། །ངུར་སྨིག་གོས་ཀྱིས་ལྷུབས་པའི་མཚན་དཔེའི་སྤྲ། །རབ་འབར་འཇམ་མགོན་བླ་མས་བདག་ལ་སྐྱོངས། །མགོན་པོ་ཁྱོད་ཀྱི་ཆོས་དང་ལོངས་སྤྱོད་རྫོགས། །སྤྲུལ་སྐུར་བཅས་པའི་བྱིན་རླབས་མ་ལུས་པ། །བདག་གི་སྙིང་ལ་ཡོངས་སུ་འདྲེས་པ་ཡིས། །བྱིན་བརླབས་དགའ་སྟོན་ཅིར་ཡང་སྩོལ་དུ་གསོལ། །ཁྱོད་ཀྱི་བསྟན་པ་དྲི་མ་མེད་པའི་ལམ། །སྙིང་པོ་མདོ་སྔགས་ཀུན་གྱིས་གནད་བསྡུས་པ། །འདི་དང་ཚེ་རབས་ཀུན་ཏུ་མི་འབྲལ་ཞིང་། །ཐོས་བསམ་སྒོམ་པའི་བྱ་བས་འདའ་བར་ཤོག །ངེས་འབྱུང་བྱང་སེམས་ཡང་དག་ལྟ་བ་དང་། །བསྐྱེད་དང་རྫོགས་པའི་ལམ་གྱི་རིམ་པའི་གནད། །ཉམས་སུ་ལེན་པའི་རླུང་སེམས་དབྱེར་མེད་ཁམས། །མཚན་དཔེས་སྤྲས་པའི་སྐུ་རུ་ལྡང་བར་ཤོག །ནམ་མཁའ་མཉམ་པའི་འགྲོ་བ་མཐའ་དག་ལ། །བྱམས་པ་བཟང་དང་དཔག་བསམ་ཡིད་བཞིན་ནོར། །ཇི་བཞིན་འགྲོ་བ་ཀུན་ལ་འཇམ་པའི་དབྱངས། །བསྟན་པའི་དགོས་འདོད་ཅི་དགར་སྟེར་བར་ཤོག །ཆད་བྱུང་སྲས་བཅས་རྒྱལ་བའི་བྱིན་རླབས་དང་། །རྟེན་འབྲེལ་བསླུ་བ་མེད་པའི་བདེན་པ་དང་། །བདག་གི་ལྷག་བསམ་དག་པའི་མཐུ་སྟོབས་ཀྱིས། །རྣམ་དག་སྨོན་པའི་གནས་ཀུན་འགྲུབ་པར་ཤོག །ཅེས་རྗེ་བཙུན་བླ་མ་བློ་བཟང་གྲགས་པའི་དཔལ་གྱི་བསྟན་པ་དང་། ཚེ་རབས་ཀུན་ཏུ་མི་འབྲལ་བའི་སྨོན་ཚིག་འདི་ལྟ་བུ་ཞིག་དགོས་ཞེས་སློང་རྗོལ་གྲུབ་པའི་དབང་པོས་བསྐུལ་བའི་ངོར། ཤཱཀྱའི་དགེ་སློང་རྗེ་བཙུན་བློ་བཟང་དཔལ་ལྡན་ཡེ་ཤེས་ཀྱིས་སྦྱར་བའོ།། །།

༄༅། །དམ་པའི་བཀའ་དྲིན་དྲན་པའི་སྨོན་ཚིག་ལེགས་ཚོགས་ལྷུན་གྲུབ་བཞུགས་སོ།

༄༅། །དེ་ལྟར་ལྷག་བསམ་དག་པའི་མཁའ་དབྱིངས་སུ། །རྒྱལ་གསུང་དབྱར་རྔ་དལ་གྱིས་གྲོལ་བའི་སྒྲ། །སྐལ་བཟང་མདོང་མཐའི་སྙིང་གི་གདུང་སེལ་དགེ། །ལུང་རྟོགས་དམ་ཆོས་འཛིན་པའི་རྒྱུ་རུ་བསྒོ། །མཉམ་མེད་ཟབ་གཙང་སྲས་དེས་ལམ་དུས་སུ། །དམ་ཆོས་ཚོགས་སུ་བཅད་པ་རེ་རེའི་ཕྱིར། །སྐུ་ལུས་ལྷུགས་ཀྱིས་ཕྱུག་ཅིང་མེར་མཆོང་སོགས། །ཡི་རང་ཙམ་ཡང་བྱ་དགའི་བརྩོན་འགྲུས་ཀྱིས། །བདུད་བཞིའི་གཡུལ་བཅོམ་མངོན་པར་སངས་རྒྱས་ཏེ། །ཐེག་གསུམ་ཆོས་ཀྱི་འཁོར་ལོའི་སྒྲ་དབྱངས་ཀྱིས། །གྲངས་ཡས་སྐལ་བཟང་སྨིན་གྲོལ་ལམ་ལ་བཀོད། །རྒྱལ་བའི་ཉེ་མས་ཤིན་ཏུ་གདུལ་དཀའི་གནས། །ཁ་བའི་ལྗོངས་འདིར་རིགས་གསུམ་སྤྲུལ་འཕྲུལ་གྱི། །ཆོས་རྒྱལ་ལོ་པཎ་སྔ་ཕྱིར་རིམ་བྱོན་ནས། །མདོ་རྒྱུད་དགོངས་འགྲེལ་འཆད་རྩོད་རྩོམ་པ་ཡིས། །ཐུབ་བསྟན་ཉིན་མོའི་སྣང་བས་ཁྱབ་པར་མཛད། །དུས་མཐར་ཕྱག་ན་པདྨ་མཆོད་ཡོན་སོགས། །དམ་པའི་ཐུགས་རྗེའི་འཕྲིན་ལས་ཟེར་འཕྲེང་གིས། །འབད་པ་ཆུང་ངུས་ཐུབ་གསུང་རྒྱ་མཚོའི་བཅུད། །མྱངས་པས་གཏན་བདེའི་འདབ་སྟོང་ཅི་ཡང་བཞད། །སྲིད་བཞིའི་བདེ་འབྱོར་མཆོག་པའི་འདུ་བྱེད་དུ། །བཀོད་ཀྱང་གཞལ་མེད་བཀའ་དྲིན་ནམ་མཁའི་མཐའ། །རྒྱལ་སྲས་སྤྱོད་པ་རྒྱ་མཚོའི་འཇིངས་ཞུགས་ནས། །འགྲོ་ཀུན་སྒྲོལ་བའི་ཁུར་གྱིས་གསོབ་གྱུར་ཅིག །ལྷར་བཅས་འགྲོ་བའི་ལེགས་བྱས་སེང་གེའི་ཁྲིར། །གངས་ཅན་མགོན་པོ་ཡབ་སྲས་མཆོད་ཡོན་ཟུང་། །ཞབས་བརྟན་མཛད་བཟང་རྟེབས་སྟོང་སྟོབས་ཤུགས་ཀྱིས། །དྲིགས་ལྡན་དབང་འདུས་ཆབ་སྲིད་བརྟན་གྱུར་ཅིག །བསྟན་ལས་ཕྱིར་ཕྱོགས་ནག་པོའི་རྩ་ལག་ཀུན། །མཆོག་གསུམ་བྱིན་མཐུས་རྡུལ་འབྱེད་མིག་ཐོབ་ཅིང་། །ཕན་ཚུན་བྱམས་ལྡན་རང་རང་དབང་ཕྱུག་གིས། །

ཚོག་ཤེས་རྫོགས་ལྡན་རྟེ་དགའ་རོལ་བར་ཤོག །སྐྱེ་ཞིང་སྐྱེ་བར་དམ་པའི་མགོན་གྱིས་ཟིན། །དལ་བའི་རྟེན་ཐོབ་རྒྱལ་བའི་བསྟན་དང་མཇལ། །ཐོས་བསམ་བསྒོམ་དང་འཆད་རྩོད་རྩོམ་གསུམ་གྱིས། །རྒྱལ་བའི་དམ་ཆོས་མ་ལུས་འཛིན་གྱུར་ཅིག །མི་ཕམ་འཇམ་དཔལ་དབྱངས་དང་ཀུན་བཟང་སོགས། །བློ་ཆེན་རྒྱལ་སྲས་ཀུན་གྱི་ཐབས་མཁས་འཕྲུལ། །མ་ཚང་མེད་པར་ལྷུན་གྱིས་འགྲུབ་གྱུར་ནས། །འགྲོ་བ་མ་ལུས་བདག་གིས་སྒྲོལ་བར་ཤོག །

ཅེས་རྒྱལ་དབང་ཕྱག་ན་པདྨ་མཆོད་ཡོན་ནས་བསྟན་འགྲོར་སྨན་པའི་ཐུགས་བསྐྱེད་ལྷབས་པོ་ཆེས་རྒྱལ་བའི་བཀའ་འགྱུར་རིན་པོ་ཆེའི་ལྷགས་ལུང་ཁག་བཞིར་འཆད་དབུ་ཚུགས་ཅིང་། མཇུག་རྫོགས་ཉེར་སྐབས་ཇེ་བླ་ཡེ་མཁན་རིན་པོ་ཆེ་མཁྱེན་རབ་བསྟན་པ་ཆོས་འཕེལ་དཔལ་བཟང་པོའི་ཞལ་སྔ་ནས་བཀའ་དྲིན་རྗེས་དྲན་གྱི་སྨོན་ཚིག་འདི་ལྟ་བུ་ཞིག་དགོས་ཞེས་ནན་ཆེར་བསྐུལ་མ་མཛད་པའི་བཀའ་མ་ཐྱོག་ཙམ་དུ་བཙུན་གཟུགས་བསྟན་པའི་དབང་ཕྱུག་གིས་གསུངས་པས་ཕུལ་བ་དགེ་ལེགས་སུ་གྱུར་ཅིག ། །མངྒ་ལཾ།།

༄༅། །རྗེ་རིན་པོ་ཆེའི་བསྟན་པ་དང་འབྲེལ་བའི་སྨོན་ལམ་མདོར་བསྡུས་མཁྱེན་བརྩེའི་འདྲེན་ལྷན་ཞེས་བྱ་བ་བཞུགས་སོ།

༄། །ན་མོ་མཉྫུ་གྷོ་ཥཱ་ཡ། རབ་འབྱམས་རྒྱལ་བ་ཀུན་གྱི་མཁྱེན་བརྩེའི་བཅུད། །གཅིག་ཏུ་བསྡུས་པ་རྗེ་བཙུན་འཇམ་དཔལ་དབྱངས། །དམར་སེར་མདངས་འབྱུད་གསལ་རྫོགས་མཚན་དཔེའི་འཕྲས། །རྒྱན་ལྡན་ཟུར་ཕུད་ལྔ་བས་དགེ་ལེགས་སྐྱོལ། །ཕྱུལ་བྱུང་ལུང་རྟོགས་བསྟན་པའི་མཛོད་འཛིན་པ། །སངས་རྒྱས་སྲས་བཅས་ཀུན་གྱིས་མགྲིན་གཅིག་ཏུ། །རབ་བསྔགས་ངུར་སྨྲིག་ཚུལ་དུ་ལེགས་བྱོན་པ། །མཁས་དབང་ཙོང་ཁ་པ་དེ་གཙུག་ན་རྒྱལ། །མཐར་འདོད་དཔྱོད་ལྡན་རྣམས་ཀྱི་མིག་གཅིག་པུ། །དཔལ་ལྡན་བླ་མས་ཚེ་རབས་ཀུན་ཏུ་བདག །འབྲལ་མེད་མཉེས་བཞིན་རྗེས་སུ་ལེགས་བཟུང་སྟེ། །གསུང་གི་བདུད་རྩིས་དབུགས་དབྱུང་ཐོབ་པར་ཤོག །གང་དེའི་བཞེད་གཞུང་མདོ་སྔགས་གནད་འདུས་པ། །བསྟན་པ་རིན་ཆེན་གསལ་བའི་སྒྲོན་མེ་འདིའི། །སྒོ་རུ་བདག་སོགས་ཡིད་ཅན་ཀུན་ཞུགས་ཏེ། །ལམ་སྟོན་དགེ་བའི་བཤེས་དང་རྟག་འགྲོགས་ཤོག །མདོར་ན་མཁའ་མཉམ་སེམས་ཅན་མ་ལུས་པའི། །སྒྲིབ་གཉིས་བྱང་ཞིང་ཚོགས་གཉིས་མྱུར་རྫོགས་ནས། །རང་གཞན་དོན་གཉིས་འབད་མེད་ལྷུན་འགྲུབ་པའི། །སྐུ་བཞིའི་གོ་འཕང་མཐོན་པོ་མངོན་འགྱུར་ཤོག །ཅེས་པ་འདི་ནི་དད་ལྡན་དགེ་བཤེས་འོད་ཟེར་རྒྱ་མཚོ་ནས་བསྐུལ་ངོར་༧ཤཱཀྱའི་བཙུན་པ་ངག་དབང་བློ་བཟང་ཐུབ་བསྟན་རྒྱ་མཚོར་འབོད་པས་སྨྲས་པའོ། །

༄༅། །རྗེ་བླ་མའི་བསྟན་པ་མཇལ་བའི་སྨོན་ཚིག་བཞུགས་སོ།

༄༅། །ཨོཾ་བདེ་ལེགས་སུ་གྱུར་ཅིག །ཕྱོགས་བཅུར་བཞུགས་པའི་རྒྱལ་བ་སྲས་བཅས་ཀྱིས། །བདག་གི་དུས་གསུམ་བསགས་པའི་དགེ་བ་རྣམས། །སྒྲིབ་སྦྱང་ཚོགས་རྫོགས་ས་ལམ་བསྒྲོད་པའི་རྒྱུར། །ལྷུན་གྱིས་གྲུབ་པར་བྱིན་གྱིས་བརླབས་ཏུ་གསོལ། །བསྟན་པ་སྐྱོན་མེད་སྟོན་མཛད་འདྲེན་མཆོག་གི །ཆོས་ཀུན་དུས་གསུམ་འཕགས་མཆོག་དགེ་འདུན་རྣམས། །བློ་གྲོགས་དམ་པར་བཟུང་ནས་གྲུབ་པའི་ལམ། །བློ་བཟང་རྒྱལ་བའི་བསྟན་དང་མཇལ་བར་ཤོག །རང་གཞན་སྲིད་མཚོར་འཁྱམས་ཤིང་འཆིང་བྱེད་ཀྱི། །ལས་ཉོན་འབྲས་བཅས་སྐྱོན་མཐོང་སྐྱོ་ཤས་དང་། །ངེས་འབྱུང་བསྐྱེད་ནས་ཐར་པར་འཁྲིད་པའི་ལམ། །བློ་བཟང་ × ཐེ་ཚུན་འཕྲུན་ལྟར་སྡུག་བསྔལ་ཀུན་འབྱུང་གིས། །མནར་བྱེད་ལས་ཉོན་ནད་ཀུན་འཇོམས་པའི་སྨན། །སྟོང་པ་རྟེན་འབྱུང་ཟུང་དུ་འཇུག་པའི་ལམ། །བློ་བཟང་ × རང་ཉིད་ཡལ་བོར་མ་གྱུར་འགྲོ་བ་ཀུན། །སྡུག་བསྔལ་ཀུན་བྲལ་བདེ་ལ་འགོད་པའི་ཕྱིར། །སེམས་བསྐྱེད་ཕྱིན་དྲུག་བསམ་སྤྱོད་ཚང་བའི་ལམ། །བློ་བཟང་ × རྣམ་དག་སྡོམ་ལྡན་མི་མཐུན་ཕྱོགས་ལས་བསྲུང་། །ཉམས་པ་ཕྱིར་བཅོས་ཚུལ་བཞིན་སྲུབ་པར་སོགས། །འདུལ་བའི་སྡེ་སྣོད་གདམས་པར་ཤར་བའི་ལམ། །བློ་བཟང་ × ཕུང་ཁམས་སྐྱེ་མཆེད་ཀུན་བྱུང་ཡུལ་ཡུལ་ཅན། །ཟག་བཅས་ཟག་མེད་བདེན་བཞིའི་གནད་ལ་མཁས། །སྨོམས་འཇུག་བདག་མེད་ཤེས་བཅུ་རྫོགས་པའི་ལམ། །བློ་བཟང་ × བརྒྱ་དང་དོན་གསུམ་སྦྱོར་བཞིའི་ཉམས་ལེན་གྱི། །རྣམ་པའི་ཀུན་མཁྱེན་གཞི་ལམ་སྦྱང་བྱས་ནས། །ཞི་ལྷག་མཐར་ཕྱིན་དོན་གཉིས་སྒྲུབ་པའི་ལམ། །བློ་བཟང་ × རྟོག་གེའི་ཚིག་དོན་ཡང་དག་ལྟར་སྣང་གི །གནས་གསུམ་དོན་ལ་འབྲུལ་པ་ཀུན་བསལ་ཏེ། །བཤད་སྒྲུབ་སྒོམ་པ་རབ་ཀྱི་མཐར་ཕྱིན་ལམ། །བློ་བཟང་ × རྒྱལ་ཀུན་སྐུ་གསུམ་གསང་བ་རྒྱུད་ཀྱི་དོན། །བདེ་སྟོང་མཆོག་གི་རོལ་བར་སྟོམས་པའི་

གནད། །ཕྱི་ནང་གཞན་གསུམ་དག་པའི་འཁོར་ལོའི་ལམ། །བློ་བཟང་ × ཕྱི་ནང་གསང་བའི་གཤིན་རྗེ་དྲུང་ཕྱུང་སྟེ། །སྐྱེ་ཤི་བར་དོ་རྒྱལ་བའི་སྐུ་གསུམ་དུ། །བསྒྱུར་བའི་སྒྱུ་ལུས་འོད་གསལ་ཟུང་འཇུག་ལམ། །བློ་བཟང་ × མདོར་ན་མདོ་སྔགས་ལུང་རྟོགས་མ་ལུས་པ། །ཐུན་གཅིག་ལ་ཡང་གྲུ་བཞི་ལམ་འཁྱེར་ཞིང་། །འགྲན་ཟླ་ཀུན་བྲལ་བྱང་ཆེན་སྒྲུབ་པའི་ལམ། །བློ་བཟང་ × ཚེ་རབས་ཀུན་ཏུ་སྐྱབས་གསུམ་འདུས་པའི་དངོས། །ཐེག་མཆོག་བཤེས་ཀྱིས་དགྱེས་བཞིན་རྗེས་བཟུང་སྟེ། །གསུང་གི་བདུད་རྩིས་བློ་བཟང་རྒྱལ་བའི་བསྟན། །འཛིན་སྐྱོང་སྤེལ་ལ་ཟླ་དང་བྲལ་བར་ཤོག །ཅེས་པ་འདི་ནི་ལུང་རིགས་སྨྲ་བ་བསྟན་པ་རྒྱ་མཚོ་༧རྗེ་བླ་མའི་རིང་ལུགས་ཅོད་པན་མཆོག་ཏུ་དད་པས་བསྐུལ་ངོར་༧རཏྣ་བྷ་ཛས་བྲིས། །

༄༅། །པར་བྱང་སྨོན་ཚིག

༄༅། །ཨོཾ་སྭ་སྟི། མཁྱེན་བརྩེ་ནུས་པའི་རིགས་གསུམ་ལྷག་པའི་ལྷ། །ངུར་སྨྲིག་རྣམ་རོལ་ཀུན་མཁྱེན་ཙོང་ཁ་པ། །སྒྲུབ་པའི་ཐབས་ཚུལ་ལས་ཚོགས་ཐུལ་ཕྱུར་པ། །སྨན་བརྒྱུད་འཛམ་བུ་ཆུ་བོའི་གསེར་གྱི་ཕྲེང་། །དགེ་ལྡན་མཁས་དང་གྲུབ་པའི་ཚོགས་རྣམས་ཀྱི། །ཙིཏྟ་གསང་བའི་མཛོད་ལས་འོངས་པ་རྣམས། །མི་ཕམ་རྣམ་འཕྲུལ་ཧྭ་ཛའི་མཚན་ཅན་གྱིས། །སྐལ་བཟང་བྱེ་བའི་མགུལ་པའི་རྒྱན་དུ་བཀོད། །དེ་ལྟ་ན་ཡང་ཕྱིན་རབས་གདྷའི་རྒྱུན། །དམ་པའི་ལེགས་བཤད་གཞན་ཡང་མང་མཆིས་པ། །སླར་ཡང་ཕྱོགས་བསྒྲིག་བྱུང་ན་ལེགས་སོ་ཞེས། །རྗེ་བཙུན་བླ་མས་གསུང་ངག་ལྷུག་པར་གྲོལ། །མན་ངག་བདུད་རྩིའི་གཟེགས་མ་རེ་རེས་ཀྱང་། །སྲིད་ཞིའི་རྒུད་པ་མ་ལུས་དྲུངས་འབྱིན་པ། །གསེར་གྱི་ཡང་ཞུན་ལྟ་བུའི་ལེགས་གསུངས་རྣམས། །བཀའ་བཞིན་བེའུ་བུམ་ཁ་སྐོང་གྲུབ་པ་ན། །ཐོམ་བཙུན་དགེ་སློང་བློ་བཟང་ཆོས་འཕེལ་དང་། །ཆོས་མཛད་དགེ་འདུན་ལྷུན་གྲུབ་རྒྱ་སྒྲོར་ནས། །དོན་གཉེར་ཀུན་གྱི་སྤྱི་ནོར་གཟིགས་བདེའི་སླད། །པར་དུ་བསྒྲུན་ཚེ་འཛམ་མགོན་གསེར་རིའི་ཕྲེང་། །སྣང་བརྟན་སྐྲུ་བཅས་བཞེངས་མཐུས་རྒྱལ་བའི་བསྟན། །ཟབ་རྒྱས་མན་ངག་སྨྱུན་སྟོང་ལྷའི་དབང་པོ། །ཐུབ་བསྟན་རིན་ཆེན་ས་འཛིན་རྩེར་འཕྱིང་ཞིང་། །རྒྱ་མཚོའི་གོས་ཅན་ཡོངས་ཁྱབ་ལྷ་མིའི་གཉེན། །འདྲེན་མཆོག་དཔག་བསམ་ལྗོན་པའི་སྐྱ་ཚེ་བརྟན། །ཕྱིན་རབས་གཟི་འོད་འབར་བས་ཅི་ཡང་མཛེས། །ལེགས་བཤད་བདུད་རྩིའི་དཔལ་ལ་རག་རོལ་བའི། །ཐར་འདོད་བློ་གསལ་དང་ཚོགས་གྲངས་ཡས་པ། །གནས་མཆོག་རོལ་པའི་མཚོ་ཆེན་འདིར་འདུས་ནས། །ལུང་རིགས་དབྱངས་སྙན་སྒྲོགས་པས་ས་གསུམ་འགེངས། །དབང་བསྒྱུར་ཆོས་ཀྱི་རྒྱལ་སྲིད་ཐོབ་པར་ཤོག །དགེ་ལྡན་རིང་ལུགས་རྣམ་རྒྱལ་ཁང་བཟང་རྩེར། །དགེ་ཚོགས་བྱེ་བའི་དར་ཤམ་རིམ་པར་བཀྲ། །དགེ་ལེགས་

ནོར་བུའི་ཏོག་མཛེས་ཕྲིན་ཀུན་ཁྱབ། །དགེ་ལྡན་བསྟན་པའི་རྒྱལ་མཚན་ཚུགས་གྱུར་ཅིག །ལྷག་པའི་བསམ་པའི་ཕྱག་བརྒྱུད་སྦྱིན་བདག་དག །སོར་མོའི་འཕྲུལ་བྱེད་གཙོས་བྱས་སྐྱེ་བོ་རྣམས། །ཚེ་རབས་ཀུན་ཏུ་རྗེ་བཙུན་ཙོང་ཁ་པས། །མཉེས་ཤིང་འབྲལ་མེད་རྗེས་སུ་འཛིན་པར་ཤོག་ཅེས་པ་འདི་ནི་དད་ལྡན་རྒྱ་སྦྱོར་སྒོམ་བཙུན་དགེ་སློང་བློ་བཟང་ཆོས་འཕེལ་དང་ཆོས་མཛད་དགེ་འདུན་ལྷུན་གྲུབ་ཤག་ཚང་ནས་ལྷག་བསམ་དག་པས་དམིགས་བཅེ་མའི་བེའུ་བུམ་ཁ་སྐོང་དོན་གཉེར་ཀུན་གྱི་སྤྱི་ནོར་གཟིགས་བདེའི་སླད་དུ་པར་གསར་བཞེངས་སྐབས་པར་བྱང་སྨོན་ཚིག་ཞིག་དགོས་ཞེས་བསྐུལ་ངོར་༧སྐྱོ་སློབ་དཔོན་ཁྲི་འཛིན་ནས་བྲིས་པ་དགེ་ལེགས་འཕེལ། །།

༄༅། །བརྗེད་བྱང་།

རྒྱལ་བ་ཀུན་གྱི་མཁྱེན་བརྩེ་གཅིག་བསྡུས་པ། །རིགས་ཀུན་བདག་པོ་ཀུན་མཁྱེན་ཙོང་ཁ་པའི། །
རིང་ལུགས་འཛིན་པའི་སྐྱེས་ཆེན་དུ་མ་ཡིས། །མཛད་པའི་ལེགས་བཤད་རིན་ཆེན་གསེར་གྱི་ཕྲེང་། །
དེ་ཡི་ནང་ནས་ཆེས་ཆེར་མདོན་མཐོ་བའི། །མན་ངག་བདུད་རྩིའི་གཟེགས་མ་རེ་རེས་ཀྱང་། །
སྲིད་ཞིའི་རྒྱུད་པ་མ་ལུས་དྭངས་འབྱིན་པ། །གསེར་གྱི་ཡང་ཞུན་ལྷ་བུའི་དམིགས་བརྩེ་མའི། །
ཆོས་སྐོར་ཕྱོགས་གཅིག་བསྒྲིགས་ནས་པར་སྐྲུན་གྱི། །མཐུ་ལས་དགེ་རྩ་ཇི་སྙེད་མཆིས་པ་རྣམས། །
ཐུབ་བསྟན་རིན་ཆེན་ཕྱོགས་བཅུར་རྒྱས་པ་དང་། །དེ་འཛིན་སྐྱེས་བུ་དམ་པའི་ཞབས་པད་བརྟན། །
ཁྱད་པར་རྒྱལ་ཁམས་སྤྱི་དང་གངས་ལྗོངས་འདིར། །མི་ཤིས་མཚན་ངན་མིང་ཡང་ཨ་གྲགས་ཤིང་། །
དཔལ་འབྱོར་མངའ་ཐང་ལོངས་སྤྱོད་དབྱར་མཚོ་ལྟར། །འཕེལ་ཞིང་རྒྱས་ལ་ཡུན་རིང་གནས་གྱུར་ཅིག །
ལྷག་བསམ་དག་པའི་རྒྱུ་འབྱོར་སྦྱིན་བདག་དང་། །ལྷག་པར་སློབ་མ་ངག་དབང་སྦྱིན་པ་སོགས། །
མཁའ་མཉམ་འགྲོ་བ་སེམས་ཅན་མ་ལུས་པ། །ཟུང་འཇུག་སྐུ་བཞིའི་གོ་འཕང་མྱུར་ཐོབ་ཤོག །
ཚེ་རབས་ཀུན་ཏུ་རྒྱལ་བ་ཙོང་ཁ་པས། །ཐེག་མཆོག་བཤེས་གཉེན་དངོས་སུ་མཛད་པའི་མཐུས། །
རྒྱལ་བས་བསྔགས་པའི་ལམ་བཟང་འདི་ཉིད་ལས། །སྐད་ཅིག་ཙམ་ཡང་ལྡོག་པར་མ་གྱུར་ཅིག །

ཅེས་པ་འདི་ནི་སེར་སྨད་ཆོས་མཛད་དུ་འབོད་པ་ཤཱཀྱའི་དགེ་སློང་ངག་དབང་བཟོད་པ་རྒྱ་མཚོས་རང་ལོ་དོན་གསུམ་སྟེ་རབ་བྱུང་བཅུ་བདུན་པའི་ལྕགས་ཡོས་ལོར་ས་ག་ཟླ་བའི་ཡར་ཚེས་བཅོ་ལྔ་ཉིན་ལན་ཀྲི་ཙུ་ཧོ་སྐྱ་ལུང་བྲག་ཡེར་བསམ་གཏན་གླིང་གཟིམས་ཤག་ཏུ་སྦྱར་བའི་ཡི་གེ་པ་ནི་ལྷོ་ཁ་གོང་དཀར་བཤད་སྒྲུབ་གླིང་གི་དགེ་སློང་ངག་དབང་བསྟན་འཛིན་ནོ། སརྦ་མངྒ་ལཾ། །

༄༅། །དམིགས་བརྩེ་མའི་ཆོས་སྐོར་དངོས་གྲུབ་ཀུན་འབྱུང་ཡིད་བཞིན་ནོར་གྱི་བང་མཛོད།

（བར་ཆ）

རྩོམ་པ་པོ། ཡོངས་འཛིན་ཡེ་ཤེས་རྒྱལ་མཚན་སོགས།

བསྡུ་བསྒྲིགས་པ། ཆོས་མཛད་ངག་དབང་བཟོད་པ་རྒྱ་མཚོ།

རྗོ་སྐྱ་ལུང་བྲག་ཡེར་བསམ་གཏན་གླིང་ནང་བསྟན་དཔེ་རྙིང་འཚོལ་བསྡུ་ཁང་གི་ལས་བྱེད་མི་སྣ།

ཚུལ་ཁྲིམས་རྒྱ་མཚོ། སྦྱིན་པ་རྒྱ་མཚོ། འཇིགས་མེད་རྒྱ་མཚོ། འཕྲིན་ལས་རྒྱ་མཚོ།

བསྟན་འཛིན་བཟོད་པ། བློ་བཟང་སྦྱིན་པ། ངག་དབང་བློ་གྲོས།

ཡིག་འཇུག་པ། བློ་བཟང་སྦྱིན་པ། བློ་བཟང་བསྟན་པ། ངག་དབང་བློ་གྲོས། བློ་བཟང་བསྟན་པ།

ངག་དབང་དམ་ཆོས། ངག་དབང་འཕྲིན་ལས། ངག་དབང་མཁས་བཙུན།

དགེ་བསྙེན་མཁས་བཙུན། ཨ་སྒྲོན།

ཞུ་དག་པ། ཚུལ་ཁྲིམས་རྒྱ་མཚོ། འཕྲིན་ལས་རྒྱ་མཚོ། བསྟན་འཛིན་བཟོད་པ།

དཔར་ཡོན་གཏོང་བ། གྲུའུ་ཧྲེའི་ངག་དབང་སྦྱིན་པ། ངག་དབང་སྒྲོལ་མ།

བྲག་ཡེར་བསམ་གཏན་གླིང་ནང་བསྟན་དཔེ་རྙིང་འཚོལ་བསྡུ་ཁང་གིས།

བོད་རབ་བྱུང་བཅུ་བདུན་པའི་ལྕགས་སྟག་ལོར་ཟླ་༡༠ཚེས་༢༥སྟེ་

སྤྱི་ལོ་༢༠༡༠ཟླ་༡༡ཚེས་༣༠ལ